BOUQUINS

COLLECTION DIRIGÉE PAR

GUY SCHOELLER

DIAPASON

Dictionnaire des disques

GUIDE CRITIQUE DE LA MUSIQUE CLASSIQUE ENREGISTRÉE

ROBERT LAFFONT

Si vous désirez être tenu au courant des publications de l'éditeur de cet ouvrage, il vous suffit d'adresser votre carte de visite aux Éditions Robert Laffont, Service « Bulletin », 6, place Saint-Sulpice, 75279 Paris Cedex 6.

Édition revue et augmentée.
ISBN : 2-221-50233-7

SOMMAIRE

PRÉFACE À LA DEUXIÈME ÉDITION

Voici la deuxième édition du *Dictionnaire des disques.*

800 nouveaux enregistrements ont été retenus ; les uns s'ajoutent à ceux que nous avions déjà mentionnés, les autres remplacent certains que nous avions indiqués.

Autrement dit, nous avons éliminé dans des cas précis de moins bons enregistrements par rapport à ceux que nous avons ajoutés. Nous avons également éliminé des disques de qualité mais que l'on ne peut trouver dans le commerce.

En revanche, il faut souligner que certains enregistrements essentiels, disparus des catalogues des maisons de disques, ont été réédités ; nous les avons donc mentionnés.

Trois innovations figurent dans cette nouvelle édition :

- une anthologie lyrique, c'est-à-dire, classés par artiste, les enregistrements de ceux-ci ;
- une liste des cent meilleurs enregistrements disponibles en «compact disc» à la fin de 1983 ;
- une liste des cent une oeuvres, indispensables à nos yeux pour la constitution d'une discothèque de base. Ladite liste est forcément incomplète, partiale, peut-être même injuste mais, en tout cas, nous pensons qu'elle sera utile à nos lecteurs.

GEORGES CHERIÈRE

PRÉFACE À LA PREMIÈRE ÉDITION (1980)

Ce n'est pas sans une certaine émotion que je prends la plume pour ouvrir, maintenant qu'elle est achevée, cette première édition du *Dictionnaire des disques* de *Diapason*.

Si cet ouvrage a nécessité deux ans de travail d'une équipe dont j'ai confié la direction à Gilles Cantagrel, il s'appuie essentiellement sur les critiques comparées écrites au fil des mois, depuis vingt-cinq ans, dans la revue *Diapason* qui vient de fêter son quart de siècle. Pour situer ce qui se passait alors, c'est à la fin de 1955 qu'était publié pour la première fois l'enregistrement « historique » de la *Neuvième Symphonie* de Beethoven dirigée par Furtwängler, reflet de la réouverture du Festival de Bayreuth en 1951, et que, événement plus modeste, paraissait le numéro 1 de *Diapason* qui en rendait compte.

Nous n'avons pas pour autant oublié que dès 1950 apparaissaient en France les premiers microsillons : nous en avons tenu compte, comme du reste, des nombreux enregistrements publiés avant ou ailleurs. En effet, non content d'être le reflet de vingt-cinq années de microsillon en France, grâce au canevas de *Diapason,* cet ouvrage plonge dans quelque quatre-vingts ans de musique enregistrée, par l'apport des rééditions sur microsillon des principaux enregistrements en 78 tours qui l'ont précédé. D'autre part, aujourd'hui où le Marché Commun, les échanges internationaux et les voyages mettent le monde à notre portée, il était normal de faire appel aux disques essentiels que l'on peut trouver en d'autres pays que le nôtre. On le voit donc, ce *Dictionnaire des Disques* se veut aussi complet que possible.

Ainsi, cette première édition pourra être considérée par les jeunes discophiles comme un ouvrage de base ; par les autres, plus chevronnés, comme un aide-mémoire ; et par tous, nous l'espérons, comme un hommage, par la réflexion écrite, aux œuvres musicales et à leurs interprètes tels que le disque les a « photographiés» à tel moment de leur vie.

Ceux qui possèdent les 253 numéros de *Diapason* parus avant que ne soit porté le point final au manuscrit de ce livre, trouveront parfois ici des points de vue différents de ceux émis, mois après mois, dans la revue. Cela est normal, et pour trois raisons. D'abord, parce qu'il s'agit d'une synthèse globale sur la discographie, et non de commentaires « à chaud». Ensuite, parce que des enregistrements bienvenus en leur temps, il en est qui ont très heureusement vieilli et d'autres, comme certains vins au bouquet prometteur, beaucoup moins bien. Enfin, parce que le goût individuel et collectif autour de cette matière vivante que sont la musique et ses interprètes évolue au fil des ans. Il eût été malhonnête de n'en pas tenir compte... ni de réparer les quelques erreurs que nous avons pu commettre en vingt-cinq ans, après écoute de plus de quarante mille galettes de vinyle.

Contrairement au concert, dont l'audition est unique et fugitive, le disque propose souvent nombre d'interprétations, de techniques et de couplages. De ce fait, et pour permettre un choix à l'amateur, si avisé soit-il, le « dégustateur professionnel » se voit obligé de définir de façon aussi tranchante que possible l'esprit de chaque interprétation, indépendamment des mérites exceptionnels ou des faiblesses remarqués. L'absence de tel enregistrement jalousement conservé, la sévérité ou l'indulgence de jugement pour tel autre pourront surprendre ou même irriter certains. Qu'il soit bien dit qu'à de très rares exceptions près, il n'est pas d'enregistrement d'une œuvre que, malgré nos réserves, voire notre silence, nous ne serions heureux de posséder s'il n'en existait aucune autre version.

Il me reste à formuler un vœu : que chaque éditeur prenne conscience des quelques enregistrements essentiels de son répertoire international, actuellement non disponible sur le marché français, et qu'à l'occasion de la publication de ce *Dictionnaire des disques* il en décide la réédition, pour la plus grande joie des discophiles de tous âges.

Enfin, en donnant ici, outre la liste des collaborateurs qui ont participé à la rédaction de ce livre, les noms de tous ceux qui, depuis un quart de siècle, ont observé, écouté, comparé, commenté la production phonographique pour *Diapason,* je ne fais que leur rendre un juste hommage. Ils ont collectivement tissé cette gigantesque toile en l'honneur de la musique enregistrée dont cet ouvrage veut être pour l'essentiel, mais aussi pour la première fois en France, un résumé composé pour le temps présent.

GEORGES CHERIÈRE
Directeur - fondateur
de Diapason

AVANT - PROPOS

La rédaction et la présentation du *Dictionnaire des disques* ont été conçues de açon à en faciliter au plus la lecture. Ainsi, les sigles et abréviations ont-ils été éduits à un strict minimum, immédiatement compréhensible ; dans le même ut, nous avons adopté l'ordre alphabétique et proposé un index en fin de olume.

La consultation de ce livre se fait donc soit à partir de l'index, soit lirectement, comme tout dictionnaire, par ordre alphabétique de compositeurs. Chaque œuvre ou groupe d'œuvres est lui aussi classé à sa place alphabétique.

Chaque disque fait l'objet d'un paragraphe de références aussi complètes que ossible et d'une notice de commentaires critiques. Les références sont récédées d'une à trois étoiles indiquant clairement une hiérarchie croissante de 'intérêt artistique ; certains disques particulièrement remarquables sont de plus ignalés à l'attention par une rosette (❁).

Lorsque plusieurs réalisations ont été retenues pour une même œuvre, elle ont té classées par ordre de préférence décroissante. Les références sont données à a suite les unes des autres, puis les notices de commentaires. Celles-ci ne onstituent donc pas un article destiné à être lu d'une traite, mais autant de ritiques qui doivent être reliées à la référence correspondante.

Le choix des œuvres se veut aussi large qu'il est raisonnable de le faire dans le adre d'un livre qui doit rester maniable par tous. Mais il est évidemment oumis à l'existence de réalisations discographiques susceptibles de les illustrer. Pour certains auteurs peu ou pas représentés au catalogue français de 1983, nous avons dû faire appel aux catalogues étrangers.

Le choix des disques, lui, donne priorité aux enregistrements disponibles en France. Mais nous avons tenu à mentionner également les principales éalisations disponibles à l'étranger ; à défaut de les acquérir dans leur pays l'origine, il est généralement possible de se les procurer auprès des disquaires ratiquant l'importation, ou par correspondance.

D'autre part, la disponibilité chez nous de certains titres émanant de ompagnies éditrices multinationales est assez variable au gré de circonstances liverses. Ainsi en va-t-il, par exemple, dans cette édition, de marques comme Mélodia Chant du Monde, Supraphon ou Hungaroton. En de tels cas, les lisques n'en ont pas été omis pour autant ; en attendant une probable nouvelle lisponibilité, ils ont été indiqués comme disponibles à l'étranger.

De même, nous avons parfois eu recours à des disques supprimés des catalogues, lorsqu'il nous est apparu que c'était rendre justice à de grandes réalisations du passé. Nous avons pensé que les discophiles les possédant seraient heureux de les y retrouver, et que les éditeurs concernés y verraient une incitation à les rééditer.

En revanche, il nous a fallu, parfois à regret, renoncer à intégrer des éditions phonographiques, généralement prises sur le vif, dont la légitimité commerciale est actuellement mise en cause, en attendant qure les décisions officielles aient statué sur leur sort.

Précisons enfin que la qualité technique des enregistrements n'a pas été retenue comme critère de choix. Mais nous avons toujours donné les informations permettant de discerner les enregistrements anciens des plus récents, et chaque fois que nécessaire, une appréciation dans la note critique. Par ailleurs, nous nous sommes efforcés d'indiquer au moins une version moderne à l'intention des mélomanes exigeants sur ce plan.

Les références des disques comportent les indications suivantes :
— noms et fonctions (voix, instrument, rôle) des interprètes, solistes, ensembles, chœurs, orchestre. Le chef d'orchestre est mentionné directement après l'orchestre, sans préciser « sous la direction de » ;
— nom de l'éditeur et référence alphanumérique du disque ou du coffret ;
— éventuellement, entre parenthèses, le nombre de disques et la disponibilité (supprimé, disponible en tel pays) ;
— s'il y a lieu, les références alphanumériques de la ou des cassettes correspondantes, précédées du signe ⌧ ;
— le cas échéant, c'est-à-dire toutes les fois qu'il ne s'agit pas d'un disque 30 cm 33 tours stéréophonique, les précisions techniques utiles : 45 tours, Quadri, Mono, Mono d'origine 78 tours (cas des reports de disques antérieurs au microsillon), Stéréo d'origine mono (pour les stéréophonisations artificielles), 25 cm ;
— chaque fois qu'elle est connue, la date d'enregistrement, information doublement précieuse, sur les plans artistique et technique ;
— le couplage, c'est-à-dire les autres œuvres composant le disque ou l'ensemble de disques, en caractères italiques précédés du signe +.

Les abréviations utilisées sont de lecture immédiate. En voici les principales :

pour les interprètes :

s	: soprano	bar	: baryton
ms	: mezzo-soprano	b	: basse
a	: alto (voix)	Orch.	: orchestre
c	: contralto	Symph.	: symphonique
hc	: haute-contre	Phil.	: philharmonique
t	: ténor	Ens.	: ensemble

pour la disponiblité des enregistrements :

sup.	: supprimé	RFA	: Allemagne Fédérale
G-B	: Grande-Bretagne	NL	: Pays-Bas
USA	: États-Unis d'Amérique	étr.	: principaux pays étrangers

pour le nombre de disques ou de cassettes :

d.	: disque	c.	: cassette

Cette deuxième édition du *Dictionnaire des disques* a été arrêtée à l'état des catalogues au quatrième trimestre de l'année 1983.

Le *Dictionnaire des disques* a été rédigé par l'équipe rédactionnelle et technique de la revue *Diapason,* sous la direction de

GILLES CANTAGREL,

avec la collaboration de Pierre-Émile Barbier, Françoise Barrère, Jean-Yves Bras, Alain Ciron, Hervé Couilleaux, Jean-Michel Dieuaide, Charles Dupêchez, Alain Fantapié, Alain Féron, Jean Gallois, Christine Gautrot, Bruno Gilardoni, Annie Guillard, Jean-François Labie, Pierre-Paul Lacas, Paul-Gilbert Langevin, Alain Lompech, Roland Mancini, Pierrette Maugey, Maurice Mehl, Jean-Marie Piel, Max Pinchard, Jean Préteseille, Jean Roy, Patrick Szersnovicz, Maurice Tassart, Roger Tellart, Grégory Thomas, Roger-Claude Travers et Marc Vignal.

Olivier Alain, Didier Alluard, Alain Arnaud, Pierre-Émile Barbier, Antoine Béal, Serge Berthoumieux, Daniel Bilis, Claude Boissy, Paul Bourcier, Jean-Yves Bras, José Bruyr (†), Jean-Pierre Callet, Gilles Cantagrel, Monic Cecconi-Botella, Jacques Chailley, Georges Cherière, Yves Claoué, Marcel Claverie, Clym, Hervé Couilleaux, Michel Cukier, Henry Davenson (†), Eric Dechamps (†), Jean-Michel Dieuaide, René Dumesnil (†), Charles Dupêchez, Christian Einhorn, Guy Erismann, Sylviane Falcinelli, Alain Fantapié, Dominique Fernandez, Alain Féron, Max-Pol Fouchet (†), Jean Gallois, Bernard Gavoty (†), Jacques Gheusi, Bruno Gilardoni, Robert Girolami, Philippe Godefroid, Antoine Goléa (†), Didier Goret, Jean-Marie Grénier, Jean Hamon, Claude Hermann, Pierre Hiegel (†), Nicole Hirsch, Michel Hofmann (†), Pierre Julien, Jean-François Labie, Pierre-Paul Lacas, Henry-Louis de La Grange, Michel Lancelot, Paul-Gilbert Langevin, Claude Lehmann, Denys Lémery, Georges Léon, Serge Lifar, Annie Lionnet, André Lischké, Françoise Malettra, Pierrette Mari, Pierre Massé, Pierrette Maugey, Claude Maupomé, Denise Mégevand, Maurice Mehl, Paul Meunier, Jean-Michel Nectoux, Carl de Nys, Philippe Olivier, Claude Pétillot, Victor Philippe, Michel Philippot, Jean-Marie Piel, Max Pinchard, François Pouget, Jean Préteseille, Jean Rabu, Jean-Vincent Richard, Christian Rosenthal, Jean Roy, Maurice Roy, Maryvonne de Saint-Pulgent, François Serrette, Patrick Szersnovicz, René Sirvin, Jean de Solliers, Maurice Tassart, Roger Tellart, Grégory Thomas, André Tubeuf, Jean Vermeil, Robert-J. Vidal, Joël Wissotzky, Georges Zeisel

ont commenté les disques classiques dans *Diapason.*

1955 - 1983

A

Abbiate, Louis
(1866-1933)

Sonate pour piano n° 3 en mi bémol majeur op. 34 «Elégiaque».

* Bernard Ringeissen (piano)

Le langage d'Abbiate n'est sans doute pas révolutionnaire, mais il témoigne d'un métier sûr. Cette vaste sonate, non exempte de bavardage, gagnerait à être plus concise parfois. Il faut rendre hommage à Bernard Ringeissen pour son dévouement à la cause d'Abbiate : il nous donne ici une extraordinaire interprétation de cette œuvre difficile qu'il maîtrise techniquement et dont il sait traduire la riche substance expressive.

Abélard, Pierre
(1079-1142)

O quanta qualia. Planctus David super Saul et Ionatha. Planctus virginum super filia Iepte galadite (Jephta).

*** Studio der frühen Musik, Thomas Binkley. EMI Electrola Reflexe C 063-30.123.

Un seul disque consacré aux œuvres musicales d'Abélard, mais une belle réalisation. De cette musique qui, en elle-même, ne présente pas un intérêt majeur, le Studio der frühen Musik parvient, par une mise en scène stéréophonique des versets et des répons, par l'alternance soli/tutti, à faire quelque chose de vivant. Avec son souci d'aller au fond des choses, Thomas Binkley ne néglige rien pour que ressortent à l'écoute le symbolisme, les théories du philosophe : une diction soignée, des allusions musicales aux rites grecs et hébreux (ritournelle de flûte très proche des sonneries de sophar). Il n'est pas besoin de souligner la qualité remarquable de l'ensemble vocal, ni de l'enregistrement. Précisons que ces «planctus» auraient été composés pour les religieuses du couvent Paraclet dont Héloïse était la supérieure. Para-liturgiques, ils expriment musicalement les lamentations de l'homme sur lui-même.

Adam, Adolphe
(1803-1856)

Giselle, ballet intégral.

** Orch. du Théâtre Bolchoï de Moscou, Algis Juraitis. Chant du Monde LDX 78.523/4 (2 d.).

Giselle, ballet : extraits.

*** Orch. Phil. de Vienne, Herbert von Karajan. Decca 592.001. ✉ 4-592.001.

La version que Juraitis offre de *Giselle* est traitée plus comme un morceau de concert que comme un ballet : les spécialistes de la danse pourront lui reprocher une orchestration un peu lourde, qui occulte le côté charmant et désuet de la musique d'Adam, et, à d'autres moments, des tempos extrêmement rapides. Mais c'est une interprétation qui reste malgré tout belle et fidèle à l'image romantique de l'argument de Théophile Gautier.

Pour qui se contenterait d'extraits de *Giselle*, la version Karajan est à recommander : une interprétation de grand luxe, avec l'un des plus beaux et des plus dansants parmi les orchestres du monde, le Philharmonique de Vienne.

Adam de la Halle
(vers 1240-1287)

Le Jeu de Robin et Marion.

❀*** Studio der frühen Musik, Thomas Binkley. Telefunken 6.41219. Enregistré en 1966. + *Anonymes du XIVe siècle.*

*** Pro Musica Antiqua, Safford Cape. Archiv 14.018 (sup.). Mono. *+ 13 Rondeaux. Anonymes : Danses des XIIIe et XIVe siècles.*

** The Cambridge Consort, Joël Cohen. Candide Vox 36.016 (sup.) ou Turnabout TVS 34.439 (USA). *+Chansons. Anonymes, Troubadours et Trouvères.*

Avec le « Studio », *le Jeu de Robin et Marion* trouve enfin sa dimension réelle et exacte de petit *opera buffa.* Interprété avec le texte qui sert d'écrin à ces charmantes ritournelles et mélodies du dernier Trouvère, il permet à l'auditeur de suivre et d'apprécier à sa juste mesure les talents suggestifs du compositeur. Une petite merveille, une petite fête avec tout ce que cela comporte d'improvisation, de vie, de joie, sans oublier les effets de théâtre. Les voix sont de grande qualité, sans jamais aucune faiblesse, et des inflexions sachant parfaitement exprimer la crainte, la joie, la tendresse. Le montage suit avec précision le déroulement de l'action.

Par son exceptionnelle qualité tant technique que musicale, la production du Pro Musica Antiqua ne peut laisser indifférent. Ces enregistrements d'une sobriété et d'une vie extraordinaires restent encore de nos jours exemplaires.

L'interprétation du Cambridge Consort, sérieuse quant à la réalisation historique, ne manque pas de plaire à l'oreille qui aime cette musique divertissante avant tout. Mais on peut reprocher à cet enregistrement l'absence de mise en scène, qui nuit même parfois à la compréhension de l'histoire du *Jeu*. La réalisation technique qui fut distribuée en France sous la marque Candide est plus soignée que la version américaine.

Rondeaux : Je muir d'amourette, Dieu soit en cheste maison, Adieu comman amourettes, Amours et ma Dame, Bonnes amourettes, Li dous regars, Fine amourettes, Dame or sui trais, Dieu comment porroie, Tant con je vivrai, F maris, Or est Baiars.

** The Cambridge Consort, Joël Cohen. Candide Vox 36.016 (sup.) ou Turnabout TV S 34.439 (USA). + *Le Jeu de Robin et Marion. Anonymes, Troubadours et Trouvères.*

Rondeaux : Tant con je vivrai, Amour et ma Dame aussi, Robin m'aime, L dous regars.

** Musica Reservata, John Beckett Oiseau Lyre SOL R 332 (G-B). + *Chansons courtoises, Raimbault d Vaqueiras, Gaces Brulles, Estampies.*

Rondeaux : De cuer pensieu, En Ma quant rosier.

** Praetorius Consort, Purcell Consort of Voices, Grayston Burgess Candide Vox 36.030 (sup). Enregistré en 1973. + *Anonymes, Jehannot de l'Escurel, Pérotin.*

Rondeaux : Dieu soit en cette maison, I maus d'amour, Tant con vivrai.

* Schola Cantorum de Londres, Edgar Fleet. Harmonia Mundi HM 443 ✉ HM 40-443. + *Musique instrumentale. Anonymes du XIIIe siècle Motets, Graduels.*

Rondeaux : Je meurs d'amourette, L doux regard de ma dame, Bonne amourette, Or est Bayard en la pâture Hure !.

* Ensemble Vocal Français «Da Camera», Daniel Meier. Arion 38.396. Enregistré en 1976. + *Pérotin, Ockeghem, Dufay, Anonymes du XIVe siècle, Hayne van Ghizeghem.*

Joël Cohen apporte beaucoup de soins à la ılisation de ces pièces d'Adam de la Halle. choix de celles-ci est judicieux, centré ıncipalement sur l'inspiration courtoise et ›rédominance monodique. Les voix, belles, tombent jamais dans l'expressif gratuit et ınservent à ce répertoire son aspect rustie, sobre et touchant.

Bonne réalisation de l'Ensemble Musica ɛservata quant à la conception. La monotoɛ que pouvait présenter un tel répertoire est bilement rompue par l'alternance des in-'prétations purement vocales et instrumenes, comme des rythmes lents, lyriques et ɫevés, dansants. La chanson est toujours ınnée à la voix dans un style peu fleuri, ıs inflexion malvenue ni édulcorante ; l'exɛssion est rendue avec justesse. On peut ılement regretter la voix de gorge trop sount utilisée, ainsi que l'intention trop systéıtique de vouloir faire local, parfois même klorique.

Burgess donne une lecture un peu «esɛte» de l'œuvre d'Adam de la Halle, mais i ne manque assurément pas de charmes r la délicatesse et la beauté mélodique dont e sait faire preuve. Ce n'est certainement s pour son authenticité que ce disque méɛ de figurer ici, mais pour ses qualités ası pédagogiques : Grayston Burgess tente ısérer la création du dernier Trouveur ıns son contexte historique et musical ; st un souci qui mérite d'être mentionné ur ceux qui cherchent une rétrospective ɔide de cette époque.

Malgré des faiblesses de fabrication et ɛnregistrement, le panorama de la Schola ıntorum de Londres sur le XIIIe siècle préıte l'intérêt de dégager très nettement volution qu'a pu subir un même thème ndant cette période inventive. Sa structure ıentiellement didactique est riche d'enseiement quant au chemin parcouru entre la ílodie grégorienne et la teneur des motets, ɪrés comme profanes. On pourrait intituler disque « de la monodie à la polyphonie ». ıe interprétation soignée, belle dans toute rigueur. Une très bonne façon de retracer ıstoire de la musique de ce siècle charnière.

Dans son disque dédié à la musique au ıps de Jacques Cœur, l'Ensemble Da Caɪra tente de rendre compte de toute une ɔque, et le choix des compositeurs présente intérêt certain. Pourtant, chacun n'est pas ɛrprété avec un égal bonheur. Adam souf- ici de trop d'intentions d'interprétation. Le parti pris consiste à primer la mélodie en laissant dans une demi-pénombre la polyphonie évoluant autour. Le chœur en lui-même est bon, bien qu'un peu trop fourni pour ce répertoire.

Rondeaux : Li dous regars, Je muir, A jointe mains. Ballades : Dieus soit en cheste maison, Hé Diex, Or est Baiars. Motets : A Dieu comant amourettes, Bonne amourette, Dame or sui trais, Fi maris. Virelai : Fines amourettes.

*** Pro Musica Antiqua, Safford Cape. Archiv 14.018 (sup.) Mono. + *Le Jeu de Robin et Marion. Anonymes : Danses des XIIIe et XIVe siècles.*

Les qualités incomparables de sobriété, de connaissance du répertoire, de sensibilité musicale se trouvent toutes réunies dans cet enregistrement qui fait maintenant figure de trésor pour tout discophile de la musique ancienne.

Rondeaux : De ma dame vient, J'os bien a ma mie parler. Motets.

*** The Early Music Consort, David Munrow. Archiv 2723.045 (3 d.) (sup.). + *Ecole de Notre-Dame. Ars Antiqua : Manuscrits de Bamberg et de Montpellier, Philippe de Vitry. Ars Nova : Motets du Roman de Fauvel ; Machaut : Motets, Hoquet David.*

Comme à son habitude, David Munrow présente ici une interprétation extrêmement fidèle et vivante de ces Motets d'Adam de la Halle. Remarquons la recherche que dénote le choix de ces Motets non encore enregistrés, et la compréhension parfaite des pièces permettant de trouver pour chacune le tempo juste, le plus musical. Aucune défaillance dans les voix toujours aussi belles : souplesse, délicatesse, plénitude et force expressive. Adam de la Halle prend toute son importance dans cette anthologie dont le sens historique et la perfection musicale font regretter qu'elle ne soit pas actuellement disponible.

Alain, Jehan
(1911-1940)

L'Œuvre pour orgue : Andante de la Suite monodique, Aria, Ballade en mode phrygien, Berceuse sur deux notes qui cornent, Choral cistercien, Choral dorien, Choral phrygien, Climat, Trois Danses (Joies, Deuils, Luttes), Deux Danses à Agni Yavishta, Première Fantaisie, Deuxième Fantaisie, Grave, Intermezzo, Le Jardin suspendu, Lamento, Litanies, Monodia, Petite pièce, Postlude pour l'office des complies, Deux Préludes profanes, Prélude et fugue, Suite (Introduction et variations, Scherzo, Choral), Variations sur «Lucis Creator», Variations sur un thème de Clément Janequin.

❀*** Marie-Claire Alain (orgue Valtrin-Callinet-Schwenkedel de la basilique Saint-Christophe de Belfort). Erato EDO 250 (3 d.).

Témoignage unique de la ferveur d'une sœur, de l'ardent souci d'authenticité d'une excellente musicienne qui nous livre la pleine maturité de sa réflexion sur l'œuvre de son frère. L'orgue choisi, dont les sonorités nous sont fort bien rendues par une prise de son naturelle, s'impose par ses couleurs, la netteté de ses timbres, ainsi que par une grande diversité d'expression. Des pages où tradition et recherche, sobriété et liberté s'accordent à chanter les ressources profondes de l'être, la foi généreuse en l'homme et en l'au-delà. Des œuvres et une interprétation de référence.

Œuvres pour orgue : Variations sur un thème de Clément Janequin, Le Jardin suspendu, Litanies, Lamento, Grave, Choral (extrait de la Suite), Berceuse sur deux notes qui cornent, Variations sur «Lucis Creator», Climat, Choral dorien.

*** André Mérineau (orgue de l'église Saint-Eustache de Paris). EMI VSM C 065-12.170 (sup.).

Une remarquable anthologie réunissant de grandes pages justement célèbres et d'autres moins connues, mais tout aussi dignes d'intérêt. Un jeu clair, une plasticité conquise de haute lutte, une pénétration profonde et heureuse de la pensée du compositeur, font cette interprétation un haut moment dans discographie. André Mérineau joue av bonheur des multiples possibilités d'un ir trument que la technique nous restitue façon exemplaire. Il faut rééditer ce disq rare par sa qualité.

Œuvres pour orgue : Trois Dans (Joies, Deuils, Luttes), Première Fant sie, Deuxième Fantaisie, Litanies, De Danses à Agni Yavishta.

*** Jean-Louis Gil (orgue de la coll giale Saint-Salomon - Saint-Gr goire de Pithiviers). EMI VSM 069-12.798 (sup.).

Encore une anthologie à rééditer po ceux que l'intégrale effaroucherait. Sur orgue magnifique, l'interprète nous offre respect scrupuleux des partitions dans u intériorité des plus profondes et dans u démarche des mieux venues. Bonne techn que d'enregistrement. Un compositeur do les œuvres sont trop peu, mais décidéme très bien restituées.

Œuvres pour orgue : Suite (Introducti et variations, Scherzo, Choral), Vari tions sur un thème de Clément Jan quin.

** André Isoir (orgue de la collégia Saint-Salomon - Saint-Grégoire Pithiviers). Calliope 1.924. *+ B rié : Toccata ; Bonnal : La vallée Béhorléguy ; Dupré : Prélude et f gue en fa mineur ; Huré : Comm nion sur Noël.*

Un des rares enregistrements disponibl actuellement qui nous offre des pièces is lées. Pour approcher un tant soit peu cet musique et nous donner l'envie d'acqué l'intégrale. Une réalisation technique d'u qualité peu commune pour une interprét tion de haute tenue. En supplément, d'autr représentants modernes de l'Ecole d'org française.

L'Œuvre pour piano intégrale : Un ce cle d'argent ; Choral ; Choral var «Mythologies japonaises» ; Dans le rê laissé par la ballade des pendus de Vi lon ; Ecce ancilla Domini ; Etude d sonorité ; Etude sur les doubles notes Etude sur un thème de 4 notes ; Heure sement la bonne fée ; Histoire d'u

omme qui jouait de la trompette dans la rêt vierge ; Il pleuvra toute la journée ; umière qui tombe d'un vasistas ; Nocrne ; Petite Rapsodie ; Prélude ; Roance ; Suites faciles 1 et 2 ; Suite onodique ; Tarass Boulba, Esculape, are, etc. ; Thème varié ; Togo.

** Désiré N'Kaoua (piano). FY 027 (sup.).

Dans ces pièces de courte durée, le compoteur se montre à nous comme un fin miniariste. Il brosse en quelques touches un bleau, un paysage, suggère une atmohère, un climat, à l'aide d'un langage cons et original. Une musique attachante, qui ous entraîne loin des sentiers battus de entre-deux-guerres. L'interprétation suit dèlement l'esprit et la lettre du compositeur ces pièces beaucoup plus difficiles à renre qu'il n'y paraît. Une belle réussite, néanoins amoindrie par un usinage de mauvaise alité. Une réédition qui s'impose, mais ans une gravure et un pressage améliorés.

lbeniz, Isaac

860-1909)

ix Chants sur des textes italiens.

** Victoria de Los Angeles (s), Geoffrey Parsons (piano). CBS 76.883 (étr.). Enregistré en 1978. + *Moreno : Quatre Chants aztèques. Bautista : Trois Chants dédiés à des villes andalouses. Rodrigo : Quatre Chants.*

Ce disque présente un programme où la ande Victoria de Los Angeles, après une arrière éblouissante, s'arrête pour un oment de tendresse et d'émotion. Les *Six hants italiens*, sur des textes du marquis de olano, sont des pages électriques, extéeures, à mi-chemin entre la zarzuela et l'air rique. Les *Chants* de Moreno ont un param antique, ceux de Bautista, sur des textes Lorca, sont de belle et séduisante tradion. Quant aux pages de Rodrigo, elles sont articulièrement chaudes et expressives. Paris un peu précieuse et raffinée à outrance, nterprétation de la cantatrice est parfaiteent naturelle dans Albeniz, et rayonnante ans Rodrigo. La prestation de Geoffrey arsons, au piano, est de premier plan : touner exquis et sens du détail. Du grand art.

Ibéria, douze impressions pour piano.

❀ *** Ricardo Requejo (piano). Claves 8003/4 (2 d.). Enregistré en 1980.

*** Alicia de Larrocha (piano). Erato DUE 20.326 (2 d.). ⌧ MCE 20.326 (1c. double).

De la complicité qui existe en Ricardo Requejo le virtuose et son instrument naissent des climats et des phrasés qui font oublier que nous avons affaire à une reproduction enregistrée. Tendresse, émotion, poésie naturelle, mais aussi une rigueur qui ne laisse rien ignorer d'un texte magnifiquement orchestré pour le piano. Un jeu dont le panache et l'intériorité conjugués rendent autant que l'on peut le souhaiter hommage à l'universalité d'une œuvre

Alicia de Larrocha restitue magistralement le climat des pièces d'Albeniz qui composent la suite *Ibéria*. Elle leur prête un mordant, une élasticité, une ardeur colorée qui les magnifient de façon inoubliable, mais sans jamais omettre la note de tendresse nécessaire à l'émotion et au sentiment. Cette interprétation incisive, avec un piano sonore et charnu, constitue une référence sûre pour la discographie d'Albeniz.

Ibéria, extraits orchestrés : pièces n°s 1, 2, 3, 6 et 7.

* Orch. National de l' ORTF, Charles Munch. Festival FC 437. ⌧ FCK 4.037. + *Debussy : Ibéria.*

Première édition orchestrale complète des cinq pièces extraites d'*Ibéria*, orchestrées avec art et respect, après la mort du compositeur, par le grand chef Fernandez Arbos. Charles Munch et l'Orchestre National sont à eux seuls une garantie de qualité. Toutefois, l'interprétation manque un peu de la fougue nécessaire à cette musique profondément espagnole. L'*Ibéria* de Debussy, qui complète ce disque, est une réussite totale, mais il aurait fallu traiter Albeniz avec autrement d'âpreté, presque de sauvagerie.

Œuvres pour piano : Sonate n° 5 en sol bémol majeur op. 82. Espagne (Souvenirs) : Prélude, Asturias. Deuxième Suite espagnole : Zaragoza, Sevilla.

** Estebán Sanchez (piano). Ensayo ENY 710 (sup.). Enregistré en 1975.

Le programme consacré à Albeniz composé par le pianiste Estebán Sanchez est varié et intelligent. La 5e Sonate, dans son caractère d'improvisation, a beaucoup de charme, mais la personnalité du musicien ne s'y dessine pas encore. En revanche, dans *Espagne* et la Deuxième Suite, la fraîcheur des harmonies et la «couleur espagnole» annoncent les futurs chefs-d'œuvre. A l'attrait de l'inédit (5e Sonate) s'ajoute celui de pouvoir admirer le jeu du soliste, si adéquat, où le goût, la clarté et la précision ne font jamais obstacle à l'émotion et au lyrisme ; il est surtout extrêmement chantant.

Deux Suites espagnoles. Chants d'Espagne, op. 232 (versions orchestrées).

** Orch. New Philharmonia, Rafaël Frühbeck de Burgos. Decca 592.069. ⌧ 4-592.069.

Rafaël Frühbeck de Burgos se fait orchestrateur et parfois même arrangeur, pour donner une version orchestrée de la *Suite espagnole*, que nous sommes plus habitués à entendre au piano ou à la guitare. Le résultat est réussi, et ces pages, une fois instrumentées, prennent des colorations qui mettent en valeur l'éventail des intentions. Cette réalisation, dont la prise de son est remarquable, enchantera un vaste public par sa franchise et sa qualité.

Albert de Saxe Cobourg Gotha, Prince Consort
(1819-1861)

« Music of Prince Albert ».

** Susan Longfield (s), Pauline Stevens (a), Ian Partridge (t), Geoffrey Shaw (bar), Christopher Keyte (b), Jennifer Partridge (piano), Purcell Consort of Voices, Grayston Burgess. Argo ZRG 597 (G-B).

On peut être duc en Allemagne, prince consort en Angleterre et avoir un réel talent musical. Ce disque le prouve surabondamment. Composé d'une série de lieder qui doivent beaucoup à l'influence de Schubert et de Weber, il est interprété de façon délicieuse par quelques musiciens anglais qui ont compris qu'il ne fallait demander à cette musique qu'un plaisir délicat fait de sensibilité et de discrétion. Ce qui pourrait n'être que pièce de curiosité devient plaisir réel pour l'oreille et pour le cœur, grâce au compositeur surtout à ses interprètes.

Albinoni, Tomaso
(1671-1751)

Adagio pour cordes et orgue en sol mineur (arrt Giazotto). Concertos pour violon en la majeur op. 9. n° 4, en fa majeur op. 9 n° 10, pour hautbois en ré mineur op. 9 n° 2. Sonate pour cordes en sol mineur op. 2 n° 6.

* Roberto Michelucci (violon), Evert van Tright (hautbois), I Musici. Philips 6515 008. ⌧ 7300.815.

I Musici proposent ici une anthologie des œuvres les plus belles d'Albinoni, sans oublier le célèbre et apocryphe *Adagio* qui trouve sa version de référence par une solennité, une gravité des cordes sans pareilles. Le seul point décevant concerne le hautboïste honorable, sans plus, face à un tel chatoiement. En somme, un disque conseillé pour faire connaissance avec Albinoni.

6 Concertos pour violon et 6 Sonates pour cordes op. 2.

*** I Solisti Veneti, Claudio Scimone. Erato STU 71234 (2 d.). ⌧ MC 71.234 (2c.). Enregistré en 1978.

Peut-être la plus belle réussite de Claudio Scimone, qui concilie la générosité du son des instruments modernes et les recherches musicologiques : notes pointées, légèreté et précision dans la lecture des fugues, adaptation du tempo au caractère de chaque mouvement. Les mouvements rapides sont dynamiques, bien articulés, tandis que les mouvements lents expriment un lyrisme sans outrance. Le violon de Piero Toso ornemente remarquablement. Une prise de son un peu confuse n'altère que modérément ce magnifique enregistrement d'un opus varié et riche.

12 Concertos pour cordes, op. 5.

*** Pina Carmirelli (violon) , I Musici. Philips 6769.082 (2d.).

** I Solisti Veneti, Claudio Scimone. Erato DUE 20.230 (2 d.). Enregistré en 1973. *+ Sinfonie pour cordes en ut majeur et sol mineur ; Vivaldi*

Sinfonia d'opéra «la veritá in cimento» RV 739.

Si une œuvre «colle» à merveille à la personnalité de I Musici, c'est bien celle-là. Le martellement légendaire de le basse imprime une pulsation presque bachienne à la marche très carrée des mouvements initiaux. La plénitude harmonique des adagios albinoniens nous enveloppe : les archets ont le culte du beau son, et cela s'entend. Mais la véritable délectation n'apparaît qu'avec les mouvements fugués terminaux, où I Musici se plient, avec une logique presque mécanique, aux exigences de l'écriture achevée du plus beau recueil d'Albinoni. Du grand art !

La forme fuguée des douze Concertos de cet opus capital amène Claudio Scimone à varier en permanence le caractère de chacune des œuvres pour éviter la monotonie. Les «fugatos» sont interprétés vite et avec vigueur. Le phrasé est irréprochable. Dans les mouvements lents, un épanchement quasi romantique anime le violon de Piero Toso. Réserve mineure : la prise de son manque de netteté et altère la clarté des basses, plus sourdes que dans les enregistrements plus récents des Solisti Veneti.

6 Concertos pour hautbois. 2 Concertos pour 2 hautbois. 4 Concertos pour violon, op. 9.

** Pierre Pierlot, Jacques Chambon (hautbois), Piero Toso, Astorre Ferrari (violon), I Solisti Veneti, Claudio Scimone. Erato STU 70.475/76 (2 d.). Enregistré en 1969.

Première intégrale Albinoni par Claudio Scimone, l'Opus 9 est le reflet du style des Solisti Veneti d'une certaine époque : basses très légères, atténuant les contrastes et donnant l'impression d'un brouillard sonore accentué encore par une prise de son un peu confuse. Le résultat est déroutant, et fut salué à l'époque comme une nouveauté d'interprétation. Car il émane de cet enregistrement une envie de jouer, une joie, une expressivité intenses. La matière musicale est vivante.

4 concertos pour hautbois, op. 9 n° 2, 5, 8 et 11.

❁ *** Han de Vries (hautbois baroque), Alma Musica Amsterdam. EMI Electrola 1C 065-43098. Enregistré en 1980.

L'Alma Musica Amsterdam rend peinement justice au talent d'Albinoni. La cohésion des cordes est parfaite, la mise en place d'une précision extrême, l'esprit des concertos, surtout, bien compris, sans aucun effet gratuit, aucun excès «baroque». Chaque note est vécue. La sonorité du hautbois ancien de Han de Vries est exceptionnellement belle, souvent mélancolique. Un moment béni des dieux.

12 Concertos pour violon, op. 10.

** Piero Toso, Giulano Carmignola (violons), I Solisti Veneti, Claudio Scimone

Claudio Scimone déploie des trésors d'ingéniosité pour créer un relief artificiel qui accrocherait et séduirait les sens dans cet opus hédoniste où l'on cherche vainement tumulte et passion. Il accentue les contrastes en affermissant les accents des mouvements rapides très étudiés et pris vite, alors que les mouvements lents sont allongés éperdument, pour qu'une émotion naisse enfin au détour d'un déséquilibre. Il réussit pleinement cette tentative périlleuse.

Pimpinone (Intermerzzo-bouffe).

*** Elena Zilio (Vespetta). Domenico Trimarchi (Pimpinone), I Solisti Veneti, Claudio Scimone. Italia ITL 70.080. Enregistré en 1980.

On ne peut qu'admirer la direction inventive et pleine de fantaisie de Claudio Scimone dans cet intermezzo populaire, sorte de *Commedia dell'Arte* considérée dès le XVIIIe siècle comme la meilleure œuvre lyrique d'Albinoni. Les voix sont bien choisies : Zilio joue les coquines avec conviction et prend de belles libertés avec la barre de mesure. Trimarchi est pitoyable de vérité, retors à souhait et semble beaucoup s'amuser avec les onomatopées, voix de fausset et autres roublardises vocales réclamées par le rôle. Un succès.

Alkan, Charles Valentin Morhange, dit
(1813-1888)

Pièces pour piano : Grande Sonate «les 4 Ages» op. 33, Petite Fantaisie op. 41 n° 2, Menuet en sol majeur op. 51 n° 3, Barcarolle op. 65 n° 6.

*** Pierre Réach (piano). RCA RL 37.243. Enregistré en 1978.

Ce jeune pianiste français a choisi pour son premier disque un chef-d'œuvre inconnu de la musique de piano du romantisme français : la Sonate «les 4 Ages» op. 33. Alkan justifie là son surnom de *Berlioz du piano*. Une interprétation magnifique, à la hauteur d'une œuvre extraordinairement difficile. A connaître absolument.

Pièces pour piano. Vol. 1 : Etudes op. 39 n°s 4 à 7 «Symphonie» et n° 12 «Le Festin d'Esope», Barcarolle op. 65 n° 6, Sonate «les 4 Ages» op. 33 n° 2 «Quasi-Faust». Vol. 2 : Sonatine op. 61, Petit Conte, Caprice op. 50 n° 2 «le tambour bat aux champs», Motifs op. 63 n° 1 «la vision», n° 7 «le frisson», n° 11 «les soupirs», n° 12 «barcarolette», n° 45 «les diablotins» et n° 47 «scherzetto», les Mois op. 74 n° 10 «gros temps», Marche funèbre sur la mort d'un perroquet pour chœur, 3 hautbois et basson.

*** Raymond Lewenthal (piano). Vol. 1 RCA GL 42.689 (G-B). ⌧ GK 42.689. Enregistré en 1965. Vol. 2 : Columbia M 30.234 (USA). Enregistré en 1971.

Raymond Lewenthal défend la cause d'Alkan depuis plus de vingt ans aux Etats-Unis. Il a publié une anthologie des pièces pour piano chez Schirmer, et ces deux disques remarquables. Non seulement ils sont précieux par le programme qu'ils proposent, mais ils révèlent un pianiste tout à fait extraordinaire qui, hélas ! comme Alkan en son temps, répugne semble-t-il à se produire en public. La *Marche funèbre sur la mort d'un perroquet* est un gag qui à lui seul justifierait l'importation de ces documents.

Pièces pour piano. Vol. 1 : Sonatine op. 61, Motifs op. 63 n° 1 «la vision» et n° 45 «les diablotins», Minuetto alla tedesca op. 46, Marche funèbre et Marche triomphale op. 26, Prière op. 64 n° 8. Vol. 2 : 12 Etudes op. 39, 3 Petites Fantaisies op. 41, Prélude op. 31 n° 8, Chanson de la folle au bord de la mer, Etude op. 35 n° 5, Allegro barbaro.

** Ronald Smith (piano). Vol. 1 : EMI HQS 1247 (sup.). Enregistré en 1971. Vol. 2 : EMI SLS 5100 (3 d.) (G-B). Quadri. Enregistré en 1977.

Ronald Smith est le président de la Société Alkan, qui a son siège à Londres. C'est lui qui a le plus contribué à la diffusion des œuvres d'Alkan par ses disques et ses nombreux concerts. On trouve ainsi sous ses doigts une grande quantité de pièces jamais enregistrées. Son coffret réunissant les 12 extraordinaires Etudes de l'*Opus* 39 révèle un pianiste d'une virtuosité exceptionnelle. A découvrir.

Pièces pour piano : Sonatine op. 61, Etude op. 39 n° 3, Scherzo diabolico, Nocturne op. 57 n° 2, Gigue op. 24, Marche op. 37 n° 1, Barcarolle op. 67 n° 6, Saltarelle op. 23, Zorcico.

* Bernard Ringeissen (piano). Harmonia Mundi HM 927. ⌧ HM 40-927 Enregistré en 1971.

Ce disque a le mérite d'être la première contribution française à l'œuvre d'Alkan. Il fut publié conjointement à une série d'émissions de radio sur France Culture. L'interprétation est très bonne, mais la gravure ne respecte pas la dynamique du jeu de l'interprète, ni des œuvres par conséquent. Un bon disque «pour faire connaissance», paru en série économique.

Alphonse X «Le sage»
(1221-1284)

Cantigas de Santa Maria. Vol. 1 : n°s 13, 25, 73, 100, (première version), 166, 303, 340 et 370. Vol. 2 : Prologue (Porque trobar), n°s 2, 5, 30, 37, 47, 59, 264 et 322.

*** Clemencic Consort, René Clemencic. Harmonia Mundi HM 977 (vol. 1). et 978 (vol. 2). ⌧ 40-977 (vol. 1) et 40-978 (vol. 2). Enregistré en 1976.

Le talent du Clemencic Consort n'est plus à démontrer. C'est peut-être celui qui fait le mieux la synthèse des découvertes historiques sur ce sujet. Rigueur, mais aussi volonté de retrouver la veine de l'œuvre, de lui redonner sa destination première. Ces musiciens font plus que révéler, ils ressuscitent. C'est donc un Alphonse X très suggestif que nous propose René Clemencic, avec les cigales en toile de fond, les Arabes aux portes des cités, la guerre sainte toujours à recommencer. Inspiration religieuse, mais grand raffinement qui n'exclut pas certaines maladresses d'écriture, ce disque en rend compte avec un goût très sûr, cherchant à rompre une certaine monotonie des narrations par des ritournelles du ton le plus juste. Une réalisation construite avec soin et réflexion qui marque la volonté de montrer tous les aspects de l'œuvre du roi de Castille. Ce parti pris de vie peut parfois conduire à une exagération des détails pittoresques qui pourrait froisser certaines susceptibilités puristes. On ne peut faire mieux actuellement pour le service de ce répertoire.

Cantigas de Santa Maria : n°s 26, 49, 103, 184 et 253.

** Studio der frühen Musik, Thomas Binkley. EMI Electrola «Reflexe» C 063-30.107/8 (2 d.). + *«El camino de Santiago», œuvres espagnoles du XIIIe siècle des pays de Navarre et de Castille.*

Moins de pétulence et d'imagination dans la réalisation du Studio der frühen Musik, mais quelle qualité d'interprétation, quelle sûreté historique, quel soin apporté à la confection de ces deux disques ! L'éclatement imposé aux chansons d'Alphonse X pourrait décourager, mais l'enchaînement des diverses œuvres est si bien amené, leur choix si judicieux que l'on aurait mauvaise grâce à refuser de traverser les pays d'Espagne avec les pèlerins de Compostelle, en compagnie de tous leurs musiciens ; surtout que l'on ne peut authentifier sûrement les mélodies du roi. De tout ceci, il se dégage vie, étrangeté, austérité et raffinement. La perfection vocale est encore affirmée par la mise en scène des chansons.

Amy, Gilbert
(né en 1936)

Strophe, pour soprano et orchestre (1977). Sonata pian'e forte, pour soprano, mezzo-soprano et 12 instruments (1973-1974).

** Slavka Taskova et Judith Nelson (s), Anna Ringart (ms), Ensemble instrumental du Nouvel Orch. Phil., Orch. National de France, Gilbert Amy. Adès 14.010. Enregistré en 1978.

Cet enregistrement fait partie d'un certain nombre de créations qui ont été suscitées, encouragées par le Ministère de la Culture et la SACEM. Les deux œuvres, bien que difficiles, dégagent une certaine émotion et révèlent l'authenticité intérieure de leur créateur. Les deux orchestres parviennent à nous faire sentir remarquablement des sonorités tour à tour mystérieuses ou scintillantes. Bonne prise de son, mais gravure passable.

Anglebert, Jean-Henri (d')
(1628 -1691)

Cinq Fugues et un Quatuor pour orgue.

*** André Isoir (orgue de Saint-Germain-des-Prés de Paris). Calliope 1904. Enregistré en 1973. + *Œuvres de Jullien et de Gigault.*

Située dans un large panorama de l'orgue francais sous Louis XIV, cette face est le seul témoignage enregistré sur l'art de d'Anglebert à l'orgue. Production rigoureuse dans l'esprit de l'ancien Ricercar, ces œuvres de jeunesse prennent sous les doigts d'André Isoir une grandeur et un souffle étonnants. La résurrection de l'orgue de Saint-Germain-des-Prés.

Suites pour clavecin en ré mineur, en sol majeur et en sol mineur.

*** Kenneth Gilbert (clavecin). Harmonia Mundi HMU 941.

Ne retenant que les œuvres expressément écrites pour le clavecin, à l'exclusion des transcriptions, Kenneth Gilbert révèle sous son meilleur jour un auteur peu connu. Le claveciniste maîtrise avec un art consommé l'exubérance ornementale de ces pièces presque orchestrales. Du clavecin qui parle au cœur. Une prise de son exemplaire.

Aquin, Louis-Claude (d')
(1694-1772)

Les 12 Noëls pour orgue.

*** Marie-Claire Alain (orgue de la cathédrale d'Uzès). Erato STU 71.118. ⌧ MCE 71.118.

Noëls pour orgue, extraits.

*** Michel Chapuis (orgue Koenig de Sarre-Union). Valois MB 311. Enregistré en 1969. + *Noëls de Balbastre et d'Andrieu.*

*** André Isoir (orgue Kern de Saint-Séverin de Paris). Calliope 1916. ⌧ 4.916. Enregistré en 1974. + *Noëls de d'Andrieu, Balbastre, Corrette, Beauvarlet-Charpentier.*

Une intégrale des *Noëls* de d'Aquin. Marie-Claire Alain livre ici le côté détendu et enjoué de sa personnalité musicale, et fait entendre un orgue universellement connu pour la beauté de son buffet, mais très peu entendu en disque.

Du grand style ! Un très grand Chapuis inspiré par l'instrument Koenig, d'une intense poésie. Ces *Noëls* sont une fête pour l'oreille. Chapuis détaille et colore chaque variation avec une joie gourmande et communicative...

Le disque d'Isoir est remarquable pour l'originalité de son programme : une face d'Aquin, l'autre mettant en lumière toute la variété des styles de *Noëls* à l'approche de la Révolution. Ce disque fait aussi partie d'un coffret «Autour de la Révolution», où sont rassemblées de nombreuses pièces rares. Le choix des instruments y est toujours des plus judicieux, et Isoir... souverain.

Premier Livre de clavecin.

*** Brigitte Haudebourg (clavecin Hubbard-Mercier-Ythier, copie d'un Pascal Taskin). Arion 31.905.

Le *Coucou* dans son environnement complet du Premier Livre de clavecin : une rareté, un jeu séduisant sur les timbres et les contrastes de registration. Un son clair et brillant. Repris en série économique depuis l'été 1976.

Arbeau, Thoinot
(1519-vers 1595)

L'Orchésographie, traité paru en 1588, pour apprendre à danser pavanes, gaillardes et autres nobles danses, ainsi que branles et danses paysannes.

* Atelier-danse, réalisation Lou et Claude Flagel. Chant du Monde LDX 74.649. Enregistré en 1977.

L'un des tout premiers documents connus sur la danse, réalisé avec beaucoup d'authenticité, danses populaires et danses nobles ayant respectivement leurs types différents d'instruments d'époque. Une grande première au disque, peut-être trop consciencieuse dans son interprétation et qui devrait susciter d'autres approches conçues avec un peu plus de liberté. La réalisation technique est assez inégale.

Arne, Thomas
(1710-1778)

Artaxerxes.

** Elizabeth Vaughan (Mandane), Sandra Browne (Arbaces), Margaret Cable (Artaxerxes), John Brecknock (Artabanes), New Chamber Soloists, Maurits Sillem. MRF 162 S (2d.) (G-B).

Pendant plus de cinquante ans, cet opéra fut l'œuvre la plus jouée sur la scène londonienne. Son succès persistant peut aujourd'hui nous sembler quelque peu exagéré, mais il est difficile de refuser tout charme à un ouvrage qui allie l'élégance du grand opéra-seria et une grâce très XVIIIᵉ siècle. L'interprétation qui en est donnée manque un peu de puissance chez les solistes, mais le rythme général de la réalisation est vivant, le ton est juste. La preuve qu'une curiosité «de culture» peut devenir un plaisir pour l'amateur nous est administrée de la plus agréable façon.

Comus.

* Margareth Ritchie, Elsie Morison (s), William Herbert (t), St.-Anthony Singers, Orch. de l'Oiseau Lyre, Anthony Lewis. Oiseau-Lyre SOL 140/1 (2 d.) (G-B).

Cet oratorio, adapté de Milton, est contemporain de l'œuvre de Haendel. Il pourrait avoir été signé par le maître dans un de ses jours de gaieté. Il y règne une bonne humeur contagieuse que savent nous transmettre les chœurs, les trois chanteurs, qui sont également remarquables, et l'orchestre. On se demande par quel effet du sort une musique aussi charmante a pu être aussi méconnue.

Le grand mérite d'Anthony Lewis est de nous la restituer sans fards, dans toute sa spontanéité d'origine, avec ce mélange de savante reconstitution de la partition et de fraîcheur dans l'exécution qui est un des grands mérites de ces productions.

Huit Sonates pour clavecin.

** Christopher Hogwood (clavecin). Oiseau-Lyre DSLO 502 (G-B).

Une prise de son très claire, deux très beaux instruments d'époque parfaitement conservés, le jeu plein d'entrain et de spontanéité de Christopher Hogwood, cela fait beaucoup pour notre plaisir. D'autant que la musique de Arne est loin d'être indifférente, et qu'elle pourrait être comparée sans déshonneur à celle de plus d'un musicien son contemporain plus célèbre que lui.

Auber, Daniel-François-Esprit
(1782-1871)

Manon Lescaut, opéra-comique.

** Mady Mesplé (Manon), Jean-Claude Orliac (Des Grieux), Peter Christoph Runge (le Marquis d'Hérigny), Yves Bisson (Lescaut), Emmy Greger (Marguerite), Gérard Friedmann (Gervais), Ch. et Orch. Lyrique de Radio-France, Jean-Pierre Marty. EMI VSM C 167-14.056/58 (3 d.).

La *Manon* d'Auber, dont Jean-Pierre Marty a enregistré la première intégrale, contient de fort jolis morceaux, et une page vraiment grande avec la mort de l'héroïne. Cette dernière, dans l'interprétation de Mady Mesplé, manque cependant de complexité : elle est trop douce et trop effacée. Autour d'elle, une distribution d'une honnête homogénéité. L'élément primordial est la direction de Marty, pleine de vivacité, d'élégance et de souplesse. Une très belle façon de faire apprécier la musique un peu oubliée d'Auber.

Ouvertures : Lestocq, Marco Spada.

** Orch. New Philharmonia, Richard Bonynge. Decca SXL 6422 (G-B). *+ Ouvertures de Adam, Boïeldieu, Lecocq, Planquette, Thomas.*

Ouvertures : Le Cheval de bronze, Les Diamants de la couronne, Le Domino noir, Fra Diavolo, La Muette de Portici.

** Orch. Symph. de Detroit, Paul Paray. Philips 839.853 (2 d.) (sup.). *+ Ouvertures de Chabrier, Boïeldieu, Hérold, Offenbach, Thomas.*

Les Ouvertures d'Auber sont tombées dans l'oubli, mais Richard Bonynge les fait revivre de la plus agréable manière. Grand connaisseur de notre répertoire lyrique, il en est un interprète brillant et subtil, et son orchestre anglais lui accorde toute la somptuosité de sa sonorité. Un disque plaisant et à retenir, malgré beaucoup d'inepties dans le texte de présentation.

Même disparue, hélas ! des catalogues, l'interprétation de Paul Paray reste la référence et le modèle pour cette musique démodée, mais à qui il sait donner le meilleur de lui-même.

Audran, Edmond
(1842-1901)

La Mascotte, opérette.

* Geneviève Moizan (Bettina), Robert Massard (Pippo), Bernard Alvi (Fritellini), Lucien Baroux (Laurent XVII), Ch. Raymond Saint-Paul, Orch. anonyme, Robert Benedetti. Decca 115.065/66 (2 d.) (sup.)

La Mascotte, opérette : extraits.

* Nadine Renaux (Bettina), Michel Dens (Pippo), Claude Devos (Fritellini), Christian Duvaleix (Laurent XVII), Raymond Saint-Paul, Orch. anonyme, Jules Gressier.. Pathé C 057-10.843.

L'intégrale de Benedetti - la seule - nous permet d'apprécier Massard à ses débuts et l'excellent comédien Lucien Baroux à la fin de sa carrière.

La sélection Gressier, qui n'est guère plus récente, date encore davantage. Une *Mascotte* neuve serait la bienvenue, ainsi que les «premières mondiales» de bien d'autres œuvres d'Audran, qui en a tant écrit pour la délectation de plusieurs générations.

Auric, Georges
(1899-1983)

Imaginées, six pièces pour flûte et piano, violoncelle et piano, clarinette et piano, chant et piano, ensemble instrumental, piano.

** Michel Debost (flûte), Claude Desurmont (clarinette), Michèle Command (s), Frédéric Lodéon (violoncelle), Jacques Cazauran (contrebasse), Jean-Philippe Collard (piano), Quatuor Parrenin, Alexandre Myrat. EMI VSM C 069 - 16.287. Enregistré en 1978.

«Une invitation à la rêverie» : c'est ainsi que le compositeur s'exprime lui-même sur une de ses meilleures œuvres, qui paraît pour la première fois au disque. Ces pages toutes d'imagination, de concision et de lyrisme sont parfaitement interprétées autant par les solistes que par leur chef. Auric, défavorisé jusqu'ici, fait ainsi une brillante entrée au catalogue. Malheureusement, la technique laisse à désirer.

Avison, Charles
(1709-1770)

Douze Concertos grossos d'après Domenico Scarlatti (1758).

* Academy of St-Martin-in-the-Fields, Neville Marriner. Philips 6769.018 (3 d.).

Précision, équilibre, clarté, les vertus que déploie Marriner dans cette interprétation sont plus appropriées à la solidité un peu scolaire d'Avison qu'à la fantaisie endiablée des Sonates de Scarlatti qui ont servi de matériau de base au compositeur britannique. Mais le tout est plaisant, d'une lecture facile, et donne un bel exemple de musique décorative interprétée avec une pointe de sentiment qui lui donne vie.

B

Bacarisse, Salvador
(1898-1963)

Concertino pour guitare et orchestre en la mineur op. 72.

* Narciso Yepes (guitare à dix cordes), Orch. Symph. de la Radio Télévision Espagnole, Odon Alonso. DG 2530.326 (RFA). + *Halffter : Concerto pour guitare et orchestre.*

Brio, nuances, mélancolie caractérisent cette belle interprétation de Yepes, qui conçut lui-même cette guitare à dix cordes aux fins d'une sonorité plus riche et plus équilibrée. Bonnes prestations de la part de l'orchestre autant que du chef. L'interprétation, de plus, bénéficie d'une bonne technique. Judicieux couplage avec le Concerto d'Ernesto Halffter : deux œuvres proches l'une de l'autre par l'unité et le naturel de leurs langages, bien que Bacarisse s'attache davantage aux ressources classico-romantiques.

Bach, Carl Philipp Emanuel
(1714-1788)

Concerto pour clavecin en ré majeur Wq 27.

** Hans Goverts (clavecin), Orch. de Chambre Bernard Thomas. Arion ARN 31.922. ⌧ ARN 40-31.922. + *J.C. Bach : Concertos pour clavecin n° 16 et op. 13 n° 4.*

Le *Concerto en ré majeur* est particulièrement significatif du style contrasté propre à Carl Philipp Emanuel : le mouvement lent, une mélancolique sicilienne, est tout vibrant de sensibilité. L'interprétation expressive de tous les participants atteint la perfection : cohésion entre soliste et orchestre, avec une direction chaleureuse et mordante. Le jeu de Hans Goverts est aussi efficace dans l'émotion que dans la virtuosité la plus jaillissante.

Double Concerto pour deux clavecins, deux cors, cordes et basse continue en fa majeur Wq 46. Concerto pour violoncelle, cordes et basse continue en si bémol majeur Wq 171.

*** Gustav Leonhardt, Alan Curtis (clavecins), Erich Pelzel, Toni Hammer (cors), Angelica May (violoncelle), Collegium Aureum. Harmonia Mundi 30.817 (sup.).

Il est dommage que ce disque ait fait l'objet de manipulation, car ses qualités artistiques et techniques en faisaient un véritable enchantement pour l'oreille. Le *Concerto Wq 46* se trouve maintenant couplé avec le *Concerto pour clavecin en ré mineur BWV 1052* de J.S. Bach (HM 29.367), ce qui fait disparaître des catalogues l'unique version du *Concerto en si bémol Wq 171*. Pour celui qui reste, on garde des solistes et un orchestre d'une homogénéité rare, captés avec une grande finesse.

Contertos pour hautbois et orchestre à cordes en si bémol majeur et en mi bémol majeur.

** Peter Pongracz (hautbois), Orch. de chambre Franz Liszt, dir. Janos Rolla. Hungaroton SLPX 12 120.

Ces deux concertos pour hautbois proviennent en fait de deux concertos pour clavier : c'est ainsi que C.P.E. Bach tirait de sa grosse production pour le clavier des œuvres pour d'autres instruments. Ces pièces figurent pour la première fois au disque dans leur version pour hautbois, dans une interprétation de qualité : le soliste est à la fois un virtuose et un artiste sensible. Orchestre agréable, mais qui manque parfois de la vivacité indispensable à ce style de musique.

Concertos pour orgue, cordes et basse continue n° 1 en sol majeur et n° 2 en mi bémol majeur. Fantaisie et fugue pour orgue en ut mineur.

** Marie-Claire Alain (orgue), Orch. de Chambre Jean-François Paillard, Jean-François Paillard. Erato STU 71.115. ⌧ MCE 71.115.

* Jean Guillou (orgue), Orch. Brandebourgeois de Berlin, René Klopfenstein. Philips 6537.010. Enregistré en 1967.

A l'époque de C.P.E. Bach, l'orgue se sécularise et sa littérature s'appauvrit. Ces deux Concertos émergent heureusement de ce vide. La version proposée par Marie-Claire Alain et Jean-François Paillard a privilégié le caractère intimiste de ces œuvres, et ce qu'elles contiennent de tourment romantique ne se sent qu'en intériorité. Tous les interprètes ont trouvé l'entente des grands jours, la mise en place est parfaite, dans un climat de tendre émotion qui est typique du compositeur. En complément, la *Fantaisie et fugue* nous est restituée dans son essence même de libre improvisation.

Dans sa vision, Jean Guillou avait cherché à situer ces œuvres dans une dimension plus large, devenant parfois monumentale : ce que la précédente version intériorise, il l'amplifie généreusement, trop généreusement, en des tutti peu adaptés à l'esprit de l'auteur, et en de brillantes cadences déjà dignes des Concertos de Beethoven.

Concertos pour violoncelle et cordes Wq 171 et 172.

** Csaba Onczay (violoncelle), Orch. de chambre Franz Liszt, Janos Rolla. Hungaroton SLPX 12.229.

Œuvre d'un maître de la musique instrumentale de son temps qui permit le passage de la tradition baroque au classicisme naissant, ces deux concertos trouvent en Csaba Onczay un excellent interprète. Onczay brille par sa vélocité de la main droite, son sens du phrasé et sa faculté de passer du rôle de soliste à celui de chantre des ritournelles baroques comme un parfait musicien de chambre. La légèreté de son archet lui permet d'enchaîner expression et style galant sans la moindre césure. Quand à l'Orchestre de Chambre Franz Liszt, il sait fort bien passer de l'humeur pré-romantique aux tutti baroques.

Fantaisies en ut majeur Wq 59/6, en ut majeur Wq 61/1, en ut mineur Wq 254.

*** Colin Tilney (clavicorde). Archiv 2533.326 (sup.). *+ J.S. Bach : Fantaisie chromatique et Fugue BWV 903. W.F. Bach : Fantaisie en ré mineur. Mozart : Fantaisie en ré mineur.*

Dans son panorama de la musique pour clavier au XVIIIe siècle, Colin Tilney a eu l'audace de choisir le clavicorde, c'est-à-dire le moins puissant et le moins coloré de toute la famille des claviers. Mais le pari est largement gagné, car on découvre aux œuvres une face nouvelle, d'une expressivité inégalable. La confidence atteint son moment le plus touchant avec Carl Philipp Emanuel, ainsi qu'avec Mozart. On comprend pourquoi le premier avait fait du clavicorde son instrument de prédilection lorsqu'on entend un interprète aussi sensible le ressusciter des poussières de la muséologie.

Intégrale de l'œuvre d'orgue.

*** Herbert Tachezi (orgue). Telefunken 6.35453 (2 d.) (sup.). Enregistré en 1979.

A part la *Fantaisie et Fugue en ut mineur*, toutes les œuvres qui figurent dans cet admirable coffret sont nouvelles au catalogue français. On y découvre les deux aspects de C.P.E. Bach, à la fois tourné vers le style contrapuntique de son père et vers le goût viennois, mondain et galant. Tachezi, en particulier dans les mouvements lents, tant par le choix des timbres que par la richesse d'intuition de son phrasé, trouve le climat idéal pour épanouir leur tendre mélancolie. Cette interprétation est un modèle de perfection, malgré la rude performance qu'elle représente pour un organiste.

agnificat Wq 215.

*** Felicity Palmer (s), Helen Watts (c), Robert Tear (t), Stephen Roberts (b), Maîtrise du King's College de Cambridge, Academy of St. Martin-in-the-Fields, Philip Ledger. Argo ZRG 853 (G-B).

*** Elly Ameling (s), Maureen Lehane (c), Theo Altmeyer (t), Roland Hermann (b), Ch. d'enfants de Tölz, Collegium Aureum, Kurt Thomas. Deutsche Harmonia Mundi C 065-99.624.

Ce *Magnificat* fut présenté par Carl Phiipp Emanuel lorsqu'il postula à Hambourg succession de son parrain Telemann mme «*director musices*». Il contribua cerinement à sa nomination, car il est écrit ans le «*stilo misto*» à la mode, où se renconent goût ancien et style moderne, brillant et alant. Sans être à la hauteur des composions de Jean-Sébastien, ce *Magnificat* posède des qualités qui nécessitent une belle terprétation : c'est le cas de celle dirigée ar Ledger, qui se recommande par un éminent quatuor de solistes, par un chœur et un rchestre dont la réputation n'est plus à faire. Iais la réputation ne suffit pas, et tout ici est emarquablement bien fait, exactement ce ue peut souhaiter un musicien exigeant.

Lors de sa publication, la version dirigée ar Kurt Thomas fut jugée la meilleure : si elle de Ledger bénéficie des progrès réalisés epuis dans l'interprétation de la musique ncienne, celle-ci est encore largement reommandable, ne serait-ce que par les noms l'Elly Ameling ou de Theo Altmeyer, ou par e chœur d'enfants de Tölz, à eux seuls garanie de qualité.

Pièces pour clavecin : Fantaisies en fa najeur Wq 59/5, en mi bémol majeur Wq 58/6 ; Rondos en ut majeur Wq 56/1, en mi majeur Wq 57/1, en ré najeur Wq 61/4 ; Sonates en ut majeur Wq 55/1, en ré mineur Wq 57/4.

** Huguette Dreyfus (pianoforte). Archiv 2533.327.

Les pièces présentées ici datent de la dernière période créatrice de Carl Philipp Emanuel, la plus féconde, alors qu'il était affranchi des contraintes que Frédéric II faisait peser sur son art. Huguette Dreyfus réhabilite toutes les possibilités d'un pianoforte viennois de 1796, et en module merveilleusement le son. Elle tire le meilleur parti de ces Sonates, modèles pour Haydn et annonciatrices de Mozart, dans leur vélocité aisée et leur liberté de caractère quasi improvisé. Tout au plus peut-on arguer qu'elle accentue trop les fréquents contrastes dynamiques, avec une emphase qui accuse le côté «léger» du compositeur.

Quatuors pour flûte, alto, violoncelle et pianoforte Wq 93 à 95. Fantaisie pour clavier en ut majeur.

*** Nicholas McGegan (flûte), Catherine McIntosh (alto), Anthony Pleeth (violoncelle), Christopher Hogwood (clavecin). Oiseau-Lyre DSLO 520 (G-B). Enregistré en 1977.

C'est certes dans la musique de chambre que se révèlent les tensions les plus secrètes, les impulsions qu'on pourrait dire les plus romantiques de Carl Philipp Emanuel Bach. L'interprétation de Christopher Hogwood au clavier est subtile et rigoureuse, mais aurait encore gagné à accentuer les brusques ruptures de climat et en accusant davantage les silences. Dans les Quatuors, les interprètes rivalisent d'éloquence et de virtuosité, et soulèvent une adhésion enthousiaste. C'est une excellente occasion de mieux connaître le plus célèbre des fils Bach.

Rondos pour pianoforte. Fantaisie en ut majeur.

*** Alan Curtis (pianoforte). EMI VSM C 065-03 889.

Alan Curtis au clavicorde se revèle, dans cette anthologie de rondos, un interprète qui, mieux que tout autre, a trouvé le ton juste pour traduire la musique de C.P.E. Bach. Il s'en tient à une joie moyenne entre l'intensité des contrastes et l'expression des élans de l'âme chers à ce compositeur. Sans taxer cette interprétation d'intellectualisme, on peut dire que, toujours, l'esprit y domine, ou plutôt, y contrôle la passion. C'est une belle vision d'équilibre.

Sonate pour deux flûtes et basse continue en mi majeur.

** Stephen Preston, Nicholas McGegan (flûtes), Jane Ryan (viole de gambe), Anthony Pleeth (violoncelle), Christopher Hogwood (clavecin). Oiseau-Lyre 595.011. Enregistré en 1977. + *J.S. Bach : Sonate en trio BWV 1039. W.F. Bach : Duo en fa majeur, Trio en la mineur.*

Carl Philipp Emanuel Bach dut à sa position de claveciniste royal de composer beaucoup pour la flûte, Frédéric II réclamant toujours de nouvelles œuvres pour exercer ses talents sur cet instrument. Les œuvres enregistrées ici, tant de ce dernier que de Wilhelm-Friedemann ou de leur illustre père, n'ont rien à voir avec les fadeurs trop souvent liées à ce répertoire. L'interprétation, secrètement passionnée, nous émeut par sa lecture limpide et sensible.

Six Sonates pour pianoforte n° 1 en fa majeur, n° 2 en sol majeur, n° 3 en la mineur, n° 4 en ré majeur, n° 5 en si bémol majeur, n° 6 en ut mineur.

** Luciano Sgrizzi (pianoforte). Erato STU 71.216. Enregistré en 1978.

Ces six Sonates «à la Princesse Amélie» sont tout à fait caractéristiques du nouveau style, précieux et «sensible», auquel s'ouvre l'Allemagne artistique de l'époque. C'est pourquoi il est indispensable que l'interprète se garde de toute afféterie, pour conserver une élégante décontraction, qui seule peut faire passer les excès du raffinement. Dans cette voie, on ne peut que louer le bon goût de Luciano Sgrizzi, qui présente cette musique sous son jour le plus favorable.

Sonates en fa majeur Wq 55 n° 5 et en si mineur Wq 55 n° 3.

** Rolf Junghanns (clavicorde). Telefunken 6.42073 (sup.). Enregistré en 1979. + *J.C.F. Bach : Sonatine en la mineur. W.F. Bach : Sonate en si bémol majeur.*

Le clavicorde était, dit-on, l'instrument privilégié de Jean-Sébastien et de ses fils. Ce disque rassemble avec bonheur trois des fils autour d'un très bel instrument de la fin du XVIIIe siècle. Rolf Junghanns maîtrise merveilleusement à la fois cet instrument délicat et la musique difficile du «Bach de Berlin» : jamais l'élégance de son raffinement ne tombe dans le maniérisme. Son art subtil permettra une intéressante comparaison avec les styles si différents des Bach «de Halle» et «de Bückebourg».

Six Sonates prussiennes Wq 48. Concerto per il cembalo solo Wq 112.

*** Bob van Asperen (clavecin). Telefunken 6.35460 (2 d.) (sup.). Enregistré en 1979.

A entendre Bob van Asperen exécuter d'une façon aussi variée et plausible ces Sonates, nul doute qu'il ne se soit imprégné de l'*Essai sur la vraie manière de jouer des instruments à clavier* du même auteur. Le choix du clavecin, préféré ici au pianoforte, est judicieux, car il permet de valoriser les modulations de la mélodie sans trop s'occuper de la dynamique. Le moindre mérite de cette excellente interprétation n'est pas d'avoir su conserver au milieu des foisonnantes efflorescences de cette musique, un naturel qui sauve son imagination de tout risque d'affectation.

Sonates wurtembourgeoises op. 2 : n° 1 en la mineur, n° 2 en la bémol majeur, n° 3 en mi mineur, n° 4 en si bémol majeur, n° 5 en mi bémol majeur, n° 6 en si mineur.

*** Bob van Asperen (clavecin). Telefunken 6.35378 (2 d.) (sup.). Enregistré en 1978.

De son professeur Gustav Leonhardt, Bob van Asperen possède le toucher admirablement précis et racé, la conception orchestrale des œuvres pour clavier, la maîtrise du rubato. A côté d'une verve fougueuse, il donne aux mouvements lents un aspect méditatif authentiquement habité, émouvant sans romantisme facile. Et c'est bien de romantisme que l'on peut parler au sujet de ces Sonates, les plus belles et les plus fortement expressives qu'ait écrites Carl Philipp Emanuel.

Six Symphonies pour orchestre à cordes Wq 182.

❀*** The English Concert, Trevor Pinnock. Archiv 2533.449 (2 d.). Enregistré en 1980.

Ces six symphonies datent de 1773, c'est-à-dire quelques années après que ce fils de Bach ait succédé à son parrain Telemann à Hambourg : il se sent enfin libéré de la tutelle de Frédéric II. Cette liberté d'expression est admirablement rendue par la direction de Pinnock, véritablement habité d'une «joie de jouer». Les instruments anciens ont une sonorité faite de nacre et de velours, qui donne à cette version un relief remarquable. Un enregistrement à la fois tonifiant et d'un esthétisme parfait.

Huit Symphonies Wq 174, 176, 182 n°s 1 à 6.

*** The Academy of Ancient Music, Christopher Hogwood. Oiseau-Lyre 395.055 (2 d.).

C'est une heureuse surprise que de voir enregistrée l'intégrale des six Symphonies commandées par l'ambassadeur d'Autriche. L'originalité de C.P.E. Bach s'y affirme dans toute la fantaisie, dans les mouvements passionnés et contrastés du rococo porté à son sommet. Mais ce n'est pas un rococo vide et poli, car à la plus brillante virtuosité, il allie une expression poussée au maximum. L'interprétation est à la hauteur de l'inspiration, les musiciens tirent de leurs instruments anciens tout le dynamisme et toute l'âme possibles. Ils servent superbement une musique que Mozart jugeait «de très grande valeur».

Trio en do majeur pour flûte, violon et basse continue Wq 147. Cantate pour soprano, ténor, deux flûtes et basse continue «Phyllis et Thirsis» Wq 232. Duo pour flûte et violon Wq 140. 12 Petites pièces pour deux flûtes, deux violons et basse continue Wq 81. Trio en si mineur pour flûte, violon et basse continue Wq 143.

** Rosemarie Hofmann (soprano), Nigel Rogers (ténor), Hans-Martin Linde, Christoph Huntgeburth (flûte traversière), Rolf Junghans (clavecin et pianoforte), Phoebe Carrai (violoncelle). Deutsche Harmonia Mundi 1 C 069-99.949. Enregistré en 1981.

Avec la cantale *Phyllis et Thirsis* - une petite composition pleine de charme et d'ingéniosité -, le plus célèbre des fils de Bach ne tombe dans aucun des clichés dont souffre trop souvent le genre pastoral. Il fait preuve, au contraire, de beaucoup de personnalité et de finesse, qui nous sont transmises par des interprètes parfaits : rien d'appuyé dans leur jeu, les phrases semblent couleur de source, limpides et pures, mais laissant paraître en arrière-fond un frémissement ténu et complexe qui laisse une trace durable dans la sensibilité.

Bach, Johann Christian
(1735-1782)

Concertos pour clavier et orchestre : Six Concertos op. 1 n°s 1 à 6, Six Concertos op. 13 n°s 1 à 6.

* Ingrid Haebler (clavier), Capella Academica de Vienne, Eduard Melkus. Philips 6768.001 (5 d.) (sup.).

Cette réalisation permet de découvrir la première gravure de l'*Opus 1*, qui comporte six Concertos destinés originellement au clavecin, avant que leur auteur ne les fasse ensuite découvrir au public londonien sur le pianoforte. On s'étonne donc un peu que Melkus ne se soit pas tenu au clavecin pour cet ensemble. Il est vrai que sa technique orchestrale est moderne, et la soliste s'accorde intelligemment à cette option. Elle excelle à traduire l'élégance tranquille de ces pages limpides qui font le charme de Johann-Christian.

Concerto pour flûte et orchestre en ré majeur. Concerto pour hautbois et orchestre en fa majeur. Concerto pour clavier et orchestre en ut mineur.

* Gastone Tassinari (flûte), Mario Loschi (hautbois), Franco Tagliavini (clavecin), Orch. de l'Angelicum de Milan, Umberto Cattini. Harmonia Mundi HM 349. ⌧ HM 40-349.

Intéressante réédition, par son prix modique et son programme qui, avec trois Concertos pour trois instruments différents, constitue un très agréable délassement.

Concerto pour trompette, orgue et orchestre à cordes en mi bémol majeur.

** Maurice André (trompette), Marie-Claire Alain (orgue). Erato STU 70.539. ⌧ MCE 70.539. + *Martini : Toccata, Largo, Sonata al Post-Communion. Walter : Concerto en sol majeur. Albinoni : Concerto en fa majeur. Martini : Elevazione en mi majeur.*

Ce Concerto, dans le style classique de cette trompette baroque fort appréciée lorsqu'elle est doublée de l'orgue, bénéficie d'une interprétation remarquable et très bien équilibrée entre les deux instruments (il s'agit ici d'une version arrangée sans l'accompagnement d'orchestre à cordes). Avec Albinoni, les pages de J.-C. Bach dominent ce disque, agréablement complété par des œuvres moins connues, mais de même style.

Six Ouvertures favorites : n° 1 en ré majeur, n° 2 en ré majeur, n° 3 en ré majeur, n° 4 en ut majeur, n° 5 en sol majeur, n° 6 en sol majeur.

** Academy of Ancient Music, Christopher Hogwood. Oiseau-Lyre 595.040.

Ces Ouvertures étaient originellement destinées au théâtre, et leur style italianisant et brillant leur valut un beau succès auprès du public londonien lors de leurs exécutions isolées en concert. A notre tour d'être enthousiasmés par l'interprétation fine et vivante de Christopher Hogwood : dans les mouvements rapides, la vivacité des tempos a une légèreté de champagne, tandis que la transparence des mouvements lents se fait très émouvante.

Sinfonias opus VI n° 6 en sol mineur et opus XVIII n° 4 en sol majeur.

** Orch. de Chambre de la Sarre, Karl Ristenpart. Musidisc RC 673. *+ C.P.E. Bach : Sinfonia. W.F. Bach : Lamento-Sinfonia.*

En rassemblant trois des fils Bach, ce disque compose un programme intelligent, dont l'interprétation voit sa qualité garantie par la présence de Ristenpart au pupitre. Son prix est des plus modiques que l'on puisse imaginer, et en matière de disque, on sait que le plus cher n'est pas toujours le meilleur..

Bach, Johann Christoph-Friedrich
(1732-1795)

La Résurrection de Lazare, oratorio.

*** Danièle Borst (soprano), Birgit Finnilä (alto), Alejandro Ramirez (ténor), Philippe Huttenlocher (baryton), Ensemble vocal de Valence, Orch. Jean-François Paillard, Jean-François Paillard. Erato STU 71.284 ⌧ MCE 71.284. Enregistré en 1979.

Cet enregistrement offre une excellente occasion de mieux connaître - ou de découvrir - le Bach de Bückebourg, le frère de Jean-Chrétien. Cet oratorio marie harmonieusement le style italien et une sensibilité piétiste bien allemande. On sent une émotion qui porte le compositeur vers l'élégie et la poésie. L'interprétation baigne dans un état de grâce très inspiré : parmi un quatuor de solistes de grande classe, on remarque la Marie au timbre d'or sombre de Birgit Finnilä. Les chœurs chantent avec une ferveur palpitante qui les rend peut-être l'âme profonde de cette convaincante réussite.

Bach, Johann Sebastian
(1685-1750)

L'Art de la Fugue BWV 1080. Versions pour clavier seul.

*** Helmut Walcha (orgue F.C. Schnitger d'Alkmaar). Archiv 2708.002 (2 d.). Enregistré en 1956.

** Gustav Leonhardt (clavecin Skowronek-Dulcken). Harmonia Mundi HM 20.303/04 (2 d.).

L'Art de la Fugue BWV 1080. Versions pour formation orchestrale.

❀*** Orchestre de la Radio-Télévision Suisse-Italienne, Hermann Scherchen. Accord ACC 150.005 (2 d.). Enregistré en 1965.

*** Linde Consort. EMI Electrola C 065-43.045. Enregistré en 1981.

*** Orchestre de Chambre de la Sarre, Karl Ristenpart. Musidisc 743/44 (2 d.). Enregistré en 1965.

** Academy of St-Martin-in-the-Fields, Neville Marriner. Philips 6747.172 (2 d.). ⌧ 7699.007 (2 c.).

Walcha sur l'orgue est celui qui parvient à donner à *l'Art de la Fugue* une surprenante accessibilité. Si l'œuvre se voulait être une recherche contrapuntique au caractère quasi absolu, Walcha nous en révèle à Alkmaar le versant profondément chaleureux et bouleversant d'humanité. Merveilleux architecte du contrepoint par l'intelligence et la lisibilité de son jeu, doué d'un sens raffiné du décor dans son choix des plans et des couleurs sonores, il permet à *l'Art de la Fugue* d'épanouir ici la veine baroque de sa monumentalité.

Leonhardt, dans une tradition dont on oublie parfois que Czerny en fut le lointain promoteur, nous convainc que *l'Art de la Fugue* est bien une œuvre destinée au clavier. Si la démarche du musicologue s'efface devant celle d'un interprète au style merveilleusement expressif et sensible, la beauté formelle du thème et la richesse inventive de ses multiples transformations demeurent confinées dans la monochromie du clavecin. Son austérité sonore donne à cette version une sorte de hautaine élégance qui, dans une certaine mesure, contribue à magnifier ce que *l'Art de la Fugue* contient de richesse savante et de spéculation.

C'est une instrumentation plus qu'une orchestration que propose Hermann Scherchen. Cordes et vents déchiffrent le mystérieux tissu polyphonique de l'œuvre et le portent à notre contemplation émerveillée. L'alchimie instrumentale distribue aux groupes instrumentaux les diverses espèces de contrepoint, avec de véritables modes d'attaques, de nuances, d'intensité et d'articulation. L'œuvre-sphinx acquiert ainsi une lisibilité supérieure, confondante d'intelligence et de beauté. Et Scherchen clôt la partition par le dernier Choral de Bach, joué dans une semblable instrumentation, «*Vor deinen Thron*», «Devant Ton trône, je comparais». La réalisation technique est médiocre et la prise de son sur le vif ne rend que partiellement justice à cette prodigieuse interprétation. Mais on n'en goûte pas moins l'universelle harmonie des sphères.

L'approche du Linde Consort est essentiellement linéaire, sereine dans ses options rythmiques et toujours accordée à l'esprit d'un contrepoint savant. Le ton cependant s'humanise dans la Sonate en Trio et se charge d'émotion, sans pour autant s'écarter d'une gravité d'accent érigée ici en principe. La rigueur altière et la force du sentiment intérieur qui caractérisent cet enregistrement le recommandent à tous ceux qui privilégient ici la dimension spirituelle.

La réalisation de *l'Art de la Fugue* offerte par Ristenpart est signée de Claude Pascal et Marcel Bitsch. Elle a l'immense avantage sur les autres d'utiliser des combinaisons instrumentales très variées et attrayantes, qui font participer des bois et aussi des cuivres au côté des cordes. Pour ceux qui veulent comprendre *l'Art de la Fugue*, il y a dans cette approche une façon de rendre lumineuses des combinaisons d'écriture qui n'apparaissent pas toujours avec évidence à qui se penche pour la première fois sur la partition avec la volonté d'en décrypter les secrets. Plénitude veloutée et finesse des cordes, discrétion du *vibrato*, économie des nuances donnent à cette interprétation très fervente de l'Orchestre de Chambre de la Sarre un pouvoir d'émotion demeuré inégalé au regard de versions plus récentes. Prise de son de belle qualité et prix très économique.

Chez Neville Marriner, perfection absolue de la lecture et exemplarité de la prise de son constituent les atouts profondément séducteurs de l'interprétation. Mais si le souci du chef a été de défendre une lisibilité extrême du texte, il n'a pas pleinement saisi, en revanche, au-delà de la perfection du verbe, la signification émotive de *l'Art de la Fugue*. Il ne s'agit pas ici d'une méditation contrapuntique, et le langage intérieur de *l'Art de la Fugue* ne parvient pas à franchir les barrières de la forme dans cette interprétation qui demeure cependant un modèle achevé de calligraphie sonore.

L'Art de la Fugue BWV 1080 : Contrepoints 1 à 9.

*** Glenn Gould (orgue). CBS 60.291. Enregistré en 1962.

Glenn Gould, choisissant l'orgue pour jouer *l'Art de la Fugue*, donne l'exemple de l'un de ces paradoxes dont il semblait pétri. Avec lui, le contrepoint prend un corps hallucinant, et le paysage sonore change complètement d'une fugue à l'autre. On voit les mains de Glenn Gould sculpteur donner corps et couleur aux formes fuyantes de la fugue. Le toucher, pour chaque note, délimite la part de son et la part de silence ; à l'orgue au moins autant qu'au piano, Gould réalise ce dosage de façon inouïe.

Les Cantates : éditions intégrales en cours.

*** Solistes, Petits Chanteurs de Vienne, Chorus Viennensis, King's College Choir de Cambridge, Concentus Musicus de Vienne, Leonhardt Consort, Nikolaus Harnoncourt et Gustav Leonhardt. Telefunken : 34 volumes parus à fin 1983 (68 d.).

*** Solistes, Gächinger Kantorei, Frankfurter Kantorei, Figuralchor der Gedächtniskirche de Stuttgart, Bach Collegium de Stuttgart, Helmuth Rilling. Erato : 9 volumes parus à fin 1983 (40 d.).

Les Cantates : anthologies.

*** Solistes, Ch. de St-Thomas, Orch. du Gewandhaus de Leipzig, Günther Ramin. Eurodisc 2 volumes parus à fin 1979 (10 d.).

*** Solistes, Ch. et Orch. Bach de Munich, Karl Richter. Archiv 5 volumes parus à fin 1979 (30 d.).

Nikolaus Harnoncourt et Gustav Leonhardt se partagent l'entreprise aussi colossale lancée par Telefunken d'enregistrer les Cantates dans leur ordre numérique traditionnel - ce qui, pour être commode, n'en est pas moins à l'opposé de la chronologie et des intentions liturgiques. Les options sont nettement affirmées : diapason différent, instruments anciens (ou copies d'anciens), jeu baroque, ensembles réduits, chœurs également réduits, et refus presque complet de voix de femmes, les parties de soprano étant confiées à de jeunes garçons, d'alto à des hautes-contres. Le résultat est à la hauteur des ambitions : toujours plein d'imagination et de vie. Chaque page est bourrée d'intentions, quitte à choquer certaines sensibilités. En toute honnêté, on ne peut (et ne doit) rester indifférent. Chaque volume est fourni avec les partitions complètes et une partie critique exceptionnellement riche, ce qui est un avantage certain sur la réalisation concurrente.

Commencé tout d'abord sous forme d'anthologie destinée à mettre au jour des Cantates insuffisamment célèbres ou même inédites, l'entreprise de Helmuth Rilling s'est transformée en une intégrale, qui à partir du 6e volume est devenue chronologique, au moins 80 Cantates étant désormais disponibles. Très fidèle à des conceptions traditionnelles de direction comme d'organologie, Rilling s'est entouré d'une équipe de chanteurs tous excellents (bien que pour certains, nouveaux au disque) dont les noms et les voix nous sont désormais familiers. La réalisation ne souffre d'aucune faiblesse réelle, et les restrictions ne tiendront qu'à la présence sur le marché de versions concurrentes plus stimulantes. Une documentation abondante (pour la partie due à la plume de Carl de Nys) accompagne chaque volume.

Destinée à célébrer le 20e anniversaire de la mort du grand chef leipzigois Günther Ramin (décédé en 1956), son anthologie utilise des bandes radiophoniques de concerts publics, ce qui a évidemment des incidences sur la qualité sonore (grandement améliorée maintenant). Il s'agit cependant d'un ensemble documentaire doublement intéressant : testament d'un grand interprète, et exécution publique. Une fois acceptés les éléments négatifs (âge de la bande, faiblesse irritante de certains solistes), on ne peut qu'être tranporté par la superbe de ce musicien, certes bien éloigné des tendances actuelles, mais proprement illuminé. On ne peut aussi qu'espérer un troisième album.

Karl Richter, dans le cadre de l'Edition Bach d'Archiv, avait publié d'énormes albums regroupant de façon disparate des cantates enregistrées à des époques bien différentes. Un minimum d'ordre s'imposait, et la série proposée, tout en reprenant anciennes et nouvelles gravures, se base sur les périodes liturgiques. 63 Cantates sont pour l'instant au catalogue, chacune bénéficiant d'une interprétation dynamique et exaltée, et d'une prise de son particulièrement soignée.

Cantate BWV 1 «Wie schön leuchtet der Morgenstern».

*** Soliste des Petits Chanteurs de Vienne (s), Paul Esswood (hc), Kurt Equiluz (t), Max van Egmond (b), Petits Chanteurs de Vienne, Concentus Musicus, Nikolaus Harnoncourt. Telefunken 6.35027 (2 d.). + *Cantates BWV 2 à 4.*

*** Edith Mathis (s), Ernst Haefliger (t), Dietrich Fischer-Dieskau (b), Ch. et Orch. Bach de Munich, Karl Richter. Archiv 198.465. + *Cantate BWV 4.* Ou Archiv 2722.022 (6 d.). + *Cantates BWV 4, 6, 12, 23, 67, 87, 92, 104, 108, 126, 158 et 182.*

Sans doute Nikolaus Harnoncourt a-t-il des partis pris (mouvements excessivement rapides), sans doute les voix d'enfants sont-elles sollicitées presque outre mesure ; il n'empêche que tout sonne avec une telle richesse que l'on s'empresse de faire abstraction de certaines licences.

Karl Richter, tout comme Harnoncourt, imprime une allure un peu trop rapide au 1er chœur ; on aimera cependant son art de mener (avec fermeté) des solistes extraordinaires et de grands ensembles toujours parfaitement clairs.

Cantate BWV 4 «Christ lag in Todesbanden».

*** Dietrich Fischer-Dieskau (b), Ch. et Orch. Bach de Munich, Karl Richter. Archiv 198.465. + *Cantate BWV 1.* Ou Archiv 2722.022 (6 d.). + *Cantates BWV 1, 6, 12, 23, 67, 87, 92, 104, 108, 126, 158 et 182.*

*** Soliste des Petits Chanteurs de Vienne (s), Paul Esswood (hc), Kurt Equiluz (t), Max van Egmond (b), Petits Chanteurs de Vienne, Concentus Musicus, Nikolaus Harnoncourt. Telefunken 6.35027 (2 d.). + *Cantates BWV I à 3.*

Karl Richter, toujours très énergique dans :s intentions, est un maître d'œuvre qui ne isse rien au hasard : la rythmique un peu op appuyée parfois n'enlève rien à la quali- : de la mise en place chorale (pratiquement ıcun solo, à part Fischer-Dieskau).

Les solistes garçons ont, dans la version larnoncourt, une simplicité poignante qui accorde merveilleusement avec le sens du :xte. Quant aux couleurs instrumentales, lles sont toujours aussi séduisantes.

:antate BWV 8 «Liebster Gott, wann verd' ich sterben ?».

*** Ursula Buckel (s), Hertha Töpper (ms), Werner Krenn (t), Kieth Engen (b), Ch. et Orch. Bach de Munich, Karl Richter. DG 138.810. + *Magnificat.*

*** Soliste du Chœur de la Cathédrale de Ratisbonne (s), Paul Esswood (hc), Kurt Equiluz (t), Max van Egmond (b), Chœurs du King's College de Cambridge, Leonhardt-Consort renforcé, Gustav Leonhardt. Telefunken 6.35028 (2 d.). + *Cantates BWV 5 à 7.*

La version Werner paraissant hors circuit, on se tournera sans hésitation vers la gravure de Karl Richter : le couplage avec le *Magnificat* est tout à fait satisfaisant ; et Ursula Buckel a une si jolie voix !

Au sein de l'intégrale Telefunken, Leonhardt remplace sans hiatus (mais avec un peu plus d'humanité...) Harnoncourt : le King's College participe avec enthousiasme à une entreprise où la poésie propre à Leonhardt est ici particulièrement sensible.

Cantate BWV 10 «Meine Seel' erhebt den Herrn».

*** Elly Ameling (s), Helen Watts (ms), Werner Krenn (t), Marius Rintzler (b), Ch. de l'Académie de Vienne, Orch. de Chambre de Stuttgart, Karl Münchinger. Decca SXL 6.400 (G-B). + *Magnificat.*

Faute de pouvoir choisir entre Leonhardt et Richter, on optera plutôt pour Karl Münchinger : avoir associé cette Cantate avec le *Magnificat* est d'autant plus habile que celle-ci paraphrase en allemand le texte latin. Enfin, on y retrouve avec délices la voix enchanteresse d'Elly Ameling.

Cantate BWV 11 «Lobet Gott in seinen Reichen», Oratorio de l'Ascension.

*** Chritiane Baumann (s), Naoko Ihara (ms), Vincent Girod (t), Philippe Hüttenlocher (b), Ens. Vocal et Instrumental de Lausanne, Michel Corboz. Erato STU 71.099 (2 d.). + *Cantates BWV 58, 78, 198.*

On peut hésiter encore entre Richter et Harnoncourt. Mais on peut aussi préférer Corboz, son enthousiasme communicatif, la sincérité de ses solistes (même s'ils n'ont pas la perfection de ceux de Richter, l'acidité agressive de ceux d'Harnoncourt).

Cantate BWV 12 «Weinen, Klagen, Sorgen, Zagen».

** Paul Esswood (hc), Kurt Equiluz (t), Max van Egmond (b), Ch. d'Enfants de Tölz, Ch. du King's College de Cambridge, Leonhardt-Consort, Gustav Leonhardt. Telefunken 6.35030 (2 d.). + *Cantates BWV 13, 14, 16.*

** Anna Reynolds (a), Peter Schreier (t), Theo Adam (b), Ch. et Orch. Bach de Munich, Karl Richter. Archiv 2722.022 (6 d.). + *Cantates BWV 1, 4, 6, 23, 67, 87, 92, 104, 108, 126, 158, 182.*

Gustav Leonhardt est heureusement soutenu par un Esswood et un van Egmond des grands jours, qui réussissent presque à compenser les défaillances de la trompette baroque.

Karl Richter, dans un ensemble de grande

qualité (solistes, prise de son), est exemplaire sans cependant déchaîner l'enthousiasme.

Cantate BWV 19 «Es erhub sich ein Streit».

*** Soliste des Petits Chanteurs de Vienne (s), Kurt Equiluz (t), Max van Egmond (b), Petits Chanteurs de Vienne, Chorus Viennensis, Concentus Musicus de Vienne, Nikolaus Harnoncourt. Telefunken 6.35031 (2 d.). + *Cantates BWV 17, 18, 20.*

Harnoncourt utilise un détaché et des tempos particulièrement en situation ici, et les solistes, certes moins policés que ceux de Rilling, nous paraissent infiniment plus expressifs.

Cantate BWV 21 «Ich hatte viel Bekümmernis».

❀*** Soliste des Petits Chanteurs de Vienne, Kurt Equiluz (t), Walker Wyatt (b), Petits Chanteurs de Vienne, Chorus Viennensis, Concentus Musicus, Nikolaus Harnoncourt. Telefunken 6.35032 (2 d.). + *Cantates BWV 22 et 23.*

* Teresa Stich-Randall (s), Nathalie Narischkine (ms), Helmut Löffler (t), Paul Schoeffler (b), Ch. Musique Sacrée du Conservatoire, Orch. de l'Opéra de Vienne, Jonathan Sternberg. Musidisc RC 674.

Harnoncourt apparaît comme le plus passionnant, à condition d'accepter sans regret que le texte allemand soit bousculé. L'intérêt est sans cesse renouvelé par la diversité de l'accentuation et des attaques, et le saisissant contraste entre la frêle voix d'enfant et la profonde voix de basse.

On laissera de côté sans trop de remords la version de Jonathan Sternberg : malgré la présence de Stich-Randall, la conception d'ensemble est peu dynamique, et les mouvements languissants à l'excès.

Cantate BWV 23 «Du wahrer Gott und

** Soliste des Petits Chanteurs de Vienne (s), Paul Esswood (hc), Marius van Altena (t), Chorus Viennensis, Tölzer Knabenchor, King's College Choir de Cambridge, Petits Chanteurs de Vienne, Concentus Musicus, Nikolaus Harnoncourt. Telefunken 6.35032 (2 d.). + *Cantates BWV 21 et 22.*

La version Harnoncourt, malgré ses qualités, est nettement desservie par un ténor aux capacités très éloignées de celles de Kurt Equiluz.

Cantate BWV 26 «Ach wie flüchtig, ach wie nichtig».

*** Soliste des Petits Chanteurs de Vienne (s), Paul Esswood (hc), Kurt Equiluz (t), Siegmund Nimsgern (b), Petits Chanteurs de Vienne, Chorus Viennensis, Concentus Musicus, Nikolaus Harnoncourt. Telefunken 6.35033 (2 d.). + *Cantates BWV 24, 25 et 27.*

** Ursula Buckel (s), Hertha Töpper (ms), Ernst Haefliger (t), Theo Adam (b), Ch. et Orch. Bach de Munich, Karl Richter. Archiv 198.402. + *Cantate BWV 106 «Actus Tragicus».*

L'ancienne version Werner (indisponible) serait de toute façon surclassée par celle d'Harnoncourt. Vivacité sans hâte excessive dans le 1er chœur, solistes et instruments mêlés avec art, c'est une réussite, dont on doit aussi remercier Siegmund Nimsgern.

Richter, avec son équipe habituelle (Buckel, Haefliger), signe une version très tendue, parfois même exagérément bousculée (bien que tout fasse expressément référence au texte allemand). Cependant, le couplage avec l'*Actus Tragicus* peut faire hésiter.

Cantate BWV 31 «Der Himmel lacht, die Erde jubilieret».

** Soliste des Petits Chanteurs de Vienne, Kurt Equiluz (t), Sigmund Nimsgern (b), Petits Chanteurs de Vienne, Chorus Viennensis, Concentus Musicus, Nikolaus Harnoncourt. Telefunken 6.35035 (2 d.). + *Cantates BWV 32 à 34.*

Harnoncourt bouscule avec allégresse les tempos traditionnels (et notés !), ce qui, pour être original, n'est pas toujours défendable musicalement.

antate BWV 34 «O ewiges Feuer, o rsprung der Liebe».

** Paul Esswood (hc), Kurt Equiluz (t), Siegmund Niemsgern (b), Petits Chanteurs de Vienne, Chorus Viennensis, Concentus Musicus de Vienne, Nikolaus Harnoncourt. Telefunken 6.35035 (2 d.). + *Cantates BWV 31 à 33.*

Paul Esswood, dans la version Harnonurt, interprète comme à son habitude de çon superbe le seul air d'alto en ré majeur : grettons seulement des perspectives sount trop lointaines qui faussent l'équilibre nore.

antate BWV 44 «Sie werden auch in n Bann tun».

*** Edith Mathis (s), Anna Reynolds (ms), Peter Schreier (t), Dietrich Fischer-Dieskau (b), Ch. et Orch. Bach de Munich, Karl Richter. Archiv 2722.025 (6 d.). + *Cantates BWV 10, 11, 24, 30, 34, 68, 76, 93, 129, 135, 175.*

*** Peter Jelosits (s), Paul Esswood (hc), Kurt Equiluz (t), Ruud van der Meer (b), Petits Chanteurs de Vienne, Chorus Viennensis, Concentus Musicus, Nikolaus Harnoncourt. Telefunken 6.35283 (2 d.). + *Cantates BWV 43, 45 et 46.*

Au sein de l'anthologie DG, Richter afme une personnalité nerveuse et dynamie : Fischer-Dieskau et Edith Mathis sont perbes, et pour l'instant vocalement irremaçables.

Chez Harnoncourt, on retrouve le parti is, presque caricatural par instants, de loigner du texte musical noté : ainsi dans 2ᵉ chœur en sol mineur, l'alternance entre *rte* et *piano* soulignant le chromatisme de basse est purement et simplement supprié. En contrepartie, les couleurs de l'enmble instrumental sont toujours aussi agnifiques.

antate BWV 50 «Nun ist das Heil und e Kraft».

*** Petits Chanteurs de Vienne, Chorus Viennensis, Concentus Musicus, Nikolaus Harnoncourt. Telefunken 6.35284 (2 d.). + *Cantates BWV 47 à 49.*

Harnoncourt se place sans peine en tête, malgré des trompettes souvent poussives (baroque oblige ?).

Cantate BWV 51 «Jauchzet Gott in allen Landen».

*** Edith Mathis (s), Pierre Thibaud (trompette), Orch. Bach de Munich, Karl Richter. Archiv 2533.115. + *Cantate BWV 199.*

** Marjanne Kweksilber (s), Don Smithers (trompette), Leonhardt-Consort, Gustav Leonhardt. Telefunken 6.35304 (2 d.). + *Cantates BWV 52, 54 à 56.*

Justement célèbre par l'élégant duel entre voix de soprano et une trompette fort agile, cette Cantate a jadis bénéficié des prestations d'Agnès Giebel et de Maria Stader. Karl Richter est ici au sommet de son inspiration, tout comme les deux solistes, apparemment inégalés et inégalables.

Dans la version Harnoncourt, le vaillant petit soprano traditionnel est remplacé par une voix de femme, qui malgré ses qualités ne peut parvenir à faire oublier des tempos surprenants et un détaché par trop insistant.

Cantate BWV 56 «Ich will den Kreuzstab gerne tragen».

❀*** Max van Egmond (b), Barock-Ensemble, Frans Brüggen. RCA-Seon RL 30.387. Enregistré en 1977. + *Cantate BWV 82.*

*** Dietrich Fischer-Dieskau (b), Ch. et Orch. Bach de Munich, Karl Richter. Archiv 198.477. + *Cantate BWV 82.*

** Michael Schopper (b), Ch. de garçons de Hanovre, Leonhardt Consort, Gustav Leonhardt. Telefunken 6.35304 (2 d.). + *Cantates BWV 51, 52, 54 et 55.*

* Jakob Staempfli (b), Ens. Vocal Yves Rudelle, Orch. de Chambre de la Sarre, Karl Ristenpart. Musidisc RC 613. + *Cantate BWV 169.*

La chaleur et l'intériorité de Max van Egmond répondent admirablement à l'impulsion de la direction et à l'esprit résolument baroque de Frans Brüggen, lequel fait preuve d'une souplesse proche de celle d'un Leonhardt.

Bien d'excellentes gravures de cette Cantate pour basse seule ont disparu du catalogue français (Prey, McDaniel, Kruysen). Dans sa dernière production (Richter), Fischer-Dieskau met une fois de plus en évidence une science extrêmement raffinée du chant et sa longue familiarité avec le texte musical, détaillé presque à l'excès.

Michael Schopper, infiniment plus «neuf» (ce qui, ici, est un bien), fait preuve de qualités vocales plus qu'intéressantes, et sa voix sincère et chaleureuse fait merveille dans les vocalises les plus périlleuses.

Jakob Staempfli, malgré sa vaillance, n'atteint pas les mêmes sommets de Fischer-Dieskau ou Schopper, peut-être aussi insuffisamment porté par l'ensemble dirigé par Ristenpart.

Cantate BWV 58 «Ach Gott, wie manches Herzeleid».

*** Sheila Armstrong (s), Dietrich Fischer-Dieskau (b), Ch. et Orch. Bach de Munich, Karl Richter. Archiv 2722.005 (6 d.). + *Cantates BWV 13, 28, 61, 63, 64, 65, 81, 82, 111, 121, 124, 132, 171.*

*** Christiane Baumann (s), Philippe Huttenlocher (b), Ens. Vocal et Orch. de Chambre de Lausanne, Michel Corboz. Erato STU 71.099. (2 d.). + *Cantate BWV 11, 78, 198.*

* Seppi Kronwitter (s), Ruud van der Meer (b), Ch. de garçons de Tölz, Concentus Musicus, Nikolaus Harnoncourt. Telefunken 6.35305 (2 d.). + *Cantate BWV 57, 59 et 60.*

Karl Richter nous soumet une de ses réalisations les plus achevées, bien qu'à la limite d'une excessive nervosité ; ses solistes chantent avec un bonheur quasiment tangible.

Michel Corboz s'appuie sur des solistes (Huttenlocher en particulier), sa direction respire, ses mouvements sont toujours parfaitement choisis. Il y a dans cette version une sérénité rayonnante incomparable.

Le petit soliste choisi par Harnoncourt a du mal à affronter les nombreuses difficultés du texte musical, et nous souffrons à maintes reprises. Quant à la basse Ruud van der Meer, elle ne peut prétendre égaler Max van Egmond (partenaire privilégié d'Harnoncourt).

Cantate BWV 60 «O Ewigkeit, du Do[nn]erwort».

*** Hertha Töpper (ms), Ernst Ha[e]fliger (t), Kieth Engen (b), Ch. [et] Orch. Bach de Munich, Karl Ric[h]ter. Archiv 198.331. + *Canta[te] BWV 147.*

*** Paul Esswood (hc), Kurt Equil[uz] (t), Ruud van der Meer (b), Ch. [de] garçons de Tölz, Concentus Mus[i]cus, Nikolaus Harnoncourt. Tel[e]funken 6.35305 (2 d.). + *Cantat[e] BWV 57 à 59.*

Bien que peu gravée, cette Cantate doit [sa] célébrité à son choral conclusif présenté p[ar] Alban Berg dans son Concerto à la mémoi[re] d'un ange. La très ancienne production [de] Karl Richter est toujours musicalement [au] premier plan : le dialogue insolite entre al[to] et ténor est chargé d'une émotion intense q[ui] est parfaitement exprimée par Töpper [et] Haefliger.

Dans la version aigre-douce d'Harno[n]court, Paul Esswood est égal à lui-mêm[e], c'est-à-dire inspiré et chaleureux.

Cantate BWV 61 «Nun komm der He[iden] Heiland».

** Seppi Kronwitter (s), Kurt Equilu[z] (t), Ruud van der Meer (b), Ch. d[e] garçons de Tölz, Concentus Mus[i]cus, Nikolaus Harnoncourt. Tel[e]funken 6.35306 (2 d.). + *Cantat[e] BWV 62 à 64.*

La grande Ouverture en la mineur de cet[te] œuvre de jeunesse autorise Harnoncourt [à] accentuer presqu'à outrance les rythme[s] pointés : l'effet escompté est obtenu, et l'e[n]semble est saisissant, tout comme le timb[re] de Kurt Equiluz. Malheureusement, le pet[it] soprano est manifestement dépassé par s[a] tâche.

Cantate BWV 65 «Sie werden aus Sab[a] alle kommen».

*** Kurt Equiluz (t), Ruud van de[r] Meer (b), Ch. de garçons de Tölz, Concentus Musicus, Nikolaus Har[n]oncourt. Telefunken 6.35335 (2 d.). + *Cantates BWV 66 à 68.*

** Ernst Haefliger (t), Theo Adam (b), Ch. et Orch. Bach de Munich, Karl Richter. Archiv 2722.005 (6 d.). *+ Cantates BWV 13, 28, 58, 61, 63, 64, 81, 82, 111, 121, 124, 132, 171.*

** Solistes, Ch. de St-Thomas, Orch. du Gewandhaus de Leipzig, Gunther Ramin. Eurodisc 89.827 (5 d.). Mono. *+ Cantates BWV 24, 72, 78, 92, 95, 119, 138, 144, 177.*

Souvent honorée par le passé, cette Canate est rendue particulièrement éclatante par a présence de deux Oboe da caccia, deux ors et deux flûtes à bec. Harnoncourt l'emorte sans peine par la couleur instrumentale les instruments anciens (à l'accent point trop iquant) et l'alacrité ici sans défaillance de es solistes.

On reprochera à Richter son dynamisme ui, souvent réjouissant, devient ici un excès le précipitation nuisant au recueillement de ertaines pages. Pour le reste (solistes et nsemble), il n'y a évidemment rien à redire.

L'enregistrement ancien de Günther Ranin n'est pas, il s'en faut, toujours parfait. Tel que cependant, il mérite le détour d'une coute fervente.

Cantate BWV 67 «Halt im Gedächtnis esum Christ».

*** Anna Reynolds (ms), Peter Schreier (t), Dietrich Fischer-Dieskau (b), Ch. et Orch. Bach de Munich, Karl Richter. Archiv 2722.022 (6 d.). *+ Cantates BWV 1, 4, 6, 12, 23, 87, 92, 104, 108, 126, 158, 182.*

*** Paul Esswood (hc), Kurt Equiluz (t), Ruud van der Meer (b), Collegium Vocale de Gand, Leonhardt Consort, Gustav Leonhardt. Telefunken 6.35335 (2 d.). *+ Cantates BWV 65, 66 et 68.*

** Solistes, Ch. de St-Thomas, Orch. du Gewandhaus de Leipzig, Gunther Ramin. Eurodisc 89.814 (5 d.). Mono. *+ Cantates BWV 36, 42, 43, 57, 73, 106, 111, 128, 131.*

Cette œuvre bien représentée au disque au moins sept gravures) pose un intéressant roblème d'organologie : elle réclame, outre ne traversière et deux oboe d'amore, un corno da tirarsi», espèce disparue que l'on remplace soit par un cor, soit par une trompette grave. Fischer-Dieskau, dans la version Richter (au 1er chœur très enlevé, presque trop) ne mérite que des éloges, et fait presque à lui seul l'intérêt de la réalisation.

Leonhardt, au fil de ses interventions, se révèle un chef infiniment sensible, et décidément moins arbitrairement rugueux que son associé Harnoncourt. Van Egmond, un des piliers de cette intégrale, est lui aussi très inspiré.

La version Ramin amène la réflexion attendue : monument classé, à découvrir en laissant ses convictions musicologiques à la porte.

Cantate BWV 68 «Also hat Gott die Welt geliebt».

*** Peter Jelosits (s), Ruud van der Meer (b), Ch. de garçons de Tölz, Concentus Musicus, Nikolaus Harnoncourt. Telefunken 6.35335 (2 d.). *+ Cantates BWV 65 à 67.*

* Elisabeth Grümmer (s), Theo Adam (b), Ch. de St-Thomas, Orch. du Gewandhaus de Leipzig, Kurt Thomas. EMI VSM ASDF 759 (sup.). *+ Cantate BWV 111.*

Cette Cantate souvent présente au catalogue est surtout célèbre par un air délicieux de soprano dialoguant avec un violoncelle piccolo (page favorite de l'auteur, dit-on). L'interprétation de Nikolaus Harnoncourt, sans faire référence absolue, est ici particulièrement réussie : il a déniché un jeune sopraniste réellement diabolique, dont l'aisance ferait pâlir de jalousie bien des divas consacrées.

Elisabeth Grümmer faisait presque tout l'intérêt d'une ancienne publication VSM. Pour le plaisir de retrouver cette grande voix somptueuse, on peut espérer revoir ce disque au catalogue.

Cantate BWV 70 «Wachet ! betet ! seid bereit allezeit».

*** Wilhelm Wiedl (s), Paul Esswood (hc), Kurt Equiluz (t), Ruud van der Meer (b), Ch. de garçons de Tölz, Concentus Musicus, Nikolaus Harnoncourt. Telefunken 6.35340 (2 d.). *+ Cantates BWV 69, 71 et 72.*

* Edith Mathis (s), Trudeliese Schmidt (ms), Peter Schreier (t), Dietrich Fischer-Dieskau (b), Ch. et Orch. Bach de Munich, Karl Richter. Archiv 2722.030 (6 d.). *+ Cantates BWV 5, 26, 38, 70, 80, 96, 115, 116, 130, 139, 140, 180.*

Harnoncourt mène le 1er chœur de cette belle Cantate (déjà présente anciennement dans la discographie) avec une vigueur impressionnante, souligne sans douceur les modulations, nous «réveille» sans prendre d'égards. Tout à l'avenant, c'est excellent.

Richter, dans une perspective assez semblable à celle de Rilling, se montre aussi intéressant, bien que souvent un peu excessivement nerveux : le ton est bref, presque cassant.

Cantate BWV 78 «Jesu, der du meine Seele».

*** Uta Spreckelsen (s), Naoko Ihara (ms), John Elwes (t), Philippe Huttenlocher (b), Ens. Vocal et Orch. de Lausanne, Michel Corboz. Erato STU 71.099 (2 d.). *+ Cantates BWV 11, 58, 198.*

* Ursula Buckel (s), Hertha Töpper (ms), John van Kesteren (t), Kieth Engen (b), Ch. et Orch. Bach de Munich, Karl Richter. Archiv 198.197. *+ Magnificat.*

On aime retrouver le charmant duetto soprano-alto de cette ravissante Cantate, déjà très sollicitée (Gönnenwein, Werner). Corboz nous comble : ses solistes comme sa direction ont une fraîcheur (devrait-on dire une innocence ?) que l'on ne trouve nulle part ailleurs.

Les versions concurrentes (Harnoncourt, Richter, Ramin) semblent moins émouvantes, moins recueillies. On peut noter en faveur de Richter le couplage avec le *Magnificat*, traditionnel mais bien venu.

Cantate BWV 80 «Ein feste Burg ist unser Gott».

*** Agnes Giebel (s), Hertha Töpper (ms), Peter Schreier (t), Theo Adam (b), Ch. St-Thomas de Leipzig, Orch. du Gewandhaus de Leipzig, Rudolf Mauersberger. Archiv 198.407. *+ Cantate BWV 140.*

*** Edith Mathis (s), Trudeliese Schmidt (ms), Peter Schreier (t), Dietrich Fischer-Dieskau (b), Ch. et Orch. Bach de Leipzig, Karl Richter. Archiv 2722.030 (6 d.). *+ Cantates BWV 5, 26, 38, 70, 96, 115, 116, 130, 139, 140, 180.*

Les recherches musicologiques récentes ont considérablement modifié la position de cette partition éclatante, en déclarant probablement non authentiques les parties de trompettes et timbales (le fautif en serait Wilhelm Friedemann). D'où l'affrontement de deux tendances : avec, ou sans. Mauersberger, il y a plus de dix ans, enregistrait une version «sans», qui, dans la grande tradition de Leipzig (Mauersberger en est l'un des derniers représentants) présente un ensemble vocal miraculeusement homogène ; mais le texte de Luther appelait peut-être un brillant supplémentaire, ici absent.

Karl Richter, ancien «Thomaner», a adopté la version avec trompettes et timbales, et à défaut de stricte musicologie, s'est préoccupé d'effet musical : la rudesse du Réformateur devient infiniment plus crédible ; et puis Wilhelm Friedemann était-il vraiment un si mauvais adaptateur.

Cantate BWV 82 «Ich habe genug».

❀*** Max van Egmond (b), Barock-Ensemble, Frans Brüggen. RCA-Seon RL 30.387. Enregistré en 1977. *+ Cantate BWV 56.*

*** Dietrich Fischer-Dieskau (b), Ch. et Orch. Bach de Leipzig, Karl Richter. Archiv 198.477. *Cantate BWV 56.*

Max van Egmond et Frans Brüggen qui dirige le Barock-Ensemble peuvent parfaitement revendiquer la meilleure place de la discographie : autant que Fischer-Dieskau et que Prey, van Egmond impose sa présence ; quant à Brüggen, il domine ses concurrents aussi bien par le style que par l'esprit de sa direction.

Dans une option interprétative traditionnelle, la deuxième gravure de Fischer-Dieskau domine la discographie, couplée, non moins traditionnellement, avec la cantate parallèle BWV 56.

Cantate BWV 106 «Gottes Zeit ist die allerbeste Zeit», Actus Tragicus.

❀*** Gustav Leonhardt. Telefunken 6.35558 (2 d.). Enregistré en 1980. *+ Cantates BWV 103, 104 et 105.*

*** Ursula Buckel (s), Hertha Töpper (ms), Ernst Haefliger (t), Theo Adam (b), Ch. et Orch. Bach de Munich, Karl Richter. Archiv 198.402. *+ Cantate BWV 26.*

Leonhardt signe la version la plus réussie, t de très loin, de la Cantate «Actus Tragi-us». L'émotion musicale est si évidente et la ualité de l'interprétation est tellement éle-ée que l'on se sent envahi par le sentiment le «transcendance», et que dans cet «état de râce» il semble bien vain de chipoter sur uelques détails secondaires. La présence des lûtistes Frans Brüggen et Walter Van Iaurne, ainsi que celle du chœur que dirige hilippe Herreweghe, ne sont pas pour peu ans ce succès.

La discographie, jadis très abondante Gönnenwein, Jürgens, Scherchen), s'est nexplicablement réduite (bien que l'intégrale Iarnoncourt s'en rapproche tout doucette-nent). En l'état, nous sélectionnerons uni-uement la version Richter pour son autorité ayonnante et ses solistes inimitables.

Cantate BWV 113 «Herr Jesu Christ, lu höchstes Gut».

*** Sebastian Hennig (s), Detlef Bratschke et René Jacobs (a), Kurt Equiluz (t), Max van Egmond (b), Knabenchor de Hanovre, Collegium vocale de Gand, Leonhardt Consort, Gustav Leonhardt. Telefunken 6.35573 (2 d.) *+ Cantates BWV 111, 112 et 114.*

Une cantate chorale, entièrement articulée autour du thème d'un cantique luthérien de pénitence. Sous la conduite de Leonhardt, les modes de jeu «à l'ancienne» acquièrent ici une spontanéité, un naturel qui emportent l'adhésion. L'exécution est en tous points admirable et restitue, dans son climat de ferveur et de piété, une admirable page archaïsante du Bach de Leipzig.

Cantate BWV 127.

❀*** Sebastian Hennig (s), Max van Egmond (b), Ch. d'enfants de Hanovre, Collegium Vocale de Gand, Leonhardt-Consort, Gustav Leonhardt. Telefunken 6.35602. *+ Cantates BWV 124 à 126.*

La *Cantate BWV 127,* véritable apothéose de la polyphonie baroque, est un absolu chef-d'œuvre du genre. Dès le chœur d'entrée, on se trouve confronté à une profusion d'images sonores symboliques : coloris instrumentaux, figuralisme, appuis sur les mots-clés, rappel permanent du choral *«O Lamm Gottes».* Le style parfait, l'émotion désincarnée que communique le chant de Sebastian Hennig, le sommet d'expression atteint par Max van Egmond et la direction de Leonhardt, qui possède cette souplesse baroque, cette intelligence du texte, cette puissance inventive qui nous restituent Bach dans toute la dimension de son génie, font de cette interprétation une absolue réussite.

Cantate BWV 131 «Aus der Tiefe rufe ich, Herr, zu dir».

** Sophia McKenna (hautbois), William Kendall (t), Stephen Varcoe (bar), Monteverdi Choir, English Baroque Soloists, John Eliot Gardiner. Erato STU 71.506. ⊠ MCE 71.506. Enregistré en 1980 *+ Cantate BWV 4.*

La cantate 131 trouve avec Gardiner un interprète soucieux de mettre l'accent sur la délicatesse des effets de sonorité et de donner toute leur valeur aux épisodes très imagés et aux traits de caractérisation qui prolongent le poids des mots chantés. Exécution d'une rare perfection due aux musiciens qui travaillent en permanence avec le chef et participent totalement à sa conception – perfection un peu froide, peut-être, à laquelle il manque un rien de spontanéité.

Cantate BWV 137 «Lobe den Herren, den mächtigen König der Ehren».

*** Edith Mathis (s), Julia Hamari (ms), Peter Schreier (t), Dietrich Fischer-Dieskau (b), Ch. et Orch. Bach de Munich, Karl Richter. Archiv 2722.028 (6 d.). *+ Cantates BWV 9, 17, 27, 33, 100, 102, 105, 148, 178, 179, 187.*

Le 2ᵉ verset du choral (aria pour alto) est devenu le premier des populaires chorals Schübler (en sol majeur). En attendant le retour possible du vieil enregistrement de Ramin, sélectionnons sans remords la version Karl Richter : on y retrouve la qualité habituelle à toutes ses prestations (surtout au niveau du choix des voix de femmes, souvent plus à l'aise que certains petits sopranistes viennois). Enfin, il fait sonner les trois trompettes et timbales avec une intensité qu'il est probablement le seul à pouvoir atteindre.

Cantate BWV 140 «Wachet auf, ruft uns die Stimme».

*** Agnes Giebel (s), Hertha Töpper (ms), Peter Schreier (t), Theo Adam (b), Ch. de St-Thomas de Leipzig, Orch. du Gewandhaus de Leipzig, Erhard Mauersberger. Archiv 198.407. + *Cantate BWV 80.*

** Edith Mathis (s), Trudeliese Schmidt (ms), Peter Schreier (t), Dietrich Fischer-Dieskau (b), Ch. et Orch. Bach de Munich, Karl Richter. Archiv 2722.030 (6 d.). + *Cantates BWV 5, 26, 38, 70, 60, 96, 115, 116, 130, 139, 180.*

Incontestablement l'une des Cantates les plus célèbres de Bach. On doit aussi à cette œuvre puissante d'avoir donné le jour (par la transcription du choral des ténors) au 1er choral d'orgue Schübler en mi bémol majeur. Mauersberger s'est entouré d'une équipe de chanteurs «trois étoiles». Agnes Giebel toujours sensible et sereine. Il en ressort une interprétation «au long cours» tout en nuances, que l'on aimerait pouvoir comparer à des rivales actuellement indisponibles : Gönnenwein, Werner, Thomas par exemple.

La réalisation de Karl Richter, à l'exception - et c'est dommage - d'un chœur d'entrée beaucoup trop mou, est toujours admirable de logique et de fermeté (dernier chœur). On notera que le 2e choral (futur «Schübler») est confié au ténor solo et non comme d'ordinaire au pupitre complet : il y perd en majesté, mais y gagne une audace fragile toute nouvelle.

Cantate BWV 147 «Herz und Mund und Tat und Leben».

*** Elly Ameling (s), Janet Baker (ms), Ian Partridge (t), John Shirley-Quirk (b), Ch. du King's College de Cambridge, Academy of St-Martin-in-the-Fields, David Willcocks. EMI VSM C 069-02.230. ⌧ C 269-02.230. + *Motets BWV 226, 228, 230.*

*** Ursula Buckel (s), Hertha Töpper (ms), John van Kesteren (t), Kieth Engen (b), Ch. et Orch. Bach de Munich, Solistes de la Semaine Bach d'Ansbach, Karl Richter. Archiv 198.331. + *Cantate BWV 60.*

Cette Cantate en deux parties a connu le succès grâce au choral qui apparaît à deux reprises, accompagné par sa ritournelle, baptisé en français «Jésus que ma joie demeure». L'excellent chef anglais David Willcocks fait une entrée fracassante dans cette confrontation : des solistes merveilleux (Dame Janet Baker), un orchestre dont le monde musical admire l'élégance, et puis cette délicieuse petite manie qu'ont les Anglais de rendre vivant et spirituel ce qui nous paraît des lieux communs ou du rabâchage. Enfin, le couplage avec trois motets est tentant.

Quelque vingt ans déjà, et toujours la même jeunesse et la même verdeur d'articulation : la version de Karl Richter a parfois de quoi froisser par une rythmique presque trop insistante, mais l'exaltation nous gagne à l'audition des grands chœurs. Enfin, comment oublier l'adorable joute musicale entre soprano et violon solo ?

Cantate BWV 187 «Es wartet alles auf dich».

*** Wally Staempfli (s), Claudine Perret (ms), Philippe Huttenlocher (b), Ensemble Vocal et Instr. de Lausanne, Michel Corboz. Erato STU 70.710. ⌧ MCE 70.710. + *Magnificat.*

De cette vaste Cantate en deux parties, qui tire sa substance de quatre sections de la *Messe brève en sol mineur*, Michel Corboz donne une interprétation de grande valeur : les chœurs sont menés avec toujours la même ferveur, et on ne peut qu'admirer Philippe Huttenlocher dans le bel air qui lui est confié.

Cantate BWV 190 «Singet dem Herrn ein neues Lied».

** Wilhelm Weildt (s), Ulrich Wand (ms), Karl Markus (t), Ulrich Studer (b), Tölzer Knabenchor, Collegium Aureum, Gerhard Schmidt-Gaden. Deutsche Harmonia Mundi HMU 20.318. + *Cantate BWV 137.*

Cette intéressante partition qui utilise en ›s des cordes et du continuo 3 hautbois, 2 ›autbois d'amour et surtout 3 trompettes et ›mbales nous est parvenue avec ses deux ›hœurs d'entrée presque totalement amputés › leurs parties d'orchestre. Aujourd'hui res-›urée, elle n'est disponible pour l'instant ›ue dans une seule interprétation, tout à fait ›onorable. Très proche en esprit d'Harnon-›ourt, mais avec cependant un esprit moins ›élibérément fantasque, Gerhard Schmidt-›aden utilise au mieux les capacités de l'en-›mble baroque.

›antate BWV 198 «Lass, Fürstin, lass ›och einen Strahl», Ode funèbre.

*** Rothraud Hansmann (s), Helen Watts (ms), Kurt Equiluz (t), Max van Egmond (b), Ch. Monteverdi de Hambourg, Concerto d'Amsterdam, Jürgen Jürgens. Telefunken 6.41215 (étr.).

** Uta Spreckelsen (s), Naoko Ihara (ms), John Elwes (t), Philippe Huttenlocher (b), Ens Vocal et Instr. de Lausanne, Michel Corboz. Erato STU 71.099 (2 d.). + *Cantates 11, 58, 78.*

L'ancienne gravure de Jürgen Jürgens est ›nfin revenue au catalogue : le timbre pur de ›othraud Hansmann suffit presque à illumi-›er toute l'œuvre, et les luths donnent une ›élancolie tout à fait extraordinaire à cer-›ains airs - le bel air de ténor de la deuxième ›artie, par exemple. Enfin, signalons que ›eonhardt est au continuo...

Michel Corboz a autour de lui ses compli-›es traditionnels (dans lesquels on distin-›uera l'alto de Naoko Ihara), mais malgré ›es chœurs dont il tire le meilleur parti, il ne ›eut rivaliser avec l'ensemble prestigieux ›éuni par Jürgen Jürgens.

›antate BWV 199 «Mein Herze ›chwimmt im Blut».

*** Edith Mathis (s), Orch. Bach de Munich, Karl Richter. Archiv 2533.115. + *Cantate BWV 51.*

Cette Cantate pour soprano ne comporte ›ucun chœur, et chacun de ses récitatifs est ›outenu par un ensemble orchestral où figu-›ent expressément cordes, bassons et conti-›uo avec violone. Une seule version (en ›'absence de celle de Maria Stader), mais elle ›isque de faire longtemps référence : Edith ›Mathis est une de nos meilleures chanteuses d'oratorio, et joint à un timbre exquis un sens du texte difficile à égaler.

Cantate profane BWV 208 «Was mir behagt, ist nur die muntre Jagd», Cantate de la chasse.

* Edith Mathis (s), Arleen Augér (s), Peter Schreier (t), Theo Adam (b), Orch. de Chambre de Berlin, Peter Schreier. Archiv 2533.364.

Peter Schreier pratique le «double jeu» de chef et d'interprète. Nul doute qu'il n'y réussisse avec élégance, mais on lui reprochera des effectifs trop copieux et une rythmique sans moelleux ; Arleen Augér et Theo Adam sont parfaits.

Cantate profane BWV 211 «Schweigt stille, plaudert nicht», Cantate du café.

** Rothraud Hansmann (s), Kurt Equiluz (t), Max van Egmond (b), Concentus Musicus de Vienne, Nikolaus Harnoncourt. Telefunken 6.41359. + *Cantate BWV 212.*

* Edith Mathis (s), Peter Schreier (t), Theo Adam (b), Orch. de Chambre de Berlin, Peter Schreier. Archiv 2533.269. + *Cantate BWV 212.*

Plus Singspiel que Cantate, cette œuvre pleine d'esprit prouve que Bach savait manier aussi l'humour. Elle a jusqu'ici toujours été couplée avec la BWV 212. Sans négliger pour autant sa grande intégrale, Nikolaus Harnoncourt a gravé cette charmante Cantate, et de ce fait s'est placé en tête de la confrontation. La verve du texte est parfaitement traduite, et Rothraud Hansmann est adorable.

Peter Schreier a participé en tant que ténor et en tant que chef à l'élaboration de cet enregistrement. Il n'est certes pas aussi inventif qu'Harnoncourt dans sa direction, mais ses conceptions plus traditionnelles (effectifs, instruments modernes) sont exposées avec bonhomie.

Cantate profane BWV 212 «Mer hahn en neue Oberkeet», Cantate des paysans.

*** Rothraud Hansmann (s), Max van Egmond (b), Concentus Musicus, Nikolaus Harnoncourt. Telefunken 6.41359. + *Cantate BWV 211.*

** Edith Mathis (s), Theo Adam (b), Orch. de Chambre de Berlin, Peter Schreier. Archiv 2533.269. + *Cantate BWV 211.*

Les paysans mis en scène dans cette Cantate écrite en 1742 parlent le patois saxon, et ne dédaignent de chanter sur les rythmes à la mode (mazurka, bourrée) avec, pour la plupart des arias un orchestre des plus frustes (un violon, une alto et une basse). Comme pour la Cantate BWV 211 à laquelle elle se joint habituellement, elle est représentée actuellement par deux versions profondément différentes mais l'une comme l'autre de jolie qualité. Harnoncourt y séduit par son charme et son pittoresque.

Beaucoup de naturel chez Schreier, et une poésie plus terre à terre qui convient bien à cette page.

Les 18 Chorals de Leipzig BWV 651-668.

*** Michel Chapuis (orgue Andersen de Notre-Sauveur à Copenhague). Valois MB 853/54 (2 d.).

Michel Chapuis nous donne de ce recueil une vision littéralement ensoleillée, raffinée dans le choix des timbres, élégante dans la réalisation des ornements, souple et cursive dans les Trios, avec cependant quelques excès dans la rapidité de certains mouvements.

Les 6 Chorals Schübler BWV 645-650.

*** Lionel Rogg (orgue Silbermann d'Arlesheim). Harmonia Mundi 786. + *12 Chorals divers.*

** Helmut Walcha (orgue F.C.Schnitger d'Alkmaar). Archiv 14.041 (sup.). Enregistré en 1956. + *Chorals BWV 665-668.*

** Michel Chapuis (orgue Andersen de St-Benoît à Ringsted). Valois MB 856. + *8 Chorals divers.*

Lionel Rogg (intégrale n° 2, à Alesheim) s'impose par l'homogénéité de ces six Chorals ; la simplicité et le soin appliqué avec lesquels ils sont traités les amènent ici à une perfection achevée.

Helmut Walcha a gravé deux fois ces *Chorals Schübler* : à l'évidence, on préférera la version d'Alkmaar 1956, dont les années n'ont pas terni la fraîcheur. Walcha y est au sommet de son talent, et l'orgue F.C. Schnitger est bien le merveilleux instrument qui convenait idéalement pour restituer ces pages qui privilégient les timbres de détail.

Chez Michel Chapuis, le Choral dit «des Veilleurs» est une absolue réussite qui surpasse toutes les autres versions : le secret de cette interprétation tient dans l'ajout d'un *continuo* d'une exquise discrétion dans les passages où le *cantus firmus* n'apparaît pas, qui vient s'insinuer entre la basse et la guirlande aérienne et dansante du soprano. Mais les autres Chorals n'atteignent pas à cette qualité, et on y regrettera la vivacité excessive de certains mouvements.

Clavierübung, 3e partie : Prélude et Fugue en mi bémol majeur BWV 552, les 21 Chorals «du Dogme» BWV 669-689, les 4 Duettos BWV 802-805.

*** Michel Chapuis (orgue von Beckerath de St-Paul à Hamm). Valois MB 851/52 (2 d.).

On retrouve chez Chapuis les qualités et les défauts de son interprétation des *Chorals de Leipzig*, mais cet interprète donne au Prélude et à la Fugue en mi bémol qui encadrent ce *Dogme* des allures d'arc de triomphe baroque. Quelle pulsion fulgurante dans les rythmes à la française du Prélude, quelle lumière dans la deuxième Fugue qui scintille comme un vitrail, quelle farouche énergie dans les bondissements de la troisième Fugue ! Dans une telle interprétation, ce portique retrouve pleinement l'aspect colossal de ses dimensions musicales et théologiques.

Le Clavier bien tempéré, Livres 1 et 2.

❁*** Gustav Leonhardt (Livre 1 : clavecin Skowroneck d'après Dülcken ; Livre 2 : clavecin Rubio d'après Taskin). Deutsche Harmonia Mundi HMU 20.309/13 (5 d.). Enregistré en 1969 (Livre 1) et 1977 (Livre 2).

❁*** Sviatoslav Richter (piano). Livre 1 : Chant du Monde LDX 78.525/27 (3 d.). Livre 2 : Chant du Monde LDX 78.528/30 (3 d.).

*** Helmut Walcha (Livre 1 : clavecin J. Rückers de 1640 ; Livre 2 : clavecin J. H. Hemsch de 1755). Archiv 2723.054 (5 d.). Enregistré en 1973 et 1974.

** Edwin Fischer (piano). EMI VSM C 151-54.045/49 M (5 d.). Mono (origine 78 t.).

Le Clavier bien tempéré, Livre 1.

*** Wanda Landowska (clavecin Pleyel). RCA RM 43.037 (2 d.). Mono. Enregistré de 1949 à 1951.

Gustav Leonhardt donne du *Clavier bien tempéré* une vision resplendissante, fascinante jusqu'à l'envoûtement, plus encore par la richesse pulsatile de son jeu que par la séduction sonore des magnifiques instruments qu'il utilise. Ces quarante-huit Préludes et Fugues sont ici animés d'une vie dont Leonhardt, avec une intuition confondante, a mis à jour, au-delà du texte écrit, tous les secrets palpitements.

Richter, sur le piano moderne, a porté un regard sur le *Clavier bien tempéré* qui a suscité une admiration unanime, y compris de la part des plus farouches tenants des interprétations au clavecin. Toute la palette du toucher pianistique est ici splendidement mise au service de Bach. Tout en conservant cette retenue dans l'usage des nuances sans laquelle l'écriture fuguée peut perdre, sur le piano, son essence polyphonique, Richter exploite toutes les possibilités de l'instrument pour créer avec une rare intelligence l'identité sonore qui convient à chaque Prélude et à chaque Fugue.

Chez Walcha, le *Clavier bien tempéré* demeure sans doute marqué d'un filigrane d'austérité. Mais quelle rigueur exemplaire dans la perception analytique du contrepoint ! Il jaillit de cette interprétation une vérité qui exalte par priorité les pures satisfactions de l'esprit. C'est un chemin parmi d'autres pour aimer le *Clavier bien tempéré* ; il plaira davantage à ceux qui se font de Bach l'image d'un sage et d'un penseur.

La mémoire d'Edwin Fischer recrute une clientèle de partisans : eux seuls peuvent admirer le galop frénétique qui tient lieu de tempo à certains Préludes, ne pas entendre que les voix de certaines Fugues se confondent dans une bousculade. Si on leur objecte que l'ensemble est émaillé de quelques accidents de texte, ils répondent qu'une écorchure de plus ou de moins dans sa pierre ne peut altérer la beauté d'une cathédrale.

Il faut écouter le *Clavier bien tempéré* de Wanda Landowska en renonçant aux préjugés musicologiques et instrumentaux qui sont nôtres aujourd'hui. On demeure émerveillé chez Landowska par la puissante architecture de ces Préludes et Fugues, l'étonnante fantaisie rythmique à l'intérieur d'une charpente temporelle rigoureuse, le phrasé qui fait vivre toutes les voix, la variété des accents, la subtilité du toucher. A noter la qualité technique très soignée de cette réédition qui remet en pleine lumière une interprète de génie. La réédition du second Livre est prévue par l'éditeur.

Concertos Brandebourgeois n° 1 en fa majeur BWV 1046, n° 2 en fa majeur BWV 1047, n° 3 en sol majeur BWV 1048, n° 4 en sol majeur BWV 1049, n° 5 en ré majeur BWV 1050, n° 6 en si bémol majeur BWV 1051.

❀*** Frans Brüggen (flûte), Anner Bijlsma (violoncelle), Lucy van Daël (violon), Sigiswald Kuijken (violon), Wieland Kuijken (viole de gambe), Claude Rippas (trompette), Gustav Leonhardt (clavecin et direction). RCA RL 30.400 (2 d.). ⌧ RK 30.793/94 (2 c.). Enregistré en 1977.

❀*** The English Concert, Trevor Pinnock. Archiv 2742.003 (2 d.). Enregistré en 1982.

*** Orch. de Chambre de Stuttgart, Karl Münchinger. Decca 593.005 (2 d.).

** Concentus Musicus de Vienne, Nikolaus Harnoncourt. Telefunken AZ 6.42823 (Concertos 1, 2 et 4) et AZ 6.42840 (Concertos 3, 5 et 6).

** Academy of Saint-Martin-in-the-Fields, Neville Marriner. Philips 6700.045 (2 d.). ⌧ 7300.158/59 (2 c.).

** Orch. de Chambre de la Sarre, Karl Ristenpart. Musidisc RC 648/9 (2 d.) ou RC 16.010 (2 d.).

** Collegium Aureum. Harmonia Mundi 20.331 (2 d.). ⌧ 30.331 (2 c.).

** Orch. du Festival de Marlboro, Pablo Casals. CBS 60.251 et 60.252 (2 d.). Enregistré en 1964.

Réalisée sur des instruments anciens joués par les meilleurs spécialistes, la version de Leonhardt est incontestablement la plus intelligente et la plus vivante. Les sonorités, baignant dans la souplesse et la sensualité, sont d'une beauté incomparable. C'est proprement une vision nouvelle, où l'on découvre que ces œuvres si célèbres ont des dimensions qu'on ne leur soupçonnait pas jusque-là.

Chez Pinnock, l'authenticité s'appuie sur l'usage d'instruments anciens (ou à l'ancienne), le respect du rythme vécu dans la musique de Bach, une grande liberté dans l'usage des ornements. La vivacité d'allure de ses *Brandebourgeois* est incontestable ; la jeunesse qui les habite, une certaine allégresse, un bonheur de l'allure les remplissent d'une joie communicative qui n'est pas du domaine de l'intelligence, mais de celui de la sensualité la plus directe et la plus prenante.

Parmi les très nombreux enregistrements des *Brandebourgeois*, celui, pourtant ancien, dirigé par Münchinger demeure une référence : dans un style d'interprétation traditionnel, il témoigne d'un enthousiasme et d'une vibrante musicalité qui font défaut à tant d'autres.

Harnoncourt, lors de son premier enregistrement des *Concertos Brandebourgeois* avec un Concentus Musicus naissant, avait laissé une certaine impression de malaise sonore. Aujourd'hui, c'est le sentiment d'aisance et de totale liberté technique qui triomphe dans cette vision à la fois lucide et sensible.

La version Marriner se signale par deux originalités. Tout d'abord, en dehors du premier Concerto, tous les autres sont interprétés par des solistes, ce qui, du point de vue de la musicologie, est parfaitement défendable et, de celui de l'oreille, parfaitement convaincant. D'autre part, l'emploi pour le n° 4 de deux flûtes sopranino produit un effet caricatural et quelque peu cocasse. Cela étant, c'est une version très intéressante, transparente et bien équilibrée.

L'édition de Ristenpart est la moins chère et pourtant l'une des plus belles qui soient malgré les nouveautés en matière de musique ancienne. La clarté sonore de la réédition ajoute encore aux beautés primitives de l'interprétation.

Les discophiles qui souhaitent une touche d'époque sans vouloir s'imposer toutes les contraintes d'une interprétation à l'ancienne choisiront l'agréable version du Collegium Aureum, séduisante synthèse entre l'adoption d'un style classique et l'usage des timbres anciens. Au clavecin, un débutant au disque... Gustav Leonhardt. Cet enregistrement a jadis été couronné du Grand Prix des Discophiles.

Avec Casals, la fougue et le véhémence expressive nous surprennent à chaque instant. Tout, dans cette version, est simple et chaleureux, et chante de partout. Casals réussit le miracle de nous donner plus de flûte, plus de violon, plus de piano, plus de chaque partie. Avec quelques excès, quelques accents intempestifs çà et là, quelques boursouflures, mais jamais d'emphase, jamais rien de pompeux ou même de «sentimental». C'est même la constance simplicité du ton qui frappe le plus.

Concertos pour clavier et cordes. Pour 1 clavier : Concertos en ré mineur BWV 1052, en mi majeur BWV 1053, en ré majeur BWV 1054, en la majeur BWV 1055, en fa mineur BWV 1056, en fa majeur BWV 1057, en sol mineur BWV 1058. Pour clavier et hautbois en ré mineur BWV 1059. Pour 2 claviers : Concertos en ut mineur BWV 1060, en ut majeur BWV 1061, en ut mineur BWV 1062. Pour 3 claviers : Concertos en ré mineur BWV 1063, en ut majeur BWV 1064. Pour 4 claviers : Concerto en la majeur BWV 1065.

❀*** Gustav Leonhardt (clavecin), Anneke Uittenbosch, Eduard Müller, Janny van Wering, Alan Curtis (clavecins), Leonhardt Consort, Gustav Leonhardt. Pour le BWV 1052 : Herbert Tachezi (clavecin), Concentus Musicus de Vienne. EMI Telefunken 6.35049 (5 d.). ⊠ 4.35049 (4 c.).

*** Trevor Pinnock, Kenneth Gilbert, Lars Ulrik Mortensen, Nicholas Kraemer (clavecins), The English Concert, Trevor Pinnock. Archiv 2723.077 (4 d.). Enregistré en 1981.

Avec un souci d'authenticité, avec un soin jaloux du détail, mais aussi avec une vive sensibilité, Gustav Leonhardt s'est attaché à respecter les caractéristiques du clavecin qu'il a choisi pour interpréter ces Concertos pour clavier. Il a rassemblé d'admirables instruments d'époque, et l'on se délectera à la lecture de leur notice de présentation. Grâce à l'enchantement de la prise de son, l'exécution est un éblouissement. La musique de Bach respire avec un mélange d'abandon et de sûreté, et c'est un vrai plaisir que ce recueil, un splendide bouquet de chefs-d'œuvre.

Trevor Pinnock, contrairement à Leonhardt qui se contentait d'un instrument par partie, conduit un orchestre de chambre complet, précis et léger, mais qui cependant couvre parfois les broderies des solistes. Cela étant, on ne peut imaginer une dynamique plus fulgurante ni un crépitement rythmique plus étincelant : l'English Concert brille par sa cohérence et son homogénéité et fait jaillir de ces concertos un incomparable élan jubilatoire.

Douze Concertos pour 1, 2, 3, ou 4 clavecins et cordes BWV 1052 à 1058 et 1060 à 1063.

** Huguette Dreyfus, Luciano Sgrizzi, Luigi-Fernando Tagliavini, Yannick Le Gaillard (clavecins), Ensemble Baroque de Drottningholm. Erato STU 71.180 (4 d.). ⊠ MCE 71.181/84 (4 c.).

Il s'agit là d'une presque-intégrale, puisqu'elle omet le BWV 1057, d'après le *Quatrième Brandebourgeois*, et le BWV 1059 dont on ne connaît que neuf mesures originales. Huguette Dreyfus, dans les œuvres pour un clavecin, montre une belle «patte», mais elle n'est pas toujours suivie dans son élan par l'orchestre. En revanche, les Concertos à plusieurs clavecins sont parfaitement équilibrés, d'autant plus que les instruments choisis se correspondent pour la sonorité.

Concertos pour clavier et cordes n° 1 en ré mineur BWV 1052, n° 4 en la majeur BWV 1055, n° 5 en fa mineur BWV 1956.

*** Edwin Fischer (piano), Orch. anonyme, Edwin Fischer. EMI Références 051-01421. Mono (origine 78 t.).

Trois célèbres Concertos pour clavier, interprétés au piano sous les doigts d'Edwin Fischer. Pour restituer le caractère de la musique de chambre, il dirige lui-même depuis son instrument une formation dont le nom ne nous est pas parvenu. Comme de lui-même, il en exige un haut degré d'expressivité. Ce disque est entré dans la légende, et à une telle hauteur que les problèmes de reconstitution musicologique ne se posent plus.

Les trois Concertos pour 2 claviers et cordes : en ut mineur BWV 1060, en ut majeur BWV 1061, en ut mineur BWV 1062.

** Robert Veyron-Lacroix et Anne-Marie Beckensteiner (clavecins), Orch. de Chambre Jean-François Paillard, Jean-François Paillard. Erato STU 70.447.

Les trois «doubles Concertos» interprétés par deux solistes rompus à l'art du dialogue et très proches l'un de l'autre. Paillard obtient de son orchestre des nuances et des inflexions tout à fait délicates. C'est une interprétation traditionnelle qui, sans bouleverser la discographie de ces œuvres, n'en est pas moins agréable à écouter.

Les deux Concertos pour 3 claviers et cordes : en ré mineur BWV 1063, en ut majeur BWV 1064. Concerto pour 4 claviers et cordes en la majeur BWV 1065.

** Robert Veyron-Lacroix, Anne-Marie Beckensteiner, Hans Goverts et Laurence Boulay (clavecins), Orch. de Chambre, Jean-François Paillard. Erato STU 70.448. ⊠ MCE 70.448.

Traditionnel et agréable est cet enregistrement des Concertos à 3 et 4 claviers : les deux solistes qui viennent compléter l'équipe initiale Veyron-Lacroix/Beckensteiner s'y intègrent parfaitement, ce qui renforce l'intérêt musical, rebondissant d'un instrument à l'autre en polyphonie serrée.

Concerto pour 2 claviers et cordes en ut majeur BWV 1061.

*** Clara Haskil et Geza Andá (pianos), Orch. Philharmonia, Alceo Galliera. EMI VSM C 051-00.439. Enregistré en 1956. *+ Mozart : Concerto pour deux pianos et orchestre en mi bémol majeur.*

Au-delà de tous les problèmes de style et de facture instrumentale, il faut rendre hommage à cette superbe interprétation sous les doigts de deux très grands pianistes qui donnent à ce Concerto une spiritualité, une émotion s'exprimant à travers la plus poignante nudité. En complément, un Mozart idéalement tendre et émouvant. A un prix intéressant, ce qui ne gâte rien, c'est un document qu'il faut se procurer, d'autant plus que la prise de son en remontrerait à bien des enregistrements plus récents.

Concerto pour flûte, violon, clavecin et cordes en la mineur BWV 1044.

*** Frans Brüggen (flûte), Marie Leonhardt (violon), Gustav Leonhardt (clavecin), Anneke Uittenbosch (second clavecin), Leonhardt

Consort, Gustav Leonhardt. EMI Telefunken 6.41115. *+ Concerto pour 2 claviers et cordes en ut majeur BWV 1061.*

L'équipe hollandaise, composée d'artistes passés maîtres dans l'art de faire résonner leurs très beaux instruments anciens, se montre aussi brillante ici que dans l'intégrale des Concertos pour clavier et des *Brandebourgeois.* Elle nous offre ces pages ravissantes restituées dans toute la fraîcheur de leurs coloris originaux.

Concerto italien pour clavecin seul en fa majeur BWV 971.

*** Wanda Landowska (clavecin). EMI Gravures illustres COLH 45 (sup.). *+ Partita n° 1, Fantaisie chromatique et Fugue, Toccata BWV 912.*

*** Youri Boukoff (piano). Metropole 2599.005. *+ Cantate BWV 147, Fantaisie chromatique et Fugue BWV 903, Partita BWV 1004, Prélude et Fugue pour clavier BWV 894.*

*** Yannick Le Gaillard (clavecin). Elyon 35.003. ⊠ 45.003. *+ Quatre Duetti BWV 802 à 805, Ouverture à la Française BWV 831.*

** Walter Gieseking (piano). DG 2535.823 (sup.). Mono. *+ Capriccio, Fantaisie BWV 906, Fantaisie chromatique et Fugue, Fugue BWV 944, Petit Livre d'Anna-Magdalena, Petit Livre de Wilhelm-Friedemann, Petits Préludes pour clavecin.*

** Luciano Sgrizzi (clavecin). Erato STU 70.999. *+ Fantaisie chromatique et Fugue, Partita BWV 928.*

On n'accepterait plus aujourd'hui la sonorité du clavecin de Wanda Landowska, mais son interprétation n'en est pas moins «moderne» par sa vitalité, son éloquence et sa grandeur. Dans le *presto* final, la grande claveciniste est étonnante ! Elle fait admirablement ressortir, par des oppositions de sonorités, le caractère concertant de l'œuvre. Malgré l'âge de cette gravure, c'est elle encore qui domine la discographie.

Dans une version pour piano, Youri Boukoff arrive en tête : il est en outre servi par un enregistrement techniquement exemplaire. Avec lui, on entre dans la vérité de l'œuvre : la vie rythmique de l'*allegro*, le chant intérieur de l'*andante*, la diversité des couleurs du *presto* s'affirment avec un naturel et une simplicité qui sont le propre des grandes interprétations.

C'est sur cette page importante que Yannick Le Gaillard fait son entrée dans la discographie du clavecin. Son *Concerto italien* saisit par son feu, sa vivacité ; et quelle intelligence dans les phrasés ! ce jeune artiste vous force à écouter, car son clavecin parle, raconte des choses, tendres ou gaies, mais toujours passionnées. Le jeu est tendu comme un fil ininterrompu, soutenu par une éloquente analyse du texte musical.

Walter Gieseking aborde le *Concerto italien* avec raffinement et une légèreté qui ont de quoi séduire. On appréciera également l'art avec lequel il différencie les divers plans qui forment l'*andante.* Mais le *presto* final est abordé avec une excessive rapidité, ce qui en diminue considérablement l'intérêt. Sa conception «verticale» de l'interprétation bachienne, si elle est loin de faire maintenant l'unanimité, trouvera encore des partisans.

Sgrizzi a sous les doigts un superbe clavecin ancien de 1737, sur lequel il propose une version avant tout orchestrale, parcourue d'un même élan, sans fléchissement. Le virtuose et la personnalité de l'artiste ont choisi de s'effacer devant la grandeur des pages, dont la lisibilité reste claire et permanente : tout son disque est placé sous le signe de l'austérité et du dépouillement, qui contrastera, mais sans infériorité, avec des interprétations plus extraverties.

Les 4 Concertos pour orgue seul BWV 592, 593, 594, 596.

*** Anton Heiller (orgue Marcussen de Ste-Marie à Hälsingborg). Bach Guild Stereolab BGS 70.674 (USA).

*** Marie-Claire Alain (orgue Frobenius de Middelfart). Erato MUS 19.001. ⊠ MCE 19.001.

Anton Heiller a une conception peut-être un peu trop massive de ces Concertos, et leur donne par certains côtés une dimension quasi symphonique qui s'écarte de celle de l'orchestre de chambre auxquels ils étaient initialement destinés. Mais qu'importe, quelle virtuosité puissante, quelle vigueur, quelle splendide maîtrise des mouvements ! A l'image du grand Heiller à l'apogée de son talent.

Marie-Claire Alain adhère pleinement à l'idéologie de Heiller concernant les tempos et l'articulation ; mais chez elle, on trouve en plus un je-ne-sais-quoi de plus intime et de gracieux, le tout marqué bien évidemment du label «joie de vivre» qui s'attache à la plupart des interprétations de cette artiste.

Trois Concertos pour violon et cordes : en la mineur BWV 1041, en mi majeur BWV 1042, en ré mineur BWV 1043 (pour deux violons).

❀*** Jaap Schröder et Christopher Hirons (violons), Academy of Ancient Music, Christopher Hogwood. Oiseau-Lyre 595.082.

*** Sigiswald Kuijken, Lucy van Dael (violons), La Petite Bande, Sigiswald Kuijken. Harmonia Mundi HM 20.387. Enregistré en 1981.

*** Alice Harnoncourt et Walter Pfeiffer (violons), Concentus Musicus de Vienne, Nikolaus Harnoncourt. Telefunken 6.41227. ⊠ 4.41227.

*** Yehudi Menuhin et Christian Ferras (violons), Orch. de Chambre, Yehudi Menuhin. EMI VSM C 181-01.725/6 (2 d.). *+ Concerto pour flûte, violon et clavecin, Concerto pour violon et hautbois.*

Bénéficiant des plus récentes connaissances sur l'exécution de la musique baroque, la version de Hogwood et Schröder dépasse de très loin le strict respect de règles musicologiques pour s'abandonner à une vie re-créatrice intense. Le soliste possède naturel et spontanéité dans un style exemplaire, et anime ces pages d'un frémissement et d'une flamme enthousiasmants. Christopher Hogwood donne à l'ensemble instrumental une souplesse bondissante, une énergie saltatoire et un espace des plans sonores qui font ici merveille.

Tout, chez Kuijken, est merveilleusement dosé, accentué, avec une liberté sous-jacente qui fait lever la pâte, lui donne sa lisibilité comme sa beauté «classique». Aucun effet, aucune accentuation - agogique ou mélodique - qui ne soit en situation, sécrétée logiquement par le fil du discours. Intériorité, tendresse légèrement romantique dans les mouvements lents, sonorité magnifique, superbe courbe : cet enregistrement s'impose au plus haut niveau, dans une optique peut-être plus «nordique» que la version Hogwood.

Le travail de l'équipe Harnoncourt donne ici, comme le plus souvent, d'excellents résultats. La technique consistant à baisser d'un demi-ton le diapason habituel rend ces œuvres moins brillantes, mais beaucoup plus rondes et, pour ainsi dire, plus intérieures. Et l'utilisation d'instruments anciens en formation restreinte renforce encore l'intimité de cette version, belle et subtile. Quant à l'enregistrement, il bénéficie d'une réalisation technique remarquable.

S'il faut une version moderne pour faire pendant, et dignement, aux grandes versions «à l'ancienne», celle exécutée et dirigée par Menuhin (avec Ferras pour le Concerto à deux violons) se recommande à plusieurs titres : tout d'abord par le style et l'art de ce grand violoniste, que tous reconnaissent, mais aussi par sa catégorie de prix (deux disques au prix d'un seul) et par la générosité de son programme.

Concerto pour violon, hautbois et cordes en ré mineur BWV 1060.

*** Itzhak Perlman (violon), Neil Black (hautbois), Orch. de Chambre Anglais, Daniel Barenboïm. EMI VSM C 069-02.580. *+ Concerto pour clavier BWV 1052, Concerto pour violon BWV 1041.*

*** Alice Harnoncourt (violon), Jürg Schaeftlein (hautbois), Concentus Musicus de Vienne, Nikolaus Harnoncourt. Telefunken 6.41121. *+ Concerto pour clavier BWV 1052, Concerto pour violon BWV 1045.*

** Carmel Kaine (violon), Tess Miller (hautbois), Academy of St-Martin-in-the-Fields, Neville Marriner. Argo ZRG 820 (G-B). *+ Concertos pour clavier BWV 1056 et 1064.*

On ne peut que dire le plus grand bien de l'interprétation par Neil Black et Perlman de ce Concerto mariant hautbois et violon : le hautboïste anglais a la pureté de son, le même sens du phrasé que son compagnon. C'est un Bach frémissant que certains trouveront d'un romantisme exagéré, mais qui en fait reste simple et sensible ; et la présence de Barenboïm, qu'il ne faut pas oublier, est un élément indispensable de cette réussite, car il laisse au chant des instruments solistes tout le temps de s'épanouir.

Avec un programme voisin, au Concerto pour violon près, il faut retenir la version du Concentus Musicus de Vienne, car à qualité égale, elle offre une vision différente qui peut tenter plus qu'une version «moderne».

Neville Marriner donne, d'abord par la qualité de son orchestre, une version dont la finesse et la clarté sont les traits essentiels. L'atmosphère qui s'en dégage est nimbée de lumière et chargée d'émotion, sans aucune raideur ni boursouflure. Le hautbois d'amour fait admirablement ressortir le modelé de la mélodie. En complément, deux intéressantes reconstitutions pour plusieurs instruments à partir de Concertos pour clavier : un excellent travail effectué par Christopher Hogwood.

Fantaisie chromatique et Fugue en ré mineur BWV 903.

*** Edwin Fischer (piano). EMI VSM C 061-01.266 (sup.). Mono. *+ Adagio, Fantaisies BWV 906 et 922, Fantaisie et Fugue BWV 904, Toccata BWV 912, Choral «Ich ruf' zu dir, Herr Jesu Christ».*

*** Alfred Brendel (piano). Philips 9500.353. ⌧ 7300.592. *+ Concerto italien, Fantaisie BWV 922, Fantaisie et Fugue BWV 904, Chorals «Ich ruf' zu dir, Herr Jesu Christ» et «Nun komm, der Heiden Heiland».*

*** Luciano Sgrizzi (clavecin). Erato STU 70.999. *+ Concerto italien, Partita BWV 828.*

** Blandine Verlet (clavecin). Philips 6747.354 (2 d.). *+ Toccatas (intégrale), Fantaisie BWV 922.*

En tête de la discographie vient se placer un disque «historique», dont la qualité technique paraîtra dater, mais dont l'interprétation visionnaire est un modèle à avoir devant les yeux. Edwin Fischer, c'est toujours l'éloquence dans la simplicité, le sens immédiat des proportions et des plans, la sensibilité musicale qui anime l'âme de cet édifice grandiose. Même pour ceux qui préfèrent Bach au clavecin, cette interprétation sera une introduction ou une utile réflexion sur la manière de l'interpréter.

Piano encore avec Alfred Brendel : en moins d'une heure de musique, il offre la quintessence du génie de Bach, faite de rêve et de poésie, de fantaisie et d'intelligence, En l'absence de tout autre, ce disque serait celui à proposer absolument.

Dans le jeu de Luciano Sgrizzi, on sent l'expérience de tous les types de clavier, ce qui lui donne une admirable malléabilité. Ici, il choisit de jouer «en organiste», sous le signe de l'austérité et de la rigueur. Dans la *Fantaisie chromatique*, le virtuose ne cherche pas à briller, il modère le préambule afin de laisser à la monumentale Fugue la place de se dérouler. Il préfère renoncer aux séductions des variations de timbres pour ne garder que la pureté essentielle de lignes. Une très grande et belle version de dépouillement.

Le jeu de Blandine Verlet est essentiellement basé sur la virtuosité. C'est une option parfois séduisante, mais qui, pour certaines œuvres, se révèle parfois aussi insuffisante, car elle ne va pas assez en profondeur. Cela est sensible dans la *Fantaisie chromatique* dont le lyrisme et le pathétique lui demeurent étrangers : la progression dynamique de la Fugue qui doit s'achever dans une apothéose n'est pas ici apparente.

Fantaisie et Fugue en sol mineur pour orgue BWV 542.

❀*** André Isoir (orgue Ahrend de St-Lambert à Aurich). Calliope 1715. ⌧ 4718. Enregistré en 1976. *+ Préludes et Fugues BWV 539, 546 et 547, Trios BWV 583 et 1027.*

La plus connue, la plus élaborée aussi des Fantaisies et Fugues. Une œuvre hautement baroque par sa fantaisie zébrée de grands traits manuels auxquels André Isoir sait imprimer de merveilleux élans lyriques, par un rubato dont le caractère mesuré conforte la distinction. La fugue affirme une solidité rassurante dans un tempo dynamique, sous-tendu par un phrasé qui appuie admirablement la pulsation intérieure de l'œuvre.

Fantaisie en ut mineur pour orgue BWV 562.

*** Michel Chapuis (orgue Schnitger de St-Michel à Zwolle). Valois MB 347. *+ Préludes et Fugues BWV 531, 533, 535, 544, 549 et 550.*

Sans doute est-ce son caractère si évocateur de la musique française qui a tant inspiré Michel Chapuis dans cette Fantaisie, qu'il développe dans un climat intimiste et mystérieux. Oui, Michel Chapuis ne pouvait que s'épanouir dans cette œuvre où Bach a peut-être voulu tendre une main amicale et souriante à Nicolas de Grigny.

Inventions et Sinfonies BWV 772 à 801.

*** Mireille Lagacé (clavecin Kater, d'après Andreas Rückers). Calliope CAL 1.651.

** András Schiff (piano Steinway). Denon OX-7102-ND. Enregistré en 1977.

* Jean-Bernard Pommier (piano). EMI VSM C 069-14.155. Quadri. Enregistré en 1976.

Mireille Lagacé est l'un des rares interprètes qui, sur le clavecin, ait compris au deuxième degré les *Inventions* et *Sinfonies* : par-delà leur caractère évidemment didactique, la simplicité de leur écriture et leur facilité, elle a pleinement restitué à ces pièces tout le charme et l'élégance qui, chez Bach, sont indissociables de son art d'enseigner.

András Schiff est un pianiste pour lequel le *cantabile* expressément demandé par Bach dans la préface de ces œuvres n'est pas un vain mot. Si son piano demeure discret, mais pas détimbré à coups de pédale douce, chaque note y chante profondément et les contrastes dynamiques y sont sobrement contenus. Une interprétation qui approche la perfection, et une gravure réalisée à partir d'une bande codée PCM qui est un modèle... Coûteux et difficile à dénicher.

Rompu aux plus hautes difficultés de la technique pianistique, Jean-Bernard Pommier se garde bien de considérer les *Inventions* et *Sinfonies* comme des enfantillages. Son interprétation leur apporte cette admirable humilité, mais aussi toute la profondeur dépouillée dont sont capables les vrais virtuoses devant des œuvres faciles. On aurait souhaité toutefois plus d'économie dans l'usage d'un *staccato* qui fait parfois obstacle à l'épanouissement du continuum mélodique.

Magnificat en ré majeur BWV 243.

❀*** Elly Ameling (s), Hanneke Van Bork (s), Helen Watts (ms), Werner Krenn (t), Tom Krause (b), Ch. Académie de Vienne, Orch. de Chambre de Stuttgart, Karl Munchinger. Decca SXL 6.400 (G-B). Enregistré en 1969. + *Cantate BWV 10.*

*** Maria Stader (s), Hertha Töpper (ms), Ernst Haefliger (t), Dietrich Fischer-Dieskau (b), Ch. et Orch. Bach de Munich, Karl Richter. DG 138.810. + *Cantate BWV 8. Enregistré en 1961.*

*** Edith Selig (s), Claudia Hellmann (ms), Georg Jelden (t), Jakob Stämpfli (b), Ch. Philippe Caillard, Orch. de Chambre de la Sarre, Karl Ristenpart. Erato EF 28.017. ⊠ MCE 28.017. + *Messe brève BWV 233.* Enregistré en 1964.

*** Yvonne Perrin (s), Magali Schwartz (s), Claudine Perret (ms), Olivier Dufour (t), Philippe Huttenlocher (b), Ens. Vocal de Lausanne, Orch. de Chambre de Lausanne, Michel Corboz. Erato STU 70.710. ⊠ MCE 70.710. + *Cantate BWV 187.* Enregistré en 1972.

** Walter Gampert (s), Peter Hinterreiter (s), Andreas Stein (c), Theo Altmeyer (t), Siegmund Nimsgern (b), Ch. d'Enfants de Tölz, Collegium Aureum, Gerhard Schmidt-Gaden. Deutsche Harmonia Mundi 21.584. + *Cantate BWV 10.*

** Felicity Palmer (s), Helen Watts (ms), Robert Tear (t), Stephen Roberts (b), Ch. du King's College de Cambridge, Academy of St-Martin-in-the-Fields, Philip Ledger. Argo 396.185. + *Vivaldi : Magnificat.*

Bien que relativement ancienne, l'interprétation de Karl Munchinger domine une discographie abondante et variée, grâce à un équilibre réussi entre audace et classicisme, splendeur sonore et précision de la mise en place. Les solistes, remarquablement soutenus par une prise de son proche de la perfection, concourent à faire de cet ensemble un témoignage aussi somptueux qu'émouvant de la foi du Cantor.

Karl Richter (chronologiquement le premier dans la discographie actuelle) a choisi des tempos rapides, et une direction à la vigueur rythmique très stimulante. Les solistes, au mieux de leur forme vocale, sont ceux dont on rêverait... s'ils ne se trouvaient ici réunis. C'est dire qu'il s'agit, au même titre que la version Münchinger, d'un succès indiscutable.

Karl Ristenpart, dans une louable recherche de clarté et de discrétion, préfère mettre en valeur des effectifs instrumentaux peu nombreux mais d'une qualité insurpassable (André, Barboteu, Pierlot, Rampal) et les marier subtilement aux voix. Le discours de Ristenpart a peut-être plus d'aménité que de grandeur ; il n'en est pas moins séduisant, comme est séduisante sa vision de la *Messe brève en fa majeur.*

Très inspiré, bien que parfois inégal dans sa première gravure consacrée à Bach, Michel Corboz réussit à imposer une marque très personnelle à certains versets (*«Fecit potentiam»*, par exemple). Les chœurs, particulièrement coopératifs, les solistes, tous excellents, composent une vaste fresque colorée, aux contrastes tout méditerranéens.

L'intérêt de la gravure de Gerhard Schmidt-Gaden réside essentiellement dans l'association du Collegium Aureum (n'utilisant pratiquement que des instruments anciens) et de voix de jeunes garçons pour les parties de solistes aiguës. On ne peut que lui en savoir gré, car, si la qualité vocale n'est pas toujours parfaite, la fraîcheur des timbres et les coloris chaleureux des instruments plaident en faveur de ce retour vers des sources musicologiques qui sont encore insuffisamment explorées.

Placer côte à côte deux *Magnificat* par instants si dissemblables, avec en prime les quatre versets de la version 1723 du *Magnificat* de Bach, c'est en soi un événement. La réalisation de Philip Ledger en est un autre. Les voix du Kings College sont parfaitement soutenues par l'Academy, et le partage entre solistes enfants (Vivaldi) et solistes adultes (Bach) tient compte à juste titre des possibilités vocales des premiers. Pas de pesanteur ni d'écrasante grandeur, mais un raffinement extrême, à l'image de la tradition britannique actuelle.

Messes brèves BWV 233 à 236.

*** Wally Staempfli (s), Mauricette Capt (s), Nicole Rossier-Maradan (ms), Claudine Perrret (ms), Hanna Schaer (ms), John Elwes (t), Olivier Dufour (t), Michel Brodard (b), Philippe Huttenlocher (b), Ens. Vocal et Instr. de Lausanne, Michel Corboz. Erato STU 70.805 (3 d.) (sup.). *+ Pièces latines.*

Messe brève en fa majeur BWV 233.

*** Edith Selig (s), Claudia Hellmann (ms), Georg Jelden (t), Jakob Staempfli (b), Ch. Philippe Caillard, Orch. de Chambre de la Sarre, Karl Ristenpart. Erato EF 28.017. ⊠ MCE 28.017. *+ Magnificat.*

Michel Corboz se montre le vigoureux chef de chœur qu'il sait être : les tempos sont toujours merveilleusement contrastés, sans que soient négligées les respirations. De plus, ces Messes s'intègrent à un ensemble plus vaste réunissant les autres pièces latines de Bach (5 *Sanctus* et 1 *Christe*). Leur authenticité n'est certes pas clairement établie, mais elles ne déméritent nullement, et les interêts discographiques sont ainsi préservés, puisqu'il n'existe pour l'instant aucune autre gravure de ses pièces mineures.

Il faut saluer avec allégresse la réapparition de l'excellentissime gravure de la *Messe en fa* par Ristenpart. Que ce soit pour le *Magnificat* (sélectionné par ailleurs) ou pour la Messe, c'est une version unique. La chorale Philippe Caillard a été, en son temps, un des meilleurs groupes mondiaux (citons par exemple ses Motets de Lassus, qui ont fait date), et c'est une joie de l'entendre se surpasser sous la direction du grand chef sarrois.

Messe en si mineur BWV 232.

❁*** Yvonne Perrin (s), Wally Staempfli (s), Magali Schwartz (s), Claudine Perret (ms), Olivier Dufour (t), Nicolas Tüller (b), Philippe Huttenlocher (b), Ens. Vocal et Instr. de Lausanne, Michel Corboz. Erato DUE 20.244 (2 d.). Enregistré en 1977.

❁*** Elly Ameling (s), Yvonne Minton (ms), Helen Watts (ms), Werner Krenn (t), Tom Krause (b), Ch. Singakademie de Vienne, Orch. de Chambre de Stuttgart, Karl Münchinger. Decca 593.026 (2 d.). Enregistré en 1971.

*** Loïs Marshall (s), Hertha Töpper (ms), Peter Pears (t), Kim Borg (b), Ch. et Orch. Symph. de la Radio Bavaroise, Eugen Jochum. Philips 6768.214 (2 d.). Enregistré en 1958.

*** Agnes Giebel (s), Janet Baker (ms), Nicolaï Gedda (t), Hermann Prey (t), Franz Crass (b), Ch. de la BBC, Orch. New Philharmonia, Otto Klemperer. EMI VSM C 157-00.090/92 (3 d.). Enregistré en 1967.

*** Gundula Janowitz (s), Christa Ludwig (ms), Peter Schreier (t), Robert Kerns (b), Karl Ridderbusch (b), Wiener Singverein, Orch. Phil. de Berlin, Herbert von Karajan. DG

2709.049 (3 d.). ✉ 3371.012 (3 c.). Enregistré en 1973.

** Rothraud Hansmann (s), Emilo Iiyana (s), Helen Watts (ms), Kurt Equiluz (t), Max van Egmond (b), Petits Chanteurs de Vienne, Chorus Viennensis, Concentus Musicus, Nikolaus Harnoncourt. EMI Telefunken 6.35019 (3 d.). ✉ 4.35019 (2 c.). Enregistré en 1969.

* Arleen Augér (s), Julia Hamari (c), Adalbert Kraus (t), Wolfgang Schöne (b), Siegmund Nimsgern (b), Gächinger Kantorei, Bach Collegium de Stuttgart, Helmuth Rilling. CBS 79.307 (3 d.).

Avec une équipe essentiellement suisse, Michel Corboz tient le pari de dominer une discographie où les réussites sont pourtant nombreuses : pas de grandes vedettes, mais des voix chaudes et sincères, des chœurs soulevés d'enthousiasme, un engagement total du chef. Chaque seconde émeut et saisit le cœur.

Karl Münchinger n'a certes pas au même titre que Michel Corboz ce contact direct avec la musique, mais il dose, il pèse, n'admet aucune concession à la médiocrité : nous sommes dans de hautes sphères, où brillent des merveilles telles que le «*Domine Deus*» d'Elly Ameling, ou le premier chœur du *Credo*.

Plus inégal, mais par instants aussi plus passionnant que Karl Münchinger, Eugen Jochum est irremplaçable dans certaines pages (pourtant desservies par une prise de son vieillie et un écrasement de la gravure dû à la présentation sur quatre faces) : l'«*Et Incarnatus*» et le «*Crucifixus*» sont des sommets, et quelques discrètes faiblesses ne peuvent modifier un bilan entièrement positif. Prix très économique : celui d'un seul disque.

Se mesurer à la version d'Otto Klemperer, c'est s'engager à admettre ses défauts écrasants, mais aussi à aimer passionnément ses coups de folie sublimes, tels le «*Confiteor*» ou le «*Sanctus*». Les défauts, puisqu'il faut en parler : certaines pages du début beaucoup trop froides, et une perspective sonore très lourde qui gomme bien des nuances et des entrées instrumentales. Les réussites (oublions ce qui précède) : dès le «*Credo*», l'ampleur et le souffle d'une interprétation géniale, dont les qualités ne se démentiront plus jusqu'à la fin. Il faut aussi savoir gré à Janet Baker de grands moments d'émotion : le «*Qui sedes*» du *Gloria* entre autres.

Herbert von Karajan a gravé en 1973, lors du Festival de Salzbourg, sa deuxième version de la *Messe en si*. La qualité sonore est toujours magnifique (malgré des chœurs parfois peu clairs) et les passages avec solistes ne pouvaient être qu'excellents. Très méditative, la direction frappe par sa gravité, bien éloignée des emportements de Michel Corboz.

Plus contestable que dans l'*Oratorio de Noël*, Nikolaus Harnoncourt adopte des mouvements trop rapides, peu propices à la réflexion et à l'émotion. En revanche, son refus de la tradition l'amène à un engagement souvent admirable : que d'ardeur juvénile dans le «*Domine Deus*» ! Couronné en son temps par un prix mondial du disque, voilà un enregistrement qui, à défaut d'être gouleyant, a du corps.

Presque dernière venue au catalogue, la réalisation de Helmuth Rilling vaut surtout par l'homogénéité de l'ensemble. Jamais de déception dans le phrasé ou la mise en place des nuances. La liturgie est toujours suivie avec recueillement et scrupule. Mais est-ce vraiment là l'essentiel.

Les 7 Motets : «Singet dem Herrn ein neues Lied» BWV 225, «Der Geist hilft unsrer Schwachheit auf» BWV 226, «Jesu, meine Freude» BWV 227, «Fürchte dich nicht, ich bin bei dir» BWV 228, «Komm, Jesu, komm» BWV 229, «Lobet den Herrn' alle Heiden» BWV 230, «Sei Lob und Preis mit Ehren» BWV 231.

*** Maîtrise de la cathédrale de Ratisbonne, Capella Academica de Vienne, Hans Martin Schneidt. Archiv 2708.031 (2 d.). *+ Bach : Motet «Ich lasse dich nicht, du segnest mich denn»*.

Motets BWV 225 à 230.

❀*** Bachchor de Stockholm, Concentus Musicus de Vienne, Nikolaus Harnoncourt. Telefunken 6.35470 (2 d.). ✉ 4.42663 (1c. double). Enregistré en 1980.

Motets BWV 226, 228, 230.

*** Ch. King's College de Cambridge, Academy of St-Martin-in-the-Fields, David Willcocks. EMI VSM C 069-02.230. ✉ C 269-02.230. *+ Cantate BWV 147.*

Hans Martin Schneidt, qui nous présente l'ensemble le plus complet (avec le *BWV 231* emprunté à la *Cantate BWV 28*), réussit à équilibrer la masse instrumentale (dont la présence fut longtemps controversée) et les chœurs, toujours merveilleusement expressifs et lumineux. On notera l'adjonction d'un Motet à double chœur de Johann Christoph Bach, dont l'attribution à Jean Sébastien démontre l'intérêt tant historique que musical.

La version Harnoncourt est préférable à toutes celles qui l'ont précédée, dans la mesure où elle est la seule à concilier à ce niveau l'intensité de l'expression dynamique et la nécessité tout intérieure de la prière. L'emploi du chœur mixte écarte les défauts d'attaque et de justesse que l'on rencontre presque toujours avec les maîtrises d'enfants. Les rythmes sont bondissants, aériens, frémissant du souffle de la vie, et la rapidité des tempos caractéristiques de la vision baroque de Harnoncourt confère à l'ensemble un naturel idéalement séduisant et expressif.

David Willcocks, s'il sélectionne seulement trois des Motets les plus célèbres, ce n'est que pour mieux nous ravir par une interprétation très variée et vivante, bien que presque exclusivement *a cappella*. Avec, en sus, une version de la *Cantate 147* à classer parmi les meilleures.

Œuvres pour luth : Suite en sol mineur BWV 995, Suite en mi mineur BWV 996, Prélude, fugue et allegro en mi bémol majeur BWV 998.

*** Hopkinson Smith (luth). Astrée AS 61. Enregistré en 1980.

Œuvres pout luth : Partita en ut mineur BWV 997, Fugue en sol mineur BWV 1000 (transcription par Bach du 2e mouvement de la Sonate pour violon seul BWV 1001).

* Konrad Junghänel (luth). Accent ACC 7801. Enregistré en 1978. + *Weiss : Tombeau de Monsieur Cajetan.*

Hopkinson Smith transmet à ces pages un univers intérieur et leur confère une gravité méditative incomparable. La grande maîtrise technique qu'il a de son instrument lui laisse tout le loisir d'exprimer la profondeur de son inspiration poétique. Un apport incontestable à la discographie.

Konrad Junghänel fait sonner son luth haut et clair, et cela fait d'autant plus regretter qu'il ne donne pas plus de contrastes dynamiques à son interprétation. De même pour les tempos qui manquent quelque peu de ces élans qui font vivre la musique. C'est cependant la sobriété de son jeu absent de tout bruit de doigts et la rondeur de sa sonorité qui feront apprécier ce disque un peu trop réservé.

L'œuvre pour orgue intégrale.

*** Michel Chapuis (orgues Andersen de Notre-Sauveur à Copenhague, Schnitger de St-Michel à Zwolle, von Beckerath de St-Paul à Hamm, Klapmeyer de St-Nicolas à Altenbruch, Andersen de St-Benoît à Ringsted). Valois CMB 1 - 2 - 3 - 4 (20 d.). Enregistré de 1967 à 1970.

*** Marie-Claire Alain (orgues Schwenkedel de la collégiale de Saint-Donat, Drôme, Marcussen de l'église St-Nicolas de Kolding au Danemark, Metzler de la basilique de Mariastein en Suisse, Busch-Marcussen de la chapelle du château d'Augustenborg au Danemark). Erato STU 71.341/346/351/356/361 (21 d. en cinq coffrets). Enregistré de 1978 à 1980.

*** Lionel Rogg (orgues Metzler de la cathédrale de Genève, de Nuri, de Netstal, Andersen de Notre-Sauveur à Copenhague et Marcussen du monastère de SorØ). EMI VSM 165-14.101/20 (20 d.). Enregistré en 1975-1976.

** Helmut Walcha (orgues F.C. Schnitger à Alkmaar et J.A. Silbermann de St-Pierre-le-Jeune à Strasbourg). Archiv 2722.002 (8 d.) et Archiv 2722.003 (7 d.). Enregistré de 1956 à 1971.

Chacune des intégrales disponibles, tout en ayant d'indéniables qualités, ne peut prétendre à l'exemplarité sur la totalité des pièces. Seule, une intégrale très sélective prenant le meilleur chez chacun des interprètes pourrait approcher de l'idéal. Michel Chapuis apparaît bien comme l'un des plus sensibles parmi les interprètes de Bach. L'intensité d'émotion qui caractérise son jeu aide à faire oublier des tempos qui gagneraient parfois à être moins rapides. Le climat de son intégrale la rapproche incontestablement de la spiritualité de celle de Walcha.

Marie-Claire Alain «deuxième état», c'est la concrétisation d'années de réflexion tant dans le travail personnel que dans l'enseignement dispensé, une réflexion qui l'a menée bien souvent à une refonte complète de son approche. Cette nouvelle intégrale gagne considérablement en relief et en profondeur sonore, en mobilité rythmique, en aisance et en maîtrise à tous les niveaux. Musicalement, stylistiquement et émotionnellement, cette nouvelle et importante réalisation se situe très largement au-dessus de la première que nous devions à Marie-Claire Alain.

Lionel Rogg n'a pas réalisé moins de trois intégrales, dont la dernière apporte enfin ce chaleureux bouquet qui avait parfois quelque mal à poindre dans les réalisations antérieures, en tout cas la première, à Zurich. Le style de Rogg (3e version) permet de retrouver en une certaine mesure d'une façon synthétique les qualités qui nous avaient fait apprécier d'autres interprètes. C'est en fait l'une des plus homogènes des intégrales de Bach, celle qui, sans susciter les plus grands enthousiasmes, apporte le moins de déceptions.

Helmut Walcha est le pionnier qui commença, dès 1950, une première intégrale, en mono, sur les orgues de Lübeck et de Cappel, poursuivie plus tard en stéréo à Alkmaar. En 1969-1971, l'éditeur réenregistra en stéréo, à Strasbourg, toutes les pièces réalisées en mono dans les années précédentes, et constitua une intégrale «partielle» en les couplant aux prises faites à Alkmaar, qui sont d'ailleurs exemplaires. Notons que l'intégrale ainsi constituée n'a retenu que les œuvres dont l'attribution à Bach pouvait être confirmée de façon formelle. Walcha demeure aujourd'hui, par-delà son côté «artisan consciencieux de l'orgue», un artiste extraordinairement émouvant, l'un de ceux qui font rayonner Bach de sa lumière intérieure.

L'Offrande musicale BWV 1079.

*** Marie Leonhardt (violon), Sigiswald Kuijken (violon), Wieland Kuijken (viole de gambe), Bartold Kuijken (flûte), Robert Kohnen (clavecin), Gustav Leonhardt (clavecin). RCA RL 30.420.

** Orch. de Chambre de Stuttgart, Karl Münchinger. Decca SXL 6.824 (G-B). Enregistré en 1976.

** Concentus Musicus de Vienne, Nikolaus Harnoncourt. Telefunken 6.41124 (2 d.). ⊠ 4.41124 (2 c.).

On retrouve dans l'enregistrement présidé par Gustav Leonhardt cette superbe grandeur qui émane de la simplicité grave. Mais les instruments anciens y ajoutent une dimension toute différente, et les accents que les musiciens, utilisant la technique baroque, tirent de leurs beaux instruments revêtent ces pages d'une beauté envoûtante qu'une version moderne ne pourra offrir, si réussie soit-elle.

Pour la seconde fois, Münchinger enregistrait *l'Offrande*, en 1976 : il reste fidèle à lui-même, produisant une belle version, classique, mais non d'un classicisme figé. On y sent au contraire une vie intérieure intense, et une volonté de perfectionnisme cherchant le cœur abstrait de cette musique d'éternité. Mais le grand chef allemand est en quelque sorte victime de la voie qu'il a ouverte, et il est désormais impossible de ne pas prendre en considération la merveilleuse plus-value qu'apporte la pratique retrouvée de la musique ancienne.

Tout en faisant le plus souvent de grandes et belles choses, la technique baroque ne garantit pas ses meilleurs spécialistes de réalisations moins réussies : si le Concentus Musicus de Vienne nous a habitués à des moments superbes, il faut reconnaître que sa version de l'*Offrande*, la plus récente, a beaucoup estompé son accentuation du phrasé baroque, mais a perdu en enthousiasme. Malgré la qualité évidente des instrumentistes, il règne un manque de poésie et de puissance rythmique, une insuffisance des plans sonores qui rendent les soli assez faibles et monotones.

Oratorio de Noël BWV 248.

❀*** Paul Esswood (hc), Kurt Equiluz (t), Siegmund Nimsgern (b), Petits Chanteurs de Vienne, Chorus Viennensis, Concentus Musicus de Vienne, Nikolaus Harnoncourt. EMI Telefunken 6.35022 (3 d.). ⊠ 4.35022 (3 c). Enregistré en 1974.

*** Solistes du Ch. d'Enfants de Tölz, Theo Altmeyer (t), Barry McDaniel (b). Ch. d'Enfants de Tölz, Collegium Aureum, Gerhard Schmidt-Gaden. Deutsche Harmonia Mundi 153-99.640/42 (3 d.). Enregistré en 1975.

*** Elly Ameling (s), Brigitte Fassbaender (c), Rudolf Laubenthal (t), Hermann Prey (b), Ch. et Orch. de la Radio Bavaroise, Eugen Jochum.

Philips 6703.037 (3 d.). Enregistré en 1973.

*** Elly Ameling (s), Helen Watts (c), Peter Pears (t), Tom Krause (b), Manécanterie de Lübeck, Orch. de Chambre de Stuttgart, Karl Münchinger. Decca 635.271 (12 d.) (G-B). + *Messe en si mineur, Passion selon St-Jean, Passion selon St-Matthieu.*

** Gundula Janowitz (s), Christa Ludwig (c), Fritz Wunderlich (t), Franz Crass (b), Ch. et Orch. Bach de Munich, Karl Richter. Archiv 2710.004 (3 d.). Enregistré en 1965.

** Elly Ameling (s), Janet Baker (ms), Robert Tear (t), Dietrich Fischer-Dieskau (b), Ch. King's College de Cambridge, Academy of St-Martin-in-the-Fields, Philip Ledger. EMI VSM C 167-02.890/92 (3 d.). Quadri. Enregistré en 1977.

Si certaines réalisations de Nikolaus Harnoncourt ont pu, par leur systématisme à la limite de la gratuité, prêter le flanc à la critique, on a ici affaire à une conception d'ensemble qui ne peut que ravir l'auditeur : tout y est bondissant, exaltant - les timbres instrumentaux, les voix (toutes masculines), la rythmique interne. La limpidité de la construction s'assortit d'un souci extrême du détail bien à l'opposé des grandes fresques rayonnantes de Jochum ou Münchinger.

Gerhard Schmidt-Gaden, assez proche en esprit de son prédécesseur Harnoncourt (mêmes ambitions musicologiques), parvient à s'en éloigner cependant grâce à une certaine naïveté du discours fort rafraîchissante : les contours sont moins accusés, les sonorités moins violemment contrastées (moins superbes aussi). C'est une version d'une originalité outrancière dans sa direction, mais qui possède en propre l'art de toucher plus que de surprendre.

En comparaison avec Harnoncourt ou Schmidt-Gaden, l'interprétation d'Eugen Jochum peut être qualifiée de romantique : puissance et beauté sonore caractérisent les chœurs, cependant que le quatuor de solistes se montre particulièrement éclatant. Tout y est ample et judicieusement équilibré.

L'enregistrement de Karl Münchinger, relativement ancien, ne peut être comparé aux réalisations de Harnoncourt ou de Schmidt-Gaden : pas de «modernité» dans les partis pris, mais une constante poésie qui s'accommode fort bien de grands plans. La manière est souvent assez proche de celle de Jochum, avec plus de fine subtilité mais peut-être moins de majesté que chez celui-ci.

Intelligent, sachant être passionné (mais sans trop), Karl Richter a su choisir deux interprètes exceptionnels en la personne de Gundula Janowitz et de Fritz Wunderlich : nous sommes au ciel dès qu'ils chantent ! Pourtant, une prise de son un peu trop précise et une singulière absence de phrasé expressif risquent de nous laisser sur notre soif de ferveur religieuse.

Avec l'intégrale toute récente de Philip Ledger, on peut parler à nouveau d'allégresse et de légèreté : l'heure est aux réjouissances, et les voix du King's College y participent avec entrain (si ce n'est toujours avec moelleux dans les aigus). Bien que charmé, on préfère cependant l'authenticité des uns (Harnoncourt, Schmidt-Gaden) et la profondeur des autres (Jochum, Münchinger).

Oratorio de Pâques BWV 249.

*** Elly Ameling (s), Helen Watts (ms), Werner Krenn (t), Tom Krause (b), Wiener Akademiechor, Orch. de Chambre de Stuttgart, Karl Münchinger. Decca SET 398 (G-B).

Dans l'interprétation de Karl Münchinger, les solistes, dont l'importance ici est primordiale, sont parfaits de bout en bout (nettement supérieurs à ceux de l'ancienne version Werner, disparue). Enfin, chef, orchestre et chœurs (bien que peu sollicités par la partition) se montrent persuasifs et enthousiastes.

Orgelbüchlein (Petit Livre d'Orgue), 45 Chorals BWV 599-644.

❀*** André Isoir (orgue Ahrend de l'église Cantate Domino à Francfort). Calliope 1710/1711 (2 d.). ✉ 4710/4711 (2 c.). Enregistré en 1977.

*** Robert Köbler (orgue Gottfried Silbermann de Freiberg). EMI Telefunken 6.35267 EC (2 d.) (RFA).

Ce recueil de quarante-cinq petits Chorals pour les différentes périodes liturgiques de l'année mobilise beaucoup plus chez l'interprète l'intelligence du cœur que la virtuosité, et il exige cette réflexion en profondeur qui a été celle d'André Isoir pour nous donner un *Orgelbüchlein* d'une finition exemplaire, dans lequel chaque choral retrouve, par son ouvement et sa couleur sonore, le climat de iritualité qui lui est propre en fonction de destination liturgique.

Il convient aussi de mentionner la très elle réussite de Robert Köbler, dans un *Orelbüchlein* d'une exceptionnelle poésie nore sur l'orgue historique de Freiberg. 'est l'un des rares disques du catalogue ocdental à nous léguer les timbres d'un orgue ottfried Silbermann avec une qualité de production tout à fait remarquable.

artitas BWV 825 à 830.

*** Gustav Leonhardt (clavecin Skowroneck, d'après Dülcken). Harmonia Mundi HM 20.315/17 (3 d.).

* Alexis Weissenberg (piano Steinway). EMI VSM C 167-11.123/15 (3 d.). + *Fantaisie chromatique et fugue.*

Gustav Leonhardt, tout autant que dans s *Suites françaises,* a donné le meilleur de n talent dans ces *Partitas.* Derrière le foinnement si typiquement baroque de leurs abesques et de leur ornementation, il a su ettre à jour toute la richesse intérieure de s œuvres qui sont l'accomplissement le plus arfait de la Suite pour clavecin.

Dans la production discographique Alexis Weissenberg, où le meilleur côtoie le re, ces *Partitas* sont, par chance, du côté du eilleur. Là où certains ont cru déceler de la oideur, il n'y a que la volonté de l'interprète contenir pudiquement les élans d'un insument qui, au service de Bach, doit en rmanence s'efforcer de préserver une lisibié complète du message polyphonique. Si rtaines options de tempo demeurent sount discutables, et s'il y a parfois quelque ıreté dans la sonorité, il faut cependant connaître que cette version n'est pas déourvue d'élégance.

artita n° 1 en si bémol majeur BWV 25. Chorals «Jésus, que ma joie deeure» de la Cantate BWV 147, «Nun omm, der Heiden Heiland» BWV 661 «Ich ruf' zu dir, Herr Jesu Christ» WV 639. Sicilienne de la Sonate pour ûte et clavier BWV 1031.

*** Dinu Lipatti (piano). EMI VSM C 051-01.963. ⌧ C 251-01.963. Mono. + *Scarlatti : Sonates K. 9 et 380.*

La première *Partita* par Lipatti, c'est le souvenir incontestablement le plus émouvant que le disque nous ait laissé de cet artiste si profondément attachant. Jamais aucun interprète n'a depuis lors retrouvé semblable sensibilité pour transcrire Bach sur le piano. Chaque note y chante avec une intensité bouleversante, et malgré quelques faiblesses d'une technique d'enregistrement encore imparfaite, cette version demeure inégalée. Les Chorals *«Ich ruf' zu dir»* et *«Nun komm, der Heiden Heiland»,* qui complètent le disque, sont de la même veine et parviennent à justifier ces transcriptions de Busoni dont tant d'interprétations ont souvent fait dire qu'elles étaient discutables. A emporter sur une île déserte.

Partita n° 2 en ut mineur BWV 826.

*** Miguel Angel Estrella (piano). Erato ERA 9.193. ⌧ MCE 9.193. Enregistré en 1971. + *Bartok : Bagatelles. Beethoven : Sonate n° 17. Tauriello : Sonatines.*

Au-delà du personnage «politique» qui a (malheureusement) eu tendance à empiéter sur sa réputation d'artiste, Miguel Angel Estrella doit d'abord demeurer à nos yeux et à nos oreilles un très grand pianiste. Ce disque récital enregistré en public en 1971 en témoigne. Dans un programme éclectique mais non dispersé, Estrella a inscrit la deuxième *Partita* qu'il joue avec une fermeté et une pureté qui rappellent le style exemplaire de Lipatti, son condisciple auprès de Nadia Boulanger.

Passacaille et Fugue en ut mineur pour orgue BWV 582.

*** Anton Heiller (orgue Marcussen de St-Marie à Hälsingborg). Bach Guild Stereolab BGS 70674 (USA). + *Préludes et Fugues en la majeur BWV 536 et en mi mineur BWV 548, Fantaisie en sol majeur BWV 572.*

*** Helmut Walcha (orgue F.C. Schnitger d'Alkmaar). Archiv 198.305 (sup.). Enregistré en 1962. + *Fantaisies et Fugues en sol mineur et en ut mineur, Fantaisies en sol majeur et en ut mineur.*

Anton Heiller (dont on peut désormais se procurer en France les disques édités aux Etats-Unis) est bien l'un des seuls à commencer la Passacaille sur un plenum. Cette conception, loin d'être sacrilège, s'inscrit bien dans cet esprit de simplification qui anime cet organiste habituellement économe de ses changements de claviers ou de registration. Sa Passacaille et Fugue est dominatrice, presque écrasante à force de grandeur, animée de cette impétuosité parfaitement maîtrisée qui était la marque de ce remarquable organiste malheureusement peu connu du public français.

C'est une conception dont nous sommes plus familiers, que celle d'Helmut Walcha. Mais quel phrasé subtil, quelle perfection dans l'articulation, quel art consommé d'épanouir l'immense instrument de Franz-Caspar Schnitger dans la nef d'Alkmaar... Assurément, l'un des sommets de la carrière de Walcha que cette Passacaille et Fugue enregistrée par lui d'un seul jet, sans le moindre montage, un beau jour de mars 1962. Soulignons l'intérêt de ce disque, sur lequel elle voisine avec une Fantaisie et Fugue en sol mineur qui constitue, de son côté, une référence de très bonne qualité.

Passion selon St-Jean BWV 245.

*** Felicity Palmer (s), Birgit Finnilä (c), Kurt Equiluz (t), Werner Krenn (t), Ruud Van der Meer (b), Philippe Huttenlocher (b), Ens. Vocal de Lausanne, Orch. de Chambre de Lausanne, Michel Corboz. Erato STU 71.151 (3 d.). Enregistré en 1977.

*** Elisabeth Grümmer (s), Christa Ludwig (c), Fritz Wunderlich (t), Josef Traxel (t), Dietrich Fischer-Dieskau (b), Ch. de la cathédrale Ste-Edwige de Berlin, Orch. Symph. de Berlin, Karl Forster. EMI Da Capo C 147-28.589/91 (3 d.).

*** Magda Kalmar (s), Julia Hamari (c), József Réti (t), Attila Fülöp (t), Bruce Abel (b), György Melis (b), Ch. et Orch. de l'Académie Franz Liszt de Budapest, György Lehel. Hungaroton SLPX 11.580/82 (3 d.).

** Agnes Giebel (s), Marga Höffgen (c), Ernst Haefliger (t), Alexander Young (t), Walter Berry (b), Franz Grass (b), Ch. de la Radio Néerlandaise, Orch. du Concertgebouw d'Amsterdam, Eugen Jochum. Philips 6747.490 (3 d.)

** Elly Ameling (s), Brigitte Fassbaender (c), Theo Altmeyer (t), Franz Crass (b), Kurt Moll (b), Siegmund Nimsgern (b), Süddeutscher Madrigalchor, Consortium Musicum, Wolfgang Gönnenwein. EMI VSM C 065-28.951/53 (3 d.) (sup.).

** Arleen Augér (s), Heidi Riess (c), Peter Schreier (t), Armin Ude (t), Siegfried Lorenz (b), Theo Adam (b), Ch. St-Thomas de Leipzig, Orch. du Gewandhaus de Leipzig, Hans Joachim Rotzsch. Eurodisc AR 88.307 (3 d.). Quadri.

** Evelyn Lear (s), Hertha Töpper (c), Ernst Haefliger (t), Hermann Prey (b), Kieth Engen (b), Ch. et Orch. Bach de Munich, Karl Richter. Archiv 2723.064 (3 d.).

** Kurt Equiluz (t), Bert van t'Hoff (t), Max van Egmond (b), Jacques Villisech (b), Petits Chanteurs de Vienne, Concentus Musicus de Vienne, Hans Gillesberger. EMI Telefunken 6.35018 (3 d.). ⊠ 4.35018 (2 c.).

En 1977, Michel Corboz bousculait sans vergogne des positions jusque-là bien solides : tant dans sa direction des solistes (Palmer, Finnilä et Huttenlocher sont étonnants) que dans la mise au point des chœurs, toujours souples et expressifs, Corboz se montre ardent et impulsif, comme personnellement concerné par ce drame humain.

Trop longtemps absente, la gravure de Karl Forster méritait de reprendre sa place, une des premières : il est difficile d'arriver à une telle qualité de solistes, et surtout à une telle adéquation entre rôles et expression vocale : un Wunderlich et un Fischer-Dieskau inégalés, une Grümmer lumineuse, un Traxel admirablement serein, des chœurs prestigieux. L'âge ne fait rien à l'affaire, c'est une réussite pleine et entière.

Aussi intéressante que l'intégrale Forster mais tout à fait opposée dans ses conceptions, la version de György Lehel cherche plus précisément l'intimité et l'intensité dans la finesse que la prouesse musicale. Ne serait-ce que pour Josef Réti (surtout !) et Magda

...almar, il faut savoir écouter avec ferveur et ...ans à priori, même si Lehel, dans sa direc...on, prend moins de risques que Forster ou ...ochum.

Eugen Jochum cherche à retrouver le sens ...rofond de cette Passion, en évitant les mas...es trop généreuses, en s'appliquant à mettre ...nu la simplicité effroyable du drame : cela ...nplique le refus de l'effet, et tiendrait ...resque, chez certains solistes (Agnes Giebel, ...ar exemple) à se transformer en froideur. ...aefliger, comme dans la *Passion selon saint ...latthieu*, se détache facilement de l'ensem...le. On s'étonnera peut-être aussi de la sup...ression des respirations dans les chorals.

Etonnons-nous aussi de l'absence actuelle ...u catalogue de l'intégrale Gönnenwein : par ...excellence de ses chœurs, par une affiche ...ratiquement sans points faibles, elle se place ...armi les meilleures : il faut donc se conten...er d'attendre.

L'interprétation de Hans Martin Rotzsch ...pour elle sa jeunesse, l'excellence de la prise ...e son, la fraîcheur du chœur de garçons de ...t-Thomas et des solistes dont aucun ne ...isse indifférent (même si certains passent ...n peu à côté de leur rôle). Peter Schreier ...arvient à se hisser au niveau des Réti, Wun...erlich ou Haefliger. Tout est senti, intériori...é, dans l'entreprise de Rotzsch, mais la ...assion est moindre que chez Corboz, l'am...leur moins soutenue que chez Jochum ou ...orster.

Karl Richter a sans doute commis quel...ues erreurs de distribution (Evelyn Lear ...ien moins à l'aise que Grümmer, Kalmar ou ...meling), mais il bénéficie de la collabora...on de Haefliger. Les chœurs monumentaux ...ont noblement dirigés, et les chorals suivent ... signification des textes liturgiques. Il y a ...hez Richter un souci constant d'équilibre ...ntre prière et expression musicale qui pour...ait servir de modèle à bien des chefs.

Hans Gillesberger, à la tête du Concentus ...lusicus de Vienne, se devait de prendre des ...ositions aussi extrêmes que celles de Niko...us Harnoncourt. Pour des raisons pure...ment physiques, il semble que les voix de ...arçons aient du mal à dominer les difficultés ...usicales, et Kurt Equiluz, malgré sa person...alité, ne peut prétendre à la ferveur d'un ...aefliger ou d'un Réti. C'est souvent saisis...ant, mais bien rarement émouvant.

...assion selon Saint Matthieu BWV 244.

*** Elisabeth Schwarzkopf (s), Christa Ludwig (c), Peter Pears (t), Nicolaï Gedda (t), Dietrich Fischer-Dieskau (b), Walter Berry (b), Ch. et Orch. Philharmonia, Ch. de garçons de Hampstead, Otto Klemperer. EMI VSM C 165.01.312/15 (4 d.). Enregistré en 1961.

*** Elly Ameling (s), Marga Höffgen (c), Peter Pears (t), Fritz Wunderlich (t), Hermann Prey (b), Tom Krause (b), Ch. et Orch. de Chambre de Stuttgart, Karl Münchinger. Decca 390.082 (4 d.). Enregistré en 1965.

*** Paul Esswood (hc), Tom Sutcliffe (hc), James Bowman (hc), Kurt Equiluz (t), Nigel Rogers (t), Karl Ridderbusch (b), Max van Egmond (b), Ch. d'Enfants de la cathédrale de Ratisbonne, Ch. d'Hommes du King's College de Cambridge, Concentus Musicus de Vienne, Nikolaus Harnoncourt. EMI Telefunken 6.35047 (4 d.). ⌧ 4.35047 (3 c.). Enregistré en 1970.

*** Tiana Lemnitz (s), Judith Beckmann (s), Karl Erb (t), Gerhard Hüsch (b), Siegfried Schulze (b), Ch. St-Thomas et Orch. du Gewandhaus de Leipzig, Günther Ramin. EMI Da Capo C 147-29.121/23 (3 d.) (sup.). Mono (origine 78 t.). Enregistré en 1941.

*** Gundula Janowitz (s), Christa Ludwig (c), Peter Schreier (t), Rudolf Laubenthal (t), Dietrich Fischer-Dieskau (b), Anton Diakov (b), Ch. de garçons de la cathédrale de Berlin, Ch. Wiener Singverein, Ch. Opéra de Berlin, Orch. Phil. de Berlin, Herbert von Karajan. DG 2711.012 (4 d.). ⌧ 3371.007 (3 c.). Enregistré en 1973.

** Agnes Giebel (s), Marga Höffgen (c), Ernst Haefliger (t), John van Kesteren (t), Walter Berry (b), Franz Crass (b), Petits Chanteurs de St-Willibrord, Ch. Radio Néerlandaise, Orch. Concertgebouw d'Amsterdam, Eugen Jochum. Philips 6747.371 (4 d.). Enregistré en 1966. *+ Passion selon Saint Jean.*

** Arleen Augér (s), Julia Hamari (c), Aldo Baldin (t), Adalbert Kraus (t), Siegmund Nimsgern (b), Philippe

Huttenlocher (b), Gächinger Kantorei de Stuttgart, Bach Collegium de Stuttgart, Helmuth Rilling. CBS 79.403 (4 d.). Enregistré en 1978.

La version d'Otto Klemperer, qui avait momentanément disparu des catalogues, risque de sembler par instants trop théâtrale ; mais comment résister à une telle passion romantique ? L'ampleur sonore des chœurs, la richesse de l'ensemble des solistes emportent l'adhésion, même si certaines gravures récentes posent avec plus d'exactitude les problèmes historiques d'interprétation. C'est critiquable et excessif, mais magnifique. Alors...

Karl Münchinger a réuni des chanteurs sans doute moins exceptionnels que ne le fit Klemperer (encore qu'Elly Ameling se montre éblouissante), mais ceux-ci savent rester à l'écoute du texte religieux. L'ensemble gagne ainsi en homogénéité et en ferveur ce qu'il perd peut-être en générosité bouillonnante. La dimension lyrique s'efface derrière une sincérité méditative infiniment touchante.

Marginal en tous points (choix de l'instrumentation ancienne, faibles effectifs, absence de voix féminines), Nikolaus Harnoncourt oppose à ses détracteurs éventuels la lisibilité nerveuse de la polyphonie, les coloris envoûtants des voix et des timbres instrumentaux, en bref une rigueur de tous les instants. C'est une interprétation dérangeante, certes, mais qui transforme un vaste drame à la signification universelle en une lutte douloureuse, plus humaine et convulsive que purement mystique.

Bien que la plus ancienne chronologiquement, la version de Günther Ramin se devait d'être à nouveau distribuée, tout incomplète qu'elle fût, et compte tenu des quelques imperfections techniques dues à son âge. Grands chœurs et chorals sont poussés en avant par une dynamique interne irrépressible, et les solistes (certains bien oubliés, hélas !) ne méritent que des éloges. Tout comme la version Harnoncourt (mais pour d'autres raisons, évidemment), c'est un document irremplaçable.

Herbert von Karajan sait choisir ses solistes avec une intuition toute particulière, et le «plateau» qu'il sélectionne domine la discographie (hormis Klemperer, et compte tenu du parti pris traditionnel de voix aiguës de femmes). Gundula Janowitz chante comme un ange, les chœurs sont célestes, Karajan dirige avec une divine discrétion, sans aucun effet oratoire, sans gonflements passionnels. Ce serait la perfection, si nos préférences n'allaient au lyrisme de Klemperer ou à la «méchanceté» de Harnoncourt.

A la croisée des diverses tendances, Eugen Jochum imprime cependant son esthétiq très personnelle (dont il s'explique claireme par ailleurs) à chacun des vastes chœurs ain qu'à la disposition instrumentale : effecti importants, renforcement des bois par exer ple. La distribution, d'où se détache aiséme un Haefliger, évangéliste inspiré, suit en to points une conception musicale aux contra tes larges et puissamment délimités.

La gravure récente de Helmuth Rilling place, quoique de moindre envergure, dans lignée des Klemperer et Münchinger. Pl vigoureuse que cette dernière, moins empât que celle de Klemperer, elle s'impose à q cherche l'équilibre et la transparence, révèle un évangéliste (Adalbert Kraus) aus émouvant et brillant que l'était Haeflig (Jochum).

Préludes et Fugues en ré majeur BW 532, en ut majeur BWV 547, en mi m neur BWV 548. Toccata et Fugue en majeur BWV 540.

*** Michel Chapuis (orgue A. Schni ger de Zwolle). Valois MB 848.

Préludes et Fugues en mi mineur BW 548, en sol majeur BWV 541, en si m neur BWV 544 et en ut majeur BW 545.

*** André Isoir (orgue Ahrend de S Lambert à Aurich). Calliope 171 ⊠ 4717. Enregistré en 1976.

Préludes et Fugues en sol majeur BW 541, en ré mineur BWV 539, en la m neur BWV 543, en ut mineur BWV 54 Toccata et Fugue en ré mineur «d rienne» BWV 538.

*** Michel Chapuis (orgue A. Schni ger de Zwolle). Valois MB 345.

Préludes et Fugues en mi bémol maje BWV 552, en sol majeur BWV 541, e ut mineur BWV 546, en la mineur BW 543.

** Helmut Walcha (orgue F.C Schnitger d'Alkmaar). Archi 198.307 (sup.). Enregistré en 1962.

Préludes et Fugues en ut majeur BW 545, en la majeur BWV 536, en la m neur BWV 543. Passacaille et Fugue e ut mineur BWV 582. Toccata et Fugu en fa majeur BWV 540.

** Helmut Walcha (orgue F.C. Schnitger d'Alkmaar). Archiv 198.156 (sup.). Enregistré en 1956 et 1962.

Pour l'ensemble des 17 Préludes et Fugues du catalogue BWV, Michel Chapuis, André Isoir, Lionel Rogg et Helmut Walcha permettent de constituer une sélection de très haute qualité. Nous n'avons toutefois signalé ici que quelques interprétations, mais qui s'affirment comme particulièrement marquantes dans la production de ces trois organistes. Michel Chapuis aborde la plupart des Préludes et Fugues dans un mouvement vif, animé d'une pulsion intérieure très forte. Si certaines pièces gagneraient parfois à plus de modération dans leur tempo, on ne saurait reprocher à l'*Alla Preve* du Prélude en ré majeur BWV 532 son merveilleux allant, ni la virtuosité impétueuse de sa fugue, dans laquelle Chapuis semble lancer un sourire complice au défi tendu par Bach à son interprète.

Chez André Isoir se trouve reflétée une certaine image de la solidité inébranlable de Bach et de sa sagesse. Mais une sagesse souriante, qui sait quand il le faut se faire joie explosive. Ainsi dans le Prélude en sol majeur BWV 541, qui évoque irrésistiblement l'ouverture triomphante d'une cantate agrémentée de trompettes et de timbales, suivi d'une fugue merveilleusement articulée et d'une limpidité cristalline.

Bon nombre d'interprétations de la Fugue en ré mineur BWV 539 ne rappellent qu'imparfaitement le second mouvement de la Sonate pour violon seul dont elle est la transcription. Michel Chapuis est bien le seul à y retrouver sur l'orgue, non seulement la légèreté et la vivacité du meilleur des archets, mais aussi la subtilité élastique de ses rebondissements les plus fins.

Bach se fait plus austère avec Helmut Walcha ; son approche est celle d'un artiste dont la cécité a peut-être contribué à donner à son regard intérieur cette dimension qui nous échappe parfois par sa profondeur. Appliqué, concentré, tendu jusqu'à la crispation, c'est vers un vertigineux macrocosme que nous entraîne Walcha dans les grands diptyques en la mineur BWV 543 et ut mineur BWV 546.

Si le Prélude et Fugue en la majeur BWV 536 peut laisser dans nombre d'interprétations une impression de fadeur, Walcha, tel un graveur méticuleux, sait, avec une prodigieuse précision du trait, cerner tous les contours de son contrepoint et faire de ce Prélude et Fugue un véritable chef-d'œuvre en noir et blanc.

Les 6 Sonates en trio pour orgue : n° 1 en mi bémol majeur BWV 525, n° 2 en ut mineur BWV 526, n° 3 en ré mineur BWV 527, n° 4 en mi mineur BWV 528, n° 5 en ut majeur BWV 529, n° 6 en sol majeur BWV 530.

*** André Isoir (orgue Westenfelder d'Esch-sur-Alzette). Calliope 1713. ⌧ 4713 (Sonates n° 1 et 2 Chorals divers). Calliope 1714. ⌧ 4714 (Sonates n°s 3 à 6). Enregistré en 1979.

** Helmut Walcha (orgue F.C. Schnitger d'Alkmaar et orgue A. Schnitger de Cappel). Archiv 198.156 (sup.) (Sonates n°s 1 et 6 + *Prélude et Fugue en ut majeur BWV 547, Toccata et Fugue en ré mineur BWV 565*). Enregistré en 1956. Archiv 14.157 (sup.). Mono (Sonates n°s 2 à 5). Enregistré en 1950 et 1952.

Chez André Isoir, ces Sonates sont abordées dans un style «orgue de chambre» qui en font six miniatures pour orgue, traitées avec cette parfaite application, mais aussi toute la profonde musicalité qui sont la marque de cet interprète.

Les enregistrements de Walcha à Cappel et Alkmaar sont désormais devenus historiques : prise de son mono à Cappel, pressage initial en 25 centimètres... Mais qu'importe, ce sont eux qui nous ont révélé, voilà près de trente ans, une autre façon de jouer de l'orgue, et des sonorités instrumentales authentiquement baroques dont nous sommes depuis lors devenus familiers. On ne saurait avoir l'ingratitude de reléguer cette version de Walcha dans l'oubli.

Sonate en trio en ré mineur pour deux violons et clavier BWV 1037.

** Alice Harnoncourt et Walter Pfeiffer (violons), Herbert Tachezi (clavecin). EMI Telefunken 6.35350 (2 d.) (sup.). + *L'Offrande musicale, Trois Sonates pour viole de gambe et clavecin.*

La seule version récente de cette *Sonate en trio* est due à une équipe qui offre d'habitude d'excellentes performances. Dans cet enregistrement, on remarque une limpidité sonore qui en remontrerait à beaucoup, mais la magnificence du violon d'Alice Harnoncourt ne couvre pas la faiblesse relative du «tonus» général de l'interprétation. *L'Offrande musicale*, qui tient compagnie à la Sonate, ne compte pas parmi les meilleures (ni les pires, du reste...).

Sonates et Partitas pour violon seul : Sonate en sol mineur BWV 1001, Partita en si mineur BWV 1002, Sonate en la mineur BWV 1003, Partita en ré mineur BWV 1004, Sonate en ut majeur BWV 1005, Partita en mi majeur BWV 1006.

❀*** Nathan Milstein (violon). DG 2709.047 (3 d.). ⌧ 3371.030 (3 c.).

❀*** Yehudi Menuhin (violon). EMI VSM C 167-02.710/12 (3 d.).

*** Sándor Végh (violon). Valois CMB 14 (3 d.).

A l'audition de l'interprétation de Milstein, on est à la fois ravi et ému. Il suffit d'écouter le miracle que représente l'Allegro de la Sonate BWV 1003, où le merveilleux timbre de son Stradivarius de 1716 atteint son plein rayonnement. S'il semble parfois que l'archet ne se plie pas entièrement à la volonté de l'artiste, l'admiration le cède alors à l'émotion tant l'on sent proche l'intensité des doigts. Milstein fait partie de ceux qui ont une telle personnalité que le jeu des comparaisons ne peut intervenir qu'en fonction de la propre sensibilité.

Menuhin s'égale à Milstein pour la puissance du message et la pudeur de l'expression. La version qu'il nous donne est beaucoup plus celle d'un comtemplatif que d'un exalté, ce qui explique sa parfaite réussite. Avec Menuhin, tout est profonde méditation, voire prière avec la dernière *Partita*, jouée comme un immense hommage à la divinité. Ecouter ce disque revient à accomplir un pèlerinage au-delà des notes.

Moins de perfection peut-être avec Sándor Végh, mais on sent là le couronnement de la carrière d'un authentique artiste. Il nourrit son interprétation d'une densité expressive et spirituelle, il lui insuffle un frisson de chaleur humaine qui fait que la poésie parle avec lui. On ne peut rester froid devant l'admirable sincérité qui se dégage de ces plages.

Sonates pour flûte : en la mineur pour flûte solo BWV 1013, en sol mineur avec clavier BWV 1020, en si mineur avec clavier BWV 1030, en mi bémol majeur avec clavier BWV 1031, en la majeur avec clavier BWV 1032, en ut majeur avec basse continue BWV 1033, en mi mineur avec basse continue BWV 1034, en mi majeur avec basse continue BWV 1035.

❀*** Frans Brüggen (flûte), Gustav Leonhardt (clavecin), Anner Bijlsma (viole de gambe). Séon 6775.022 (2 d.) (sup.).

** Jean-Pierre Rampal (flûte), Robert Veyron-Lacroix (clavecin), Jordi Savall (viole de gambe). Erato STU 70.820. (3 d.). *+ Pièces pour luth, Sonates en trio BWV 1038 et 1039.*

** Stephen Preston (flûte), Trevor Pinnock (clavecin), Jordi Savall (viole de gambe). CRD 1.014/15 (2 d.)

** Michel Debost (flûte), Lionel Rogg (clavecin), Kathleen Chastaing (flûte), Claire Giardelli (violoncelle). EMI VSM C 167-16.401/2 (2 d.). Enregistré en 1977 et 1979. *+ Sonate en trio BWV 1039 pour deux flûtes et basse continue.*

* Maxence Larrieu (flûte), Raphaël Puyana (clavecin), Wieland Kuijken (viole de gambe). Philips C 2.008 (2 d.).

La version avec Frans Brüggen à la flûte, bien que momentanément non disponible, mérite d'être citée : c'est la plus personnelle, la plus belle. On peut préférer une lecture plus neutre, plus passive par rapport à la partition, mais il est difficile de rester impassible devant la souveraineté du souffle qui l'anime, devant une force si communicative ! Faite d'aisance, de richesse, de relief, l'éloquence fascine ou déroute, car elle ne craint pas de pousser la plastique sonore dans ses plus extrêmes limites. Une conception de la musique de chambre loin d'être lénifiante. Et quelle magie sonore dans la Sonate pour flûte seule !

Une version inégale que celle de Rampal, mais le fameux flûtiste donne cette atmosphère habitée qui fait oublier les imperfections. Parmi ces dernières, il faut mentionner un certain manque de densité dans le jeu de la flûte, et même une trop grande distance par rapport à la partition. De même, une exagération dans la rapidité des tempos, plus étourdissante qu'autre chose. Mais on ne peut résister à la perfection inspirée de la *Sonate BWV 1030* en si mineur, éclairée d'une admirable et lumineuse sonorité. Quoique discret, l'accompagnement de Veyron-Lacroix est un modèle de style et de goût.

Dans la version Preston, les instrumentistes sont jeunes, et cela se sent dans un certain manque d'étoffe au jeu du flûtiste qui n'exploite pas à fond les sonorités subtiles de la flûte baroque. Néanmoins, il se dégage de cette interprétation une sorte de charme tranquille, une fraîcheur et un naturel de ton qui la rendent attachante à défaut d'être frappante. L'accompagnement est d'une qualité technique et musicale certaine, mais la flûte reste en arrière.

Pour la seconde fois, Michel Debost s'attaque à la flûte de Bach, cette fois en compagnie de Lionel Rogg, et il réussit un enregistrement très équilibré et d'une sonorité extrêmement agréable. En vieux habitués de la musique de Bach, ces deux artistes n'ont eu aucune difficulté, à ce qu'il semble, à accorder leurs conceptions. Ils adoptent des tempos relativement lents, avec beaucoup de souffle et peu de variations dynamiques, ce qui fait valoir la fluidité et la transparence de la phrase musicale. C'est une version classique et régulière, mais qui manque toutefois de vigueur dans l'attaque et l'envolée.

Avec Larrieu, on retrouve un flûtiste merveilleusement doué : sonorité étincelante, technique sans limite. Toutefois, on ne ressent pas la présence fascinante de Rampal ou de Brüggen. Peut-être parce que Larrieu raffine trop, s'intéressant plus au détail qu'à l'ensemble de la phrase. De même pour l'accompagnement qui, à force d'être méticuleux, finit par oublier la générosité.

Sonates pour viole de gambe et clavier en sol majeur BWV 1027, en ré majeur BWV 1028, en sol mineur BWV 1029.

❀*** Wieland Kuijken (viole de gambe), Gustav Leonhardt (clavecin). Harmonia Mundi 22.225.

*** Jordi Savall (viole de gambe), Ton Koopman (clavecin). EMI VSM C 065-30.758 (sup.).

** Yo-Yo Ma (violoncelle), Kenneth Cooper (clavecin). CBS D 37.794.

A une première écoute, la version Kuijken-Leonhardt paraît sévère. Kuijken maîtrise parfaitement son instrument et le fait chanter largement, sans aucun nasillement ni aucun de ces détachés dont certains gambistes émaillent leur jeu. Grâce à cette plénitude du chant, le magnifique *Adagio* de la *Sonate en sol mineur* atteint à cette sérénité étonnante, à cette beauté mélodique qui en fait un sommet. Quant à Leonhardt, il laisse aux seules inspirations naturelles du texte le soin d'établir un phrasé aussi profond qu'élégant, même s'il semble, de prime abord, austère. Cette version est d'une profondeur et d'une densité rares.

La version Savall-Koopman est sensiblement plus chaleureuse et spontanée. Côté gambe, on trouve un jeu plus varié dans les nuances et plus doux dans les inflexions de l'archet. Koopman, au clavecin, se montre assez proche de son maître Leonhardt, mais il se veut plus souple, ornant et agrémentant la phrase musicale d'ornements fleuris mais discrets. Les deux musiciens, en totale connivence, jouent pour leur plaisir et le nôtre, mais cette complicité est abîmée par un ingénieur du son qui s'est bien peu soucié d'équilibrer techniquement une si belle entente.

Yo-Yo Ma semble d'instinct en accord avec son maître Leonard Rose, avec Fournier et Casals : mais il a aussi été sensibilisé aux problèmes d'équilibre sonore que pose la rencontre d'un violoncelle avec les vibrations discrètes d'un clavecin. Il a également tenu compte, quand aux phrasés, des choix de Kuijken et de Harnoncourt, sans pour autant tout jouer en «détaché». Si Yo-Yo Ma réussit admirablement les mouvements lents, qu'il fait vivre sans aucune sollicitation romantique, son partenaire est en revanche trop discret dans les allegros.

Sonates pour violon et clavecin : en si mineur BWV 1014, en la majeur BWV 1015, en mi majeur BWV 1016, en ut mineur BWV 1017, en fa mineur BWV 1018, en sol majeur BWV 1019.

❀*** Sigiswald Kuijken (violon), Gustav Leonhardt (clavecin). Harmonia Mundi HM 2.901 (2 d.). Enregistré en 1973.

*** Henryk Szeryng (violon), Helmut Walcha (clavecin). Philips 6768.029 (2 d.).

** Alice Harnoncourt (violon), Herbert Tachezi (clavecin), Nikolaus Harnoncourt (viole de gambe). EMI Telefunken 6.35310 (2 d.) (sup.).

** Paul Makanowitsky (violon), Noël Lee (piano). Lumen 3.437/8 (2 d.) (sup.)

Heureuse réapparition au catalogue de l'admirable enregistrement de Kuijken, qui revient amélioré techniquement : le violon est superbe, et le clavecin a perdu de son irritante acidité. Cette version est de loin la plus belle : elle pénètre en profondeur le style de Bach et permet de suivre avec clarté le déroulement de sa pensée et les lignes de son architecture. Il se passe entre les deux interprètes un merveilleux dialogue, et l'on est transporté par la stupéfiante beauté plastique, par la densité spirituelle qui confine à la méditation métaphysique : incontestablement, un des plus beaux disques de musique baroque jamais enregistrés.

Excellente version que celle de Szeryng et Walcha, mais qui ne porte pas la musique baroque aux sommets où ces dernières années l'ont portée. Mais il reste beaucoup : c'est-à-dire d'abord un duo très équilibré. Et la pureté onctueuse du timbre du violon, accompagnée par le style grand et poétique de Walcha. Les deux artistes choisissent de limiter les épanchements, et leur vision reste dans une expression pudique profondément émouvante.

Harnoncourt (Nikolaus) a pris le parti, dans un esprit d'authenticité, de renforcer le duo violon-clavecin d'une basse continue. Cela est fort défendable, d'autant plus que le résultat est très beau. On apprend beaucoup sur l'art du continuo, remarquablement tenu par cet artiste à la viole de gambe et Herbert Tachezi au clavecin. C'est une interprétation qui donne au ton une haute noblesse et devient du même coup assez austère, parfois même mécanique. La sonorité détachée et blanche du violon d'Alice Harnoncourt ajoute encore à cette impression.

Signalons enfin, pour mémoire, une interprétation ancienne, introuvable (avec de la chance, peut-être...), par Noël Lee et Paul Makanowitsky. C'est quelque chose de proprement bouleversant : le son est beau, pur, large, décanté, le style est sobre, net et cependant profondément chaleureux. On sent une intelligence du cœur flagrante, une franche sensibilité. La prise de son et la réalisation stéréophonique sont en outre un enchantement pour l'oreille.

Suites anglaises BWV 806 à 811.

** Alan Curtis (clavecin Christian Zell de 1728). EMI Telefunken 6.35452 (4 d.). Enregistré en 1979. *+ Suites françaises.*

** Gustav Leonhardt (clavecin). Philips Seon 6776.001 (3 d.) (sup.).

** Glenn Gould (piano). CBS 79.208 (2 d.).

Dans ces *Suites anglaises*, Alan Curtis se montre certes comme un héritier de Leonhardt dont il fut l'élève, mais il y révèle une personnalité musicale dont la richesse le tient heureusement à bonne distance de l'imitation servile. Il sacrifie parfois avec une excessive complaisance l'inégalisation des notes dans les Courantes, mais quelle splendide rhétorique dans les Préludes, quelle émotion dans les Sarabandes, quel enthousiasme dans les Bourrées ! Ces *Suites anglaises* sont malheureusement jumelées dans leur coffret avec des *Suites françaises* non moins superbes, mais hélas ! tronquées.

Chez Leonhardt, l'interprétation des *Suites anglaises* n'est peut-être pas aussi complètement réussie que celle qu'il nous a livrée des *Partitas* ou des *Suites françaises.* Les grands Préludes, pièces maîtresses de ces Suites, ont ici une sorte de fougue impétueuse dont la vigueur véhémente est parfois proche d'une dureté. Les autres pièces demeurent profondément marquées par cette architecture si personnelle de Leonhardt qui épanouit et magnifie «l'ordre dans la liberté», mais de leur hautaine grandeur semble rayonner plus de dignité ascétique que de tendresse.

Avec Glenn Gould, le piano renonce à son identité ; il se détimbre au point de devenir parfois un objet sonore indéfini, à force de matité et d'une sécheresse qu'exacerbe un jeu hyperarticulé. Sur ce piano désincarné, devenant même squelettique, Gould peaufine le texte avec un perfectionnisme qui frise l'obsession. C'est un Bach très pensé, très réfléchi, mais qui privilégie essentiellement la perfection de la forme sans livrer pleinement l'immense richesse de son contenu sensible. Une interprétation qui demeure passionnante, au-delà du caractère discutable de certaines de ses options.

Suites françaises BWV 812 à 817.

*** Gustav Leonhardt (clavecin Rubio, d'après Taskin). Philips Seon 6775.021 (2 d.) (sup.).

** Kenneth Gilbert (clavecin Rückers). Harmonia Mundi HM 438 (2 d.).

* Huguette Dreyfus (clavecin Hemsch de 1754). Archiv 2533.138/39 (2 d.). Enregistré en 1973. *+ Capriccio sur le départ de son frère bien aimée.*

L'enregistrement des *Suites françaises* constitue l'un des sommets de l'art de Gustav Leonhardt. Majesté des Préludes, grâce des Menuets, fluidité des Courantes, sérénité alanguie des Sarabandes, incandescence des Gigues... Leonhardt a signé là une interprétation où la technique, déjà perfection, s'efface devant l'intelligence et la sensibilité.

Kenneth Gilbert traite les *Suites françaises* dans une atmosphère intimiste. Chez lui, tout se pare d'une ineffable délicatesse, d'une distinction parfois aux limites de la préciosité. Mais on aurait souhaité parfois ce petit rien d'enthousiasme et de fulgurance qui eût apporté l'éclat du soleil à ce charmant paysage en demi-teintes.

Cet enregistrement de Huguette Dreyfus est l'un des premiers que la claveciniste française ait réalisés sur un instrument historique. Cette interprétation, très soignée, n'est pas encore marquée par cette liberté créative que la musicologie a depuis lors favorisée dans l'exécution des œuvres baroques. Ceux qui ont un faible pour la musique tracée au cordeau, et une lecture plutôt passive du texte, y trouveront leur comptant de satisfactions.

Les quatre Suites pour orchestre : en ut majeur BWV 1066, avec flûte en si mineur BWV 1067, en ré majeur BWV 1068, en ré majeur BWV 1069.

*** Concentus Musicus de Vienne, Nikolaus Harnoncourt. EMI VSM C 069-93.147/48 (2 d.). ✉ Telefunken 4.41228/29 (2 c.). Enregistré en 1967.

*** Orch. de Chambre de Stuttgart, Karl Münchinger. Decca 593.003 (2 d.). Enregistré en 1961.

*** Orch. de Chambre de la Sarre, Karl Ristenpart. Musidisc RC 748/9 (2 d.). Enregistré en 1965.

** Collegium Aureum. Harmonia Mundi 20.353/4 (2 d.). Enregistré en 1970.

** Academy of St-Martin-in-the-Fields, Neville Marriner. Philips 6769.012 (2 d.). Enregistré en 1978.

Avec les *Suites*, le Concentus Musicus de Vienne réalisait une de ses premières gravures, et ouvrait la voie à un tout nouveau style d'interprétation qui depuis a fait bien des adeptes (et des détracteurs...). Ceux qui ont dans l'oreille le style actuel d'Harnoncourt trouveront encore timides ces tentatives hardies à leur époque ; mais on sent déjà une très belle maîtrise des instruments anciens et de leur technique. Si les accents baroques poussés à leur extrême vous irritent, vous trouverez cette version tout à fait écoutable.

La version de Münchinger n'est pas, elle non plus, toute jeune, mais à la différence du Concentus Musicus, elle est «moderne». Dans son style traditionnel, elle constitue une grande réussite, qui allie rigueur du jeu et souplesse du phrasé. On n'a pas fait beaucoup mieux depuis.

Toujours à prix défiant toute concurrence par sa modicité, les versions de Karl Ristenpart sont à rechercher et à thésauriser avec grand soin ; ici, ancienneté et économie signifient qualité.

Le Collegium Aureum fait retrouver les instruments anciens. Les puristes resteront fidèles à Harnoncourt, aux sonorités sinon plus authentiques, du moins plus particulières. Mais ceux qui souhaitent une touche d'époque sans subir toute la rigueur d'un phrasé plus systématique et d'une sonorité plus sèche, aimeront cette version qui opère une synthèse équilibrée entre deux styles.

La version de Neville Marriner à la tête de sa célèbre Academy offre une vision à la fois très fidèle et très actuelle : elle conjugue les perfections de la lutherie moderne et les acquisitions qui ont été faites depuis quelques années dans le domaine de l'interprétation de la musique ancienne. Ce serait vraiment un enregistrement de toute première qualité si l'effectif d'une formation de chambre ne nous laissait pas quelquefois sur notre faim de «son».

Suite n° 2 BWV 1067.

** Musica Antiqua de Cologne, Reinhardt Goebel. Archiv 2534.007. Enregistré en 1982. + *Suite n° 5.*

Nul mieux que Goebel n'a atteint cette netteté d'articulation, cette rigueur rythmique, cet équilibre dynamique dans l'imbrication des voix qui font le succès de cette version de la *Suite n° 2.* L'effectif instrumental est réduit au maximum : il en résulte une certaine minceur sonore compensée par une acuité, une finesse de trait, un délié avec lesquels des effectifs plus nombreux ne peuvent rivaliser.

Suites pour violoncelle seul : en sol majeur BWV 1007, en ré mineur BWV 1008, en ut majeur BWV 1009, en mi bémol majeur BWV 1010, en ut mineur BWV 1011, en ré majeur BWV 1012.

❀*** Pierre Fournier (violoncelle). Festival CFC 60.014 (3 d.). Enregistré en 1976 et 1977.

❀*** Pablo Casals (violoncelle). EMI VSM C 153-00.892/94 M (3 d.). Mono (origine 78 t.). Enregistré en 1936 et 1937.

*** Janos Starker (violoncelle). Philips 6768.224 (2 d.).

*** Nikolaus Harnoncourt (violoncelle). Harmonia Mundi 381/3 (3 d.). ⊠ HM 40-381/3 (3 c.).

Au soir d'une fulgurante carrière, Pierre Fournier choisit d'enregistrer à nouveau ce monument que sont les *Suites pour violoncelle seul.* Vingt ans après sa première gravure, il impose sa conception, toute de classicisme, respectant une continuité harmonique scrupuleuse, en rejoignant la rigueur baroque d'un Harnoncourt. Toutefois, il la tempère d'un léger vibrato. Les tenants de la tradition n'y verront aucun anachronisme flagrant, tandis que les «modernes» ne peuvent que s'incliner devant cette étonnante sobriété linéaire. Une puissante leçon de style, d'esthétique et de sensibilité.

Casals, à qui revient le mérite de la redécouverte des *Suites,* en fait une véritable prière, remplie d'enthousiasme, d'émotion, d'amour. On sent vibrer, dans ce bouleversant enregistrement monophonique, le délire sacré d'un grand romantique qui recrée ces chefs-d'œuvre à travers le prisme d'une personnalité hors mesure. A la fois violent et profond.

Avec Starker triomphe la simplicité : une vision convaincue et scrupuleuse, une traduction fidèle et une grande rigueur. Le tout au service d'une expressivité riche et généreuse. La clarté et la sincérité qui président à l'archet ne laissent aucun décalage entre le créateur et son interprète : Bach est là, dans toute sa grandeur.

Harnoncourt nous fait entendre un violoncelle presque contemporain des *Suites.* Techniquement, il s'en tient à un *vibrato* simple et adopte une attaque d'archet de l'époque baroque. Cet archet, peu tendu, est fait pour un jeu qui refuse toute variation de dynamique pendant une tenue de son : tout réside alors dans la flexibilité et le balancement entre les cordes. Cette interprétation est simple et sensible, à la limite de l'austérité, et l'on pourra préférer le classicisme plus vivant de Pierre Fournier ou les vibrants contrastes de Pablo Casals.

Toccatas pour clavier BWV 910 à 916.

** Blandine Verlet (clavecin). Philips 6747.354 (2 d.). Enregistré en 1973. *+ Fantaisie chromatique et Fugue, Fantaisie BWV 922.*

** Trevor Pinnock (clavecin d'après Dülcken). Archiv 2533.402/03 (2 d.). Enregistré en 1978. *+ Fantaisie chromatique et Fugue, Fantaisie BWV 806, Prélude et Fugue en la mineur BWV 894.*

Les Toccatas de Blandine Verlet sont l'un des premiers, mais aussi le meilleur, des enregistrements réalisés par cette artiste. Nous y trouvons tout ce que l'on pouvait souhaiter de verve et de fulgurance déclamatoire, dans une manière qui n'avait pas encore renié ce que la rigueur a de bon, et qui apporte à ces pages l'heureux contraste d'une tendresse quasi romantique dans les récitatifs, et d'un brio étincelant dans les parties rapides.

Si, chez Trevor Pinnock, la vivacité des mouvements s'abandonne à certains excès, une maîtrise rythmique inébranlable et un toucher merveilleusement aéré volent à son secours, contribuant à créer cette sensation de confiante certitude qui est bien l'un des caractères premiers de Bach. En complément à ces Toccatas, cet enregistrement présente le *Prélude et Fugue en la mineur,* une des plus belles pages de la littérature de clavecin, dont Pinnock a su exalter toute la magnificence concertante.

Les 4 Toccatas et Fugues pour orgue : en ré mineur «dorienne» BWV 538, en fa majeur BWV 540, en ut majeur BWV 564, en ré mineur BWV 565.

*** André Isoir (orgue Ahrend de St-Lambert à Aurich). Calliope 1708. ⊠ 4708. Enregistré en 1976.

** Lionel Rogg (orgue Metzler de la cathédrale de Genève). EMI VSM C 069-14.106. Ou EMI VSM C 165-14101/20 (20 d.). *+ Intégrale de l'œuvre pour orgue.*

** Helmut Walcha (orgue F.C. Schnitger d'Alkmaar). Archiv 198.304.

Le disque d'André Isoir a été unanimement acclamé lors de sa sortie. Il nous propose de véritables Toccatas de fête, dans une version resplendissante.

Les Toccatas de Helmut Walcha à Alkmaar paraissent quelque peu laborieuses, mais l'intelligence du phrasé et de l'articulation demeure et se conjugue à la beauté de l'orgue Schnitger pour absoudre Walcha d'une certaine lourdeur.

Lionel Rogg (troisième intégrale) utilise à

souhait toutes les possibilités du grand orgue Metzler et la longue réverbération de la cathédrale de Genève, pour mettre en valeur la pompe et les fastes de la célèbre Toccata en ré mineur (BWV 565), qui prend ici un éclat littéralement incandescent. Les autres Toccatas sont d'une bonne veine, mais n'ont pas cette verve chaleureuse qui était celle d'André Isoir. Un disque hélas ! enfoui dans les profondeurs d'une intégrale dont il n'est pas séparable.

Les 5 Variations canoniques sur «Vom Himmel hoch, da komm'ich her» BWV 769.

** Helmut Walcha (orgue Silbermann de St-Pierre le Jeune à Strasbourg). Archiv 2533.350 (sup.). Enregistré en 1971. + *Chorals Schübler.*

Walcha excelle à illuminer le maquis contrapuntique de ces Variations canoniques, qui sollicitent une virtuosité bien particulière, car plus intellectuelle que gestuelle. Nous restons émerveillés, subjugués par une interprétation qui nous leurre par la trompeuse impression de facilité qu'elle laisse de cette œuvre ardue.

Variations Goldberg BWV 988.

❀*** Glenn Gould (piano). CBS 37.779. Enregistré en 1981.

*** Gustav Leonhardt (clavecin). Harmonia Mundi HM 20.344. Enregistré en 1978.

*** Trevor Pinnock (clavecin). Archiv 2533.425. Enregistré en 1980.

** Wanda Landowska (clavecin Pleyel). EMI VSM C 051-43.371.

Glenn Gould a commencé et achevé sa carrière discographique avec l'enregistrement des *Variations Goldberg,* œuvre à laquelle il s'est finalement totalement identifié. Son jeu s'envole librement et la musique se donne à lui sans la moindre réticence. Portée à son point culminant, la rigueur s'efface derrière la poésie, et les ramifications de la polyphonie, qui restent d'ordinaire indistinctes, transparaissent ici avec une netteté hallucinante. Gravité profonde, verve étincelante, force impétueuse, mais toujours chaleur intimiste : Glenn Gould reconstruit ces *Variations* dont il n'existe pas d'exécution plus admirablement charpentée.

Gustav Leonhardt a laissé des *Variations Goldberg* deux versions enregistrées à près de dix ans de distance, qui sont à vrai dire très peu différentes l'une de l'autre. On donnera cependant la préférence à la seconde, enregistrée sur un clavecin plus fin, et dont la prise de son est plus aérée. L'interprétation, d'une lucidité extraordinaire, y déborde de ces subtiles intentions rythmiques si caractéristiques du jeu de Leonhardt où s'accomplit idéalement la secrète connivence de la rigueur et de la poésie.

Trevor Pinnock, sans nous conduire aussi loin que Leonhardt dans l'univers intérieur et dans l'imagination poétique, se rapproche cependant de lui par l'aspect dialoguant de son jeu merveilleusement chantant. Dialoguant, car Pinnock, comme Leonhardt, possède cette qualité rare (on reconnaît là les chefs d'orchestre) de nettement différencier la main droite de la main gauche, indépendance qui permet de mieux caractériser chaque voix et d'enrichir la dynamique rythmique par un jeu subtil d'anticipation d'une partie sur l'autre.

Wanda Landowska fut la première à donner les *Variations Goldberg* dans un concert public, en 1933, sur son clavecin Pleyel spécialement conçu par et pour elle, et non sur un piano comme l'indique la pochette de ce disque. Quelques semaines plus tard, cette interprétation toute d'ardeur, de noblesse, de poésie et de clairvoyance était portée au disque. Elle nous revient dans un bel effort de restitution sonore. Bach recréé, analysé, servi par une visionnaire. A comparer avec, à l'autre bout du chemin - et au piano -, la superbe identification de Glenn Gould.

Bach, Wilhelm Friedemann
(1710-1784)

Fugues et Préludes de chorals.

** Wolfram Gehring (orgue). Schwann AMS 2521.

Exemples du talent si singulier de Wilhelm-Friedemann, ces pièces d'orgue frappent par les nombreuses et émouvantes réminiscences de Jean-Sébastien qui s'y succèdent sans la moindre intention de pastiche. Une évidente volonté d'archaïsme confère aux *Chorals* une ferveur froide. Quant aux huit *Fugues,* elles sont imprégnées d'un prodigieux message prophétique, dont la valeur n'échappera pas à Mozart. Des œuvres, donc, du plus haut intérêt, servies par une interprétation de grand style.

Lamento en ré mineur. Sinfonia en ré majeur pour deux flûtes, deux violons, alto et basse continue.

*** Orch. de Chambre de la Sarre, Karl Ristenpart. Musidisc RC 673. *+ C.P.E. Bach : Sinfonia Wq 182. J.C. Bach : Sinfonias.*

A un prix défiant toute concurrence, et dans une interprétation garantie par le nom de Karl Ristenpart, ce disque renferme une page profondément émouvante, le *Lamento en ré mineur.* On trouvera Wilhelm-Friedemann heureusement accompagné par deux autres rejetons du grand Jean-Sébastien. Une très belle réunion de famille.

Sonate en trio pour deux flûtes et basse continue en la majeur. Duo pour deux flûtes et basse continue en fa majeur.

*** Stephen Preston, Nicholas McGegan (flûtes), Jane Ryan (viole de gambe), Anthony Pleeth (violoncelle), Christopher Hogwood (clavecin). Oiseau-Lyre 595.011. Enregistré en 1977. *+ J.S. Bach : Sonate en trio BWV 1039. C.P.E. Bach : Trio en mi majeur.*

Le *Duo en fa majeur,* d'une qualité très au-dessus des habituels duos galants, captive par un style étrange, énigmatique, d'une extraordinaire intensité. Les interprètes font admirablement sentir le drame psychologique qui se joue à chaque mesure. On imagine difficilement de rendre aussi sensible, par le truchement d'instruments modernes, ce climat de murmures quasiment vocaux, fragiles et intimes toujours au bord du déchirement. Un disque sublime, d'une discrétion passionnée.

Balakiriev, Mili
(1837-1910)

Islamey, fantaisie orientale pour piano.

*** György Cziffra (piano). EMI VSM C 181-12.556/57 (2 d.). *+ «Récital à la Chaise-Dieu» : œuvres de Chopin, Couperin, Hummel, Liszt, Lully, Mendelssohn, Mozart, Rameau, Ravel, Scarlatti.*

*** Alfred Brendel (piano). Turnabout TV 34.258 (étr.). Enregistré en 1955. *+ Moussorgski : Tableaux d'une exposition. Stravinsky : Petrouchka.*

** Bernard Ringeissen (piano). Adès 7.081 (3 d.). Enregistré en 1979. *+ Musique pour piano du Groupe des Cinq.*

Cziffra, spécialiste de l'œuvre de Liszt brille particulièrement dans cette œuvre qui se voulait d'abord un manifeste de haute voltige pianistique plus encore qu'un plaidoyer pour la musique slave. Le son est remarquable et l'exécution claire, fantastique d'aisance dans l'acrobatie, cependant qu'une certaine allure tzigane n'est pas trop déplacée dans les pastiches de thèmes orientaux. La qualité du couplage est malheureusement très discutable.

Brendel, desservi par une réédition avec stéréo artificielle, donne néanmoins une interprétation fascinante où une impeccable virtuosité se fait oublier au profit d'une ligne mélodique toujours rigoureuse, sans concession au moindre orientalisme de pacotille. Comme le couplage est exceptionnel, à rechercher sans faute.

C'est l'ensemble du coffret consacré à quelques œuvres pianistique des «cinq» russes qui distingue surtout Ringeissen, bien enregistré, et très correct interprète de cette *Islamey,* volontiers orientalisante, mais où manque seulement le souffle de la grande virtuosité, presque une fin en soi ici.

Balassa, Sandor
(né en 1935)

Dehors, devant la porte, opéra en cinq mouvements.

*** Sandor Palcsö (Beckmann), Ilona Tokody (la jeune femme), Laszlo Polgar (L'Unijambiste), Attila Fülöp (Dieu), Joszef Gregor (la Mort), Sandor Solyom Nagy (le Colonel), György Bordas (le Directeur de cabaret), Ch. de la Radio Télévision Hongroise, Orch. Symph. de Budapest, György Lehel. Hungaroton SLPX 12052/53 (2 d.). Enregistré en 1980.

Une réalisation capitale pour le répertoire lyrique contemporain. C'est l'histoire d'un soldat, qui après la guerre de 1940, dont il a réchappé de justesse, trouve son foyer détruit et sa femme installée avec un autre. Il n'y a plus de place pour lui en ce monde. Rejeté, il se retrouve «dehors», devant la seule porte qui s'ouvre à lui, la Mort. Sept personnages, un grand chœur, animés d'un souffle puissant et désespéré, qui tient de *Faust* et de *Wozzeck*. Tous les interprètes s'engagent à fond dans une partition exigeante. Rien ne vient gâter l'écoute passionnante de cette œuvre.

Balbastre, Claude
(1729-1799)

Pièces pour clavecin.

** Blandine Verlet (clavecin). Philips 6504.151. Enregistré en 1972 et 1977.

Deux faces enregistrées à cinq ans d'intervalle, tirées de deux disques différents où elles complétaient un programme Duphly, et réunies ici pour composer un disque homogène consacré à Balbastre. L'auteur des célèbres Noëls variés se montre ici légèrement plus inventif qu'à l'orgue, et Blandine Verlet fait preuve, une fois encore, d'une maîtrise totale de la technique de jeu et du style requis pour ces portraits en musique.

Noëls en variations, pour orgue.

*** René Saorgin (orgue de Tende). Harmonia Mundi HMU 984. Enregistré en 1974.

** Marie-Claire Alain (orgue d'Uzès). Erato STU 71.119 ⌧ MCE 71.119. Enregistré en 1977.

Balbastre sur un orgue italien (mais quel orgue !), joué avec tout l'esprit et la truculence qu'il faut. C'est parfait, même si cela surprend d'abord... Saorgin captive et cet orgue est une merveille.

Une interprétation brillante et multicolore de treize Noëls, sur un orgue peu connu par le disque : Marie-Claire Alain, égale à elle-même, reste une éblouissante virtuose, mais peut-être Balbastre avait-il en plus le sourire au coin des lèvres.

Banchieri, Adriano
(1567-1634)

Barca di Venetia per Padova, comédie madrigalesque.

** Colin Tilney (clavecin), Pere Ros (viole de gambe et contrebasse), Collegium Vocale de Cologne. EMI VSM C 063-30.128. Quadri.

Cette surprenante peinture musicale décrit un pittoresque «voyage» en bateau (seul véhicule possible) que fit le père Banchieri de Venise à Padoue : on y rencontre des pêcheurs, un ivrogne, deux Juifs en prière, tout un petit monde qui nous replonge de façon piquante dans le monde de la Renaissance italienne. Les interprètes jouent merveilleusement le texte et en rendent les contrastes avec finesse : tantôt truculents, tantôt élégants, et toujours un modèle de style.

Festino nella sera del Giovedi Grasso avanti cena (Festin de la soirée du Jeudi - Saint avant dîner), madrigal dramatique.

* Guy et Elizabeth Robert (luth), Ensemble vocal «The Scholars». Arion ARN 31.974. Enregistré en 1977.

Banchieri fait ici alterner le style léger et le style grave sur un sujet insignifiant : l'attente d'un repas. Six pièces de luth d'auteurs divers ont été placées en intermèdes dans cet enregistrement. L'interprétation des Scholars est claire, précise et fait bien ressortir le contrepoint. Mais un peu trop de sobriété lui enlève la générosité chaleureuse qu'on aimerait trouver à ces pages : une belle réalisation qui oublie un peu de se laisser aller à vivre.

La Pazzia Senile (Considérations charmantes et plaisantes à trois et six voix).

** Societá Cameristica di Lugano, Edwin Loehrer. Accord ACC 140.022. Enregistré en 1979.

Madrigaux bouffes, ces commentaires sur le ridicule des vieillards amoureux sont aussi des *canzonette* qu'un honnête homme doit pouvoir chanter pour sa propre distraction. Il s'agit donc, malgré toute la science de Banchieri, de compositions d'accès très direct faites pour plaire du premier jet, pour être retenues et répétées sous des formes plus simples. Le paradoxe musical que Banchieri a réussi comme compositeur, Loehrer le réussit comme interprète. On est dans l'émerveillement devant la subtilité de la musique ; on a envie de s'amuser, comme à Guignol pourrait-on dire, devant la bouffonnerie de situations que souligne un commentaire parlé.

Barber, Samuel
(né en 1910)

Vanessa, opéra.

* Eleanor Steber (Vanessa), Rosalind Elias (Erika), Regina Resnik (la Baronne), Nicolai Gedda (Anatol), Ch. et Orch. du Metropolitan Opera, Dimitri Mitropoulos. RCA RL 02.094 (2 d.) (USA). Enregistré en 1958.

Cet opéra américain, réalisé par le signataire d'un célèbre «Adagio pour cordes», mit vingt ans pour nous parvenir. Il y avait peu d'empressement du côté de l'Europe pour accueillir ce qui était acclamé là-bas comme un prétendu chef-d'œuvre... Bonne technique pour l'époque, celle du début de la stéréo.

Barié, Augustin
(1884-1915)

Intégrale de l'œuvre pour orgue : Symphonie op. 5, Elégie, Trois Pièces op. 7 : marche, Lamento, Toccata.

** Marie-Thérèse Jehan (orgue). Solstice SOL 17. Enregistré en 1980.

Barié n'ayant vécu qu'une trentaine d'années, un seul disque suffit à contenir l'intégrale de son œuvre. Et ce disque-ci est une triple révélation. On y découvre une musique au lyrisme dense, aux élans enflammés ; on y admire les débuts d'une interprète au jeu libre et incisif, d'un art prometteur ; on y entend enfin les superbes sonorités du grand Clicquot de la Cathédrale de Nantes, qu'une habile prise de son rend plus justement qu'à l'audition directe.

Barraqué, Jean
(1928-1973)

Au-delà du hasard, pour quatre formations instrumentales et une formation vocale.

*** Ensemble 2e2m, Paul Méfano Astrée AS 50. Enregistré en 1979.

Une œuvre difficile pour tous, interprètes et auditeurs, mais aussi une œuvre superbe, grandiose, hautement inspirée, même si un dramatisme intense la rend parfois peu supportable par tout ce qu'elle remue en nous. Poème de la nuit, de la démesure, du rêve, de la violence, poème également de la tendresse qui reflète la personnalité du compositeur. Paul Méfano et l'Ensemble 2e2m sont les traducteurs à la fois minutieux et fervents de cette œuvre de toute première importance.

Séquence, pour voix, batterie et divers instruments. Chant après Chant, pour six batteurs, voix et piano.

❀*** Joséphine Nendick (s), Noël Lee (piano), Percussions de Copenhague, Membres de l'Ensemble Prisma, Tamés Vetö. Astrée AS 75. Enregistré en 1970.

Deux œuvres fortes et difficiles. Un post-sérialisme au lyrisme acéré. Une interprétation exemplaire, joignant la technique la plus sûre à l'enthousiasme le plus sincère. La prise de son est superbe. Un des trop rares témoignages de l'importance d'un compositeur malheureusement disparu en 1973. Une version de référence.

Sonate pour piano.

*** Claude Helffer (piano). Astrée AS 36. Enregistré en 1970.

Yvonne Loriod avait précédemment gravé une fort belle version de cette œuvre, pour Véga. Cet enregistrement étant aujourd'hui supprimé, la vision d'Helffer demeure la seule disponible de cette page hautaine et dépouillée, d'une extrême difficulté d'exécution. La plus-value sonore d'une excellente prise de son et l'interprétation, d'une plus grande souplesse, nous donnent, ici, une version de référence.

Barraud, Henri
(né en 1900)

La Divine Comédie.

*** Jocelyne Chamonin (s), Anna Ringart (m-s), Christopher Wells (h-c), Jean-Claude Orliac (t), Jean Stout (b), Ensemble Instrumental de l'Orchestre National de France, Lorin Maazel. Adès 14 019. Enregistré en 1980.

Barraud, qui a écrit cette cantate en 1972-1973, dit avoir été inspiré par sa vive admiration pour Dante. Refusant toutes les facilités, il est seulement attentif à servir le texte, pour en tirer non des images au premier degré, mais des symboles. Il faut admirer la parfaite musicalité et la diction des solistes, ainsi que l'intelligence de Maazel. Une œuvre hautaine et fascinante, dont voici le premier enregistrement, réalisé en présence du compositeur.

Barrios, Agustin
(1885-1944)

Pièces pour guitare.

* John Williams (guitare). CBS 76.662.

John Williams est fort bien venu de consacrer un disque généreusement rempli à ce compositeur paraguayen. Mais il est regrettable que toute sa science technique n'arrive pas à le servir dans ce qu'il réclame de romantique et de viscéral. Les pièces d'Amérique Latine manquent du feu propre à cette terre, et les rythmes de danse ont perdu leur entrain naturel et leur acuité. Il aurait fallu plus d'enthousiasme pour illustrer Barrios.

Bartók, Béla
(1881-1945)

Cantate profane. «Légende des Sept Cerfs enchantés» pour chœur mixte, ténor, baryton et orchestre, Sz. 94 (1930).

*** Richard Lewis (t), Marko Rothmüller (bar), Ch. et Orch. du New Symphony of London, Walter Süsskind. Bartók Records BRS 312 (USA). Mono. Enregistré en 1952.

** Jozsef Réti (t), András Farago (bar), Ch. de Budapest, Orch. Symph. de Budapest, János Ferencsik. Hungaroton SLPX 11.510. Enregistré en 1967. + *Vingt Chants populaires hongrois, Sz. 92. Scènes villageoises. Sept Chœurs.*

La *Cantate profane* reste l'œuvre la plus difficile d'accès du maître hongrois. La vaillance demandée au ténor ainsi que le registre aigu font que les rares versions réalisées ne présentent pas cette liberté, ce caractère d'hymne avec récitant que voulait Bartók. Oublions les gravures inaccessibles de Rojdestvenski (1956) et de Lehel (1960), pour ne retenir en référence la version américaine de Walter Süsskind, valant par la présence du chef (d'origine tchèque).

Ferencsik restitue cette *Cantate* dans la lignée du *Psalmus Hungaricus* de Kodály, mais également des *Gurre Lieder* de Schönberg. On peut concevoir vision plus poétique, aux couleurs franchement impressionnistes... mais cette perspective, tentée par Lehel, reste à réaliser. Le disque de Ferencsik, en revanche, propose une réalisation majeure des *Scènes villageoises* dans leur version avec orchestre. La beauté de timbre, la chaleur communicative de la voix de Julia Hamari font que le miracle de cette musique se concrétise. Miklos Forraï, enfin, à la tête du chœur de Budapest, propose l'unique réalisation moderne des *Chants populaires* Sz. 92 dont cinq ont été orchestrés en 1933.

Trois Chansons d'autrefois, pour chœur d'hommes à 3 voix a capella, Sz. 104 (1935). Cinq Vieux Chants populaires hongrois, pour chœur d'homme à 4 voix a capella, Sz. 50 (1912). Cinq Chants populaires slovaques pour chœur à 4 voix a capella, Sz. 69 (1917). Quatre Chants populaires hongrois pour chœur mixte a capella, Sz. 93 (1930). Quatre Chants populaires slovaques pour chœur mixte a capella et piano, Sz. 70 (1917). Six Chants Sicules pour chœur d'hommes a capella, Sz. 99 (1932).

** Ch. de l'Armée Populaire Hongroise, Zóltan Vasarhelyi, Ch. Phil.

Slovaque, Miklos Szabo (Sz. 93 et 70). Hungaroton SLPX 11.519. Enregistré en 1972 et 1973.

On ne peut que s'incliner devant l'interprétation des pièces hongroises par Vasarhelyi, même si la prise de son ne donne pas toute leur perspective à ces véritables scènes champêtres, d'histoire et ces fresques historiques. Le chœur mixte slovaque propose une vision encore plus convaincante, tant par la qualité des nuances que par celle des timbres.

Dix Chansons populaires hongroises pour voix et piano, Sz. 33 (1906). Cinq mélodies op. 15 (1916). Cinq Mélodies op. 16 sur des poèmes d'Ady, Sz. 63. Huit Chansons populaires hongroises pour voix et piano Sz. 64 (1907-1917).

** Eszter Kovacs (s), Adam Fellegi (piano). Hungaroton SLPX 11.603. Enregistré en 1972.

Programme partiellement inédit, malgré la splendeur des mélodies de 1916. Eszter Kovacs ne dispose sans doute pas d'une voix éclatante et ample, surtout dans le registre proche du mezzo. Mais son intelligence de la métrique du verbe hongrois fait de ce récital une pièce malheureusement unique. L'excellent pianiste Adam Fellegi a su parfaitement distinguer l'époque des *Chansons* collectées avec Kodály, essentiellement dans les années 1907-1908, où le clavier n'est qu'un support presque mécanique à la voix, et les opus 15 et 16, où le clavier se fait tour à tour couleur, confidence, metteur en scène, et réalise les contrastes que la voix d'Eszter Kovacs ne suggère pas avec toute l'ampleur possible.

Le Château de Barbe-Bleue, opéra en un acte op. 11, sur un livret de Béla Balász, Sz. 48 (1911).

❀*** Judith Hellwigh (s), Endre Koréh (b), Orch. du New Symphony of London, Walter Süsskind. Bartók Records 310/1 (USA). Mono. Enregistré en 1953.

** Olga Szönyi (s), Mihály Szekely (b), Orch. Symph. de Londres, Antal Doráti. Philips 6768.600 (3 d.). Enregistré en 1962. *+ Le Mandarin merveilleux, Le Prince de bois, Suite de Danses.*

** Tatiana Troyanos (s), Siegmund Nimsgern (b), Orch. Symph. de la BBC, Pierre Boulez. CBS 76.518. Enregistré en 1973.

** Julia Varady (s), Dietrich Fischer-Dieskau (bar), Orch. National de Bavière, Wolfgang Sawallisch. DG 2531.172. Enregistré en 1978.

La référence réalisée dès 1953 par Walter Süsskind à Londres est toujours disponible aux Etats-Unis et reste techniquement hautement recommandable, tant le preneur de son, le fils du compositeur, Peter Bartók, avait réussi l'une des plus belles gravures monophoniques possibles. La basse Endre Koréh est stupéfiante de poésie profonde, de drame contenu dans le prologue (qu'il est inadmissible d'omettre, comme on le fait ailleurs, tant sa poésie rythmée est une véritable «ouverture» à l'opéra), mais aussi pathétique dans le rôle d'un individu condamné à la non-communication même avec l'être le plus tendrement aimé. Judith Hellwigh, au prénom prédestiné, reste la meilleure Judith de l'histoire du disque, tout comme la mise en place orchestrale réalisée par Süsskind reste un modèle du genre.

Huit ans après l'avoir fait avec Ferencsik, Szekely a enregistré ce même rôle de Barbe-Bleue sous la baguette d'un autre chef hongrois, Antál Doráti. Sa vaillance est moins éclatante, tandis que les demi-teintes et cette sorte de désespérance qui semble le prendre peu à peu atteint à la splendeur poétique. Malheureusement, sa partenaire Olga Szönyi voit son intelligence du texte compromise par un vibrato parfois insupportable. L'orchestre est bon, mais sans les subtilités de couleur qu'y tissaient des chefs comme Süsskind ou, aujourd'hui, Boulez ou Sawallisch.

Avec Boulez, on retrouve l'alliance de la plus extrême rigueur sur le plan du texte, avec la recherche des couleurs et des contrastes dynamiques les plus exacts. Tatiana Troyanos est parfaitement convaincante, même si son jeu donne à Judith un caractère de femme blessée plutôt que fragile et douloureuse. Siegmund Nimsgern, sans avoir la carrure d'Endre Koréh ou de Szekely, a ce timbre chaleureux et doré permettant de donner un âge à ce couple qui se déchire. Boulez prolonge, par la netteté minérale des sons, les «sentences» successives que Nimsgern doit émettre sur Judith et lui-même. L'ensemble du climat n'est pas sans évoquer le *Pelléas* de Debussy, car Boulez, alchimiste sonore, se laisse peu à peu gagner par cette suite d'aveux destructeurs et inévitables. Sans atteindre au romantisme inné d'un Fricsay, sa battue se fait moins stricte, sans que la beauté des couleurs ne s'étiole. Comme celle de Süsskind, cette réalisation comprend le Prologue.

La dernière gravure réalisée par Fischer-Dieskau et Julia Varady (chantée, cette fois, en langue originale), propose une vision à la fois tendre et douloureuse. Wolfgang Sawallisch les accompagne avec autant de soins que s'il s'agissait des *Noces* mozartiennes. La perspective sonore est un régal. Il ne manque que le Prologue, et, de la part de Fischer-Dieskau, ce legato à la fois sinistre et saisissant qu'un Koréh réussissait à chaque «sentence» étonnée, vindicative ou douloureuse, précédant l'ouverture de chacune des «portes» de cet empire des larmes. Si, par instants, on peut estimer que Fischer-Dieskau en fait trop et «wagnérise» un rôle qui est la pureté même, on ne peut qu'être gagné par la tendresse, la soif d'amour et de communion qui sort du personnage de Judith incarnée par Julia Varady.

Vingt-sept chœurs en 8 cahiers, Sz. 103 (1935) : Cahiers 1 à 6, pour chœur d'enfants a capella, Cahiers 7 et 8, pour chœur de femmes a capella.

** Ch. Féminin du Conservatoire de Györ, Miklos Szábo. Hungaroton SLPX 1290. Enregistré en 1970.

Unique enregistrement de ce recueil essentiel à la compréhension de l'évolution stylistique bartokienne. Tout comme son ami Kodály, Bartók tenait pour primordiale à la pérennité du folklore hongrois, son harmonisation pour chœur a capella. Sans être gêné ni par la gamme tempérée, ni par une rythmique simplifiée, ces huit Chœurs semblent aussi simples que vivants, même si leur écriture harmonique est plus qu'élaborée (ce qui permet d'ailleurs de les différencier de ceux harmonisés par Kodály). La réalisation de Miklos Szábo est de grande classe. Un seul regret : l'ampleur très moyenne et le manque de perspective de la prise de son.

Concerto pour alto (1945), Sz. 120, terminé par Tibor Serlih.

*** William Primrose (alto), Orch. New Symphony of London, Tibor Serlih. Bartók Records BRS 309 (USA). Mono. Enregistré en 1952.

*** Jaroslav Karlovský (alto), Orch. Phil. Tchèque, Karel Ančerl. Supraphon 50.439 (étr.). Enregistré en 1961. + *Concerto pour piano n° 3.*

** Yehudi Menuhin (alto), Orch. New Philharmonia de Londres, Antal Doráti. EMI VSM C 063-00.333 (G-B). Enregistré en 1967. + *Concerto pour violon n° 1.*

** Geza Nemeth (alto), Orch. Phil. de Budapest, András Koródi. Hungaroton SLPX 11.421. Enregistré en 1973. + *Concerto pour piano n° 3.*

La gravure réalisée par Peter Bartók (l'ingénieur du son), en 1952, de ce chant du cygne n'a pas une ride et reste la référence absolue de ce chef-d'œuvre. William Primrose dispose de cette sonorité intense qui fit de lui le plus grand altiste de sa génération. Celui qui réalisa l'intégralité de la partie d'orchestre et sortit l'esquisse de la partie soliste des papiers laissés par Bartók, Tibor Serlih, est au pupitre d'un orchestre londonien spécialement rassemblé pour enregistrer la série des «premières» bartokiennes posthumes. Ce disque est toujours disponible au catalogue américain.

Dans un tout autre esprit se déroule la version réalisée par Karel Ančerl avec l'altosolo du Philharmonique Tchèque de l'époque, Jaroslav Karlokský. Avec cette charge émotive propre à l'école tchèque d'alto, Karlovský rend Bartók frère du dernier Martinu, tandis qu'Ančerl tire le maximum d'une partie d'orchestre fort rudimentaire. L'expressionnisme profond de cette page posthume semble ainsi rejoindre l'esprit de la Sonate pour violon seul, le dernier *Mesto* du 6ᵉ Quatuor ou l'Elégie du Concerto pour orchestre. Le couplage, enfin, est à la fois logique et particulièrement bien venu avec la prestation d'Evá Bernáthova dans le Concerto pour piano n° 3.

Le fait que Menuhin se donne la peine d'enregistrer ce Concerto pour alto peut être compris comme un véritable pèlerinage auprès du Bartók de 1944, qui venait de composer pour lui la Sonate Sz. 117. Son talent d'altiste n'est pas en cause, mais on ne peut que constater que son style n'a pas la même tenue que celui de Primrose, ni la même puissance expressive que celui de Karlovský. L'accompagnement d'Antal Doráti est un modèle du genre. Le couplage, étonnant puisqu'il fait voisiner un concerto longtemps oublié de 1908 avec une œuvre posthume, n'apporte aucun éclairage complémentaire, si ce n'est la direction très en verve de Doráti dans les deux épisodes opposés de ce Concerto pour violon n° 1. Ici, Menuhin donne à l'œuvre pour violon (ou alto) de Bartók un classicisme immédiat qui dément l'éclat de l'orchestre qui l'accompagne.

Avec Geza Nemeth, l'altiste du Quatuor

Bartók, le style se rapproche très directement de celui de Primrose, même si une certaine raideur rythmique vient affaiblir l'ampleur rapsodique du discours soliste. La perspective sonore est moins flatteuse que dans les versions précédentes, tandis qu'András Koródi, le chef d'orchestre, n'a pas, à cause d'un orchestre un peu pâle, la possibilité de disposer de la palette de couleurs dont ont bénéficié Ančerl et Doráti, aussi bien dans le très rudimentaire accompagnement du Concerto pour alto que dans le climat désincarné, presque mozartien, du Concerto pour piano n° 3. Comme cette version reste la seule immédiatement accessible au catalogue français, on ne peut que la recommander aux mélomanes qui voudraient faire connaissance avec ce diptyque ultime.

Concerto pour orchestre Sz. 112 (1934).

❀*** Orch. Radio-Symph. de Berlin, Ferenc Fricsay. DG 2535.701 (RFA). Enregistré en 1955.

❀*** Orch. Phil. Tchèque, Karel Ančerl. Supraphon 50.515 (étr.). Enregistré en 1962.

*** Orch. Phil. de New York, Pierre Boulez. CBS 75.161 (sup.). Enregistré en 1971.

*** Orch. Symph. de l'Etat Hongrois, Antál Doráti. Hungaroton SLPX 11.437. Enregistré en 1971. + *Divertimento pour cordes.*

*** Orch. Symph. de Boston, Rafael Kubelik. DG 2530.479 (sup.). Enregistré en 1974.

** Orch. Symph. de Chicago, Georg Solti. Decca 591.149: ⊠ 4-390.356. Enregistré en 1980. + *Suites de danses Sz.77.*

** Orch. Phil. de Berlin, Herbert von Karajan. EMI VSM C 069-02.536. Enregistré en 1974.

Nous devons à Ferenc Fricsay la véritable révélation de cette œuvre, dont la genèse «américaine» pouvait conduire à des analogies nuisibles avec le pire Chostakovitch. Avec Fricsay, ce «Concerto» trouve sa respiration naturelle, son romantisme à fleur de peau, son dramatisme pudique réunissant en un résumé saisissant l'incompréhension originelle de *Barbe-Bleue*, la tendresse presque mozartienne de l'*Intermezzo interrotto*, le burlesque plus proche d'Háry János que du rictus mahlerien. Le finale, enfin, redevient comme un dernier écho de *Scène villageoise*, dont la virtuosité n'est plus une fuite dans le vide, mais une «suite de danses» frénétique et pitoyable. La regravure de 1977 permet d'apprécier l'art du grand chef hongrois, même si la dynamique et la perspective de l'enregistrement restent limitées.

Avec Ančerl, on dispose d'une splendide lecture orchestrale, dans la perspective très réverbérée de la Salle Smetana où la Philharmonie Tchèque donne ses concerts et réalise ses enregistrements. La battue du chef est aussi stricte que profondément habitée. Il rend avec autant d'éclat que de tension le «calme» insoutenable de *l'Intermezzo*, donne à l'épisode burlesque un humour plus smetanien que sardonique, tandis que les nombreux épisodes virtuoses voient le triomphe d'un orchestre, à l'époque, à son apogée. Ici, Bartók redevient le frère hongrois de Martinů et de Kabelač.

Le climat instauré par Pierre Boulez se veut plus lumineux que tendre, plus strict que poétique. L'œuvre se met à vivre essentiellement par la rigueur de sa construction et la splendeur de ses couleurs de timbre. Comme dans les *Jeux* de Debussy, la micro-rythmique s'enlace avec le tissu harmonique, créant cette tension permanente dont les causes n'ont plus rien à voir avec l'expressionnisme bartokien. Une lecture qui fait de cette œuvre un véritable «classique» du répertoire symphonique.

Pour sa troisième gravure, le chef hongrois Antál Doráti avait été invité à diriger le meilleur orchestre hongrois. Jouant sur un tempo général plus retenu qu'en sa jeunesse, trouvant naturellement un style presque chorégraphique dans le *Jeu des couples*, donnant à l'*Élégie* une tendresse impressionniste proche de cette du *Prince de bois*, Doráti ne cherche pas à dramatiser l'*Intermezzo* dont la poésie naturelle ressort comme un chant populaire sublimé. Dans le finale, malgré les cordes sans sonorités exceptionnelles, il dissèque, tel un balletomane, la complexité rythmique de ces figures qui se choquent et s'entrelacent.

Dans l'esprit, Kubelik est bien proche d'Ančerl. Plus poète qu'architecte, il s'attache à établir les atmosphères successives de ce chant du cygne. Jouant sur les oppositions de dynamique dans l'introduction, presque brucknérien dans le choral du *Jeu des couples*, apparemment serein dans *l'Elégie*, Kubelik ne peut s'empêcher de penser à Mahler dans l'*Intermezzo*, tandis que le finale vaut par la virtuosité de l'orchestre. La prise de son se permettant de mettre en valeur tel ou tel pupitre peut agacer ceux qui considèrent que ce jeu est contraire au principe de la symphonie.

A nouveau, il ne manque à Solti que ce suprême frisson qui fait que la musique bartokienne émeut en même temps qu'elle convainc. Solti - et ce n'est pas une surprise - reste fort impressionnant dans les passages virtuoses : canons de la fin de l'introduction, cadence finale du «jeu des couples» et surtout un finale insurpassé tant par son héroïsme que par la perfection de la mise en place. Mais fondamentalement, ce nouvel enregistrement n'est pas très différent du premier.

Herbert von Karajan a enregistré ce chef-d'œuvre trois fois. Il faut avouer que sa gravure de 1952 avec le Philharmonia reste une référence pour son dramatisme littéralement habité, son sens du mystère et sa virtuosité. Sa première gravure avec la Philharmonie de Berlin n'atteignait pas encore à cette parfaite mise en scène, réussie en 1974. L'ossature rythmique demeure un squelette inaccessible, tandis que Karajan joue uniquement sur les effets de dynamisme, comme en un poème straussien. Une certaine emphase accentue l'impression de sollicitation du texte. Karajan semble plus chercher à subjuguer par la splendeur de son orchestre qu'à tenter de chanter dans l'arbre natif du compositeur. Ainsi traité, le *Concerto pour orchestre* est devenu une pièce de haute virtuosité, où l'âme du folklore imaginaire s'est dissoute dans le tourbillon, plastiquement d'une rare beauté, d'une Philharmonie de Berlin poussée à la plus sentimentale virtuosité.

Concertos pour piano et orchestre n° 1 Sz. 83 (1926), n° 2 Sz. 95 (1931) et n° 3 Sz. 118 (1945).

*** Geza Anda (piano), Orch. Radio-Symph. de Berlin, Ferenc Fricsay. DG 2726.005 (2 d.). Enregistré en 1960. + *Rapsodie op. 1.*

** Stephen Bishop-Kovacevich (piano), Orch. Symph. de Londres, Orch. Symph. de la BBC, Colin Davis. Philips 6768.329 (2 d.). Enregistré en 1969 et 1974. + *Sonate pour deux pianos et percussion.*

* Anton Dikov (piano), Orch. Phil. de Sofia, Dimitri Manolov. Harmonia Mundi HMU 141/42 (2 d.). Enregistré en 1973.

Vingt ans après son édition première, l'intégrale de l'œuvre pour piano et orchestre de Bartók par le tandem hongrois Geza Anda /Ferenc Fricsay reste une référence stylistique. La rencontre entre la perfection d'un toucher adapté tout autant à Mozart qu'au prétendu «motorisme» bartokien chez Anda, et l'établissement par Fricsay du climat exact à chacun des épisodes, fait que les rares concurrents apparus depuis 1960 paraissent privilégier soit l'aspect mélodique, soit les tendances percussives. Il suffit d'écouter les mouvements des deux premiers Concertos pour s'apercevoir que l'écriture bartokienne est demeurée profondément classique, et que l'apparition de la tension sensible que doivent établir ces «musiques nocturnes» n'est profondément atteinte que si les interprètes respectent d'abord l'alchimie harmonique et rythmique élaborée par le compositeur.

Stephen Bishop s'est révélé l'un des interprètes les mieux inspirés de l'œuvre pour piano de Bartók. Avec l'exellent accompagnateur qu'est Colin Davis, la magie bartokienne atteint peu à peu à l'incandescence, montrant ainsi qu'il faut savoir restituer la sensibilité mozartienne pour dépasser la simple lettre du message. Dans le Concerto n° 1, Bishop introduit, mais sans compromis, un peu d'humanité, et rapproche l'œuvre de la partition plus extravertie du Concerto n° 2. Le Concerton n° 3 est d'une admirable tranparence. Quant au Concerto n° 2, quelques accents qui semblent appartenir à Sibelius rompent par moment l'unité de l'œuvre, tandis que le démarrage du finale n'a pas l'envolée que lui donnait un Scherchen (avec Farnadi). Mais la *Sonate pour deux pianos et percussion* inscrite en quatrième face a valeur de référence.

L'intégrale bulgare due à Anton Dikov et à la Philharmonie de Sofia dirigée par Dimitri Manolov est l'exemple même de ce que des interprètes d'excellent niveau peuvent réaliser sans approfondissement spécifique de l'alchimie bartokienne. La prise de son, sans finesses, concourt encore au grossissement des effets. Néanmoins, aucune faute de style ne vient perturber l'équilibre de ces interprétations, à la fois virtuoses et convaincues pour ce qui touche au soliste.

Concertos pour piano et orchestre n° 1 Sz. 83 et n° 2 Sz. 95.

❀*** Maurizio Pollini (piano), Orch. Symph. de Chicago, Claudio Abbado. DG 2530.901. ✉ 3300.901. Enregistré en 1978.

* Zoltán Kocsis (piano), Orch. Symph. de Budapest, György Lehel. Hungaroton SLPX 11.516. Enregistré en 1973.

On ne peut que s'incliner devant le travail de maîtres réalisé par le tandem italien Maurizio Pollini/Claudio Abbado. L'émotion nous gagne peu à peu, par la tension qui habite les deux protagonistes. Abbado obtient du Chicago Symphony un travail d'une exceptionnelle qualité sur le plan de la richesse des timbres et des variations d'intensité, tandis que Pollini distille les moindres rallentandos et les variations brusques d'intensité correspondant aux notes subitement percussives et se prolongeant dans la trame orchestrale. Une telle alchimie peut paraître, par instants, trop élaborée pour donner l'impression de liberté et de spontanéité que l'on pourrait attendre. L'écriture bartokienne ne laisse que peu d'initiative aux interprètes, si ce n'est, comme ici, de dominer suffisamment à la lettre la partition, pour atteindre à l'incandescence, à cette pudeur romantique secrète qu'il est de plus en plus rare de voir transmise.

Avec le tandem hongrois formé du jeune Zoltán Kocsis et de l'actuel directeur musical de l'Orchestre Symphonique de Budapest, György Lehel, nous restons très en retrait de ce que nous attendons de ce diptyque génial. La technique pianistique de Kocsis n'est pas en cause, mais son jeu, volubile et bien rythmé, reste en-deçà de la puissance émotive des œuvres, qui ne se mesure pas à l'intensité des rencontres percussives entre la timbale et le clavier... L'accompagnement de Lehel reste d'une neutralité inattendue, même si la lettre de ces partitions est correctement rendue. De fait, une gravure qui se contente de restituer fidèlement le message primaire de l'auteur.

Concertos pour piano et orchestre nᵒˢ 1 et 3.

*** Daniel Barenboïm (piano), Orch. New Philharmonia de Londres, Pierre Boulez. EMI VSM C 069-01.914. Enregistré en 1973.

La complémentarité de deux personnalités telles que Pierre Boulez, l'alchimiste strict dans la lecture des partitions de notre siècle, et de Barenboïm, aussi habile chef d'orchestre que pianiste séduisant dans le répertoire classique et romantique, est parfaitement vérifiée dans le couplage des Concertos nᵒˢ 1 et 3 de Bartók. Leur identité de vue, évidente dans l'œuvre de 1926, est moins nette dans celle de 1945. Ce Concerto presque sauvage se met à irradier une force étrange, grâce aux deux formes de tension générées par ces artistes : Boulez, par son respect de toutes les aspérités rythmiques et de mélange instantané du timbre, Barenboïm, par son art d'appuyer instinctivement, dans son phrasé, sur les «nœuds» sensibles de la mélodie soliste. Ils font sortir de la nuit une œuvre dont l'introversion originelle ne peut atteindre l'auditeur que si les interprètes en veulent extraire l'intelligence sensible.

Concerto pour piano et orchestre n° 2.

** Sviatoslav Richter (piano), Orch. de Paris, Lorin Maazel. EMI VSM C 069-02.161. Enregistré en 1974. + *Prokofiev : Concerto pour piano et orchestre n° 5.*

La rencontre du pianiste solitaire qu'est le Russe Sviatoslav Richter et du brillant chef d'orchestre Lorin Maazel nous a valu une lecture fort intéressante de ce point stylistique et émotif central dans l'œuvre de Bartók qu'est le Concerto pour piano n° 2. Richter, avec la pudeur et la rigueur stricte d'interprète élu de Bach, se refuse à tout effet pianistique facile. Alors que Maazel s'ingénie à jouer de toutes les couleurs que lui offre cette belle partition, Richter vient inscrire en eau-forte la ligne mélodique qui en est l'âme et le squelette. Cette répartition des rôles est dans la parfaite logique de l'écriture. Bien enregistrée, cette version est à connaître, malgré la moindre réussite du Concerto n° 5 de Prokofiev qui la complète.

Concerto pour piano et orchestre n° 3.

** Evá Bernáthova (piano), Orch. Phil. Tchèque, Karel Ančerl. Supraphon 50.439 (étr.). Enregistré en 1963. + *Concerto pour alto.*

Sous les doigts d'Evá Bernáthova, le 3ᵉ Concerto retrouvait son caractère d'hommage à l'esprit classique, à ce pianisme diaphane, hors du temps, que d'autres grands interprètes - tels Edith Farnadi, Annie Fischer, Julius Katchen... - avaient déjà redonné à cette partition. L'accompagnement d'Ančerl lui donne une dimension humaine particulièrement sensible et fait que ce disque, couplé avec le *Concerto pour alto*, demeure une référence de l'art et du style d'interprétation des années soixante.

Concerto pour deux pianos, transcription de la Sonate pour deux pianos et percussion Sz. 115 (1942).

** Artur Gold, Robert Fizdale (pianos), Saul Goodman, Walter Rosenberger, Elden Bailey, Morris Lang (percussions), Orch. Phil. de New-York, Leonard Bernstein. CBS MS

6956 (USA). Enregistré en 1969. + *Musique pour cordes, percussion et celesta.*

** Ditta Pásztory-Bartók, Erzsébet Tusá (pianos), Ferenc Petz, Jozsef Márton (percussions), Orch. Symph. de Budapest, János Sandór. Hungaroton SLPX 11.398. Enregistré en 1970. + *Suite op. 4.*

Le Duo Artur Gold et Robert Fizdale demeure, après trente ans de carrière, l'un des plus célèbres tandems pianistiques. Leur interprétation est à la fois pleine de finesse et de sensibilité, proche, par instants, de la filiation américaine de Stravinsky. Ce que cette vision peut faire perdre en vigueur d'accents et en spontanéité rythmique, la beauté plastique de la lecture nous le rend largement. L'accompagnement de Bernstein, malgré l'attention que le célèbre chef y porte, demeure rudimentaire et n'ajoute rien à la beauté d'une partition dont l'original pour deux pianos et percussion reste un chef-d'œuvre d'une densité secrète et pénétrante. La version de la *Musique pour cordes* couplée à cet enregistrement est de bon niveau, spectaculaire et extravertie, comme pouvait l'être une lecture enregistrée par Bernstein il y a plus de dix ans.

L'enregistrement de cette même transcription avec orchestre de la *Sonate pour deux pianos et percussion* par la veuve du compositeur Ditta Pásztory-Bartók avec Erszébet Tusá, est un témoignage, car Bartók n'avait réalisé cette transcription que pour disposer d'une partition qu'il pût jouer avec son épouse. Le résultat reste en-deçà de l'attente, car cette lecture manque quelque peu de relief, même si l'équilibre général entre les divers claviers et instruments de «peau» est excellent. De même, la très intéressante réalisation pour deux pianos de la Suite originale pour orchestre de 1905 reste en-deçà du fleuve majestueux et coloré que véhiculait cette admirable partition. Que ceux qui désirent connaître la splendeur de cette transcription tentent d'acquérir en Grande-Bretagne le disque des frères Richard et John Contiguglia (Connoisseur CS 2033, 1970).

Concerto pour violon n° 1 Sz. 36 (1907-1908).

*** André Gertler (violon), Orch. de la Phil. d'Etat de Brno, János Ferencsik. Eurodisc 913.307. Enregistré en 1962. + *Rapsodies pour violon et orchestre.*

** Yehudi Menuhin (violon), Orch. New Philharmonia de Londres, Antal Doráti. EMI VSM C 063-00.333 (G-B). Enregistré en 1967. + *Concerto pour alto.*

* Dénes Kovács (violon), Orch. Phil. de Budapest, András Koródi. Hungaroton SLPX 11.314. Enregistré en 1971. + *Le Mandarin merveilleux, suite d'orchestre. Danse roumaine.*

On doit au violoniste belge d'origine hongroise André Gertler, la première intégrale de l'œuvre pour violon de Bartók. Premier interprète inspiré de la *Sonate pour violon seul* de 1944, Gertler a le sens du phrasé bartokien, tout en disposant d'un style issu de l'école romantique belge. Une telle conjonction, d'un hungarisme spontané et d'une tradition qui se rattache à Brahms et à Franck, fait que les interprétations de Gertler restent, près de vingt ans après leur réalisation, comme des références vivantes d'un style aussi pur que bien intégré à la respiration de Bartók. Que ce soit dans les Rapsodies de 1928 ou le Concerto longtemps ignoré de 1907, il s'impose. Avec János Ferencsik, il bénéficie d'un accompagnement authentiquement magyar. Un disque qui ne porte pas une ride.

Yehudi Menuhin est trop connu pour qu'il soit utile d'insister longtemps sur son style inspiré et sur son refus de l'éclat soliste. Accompagné à la perfection par Doráti, ce Concerto n° 1 redevient ce qu'il était, une première épure de ce qui allait former le premier épisode «idéal» des *Deux Portraits.* Le jeu de Menuhin manque, par instants, d'intensité et de contrastes ; mais avec le Concerto pour alto, ce disque vaut par le climat presque de prière installé par le soliste, tandis que le New Philharmonia, animé par Doráti, réalise une lecture aussi haute en couleurs que rythmiquement dansante.

Dénes Kovács a l'un des plus beaux talents de soliste parmi les violonistes de sa génération. Mais, même dans ce Concerto de jeunesse, il s'en tient à la lettre de la partition, refusant d'en traduire l'inquiétude seconde, les couleurs impressionnistes qu'on trouvait avec Gertler et Menuhin. L'accompagnement de Koródi n'a pas l'ampleur et la plasticité de celui de Doráti, ni la rigueur presque beethovenienne qu'imposait Ferencsik. Le couplage, enfin, n'est pas des plus heureux pour les amateurs de violon.

Concerto pour violon n° 2 Sz. 112 (1938).

*** Itzhak Perlman (violon), Orch. Symph. de Londres, André Previn. EMI VSM C 069-02.518. Enregistré en 1974.

*** André Gertler (violon), Orch. Phil. Tchèque, Karel Ančerl. Supraphon 50.696 (étr.). Enregistré en 1967.

** Kyung-Wha Chung (violon), Orch. Phil. de Londres, Georg Solti. Decca SXL 6.802 (G-B). Enregistré en 1977.

** Yehudi Menuhin (violon), Orch. Philharmonia de Londres, Wilhelm Furtwängler. EMI VSM C 051-01.322 M. Mono. Enregistré en 1953.

** Dénes Kovács (violon), Orch. Phil. de Budapest, Ervin Lukacs. Hungaroton SLPX 11.350. Enregistré en 1972. *+ Rapsodies pour violon et orchestre.*

* Pinchas Zukerman (violon), Orch. Phil. de Los Angeles, Zubin Mehta. CBS 76.831 ⌧ 40-76.831. Enregistré en 1978.

Avec la gravure récente de Perlman/Previn de ce second Concerto, nous découvrons le maximum d'éclat sans que pour autant l'expressionnisme pudique et tendu devienne par trop extraverti. La sonorité naturelle de Perlman est telle qu'elle anoblit tout ce qu'il joue et que Previn n'a plus qu'à tisser les splendides diaprures de l'orchestre bartokien pour que la magie agisse. On peut concevoir un accompagnement à la fois plus impressionniste dans le mouvement lent, plus chatoyant dans l'*allegro ma non troppo* initial, plus héroïque dans le final, mais la lecture de Previn, sans avoir l'extrême délicatesse du violon de Perlman, impose la structure rythmique de l'ensemble et fait que l'œuvre se déroule et «avance» comme mue par une nécessité vitale.

Dans cette immense rapsodie qu'est le second Concerto, le style de Gertler conserve sa pureté presque mozartienne et sa respiration naturellement placée. L'accompagnement de Karel Ančerl rend compte à la fois de la profonde chaleur humaine qui parcourt cette partition ainsi que de son dynamisme intrinsèque. Sans donner la moindre impression de virtuosité gratuite ou d'inégalités de tensions, le tandem Gertler/Ančerl amène cette symphonie avec violon principal à so[n] achèvement et à son équilibre cyclique.

La gravure signée de la jeune violonist[e] Kyung-Wha Chung vaut par la splendeur d[u] violon. Les mouvements extrêmes irradien[t] par l'éclat des timbres, alliant pleinemer[nt] soliste et orchestre. L'âme sensible d[e] l'œuvre, l'*andante tranquillo* central, est plu[s] suggérée que vécue, mais le chef paraît plu[s] impliqué que la soliste dans ce choix d'insen[-] sibilité. Solti accuse les contrastes dramati[-] ques, réalise une lecture fort impressionnant[e] en particulier du finale, mais laisse insatisfai[t] sur le plan émotif. La prise de son, splendid[e] concourt au plaisir d'écoute. Cette lectur[e] n'est néanmoins qu'un aspect, le plus im[-] médiatement accessible, de cette œuvr[e] complexe dans laquelle il faut s'engage[r] spirituellement.

C'est une rencontre historique que celle d[e] Menuhin et de Furtwängler dans ce Concert[o] que, sur le plan spirituel, ils abordent dans l[e] même esprit que s'il s'agissait de celui d[e] Brahms. Le grand chef crée, dès les première[s] notes de la harpe, un climat de recueillemen[t] où Menuhin ne peut plus que chanter, expri[-] mer sa mélodie chaude et mélancolique. L[e] *tranquillo* central, réussi par Furtwängle[r] reste inimitable, et ce que l'on perd en cou[-] leurs instantanées, cet enregistrement l[e] recrée par la magie orchestrale de la direc[-] tion. Certes, sous cette forme, Bartók rede[-] vient le frère de ses aînés Brahms ou Sibelius mais y a-t-il la moindre réticence à ce qu[e] l'alchimie bartokienne se révèle comme l[a] musique la plus authentiquement «romanti[-] que» de notre premier demi-siècle ?

Ervin Lukacs taille un habit un peu larg[e] au violon de Kovács, et l'œuvre manque d[e] nerf tout autant à la fin de l'*allegro* initia[l] que dans le démarrage du finale. Le cou[-] plage, fort généreux, permet à Kovács d[e] convaincre pleinement de la justesse de so[n] style. De fait, un disque fort recommandabl[e] auquel il ne manque qu'une lecture plus vi[-] vante et contrastée, et des personnalités mu[-] sicales plus affirmées.

Comparée à la version de son ami Perl[-] man, la récente édition de Pinchas Zukerma[n] déçoit. Certes, son violon a toujours la mêm[e] sonorité étincelante, mais l'œuvre reste inha[-] bitée spirituellement. L'accompagnement d[e] Mehta, bien en place, manque par trop d[e] subtilité, et le phrasé ne s'appuie pas su[r] cette nervure rythmique à laquelle l'œuvr[e] doit son renouvellement et son style person[-] nel. Ainsi jouée, elle stagne. Techniquement l'image sonore est séduisante.

Contrastes, pour violon, clarinette e[t] piano, Sz. 111 (1938).

** Josef Szigeti (violon), Benny Goodman (clarinette), Bela Bartók (piano). CBS 61.882 (G-B). Mono (origine 78 t.). Enregistré en 1939. + *Mikrokosmos.*

** Miklos Szenthelyi (violon), Kalman Berkès (clarinette), Zoltán Kocsis (piano). Hungaroton SLPX 11.357. Enregistré en 1973. + *Rapsodies pour violon, Rapsodie pour violoncelle, Neuf Chansons populaires hongroises pour violon et piano.*

La référence absolue réalisée par les dédiataires et le compositeur au piano est toujours disponible au catalogue international. 'ette œuvre étrange, désincarnée, n'est pas n simple jeu sonore, mais doit procurer peu peu une impression de dépaysement, d'impossibilité de rencontre entre trois instruments totalement étrangers l'un à l'autre. .vant Elliot Carter, dans le souvenir des souffleurs» d'Orient, Bartók laisse trois nodes d'émission sonore se confondre, puis ignorer. Celle que le compositeur anime, de on clavier, a cette transparence peu à peu inaire qui convient.

Beaucoup plus conventionnelle est la réalisation animée par le jeune pianiste Zoltán .ocsis. A son écoute, on ne sait trop où cette œuvre en trois épisodes veut aller. Le reste u disque, en particulier les versions avec iano des 3 Rapsodies de 1928, est d'excellente facture.

ivertimento pour cordes Sz. 113.

*** Orch. Radio-Symph. de Berlin, Ferenc Fricsay. DG 2535.702 (sup.). Mono. Enregistré en 1953. + *Musique pour cordes, percussion et célesta.*

*** Academy of St-Martin-in-the-Fields, Neville Marriner. Argo ZRG 657 (G-B). Enregistré en 1971. + *Musique pour cordes.*

** Orch. de Chambre Anglais, Daniel Barenboïm. EMI VSM C 069-02.114 (sup.). Enregistré en 1974. + *Musique pour cordes.*

* Orch. Symph. de l'Etat Hongrois, Antál Doráti. Hungaroton SLPX 11.437. Enregistré en 1972. + *Concerto pour orchestre.*

* Orch. de Chambre Franz Liszt, Frigyes Sándor. Erato STU 71.231. ⊠ MCE 71.231. Enregistré en 1978. + *Weiner : Deux Divertimentos.*

Le *Divertimento pour orchestre à cordes* de 1939 reste l'une des œuvres les plus parfaites de son auteur. On doit à Ferenc Fricsay la première gravure à la fois juste sur le plan sensible et rigoureuse sur le plan rythmique, de ce petit chef-d'œuvre dont le programme en trois épisodes est comme le résumé de la démarche spirituelle de Bartók : *allegro* initial au climat impressionniste, aux couleurs modales vives et prenantes, un mouvement central *adagio*, dont la poésie nocturne vit de sa propre tension, enfin un *allegro* final dansant, combinant l'essence ethnique du matériau mélodique «imaginaire», précédemment utilisé, et ses dessins rythmiques simultanément possibles. Pour interpréter une telle œuvre, il faut être aussi bon «mozartien» qu'amoureux du romantisme contemporain, que ce soit celui de Varèse ou celui de Bartók. Fricsay fut le premier, et son disque reste une référence.

Rien d'étonnant à ce que le styliste qu'est Neville Marriner ait réussi à traduire avec la même perfection la lettre et l'esprit d'une telle œuvre. Même si ses violons n'ont pas le même frisson magyar que ceux de l'Orchestre de Chambre Franz Liszt, leur beauté de timbre transfigure ce «requiem» pour cordes qu'est le *Divertimento.* Comme le recto a la même splendeur que dans le disque de Fricsay, ces deux disques se valent. L'hungarisme atavique de Fricsay donne plus de spontanéité aux mouvements extrêmes et de mystère à l'*adagio*, tandis que l'homogénéité de l'orchestre de chambre de Marriner s'impose dans la transparence des plans sonores.

Dans le même couplage, Daniel Barenboïm réussit une performance comparable. On peut tout juste lui reprocher de solliciter, par instants, la partition, alors que cette dernière n'a aucun besoin de dramatisation ponctuelle. Par ailleurs, la prise de son ne donne pas la même transparence à l'orchestre de Barenboïm que les ingénieurs d'Argo à celui de Marriner.

L'effectif orchestral de Doráti est légèrement trop important. Sa vision du *Divertimento* s'en trouve grossie sur le plan du trait et des «effets». La finesse que l'on pouvait apprécier chez Marriner ou Barenboïm n'a plus cours, et le *Divertimento* devient une symphonie pour cordes aux splendides accents, mais dont la spiritualité, en particulier dans l'*adagio* central, a fait place à l'esprit de la danse, à l'impression d'une immense pièce chorégraphique en trois scènes, dont la dernière s'impose par sa virtuosité endiablée. Comme Doráti sait ce qu'est la rythmique et la respiration bartokienne, ce disque offre une alternative utile à tout mélomane voulant connaître ce que peut offir ce *Divertimento* que l'on «sent» mieux dans une perspective franchement *da camera*, ce que le mozartien qu'était Fricsay réalisait spontanément avec un effectif orchestral comparable.

Frigyes Sándor, à la tête de son Orchestre de Chambre Franz Liszt, joue à plein le jeu de la folklorisation transcendée. Ses violons passent spontanément, comme tous les Hongrois, de la tendresse nostalgique lente à l'exubérance la plus vive, sans la moindre césure. Ainsi réalisé, le *Divertimento* gagne en spontanéité ce qu'il perd en profondeur romantique. Le couplage avec des divertimentos de Leo Weiner à la simplicité des orchestres *all'hungarese* de l'époque de Goldmark, concourt encore à opposer deux styles d'interprétation, l'une faisant de Bartók un descendant naturel de la sensibilité mozartienne, l'autre le chantre d'une musique spécifiquement hongroise où le rythme, en sa parfaite mise en place, prouve que vous parlez cette langue sans accent ou que votre prononciation n'est que difficilement apprise. Seul, Fricsay avait su à la fois inscrire Bartók dans la filiation viennoise et parler le hongrois sans accent.

Duos pour deux violons Sz. 98.

** André Gertler, Josef Suk (violons). Supraphon 50.770. Enregistré en 1964.

** Sándor Végh, Albert Lysy (violons). Astrée AS 70. Enregistré en 1971.

* Wanda Wilkomirska, Mihály Szücs (violons). Hungaroton SLPX 11.320. Enregistré en 1970. + *Mikrokosmos : Sept pièces pour piano.*

Duos n°s 18, 23, 32, 28, 42, 38.

** Gidon Kremer, Tatiana Gridenko (violons). Eurodisc 200.405 (RFA). Enregistré en 1976. + *Schnittke : Moz-Art.*

La rencontre de deux violonistes du niveau d'André Gertler, musicien hongrois professant depuis trente ans à Bruxelles, et de Josef Suk, le plus grand des violonistes tchèques en exercice, donne à la guirlande des 44 *Duos* un rayonnement inattendu pour des pièces qui se voulaient didactiques et sans prétention. Prétentieuses, elles ne le sont toujours pas, mais, à leur écoute, on se prend à souvenir de certains duos mozartiens po violon et alto... Une vision réfléchie à splendide mise en place où l'archet volontie dansant de Gertler se voit assagi par celui Suk, à la calme et royale sonorité.

De même esprit est l'enregistrement réali par Sándor Végh avec Alberto Lysy. Inn vant, Végh a choisi de ne pas suivre la num rotation originale et d'alterner épisod chantants et simples, avec instants de nosta gie. Ainsi constituée, cette suite de chanso semble raconter une histoire et l'on se pren à oublier les huit cordes pour retrouver l'e sence de cette musique où, tour à tour, l'u chante et l'autre accompagne. La réalisatic stylistique du duo Végh/Lysy n'atteint p au même achèvement que celle du duo Ge ler/Suk, mais celui qui fut le *leader* d'un d plus grands quatuors de l'après-guerre di pose de l'art de faire respirer les moindr chansons populaires hongroises, qu'ell soient authentiques ou imaginaires.

Beaucoup plus ternes apparaissent ces m mes duos sous les archets du duo hongro Wilkomirska/Szücs. La perspective sono manque à la fois d'ampleur et de richess Cette suite de miniatures tour à tour dansa tes, nostalgiques ou exubérantes n'est pl que de petites œuvres mineures propres former l'oreille et le talent des apprentis vi lonistes. Une réalisation correcte, restant e deçà des possibilités des œuvres.

Le duo formé par le violoniste letton G don Kremer et sa partenaire des anné 1973-78, Tatiana Gridenko, nous propose si des quarante-quatre numéros dans une réal sation plus qu'enthousiasmante. Le lyrism naturel de leur jeu fait que ces quelques m niatures atteignent à l'émotion classique, ta par leur délicatesse d'intonation que par l prolongements sensibles que les interprèt semblent spontanément donner à ces peti joyaux. Le reste du récital est de la mêm classe et sort des sentiers battus.

Images pour orchestre op. 10 Sz. 4 Quatre pièces op. 12 Sz. 51. Deux Po traits op. 5 Sz. 37.

*** Orch. Radio-Symph. de Franc fort, Eliahu Inbal. Philips 6500.78 (étr.). Enregistré en 1975.

** Orch. Phil. de Budapest, Miklo Erdelyi. Hungaroton SLPX 1.30 Enregistré en 1967.

Cette fort intelligente anthologie des œu vres pour orchestre du Bartók des anné 1907-1912 nous fait découvrir un exceller chef, l'israélien Eliahu Inbal, sachant mettr n valeur avec lyrisme, chaleur et précision, s attirances de Bartók aussi bien pour le Debussy des *Images* que pour l'éclat de certains Poèmes de Strauss, tandis que surgisent les sonorités modales de la chanson aysanne hongroise. Dans une perspective onore fort agréable à l'oreille, Inbal nous onvainc de la splendeur de l'orchestre bar-okien, mieux que les chefs hongrois qui ont éalisé le même programme.

Erdelyi s'en tient à un certain hungarisme le surface, sans chercher à jouer de la palette mpressionniste mise à sa disposition. La erspective orchestrale n'a ni la même amleur, ni la même richesse qu'à Francfort. Le iolon solo Mihaly Szücs ne peut rivaliser vec son collègue allemand, le jeune Andreas Röhn. Dans l'Opus 12, en revanche, Erdelyi raison de marquer plus nettement qu'Inbal es analogies que ces pièces ont avec le *Petrouchka* de Stravinsky. De fait, un programme fort intéressant, sans recherche particulière de couleur ni d'atmosphère.

Cinq Images hongroises Sz. 97. Suite n° 2 pour orchestre op. 4 Sz. 34. Six Danses populaires roumaines Sz. 68. Deux Danses de Transylvanie Sz. 96.

** Orch. Symph. de Budapest, Miklos Erdelyi. Hungaroton 11.355. Enregistré en 1971.

Un programme sans concurrence, formé le diverses transcriptions pour orchestre. Les mages hongroises portent à l'orchestre diverses pièces de piano : *Veillée chez les Sicules* et *Danse de l'ours*, pièces n°s 5 et 10 des *Dix Pièces faciles* de 1908, *Mélodie* qui n'est autre que l'*andante* n° 2 des quatre *Nénies* Sz. 45, *Un peu gris...* seconde pièce des trois *Burlesques* Sz. 47, enfin la *Danse des porchers d'Urög*, empruntée au recueil *Pour les enfants* Sz. 42. Les *Danses roumaines* ont eur original au piano, et les *Danses de Transylvanie* sont extraites de la *Sonatine* Sz. 55. La 2e Suite d'orchestre, au contraire, est une mmense draperie sonore aussi généreuse que séduisante, qui doit à la fois à Liszt et à Richard Strauss. Erdelyi en donne une version plus animée et contrastée que franchement colorée. On peut lui préférer, pour ce seul opus 4, Doráti (Mercury, USA) ou Ködy (Hungaroton, SLPX 1201). Tel quel, ce programme est essentiel à la connaissance de Bartók s'essayant à l'orchestre.

Kossuth, poème symphonique Sz. 21. Scherzo pour piano et orchestre Sz. 28. Scherzo de la Symphonie en mi bémol Sz. 17.

** Erzsébet Tusá (piano), Orch. Symph. de Budapest, György Lehel. Hungaroton SLPX 11.517. Enregistré en 1972.

Programme unique et inédit regroupant les œuvres de jeunesse de Bartók, pianiste à l'aube d'une grande carrière s'essayant aux sortilèges de l'orchestre. On peut regretter qu'au titre de l'édition intégrale nationale hongroise, nous ne disposions pas encore d'une lecture des trois mouvements originaux pour piano de la Symphonie en mi bémol. Nous entendons le seul mouvement orchestré, le *scherzo*, mais restons dans notre ignorance pour le 3e mouvement *adagio*, que Koessler jugeait «sans amour». L'interprétation du *scherzo* par Lehel est fort correcte, même si l'on peut rêver plus de contrastes. De même, *Kossuth*, héros national capable de rassembler dans son souvenir les aspirations d'indépendance des Hongrois de l'époque, se voit mis en musique de manière un peu naïve, mais non sans charme. La réalisation de Lehel est excellente sur le plan du style, un peu pâle sur celui de la couleur orchestrale. Reste la superbe lecture du *Scherzo* par Tusá et Lehel. Un disque qui aide à une vraie connaissance de la genèse de l'œuvre de Bartók.

Le Mandarin merveilleux, ballet en un acte Sz. 71.

*** Schola Cantorum de New-York, Orch. Phil. de New-York, Pierre Boulez. CBS 76.031. Enregistré en 1969. *+ Suite de Danses.*

** Ch. et Orch. Symph. de la BBC, Antál Doráti. Philips 6768.600 (3 d.).
Enregistré en 1966. *+ Le Château de Barbe-Bleue, Le Prince de Bois, Suite de Danses.*

** Ch. et Orch. Phil. de Budapest, János Sándor. Hungaroton SLPX 11.319. Enregistré en 1971. *+ Chants paysans hongrois, Suite de Danses.*

Le *Mandarin* est resté une partition sentant le soufre pendant près de quarante ans. Ceux qui ont révélé au monde l'essentiel du message bartokien, des artistes comme Fricsay ou Süsskind, n'ont mis à leur répertoire la Suite symphonique, tirée de la musique du ballet complet, qu'à partir des années soixante. Il a fallu atteindre 1969 pour que les

Parisiens entendent cette partition intégrale, aussi importante que le *Sacre du Printemps*. La lecture de Boulez s'impose par sa perfection minérale, sa mise en place intransigeante, son alchimie sonore où tous les timbres s'allient et se brassent en un jeu hallucinant. La magie ne vient plus d'un argument plus ou moins mythique, mais de la montée en tension d'une écriture orchestrale aux pouvoirs de destruction et d'amour. Boulez, qui a fixé nombre d'interprétations «définitives» de Stravinsky et de Ravel, use de cette expérience pour sortir l'art bartokien de la spécifité magyare.

Antál Doráti est le chef hongrois qui réussit enfin à faire jouer sur les principales scènes mondiales ce ballet. Son sens chorégraphique, son instinct du phrasé, de la couleur et de l'articulation rythmique sont encore loin de la tension insoutenable introduite par Boulez. De poème à thèse, le *Mandarin* redevient ainsi une œuvre éminemment scénique qu'il faut animer et styliser. Dans cette perspective, la lecture de Doráti reste une référence depuis quinze ans.

La réalisation de János Sándor, beaucoup plus généreuse sur le plan du programme, se rapproche plus de la poétique de Doráti que de l'alchimie de Boulez. On peut même lui reprocher une certaine sécheresse de cœur, car certains épisodes évoquent le Stravinsky des années 1910-1913 sans la moindre retenue, alors que la partition du ballet ouvre de nombreuses scènes à la tendresse. Cette recherche du spectaculaire aurait été beaucoup mieux en situation dans la Suite d'orchestre, qui n'a retenu que les épisodes les plus mouvementés. Sándor nous donne en revanche l'unique gravure de l'orchestration de quatre pièces des *Quinze Chants paysans hongrois* Sz. 71. De même, nous avons là une réalisation vive et contrastée de la *Suite de Danses* de 1923. De fait, un disque généreux dont la technique de prise de son limite la portée.

Le Mandarin merveilleux, suite d'orchestre.

*** Orch. Symph. de Londres, Georg Solti. Decca 591.155. Enregistré en 1964. *+ Musique pour cordes.*

** Orch. Symph. de Boston, Seiji Ozawa. DG 2530.887. ⌧ 3300.887. Enregistré en 1978. *+ Musique pour cordes.*

** Orch. Symph. de Budapest, György Lehel. Hungaroton SLPX 1.301. Enregistré en 1970. *+ Musique pour cordes* .

La Suite d'orchestre tirée du ballet e encore plus choquante, à première auditio que la partition intégrale. Trois épisodes, e résumé : visiteur/valse/meurtre, tandis qu la danse infernale est encore plus tranchant que le premier Stravinsky. Contrairement la pantomime, plus d'intervention du chœu ni d'épilogue. Solti en donne une lecture im pressionnante, car elle met à nu les accords e notes d'appui qui sont les portraits des diver personnages. En bon wagnérien, il joue su ces «micro-leitmotive». Son interprétation d la *Musique pour cordes* réussit à atteindr notre sensibilité, mais cette fois, sans la vic ler. En fidèle disciple de l'école hongrois Solti se déchaîne dans les épisodes extrême et fait danser au rythme de la respiration d cette musique.

Dans cette partition incisive aux rythme tranchants, à la couleur flamboyante, u technicien comme Seiji Ozawa réussit un lecture d'une grande perfection. Sans cher cher à séduire, ni tenter de retrouver la tram impressionniste et pudiquement romantiqu de la pantomime, Ozawa se sert de tous le ingrédients de cette musique pour en tirer u véritable feu d'artifice. Ce traitemen convient moins bien à la *Musique pour co des*, car, dans cette œuvre de style et d sensibilité parfaits, la «musique nocturne centrale exige autant de concentration que d vibrations secrètes.

Dans le même programme, la réalisatio hongroise se place à mi-chemin de ces vision complémentaires. Lehel ne cherche pas à im pressionner, ni à briller sur le seul plan de l virtuosité. Ses tempos sont très justes. Seul les contrastes et la qualité sonore de l'or chestre n'atteignent pas aux magnificence des autres versions ; mais Lehel connaît fo bien la musique française, ce qui lui donne l supériorité de pouvoir transmettre ces quel ques touches impressionnistes qui filtren comme autant de «nuages» troublant le réa lisme brutal de cette page. L'interprétatio de la *Musique pour cordes* ne renferme pas l moindre faute d'accent ou de respiration. O ne peut que lui reprocher une relative sagess d'intentions expressives.

Mikrokosmos, pièces progressives pou le piano Sz. 107.

*** Deszö Ranki (piano). Telefunke 6.35369 (3 d.) (sup.). Enregistré e 1977.

*** George Solchany (piano). EM VSM C 167-14.001/3 (3 d.) (sup.) Enregistré en 1973.

** Claude Helffer (piano). Harmonia Mundi HMU 968/70 (3 d.). Enregistré en 1971-1972.

* Lorant Szücs (piano) : Cahiers I à IV. Kornel Zempléni (piano) : Cahiers V et VI. Hungaroton SLPX 11.405/7 (3 d.). Enregistré en 1971-1972.

Les *Mikrokosmos* restent le recueil, didactique à l'origine, le plus fréquemment joué par les pianistes d'aujourd'hui. Depuis l'intégrale réalisée par Gyorgy Sándor, 18 pianistes ont gravé des versions intégrales ou partielles des six volumes de cette somme musicale. La dernière gravure disponible, celle due au jeune virtuose hongrois resté au pays, Deszö Ranki, s'impose par sa virtuosité parfaitement intégrée au naturel du phrasé général et de la simplicité de ton employé pour conter ces 143 moments de folklore imaginaire. Sans chercher à recréer des sonorités de clavicorde, de cymbalum ou de petits positifs d'église, Ranki ne tombe pas dans l'excès inverse consistant à vouloir se mesurer au grand piano de concert lisztien. L'auditeur non averti peut même estimer, aux premières écoutes, que Ranki réduit par trop les couleurs de ces miniatures qu'une simple épure en eau-forte ne rendrait qu'imparfaitement. Mais l'écoute attentive montre que de discrètes couleurs viennent enrichir ces petits diables dansants ou ces épisodes subitement mélancoliques. Comme ce recueil n'est pas fait pour une audition *in extenso* dans les mêmes heures, prenons exemple sur Bartók lui-même - il nous reste une gravure historique de quelques pièces des *Mikrokosmos* sous ses doigts - pour composer une suite de pièces, au choix, selon que votre humeur est frénétique ou désabusée.

Avec Georges Solchany, on retrouve l'essence même de l'école pianistique hongroise, qui était celle de Lajos Hernadi, avant le règne actuel du pédagogue Pal Kadosa. Avant d'être une musique hongroise, ces *Mikrokosmos* doivent beaucoup sur le plan de la grammaire et du style à Scarlatti comme à Bach, à Mozart comme à Liszt. Solchany nous offre ainsi une lecture qui s'inscrit dans la filiation de la musique occidentale de piano tout en respectant le phrasé dansant ou pastoral, frénétique ou alangui de sa langue natale. Moins bien enregistrée que l'intégrale Ranki, celle de Solchany reste aujourd'hui la plus authentique par la fusion qu'elle est seule à réaliser entre la nature de la métrique hongroise et l'art du piano occidental.

Claude Helffer, pianiste français qui s'est dévoué à la défense de la musique de son temps et de son pays, a tenté et réussi l'entreprise de faire de ce recueil une véritable charte de la musique contemporaine selon Bartók. Aucun pittoresque inutile dans son jeu : Helffer, comme en des études debussystes, nous faire admirer tout l'apport grammatical de cette suite de chansons et de danses. Tant sur le plan rythmique que dans la recherche des couleurs, son clavier propose la même synthèse que Solchany. Mais Helffer voudrait aller plus loin en son siècle, et c'est ainsi qu'au retour de certaines pages, on retrouve des touchers requis par Debussy, Stravinsky... ou Fauré !

Reste la réalisation nationale hongroise que se sont partagée Lorant Szücs et l'excellent Kornel Zempléni. La relative pâleur de la gravure des quatre premiers cahiers conduit à conseiller l'achat des seuls cahiers V et VI, plus contrastés, d'une virtuosité de bon aloi. Szücs pense à Brahms, Liszt, Kodály, en jouant les quatre premiers cahiers, et schématise, se soumettant au jeu de «progressivité», à la fois technique et spirituelle, que propose l'œuvre. Il nous prend par la main et évite toute démonstration de virtuosité qui pourrait retenir les apprentis pianistes de le suivre dans cette découverte d'un monde sonore nouveau, plein des bruissements et des scènes de la vie.

Mikrokosmos : Cahier VI (Pièces 140 à 153). En plein air. Quinze Chants paysans hongrois. Six Danses populaires roumaines. Sonate.

*** Michel Béroff (piano). EMI VSM C 069-14.143. Quadri. Enregistré en 1969.

En interprétant ce sixième cahier de *Mikrokosmos* avec vigueur et verve, mais aussi avec douceur et poésie, Michel Béroff se trouve dans le vrai, car le résultat est parfaitement naturel. Dans ce disque, c'est bien vis-à-vis des pièces «populaires» que son jeu est le plus juste et intelligent. Mais tout aussi louable est le reste du programme, qui constitue une excellente anthologie du piano bartokien, et l'un des meilleurs enregistrements de Béroff.

Sept Pièces pour deux pianos extraites de Mikrokosmos.

*** Katia et Marielle Labèque (pianos), Sylvio Gualda, Jean-Pierre Drouet (percussion). Erato STU 70.642. + *Sonate pour deux pianos et percussion.*

*** Ditta Pásztory-Bártok, Erszébet Tusá (pianos). Hungaroton SLPX 11.320. Enregistré en 1971. + *Duos.*

Les sœurs Labèque mettent leur toucher sensible, leur technique éblouissante, leur phrasé expressif au service de sept pièces de *Mikrokosmos* transcrites pour deux pianos. Dans la Sonate avec percussion, elles forment, en compagnie de Sylvio Gualda et de Jean-Claude Drouet, un ensemble très équilibré et d'une musicalité intense : par la magnificence de leur jeu, on atteint à un tutti quasiment orchestral. La qualité sonore de l'enregistrement, très épanouie, achève de faire de ce disque une belle réussite.

Alors que les 153 pièces de *Mikrokosmos* ne doivent leur ordre qu'à leur progression technique, les sept retenues ici forment une suite homogène : Bartók les modifia pour disposer d'une œuvre facile à jouer avec sa femme Ditta Pásztory. C'est elle qui joue ici, avec Erszébet Tusá, version de référence par sa seule présence, et d'une facture plus classique et dansante que celle des sœurs Labèque, toute marquée de frénésie rythmique.

Musique pour cordes, percussion et célesta Sz. 106.

❀*** Orch. Radio-Symph. de Berlin, Ferenc Fricsay. DG 2535.702 (sup.). Enregistré en 1953. + *Divertimento Sz. 113.*

*** Academy of St-Martin-in-the-Fields, Neville Marriner. Argo ZRG 657 (G-B). Enregistré en 1971. + *Divertimento pour cordes.*

*** Orch. Symph. de la BBC, Pierre Boulez CBS 75.652. Enregistré en 1970. + *Stravinsky : L'Oiseau de feu (suite).*

** Orch. Phil. de Berlin, Herbert von Karajan. DG 2530.065. Enregistré en 1969. + *Stravinsky : Apollon.*

** Orch. de Chambre Anglais, Daniel Barenboïm. EMI VSM C 069-02.114 (sup.). Enregistré en 1974. + *Divertimento pour cordes.*

** Orch. Symph. de Budapest, György Lehel. Hungaroton SLPX 1.301. Enregistré en 1969. + *Le Mandarin merveilleux (suite d'orchestre).*

** Orch. Symph. de Londres, Georg Solti. Decca 591.155. Enregistré en 1964. + *Le Mandarin merveilleux (suite d'orchestre).*

** Orch. Symph. de Boston, Seiji Ozawa. DG 2530.887. ⌧ 3300.887. Enregistré en 1977. + *Le Mandarin merveilleux (suite d'orchestre).*

Saluons la regravure de 1977 des références historiques qui firent découvrir au monde discographique des partitions comme la *Musique pour cordes* et le *Divertimento*, partitions-sœurs qu'il est fort bien venu de rapprocher. Seul Karajan, en un 25 cm de 1949, avait imposé la *Musique pour cordes* dans son dramatisme viscéral et sa magie nocturne. Fricsay, quatre ans plus tard, réussit cette alliance innée entre l'universalisme de l'écriture bartokienne et la spécificité de son message humain, en fait, de son éthique. Tous les compositeurs qui ont tenté de retrouver la sensibilité bartokienne, en s'imprégnant de sa «grammaire» musicale, se sont fourvoyés, n'ayant pas eu le recul pour s'apercevoir que Bartók ne leur avait légué qu'une éthique et une conviction. Fricsay, élève des institutions musicales hongroises, alors que Bartók venait de s'en écarter, assume ici un testament. Avec la conviction d'un chef romantique traditionnel et la perfection technique des artistes de son temps, il réussit à conjuguer la lettre et l'esprit de ces partitions prophétiques.

Dans une vision plus *da camera* et une optique de continuité de l'art du concerto grosso, Neville Marriner s'approche de la réussite d'un Fricsay. Disposant de la splendeur sonore et de la discipline de l'Academy of St.Martin, il laisse cette musique occuper l'espace sonore, puis sa rumeur trouve peu à peu les vibrations qui font vivre ces partitions. En dehors de l'alchimie nouvelle que représentait l'alliage de timbres entre les cordes, les timbales et la douceur du célesta, Marriner dépasse la démonstration de virtuosité et de richesse sonore pour atteindre à la synthèse entre beauté et chaleur des sons. L'excellente prise de son, discrètement réverbérée, concourt encore à la réussite de ce disque.

La vision que réalise Pierre Boulez ne s'inscrit pas dans la tradition du concerto de chambre. Avec une ampleur presque maléfique, cette *Musique pour cordes* nous envahit peu à peu, sa trame sonore respectant la lettre de la partition, tandis que la tension qui s'installe conjugue à la fois la sensualité inassouvie de *Daphnis et Chloé* et les bruissements et les cris étouffés, souvenirs du *Mandarin*..

Pour sa troisième gravure, Herbert von Karajan a choisi une certaine stylisation de ce chef-d'œuvre, jouant le jeu de la forme *da camera* sans se refuser la jouissance d'effets des nuances que peut réussir une phalange de la splendeur et de la discipline de celles de la Philharmonie de Berlin. On regrette l'engagement interprétatif, le romantisme lunaire de sa première versoin, que VSM devrait regraver dans la série *Références...* Le couplage, par ailleurs, étonne, mais explique le style voulu par Karajan. *Apollon,* en sa perfection de galbe, est à l'opposé de l'expressionnisme qui peut embraser cette page essentielle qu'est la *Musique pour cordes.*

Dans le même couplage que Fricsay et Marriner, Barenboïm inscrit *Divertimento* et *Musique pour cordes* dans la filiation qui va de la musique maçonnique mozartienne au *Siegfried Idyll* de Wagner. Si le *Divertimento,* en son climat lyrique et chaleureux, demeure le mieux réussi du programme, la *Musique pour cordes,* sans atteindre à la même incandescence, transmet cette chaleur humaine, pudique et pure, qu'au-delà de la perfection de l'architecture musicale, Bartók arrivait à installer sans artifices, ni larmoiements. Barenboïm, en interprète instinctif des vrais romantiques, installe cette tension, cette accentuation des nœuds sensibles qui font le prix de ses lectures mozartiennes... Comme de la respiration qu'il instaure dans ces deux partitions de Bartók.

Avec György Lehel, on trouve, couplée à la *Musique pour cordes,* la suite de concert du *Mandarin merveilleux.* Aussi bien sur le plan du style d'écriture que sur celui du climat, ce couplage est moins bien venu que les précédents, offrant le *Divertimento.* La réalisation hongroise est fort bonne, sans recherche du spectaculaire ni influences germaniques. La respiration rythmique semble à la fois plus naturelle et improvisée que sous les baguettes des spécialistes de musique de chambre que sont Marriner et Barenboïm. Résolument «grand orchestre», la lecture de la *Musique pour cordes* est proche de la référence historique laissée par Fricsay.

Même couplage avec Georg Solti. Avec lui, la tension monte de par la vigueur des contrastes, la perfection des accents, la netteté des plans sonores qu'une prise de son, peut-être ancienne, restitue avec fidélité. Solti, comme à son ordinaire, réalise une lecture impressionnante, au suspens relancé de main de maître. Là encore, l'art rejoint l'artifice, et cette lecture, étonnante de brio, a du mal à atteindre notre sensibilité... mais on peut être plus facilement subjugué par un film d'Hitchcock que de Bergman !

La lecture de Seiji Ozawa est une véritable démonstration de la technicité de ce chef, qui réalise une mise en place de référence magnifiée par la splendeur sonore du Boston Symphony. Si dans la poursuite, dernier volet de la suite de concert du *Mandarin* inscrit au verso de ce disque, on pouvait regretter que les ingénieurs du son se soient cru autorisés à grossir nombre de traits des cuivres, l'enregistrement de la *Musique* est un plaisir pour l'oreille pour les amateurs de cordes s'inscrivant bien en profondeur dans une ambiance réverbérée, mais sans résonances multiples perceptibles.

Œuvres pour piano : Allegro barbaro. 15 Chants paysans hongrois. Improvisations. Chants populaires hongrois du district de Csik. Nénies op. 9a. Esquisses op. 9b.

*** Zoltán Kocsis (piano). Philips 9500.876.

Quelques redites, dans ce second récital Bartók - Kocsis : l'*Allegro Barbaro,* beaucoup plus rapide et plus nettement articulé que dans la version Denon, et les *Quinze Chants paysans,* sans doute moins bien mis en place. Le reste du programme ne renferme que des splendeurs. Kocsis montre l'incroyable modernité des *Improvisations* dont la netteté de trait et la pureté en font le véritable «opus I» de Bartók. Quant aux *Nénies,* elles sont pour le jeune pianiste hongrois une occasion de faire preuve d'un sens du discours bartokien qui va jusqu'à la divination.

Œuvres pour piano : Allegro barbaro. Trois Rondos. Six Danses populaires roumaines. Quinze Chants paysans hongrois. Sonate. Suite op. 14.

❀*** Zoltán Kocsis (piano). Denon OX-7044. Enregistré en 1975.

Le récital enregistré par l'un des plus brillants pupilles de l'école nationale hongroise de piano, Zoltán Kocsis, lors d'une tournée au Japon, ne dispose pas d'une diffusion régulière en France. Accessible auprès des disquaires et des concessionnaires spécialisés en haute-fidélité, ce disque demeure le plus achevé de ces cinq dernières années dans le domaine du piano bartokien. Kocsis semble en état de grâce, tant il sait passer du toucher percussif à la douceur du clavicorde dans le souvenir de Scarlatti, puis «habiter» ces «musiques nocturnes» qui naissent dans la Suite pour devenir le nœud sensible de la Sonate. Depuis Lajos Hernadi, Tibor Kozma ou Andor Foldes, il y a un quart de siècle, personne n'avait su refaire avec autant de spontanéité la synthèse du monde sensible et sonore bartokien.

Œuvres pour piano : Quatorze Bagatelles. Trois chants populaires hongrois du district de Czik, Sz. 35. Dix Pièces faciles.

** Kornel Zempléni (piano). Hungaroton SLPX 1299. Enregistré en 1968.

Le disque de Tibor Kozma (Bartók Records, USA, 1953) étant difficilement accessible, nous écoutons Zempléni, bartokien confirmé, dans les *Bagatelles*, suite de petits mondes dansants ou moroses à la délicieuse ambiance modale. On ne peut que regretter le peu de couleur donné au clavier par la prise de son, alors que l'interprète ait fort bien dosé netteté du toucher et douceur de la trame modale.

Œuvres pour piano : Trois Burlesques Allegro barbaro. Premiers pas au piano. Sonatine. Danses populaires roumaines. Noëls roumains. Suite op. 14. Trois Mélodies populaires hongroises.

** Deszö Ranki (piano). Hungaroton SLPX 11.336. Enregistré en 1970.

Deszö Ranki est, avec Zoltán Kocsis, l'un des plus brillants élèves du célèbre pédagogue Pal Kadosa. Sa technique est aussi brillante que celle de son collègue, et sa maturité égale. Reste ce sens poétique, ce don d'apparente improvisation qu'il faut savoir donner lorsqu'on veut pénétrer ce monde de cris, de chants, de feulements nocturnes que renferme l'œuvre de Bartók. Le programme proposé est essentiellement basé sur la période 1910-1915, où les mélodies de cornemuseurs et les danses paysannes venaient se styliser sur les deux portées d'une partition de piano. A ce jeu, Ranki est fort habile «danseur». Reste que la *Suite op. 14* peut trouver des éclairages plus chaleureux, et que *l'Hommage à Paderewski* manque de ce vertige qu'il propose. La prise de son, enfin, ne donne que peu de relief au clavier.

Œuvres pour piano : Quinze Chants paysans hongrois. Etudes. Improvisations. Trois Rondos. Suite de Danses.

* Gabor Gabós (piano). Hungaroton SLPX 11.337. Enregistré en 1970.

Gabor Gabós est ici notre guide dans le monde pianistique bartokien des années 1914-1922, qui s'ouvre au «folklore imaginaire». Excellent pianiste, Gabós reste néanmoins en-deçà de ce que permet la plastique virtuose des *Improvisations* comme des trois *Rondos*, ou les étranges *Etudes*. Seule, la *Suite de Danses* semble spontanément recréée sous ses doigts, tandis que les *15 Chants paysans hongrois* n'ont pas cette brillance de minéraux que leur donnait Kocsis, ni cette sonorité de clavicorde, cette ambiance du XVIIIe siècle que leur donnait Richter, pensant à Bach.

Œuvres pour piano : Deux Elégies, Deux Danses roumaines. Sept Esquisses. Quatre Nénies.

** Lorant Szücs (piano). Hungaroton SLPX 11.335. Enregistré en 1971.

Le récital signé Lorant Szücs, pianiste de moindre envergure que ses jeunes confrères, a le mérite de l'homogénéité. L'excellent pianiste qu'était Bartók devient compositeur et écrit, pour son instrument, des pièces d'une grande pureté s'inspirant de l'alternance mélancolie/danse joyeuse, spécifique aux Hongrois. Les jeux de timbres, les couleurs modales évoquent aussi bien Debussy que Kodály, et on aurait aimé disposé d'un style d'interprétation plus affirmé que celui de Lorant Szücs. Seul disque disponible présentant ce programme, on peut regretter sa relative neutralité, tant sur le plan du style que de la prise de son, un peu pâle.

Œuvres pour piano : En plein air. Sonatine. Mikrokosmos 140-153.

*** Stephen Bishop (piano). Philips 6500.013 (G-B). Enregistré en 1969.

Stephen Bishop, dans l'un de ses tout premiers disques, a démontré une aptitude fort rare à pénétrer la poésie bartokienne. Virtuose dans le souvenir de Julius Katchen, Bishop transfigure la Suite *En plein air*, jusqu'ici bien mal comprise en sa juxtaposition de musique nocturne et sa «chasse» finale. Disponible en Grande-Bretagne, cet enregistrement bénéficie d'une prise de son à la hauteur de son niveau artistique.

Œuvres pour piano : Petites Pièces faciles Sz. 82. Petite Suite Sz. 105. En plein air. Sonate.

** Erzsébet Tusá (piano). Hungaroton 11.338. Enregistré en 1971.

L'exceptionnelle floraison de chefs-d'œuvre pianistique de l'année 1926 exigeait un interprète d'exception. Il reste à trouver ; et même si l'on admet qu'est ainsi réuni le plus important de l'œuvre de piano de Bartók, et qu'on ne peut reprocher à Erszébet Tusá qu'une relative neutralité (inacceptable dans ce programme), on ne peut que rester stupéfait de la carence des catalogues. En ce qui concerne les *Pièces Sz. 82* et la *Petite Suite Sz. 105,* on se contentera de cette fort correcte interprétation, tandis que pour la *Sonate* et *En plein air*, on tentera d'acquérir les disques de Kocsis et de Bishop. Reste que, pour le centenaire de Bartók, (23 mars 1981), l'édition aussi prestigieuse qu'exhaustive de l'œuvre de piano est à faire : l'édition nationale hongroise réalisée de 1967 à 1974 a eu le mérite de faire le point, mais non d'affirmer l'universalisme du message bartokien.

Œuvres pour piano : Quatre Pièces pour piano Sz. 22. Rapsodie op. 1 Sz. 26.

** Gabor Gabós (piano). Hungaroton SLPX 1300. Enregistré en 1967.

L'excellent Gabor Gabós nous ramène à 1901-1903, alors que le jeune Bartók venait de se signaler à ses compatriotes en tant que compositeur «hongrois» (Symphonie, Suite Kossuth...), tout en s'affirmant comme un pianiste de niveau international. Les *Quatre Pièces* se souviennent de Chopin et de Liszt, tandis que la *Rapsodie* est également une grande fantaisie dans l'esprit «hongrois», une fantaisie lente précédant une danse finale sur un rythme de csardas. Gabós joue le jeu avec franchise et virtuosité. Seule, la *Rapsodie* peut permettre des instants d'intimité presque romantique que le pianiste gomme, sans justification virtuose, en compensation.

Œuvres pour piano : Pour les enfants, 79 chansons populaires pour piano Sz. 42.

*** Tibor Kozma (piano). Bartók Records BR 919/20 (2 d.). Mono. Enregistré en 1953.

** Deszö Ranki (piano). Telefunken 6.35338 (2 d.) (sup.). Enregistré en 1977.

** Kornel Zempléni (piano). Hungaroton SLPX 11.394/5 (2 d.). Enregistré en 1972.

** Michel Béroff (piano). EMI VSM C 167-16.246/7 (2 d.). Enregistré en 1978.

Rendons tout d'abord hommage au précurseur que fut le pianiste hongrois Tibor Kozma, réfugié aux Etats-Unis, enregistrant en 1953 l'intégrale de *Pour les enfants.* Les amateurs inconditionnels de Bartók peuvent commander cette version monophonique de démonstration aussi bien artistique que technique, aux disquaires pratiquant l'importation.

La gravure de cette même somme par le jeune pianiste Deszö Ranki reste la plus élaborée sur le plan de la recherche sonore. Ranki a oublié le grand piano romantique et transforme son clavier en cymbalum, clavicorde, petit harmonium, cornemuse ou flageolet, au gré du climat des scènes. La mise en place rythmique est étonnante de netteté. Une prise de son pure et sans concession contribue à mettre à nu cette lecture «déromantisée».

Kornel Zempléni, dans l'édition intégrale hongroise, se rapprochait plus de Kozma : évidence des gammes archaïques utilisées, recherches de couleurs, jeu de batteries sur claviers anciens faisant passer du plein air à l'intérieur des petites églises de campagne. Sans être flatteuse, la prise de son burine le son du piano dans le même but qu'avec Ranki, mais le spectre et la dynamique sont malheureusement d'amplitude très moyenne.

L'intégrale que vient de signer Michel Béroff ne bouleverse pas la discographie. Ne craignant pas de faire de ces petites pièces, des cousins hongrois des scènes de Moussorgsky, Béroff réinscrit le climat des œuvres dans l'évolution d'époque de la musique de piano. Haut en couleurs, virtuose, se souvenant aussi bien de Liszt que de Debussy et Scriabine, son style fait que l'audition de ce coffret est immédiatement séduisante pour qui aime le beau piano. Ce style, d'ailleurs, métamorphose les onze petites Pièces Sz. 39, couplage très logique. De même, la Sonatine nous est rendue à la fois en sa virtuosité, sa verve rustique et ses teintes ravéliennes.

Œuvres pour piano : Suite de danses Sz. 77. 6 Danses populaires roumaines Sz. 56. Trois Rondos sur des chants populaires Sz.84. Quinze Chants populaires hongrois Sz. 71.

*** András Schiff (piano). Denon OX-7215. Enregistré en 1980.

Le récital d'András Schiff est de la même veine et du même niveau technique que celui signé par Zoltán Kocsis chez le même éditeur. Schiff s'impose facilement dans la transcription pour piano seul de la Suite de danses; mais pour ce véritable chapelet de micro-mélodies que sont les 15 Chants paysans hongrois, il devra s'incliner, de peu il est vrai, devant son compatriote Zoltán Kocsis qui semble mieux que lui respirer sans efforts aux rythmes de ces scènes. L'un des meilleurs disques de piano suscités par l'année du centenaire (1981).

Neuf Pièces extraites de Pour les enfants, transcrites pour violon et piano. Rapsodies pour violon et piano Sz. 86 et 89. Rapsodie pour violoncelle Sz. 88. Contrastes, pour violon, clarinette et piano.

* Mihály Szücs (violon), Erzsébet Tusá (piano). Hungaroton SLPX 11.357. Enregistré en 1972.

Le violoniste Mihály Szücs, dans le cadre d'un récital de mélodies populaires transcrites pour son instrument, propose un programme sans concurrence. On regrette que ce ne soit pas des musiciens de la dimension de Stern, de Kremer ou de Perlman qui se soient penchés sur cette musique qui ne demande qu'à vivre, chanter, émouvoir et faire danser. Les interprètes hongrois de ce récital avec piano en restent à la lettre de ce monde rapsodique où Bartók a dépouillé le «tzigane» pour revenir à l'essence de la vraie musique nationale hongroise. L'écoute du duo Szücs/Tusa procure néanmoins une joie immédiate. Si ce n'était la gravure des *Contrastes*, manquant de la veine pastorale qui justifie la juxtaposition des trois instruments, ce récital serait totalement réussi.

Le Prince de bois, poème chorégraphique, op. 13 Sz. 60.

*** Orch. Phil. de New-York, Pierre Boulez. CBS 76.625. Quadri. Enregistré en 1976.

*** Orch. Symph. de Londres, Antál Doráti. Philips 6768.600 (3 d.). Enregistré en 1964. *+ Le Château de Barbe-Bleue, Le Mandarin merveilleux, Suite de Danses.*

** Orch. Phil. de Budapest, András Koródi. Hungaroton SLPX 11.403. Enregistré en 1972.

** Orch. New Symph. de Londres, Walter Süsskind. Bartók Records BRS 308/308a (3 faces) (USA). Mono. Enregistré en 1953.

Tout comme la *Cantate Profane*, la pantomime du *Prince de bois* reste l'une des œuvres-clefs de l'éthique bartokienne. Ce fait l'a longtemps éloigné de la scène, ou des salles de concert dans sa réalisation en suite d'orchestre. On peut regretter que ce ballet ne soit pas systématiquement proposé avec son œuvre-sœur, le *Château de Barbe-Bleue*, vision urbaine d'un même monde d'incommunication que le même librettiste, Béla Balázs déplace en pleine nature. Seuls, Pierre Boulez et Antál Doráti ont offert des visions conjointes de ces «deux mouvements d'une même symphonie». Le premier fait table rase de toutes les influences apparentes que peut laisser paraître la partition : souvenir de l'*Or du Rhin*, bruissements et cris étouffés des *Images* op. 10, apparition du Roi Kastchei de *Pétrouchka* dans la danse du mannequin de bois. Ces évocations nous reviennent dans leur alchimie sonore. Boulez impose un tempo particulièrement lent, mettant en relief tous les frottements de secondes, de tritons et de sixtes, combinant les divers timbres instantanés et les évocations spécifiques de la vie nocturne, faite de crissements, feulements, échos et cris étouffés. Boulez a réussi l'une des lectures les plus exhaustives que puisse permettre la partition.

Antál Doráti dirige une suite de scènes chorégraphiques, sensible aux changements de climat, aux accélérations rythmiques qui animeraient une mise en scène. Nous sommes très loin de l'oppression qui nous envahit peu à peu à l'écoute de la «symphonie» réalisée par Boulez. Doráti aère, illumine, embellit les diverses visions, refuse une lecture par trop contrapuntique qui disséquerait un amalgame sonore séduisant et étrange, par instants, par ses chants et ses cris. Alors que Boulez dirigeait un véritable prélude au *Château de Barbe-Bleue*, Doráti s'en tient à la destination scénique de l'œuvre, quitte à en sublimer quelques prolongements métaphysiques.

L'excellente lecture d'András Koródi semble, par instants, bien plus prosaïque que la véritable thèse défendue par Boulez ou l'animation instinctive entretenue par Doráti. Sur le plan de la qualité de timbre de la petite harmonie, les solistes de l'Orchestre Philharmonique de Budapest ont quelque peine à rivaliser avec leurs homologues new-yorkais ou londoniens. On peut néanmoins apprécier, dans l'approche de Koródi, son sens de la description dramatique, puisée par Bartók dans la *Faust-Symphonie* de Liszt. Aussi à l'aise dans la frénésie de la nature sauvage et hostile que dans son contraire, cette nature protectrice qui protège de la souillure des villes, Koródi ne cherche pas à dessiner un portrait non caricatural de la Princesse et s'en tient à la lettre du texte.

Les mélomanes désirant se constituer une discothèque de référence pourront toujours commander en importation l'impeccable gravure que Walter Süsskind réalisa de cette pantomime. Sans avoir l'éclat minéral et la tension contagieuse de la vision de Boulez, ni le souffle chorégraphique de la gravure de Doráti, Süsskind a été le premier à graver cette œuvre encore mal-aimée.

Le Prince de bois, suite d'orchestre.

* Orch. Phil. de Budapest, András Koródi. Hungaroton SLPX 11.314. Enregistré en 1971. + *Concerto pour violon n° 1, Danse roumaine n° 1.*

András Koródi montre dans son interprétation de la Suite d'orchestre du *Prince de bois*, une nette volonté de stylisation. Cette Suite ne retient de la pantomime intégrale que trois moments, tous centrés sur une évocation différente de la nature : danse de la forêt, du ruisseau, du pantin avec la Princesse. Dans ce canevas, Koródi ne s'embarrasse pas de subtilités de couleurs et privilégie le mouvement lent ou frénétique qui anime ces épisodes. On ne peut que recommander cette unique gravure de cette Suite d'orchestre, complétée par l'unique enregistrement de la 1ère Danse roumaine (orchestrée) et d'une vision un peu pâle et conventionnelle du *Concerto pour violon n° 1.*

Six Quatuors à cordes.

*** Quatuor Végh. Astrée AS 67/69 (3 d.). Enregistré en 1972.

*** Quatuor Juilliard. CBS D 337.857 (3 d.).

** Quatuor Tátraï. Hungaroton SLPX 1.294 (nos 1 et 2), 1.295 (nos 3 et 4), 1.296 (nos 5 et 6). Enregistré en 1969-70.

Il y a quelque trente ans, un jeune Quatuor formé et vivant en France, animé par Sándor Végh, entouré de trois collègues hongrois d'origine comme lui, révélait aux mélomanes le monument formé par les six Quatuors composés en trente-cinq ans de vie par Bartók. Jouant cette somme, techniquement et spirituellement toute nouvelle, dans le monde entier, les Végh l'enregistraient en 1952 pour Columbia (CX 1245, 1267, 1285, regravés en 1972 par Pathé-Marconi : VSM C 161-01.327/8/9, aujourd'hui supprimés) d'une manière absolument magistrale. Vingt ans après, un éditeur français arrivait à convaincre ce même ensemble d'effectuer un *remake* bénéficiant des plus-values techniques d'aujourd'hui et de plus de vingt ans d'expérience dans un tel répertoire. Le résultat est également saisissant, même si la virtuosité naturelle de l'ensemble des quatre protagonistes n'avait plus la même instantanéité qu'en 1952. Nombre d'accents, à la force indomptable, d'une sauvagerie et d'un éclat plus que neufs, se retrouvent nimbés de tendresse dans la deuxième version. N'oublions pas que les Végh suivent la dernière édition de 1969, qui revient, pour nombre d'indications de tempos et d'accents, aux manuscrits accessibles. Ces deux intégrales réalisées par les Végh restent des références dans la pénétration de ce monde à la sensibilité retenue et pénétrante que sont les Quatuors de Bartók.

Dans le plus récent enregistrement des Juilliard, qui a remplacé au catalogue la version qu'ils avaient réalisée en 1967-69, Robert Mann et son équipe (dans sa dernière formation, celle de 1974) arrivent à s'élever au-dessus de toute critique stylistique. Les sommets de cette nouvelle intégrale sont le 3e Quatuor, où les interprètes ont su faire évoluer l'âpreté du matériau vers une musique nocturne à l'atmosphère fermée ; l'expressionnisme n'y est qu'un climat second, une fois transcendés langage et dissonances naturelles, et les 5e et 6e Quatuors. Cette intégrale est un véritable testament spirituel, et les quelques réserves qu'elle peut susciter ne touchent que la différence, technique, qui peut exister entre la volonté stylistique et sa réalisation.

L'écoute de l'intégrale réalisée par le Quatuor Tátraï laisse une impression de détachement spirituel que la lecture des Végh ou des Juilliard ne pouvait laisser prévoir. Les tempos sont plus contrastés dans le premier diptyque, tandis que le cœur spirituel et technique de l'ensemble, les 3e et 4e Quatuors ont gardé leur âpre beauté, mais semblent avoir perdu en plénitude, en expressionnisme second. Vilmos Tátraï décortique bien la mécanique sonore bartokienne, mais ne dispose pas d'une richesse sonore capable d'en refaire la synthèse musicale et spirituelle. Cette impression vaut essentiellement pour les mouvements lents, là où s'exprime l'âme de ces musiques uniques en leurs prolongements oniriques. Dans les passages dansants ou rapides, ce Quatuor formé de Hongrois n'a à prendre exemple sur personne et ne voit sa vision quelque peu réduite que par le manque d'ampleur d'une prise de son à la dynamique moyenne et à la richesse de timbres limitée.

Quintette pour piano et quatuor à cordes Sz. 23.

** Csilla Szabo, Quatuor Tátraï. Hungaroton SLPX 11.518. Enregistré en 1972.

Unique gravure de cette œuvre de jeunesse qui semble avoir pris modèle sur le Quintette op. 34 de Brahms. Bartók, à l'époque, se préparait plus à une carrière de pianiste international qu'à celle exclusive de compositeur. Czilla Szabo, au clavier, et les membres du Quatuor Tátraï ont visiblement pris plaisir à jouer le jeu de cette œuvre haute en couleurs où les quelques hungarismes triomphants doivent beaucoup à Haydn et à Liszt. Son romantisme juvénile, la fort belle écriture de la partie de piano font que ce Quintette devait avoir, au moins, le même succès que les œuvres de chambre, également de jeunesse, de Richard Strauss.

Cinq Scènes villageoises sur des chansons populaires slovaques pour voix et piano, Sz. 78.

*** Julia Hamari (ms), Konrad Richter (piano). DG 2530.405 (RFA). Enregistré en 1973. + *Cinq Mélodies op. 15, Sz. 61. Mélodies op. 16, Sz. 63.*

** Erika Sziklay (s), Istvan Lantos (piano). Hungaroton SLPX 11.610. Enregistré en 1972. + *Vingt Chansons populaires hongroises pour voix et piano Sz. 92. (1929). Quatre Chants transcrits de Mikrokosmos.*

Grâce au timbre chaleureux et à la sombre splendeur du mezzo hongrois Julia Hamari, deux recueils essentiels à la compréhension de l'écriture bartokienne nous sont offerts. Pour la première fois, Bartók se libère naturellement de la gamme et joue sur des accords de triton et de quarte juste. Le clavier, tempéré, «frotte» doucement avec la voix d'une parfaite justesse. Un disque indispensable, malheureusement difficile à trouver en France, mais demeurant pourtant accessible sur les marchés allemand et britannique.

Le soprano hongrois Erika Sziklay fit sensation, il y a quelques années, par son interprétation du *Pierrot Lunaire* de Schœnberg. Les possibilités expressives de sa voix donnent vie et authenticité au monde des *Scènes villageoises*, qu'avant elle Irmgard Seefried (en allemand, 1961), puis la hongroise Erzeb et Török avaient tenté d'animer. Le *vibrato* est parfois un peu large, et l'éclat n'atteint pas la splendeur jeune de Julia Hamari, qui fait que les *Noces*, air central, ont la fraîcheur entraînante du folklore. Dans les *Chansons*, Erika Sziklay varie heureusement les diverses expressions. Ses accents appellent parfois certains éclats enfantins moussorgskiens... Mais elle se montre surtout à l'aise dans les *Quatre Chansons tristes* et les Cinq *Couplets* modernes ajoutés en 1930.

Sonate pour deux pianos et percussion Sz. 110.

❀*** Martha Argerich, Stephen Bishop (pianos), William Goudwaard, Michael de Roo (percussion). Philips 6768.329 (2 d.). Enregistré en 1978. + *Concerto pour piano n°s 1, 2 et 3.*

*** Katia et Marielle Labèque (pianos), Sylvio Gualda, Jean-Pierre Drouet (percussion). Erato STU 70.642. Enregistré en 1973. + *Mikrokosmos.*

** Deszö Ranki, Zoltán Kocsis (pianos), Ferenc Petz, Jozsef Márton (percussion). Hungaroton SLPX 11.479. Enregistré en 1973. + *Sonate pour violon seul.*

* Béla Bartók et Ditta Pásztory-Bartók (pianos), Harald Baker, Ernest Rubsan (percussion). Turnabout 4.159 (G-B). Mono (origine 78 t.). Enregistré en 1939. + *Pour les enfants, (extraits). Dix Pièces faciles (extraits).*

On ne peut qu'applaudir à la démonstration à la fois technique et spirituelle qu'ont réussi le duo Martha Argerich/Stephen Bishop dans cette Sonate de 1937 où l'angoisse qui étreint un créateur se conjugue à la perfection de forme la plus pure. Interprètes innés des romantiques, du dernier Mozart comme de Schumann, Argerich et Bishop ont su installer ce climat idéal, cette instantanéité de toucher et aussi de nuances, cette richesse de couleurs qui font que cette œuvre «en arche» culmine en son *lento* central à l'angoisse nocturne. Les ingénieurs du son ont eu la bonne idée de suivre la partition et de ne magnifier qu'à bon escient les notes d'appui successivement confiées aux claviers, puis à la timbale. Elan, fièvre, virtuosité étrange, intensité, sensation d'espace puis d'oppression, toutes ces impressions, tant émotionnelles qu'instrumentales, se marient pour faire de la Sonate pour deux pianos l'un des chefs-d'œuvre de Bartók. Le couplage avec le 2e Concerto de piano est parfaitement logique, puisqu'il permet une intégrale de ces derniers avec cette magnifique version de la Sonate de 1937 en prime (en lieu et place de la Rapsodie de 1905, de moindre signification).

Avec le quatuor français formé des sœurs Labèque et des virtuoses de la percussion que sont Jean-Pierre Drouet et Sylvio Gualda, la magie sonore, la frénésie rythmique se rencontrent pour le plus grand plaisir de l'oreille. Même si cette lecture n'a pas les prolongements morbides ou simplement émotionnels qu'y proposaient les créateurs (Bartók et sa femme Ditta), elle laisse apparaître l'élan, la tendresse sauvage ou communicative de ses interprètes qui s'engagent profondément dans la défense de cette œuvre qui n'est pas un simple exercice de style virtuose, où diverses percussions à clavier ou à peaux se heurtent et se conjuguent comme dans une nouvelle *Histoire du soldat.* Le disque des Labèque nous offre, en complément, la meilleure réalisation des 7 Pièces Sz. 108 pour deux pianos.

L'écoute de la traduction de cette Sonate par le jeune duo hongrois Deszö Ranki/Zoltán Kocsis est encore plus virtuose et primesautière à première audition. Avec une vigueur d'iconoclastes, ces deux pupilles du maître Pal Kadosa réussissent l'une des lectures les plus immédiatement étourdissantes que cette partition peut offrir. Leurs complices percussionnistes les accompagnent avec conviction, et l'ensemble laisse paraître que cette Sonate résiste fort bien à un traitement de virtuosité instrumentale sans recherches de climats particuliers, alors que la magie et le mystère, qui se dégagent des alliages de timbres réussis dans le *lento*, dépassent les simples recherches instrumentales. A les entendre, on a l'impression que ce chef-d'œuvre de la maturité aurait pu être écrit vingt ans plus tôt. L'interprétation par Denès Kovacs de la Sonate pour violon seul, qui complète ce disque, ne vient pas en tête de la discographie, malgré la belle sonorité et technique du soliste hongrois.

Reste un témoignage historique, celui que nous laissent Bartók et sa seconde femme, Ditta, avec Baker et Rubsan aux percussions. Même si cette prise de son de concert ne permet pas de restituer toute la splendeur sonore d'une telle œuvre, elle suffit largement à connaître le style que Bartók, interprète, appliquait à ses propres œuvres, bien loin de tout motorisme percutant (à la Prokofiev) et de contrastes violents.

Deux Sonates pour violon et piano Sz. 75 et 76.

*** György Pauk (violon), Peter Frankl (piano). Hungaroton SLPX 12.318/9 (2 d.). *+ Rapsodies pour violon et piano n°1 Sz. 86 et n°2 Sz. 89, Andante, 9 Chants populaires pour violon et piano.*

*** Emmanuel Krivine (violon), Christian Ivaldi (piano). Escargot 380. Enregistré en 1978.

*** Hyman Bress (violon), Charles Reiner (piano). RCA LSC 2.853 (G-B). Enregistré en 1965.

Avec Pauk et Frankl, nous tenons la référence moderne de ces deux sonates. Les deux interprètes transcendent littéralement cet inaccessible chant d'amour et de désespoir : tempos plus lents, enchaînements harmoniques permanents évitant les césures qui mirent bon nombre d'interprètes non hongrois hors compétition. La pureté du trait mélodique du violon, les contours pianistiques mettent en évidence la frénésie, le besoin de vie et de vibrations de ce monde harmonique, le cheminement tragique du compositeur. Les autres pièces gravées par Pauk et Frankl sont de la même veine et achèvent de faire de cet album le plus intéressant de tous ceux qui aient jamais été consacrés à ce domaine de l'oeuvre de Bartók.

Le violoniste grenoblois Emmanuel Krivine nous étonne par son intuition profonde de l'univers tendu et pitoyable, pudique et violent que propose ce diptyque. Christian Ivaldi trouve enfin ici l'occasion d'affirmer son sens de la construction et de la beauté du phrasé, tandis que l'archet de Krivine arrive à suggérer la poésie si difficilement accessible de ces pages, quand l'interprète ne vient pas aider à la compréhension. Même si Krivine ne dispose pas des mêmes capacités de contrastes que nombre de ses «grands» collègues, l'équilibre de ces œuvres se maintient entre le cadre des mélodies populaires et le clavier.

Plus engagée était la vision construite par Hyman Bress, qui imposait son style à un pianiste plus neutre qu'Ivaldi. Le violon savait accuser les contrastes, animer cette suite de conflits sonores qu'est la Sonate n° 1, donner cette impression de continuité poétique qui relie les «îlots» harmoniques de la n° 2. Cette excellente version est toujours disponible en Grande-Bretagne et s'impose dans le maigre bilan discographique de ces deux œuvres fondamentales.

Sonate pour violon seul Sz. 117.

*** André Gertler (violon). Angel 35.091 (USA). Mono. Enregistré en 1954. *+ Berg : Concerto pour violon «à la mémoire d'un ange».*

*** Yehudi Menuhin (violon). EMI VSM C 069-02.874. Enregistré en 1974. + *Bloch : Suites nos 1 et 2.*

On sait qu'André Gertler a consacré sa carrière de soliste à la défense et illustration de la musique de violon de son compatriote et ami Béla Bartók. Sa première gravure de la Sonate reste une référence à la fois technique et spirituelle, car son style, plus spécifiquement hongrois que celui du dédicataire, Yehudi Menuhin, permet de vivre dans la filiation poétique de ce folklore sublimé que reparaît au détour de la chaconne initiale ou du *presto* final. Son lyrisme, plus engagé que la pudeur de Menuhin, montre que cette Sonate peut atteindre à l'incandescence lorsqu'un violoniste décide de lui donner ses contrastes et ses couleurs d'automne dans les mouvements extrêmes, de musique nocturne intemporelle en sa *melodia* centrale. Couplée à une magnifique vision du Concerto «à la mémoire d'un ange» de Berg, dirigée par Kletzki, ce disque, aujourd'hui historique, reste une référence.

Le dédicataire, Yehudi Menuhin, qui fit éditer l'œuvre chez Boosey & Hawkes en 1947, en a gravé trois versions successives (1948, 1959 et 1974). Techniquement et spirituellement, l'enregistrement le plus récent est le plus magistral, même si une prise de son aberrante - à la fois trop réverbérée et trop proche - noie la perfection de trait de la fugue ou les contrastes violents du *presto* final. A l'écoute de Menuhin, on trouve tout naturel de comparer ce «chant du cygne» aux Partitas de Bach. Le grand artiste rêve, chante, émeut avec la même conviction et la même spiritualité. Le couplage avec les deux Suites pour violon seul d'Ernest Bloch montre bien que Menuhin se veut en prière, tout au long de ce récital unique.

Bayle, François
(né en 1932)

Grande Polyphonie.

** Groupe de Recherches Musicales de l'ORTF. INA-GRM AM 727-04.

L'abstraction (le titre en témoigne) : une préoccupation de François Bayle à propos de la musique concrète. Il n'y a pas ici de contradiction. *Grande Polyphonie* marque le retour dans le domaine acousmatique d'une véritable volonté d'«écrire» la musique : «Réunir en tresse» des chaînes sonores, c'est l'essence même du contrepoint ; François Bayle est dans cette matière un incontestable virtuose.

Jeïta, ou le murmure des eaux.

*** Groupe de Recherches Musicales de l'ORTF. Philips 6521.016 (sup.).

Un disque plein de poésie, qui se situe au début de l'expérience électroacoustique de François Bayle. Un monde imaginaire extraordinairement séduisant sur le plan sonore, une forêt de symboles puissants. Une très belle porte pour s'initier aux musiques électroacoustiques.

Tremblement de terre très doux. Espaces inhabitables. Trois rêves d'oiseaux.

** Groupe de Recherches Musicales de l'ORTF. INA-GRM G9.101 BA.

L'itinéraire d'un poète des sons. Depuis *Espaces inhabitables* en 1967 jusqu'au *Tremblement de terre très doux* (1978), volet central d'une future *Erosphère* (1979), la quête d'une écriture électroacoustique, d'un climat harmonique, mais aussi la paradoxale évolution vers plus d'abstraction dans une musique de moins en moins expérimentale.

Beethoven, Ludwig van
(1770-1827)

Bagatelles pour piano : Sept Bagatelles op. 33, Douze nouvelles Bagatelles en ut mineur op. 119, Six Bagatelles op. 126, Pour Elise en la majeur WoO 59.

❁*** Stephen Bishop-Kovacevich (piano). Philips 6570.386. ⊠ 7310.386.

❁*** Alfred Brendel (piano). Vox 35039 (étr.).

Stephen Bishop-Kovacevich est sainement subjectif, déconcertant et parfois impérieux pour ces fausses «œuvres secondaires» que sont les *Bagatelles.* Il dégage en quelques mesures une extraordinaire variété de climat. Une belle maîtrise ferme et colorée.

D'une esthétique fort divergente, plus proche de l'improvisation, Brendel l'emporte sans doute pour la poésie des nuances, la finesse du trait, la perfection autoritaire de l'articulation rythmique. Le propos est ici souvent transfiguré (*Opus 126*), le style exceptionnellement rayonnant et juste, la richesse mélodique immédiatement expressive. La prise de son est hélas ! beaucoup moins satisfaisante que dans l'enregistrement Bishop.

Les cinq Concertos pour piano et orchestre : n° 1 en ut majeur op. 15, n° 2 en si bémol majeur op. 19, n° 3 en ut mineur op. 37, n° 4 en sol majeur op. 58, n° 5 en mi bémol majeur op. 73 «l'Empereur».

❁*** Wilhelm Backhaus (piano), Orch. Phil. de Vienne, Hans Schmidt-Isserstedt. Decca 592.157 (3 d.).

*** Rudolf Serkin (piano), Orch. Phil. de New York, Leonard Bernstein (Concertos n°s 3 et 5), Orch. de Philadelphie, Eugene Ormandy (Concertos 1, 2 et 4). CBS 77.407 (4 d.) (USA). *+ Fantaisie pour piano, chœurs et orchestre op. 80.*

*** Claudio Arrau (piano), Orch. du Concertgebouw d'Amsterdam, Bernard Haitink. Philips 6768.350 (6 d.). *+ Triple Concerto.*

*** Wilhelm Kempff (piano), Orch. Phil. de Berlin, Paul van Kempen. DG Heliodor 2701.014 (3 d.) (G-B, RFA). Mono.

*** Artur Schnabel (piano), Orch. Phil. et Orch. Symph. de Londres, Malcolm Sargent. EMI VSM C 153-03.881/4 (4 d.). Mono (origine 78 t.). Enregistré en 1932 et 1933.

Backhaus voit grand, avec une sérénité, une singularité dans le dramatisme de l'expression qui rend son intégrale à la fois abordable et d'un ton que d'aucuns jugeront trop haut ou même doctoral. La pianiste donne de la voix lors de chacune des cinq partitions : les deux Concertos de jeunesse sont très sérieusement intégrés au monde de «l'Empereur». Dans l'absolu, le Quatrième domine, brahmsien, superbement ombré dans l'*andante con moto.* «L'Empereur» se situe dans une diction plus lumineuse, diaphane qu'à l'habitude. Les tempos de Schmidt-Issersedt sont modérément larges et s'accordent remarquablement à l'économie par essence médiatrice du soliste. Cette intégrale est la plus homogène de toutes, mais aussi la plus sévère. En complément, une «Pathétique» et surtout une «Clair de lune» surprendront par leur cambrure, leur impeccable variété expressive, ou par une rigueur quelquefois exacerbée (jeu de la main droite dans le premier mouvement de la 14e Sonate).

Serkin grandit aussi les deux premiers Concertos ; c'est bien là le seul point commun qu'il a avec Backhaus. Le dépouillement constant altère parfois le Troisième Concerto. Partout ailleurs, Serkin ose une nudité, un ton fantasque d'une logique malgré tout omniprésente. «L'Empereur» révèle une urgence fort âpre. Ni Bernstein, ni Serkin ne recherchent la beauté du son, mais la seule vérité, quasi organique, du parcours. Une des deux ou trois plus belles versions de l'histoire du disque. La déclamation implacable de Serkin souffre de la lourdeur de la direction d'Ormandy (Quatrième). Ce piano heurté, émacié, ne rassure guère, n'ayant point le fini noble de celui de ses concurrents ; mais il s'agit partout de Beethoven, et quand l'air est parfois moins respirable, c'est que la musique veut l'être.

Arrau impose une clarté, une continuité, une technique fabuleuse qui réintègrent Beethoven à la tradition lisztienne. Le Quatrième est phrasé avec un rubato, un légato inouï ; vertigineuse méditation romantique. Le pianisme éloquent mais ample d'Arrau est parfois exagéré, sinon contredit, par la lourdeur du commentaire orchestral. Le Cinquième est immense, réservant une froideur altière, quasi désinvolte, qui n'a pas que des partisans. Affaire de goût : Beethoven à mots tranquilles, mais solennels.

Kempff avec van Kempen reste nettement préférable qu'avec Leitner (sa deuxième intégrale). Triomphe, non de l'ardeur, mais de la confiance beethovenienne. Il n'est pas question de comparer le piano de Kempff à celui d'Arrau, ni même de Backhaus. Mais l'émotion pure rayonne, avantageant particulièrement les deux Concertos de jeunesse. Le jeu devient parfois fier, souverain (largo du Concerto en ut mineur, premier mouvement de «L'Empereur») ou se calme en des pianissimos cristallins. Triomphe de l'intimisme, de la sensualité. Ni la direction de van Kempen, ni l'enregistrement (mono) ne trahissent un seul instant la douceur fantasque et pleine d'un art ici à son zénith.

Les interprétations d'Artur Schnabel raniment une certaine idée du romantisme, de l'influx beethovénien. Poésie et «volontarisme» vont ici de pair, telles deux formes irrépressibles. Schnabel, au niveau du plus humble de ses phrasés, donne un sens à la respiration même du texte, précipite son évidence, rassemble chacune des phrases, qui est d'ores et déjà une «forme», il incarne une pensée, au delà et en deçà de toute méditation. On a discuté de sa technique - nullement impeccable -, mais Schnabel possédait un véritable génie du tempo expressif, de l'articulation à la fois tendue, intense et immédiatement éloquente. Le témoignage d'un musicien hors pair qui était aussi un grand poète.

Concerto pour piano et orchestre n° 1 en ut majeur op. 15.

*** Rudolf Serkin (piano), Orch. de Philadelphie, Eugene Ormandy. CBS 61.915 (étr.). + *Bagatelles op. 119.*

** Claudio Arrau (piano), Orch. du Concertgebouw d'Amsterdam, Bernard Haitink. Philips 6768.350 (6 d.). + *Intégrale des Concertos, Triple Concerto.*

** Christoph Eschenbach (piano), Orch. Phil. de Berlin, Herbert von Karajan. DG 2535.273. (RFA, G-B).

** Radu Lupu (piano), Orch. Phil. d'Israël, Zubin Mehta. Decca 390.178. ⌧ 4-390.178. + *Concerto n° 2.*

La nervosité de Serkin, son impétuosité sont à peu près insurpassables pour métamorphoser (avec bonheur) le propos de l'œuvre. La direction d'Ormandy (*tutti* abrupts), une fois n'est pas coutume, montre une rare compréhension de ce que veut et obtient le soliste, et avant tout de sa vivacité rythmique. Serkin place sans hésiter le Premier Concerto dans une perspective héroïque, mais avec souplesse : il a sans doute raison. Son phrasé est exceptionnellement varié, fruité même. La vision des *Bagatelles op. 119* est une des meilleures de toutes : un jeu musclé, perlé aussi, qui ne rend compte que de la partition, respirant une fermeté phénoménale.

A rebours de son prétendu apollinisme, Arrau s'emporte, rate quelques traits, recrée, rêve ; il impose partout ses *rubatos.* Alors, ce jeu libre, souverainement paradoxal, nous envahit peu à peu de grandeur. Pianisme dévorant, conquérant. Notre perplexité devant le jeune Beethoven tient à ce qu'on le sous-estime, et le soliste tente sans arrière-pensées bien autre chose : avant tout s'éloigner de Mozart, de l'ascendance classique. Le résulat est d'une obsédante mais sublime insécurité.

Discutée dès le départ, la version Eschenbach-Karajan plonge dans un tout autre monde : tempos très allongés, phrasé sensuel, intime presque, aux résonances curieusement pré-classiques (ou post-romantiques) : triomphe de l'*Empfindsamkeit.* Le *largo* amène, lui, directement à Schubert ; le jeu des nuances, le sensualisme sonore (orchestre) manquent peut-être de simplicité, non de charme. Le Finale est admirablement épanoui, jusque dans son tempo, davantage exubérant. A recommander à ceux (nombreux) qui pensent que les meilleurs enregistrements de Christoph Eschenbach furent, de loin, ses premiers.

La toute récente version de Radu Lupu revient au *con brio,* avec modestie, mais richesse de coloris. Une telle probité est la plus stimulante qui soit. Zubin Mehta, soulignant la clarté du dessin, donne une très belle réplique.

Concerto pour piano et orchestre n° 3 en ut mineur op. 37.

*** Sviatoslav Richter (piano), Orch. Philharmonia, Riccardo Muti. EMI-VSM C 069-03.243. Quadri. ⌧ C 269-03.243. + *Andante favori en fa majeur.*

*** Rudolf Serkin (piano), Orch. Phil. de New York, Leonard Bernstein. CBS 61.917 (étr.). + *Fantaisie pour piano, chœurs et orchestre op. 80.*

*** Edwin Fischer (piano), Orch. Philharmonia, Edwin Fischer. EMI Da Capo C 047-01.404 (sup.). Mono.

*** Maurizio Pollini (piano), Orch. Phil. de Vienne, Karl Boehm. DG 2531.057. ⌧ 3301.057.

** Alfred Brendel (piano), Orch. Phil. de Londres, Bernard Haitink. Philips 9500.253. ⌧ 7300.564.

Muti et Richter réussissent l'un comme l'autre un grandiose pari : rendre dense une partition qui ne l'est point tout à fait, comprendre le Concerto en *ut* mineur comme absolu monument du Romantisme ; ce rapprochement constant entre chef et soliste semble relire l'œuvre : les périodes sont larges, parfois sombres. Le tempo redouble de lenteur, conférant une substance au discours qu'il est impossible de nier. Le second mouvement frappe par son ton continu, libre et comme fatal. La subtilité de Richter dissimule ici toute une puissance, un prophétisme presque modernes. L'*Andante favori* n'est nullement diminué, bien au contraire, par le tempo choisi et la force hautaine, solitaire de Richter.

Les mouvements extrêmes de Serkin sont discutables, mais ils créent malgré tout une impression assez terrible. Le *largo* est phrasé dans une démarche diamétralement inverse : miracle de poésie, et sans plus de brièveté rythmique ni rigidité de structure. Serkin n'a pas son égal dans le dépouillement. La générosité de Leonard Bernstein se donne libre cours pour une *Fantaisie op. 80* de bon aloi.

Ne serait-ce la direction (ici, il manque un chef), la version Fischer bouleverserait la hiérarchie. Une version se découvre au fur et à mesure, fragile, suffocante, libérant un rien de nostalgie. La pulsation du *largo* est presque inhibée.

Pollini est totalement réfractaire au pathétisme de Fischer. Sa transparence, sa précision pèsent dans le sens de la clarté. Nulle emphase, mais toute la massivité sans concessions, accentuée il est vrai par la rigueur quelque peu puritaine de Karl Boehm.

Brendel est sophistiqué, souverainement intellectualisé, et cependant intense. Son Troisième Concerto est sans doute le meilleur élément de sa seconde intégrale. Le son est splendide. Une singularité réelle perce sous la démarche. L'œuvre devient interrogative, les grands élans s'adoucissent à l'humeur spatieuse du soliste.

Concerto pour piano et orchestre n° 4 en sol majeur op. 58.

*** Edwin Fischer (piano), Orch. Philharmonia, Edwin Fischer. EMI Da Capo C 047-00.842 (sup.). Mono + *Sonate pour piano n° 8 «Pathétique».*

*** Maurizio Pollini (piano), Orch. Phil. de Vienne, Karl Boehm. DG 2530.791. ⌧ 3300.791.

*** Rudolf Serkin (piano), Orch. de la NBC, Arturo Toscanini. RCA AT 106 (Italie, G-B). Mono (origine 78 t.). Enregistré en 1944. + *Concerto n° 1.*

*** Claudio Arrau (piano), Orch. du Concertgebouw d'Amsterdam, Bernard Haitink. Philips 6768.350 (6 d.). + *Intégrale des Concertos pour pianos, Triple Concerto.*

Avec Edwin Fischer, le raffinement du phrasé et du son même prend le masque de l'improvisation. Le premier mouvement semble suspendu au vif, à l'improvisé ; la *cadenza* est totalement extravagante. Les deux autres mouvements, davantage concentrés, ont moins de désinvolture agogique ; toute la grande forme est rendue en une simple note, et ce qui apparaît fantasque ou gaucherie obéit de fait à la pulsation même de l'œuvre. En complément, une extraordinaire vision de la Sonate «Pathétique».

La lecture de Pollini est rigoureusement attentive, avec un contrôle des dynamiques, des intensités, des articulations particulièrement éloquent. Boehm retient un peu sa rudesse et donne l'impression d'accepter la pureté apollinienne de son partenaire non comme extérieure, mais intimement conduite par une conception qui est à prendre ou à laisser : rien que la partition, *hic et nunc.* L'*andante* est d'une nudité plutôt dérangeante ; chaque note, chaque nuance acquièrent une amplitude infiniment personnelle. La *cadenza* du premier mouvement est quasi inédite ; elle est pourtant de Beethoven.

Serkin et Toscanini (enregistrement studio de 1944) se jettent littéralement sur l'œuvre, avec une invraisemblable violence. La nervosité de Toscanini atteint ici les plus grandes profondeurs. Serkin, grondeur (*andante*), irradie d'éloquence. L'emportement, la tension qui soulèvent le Finale sont peut-être restés inégalés. Un monument du disque, malgré une prise de son plutôt modeste.

Le Quatrième Concerto est le fleuron de l'intégrale Arrau-Haitink. Arrau pense la partition telle une méditation, un grandiose tête-à-tête, hyper-romantique. Pélerinage lisztien, où l'exactitude tant célèbre du soliste se tempère ici d'inflexions divinement libres, et même proches de l'erreur factuelle. Cette liberté, ce lent monologue qui semble s'inventer sur place dégagent une intense atmosphère. Le Finale souffre quelque peu de la direction de Haitink, qui n'est évidemment pas au même niveau.

Concerto pour piano et orchestre n° 5 en mi bémol majeur op. 73 «L'Empereur».

❀*** Edwin Fischer (piano), Orch, Philharmonia, Wilhelm Furtwängler. EMI Da Capo C 027-00.803. Mono. Enregistré en 1951.

❀*** Arturo Benedetti Michelangeli (piano), Orch. Symph. de Vienne, Carlo Maria Giulini. DG 2531.385. Enregistré en 1979.

*** Rudolf Serkin (piano), Orch. Phil. de New York, Leonard Bernstein. CBS 60.012. ⊠ 40-60.012.

*** Emil Guilels (piano), Orch. du Concertgebouw d'Amsterdam, Bernard Haitink. Philips 6580.094 (G-B).

** Claudio Arrau (piano), Orch. du Concertgebouw d'Amsterdam, Bernard Haitink. Philips 6768.350. (6 d.). *+ Intégrale des Concertos pour piano, Triple Concerto.*

** Wilhelm Kempff (piano), Orch. Phil. de Berlin, Ferdinand Leitner. DG 138.777. ⊠ 3300.119.

** Maurizio Pollini (piano), Orch. Phil. de Vienne, Karl Boehm. DG 2531.194. ⊠ 3301.194.

* Vladimir Horowitz (piano), Orch. de la RCA, Fritz Reiner. RCA VH 009. Mono.

La conjonction Fischer-Furtwängler a tout simplement produit un des plus grands disques de concerto de l'histoire. On pouvait croire la violence solaire du chef et la ligne toute en nuances du soliste absolument contradictoires : il n'en est rien, Fischer comme Furtwängler possédant en commun une extraordinaire perception du temps musical, et une conception identique de celui-ci. Ici l'effervescence intérieure des deux artistes rend une émotion inouïe. Un tel enregistrement est à analyser, à méditer seconde par seconde. Nous retiendrons l'extrême fin du mouvement central, puis le début du Finale, car ils font passer un frisson énorme. Une souveraine et parfois surhumaine tension dramatique lient pour toujours l'espace furtwänglerien et l'expressivité poétique d'Edwin Fischer, pour la plus grande gloire de Beethoven.

L'interprétation de Giulini et Benedetti michelangeli relève du classicisme le plus pur : il n'y a rien de «révolutionnaire» ici. Entre le piano, parfaitement intégré dans l'orchestre, et l'orchestre dont la respiration est parfaitement accordée à celle du soliste, s'instaure un dialogue qui prend immédiatement de la hauteur. Aux nuances expressives se substituent relations dynamiques et gradations d'éclairage. Le texte vit ainsi, prodigieusement, sans être sollicité, avec la force d'une évidence. L'absolu d'un classicisme, l'absolu de la perfection. Le déploiement d'une force ample et sereine, un langage d'une admirable plasticité. Et, par-dessus tout, la noblesse du ton.

Tout comme dans sa version du Troisième Concerto, c'est dans le mouvement lent que Serkin l'emporte. Bernstein choisit un très grand style, plus romantique que solennel dès la première introduction orchestrale ; une telle emphase, à la limite du pathos, finit par triompher de tout. Le miracle, ici (*cf.* Fischer-Furtwängler), c'est bien l'accord, l'unité de phrasé entre un discours soliste plein d'intensité, de rudesse mais aussi de finesse et une direction ample, hyper-généreuse.

Guilels et Szell sont d'une rigueur prodigieuse, et merveilleusement réflexive. Les coups de patte de lion de Guilels s'éloignent de toute flamme romantique et ne laissent comme par mégarde à entendre qu'une virtuosité étincelante, altière. Ce recul, fascinant ou inexpressif, selon les goûts, est entièrement partagé par la souveraine sécheresse de George Szell qui, tel Toscanini, décape chaque contraste. Cette version est la plus discutée de toutes ; c'est certainement la plus magistrale en matière de violence et d'architecture.

Arrau médite «l'Empereur» et fait, comme dans sa version du Quatrième, oublier heureusement tout l'aspect spectaculaire de sa technique (c'est l'anti-Horowitz). Il s'agit pourtant d'un rêve qui va vers l'instrument, davantage que vers l'esprit spécifique du texte. D'aucuns trouveront Arrau trop intellectuel, sublimé. Son Finale résonne pourtant avec une force assez flamboyante.

Kempff, dans sa seconde version, avec Leitner, retrouve une violence inattendue de sa part. La volubilité du contrepoint, la vastitude secrète mais bien réelle de chaque accent (*allegro* initial) pèse son juste poids. Voilà un pur plaisir du beau phrasé, du ton juste. D'une façon générale (*cf.* sa première intégrale, avec van Kempen), c'est peut-être dans les Concertos de Beethoven que Wilhelm Kempff trouve son meilleur.

La perfection plastique de Pollini-Boehm peut déconcerter ; c'est sans doute du sévère monument Guilels-Szell que cette version se rapproche le plus. Pollini, plus encore que Boehm, rapatrie le romantisme beethovenien vers un atticisme de facture, un souci de la forme malgré tout immensément respirable. La tension de l'*allegro* devient quelque peu déplacée. Pollini va toujours plus loin dans la concentration, la précision du jeu, et personne au monde n'a su rendre aussi flagrants l'énoncé contrapuntique ou la polyphonie réelle des grands traits de virtuosité. Le mouvement lent atteint une exactitude phénoménale dans le jeu des nuances, l'équilibre dynamique du moindre accord.

L'agrandissement virtuose propre à Vladiir Horowitz sera jugé intenable par les uns, buleux par les autres. Le commentaire orıestral est naturellement plus homogène (et us fidèle à Beethoven) que la grande hueur furieuse du soliste. Horowitz se dénaîne dans la vélocité comme dans la olence. Il s'agit du plus grand piano imagiable. S'agit-il toujours de Beethoven .

oncerto pour piano, violon, violoncelle t orchestre en ut majeur op. 56.

** Beaux-Arts Trio, Orch. Phil. de Londres, Bernard Haitink. Philips 9500.382. ✉ 7300.604. Enregistré en 1977.

** Jan Panenka (piano), Josef Suk (violon), Joszef Chuchro (violoncelle), Orch. Phil. Tchèque, Kurt Masur. Eurodisc-Supraphon 913.184.

* Claudio Arrau (piano), Henryk Szeryng (violon), János Starker (violoncelle), Orch. New Philharmonia, Eliahu Inbal. Philips 6768.350 (6 d.). *+ Intégrale des Concertos pour piano.*

* Mark Zeltser (piano), Anne-Sophie Mutter (violon), Yo Yo Ma (violoncelle), Orch. Phil. de Berlin, Herbert von Karajan. DG 2531.262. ✉ 3301.262. Enregistré en 1979.

Le Triple Concerto - œuvre bien à tort onsidérée comme mineure - ne bénéficie pas 'une situation discographique exceptionelle ; il n'en existe aucune version «idéale» définitive. Le premier mérite de l'enregisement du Beaux-Arts Trio / Haitink est ans la réunion d'un véritable ensemble de ıusique de chambre et d'un orchestre à la italité et à l'homogénéité superbes (Rondo nal). Isidore Cohen (ex-second violon du uatuor Juilliard), Bernard Greenhouse et Ienahem Pressler font preuve d'une articuation souple, incisive. Haitink reste discret ans l'*allegro* initial mais l'orchestre ne joue as un tel rôle que cela puisse devenir gêant. La simplicité du *largo*, le bondissement ythmique du *Rondo alla polacca* traduisent ne remarquable cohésion interne. La définiion des plans sonores et l'acuité de la prise e son servent au mieux cette interprétation e haute qualité, avant tout simple et exacte.

Le Trio Suk laisse espérer une fougue, un ngagement supérieur, mais la direction lapiaire et parfois trop relâchée de Kurt Masur manque de relief et nous ramène à des hauteurs moindres. Le dosage des trois timbres, les nuances (*allegro, largo*) ne refusent pas l'*espressivo*, l'énergie, et le sens des contrastes rythmiques demeure excellent. Pour les solistes, cette gravure l'emporterait sans doute sur la précédente, ne serait-ce le *Rondo alla polacca*, trop lourd, qui détruit quelque peu l'équilibre.

La version Arrau-Szeryng-Starker-Inbal est une vision de grands solistes, où la fermeté de diction, la clarté dans l'articulation (*allegro*) l'emportent. Transparence (Szeryng), contrôle des lignes (Arrau), dépouillement (Starker) concilient le souci de l'architecture et une vigueur malgré tout peu spectaculaire. La balance avec l'orchestre et la définition des timbres sont sans doute moindres que dans la version Haitink. Inbal, excellent quoiqu'un peu froid dans les deux premiers temps, réédite le même défaut que Masur : le *Rondo alla polacca* est plus lent qu'il ne devrait.

La toute récente version Karajan réunit trois très jeunes solistes un peu intimidés devant le vieux maître, mais d'un style et d'un son (Anne-Sophie Mutter) à retenir (*allegro*). Le *largo* n'est pas tout à fait du même ordre, la prise de son désaventageant inexplicablement le trio *solo*. Au contraire, le Finale surprend presque par sa grande allure. Ce disque vaut surtout pour la prestation de ... Karajan, de loin supérieure à sa version «russe» (avec Oïstrakh, Rostropovitch et Richter) : l'orchestre, en état de grâce, traduit d'admirables accents d'éloquence (*allegro, Rondo*) et nous fait retrouver un Triple Concerto plus héroïque que seulement élégant.

Concerto pour violon et orchestre en ré majeur op. 61.

❀*** Yehudi Menuhin (violon), Orch. du Festival de Lucerne, Wilhelm Furtwängler. EMI VSM C 051-01.570. Mono. Enregistré en 1947.

❀*** Yehudi Menuhin (violon), Orch. Philharmonia, Wilhelm Furtwängler. EMI Da Capo 047-00.117. Ou EMI VSM C 153-52.540/52 (13 d.). Enregistré en 1953. *+ Concerto pour piano n° 5, Symphonies, Ouvertures, Fidelio, Romances.*

❀*** Itzhak Perlman (violon), Orchestre Philharmonia, Carlo-Maria Giulini. EMI VSM C 069-43.063.

⊠ C 269-43.063. Enregistré en 1980.

*** David Oïstrakh (violon), Orch. National de l'ORTF, André Cluytens. EMI VSM C 069-90.905. ⊠ C 269-90.905.

*** Yehudi Menuhin (violon), Orch. du Gewandhaus de Leipzig, Kurt Masur. EMI VSM C 069-43.274. Enregistré en 1981.

** Henryk Szeryng (violon), Orch. Symph. de Londres, Hans Schmidt-Isserstedt. Philips 6539.030.

* Zino Francescatti (violon), Orch. Symph. Columbia, Bruno Walter. CBS 75.006.

La première rencontre Menuhin-Furtwängler offre une lumière indicible. L'introduction orchestrale reste un modèle de clarté. Menuhin (qui utilise les cadences de Kreisler) étonne même par l'exemplaire lyrisme de son phrasé, et surtout par une sonorité douce qu'on ne lui connaîtra plus par la suite. La clarté des plans ne souffre guère de la prise de son. Le *larghetto*, splendide par la connivence établie entre les deux artistes et le naturel de la direction de Furtwängler, est peut-être l'instant le plus émouvant de cet album, récemment réédité en collection économique.

La seconde réunion Furtwängler-Menuhin, qui eut lieu à Londres en avril 1953, souffre sans doute d'une relative sagesse de la part du violoniste (*allegro ma non troppo*), mais la direction, d'une magnifique violence (introduction, Finale) établit un climat tout autre qu'à Lucerne. Le *larghetto*, fort dense, atteint une puissance expressive presque ténébreuse. L'incisivité, la jubilation et tout simplement la grandeur du *Rondo* final confèrent à la moindre note un rôle, un poids spécifiques ; à chaque instant sourd l'immanence d'une architecture rendue essentielle et comme inévitable. C'est du très grand Furtwängler et du bon Menuhin. Excellentes conditions techniques (prise de son, relief des timbres).

Avec Perlman, nul effet de mèche ou d'archet, mais beaucoup mieux, une extrême dignité, une totale adéquation au style de Giulini qui, dès le départ, a créé une atmosphère qui ne changera plus, toute empreinte de douceur, de tendresse, de lyrisme grave où le chant admirablement galbé de l'orchestre se déploie sans vaine précipitation. Ce grand art épuré est un véritable hommage au classicisme.

Oïstrakh-Cluytens n'ont évidemment n[illegible] l'ampleur ni l'aération de tempo des deu[illegible] précédentes versions, mais ils révèlent e[illegible] contre-partie un magnifique classicisme. L[illegible] perfection purement violonistique du solist[illegible] n'a été égalée par personne. Ce jeu dens[illegible] olympien, maintient le *Concerto en ré* dan[illegible] un climat retenu. La solennité d'Oïstrakh e[illegible] bien servie par la direction de Cluytens, u[illegible] rien trop sobre, mais techniquement inatta[illegible]quable. Le *larghetto*, condensé, est rache[illegible] par la majestueuse chaleur du Finale. Caden[illegible]ces de Kreisler.

Même s'il a quelque peu perdu de sa spon[illegible]tanéité et de son ingénuité d'antan, Menuhin[illegible] en 1981, reste plus présent que jamais, tou[illegible]jours aussi prodigieusement beau et char[illegible]meur. Dans le *larghetto*, il a légèremen[illegible] perdu de son aura au profit d'une ampleu[illegible] très décantée. Instants sublimes qui nous em[illegible]mènent très loin. Une version merveilleuse[illegible]ment humaine. Kurt Masur, il faut le soul[illegible]gner, a sa part dans cette réussite par so[illegible] constant souci du phrasé orchestral et de[illegible] nuances, son sens de la noblesse et de l[illegible] hauteur.

Schmidt-Isserstedt dirige avec plus d'inté[illegible]grité que de vitalité ; l'architecture de l'œuvr[illegible] apparaît d'un équilibre très efficace. Le pre[illegible]mier mouvement est sans doute le plus élo[illegible]quent. L'engagement de Szeryng n'est pa[illegible] supérieur dans l'absolu à celui du chef. Mai[illegible] sa perfection spécifiquement instrumentale[illegible] son style se révèlent d'une justesse, quant à l[illegible] lettre, extraordinaires. Les puissantes et tem[illegible]pétueuses périodes soulevées par Furtwän[illegible]gler ont disparu, remplacées par une fabu[illegible]leuse exactitude. Version majeure, qui donn[illegible] du *Concerto en ré* son espace le plus imme[illegible]diatement délimitable. L'inspiration propre[illegible]ment musicale n'est peut-être point toujour[illegible] au rendez-vous, et Szeryng ne joue pas le[illegible] cadences traditionnelles (Kreisler) mai[illegible] celles, beaucoup moins recommandables, d[illegible] Joachim et de Carl Flesch.

Le mérite de l'enregistrement Frances[illegible]catti-Walter réside avant tout dans l'appor[illegible] de Bruno Walter, qui dévoile dans l'*allegr[illegible] ma non troppo* une harmonie, un dépouille[illegible]ment infiniment intériorisés et réellemen[illegible] prenants ; cet éclairage subtilement mozar[illegible]tien est quelque peu contredit par Frances[illegible]catti, dont le jeu n'est pas toujours juste[illegible] Vision heureuse, transparente, qui s'écoul[illegible] avec un très vif plaisir : elle fut longtemp[illegible] l'absolue référence discographique du Con[illegible]certo de Beethoven. Il y a sans doute mieu[illegible] ailleurs, et plus grand.

Egmont, musique de scène pour l[illegible] drame de goethe op. 84 : Ouverture e[illegible] trois scènes.

*** Birgit Nilsson (s), Orch. Philharmonia, Otto Klemperer. EMI VSM C 069-00.797 (sup.). + *Symphonie n° 4.*

De toute la musique de Scène composée par Beethoven pour le drame *Egmont* de Goethe, seule l'Ouverture a traversé le temps sans tomber dans l'oubli. Pourtant, on sait gré à un chef comme Otto Klemperer d'avoir ressuscité quelques pages de cette partition : outre l'Ouverture, les deux airs et la mort de Klärchen (ou Claire, dans les versions françaises). Chantées par Nilsson, en pleine voix, ces scènes ont une prodigieuse puissance dramatique, renforcée par l'ombre du géant qui les dirige. Une grande référence beethovénienne.

Fantaisie pour piano, chœurs et orchestre en ut mineur op. 80.

❀*** Hans Richter-Haaser (piano), Ch. de l'Opéra de Vienne, Orch. Symph. de Vienne, Karl Boehm. Philips 6500.324. Enregistré en 1957. Stéréo d'origine mono. + *Concerto pour piano n° 3.*

*** Alfred Brendel (piano), Ch. et Orch. Phil. de Londres, Bernard Haitink. Philips 9500.471. + *Concerto pour piano n° 2.* Ou Philips 6767.002 (5 d.). ☒ 7699.061 (3 c.). + *Intégrale des Concertos pour piano.*

Bien que datant de 1957, la version Boehm de la *Fantaisie Chorale* tient encore largement le haut du pavé. Il s'agit, sur les disques cités, d'un enregistrement d'origine monophonique stéréophonisé et gravé en stéréo. Cette œuvre, où l'on sait que Beethoven s'essaie aux futurs sommets de la *Neuvième*, est d'une grande puissance. Le piano y joue un rôle prépondérant, jusqu'à l'entrée de la partie vocale, qui est l'une des ébauches de l'*Ode à la joie.* Dans son interprétation, Hans Richter-Haaser construit son jeu avec une étonnante pénétration de la pensée beethovénienne. Il nous prépare avec grandeur et sensibilité à l'éclatement du chœur final, qui, alors, émeut profondément. Karl Boehm, de son côté, supervise le tout en apportant à son travail architectural sa valeur de penseur autant que de musicien.

Sans atteindre l'excellence de la version historique de Karl Boehm, celle enregistrée sous la baguette de Bernard Haïkink est de grande valeur. Tout d'abord parce qu'elle trouve, en Brendel et l'Orchestre Philharmonique de Londres, des partenaires idéaux. Alfred Brendel se signale par une main sensible et inspirée, les Chœurs par leur enthousiasme, et l'on est ravi par les sonorités bonhommes de la petite harmonie. Le coffret de cinq disques contenant l'intégrale des Concertos pour piano réserve en outre des moments particulierement rares.

Fidelio, opéra.

❀*** Christa Ludwig (Léonore), Jon Vickers (Florestan), Gottlob Frick (Rocco), Walter Berry (don Pizarro), Ingeborg Hallstein (Marcelline), Gerhard Unger (Jacquino), Franz Crass (don Fernando), Ch. et Orch. Philharmonia, Otto Klemperer. EMI VSM C 167-00.559/61 (3 d.). Enregistré en 1961.

❀*** Martha Mödl (Léonore), Wolfgang Windgassen (Florestan), Gottlob Frick (Rocco), Otto Edelmann (don Pizarro), Sena Jurinac (Marcelline), Rudolf Schock (Jacquino), Alfred Poell (don Fernando), Ch. de l'Opéra d'Etat de Vienne, Orch. Phil. de Vienne, Wilhelm Furtwängler. EMI Da Capo C 147-01. 105/107 (3 d.). Mono. Enregistré en 1953. Ou EMI VSM C 153-52.540/52 (13 d.). + *Concerto pour piano n° 5, Concerto pour violon, Ouvertures de Coriolan, de Léonore II et de Léonore III, Romances pour violon et orchestre, Symphonies n° 1 et n°s 2 à 9.*

*** Helga Dernesch (Léonore), Jon Vickers (Florestan), Karl Ridderbusch (Rocco), Zoltán Kélémen (don Pizarro), Helen Donath (Marcelline), Horst Laubenthal (Jacquino), José van Dam (don Fernando), Ch. de l'Opéra de Berlin, Orch. Phil. de Berlin, Herbert von Karajan. EMI VSM C 157-02.125/27 (3 d.) (sup.). Enregistré en 1970.

** Leonie Rysanek (Léonore), Ernst Haefliger (Florestan), Gottlob Frick (Rocco), Dietrich Fischer-Dieskau (don Pizarro), Irmgard Seefried (Marcelline), Friedrich Lenz (Jacquino), Kieth Engen (don Fernando), Ch. et Orch. de l'Opéra de Bavière, Ferenc Fricsay. DG Privilège 2705.037 (2 d.) (sup.). Enregistré en 1957.

** Gundula Janowitz (Léonore), René Kollo (Florestan), Manfred Jungwirth (Rocco), Hans Sotin (don Pizarro), Lucia Popp (Marcelline), Adolf Dallapozza (Jacquino), Dietrich Fischer-Dieskau (don Fernando), Ch. de l'Opéra d'Etat de Vienne, Orch. Phil. de Vienne, Leonard Bernstein. DG 2709.082 (3 d.). ⌧ 3371.039 (3 c.). Enregistré en 1978.

** Gwyneth Jones (Léonore), James King (Florestan), Franz Crass (Rocco), Theo Adam (don Pizarro), Edith Mathis (Marcelline), Peter Schreier (Jacquino), Martti Talvela (don Fernando), Ch. de l'Opéra de Leipzig et de l'Opéra de Dresde, Orch. Staatskapelle de Dresde, Karl Boehm. DG 2709.031 (3 d.) (sup.). Enregistré en 1969.

* Hildegard Behrens (Léonore), Peter Hofmann (Florestan), Hans Sotin (Rocco), Theo Adam (don Pizarro), Sonia Ghazarian (Marcelline), David Kübler (Jacquino), Gwynne Howell (don Fernando), Ch. et Orch. Symph. de Chicago, Georg Solti. Decca 390.180. ⌧ 4-390.180 (3 c.). Stéréo (enregistrement numérique). Enregistré en 1979.

Otto Klemperer nous emmène dans un monument d'une extravagante mais merveilleuse richesse. Certains se plaindront de tels tempos ; l'influence de la grande tragédie antique - et celle de la direction de Wilhelm Furtwängler - sont ici évidentes. Christa Ludwig et Jon Vickers, sans artifices, vont aux limites de leur voix, prolongeant d'une couleur sombre mais toujours exacte l'approche de Klemperer. L'interprète de Pizarro (Walter Berry) ne possède malheureusement point la hauteur de ton de ceux de Rocco (Gottlob Frick, idéal, trois fois titulaire du rôle au disque) ou même de Fernando (Franz Crass). Marcelline (Ingeborg Hallstein) est en revanche excellente. Les deux grandes scènes chorales de l'ouvrage conquièrent par leur ampleur et leur progression dynamique. La prise de son ne trahit jamais cette grandiose procession qu'est le *Fidelio* dirigé par Klemperer, sans doute l'album le plus génial jamais signé par ce chef.

Furtwängler a confié trop tard (au disque) sa légendaire interprétation de l'unique opéra de Beethoven - les éditions «pirates» (prises de l'Opéra de Vienne, avec Kirsten Flagstad et Julius Patzak !) sont sans aucun doute préférables, malgré de cruelles conditions techniques... Mais il demeure dans la version «officielle» VSM beaucoup plus que de beaux restes. Tout d'abord Martha Mödl (Léonore), dont la violente personnalité éclate à chaque mesure ; puis Wolfgang Windgassen, à la voix plus ingrate, mais suprêmement lyrique. Gottlob Frick incarne déjà Rocco à la perfection. Les autres personnages sont quelque peu en deçà, excepté Rudolf Schock, dans le rôle secondaire de Jacquino. La direction de Furtwängler, curieux mélange de romantisme et de froideur, transfigure cependant certains passages (finale du premier acte, duo Léonore-Florestan) où le sens dramatique et de prodigieuses accélérations expressives l'emportent certainement sur Klemperer. Beaucoup plus humain que ce dernier, Furtwängler souligne opportunément la disparité foncière de l'œuvre, même s'il insiste davantage sur l'aspect héroïque. Mais l'ensemble ne possède en définitive pas l'hallucinante architecture de la précédente version.

La version Karajan a été fort critiquée pour sa prise de son, et pour la direction orchestrale, très riche en nuances, sinon enveloppée. Peut-être s'agit-il d'une injustice, car le parti pris de sensualité, d'*espressivo* choisi par le chef autrichien s'accompagne d'une indiscutable recherche dramatique et même psychologique. Jon Vickers offre un Florestan presque aussi bouleversant qu'avec Klemperer. Helga Dernesch témoigne d'une intelligence, d'une couleur rares ; sa sensualité s'accorde avec celle de la direction. Mais cette fort belle Léonore manque indéniablement de technique, et son rayonnement en devient parfois problématique. Les autres rôles sont bien tenus, particulièrement celui de Pizarro (Zoltán Kélémem). Karajan (prélude de la scène du cachot) subjugue et irrite tout à tour servant admirablement le détail de la partition (airs de Pizarro et de Léonore du premier acte). Les phrasés et le *legato* insufflent une pasticité étonnante à quelques passages (finale des deux actes) qui peuvent chez d'autres devenir raides ou emphatiques. La richesse de ton, l'ardeur lyrique de cette version sont d'évidence à connaître, même si l'architecture inflexible d'un Klemperer ou l'héroïsme spécifiquement beethovénien de Furtwängler paraissent autrement exemlaires. L'extraordinaire déploiement sonore e la version Karajan est souligné par la ualité de la prise de son.

Ferenc Fricsay diffère considérablement e la tradition (celle, romantique, qui «sacrase» *Fidelio*, et commande un ralentissement énéral du tempo à partir du deuxième acte ; *f.* Klemperer, Furtwängler, Karajan). Il nvisage l'œuvre dans une perspective XVIIIe iècle. Ce parti une fois admis (ou refusé), on e peut que reconnaître au chef hongrois intelligence active vis-à-vis d'une partition u'il s'efforce de décanter au maximum, multipliant les contrastes dynamiques (et les oppositions de tempo). Leonie Rysanek incarne ne Léonore hyperféminine, charnelle - peuttre une des deux ou trois meilleures jamais nregistrées. Frick est égal à lui-même dans on rôle favori, et Fischer-Dieskau affirme n Pizarro remarquablement complexe. Cette version à la fois fouillée et fougueuse réédité en collection économique) demeure ncore la plus originale de toutes.

Leonard Bernstein réalise une très forte erformance sur le strict plan orchestral (il nclut l'Ouverture de *Léonore III* entre les inquième et sixième scènes du deuxième cte). Les tempos sont souples, contrastés mais en un sens diamétralement opposé à elui de Fricsay). L'efficacité dramatique de uelques épisodes l'emporte sans doute sur 'architecture interne, l'homogénéité de l'enemble (qui, d'ailleurs, ne demeurent sans ailles que chez Klemperer et Karajan). La ension propre à Bernstein peut être aussi uperbement révélatrice (quatuor Marcelline-Léonore-Jacquino-Rocco, grand air de Léoore du premier acte, entrée de Florestan, cène finale du deuxième acte) en prouvant n engagement vibrant, impétueux. René Kollo déçoit en Florestan. Gundula Janowitz xalte une très émouvante Léonore, mais ne eut guère dissimuler que ce rôle se situe à 'extrême de ses possibilités. Fischer-Dieskau Fernando), Lucia Popp (Marcelline) et surout Manfred Jungwirth (Rocco) sont plus à etenir que le Pizarro de Hans Sotin. L'approche hypersubjective de Bernstein (*cf.* ses *ccelerandos*, dès l'ouverture) a au moins le nérite d'habiter l'œuvre d'un bout à l'autre, le lui prêter une couleur plus sombre, plus prement physique qu'à l'habitude.

La lecture de Karl Boehm gagne en acuité, n précision sinon en richesse de détails (*cf.* Karajan) ce qu'elle perd en vérité expressive. La surhumaine intemporalité d'Otto Klemperer résultait d'un aussi rigoureux équilibre, nais également d'une extraordinaire vision rchitecturale. La sobriété de Boehm rend au contraire nécessaire, mais quelquefois (finale du premier acte, scène du cachot) non suffiant un tel souci d'architecture. Boehm, tout comme Fricsay, regarde vers Mozart et vers le *Singspiel* - à la différence de Friscay, il ne va pas tout à fait au bout de sa propre conception. Gwyneth Jones, malgré son *vibrato*, est superbe, Edith Mathis d'un charme émouvant. Les voix masculines, excepté Theo Adam, effrayant Pizarro, ne sont pas du même niveau.

Les admirateurs de Georg Solti apprécieront sa toute récente version de *Fidelio* ; la rudesse spectaculaire (et parfois saisissante) de Solti trouve naturellement son domaine d'élection dans les grandes scènes chorales ou les passages orchestraux (introduction du deuxième acte) les plus intensément dramatiques. L'enregistrement (numérique ou «*digital*») bénéficie de conditions sensationnelles, et sur le plan de l'espace sonore cette réalisation sera sans doute une révélation. Hildegard Behrens (Léonore), Sonia Ghazarian (Marcelline), Theo Adam (Pizarro) et même Gwynne Howell (Don Fernando) l'emportent aisément sur Hans Sotin (Rocco à peine passable) et, hélas ! sur Peter Hofmann, qui n'est pas du tout Florestan.

Lieder : Adelaïde op. 46, Marmotte op. 52 n° 7, Mignon op. 75 n° 1, Neue Liebe, neues Leben op. 75 n° 2, Wonne der Wehmut op. 83 n° 1, Mit einem gemalten Band op. 83 n° 3, Die Trommel gerühret op. 84 n° 1, An die ferne Geliebte op. 98, Prüfung des Küssens WoO 89, Leb'wohl, o du Zayb'rin op. 108 n° 18, Das Bächlein in uns'rem Strässchen WoO 108 n° 25, Der Kuss op. 128, Elegie auf den Tod eines Pudels WoO 110, Nur wenn die Sehnsucht kennt WoO 134, Lied aus der Ferne WoO 137, Abendlied WoO 150, Gesangesmacht WoO 152 n° 2, Liebe und Glück fährt hin WoO 152/20, Morgen für Grillen WoO 152/21, Sonnenscheint WoO 153/13, Vergebens ist's WoO 153/15, Der Goldwein Kredentz WoO 154/6, Er Schwur mir beim Scheiden WoO 154/12, Das Hirtenmädchen WoO 155/3, Der Traum WoO 155/14, Der Knabe an See WoO 155/24, Der Scheidenkuss WoO 155/25, Spar' die Schwänke WoO 156/5, Die Gondel WoO 157/12.

❀*** Herbert Alsen, Peter Anders, Kurt Boehme, Lorenz Fehenberger, Martha Fuchs, Hans Hotter, Emmi Leisner, Walther Ludwig, Maria Müller, Helena Rott, Arno Schellenberg, Karl Schmitt-Walter. Michaël Raucheisen (piano), Paul Richarts (violon), Adolf Steiner (violoncelle). Acanta DE 23.038 (2 d.) (sup.). Mono (origine 78 t.). Enregistré de 1942 à 1944.

Une anthologie absolument passionnante, indispensable à tout admirateur de Beethoven, car tout y est somptueux. Une si longue suite de Lieder échappe à l'ennui qui peut naître d'un interprète unique, même lorsque celui-ci, s'appelant Fischer-Dieskau, y met toutes les ressources de son art : ici en effet, douze artistes renommés, nés au tournant du siécle, se succèdent dans des airs et duos, accompagnés tantôt au piano, tantôt par un trio. Il serait trop long d'apprécier en détail les moments rares qui y défilent : qu'il suffise de citer la radieuse Martha Fuchs, l'art dépouillé de Hotter, et, le plus bouleversant de tout l'ensemble, l'irremplaçable *Adélaïde* de Peter Anders.

Lieder An die Ferne Geliebte (à la Bien-aimée lointaine) op. 98.

*** Fritz Wunderlich (t), Heinrich Schmidt (piano). Philips 6501.012. + *Haydn : Chansons écossaises et Chansons galloises. R. Strauss : Lieder.*

*** Dietrich Fischer-Dieskau (bar), Jörg Demus (piano). DG 139.197 (sup.). + *Lieder isolés.*

** Martyn Hill (t), Christopher Hogwood (piano-forte). Oiseau-Lyre DSLO S35 (G-B). Enregistré en 1977. + *Lieder isolés.*

Un disque qui est d'abord un document sur le merveilleux ténor que fut Wunderlich, trop tôt disparu. Dans son récital consacré à des œuvres au caractère intimiste, les Lieder du cycle de la Bien-aimée lointaine sont empreints d'une ardeur et d'un enthousiasme émouvants, et la voix de Wunderlich leur donne leur maximum de charme. Son timbre, son sens des nuances, son art du phrasé ne font à aucun moment regretter la voix de baryton.

Pour Beethoven, la voix de baryton par excellence est celle de Fischer-Dieskau, dans le disque où il est accompagné par Jörg Demus. À côté de l'intégrale des Lieder réalisée par les mêmes interprètes, on trouve ici un programme d'une exceptionnelle tenue, chanté et joué avec des raffinements d'interprétation poétique et musicale.

Le ténor anglais Martyn Hill, avec sa voix jeune et allante, donne à ce cycle un aspect nouveau d'entrain et de fraîcheur. C'est l'opposé des subtilités extrêmes de l'art d'un Fischer-Dieskau, mais cela ne veut pas dire, loin de là ! que cette interprétation ne soit pas intéressante : c'est différent, agréable, et le piano-forte de Christopher Hogwood ajoute ses sonorités acidulées pour un accompagnement sans prétention.

Messe en ut majeur op. 86.

*** Elly Ameling (s), Janet Baker (ms), Theo Altmeyer (t), Marius Rintzler (b), Ch. et Orch. New Philharmonia, Carlo Maria Giulini. EMI VSM C 069-02.124.

** Christiane Eda-Pierre (s), Patricia Payne (c), Robert Tear (t), Robert Lloyd (b), Ch. et Orch. Symph. de Londres, Colin Davis. Philips 6769.001 (3 d.). + *Missa Solemnis.*

** Jennifer Vyvyan (s), Monica Sinclair (c), Richard Lewis (t), Marian Nowakovski (b), Ch. et Orch. Phil. Royal, Thomas Beecham. EMI VSM FALP 601 (sup.).

Cette première messe de Beethoven voit la plupart du temps sa mémoire occultée par la *Missa Solemnis* à laquelle elle n'est pas, tant s'en faut, inférieure. La version de Giulini bénéficie tout d'abord d'un inégalable quatuor vocal, qui, à lui seul, suffit à justifier la préférence. A cet élément essentiel, il convient aussi d'ajouter les qualités de la direction. Avec une musicalité trés sûre, le chef réussit à fondre deux courants apparemments contradictoires : d'une part, une intensité dramatique inhérente à l'écriture, et d'autre part, un style hiératique, retenu, mais subjectif, tel que l'on peut attendre dans l'expression de la musique religieuse. Le résultat est une version qui domine de très haut la discographie.

Colin Davis, en couplage avec une *Missa Solemnis* qui présente les mêmes caractéristiques, a gravé une *Messe en ut mineur* émouvante, et intimiste. Ses solistes sont très bons, et surtout bien équilibrés, même si ce n'est pas la constellation d'étoiles de Giulini. Les chœurs chantent avec chaleur et sensibilité. Il faut écouter avec recueillement la sublime prestation d'Eda-Pierre dans le *Qui Tollis* : c'est tellement émouvant !

On ne peut pas passer sous le silence, sous prétexte qu'elle ne figure plus aux catalogues, la version Beecham que l'on pourrait, pour l'esprit, comparer à celle de Giulini. Bien sûr, cette dernière lui est supérieure, ne serait-ce que par le progrès technique en matière d'enregistrement (et aussi pour les solistes...). Mais Sir Thomas a su donner à l'œuvre une grandeur digne de Beethoven, et c'est cette impressionnante conception qui, au-delà des considérations techniques, demeure présente à l'esprit.

Missa Solemnis en ré majeur.

❀*** Gundula Janowitz (s), Agnes Baltsa (ms), Peter Schreier (t), José van Dam (bar), Ch. du Singverein de Vienne, Orch. Phil. de Berlin, Herbert von Karajan. EMI VSM C 167-02.581/82 (2 d.). Enregistré en 1975.

❀*** Elisabeth Söderström (s), Marga Höffgen (ms), Waldemar Kmentt (t), Martti Talvela (b), Ch. et Orch. New Philharmonia, Otto Klemperer. EMI VSM C 167-00.056/57 (2 d.). Enregistré en 1966.

*** Gundula Janowitz (s), Christa Ludwig (ms), Fritz Wunderlich (t), Walter Berry (bar), Ch. du Singverein de Vienne, Orch. Phil. de Berlin, Herbert von Karajan. DG Privilège 2726.048 (2 d.). Enregistré en 1966.

** Heather Harper (s), Janet Baker (ms), Robert Tear (t), Hans Sotin (b), Ch. New Philharmonia, Orch. Phil. de Londres, Carlo Maria Giulini. EMI VSM C 167-02.740/41 (2 d.). Enregistré en 1976.

** Elisabeth Schwarzkopf (s), Christa Ludwig (ms), Nicolaï Gedda (t), Nicola Zaccaria (b), Ch. Singverein de Vienne, Orch. Philharmonia, Herbert von Karajan. EMI VSM C 181-00.627/28 (2 d.). Enregistré en 1958.

Le troisième enregistrement de Herbert von Karajan concilie la perfection instrumentale et vocale de ses précédents avec un réel sens du monumental, de l'austère. Les phrasés demeurent toujours sobres, l'architecture rythmique magnifiquement efficace *(Kyrie)*. Le quatuor soliste n'atteint pas une aussi exceptionnelle homogénéité que dans la version 1966, Gundula Janowitz et José van Dam l'emportant sur leurs partenaires. Les sommets de l'album se situent sans doute dans le *Sanctus* très décanté, le *Benedictus* et l'*Agnus Dei*, où conduite dynamique des voix et expression chorale imposent une intensité purifiée, à peu près insurpassable. En revanche, Thomas Brandis (violon solo du *Benedictus*) n'égale point Michel Schwalbé (version 1966). Le dramatisme propre à Karajan emprunte ici une voie presque humble (*Gloria*), et la structure contrapuntique de «masses» (*Credo*) est remarquablement mise en valeur par une technique d'enregistrement qui privilégie les chœurs et les larges plans contrastés de l'orchestre.

Klemperer unifie la totalité de l'ouvrage vers un hiératisme dense et même sévère. L'intériorisation, qui peut fasciner chez Karajan version 1975, fait place à un mouvement très affirmé de cohésion, de grandiose. Les phases fuguées du *Credo* (*in gloria Dei Patris*), du *Gloria*, le *scherzo* instrumental de l'*Agnus* éclatent triomphalement, projetant force et rigueur sur l'ensemble de la partition. Les tempos sont très larges ; la prise de son favorise les chœurs, mais les détails instrumentaux, sans être aussi remarquablement révélés que chez Karajan 1975 ou 1966, apparaissent avec suffisamment d'évidence. Le quatuor vocal réunit légèreté (Söderström) et rudesse (Talvela), tout en faisant preuve d'infiniment moins de subtilité expressive (*Dona nobis pacem*) que dans les versions Karajan.

Karajan 1966 offre un somptueux théâtre où l'élément spectaculaire (chœurs) et surtout la mise en place orchestrale - phénoménale - prédominent sans doute trop sur l'authentique ferveur. Les tempos sont moins larges que dans la version 1975. Le *Kyrie*, compact, d'une beauté expressive quelque peu ostentatoire, le *Gloria*, remarquable par sa jubilation abrupte, l'emportent en tension sur les autres périodes. L'équilibre du quatuor vocal atteint un niveau difficilement imaginable. La lisibilité des lignes instrumentales, habituellement noyées, est elle aussi sans rivale. La *Missa Solemnis* prend ici un caractère plus véhément, héroïque (*Gloria*) que véritablement sacré, et c'est un peu dommage, car, sur le plan purement technique, la magnificence d'un tel album (réédité en collection économique) renouvelle sans aucun doute l'approche traditionnelle. La voix de Gundula Janowitz, éblouissante, est mieux captée que dans l'enregistrement de 1975. Le timbre de Fritz Wunderlich apparaît, bien sûr, nettement préférable à celui de Peter Schreier (version 1975), mais Walter Berry est loin d'égaler José van Dam. La prise de son rend pleinement justice au travail du détail d'orchestre.

Les voix féminines (Heather Harper et Janet Baker) éclairent par la clarté du phrasé (et la précision de la mise en place) l'enregistrement Giulini, assez pâle du côté des voix masculines (Robert Tear et Hans Sotin, trop conventionnels). Giulini, sophistiqué, observe une progression dynamique plutôt originale à l'intérieur du *Gloria* puis du *Credo*. Le dessin mélodique, la beauté du *legato* (*Sanctus, Benedictus*) sont sans cesse privilégiés, peut-être au détriment de l'éloquence, de l'énergie. Les tempos demeurent exceptionnellement lents, le raffinement dans les nuances moindre que chez Karajan. Giulini voit la *Messe en ré* telle une immense méditation lyrique, et cette approche, pour aussi fouillée, pure qu'elle soit, méconnaît la grande clarté architecturale de l'ensemble.

La première version Karajan (1959) trouve d'emblée un ton, une chaleur étonnante, illustrés par les émouvantes interventions d'Elisabeth Schwarzkopf. Karajan, spontané, offre avec des tempos proches de l'idéal un éventail de nuances moins extraordinaire que dans ses versions ultérieures. Cette interprétation transparente, d'une belle virtuosité, révèle un style déjà fort personnel (*Credo, Sanctus*), mais peut-être trop exclusivement «vocal». L'orchestre, admirable (ce sont les plus grandes années du Philharmonia !) apparaît parfois sacrifié par la prise de son.

Ouvertures : La Consécration de la Maison en ut majeur op. 124, Coriolan en ut mineur op. 62, Les Créatures de Prométhée en ut majeur op. 43, Egmont en fa mineur op. 84, Fidelio en mi majeur op. 72, Léonore I en ut majeur op. 138, Léonore II en ut majeur op. 72b, Léonore III en ut majeur op. 72c, Le Roi Etienne en mi bémol majeur op. 117, Les Ruines d'Athènes en sol mineur op. 113.

*** Orch. Phil. de Berlin, Herbert von Karajan. DG 2726.079 (2 d.).

Un disque superbe, et une interprétation éblouissante où l'on ne peut que souscrire à la qualification de «grand beethovénien» pour Karajan. Programme intéressant, car l'intégrale permet de sortir des Ouvertures les plus connues (*Egmont, Coriolan...*), et passionnant, parce qu'on sent y frémir tout un monde dramatique. Est-ce par leur vocation théâtrale ? mais on attendrait presque un lever de rideau après chaque morceau.

Ouvertures : Coriolan en ut mineur op. 62, Fidelio en mi majeur op. 72, Léonore II en ut majeur op. 72b, Léonore III en ut majeur op. 72c.

❁*** Orch. Phil. de Berlin, Orch. Phil. de Vienne, Wilhelm Furtwängler. EMI Da Capo C 047-00.843 (sup.). Mono. Enregistré en 1947.

Un «must» en matière de littérature beethovénienne, que cette réédition d'un ancien 25 cm, qui revient en 30 cm avec le renfort de *Léonore II*. Cette réapparition, après sept années d'une absence inexplicable vu la qualité exceptionnelle des enregistrements en question, doit figurer dans toute discothèque comme un exemple d'une interprétation idéale pour ces quatre Ouvertures. A garder sur le devant des rayons et à consulter souvent.

Ouverture d'Egmont en fa mineur op. 84.

❁*** Orch. Phil. de Berlin, Wilhelm Furtwängler. DG 2535.810 (sup.). Mono. Enregistré en 1947. + *Symphonie n° 5.*

Ce n'est en général pas pour l'Ouverture d'*Egmont* que l'on recommande ce disque dans les termes les plus élogieux. En effet, le morceau de résistance en est une *Cinquième* qui compte parmi les interprétations irréfutables : cette œuvre était pratiquement devenue chez Furtwängler une seconde nature, tant il l'avait dirigée de nombreuses fois. Mais *Egmont* n'en constitue pas moins une prime de valeur. De toute manière, en parlant d'un disque tel que celui-ci, pourquoi faire du détail ? C'est parfait sur toute la ligne.

Les dix-sept Quatuors à cordes.

❁*** Quatuor Végh. Valois MB 301/304, 1405/1407, 308, 1409, 310. Valois CMB 31 (3 d.), 32 (3 d.) et 33 (4 d.).

❁*** Quatuor Juilliard. CBS GM 101 (10 d.). Enregistré de 1964 à 1970.

Le Quatuor Végh personnalise à l'extrême chacune des dix-sept partitions, manifestant un expressionnisme assez vigoureux. Les tempos sont souvent peu rapides, davantage pour des raisons techniques (Finale du Neuvième Quatuor) qu'esthétiques, et malgré cette relative lenteur, la plénitude d'accents, la netteté des contrastes dynamiques, la modernité abrupte de certaines pages (Quatorzième Quatuor, Seizième Quatuor) se dégagent remarquablement. C'est parfois la liberté des nuances, du phrasé (début des Douzième, Treizième Quatuors) qui l'emporte. Souvent la générosité lyrique (Septième Quatuor) la plus intimement beethovénienne, l'âpreté, la pulsion rythmique. La prise de son, qui cadre de très près les instruments, favorise les registres graves.

Sur le plan de la pure performance instrumentale, de la perfection du son, les Juilliard demeurent sans aucun doute insurpassables. La plastique sonore joue ici sur les contrastes, une intensité volontiers agressive (accentuée par la prise de son), la clarté «totalitaire» de l'articulation. Le choix des tempos reste peu ordinaire : certains mouvements atteignent une vitesse stupéfiante (Quatuors «Rassoumovsky»). La technique d'enregistrement privilégie le premier violon, ce qui déséquilibre quelquefois l'ensemble (derniers Quatuors). L'intonation demeure d'une absolue justesse (on ne peut malheureusement en dire autant des Végh). Pour la rigueur technique, la virtuosité et la force, cette réalisation l'emporte peut-être sur toutes les autres. L'expression n'est, hélas ! pas toujours aussi profonde ni enthousiasmante. Un grand moment : le Quatorzième Quatuor, dont les Juilliard parviennent admirablement à dégager la difficile unité structurelle.

Quatuors à cordes n°s 1 à 6 op. 18.

❀*** Quatuor Juilliard CBS 77.362 (3 d.).

*** Quatuor Amadeus. DG 2733.002 (3 d.).

*** Quatuor Végh. Valois CMB 31 (3 d.). Ou Valois MB 301/303 (3 d.).

** Quatuor Alban Berg. EMI VSM C 167-43.090/2 (3 d.). Enregistré en 1980 et 1981.

Le Quatuor Juilliard aborde avec rigueur les six premiers Quatuors en privilégiant clarté et transparence des voix. Le Cinquième Quatuor apparaît plus franchement préromantique qu'à l'habitude, malgré son modèle avoué (le Quatuor *K. 464* de Mozart). Les Finales (Troisième, Cinquième Quatuor) sont pris à une vitesse électrisante. Parfois la rapidité, l'abus du *staccato* trahissent plus de superficialité que de profondeur (Premier, Quatrième Quatuor).

Les Amadeus situent bien l'*Opus 18* dans la descendance de Mozart et plus encore de Haydn. Le *vibrato* de Norbert Brainin n'est pas encore (comme il le deviendra par la suite) rédhibitoire. Le style est laconique (Deuxième Quatuor), olympien (Premier Quatuor), dans le sens d'un grand respect de l'économie formelle. Prise de son relativement réverbérée.

Les Végh donnent une vision très individualisée de chacun des Six Quatuors, et ils ont particulièrement raison en ce qui concerne les Premier et Sixième, sans doute (bien que moins célèbres que le Quatrième Quatuor, en ut mineur) les pages les plus remarquables du cycle. Les mouvements lents leur réussissent d'évidence moins que la vélocité débridée des Finales. La prise de son est toujours très présente, ne faisant grâce d'aucun détail, ce qui peut devenir parfois gênant (Deuxième Quatuor).

Le Quatuor Alban Berg a trouvé ici le difficile ton juste : vifs et légers, avec une gravité qui est celle du coeur, jamais celle de la doctrine, et une rayonnante santé sonore, ils exposent sans agitation ni extrémisme, sans rien de tardif ni de décadent les Quatuors de l'*Opus 18* dans tout ce qu'ils ont de simplicité juvénile. Avec les Alban Berg, le Beethoven des six premiers Quatuors ne devient ni un complément à Haydn, ni la prémonition par trop accentuée de ce qu'il sera par la suite.

Quatuor à cordes n° 1 en fa majeur op. 18 n° 1.

❀*** Quatuor Busch. EMI Da Capo C 181-01.822/23 (2 d.). Mono (origine 78 t.). Enregistré en 1933. *+ Quatuors n°s 9 et 11, Sonate pour violon et piano n° 5 «Le Printemps».*

*** Quatuor Grabrieli. Decca 591.169. *+ Quatuor n° 2.*

Le Premier Quatuor, œuvre sensiblement plus ambitieuse (et exigeante) que les cinq autres de l'*Opus 18*, annonce par sa texture (monothématisme, ampleur des périodes dites «secondaires») le Beethoven de la maturité. Le Quatuor Busch lui confère un ton magistral, accentuant à dessein la tension et la rapidité quasi abrupte du matériel mélodique (*allegro con brio*). Les tempos ne sont pas trop rapides et permettent à la couleur des cordes, à la simplicité ardente du phrasé (adagio affettuoso ed appassionato) de prendre tout son envol. La prise de son, mate, authentique, n'est absolument pas démodée, bien au contraire, et le *vibrato*, le *portamento* des cordes remarquablement discrets si l'on songe un seul instant au style d'interprétation qui à l'époque faisait fureur dans le domaine du quatuor à cordes.

Le Quatuor Gabrieli respire avec beaucoup de naturel (*adagio*) et tend à situer motif principal (premier mouvement) et phases ornementales dans une même perspective d'équilibre. L'émotion ne se recrée qu'à partir de la lettre, d'une sérénité exemplaire (assez différente de la modernité révélée chez les Busch). La régularité, l'homogénéité des quatre archets sont remarquables, ainsi que la prise de son, peut-être un peu trop réverbérée.

Quatuor à cordes n° 6 en si bémol majeur op. 18 n° 6.

*** Quatuor Janáček. Supraphon SUP 50.415 (sup.). + *Quatuor n° 16.*

Le Sixième Quatuor - cinquième dans l'ordre de la composition - avec ses deux *adagios* (le second intitulé «*La Malinconia*») est une quasi-surprise dans toute la production du jeune Beethoven, alternant densité contrapuntique, nervosité pétillante très néo-classique (*allegro con brio, scherzo*), et «baroquisme» sentimental (*la Malinconia*). Le Quatuor Janáček réussit ce tour de force de dominer totalement une telle diversité de climats. La simplicité relative du premier *adagio* (qui renvoie directement aux mouvements lents des derniers Quatuors de Joseph Haydn) est ici à la fois nuancée et densifiée par un phrasé tendu, précis, et par la raucité expressive (second sujet) des timbres tchèques. Le Quatuor en si bémol prend ainsi une réelle ampleur. La prise de son, excellente, donne un relief supplémentaire à cette vision tour à tour hautaine, imaginative et rigoureuse (*Malinconia*).

Quatuors à cordes n°ˢ 7 à 9 op. 59 «Rassoumovsky». Quatuor à cordes n° 10 en mi bémol majeur op. 74 «Les Harpes». Quatuor à cordes n° 11 en fa mineur op. 95 «Quartetto serioso».

❀*** Quatuor Végh. Valois CMB 32 (3 d.). Ou Valois MB 304, MB 1405, MB 1406.

❀*** Quatuor Alban Berg. EMI VSM C 167-03.600/02 (3 d.). Enregistré en 1978 et 1979.

*** Quatuor de Cleveland. RCA RL 03.010 (4 d.) (USA). Enregistré de 1975 à 1977.

Les Végh nous montrent clairement les tensions internes mais aussi la structure d'ensemble (*allegretto vicace e sempre scherzando* du Septième Quatuor) en utilisant des tempos larges (quelquefois trop : Finale du Quatuor en ut majeur), un *rubato* maîtrisé, une admirable palette de nuances expressives et dynamiques (*allegro* initial du Septième Quatuor, *andante con moto quasi allegretto* du Neuvième). L'«allure» symphonique des trois Quatuors «Rassoumovsky» se perd au profit d'une lecture assez lente, souvent implacable sinon même ascétique dans son optique délibérée de traquer les moindres particularités du texte. La réalisation purement technique (justesse d'intonation) n'est pas toujours à la hauteur d'une telle charge expressive. Une vision plutôt introvertie, jouant *quasi improvisando* sur la densité de l'instant, qui domine dans les Septième, Huitième, Onzième Quatuors et de façon générale dans les mouvements lents (*molto adagio* du Quatuor en mi mineur, et surtout *adagio molto e mesto* du Quatuor en fa majeur, exemplaire réussite).

Les tempos sont extraordinairement rapides dans la version très virtuose du Quatuor Alban Berg - ce qui va parfois dans le sens de la partition (Neuvième Quatuor, *Quartetto serioso*) et parfois en contredit le contenu expressif (mouvements lents des Septième, Huitième Quatuors). Cette interprétation se distingue par la vivacité, le relief, l'esprit «concertant», l'élégance du jeu d'archet, l'énergie des attaques. La prise de son est stupéfiante, elle accentue encore davantage ce parti pris de précision, de violence dramatique. Le *Quartetto serioso* - page névralgique et redoutable parmi tous les Quatuors de Beethoven - acquiert ainsi une saine et sauvage vitalité. En revanche, l'immense Septième Quatuor, à l'ambitus dynamique et instrumental beaucoup plus varié, souffre peut-être d'un certain manque de respiration.

Le Quatuor de Cleveland s'oppose aussi bien à la virtuosité fortement condensée des Berg qu'à l'élévation davantage interrogative des Végh. Il n'a rien à envier aux Berg en justesse du ton ni en beauté des sonorités, mais l'optique demeure fondamentalement autre : le symphonisme des trois «Rassoumovsky» s'accentue sous l'effet d'un *vibrato* toujours ample, de phrasés (et de tempos) fort larges, de nuances plus intenses qu'équilibrées. L'impulsion rythmique est, en revanche, moins rigoureuse que dans les précédentes versions. Le souci du détail, la chaleur des timbres, l'abandon vers la couleur favorisent le *molto adagio* du Quatuor en mi mineur, le *menuetto* et le Finale du Quatuor en ut, rendus très *espressivo*, le Quatuor «les Harpes» en son entier, ici dénué du moindre *agitato* rhétorique : approche quelque peu emphatique dans l'individualisation des voix, le trop-plein des contrastes. Cette version extravertie, un rien capiteuse, bénéficie d'une remarquable prise de son.

Quatuor à cordes n° 7 en fa majeur op. 59 n° 1 «Rassoumovsky».

֍*** Quatuor Busch. CBS 61.888 (G-B). Mono (origine 78 t.). Enregistré en 1945. *+ Haydn : Quatuor n° 83.*

֍*** Quatuor Vlách. Supraphon SUP 50.492 (sup.).

** Quatuor Talich. Calliope CAL 1635. ⌧ CAL 4635. Enregistré en 1980.

L'*allegro* initial chez les Busch (phrase du violoncelle, ici à la fois profondément insinuante et «héroïque») foisonne d'intuitions, de phrasés tendus, d'accentuations qui vont au cœur de l'ouvrage et s'efforcent avec une très grande intensité d'en restituer toute l'éloquence lyrique. La perfection formelle de la partition surgit avec toute l'évidence souhaitable, ainsi que son organisation rythmique si particulière (*allegretto vivace e sempre scherzando*). Le troisième mouvement, remarquablement apaisé, prépare un Finale rigoureux et grandiose. Les Busch mettent bien en valeur la continuité mélodique en donnant un sens au moindre trait secondaire (par exemple, les étranges mesures d'accords de secondes «pré-Webern» du premier *allegro*) comme aux grands épisodes d'écartèlement harmonique ou de densité polyphonique (double *fugato* du premier mouvement). La prise de son, à l'inverse de la plupart des «repiquages» de 78 tours signés par les Busch, n'est pas fameuse, surtout dans les premier et troisième temps. L'*allegretto scherzando*, le Finale sont certes mieux captés, mais l'essentiel de l'œuvre se situe sans doute ailleurs.

Le Quatuor Vlách ne se satisfait nullement d'une éloquence impulsive, tentante en cet ouvrage (malgré l'extraordinaire sensualité, la spontanéité du moindre phrasé ; *cf.* premier thème, en *fa*, de l'*allegro*) ; il triomphe, au contraire, par la vaillance, l'héroïsme tout en contrôlant l'immense courbe formelle de l'ensemble de la partition. La croissance «organique» du premier mouvement (fort proche, d'esprit comme de facture, de la Symphonie Héroïque) ressort remarquablement, profondément valorisée par une générosité irrésistible des timbres et de l'expression. L'éventail dynamique des trois autres temps demeure excellent. La prise de son, d'une absolue simplicité, le choix même du tempo (idéal) restituent le Quatuor en fa dans toute sa vérité.

Les Talich ne cherchent pas à jouer les géants, tonitruants et «extérieurement» héroïques. Sans être déjà la confession dramatique de l'*Opus 132*, l'*adagio* est noble, méditatif et douloureux. Les Talich font s'y rejoindre le souvenir du Mozart le plus secret, et cette tendresse beethovénienne faite de religiosité, de fraternité et d'espoir. Dans cette perspective volontairement sans éclats iconoclastes, les Talich - aussi méritants soient-ils - n'ont cependant pas encore le souffle des Busch ou des Végh.

Quatuor à cordes n° 8 en mi mineur op. 59 n° 2 «Rassoumovsky».

֍*** Quatuor Janáček. Supraphon SUP 50.616 (sup.).

Le Huitième Quatuor - œuvre ambitieuse, sinon difficile d'accès - recherche moins, tels les Quatuors voisins, le symphonisme de l'expression que l'intégration structurelle entre chacun de ses propres mouvements : c'est un peu, à l'avance, le projet du Quatorzième Quatuor. Le Quatuor Janáček présente une rigueur exceptionnelle (premier *allegro*) alliée à une coloration splendide, typiquement tchèque (*cf.* Quatuor Vlách) du jeu d'archet. L'aspect coloristique et l'aspect dialectique de la polyphonie (développement de l'*allegro*, contrepoint sur le thème russe dans l'*allegretto*) se réconcilient assez paradoxalement dans un style, linéaire certes, mais d'une extrême précision. L'hymne du *molto adagio* (un des plus fantastiques mouvements lents de Beethoven) prend ici toute l'ampleur du rêve, sans la moindre trace de *vibrato* abusif, de *rallentando* ou d'effet théâtral. La prise de son, magistrale, rend au mieux la respiration des cordes tchèques, et l'ample architecture ainsi édifiée (et surtout unifiée).

Quatuor à cordes n° 9 en ut majeur op. 59 n° 3 «Rassoumovsky».

֍*** Quatuor Busch. EMI Da Capo C 181-01.822/23 (2 d.). Mono (origine 78 t.). Enregistré en 1933. *+ Quatuors n°s 1 et 11, Sonate pour violon et piano n° 5 «le Printemps».*

Le Quatuor Busch offre une vision homogène du Quatuor en ut, intégrant rigueur de l'articulation rythmique (*allegro vivace*) et expression profonde, résignée (*andante* en la mineur) ou même mystérieuse (*Introduzione*) des phases lentes. La reprise du premier mouvement est omise. La justesse du phrasé, la netteté des attaques, l'équilibre du modelé (grevé peut-être par quelques infimes duretés d'Adolf Busch dans ses traits «concertants» de l'*allegro vivace*) suffisent à caractériser une page beaucoup moins spectaculaire que les autres «Rassoumovsky», mais sans doute aussi radicale derrière sa façade néo-classique (*minuetto*). Les difficiles blocs d'accords syncopés (mes. 150 et suivantes du premier mouvement) sont remarquablement intégrés au reste du discours, et la rondeur de la plastique sonore, la spontanéité du tempo (vif), la clarté de la mise en place favorisent évidemment le fougueux Finale, d'ailleurs sommet de l'œuvre. Prise de son satisfaisante.

Quatuor à cordes n° 10 en mi bémol majeur op. 74 «Les Harpes».

❀*** Quartetto Italiano. Philips 6500.180 (sup.). + *Quatuor n° 11.*

Peu recommandable dans les Quatuors «Rassoumovsky», le Quartetto Italiano offre une excellente réalisation du Dixième Quatuor. Le *poco adagio* et l'*allegro* en mi bémol présentent une harmonie émouvante, un tempo (justement) modéré, une échelle expressive et dynamique (développement) assez considérable. L'*adagio* en la bémol sonne admirablement, comme la pure et libre rêverie qu'il doit être. La véhémence contrapuntique du *presto* et les variations un rien conventionnelles du Finale gagnent davantage de moelleux, de courbe du phrasé que de réelle vitalité rythmique, mais pour cette œuvre en particulier un tel parti pris stylistique - hédoniste, sensuel - demeure fort défendable. La prise de son, réverbérée, met presque trop en valeur la splendeur des instruments sur lesquels jouent les Italiano.

Quatuor à cordes n° 11 en fa mineur op. 95 «Quartetto serioso».

❀*** Quatuor Smetana. Supraphon SUP 50.478 (sup.). + *Quatuor n° 1.*

❀*** Quatuor Busch. EMI Da Capo C 181-01.822/23 (2 d.). Mono. (origine 78 t.). Enregistré en 1932. + *Quatuors n°s 1 et 9, Sonate pour violon et piano n° 5 «le Printemps».*

Pour cette œuvre elliptique, dense et même dure (intrinsèquement, l'un des plus parfaits Quatuors de l'histoire de la musique), les Smetana pratiquent des tempos larges, aérés (beaucoup moins précipités par exemple que ceux du Quatuor Berg) et conservent cependant, malgré cette apparente modération du mouvement, la puissance impérieuse requise et la raucité de l'expression. La réexposition du premier mouvement introduit une nuance moins brutale, davantage insidieuse - ce simple détail apparaît ici capital. Tout serait à citer dans ce disque exceptionnel (mais difficilement trouvable), un des sommets de toute la discographie beethovénienne : l'admirable couleur de l'alto (deuxième thème, en ré bémol, de l'*allegro con brio*, exposé en *fugato*, dans l'*allegretto*), la véhémence expressive des quatre cordes (groupe cadentiel, puis terrible chevauchée du développement de l'*allegro con brio*), la vertigineuse condensation rythmique, les ruptures dynamiques (*scherzo*), et surtout la spécificité des timbres tchèques, qui entrent en symbiose absolue avec l'essence même du *Quartetto serioso*. La réduction expressive - «volontariste» - de l'*agitato* final, tout comme la tension implicite de l'*allegretto ma non troppo* sonnent tel le Bartók du Troisième Quatuor : intuition plus que juste ! Une grande, très grande réalisation, magnifiée par une prise de son de bout en bout exemplaire.

Le Quatuor Busch offre une vision un rien plus rapide, davantage mûrie, moins sauvage, sacrifiant certains détails au seul souci de la continuité. La technique d'enregistrement date un peu. Le premier mouvement, d'un engagement admirable, domine sans conteste. L'*allegretto ma non troppo*, voilé de mélancolie, paraît peut-être plus raffiné que chez les Smetana, mais il possède davantage de plénitude contemplative que de tension dramatique. Les deux derniers mouvements privilégient l'aération des plans, le jeu polyphonique et ces pages gagnent sans doute en clarté ce qu'elles perdent en intensité (*cf.* Quatuor Smetana).

Quatuors à cordes n° 12 en mi bémol majeur op. 127, n° 13 en si bémol majeur op. 130, n° 14 en ut dièse mineur op. 131, n° 15 en la mineur op. 132, n° 16 en fa majeur op. 135. Grande Fugue en si bémol majeur («Quatuor n° 17») op. 133.

❀*** Quartetto Italiano. Philips 6707.008 (4 d.).

❀*** Quatuor Juilliard. CBS 77.423 (4 d.) (sup.).

❀*** Quatuor Végh. Valois CMB 33 (4 d.). Ou Valois MB 1407 MB 308, MB 1409, MB 310.

*** Quatuor Amadeus. DG 2740.265 (4 d.).

** Hollywood String Quartett. EMI-HMV RLS 7.707 (3 d.). Mono. Enregistré en 1957.

Le Quartetto Italiano joue l'ampleur, usant d'un constant *legato* : la dimension réflexive, l'intensité émotive des mouvements lents (*Heiliger Dankgesang* du Quinzième Quatuor, *lento assai* du Seizième) en deviennent d'autant plus convaincantes. Les tempos sont retenus, la somptuosité purement sonore accentuée par une prise de son généreuse (trop réverbérée). Cette version possède de magnifiques atouts : clarté instrumentale, sensualité, exceptionnelle hauteur de vue, éventail dynamique remarquablement accordé à une conception d'ensemble homogène et intense. Le difficile premier temps de l'*Opus 130*, les Douzième et Quinzième Quatuors en leur entier, les variations du Quatuor en ut dièse mineur sont autant de sommets. La *Grande Fugue* se révèle plus impressionnante par la plénitude d'accent, la puissance quasi symphonique que par la réelle profondeur de l'appréhension. Certains mouvements vifs (les deux *scherzos* du Treizième Quatuor, celui du Quatorzième) souffrent d'un phrasé constamment mélodique, d'une impulsion rythmique parfois insuffisante ; le Quartetto Italiano ignore à peu près le modernisme radical des deux premiers temps de l'*Opus 135*, mais, en revanche, rend entière justice au farouche Finale de l'*Opus 131*.

Sur un plan purement technique (intonation, élan rythmique, échelle dynamique), le Quatuor Juilliard reste inaccessible. Les tempos sont en général plus vifs qu'ailleurs ; la prise de son, moins immédiatement séduisante que chez les Italiano, favorise sans doute trop les voix aiguës. Subtilité, concentration de l'articulation (premier et troisième temps du Douzième Quatuor, *Heiliger Dankgesang*, premier mouvement du Treizième, *Grande Fugue*) s'ajoutent à une transparence sonore, une clarté expressive vraiment superbes. Les Quatorzième et Seizième Quatuors sont d'extraordinaires réussites : outre une totale maîtrise des difficultés techniques, la justesse, la beauté des timbres triomphent en faisant ressortir à plein le modernisme de l'écriture. Le Quinzième Quatuor, la *Grande Fugue* ne vont peut-être pas aussi loin dans l'expressionnisme, la sensualité sonore. Une interprétation presque inquiétante quant à l'exactitude, la rigueur de conception. L'ambiguïté essentielle, la réflexion dramatique de certains mouvements (Treizième Quatuor) semblent quelquefois jugulées par la seule précision.

Le Quatuor Végh ne possède ni la justesse d'intonation du Quatuor Juilliard, ni l'ampleur de respiration du Quartetto Italiano ; mais il va souvent plus loin dans l'exégèse, la richesse des nuances (Douzième Quatuor), l'approche interrogative sinon analytique du texte (Treizième, Quatorzième Quatuor). La pulsation rythmique, le phrasé paraissent aussi (premier mouvement du Treizième Quatuor - le Quatuor Végh joue intégralement la reprise -, Fugue initiale du Quatorzième, *Grande Fugue*) plus spécifiquement beethovéniens. L'*allegro molto vivace*, les variations de l'*andante* et même l'extraverti *scherzo* du Quatorzième demeurent remarquablement intériorisés. La *Grande Fugue* (au tempo plus vif qu'avec les Italiano) souffre d'une précarité technique parfois gênante (justesse des violons, exactitude rythmique) ; en revanche, la vigueur de l'accentuation, le dégradé des nuances, le déroulement dynamique y sont éclatants et saisissent l'essence même de la tension dialectique. Le radicalisme (prémonitoire de Schoenberg et surtout de Webern) du Seizième Quatuor est remarquablement compris. Les tempos, en général modérés (*Opus 127*), peuvent devenir beaucoup plus variés que dans les autres versions : ils obéissent à l'expression bien davantage qu'à la lettre. La prise de son, très analytique, mais bonne, privilégie les registres médium-grave et les contrastes abrupts.

Sans atteindre à l'exemplaire précision technique des Juilliard, les Amadeus, dans ce nouvel enregistrement, font état d'une intention émotionnelle évidente - ceci sans négliger, bien au contraire, l'architecture complexe des œuvres. Nous retrouvons ici un Beethoven très humain, parfois bourru (les *Scherzos*), prêt à regimber contre le destin et les autres, méditant sur lui et avec lui-même dans un grandiose soliloque qui transforme les mouvements rapides en autant d'actes volontaires, les mouvements lents en autant de poignantes confessions. Etonnante odyssée, qui révèle la vénération que n'ont cessé de lui vouer, durant toute leur carrière longue de trente-cinq ans, ces quatre instrumentistes prestigieux.

La réédition de l'ancienne version du Quatuor de Hollywood propose une lecture d'une grande pudeur, très pure, qui recherche plus la perfection instrumentale que l'intensité d'expression et le spectaculaire, mais nous fait atteindre une authentique sensibilité romantique. Un tel traitement permet une lecture particulièrement achevée du Quinzième Quatuor, tandis que, curieusement, le Seizième perd de son universalité dans cet esthétisme épuré jusqu'à l'académisme. Une approche qui s'impose avant tout en tant que référence stylistique.

Quatuors à cordes n° 12 en mi bémol majeur op. 127, n° 14 en ut dièse mineur op. 131, n° 15 en la mineur op. 132, n° 16 en fa majeur op. 135.

❀*** Quatuor Busch. EMI Da Capo C 147-01.668/70 M (3 d.). Mono (origine 78 t.). Enregistré de 1935 à 1937.

Le Quatuor Busch insiste sur la courbe mélodique, la continuité de l'expression ; au-delà d'un tel climat, qui s'attache bien davantage au mouvement dramatique qu'à la perfection instrumentale, demeure une économie structurelle (Quatuor en ut dièse mineur) toujours aisément perceptible. Phrasé, rythme, progression dynamique donnent à chaque mesure une intensité remarquable. L'approfondissement des Busch favorise le *Heiliger Dankgesang* du Quatuor en la mineur et l'*Opus 135* en sa totalité. Cette approche avant tout méditative souffre parfois d'un excès du *portamento* alors en vigueur (fort proche du *glissando* dans l'*allegro ma non tanto* du Quatuor en la mineur). Le tempo est *giusto*, c'est-à-dire souvent vif. Gravité et douceur habitent les variations du Quatuor en ut dièse mineur. Une vision tour à tour analytique et expressive qui marie idéalement (deux premiers temps du Quatuor en mi bémol) équilibre des accents et transparence des lignes. L'ambitus dynamique ne peut, hélas ! faire oublier l'âge de la prise de son, mais le repiquage est correct et conserve l'essentiel des timbres.

Quatuor à cordes n° 12 en mi bémol majeur op. 127.

❀*** Quatuor Smetana. Supraphon SUP 50.372 (sup.). + *Grande Fugue en si bémol op. 133.*

*** Quatuor Alban Berg. EMI VSM C 069-43.272. ⌧ C 269-43.272. Enregistré en 1981. + *Quatuor n° 16.*

Le Douzième Quatuor est peut-être, conjointement au *Quartetto serioso* et au Quatorzième Quatuor, le plus parfait de la série. C'est en tout cas le plus immédiatement beau sur le plan de la richesse mélodique. Le Quatuor Smetana en traduit admirablement le chromatisme ambiant tout comme l'intensité directe et violemment romantique. Les timbres tchèques se révèlent insurpassables dans le *maestoso/allegro* initial, dont ils rendent - avec un dramatisme «symphonique» sans concession (supérieurs en cela aux Italiano) - l'aspect «mélodie continue», ouvertement prémonitoire de la musique de Richard Wagner. Le mouvement lent à variations rayonne d'un splendide *espressivo*. La maîtrise factuelle du *scherzando vivace* et du finale approche du miracle. D'une façon générale, presque tous les enregistrements des Quatuors de Beethoven par les archets tchèques de la grande époque (Quatuors Vlách, Janáček, Smetana des années cinquante et soixante) sont à situer sans hésitation aux plus hauts sommets de la discographie. De plus, cette version est judicieusement couplée avec une interprétation flamboyante de la *Grande Fugue op. 133.*

Sans rien perdre de leurs qualités de séduction - transparence des plans sonores, intensité parfaitement stable -, les Berg rendent avec rigueur l'aspect «mélodie continue» de ce poème sans paroles en quatre parties qu'est l'*Opus 127*, dont ils traduisent également toute la puissance d'expression, leurs tempos particulièrement bien choisis et stables ménageant la progression dramatique.

Quatuor à cordes n° 14 en ut dièse mineur op. 131.

❀*** Quatuor Vlách. Supraphon SUP 50.365 (sup.).

** Quatuor Beethoven. Chant du Monde CM 02.025 (sup.).

C'est la grandiose compacité expressive et formelle qui, au-delà des variantes d'intensité et de nuances dramatiques, l'emporte pour les Vlách. Les courtes transitions (*allegro moderato* en fa dièse mineur, *adagio quasi un poco andante* en sol dièse mineur) prennent ici presque autant d'importance stratégique que les principales phases conflictuelles (*allegro molto vivace* en ré majeur, *presto* en mi majeur, finale). L'aération des registres (fugue initiale), la clarté radieuse du moindre *cantabile* (*andante* à variations) s'accordent à merveille à l'idée fondamentale qui sous-tend le chef-d'œuvre de Beethoven : un parcours sans cesse renouvelé, dont la progression ascendante, sans rien perdre de sa densité dialectique, doit malgré tout se percevoir telle l'improvisation. La discipline d'intonation du Quatuor Vlách, son contrôle absolu du mouvement (tempo toujours *giusto*), l'exactitude littérale apportée à chaque détail, la force, la verdeur de ses timbres vont droit à l'essentiel et l'emportent sans doute sur bien des versions plus célèbres. Prise de son magistrale, à la hauteur de l'interprétation.

L'épuration offerte par le Quatuor Beethoven (illustre ensemble russe quasiment inconnu en Occident) apparaît d'évidence d'une tout autre nature. Les contrastes (premier *allegro*, en ré, *allegro moderato* en fa dièse mineur, *scherzo*) les plus extravertis deviennent ainsi ramenés à une ligne horizontale, intégrés dans un calme extrême qui, s'il perd en efficacité, n'en possède pas moins grande allure. La perfection des traits est moindre que chez les Juilliard, les Vlách ou même les Italiano. Les nuances dynamiques appellent de même une légère réserve. L'impulsion rythmique est en revanche parfaite. Le Quatuor Beethoven privilégie avant tout l'architecture, les grandes lignes de la polyphonie. L'intensité dramatique demeure souvent latente (*andante* à variations). La prise de son, passable, accentue l'aspect sombre, relativement dépouillé de l'interprétation.

Quatuor à cordes n° 16 en fa majeur op. 135.

❀*** Quatuor Janáček. Supraphon SUP 50.415 (sup.). + *Quatuor n° 6.*

*** Quatuor Alban Berg. EMI VSM C 069-43.272. ⌧ C 269-43.272. Enregistré en 1981. + *Quatuor n° 12.*

La vision du Quatuor Janáček est plus dramatique que lumineuse, et si le *lento assai* conserve une force d'impact vraiment poétique, le tempo, le phrasé serré, la mise en valeur des ruptures dynamiques (*vivace*) retiennent bien davantage l'ascèse pré-webernienne du discours que sa coloration néoclassique. Le *grave/allegro* final («*Muss es sein* ?») ne s'abandonne à aucun maniérisme malgré sa grande nervosité d'accentuation. Le premier *allegretto*, pur festival de sonorités tour à tour rudes ou insinueuses, dégageait déjà les lignes de force : pour les Janáček, l'*Opus 135* appartient de plein droit au XXᵉ siècle. La plastique donnée à cette interprétation transcendante est accusée par la verdeur des archets tchèques, et par une exceptionnelle prise de son.

Les Berg donnent une lecture franchement moderne du *Quatuor op. 135*, opposant à ses couleurs presque impressionnistes le rayonnement de leurs sonorités intenses et la qualité de leurs timbres. Les tempos sont stables et bien choisis, et leur approche, face à celles des Végh (plus tourmentée) ou des Busch (plus violemment romantique), se caractérise par sa rigueur et par sa puissance d'expression.

Septuor pour clarinette, cor, basson et quatuor à cordes en mi bémol majeur op. 20.

*** Octuor de Vienne. Decca SXL 2.157 (sup.).

*** Ensemble de Chambre de la Philharmonie de Vienne. DG 2530.799 (sup.). + *Fugue op. 137.*

* Solistes du Collegium Aureum. Deutsche Harmonia Mundi C 065-99.713. Enregistré en 1977.

Beethoven jugeait sévèrement son *Septuor*, disant qu'il renfermait «beaucoup d'imagination, mais peu d'art». Certes, ce n'est pas là une de ses compositions les plus profondes, mais elle fourmille d'inventions charmantes et brillantes. Sans doute a-t-elle rarement été aussi bien servie qu'avec les membres de l'Octuor de Vienne. Même disparue, il faut citer en premier cette version qui ravissait par sa tendresse et sa fluidité. Les cordes sonnaient vraiment bien, avec le charme dansant de Willi Bostovsky.

En l'absence de la version précédente, le disque de la Philharmonie de Vienne constitue un excellent moyen de remplacement : on y retrouve cette atmosphère gaie et légère, et une sonorité agréable, sans toutefois le balancement naturel qui donnait ce rythme imperceptiblement dansant. La clarinette d'Alfred Prinz chante dans l'*adagio cantabile*, avec des accents préromantiques. Un amusant complément qui est aussi une première, avec une ravissante miniature, la Fugue op. 137.

Les Solistes du Collegium Aureum ont fait un choix qui rapproche leur interprétation des *Divertimenti* de Mozart. Ils attaquent l'œuvre avec une grande liberté, une allure souple par laquelle les accents de danse ne sont plus sous-entendus, mais donnent franchement des fourmis dans les jambes. Les vents s'en donnent à cœur joie, et leurs instruments ont une sonorité des plus plaisantes. Mais l'œuvre perd en tenue ce qu'elle gagne en charme immédiat. On peut préférer un Beethoven plus délicat.

Les trente-deux Sonates pour piano.

❀*** Wilhelm Backhaus (piano). Decca SXLA 6452/61 (10 d.) (sup.).

*** Claudio Arrau (piano). Philips 6768.351 (14 d.). + *32 Variations en ut mineur, 6 Variations en fa majeur op. 34,15 Variations et Fugue en mi bémol majeur «Eroïca op. 35.*

*** Alfred Brendel (piano). Philips 6768.004 (13 d.). + *Andante favori.*

** Wilhelm Kempff (piano). DG 2740.130 (11 d.).

** Yves Nat (piano). EMI VSM C 147-10.921/31 (10 d.). + *Variations en ut mineur.*

* Vladimir Ashkenazy (piano). Decca 591.221 (12 d.).

L'intégrale de Wilhelm Backhaus - la plus rapide et la plus sévère de toutes - est aussi la plus homogène, et sans doute la plus parfaite. Puissance d'expression, articulation roide, précise, toujours équilibrée : Backhaus culmine dans la *Hammerklavier*, l'*Opus 101*, l'*Opus 110*, mais la «Pathétique», l'*Appassionata* et même une hyper-austère «Clair de lune» donnent toute la mesure d'un tel «combat» pianistique. Le son est massif, ample, sans concessions : tout comme l'interprétation.

Beaucoup plus poète que Backhaus, Arrau ose tout : l'ampleur du tempo, l'agogique lisztienne du ton, une qualité de son et de toucher phénoménale (surtout dans les basses), des envolées libertaires et profondes qui transfigurent certainement le propos de la Sonate «Waldstein» (un des sommets absolus de toute la discographie), de la «Pathétique», de la «Clair de lune», des *Opus 101* et *109*. *L'Appassionata*, la *Hammerklavier* et l'*Opus 111* libèrent de fabuleux emportements, un *rubato* expressif inimitable, une lenteur puissante, conquérante et possessive du tempo. Cette intégrale qui reste, à la lettre, la plus inégale de toutes (certaines Sonates fléchissent dangereusement) est aussi, de loin, la plus fascinante.

La seconde version Alfred Brendel - assez différente de la première (Vox-Turnabout) - retrouve, avec une extraordinaire plus-value technique (piano et prise de son), la leçon de Wilhelm Kempff et surtout d'Edwin Fischer. Vision réflexive, analytique, d'une clarté habitée et inquiétante. Brendel articule supérieurement la plupart des Sonates de jeunesse ; son intériorisation «intellectuelle» et parfois épurée se double souvent d'une luminosité ardente, supérieurement subtile, du phrasé. Ses versions de la Sonate «Waldstein», de l'*Opus 110*, de la Sonate « La Tempête», de l'*Opus 27 n° 1 «Quasi una Fantasia»* ou même de la «Pathétique», de la dix-huitième Sonate et de l'*Opus 109* triomphent par la flexibilité des nuances, l'extrême originalité de l'éclairage harmonique, l'allure improvisante et modératrice. En revanche, l'*Appassionata*, la *Hammerklavier* et l'*Opus 111*, trop «coloristiques», pèsent en regard d'évidence moindre.

Kempff l'emporte avant tout dans la fantaisie et la poésie. De géniaux sommets (*Quasi una Fantasia op. 27 n° 1*, «Clair de lune», «Pastorale», «Waldstein», Sonate en fa dièse majeur «A Thérèse», *Opus 79 «Alla tedesca»*, «Adieux», *Opus 109*) ponctuent une intégrale d'une plasticité déconcertante, émotionnelle et pacifiée. La prise de son est imparfaite (métallique et sans basses) mais ne déforme guère la sérénité, le romantisme pur et étrange d'une telle approche.

Yves Nat - parfois techniquement contestable - n'offre que l'éloquence, un dynamisme rhétorique, sanguin et jaillissant. Une radieuse *Appassionata*, une formidable *Hammerklavier*, des *Opus 110* et *111* se révèlent, et de loin, les meilleurs moments de cette intégrale démesurée, profonde et rude. Approche de visionnaire, qui restitue le drame, les plus terribles conflits des grandes architectures beethovéniennes. La prise de son a malheureusement fort vieilli.

La force de Vladimir Ashkenazy, c'est la cohérence passionnée d'une entreprise conduite sur presque quinze ans, et dont le style se dépouille, se décante, se vérifie avec une autorité exceptionnelle. Le son, d'abord : de bout en bout, il est plein, décidé, vivant, il monte des profondeurs du piano. La diction, ensuite : un vrai génie de la ponctuation, jamais destinée à produire un phrasé surprenant, au détriment de la proportion d'ensemble, de la plastique de masse. Ashkenazy organise le parcours, avec un tact naturel et impérieux.

Sonate pour piano n° 3 en ut majeur op. 2 n° 3.

*** Vladimir Ashkenazy (piano). Decca SXL 6808 (G-B). *+ Sonate n° 2.*

*** Sviatoslav Richter (piano). Chant du Monde-Mélodia LDX 78.663 (étr.). *+ Sonate n° 4.*

La Troisième Sonate, la meilleure de l'*Opus 2*, est puissamment traduite par Vladimir Ashkenazy. Le plus jeune Beethoven est placé ici sous le signe du romantisme massif, inquiétant des œuvres de grande maturité. Ashkenazy unifie le discours (et les quatre mouvements) avec logique et homogénéité. Piano percutant, mais bien capté.

Richter accentue les contrastes entre chaque mouvement, il est généreux de souffle dans les mouvements vifs, interrogatif et presque douloureux dans l'*adagio* en mi majeur. Vision volontaire, crispée parfois, d'une immense maîtrise dans la gradation des contrastes, mais moins architecturée que celle d'Ashkenazy.

Sonates pour piano n° 4 en mi bémol majeur op. 7 «L'Amoureuse» et n° 11 en si bémol majeur op. 22.

** Murray Perahia (piano). CBS 76.995.

Perahia, pour ses débuts beethovéniens au disque, trouve dans la Quatrième Sonate un exemplaire équilibre entre la grâce nerveuse, un rien indolente, d'un Mozart exaspéré et l'imperturbabilité rythmique et agogique du style classique finissant. Dans la Onzième Sonate, Perahia semble se souvenir de son maître Serkin, dont il retrouve toute la transparence tout au long de la traduction hautaine, ardente, virile et construite qu'il nous en propose.

Sonate pour piano n° 4 en mi bémol majeur op. 7 «L'Amoureuse».

*** Arturo Benedetti-Michelangeli (piano). DG 2530.197.

*** Sviatoslav Richter (piano). Chant du Monde Mélodia LDX 78.663 (étr.). *+ Sonate n° 3.*

Arturo Benedetti-Michelangeli donne une majesté, une rigueur plus saisissantes qu'émouvantes à la Sonate «L'Amoureuse». Tempo immense, accentuation exceptionnelement subtile et introvertie, toucher marmoréen. Une vision statique, d'une austérité encore plus brutale, plus nue que vraiment grande, qui a au moins le mérite d'éclairer sous un jour absolument neuf une œuvre déjà singulière et quasi «abstraite» (*largo* en ut).

Beaucoup plus énergique, mais presque aussi sophistiqué, Sviatoslav Richter traite l'intensité volubile de l'*allegro molto e con brio*, celle du *rondo* final, tout comme le «temps suspendu» du *largo con gran espressione*, tels des univers distincts. Approche moins homogène que celle de Michelangeli, offrant en revanche une vitalité intense et passionnante. Le *largo* se révèle un modèle de diction, tour à tour tranchée, explosive et mystérieuse.

Sonates pour piano n°s 5, 6 et 7 op. 10 n°s 1, 2 et 3.

* Christian Zacharias (piano). EMI VSM C 063-30.993.

Zacharias réunit - ce qui n'est pas fréquent - les trois sonates de l'Opus 10 sur un même disque. Dans la Sonate n° 7, il nous conquiert par un son d'une noblesse chaleureuse et hautaine, par une ligne tendue, des couleurs pleines et une expression vivante. La 5e Sonate, naïve et simple, y trouve encore mieux son compte.

Sonate pour piano n° 7 en ré majeur op. 10 n° 3.

❀*** Edwin Fischer (piano). EMI Da Capo C 147-01.674/5 (2 d.). Mono. *+ Sonates nos 8 «Pathétique», 23 «Appassionata», 31 et 32.*

*** Sviatoslav Richter (piano). EMI VSM C 069-02.844.Quadri. Enregistré en 1976. *+ Sonate n° 1.*

*** Emil Gilels (piano). DG 2532.024. *+ Variations Eroïca.*

Premier en date des grands chefs-d'œuvre pianistiques de Beethoven, la Septième Sonate (1797-1798) en ré majeur culmine en son second mouvement, *largo e mesto*. Edwin Fischer ombre la véhémence du *presto* initial d'un *cantabile* cursif mais absolument génial. Son *largo e mesto* respire immensément : lenteur déconcertée, conciliant l'intensité passionnée et l'allure la plus diversifiée, improvisante. Le *rubato* expressif demeure exemplaire, la pulsation, le phrasé devenant quasi vocaux. Un sommet.

Richter bouleverse par des moyens diamétralement autres que ceux de Fischer, privilégiant sans cesse les incises, les contrastes dynamiques, et les contrastes expressifs entre chacun des mouvements. C'est la richesse des détails qui dicte ici l'unité, et non une vue d'ensemble. Emotion plus mélancolique que combative du *presto*, richesse coloristique du *largo e mesto*, retenue singulière (*tempo*) du *menuetto*, accentuation fascinante du *finale* : tout procure un véritable sentiment de gravité calme et splendide. Au verso, rare aubaine, une vision improvisante et inspirée de la difficile Première Sonate. La prise de son est belle, un peu réverbérée.

Gilels, par son refus de la confidence, par sa sévérité hautaine, retrouve, avec la Septième Sonate, le coeur même de Beethoven. Un début rageur, un *largo e mesto* où la sonorité, la ligne et le chant sont maîtrisés sans effusion inutile : ce disque se place très haut dans la discographie beethovénienne, d'autant plus qu'il comporte également des *Variations Eroïca* d'une allure et d'un abattage splendides, que l'on peut rapprocher de ceux d'Arrau.

Sonate pour piano n° 8 en ut mineur «Pathétique» op. 13.

❀*** Claudio Arrau (piano). Philips 6500.588. *+ Sonates nos 14 «Clair de lune» et 23 «Appassionata». Ou Philips 6747.001 (18 d.). + Intégrale des Sonates et des Concertos.*

❀*** Rudolf Serkin (piano). CBS 60.024. ⊠ 40-60.024. + *Sonates nos 14 «Clair de lune» et 23 «Appassionata».*

*** Alfred Brendel (piano). Philips 9500.077. ⊠ 7300.478. + *Sonates nos 18 et 19.* Ou Philips 6768.004 (13 d.). + *Intégrale des Sonates, Andante favori.*

*** Edwin Fischer (piano). EMI Da Capo C 147-01.674/75 (2 d.). Mono. Enregistré en 1952. + *Sonates nos 7, 23 «Appassionata», 31 et 32.* Ou EMI Da Capo C 047-00.842. Mono (origine 78 t.). + *Concerto n° 4.*

** Wilhelm Backhaus (piano). Decca 592.076. ⊠ 4-592.076. + *Sonates nos 14 «Clair de lune» et 23 «Appassionata».*

Claudio Arrau offre un tempo ample et fort généreux, usant de phrasés singulièrement originaux (*grave* précédant l'*allegro di molto e con brio*, deuxième épisode de l'*adagio cantabile*). L'optique choisie est celle d'une grande narration poétique ; l'éloquence rhétorique, le climat dramatique s'estompent au profit d'une lumière rayonnante et méditative. Une re-création superbement maîtrisée.

Serkin reste sévère, à la limite de l'abstraction (sections initiales *grave*). Son *allegro di molto e con brio* prouve une articulation splendide, mais implacable. Un jeu très sobre, pur et droit, d'une extrême rigueur, qui renouvelle supérieurement l'approche du mouvement lent (*adagio cantabile*).

Brendel est entièrement *pathétique*, et même théâtral. Le tempo est plus large que chez Serkin (ou Backhaus !), la respiration (et les points d'orgue) presque aussi amples que chez Arrau. Le jeu des colorations (toucher), le phrasé retenu, analytique l'emportent et imposent une tension (*adagio cantabile*) aussi dense que lumineuse. Somptueuse prise de son.

L'intensité (et la diction) sont presque plus simples avec Edwin Fischer, qui subordonne l'entière architecture à une seule parole évidente et solitaire, et d'un romantisme moins subjectif que celui de Claudio Arrau. L'approche demeure sombre, sanguine, d'une infinie intégrité malgré quelques erreurs factuelles. Le son (prise de 1952) a imperceptiblement vieilli, non la jeunesse à la fois profonde et désinvolte d'un style qui n'était qu'à Fischer : émotionnel, libérateur, et cependant foncièrement volontaire. Une énergie ici plus souvent murmurée que clamée.

Backhaus n'offre ni la pulsation émotive d'un Fischer, ni le confondant jeu de lumières d'un Brendel, ni l'imagination libertaire d'un Claudio Arrau. Il rejoint quelque peu Serkin dans la sévérité, mais il est moins incisif, moins analytique, ni concentré, ascétique dans le phrasé. L'approche est ici nue, intense, grave, l'agogique impérieuse, la coloration massive, l'articulation (*adagio cantabile*) rendue comme inévitable. Une «Pathétique» à la prestigieuse unité de ton.

Sonate pour piano n° 12 en la bémol majeur op. 26 «Marche funèbre».

*** Sviatoslav Richter (piano). RCA VICS 1427 (USA). + *Sonate n° 23 «Appassionata».*

** Alfred Brendel (piano). Philips 9500.541. ⊠ 7300.682. + *Sonate n° 16.* Ou Philips 6768.004 (13 d.). + *Intégrale des Sonates, Andante favori.*

Sviatoslav Richter caractérise l'*andante con variazioni* initial sous le masque de l'égalité, d'une immobilité impalpable et lunaire. Le *scherzo* et surtout la *marcia funebre* font surgir de violents contrastes, chargés d'expression, sinon de réflexion - mais non surchargés. Puissance de l'instant, qui métamorphose souverainement l'éloquence déclamatoire d'une telle page. Au verso, peut-être la plus fantastique, la plus visionnaire interprétation de la Sonate «*Appassionata*» de toute l'histoire du disque.

Brendel est ici passionnant et fort révélateur dans les demi-teintes, la variété d'énonciation, le juste poids du toucher - sans doute au détriment de l'entière courbe formelle. Les variations renoncent à l'unité de ton et la *marcia funebre* garde une certaine allure, quoique moins sévèrement phrasée qu'avec Richter. La technique d'enregistrement est quasi miraculeuse.

Sonate pour piano n° 13 en mi bémol majeur op. 27 n° 1 «Quasi una fantasia».

❀*** Wilhelm Kempff (piano). DG 2740.130 (11 d.). + *Intégrale des Sonates.*

*** Alfred Brendel (piano). Philips 9500.503. ⊠ 7300.665. + *Sonates nos 17 «La Tempête» et 22.* Ou Philips 6768.004 (13 d.). + *Intégrale des Sonates, Andante favori.*

La première Sonate «*Quasi una fantasia*» de l'*Opus 27*, beaucoup moins célèbre que la «Clair de lune», est un peu l'archétype du «*phantasieren*» beethovénien. Kempff est tendre, rêveur (*andante* initial), il donne une traduction d'une transparence unique. La légèreté du phrasé (premier *allegro*) demeure sans doute inégalée. Une approche justement hédoniste, d'une clarté adamantine, inondée de lumière.

Brendel ne s'écarte guère de la familiarité poétique choisie par Kempff ; il est plus interrogatif dans le phrasé, plus analytique dans les périodes ou les accents qu'il souligne (*allegro molto vivace*), plus attentif et subtil dans le jeu des nuances (*adagio con espressione*). Approche souple, qui ne garde peut-être point l'extraordinaire «grain» du naturel de celle d'un Kempff, mais offre en revanche une clarté textuelle particulièrement excitante.

Sonate pour piano n° 14 en ut dièse mineur op. 27 n° 2 «Clair de lune».

❀*** Claudio Arrau (piano). Philips 6500.588. + *Sonates n°s 8 op. 13 «Pathétique» et 23 «Appassionata».*

*** Wilhelm Kempff (piano). DG «Résonance» 2535.316 (RFA). + *Sonates n°s 17 «La Tempête» et 26 op. 81 a «Les Adieux».* Ou DG 2740.130 (11 d.). + *Intégrale des Sonates.*

*** Rudolf Serkin (piano). CBS 60.024. ⌧ 40-60.024. + *Sonates n°s 8 «Pathétique» et 23 «Appassionata».*

** Wilhelm Backhaus (piano). Decca 592.076. ⌧ 4-592.076. + *Sonates n°s 8 «Pathétique» et 23 «Appassionata».*

Arrau est très grand de ton, très large de tempo dans l'*adagio sostenuto* qu'il phrase avec ampleur, générosité dans l'articulation et dans l'éclairage des basses. Les deux autres mouvements pèsent sans doute d'un poids moindre en regard d'une telle ouverture, plus grandiose encore que mystérieuse. Mais la musique le veut sans doute ainsi, pour une Sonate dont l'asymétrie expressive (et structurelle) n'est pas la moindre des énigmes.

Kempff se révèle aussi clair, naturel qu'Arrau pouvait se montrer sibyllin et hautain. Jeu très égal, lisse, tempo vif : tout le charme d'une méditation, toute la saveur d'un *legato* vif-argent, riche d'irisations. L'*allegretto* et même l'ingrat *presto agitato* conservent un peu de cette limpide sérénité.

Plus lent et surtout plus grave, Rudolf Serkin va au plus profond du texte. Phrasé serré, interrogateur qui trahit une incertitude expressive, une inquiétude admirablement en situation. Rien ne pèse plus ici qu'un imperceptible *rallentendo* à chaque résurgence du «glas» thématique. Les deux derniers mouvements ont des brusqueries extraordinaires. Approche sans charme, mais d'une acuité et d'une vérité irréfutables.

A l'opposé de Serkin, Backhaus, souverain, implacable, n'offre que régularité du jeu (main droite dans l'*adagio sostenuto*), sévérité et plénitude affirmative du phrasé. Cette homogénéité de ton unifie trois mouvements d'essence pour le moins dissemblable. Un piano grave, percussif, peu rassurant, une vision d'une loyauté presque embarrassante : on y côtoie l'abîme de sang-froid, sans jamais y plonger (*cf.* Serkin).

Sonate pour piano n° 15 en ré majeur op. 28 «Pastorale».

❀*** Wilhelm Kempff (piano). DG «Résonance» 2535.291 (RFA). + *Sonates n°s 21 «Waldstein», 24 «A Thérèse» et 25 op. 79 «Alla tedesca».* Ou DG 2740.130 (11 d.). + *Intégrale des Sonates.*

❀*** Vladimir Ashkenazy (piano). Decca SXL 6804 (G-B). Enregistré en 1976. + *Sonates n°s 5 et 6.*

*** Alfred Brendel (piano). Philips 9500.539. ⌧ 7300.680. + *Sonate n° 2.* Ou Philips 6768.004 (13 d.). + *Intégrale des Sonates, Andante favori.*

La Sonate «Pastorale» est un des sommets de l'intégrale Kempff. Un jeu modulant, une diction fantasque et allégée, un mystère tranquille, dénué de toute grandiloquence (*allegro*). L'*andante* et le pastoral *scherzo* reçoivent une interprétation fluide, remarquablement homogène. La liberté de respiration, le simple rebondissement rythmique du *rondo* sont stupéfiants.

Moins linéaire ni épuré, Vladimir Ashkenazy choisit aussi un tempo plus lent. Ici, l'articulation, le phrasé, les inflexions préfigurent plus d'une fois la musique de Schubert. Comme Kempff, Ashkenazy n'observe pas toutes les reprises. Une vision pleine, charnue, étonnamment poétique dans le *rondo* final, bénéficiant d'excellentes conditions techniques. Sans doute le plus bel enregistrement de Sonate de Beethoven signé par Ashkenazy.

Brendel est plus convaincant dans les nuances que dans le mouvement d'ensemble (*cf.* Ashkenazy). La charge émotionnelle naît presque du seul jeu coloristique. L'articulation est subtile, suprêmement sophistiqués plus que légère (*cf.* Kempff). Admirable prise de son.

Sonate pour piano n° 17 en ré mineur op. 31 n° 2 «La Tempête».

❀*** Sviatoslav Richter (piano). Angel Seraphim S 35.679 (USA). Ou EMI VSM C 053-00.195 «Discoteca classica» (Italie). *+ Schumann : Fantaisie en ut majeur op. 17.*

❀*** Emil Guilels (piano). DG 2532.061. Enregistré en 1982. *+ Sonate n° 18.*

*** Clara Haskil (piano). Philips 6529.104. Enregistré en 1962. *+ Sonate n° 18.*

** Alfred Brendel (piano). Philips 9500.503. ⊠ 7300.665. *+ Sonates n°s 13 «Quasi una fantasia» et 22.*

** Wilhelm Kempff (piano). DG «Résonance» 2535.316 (RFA). *+ Sonates n°s 14 «Clair de lune» et 26 «Les Adieux».* Ou DG 2740.130 (11 d.). *+ Intégrale des Sonates.*

** Vladimir Ashkenazy (piano). Decca SXL 6.871 (G-B). Enregistré en 1976. *+ Sonate n° 18.*

Sviatoslav Richter ose un merveilleux *rubato* expressif dès les arpèges et les trois notes montantes *largo* du début. Articulation à la fois fantastiquement légère et profonde, phrasés amples, déployés dans l'*allegro*, couleur marmoréenne du toucher dans l'*adagio*, singularité terrible et souvent géniale de la moindre inflexion pour l'*allegretto* : une vision hyper-personnelle, inoubliable de romantisme et de grandeur, un des deux ou trois plus beaux témoignages de l'art de Richter alors à son sommet. La prise de son est d'une qualité exceptionnelle. Au verso, une version moins exaltante de la *Fantaisie en ut* de Robert Schumann.

Les quelques coquetteries d'accentuation que l'on trouve dans la «Tempête» de Guilels sont rachetées, et au-delà, par une puissance et une plénitude de sonorités neuves, décision que Guilels a voulue et maintient de bout en bout, et qui fait que ses variations un peu arbitraires de mouvement ou d'allure demeurent prisonnières de cette puissance neuve : la logique de la sonorité. Il en résulte un disque excellent, couronné par l'extraordinaire *Allegretto* final de la «Tempête», un des exploits pianistiques et musicaux les plus fantastiques dont le disque ait gardé le témoignage. Le son est royal, profond, puissant. La régularité (à la main gauche), quasi hypnotique. Un des deux ou trois sommets absolus du piano beethovénien.

La «Tempête» de Clara Haskil sonne davantage comme une révolte : la grande dame du piano, à travers son jeu intériorisé, propose une véritable «ré-interprétation». Vision de poète, d'abord, mais nerveuse aussi, et par-delà ses accents mâles, écorchée vive, délicate, fragile. Un jeu qui frappe également par sa construction, son irrémédiable allant. A côté de ce sommet, la Sonate n° 18 paraît plus discrète, mais tout autant subtile et théâtrale.

La supériorité flagrante de l'enregistrement de Richter laisse cependant place à d'autres approches : Brendel est supérieurement attentif aux moindres nuances (*largo allegro*), la continuité de l'expression devient puissamment contrôlée malgré l'accumulation des détails, des incises (*adagio*). Une interprétation à la fois dense et fragile, centrée sur l'instant et cependant prolongée, nerveuse et flexible : avec un toucher, un soin du poli sonore absolument personnels, Brendel rejoint ici en plus d'un point l'art d'un Rudolf Serkin.

Kempff offre une envolée vibrante du geste, une sérénité euphorique et presque trop plastique. Un style dans l'absolu moins original que celui de Richter ou de Brendel mais d'une éloquance persuasive et surtout narrative unique. Le tempo est un rien trop vif (*allegro*), et la prise de son favorise sans cesse les aigus.

Ashkenazy démontre une élocution ferme *con gran espressione*, avec des nuances splendides. C'est du très beau piano ; les phrasés sont singulièrement déployés, la diction oubliant parfois trop les contrastes l'énergie, le pathos immédiat. Une vision spatieuse, ample, un peu réfractaire parfois au «volontarisme» beethovénien. Belle prise de son.

Sonate pour piano n° 18 en mi bémol majeur op. 31 n° 3.

❀*** Lazar Berman (piano). CBS 76.533 (sup.). Enregistré en 1976. *+ Sonate n° 23 «Appassionata».*

*** Alfred Brendel (piano). Philips 9500.077. ⌧ 7300.478. + *Sonates n° 8 «Pathétique» et n° 19.* Ou Philips 6768.004 (13 d.). + *Intégrale des Sonates, Andante favori.*

*** Vladimir Ashkenazy (piano). Decca SXL 6871 (G-B). Enregistré en 1977. + *Sonate n° 17 «La Tempête».*

L'*Opus 31 n° 3*, l'admirable dix-huitième ›nate dite «La Caille», est un des grands ›efs-d'œuvre méconnus de Beethoven. La- ›r Berman démontre une magnifique puis- ›nce, usant d'un phrasé nerveux, d'in- ›xions tour à tour glacées ou brûlantes. Les ›cises, la motricité dynamique, les ellipses ›ématiques d'une telle œuvre - directement ›sue du style «révolutionnaire», explorateur ›dernier Haydn (Symphonies n°s 88, 97, ›, Quatuors *op. 77*) - ressortent ainsi à ›ein. Une approche lucide et monolithique, ›uplée très judicieusement avec une des plus ›andes versions de l'*Appassionata*..

Brendel est plus subtil, plus souple dans la ›spiration, plus théâtral aussi dans les ›cises interrogatives du *scherzo* ou du *me- ›netto*. L'extrême variété des couleurs et des ›taques sert ici une conception diamétrale- ›ent autre, aussi introspective et parfois hé- ›niste que celle d'un Berman peut être ›tte, fiévreuse. Prise de son exceptionnelle.

Ashkenazy offre une humeur plus spa- ›euse que capricieuse. Peu de couleurs : gris ›les, mauves pâles du toucher, qui atténuent ›dynamisme rythmique, interrogateur, sans ›sser de défendre l'architecture. Un très ›and piano, sérieux, ferme, raffiné, un style ›ut et non dénué d'arrière-plans assez inha- ›tuels. Le *presto con fuoco* éclate avec ›oins d'ardeur brusque que chez Lazar Ber- ›an (qui y est enthousiasmant).

›onate pour piano n° 21 en ut majeur ›. 53 «Waldstein» ou «Aurore».

❀*** Claudio Arrau (piano). Philips Universo 6580.301 (G-B). + *Sonate n° 26 «Les Adieux».* Ou Philips 6768.351 (14 d.). + *Intégrale des Sonates, Variations.*

❀*** Alfred Brendel (piano). Philips 6500.762. + *Sonate n° 31, Andante favori.* Ou Philips 6768.004 (13 d.). + *Intégrale des Sonates, Andante favori.*

*** Wilhelm Kempff (piano). DG «Résonance» 2535.291 (RFA). + *Sonates n° 15 «Pastorale», n° 24 «A Thérèse», n° 25 «Alla tedesca».* Ou DG 2740.130 (11 d.). + *Intégrale des Sonates.*

*** Emil Guilels (piano). DG 2531.143. ⌧ 3301.143. Enregistré en 1972. + *Sonate n° 23 «Appassionata».*

* Vladimir Horowitz (piano). CBS 76.265. + *Sonate n° 23 «Appassionata».*

Arrau est très ample (tempo), superbement déclamatoire, d'une qualité de toucher et de phrasé absolument phénoménale. L'*Introduzione (adagio molto)* médiane, au *legato* fabuleux, prend ici des proportions quasi post-romantiques. Vision dévorante, passionnée, lisztienne, hyper-pianistique : sans doute le sommet absolu de l'intégrale des Sonates signée par Claudio Arrau, sinon même de l'entière discographie des Sonates de Beethoven. A placer pour son style libertaire, au *rubato assolutto*, aux côtés des grandes Symphonies dirigées par Wilhelm Furtwängler.

Brendel concilie ici le lyrisme plein, l'élasticité (basses frémissantes dans l'*allegro con brio*, dans le *Rondo*) et une âpreté d'inflexion, une clarté structurelle et horizontale des lignes presque dignes d'un Rudolf Serkin. L'inquiétude est moindre que dans d'autres interprétations signées Brendel, la tension devient continue, exemplaire. L'*Introduzione* a le souffle d'un murmure, une sobriété aussi belle (toucher) que douloureuse : un vrai moment d'inspiration, un des plus beaux disques Beethoven offert par Alfred Brendel (au verso, une vision magistrale et poétique de l'*Opus 110*). Extraordinaire prise de son.

Kempff, avec des moyens tout autres (et moindres) qu'Arrau, se révèle presque aussi limpide que lui dans le *molto adagio* et surtout l'ultime *prestissimo*. Une grande intensité émotionnelle, une heureuse simplicité dans l'éclairage des basses (malgré une prise de son qui ne les favorise guère) : poésie de la joie et de l'*aurore* véritables.

Guilels offre un merveilleux pianisme, un tourbillon rythmique irrépressible et superbement contrôlé (*allegro con brio*). Les registres graves et médium prennent une remarquable couleur claire, l'évidence plastique du tempo se révélant supérieure. Les accents, les contrastes sont ici soulignés dans la force. Approche jaillissante, dynamique, à la persuasion plus âprement beethovénienne que séduisante.

Horowitz offre un vertigineux tourbillon dans les temps vifs, une virtuosité hardie et systématique, une tension romantique et parfaitement individualisée (ne négligeant aucun *rallantendo* expressif). Approche plus sensuelle, exacerbée, que frémissante. Les moyens sont évidemment immenses, le contrôle du rythme furieusement spectaculaire. Mais l'œuvre supporte-t-elle un climat en définitive si peu beethovénien ? A recommander aux inconditionnels d'Horowitz.

Sonate pour piano n° 23 en fa mineur op. 57 «Appassionata».

❀*** Sviatoslav Richter (piano). RCA VICS 1427 (USA). + *Sonate n° 12 «Marche Funèbre».*

❀*** Rudolf Serkin (piano). CBS 60.024. ⊠ 40-60.024. + *Sonates n° 8 «Pathétique» et n° 14 «Clair de lune».*

❀*** Lazar Berman (piano). CBS 76.553 (sup.). Enregistré en 1976. + *Sonate n° 18.*

❀*** Claudio Arrau (piano). Philips 6500.588. + *Sonates n° 8 op. 13 «Pathétique» et n° 14 «Clair de lune».* Ou Philips 6768.351 (14 d.). + *Intégrale des Sonates, Variations.*

❀*** Yves Nat (piano). EMI VSM C 051-10.756 M. ⊠ C 251-10.756. Mono. + *Sonates n° 8 op. 13 «Pathétique» et n° 14 «Clair de lune».* Ou EMI VSM C 147-10.921/31 (11 d.). Mono. + *Intégrale des Sonates, Variations en ut mineur.*

*** Wilhelm Backhaus (piano). Decca 592.076. ⊠ 4-592.076. + *Sonates n° 8 «Pathétique» et n° 14 «Clair de lune».*

*** Emil Guilels (piano). DG 2531.143. ⊠ 3301.143. Enregistré en 1974. + *Sonate n° 21 «Waldstein».*

*** Edwin Fischer (piano). EMI Da Capo C 147-01.674/75 (2 d.). Enregistré en 1952. + *Sonates n° 7, n° 8 «Pathétique», n° 31 et n° 32.*

*** Vladimir Ashkenazy (piano). Decca SXL 6603 (G-B). + *Sonat n° 7.*

** Vladimir Horowitz (piano). CB 76.265. + *Sonate n° 21 «Wald stein».*

Sviatoslav Richter définit ici un lieu gigan tesque, d'un sombre romantisme. Tout serai à citer, à commencer par les extraordinaire contrastes dynamiques entre le tout premie exposé du thème, le trille interrogatif et le premières montées en blocs d'accords ascen dants, la longue respiration *ritardand* (presque un point d'orgue) suivant l'appari tion du second thème, la folie du développe ment qui marie l'intensité et le mystère, chaque résurgence du second thème (le *ruba to* est incroyable : il est fantastiquement jus tifié par l'intensité des phrasés). Les varia tions médianes et le tournoyant final égalent au moins, s'ils ne surpassent (en par ticulier le finale, pris à un *tempo* stupéfiant un tel approfondissement poétique et spiri tuel. La prise de son, sombre, mate, ne triom phe guère par la subtilité, et les extraordi naires nuances de toucher, les basse moëlleuses et tragiques de Richter y perden un peu de leur hallucinant pouvoir. Cela n' que peu d'importance, l'essentiel est là. Un interprétation illuminée, extatique, qui vou jette dans le songe avec un foudroyant degr d'émotion.

L'harmonie de Richter, dans l'*andante co moto* en ré bémol, foudroyait par son poid plus que fatal. Rudolf Serkin, d'une concep tion inverse, coupe le souffle en s'intégrant fond à chaque accent, à chaque modulation Diction d'humeur, épurée, ascétique, fièvr sèche, immense dans l'instant, qui attein par-delà l'incisif du ton un sens dramatiqu souverain. Approche éminemment percus sive, soulignant le dynamisme structurel d l'«*Appassionata*» et questionnant sans cesse

Lazar Berman anime l'entière Sonat d'une tension tragique et quasi théâtrale Vision hyper-romantique (au premier degré glorifiant chacun des contrastes), aux phrasé agressifs, à l'articulation tendue à l'extrême Berman use modérément du *rubato* (mouve ment lent), il saisit l'ouvrage dans la force e va jusqu'au bout de son élan, presque ave désespoir. Précision des attaques, éloquenc dynamique (martèlements répétés du mi bé mol, motif du «Destin» dans l'*allegro assai* larges traits «héroïques» de la main droite jeu passionné et vigoureux : une «*Appassio nata*» plus immédiatement généreuse, rapso dique qu'imaginative (Richter) ou «structu rellement» réflexive (Serkin).

Claudio Arrau ose un tempo impérieuse ment expressif, d'une lenteur entêtante e pénétrante. L'*allegro assai* est comme illuminé par la densité du phrasé, par l'exceptionnelle noblesse de la respiration. L'éloquence des basses (supérieurement captées), la clarté donnée aux périodes secondaires du développement, la sérénité inattendue du fatal motif de quatre notes introduisent un souffle immense. Une vision grave, qui ménage chaque progression dynamique, qui force l'absolue vérité de l'«*Appassionata*» en fuyant l'émotion à fleur de peau : l'anti-Berman (et l'anti-Nat).

Yves Nat intègre les accidents, les ruptures en une seule et périlleuse volonté d'ensemble. Le phrasé, le toucher s'accommodent d'une richesse émotive flagrante et urgente. La mobilité rythmique est personnelle, accusée dans un sens rhétorique, souveraine, le climat devenant angoissé et somptueusement âpre. Un très grand combat qui ne peut malheureusement soutenir la comparaison avec les enregistrements récents à cause de la prise de son.

Wilhelm Backhaus se révèle avant tout un architecte puissant et solide. C'est une édification «dans le temps et dans l'espace» de l'«*Appassionata*», où chaque figure thématique s'intègre en une économie supérieure. Le tempo est juste et toujours égal. Malheureusement, Backhaus n'observe point la reprise - pourtant cruciale - de l'importante section médiane dans l'*allegro ma non troppo* final (Richter, Serkin, Berman, Arrau, Guilels la font, mais non Edwin Fischer).

Guilels est implacable (montées d'accords frappés ascendants, motif du «Destin», traits du développement dans l'*allegro assai*), déconcertant par son mélange constant de rudesse et de sérénité (phrasé du deuxième thème de l'*allegro assai*). La technique pianistique se révèle fascinante, l'articulation toujours riche et superbe. Approche claire (parfois même un peu trop «également» claire), évidente, sans doute la plus abordable, la plus classique de toutes. Le tempo dans l'*allegro* assai est encore plus modéré que chez Arrau, ce que le jeu du pianiste ne justifie pas toujours.

Edwin Fischer offre une vision intimiste, usant d'un beau *cantabile*, favorisant le pur lyrisme poétique (deuxième thème de l'*allegro assai, andante con moto* à variations, épisodes en arpèges ascendantes *pianissimo* de la section médiane de l'*allegro ma non troppo*). Dans un tel décor, limpide, les vastes perspectives s'amoindrissent peut-être, au bénéfice d'une réflexion intérieure, sourdement nocturne. C'est l'extraordinaire sens de la diction (toucher, phrasés, *legato* surtout) d'Edwin Fischer qui retiendra avant tout, très proche en plus d'un point de la «narration poétique» d'un Wilhelm Kempff (lequel reste en deçà de ce que l'on aurait pu attendre de lui pour l'«*Appassionata*»).

Vladimir Ashkenazy se situe à l'exact opposé : virtuose, extraverti, usant de fort peu de *legato*. Mais la maîtrise pianistique se révèle immense. Une approche monumentale, un rien décorative. Belle prise de son.

Vladimir Horowitz exacerbe les tensions rythmiques et dynamiques. Lecture violente, parfois visionnaire, presque toujours grandiloquente, qui pèche par excès dans les variations centrales (beaucoup trop extériorisées et contrastées), mais donne aux mouvements extrêmes une architecture aussi véhémente qu'ostensiblement virtuose. La prise de son n'est pas fameuse, elle accentue inutilement la dureté des attaques et du toucher. Un piano palpitant d'héroïsme, de style oratoire : dans une optique voisine, on peut préférer Lazar Berman ou Yves Nat.

Sonate pour piano n° 24 en fa dièse majeur op. 78 «A Thérèse».

❀*** Wilhelm Kempff (piano). DG «Résonance» 2535.291 (RFA). + *Sonates n° 15 «Pastorale», n° 21 «Waldstein» et n° 25 «Alla tedesca».* Ou DG 2740.130 (11 d.). + *Intégrale des Sonates.*

*** Alfred Brendel (piano). Philips 6500.139. + *Sonate n° 29 «Hammerklavier».* Ou Philips 6768.004 (13 d.). + *Intégrale des Sonates, Andante favori.*

Wilhelm Kempff donne l'impression de découvrir devant nous la singulière poétique de la Sonate en fa dièse majeur : pianisme d'humeur, accentuation révélant simplement les pleins et les déliés d'un discours dense et ductile, vibrante envolée du geste, phrasés incisifs faisant de chaque enchevêtrement une véritable phrase. La prise de son est très claire, métallique parfois.

Alfred Brendel est superbe de sensibilité, d'attention aux moindres détails. La limpidité du phrasé se double ici d'une discrète mélancolie romantique, absolument splendide. Prise de son exceptionnelle.

Sonate pour piano n° 25 en sol majeur op. 79 «Alla tedesca».

❀*** Emil Guilels (piano). DG 2530.589 (sup.). + *Sonates n° 26 «Les Adieux» et n° 27.*

*** Wilhelm Kempff (piano). DG «Résonance» 2535.291 (RFA). + *Sonates n° 15 «Pastorale», n° 21*

«Waldstein» et n° 24 «A Thérèse». Ou DG 2740.130 (11 d.). + *Intégrale des Sonates.*

Guilels impose une rudesse, une fermeté absolument en situation. L'articulation est vigilante, les contrastes dynamiques parfaitement adaptés à un phrasé conciliant l'ardeur et la plénitude expressive (*presto alla tedesca*). Une vision sévère, rigoureusement objective.

Wilhelm Kempff déploie une qualité de diction noble et naturelle qui triomphe dans un superbe *andante*. L'image traditionnelle, apaisée de la Sonate en sol majeur, est ici brillamment magnifiée. Demi-teintes, dosage d'humour, d'introversion : une approche chaleureuse et cependant d'une élégante discrétion.

Sonate pour piano n° 26 en mi bémol majeur op. 81a «Les Adieux».

❀*** Rudolf Serkin (piano). CBS 79.216 (2 d.). + *Haydn : Sonate op. 49. Mozart : Rondo K. 511. Schubert : Sonate D.960.*

*** Wilhelm Kempff (piano). DG «Résonance» 2535.316 (RFA). + *Sonates n° 14 «Clair de lune» et n° 17 «La Tempête».* Ou DG 2740.130 (11 d.). + *Intégrale des Sonates.*

Rudolf Serkin intègre chacune des nombreuses incises du texte en une seule grande courbe expressive et dynamique d'une impeccable continuité. Le toucher est intense, les phrasés sont rudes, la discipline de l'articulation serrée, les inflexions inattendues et toujours éblouissantes, et Serkin n'abuse pas trop ici du décalage des mains. Une vision ample, qui restitue une indiscutable dimension de puissance à l'œuvre. Prise de son (très acceptable) faite en public.

Kempff offre une fantaisie suprêmement vivante, insolente, même. Phrasés versatiles, diction à l'agogique lancinante (surtout dans le mouvement lent), admirable libération rythmique et saltatoire (finale) : une interprétation aussi significative, neuve que celle d'un Serkin, mais d'un contenu émotionnel plus immédiat.

Sonate pour piano n° 27 en mi mineur op. 90.

*** Sviatoslav Richter (piano). Chant du Monde Mélodia LDX 78.557. + *Schumann : Etudes symphoniques.*

Richter développe un ample lyrisme, privilégiant sans détour la richesse mélodique, l'intensité quasi sentimentale du texte. Le *rubato* et des inflexions, fort personnels, imposent une poésie, une chaleur hyper-expressives.

Sonate pour piano n° 28 en la majeur op. 101.

❀*** Wilhelm Backhaus (piano). Decca SXLA 6452/61 (10 d.) (G-B) (sup.). + *Intégrale des Sonates.*

❀*** Rudolf Serkin (piano). CBS 76.032 (sup.). + *Sonate n° 31.*

❀*** Maurizio Pollini (piano). DG 2530.870. + *Sonate n° 32.* Ou DG 2740.166 (3 d.). ⊠ 3371.033 (3 c.). + *Sonates n°s 28 à 32.*

*** Claudio Arrau (piano). Philips 6768.351 (14 d.). + *Intégrale des Sonates, Variations.*

*** Alfred Brendel (piano). Ou Philips 6768.004 (13 d.). + *Intégrale des Sonates, Andante favori.*

** Paul Badura-Skoda (hammerflügel). Astrée AS 48. ⊠ CAS 48. + *Sonate n° 30.*

Backhaus rend de façon incomparable la croissance énergétique - structurellement «organique» - d'une œuvre par essence de «forme ouverte». L'*Opus 101* annonce Schumann et même, tout comme le douzième Quatuor, la mélodie infinie chère à Richard Wagner. Backhaus ne regarde certes pas vers ces eaux-là, et reste surtout un classique. Mais la tension, l'homogénéité d'une telle approche résument à elles seules toute l'expérience pianistique et compositionnelle ici mise à nu. Un sommet de puissance, d'exigence.

Serkin use d'un tempo beaucoup plus large que Backhaus, et même d'un *rubato* expressif fort personnel (premier mouvement). L'approche est solitaire, fondamentalement ascétique, pesante en chaque incise, la tension harmonique rendue évidente par la retenue même du mouvement, analytique et non fluctuant. Roide fureur, qui exacerbe la concentration du texte, son étrangeté, et surtout son intégrité polyphonique. Une vision difficile, mais passionnante.

Pollini offre un équilibre souverain entre clarté polyphonique et élan émotionnel, interrogatif, du continuum rythmique. Le discours redevient linéaire, supérieurement lisible, d'une grande puissance d'expression. Moins de mystère (Brendel, Arrau), d'intensité (Serkin) que d'inflexible élocution, doublée ici d'une perfection technique hors pair.

Claudio Arrau a des tempos proches de ceux de Serkin ; son hyper-subjectivisme donne paradoxalement une unité grandiose au moindre phrasé. Vision méditative, au *rubato* extrême, à la plastique formidable et fragile : du très beau, du très grand piano.

Alfred Brendel marque chaque détail d'une subtile intensité expressive, il souligne les raffinements du discours d'une poésie transparente et flexible. Approche sensuelle, hyper-romantique en ses audacieuses ondulations, prodigieusement belle en ses attaques. Beethoven proche de Schubert, de Schumann et même (pourquoi pas ?) d'un certain Mozart. La «grande forme» organique est malheureusement un peu trop absente.

Badura-Skoda offre une très grande pureté de style, une intelligence expressive remarquable quant à la lettre. Mais l'intérêt est aussi ailleurs : dans le choix d'un instrument d'époque. Les couleurs nettes de chaque note, la différenciation des timbres projettent une singulière lueur. Plus qu'une mode, une redécouverte.

Sonate pour piano n° 29 en si bémol majeur op. 106 «Hammerklavier».

❀*** Maurizio Pollini (piano). DG 2530.869. Ou DG 2740.166 (3 d.). ⊠ 3371.033 (3 c.). *+ Sonates n°s 28 à 32.*

❀*** Wilhelm Backhaus (piano). Decca SXLA 6452/61 (10 d.) (G-B) (sup.). *+ Intégrale des Sonates.*

❀*** Rudolf Serkin (piano). CBS 75.883 (sup.).

*** Claudio Arrau (piano). Philips 6768.351 (14 d.). *+ Intégrale des Sonates, Variations.*

** Yves Nat (piano). EMI VSM C 147-10.921/31 (11 d.). Mono. *+ Intégrale des Sonates, Variations en ut mineur.*

Maurizio Pollini est abrupt, d'une perfection plastique (et pianistique) écrasante. Les deux premiers mouvements sont d'une rigueur flamboyante. L'*adagio* révèle une plénitude extatique, et la subversion folle de la fugue finale fait surgir un espace aussi rayonnant qu'évident. La dynamique formelle de la Sonate «*Hammerklavier*» se révèle irrésistible. Formidable architecture, qui marie fougue et rigueur, l'exactitude textuelle et un chant émouvant (*adagio*) : sans doute le plus haut, le plus puissant enregistrement qu'ait jusqu'à ce jour signé Maurizio Pollini.

Wilhelm Backhaus offre une qualité naturelle du phrasé, une plénitude absolue des inflexions. Et il ose l'affrontement. L'ardeur du jeu est ici sous-tendue, avec des gestes parfois spectaculaires, par un style ample, épique, qui frôle le hiératisme magistral sans jamais y tomber. Les perspectivees rythmiques et harmoniques étonnamment modernes de l'œuvre sont justement soulignées. La violence explosive des mouvements extrêmes insuffle une immense tension. Les brisures (introduction de la fugue) ne rejettent pas l'emphase, elles l'exacerbent.

Serkin a presque autant d'héroïque grandeur que Pollini ou Backhaus, mais il est plus hautain, plus exigeant, plus significatif parfois dans les détails. Approche analytique, jamais aux dépens de la tension vitale et unitaire. Serkin offre le paradoxe du déséquilibre dans l'équilibre, soulignant impitoyablement les angles. L'*adagio* est d'une froideur désincarnée, difficilement acceptable pour tout néophyte. Vision opiniâtre, d'une stupéfiante agressivité, qui ouvre, plus encore que celle de Backhaus, d'immenses perspectives quant à la modernité radicale - «intraitable» - de l'ouvrage.

Claudio Arrau semble inéluctable (tempo), inaltérable (ampleur des phrasés), révélant un climat dense et homogène, mais à l'évidence structurelle moins directement perceptible que dans les versions Pollini, Backhaus ou Serkin. L'articulation est en revanche parfaitement inspirée, ineffablement radieuse (*adagio*), les réfractions contrapuntiques plus soumises qu'ailleurs aux fluctuations harmoniques, la respiration omniprésente, translucide. Du très grand piano, que d'aucuns accuseront de froideur.

Yves Nat est emporté, débraillé, presque peu brillant (technique) et infiniment émouvant par l'héroïsme, l'énergie forcenée (phrasés). Une approche vertigineuse, insondable (*adagio*); d'une nervosité spectaculaire, mais parfois idéalement accidentée (fugue). Un piano fascinant, fatal autant que fragile.

Sonate pour piano n° 30 en mi majeur op. 109.

❀*** Artur Schnabel (piano). EMI VSM C 061-00.856 (sup.). Mono (origine 78 t.). Enregistré en 1932. *+ Sonates n° 31 et n° 32.*

*** Artur Schnabel (piano). RCA GM 43368 (3 d.). Mono (origine 78 t.). Enregistré en 1942. *+ Sonate n° 32, Concertos pour piano n°s 4 et 5.*

*** Alfred Brendel (piano). Ou Philips 6768.004 (13 d.). *+ Intégrale des Sonates, Andante favori.*

** Maurizio Pollini (piano). DG 2530.645. ⊠ 3300.645. *+ Sonate n° 31.* Ou DG 2740.166 (3d.). ⊠ 3371.033 (3 c.). *+ Sonates n°s 28 à 32.*

Artur Schnabel nous fait voir le geste fondamental de l'*Opus 109*, son profil dramatique et psychologique (fugue *allegro ma non troppo* de la cinquième variation). Les variations sont prodigieusement éloquentes, simples, fougueuses, Schnabel précipitant certains traits et ancrant certains autres en un apaisement nullement abstrait, mais d'une vastitude de ton extrêmement prenante. Peu de technique, a-t-on imprudemment dit ici ou là. La technique pianistique de Schnabel existe bel et bien, son intériorité, ses oppositions d'ombres et de lumière nous montrent un poète maître de ses moyens, péremptoire et volontaire.

La version américaine (1942) d'Artur Schnabel est peut-être moins émouvante, mais plus impressionnante encore d'autorité, de clarté, plus solennelle dans les variations. La prise de son est meilleure qu'en 1932.

Alfred Brendel atteint d'emblée une splendeur de son, une diction magnifiques, libérant l'énergie en chaque contraste. Les variations sont extrêmement différenciées, analytiques, justes (*tempo*), à la fois tourmentées et transparentes (toucher). Approche peu homogène, peu unitaire, reposant en fait sur le coloris interne de chaque inflexion. Les couleurs chaudes dominent, la profonde harmonie des graves, la sensibilité «narrative» du phrasé.

Maurizio Pollini, plus dynamique, plus architectural, demeure d'une extraordinaire fidélité à la lettre. Jeu unitaire, homogène, volontairement synthétique, d'une implacable et vivante rythmicité (variations), d'une diction sobre, énergique, d'une discipline (jeu des intensités, articulation rythmique) impitoyable.

Sonate pour piano n° 31 en la bémol majeur op. 110.

❀*** Alfred Brendel (piano). Philips 6500.762. *+ Sonate n° 21 «Waldstein», Andante favori.* Ou Philips 6768.004 (13 d.). *+ Intégrale des Sonates, Andante favori.*

❀*** Edwin Fischer (piano). EMI Da Capo C 147-01.674/75 (2 d.). Mono (origine 78 t.). Enregistré en 1938. *+ Sonates n° 7, n° 8 «Pathétique», n° 23 «Appassionata» et n° 32.*

❀*** Artur Schnabel (piano). EMI VSM C 061-00.856 (sup.). Mono (origine 78 t.). Enregistré en 1932. *+ Sonates n° 30 et n° 32.*

*** Rudolf Serkin (piano). CBS 76.032 (sup.). *+ Sonate n° 28.*

*** Wilhelm Backhaus (piano). Decca SXLA 6452/61 (10 d.) (G-B) (sup.). *+ Intégrale des Sonates.*

** Inger Södergren (piano). Calliope CAL 1.648. ⊠ 4.648. *+ Sonate n° 32.*

Alfred Brendel, dans un son splendide, déduit l'architecture de la seule clarté des lignes, de l'individualité de chaque intrication mélodique ou contrapuntique. L'édifice est là (finale), superbe, emporté par le chant et un pianisme aussi lucide qu'intransigeant (récitatif). Une vision profonde, le sommet de l'intégrale des Sonates par Alfred Brendel.

Edwin Fischer est fervent, fantaisiste, d'une diction parfois murmurée, d'un *legato* fluctuant et mystérieux. L'articulation des phrasés est sans aucune pesanteur, l'architecture polyphonique totalement limpide. La prise de son a vieilli.

Artur Schnabel attaque en profondeur chaque mélodie, sculpte l'entier mouvement, le prolonge d'un romantisme sombre et frémissant. Piano réflexif, phrasés très amples (premier mouvement) ; rarement l'envol du finale (retour du thème) n'a sonné avec autant de vastitude.

Serkin capte et restitue la vocalité interne, la reviviscence rythmique du récitatif. Les *ariosos* et les fugues, d'un tempo extraordinairement lent, mettent en lumière une rhétorique rigoureuse et parfois paradoxale. Vision prestigieuse, qui isole chaque ligne mélodique, d'une liberté agogique audacieuse, bouleversante même (retour de la fugue).

Backhaus est avant tout harmonieux, puissant pour la plus ouvertement lyrique, sinon «opératique», des dernières pages de Beethoven. Le *scherzo*, l'*adagio* et les deux fugues révèlent une simplicité, une richesse sonore admirable, animées d'une grande conviction intérieure.

Södergren est magnifiquement claire, lisible, presque trop évidente. La rigueur et la réserve s'accompagnent ici d'une magistrale transparence de toucher. Approche lisse, cohérente, à la dynamique plus équilibrée, élevée que conquérante.

Sonates pour piano n° 30 en mi majeur op. 109, n° 31 en la bémol majeur op. 110 et n° 32 en ut majeur op. 111.

*** Glenn Gould (piano). CBS 61.798. Enregistré en 1956.

Gould échappe à toute comparaison, que l'on dénonce la facilité du système interprétatif, du parti-pris tenu, ou que l'on crie au génie. S'agissant des trois ultimes sonates de Beethoven, on regrettera que le soliste, sur le ton de l'affirmation classique, souligne à ce point les articulations du puzzle et mette à plat ces partitions souverainement conçues, certes, mais que l'on aimerait, pour tout dire, jouées avec moins d'aisance !

Sonates pour piano n° 31 en la bémol majeur op. 110 et n° 32 en ut mineur op. 111.

** Paul Badura-Skoda (piano-forte). Astrée AS 49. ⌧ CAS 49. Enregistré en 1980.

Badura-Skoda reste fidèle à son merveilleux piano-forte de Conrad Graf qui par sa sonorité et sa capacité de chant est sans doute l'un des instruments les plus adaptés pour jouer ces sonates. Ferveur, simplicité et intelligence caractérisent cet enregistrement qu'il faut placer très près des plus grands.

Sonate pour piano n° 32 en ut mineur op. 111.

❀*** Artur Schnabel (piano). EMI VSM C 061-00.856 (sup.). Mono (origine 78 t.). Enregistré en 1932. + *Sonates n° 30 et n° 31.*

❀*** Artur Schnabel (piano). RCA GM 43368 (3 d.). Mono (origine 78 t.). Enregistré en 1942. + *Sonate n° 30, Concertos n°s 4 et 5.*

❀*** Maurizio Pollini (piano). DG 2530.870. Enregistré en 1976. + *Sonate n° 28.* Ou DG 2740.166 (3 d.). ⌧ 3371.033 (3 c.). + *Sonates n°s 28 à 31.*

*** Claudio Arrau (piano). Philips 6768.351 (14 d.). + *Intégrale des Sonates, Variations.*

*** Edwin Fischer (piano). EMI Da Capo C 147-01.674/75 (2 d.). Mono. Enregistré en 1954. + *Sonates n° 7, n° 8 «Pathétique, n° 23 «Appassionata» et n° 31.*

** Vladimir Ashkenazy (piano). Decca SXL 6630 (G-B). + *Sonate n° 31.*

** Ivo Pogorelich (piano). DG 2532.036. ⌧ 3302.036. Enregistré en 1982. + *Schumann : Etudes symphoniques en forme de variations op. 13. Toccata op. 7.*

Artur Schnabel édifie avec un constant *espressivo* une architecture réfléchie, approfondie. Le phrasé est fervent, l'accentuation sombrement romantique et parfois abrupte (premières variations de l'*arietta*). Construction passionnée, tension dialectique peu ordinaire, parcours singulièrement vigoureux aux liaisons, aux intrications aussi individuelles que domptées.

L'enregistrement américain de Schnabel, en 1942, est plus égal de son, moins immédiatement volontariste ; l'énergie paraît plus facile d'accès, elle est abondamment claire (troisième variation de l'*arietta*, à 12/32), percussive. Une expérience spirituelle majeure, d'une beauté grave, sinon âpre (*cf.* enregistrement de 1932).

Maurizio Pollini investit une clarté translucide et toujours singulière. Les effets d'accumulation (deux dernières variations), le pianisme toujours incisif imposent une tension presque hypnotique. Le premier mouvement est d'une puissance rhétorique impitoyable. L'imminence d'une rigueur fanatique et pleine de flammes, à l'élocution quasi démesurée.

Claudio Arrau choisit un tempo très lent, sans sacrifier la dynamique formelle. L'effervescence, le fantasque de chaque trait (premier mouvement, troisième et quatrième variation du second) s'amplifient ici d'une puissance de phrasé inéluctable, de lenteurs grondantes et emplies d'aube. Un déploiement du rêve, à la violence grandiose. Excellente prise de son.

Edwin Fischer joue une pureté de diction sobre, tendre mais transcendante. Ton d'improvisation, illuminé d'une vaste sérénité, où transparaît cependant l'inquiétude flagrante du discours (premières variations). La totalité de la courbe dynamique et formelle demeure parfois virtuelle, au profit de phrasés ineffables, plus intériorisés parfois que n'importe où ailleurs. Vision fragile, généreuse, puisant à même l'âme du romantisme.

Ashkenazy joue l'équilibre absolu et s'éloigne parfois du contenu spirituel de l'*Opus 111*. La maîtrise technique est en revanche stupéfiante, les structures rigoureusement traduites, la cohérence logique de l'articulation puissamment défendue. Une superbe interprétation «de concert» (la prise est faite en studio !), et peut-être le meilleur instrument d'analyse «spectrale» de l'œuvre.

Ivo Pogorelich, et c'est bien évident, n'a ni la maturité d'un Schnabel ni celle d'un Pollini; mais il a pour lui l'élan de la jeunesse et la qualité poétique de la sonorité. Mais dans les moments où le virtuose devrait céder la place à l'architecte, l'intérêt faiblit. En revanche, les *Etudes symphoniques* qui complètent ce disque conviennent tout à fait au tempérament du jeune pianiste.

Sonates pour violon et piano n°s 1 à 10.

❀*** Itzhak Perlman (violon), Vladimir Ashkenazy (piano). Decca 591.173 (5 d.). Enregistré de 1973 à 1977.

*** Jasha Heifetz (violon), Emmanuel Bay ou Brooks Smith (piano). RCA RL 42.004 (5 d.) (sup.). Mono et stéréo. Enregistré de 1947 à 1952 et en 1958.

*** Yehudi Menuhin (violon), Wilhelm Kempff (piano). DG 2735.001 (5 d.). Enregistré de 1965 à 1970. *+ Douze Variations WoO. 40, Rondo en sol majeur WoO. 41.*

*** Arthur Grumiaux (violon), Clara Haskil (piano). Philips 6733.001 (4 d.). Enregistré en 1958.

** David Oïstrakh (violon), Lev Oborine (piano). Chant du Monde LDX 78.469/73 (5 d.) (sup.). Enregistré en 1962.

** Joszef Suk (violon), Ján Panenká (piano). Eurodisc-Supraphon 80.193 (5 d.) (étr.). Enregistré en 1968.

Perlman-Ashkenazy se distinguent par un équilibre engagé (vers la beauté du son, la franchise du phrasé), dénué de toute scorie. L'éclairage donné aux premières Sonates est particulièrement heureux, parce que avant tout vigoureux. La balance (acoustiquement, la conjonction du violon et du piano demeure le plus souvent problématique) entre les deux instruments est ici réalisée de splendide manière. La prise de son met en valeur les plus infimes nuances dynamiques. Somptuosité sonore et lyrisme animent le «Printemps» et la Sonate «à Kreutzer». Pourtant, c'est sans doute dans les Septième et Dixième Sonates - peut-être les plus belles de tout le cycle - que Perlman et Ashkenazy nous offrent la coloration la plus variée, la plus indiscutable précision rythmique, et l'approfondissement le plus évident. La respiration (Huitième Sonate) retrouve de larges plans. On peut rencontrer ailleurs davantage de violence, de climat dramatique ; mais quant au style, à la pure beauté sonore, à l'extraordinaire force de conviction des deux solistes cet album, d'ores et déjà historique, est à marquer au fer.

Le *cantabile*, l'exceptionnelle beauté des timbres - omniprésents dans l'intégrale Perlman-Ashkenazy-font place chez Heifetz à davantage de puissance et même de nervosité. Les indications dynamiques sont quelquefois moins bien respectées. Heifetz est virtuose au dernier degré, parfois avec complaisance. La perspective sonore est trop sèche. Heifetz est pourtant formidable dans la Dixième Sonate et plus encore dans la Sonate «à Kreutzer», qu'il aborde avec des tempos abrupts, un phrasé incroyablement varié, un foudroyant sens des attaques, des contrastes beethovéniens qui dépasse de très loin tout romantisme superficiel. Le discours de l'un ou de l'autre pianiste-accompagnateur est évidemment d'un intérêt moindre en regard des stupéfiantes performances violonistiques de Heifetz.

Menuhin et Kempff, malgré leur énergie, s'en tiennent à des tempos modérés, à un souci de l'expression où chaque note (Sonate «à Kreutzer») doit presque se charger d'affectivité ou d'émotion. L'articulation et les coups d'archet de Menuhin isolent telle ou telle période (Septième Sonate) sans pour autant toujours la dominer. La lecture de Kempff est d'un bout à l'autre celle d'une sensibilité à vif. Les tempos lents favorisent bien sûr les mouvements de même nature, approfondissant sans cesse les détails du discours. L'homogénéité est admirable dans la Dixième Sonate, de loin le sommet de l'album, que Menuhin et Kempff architecturent magistralement sans remettre en cause une seconde le libre flux mélodique.

Lyrisme et intimisme dans la fameuse réunion de Clara Haskil et d'Arthur Grumiaux. Haskil privilégie la limpidité, un discret romantisme en tout point complémentaire de l'absolue simplicité, de l'élégance plus douce que puissante de Grumiaux. Cette version culmine dans les premières Sonates, et dans la légèreté expressive du «Printemps». Les dernières Sonates fuient les outrances et tout pathétisme trop explicite. La prise de son ne trahit jamais cette version frappante par sa poésie et sa jeunesse.

Oïstrakh-Oborine apparaissent d'une haute technicité, dans une conception hyper-classique, Oïstrakh conservant un esprit de sérénité olympienne jusque dans les phases les plus soudaines ou les plus brusques (Septième Sonate, Sonate «à Kreutzer»). Le ton est souvent haussé vers une grande tension, accentuée par la froideur du piano. Le perfectionnisme violonistique d'Oïstrakh réduit parfois certains élans expressifs (Sonate «le Printemps», Huitième Sonate). La prise de son n'est guère remarquable.

Suk-Panenká renouent avec un discret sentimentalisme, non exempt parfois de prosaïsme (piano). Les mouvements sont réfléchis et les phrasés réalisés avec une exemplaire clarté. La Sonate «à Kreutzer» sonne avec un naturel ennemi de tout emphase : voilà une approche des plus originales, et certainement l'un des moments privilégiés de l'album. Le son de Josef Suk, son *legato* atteignent ici une étonnante noblesse dans la sobriété.

Sonate pour violon et piano n° 5 en fa majeur op. 24 «Le Printemps».

❀*** Adolf Busch (violon), Rudolf Serkin (piano). EMI Da Capo C 181-01.822/23 (2 d.). Mono (origine 78 t.). Enregistré en 1933. + *Quatuors nos 1, 9 et 11.*

❀*** Itzhak Perlman (violon), Vladimir Ashkenazy (piano). Decca 591.173 (5 d.). + *Intégrale des Sonates pour violon et piano.* Ou Decca 591.170. Enregistré en 1975. + *Sonate pour violon et piano n° 4.*

*** Arthur Grumiaux (violon), Clara Haskil (piano). Philips 6570.392. ✉ 7310.392. Enregistré en 1958. + *Sonate pour violon et piano n° 9 «à Kreutzer».* Ou Philips 6733.001 (4 d.). + *Intégrale des Sonates pour violon et piano.*

** Zino Francescatti (violon), Robert Casadesus (piano). CBS 75.997 (sup.). + *Sonate pour violon et piano n° 9 «à Kreutzer».*

Malgré leur rapidité d'élocution et un tempo toujours fort soutenu (exposition du premier thème de l'*allegro*), Busch et Serkin mettent d'emblée au premier plan la clarté, la précision rigoureuse de l'articulation, la mobilité expressive et volubile du moindre phrasé. Le second temps est rendu passionnant par l'extrême concentration pratiquée, et par la texture particulière de la partie de piano, à la fois inhabituellement estompée et présente. Le *scherzo* et le finale sont à peu près entièrement renouvelés : grande leçon de justesse d'inflexion, d'exactitude au niveau dynamique, de vitalité expressive.

Ashkenazy et Perlman opposent un calme marmoréen, plein, suprêmement incarné. Le tempo est plus lent. Le piano d'Ashkenazy (*adagio molto espressivo*) conduit naturellement au chant du violon sans jamais l'affecter malgré sa générosité, l'exceptionnelle diversité des accents. On est d'évidence aux antipodes de l'éloquente nudité révélée chez Rudolf Serkin. Les deux derniers temps sont ici vraiment peu mozartiens. Le ton ne renonce pas à une certaine emphase, mais comme épurée, intense, bien davantage grande (Finale) que folâtre.

C'est sans ambiguïtés sous le signe de Mozart que Grumiaux et Haskil placent la Sonate «Le Printemps», en restituant davantage le charme mélodique que la variété du rythme. Le premier mouvement est irrésistible, car le souci de l'héritage stylistique (du «classicisme») s'y fait sans doute moins sentir.

Francescatti et Casadesus sont implacables, témoignant d'une verve plutôt ardente et d'une étonnante liberté dans le jeu des contrastes dynamiques (et dans le choix des tempos). L'ardeur romantique reprend ainsi tous ces droits (allegro). La prise de son, comme souvent hélas ! chez CBS, ne rend qu'imparfaitement justice au mordant des timbres.

Sonate pour violon et piano n° 7 en ut mineur op. 30 n° 2.

❀*** Itzhak Perlman (violon), Vladimir Ashkenazy (piano). Decca 591.173 (5 d.). Enregistré en 1977. + *Intégrale des Sonates pour violon et piano.*

*** Yehudi Menuhin (violon), Wilhelm Kempff (piano). DG 2530.346. + *Sonate pour violon et piano n° 10.* Ou DG Privilège 2735.001 (5 d.). + *Intégrale des Sonates pour violon et piano.*

** Arthur Grumiaux (violon), Claudio Arrau (piano). Philips 9500.220 (sup.). + *Sonate pour violon et piano n° 8.*

Perlman et Ashkenazy concilient un scrupuleux respect des nuances dynamiques (*adagio cantabile*) et une réelle dramatisation expressive pour la plus ambitieuse (et la plus complexe) des dix Sonates de Beethoven. Le premier mouvement conserve très justement un caractère de gravité, d'impérieuse tension interrogative. La spécificité des timbres est admirablement mise en valeur par la prise de son : on en oublie presque l'irréductibilité foncière de leur association, même aux instants les plus brutaux (trio contrapuntique du *scherzo, coda* en mineur de l'*allegro* final).

Menuhin et Kempff se situent à l'exact opposé, détaillant avec presque trop de minutie le moindre trait de l'*allegro con brio* (*cf.* exposé du second thème) et surtout l'*adagio cantabile* en la bémol, caractérisé ici telle une immense méditation, d'ailleurs un peu «en dehors» du reste de l'œuvre. Le *scherzo* et le finale, bien sûr, «planent» moins, mais le meilleur du disque réside bien dans le mouvement lent, la finesse de l'accentuation réussissant mieux à Menuhin et Kempff que l'expression tumultueuse.

Grumiaux et Arrau choisissent une étrange retenue, y compris dans les phases les plus rapides des mouvments vifs, et cette sobriété très personnelle possède toujours une immense présence. L'*adagio cantabile* conserve au-delà de sa chaleur et de son lyrisme quelque chose de serré, de radical. Le grondement sous-jacent du *scherzo* surprend encore davantage. Vision à retenir essentiellement pour son introversion, son refus des effets, un assemblage original de volonté et de pudeur (Finale).

Sonate pour violon et piano n° 9 en la majeur «à Kreutzer».

❀*** Itzhak Perlman (violon), Vladimir Ashkenazy (piano). Decca 591.082. Enregistré en 1973. + *Sonate pour violon et piano n° 2.* Ou Decca 591.173 (5 d.). + *Intégrale des Sonates pour violon et piano.*

*** Jasha Heifetz (violon), Brooks Smith (piano). RCA RL 42.004 (5 d.) (sup.). Enregistré en 1958. + *Intégrale des Sonates pour violon et piano.*

*** Zino Francescatti (violon), Robert Casadesus (piano). CBS 75.997 (sup.). Enregistré en 1960. + *Sonate pour violon et piano n° 5 «Le Printemps».*

*** David Oïstrakh (violon), Lev Oborine (piano). Chant du Monde LDX 78.469/73 (5 d.) (sup.). Enregistré en 1962. + *Intégrale des Sonates pour violon et piano.*

** Yehudi Menuhin (violon), Wilhelm Kempff (piano). DG 2530.135. ⌧ 3300.292. Enregistré en 1965. + *Sonate pour violon et piano n° 8.* Ou DG Privilège 2735.001. + *Intégrale des Sonates pour violon et piano.*

** Arthur Grumiaux (violon), Clara Haskil (piano). Philips 6570.392. ⌧ 7310.392. Enregistré en 1958. + *Sonate pour violon et piano n° 5 «Le Printemps».* Ou Philips 6733.001. + *Intégrale des Sonates pour violon et piano.*

Une grande rudesse *«in stilo concertante»* parcourt le premier mouvement dans la version Perlman-Ashkenazy. Le tempo est juste, la variété et l'intensité des accents remarquablement équilibrées. L'*andante con variazione* est d'une grande simplicité, chargée de tension (tout comme l'*adagio sostenuto* initial). La virilité du jeu de Perlman jaillit d'autant qu'elle est favorisée par la gravité affirmée au piano. La prise de son, très nette, privilégie les graves du piano. Vision fervente, loyale, plus poétique (*andante*), magistrale (finale) que vraiment tourmentée, d'un tact supérieur dans ses a-priori.

Heifetz, qui ne bénéficie évidemment point d'une technique d'enregistrement seulement comparable, ne craint ni l'emphase, ni la rhétorique, ni même un singulier pittoresque (*presto* du premier mouvement) dans la variété des attaques, l'élision, l'éventail un rien prolixe des nuances. Le second mouvement devient nerveux, avec de brusques contrastes de tempo. Mais l'écriture de la Sonate «à Kreutzer» permet, de fait, un pareil style d'exécution et une virtuosité aussi débridée. La fièvre romantique de Heifetz éclipse sans doute la partie de piano (Brooks Smith), mais moins qu'on aurait pu le croire (*andante con variazione*).

Francescatti, archet moins spectaculaire ni aussi furieusement juste que celui de Heifetz, partage avec ce dernier une approche assez voisine, faite de rigueur, de rhétorique jaillisante et toujours ample. Les épisodes *dolce* ont cependant davantage classiques, et le inale d'une brutalité exacte et saisissante. Jne version qui joue sans ambages sur l'exaltation et les grandes oppositions d'atmosphères (*andante con variazione*). La prise de son este discutable.

Oïstrakh éclaire à la perfection les lignes, lans le sens de l'austérité. Le premier mouvenent est très construit, pensé, exemplaire de larté, d'équilibre. Les variations de l'*andante*, presque trop sérieuses, manifestent ıne indéniable volonté de grandeur, de sérénité. Le piano de Lev Oborine demeure toujours un peu court face à la perfection urement technique d'Oïstrakh.

Menuhin et Kempff offrent deux individualités au départ foncièrement différentes, qui peu à peu s'accommodent en se fondant ıvec davantage de simplicité que partout ailleurs. Le soin des détails l'emporte sur la puissance dans le premier temps. L'*andante con variozione* fait la part plus grande au charme qu'à une réelle progression dramatique. Les tempos sont modérés. Cette conception renouvelle très subtilement la connaissance de l'œuvre.

Grumiaux et Haskil apparaissent davantage traditionnels en participant d'un style remarquablement châtié (premier mouvenent). L'*andante* s'élève avec une respiration séduisante, donnant l'impression d'une pulsion plus charnelle, émotive, qu'architecturée. Le Finale perd en verdeur, en puissance ce qu'il regagne en intimité et en subtilité. La prise de son, discrète, date un peu.

Sonate pour violon et piano n° 10 en sol majeur op. 95.

❁*** Yehudi Menuhin (violon), Wilhelm Kempff (piano). DG 2530.346. + *Sonate pour violon et piano n° 7.* Ou DG Privilège 2735.001. + *Intégrale des Sonates pour violon et piano.*

*** Itzhak Perlman (violon), Vladimir Ashkenazy (piano). Decca SXL 6.790 (G-B). + *Sonate pour violon et piano n° 1.* Ou Decca 591.173 (5 d.). + *Intégrale des Sonates pour violon et piano.*

Menuhin et Kempff transfigurent le premier *allegretto moderato,* en isolant merveilleusement sa ductilité mélodique, et son caractère tendre (second thème) sans édulcorer l'architecture. Tout le mystère et l'expression sensible de ce chef-d'œuvre réservé (et ignoré) qu'est la Dixième Sonate figurent ici naturellement. Kempff, plus affectivement engagé, est impressionnant dans la suggestion, le *mezza-voce* (*adagio espressivo*). Bien davantage qu'une interprétation «de concert», c'est un grand récit chatoyant et chaleureux qu'offre cet enregistrement, sommet absolu de l'intégrale Menuhin-Kempff.

Perlman et Ashkenazy demeurent plus tendus, et d'une pureté technique supérieure, mais ils ne surpassent guère Menuhin et Kempff dans l'évocation du mystère et de l'envoûtement. L'équilibre des sonorités est en revanche presque toujours idéal (exposition de l'*allegro moderato, poco allegretto* final). Le chant de l'*adagio* permet, grâce à la sonorité légèrement assombrie de Perlman, de magnifiques prolongements, en sortant comme du vague et de l'obscurité. La lecture des deux derniers temps revient vers la réalité (Perlman et Ashkenazy mettent remarquablement en valeur l'originalité structurelle du Finale). Les tempos sont relativement modérés, et la prise de son d'une clarté lumineuse.

Sonates pour violoncelle et piano n°ˢ 1 à 5.

❁*** Pierre Fournier (violoncelle), Artur Schnabel (piano). EMI Da Capo C 147-01.382/83 (2 d.). Mono. Enregistré en 1947 et 1948.

❁*** Jacqueline du Pré (violoncelle), Daniel Barenboïm (piano). EMI VSM C 167-97.313/15 (3 d.) (sup.). Enregistré en 1970. + *Variations sur «Bei Männern» et «Ein Mädchen oder Weibchen» (Flûte enchantée de Mozart), Variations sur un thème de «Judas Macchabée» de Haendel.*

*** Gregor Piatigorsky (violoncelle), Solomon (piano). EMV RLS 731 (2 d.) (G-B). Enregistré en 1954.

Les inconvénients (mineurs) de la version Fournier-Schnabel sont une prise de son peu faste, qui ne privilégie guère les graves du clavier, et quelques (rares) imperfections factuelles de Pierre Fournier. Les avantages sont flagrants : autorité, vigueur du piano, lyrisme très «intimiste» du violoncelle, élasticité rythmique (*scherzo* de la Troisième Sonate) des deux partenaires. L'achèvement est total pour la grande Cinquième Sonate, dont la fugue terminale, remarquablement maîtrisée, nous rend palpable la voix abrupte de Schnabel, son volontarisme, et le chant frémissant de Fournier.

La version Du Pré-Barenboïm a été enregistrée en public, lors de concerts donnés au Festival d'Edimbourg. Les tempos sont très détaillés (et légèrement plus lents que dans la version de référence Fournier-Schnabel) ; le violoncelle de Jacqueline Du Pré transporte par l'intensité, l'admirable éloquence des accents (Deuxième Sonate, Troisième Sonate). Du Pré et Barenboïm transposent d'ailleurs les deux premières Sonates de l'*Opus 5* au niveau de la Troisième ou de la Cinquième, sommets du cycle. La réthorique pianistique de Barenboïm ose beaucoup, se permettant quelques audaces, presque toujours à bon escient. La diversité de cette approche, son réel pouvoir d'émotion l'imposent comme un modèle de spontanéité et de ferveur.

La réunion de Piatigorsky et de Solomon est celle d'un violoncelliste au son royal, au phrasé sensuel et éloquent (qui annoncent directement le style d'un Mstislav Rostropovitch) et d'un extraordinaire pianiste, à la diction lapidaire, épurée, un rien trop discrète parfois. La prise de son favorise d'ailleurs le violoncelle. Les deux Sonates *op. 5* concervent un ton inimitable, mozartien (en cela, comme en tout, cette approche diffère des deux précédentes). La Troisième Sonate manque peut-être de grandeur côté piano, si l'on songe à la grande architecture édifiée par un Schnabel. Les deux dernières Sonates, austères, semblent ici s'effacer sous le charme, le soin du son de Piatigorsky, qui conservent un fascinant pouvoir.

Symphonies n° 1 et n°s 3 à 9.

❀*** Orch. Phil. de Vienne, Wilhelm Furtwängler. Dans la 9e : Elisabeth Schwarzkopf (s), Elisabeth Höngen (ms), Hans Hopf (t), Otto Edelmann (b), Ch. et Orch. du Festival de Bayreuth. EMI VSM C 153-52.540/52 (13 d.). Mono. Enregistré de 1950 à 1954. *+ Concerto pour piano n° 5, Concerto pour violon, Fidelio, Ouvertures de Coriolan, Léonore II et Léonore III, Romances pour violon et orchestre.*

Symphonies n°s 1 à 9.

❀*** Orch. Phil. de Berlin, Herbert von Karajan. Dans la 9e : Anna Tomova-Sintow (s), Agnes Baltsa (ms), Peter Schreier (t), José van Dam (b), Ch. du Singverein de Vienne. DG 2740.172 (8 d.). Enregistré en 1977. ⌧ 3378.070 (6 c.).

*** Sheila Armstrong (s), Linda Finney (ms), Robert Tear (t), John Tomlinson (b), Ch. et Orch. Philharmonia, Kurt Sanderling. EMI VSM SLS 5239 (8 d.). Enregistré en 1981. *+ Ouvertures de Fidelio, Egmont Coriolan, Les Créatures de Prométhée.*

** Orch. de la Société des Concerts du Conservatoire, Carl Schuricht. Dans la 9e : Wilma Lipp (s), Marga Höffgen (ms), Murray Dickie (t), Gottlob Frick (b), Elisabeth Brasseur. EMI Trianon 33.333/39. (7 d.).

* Orch. Phil. de Vienne, Leonard Bernstein. Dans la 9e : Gwyneth Jones (s), Hanna Schwarz (ms), René Kollo (t), Kurt Moll (b), Ch. de l'Opéra d'Etat de Vienne. DG 2740.216 (8 d.). ⌧ 3378.090 (6 c.).

L'«intégrale» Furtwängler-Vienne (il manque la Deuxième : Furtwängler ne l'aimait pas, et ne la dirigeait guère mais il en existe, depuis peu, une version techniquement très déficiente en disque séparé VSM) est à elle seule une véritable légende - ô combien justifiée ! Culminent l'*Héroïque*, une des pages favorites du Maître, la Cinquième, d'un classicisme splendide, une *Pastorale* révolutionnaire et lente qu'on ne peut oublier, et enfin la célébrissime version Bayreuth de la Neuvième. La mise en place, les tempos, les crescendos sont notablement plus majestueux que dans la période «noire», davantage spectaculaire, des années de guerre. Vision détachée, intérieure (mais nullement sereine !) qui projette Beethoven dans un espace gigantesque, au-delà parfois des lois de la géométrie, sinon de la rectitude. Ce regard d'un autre âge - ou plutôt intemporel - est à connaître par cœur. Il est donc difficile pour le mélomane d'ignorer un tel cycle, véritable pierre de base de n'importe quel discothèque ! Le coffret en treize disques respecte la monophonie des bandes originales : excellente qualité du son.

La troisième version Karajan (1977) a surpris tout le monde par une remise en cause d'un certain beethovénisme «héroïque» dont Karajan lui-même s'était jadis fait l'apôtre. Karajan revient (en matière de tempo), à un de ses modèles de jeunesse (Arturo Toscanini), mais la souplesse de phrasé, l'exactitude instrumentale et surtout la beauté des timbres atteignent un stade vertigineux, que personne d'autre, sans doute, ne pourra jamais approcher. Les sommets de cet album fascinant, envoûtant même, sont l'*Héroïque*, ultra rapide, claire-obscure et cependant incroyablement tranchante malgré sa sensualité, une Quatrième à la fois diaphane et profonde, une somptueuse Cinquième qui marie pareillement la rigueur et le clair-obscur, une Septième matinale, énigmatique, d'une beauté purement sonore quasi suffocante, une Huitième ailée, un pied dans le rêve.

L'austère baguette de Sanderling nous offre un Beethoven tout de puissance, d'énergie concentrée et d'architecture, et parfois d'un souffle impérieux. Sanderling réhabilite des partis qui furent exactement ceux de Klemperer, mais il fait souvent mieux que son modèle. Le choix des tempos surprendra. Toujours larges, ils s'accordent à merveille à un sens hors pair du phrasé *tenuto* galvanisant toutes les ressources de la polyphonie. L'une des plus belles réalisations des Symphonies de Beethoven de ces quinze dernières années, menée par un chef dont le refus des concessions respire l'authenticité.

L'intégrale Schuricht est pleine de rigueur, de sévérité. Ce sont les grandes années de la Société des Concerts. La ferveur humble mais constante du chef révèle Beethoven dans son entière objectivité. Intégrale indispensable à connaître, même s'il est tout aussi indispensable d'en acquérir d'autres.

La version Bernstein-Vienne traite Beethoven dans la spontanéité (il s'agit de prises effectuées en public), la puissance, et mérite, quoi qu'on ait dit, une place à part parmi les récentes intégrales. Sans doute moins précis techniquement que d'autres (Boehm, Solti, Maazel), Bernstein les dépasse de cent coudées par un sens absolument authentique et plein de la rhétorique beethovénienne. L'*Héroïque* et surtout la Cinquième sont étrangement plus poétiques que puissantes. La Neuvième est une réussite admirable, avant tout grâce à l'engagement du chef.

Symphonie n° 1 en ut majeur.

❀*** Orch. NBC, Arturo Toscanini. RCA AT 117 (étr.). Mono. Enregistré en 1951. + *Symphonie n° 2.*

*** Orch. Phil. de Berlin, Herbert von Karajan. DG Privilège 2535.301 (sup.). Enregistré en 1962. + *Symphonie n° 2.*

** Orch. de la Société des Concerts du Conservatoire, Carl Schuricht. EMI Trianon 33.159. + *Symphonie n° 2.*

** Orch. Phil. de Vienne, Wilhelm Furtwängler. EMI Da Capo C 027-00.806. Mono. Enregistré en 1952. + *Symphonie n° 4.*

** Orch. Symph. de la Radio Bavaroise, Eugen Jochum. DG Heliodor 2458.224 (G-B, RFA). + *Symphonie n° 8.*

** Orch. Phil. de Vienne, Pierre Monteux. Decca 592.022. ⌧ 4-592.022. Enregistré en 1960. + *Symphonie n° 8.*

Toscanini impose une impeccable précision, pour une fois sans trop de hâte ni de tension (*adagio* et *allegro con brio*), ni bien sûr de complaisance dans le phrasé (second sujet de l'*andante*). Le discours, tout comme dans une symphonie de Haydn, doit se propulser de lui-même, par le jeu des accents (*andante*) et surtout par l'intégration rythmique (*minuetto*). Ce disque est une très grande leçon de direction : la matité de la prise de son (Carnegie Hall) n'est pas rédhibitoire, les timbres sont assez bien respectés.

Toscaninien, Karajan l'est assez peu dans sa très belle version 1962 (et la prise de son est à l'extrême opposé de ce qu'affectionnait Toscanini : il y a trop de réverbération). Karajan plaide la cause d'une certaine douceur, d'une pure vibration tendue (trio du *minuetto*). L'intensité est comme détournée. La puissance demeure retenue, n'éclatant qu'à de rares instants (reprise de l'*allegro con brio*, premier thème du finale). Emotion pacifiée que l'on retrouvera avec Monteux. Les *sforzandos*, les *crescendos* (premier mouvement finale) fascinent véritablement par leur perfection factuelle.

Schuricht va au maximum de la sobriété et tranchera pour tous ceux qui ne voient dans la Première Symphonie qu'une partition presque secondaire. La rigueur technique ne sert qu'une structure unidimensionnelle (*andante*). L'économie de l'orchestration est remarquablement mise en valeur. Cette interprétation n'accuse absolument aucune ride.

Furtwängler transforme au contraire l'agogique un peu crispée des mouvements vifs. L'œuvre devient intériorisée comme malgré elle (les registres graves sont favorisés). Mais le contenu intentionnel de la partition, étant somme toute limité, ne répond qu'à moitié à la singularité de la démarche. On admirera l'art (prodigieux) de Furtwängler, qui explore ici une texture redoutablement unitaire. Homogène, comme s'il s'agissait d'esquisses.

L'homogénéité est ce qui prévaut le plus dans le superbe disque Jochum. Il ne s'agit pas de n'importe laquelle : Jochum place la Symphonie en ut dans le droit sillage de Josef Haydn, du Haydn explorateur de la 88ᵉ ou de la 99ᵉ Symphonie, et fait preuve d'une force dynamique, d'une discipline assez rares. Le pouvoir cumulatif d'un seul phrasé (développement de l'*allegro* initial) traduit au mieux la concentration. C'est dans la plus vigoureuse tradition allemande. L'impatience du *minuetto* dégage une saveur brutale, mais inattendue.

Tout comme Furtwängler, Monteux élargit le tempo et, tout comme Karajan, il recherche avant tout la richesse de sonorité, la rondeur, la plénitude du phrasé. L'équilibre, l'élégance du premier mouvement sont une réussite incontestable. Le mystérieux second thème (lorsqu'il reparaît en mineur) émerge des basses avec une volupté expressive assez incroyable. Il n'y a pas lieu, au nom de la rigueur, de refuser l'élégant atticisme de Monteux, car il s'allie toujours avec une grande aisance technique et une irréprochable précision dans le travail du détail. La finesse d'une telle direction convainc, en nous donnant de surcroît un *andante* presque poignant.

Symphonie n° 2 en ré majeur.

*** Orch. Symph. de la BBC, Colin Davis. Philips 9500.160 (sup.). + *Ouverture Léonore III.*

*** Orch. Phil. de Berlin, Herbert von Karajan. DG 2531.101. ✉ 3301.101. Enregistré en 1977. + *Symphonie n° 1.*

*** Orch. Phil. de Berlin, André Cluytens. Classics for Pleasure CFP 40.001 (G-B) ou CFP 193 (G-B). Ou MFP Plaisir du Classique M 149-52.467/74 (8 d.). + *Intégrale des Symphonies.*

** Orch. du Concertgebouw d'Amsterdam, Eugen Jochum. Philips 6580.175 (G-B). Enregistré en 1969. + *Ouverture Léonore II.*

** Orch. de la Société des Concerts du Conservatoire, Carl Schuricht. EMI Trianon 33.159. + *Symphonie n° 1.*

** Orch. Phil. de Berlin, Herbert von Karajan. DG Privilège 2535.301 (sup.). Enregistré en 1962. + *Symphonie n° 1.*

S'inspirant visiblement de la leçon de son grand aîné Sir Thomas Beecham, Colin Davis n'hésite guère à théâtraliser les mouvements vifs, non sans humour. La finesse, la spontanéité de l'*allegro* initial conservent une belle tenue. Davis ne prend tout à fait au tragique l'ambitieux *larghetto.* Les deux ultimes mouvements offrent ce qu'on attendait le moins d'eux : le charme.

L'introduction donnée par Karajan 1977 plante un décor de mystère. Malgré la relative inflexibilité du tempo, tout le premier mouvement témoigne d'un éventail de nuances, de subtilités dans le phrasé qui tiennent de l'exploit. Le difficile *larghetto* est architecturé avec hauteur. L'Orchestre Philharmonique de Berlin atteint une beauté instrumentale stupéfiante. Cette vision moirée, hédoniste, ose des raffinements inouïs, métamorphosant la Deuxième Symphonie en immense jardin de rêve.

Loin de la volupté quasi folle de Karajan (version 1977), Cluytens attaque la partition dans le sens du *cantabile*, assimilant les contrastes sans les atténuer, rendant un coloris presque sombre au *larghetto.* Le meilleur moment du disque est sans doute l'ingrat *scherzo*, dont Cluytens allège remarquablement la brusquerie. L'orchestre (Berlin !) sonne excellemment.

Jochum exalte la grande rhétorique d'une partition pour laquelle, à dire vrai, son art est fait d'avance. La direction, très ferme, évolue entre l'objectivité de la ligne mélodique (*larghetto*), la clarté, la rudesse des contrastes (début de l'*allegro con brio*). Le troisième mouvement est fort roide, non sans un certain sens dramatique ; la vitalité du finale, absolument électrisante.

L'intérêt dramatique du style de Carl Schuricht découle (comme chez Toscanini) de la seule précision. C'est le point d'aboutissement naturel du travail de la lettre - sans aucune concession. L'expérience (premier mouvement) peut prendre un tour un rien intellectuel, ou paraître développer à l'excès le besoin d'équilibre (*larghetto*). La Deuxième est peut-être la plus inégale (c'est-à-dire la moins constamment géniale) des neuf Symphonies de Beethoven : l'articulation à très grande échelle, tout comme une précision systématique, risquent parfois d'en masquer la réelle force impulsive.

Karajan (version 1962) n'atteint peut-être pas la sensualité ni l'absolue perfection instrumentale de sa plus récente version. Il choisit un climat davantage dramatique. En matière de tempo, les lignes directrices divergent assez sensiblement, la version 1962 étant, paradoxalement, la plus lente. Le phrasé du deuxième temps respire à la perfection et garde, sous un travail du détail qu'on devine rigoureux, un aspect de liberté, un mouvement d'improvisation. Le *legato* du chef sauve le *scherzo*, puis libère le finale de toute contrainte : joie et puissance, suscitées par le moindre *ostinato.*

Symphonie n° 3 en mi bémol majeur «Héroïque».

❀*** Orch. Phil de Vienne, Wilhelm Furtwängler. EMI VSM Références C 051-63.332. Mono (origine 78 t.). Enregistré en 1944.

❀*** Orch. Phil. de Vienne, Wilhelm Furtwängler. EMI Da Capo C 027-00.810 (sup.). Mono. Enregistré en 1952.

❀*** Orch. Phil. de Berlin, Herbert von Karajan. DG 2531.103. ⊠ 3301.103. Enregistré en 1977.

❀*** Orch. Phil. de Vienne, Erich Kleiber. Decca 592.113. Mono. Enregistré en 1955.

*** Orch. NBC, Arturo Toscanini. RCA AT 121 (étr.). Enregistré en 1949.

*** Orch. Phil. de New York, Leonard Bernstein. CBS 61.902 (sup.). Enregistré en 1969.

*** Orch. Phil. de Los Angeles, Carlo Maria Giulini. DG 2531.123. ⊠ 3301.123. Enregistré en 1979.

*** Orch. du Concertgebouw d'Amsterdam, Pierre Monteux. Philips 6570.849. *+ Répétition de la Marche Funèbre.*

** Orch. Phil. de Vienne, Karl Boehm. DG 2530.437. Enregistré en 1972.

L'enregistrement (public) Furtwängler-Vienne 1944, longtemps «pirate» est l'un des plus célèbres de toute l'histoire du disque. Dès l'attaque du premier mouvement, le chef soulève un climat gigantesque. Les phrasés, tantôt resserrés, tantôt distendus, instaurent une lutte épique, et respirent une conception «organique» du temps musical, où chaque instant doit faire sourdre l'entière grande forme. La *marcia funebre* s'écoule dans une lumière effrayante. Furtwängler souligne d'un vertigineux coup d'aile la violence implicite des dernières mesures. Un *scherzo* enfiévré, des variations finales partagent cette même quête du maximum. L'Orchestre de Vienne est exceptionnellement sombre. Il s'agit peut-être de la plus grande interprétation de tous les temps de la plus grande Symphonie de tous les temps ! Elle vient d'être rééditée en collection économique, dans d'excellentes conditions techniques.

Dans l'enregistrement Furtwängler - Vienne 1952, l'amoncellement des forces vives, brutales de la précédente version disparaît au profit d'une articulation, d'une concentration superbes et généreuses. L'art du *legato* (développement de l'*allegro*, et tout le quatrième mouvement) est stupéfiant ; ce classicisme qui allie la respiration naturelle et une tension croissante place l'*Eroïca* dans une perspective quasi cosmique. Furtwängler était bien le plus grand interprète de Beethoven qu'on ait jamais connu.

Tout se resserre, se condense avec Karajan 1977, qui fait succéder l'impatience la plus grave et un brio instrumental foisonnant. La maîtrise d'une telle direction atteint (premier mouvement) un degré exceptionnel. Karajan semble, dans sa vélocité infernale, mais toute en *mezza-voce*, imprimer une griffe fulgurante - et pratiquer des tempos beaucoup trop vifs. De fait, seuls Karajan et Toscanini respectent de A à Z les indications métronomiques. La *marcia funebre* (le hautbois de Lothar Koch !) exprime une grande puissance intérieure. La beauté, la sensualité du phrasé, des timbres, n'empêchent nullement Karajan de soulever un souffle panique, dans le droit sillage de Toscanini, ce qu'on aurait guère soupçonné de sa part. La puissance, mais aussi la subtilité de ce disque en font - si l'on tient compte des seuls critères techniques - sinon le plus beau de tous, du moins le plus séduisant.

Erich Kleiber choisit lui aussi un mouvement rapide, avec quelques fluctuations de tempo (premier mouvement). Le trait le plus original est l'effervescence rythmique. Les phrasés sont péremptoires, traversés d'inflexions grandioses, ils plantent un grand décor romantique. La *marcia funebre* et surtout le *scherzo* témoignent d'une réelle audace dans la coloration dynamique, rendue très *espressivo*.

Ne serait-ce la prise de son (d'une matité vraiment ingrate), l'interprétation d'Arturo Toscanini rejoindrait celles de Furtwängler, c'est-à-dire les plus hauts sommets. Elle se situe à l'exact opposé. Les accords cuivres-cordes du *fugato* (premier mouvement) sont brutalement clamés. La sécheresse insensée du phrasé permet cependant une *coda* (*allegro*) au caractère irrésistible. L'extrême exactitude du tempo (y compris dans la *marcia funebre*, concentrée et austère) d'Arturo Toscanini, son impulsion prodigieuse font sonner Beethoven presque comme du Stravinsky, et l'on songe, bien entendu, au *Sacre*, œuvre-phare et sœur de l'*Héroïque*...

Leonard Berstein, qui - tout comme Erich Kleiber et à l'inverse de Furtwängler, Toscanini ou Karajan - fait la reprise du premier mouvement, semble retenir avant tout le paroxysme du texte. Si l'instant est sans cesse privilégié, peut-être au détriment de l'architecture, le chef réveille une urgence, une profondeur croissantes par de belles oppositions de masses, de larges plans dynamiques. L'*allegro*, en particulier, est d'un grand espace, et jamais la Philharmonie de New York n'a mieux sonné.

Giulini réinvente tranquillement (et intégralement) les tempos de l'*Héroïque*... Le premier *allegro* (sans la reprise !) atteint ainsi des dimensions brucknériennes. Mais cette extraordinaire lenteur, ces grandes phases de méditation font ressurgir d'essentielles lignes de forces, avec une logique structurelle flagrante. Sur le plan de la pureté du phrasé, de la lisibilité de la polyphonie, Giulini - qui tout comme Furtwängler proclame, amplifie, martèle - touche ainsi le plus personnel de l'*Eroïca*. La beauté de certains détails instrumentaux (traits des bois), la constante luminosité du phrasé sont d'un fantastique raffinement. C'est un grandiose parti pris que d'exprimer la croissance dynamique, la force d'un mouvement (*allegro*) par la lenteur. Le pari est tenu.

Pour Pierre Monteux, la seule difficulté dans l'«Héroïque», dit-il à ses mucisiens pendant la répétition de la Marche funèbre également enregistrée ici, c'est «avoir le caractère». Du début à la fin, le chef exerce une quasi-fascination. Un disque précieux et inoubliable pour sa conception : le sens et le son l'emportent ici sur l'architecture grandiloquente.

Karl Boehm bénéficie de la rondeur, du velouté (*cf.* les cors de l'*allegro*) de la Philharmonie de Vienne à son zénith, et domine le texte avec droiteur, dureté. La respiration, le phrasé annoncent parfois, et fort curieusement, tout le premier romantisme musical : Weber, aussi bien que Schubert. Les détails formels sont intégrés dans une harmonie médiatrice, inondée de lumière (*allegro*, finale) ou bien ombrée et symbolique (*marcia funebre*) tel un tableau de Caspar David Friedrich. La prise de son est une reproduction fidèle de la réalité, le relief des timbres ressort à la perfection.

Symphonie n° 4 en si bémol majeur.

❀*** Orch. Phil de Berlin, Herbert von Karajan. DG Privilège 2535.303 (sup.). Enregistré en 1962.

*** Orch. Phil. de Berlin, Eugen Jochum. DG Heliodor 2538.097 (RFA, G-B). Enregistré en 1961. + *Ouverture Léonore II.*

*** Orch. Phil. de Berlin, Herbert von Karajan. DG 2531.104. ⊠ 3301.104. Enregistré en 1977.

*** Orch. Symph. de la BBC, Arturo Toscanini. EMI HMV World Records SH 134 (G-B). Mono (origine 78 t.). Enregistré en 1939. + *Symphonie n° 1.*

*** Orch. Phil de Berlin, Wilhelm Furtwängler. DG 2535.814 (sup.). Mono (origine 78 t.). Enregistré en 1943. + *Grande Fugue (version orchestre à cordes).*

** Orch. de la Société des Concerts du Conservatoire, Carl Schuricht. EMI Trianon 33.161. + *Symphonie n° 5.*

** Orch. Philharmonia, Otto Klemperer. EMI VSM C 069-00.797. ⊠ 269-00.797. + *Ouverture et musique de scène pour Egmont.*

La Quatrième est un immense sommet de l'œuvre de Beethoven, et certainement la plus méconnue, aujourd'hui encore, des neuf Symphonies. La direction frémissante de Herbert von Karajan (version 1962) est indispensable à connaître, car elle remet en cause les traditions qui affectaient et minimisaient l'œuvre. C'est sous le signe d'un symphonisme grandiose que se place Karajan, dès l'introduction lente et plus encore un *allegro vivace* héroïque, bondissant - qui laisse loin derrière tout souvenir «XVIIIe siècle». Le chef pratique des contrastes dynamiques exacerbés. La figure interrogative des premiers violons (développement) accuse une nervosité peu ordinaire. Toute la réexposition de l'*allegro vivace* (Karajan, comme la plupart des chefs, omet la reprise) est gonflée de lyrisme. L'*adagio*, relativement enlevé, se fait inflexible, tout entier commandé par une noble concentration du phrasé (thème de la clarinette). Karajan dramatise aussi les deux ultimes mouvements, les marquant d'une dureté quasi sculpturale. Une très grande interprétation, passée inaperçue, mais judicieusement rééditée en collection économique.

La carrière entière d'Eugen Jochum est attachée à la Quatrième Symphonie, un de ses plus constants et légitimes triomphes, au concert comme au disque. En 1961, avec la Philharmonie de Berlin, Jochum choisit la précision, atteignant d'emblée une formidable pulsion rythmique, le tout couronné de phrasés imaginatifs et même d'un certain humour (finale). Le premier mouvement est accentué dans le sens de l'effet immédiat :

l'approche de Jochum est plus traditionnelle que celle d'un Karajan. Elle renvoie tout droit à l'énergie obstinée, concentrée de la musique de Haydn. L'*adagio* est plus vigoureux que lumineux, bénéficiant toutefois d'un orchestre et d'une prise de son remarquablement fidèles au jeu des timbres. Les deux derniers mouvements ne quittent guère une telle ardeur lucide. L'équilibre de la direction de Jochum, la vivacité de ses tempos imposent avec force une trajectoire rythmique «totalitaire» (*scherzo*).

Karajan 1977 tourne le dos au tempo vif de Karajan version 1962, à son éloquence, sa brillance. L'*adagio* introductif, nimbé de mystère, s'inscrit aussi à l'opposé du climat de Jochum. L'*allegro vivace*, au tempo plus lent que de coutume, exprime un large mouvement ascendant que l'on ne retrouvera qu'avec... Furtwängler. Karajan en dégage sans doute plus la courbe mélodique que l'équilibre proprement rythmique ; les oppositions dynamiques sont sollicitées dans le sens d'une grande respiration «organique». La justesse, l'homogénéité des timbres font sonner l'*adagio* de manière rayonnante, malgré une impulsion, une palpitation étrangement éthérées. Le *scherzo* et le finale retrouvent quelque peu ces fabuleux *crescendos* dont Karajan tient le secret, mais avec un confondant dégradé des nuances. D'une somptuosité sonore incomparable, cette version l'emporte avant tout par l'ampleur lyrique, et un constant souci du *cantabile*.

Après un *adagio* introductif à la fois désolé et tendu (presque sans phrasé), Toscanini s'élance dans un *allegro vivace* plein de flamme. Tout le développement bénéficie d'une fermeté rythmique d'autant plus cruciale que le tempo reste incroyablement vif ; l'*adagio* en mi bémol ne respire ni calme, ni bonheur, mais persuade plutôt, dans une perspective presque inquiétante (motif transitoire, aux basses, mesure 34 et suivantes). Le *scherzo*, brutal, est fantastiquement contredit par un trio dont la légèreté n'a pu être même approchée par quiconque. Le finale garde un peu trop le style d'une ouverture à l'italienne, mais les dessins mélodiques, notamment aux bois (thème du hautbois, en *fa*) sont constamment maîtrisés avec un fascinant dynamisme intérieur. Toscanini refuse avec violence la tradition d'une heureuse Quatrième ou seulement conventionnelle. Cette version colorée, électrique, tranche sur toutes les autres interprétations. L'enregistrement (1939) est d'une clarté assez remarquable pour l'époque.

Furtwängler élargit le propos de la Quatrième dans une perspective, on s'en doute, opposée mais tout aussi radicale. Certaines fins de phrases (*allegro vivace*) sont appuyées, à l'excès, avec des *rallentendos* transcendants. Tout le premier mouvement, intense, poétique, découvre une Quatrième Symphonie que le chef, consciemment ou non, rapproche de ses deux voisines. L'*adagio* est architecturé avec une impulsion irrésistible. L'envolée donnée aux deux mouvements ultimes, complètement au-delà des tempos habituels, confère une nouvelle logique interne à la partition, car ce sont à peu près toujours le *scherzo* et le finale qui sont habituellement sacrifiés. Un disque hautain, admirable, mais qui ne s'adresse qu'aux bons connaisseurs de la Quatrième.

L'admirable, avec l'interprétation de Carl Schuricht, est qu'elle est la tradition même, en reposant donc sur un fond très clair de fidélité et d'énergie. Le tempo est vif, et la reprise du premier mouvement est faite. Schuricht découvre les plus infimes nuances de l'*adagio*, il lui donne une tonalité générale élégiaque, mélancolique. Il serait facile de conclure, après Karajan, Furtwängler ou Toscanini, à un manque de profondeur technique, mais de fait, les tempos et le phrasé de Schuricht, semblant couler de source, sont peut-être le moyen d'approche le plus immédiat de l'ouvrage.

Tous les admirateurs d'Otto Klemperer se doivent de posséder sa version de la Quatrième, fleuron d'une intégrale par ailleurs discutable. Le monolithisme du chef s'apaise ; sa solennité s'adjoint ici d'une objectivité (*allegro vivace*) malgré tout assez prenante, qui affirme avec force et tranquillité un mouvement rationnel, peu spectaculaire. L'enveloppe formelle (*adagio*) est bien plus lisible que le détail. Comme Furtwängler, Klemperer charge d'une certaine signification les deux derniers mouvements, en particulier le finale qui retrouve une vigoureuse plénitude, et même des qualités expressives qui ne sont pas pour étonner de sa part.

Symphonie n° 5 en ut mineur.

❀*** Orch. Phil. de Berlin, Wilhelm Furtwängler. Unicorn UNI 106 (G-B). Mono (origine 78 t.). Enregistré en 1943. *+ Concerto pour piano n° 4*. Ou Turnabout TV 4.478 (étr.). *+ Schubert : Symphonie «inachevée»*.

❀*** Orch. Phil. de Vienne, Wilhelm Furtwängler. EMI VSM C 027-00.071 (sup.). Mono. Enregistré en 1954.

*** Orch. Phil. de Berlin, Herbert von Karajan. DG 2531.105. ✉ 3301.105. Enregistré en 1977.

*** Orch. Phil. de Berlin, Wilhelm Furtwängler. EMI VSM Références C 051-03.587. Mono (origine 78 t.). Enregistré en 1937.

*** Orch. Phil. de Los Angeles, Carlo Maria Giulini. DG 2532.049.

*** Orch. Concertgebouw d'Amsterdam, Erich Kleiber. Decca 592.118 (2 d.). Mono. Enregistré en 1949. + *Symphonie n° 9*. Ou Decca Eclipse ECS 518 (G-B). + *Mozart : Symphonie n° 40.*

*** Orch. Phil. de Vienne, Karl Boehm. DG 2530.062. Enregistré en 1970.

*** Orch. Phil. de Vienne, Leonard Bernstein. DG 2531.311. ⊠ 3301.311. Ou DG 2740.216 (8 d.). ⊠ 3378.090 (6 c.). + *Intégrale des Symphonies.*

** Orch. de la Société des Concerts du Conservatoire, Carl Schuricht. EMI Trianon 33.161. + *Symphonie n° 4.*

C'est dans un sens hyperdramatique que s'oriente Furtwängler lors du célébrissime concert de juin 1943. Le chef maintient une tension oppressante d'un bout à l'autre, multipliant des intuitions aussi géniales (apartés des bois dans l'*andante*, formidable *crescendo* du «pont» entre troisième et quatrième mouvement, infernal déchaînement lors de la péroraison du finale) que révolutionnaires. La Cinquième était le domaine propre de Furtwängler, qui l'a dirigée plus de cinq cents fois. La version 1943, avec ses extraordinaires distorsions, son extrémisme presque désespéré, évoque aussi bien *Parsifal* que telle Symphonie d'Anton Bruckner. On côtoie le gouffre pendant plus d'une demi-heure. Au même titre que l'*Héroïque* faite à Vienne en 1944, ou que la Septième d'octobre 1943, il s'agit d'un événement d'exception : sommet absolu de toute la *saga* furtwänglerienne - et de l'histoire de l'interprétation.

La version réalisée par Furtwängler en studio à Vienne (1954) est animée d'une même impulsion irrésistible, et cependant davantage magistrale, classique, sinon apollinienne. Les imprévus sont moindres. Furtwängler donne davantage d'importance au *legato*, à l'architecture (premier mouvement). C'est l'apogée du «dernier style» de Wilhelm Furtwängler. Les basses de la Philharmonie de Vienne sont incroyablement soulignées, et maintenues avec une poigne de fer. L'*andante* est phrasé avec une rigueur splendide. Furtwängler revient au texte, au pouvoir de la pensée, de l'abstraction ; malgré toute son arrogance dynamique, le finale semble porté au plus haut point de clarté, de simplicité.

La grandeur (et le paradoxe) de Karajan 1977 est qu'il concilie des tempos dignes de Toscanini (c'est-à-dire fidèles aux mouvements métronomiques indiqués par Beethoven) et une splendeur dans la réalisation instrumentale, un élan émotionnel qui lui sont absolument propres. L'équilibre entre tel solo et l'ensemble orchestral (*cf.* bois dans l'*andante*) suggère une conception particulière : l'œuvre semble exécutée d'un seul jet, les raffinements sonores, aussi exceptionnels qu'ils soient, les longs passages en *mezza-voce*, le formidable contrôle de chaque ligne ne servent qu'à la croissance «organique» du discours et finissent d'ailleurs par échapper au rationnel à force de perfection technique. Si les disques de Furtwängler n'existaient point, cette interprétation littéralement époustouflante serait à situer à la toute première place.

Eu égard à la personnalité du chef, la version Furtwängler 1937 est d'une étonnante rigueur. Tempo équilibré (et cependant remarquablement plus lent que ceux de Toscanini, Karajan ou Erich Kleiber), phrasé sobre. Furtwängler met l'accent sur l'aspect «symphonie à l'état pur» (développement de l'*allegro con brio*) en refusant presque les ressources expressives des trop grands contrastes. La droiture, la simplicité de l'*andante*, à l'opposé de tout monolithisme mutilant, sont à situer fort haut. Singulière vision, où l'intransigeance de la direction intègre les lignes de forces dans un parti pris de fidélité. La magnificence du texte éclate d'elle-même. L'harmonie des deux derniers mouvements atteint une puissance impressionnante. La prise de son, compacte prolonge le *rubato* résolu, l'impétueuse rudesse de Furtwängler.

Giulini paraphe, en signe d'appropriation, ce vaste tableau qu'est la Cinquième. Violence et fatalité de son *allegro* initial, solennité et tendresse (en place du traditionnel bucolisme) dans l'*andante*, douleur et chaleur communicatrice du *scherzo*, hymne à la force et à l'espace du finale. L'orchestre est plié, enchaîné : l'auditeur peut se sentir violenté dans son idéal Furtwängler ou dans sa sécurité Karajan.

L'*allegro con brio* d'Erich Kleiber est d'un mouvement enthousiasmant, alliant vivacité, souplesse, élégance ; mais il respire peu. Les couleurs spécifiques du Concertgebouw, capiteuses et souvent sombres, tempèrent l'impatience ardente de la direction. Kleiber souligne le caractère expressif de l'*andante con moto* (sommet du disque) d'un *rubato* foncièrement personnel : les contrepoints de timbres (bloc des bois, altos et violoncelles, dans la variation en *la* bémol) sont admirablement mis en valeur. La lisibilité toujours poétique d'Erich Kleiber fait de cette version le meilleur instrument d'analyse imaginable.

Boehm laisse parler le texte, et surtout la splendeur purement coloristique de l'orchestre (Vienne) dont il dispose. Les tempos sont très lents, avec un dosage des accents peu habituel qui tire l'œuvre vers la solennité, ou même le mystère. La direction de Boehm culmine dans le finale, assez passionnant, le chef abandonnant alors sa réserve et déployant une magnifique véhémence, tout en conservant un mouvement très large.

La démarche de Leonard Bernstein est d'une savoureuse originalité. Elle diffère profondément de toutes les autres par un imperceptible élargissement des principales composantes : tempo, agogique, expression même. Cette Cinquième, malgré tout fouillée, perd de sa verve rythmique au profit d'une fascinante patine, étrangement brahmsienne. Version contemplative, presque, mais non dépourvue d'ampleur. La profonde générosité de Bernstein ne l'empêche nullement de choisir, pour une fois, une expression davantage réfléchie, d'une émouvante gravité. La beauté, l'homogénéité des timbres de la Philharmonie de Vienne sont peut-être encore plus phénoménales qu'avec Karl Boehm.

C'est la verve, la puissance, l'acuité dans chaque détail et, paradoxe, la jeunesse de Carl Schuricht qui frappent avant tout dans son enregistrement. La verdeur du phrasé, la rigueur de l'agogique n'excluent point la souplesse (*allegro con brio*), et le tempo est nettement plus vif que dans les précédentes versions. Authenticité indiscutable d'une tradition qui joue ici avec insistance sur les contrastes (*andante* final).

Symphonie n° 6 en fa majeur «Pastorale».

❀*** Orch. Phil. de Vienne, Wilhelm Furtwängler. EMI Da Capo C 027-00.807. Mono. Enregistré en 1952.

❀*** Orch. New Philharmonia, Carlo Maria Giulini. HMV Concerts Classics SXLP 30.313 (G-B). Ou EMI Electrola C 063-02.004 (RFA). Enregistré en 1969. + *Ouverture d'Egmont.*

❀*** Orch. du Concertgebouw d'Amsterdam, Erich Kleiber. Decca 592.105. Mono. Enregistré en 1953.

*** Orch. Phil. de Berlin, Herbert von Karajan. DG 2531.106. ⊠ 3301.106. Enregistré en 1977.

*** Orch. Phil. de Vienne, Karl Boehm. DG 2530.142. ⊠ 3300.476. Enregistré en 1971. + *Ouverture de Coriolan.*

** Orch. Symph. Columbia, Bruno Walter. CBS 75.059. ⊠ 40-75.059.

** Orch. Phil. de Los Angeles, Carlo-Maria Giulini. DG 2531.226. ⊠ 3301.266. Enregistré en 1979.

** Orch. Phil. de Berlin, André Cluytens. MFP Plaisir du Classique M 055-11.128. ⊠ M 255-11.128.

** Orch. Phil. de Vienne, Leonard Bernstein. DG 2531.312. ⊠ 3301.312. Ou DG 2740.216 (8 d.). ⊠ 3378.090 (6 c.). Enregistré en 1979. + *Intégrales des Symphonies.*

** Orch. du Concertgebouw d'Amsterdam, Eugen Jochum. Philips 6500.247. Enregistré en 1969.

Furtwängler métamorphose complètement les tempos de la *Pastorale* (dans le sens de la lenteur), et l'œuvre y gagne un romantisme assez tendu, d'une noblesse peu commune. Les phrasés du premier mouvement sont extrêmement intégrés ; le chef réussit à concentrer chacun des solos (*Scène au bord du ruisseau*) dans une seule évolution organique, qui exclut toute anecdote. On court à l'essentiel d'un bout à l'autre : synthèse supérieure d'une lecture analytique et d'une ampleur de perspective rigoureusement contrôlée. L'apothéose du finale éclate avec violence, dans un tempo d'un coup très vif, digne de Toscanini.

Giulini pratique une lenteur inexorable, d'ailleurs assez proche de celle de Furtwängler, et les intentions interprétatives aussi sont souvent voisines. L'*allegro non troppo* initial est phrasé avec un extraordinaire sens du détail (*cf.* deuxième thème, en *ut*, aux cordes). Cette lecture entièrement contemplative transpose le début de la *Pastorale* dans un univers proche de Schubert ou de Bruckner. Les étonnantes inventions instrumentales de la *Scène au bord du ruisseau* (mixage des bassons, altos, violoncelles, échanges clarinette-basson, clarinette-cor, et l'admirable contrechant, en octaves, clarinette *contre* un violoncelle solo) s'épanouissent en créant un miraculeux halo de mystère et de rêve. Y compris dans le triptyque final, plus dramatique, Giulini fait remarquablement chanter tous les pupitres. Version incomparable dans l'élégie, la finesse, les demi-teintes, et qui conserve cependant de la première à la dernière mesure un majestueux souffle lyrique.

Excepté dans la *Scène au bord du ruisseau*, assez lente, Erich Kleiber revient à des tempos beaucoup plus proches de ceux de Toscanini que de l'école allemande. L'*allegro ma non troppo*, curieusement peu lyrique, révèle au contraire un superbe travail instrumental, analytique autant qu'interrogatif. La probité, la profondeur d'une telle approche sont puissamment prolongées par les qualités spécifiques du Concertgebouw.

Karajan est admirable, car il marie des tempos extraordinairement vifs (plus que ceux de Toscanini) et une chaleureuse intensité du phrasé. L'art du *legato* est porté à son comble, atteignant dans l'*allegro ma non troppo* une subtilité insidieuse - vraiment singulière ! La clarté, la lisibilité du second mouvement font presque oublier la pure virtuosité orchestrale, d'un niveau pourtant difficilement imaginable. Les trois derniers temps, eux aussi d'une exceptionnelle vélocité, se déroulent dans une lumière tout en clair-obscur, à couper le souffle. Ce vertige de sensualité, de douceur et tout simplement de pure beauté sonore est un des sommets de la carrière discographique d'Herbert von Karajan, à rapprocher de son *Tristan*.

Karl Boehm, évidemment plus lent que Karajan, va dans le sens d'un scrupuleux respect de texte et replace les tensions essentielles de l'œuvre (*Orage*, finale) dans une perspective rigoureuse, reflexive même. La Philharmonie de Vienne reste impressionnante. Boehm voit la *Pastorale* telle une vaste fresque un rien décorative, mais son disque demeure certainement le plus *abordable* de tous, grâce à la fermeté quasi didactique de chacun des contours (*allegro ma non troppo*) ainsi dessinés.

Tout le style de la direction de Bruno Walter semble comme prédestiné à la *Pastorale* dont il donnait déjà, dans les années trente, une mémorable version avec la Philharmonie de Vienne (elle est malheureusement peu audible). L'enregistrement fait avec le Columbia Symphony souffre, il est vrai, de la relative médiocrité de cet orchestre. Mais il est indispensable à connaître : loyauté, ferveur s'y rejoignent sans cesse, offrant sans emphase toute la *Pastorale*, rien que la *Pastorale*. L'effusion mélodique (*allegro non troppo*) se libère avec une sorte d'ivresse ; les phrasés, apaisants, sans aucune lourdeur (*Scène au bord du ruisseau*) sont d'une sublime rectitude.

Giulini 1979 tourne radicalement le dos à Giulini 1969. Le tempo est ici beaucoup plus vif, les phrasés moins amples, l'articulation à la fois plus martelée et plus soutenue, surtout dans les deux derniers mouvements. Le Los Angeles n'est pas le Philharmonia, mais cette approche sensuelle, tourmentée, dramatique parfois, semble infiniment plus authentique que bien des réalisations assommantes de maîtrise technique.

André Cluytens trouve d'emblée une expression juste, et les quelques ralentissements imprimés dans les deux premiers mouvements irradient une allure pacifiée, improvisante. La mise en place est toujours remarquable, la clarté des plans (deuxième mouvement) produisant une excellente sensation d'équilibre : sans doute l'enregistrement le plus «naturel» de tous.

Bernstein choisit des tempos relativement modérés, et cette interprétation qui bénéficie des timbres de Vienne, est toujours somptueusement colorée dans les mediums et les graves. Le chef fait ressortir certaines périodes (*allegro* initial), avec des inflexions très typiques d'un style plus sensuel que large, privilégiant sans doute l'instant, la nature vivante du son, au détriment de la structure d'ensemble. Les contrastes dynamiques, exagérés parfois (*Orage*), suscitent pourtant une réelle richesse de ton, à la fois grave et voluptueuse.

Jochum frappe par l'architecture, accusant les reliefs dans une lecture fortement caractérisée - avant tout dictée par un implacable sens de l'unité - mais peut-être trop massive. Les deux mouvements initiaux retiennent surtout par la limpidité du phrasé, une irréprochable précision dans chaque variation d'intensité, la puissance réelle et progressive du mouvement global. Toute la fin est superbe, empreinte de simplicité, de chaleur : elle donne une très exacte mesure de l'art de Jochum.

Symphonie n° 7 en la majeur.

❀*** Orch. Phil. de Berlin, Wilhelm Furtwängler. Unicorn Wilhelm Furtwängler Society WFS 8 (G-B). Mono (origine 78 t.). Enregistré en 1943.

❀*** Orch. Phil. de Vienne, Wilhelm Furtwängler. EMI VSM C 051-03.089. Mono. Enregistré en 1950. + *Ouverture de Coriolan.*

❀*** Orch. Phil. de Berlin, Herbert von Karajan. DG 2531.107. ⊠ 3301.107. Enregistré en 1977.

❀*** Orch. Philharmonia, Guido Cantelli. EMI Trianon C 027-01.214. Enregistré en 1956.

*** Orch. Phil. de Berlin, Ferenc Fricsay. DG Privilège 2538.055. (sup.) Enregistré en 1962.

** Orch. Symph. de Chicago, Fritz Reiner. RCA Camden Classics CCV 5.016 (G-B). Enregistré en 1956. + *Ouverture de Fidelio.*

** Orch. Phil. de Vienne, Karl Boehm. DG 2530.421. Enregistré en 1972.

** Orch. de Philadelphie, Riccardo Muti. EMI VSM C 069-03.472. Enregistré en 1978.

* Orch. Phil. de New York, Leonard Bernstein. CBS 61.906. ⊠ 40-61.906.

La Septième - peut-être la plus parfaite des neuf Symphonies - se révèle sans doute la mieux servie par le disque, depuis les gravures historiques de Weingartner (Vienne 1936) et de Toscanini (New-York 1935). Le concert public (Berlin 1943) de Furtwängler est un formidable sommet. L'introduction *poco sostenuto*, avec ses quatre accords en *tutti* assénés *fortissimo*, plante un décor exaltant - remarquablement sévère ! Furtwängler pratique des tempos relativement plus vifs qu'à son habitude. C'est la rigueur, l'inflexibilité de l'architecture qu'il met d'abord en valeur, en dépit des très grandes vagues, des vertigineux phrasés qui, tel l'océan, semblent toujours déborder, et sont pourtant retenus d'une poigne de fer. Le trio du *presto*, solennel, ouvre l'«abîme mystique» et annonce directement l'univers d'Anton Bruckner. Le finale est un terrifiant maëlström, maintenu avec une rigueur de tempo qui donne le vertige et qu'on ne peut même comparer à celle, légendaire, d'Arturo Toscanini. La prise de son n'est pas fameuse, mais il s'agit tout net d'un événement de l'histoire de la musique enregistrée.

La version Vienne 1950 de Furtwängler est d'un magistral classicisme. L'orchestre sonne avec une couleur véritablement unique. La prise de son est profonde, le mouvement d'ensemble nettement plus lent que dans la version de Berlin. L'éventail expressif donné à l'introduction et au *vivace* permet un vrai lyrisme - pour une partition d'essence avant tout rythmique. L'accent dominateur de Furtwängler réveille pourtant un *allegretto*, un *scherzo* comme libres de tout entrave, et le grand arc dressé dans le finale derrière son apparence apollinienne, accentue encore le caractère à la fois intérieur et ouvert d'une belle musique.

Karajan a ici le génie de nous faire entendre la force, la puissance dynamique du texte, sa foisonnante progression organique tout en puisant à plein dans la pure beauté sonore, qui est ainsi rendue rien moins que superficielle. Le *vivace* est un prodigieux assemblage de tension et de somptuosité spécifiquement instrumentale. Les trois autres mouvements, extrêmement dramatiques et mêmes concentrés (*cf.* Toscanini), marient eux aussi sauvagerie et halo de mystère. La prise de son favorise les basse (*vivace*, *scherzo*). Le finale, pris dans un mouvement prodigieux, est d'une brutalité raffinée.

Cantelli choisit d'emblée un climat d'exubérance, de clarté, avec des tempos presque comparables à ceux, électrisants, de Karajan ou de Toscanini. La ferveur, la luminosité données au *vivace* regardent bien sûr vers Toscanini, mais le mouvement est pourvu d'un *legato*, de phrasés extrêmement personnels. Comme chez Karajan, Furtwängler, Boehm ou Fricsay, la reprise du *vivace* est omise. L'*allegretto*, d'une articulation pourtant superbe, n'atteint sans doute pas en atmosphère la densité des premier et troisième temps. Les proportions dynamiques (*vivace*) sont excellentes ; il s'agit ici d'une vision solaire, enlevée, d'un chef qui était avant tout préoccupé par l'expression directe.

Fricsay, assez introverti, s'en tient à des tempos modérés et à un phrasé d'une grande rigueur. La maîtrise contrôlée de l'énergie (premier mouvement, *scherzo*) soumet toute l'unité expressive à la seule domination du rythme. Le meilleur du disque est peut-être un grave *allegretto* - bénéficiant ici d'un admirable *legato* des cordes-, à la cohérence fort sobre, austère même (deuxième thème, en *la*, *fugato*). La solide logique des deux mouvements ultimes rétablit une précieuse vérité. Cette très belle mais très simple interprétation, un rien unidimensionnelle, est la plus représentative du classicisme mitteleuropéen, incarné par des chefs tels que Weingartner, Schmidt-Isserstedt, Kubelik ou Karl Boehm. La prise de son, trop compacte, date un peu.

Le mouvement est d'une grande vivacité chez Fritz Reiner (qui fait la reprise du *vivace*, mais omet celles du finale) où règne la continuité dynamique. Les principales phrases conflictuelles de la partition sont éclairées d'un même regard et replacées dans une séduisante justesse d'expression. La force de persuation, la rectitude quant à la lettre de Fritz Reiner s'augmentent des qualités propres de l'Orchestre de Chicago, qui possédait en 1956 un son presque aussi splendide qu'aujourd'hui.

L'interprétation très décantée de Karl Boehm va dans le sens, non seulement d'une clarification toujours accrue de la texture (*vivace*, *scherzo*), mais dans celui d'une phénoménale rigueur de diction : l'articulation du *poco sostenuto* introductif, la transition avec le *vivace* frappent par leur perfection technique. Le *vivace*, le *scherzo* sont contrôlés par une souveraine lucidité. D'aucuns seront surpris par l'éclairage donné à certains détails secondaires (par exemple, la ligne des violoncelles, mesures 79 et suivantes, dans le finale) : il est toujours admirablement pertinent.

Riccardo Muti bénéficie d'un orchestre et d'une prise de son de très grande classe. Muti, tel le Karajan des années cinquante, joue avec franchise et superbe le jeu d'un romantisme héroïque, victorieux, non sans une certaine emphase, mais le texte n'en devient pas surchargé pour autant. Les contrastes dynamiques, les lentes montées *crescendo (vivace)* triomphent de virtuosité, de vaillance. C'est une approche verte, charnelle de la Septième Symphonie, et l'on ne peut que se réjouir de la devoir à un artiste aussi jeune.

Leonard Bernstein, avec New York, frémissant, vit la partition dans une perspective dionysiaque, hypersubjective, extravertie. L'exagération de certains effets (*scherzo*) ne doit pas masquer le réel et magnifique tempérament d'une telle direction. L'élan imprimé au *vivace* semble aller de soi, mais l'orchestre (bois) n'y est pas irréprochable. Le chef effectue chacun des reprises (y compris toutes celles du finale). Un disque engagé, dont la violence même semble plus attachante que la perfection technique (et l'aspect conventionnel) de bon nombre de versions plus célèbres.

Symphonie n° 8 en fa majeur.

❀*** Orch. Phil. de Berlin, Herbert von Karajan. DG Privilège 2535.315 (sup.). Enregistré en 1962. + *Ouvertures de Coriolan, Fidelio, Léonore III.*

*** Orch. Phil. de Berlin, Herbert von Karajan. DG 2707.109 (2 d.). ⌧ 3370.109 (2 c.). Enregistré en 1977. + *Symphonie n° 9.*

*** Orch. Phil. de Berlin, Eugen Jochum. DG Héliodor 2458.224 (G-B, RFA). Enregistré en 1960. + *Symphonie n° 1.*

** Orch. Phil. de Vienne, Pierre Monteux. Decca 592.022. ⌧ 4-592.022. Enregistré en 1960. + *Symphonie n° 1.*

** Orch. Phil. de New York, Bruno Walter. CBS W 5 (5 d.). Mono. Enregistré en 1949. + *Intégrale des Symphonies.*

** Orch. Phil. de Vienne, Claudio Abbado. Decca SXL 6.549 (G-B). Enregistré en 1972. + *Schubert : Symphonie «inachevée».*

** Orch. Phil. de Vienne, Herbert von Karajan. EMI Toshiba EAC 30.102 (Japon). Mono (origine 78 t.). + *Symphonie n° 5.*

Karajan version 1962 est d'un héroïsme splendide, dans un style presque toscaninien, avec bien entendu un souci particulier pour le rendu, le fini instrumentaux. Toute la grande strette (développement de l'*allegro vivace e con brio*) est phrasée avec un incontestable accent de grandeur. L'*allegretto scherzando* est joué (comme toujours chez Karajan pour ce mouvement précis) avec davantage de corps, sinon de violence, que de réel humour. Le *menuet* (fort sobre), le finale dépassent un peu les habituelles lectures, le chef exacerbant chacun des *tutti* en déployant une ardeur suffisamment puissante pour abolir tout souvenir «néo-classique». Ce disque est une des absolues réussites (*cf.* Quatrième) de l'intégrale Karajan 1962. Il est de surcroît réédité en collection économique, dans d'excellentes conditions techniques.

Karajan version 1977 excelle à rendre une atmosphère, lumineuse, et la Philharmonie de Berlin est encore plus virtuose, si possible, qu'en 1962. Les tempos sont très rapides, l'*allegro vivace* initial d'une rare concentration. La brillance, l'homogénéité de la précédente version disparaissent au profit d'une extraordinaire ductilité, de phrasés chantants, d'un jeu très souple sur les sonorités (*allegretto scherzando*). Dégagé de toute contingence technique, le chef (*cf.* Deuxième, dans la même intégrale 1977) privilégie à l'évidence les couleurs, les nuances (y compris dans les deux derniers mouvements), révélant de radieux accents poétiques (trio du menuet). Le velouté des cordes, pour une partition qui les traite le plus souvent dans la masse, est d'une éblouissante beauté.

Jochum bâtit son interprétation sur une ‹ceptionnelle rectitude, non sans quelque ıalice (*allegretto scherzando*). La constante ;vérité, le laconisme du premier mouvement ›posent sur une conception active des va-ıurs dynamiques, et une appréhension ana-'tique des grands plans instrumentaux. Le 'avail orchestral exalte, avec une sombre iscipline du phrasé, la densité, l'humour à oid : approche très *musikantisch*. Une telle ›cture, à la fois rude et légère, est sans oute, quant à la lettre, la plus parfaite de ›utes, mais elle demeure en-deçà de l'hé-›ïsme, de la brillance des deux versions Ka-ıjan.

Monteux dévoile une vision toute en sa-esse, en ampleur presque mélancolique (me-ıuet) et s'oppose donc à la rudesse de ›chum comme à l'élan inventif, aux intui-ons de Karajan. L'*allegro vivace e con brio* st curieusement peu tendu ni tumultueux, ıais dégage une grande nostalgie. L'*allegret-› scherzando*, plus ensoleillé, est caractéris-ique de l'atticisme du chef français. Le ;bondissement des deux derniers mouve-ıents est sans doute moindre qu'ailleurs, ıais l'articulation de certains détails (les ors, la clarinette, trio du menuet) témoigne 'une homogénéité expressive de tout pre-ıier ordre. Monteux respire avant tout, lais-ınt chanter les lignes mélodiques. La prise e son, ancienne, favorise trop les basses.

La Huitième Symphonie comptait, avec la *'astorale*, au nombre des plus grandes réussi-:s de Bruno Walter. Le style spécifique de Valter se prête admirablement à la subtilité ; ı version New York 1949, malgré une prise e son et une gravure contestables, demeure n modèle de charme, de perfection fruitée et avoureuse. Le travail de la direction est évi-emment davantage poussé dans la mise en aleur du phrasé que dans la maîtrise globale u la continuité du discours. Approche supé-ieurement sentimentale, attendrissante : en uelque sorte, l'anti-Jochum.

Abbado, vif, spontané surtout, échappe à anecdote grâce à un remarquable respect de ı lettre. Cette rectitude vis-à-vis du texte éussit à faire ressortir des nuances délicates ıais essentielles (par exemple, l'impossible gne des basses, mesures 190 et suivantes, ui ramène le premier thème de l'*allegro vi-'ace e con brio*). Les deux mouvements mé-ians frappent par leur persuasion, un relief alme, singulier (malgré le tempo du menuet, n rien trop vif). Abbado souligne excellem-ıent l'allégresse rythmique du finale.

Les amoureux de la Huitième Symphonie loivent connaître la toute première version Karajan, faite à Vienne en 1946. Plus encore ı'en 1962 (mais avec des conditions techni-ues bien moindres), Karajan culmine dans intensité, la violence. La progression dynamique (*allegro vivace e con brio*) traduit une exemplaire force de conviction. Personne n'a peut-être rendu pareillement le finale, qui retrouve ici une phénoménale rugosité. Cette surprenante interprétation mériterait bien une réédition européenne.

Symphonie n° 9 en ré mineur avec chœurs.

❀*** Elisabeth Schwarzkopf (s). Elisabeth Höngen (ms), Hans Hopf (t), Otto Edelmann (b), Ch. et Orch. du Festival de Bayreuth, Wilhelm Furtwängler. EMI VSM Références C 151-53.678/79 (2 d.). ⊠ C 281-53.678/79 (2 c.). Mono. Enregistré sur le vif en 1951. *+ Symphonie n° 1.*

❀*** Elisabeth Schwarzkopf (s), Elisabeth Höngen (ms), Julius Patzak (t), Hans Hotter (b), Ch. Singverein de Vienne, Orch. Phil. de Vienne, Herbert von Karajan. EMI Toshiba EAC 30.101 (Japon). Mono (origine 78 t.). Enregistré en 1947.

❀*** Anna Tomova-Sintow (s), Agnes Baltsa (ms), Peter Schreier (t), José van Dam (b), Ch. du Singverein de Vienne, Orch. Phil. de Berlin, Herbert von Karajan. DG 2707.109 (2 d.). ⊠ 3370.109 (2 c.). Enregistré en 1977. *+ Symphonie n° 8.*

*** Tilla Briem (s), Elisabeth Höngen (ms), Peter Anders (t), Rudolf Watzke (b), Ch. Bruno Kittel, Orch. Phil. de Berlin, Wilhelm Furtwängler. Unicorn UNI 100/101 (2 d.). (étr.). Mono (origine 78 t.). Enregistré en 1942. *+ Brahms : Variations sur un thème de Haydn.*

*** Gwyneth Jones (s), Hanna Schwarz (ms), René Kollo (t), Kurt Moll (b), Ch. de l'Opéra d'État de Vienne, Orch. Phil. de Vienne, Leonard Bernstein. DG 2707.124 (2 d.). ⊠ 3370.037 (2 c.). *+Symphonie n° 8.* Ou DG 2740.216 (8 d.). ⊠ 3378.090 (6 c.). Enregistré en 1979. *+ Intégrale des Symphonies.*

** Gundula Janowitz (s), Hilde Rössl-Majdan (ms), Waldemar Kmentt (t), Walter Berry (bar), Ch. du Singverein de Vienne, Orch. Phil. de Berlin, Herbert von Karajan. DG 2542.112 (2 d.). ⊠ 3342.112 (2 c.). Enregistré en 1962.

** Irmgard Seefried (s), Maureen Forrester (ms), Ernst Haefliger (t), Dietrich Fischer-Dieskau (bar), Ch. de la cathédrale Ste-Hedwige, Orch. Phil. de Berlin, Ferenc Fricsay. DG Résonance 2535.203 (RFA). Enregistré en 1958.

* Gwyneth Jones (s), Tatiana Troyanos (ms), Jess Thomas (t), Karl Ridderbusch (b), Ch. de l'Opéra d'Etat de Vienne, Orch. Phil. de Vienne, Karl Boehm. DG 2707.073 (2 d.). Enregistré en 1972. + *Symphonie n° 8.*

Le premier mouvement est exceptionnellement large dans la version Furtwängler-Bayreuth 1951, avec des modifications de tempo (*rallentendo* durant le développement, *accelerando* extraordinairement dramatique de la *coda*) qui renversent les traditions en accentuant encore davantage l'aspect d'attente, de suspens. Le *scherzo* est d'une stupéfiante sauvagerie ; l'*adagio molto e cantabile*, pris dans un tempo très lent, est phrasé avec une profondeur, un lyrisme véritablement inouïs. La divine frénésie du finale, sa gradation conclusive illustrent une conception précise : pour Furtwängler, la Neuvième est surtout une symphonie «à finale». La subjectivité outrée de certains épisodes (premier récitatif instrumental, attaque de l'hymne *allegro assai* aux basses, *fugato* instrumental à 6/8) devient donc déterminante. Cette interprétation témoigne d'un engagement spirituel presque écrasant. Le quatuor vocal est bon, sans plus, largement dominé par la voix d'Elisabeth Schwarzkopf.

Karajan a signé quatre versions, toutes remarquables, de la Neuvième Symphonie ; ce sont sans aucun doute sa plus ancienne et sa récente version qui l'emportent. L'enregistrement fait à Vienne en 1947 est soulevé d'un véritable souffle lyrique et révèle une sensibilité très directe, que le chef autrichien n'atteindra plus par la suite. L'homogénéité, l'unité données au premier mouvement sont incomparables. Le *legato* est utilisé avec une déconcertante perfection pour une aussi jeune baguette. La coda de l'*allegro ma non troppo* et l'entier *Scherzo* renvoient au dramatisme, à l'urgence d'un Toscanini, mais le troisième mouvement, d'une beauté, d'une tendresse réellement sublimes, se situe plutôt dans la succession de Weingartner, voire de Bruno Walter. Le phrasé du deuxième thème 3/4, aux seconds violons et aux altos, d'une émotion à la fois sobre, hypernuancée, est à lui seul un véritable miracle : personne, dans toute l'histoire de la musique enregistrée, ne l'a même peut-être égalé... Les chœurs sont supérieurs à ceux de la version Furtwängler-Bayreuth. Le son est excellent, eu égard à la date d'enregistrement. Le quatuor soliste (Schwarzkopf, Patzak, Hans Hotter ! sans commentaire...) est bien sûr le couronnement de cette incomparable gravure, aussi émotionnelle que construite.

Karajan version 1977 est à la fois plus puissant et plus hédoniste. Il aborde l'œuvre dans le sens de la clarté formelle, de la perfection architecturale, d'une objectivité fouillée et quasi mystique dans son obsession des raffinements. Le premier mouvement, malgré une introversion assez terrible, éclate de lumière, de brillance strictement instrumentale : Karajan pratique de beaux phrasés expressifs en jouant avec virtuosité d'un *rubato* insensé. La réexposition et la *coda*, au contraire, atteignent en leur concentration une surprenante violence. Le *scherzo*, électrique, mystérieux presque, l'*adagio* surtout (fort lent, *cf.* Furtwängler) sont pour l'essentiel épurés, tournés vers l'intérieur, l'absolue maîtrise technique dévoilant souvent de foisonnants détails. La transparence donnée au finale, au phrasé davantage tendu, parvient à concilier les extrêmes. Tout comme dans l'enregistrement de 1947, on garde cependant l'impression que ce sont les premier et troisième mouvements qui surplombent, en intensité comme en finesse, et sur ce point la conception de Karajan s'oppose diamétralement à celle de Furtwängler. Les interventions vocales conservent une très grande rigueur, l'intelligence, le naturel dans le phrasé d'une Anna Tomova-Sintow ou d'un José van Dam se révélant aujourd'hui à peu près insurpassables. Le résultat sonore, équilibre de la prise de son et pure richesse des timbres, éclipse aisément l'ensemble des réalisations concurrentes.

L'enregistrement Furtwängler-Berlin 1942 retient avant tout par son extrême violence (*scherzo*, finale). Il y a peu d'aération intérieure dans le déroulement cursif du premier temps, sillonné de ruptures de tempo aussi déconcertantes qu'expressives. L'*adagio*, d'une ardeur spectaculaire, perd de sa couleur, de son mystère au profit d'une tension qui est à prendre ou à laisser. Le finale offre une cruauté inimaginable, avec des moments d'intense expressionnisme. Le quatuor vocal, très inégal, est dominé par le solo de ténor admirable, de Peter Anders. Le romantisme échevelé de Furtwängler, la vivacité de certains de ses tempos (*allegro energico* du finale) exaltent ici une Neuvième sévère, purificatrice. Mais ce n'est certainement pas la Joie que l'on chante dans le finale, à la grandeur plutôt apocalyptique !

Dans la version Bernstein-Vienne, l'*allegro ma non troppo* est très appuyé, et le chef américain met bien en valeur l'architecture, soulignant cependant sans cesse les détails, éclairant (réexposition) d'une impatiente droiture la rhétorique beethovénienne. Le *scherzo* est exigeant, imprimé d'un grand souffle. L'*adagio*, pris en un tempo immense (*cf.* Furtwängler-Bayreuth, Karajan 1977), bénéficiant d'une merveilleuse gradation des nuances (sections en *ré* majeur et en *sol* majeur), dépasse le simple style *espressivo* et triomphe surtout dans l'homogénéité, l'impulsion du phrasé (deuxième thème), la magnificence de l'articulation (les deux fanfares en *tutti*). Une telle intégrité surprend presque de la part de Leonard Bernstein, et plus encore l'héroïsme trépidant mais strictement contrôlé rendu à l'entier finale. La Philharmonie de Vienne offre de la première à la dernière mesure une fantastique gamme de nuances, bien servie par la prise de son (faite en public, mais exemplaire). Bernstein exagère les ruptures de tempo dans le finale ; il lui confère pourtant un enthousiasme, un lyrisme qui vont droit au but. L'intransigeance, la portée artistique et humaine d'une telle interprétation - sommet de l'album Bernstein-Vienne -, la conviction (qu'on sent ardemment personnelle, vibrante) qui l'anime de part en part en font sans doute une des deux ou trois plus grandes Neuvièmes de l'ère stéréo.

La précision technique est presque aussi hallucinante chez Karajan 1962 que dans sa plus récente version et l'engagement davantage direct, brillant (mais aussi plus extérieur). La prise de son est trop réverbérée. Les tempos des deux premiers mouvements, fiévreux, agrémentés de fulgurants *crescendos*, conditionnent l'architecture de l'œuvre : Karajan, plus que dans ses autres versions, semble attentif au finale. L'*adagio* est admirable de relief, de puissance expressive ; la pureté de la ligne mélodique est remarquablement soulignée, malgré un tempo un rien trop vif. Le final tant attendu l'emporte surtout par son vivant dynamisme, la clarté des transitions, la fougue des épisodes vifs (et la voix, à peu près unique, de Gundula Janowitz). Cette gravure se révèle étonnamment complémentaire des autres enregistrements signés par le même chef, mais elle demeure dans l'absolu en deçà de l'aventure spirituelle propre à la Neuvième Symphonie, dimension que seuls Furtwängler 1951 (Bayreuth), Karajan 1947 (Vienne) et peut-être Bernstein aujourd'hui ont su rendre évidente en sa totalité.

L'exposition thématique et toute la première partie de l'*allegro* ont avec Ferenc Fricsay l'atout majeur d'une parfaite articulation, d'attaques nerveuses et incisives ; rarement les lignes de force et surtout la pulsation rythmique ont été dégagées avec autant d'acuité. Le développement et la réexposition s'inscrivent pareillement dans un mouvement intense mais parfaitement clair, aux antipodes de la version colorée et empoignante de Karajan 1962. L'aspect spectaculaire du *scherzo* disparaît au profit d'une grande concision du phrasé, et d'un sens très sûr de l'équilibre formel. L'articulation (intermède *alla breve* en *ré* majeur) manifeste une implacable justesse. L'*adagio*, pris dans un tempo assez large, excelle par sa douceur calme, un phrasé étrange mais sobre (premier thème, en *si* bémol) : Fricsay innove par l'intimité, mais réussit à le faire sans la moindre faute de style. Les grandes envolées rêveuses (deuxième thème) ont le mérite de la plus extrême probité, et la section à 12/8 convainc par son haut degré d'émotion -extraordinairement peu sentimentale. Le finale, très vif, est traité dans l'optique d'une Joie consciente, dénuée de mystère, emplie de spontanéité, de franchise, de rudesse parfois (*fugato* instrumental). On ne peut se permettre d'ignorer l'originalité d'une telle approche, ni sa vraisemblance dramatique.

La netteté, la vigueur de Karl Boehm donnent une impression d'équilibre, de grandeur physique. L'*allegro* initial, remarquablement architecturé, offre un style superbe, tendu sans pathétique. Boehm illustre l'aspect le plus grave (austère, même) du *scherzo*, et confère à l'*adagio* une grandiose simplicité ; la ligne mélodique s'impose par sa seule pureté. Les contrastes d'intensité et de mouvements du finale sont sollicités dans le sens d'une lisibilité peu ordinaire. Sur le plan du relief, de l'exactitude, de la clarté polyphonique cet enregistrement reste à connaître. L'orchestre (Vienne), excellent, retient davantage que les interventions vocales. Boehm préserve avant tout l'unité du discours : haute et forte harmonie, typique d'une tradition, qui nous prive quelque peu du caractère d'exception de la Neuvième.

Trios à cordes nos 1 à 5.

❀*** Trio Italiano d'Archi. DG 2733.004 (3 d.) (sup.).

❀*** Jasha Heifetz (violon), William Primrose (alto), Gregor Piatigorsky (violoncelle). RCA SER 5.729 (3 d.) (sup.).

La série des Trios à cordes sont de l'excellente musique, certainement un des plus beaux ensembles de la jeunesse de Beethoven, et dans certains cas (Trio en ut mineur *op. 9 n° 3*) sans doute supérieur aux Six Quatuors de l'*Opus 18*.. Le Trio Italiano d'Archi attaque avec naturel et un équilibre détendu l'ensemble, usant davantage de la clarté des inflexions (Premier Trio, Trio en sol *op. 9 n° 1*) que de puissance. Le Beethoven «mondain» y est omniprésent, tout comme les premières annonces de la maturité (Trio en ut mineur). La prise de son, nette et claire, sert bien la préciosité acérée et la franchise d'inflexion des archets italiens.

Beaucoup plus incisive, la réunion de trois immenses solistes (Heifetz, Primrose, Piatigorsky) provoque un déploiement assez inhabituel de rhétorique et de superbe puissance pour ces œuvres de jeunesse. La beauté sonore, remarquable dans la version précédente, fait place à davantage de vigueur, sinon d'esprit presque tragique (*adagio ma non tanto du Trio* en sol *op. 9 n° 1*, Trio en ut mineur *op. 9 n° 3*). La vitalité prodigieuse des trois archets est accentuée par une prise de son fort mate. Tempos contrastés, angulosité des attaques, impulsion rythmique y gagnent, peut-être au détriment d'un certain velouté et de la cohérence de l'ensemble. Heifetz, Primrose et Piatigorsky proposent un Trio en ut mineur fortement personnel, jaillissant, dont la tension interne contraste avec les autres Trios.

Trios pour piano, violon et violoncelle n°s 1 à 7, et WoO 38 et WoO 39.

*** Wilhelm Kempff (piano), Henryk Szeryng (violon), Pierre Fournier (violoncelle). DG 2734.003 (4 d.). Enregistré en 1970.

L'intégrale Kempff-Szeryng-Fournier touche par l'introversion, un discours majestueux et simple. Kempff et ses deux partenaires accentuent à peine le romantisme bondissant du jeune Beethoven (Trio en ut mineur *op.1 n° 3*) ; les mouvements, en général modérés, soulignent davantage la douceur harmonico-mélodique qu'une tension expressive née des seuls contrastes. La sensualité, le phrasé du violon et du violoncelle s'accordent à merveille ; c'est cependant Kempff lui-même qui se révèle le plus stimulant. L'élan de sa pensée musicale révèle un transparent Trio en mi bémol (*op. 70 n° 2*) - page moins célèbre que le Trio «des Esprits» ou «L'Archiduc», mais peut-être plus parfaite encore d'écriture. Cet album omet le Trio op. 11 mais inclut les Trios WoO 38 et WoO 39. La prise de son rend justice à la sensualité subtile et rayonnante du jeu.

Trio pour piano, violon et violoncelle en ré majeur op. 70 n° 1 «des Esprits».

❀*** Rudolf Serkin (piano), Adolf Busch (violon), Hermann Busch (violoncelle). CBS 76.008 (sup.). + *Brahms : Trio en ut majeur op. 87.*

*** Wilhelm Kempff (piano), Henryk Szeryng (violon), Pierre Fournier (violoncelle). DG 2734.003 (4 d.). + *Intégrale des Trios avec piano.*

** Eugene Istomin (piano), Isaac Stern (violon), Leonard Rose (violoncelle). CBS 75.855. + *Trio pour piano et cordes en mi bémol majeur op. 70 n° 2.*

* Jan Panenka (piano), Josef Suk (violon), Josef Chuchro (violoncelle). Supraphon SUP 50.523 (étr.). + *Trio pour piano et cordes en ut mineur op. 1 n° 3.*

C'est la clarté du jeu, incisive malgré l'âge de la prise de son, qui l'emporte dans l'enregistrement historique du Trio Busch. Elle s'augmente d'une utilisation du *legato* extraordinairement ductile, souple (deuxième thème de l'*allegro vivace e con brio*). La cohésion phénoménale des trois solistes (*largo assai ed espressivo*) demeure un exemple inégalé. Certains phrasés (*largo, presto final*) étonnent encore par la tension réellement étourdissante qu'ils engendrent.

Kempff-Szeryng-Fournier, malgré ou plutôt à cause de leur lenteur, ne se situent pas tout à fait sur les mêmes sommets. La trame sinueuse, mais aussi conflictuelle, du premier mouvement réserve quelques surprises. Les interprètes s'effacent humblement pour le *largo* qu'ils affrontent avec une remarquable simplicité d'élocution. La ferveur discrète donnée pareillement au Finale possède l'immense mérite de conserver à la totalité de la partition une atmosphère de beau mystère.

Avec des tempos évidemment moins larges (mais davantage contrastés) que dans la précédente version, Stern, Istomin et Rose se montrent nettement plus aventureux, passionnés, durs parfois (début du *largo assai*). C'est d'un grand art rhétorique, qui recrée le climat spécifique du «*Geistertrio*» à partir d'une caractérisation parfois plus immédiatement forte que sensible. On gagne sans doute en vérité dramatique ce que l'on perd en nuances. Les conditions techniques (prise de son en «gros plan», pauvreté dans la restitution des timbres) n'échappent pas à tout reproche.

Moins grandiose que le Trio Stern, le Trio Suk est sans doute moins lourd ; il restitue une sagesse relative à l'ouvrage (tempos) privilégiant délibérément le lyrisme sensuel, la pure lumière au détriment d'inflexions plus sombres. Le style est très contrôlé, trop peut-être, la prise de son insuffisante.

Trio pour piano, violon et violoncelle en si bémol majeur «L'Archiduc».

❀*** Alfred Cortot (piano), Jacques Thibaud (violon), Pablo Casals (violoncelle). EMI VSM C 051-00.857. Mono (origine 78 t.). Enregistré en 1928.

❀*** Ján Panenká (piano), Josef Suk (violon), Josef Chuchro (violoncelle). Supraphon-Eurodisc 913.185. (étr.). Quadri. Enregistré en 1975.

*** Wilhelm Kempff (piano), Henryk Szeryng (violon), Pierre Fournier (violoncelle). DG 2530.147. Enregistré en 1970. Ou DG 2734.003 (4 d.). *+ Intégrale des Trios avec piano.*

*** Eugene Istomin (piano), Isaac Stern (violon), Leonard Rose (violoncelle). CBS 76.023 ⊠ 40-76.023.

** Emil Guilels (piano), Leonid Kogan (violon), Mstislav Rostropovitch (violoncelle). Chant du Monde LDX 78.507. ⊠ K 226.

Cortot-Thibaud-Casals, brûlants d'énergie, rendent une étrange saveur ; ils usent de fluctuations de tempo (*allegro moderato*) qui surprennent comme le plus secret de l'œuvre. Une telle lecture fourmille d'impulsions (*scherzo*) ; son emportement justifie tout. Les variations de l'*andante cantabile* chantent toujours. Cortot, d'une grave poésie, Casals, à l'émotion inimitable (et aux *portamenti* extériorisés) effacent par leur souplesse de phrasé les quelques imperfections factuelles et le manque relatif de justesse du violon. Et Thibaud à son tour ose aller vers l'expressivité la plus abrupte. Peut-être vieillie stylistiquement, cette interprétation aux allures improvisantes se révèle charmeuse (*andante*) autant qu'impressionnante d'éloquence (Finale). Elle reste un des plus hauts sommets de la discographie beethovénienne.

C'est l'ampleur qui apparaît en filigrane, derrière l'extrême justesse du détail (développement de l'*allegro moderato*) dans l'enregistrement du Trio Suk. Le violon de Josef Suk, irréprochable, est rarement favorisé, il sonne avec un naturel véritable. L'homogénéité de l'ensemble se double de spontanéité. Les grands élans sont peu fréquents ou plutôt consciemment assurés (*andante*). Du point de vue de la pureté de style, de la poésie du son, cette version est infaillible.

Kempff, Szeryng et Fournier donnent la primauté au plus grand nombre des nuances, à la sensualité sonore. Le premier mouvement (exposition) souffre parfois de ce transcendant souci du détail. On ne peut nier en revanche à l'*andante cantabile* un idéal *espressivo* qui ne masque jamais ni la structure formelle (troisième variation), ni *a fortiori* l'économie des contrastes (quatrième variation). Le Finale, d'une lenteur grandissante, domine étonnamment, peut-être à cause même d'un tel tempo qu'on aurait pu croire impossible à tenir.

Le Trio d'Isaac Stern choisit la puissance, la lucidité, un parti pris architectural (*allegro moderato*), la justesse rigoureuse des tempos. L'*allegro moderato*, moins analytique que chez Kempff-Szeryng-Fournier, est probablement le mouvement le plus homogène des quatre. Le *scherzo, l'andante cantabile* prennent souvent une allure quasi symphonique. L'*allegro moderato* terminal semble davantage sacrifier aux contrastes qu'à la continuité mélodique. Vision rude, handicapée par une prise de son trop grossière.

L'attrait principal de la réunion Guilels-Kogan-Rostropovitch réside dans l'étourdissante vigueur des cordes, opposées à la densité acérée, au phrasé marmoréen du clavier. L'épanouissement des mouvements vifs demeure une réussite peu ordinaire. L'unité, toute relative, de l'ensemble (mais elle n'est parfaitement réalisée que chez Suk !) n'altère en rien ce style magistral, cette respiration presque moderne (deuxième, troisième variation de l'*andante*), cette constante efficacité dramatique (développement de l'*allegro moderato, scherzo*). Sur le plan des contrastes dynamiques (et de la vérité des timbres), ce jeu exigeant et autoritaire n'est hélas ! pas particulièrement aidé par la technique d'enregistrement.

Trio pour piano, clarinette et violoncelle en si bémol majeur op. 11.

* The Nash Ensemble (Clifford Benson, piano ; Anthony Pay, clarinette ; Christoph van Kempen, violoncelle). CRD 1.045. *+ Archiduc Rodolphe d'Autriche : Trio pour piano, clarinette et violoncelle.*

L'Opus 11, qui s'apparente en ses grandes lignes à la force un rien décorative du Septuor op. 20, n'est sans doute point un chef-d'œuvre. Beethoven innove en remplaçant le violon par la clarinette : splendide alliage de timbres, repris par Brahms (Trio pour clarinette, violoncelle et piano op. 114). Le meilleur du Trio op. 11 est peut-être dans son mouvement lent, d'ailleurs le mieux joué par le Trio du Nash Ensemble. Les variations finales sont interprétées avec plus de franchise que de subtilité, mais la prise de son respecte bien le jeu des sonorités.

Six Variations en fa majeur op. 34, Six Variations en ré majeur op. 76, Quinze Variations en mi bémol majeur «Eroïca» op. 35.

*** Sviatoslav Richter (piano). Chant du Monde Mélodia LDX 78.559.

Sviatoslav Richter joue ces miniatures avec une savoureuse truculence, brutale parfois, sainement rhétorique, d'un théâtral plus évidemment passionné qu'anecdotique. Du très grand piano pour des pages «secondaires».

Trente-deux Variations en ut mineur sur un thème original WoO 80.

❀*** Emil Guilels (piano). Chant du Monde Mélodia 78.430 (sup.). + *Douze Variations sur un thème russe, Six Variations en ré majeur op. 76. Bach-Busoni : Prélude et fugue en ré majeur.*

*** Claudio Arrau (piano). Philips 6768.351 (14 d.). + *Intégrale des Sonates, Variations.*

Enregistré lors d'un mémorable concert public, Emil Guilels, survolté, offre un jeu fier, vaillant, d'un fascinant dynamisme.

Beaucoup plus poète, Claudio Arrau est aussi plus homogène, et tempère le dynamisme architectural d'une sensibilité presque tendre, lyrique et cristalline. La restitution sonore est superbe.

Trente-trois Variations sur une valse de Diabelli op. 120.

❀*** Alfred Brendel (piano). Vox 35.063 (étr.). + *Bagatelles op. 33, op. 119 et op. 126.*

❀*** Alfred Brendel (piano). Philips 9500.381 (sup.).

** Georges Solchány (piano). EMI VSM C 065-12.051 (sup.).

** Rudolf Serkin (piano). CBS 60.256. Enregistré en 1957.

Le premier enregistrement d'Alfred Brendel a le mérite d'un climat à la fois mystérieux, poétique et très souvent énergiquement accentué. L'approche demeure intérieure, savoureusement instable, le dosage des nuances est toujours admirable, l'articulation emplie de constantes trouvailles, les traits ciselés et l'impulsion rythmique d'une extraordinaire rigueur.

Brendel en concert public est moins analytique, plus fastueux, soutenu dans les variations les plus flamboyantes. Les grands conflits polyphoniques sont moins tourmentés, la tension expressive moins sévèrement conduite (malgré la vivacité quasi constante du tempo) que dans son précédent enregistrement, mais la prise de son demeure ici nettement préférable.

Sobre, égal, d'une grande sûreté d'articulation, Solchány va droit à l'essentiel et individualise à l'extrême chaque variation. Une approche raffinée, lyrique, pleinement immédiate.

A l'extrême opposé, Rudolf Serkin analyse et questionne à chaque instant, défiant l'équilibre de l'architecture globale par ses impulsions soulignées et parfois obsédantes. Le contrepoint est exceptionnellement traduit, parfois au détriment de la continuité sonore et mélodique. Une vision brusque, interrogative, d'un relief et d'un ton de persuasion supérieurs. Prise de son à peine passable.

Bellini, Vincenzo
(1801-1835)

I Capuletti ed I Montecchi, opéra.

** Fiorenza Cossotto (Romeo), Antonietta Pastori (Giulietta), Renato Gavarini (Tebaldo), Ch. et Orch. de la Radio Italienne de Rome, Lorin Maazel. Melodram 3 (3 d.) (Italie). Mono. Enregistré sur le vif en 1957.

* Janet Baker (Romeo), Beverly Sills (Giulietta), Nicolaï Gedda (Tebaldo), Ch. John Alldis, Orch. New Philharmonia, Giuseppe Patané. EMI VSM C 167-02.713/15 (3 d.). Enregistré en 1975.

Un étonnant document, étant donné les futures carrières de ces débutants! Maazel nerveux, lyrique, jamais ennuyeux, la basse Vinco et le ténor viril de Gavarini qui n'ont pas tenu leurs promesses; la rayonnante beauté vocale, le style legato d'une Cossotto de vingt-trois ans (hélas ! amputée de la fameuse reprise de la cabalette ornée); et surtout peut-être le souvenir de l'admirable soprano d'Antonietta Pastori, lyrique, étincelante, émouvante. Et un son digne du studio.

La version moderne, bien enregistrée, est sans doute fidèle sur le plan du texte, mais hélas! desservie par un chef lourd et brutal, un Gedda très étranger au lyrisme bellinien, et une Janet Baker bien dépassée par la tessiture du rôle. Demeure la voix, discutable, de Beverley Sills, témoignant d'une exécution absolument impeccable de style et d'esprit.

Norma, opéra.

*** Maria Callas (Norma), Mario Filippeschi (Pollione), Ebe Stignani (Adalgisa), Nicola Rossi Lemeni (Oroveso), Orch. et Ch. de la Scala de Milan, Tullio Serafin. EMI VSM C 163-03.565/67 (3 d.). ⊠ C 293-03.565/67 (3 c.) Ou EMI VSM C 163-52.780/87 (8 d.) *+ Les Puritains, la Somnambule.* Mono. Enregistré en 1954.

** Joan Sutherland (Norma), John Alexander (Pollione), Marilyn Horne (Adalgisa), Richard Cross (Oroveso), Orch. et Ch. Symph. de Londres, Richard Bonynge. Decca SET 424/26 (3 d.) (G-B). Enregistré en 1964.

* Montserrat Caballé (Norma), Placido Domingo (Pollione), Fiorenza Cossotto (Adalgisa), Ruggero Raimondi (Oroveso), Orch. Phil. de Londres, Ch. Ambrosien, Carlo Felice Cillario. RCA LSC 6.202 (3 d.). ⊠ RK 02.646 (3 c.). Enregistré en 1973.

Maria Callas, au confluent de sa plénitude vocale intacte et d'un génie déjà approfondi : la moindre inflexion, la moindre nuance serait à citer ! Un excellent son mono, mais un chef compassé, et des partenaires peu concernés par Bellini. Callas sera mieux entourée (superbe Corelli !) dans la version stéréo de 1960, mais six ans auront passé sur sa voix.

Plus musicologue que chef d'orchestre, Bonynge donne une version de puriste sans les pesanteurs ni les coupures imposées ailleurs par Serafin. Tout est respecté. Quant aux chanteurs, Sutherland est, à la lettre, la meilleure cantatrice qui avait gravé le rôle, le talent le plus complet remplaçant le génie. Elle chante l'air *«Casta Diva»* dans le ton aigu, ainsi que tout le troisième acte, la prouesse étant plus fantastique encore pour Marilyn Horne, Adalgise sans rivale. Les hommes sont très corrects.

C'est sur la beauté vocale que la Caballé oriente son interprétation, assez incolore au 1er acte, mais proche du sublime au dernier, avec ses ralentis et ses sons filés. Domingo est un Pollione superbement engagé, barytonnant à souhait, mais ni Cossotto, ni surtout Raimondi ne confient au disque tout ce qu'ils réussissaient à la scène. Quant au chef, il est bien incolore : le superbe Levine (EMI, mal entouré) est bien loin..

Les Puritains (I Puritani), opéra.

*** Maria Callas (Elvira), Giuseppe di Stefano (Arturo), Rolando Panerai (Riccardo), Nicola Rossi Lemeni (Giorgio), Orch. et Ch. de la Scala de Milan, Tullio Serafin. EMI VSM C 163-00.406/08 (3 d.). ⊠ C 293-00.406/08 (3 c.). Ou EMI VSM C 163-52.780/87 (8 d.). Mono. Enregistré en 1953. *+ Norma, La Somnambule.*

** Joan Sutherland (Elvira), Luciano Pavarotti (Arturo), Piero Cappuccilli (Riccardo), Nicolaï Ghiaurov (Giorgio), Orch. Symph. de Londres, Ch. de Covent Garden, Richard Bonynge. Decca SET 587/89 (3 d.) (G-B). Enregistré en 1975.

La Callas dans un de ses rares disques de studio surclassant ses enregistrements sur le vif. Ici, la scène de la folie est un des très grands moments de toute l'histoire du disque. Baryton et basse servent bien Bellini, et di Stefano s'y efforce, transposant son entrée et le duo final : qui n'a pas entendu Alfredo Kraus ne peut seulement imaginer ce que signifie le rôle du ténor dans cet opéra. Serafin dirige d'une neutralité bienveillante, sans trop de coupures.

En grande forme vocale, Sutherland avait gravé une première version en 1963, avec le ténor Duval (correct), version déjà plus complète. Mais l'édition de 1975 bénéficie d'un son exceptionnel, d'une meilleure direction (sinon très inspirée), d'un air et d'un duo supplémentaire à la fin. Feu d'artifice vocal de Sutherland (à la diction un peu pâteuse, cependant). Pavarotti, incertain au début, donne un excellent dernier acte, où il rétablit le *contre-fa* original. Ghiaurov est correct, mais Cappuccilli bien égaré.

La Somnambule, opéra.

*** Lina Pagliughi (Amina), Ferruccio Tagliavini (Elvino), Cesare Siepi (Rodolfo), Orch. et Ch. de la RAI de Turin, Franco Capuana. Cetra LPO 2030 (3 d.). Mono. Enregistré en 1952.

** Joan Sutherland (Amina), Nicola Monti (Elvino), Fernando Corena (Rodolfo), Orch. et Ch. du Mai Musical Florentin, Richard Bonynge. Decca SET 239/41 (3 d.) (sup.). Enregistré en 1962.

** Maria Callas (Amina), Nicola Monti (Elvino), Nicola Zaccaria (Rodolfo), Orch. et Ch. de la Scala de Milan, Antonio Votto. EMI VSM C 163-18.359/60 (2 d.) ⊠ C 293-18.301/03 (3 c.). Ou C 163-52.780/87 (8 d.). Mono. Enregistré en 1957. + *Norma, Les Puritains.*

Parue en Italie au début du microsillon, la plus belle version vocale qui soit est celle que dirige Capuana. Pagliughi y témoigne encore d'une pureté de voix angélique de style ancien, avec une virtuosité plus moderne. Tagliavini, au timbre de rêve, tient de Gigli et de Schipa, mais, un peu court dans l'aigu, compense cela par quelques coupures et aménagements qui ne perturbent guère l'auditeur ; et Siepi également somptueux, est un autre régal pour l'oreille.

La version Decca a pour elle la stéréo, une partition mieux respectée, et la direction très philologique du respectueux Bonynge. Le même Nicola Monti a mal vieilli, Corena est complètement égaré dans un style de chant dont il semble n'avoir aucune idée, mais Sutherland, à son apogée vocal, sait racheter sa diction pâteuse par sa pureté vocale et sa vélocité de grand style.

Callas, bien sûr, mais deux ans trop tard pour qui connaît le témoignage sonore de ses éblouissantes représentations milanaises dont on souhaite la distribution normale en France sous peu (avec le ténor Valletti et sous la baguette de Bernstein, alors en plein éclat). Ici, avec quelques coupures différentes, cette version est rendue un peu pâle à cause du trop sage Votto, guidant une Callas toujours poignante, mais un peu sage aussi, un excellent Zaccaria, et un ténor assez monocorde.

Berg, Alban
(1885-1935)

Concerto de chambre pour piano, violon et 13 instruments à vent.

*** London Sinfonietta, David Atherton. Argo ZRG 937. Enregistré en 1980. + *Stravinsky : Agon.*

Les solistes du London Sinfonietta, en investissant l'œuvre de dramatisme et de lyrisme, nous convient à un Berg qui s'éloigne de l'image romantique-expressionniste qu'on a de lui. Là aussi, le caractère classique de l'écriture de Berg est admirablement servi par des musiciens qui laissent s'exprimer cette musique toute de finesse sans jamais appuyer ses effets.

Concerto de chambre pour piano, violon et 13 instruments à vent. Quatre Pièces pour clarinette et piano op. 5. Sonate pour piano op. 1.

* Daniel Barenboïm (piano), Pinchas Zukerman (violon), Antony Pay (clarinette), Ensemble Intercontemporain, Pierre Boulez. DG 2531.007 (sup.).

Pour un premier disque, l'Intercontemporain dirigé par son président ne tient guère ses promesses. Mettons de côté les Pièces pour clarinette et piano, dans lesquelles Barenboïm et Pay nous transportent d'admiration en nous offrant un grand moment de musicalité sensible et généreuse. Ne parlons pas non plus de cette Sonate que Barenboïm innerve d'un frisson romantique remarquable. Mais arrêtons-nous bien plutôt sur ce *Kammerkonzert* depuis si longtemps hors catalogue. Pourquoi donc cette fébrilité, cette fièvre du tempo, cette course haletée ? Pourquoi cette prise de son essoufflée, où l'on pourrait penser que les micros étaient disposés autour des solistes seulement ? Pourquoi donc les instrumentistes de cet Ensemble, dont on fait si grand cas, pataugent-ils dans les phrasés, à la recherche d'un oxygène se faisant rare ? Quant aux solistes, seul Barenboïm tire son épingle du jeu.

Concerto de chambre pour piano, violon et 13 instruments à vent. Trois Pièces pour orchestre op. 6. Cinq Altenberg Lieder op. 4.

*** Daniel Barenboïm (piano), Sachko Gawriloff (violon), Halina Lukomska (s), Orch. Symph. de la BBC, Pierre Boulez. Columbia MS 7179 (USA).

Ce disque Berg est des plus intéressants, et ceci à divers titres. Si le choix des œuvres est quasi classique, nous avons cependant une plage fort bien venue avec les *Altenberg Lieder.* Outre que ces pages sont chantées avec la maîtrise superbe d'Halina Lukomska (dont la voix aux moyens splendides nous envoûte de sa chaleur), les solistes réunis ici sont de tout premier ordre. Voici donc une version du Concerto de chambre des plus enthousiasmantes : aucune faute de goût, une articulation déliée, sensible, tout en finesse, une lecture «investie», lucide et translucide, une expression puissante et dramatique. Autant de qualité qui se retrouvent dans la direction de l'Opus 6. Un disque de toute beauté, où Boulez s'affirme comme l'interprète idéal de Berg.

Concerto pour violon et orchestre «à la mémoire d'un ange».

❀*** Itzhak Perlman (violon), Orch. Symph. de Boston, Seiji Ozawa DG 2531.110. ⊠ 3301.110. + *Stravinsky : Concerto en ré pour violon et orchestre.*

*** Yehudi Menuhin (violon), Orch. Symph. de la BBC, Pierre Boulez. EMI VSM C 069-01.855. + *Bartók : deux Rapsodies pour violon et orchestre.*

*** Josef Suk (violon), Orch. Phil. Tchèque, Karel Ančerl. Eurodisc 913.238 (2 d.). + *Concerto pour piano, violon et 13 instruments à vent. Schoenberg : Pelléas et Mélisande. Webern : Passacaille.*

** Arthur Grumiaux (violon), Orch. du Concertgebouw d'Amsterdam, Igor Markevitch. Philips 6555.078 (sup.). + *3 pièces pour orchestre.*

** Isaac Stern (violon), Orch. Phil. de New York, dir. Leonard Bernstein. CBS 61939. + *Barber : Concerto pour violon et orchestre.*

** Henryk Szeryng (violon), Orch. Symph. de la Radio Bavaroise, Rafaël Kubelik. DG 2530.033 (étr.). + *Martinon : Concerto pour violon et orchestre n° 2.*

Avec Perlman et Ozawa, on est très loin de l'expressionnisme souvent exalté dans cette partition. Les deux interprètes nous comblent par la beauté des sonorités, par la clarté de la conception, par le charme profond qui se dégage de leur jeu. Le visage de la douleur conserve ici une beauté qui, pour être tragique, ne va pas jusqu'à la convulsion. L'œuvre d'Alban Berg atteindrait-elle son âge «classique» ? Une telle interprétation, dont on ne peut nier l'intelligence et la sensibilité, tendrait à le montrer.

Nonobstant la miraculeuse identification de Menuhin à cette musique en pleine mutation, Boulez reste en-deçà, avec sa prédilection pour une lecture analytique, d'une lisibilité claire et limpide. Il manque à sa vision le feu, le naturel, le rubato, serait-on tenté de dire, qu'y déploie pour sa part Menuhin. Ce dernier nous livre en effet une vision dramatique, transcendée par une tension maîtrisée dont il use avec une aisance confondante. Autant dire que les difficultés techniques de la partition ne gênent nullement l'expression qui est toujours, chez le violoniste notamment, maîtresse du terrain.

Si la version Suk/Ančerl se place au premier rang, c'est surtout pour Suk, qui y maîtrise admirablement le dramatisme, les explosions de tension, la passion romantique ! Prenant des tempos presque parfaits, il transcende en outre sa technique par une émotion de tous les instants, phrasant ses coups d'archets avec cette sensibilité qui fait la différence entre un musicien et un re-créateur. Reste, tout de même, que l'orchestre ne suit pas le violoniste dans tout son parcours : Ančerl demeure trop analytique, en refusant par trop souvent de s'épancher librement. Cette version demeure cependant des plus satisfaisantes. Le Concerto de chambre gagnerait à brûler d'un peu plus de passion. Tel qu'il est gravé ici, il est néanmoins supérieur à la version Boulez/Barenboïm parue chez DG. Quant au couplage, il se heurte à la superbe vision de Karajan. Peut-être faut-il souligner que le *Pelléas et Mélisande* de Swarowsky est plus épuré, d'un classicisme tempéré, tandis que Karajan en faisait une introspection dramatique à la tension soutenue.

Grumiaux ne dépasse pas l'excellente version de Suk, mais grave ici un Berg très plastique, libéré d'une trop grande rigueur sérielle. Dommage que l'orchestre, dont la qualité n'est plus à mettre en doute, s'y montre raide et sec, car Berg, au contraire, est d'une chaleur blanche, d'une tension exacerbée, toujours en fusion.

Dans une discographie où les belles interprétations ne manquent pas, la version Stern Bernstein se situe en très bonne place. Somme toute, le choix de ce disque est recommandé, outre par son prix vraiment modique, par un couplage utile et unique. En effet, il présente la seule édition en disque séparé du *Concerto pour violon* de Samuel Barber, joué d'une façon des plus convaincantes.

Szeryng démontre ici ses indéniables qualités techniques, une sonorité pure, presque désincarnée, un sens du classicisme qui éclaire d'un jour nouveau cette partition. On peut ne pas être d'accord avec cette vision, car elle gomme tout le lyrisme, le dramatisme, l'explosion de ces tensions au profit d'un équilibre sage et calme (somme toute, vraiment très classique)... Kubelik surenchérissant, l'œuvre prend une dimension ascétique tout à fait étonnante. Après tout, l'optique se défend ! Quant à Martinon compositeur, il est à regretter que si peu de ses œuvres aient eu le privilège de l'enregistrement.

Lulu, opéra (version intégrale, complétée par Friedrich Cerha).

❀*** Teresa Stratas (Lulu), Yvonne Minton (la comtesse Geschwitz), Hanna Schwarz (le Groom), Robert Tear (le peintre, le Nègre), Franz Mazura (le docteur Schön, Jack l'Eventreur), Toni Blankenheim (Schigolch), Kenneth Riegel (Alwa), Hans Pampuch (le Prince, le Marquis), Orch. de l'Opéra de Paris, Pierre Boulez. DG 2711.024 (4 d.). ⌧ 3378.086 (4 c.).

Que ce disque ait obtenu le Prix Charles-Cros n'est que justice. Voici une réussite éclatante, enthousiasmante, totale. Stratas encore plus épurée, plus grinçante dans son innocence candide, campe une Lulu dont nous aurons du mal à briser l'emprise. Sa voix, tendue jusqu'aux limites de son être, nous perce en plein cœur, tissant une toile invisible dont le tragique est à tous moments sous-jacent. Comment n'en serait-il pas autrement quand cette Lulu blesse, griffe, pousse au suicide, vitriole, câline, aime, déteste, méprise, avec tant d'insouciance... Mazura et Minton sont cyniques, grandioses, émouvants dans l'abnégation et la veulerie, peignant en noir et blanc avec le talent d'un Fritz Lang un portrait inoubliable de leur rôle respectif. Boulez est magistral de transparence, de tension dramatique, de justesse de ton, faisant naître une folle violence qui parcourt l'œuvre de traits, d'éclairs fulgurants.

Trois Pièces pour orchestre op. 6.

** Orch. Symph. Columbia, Robert Craft. CBS S 75.467 (sup.). + *Schoenberg : Begleitungsmusik op. 34. Webern : Six Pièces pour orchestre op. 6.*

Robert Craft donne ici une version aérée, puissante dans sa pensée ramassée sur elle-même, concentrée dans une rigueur ascétique qui, paradoxalement, ne nuit en rien à l'expression. Il approche Berg avec une chaleur, une tendresse qui ne s'épanche certes pas, mais qui effleure l'émotion de ses phrasés, de ses nuances tout en subtilité dramatique. Quant à Webern et à la *Musique pour un film imaginaire* de Schoenberg, il est inutile de préciser que ce sont deux très belles réussites partant du même parti pris. Les instrumentistes suivent avec passion leur chef, dont l'inspiration est ici manifeste.

Trois Pièces pour orchestre op. 6. Trois mouvements de la Suite Lyrique.

❀*** Orch. Phil. de Berlin, Herbert von Karajan. DG 2711.014 (4 d.). + *Schoenberg : Nuit Transfigurée, Pelléas et Mélisande, Variations op. 31. Webern : Cinq Pièces pour cordes op. 5, Passacaille op. 1, Six Pièces pour orchestre op. 6, Symphonie op. 21.*

Cette interprétation des *Pièces op. 6* de Berg a une forte concurrence en la personne d'Abbado mais il n'y a pas que cette œuvre dans ce coffret merveilleux. De plus, il suffirait que la prise de son soit un peu moins «brouillon» ici pour mettre cette version de Karajan au sommet. Sommet que le chef atteint assurément avec ces Trois mouvements de la *Suite Lyrique.*

Quatuor à cordes op. 3. Suite Lyrique.

❁*** Quatuor Alban Berg. Telefunken 6.41301.

Ce Quatuor mérite bien son nom patronymique. En effet, on ne voit pas très bien comment on pourrait faire mieux. Tout ici serait à noter : de cette fougue torrentielle qui balaie toute objection à cette sensualité au tempérament de feu qui emporte notre adhésion, voilà un Berg prismatique, à la tendresse, à la jeunesse intenses. Point de larmoiements, point de sécheresse intellectuelle, point d'épanchements mièvres, rien que la vie, mais qu'importe le résultat est là, le souffle bienfaisant d'un lyrisme condensé, incisif et poétique.

Quatuor op. 3.

❁*** Quatuor Weller. Decca LXT 6196 (G-B). + *Chostakovitch : Quatuor n° 10 op. 118.*

Un jeune Quatuor à la technique époustouflante, au registre de nuances et à la palette expressive étonnamment diversifiés, enregistrait ici son premier disque de musique contemporaine. Interprétation tout à fait remarquable, et remarquée comme telle. Densité, expressionnisme rocailleux, luminosité, compréhension aiguë de la pensée, perception pertinente de la structure, appropriation de la matière, intelligence du discours musical, musicalité et technique sans défaut.

Sonate pour piano op. 1.

*** Marie-Françoise Bucquet (piano). Philips 6500.077 (sup.). + *Bartók : Sonate. Stravinsky : Sonate. Webern : Variations op. 27, Kinderstück.*

** Adam Fellegi (piano). Hungaroton SLPX 11.529 (sup.). + *Schoenberg : Klavierstück op. 33a et 33b. Bartók : En plein air. Stravinsky : Pétrouchka.*

* Monique Oberdoerffer (piano). Gallo 30 174. + *Schoenberg : Trois Klavierstücke op. 11, Six Klavierstücke op. 19. Webern : Variations op. 27, Kinderstück op. posthume.*

Trois Sonates de trois «grands» sont rapprochées dans une perspective historique tendant à «classiciser» les contrastes de ces œuvres aux langages presque antinomiques. Le parti pris de M. F. Bucquet est donc le lyrisme, celui-ci cimentant les différences évidentes de ces esthétiques divergentes. Berg est ainsi joué lentement, tout comme Bartók, où est gommé tout ce qui est percussion incisive. Quant à Stravinsky, il se met à «chanter». Autant dire que la pianiste perçoit ces Sonates avec une expressivité tout à fait remarquable. Pour ce qui est de Webern, changement d'éclairage... La luminosité chaleureuse de son jeu s'assombrit alors, afin de nous mener aux franges du mystère nocturne.

Jouer Berg et Schoenberg après Gould, Pollini et Bucquet est une gageure. Cependant, Adam Fellegi, jeune pianiste hongrois, y est étonnant, par son approche romantique se souvenant du dernier Beethoven ainsi que par une sensibilité qui se détourne des versions de ses prédécesseurs en choisissant de mettre l'accent sur la puissance expressive. Pour ceux que la musique sérielle effraie... De plus, le couplage ne peut que les enthousiasmer.

Dans un programme panaché, mais exclusivement consacré à l'Ecole de Vienne, Monique Oberdoerffer fait, paradoxalement, preuve de trop d'application. Son Berg manque d'autorité, de sensualité, même. En outre, le piano sonne mal, tantôt terne, tantôt dur, et accentue le côté trop modeste de cet enregistrement qui, sans être du tout à condamner, souffre d'un manque de brillant... et d'une redoutable concurrence.

Suite symphonique de Lulu. Der Wein, cantate.

❁*** Judith Blegen (s), Jessye Norman (s), Orch. Phil. de New York, Pierre Boulez. CBS 76.575.

Le choc de cette interprétation est difficilement soutenable : l'intelligence du texte, de ce qui forme la vie de la partition, est terrifiante d'acuité dramatique et musicale. La polyphonie s'éclaire d'une transparence cristalline, chaque détail saute à l'oreille comme autant de surprises étonnantes, passionnantes. Transcendée par cette rigueur ardente, cette *Lulu* symphonique n'a plus rien à voir avec son propos d'opéra. Fascinants, Boulez et l'Orchestre de New York, électrisé. Judith

Blegen donne une excellente interprétation de la Suite, mais Jessye Norman, dans la Cantate *Le Vin*, est féerique.

Suite symphonique de Lulu. Trois Pièces pour orchestre op. 6. Altenberg Lieder.

❀*** Margaret Price (s), Orch. Symph. de Londres, Claudio Abbado. DG 2543.804.

Là encore chez Abbado dominent la clarté des plans sonores des lignes polyphoniques, l'articulation nette et «liée» de la structure formelle. Ennemi des demi-mesures, Abbado est lyrique ou agressif à souhait, suivant avec fidélité les indications de Berg, mais en les transcendant véritablement par son approche où l'analyse ne cède jamais au tempérament extraverti de ce chef aux qualités dramatiques indéniables. Boulez ou Abbado ? Question de goûts, d'affinités. Il n'en demeure pas moins que le tiercé Margaret Price-Claudio Abbado-Orchestre Symphonique de Londres est des plus exaltants, et le couplage des plus passionnants.

Wozzeck, opéra.

❀*** Walter Berry (Wozzeck), Isabel Strauss (Marie), Carl Dönch (le docteur), Albert Weikenmeier (le capitaine), Fritz Uhl (le tambour-major), Richard van Vrooman (Andres), Ingeborg Lasser (Margret), Ch. et Orch. de l'Opéra de Paris, Pierre Boulez. CBS 79.251. (2 d.)

*** Dietrich Fischer-Dieskau (Wozzeck), Evelyn Lear (Marie), Karl Christian Kohn (le docteur), Gerhard Stolze (le capitaine), Helmut Melchert (le tambour-major), Fritz Wunderlich (Andres), Alice Oelke (Margret), Ch. et Orch. de l'Opéra de Berlin, Karl Boehm. DG 2707.023 (2 d.).

** Eberhard Waechter (Wozzeck), Anja Silja (Marie), Heinz Zednik (le Capitaine), Alexander Malta (le Docteur), Hermann Winkler (le Tambour-Major), Horst Laubenthal (Andres), Ch. de l'Opéra de Vienne, Orch. Phil. de Vienne, dir. Christoph von Dohnanyi. Decca 390.296 (2 d.). Enregistré en 1981.

Boulez s'est penché sur le problème de l'efficacité dramatique, et son *Wozzeck* est admirable de puissance et d'émotion. Le pauvre soldat Wozzeck, profondément humain, de Walter Berry, surpasse Fischer-Dieskau en vérité et en réalisme. Isabel Strauss campe une Marie plus à l'aise dans son registre que ne l'était Evelyn Lear. Les personnages secondaires sont parfaitement bien tenus, les Chœurs et l'Orchestre de l'Opéra de Paris étant littéralement soulevés par la direction de Boulez et le drame dont ils tissent les fils d'Ariane. Un disque supplémentaire, sur lequel est gravée la conférence de Berg sur son œuvre, est un complément essentiel.

Fischer-Dieskau est-il le Wozzeck idéal ? Dans son enregistrement, en tout cas, il paraît manquer un peu d'étoffe humaine. Son art est éclatant d'intelligence et de subtilité, mais le chanteur demeure un peu en-deçà de son rôle et de la psychologie du personnage. Evelyn Lear, elle, joue plus sur la force de son caractère que sur ses possibilités techniques. Les autres rôles sont tenus avec une qualité et une présence supérieures. Reste Boehm, sa vision analytique, pensée dans les moindres recoins de la partition. Son sens dramatique est constamment soutenu dans l'attention qu'il requiert à l'audition. Mais il manque le feu dévastateur qui donnerait à la partition son bouillonnement naturel.

Christoph von Dohnanyi confirme ici sa solide réputation de spécialiste de Berg : sa direction extrêmement précise met en lumière les structures de l'œuvre, ainsi que ses couleurs, rendues avec une rare subtilité par les Viennois. Cette version est dominée par la Marie d'Anja Silja, dont la vérité force l'admiration. Si Waechter est un Wozzeck qui manque de poids et de présence (ce qui ne met pas en cause ses qualités vocales), en revanche, ses oppresseurs sont parfaitement caractérisés. Le seul reproche que l'on puisse faire est l'absence de la progession dramatique et sonore qui doit aboutir, après le meurtre de Marie, à une insupportable tension. L'enregistrement numérique oblige à un équilibre qui nuit parfois à cette partition immense.

Berio, Luciano
(né en 1925)

Agnus. Air. O King. El Mar La Mar. Melodrama. E vo.

** Elise Ross, Mary Thomas, Alide-Maria Salvaretta (s), Gerald English (bar), London Sinfonietta, Luciano Berio. RCA ARL 10.037 (sup.).

Anthologie vocale du Berio de 1952 au Berio de la maturité, ce disque est et reste une approche très intelligente d'un aspect de l'œuvre de ce compositeur. D'autant plus recommandable que Ross et Thomas y sont resplendissantes. Reste à découvrir aussi ces trois fragments d'*Opéra (Agnus, Air, E vo)*, où Salvaretta fait merveille de son timbre particulier.

A Ronne, Cries of London.

** Swingle II, Luciano Berio. Decca Head 15 (G-B).

Textes découpés, montés comme la bande son d'un film imaginaire, le mot signifié devenant signifiant onirique, le son déformé, éclaté en plusieurs langues. Berio joue avec le mot et nous convie à nous émerveiller avec lui de l'espace élastique, à la Léger, ainsi créé. Les interprètes nous y conviant à leur tour, nous serions mauvais public que de ne point nous laisser séduire. Quand la musique se fait cri et que le «verbe», retrouvé dans sa puissance fondamentale, se fait musique, rituel, incantation, il est difficile de résister à la force d'attraction de ce paradis perdu nous ramenant aux sources brutes de la poésie.

Cinque Variazioni, Sequenza IV.

*** Marie-Françoise Bucquet (piano). Philips 6500.101 (sup.). *+ Stockhausen : Klavierstücke IX et XI.*

Une technique d'acier au coeur de velours, telle est cette pianiste-centaure à qui Berio dédia sa *Sequenza IV*, hommage rendu à la fois à l'instrument en soi et à la personnalité étonnante de l'interprète, dont on n'a jamais fini, au cours de ces deux faces, d'entrevoir et d'admirer les ressources. On ne peut que tomber sous le joug de cette fougue, de cette joute entre l'artiste et son «double».

Différences, pour cinq instruments et bande magnétique. Due Pezzi, pour violon et piano. Chamber Music, pour voix de femme, clarinette, violoncelle et harpe, Sequenza III, pour voix de femme. Sequenza VII, pour hautbois.

*** Cathy Berberian (s), Membres du Juilliard Ensemble, Luciano Berio. Philips 6500.631 (sup.).

Œuvres de jeunesse, ces différentes pages permettent de porter un regard «historique» sur la production de ce compositeur italien des plus novateurs. Et cela, tant sur le plan esthétique que technique. Ce couplage nous permet en outre de nous enthousiasmer pour les performances vocales étonnantes de Cathy Berberian, ainsi que pour la prestation de tout premier ordre que nous offre Holliger sur son hautbois. Les membres du Juilliard Ensemble interprètent ces œuvres avec maîtrise et sensualité, transcendées par le plaisir qu'ils prennent à les jouer. L'oreille ne peut d'ailleurs s'y tromper, et c'est tant mieux pour nous.

Epifanie, Folk Songs.

*** Quatuor Juilliard, Orch. Symph. de la BBC, Luciano Berio. RCA LSC 3189.

Nouvelle incursion dans la forme ouverte, *Epifanie* est l'un des chefs-d'œuvre de Berio, fondé sur deux cycles s'imbriquant (Les sept pièces des *Quaderni* et les cinq pièces pour chant sur des textes de Machado, Proust, Simon, Joyce et Brecht). Nous assistons ici à l'osmose entre des pages purement instrumentales et d'autres requérant le support vocal. On y trouve un succédané du Berio des années 65, et cela au travers de sa rigueur sérielle, de son attirance vers une certaine forme d'aléatoire, vers le théâtre musical et la pop-music. L'aisance des instrumentistes est confondante, et le plaisir qu'ils ont à jouer évident. Lumière, encore, somptuosité, raffinement toujours.

Laborintus II.

❀*** Christiane Legrand, Jeannette Baucomont (s), Claudine Meunier (a), Edoardo Sanguinetti (récitant), Ensemble Musique Vivante, Chorale expérimentale, Luciano Berio. Harmonia Mundi HMU 764.

Approche sémantique et linguistique du verbe et de ses rapports avec la musique instrumentale et électronique, les éléments initiaux se fondant ici dans un creuset d'idées et d'inventions jaillissantes. Tout comme dans sa *Sinfonia*, Berio fait appel à la technique cinématographique du montage, tout en ménageant dans cette pièce des plages d'aléatoire se tournant vers le free-jazz... Cet hommage à Dante, resplendissant de mille feux, est redevable à la qualité de la chorale se jouant des difficultés les plus ardues avec le sourire, et à l'ensemble Musique Vivante dont c'était, précisons-le, le premier enregistrement discographique.

Nones. Allelujah II. Concerto pour deux pianos.

** Bruno Canino, Antonio Ballista (pianos), Orch. Symph. de la BBC, Pierre Boulez, Luciano Berio. RCA RL 11.674 (sup.).

Avec *Nones*, voici une preuve supplémentaire du tempérament foncièrement lyrique du compositeur... Contemporain de *Gruppen, Allelujah II* ne renie pas plus la musique derrière les calculs de sa propre problématique de départ (sérialisme éclaté, spatialisé)... L'utilisation de deux chefs et de cinq groupes instrumentaux ainsi mis à plat par le disque nous dépossède de l'impact de cette œuvre que Berio et Boulez dirigent de main de maître, aidés en cela par un orchestre docile, rutilant de sonorités gourmandes. Quant au Concerto, page de virtuosité diabolique marquant un certain recul esthétique vers le tonal et une brillance «facile», il est interprété d'une manière éblouissante, ébouriffante d'acrobaties.

Récital I (pour Cathy).

❀*** Cathy Berbérian (s), London Sinfonietta, Luciano Berio. RCA ARL 10.036 (sup.).

Il fallait une cantatrice hors de pair pour faire «passer» ce vent d'hystérie, de folie, d'angoisse, d'humour, de mélancolie, de peur et de candeur. Cathy Berbérian assume son rôle avec une somptueuse panoplie de nuances, d'intensités, d'émotions, et la plus chaleureuse conviction. Elle est véritablement «cette» cantatrice prisonnière de son image théâtrale, plongeant tête baissée à cœur ouvert dans le miroir de son psychodrame. Le London Sinfonietta, sous la direction du compositeur défendant avec une foi communicative ce *Récital I*, nous offre ici une rare réussite de justesse de ton et de fidélité en l'esprit.

Sequenza VI, Chemins 1 et 2.

*** Walter Trampler (alto), Orch. Symph. de Londres, Ens. Juilliard, Luciano Berio. RCA 2635.048 (RFA).

Ces trois œuvres, écrites à la demande de Trampler, sont autant d'études sur l'approche «graduée vers une texture alto-orchestre». Ne nous hâtons pas de conclure à l'œuvre «expérimentale» sans grand intérêt : il est étonnant d'assister à l'évolution du matériau musical, à son intégration progressive dans une multiplicité d'événements qui s'étoffent, étendent leurs ramifications à l'orchestre tout entier. Evitant la virtuosité gratuite, Trampler se sort victorieusement des embûches tendues dans la *Sequenza VI*, sans jamais se laisser aller à l'acrobatie d'estrade. Du très grand alto au service d'un très grand Berio.

Sinfonia.

❀*** Swingle Singers, Orch. Phil. de New York, Luciano Berio. CBS MS 7268 (USA).

Dionysiaque, cette *Sinfonia*, virtuose, violente, sismique ! Mais elle n'est pas que cela, et l'œuvre nous réserve des plages de poésie profonde, de beauté aiguë, se souvenant d'un certain aspect de Debussy. L'Hommage à Malher qui en constitue le troisième mouvement en est aussi le point culminant, délire sonore qui laisse ébahi de tant de sonorités insolites. Un disque de «méta-musique».

Tempi Concertati.

*** Michel Debost (flûte), Gérard Jarry (violon), Gérard Frémy, Anne-Marie de Lavilléon (pianos), Christiane Eda-Pierre (s), Orch. du Domaine Musical, Gilbert Amy. Adès 12.001 (sup.). *+ Varèse : Offrandes. Jolas : D'un opéra de voyage.*

Chaleur, luminosité méditerranéenne, exubérance latine, fraîcheur et sensualité sonore, clarté dans la texture, autant de qualités intrinsèques de la musique de Berio. D'ailleurs, l'aléatoire de ces jeux entre la flûte et les quatre groupes instrumentaux, au lieu de court-circuiter le discours, ne fait que le rendre plus généreux. Les interprètes y sont assurément pour quelque chose... Réjouissons-nous d'autant plus que Gilbert Amy grave ici une très belle version d'*Offrandes* de Varèse.

Berlioz, Hector
(1803-1869)

Anthologie : Béatrice et Bénédict (Entracte), Ouvertures (Béatrice et Bénédict, Benvenuto Cellini, Le Carnaval romain), Les Troyens à Carthage (Chasse royale et orage).

*** Orch. Phil. de New York, Pierre Boulez. CBS 76.085. Enregistré en 1972.

Il s'agit là d'un enregistrement superbe, tant sur le plan de la qualité de la prise de son, qui rend l'orchestre étonnamment présent, que pour l'optique adoptée par Boulez dans la lecture de ces partitions. Grande clarté, sans pour cela aller jusqu'au cartésianisme, compréhension et restitution de tous les éléments extra-latins, grandeur enthousiaste du ton, mise en valeur de la géniale instrumentation, luminosité et respect des volontés du compositeur.

Anthologie « L'Orchestre de Berlioz » : La Damnation de Faust (Danse des Sylphes, Marche hongroise, Menuet des follets), Ouverture du Carnaval romain, Roméo et Juliette (Scherzo de la Reine Mab), Les Troyens à Carthage (Chasse royale et orage).

*** Orch. National de l'ORTF, André Cluytens. EMI VSM C 053-10.771. *+ Weber : L'invitation à la valse (orchestration de Berlioz).*

Dans ce disque, André Cluytens s'est fixé le but d'illustrer l'orchestre de Berlioz à l'aide des pages les plus connues du musicien, complétées par l'instrumentation qu'il fit de l'*Invitation à la valse* de Weber. Cela compose un excellent programme et un panorama très convaincant, d'autant plus que le tout est dominé par la chaleureuse et dynamique direction de Cluytens, qui donne à cette musique tout son feu romantique. On regrette une stéréophonie bien faible, sauf dans l'extrait des *Troyens*, et une qualité sonore plutôt moyenne.

Béatrice et Bénédict, opéra-comique.

*** Yvonne Minton (Béatrice), Placido Domingo (Bénédict), Ileana Cotrubas (Héro), Roger Soyer (Claude), Nadine Denize (Ursule), Dietrich Fischer-Dieskau (Somarone), John Macurdy (Don Pedro), Ch. de l'Orch. de Paris, Orch. de Paris, Daniel Barenboïm. DG 2707.130 (2 d.).

** Janet Baker (Béatrice), Robert Tear (Bénédict), Christiane Eda-Pierre (Héro), Thomas Allen (Claudio), Helen Watts (Ursule), Jules Bastin (Somarone), Robert Lloyd (Don Pedro), Richard van Allan (Léonato), Ch. John Alldis, Orch. Symph. de Londres, Colin Davis. Philips 6700.121 (2 d.). Enregistré en 1977.

Béatrice et Bénédict, dernier ouvrage important de Berlioz, porte naturellement témoignage de la passion de ce dernier pour Shakespeare. C'est une œuvre charmante, d'où tout élément tragique est absent. Domingo, Minton et Fischer-Dieskau nous présentent des incarnations, des énergies, des passions en acte, quelque chose comme du feu, et chez Fischer-Dieskau de la fantaisie, là où Tear, Baker et Bastin n'offraient que de belles silhouettes musicales. Relative déception du côté du sublime nocturne que Cotrubas et Denize abordent avec un rien de réserve. Barenboïm trouve des libertés et des fantaisies exquises, et à d'autres moments succombe à une relative pruderie, comme l'avait fait Colin Davis dans son second enregistrement.

Colin Davis donne une interprétation extrêmement brillante, sacrifiant parfois la poésie aux effets de sonorité. L'essentiel du poids de la distribution repose sur le trio féminin - ici, Janet Baker, Christiane Eda-Pierre et Helen Watts, toutes trois excellentes. Mais Colin Davis avait enregistré une quinzaine d'années auparavant un *Béatrice et Bénédict* avec Josephine Veasey et April Cantelo, qui formaient, avec la même Helen Watts, un trio vraiment imprégné de passion berliozienne. Moins convaincante, la nouvelle version offre l'avantage de restituer les récitatifs parlés, bien utiles à la compréhension de l'action.

Benvenuto Cellini, opéra op. 23.

❀*** Nicolaï Gedda (Cellini), Christiane Eda-Pierre (Térésa), Jane Berbié (Ascanio), Jules Bastin (Balducci), Robert Massard (Fieramosca), Roger Soyer (le Pape), Ch. de l'Opéra de Covent Garden, Orch Symph. de la BBC, Colin Davis. Philips 6707.019 (4 d.). Enregistré en 1972.

Ce premier (et jusqu'ici unique) enregistrement intégral du volumineux *Benvenuto Cellini* est un événement capital dans la discographie berliozienne. Cet opéra n'eut guère de chance et tomba dès sa création. Il faut dire que le livret en est assez faible, mais la musique, absolument superbe en de nombreux endroits, gagne beaucoup à l'écoute au disque. Cela d'autant plus que la réalisation de Colin Davis est à la hauteur de l'entreprise. Ses chanteurs sont très bien choisis : Christiane Eda-Pierre est une Térésa touchante à la voix pure, Jane Berbié prête sa voix chaude au rôle travesti d'Ascanio. Du côté des hommes, Nicolaï Gedda, irremplaçable dans le rôle-titre, Robert Massard, qui se tire de l'ingrate partie de Fieramosca en la jouant plus qu'en la chantant, et Roger Soyer, qui campe un pape plein de style et de noblesse. Les ensembles sont éblouissants de verve et exécutés avec une précision rare. Les chœurs, si importants dans cet ouvrage, sont parfaitement rodés, surtout dans le célèbre tableau du Carnaval romain.

La Damnation de Faust, légende dramatique op. 24.

❀*** Joséphine Veasey (Marguerite), Nicolaï Gedda (Faust), Jules Bastin (Méphistophélès), Richard van Allan (Brander), Ch. et Orch. Symph. de Londres, Colin Davis. Philips 6703.042 (3 d.). Enregistré en 1973.

*** Suzanne Danco (Marguerite), David Poleri (Faust), Martial Singher (Méphistophélès), Donald Gramm (Brander), Radcliffe Choral Society, Orch. Symph. de Boston, Charles Munch. RCA AVL2 0.679 (2 d.). Mono. Enregistré en 1955.

* Consuelo Rubio (Marguerite), Richard Verreau (Faust), Michel Roux (Méphistophélès), Pierre Mollet (Brander), Ch. Elisabeth Brasseur, Ch. d'enfants de l'ORTF, Orch. Lamoureux, Igor Markevitch. DG 2705.026 (2 d.). Enregistré en 1960.

C'est à nouveau Colin Davis qui nous donne la meilleure version d'un chef-d'œuvre de la musique française. Il ne manquait pourtant ni de concurrence, ni d'illustres prédécesseurs, mais sa lecture est de loin la plus scrupuleuse. Pas un tempo, pas un accent, pas une nuance qui ne corresponde strictement aux indications de Berlioz. Mais ce respect n'est jamais scolaire : le génie l'habite, et se révèle surtout dans les morceaux archi-connus, tels la *Marche hongroise*, qui apparaît idéalement militaire, comme renouvelée. Le Ballet des Sylphes devient étonnamment subtil. L'équilibre des chanteurs, de l'orchestre et des chœurs est pleinement réussi. La prise de son garantit la précision et l'éblouissement sonore de l'atmosphère créée par Colin Davis.

La version monophonique réalisée par Charles Munch en 1955 reste une magnifique interprétation. Une distribution où l'on remarquait le Méphisto de Martial Singher, musical et profond, et la Marguerite, naïve et touchante de Suzanne Danco ; mais le Faust de David Poleri était trop pâle. Munch, à son habitude, a pris quelques libertés avec la partition, mais grâce à son instinct profondément berliozien, il parvenait à imposer un climat très prenant. Une version à ne jamais oublier, quoi que l'avenir nous réverve.

La réalisation dirigée par Igor Markevitch est, elle, assez irrégulière. Une direction honnête, mais banale, ne compense pas le déséquilibre de la distribution. Consuelo Rubio chante bien, mais sa Marguerite est trop lourde et étrangère au climat berliozien. Le ténor canadien Richard Verreau était, en revanche, trop léger et manquait de personnalité. Seul, Michel Roux ressortait, grâce à un Méphisto de qualité, moins beau, cependant, que celui de Singher. De plus, cette version - et cela est encore moins admissible - est amputée de deux coupures : la reprise du Chant de Pâques, et un grand morceau du récitatif entre Faust et Méphisto dans la dernière partie.

L'Enfance du Christ, oratorio op. 25.

*** Janet Baker (ms), Eric Tappy (t), Thomas Allen (bar), Jules Bastin (b), Ch. John Alldis, Orch. Symph. de Londres, Colin Davis. Philips 6700.106 (2 d.). ⌧ 7699.058 (2 c.). Enregistré en 1976.

** Florence Kopleff (ms), Cesare Valletti (t), Gérard Souzay (bar), Giorgio Tozzi (b), Ch. du Conservatoire de Nouvelle Angleterre, Orch. Symph. de Boston, Charles Munch. RCA AVL2 0.678 (2 d.) (sup.). Enregistré en 1957.

** Jane Berbié (ms), Robert Andreozzi (t), Alain Vanzo (t), Roger Soyer (b), Ch. d'oratorio et Maîtrise de l'ORTF, Orch. National de l'ORTF, Jean Martinon. Guilde Internationale du Disque SMS 2612 (sup.). Enregistré en 1969.

C'est la seconde fois que Colin Davis enregistre l'*Enfance du Christ*, et il s'agit là d'une admirable réussite. Il a approfondi sa vision, gommé les grandiloquences de la partition, fouillé le détail en gardant toujours en vue l'ensemble. Il est secondé par des solistes de de premier rang, où domine Janet Baker, une Marie idéale. Jules Bastin donne au roi Hérode la noirceur et l'humanité qui lui conviennent. Quant au récitant, on ne voit pas comment un autre interprète pourrait ne serait-ce qu'égaler la perfection d'Eric Tappy. Les Chœurs de John Alldis et l'Orchestre Symphonique de Londres ne méritent, eux aussi, que des éloges.

Après la perfection stylistique de Davis, c'est, comme souvent, Munch qui arrive en second dans les choix berlioziens : il reste et restera un modèle, une référence à mettre toujours en parallèle avec les versions plus récentes.

Il faut aussi rendre justice à la belle version de Jean Martinon, contribution française plus qu'honorable au catalogue berliozien. La direction, très souple, se fait tour à tour tendre et poétique dans les épisodes de douceur, puissante et dynamique dans les passages puissants. Si Jane Berbié a une voix un peu trop riche pour la «douce» Marie, le reste de la distribution brille par le Hérode de Roger Soyer, peut-être le meilleur de la discographie, et le récitant d'Alain Vanzo, merveille de pureté et de style.

Harold en Italie, symphonie pour orchestre avec alto principal op. 16.

❁*** Carlton Cooley (alto), Orch. Symph. de la NBC, Arturo Toscanini. RCA AT 112 (étr.). Mono. Enregistré en 1953.

❁*** Nobuko Imaï (alto), Orch. Symph. de Londres, Colin Davis. Philips 9500.026. Enregistré en 1975.

*** William Primrose (alto), Orch. Royal Phil., Thomas Beecham. Odyssey FCX 178 (sup.). Mono. Enregistré en 1955.

*** William Primrose (alto), Orch. Symph. de Boston, Charles Munch. RCA FVL2 7.174 (2 d.) (sup.). Enregistré en 1958. + *Anthologie : 4 Ouvertures, Prélude des Troyens.*

** William Primrose (alto), Orch. Symph. de Boston, Serge Koussevitzky. RCA (sup.). Mono (origine 78 t.). Enregistré en 1945.

* Rudolf Barchaï (alto), Orch. Phil. de Moscou, David Oïstrakh. Chant du Monde LDX 78.369 (étr.). Enregistré en 1965.

Admirable interprète de la musique française, Toscanini dirige un *Harold en Italie* parfaitement berliozien, d'une méticuleuse précision, certes, mais aussi d'une verve et d'une poésie irrésistibles. Une extraordinaire tension habite toute l'œuvre, qui trouve ainsi une unité que bien peu d'interprètes ont su révéler. Le lyrisme, le jeu de sonorités du soliste, l'exactitude du phrasé et le style impeccable colorent magnifiquement cette œuvre qui vit ainsi de l'intérieur, avec une force de persuasion enthousiasmante.

Avec Colin Davis, on a l'assurance d'avoir toujours affaire à Berlioz. Dans sa seconde version d'*Harold*, avec Nobuko Imaï, cette impression ne fait que se confirmer, car l'interprétation de Menuhin était un peu trop brahmsienne. Davis est fidèle au texte et sa dynamique est excellente. Le passage qui doit être joué sur le chevalet, dans la deuxième partie, est respecté, ce qui n'est pas toujours le cas. Une version pleine de moelleux, de légèreté et de jeunesse.

L'enregistrement de Beecham est déjà ancien, mais prime encore par ses qualités. On y trouve la souplesse et les sonorités charnues de l'alto ; l'atmosphère se fait tour à tour mystérieuse, grave, ou dansante et spirituelle. Le miracle se produit dans l'économie des moyens et la sobriété. Deux ombres, toutefois : Primrose ne joue pas vraiment sur le chevalet, et il n'y a pas de reprise au premier mouvement. Est-ce assez pour nous priver de Beecham ?

Le *Harold* dirigé par Munch, avec, comme alto solo, le même William Primrose, mérite d'être placé au nombre des versions de référence. Le grand chef a peut-être moins fouillé la partition que pour d'autres œuvres du même compositeur, mais son génie berliozien demeure, ainsi que la puissance magnétique de sa direction d'orchestre.

La version Primrose/Koussevitzky, malgré son âge et les libertés qu'elle se permet vis-à-vis du texte, reste très belle. C'est une question de style - et aujourd'hui, nous sommes habitués à des interprètes restant aussi fidèles à l'esprit qu'à la lettre. Ici souffle l'esprit, avec une fougue, une verve et un enthousiasme qui font pardonner les rubatos dont use et abuse un soliste littéralement déchaîné.

Un petit déséquilibre marque le début de la version Barchaï-Oïstrakh ; le premier mouvement n'est pas totalement satisfaisant, en ce que le soliste a tendance à l'interpréter comme un concerto. Mais celui-ci se rattrape ensuite, par des sonorités merveilleuses, voluptueuses. La *tarentelle* est dansante, et un «sur le chevalet» plein de mystère, tandis que l'*Orgie* est savoureuse et mordante.

Herminie, cantate.

* Janet Baker (ms), Orch. Symph. de Londres, Colin Davis. Philips 9500.683. Enregistré en 1979. + *La Mort de Cléopâtre.*

L'une des quatre Cantates que Berlioz écrivit pour le concours du prix de Rome. L'auteur de la *Fantastique* est déjà là, avec ses ruptures de ton, son originalité, ses harmonies audacieuses qui font de lui un peintre en musique - et avec le thème qui sera celui de l'«idée fixe» de la Symphonie fantastique. Belle interprétation, parfaitement stylée ; mais Janet Baker se montre un peu maniérée dans sa déclamation française, et l'on ne comprend guère les paroles. Néanmoins, une page passionnante.

Lélio ou le Retour à la vie, mélodrame lyrique pour récitant, solistes, chœurs et orchestre op. 14b.

* Nicolaï Gedda (Lélio), Charles Burles (Horatio), Jean Topart (récitant), Ch. et Orch. de l'ORTF, Jean Martinon. EMI VSM C 069-12.880. Enregistré en 1973.

On attendait qu'un *Lélio* de qualité vînt remplacer la disparition des catalogues de l'excellente version de Pierre Boulez, où le récitant, Jean-Louis Barrault, était la voix même de Berlioz. Mais la réalisation de Jean Martinon est décevante et n'arrive pas à sauver une œuvre disparate et difficile à faire passer : son hyper-romantisme, un texte long, avec des outrances et des faiblesses, nécessitent un souffle et une flamme que Jean Topart ne trouve pas du tout ici. Les chanteurs ne sont guère plus à l'aise que lui : Nicolaï Gedda ne s'épanouit pas, et Charles Burles donne l'impression de chanter un exercice d'école.

Mélodies diverses avec orchestre : La Captive, Fleurs des landes (Le Jeune pâtre breton), Feuillets d'album (Le Chasseur danois, Zaïde), Irlande (La Belle Voyageuse).

* Sheila Armstrong (s), Josephine Veasey (s), Frank Patterson (t), John Shirley-Quirk (b), Orch. Symph. de Londres, Colin Davis. Philips 6500.009. Enregistré en 1969. + *Nuits d'été.*

C'est une initiative intéressante que d'élargir la discographie des Mélodies de Berlioz avec des pages autres que les *Nuits d'été*, beaucoup plus connues. Des pièces comme *Zaïde* ou *le Jeune pâtre breton* recommandent plus ce disque que les *Nuits d'été* qui y figurent également. Les chanteurs sont inégaux : le ténor Frank Patterson de moindre intérêt, Shirley-Quirk peu en forme, mais les deux femmes excellentes.

Mélodies et œuvres chorales : Irlande (neuf mélodies op. 2), Le Trébuchet op. 13, Chant de la fête de Pâques, La mort d'Ophélie op. 18 n° 2, Prière du matin, Le temple universel, Le Ballet des ombres, La Menace des Francs, Veni Creator, Hymne à la France, Tantum ergo, Chant des Bretons, Sara la baigneuse op. 11, Méditation religieuse op. 18 n° 1.

** April Cantelo (s), Helen Watts (c), Robert Tear (t), Ryland Davies (t), Richard Salter (b), Viola Tunnard (piano), Peter Smith (piano et harmonium), Ch. Monteverdi, John Eliot Gardiner ; Ch. Heinrich Schütz de Londres, Roger Norrington ; St Anthony Singers, Orch. de Chambre Anglais, Colin Davis. Decca 593.038 (2 d.). Enregistré en 1968 et 1969.

Composé à partir de plusieurs disques parus antérieurement chez le même éditeur, cet album regroupe l'essentiel des œuvres «secondaires» pour chœurs ou voix soliste de Berlioz. Tout n'est sans doute pas passionnant, mais la plupart de ces pages sont introuvables par ailleurs et bénéficient d'interprétations d'excellente qualité. En outre, les deux disques sont publiés en série économique (deux disques pour le prix d'un). Bonne occasion pour faire connaissance avec le versant mineur et méconnu d'un sommet très fréquenté.

La Mort de Cléopâtre, cantate.

*** Jessye Norman (S), Orch. de Paris, Daniel Barenboïm. DG 2532.047. + *Nuits d'été.*

*** Janet Baker (ms), Orch. Symph. de Londres, Alexander Gibson. EMI VSM C 069-01.662. Enregistré en 1969. + *Nuits d'été.*

* Janet Baker (ms), Orch. Symph. de Londres, Colin Davis. Philips 9500.683. Enregistré en 1979. + *Herminie.*

Jessye Norman met au service de Cléopâtre une puissance d'évocation encore jamais atteinte dans cette page. Exception faite de quelques aigus tirés, sa voix fait ici merveille, mais aussi son tempérament d'où toute préciosité est absente. Barenboïm, en berliozien accompli, insuffle un ton très juste à un Orchestre de Paris qui ne semble pas pourtant au meilleur de sa forme. En seconde face, les *Nuits d'été* chantées par Kiri Te Kanawa ne nous apportent pas - beaucoup s'en faut - la même satisfaction.

Dans son premier enregistrement de cette Cantate pour le Prix de Rome, Janet Baker campe une Cléopâtre saisissante par l'intensité du sentiment, l'extraordinaire tension dramatique et la grandeur du caractère. Quant à la direction d'orchestre de Gibson, elle soutient le climat de drame et de mystère de bout en bout.

Revenant à Cléopâtre dix ans plus tard, Janet Baker a sans doute approfondi le caractère du personnage, mais la voix comme l'interprétation ont perdu de la fraîcheur et de la spontanéité, et certains aigus sont bien tirés. Excellent climat dans la direction de Davis, sur le point d'achever son enregistrement intégral de l'œuvre de Berlioz. Mais ce disque vaut surtout par l'inédite *Herminie* qui le complète.

Nuits d'été, cycle de six mélodies pour mezzo-soprano ou ténor et orchestre, op. 7 : Villanelle, Le Spectre de la rose, Absence, Sur les lagunes, Au cimetière, L'Ile inconnue.

❀*** Régine Crespin (ms), Orch. de la Suisse Romande, Ernest Ansermet. Decca 592.038. ⊠ 4-592.038. Enregistré en 1963. + *Ravel : Shéhérazade.*

*** Eleanor Steber (s), Orch. Symph. Columbia, Dimitri Mitropoulos. CBS 61.430 (sup.). Mono. Enregistré en 1954. + *La Captive, Zaïde, Le Jeune pâtre breton.*

*** Jessye Norman (s), Orch. Symph. de Londres, Colin Davis. PHI 9500 783. + *Ravel : Shéhérazade.*

** Janet Baker (ms), Orch. New Philharmonia, John Barbirolli. EMI VSM C 069-01.662. + *La Mort de Cléopâtre.*

* Sheila Armstrong (s), Joséphine Veasey (ms), Frank Patterson (t), John Shirley-Quirk (bar), Orch. Symph. de Londres, Colin Davis. Philips 6500.009. Enregistré en 1969. + *Mélodies diverses.*

Régine Crespin reste la plus grande interprète de ces six merveilleuses mélodies qui forment le cycle des *Nuits d'été.* Sa voix est au plus beau, et chaque son qu'elle émet est un vrai ravissement. Elle possède à la fois du lyrisme et du charme, et ses demi-teintes ont d'exquises inflexions. Et l'on comprend le moindre mot des poèmes de Gautier qu'elle dit merveilleusement. Elle est admirablement accompagnée par l'Orchestre de la Suisse Romande, sous la direction d'Ernest Ansermet. En couplage, une superbe interprétation des trois mélodies de *Shéhérazade* de Maurice Ravel.

Des grandes versions anciennes des *Nuits d'été* (Los Angeles, Danco, Price), il faut rappeler celle d'Eleanor Steber et Mitropoulos, qui ont créé le cycle aux Etats-Unis et l'ont aussitôt après enregistré. Le tempérament et la délicatesse, la rigueur et la liberté dans l'interprétation, la présence chaleureuse de deux interprètes complètement concernés par la poésie lyrique de ces six pages donnent à leur version une place particulière dans le mémorial Berlioz.

Jessye Norman prend le parti de dépeindre et de désigner sans détour l'objet de son chant : là où d'autres cantatrices laissent flotter une incertitude de rêve, elle met des couleurs plus franches, et les nettetés d'une narration. C'est cette objectivité, parfois détachée, qui fait l'immense mérite du *Shéhérazade* de Ravel qui figure en couplage.

La perfection vocale de Janet Baker sied admirablement à la perfection musicale de ces œuvres. La seule ombre (on ne peut, à ce niveau, parler de critique ou de reproche) est qu'elle est un peu trop explicite, une pièce comme *le Spectre de la rose* méritant toute l'intériorité de Régine Crespin. Mais en général, du très grand art.

Les *Nuits d'été* de Colin Davis ne sont pas

une grande réussite du chef anglais, pourtant passé maître en matière berliozienne. Cela vient de ce qu'il a voulu confier à un éventail de quatre solistes les six mélodies, et que ces solistes sont trop inégaux entre eux : les deux interprètes féminines sont largement supérieures, car John Shirley-Quirk n'est guère en voix et le ténor Frank Patterson d'une classe au-dessous. Le disque vaut plus par les Mélodies diverses qui voisinent avec ces *Nuits* trop fragmentées.

Ouvertures de Béatrice et Bénédict, Benvenuto Cellini, du Carnaval romain, du Corsaire et du Roi Lear.

*** Orch. de l'Opéra de Paris, André Cluytens. EMI Trianon 33.143. Enregistré en 1956.

Ouvertures du Carnaval romain, du Corsaire, des Francs-Juges, du Roi Lear et de Waverley.

*** Orch. Symph. de Londres, Colin Davis. Philips 5835.367. Enregistré en 1965.

Ouverture du Carnaval romain.

*** Orch. Symph. NBC, Arturo Toscanini. RCA AT 100 (étr.). Mono. + *Respighi : Les Fontaines de Rome, Les Pins de Rome.*

Bien que déjà ancien, le disque-anthologie de Cluytens consacré aux Ouvertures de Berlioz reste parmi les meilleurs. Il propose cinq des pièces les plus connues et les plus réussies, et la réalisation en est une preuve supplémentaire que ce chef était un berliozien vraiment inspiré.

Autre berliozien magistral, Colin Davis, à qui l'on doit la redécouverte - ou la découverte pure et simple - de beaucoup d'œuvres du grand Romantique français. Son disque d'Ouvertures est quasiment idéal, et par son programme en partie différent (ils ne se recoupent que pour trois pièces), complète efficacement l'enregistrement de Cluytens.

Pour la seule interprétation du *Carnaval romain*, le disque de Toscanini serait à rechercher en importation : nulle part comme ici on n'a entendu autant de précision rythmique, de frénésie, de subtilité dans le phrasé. Inouï.

Requiem, «Grande Messe des Morts» op. 5.

*** Ronald David (t), Ch. d'Enfants de l'Ecole de Wandsworth, Ch. et Orch. Symph. de Londres, Colin Davis. Philips 6700.019 (2 d.). ⊠ 7699.008 (2 c.). Enregistré en 1969.

*** Peter Schreier (t), Ch. et Orch. de la Radio Bavaroise, Charles Munch. DG 2726.050. ⊠ 3580.041 (1 c. double). Enregistré en 1967.

*** Jean Giraudeau (t), Ch. de l'ORTF, Orch. du Théâtre National de l'Opéra, Hermann Scherchen. Adès 21.011 (2 d.). Mono. Enregistré en 1958.

Une très belle conception, une interprétation de qualité recommandent la *Grande Messe des Morts* enregistrée par Colin Davis. Les moyens vocaux, techniques et instrumentaux dont il dispose contribuent à l'éclat et à la précision de sa vision. Mais éclat ne veut pas toujours dire puissance ; aussi pourrait-on reprocher à cette vision de rester un peu extérieure, objective, au lieu de se lancer puissamment dans la «grande affaire» berliozienne.

Il est dommage que la version enregistrée par Charles Munch à Munich soit entachée d'une technique moyenne et d'une stéréophonie contestable ; car, sur le plan musical, c'est superbe. Les moyens instrumentaux et vocaux ne sont pas si bien rodés que la machine anglaise dirigée par Davis, mais on sent une volonté immense, un travail acharné pour arriver à donner à cette musique son inspiration, son souffle. Munch préfère mettre en valeur le classicisme du *Requiem*, et non le romantisme échevelé dont on fait si souvent la caractéristique de Berlioz. Une référence essentielle.

Scherchen a été le fervent défenseur de Berlioz - et de ses œuvres les moins populaires - à une époque où l'on persistait à le mépriser par ignorance. Son interprétation du *Requiem* est puissamment originale, lecture aiguë de la partition, faisant saillir tous les muscles sous la chair. Berlioz n'est plus ici romantique, ni classique : c'est la musique pour elle-même, dans toute la force de son jaillissement.

Rêverie et caprice, romance pour violon et orchestre op. 8.

* Yehudi Menuhin (violon), Orch. Philharmonia, John Pritchard. EMI VSM C 059-43.177. ⊠ C 259-43.177. + *Beethoven : Roman-*

ces. Saint-Saëns : Havanaise, Introduction et rondo capriccioso. Wieniawski : Légende.

La romance pour violon et orchestre *Rêverie et caprice* n'est pas l'œuvre principale de ce disque consacré aux plus célèbres pièces brèves pour violon et orchestre ; et cette page mineure ne constitue pas pour Berlioz un titre de gloire. Mais c'est une composition agréable, qui prend beaucoup de charme par l'instrument de Menuhin. On ne commencerait pas par là une initiation à Berlioz, mais les initiés y parfairont leur connaissance.

Roméo et Juliette, symphonie dramatique op. 17.

❀*** Julia Hamari (ms), Jean Dupouy (t), José van Dam (b), Ch. du Conservatoire de Nouvelle Angleterre, Orch. Symph. de Boston, Seiji Ozawa. DG 2707.089 (2 d.). ⌧ 3370.011 (2 c.).

*** Rosalind Elias (ms), Cesare Valletti (t), Giorgio Tozzi (b), Ch. du Conservatoire de Nouvelle Angleterre, Orch. Symph. de Boston, Charles Munch. RCA AVL2 0.676 (2 d.) (sup.). Enregistré en 1953.

*** Patricia Kern (ms), Robert Tear (t), John Shirley-Quirk (bar), Ch. John Alldis, Orch. Symph. de Londres, Colin Davis. Philips 2.018 (2 d.). Enregistré en 1968.

Incontestablement, la version de Seiji Ozawa de *Roméo et Juliette* dépasse toutes ses devancières : elle est bouleversante. Le chef a su rendre les moindres intentions de Berlioz pour cette «symphonie dramatique» à laquelle il tenait tant. De la symphonie, on a la rigueur de construction, du dramatisme, l'enchaînement inéluctable vers le dénouement tragique. Dès l'entrée, la voix exquise de Julia Hamari nous plonge dans le rêve le plus tendre. Jean Dupouy, par la légèreté preste de sa voix, cisèle admirablement les couplets de la Reine Mab. Dans le finale, José van Dam prête au Frère Laurent la sagesse d'un vieil Arkel. Les chœurs et l'orchestre ajoutent à tant de perfection.

Moins parfaite que celle d'Ozawa, mais non pas sans charme ni beauté, est la version maintenant ancienne, mais non vieille, dirigée par Charles Munch. Celui-ci reste surtout un exemple et un modèle, en ce que ses interprétations de la musique de Berlioz étaient pleines d'un enthousiasme qui correspondait étroitement au tempérament bouillant du compositeur. A conserver donc, comme point de référence, comme leçon de romantisme.

Colin Davis a enregistré un *Roméo et Juliette* remarquable lui aussi de dramatisme et de tempérament : avec l'Orchestre Symphonique de Londres, il atteint des sommets, et les chœurs sont de grande qualité. Mis à part le Frère Laurent de Shirley-Quirk, les solistes manquent un peu de caractère berliozien. Mais, pour l'ensemble, c'est une version qui se situe à un niveau extrêmement élevé, comme on peut s'y attendre de la part d'un chef qui a si bien servi Berlioz.

Symphonie fantastique, op. 14.

❀*** Orch. Phil. de Vienne, Pierre Monteux. Decca 592.023. ⌧ 4.592.023. Enregistré en 1958.

❀*** Orch. Symph. de Boston, Charles Munch. RCA GL 43.707. ⌧ GK 43.707. Enregistré en 1956.

❀*** Orch. Phil. de New-York, Dimitri Mitropoulos. CBS 61.465 (USA). Enregistré en 1957.

*** Orch. Symph. de la NDR de Hambourg, Pierre Monteux. Festival FC 404. ⌧ FCK 4.004. Enregistré en 1963.

*** Orch. des Concerts Lamoureux, Igor Markevitch. DG 2548.172 (G-B). Enregistré en 1961.

*** Orch. du Concertgebouw d'Amsterdam, Colin Davis. Philips 6500.774. ⌧ 7300.313. Enregistré en 1974.

** Orch. de Cleveland, Lorin Maazel. CBS 76 652. Enregistré en 1980.

** Orch. National de la RTF, Thomas Beecham. EMI VSM S-60.165 (sup.). Enregistré en 1959.

** Orch. Phil. de Berlin, Herbert von Karajan. DG 2530.597. ⌧ 3300.498. Enregistré en 1975.

* Orch. de Paris, Charles Munch. EMI VSM C 069-10.595. ✉ C 269-10.595. Enregistré en 1967.

* Orch. de la Société des Concerts du Conservatoire, Bruno Walter. EMI Références C 051-03.611. Mono (origine 78 t.). Enregistré en 1939.

Pierre Monteux, qui a sans doute été l'interprète par excellence de la musique française, a enregistré à plusieurs reprises la *Symphonie fantastique.* La réalisation faite à Vienne en 1958 domine la discographie de l'une des œuvres les plus - et les mieux - servies par le microsillon. On trouve ici à la fois le style impeccable, l'exécution d'une précision transcendante, aux coloris délicats (on pourrait presque dire «à l'ancienne», par rapport à ceux des autres orchestres symphoniques), et puis la poésie, la verve, la fièvre toujours contrôlée. Tout Berlioz est là. La superbe prise de son reste, elle aussi, une référence.

On pourrait difficilement rêver interprétation plus poignante et plus poétique que celle de Charles Munch. Celui-ci, dont c'est incontestablement ici le meilleur des divers enregistrements qu'il réalisa de la *Fantastique*, reste celui qui a révélé au monde ce que pouvait être cette œuvre puissante, essence même de la musique de Berlioz.

«Fantastique» est bien ce qui caractérise l'interprétation géniale de Mitropoulos, qui, avant Boulez et Bernstein, présida royalement aux destinées de la Philharmonie de New York. Lecture acérée, inquiète, virtuose et passionnée, équilibrant magnifiquement l'intelligence et le tempérament dans une vision hautement maîtrisée. On ne peut que regretter qu'après une brève apparition au catalogue français, cet enregistrement ne soit plus disponible qu'à l'étranger.

L'enregistrement de Pierre Monteux à Hambourg ressemble assez, quant à la direction, à celui que le grand chef réalisa à Vienne. Mais le Radio-Symphonique hambourgeois n'est évidemment pas la Philharmonie viennoise, surtout sur le plan des timbres. Cette version présente au moins l'avantage sur l'autre d'être couramment disponible en France, et en version économique.

Igor Markevitch, lui aussi berliozien de race, signa une fulgurante version de la *Fantastique* au temps où il dirigea les Concerts Lamoureux, époque glorieuse de la formation parisienne. Sous sa direction, l'orchestre se surpasse dans la virtuosité et dans le coloris instrumental. Volcanique, satanique même, cette version n'en est pas moins rigoureuse. Son absence du catalogue français est incompréhensible.

Parmi les chefs d'aujourd'hui, Colin Davis s'est acquis la juste réputation de berliozien accompli. Son second enregistrement de la *Fantastique* est très supérieur au précédent, parce qu'éclairé de toute l'expérience acquise à l'interprétation de toutes les œuvres de Berlioz. Davis dirige cette *Fantastique* d'une baguette hallucinée, comme en proie aux visions de l'opium (origine de l'argument de cette partition «délirante»). Sous sa direction, l'orchestre prend aussi une dimension onirique, et sa sonorité devient comme une incantation obsessionnelle à laquelle il est impossible de résister. La version de rêve, au sens fort du terme.

Maazel, en nous offrant cette *Fantastique* accomplie, à l'élégance nerveuse et racée, montre tout de suite ses affinités avec l'univers berliozien. Les volontés du compositeur sont impeccablement respectées, et ses plus fines intentions, mises en valeur. Cette version serait à classer parmi les meilleures, si tant de perfection ne s'accompagnait de tant de froideur : du moment où Maazel reste de glace, il n'est plus d'accord avec le plus fiévreux de nos musiciens.

Sir Thomas fait preuve de maîtrise et d'élégance, dans sa direction bien personnelle. Et contrairement à ce à quoi l'on s'attend dans une œuvre aussi typiquement romantique, sa direction est très sobre. Beecham joue sur la subtilité et la poésie, admirablement secondé par les timbres propres aux musiciens français.

Pour sa troisième version discographique, Herbert von Karajan a encore approfondi sa vision de l'œuvre, poussant l'analyse dans les moindres recoins de la perfection de pensée, sachant retrouver les climats successifs de Beethoven ou de Schumann, et annonçant dans la Valse du *Bal* le futur message de Strauss et de Ravel. Version très inspirée, à la fois intellectuelle et d'une grande beauté plastique.

Historique, le premier enregistrement de l'Orchestre de Paris, et merveilleux, parce que le vieux lion Charles Munch se trouve à la tête d'une jeune formation réunie depuis quelques jours et appelée à rivaliser avec les plus grands orchestres mondiaux. Rencontre passionnée des musiciens avec leur chef, enthousiasme d'un véritable coup de foudre, cet enregistrement est le vivant témoin de ces moments d'exception, même si, à la lettre, bien des menues imperfections auraient été évitées après un plus long travail en commun.

Les archives de la collection «Références» ont exhumé un enregistrement passionnant qui n'était jamais paru en microsillon. Pendant son bref séjour à Paris, Bruno Walter réalisa cet enregistrement à la tête de la Société des Concerts dans toute sa splendeur.

Interprétation impétueuse, où le fantastique jaillit de l'intérieur même de la partition méticuleusement exécutée, interprétation musicale par excellence, sans doute pas très portée au spleen Jeune-France, mais dont l'admirable phrasé met en lumière l'élégance schubertienne du *Bal* ou l'intense poésie pastorale de la *Scène aux champs*. Quoique le spectre soit tronqué aux deux extrémités, la prise de son est bonne pour l'époque ; et on ne peut qu'admirer la qualité d'une exécution qui ne fait pas appel aux artifices du montage.

Symphonie fantastique, op. 14 : Transcription pour piano par Franz Liszt.

** François-René Duchâble (piano). EMI VSM C 069-73.004. Enregistré en 1979.

Cette transcription n'avait jamais été bien servie au disque : heureusement vient la réalisation de Duchâble qui nous permet d'apprécier le travail de Liszt. En effet, l'interprète a su, une fois surmontées les incroyables difficultés de la partition, montrer qu'il s'agit en fait d'une «recréation» de l'original de Berlioz. D'où un intérêt constant qui exclut toute impression de «réchauffé». On regrettera seulement que la prise de son ait gommé les nuances douces, ce qui supprime la lumière des contrastes.

Symphonie funèbre et triomphale, pour grande harmonie avec chœur, op. 15.

** Ch. John Alldis, Orch. Symph. de Londres, Colin Davis. Philips 6500.248. ⌧ 7300.021. Enregistré en 1969. + *Tristia. Prélude des Troyens à Carthage.*

** Ch. et Musique des Gardiens de la Paix, Désiré Dondeyne. Calliope 1.859. ⌧ 4.859. Enregistré en 1976.

Pour inaugurer la Colonne de la Bastille, commémorant le 10e anniversaire de la Révolution de Juillet, Charles de Rémusat, ministre de l'Intérieur, commanda à Berlioz une symphonie : ce fut la *Symphonie funèbre et triomphale*, destinée a être jouée en plein air, et de ce fait, de caractère particulièrement «sonore». Par la suite, Berlioz remania la masse initiale d'instruments à vent, en une version avec cordes et chœur. C'est celle que nous propose l'enregistrement de Colin Davis, fort bien réalisée, avec un excellent Chœur John Alldis.

La Musique des Gardiens de la Paix, dont c'est ici le second enregistrement de cette œuvre, en donne la version initiale, baptisée par Berlioz *Symphonie militaire*, où seuls jouent les instruments d'harmonie. Il sera donc intéressant de comparer les deux états successifs de cette commande officielle, car les réalisations de Davis et des Gardiens de la Paix forment un diptyque aussi intéressant sur le plan musical que musicologique. L'exécution n'a cependant pas la qualité de celle des musiciens londoniens. Excellente prise de son.

Te Deum op. 22.

*** Francisco Araiza (ténor), Choeurs Symphonique de Londres, Philharmonique de Londres, Wooburn Singers, Ecole de St-Alban, Ecole de Haberdasher Aske, Southend Boys, Ecole de Desborough, Ecole de la Forêt à Winnersh, Choeur d'enfants de l'église de High Wycombe Parish, Orchestre des Jeunes de la Communauté Européenne, Claudio Abbado. DG 2532.044. ⌧ 3302.044.

** Franco Tagliavini (t), Ch. et Orch. Symph. de Londres, Colin Davis. Philips 6500.217. ⌧ 73000.622. Enregistré en 1969.

* Jean Dupouy (t), Ch. d'Enfants de Paris, Maîtrise de la Résurrection, Ch. de l'Orch. de Paris, Orch. de Paris, Daniel Barenboïm. CBS 76.578. Enregistré en 1976.

Avec Abbado, le puissant effectif choral et instrumental respecte, au moins quant à l'esprit, le désir de Berlioz. Tous soulevés d'un élan unanime, musiciens et choristes enthousiastes donnent à l'oeuvre sa grandeur et son intensité. Attaques, nuances, fondu sont absolument exemplaires, et sous l'impulsion d'Abbado, cette masse sonore est animée d'un souffle, d'un lyrisme et surtout d'une ferveur incomparables. La prise de son sur le vif contribue elle aussi à la spontanéité et à l'impact de cette version.

Berlioz a laissé des indications très précises quant à la disposition des énormes masses d'exécutants (quelque 950...) selon lui nécessaires : grâce à quoi, et aidés par les techniques actuelles de prise de son, on peut reconstituer les grands effets d'oppositions et de contrastes qu'il recherchait. Malheureusement, l'enregistrement de Colin Davis ne respecte pas ces effets, que les réverbérations ne peuvent suffire à rendre. Sur le plan purement musical, il n'y a que des compliments à adresser au chef anglais, qui fait preuve de tant de vaillance et de virtuosité. La mise en place et le phrasé sont excellents, et la réalisation de haut niveau. On n'y sent toutefois pas passer le souffle grandiose qui animait la version, hélas ! disparue des catalogues, génialement dirigée par son compatriote Beecham.

L'approche de Barenboïm manque de cette liberté sans laquelle Berlioz n'est pas possible. Jusque dans les élans et la brillance, il reste conventionnel et trop prévisible. Le résultat donne une interprétation travaillée dans le détail, mais qui manque singulièrement de génie, de lyrisme. L'orchestre et les chœurs ont une sonorité plaisante et claire, et si cette version n'a pas le souffle inspirateur, il ne faut pas en accuser les exécutants, mais la conception générale de la direction.

Les Troyens, opéra.

❀*** Joséphine Veasey (Didon), Jon Vickers (Enée), Berit Lindholm (Cassandre), Peter Glossop (Chorèbe), Heather Begg (Anna), Roger Soyer (Narbal), Ch. de Garçons de l'Ecole de Wandsworth, Ch. et Orch. de l'Opéra de Covent Garden, Colin Davis. Philips 6709.002 (5 d.). Enregistré en 1969.

Les Troyens : extraits.

*** Régine Crespin (Cassandre, Didon), Guy Chauvet (Enée), Marie-Luce Bellary (Anna), Jean-Pierre Hurteau (Narbal), Jane Berbié (Ascagne), Gérard Dunan (Iopas), Ch. et Orch. de l'Opéra de Paris, Georges Prêtre. EMI VSM C 181-16.395/96 (2 d.).

Une première discographique de poids, que ces cinq disques renfermant - combien précieusement ! - l'intégrale du diptyque constituant *les Troyens* : *la Prise de Troie*, sorte de prologue intensément dramatique, et *Les Troyens à Carthage*, grand opéra en cinq actes. Cette réalisation est le résultat d'une soirée mémorable au cours de laquelle cette œuvre était représentée, pour la première fois dans sa version intégrale, en français, telle que Berlioz l'avait voulue, et telle, sans doute, qu'il aurait aimé la voir. La distribution est remarquable et homogène : on y remarque surtout la Cassandre de Berit Lindholm, la Didon émouvante de Joséphine Veasey ; si le timbre de Jon Vickers rend son Enée un peu rude, le personnage n'en est pas moins généreux et bien campé. Le réalisateur ne mérite que des éloges, pour avoir su souligner les effets scéniques sans jamais tomber dans le spectaculaire.

De trop courts extraits ne permettent sans doute pas de prendre une juste perspective d'une œuvre aussi imposante. Mais ils proposent une judicieuse sélection des passages les plus représentatifs du caractère de l'ouvrage, dans une interprétation française de bonne qualité, même si on eût préféré plus de raffinement et de subtilité dans la direction d'orchestre ou le rôle d'Enée. Se détache de très haut la double et bouleversante incarnation de Cassandre et de Didon par Régine Crespin, au meilleur de son talent de tragédienne lyrique, qui déclame le récitatif berliozien à la perfection. Il y a là la vie, le rythme, l'expression, l'émotion... et une qualité vocale superbe.

Bernstein, Leonard
(né en 1918)

Songfest, cycle de poèmes américains pour six chanteurs et orchestre.

*** Clamma Dale (s), Rosalind Elias (ms), Nancy Williams (a), Donald Gramm (bar), John Reardon (bar), Neil Rosenstein (t), Orch. Symph. National de Washington, Leonard Bernstein. DG 2531.044. Enregistré en 1978.

Cette œuvre typiquement américaine, commandée pour le bicentenaire de l'Indépendance, se propose d'exprimer le passé des Etats-Unis. Les interprètes de ce disque sont ceux de la création, le 11 octobre 1977. C'est une musique bien bernsteinienne, en ce qu'elle réunit des éléments populaires et cérébraux ; mais pour ne pas se laisser dérouter par son caractère composite, il faut s'efforcer de la mettre en rapport avec les textes de poèmes (traduction en français avec le disque), et apprécier le lien puissant établi entre les deux.

Symphonies n° 1 «Jeremiah», avec mezzo-soprano, n° 2 «The Age of Anxiety», pour piano et orchestre, n° 3 «Kaddish», pour orchestre, chœur mixte, chœur de jeunes garçons, récitant et soprano.

*** Christa Ludwig (ms), Lukas Foss (piano), Montserrat Caballé (s), Michaël Wager (récitant), Ch. Jeunesse et Petits Chanteurs de Vienne, Orch. Phil. d'Israël, Leonard Bernstein. DG 2709.077 (3 d.). Enregistré en 1977. Versions isolées : DG 2530.968. (Symphonie n° 1 + *Psaumes de Chichester*) ; DG 2530.969. (Symphonie n° 2) ; DG 2530.970. (Symphonie n° 3).

Dans ses Symphonies, Bernstein exprime une réflexion sur ses interrogations et sa foi, et son message forme une trilogie cohérente. *Jeremiah*, la plus courte, est profondément imprégnée de l'héritage hébraïque, mais plus par l'émotion pure qui s'en dégage que par des citations au niveau du matériel thématique. La seconde est plutôt une musique à programme où orchestre et piano solo se renvoient mutuellement leur image. Avec *Kaddish* - dont cet enregistrement propose une version révisée et définitive -, se déploie une œuvre aux multiples couleurs, très théâtrale, empruntant ses modes d'expression à tous les genres. Les trois disques sont parcourus par la flamboyance et la ferveur que Bernstein a su communiquer à ses interprètes, et constituent un élément essentiel pour la connaissance de la musique américaine.

West Side Story, danses symphoniques.

*** Orch. Symph. de San Francisco, Seiji Ozawa. DG 2530.309. Enregistré en 1975. + *Russo : Pièces pour Blue Bands et grand orchestre.*

L'interprétation par Ozawa de cette partition qui, en 1961, conquit le monde du cinéma et de la musique, est séduisante et vivace. Et l'enregistrement en renforce l'expression par une qualité d'atmosphère particulièrement riche et soignée.

Sérénade d'après «le Banquet» de Platon pour violon solo, orchestre à cordes, harpe et percussion. Fancy free, ballet.

*** Gidon Kremer (violon), Orch. Phil. d'Israël, Leonard Bernstein. DG 2531.196.

La *Sérénade* procède par associations de cellules mélodiques qui s'imbriquent et assurent à l'œuvre sa cohésion thématique. Elle forme un brillant concerto pour violon, malheureusement peu exploité dans les programmations. Gidon Kremer s'impose magnifiquement dans la périlleuse partie soliste, et la présence de Bernstein au pupitre garantit l'authenticité de l'exécution. Dans le ballet *Fancy Free*, on trouve un esprit new yorkais, foisonnant et sincère ; le clou du disque consiste en un *blues* chanté par Bernstein s'accompagnant lui-même au piano : un moment historique.

Bertrand, Antoine de
(1540-1581)

Les Amours de Ronsard. Anthologie : Certes mon œil fut trop aventureux, Je ne suis seulement amoureux de Marie, Beauté qui sans pareille, Je suis tellement amoureux, Las ! pour vous trop aymer, Ce cri plus doux que l'œuvre d'une abeille, Œil qui mes pleurs de tes rayons essuye, Nature ornant la dame, Prenez mon cœur, Dame prenez mon cœur, Mon Dieu ! que ma maîtresse est belle, Je vy ma Nymphe entre cent damoiselles, Ce cœur loyal, Ces deux yeux bruns. Chanson O doux plaisir.

*** Ensemble Polyphonique de Paris, Charles Ravier. Valois MB 773 (sup.). Enregistré en 1962.

Une interprétation délicate pour une œuvre délicate et intime. La musique suit le poème qui reste le point central de cette manifestation créatrice. Une volonté de retrouver la symbiose grecque que l'ensemble de Charles Ravier sert très fidèlement par une articulation précise et nette ; de belles voix qui se fondent les unes dans les autres sans rechercher les effets vocaux ; de bons tempos, des nuances suffisamment marquées pour rendre toute la vie de ce répertoire. Une interprétation complètement *a capella* qui émeut et charme.

Les Amours de Ronsard. Anthologie : Dans le serain de sa jumelle flamme, ces deux yeux bons, Je vis ma nymphe, Beauté dans la douceur, Marie qui voudrait votre nom retourner, Las ! pour vous trop aimer, Hâtez-vous petites filles, Vivons mignarde, O doux plaisir.

*** Ensemble Vocal Philippe Caillard, Philippe Caillard. Erato STU 70.519 (sup.). + *Janequin : Chansons.*

Plus encore que le disque consacré au même répertoire par Charles Ravier, cet enregistrement veut montrer l'influence réciproque que la poésie a pu avoir sur la musique à cette époque. La présentation souligne ici la progression de l'inspiration amoureuse de Ronsard, et il apparaît alors que la musique s'efforce de la suivre dans sa forme, son écriture. L'Ensemble Philippe Caillard est ici au mieux de sa forme : une interprétation nuancée, pure et homogène qui ne fait jamais fouillis. Une réalisation très expressive dans la modération.

Berwald, Franz
(1796-1868)

Quatuors à cordes en la mineur, en sol mineur et en mi bémol majeur. Quintettes avec piano en ut mineur et en la majeur. Septuor en si bémol.

** Quatuor Benthien, Robert Riefling (piano), Camerata de Lucerne. Accord ACC 150.008 (3 d.).

L'œuvre de musique de chambre de Berwald s'échelonne tout au cours d'une longue vie. On y entend des sonorités qui font penser à Schubert, à Schumann, à Brahms ; mais les dates de composition des œuvres concernées nous montrent qu'il s'agit là plus de rencontres et de prémonitions que d'imitations. Le musicien suédois est en effet profondément original. Et c'est l'un des mérites des interprètes de cette série de disques, et surtout du Quatuor Benthien, que de nous avoir rendu le fil d'une pensée subtile, pleine de charme, dont les audaces sont tempérées par un solide savoir-faire. Robert Riefling contribue beaucoup à donner aux deux Quintettes leur sincérité dans l'émotion.

Septuor en si bémol.

*** The Nash Ensemble. CRD 1044.
+ Hummel : Septuor en ré mineur.

Le grand Septuor de Berwald n'est pas sans parenté avec celui de Beethoven. L'interprétation qu'en donne l'Ensemble Nash fait ressortir le charme des instruments à vent, sur qui repose l'essentiel de l'atmosphère un peu lointaine de l'ouvrage. Une sensibilité sans sensiblerie est poussée à l'extrême ; elle est mise en valeur par la virtuosité étourdissante d'un mouvement central dont la raison d'être semble reposer dans un rôle de repos entre deux mouvements de forte tension d'émotion. Couplage élégant avec un Septuor de Hummel, de coupe beaucoup plus classique, dominé par un piano virtuose très satisfaisant.

Symphonie singulière. Symphonie sérieuse. Symphonie capricieuse. Symphonie n° 4. Elfenspiel. Concerto en ut dièse pour violon. Ernste und heitere Grillen. Fête des bayadères. La reine de Golconde. Estrella de Soria. Erinnerung an die norwegischen Alpen. Wettlauf. Concerto en ré majeur pour piano et orchestre.

*** Marian Migdal (piano), Arve Tellefsen (violon), Orch. Phil. Royal, Ulf Björlin. EMI VSM C 165-35.470/3 (4 d.) (étr.).

En quatre disques, l'essentiel de la production symphonique du plus grand compositeur suédois. Une œuvre foncièrement originale, qui se situe en dehors du calendrier du développement romantique européen. De beaux solistes, en particulier le violoniste Arve Tellefsen, un orchestre célèbre dirigé avec précision et chaleur, font valoir une musique très personnelle, qu'on a du mal à situer sur l'échiquier des compositeurs de l'époque.

Biber, Heinrich Ignaz Franz
(1644-1704)

Battalia, Sonate III à cinq violes, Sonate I à deux clarines et six violes, Sonate II à deux clarines et six violes, Ballet à 4, Sonate à 7, six trombones timbales et orgue, Sonate IV à 5 violes, Sonate à 6, «procession».

*** Concentus Musicus de Vienne, Nikolaus Harnoncourt. Telefunken SAWT 9579-B (sup.). Enregistré en 1971.

A côté de sonates à plusieurs violes, de coupe classique, ce disque rassemble des pièces instrumentales d'inspiration descriptive, comme la fameuse *Battalia*. Le piquant de l'interprétation vient pour une bonne part des instruments originaux, mais aussi du tempérament de Harnoncourt, avec son sens des progressions dynamiques («procession»), avec son mordant rythmique et sa vitalité volontiers théâtrale. La prise de son, superbement timbrée, permet de goûter le pittoresque sonore de ces surprenantes compositions.

Sonata St. Polycarpi à 9. Laetus Sum à 7. In Festo Trium Regium. Muttetum Natale à 6 (Epiphani Cantata). Requiem.

*** Sopranos solistes du Viennese Boys Choir, Kurt Equiluz (t), Max van Egmond (b), Jacques Villisech (b), Chorus Viennensis, Concentus Musicus de Vienne, Nikolaus Harnoncourt. Telefunken SAWT 9537. A. (étr.). Enregistré en 1968.

Ce disque contient l'une des plus belles œuvres de Biber, le *Requiem*. Foisonnante de ferveur, l'interprétation ne se rapproche pas seulement de l'esprit baroque par les instruments anciens et les voix de garçons, elle y plonge par la plasticité de l'articulation, par le mouvement, par les rapports dynamiques complexes entre les solistes, les chœurs et l'orchestre. Prise de son épaissie par un excès de basses. Cet album n'est hélas ! pas distribué en France. On peut le trouver en Angleterre, en Belgique, en Hollande ou en Allemagne.

Les quinze Sonates pour violon et basse continue «sur les Mystères du Rosaire». Passacaille pour violon seul en sol majeur.

* Eduard Melkus (violon), Huguette Dreyfus (clavecin), Lionel Rogg (orgue), Karl Scheit (luth). Archiv 2708.012 (2 d.).

Le principal mérite d'Eduard Melkus est d'avoir enregistré ces admirables sonates dans leur intégralité. Mais malgré le recours au violon baroque, l'interprétation n'est pas entièrement satisfaisante. Le style manque de caractère ; l'aisance et le soin dans le détail ne peuvent masquer l'insuffisance du sens de la progression et de la construction. Prise de son légèrement aseptisée, mais claire.

Binchois, Gilles
(1400-1460)

Chansons : Je ne fais toujours, Filles à marier, Amoureux sui, Jeloymors, Votre trez doulz regart, Bien puist.

*** The Early Music Consort of London, David Munrow. EMI-VSM C 167-05.410/12 (3 d.) (sup.). + *Chansons d'amour courtois de Guillaume de Machaut à Guillaume Dufay : Anonyme XIIIe siècle, Andrieu, Lescurel, Machaut, Pierre des Molins, Anonymes XIVe siècle, Anthonello de Caserta, Borlet, Franciscus, Grimace, Hasprois, Meruco, Perusio, Pykini, Solage, Vaillant, Anonymes du XVe siècle, Dufay.*

Chansons : Adieu mes très belles amours, Je loe amours, Toutes mes joyes sont éteintes, Non pas que, Seule esgarée de tout joyeulx plaisir, Amour et souvenir de celle.

** Ensemble Gaston Soublette, Gaston Soublette. BAM 5838 (sup.). + *Chansons d'amour du XVe siècle.*

Dans l'anthologie du Moyen Age de Munrow, la pointe renaissante. Une nouvelle fois, The Early Music Consort replonge l'auditeur du XXe siècle dans l'atmosphère d'origine de l'œuvre, proposée avec intelligence et un sens musical très aigu. L'esprit de divertissement est parfaitement rendu par l'interprétation toute de souplesse et de délicatesse. L'alternance entre vocal et instrumental rompt une certaine monotonie inhérente aux compositions.

L'interprétation de Soublette est beaucoup plus galante que courtoise. Elle date, maintenant, mais la réalisation est belle, variée et agréable à écouter. Elle a l'avantage de remettre Binchois dans son contexte historique et d'offrir toutes les possibilités vocales et instrumentales disponibles à l'époque. Un disque avant tout lyrique.

Motets : Agnus Dei, Asperges me, Dueil angoissens, Gloria, laus et honor, Magnificat, Veni, Creator spiritus.

*** Pro Cantione Antiqua de Londres, Bruno Turner. Archiv 2533.404 (sup.). Enregistré en 1978. + *Busnois : Messe «L'homme armé».*

Une facture très proche du grégorien, quelque chose de très intérieur, c'est ce qui ressort de l'interprétation très pure, totalement dépouillée du Pro Cantione Antiqua. La sévérité d'écriture se retrouve dans l'évolution mesurée des voix souples, mélodieuses mais sans jamais se laisser aller au lyrisme. Une maîtrise assez exceptionnelle, une connaissance de l'œuvre tout à fait remarquable, une authenticité qui confine à la perfection. Des motets qui font réfléchir et qui émeuvent.

Bingen, Hildegarde von
(1098-1179)

Ordo Virtutum, drame musical.

*** Ensemble Sequentia. Deutsche Harmonia Mundi HM 20.395/96 (2 d.). Enregistré en 1982.

Ce jeu des vertus, *Ordo Virtutum*, est une sorte de drame musical allégorique où Hildegarde elle-même prélude et conclut les débats de l'âme humaine tentée par le démon face aux sollicitations des Vertus vers lesquelles elle finit par revenir après les avoir rejetées. L'Ensemble Sequentia restitue avec toute la fidélité possible le climat très particulier de ce magnifique poème latin et ses intentions précises. Son travail a été réalisé avec les plus grandes garanties de sérieux musicologique ; mais ceci resterait lettre morte si les interprètes n'apportaient à l'exécution de ce jeu musical une ardente flamme intérieure.

Bizet, Georges
(1838-1875)

L'Arlésienne, musique de scène pour le drame d'Alphonse Daudet.

** Pierre Larquey, Mary Marquet, Berthe Bovy (comédiens), Orch. et Ch. anonymes, Albert Wolff. Decca 105.035/36 (2 d.) (sup.). Mono. Enregistré en 1955.

La musique de Bizet a éclipsé le drame de Daudet.Il n'en reste pas moins que pour connaître cette merveilleuse musique de scène dans sa totalité, et *en situation*, l'enregistrement intégral (texte et musique) s'impose. Il réunit des acteurs tels que Mary Marquet, Berthe Bovy, Pierre Larquey ; il correspond à une certaine conception du théâtre aujourd'hui démodée, mais il est vivant, et par rapport au texte de Daudet, juste. Orchestre et chœurs sont dirigés par Albert Wolff avec beaucoup d'intelligence et de goût.

L'Arlésienne, Suites d'orchestre. Suite n° 1 : Prélude, Menuet, Adagietto, Carillon. Suite n° 2 : Pastorale, Intermezzo, Menuet, Farandole.

❀*** Orch. Phil. Tchèque, Roger Désormière. Eurodisc 913.296 (2 d.) (sup.). Mono. + *Carmen : Suite n° 1. Debussy : La Mer, Deux Nocturnes. Ravel : Boléro.*

*** Orch. Phil. Royal, Thomas Beecham. EMI VSM C 053-01.330. + *Symphonie n° 1.*

** Orch. de Cleveland, dir. Lorin Maazel. Decca 390.266. Enregistré en 1980. +*Jeux d'enfants.*

** Orch. Phil. de Berlin, Herbert von Karajan. DG 2530.128.⊠ 3300.182. Enregistré en 1971. + *Carmen : Suite n° 1.*

En ce qui concerne les deux Suites d'orchestre, la version de Roger Désormière, récemment rééditée, est une réussite totale. A quoi tient-elle ? A la parfaite lisibilité de la partition, mais aussi à la sensibilité du chef d'orchestre qui sait émouvoir avec une rare retenue, animer avec un goût irréprochable, au sens esthétique de l'interprète qui a fait sien le classicisme de Bizet.

La version de Thomas Beecham ne manque ni de clarté, ni de finesse. Mais la sensibilité qui s'exprime ici n'a pas la même retenue que chez Désormière. Merveilleuse traduction de la musique de Bizet, certes, et qui témoigne de l'art raffiné du grand chef d'orchestre, mais Désormière, lui, lisait Bizet «dans le texte».

Maazel s'en donne à cœur joie dans ce programme où un chef tel que lui, avec une formation à la sonorité merveilleuse, comme l'orchestre de Cleveland, peuvent faire valoir la variété de leur talent. Les pages brillantes sont ici plus heureusement traitées que celles réclamant plus d'expression et de modelé ; cependant, ce disque tout à fait plaisant respire une gaîté qui le place en excellente position.

Plus «étrangère» est la version de l'Orchestre Philharmonique de Berlin signée par Herbert von Karajan. Mais c'est tout de même un enregistrement prestigieux, aux «pouvoirs» duquel on résiste difficilement.

L'Arlésienne, Suite n° 1 : Prélude, Menuet, Adagietto, Carillon.

* Orch. de Paris, Daniel Barenboïm. EMI VSM C 069-02.411. ⊠ C 269-02.411. Enregistré en 1972. + *Carmen : Suite n° 1, Jeux d'enfants.*

Retour en France avec Daniel Barenboïm et l'Orchestre de Paris qui donnent de la 1ère Suite une interprétation vivante et colorée, mise en valeur par une prise de son généreuse.

Carmen, opéra.

❀*** Victoria de Los Angeles (Carmen), Nicolaï Gedda (Don José), Janine Micheau (Micaëla), Ernest Blanc (Escamillo), Maîtrise, Ch. et Orch. National de la RTF, Thomas Beecham. EMI VSM C 167-10.680/82 (3 d.) ⊠ TC-SLS 5021. (2 c.). Enregistré en 1959.

❀*** Teresa Berganza (Carmen), Placido Domingo (Don José), Ileana Cotrubas (Micaëla), Sherill Milnes (Escamillo), Ch. Ambrosien, Orch. Symph. de Londres, Claudio Abbado. DG 2709.083 (3 d.) ⊠ 3371-040 (3 c.). Enregistré en 1977.

*** Tatiana Troyanos (Carmen), Placido Domingo (Don José), Kiri Te Kanawa (Micaëla), José Van Dam (Escamillo), Chœurs John Alldis, Orch. Phil. de Londres, Georg Solti. Decca 390.003 (3 d.). ⊠ 4-390.003 (3 c.). Enregistré en 1975.

** Maria Callas (Carmen), Nicolaï Gedda (Don José), Andréa Guiot (Micaëla), Robert Massard (Escamillo), Ch. René Duclos, Orch. du Théâtre National de l'Opéra, Georges Prêtre. EMI VSM C 167-00.034/36 (3 d.). ⊠ C 297-00.034/36 (3 c.). Enregistré en 1964.

** Agnes Baltsa (Carmen), José Carreras (Don José), Katia Ricciarelli (Micaëla), José van Dam (Escamillo), Ch. de l'Opéra de Paris, Orch. Phil. de Berlin, Herbert von Karajan. DG 2741.025 (3 d.). Enregistré en 1982.

** Régine Crespin (Carmen), Gilbert Py (Don José), Jeannette Pilou (Micaëla), José Van Dam (Escamillo), Chœurs de l'Opéra du Rhin, Orch. Phil. de Strasbourg, Alain Lombard. Erato STU 70.900 (3 d.) ⊠ MCE 70.951 (2 c.). Enregistré en 1974.

* Grace Bumbry (Carmen), Jon Vickers (Don José), Mirella Freni (Micaëla), Kostas Paskalis (Escamillo), Ch. et Orch. du Théâtre National de l'Opéra, Rafaël Frühbeck de Burgos. EMI VSM 1020723 (3 d.). Enregistré en 1970.

Carmen, extraits : le rôle de Don José.

* Georges Thill (Don José). Avec Raymonde Visconti (Carmen), Marthe Nespoulous (Micaëla), Louis Guénot (Escamillo), Ch. et Orch. de l'Opéra-Comique, Elie Cohen. EMI VSM C 053-12.859. Mono. Enregistré en 1928-29.

Thomas Beecham a choisi la version avec les récitatifs chantés de Guiraud. La distribution vocale est éblouissante et parfaitement équilibrée. Victoria de Los Angeles, Janine Micheau, Nicolaï Gedda et Ernest Blanc ont en commun le souci de rechercher d'abord la vérité musicale en subordonnant l'expression à celle-ci. La réussite est donc en premier lieu d'ordre stylistique. Chœurs et ensembles sont très enlevés, très clairs. La direction de Beecham restitue à l'orchestre de Bizet toute sa lumière, toute sa vivacité. Il en émane une séduction irrésistible.

Claudio Abbado a préféré les dialogues parlés et il a adopté l'édition Oeser, qui rétablit certains passages supprimés à la création. L'enregistrement a été réalisé à la suite des représentations de *Carmen* au Festival d'Édimbourg en 1977. Teresa Berganza est une Carmen vocalement parfaite et dramatiquement juste. Aucun excès ne gâte son interprétation du rôle. Ileana Cotrubas affranchit des conventions le rôle de Micaëla. Placido Domingo et Sherill Milnes caractérisent très bien leurs personnages. Aucun rôle secondaire n'est négligé. Ne laissant dans l'ombre aucun détail, la direction d'Abbado atteint l'intensité, la vibration qu'appelait la lumière où baigne le chef-d'œuvre de Bizet. Vérité dramatique et vérité stylistique se confondent. Et la réalisation technique est parfaite.

Georg Solti a établi son texte d'après la

version Oeser. Il a choisi d'excellents chanteurs, parmi lesquels se distingue Kiri Te Kanawa, exceptionnelle Micaëla. L'orchestre est dirigé avec vigueur, éclat et précision. C'est là une *Carmen* de grand format et qui ne manque pas de relief.

Georges Prêtre utilise les récitatifs chantés de Guiraud. Cette version est, d'abord, celle de Maria Callas, Carmen hors série, exceptionnelle dans les scènes de séduction, mais excessive dans l'affrontement final avec Don José. Donc, un enregistrement qui ne s'impose pas absolument, mais qui ne peut laisser indifférent.

Agnes Baltsa, véritable mezzo dramatique dont le grave est naturel et l'aigu lumineux, est la gitane de Mérimée et Bizet. Elle l'est, avec toutes les ressources d'une voix qui change de couleur en même temps que d'expression. Avec un timbre émouvant, et autant d'art que de sensualité, elle vit intensément son rôle. La direction de Karajan est étincellante et sobre, toute en contrastes, en nuances qui vont de l'explosion au murmure. Mais Carreras «ténorise» et apparaît assez conventionnel, Ricciarelli a un aigu quelque peu fragile et Van Dam est un Escamillo irréprochable mais sans grand relief.

Alain Lombard a choisi également les récitatifs de Guiraud, mais la conception du rôle de Carmen par Régine Crespin est exactement à l'opposé de celle de Maria Callas. Excellente dans les scènes de coquetterie, elle reste en deçà du tragique de la scène finale. Van Dam est un remarquable Escamillo. La direction de Lombard est précise, élégante, illustrant une conception très «française» de l'œuvre de Bizet.

Frühbeck de Burgos fait doubler les chanteurs par des acteurs dans les dialogues parlés ; le résultat est plus curieux que probant. Grace Bumbry est une Carmen «vériste», Mirella Freni une exquise Micaëla, mais c'est surtout par la présence, par l'humanité de Jon Vickers que cette version retient l'intérêt.

Extrait d'un enregistrement réalisé en 1928-29 sous la direction d'Elie Cohen, le disque consacré au rôle de Don José chanté par Georges Thill est un modèle de perfection vocale, d'expression juste, de naturel, de style. Mais ses partenaires ne sont pas du même niveau, et l'orchestre est peu audible.

Carmen, Suite d'orchestre n° 1 : Prélude, Entractes n° 1, 2 et 3.

❀*** Orch. Symph. NBC, Arturo Toscanini. RCA VL 42.950 (3 d.). Mono. Enregistré en 1950. *+ Debussy : La Mer, Ibéria ; Dukas : L'Apprenti Sorcier ; Franck : Psyché et Eros ; Ravel : Daphnis et Chloé (Suite n° 2) ; Saint-Saëns : Symphonie n° 3, Danse macabre.*

*** Orch. National de la RTF, Thomas Beecham. EMI VSM C 053-01.330. *+ L'Arlésienne (Suites 1 et 2).*

*** Orch. Phil. Tchèque, Roger Désormière. Eurodisc 913.296 (2 d.) (sup.). Mono. *+ L'Arlésienne (Suites 1 et 2) ; Debussy : La Mer, Deux Nocturnes ; Ravel : Boléro.*

** Orch. Phil. de Berlin, Herbert von Karajan. DG 2530.128. ✉ 3300.182. Enregistré en 1971. *+ L'Arlésienne (Suites 1 et 2).*

Les Suites tirées de *Carmen* sont, en ce qui concerne la première, des extraits orchestraux, en ce qui concerne la seconde, des arrangements. Aussi la première Suite est-elle, à juste titre, plus souvent jouée que la seconde. Avec Toscanini, il s'agit, dans tous les sens du terme, d'une re-création (qui est aussi une récréation). Les puristes frémiront peut-être. Mais on peut aussi frémir d'aise devant cette interprétation très virtuose où les mélodies et les rythmes de Bizet sont exaltés, idéalisés ; il y a là un rare «plaisir de la musique».

Avec Thomas Beecham, le plaisir est aussi d'une rare qualité. On retrouve ici les vertus de son enregistrement intégral de *Carmen* : élégance, clarté, finesse. Le couplage avec les Suites de *L'Arlésienne* est on ne peut plus logique.

Les puristes retrouveront chez Roger Désormière un Bizet sans altération, au langage concis, d'une clarté souveraine. Le programme comporte les Suites de *L'Arlésienne*, dans une version encore inégalée, mais aussi des pages de Debussy et de Ravel, domaine privilégié, là encore, pour Désormière.

Herbert von Karajan imprime sa griffe à la musique de Bizet. Il a des accents impérieux, des contrastes, des nuances qui lui appartiennent en propre. Le mot «interprétation» prend ici un sens absolu. On peut contester son optique, mais la réalisation s'impose. En aucun cas, on ne peut rester indifférent.

Carmen, Suites d'orchestre n° 1 et 2. Suite n° 1 : Prélude, Entractes n° 1, 2 et 3. Suite n° 2 : Avec la garde montante, Habanera, Danse bohémienne, Marche des contrebandiers.

** Orch. Symph. de Londres, Neville Marriner. Philips 9500.566. ✉ 7300.715. Enregistré en 1979. + *L'Arlésienne (Suites 1 et 2).*

Les deux Suites de *Carmen* et les deux Suites de *L'Arlésienne* sont réunies dans l'enregistrement de Neville Marriner. L'interprétation est, dans tous les sens du mot, ravissante. Peut-on rêver discours plus élégant, palette plus nuancée ? C'est presque trop joli pour y croire..

Le Docteur Miracle, opéra-comique.

** Liliane Berton (Laurette), Lina Dachary (Véronique), Jean-Christophe Benoît (Le Podestat), Rémy Corazza (Silvio), Orch. Lyrique de l'ORTF, Antonio de Almeida. Barclay 995.036 (sup.).

L'unique enregistrement de cet ouvrage de jeunesse de Bizet est une réussite. Antonio de Almeida en a très bien traduit l'esprit parodique, tout en rendant justice à l'écriture raffinée du compositeur. Quatre excellents chanteurs qui sont aussi d'excellents comédiens nous rappellent opportunément que cet opéra-comique est en fait une opérette, et que le pastiche du grand opéra y joue un grand rôle. Liliane Berton est une exquise Laurette.

Ivan IV, opéra. Extraits.

** Janine Micheau, Henri Legay, Michel Sénéchal, Michel Roux, Ch. et Orch. de la RDF, Georges Tzipine. Columbia FCX 30.193 (sup.). Mono. Enregistré en 1953.

Retrouvé en 1933, créé à Tübingen en 1946 et représenté à Bordeaux en 1951, cet opéra inachevé, complété par Henri Büsser, n'est pas un des ouvrages majeurs de Bizet. Les influences de Verdi et de Meyerbeer y sont par trop manifestes. Il y a là, toutefois, quelques pages qui sont du Bizet authentique, et l'enregistrement auquel participa Janine Micheau demeure un document qui ne peut être ignoré des amateurs. A défaut de la version abrégée en deux disques, ces extraits mériteraient d'être réédités.

Jeux d'enfants, 12 pièces pour piano à quatre mains op 22.

*** Duo Gold et Fizdale (piano). Odyssey 32.160.334 (USA). + *Brahms : Variations sur un thème de Haydn.*

** Jacqueline Robin et Geneviève Joy (piano). Pathé DT 1025. (sup.). 25 cm. + *Chabrier : Trois Valses romantiques.*

* Walter et Béatrice Klien (piano). Candide Vox 36.019 (sup.). + *Debussy : En blanc et noir ; Fauré : Dolly.*

Trop négligé par le disque, l'album des *Jeux d'enfants* est pourtant un des chefs-d'œuvre de la musique pour piano à quatre mains. Le succès de la Suite pour orchestre que Bizet en a tirée explique-t-il cette éclipse ? Les pianistes américains Gold et Fizdale interprètent les *Jeux d'enfants* avec toute la précision, toute la finesse, toute l'élégance requises par cette partition dont la mise en pages relève d'un goût exquis. Le couplage avec les *Variations* de Brahms est insolite. Mais ce n'est pas une raison pour oublier cette version exemplaire dont on souhaite la diffusion en France.

Jacqueline Robin et Geneviève Joy «orchestrent» à leur manière les *Jeux d'enfants.* Entendons par là qu'elles colorent ces pages, restituent leur relief, leur vivacité. Le couplage avec Chabrier est bien venu. Si l'on rééditait ce disque (ce qu'il faut souhaiter), *Dolly* de Fauré, enregistré à la même époque par les mêmes interprètes, compléterait heureusement le programme.

Walter et Béatrice Klien jouent avec tendresse, avec poésie ces pages qui demanderaient un trait plus incisif, plus précis, à l'image des deux interprétations précédentes. Mais c'est tout de même vivant, attachant, et l'on souhaiterait voir revenir au catalogue français cette version qui n'a pas dix ans d'âge et s'inscrit dans un programme cohérent.

Jeux d'enfants, Suite pour orchestre op. 28.

*** Orch. National de l'ORTF, Charles Munch. Festival FC 448. + *Patrie, Symphonie n° 1.*

** Orch. de la Suisse Romande, Ernest Ansermet. Decca 593.027 (2 d.). Enregistré en 1961. + *Anthologie orchestrale : Suites de L'Arlésienne, de Carmen et de La Jolie Fille de Perth, Symphonie en ut.*

** Orch. de Paris, Daniel Barenboïm. EMI VSM C 069-02.411. ⊠ C 269-02.411. Enregistré en 1972. + *L'Arlésienne (Suite n° 1), Carmen (Suite n° 1).*

Charles Munch interprète en poète, avec une tendresse souriante, ces pages d'album qui évoquent les jeux de l'enfance. Il ne force jamais le ton, met en valeur la finesse des contours mélodiques et la délicatesse des couleurs orchestrales. Son imagination le guide vers la vérité de la partition, son intuition ne le trompe pas. Un enchantement. Et l'on trouve dans le même programme une excellente version de la 1ère symphonie.

Ernest Ansermet s'attache d'abord à la clarté des timbres, à la parfaite lisibilité du dessin, il cisèle en orfèvre la musique de Bizet. Cette vision, quelque peu objective, est traduite avec un art accompli. Un disque homogène (trois œuvres de Bizet), très bien enregistré, et en édition économique.

Daniel Barenboïm, à la tête de l'Orchestre de Paris, recherche moins les demi-teintes que la vie : ses *Jeux d'enfants* sont empreints d'une certaine turbulence. Mais la tendresse n'en est pas absente, ni même un certain romantisme qui rattache Bizet à Schumann, ce qui n'est pas, à proprement parler, un contresens. Le programme est homogène, et l'enregistrement d'une excellente qualité technique.

La Jolie Fille de Perth. Suite d'orchestre : Prélude, Sénérade, Marche, Danse bohémienne.

❀*** Orch. de Paris, Daniel Barenboïm. EMI VSM C 069-02.770. Enregistré en 1976. + *Patrie, Symphonie n° 1.*

** Orch. de la Suisse Romande, Ernest Ansermet. Decca 593.027 (2 d.). Enregistré en 1961. + *Anthologie orchestrale : Suites de L'Arlésienne et de Carmen, Jeux d'enfants, Symphonie en ut.*

** Orch. National de l'ORTF, Jean Martinon DG 2530.186. Enregistré en 1972. + *Symphonie n° 1.*

A défaut d'un enregistrement intégral de *La jolie Fille de Perth* (qui vraiment s'imposerait, car cet ouvrage vaut bien d'autres opéras qui ont eu plus de chance), on trouve, sous la baguette de Daniel Barenboïm, de quoi aviver nos regrets. Cette interprétation, d'une remarquable vitalité, met en valeur les couleurs et les rythmes qui annoncent déjà *L'Arlésienne* et *Carmen.* La *Danse bohémienne*, que Barenboïm aborde dans un tempo très modéré, s'anime ensuite d'une manière prodigieuse.

Il y a moins de vitalité, plus de sagesse, dans l'interprétation d'Ernest Ansermet, mais cette gravure (économique) s'impose par sa clarté et par la perfection du coloris orchestral.

Jean Martinon, toujours irréprochable sur le plan stylistique, nous propose lui aussi une version satisfaisante de la Suite de *La jolie Fille de Perth*, et son programme, de même que pour les disques de Barenboïm et d'Ansermet, est homogène, incluant également la 1ère Symphonie.

Mélodies : Chanson d'avril, Adieux de l'Hôtesse arabe, Vieille chanson, Absence.

** Marilyn Horne (m), Martin Katz (piano). Decca SXL 6.577 (sup.). + *Debussy : Chansons de Bilitis. Falla : Sept Chansons populaires. Nin : Chants.*

Mélodies : Guitare, Ouvre ton cœur.

** Georges Thill (t). Guitare : EMI VSM C 153-16.211/14 (4 d.). Mono. + *«Album du 80e anniversaire de Georges Thill»*. Ouvre ton cœur : EMI VSM C 061-12.079. Mono. + *«Mélodies et chansons»*.

Les mélodies de Bizet ne comptent pas parmi ses pages maîtresses. Une pourtant fait exception : *Les Adieux de l'Hôtesse arabe.* Elle est incluse dans le récital de mélodies françaises et espagnoles de Marilyn Horne. Une belle voix, un style incertain : faute de mieux, contentons-nous de ce récital et de ce programme assez disparate.

Georges Thill, qui fut un Don José exceptionnel, peut interpréter des œuvres mineures de Bizet : il leur donne l'éclat de son timbre, et, par la perfection de son style, rend justice à leur écriture, toujours élégante. Pour les amateurs de beau chant, un album et un disque irremplaçables.

Œuvres pour piano : Grande Valse de Concert, La Chasse fantastique, Variations chromatiques, Chants du Rhin.

** Marie-Françoise Bucquet (piano). Philips 9500.955. Enregistré en 1980.

Il faut féliciter Marie-Françoise Bucquet d'être sortie des sentiers battus de la discographie de Bizet. Le programme est ici un peu inégal, car la *Valse* et la *Chasse*, aux titres prometteurs, nous laissent sur notre faim. Les *Chants du Rhin*, lieder sans paroles, sont d'une inspiration plus riche et plus profonde. Quant aux *Variations*, elles témoignent d'une féconde invention harmonique. L'interprétation s'adapte ici excellemment au caractère de chaque pièce, et recommande l'écoute d'un Bizet méconnu.

Patrie, ouverture dramatique.

❀*** Orch. de Paris, Daniel Barenboïm. EMI-VSM C 069-02.770. Enregistré en 1976. *+ La jolie Fille de Perth (Suite), Symphonie n° 1.*

** Orch. National de l'ORTF, Charles Munch. Festival FC 448. *+ Jeux d'enfants, Symphonie n° 1.*

Daniel Barenboïm a compris ce qu'il y avait d'exceptionnel dans cette Ouverture dramatique : un souffle épique, voire une certaine emphase qui, pour une fois, rapproche Bizet de Victor Hugo et non plus de Prosper Mérimée. Il restitue à cette page sa grandeur, son romantisme, mais ne cherche pas à l'assombrir : il en fait jouer les couleurs, en exalte la lumière. Cette version intelligente et généreuse domine ses rivales.

Et même celle de Charles Munch, malgré son élan et son caractère passionné. Retenu, semble-t-il, par une sorte de pudeur, Munch ne va pas jusqu'à adopter le ton déclamatoire que cette partition justifie. Comme chez Barenboïm, le programme est homogène.

Les Pêcheurs de perles, opéra-comique.

❀*** Nicolaï Gedda (Nadir), Janine Micheau (Leïla), Ernest Blanc (Zurga), Jacques Mars (Nourabad), Ch. et Orch. de l'Opéra-Comique, Pierre Dervaux. EMI VSM C 167-12.082/83 (2 d.) Enregistré en 1961.

** Léopold Simoneau (Nadir), Pierrette Alarie (Leïla), René Bianco (Zurga), Xavier Depraz (Nourabad), Ch. Elisabeth Brasseur, Orch. des Concerts Lamoureux, Jean Fournet. Philips 6747.404 (2 d.). Mono. Enregistré en 1954.

** Alain Vanzo (Nadir), Ileana Cotrubas (Leïla), Guillermo Sarabia (Zurga), Roger Soyer (Nourabad), Ch. et Orch. de l'Opéra, Georges Prêtre. EMI VSM C 167-02.961/62 (2 d.). Quadri. Enregistré en 1977.

L'enregistrement de Pierre Dervaux est exemplaire à plus d'un titre. La direction ne manque ni de relief ni de vie tout en conservant (qualité essentielle ici) un goût irréprochable. Notons aussi l'homogénéité d'une distribution où Janine Micheau (Leïla) brille au premier rang, où Nicolaï Gedda (Nadir) est un modèle de style vocal, où Ernest Blanc (Zurga) nous frappe par la vérité dramatique de son interprétation. En fait, une version irremplaçable sur qui vingt-cinq ans ont passé sans qu'elle prenne une ride.

Réédité récemment, l'enregistrement de Jean Fournet réunit trois grands interprètes : Léopold Simoneau (Nadir), René Bianco (Zurga), Pierrette Alarie (Leïla). Cette version devrait intéresser les amateurs d'art vocal, et il faut signaler sa diffusion en série économique.

Sans doute la plus-value technique de l'enregistrement dirigé par Georges Prêtre est-elle appréciable. Sans doute aussi l'intérêt de retrouver, avec cette version, la partition originale de Bizet n'est-il pas négligeable. Mais si l'on peut être touché par l'interprétation sensible d'Ileana Cotrubas (Leïla), le duo Alain Vanzo-Guillermo Sarabia (Nadir-Zurga) apparaît assez conventionnel.

Roma.

** Orch. Symph. de Birmingham, Louis Frémaux. EMI ASD 3039 (étr.). Enregistré en 1974. *+ Symphonie n° 1.*

Roma est, en fait, la seconde Symphonie de Bizet. Le couplage avec la première Symphonie s'imposait. S'il n'est pas aussi léger, aussi mordant qu'il conviendrait pour la Symphonie en ut, Louis Frémaud, en revanche, interprète avec chaleur, lyrisme, éclat et vigueur la Symphonie *Roma*, qui est de la meilleure veine de Bizet. L'Orchestre de Birmingham est un bon orchestre et l'enregistrement est satisfaisant.

Symphonie n° 1 en ut majeur.

⊛*** Academy of St-Martin-in-the-Fields, Neville Marriner. Argo 596.127. Enregistré en 1974. *+ Prokofiev : Symphonie n° 1.*

*** Orch. National de l'ORTF, Thomas Beecham. EMI VSM C 053-00.175 (sup.). *+ Lalo : Symphonie.*

*** Orch. National de France, Seiji Ozawa. EMI VSM C 069-43.399. ⌧ C 269-43-399. Enregistré en 1982. *+ Patrie, Jeux d'enfants (Suite).*

*** Orch. National de l'ORTF, Charles Munch. Festival FC 448. *+ Jeux d'enfants, Patrie.*

** Orch. National de l'ORTF, Jean Martinon. DG 2530.186. Enregistré en 1967. *+ Jeux d'enfants, La jolie Fille de Perth (Suite).*

L'effectif d'un orchestre de chambre convient à la Symphonie en ut de Bizet. Cette œuvre ne vise pas à la profondeur du sentiment ; elle n'est, chez un très jeune compositeur, qu'une manifestation du bonheur de créer. Le rebond et l'allégresse, le naturel et la légèreté de l'interprétation de Neville Marriner font merveille ici. Le couplage avec la 1ère Symphonie de Prokofiev se justifie : ce sont là deux symphonies «classiques» et deux ouvrages de jeunesse. Mais Bizet réussit mieux à Marriner.

Interprète idéal de la musique de Bizet, Thomas Beecham nous offre une version radieuse de la Symphonie en ut. La technique d'enregistrement date quelque peu ; on reste toutefois émerveillé par la verve et l'élégance du grand chef d'orchestre anglais. Le couplage avec *L'Arlésienne* (cassette) est plus homogène, mais la composition du disque qui rapproche les Symphonies de Bizet et de Lalo se justifie.

Ozawa aborde la musique de Bizet d'une manière très personnelle. Moins qu'au relief, il vise à la transparence et aboutit, sans jamais forcer les nuances, au dessin le plus délié, le plus pur. Cette sorte d'«idéalisation» situe la Symphonie en ut dans un climat proche de Mendelssohn. Les mouvements sont amples, la rythmique est assouplie, la verve est tempérée, et le résultat est une merveille de finesse et de goût. Ozawa, en dérangeant nos habitudes, débanalise ce que nous croyions trop bien connaître.

S'il est moins «parfait», moins léger que Marriner, Beecham ou Ozawa, personne mieux que Charles Munch ne met en valeur la tendresse et la poésie de l'*Adagio* et, dans l'animation des mouvements rapides, apporte à la Symphonie de Bizet un charme, une émotion qui sont bien dans sa manière, laquelle se retrouve, avec le même bonheur, dans les *Jeux d'enfants.*

Plus neutre, mais d'un goût irréprochable et d'un bel équilibre, l'interprétation de Jean Martinon n'appelle pas de réserves.

Te Deum pour soli, chœurs et orchestre.

*** Sylvia Greenberg (s), Gösta Winbergh (t), Ch. de la Radio Suisse Romande, Orch. de la Suisse Romande, Jesùs Lopez-Cobos. Argo 596.025. Enregistré en 1982. *+Poulenc : Gloria.*

La direction subtile de Jesùs Lopez-Cobos, intelligente et sensible, restitue au *Te Deum* de Bizet non pas la religiosité qu'il ne possède pas, mais toute la finesse et la luminosité qui caractérisent l'écriture de son auteur. Les chanteurs, en évitant de prendre un ton par trop théâtral, sont autant que le chef les artisans de cette réussite. Le *Gloria* de Poulenc, où la soprano Sylvia Greenberg se montre très émouvante, complète excellemment l'œuvre de Bizet.

Variations chromatiques. Nocturne n° 1.

*** Glenn Gould (piano). CBS 60.290. Enregistré en 1971. *+ Grieg : Sonate op. 7.*

Glenn Gould joue avec une intelligence remarquable ces Variations chromatiques qui s'aventurent dans les ambiances sonores les plus diversifiées. Il en fait ressortir les audaces harmoniques, mais n'en dissimule pas le charme. Aux Variations, l'interprète adjoint le Nocturne n° 1 en ré majeur, autre chef-d'œuvre peu connu, d'une rare subtilité. Le couplage avec la Sonate op. 7 d'Edvard Grieg, chronologiquement justifié, peut toutefois paraître arbitraire.

Bloch, Ernest
(1880-1959)

Concerto grosso pour cordes et piano.

*** Francis Grier et Philip Ledger (pianos), Osian Ellis (harpe), Simon Preston (clavecin), Academy of Saint-Martin-in-the-Fields, Neville Marriner. EMI VSM C 069-03.519. Enregistré en 1978. + *Martin : Petite Symphonie concertante.*

On voit avec plaisir arriver au catalogue cette œuvre, composée en 1925, alors que Bloch dirigeait le Cleveland Institute of Music. Son rôle didactique s'oublie vite au profit de sa vitalité ; sans se réclamer du classicisme ou du modernisme, le langage est personnel et sincère. L'interprétation est d'une vigueur ample et sonore. Le couplage avec la Petite Symphonie concertante de Frank Martin, autre découverte, est particulièrement intelligent.

Concerto pour violon et orchestre.

*** Yehudi Menuhin (violon), Orch. Philharmonia, Paul Kletzki. Angel S 36 192 (USA). Ou EMI SXLP 30.177 (G-B).

** Hyman Bress (violon), Orch. Symph. de Prague. Jindrich Rohan. Supraphon SUAST 50 881 (étr.). Ou Erato STU 70.427 (sup.). + *Suite hébraïque.*

Digne pendant du Concerto symphonique, mais antérieur de dix années - ce qui en fait l'exact contemporain du Concerto de Bartok - le Concerto pour violon devrait avoir acquis la même célébrité que celui du maître hongrois, car ses vertus - une inspiration universelle dans un langage contemporain - sont de même niveau. On ne s'étonnera pas qu'après Josef Szigeti, qui en fut le créateur en 1938 et l'enregistra (Col. ML 4679), Yehudi Menuhin ait été l'un de ses avocats les plus fêtés ; et l'on recherchera comme un document de premier ordre la gravure qu'il en donna dans les années soixante. Aucun interprète ne peut réunir vis-à-vis du compositeur qu'il sert des qualités de compréhension plus profondes.

Après que Roman Totenberg l'eut gravé pour Vanguard (USA), le violoniste canadien Hyman Bress fut le quatrième à inscrire le concerto de Bloch aux catalogues internationaux, d'abord en Tchécoslovaquie, juste avant les événements de 1968, puis en France grâce à l'éphémère reprise due à Erato. Il en met pleinement en valeur le charme lyrique en même temps que la puissante expressivité. Le complément de seconde face est la version pour violon de la *Suite hébraïque* (1951) écrite originairement pour alto.

Schelomo, rapsodie hébraïque pour violoncelle et orchestre.

*** André Navarra (violoncelle), Orch. Phil. Tchèque, Karel Ančerl. Supraphon SU 50.521 (étr.). + *Schumann : Concerto pour violoncelle.*

*** Christine Walewska (violoncelle), Orch. de l'Opéra de Monte-Carlo, Eliahu Inbal. Philips 6500.160. + *Bruch : Kol Nidrei. Schumann : Concerto pour violoncelle.*

** Mstislav Rostropovitch (violoncelle), Orch. National de France, Leonard Bernstein. EMI VSM C 069-02.841. Quadri. ⌧ C 069-02.841. + *Schumann : Concerto pour violoncelle.*

L'interprétation d'André Navarra est incontestablement la plus remarquable, malgré l'abondante discographie consacrée à la rapsodie *Schelomo.* Sur le plan de la technique, le jeu est superbe, profond, la sonorité chaude et enthousiaste. La vitalité de la Philharmonie Tchèque et la maîtrise d'Ančerl sont idéales pour cette musique inspirée.

L'interprétation de Christine Walewska est au cœur de cette musique profondément hébraïque. Son jeu merveilleusement chaud et vivant se déploie avec une puissance relativement faible, mais d'autant plus d'expressivité. En plus du Concerto de Schumann, dont elle donne ici une version poétique et intime qui peut rivaliser avec celles des plus grands violoncellistes, ce disque nous offre *Kol Nidrei, adagio* où Bloch fait chanter l'instrument comme une prière : ce beau supplément vaut que l'on préfère Walewska (et Inbal) pour l'ensemble du programme.

Bernstein anime un orchestre immense et flamboyant, à la hauteur du Livre biblique où l'œuvre prend racine. En face se dresse l'incantation puissante du violoncelle de Rostropovitch qui, autant qu'il le joue, «dit» le texte sacré, mais avec peut-être une trop grande retenue : on aurait aimé un enthousiasme plus direct.

Service sacré (Avodath Hakodesh).

❀*** Robert Merrill (cantor), Dr. Judah Cahn (rabbin), Orch. Phil. de New York. Leonard Bernstein. Columbia MS 6221 (USA).

Le chef-d'œuvre d'Ernest Bloch en même temps que la mise en musique la plus impressionnante de la liturgie juive : ce *Service sacré* est la «Messe en si» de la religion israélite, et même celui de Milhaud ne peut lui être comparé. La version historique dirigée par le compositeur lui-même avec le London Philharmonic (Decca LXY 2516, origine 78 tours) a aujourd'hui disparu après avoir connu une regravure sur Ace of Clubs (ACL 278). Celle de Leonard Bernstein est venue la relayer de la manière la plus heureuse et la plus convaincante. Il en existe encore deux autres, l'une aux Etats-Unis, par Maurice Abravanel (Angel S 37305 Q), l'autre en Angleterre par le London Symphony dirigé par I. Berkman (Chandos ABR 1001).

Suite pour alto et orchestre.

*** Milton Katims (alto), Orch. Symph. de Seattle, Henry Siegl. Turnabout TV 34.622 S + *Schelomo.*

Cette Suite est l'une des œuvres fondamentales du compositeur, altiste lui-même, et qui montrait ainsi, dans la littérature de cet instrument, une voie de renouveau que devraient ensuite emprunter Hindemith, Walton ou Bartok. D'abord écrite avec piano (1919), elle est orchestrée dès le lendemain de sa création, et trouve ainsi l'aspect définitif le plus souvent entendu aujourd'hui. Si la substance musicale n'est pas à proprement parler d'essence hébraïque, l'œuvre ne succède pas moins de très près au «Cycle juif» de 1912-1916, et en est comme imprégnée encore. La très belle version sous rubrique permettra d'ailleurs de la comparer à *Schelomo,* dont elle semble à le fois un prolongement et une amplification. En Angleterre, on trouve aussi la Suite associée à son complément naturel, la *Suite Hébraïque* de 1951 dans sa version originale pour alto (Parnote GOCLP 9003).

Les trois Suites pour violoncelle seul.

** Rama Jucker (violoncelle). Accord 140.039. Enregistré en 1980.

Voici la première gravure intégrale de ces Suites pour violoncelle : cette musique monodique, au contrepoint quasiabsent, s'est toujours trouvée à l'écart de la mode musicale. Rama Jucker se révèle le chantre inspiré de cette expression néo-classique abstraite, hors de toute époque et de toute évolution de langage.

Blow, John
(1649-1708)

Hymnes du couronnement. Hymnes avec symphonies.

** Charles Brett (hc), Philip Langridge (t), Ch. du King's College de Cambridge, Academy of St-Martin-in-the-Fields, David Willcocks. Argo ZRG 767 (G-B).

De magnifiques pièces de grande musique sacrée, enregistrées par de bons spécialistes. Willcocks fait à merveille ressortir le grand souffle qui anime ces morceaux de parade et leur donne une étonnante vitalité. Une excellente technique d'enregistrement nous permet d'apprécier la qualité des Chœurs du King's College, particulièrement bien inspirés. Nous sommes ici devant un des beaux monuments de la musique cérémonielle du XVIIe siècle, servie comme elle le mérite, avec tout le naturel de musiciens dont on sent à quel point elle leur est familière.

Ode sur la mort de Mr Henry Purcell.

*** Deller Consort, Orch. de Chambre du Festival de Stour, Alfred Deller. Harmonia Mundi HM 201. + *Ode au mariage.*

** James Bowman et René Jacobs (hc), Max van Egmond (b), Leonhardt Consort, Gustav Leonhardt. Seon-RCA 6575.016. + *Pièces tirées de l'Amphion Anglicus.*

Le lyrisme contenu du Deller Consort convient parfaitement à cette hymne à la mémoire de Purcell, écrite par celui qui avait été son professeur et qui lui survécut. La partie orchestrale est un peu sacrifiée aux voix, mais il est difficile de s'en plaindre tant l'émotion est profondément rendue, dans un climat d'extrême simplicité. Le couplage avec l'*Ode au mariage*, qui nous permet d'apprécier un côté plus souriant du talent de Blow, est particulièrement heureux. Le tout forme un concert de belle venue, sans fioritures inutiles, baignant dans une atmosphère très lumineuse.

Leonhardt donne de l'*Ode sur la mort de Purcell* une lecture très subtile. L'orchestre prend une importance majeure dans un dialogue où le jeu des voix, qui alternativement se répondent et se font écho, devient presque instrumental. On a l'impression de voir se dessiner une construction complexe, dans laquelle Blow surenchérit sur certaines des trouvailles harmoniques de Purcell. Le tout a la clarté et la pureté du diamant. L'ensemble est magnifique, et manque parfois un peu d'émotion pour une pièce qui se veut hommage funéraire. Les chansons tirées de l'*Amphion Anglicus* ne présentent malheureusement pas le même intérêt.

Venus and Adonis.

** Margaret Ritchie, Margaret Field-Hyde, Elizabeth Cooper (s), Robert Elis, Michael Cynfelin (t), Gordon Clinton, John Frost (b), Ensemble orchestral de l'Oiseau-Lyre, Anthony Lewis. Oiseau-Lyre OLS 128 (G-B).

Un des tout premiers opéras britanniques, antérieur au *Didon et Enée* de Purcell. Ce que nous offre Anthony Lewis est mieux qu'une reconstitution de musicographe : il passe dans toute l'interprétation qu'il dirige un souffle de jeunesse et d'élégance qui nous fait regretter de si mal connaître l'œuvre de John Blow. Le pressage est une reprise en stéréo d'un ancien enregistrement mono. La qualité en est plus qu'acceptable et fait honneur aux techniciens qui se sont chargés de cette besogne de «rajeunissement».

Boccherini, Luigi
(1743-1805)

Concertos pour violoncelle et orchestre n° 4 en ut majeur (G. 477), n° 6 en ré majeur (G. 479) et n° 8 en ut majeur (G. 481).

*** Anner Bylsma (violoncelle), Concerto Amsterdam, Jaap Schröder. Telefunken 6.41197. ⌧ 4.41197. Enregistré en 1964.

Concertos pour violoncelle et orchestre n° 6 en ré majeur (G. 479), n° 7 en sol majeur (G. 480).

* Frédéric Lodéon (violoncelle), Orch. de Chambre de Lausanne, Armin Jordan. Erato STU 71.369. Enregistré en 1980.

Concertos pour violoncelle et orchestre n° 9 en si bémol majeur (G. 482) et n° 10 en ré majeur (G. 483).

*** Frédéric Lodéon (violoncelle), Orch. Sinfonietta de Bournemouth, Theodor Guschlbauer. Erato STU 70.997 ⌧ MCE 70.997. Enregistré en 1976.

L'exhumation par Anner Bylsma des premiers Concertos de Boccherini montre à quel point les instruments anciens, quand ils sont bien joués, peuvent se révéler précieux, en recréant un climat d'exception. C'est le cas ici, où tout est couleur, jubilation intense, justesse d'expression. L'équilibre orchestral est remarquable, sans boursouflures, apte à exprimer les nuances et articulations les plus pointues, les plus fines. La virtuosité insensée réclamée au soliste ne se sent même pas. La musique coule, jaillit. Elle est vivante.

Alors que Frédéric Lodéon partage complètement les conceptions de Guschlbauer dans les 9e et 10e Concertos, il n'en est pas de même ici avec Armin Jordan, Lodéon conserve ce tempérament excessif, ce goût pour les contrastes accusés qui l'amènent à passer sans transition des pianossimos à peine susurrés dans l'extrême aigu aux fortissimos foudroyants, avec une tendance nette à exploser dans les cadences agitées et un peu brouillonnes. A l'opposé, Jordan ne décolle pas, conduisant stoïquement l'Ensemble de Lausanne qui semble même s'ennuyer quelque peu. Ces concertos attendent leur référence.

Avec Frédéric Lodéon, l'illustre Concerto en si bémol trouve enfin sa version de référence, suivant un matériel conforme à l'original. Le mouvement lent, décapé des lourds attributs romantiques de l'arrangement, respire naturellement, avec un phrasé net et élégant. Au rythme trépidant des allegros, on est conquis par le panache du soliste qui dompte de haute lutte les terribles passages virtuoses, rivalisant de fougue avec l'excellent orchestre de Guschlbauer, à la pâte souple et nerveuse. Un souffle irrésistible. Un maelström.

Quatuors à cordes n° 88 en ré mineur (G. 246, op. 58 n° 5), n° 90 en fa majeur (G. 248, op. 64 n° 1) et n° 91 en ré majeur (G. 249, op. 64 n° 2).

*** Quatuor Carmirelli. Musidisc RC 781. Mono. *+ Cambini : Quatuor en ré majeur.*

Quatuors à cordes n° 48 en la majeur (G. 208, op. 32 n° 6) et n° 65 en sol majeur «La Tiranna» (G. 223, op. 44 n° 4). Trios à cordes n° 17 en sol mineur (G. 93, op. 6 n° 5), et n° 32 en sol majeur (G. 108, op. 47 n° 2).

*** Quatuor Carmirelli. Turnabout TV-S 34.550 (USA). Mono.

Les 6 Quatuors à cordes n°s 43 à 48 (G. 201-206, op. 32).

** Quartetto Esterházy. Telefunken 6.35337 (2 d.) (étr.). Enregistré en 1976.

Quatuors à cordes n° 1 en ut mineur (G. 159, op. 2 n° 1, ex «op. 1 n° 1»), n° 55 en la majeur (G. 213, op. 39) et n° 65 en sol majeur «La Tiranna» (G. 223, op. 44 n° 4).

** Quatuor à cordes Jean-Noël Molard. Arion 38.455. Enregistré en 1978.

Quatuors à cordes n° 7 en ré majeur (G. 165, op. 8 n° 1), n° 9 en mi bémol majeur (G. 167, op. 8 n° 3), et n° 85 en mi bémol majeur (G. 243, op. 58 n° 2).

* Quartetto Italiano. Philips 6570.802. Enregistré en 1976.

L'exceptionnel Quatuor Carmirelli, si ignoré en France, a sans doute signé ici le plus beau disque jamais consacré à Boccherini. Le programme, d'un intérêt majeur, offre les derniers Quatuors, les plus accomplis. Quelle intensité d'émotion, digne, dans les mouvements lents, de Schubert! Quelle intériorité derrière tant de lumière! L'ensemble joue sur les petites touches, la fragilité, les timbres rares, les nuances imperceptibles, le jaillissement rythmique, qui rendent à cette musique le côté escarpé, inattendu, qui fait son originalité profonde et si mal comprise. Un enregistrement capital.

Le Quatuor Carmirelli est sans doute celui qui a le mieux senti la richesse cachée dans ces Quatuors et ses Trios. La sensualité colorée du son n'est pas exotisme, l'expressivité toujours intense n'est pas vulgaire, mais fière, la lecture fouillée et nette n'est pas cérébrale et touche même par une spontanéité qui n'est qu'apparence, montrant le long cheminement que ces interprètes ont dû parcourir pour nous livrer tant de secrets.

Boccherini par le Quintette Esterházy, c'est la vision tourmentée, déchirante d'une musique insoupçonnée, réputée mièvre. Ces immenses interprètes mettent à nu des aspérités expressives, des méandres d'émotion pudique, exprimés par leur compréhension intime de cette musique qu'ils démontent, analysent, fouillent, pour la recomposer en des articulations exceptionnellement claires et des contrastes d'intensité d'une grande puissance. La perfection serait atteinte si les cordes étaient attaquées plus fermement, sans effets de soufflets. Dans cette mollesse, on ne retrouve pas Boccherini.

L'enthousiasme du Quatuor Molard fait plaisir à entendre. Sous ses archets, la musique de Boccherini se teinte d'une sensualité qu'exprime à merveille le premier violon, tendre et coloré. L'ardeur et l'humour sont à leur comble dans la «Tiranna», dont les rythmes enivrants de danse ibérique resplendissent de joie. Une spontanéité un peu superficielle, cependant, qui masque la retenue, la nostalgie si difficiles à saisir.Un Boccherini au premier degré.

Le Quartetto Italiano n'a guère compris Boccherini. Il en fait une musique cérébrale et sans spontanéité, où les nuances sont pensées, analysées, léchées. Leur expression évoque un romantisme discipliné ; leur émotion est contrôlée, aseptisée. Boccherini était un latin, que diable ! A quoi servent le beau son, le large vibrato et les articulations claires, si l'enthousiasme, l'humour, l'esprit ne font pas tout oublier au profit d'une liberté d'improviser, de chanter, d'inventer .

Quintettes à cordes n° 64 en ut mineur (G. 328, op. 31 n° 4), n° 77 en ré majeur (G. 341, op. 40 n° 2) et n° 87 en sol mineur (G. 351, op. 42 n° 4).

** Quartetto Esterházy, Rud van der Meer (second violoncelle). Telefunken 6.42353.

6 Quintettes à cordes n°s 49 à 54 (G. 313-318, op. 29).

** Sigiswald Kuijken, Alda Stuurop (violons), Lucy van Dael (alto), Anner Bijlsma, Wieland Kuijken (violoncelles). RCA Séon RL 30.441 (2 d.). Enregistré en 1976.

Quintettes à cordes n° 11 en mi majeur (G. 275, op. 11 n° 5), n° 15 en fa majeur (G. 279, op. 13 n° 3), n° 60 en ut majeur «La Musica Notturna delle Strade di Madrid» (G. 324, op. 30 n° 6), n° 75 en

ré majeur (G. 339, op. 39 n° 3), et n° 77 en ré majeur (G. 341, op. 40 n° 2).

** Quintetto Boccherini. Ensayo 707/707 (2 d.). ⊠ 1706 (n°s 11 et 15), ⊠ 1707 (n°s 60, 75 et 77).

Le Quatuor Esterházy joue à merveille avec les timbres chatoyants des instruments anciens. Les effets de musette, les espagnolades, les contours abrupts d'une ligne mélodique originale prennent avec eux une dimension jusqu'alors inconnue, témoignant d'une musicalité profonde. Les nuances épicées, les frottements harmoniques créent une expressivité pathétique idéale. On regrette d'autant plus l'attaque flasque des archets, qui répond à des impératifs stylistiques propres à la musique baroque. Une approche enrichissante.

Les Quintettes Opus 29 de Boccherini, pleinement axés sur le jeu virtuose, la «dolcezza» et les plus subtiles nuances de coloration, sont des musiques de divertissement au meilleur sens du mot, relevant d'une esthétique rococo, mais réservant pourtant au détour de plus d'une page des intentions tout à fait géniales, à tel point que Schubert n'est pas très loin du menuet de l'Opus 29 n° 6. L'équipe des Kuijken, sur instruments d'époque, est délectable dans les pages enlevées et virtuoses, mais un peu réservée dans son expression des mouvements lents. Une remarquable lecture cependant.

Le nouveau Quintette Boccherini est à moitié italien, à moitié espagnol. De la première nation, il hérite son lyrisme sensuel, son cantabile expressif et l'infinie tendresse de ses accents. De la seconde, une vigueur du rythme, un pittoresque et un exotisme des timbres. La séduction indéniable de cette ambiance risque, hélas! d'accentuer le cliché aimable et galant d'un Boccherini qui était pourtant tout autre chose. La nostalgie intime, l'expression pudique des timbres sont ici gommées, anéanties par une lumière sans nuance.

Les 6 Quintettes pour flûte et quatuor à cordes (G. 419-424, op.17).

* Christian Lardé (flûte), Quatuor Via Nova. Erato STU 71.277. Enregistré en 1979.

Le Quatuor Via Nova et Christian Lardé ont choisi, avec l'opus 17, un recueil mineur, galant et superficiel, dont les simples ambitions sont de séduire. Leur contrat est rempli : brillante, raffinée, sans pesanteur, leur interprétation aérée qu'agrémente le batifolage de la flûte se laisse agréablement écouter. Certains accents un peu mièvres soulignent quelquefois le côté «musique de salon». Mais cette musique ne demande sans doute rien de plus .

Quintettes pour guitare et quatuor à cordes n° 4 en ré majeur «Fandango» (G. 448), n° 5 en ré majeur (G. 449), n° 6 en sol majeur (G. 450).

** Pepe Romero (guitare), Ensemble de chambre de l'Academy of St. Martin-in-the-Fields. Philips 9500.621. Enregistré en 1979.

Quintettes pour guitare et quatuor à cordes n° 3 en si bémol majeur (G. 447), n° 9 en ut majeur «La Ritirata di Madrid» (G. 453).

** Pepe Romero (guitare), Ensemble de chambre de l'Academy of St. Martin-in-the-Fields. Philips 9500.789. Enregistré en 1980.

L'Ensemble de chambre de l'Academy of St. Martin-in-the-Fields a ébauché l'intégrale des 8 Quintettes avec guitare par les œuvres intermédiaires, dont le «Fandango» (G. 448), fort connu, trouve ici sans conteste sa référence. Le style est contrasté, avec des attaques franches des archets sur la corde et de belles nuances, créateur, à la recherche derrière chaque note du timbre rare, crâneur, presque provoquant, mais à la fois racé et élégant. Romero est parfait.

Le miracle se renouvelle dans le second disque consacré par Romero et le Quatuor anglais aux pittoresques Quintettes avec guitare, regorgeant de rythmes de danse trépignants et de traits descriptifs colorés. On retrouve cet équilibre si bien dosé entre une expression spontanée, contrastée, chatoyante, où le lyrisme individuel est roi, et une élégance instinctive qui empêche ces interprètes de tomber dans des exotismes déplacés.

6 Quintettes pour hautbois et cordes (G. 431-436, op. 45).

** Sarah Francis (hautbois), Quatuor Allegri. Argo 396.328. Enregistré en 1980.

Dans ces Quintettes, le chant du hautbois, qui allie intelligence et poésie, se fait tour à tour sarcastique ou enjôleur, nostalgique ou spirituel en diable. Sarah Francis en tire des sonorités pleines et chaudes, insinuantes et d'une constante noblesse. Les archets du

Quatuor Allegri se montrent, eux aussi, d'une grandeur mesurée. Leur musicalité est profonde, vivace, constante et leur rythme intérieur soutenu, sans être trop appuyé. Un enregistrement remarquablement mis en place.

Les 12 Quintettes pour piano et cordes (G. 407-418, op. 36 et 37).

* Quintetto Italiano. Music Collection 5710.001 (6 d.). (G-B, USA, Italie). Enregistré en 1978.

Le génie de Boccherini donne sa pleine intensité dans ces pages exhumées par le Quintetto Italiano. Son lyrisme généreux souffre, hélas ! d'une interprétation décevante. Le jeu nerveux du quatuor à cordes, incolore et sensiblement dur, très sobre dans son expression, cache une virtuosité juste suffisante, une sonorité étriquée, accentuée il est vrai par une prise de son trop sèche, mal équilibrée. Bruno Mazzena est pourtant un pianiste sensible, comme l'indiquent les phrasés élégants et les nuances délicates. Mais qu'importent ces réserves : ces œuvres superbes ne peuvent être ignorées.

Sextuor n° 5 en ré majeur (G. 458, op. 23 n° 5), Quintette en ut majeur (G. 378) (arr. de mouvements isolés).

** Sestetto Chigiano. Arion ARN 31.904. Enregistré en 1970.

Le Sestetto Chigiano réunit deux qualités indispensables pour bien servir Boccherini. Il sait colorer son discours en accentuant les reliefs, vraiment escarpés sous ses archets, et en même temps jouer sur les respirations pour créer une tension presque tragique dans les mouvements lents, révélant une inspiration hispanique si souvent mal comprise par les interprètes. Ces deux œuvres aux combinaisons rares sont des sommets du genre.

Stabat Mater (2ème version) pour trois voix et orchestre G. 532 op. 61.

** Tamara Hert (s), Kumiko Oshita (s), Jean-Claude Orliac (t), Ensemble instrumental La Follia, Miguel de la Fuente. Arion 38.500. Enregistré en 1978.

Miguel de la Fuente a remarquablement surmonté les difficultés inhérentes au Stabat de Boccherini, œuvre à la fois sacrée, nécessitant une «pure naïveté» d'interprétation, et théâtrale par l'exubérance des airs. C'est un délice de savourer l'enlacement des deux sopranos veloutés, virtuoses à souhait mais jamais brillants, servis par une prise de son désincarnée, qui baigne les voix dans un climat d'humilité et de douceur. Jean-Claude Orliac a un timbre superbe. Quant à l'orchestre, aux phrasés fins et nets, il ne mérite que des éloges.

Symphonies n° 4 en ré mineur «La Casa del Diavolo» (G. 506) et n° 21 en ut mineur, avec guitare obligée (G. 523).

** Elena Padovani (guitare), Orch. Angelicum de Milan, Umberto Cattini. Harmonia Mundi 511. ⌧ HM 40-511.

Symphonies n°s 7 à 12 G. 509-514 op. 35.

* I Filarmonici del Teatro Communale di Bologna, Angelo Ephrikian. Telefunken 6.35021 FK (3 d.) (RFA, USA).

L'interprétation de «La Casa del Diavolo» par Cattini est sans doute la meilleure qui ait jamais été donnée d'une symphonie de Boccherini. Le descriptif y règne en maître, avec des contrastes fulgurants passant du fortissimo théâtral au pianissimo le plus subtil. Le phrasé est excellent ; les articulations irréprochables. Ni pathos, ni romantisme déplacé, mais une simplicité enchanteresse. Toscanini n'aurait peut-être pas fait mieux. Le charme irremplaçable d'un enregistrement pris sur le vif.

La version d'Ephrikian reste la meilleure d'un recueil intégral de symphonies de Boccherini. Très classique, élégante de bout en bout, d'une grande sobriété d'expression, elle manque cependant d'éclat et de couleur pour faire référence. Les symphonies les plus réussies (n°s 1, 4, 5) séduisent par une bonne mise en place, l'intelligence des coups d'archet et la finesse des nuances. Une lecture fouillée, mais sans tendresse.

Trios à cordes n° 20 en ut mineur (G. 96, op. 14 n° 2), n° 21 en majeur (G. 97, op. 14 n° 3), n° 22 en ré majeur (G. 98, op. 14 n° 4).

* Trio Euterpe. Arion ARN 38.593. Enregistré en 1980.

Le Trio Euterpe a choisi parmi les 54 Trios à cordes les œuvres les plus novatrices quant à la forme (développement thématique et jeu des modulations) et à l'expression (extraversion typiquement italienne teintée de dramatisme hispanique). Son jeu privilégie les nuances suaves et séduisantes, au détriment d'une fermeté rigoureuse de l'accentuation dans la lecture des voix enchevêtrées. On aimerait parfois plus de mordant et de vigueur. Mais l'exécution reste fort convenable dans ce répertoire mal servi.

Bodin de Boismortier, Joseph
(1691-1755)

L'Œuvre de clavecin : les trois Suites.

*** Mireille Lagacé (clavecin Hemsch). Calliope CAL 1865. ⌧ 4.865. Enregistré en 1978.

Des œuvres d'une fluidité décorative pleine de charme. Mireille Lagacé, avec une inégalisation souple des rythmes et un rubato maîtrisé, les restitue dans un style d'une grande élégance, dans une conception unissant la vie, les contrastes et la continuité. La sonorité rutilante du clavecin - un instrument historique idéal pour ces œuvres - est enregistrée avec transparence, malgré un léger excès de réverbération.

Sonate pour flûte et basse continue, «Deuxième Sonate», en sol mineur.

*** Barthold Kuijken (flûte traversière), Wieland Kuijken (viole de gambe), Robert Kohnen (clavecin). Accent 7909. + *Pignolet de Montéclair : Deuxième Concert pour la flûte traversière. Blavet : Sonata Seconda. Guignon : Sonata en la majeur op. I n° 8. Leclair : Sonata VII (qui peut se jouer sur la flûte allemande).*

Barthold Kuijken n'est pas seulement l'un des rares flûtistes à avoir parfaitement assimilé la technique de la flûte traversière baroque, il connaît aussi les règles d'exécution qui régissent la musique française au XVIIIe siècle, et possède un art qui fait oublier tout son cheminement musicologique. Grâce à ces qualités, il donne de l'intérêt à cette Sonate qui n'est assurément pas de la grande musique. La prise de son est légèrement voilée.

Boëllmann, Léon
(1862-1897)

Suite gothique pour orgue op. 25.

** Pierre Cochereau (orgue de Notre-Dame de Paris). Philips 6504.028. + *Vierne : Pièces de Fantaisie.*

La première version et la seule intégrale disponible de la célèbre *Suite gothique*. Une version ample, dans laquelle Cochereau a vu large (tempos, registration). Cela n'empêche pas que la clarté soit un peu sacrifiée : l'orgue et l'acoustique de Notre-Dame..

Toccata pour orgue, extraite de la Suite gothique.

*** André Isoir (orgue Isnard/Cavaillé-Coll de Pithiviers). Calliope 1922. Enregistré en 1977. + *Panorama de la musique symphonique pour orgue (œuvres de Gigout, Guilmant, Nibelle, Pierné, Widor).*

Une des trois ou quatre «indispensables» toccatas pour orgue, jouée avec conviction et enthousiasme, dans la vérité des timbres. Une œuvre très bien entourée sur ce disque : *Carillon* de Nibelle, Allegro de la 6ème Symphonie de Widor, Finale de la 1re Sonate de Guilmant...

Boély, Alexandre-Pierre-François
(1785-1856)

Œuvres pour orgue : Fantaisie et fugue en mi bémol majeur, Allegro ma non troppo, Andante con moto en sol mineur, Canon à l'octave, Fugue en fa dièse mineur, Toccata en si mineur, Un poco lento en mi majeur.

* André Isoir (orgue Cavaillé-Coll de Luçon). Calliope CAL 1918. + *Lefébure-Wély : Sortie, Verset, Pastorale, Fugue, Elévation, Marche.*

André Isoir, rompu aux différentes écoles de l'orgue français, a su discerner et mettre en valeur sur l'orgue Cavaillé-Coll de Luçon tout ce que l'écriture de Boély comporte de distinction. Le couplage avec des pièces de Lefébure-Wély ne fait qu'accuser le contraste entre la facilité décadente de ce dernier et le style élégant de Boély, encore empreint de classicisme polyphonique et annonciateur de l'harmonie romantique.

Œuvres pour orgue : Andante, «Quel étonnement vient saisir mon âme», «Le vermeil du sommeil», «Voici la première entrée». Choral «Bin ich gleich von dir gewichen», Dialogue de hautbois et cromorne, Duo, Fantaisie et Fugue, Fugue à deux sujets, Fugue sur le Kyrie, Grands jeux, Quatuor, Tierce en taille, Trio, Verset sur le Kyrie, Verset sur le Christe.

* Jean Boyer (orgue de St-Nicolas-des-Champs). Stil 1.405 S 73.

Jean Boyer nous fait découvrir ici quelques pièces inédites de Boély, dans une manière qui privilégie nettement ce que ce compositeur a hérité des organistes français du XVIIIe, sur un orgue aux couleurs vives qui a conservé un important matériel classique.

Boesmans, Philippe
(né en 1936)

Attitudes.

*** Elise Ross (vocaliste), Ens Musique Nouvelle, Georges Octors. Ricercar RIC 002. Enregistré en 1980.

A sa manière, Boesmans retrouve la fonction harmonique de notes pivots, recrée des pôles d'attraction agissant et réagissant entre eux par extension de la pensée sérielle envisagée dès lors comme une esthétique, une manière de penser le fait musical, et non plus comme une théorie, une technique jalouse de ses interdits. *Attitudes* allie à cette démarche une autre dimension, théâtrale, celle-ci : le geste et la parole. Et dans l'effervescence créatrice de ce que l'on a appelé le «théâtre musical», cette œuvre prend une place importante que l'écoute de ce disque ne peut que venir confirmer dans son bien-fondé.

Conversions. Concerto pour violon.

❀*** Richard Piéta (violon), Orch. Phil. de Liège, Pierre Bartholomée. Ricercar RIC 014. Enregistré en 1982.

Dans *Conversions,* Boesmans fait subir à une mélodie divers traitements qui le mènent à une superposition et à une prolifération mélodique intense et lyrique. Quant au Concerto pour violon, il subvertit les clichés du virtuose jusqu'à la dérision. L'humour s'y partage avec la tendresse. Les interprètes de ce disque ont saisi toute l'essence de cette musique intime, tendre et violente, ont su rendre cette impression d'une œuvre qui voyage au bord de l'abîme, de sa dissolution.

Boieldieu, François-Adrien
(1775-1834)

Concerto pour harpe et orchestre en ut majeur.

*** Lily Laskine (harpe), Orch. de Chambre Jean-François Paillard, Jean-François Paillard. Erato STU 70.192. ⌧ MCE 70.192. *+ Krumpholz : Concerto pour harpe n° 6.*

** Marielle Nordmann (harpe), Orch. de Chambre de Lausanne, Armin Jordan. Erato STU 71.156. Enregistré en 1978. *+ Dalvimare : Concerto n° 2 pour harpe et orchestre.*

Le Concerto pour harpe de Boieldieu est une œuvre teintée des charmes désuets des salons de l'époque Directoire. Son interprétation demande sentiment et virtuosité, sans excès. C'est bien entendu Lily Laskine, maîtresse incontestée en matière de harpe, qui en constitue la référence.

Marielle Nordmann ne s'inscrit pas loin de Laskine, par le goût et la sûreté de son jeu ; grâce et noblesse s'y allient, parfaitement secondées par un accompagnement dont la vivacité soutient le brillant *Allegro.* En complément, une première avec un concerto de Dalvimare, page ignorée mais qui n'en est pas moins fort intéressante.

La Dame Blanche, opéra-comique.

** Françoise Louvray (Anna), Michel Sénéchal (George Brouwn), Jane Berbié (Jenny), Adrien Legros (Gaveston), Aimé Doniat (Dickson), Germaine Baudoz (Marguerite), Pierre Héral (MacIrton), Ch. et Orch. Raymond Saint-Paul, Pierre Stoll. IPG 115.375/77 (3 d.) (sup.).

La *Dame Blanche* demeure le plus beau titre de gloire de son auteur. Ne discutons point des mérites de l'ouvrage : il y aura suffisamment d'amateurs pour se réjouir de pouvoir écouter de nouveau «Attention, prenez garde...». D'autant plus que la réalisation présente est la réédition d'une interprétation non négligeable : on y relevait d'excellents artistes français, comme Michel Sénéchal et Jane Berbié, dont l'art et l'esprit savent donner le sel nécessaire à une musique parfois un peu fade.

Ma Tante Aurore, opéra-comique extraits.

** Françoise Ogéas (Julie), Jean Mollien (Valsain), Berthe Kal (Marion), Bernard Plantey (Prontin), Janine Collard (Tante Aurore), Pierre Germain (Georges), Orch. de Chambre de la RTF, Marcel Couraud. Fontana FY 875.500 (sup.).

Ce petit ouvrage, gai et sans prétention à la méditation philosophique, offre une musique qui, certes, ne comporte pas les marques d'un grand génie, mais reste fort agréable et s'écoute sans déplaisir. L'exécution malheureusement supprimée, que dirigeait Marceau Couraud, réunissait un plateau de bons artistes français, peut-être les seuls capables de rendre l'esprit léger de ce répertoire national frisant l'opérette.

Boito, Arrigo
(1842-1918)

Mefistofele, opéra.

*** Nazzareno De Angelis (Mefistofele), Antonio Melandri (Faust), Mafalda Favero (Marguerite), Giannina Arangi Lombardi (Elena), Orch. et Ch. de la Scala de Milan, Lorenzo Molajoli. EMI 153-18.413/15 (3 d.). (Italie). Mono, origine 78 t. Enregistré en 1929.

** Giulio Neri (Mefistofele), Ferruccio Tagliavini (Faust), Marcella Pobbe (Marguerite), Disma De Cecco (Elena), Orch. et Ch. du Regio de Turin, Angelo Questa. Cetra LPO 2054.3 (3 d.). Mono. Enregistré en 1954.

* Norman Treigle (Mefistofele), Placido Domingo (Faust), Montserrat Caballé (Marguerite), Josella Ligi (Elena), Orch. Symph. de Londres, Ch. Ambrosien, Julius Rudel. EMI VSM C 195-02.464/66 (3 d.). Enregistré en 1974.

La basse De Angelis, grand rival de Chaliapine, avait chanté Mefistofele plus de neuf cents fois lorsqu'il enregistra le rôle ! Plus qu'une complicité, c'est une identification avec son Méphisto superbe, subtil et métaphysique qu'il nous offre ici, de façon «définitive». La jeune Favero campe une Marguerite déchirée, frêle et broyée, comme le sera plus tard Olivero ; Arangi Lombardi est une Hélène de grand luxe, et Melandri, dans une discographie sans véritable Faust, en est certes le meilleur : mais il faut, à tout prix, connaître les nombreux extraits du rôle de Faust enregistrés maintes fois par Gigli (EMI).

Grâce au satanique Méphisto, un rien traditionnel, de Neri, grâce au séduisant phrasé de Tagliavini, un peu à l'étroit dans la scène avec Hélène, c'est une bonne version possible des premières heures du microsillon, malgré des interprètes féminines assez pâles. La direction est satisfaisante.

L'enregistrement moderne est une version bien enregistrée, mais qui pâtit d'une direction linéaire peu inspirée et du choix d'un baryton, qui, malgré son grand talent, ne peut véritablement incarner un des grands rôles de basse du répertoire. Domingo, s'il a de beaux accents de sincérité et «vit» son rôle, n'a ni les qualités requises ici, ni l'indispensable style lié au rôle de Faust ; Caballé domine dans les pages de chant pur. Excellente Hélène.

Nerone, opéra.

** Mirto Picchi (Nerone), Mario Petri (Simon Mago), Gian Giacomo Guelfi (Fanuel), Anna De Cavalieri (Asteria), Adriana Lazzarini (Rubria), Orch. et Ch. du San Carlo de Naples, Franco Capuana. Cetra LO 56 (4 d.). Mono. Enregistré sur le vif en 1957.

Cet enregistrement est l'occasion de connaître la seconde œuvre de Boito, créée par Toscanini après la mort de l'auteur. Le son de cette transmission radiophonique est excellent, et l'interprétation d'un haut niveau avec le très subtil acteur-chanteur qu'est Picchi, avec Mario Petri - une future vedette de cinéma -, un Guelfi encore en pleine voix, et de bons rôles féminins. C'est aussi l'occasion unique de retrouver ce que fut à ses débuts le mezzo soprano d'Adriana Lazzarini.

Borodine, Alexandre
(1833-1887)

Dans les steppes de l'Asie centrale, poème symphonique.

❀*** Orch. Symph. de l'URSS, Evgueni Svetlanov. Chant du Monde C 1377 (sup.). Enregistré en 1972. + *Symphonie n° 2, Marche du Prince Igor.*

*** Orch. du Théâtre des Champs-Elysées, László Somogyi. Charlin SLC 1 (sup.). + *Œuvres de Rimski-Korsakov, Balakirev, Cui, Moussorgski.*

** Orch. Philharmonia, André Cluytens. EMI VSM C 053-10.600. + *Danses polovtsiennes du Prince Igor. Moussorgski : Une nuit sur le mont Chauve. Rimsky-Korsakov : Ouverture de la grande Pâque russe, Le vol du bourdon.*

Svetlanov, qui est russe, a probablement traversé ces contrées, et avec la lente contemplation qui sied à cet infini : le mot «steppes» ne figure guère dans le titre russe... Tempos mesurés, admirables sonorités des bois, équilibre, nostalgie sans inutile langueur, tout est là dans ce disque définitif, en outre admirablement couplé, enregistré et gravé.

La prise de son signée Charlin, de merveilleux «bois» français, une direction assez rêveuse pour nous évoquer ce tableautin, sans précipitation ni lenteur, et l'excellent couplage du disque de Somogyi font souhaiter son retour au catalogue.

La version d'André Cluytens, écoutée seule, et sans la confrontation avec ses rivaux, est absolument parfaite, enthousiasmante d'élégance, d'allant, de climat, de sonorités. Mais il faut bien reconnaître que le tempo est trop rapide, un tantinet indifférent, et qu'il s'agit là, en version économique, avant tout d'une très belle interprétation française.

16 Mélodies.

** Boris Christoff (b), Alexandre Tcherepnine (piano), Janine Reiss (piano), Maud Martin-Tortelier (violoncelle), Orch. des Concerts Lamoureux, Georges Tzipine. EMI VSM C 063-10.147 (sup.).

On ne peut que saluer une si belle réussite, qui donne peut-être une idée plus précise des audaces de Borodine que ses fameuses *Danses polovtsiennes.* Christoff est également à l'aise dans la grande ballade (*La princesse endormie* ou la superbe *Reine des mers*) que dans les tableaux réalistes (*L'orgueilleux*). Les partenaires sont de choix, mais on doit regretter encore que Christoff ait choisi des éditions révisées ou même orchestrées par Rimsky-Korsakov, et non les originaux.

Le Prince Igor, opéra (achevé par Glazounov et Rimski-Korsakov).

*** Ivan Petrov (Igor), Alexandre Vedernikov (Kontchak), Tatiana Tougarinova (Jaroslavna), Elena Obraztsova (Kontchakovna), Vladimir Atlantov (Vladimir), Arthur Eisen (Galitzky), Ch. et Orch. du Théâtre Bolchoï de Moscou, Mark Ermler. Chant du Monde LDX 78.475/78 (4 d.).

*** Andrei Ivanov (Igor), Mark Reizen (Kontchak), Evguenia Smolenskaïa (Jaroslavna), Veronika Borisenko (Kontchakovna), Serguei Lemeshev (Vladimir), Alexandre Pirogov (Galitzky), Ch. et Orch. du Théâtre Bolchoï de Moscou, Alexandre Melik-Pachaïev. Mélodia D 05.322/29 (4 d.) (URSS). Mono (origine 78 t.).

* Constantin Chekerliisky (Igor), Boris Christoff (Kontchak et Galitzky), Julia Wiener (Jaroslavna), Reni Penkova (Kontchakovna), Todor Todorov (Vladimir), Ch. et Orch. de l'Opéra de Sofia, Jerzy Semkov. EMI Angel CAN 176/78 (3 d.). Enregistré en 1967.

Ivan Petrov, à la veille de sa retraite, affronte avec grand style le baryton d'Igor (créé à l'origine par Melnikov, le premier Boris), face au Galitzky sauvage et saisissant de Eizen. Obraztsova féline, sensuelle, idéale, Atlantov généreux mais un peu monocorde rachètent en partie l'inexistance de la basse Vedernikov. Superbe son (l'édition Mélodia est même étalée sur cinq disques) et direction exemplaire de Ermler. De plus, c'est la seule version intégrale, comportant l'acte III.

C'est l'exceptionnel quatuor masculin qui fait le prestige de l'ancienne version Melik-Pachaïev, hélas ! quasi introuvable, confrontant ces deux immenses artistes que furent Reizen (véritable basse, capable de chanter ce que coupait Chaliapine) et Pirogov, au superbe ténor nuancé de Lemeshev et au très brillant baryton d'Andrei Ivanov (par ailleurs, le meilleur Onéguine de la discographie). Version tronquée, mais exaltante.

On pouvait attendre mieux des Bulgares récupérant «leur» Boris Christoff, qui est superbe et bien différencié dans ses deux rôles (comme le faisait Chaliapine). Les voix féminines sont belles, mais le baryton (le rôle titre !) moins que médiocre, et l'excellent Semkov à la tête de sa belle phalange est, comme souvent, moins éclatant au studio qu'au théâtre. Il est en outre inadmissible, de nos jours, de couper un acte entier d'opéra.

Le Prince Igor, extraits: Airs d'Igor, de Kontchak et de Galitzky. Danses polovtsiennes.

** Constantin Chekerliisky (Igor), Boris Christoff (Kontchak et Galitzky), Reni Penkova (Kontchakovna), Ch. et Orch. de l'Opéra de Sofia, Jerzy Semkov. EMI VSM C 061-00.352 (sup.). Enregistré en 1967.

Le Prince Igor, extraits: Danses polovtsiennes.

* Orch. de Paris, Guennadi Rojdestvenski. EMI VSM C 069-02.317. ⌧ C 269-02.317. + *Moussorgski : Une nuit sur le mont Chauve. Rimski-Korsakov : Capriccio espagnol, Ouverture de la grande Pâque russe.*

La sélection de la version des Bulgares a deux avantages : offrir à moindre prix les *Danses polovtsiennes*, excellemment dirigées, couplées sans l'habituel puzzle de musique russe, mais aussi offrir un excellent Kontchak aux possesseurs de la version russe entachée de Vedernikov. En outre, Penkova est ici particulièrement somptueuse.

Pour les mélomanes absolument allergiques à la voix, une bonne version des fameuses danses, très bien enregistrées, avec les excellents bois de l'Orchestre de Paris et un chef assez convaincu. Le complément (*Capriccio espagnol*, La *Pâque russe* et la *Nuit sur le mont Chauve* apocryphe) n'est pas du même niveau, et il faut fustiger un texte de pochette truffé d'erreurs inadmissibles.

Quatuors à cordes n° 1 en la majeur et n° 2 en ré majeur.

** Quatuor Fitzwilliam. Decca 591.219. Enregistré en 1979 et 1980.

Le Quatuor Fitzwilliam, en réunissant sur un même disque les deux Quatuors de Borodine, comble enfin un vide des catalogues. Les musiciens mettent bien en valeur les qualités d'écriture du compositeur, écriture déliée et efficace qui porte de l'intérieur la puissante architecture du premier Quatuor autant que les épanchements plus personnels - et plus russes aussi - du second.

Quatuor à cordes n° 2 en ré majeur.

*** Quatuor Borodine. Decca SDD 156 (G-B). Enregistré en 1967. + *Chostakovitch : Quatuor n° 8.*

* Quartetto Italiano. Philips 5802.814 (sup.). Enregistré en 1968. + *Dvořák : Quatuor «Américain».*

Inexplicable absence au catalogue français 1980 du chef-d'œuvre de la musique de chambre russe, dont le Quatuor Borodine donne la plus attachante version qui soit, chaude, lyrique et tendre, mais sans langueurs inutiles, grâce aux sonorités soyeuses et parfaitement homogènes de ces quartettistes fidèlement enregistrés.

Chacun des Italiens joue à la perfection, mais avec une tendance marquée à un certain individualisme que souligne une prise de son situant chaque instrumentiste aux quatre extrêmes d'une scène immense, et accentuant les disparités entre les cordes graves et aiguës. On le regrette d'autant plus que l'interprétation est assez fervente, brillante et nerveuse.

Petite Suite, pour piano : Au couvent, Intermezzo, Mazurkas en ut majeur et en ré bémol majeur, Sérénade, Rêverie, Scherzo.

*** Bernard Ringeissen (piano). Adès 7081/83 (3 d.). Enregistré en 1979. *+ Œuvres pour piano du Groupe des Cinq (Moussorgski, Rimski-Korsakov, Balakirev, Cui).*

On salue le retour au catalogue de ces ultimes pièces de Borodine, qui, malgré leurs titres anodins, ont eu une telle influence sur Debussy et Ravel, ce que ce pianiste français souligne parfaitement, avec un jeu sans romantisme, mais à la fois net, clair, et quasi ravélien. Une des meilleures réussites de cet intéressant coffret. Pas de séparation bien visible entre les plages.

Symphonie n° 2 en si mineur «Epique».

*** Orch. Symph. de l'URSS, Evgueni Svetlanov. Chant du Monde C 1.377 (sup.). Enregistré en 1972. *+ Marche du Prince Igor, Dans les steppes de l'Asie centrale.*

** Orch. National de la RDF, Isaac Dobrowen. VSM FBLP 1030 (sup.). 25 cm. Mono. Enregistré en 1952.

Svetlanov justifie bien le titre «épique» accolé à l'œuvre, par son interprétation hiératique, presque solennelle, large, pesante parfois, mais au meilleur sens du mot : rien ici d'un tableau folklorique, mais un évident retour aux sources populaires, avec un bel orchestre, bien enregistré, dont les bois sonnent bien. Excellent complément.

Dobrowen, dans une gravure hélas ! disparue, avait su allier la grandeur à un éventail de coloris que lui permettait le somptueux orchestre français, auquel la prise de son d'alors ne rendait pas pleinement justice. Les tempos, plus nerveux que ceux de Svetlanov, donnent une autre vision de l'œuvre également attachante, et font oublier les versions suivantes assez décevantes, telles que l'intégrale des Symphonies du compositeur dirigée par Andrew Davis à Toronto.

Boucourechliev, André
(né en 1925)

Archipel I (2 versions).

*** Georges Pludermacher (piano), Claude Helffer (piano), Jean-Claude Casadesus et Jean Pierre Drouet (percussions). EMI VSM CVB 2190 (sup.). *+ Xenakis : Herma ; Jolas : Quatuor II.*

Deux versions magnifiquement interprétées de cet aléatoire *Archipel.* Imagination, invention, intelligence et sensibilité sont autant d'atouts abattus par les musiciens, auxquels il faut bien ajouter ceux d'*Herma* et de la pièce de Jolas : un couplage splendide, surtout pour la vision inspirée de Pludermacher dans Xenakis.

Archipel VB pour clavecin (1re et 2e version).

** Elisabeth Chojnacka (clavecin). Erato STU 71.010 (sup.). Enregistré en 1976. *+ A. Clementi : Bach replica Bach. Ferrari : Musique socialiste ? ; Jolas : Autour; Meyer : Sonate op. 30.*

Il suffit d'écouter Chojnacka pour se convaincre qu'elle est sans doute la plus grande claveciniste de notre temps. Son intelligente compréhension, se servant de sa diabolique virtuosité pour mettre en valeur et défendre les œuvres de son choix, s'est posée ici sur deux versions des *Archipels* de Boucourechliev. Aléatoire et mobilité, telle est l'esthétique de cette œuvre aux multiples visages. Ce que nous en propose cette extraordinaire interprète ne peut que confirmer son talent. Couplage passionnant, en outre : ce disque est un délicat joyau ciselé en orfèvre.

Boulanger, Lili
(1893-1918)

Clairières dans le ciel, 13 mélodies pour ténor et piano sur des poèmes de Francis Jammes. Trois Pièces pour violon et piano.

** Eric Tappy (t), Jean Françaix (piano), Yehudi Menuhin (violon), Clifford Curzon (piano). EMI VSM CVC 2077 (sup.).

Très attentif aux nuances raffinées des treize mélodies qui constituent le cycle *Clairières dans le ciel,* Eric Tapy met en lumière les vibrations secrètes de l'âme sensible de Lili Boulanger. Jean Françaix fait plus que l'accompagner, il recrée les œuvres avec leur émotion à fleur de notes pour en faire un bouquet de tendresse. Yehudi Menuhin et

Clifford Curzon, réunis dans les Trois Pièces pour violon et piano, rendent, eux aussi un hommage ému à Lili Boulanger. Dans ces pages simples et directes, leur chant a la force tranquille d'un regard d'enfant «soudain chargé de profonde sagesse».

Faust et Hélène, épisode lyrique d'après Goethe. Pour les funérailles d'un soldat, pour baryton, chœur et orchestre.

* André Mallabrera (t), Michel Carey (bar), Lyne Dourian (m), Chœur mixte, Orch. de l'Opéra de Monte-Carlo, Igor Markevitch. Festival FC 441.

A l'endroit de l'œuvre de Lili Boulanger, le disque a joué pleinement son rôle et nous pouvons, grâce à des enregistrements, suivre l'évolution d'une force créatrice brève mais intense. En choisissant *Faust et Hélène*, Igor Markevitch rend hommage à la musicienne d'à peine vingt ans qui bouleverse les honorables traditions du Prix de Rome de l'époque. Markevitch et ses interprètes, parfois desservis par une réalisation manquant d'homogénéité, possèdent un grand élan de ferveur pour interpréter cette musique aux accents profondément émouvants. *Pour les funérailles d'un soldat*, œuvre sobre mais énergique, s'impose par le talent et la conviction de Michel Carey.

Psaumes 24, 129, 130 («Du fond de l'abîme»). Pie Jesu. Vieille prière bouddhique.

** Alain Franqueur (s), Michel Sénéchal (t), Raymond Amade (t), Oralia Dominguez (c), Pierre Mollet (bar), Ch. Elisabeth Brasseur, Orch. Lamoureux, Igor Markevitch. EMI VSM C 065-95.520 (sup.). Enregistré en 1961.

Pour interpréter ces œuvres brûlantes et tendres, il fallait une équipe, un chef convaincu, Markevitch fut ce chef, cet «animateur», et cet enregistrement Everest, repris en 1967 sous le sigle VSM, est resté un modèle d'intensité expressive, de ferveur collective. La *Vieille prière bouddhique* est bien, par les voix de l'admirable chorale Elisabeth Brasseur, cette «prière de tous les jours pour le monde entier». Quant au *Pie Jesu*, c'est le chant fragile d'une voix d'enfant qui en exhale un parfum mystique.

Boulez, Pierre
(né en 1925)

Cummings ist der Dichter.

*** Peter Baillié (t), Ladislav Illavsky (bar), Ch. et Orch. de Radio-Vienne, Bruno Maderna. Telefunken 6.48066 (2 d.) (sup.). + *Lutoslawski : Trois Poèmes d'Henri Michaux. Messiaen : Et Exspecto Resurrectionem Mortuorum. Stravinsky : Canticum Sacrum.*

Hommage à la mémoire de cet extraordinaire chef-compositeur, ce disque a été enregistré lors du dernier concert de Bruno Maderna donné au Festival de Salzbourg en 1973. On y retrouve, au travers d'un programme consacré à la musique contemporaine, le feu qui brûlait sous sa baguette. L'œuvre de Boulez est littéralement soulevée par le souffle de Maderna, sans pour autant perdre en rigueur de lecture ce qu'elle gagne en bouffées d'oxygène. L'orchestre de Radio-Vienne suit courageusement son chef, transporté par une vitalité prodigieuse.

Domaines.

* Michel Portal (clarinette), Ensemble Musique Vivante, Diégo Masson. Harmonia Mundi HMU 930.

Cette réalisation permet d'applaudir à la magnifique prestation de Michel Portal, qui, comme on le savait déjà, est sûrement le meilleur clarinettiste de son temps.

Le Marteau sans Maître, Livre pour cordes.

❀*** Yvonne Minton (a), Ensemble Musique Vivante, Diégo Masson ; Orch. New Philharmonia, Pierre Boulez. CBS 76.191.

Pierre Boulez et l'ensemble Musique Vivante relèguent ici aux archives les précédentes versions de ce *Marteau sans Maître*, gravées (entre autres) par Boulez, déjà, et par Craft. S'imposant grâce à une phalange de solistes qui se jouent des difficultés techniques de la partition, Masson fait passer dans ces pages une transparence qui en éclaire les lignes polyphoniques et les structures internes, transporté par une fougue virtuose, un enthousiasme et une joie éclatante. A tout cela, Yvonne Minton prête sa voix splendide, resplendissante, au timbre velouté et chaleureux. Quant à Boulez, il dirige son *Livre pour cordes* avec l'intelligence qu'on lui reconnaît unanimement et une radieuse expressivité.

Pli selon Pli, pour soprano et orchestre.

❀*** Phyllis Bryn-Julson (s), Orch. Symph. de la BBC, Pierre Boulez. Erato NUM 75.050. Enregistré en 1981.

*** Halina Lukomska (s), Orch. Symph. de la BBC, Pierre Boulez. CBS 75.770.

Trois pièces pour ensemble de chambre et soprano, entourées de part et d'autre de deux pièces symphoniques où la voix est traitée comme un instrument de l'ensemble. Le nouvel enregistrement de 1981 dépasse celui de 1970. Phyllis Bryn-Julson emporte la préférence sur Halina Lulomska, et le compositeur s'accorde des tempos plus larges que lors de sa première discographique avec le même orchestre, en particulier dans la *Troisième Improvisation* et dans *Tombeau.* Sa direction, cependant, se montre tout aussi rigoureuse, exigeante et inspirée que sa musique, et nous conduit aux plus hauts sommets de la poésie pure, à un lyrisme ardent, par l'intermédiaire de ce chef-d'œuvre de notre temps que l'on ne peut ignorer.

Aidée par une prise de son admirable, cette œuvre est magistralement interprétée par Lukomska (en très grande forme) et Pierre Boulez qui ne se départ jamais d'une certaine distanciation analytique sans pour autant en faire pâtir l'essence expressive. L'orchestre s'irise de mille et une couleurs chatoyantes, à la fois ascétique et opulent, lyrique et raffiné, d'une beauté sauvage et sophistiquée qui n'est pas sans rappeler les ascendants de Boulez, Webern et Debussy.

Les trois Sonates pour piano.

❀*** Claude Helffer (piano). Astrée AS 60. Enregistré en 1980.

Depuis des lustres, Claude Helffer pratique ce répertoire d'une fabuleuse difficulté en dosant, comme naturellement, virtuosité technique, sens de l'organisation et sens du geste instrumental. Avec des tempos légèrement plus vifs que ceux de Pollini, il nous donne une deuxième Sonate si indiscutable de grandeur, de précision dans l'articulation qu'il paraît difficile d'aller plus loin en matière d'intelligence structurelle et de rigueur pianistique.

Sonate pour piano n° 2.

❀*** Maurizio Pollini (piano). DG 2530.803. + *Webern : Variations op. 27.*

Admirable couplage de deux des pages les plus décisives du piano contemporain, qui en outre trace bien la filiation de Webern à Boulez. Pollini domine totalement les difficultés ébouriffantes de la Sonate de Boulez, et transcende la partition pour recréer un moment poétique d'une puissance fulgurante.

Sonatine pour flûte et piano.

** Jacques Castagner (flûte), Jacqueline Méfano (piano). Adès 16005 (sup.). + *Xenakis : Herma. Varèse : Densité 21,5. Berio : Sequenza I pour flûte seule. Messiaen : Le Merle Noir.*

Ce programme regroupe les pages les plus significatives et les plus poétiques dédiées à la flûte par les compositeurs contemporains, sous le parrainage de Varèse. La Sonatine est une page de jeunesse de Boulez : elle n'en reçoit pas moins une interprétation parfaite de technique et de goût.

Structures pour deux pianos, premier et deuxième Livre.

*** Alfons et Aloys Kontarsky (pianos). Wergo 60.011.

Le duo Kontarsky est célèbre à juste titre, leur enregistrement est magnifique, tant sur le plan technique et re-créatif que pour l'intérêt des œuvres gravées - le second Livre notamment. Quant au propos d'aléatoire contrôlé, le plaisir des instrumentistes est tellement évident qu'il ne peut que nous convaincre de son bien-fondé, de sa nécessité organique dans le second Livre (le plus merveilleusement réussi, car le plus maîtrisé dans une liberté retrouvée après la traversée du désert de la sérialisation intégrale).

Boyce, William
(1710-1779)

Anthems and voluntaries.

* Ch. de la Cathédrale d'Ely, Arthur Wills. Saga 5.440 (G-B).

Ce disque, qui fait alterner de grandes hymnes solennelles et des pièces d'orgue, est un très bon exemple de la tradition musicale qui se prolonge encore aujourd'hui dans certaines cathédrales anglaises. Nous pouvons saisir ici une musique dont l'interprétation est restée fidèlement conservée depuis le milieu du XVIIIe siècle. Chœurs et organiste sont de bonne qualité, et servent avec une ardeur une musique que l'on gagnerait à mieux connaître. Une pièce de curiosité, certes, mais aussi mieux que cela, un bel exemple de service d'une musique ancienne restée vivante.

Sonates en trio : n° 2 en fa majeur, n° 8 en mi bémol majeur, n° 9 en ut majeur, n° 12 en sol majeur.

** Malcolm Latchem, John Brown (violon), Jane Ryan (violoncelle), David Lumsden (clavecin). Oryx 1.729 (G-B).

Un bel exemple de musique de chambre britannique du milieu du XVIIIe siècle. L'interprétation est particulièrement soignée, avec un sens de l'équilibre et de l'élégance que souligne en particulier le parfait accord des deux violons. Les musiciens se sont attachés à rendre la spontanéité et la liberté d'allures de pièces pleines de charme. Une prise de son très claire contribue à faire de ce disque un plaisant monument de l'Angleterre haendélienne dans ses auteurs mineurs.

Brahms, Johannès
(1833-1897)

Anthologie historique : Quatuors pour piano et cordes n° 1 en sol mineur op. 25 et n° 2 en la majeur op. 26, Quintette pour piano et cordes en fa mineur op. 34, Trio pour piano, violon et cor en mi bémol majeur op. 40, Quatuors à cordes n° 1 en ut mineur op. 51 n° 1 et n° 3 en si bémol majeur op. 67, Sonates pour violon et piano n° 1 en sol majeur op. 78 et n° 2 en la majeur op. 100, Quintette pour clarinette et cordes en si mineur op. 115.

❀*** Quatuor Busch, Rudolf Serkin (piano), Reginald Kell (clarinette), Aubrey Brain (cor). EMI VSM SHB 61 (7 d.). Mono (origine 78t.). Enregistré de 1932 à 1949.

Le coffret des Busch est un prodigieux sommet sur le double plan de la poésie et de l'intelligence artistique. La fluidité du discours, la précision semblent ici nées de la seule rigueur et du raffinement. C'est cela, l'art des Busch : déployer la musique à l'intérieur d'un cadre intellectuel et éthique d'une extrême rigueur, s'attacher jusqu'à l'ascèse à l'économie de chaque ligne, rendre mélodique chaque incise et l'insérer jusqu'au paroxysme dans un organisme linéaire et contrapunctique. Une somme.

Ballades pour piano op. 10.

❀*** Claudio Arrau (piano). Philips 9500.446. ⊠ 7300.652. Enregistré en 1978. + *Variations et Fugue sur un thème de Haendel.*

*** Arturo Benedetti-Michelangeli (piano). DG 2532.017. ⊠ 3302.017. + *Schubert : Sonate D.537.*

*** Julius Katchen (piano). Decca 592.163 (11 d.). + *Intégrale de l'œuvre pour piano, Les 3 Sonates pour violon et piano, Sonate pour violoncelle et piano n° 2, Les 3 Trios pour piano et cordes.*

** Emil Guilels (piano). DG 2530.655 (sup.). + *Fantaisies op. 116.*

** Wilhelm Kempff (piano). DG 2530.321 (sup.). + *Schumann : Romances op. 28, Arabesque, L'Oiseau prophète, Novelette op. 99 n° 9.*

Claudio Arrau transfigure le propos des Quatre Ballades d'une grandeur souveraine et très justement équilibrée. Profondeur du toucher, ampleur du *tempo*, admirable palette sonore (Quatrième Ballade) qui, sans lourdeur aucune, révèlent l'agogique dense et calme du texte. Une vision pure et dure, à l'évidence magistrale.

Michelangeli joue un instrument des années vingt : une couleur d'ensemble sévère, sombre, où les contrastes s'accusent. Aucun pittoresque de coloris, mais tout un paysage sonore où des voix interviennent avec des éclats menaçants, furieux. L'univers du Nord – celui du premier Brahms – est là, un

Brahms tourmenté, d'une mélancolie mâle, secoué de frissons rageurs et de spasmes secs. Michelangeli nous offre ici une fête rare. Au verso, la petite Sonate en la mineur de Schubert connaît un poids et une urgence qu'on ne lui soupçonnait guère.

Katchen est plus dramatique (Première Ballade) qu'Arrau, et la consistance dynamique emprunte une voix moins intériorisée. L'approche devient moins apaisée, plus immédiatement puissante sinon rhétorique, avec de sensibles nuances interrogatives, des phrasés âpres et parfois d'humeur schumannienne. Exécution forte, radicale, à la douloureuse impatience.

Guilels a davantage de grandeur que de finesse, mais il impose de violentes et toujours généreuses inflexions. Les mouvements drus sont privilégiés par rapport aux nuances poétiques. Vision intempestive, brossée avec rigueur, d'une articulation exigeante et claire. La technique pianistique est d'évidence parfaite.

Kempff, à l'extrême opposé de Guilels, atteint rarement la puissance d'élocution des versions concurrentes, mais donne quelque chose de plus, une profondeur, une originalité tout autres. Un climat rêveur, un phrasé merveilleusement souple, des registres exemplairement variés et transparents enchanteront tous ceux qui ne peuvent aimer le Brahms de l'*Opus 10* qu'à travers Schumann. Le couplage de ce très bel album se révèle d'ailleurs d'une rare pertinence. Bonne prise de son.

Le Chant du Destin (Schicksalslied), pour chœurs et orchestre op. 54.

❀*** Ambrosian Chorus, Orch. New Philharmonia, Claudio Abbado. Decca SXL 6386 (G-B). + *Rinaldo.*

Abbado, usant d'un tempo sensiblement enlevé, se recommande par une clarté, une lisibilité impressionnantes. Les finalités expressives du *Chant du Destin* sont appréhendées ici avec autant de rigueur que de sobriété. L'excellence de la gradation architecturale (deuxième partie, en *ut* mineur), le dynamisme implacable du chef assurent à cet enregistrement une primauté indiscutable.

Concerto n° 1 pour piano et orchestre en ré mineur op. 15.

❀*** Alfred Brendel (piano), Orch. du Concertgebouw d'Amsterdam, Hans Schmidt-Isserstedt. Philips 6500.623. ⌧ 7300.281. Enregistré en 1973.

❀*** Claudio Arrau (piano), Orch. Philharmonia, Carlo-Maria Giulini. EMI VSM C 069-00.519. ⌧ C 269-00.519. Enregistré en 1960.

*** Vladimir Ashkenazy (piano), Orch. du Concertgebouw d'Amsterdam, Bernard Haitink. Decca 591.281. Enregistré en 1981.

*** Emil Guilels (piano), Orch. Phil. de Berlin, Eugen Jochum. DG 2530.258. ⌧ 3300.264. Enregistré en 1972.

*** Rudolf Serkin (piano), Orch. de Cleveland, George Szell. CBS 75.718 (sup.). Enregistré en 1971.

** Claudio Arrau (piano), Orch. du Concertgebouw d'Amsterdam, Bernard Haitink. Philips 6580.302 (G-B). Ou Philips 6747.432 (2 d.). + *Concerto pour piano n° 2.*

** Alexis Weissenberg (piano), Orch. Symph. de Londres, Carlo Maria Giulini. EMI VSM C 069-12.598. ⌧ C 269-12.598. Enregistré en 1973.

Schmidt-Isserstedt accentue dès l'attaque du *maestoso* le coloris tragique et même désespéré de l'orchestre, qui est ici bien plus qu'un commentaire. Brendel vit avec une phénoménale intensité sa partie, soulignant chaque courbe mélodique, chaque trajectoire capricieuse (troisième thème, *popo più moderato*) avec une plasticité exigeante et immuable. La variété des couleurs, des attaques, la diversité de l'accentuation ne se départient jamais d'une plénitude sombre, jaillissante. Version avant tout unitaire, libérée des contingences, d'une somptuosité rhétorique irréprochable, qui restitue le Premier Concerto à sa véritable place : un des quatre ou cinq chefs-d'œuvre absolus de Brahms et peut-être, avec l'«Empereur», le plus grandiose Concerto pour clavier jamais écrit. La prise de son est d'une rondeur, d'une homogénéité extraordinaires, et le Concertgebouw, galvanisé, à son sommet.

Plus encore que dans son second enregistrement de ce concerto, réalisé avec Haitink, Arrau impose son jeu comme un absolu modèle d'authenticité brahmsienne. Soutenu par un Giulini d'une beauté expressive et stylistique à vous couper le souffle, il rend sensible la luminosité de chaque incise thématique ; et par un équilibre souverain entre l'assise rythmique et l'éloquence de la mélodie, il donne toute son amplitude au discours épique de Brahms. Il s'agit sans doute de la plus grande interprétation jamais enregistrée de ce concerto.

La version d'Ashkenazy et Haitink est simplement incomparable. C'est le texte même, mais tout le texte, dans des conditions d'exposition claire, nue et même crue, sans un refuge dans le tissu des cordes. Une seule respiration, mais toute puissante, semble mener de concert un piano qui a droit à la totalité du spectre de ses nuances et de ses vigueurs, et un orchestre présent dans la totalité de la variété et de la vérité de ses timbres.

Jochum pratique un tempo légèrement plus modéré qu'à son habitude dès le *maestoso* initial, et sa direction, ses phrasés très amples ne cessent de regarder vers l'univers brucknérien, ce qui n'est pas, loin de là, un réel contre-sens. Guilels, d'une majesté très assise, dégage des accents plus durs, plus nets que variés, et la mise en valeur des nuances de timbres, de toucher demeure sans doute moindre qu'avec Brendel. L'œuvre gagne en équilibre, en clarté, en lyrisme décanté ce qu'elle abandonne en mystère. Lecture épurée, d'une plasticité magistrale, qui bénéficie de surcroît d'un orchestre admirable (Berlin !) et d'une technique d'enregistrement absolument parfaite.

Szell respire volontairement peu (premier mouvement) et Serkin accentue encore l'effervescence dynamique, rythmique, du discours, ce qui donne à l'ensemble une atmosphère de lutte enfiévrée extraordinairement prenante. L'*adagio* devient, au contraire, d'une retenue quasi marmoréenne, à peine tempérée par l'héroïsme altier conféré au Finale. L'ardeur de Serkin, son style comme improvisé offrent un contraste aussi savoureux qu'enrichissant avec la sévérité stricte de George Szell. Prise de son ingrate, orchestre parfait mais froid.

C'est un immense poème qui s'affirme dans l'interprétation Arrau-Haitink, très large (tempo), détaillé sinon même analytique, et toujours interrogative (section centrale du *maestoso*). Arrau souligne davantage l'influence de Schumann (phrases lentes du *maestoso, adagio* en son entier), davantage que quiconque et Haitink, au service d'une conception très complète, complexe de l'ouvrage rend remarquablement justice au moindre détail timbrique (le cor du *maestoso*) qu'il intègre dans une approche fondamentalement méditative. L'agencement général ne disparaît guère, mais le violent mouvement dramatique habituel est ici remplacé par une variété d'accents (notamment dans l'éclairage des soubassement harmoniques) savante et purifiée. Version hautaine, qui ne s'apprécie qu'à la longue, mais d'une trempe authentiquement brahmsienne.

La réunion Weissenberg-Giulini l'emporte bien davantage par l'extrême éloquence de phrasé du chef (l'introduction du *maestoso*, sans doute inégalée), sa souplesse de tempo, sa respiration d'un dramatisme électrisant qui définit le Premier Concerto telle une irrésistible symphonie avec piano, d'un coup proche de Liszt ou de Wagner. Le jeu de Weissenberg, pour virtuose, maîtrisé qu'il soit, est sans aucun doute beaucoup moins enthousiasmant (*adagio* trop impersonnel). Le romantisme expressif de Giulini, qui tire avec justesse le jeune Brahms vers l'école «néo-allemande», vaut à lui seul le détour.

Concerto n° 2 pour piano et orchestre en si bémol majeur op. 83.

❀*** Alfred Brendel (piano), Orch. du Concertgebouw d'Amsterdam, Bernard Haitink. Philips 6500.767. Enregistré en 1973.

❀*** Edwin Fischer (piano), Orch. Phil. de Berlin, Wilhelm Furtwängler. Unicorn UN 102 (G-B). Ou EMI VSM 2C 153-53.420/26 (7 d.). Mono (origine 78 t.). Enregistré en 1942. *+ Intégrale des Symphonies, Danses Hongroises, Concerto pour violon, Double Concerto, Variations sur un thème de Haydn.*

❀*** Claudio Arrau (piano), Orch. Philharmonia, Carlo Maria Giulini. EMI Electrola C 037-00.568 (RFA). Enregistré en 1963.

*** Emil Guilels (piano), Orch. Symph. de Chicago, Fritz Reiner. RCA CCV 5042 (G-B). Enregistré en 1957.

*** Wilhelm Backhaus (piano). Orch. Phil. de Vienne, Karl Boehm. Decca 592.068. Enregistré en 1966.

*** Gezá Andá (piano), Orch. Phil. de Berlin, Herbert von Karajan. DG 2535.263 (sup.). Enregistré en 1967.

** Artur Schnabel (piano), Orch. Symph. de la BBC, Adrian Boult. EMI Da Capo C 181-53.348/49 (2 d.) (sup.). Mono (origine 78 t.). Enregistré en 1935. *+ Concerto n° 1.*

** Maurizio Pollini (piano), Orch. Phil. de Vienne, Claudio Abbado. DG 2530.790. ✉ 3300.790. Enregistré en 1977.

Brendel-Haitink déplacent quelque peu l'impulsion profonde du Deuxième Concerto dans un sens *molto espressivo*, plus équilibré, douloureux et dense que, selon la tradition, brillamment varié. Ce pari est tenu avec grande rigueur. L'*allegro non troppo*, très dramatique, l'*allegro appassionato*, rendu telle une phase de romantisme juvénile venant d'un coup tomber en une œuvre résultant au contraire de la maturité, de l'expérience, sont autant d'exceptionnelles réussites. Le piano de Brendel est toujours profond, le dynamisme interne de son phrasé toujours subtil, la netteté des attaques exceptionnelle. Cet enregistrement fougueux, fort singulier quant au style et quant à l'option interprétative, bénéficie d'une prise de son probablement unique, et d'un orchestre chaleureux, capiteux et particulièrement généreux dans les graves.

Furtwängler impose une conception architecturale extrêmement vaste à l'*allegro non troppo*, et les trois autres temps s'inscrivent presque dans cette même perspective d'infini, de continuité du geste. Edwin Fischer, avec une inépuisable variété de phrasé, une diction *quasi improvisando*, rate certes quelques traits, mais répond tel un chant purement émotionnel, et mieux que vivant, aux arêtes vives de la direction. Le mouvement atteint la cime, après la folle bourrasque de l'*allegro appassionato*. Un disque puissant, audacieux, à la prise de son (enregistrement public) tout juste passable, mais qui présente l'intérêt absolu de la conjonction de deux des plus grands artistes du siècle, et nous livre un Brahms lumineux, d'une puissance poétique et expressive hallucinante.

Arrau-Giulini se hissent à des sommets de perfection strictement instrumentale. Le clavier d'Arrau, typique d'un style éminemment virtuose autant que réflexif, surprend moins dans les périodes lentes ou méditatives que dans les phases rapides. Son chant est d'une émotion rare, et le clair-obscur comme la poésie de la direction de Giulini, sa profonde pénétration de chaque nuance nous livrent un Concerto en si bémol beaucoup moins autoritaire, moins tendu que d'autres, mais d'une incarnation saisissante dans la précision, la recherche d'inflexion véritable, la continuité psychologique, l'intuition poétique des moindres nuances. Version hautaine, à vrai dire peu accessible, mais d'une nostalgie inégalée. Un modèle d'interprétation brahmsienne.

C'est la perfection avant tout technique, un dramatisme brillant qui l'emportent, au contraire, dans la réunion Guilels-Reiner, longtemps référence suprême de la discographie. Ici, la masse orchestrale dialogue sans cesse à plein avec le piano et la solidité, la vigueur de la direction de Fritz Reiner prolonge remarquablement l'accentuation, le rebondissement rythmique propres au style de Guilels. Le soliste est partout volontairement rigoureux, usant de phrasés stricts, soulignant chacun des angles. La prise de son, sobre, mate, ne porte pas trop son âge.

Backhaus montre à quel point il a approfondi ce deuxième Concerto dont il donne ici son ultime vision, nous révélant un Brahms qui garde toutes ses proportions et ses structures rythmiques dans un équilibre parfait, où les phrases vivent dans un généreux épanouissement, enrichies d'une éloquence directe et chargées d'une profonde inspiration.

Gezá Andá tourne le dos aussi bien à la gravité, l'authenticité *sui generis* d'un Arrau qu'à la violence directe et rhétorique d'un Guilels. Son jeu est d'une rare splendeur dans la variété du toucher, la musicalité, le *legato*. La direction de Karajan, somptueuse et sensuelle, frémit plus que de coutume et l'emporte par un constant lyrisme. Le déploiement des nuances devient grandiose autant qu'inattendu. Approche moderne, capricieuse, libre, dans laquelle structures et forme globale se détachent d'un édifice aux proportions trop visibles et se perçoivent malgré soi. Les tempos sont modérés (finale), mais de fait remarquablement intégrés dans une courbe imaginative et suprêmement élégante. C'est la vision la plus immédiatement abordable de toutes, ce qui ne veut pas dire la moins brahmsienne.

Schnabel-Boult, référence historique, fixent une image précise, un paysage naturel où prévaut avant tout l'éventail des nuances, la liberté rythmique, le *rubato* élégiaque. Schnabel accentue les phases transitoires d'une progression dynamique extraordinairement peu spectaculaire (*allegro non troppo*) et le romantisme de l'*allegro appassionato*, loin de tout déchaînement orageux (*cf.* Brendel-Haitink, Fischer-Furtwängler), atteint ici une concentration idéale. Les plans sont étagés, différenciés avec une souplesse parfaite, les tempos judicieux, le rythme clair et vivant.

Le jeu flamboyant de Pollini relève de la pure perfection, et la direction d'emblée incisive d'Abbado, lançant de magnifiques éclairs, met immédiatement en relief le déroulement temporel comme la complexité structurelle (premier, deuxième mouvement) de l'ouvrage. L'orthodoxie technique, la plénitude stimulante plus que chantante de l'articulation, le contrôle absolu des mélismes traduisent ici un climat plus lumineux, sinon théâtral, que véritablement dramatique. Version hypervirtuose, au meilleur sens du terme, un rien lapidaire (*allegro appassionato*), qui retiendra par la fermeté des contours, l'éclat, le sens du panache, l'absolu respect de la lettre, et surtout par l'attrait supplémentaire de la Philharmonie de Vienne et d'une prise de son ciselée à souhait.

Concerto pour violon et orchestre en ré majeur op. 77.

❀*** Itzhak Perlman (violon), Orch. Symph. de Chicago, Carlo Maria Giulini. EMI VSM C 069-02.899. ⌧ C 269-02.899. Enregistré en 1977.

*** Yehudi Menuhin (violon), Orch. du Festival de Lucerne, Wilhelm Furtwängler. EMI VSM C 051-01.239 M. Mono. Enregistré en 1947. Ou EMI VSM C 153-53.420/26 (7 d.). + *Intégrale des Symphonies, Danses Hongroises, Concerto pour piano n° 2, Double Concerto, Variations sur un thème de Haydn.*

*** Anne-Sophie Mutter (violon), Orch. Phil. de Berlin, Herbert von Karajan. DG 2532.032.

** Ginette Neveu (violon), Orch. Symph. de Radio-Hambourg, Hans Schmidt-Issertedt. Stil-Discothèque 0305 S 48. Enregistré en 1948.

** Gidon Kremer (violon), Orch. Phil. de Berlin, Herbert von Karajan. EMI VSM C 069-02.781. Enregistré en 1976.

** Nathan Milstein (violon), Orch. Phil. de Vienne, Eugen Jochum. DG 2530.592. ⌧ 3300.592. Enregistré en 1975.

** Christian Ferras (violon), Orch. Phil. de Berlin, Herbert von Karajan. DG 138.930. Enregistré en 1963.

* Jasha Heifetz (violon), Orch. Symph. de Chicago, Fritz Reiner. RCA FRL 1 7.226 (sup.).

Carlo Maria Giulini impose une fougue et une grandeur peu communes au Concerto en ré. Itzhak Perlman, magnifique d'intensité, de ferveur, met davantage l'accent sur l'incisivité périlleuse et presque trop nue de la ligne (l'*adagio*) plutôt que sur la souplesse, la plasticité du discours. La lenteur relative des tempos n'empêche nullement l'ivresse la plus folle de jaillir tout au long de ces plages. Giulini pratique un dynamisme sévère, épanoui, dans les deux *allegros*, dévoilant (*coda* de l'*allegro*, ultimes mesures du Finale) une force de retenue au climat crépusculaire et irréel. Cette prodigieuse rencontre - un des plus grands disques Brahms de tous les temps - projette l'ouvrage vers d'insoupçonnables horizons. La qualité du travail d'orchestre et celle de la technique d'enregistrement sont aussi extraordinaires que l'interprétation. (Cadence de *Joachim*). Notons que les lecteurs de *Diapason* ont décerné à cet enregistrement le «Diapason d'or» de l'année 1978, parmi les cinquante Diapasons d'or retenus au cours de cette année.

Furtwängler donne de la première à la dernière mesure une fantastique leçon d'authenticité brahmsienne, choisissant ici, et pour la moindre incise, un immense dramatisme. Certaines envolées (second motif de l'*allegro* initial, section centrale de l'*adagio*) produisent une lumière indicible. Le son de Menuhin était alors d'un charme supérieur, malgré d'indéniables lacunes, d'ailleurs plus techniques que stylistiques. Les rares instants d'accord total entre les deux protagonistes provoquent de captivantes métamorphoses. Sentimentalement, cette splendide, inspirée et imparfaite vision est la plus belle de toutes. Techniquement, la version Perlman-Giulini la dépasse de loin. La prise de son accuse son âge. (Cadence de Kreisler).

Anne-Sophie Mutter s'investit sans concession dans une ligne déclamée avec une poigne de fer, forte, volontaire, mais jamais lourde ou grinçante. Les traits sont soulignés dans un ton grave qui rappelle parfois Perlman, mais aussi, paradoxalement, avec une certaine fragilité qui donne une réelle dimension humaine à cette œuvre. La direction magistrale de Karajan, qui trouve le ton voulu, simplement, sans afféterie, est le soutien le plus efficace que pouvait attendre sa protégée.

Ginette Neveu, au-delà des aléas de la prise de son en direct et d'un orchestre qui est loin d'être de premier plan, nous livre un document d'une obsédante puissance. Précise, s'appuyant sur un altier classicisme, elle fait trop sentir l'épure au détriment de l'ampleur de la courbe dynamique : il n'est question ici que d'une ligne dominée et presque trop intense, que d'un archet à l'assise souveraine qui s'égale sans effort aux plus grands de ce siècle.

Pour sa seconde version (avec Gidon Kremer), Karajan déploie un art vertigineux du *legato*, engendrant tout au long de l'ouvrage une inéluctable, douloureuse rêverie, baignée d'ombre. Le violon de Kremer, littéralement incandescent et fascinant dans chaque demi-teinte, frissonne, bondit, s'embrase, magnétise. Cette réalisation révèle une densité toute physique, sensuelle, et l'efflorescence du réseau polyphonique diffuse un flux de couleurs étincelantes. Interprétation voluptueuse, couronnée par une cadence de Kreisler plus séduisante et irradiante ici que partout ailleurs.

Loin du pari insensé de Kremer-Karajan, Nathan Milstein et Eugen Jochum optent pour la rudesse, la puissance d'accent, le strict contrôle du phrasé et un tempo toujours *giusto* - et même parfois trop vif (Finale). La fermeté du soliste libère un pathos superbe, différent d'essence mais non point divergent ni contradictoire avec l'âpreté, la sobriété de la direction (section centrale de l'*allegro*). Cette interprétation est, de loin, la plus monolithique de toutes. Quant à la lettre, c'est aussi sans doute la plus simple - et la plus parfaite, bien qu'elle privilégie avant tout la clarté de l'architecture, peut-être aux dépens des diverses implications de l'œuvre. (Cadence originale de Nathan Milstein).

Karajan, dans sa première version, joue la carte de l'intimisme, de l'intériorisation, d'un atticisme suprême. Les phrasés sont plus homogènes qu'impulsifs, l'orchestre avant tout exact et vivant. Cette intelligence du texte, ce léger recul quant à la rhétorique sont merveilleusement partagés par Christian Ferras, alors au sommet de son art, et dont le jeu sobre, pur (et surtout la beauté de sonorité ! *cf. adagio*) offre un magnifique contrepoint à la direction souveraine et épurée de Karajan. Orchestre et prise de son absolument parfaits. (Cadence de Kreisler).

Heifetz démontre une éblouissante maîtrise instrumentale, assortie d'une inimaginable sophistication. Fritz Reiner, beaucoup plus sobre, le suit parfois de loin dans cette floraison d'accents et ces extravagantes pérégrinations (*allegro*). Cette insolite et presque exaspérante performance orchestrale reste indispensable à connaître pour tout amoureux de très grand violon. Elle présente d'ailleurs d'extraordinaires aspects positifs, mais se révèle sur le plan strictement musical en fin de compte assez peu brahmsienne. Prise de son datée, orchestre lointain.

Double Concerto pour violon, violoncelle et orchestre en la mineur op. 102.

❀*** David Oïstrakh (violon), Mstislav Rostropovitch (violoncelle), Orch. de Cleveland, George Szell. Chant du Monde LDX 78.495. ✉ K 89. Enregistré en 1970.

*** Josef Suk (violon), André Navarra (violoncelle), Orch. Phil. Tchèque, Karel Ančerl. Supraphon 913.141. + *Ouverture Tragique.*

** Henryk Szeryng (violon), János Starker (violoncelle), Orch. du Concertgebouw d'Amsterdam, Bernard Haitink. Philips 6500.137 (G-B).

** Willi Boskovsky (violon), Emmanuel Brabec (violoncelle), Orch. Phil. de Vienne, Wilhelm Furtwängler. EMI VSM C 153-53.420/26 (7 d.). Enregistré en 1952. + *Intégrale des Symphonies, Danses Hongroises, Concerto pour piano n° 2, Concerto pour violon.*

George Szell taille dans la masse, *ex abrupto*, usant d'une liberté de phrasés, d'accents impulsifs qui ne laissent pas d'étonner de sa part. Ce romantisme étourdissant de la direction renouvelle la question, et s'accorde au mieux au pathétisme généreux, débridé de Rostropovitch comme au violon d'Oïstrakh, davantage serein. L'*allegro* initial éclate avec une grande puissance. Le tempo, *giusto* pour le premier temps, s'étire dans l'*andante*, ici baignée d'une belle poésie. Le Finale, constamment passionné, renoue avec une conception de Brahms fort peu brumeuse, mais, au contraire, enflammée et éloquente. Une vision certes partiale, irrésistible en maints endroits, la plus forte et la plus intrinsèquement personnelle de toutes.

Ančerl offre l'image d'un style sévère, perçant, et dont la grandeur dénuée de grandiloquence accompagne avec rigueur les personnalités si différentes de Navarra et Suk. La rudesse (et l'audace) de construction de l'*allegro* apparaît sans doute moins qu'avec Szell (ou Furtwängler), au profit d'inflexions parfois plus charnelles, méditatives (deuxième et troisième thème, et leur retour lors du troisième grand *tutti* orchestral). Le tempo (Finale) est ample, sans excès, l'orchestre typé et rutilant à souhait, les phrasés d'un beau romantismes intériorisé (*andante*), la prise de son directe et mate.

L'approche de Haitink est beaucoup plus mesurée et classique que celle de ses concurrents. C'est la pulsation intime de l'œuvre, la fluidité mélodique, le polythématisme auda-

:ieux du premier *allegro* qui sont ici mis en :vidence dans les moindres détails. Szeryng naîtrise superbement sa partie, d'un style out en finesse, mais on peut lui préférer le hrasé sombre, crépusculaire du violoncelle le János Starker, remarquablement caracté-isé (et admirablement brahmsien). Le Dou-le Concerto perd en clarté tranchante (*cf.* Szell, Ančerl) ce qu'il gagne en majesté et en mpeccable assise rythmique. La prise de son rivilégie les graves - ce qui favorise le Con-ertgebouw.

Furtwängler et ses deux solistes - qui sont partie prenante de la Philharmonie de Vienne - fuient l'esthétique concerto et dé-montrent par une efficace pénétration des ignes à quel degré l'*Opus 102* peut s'appa-enter par l'esprit (plus que par la facture) à a pure musique de chambre. Furtwängler onstruit l'immense *allegro* telle une pérégri-ation quasi libertaire. La modernité d'une elle approche renvoie au romantisme lisz-ien : en effet, jamais autant que là Brahms e s'est détourné de la stricte forme sonate. Il aut citer l'importance capitale donnée à telle u telle note (parmi cent autres exemples, le etour du premier thème, mes.143 et suiv., ou ien les ultimes *pizzicatos* d'orchestre, coda le l'*allegro*). L'*andante*, d'un singulier *ruba-o*, le Finale, malgré des phrasés presque ana-ytiques, laissent prévoir une symphonie ntière par leur rythme interne et leur vio-ence expressive. Malheureusement, sur le lan de la virtuosité technique, Boskovsky et Brabec ne sont guère transcendants, et la rise de son demeure juste passable.

Vingt-et-une Danses Hongroises, pour piano à quatre mains.

** Julius Katchen et Jean-Pierre Mar-ty (piano). Decca 592.163 (11 d.). + *Intégrale de l'œuvre pour piano, Les 3 Sonates pour violon et piano, So-nate pour violoncelle et piano n° 2, Les 3 Trios pour piano et cordes.*

** Michel Béroff et Jean-Philippe Collard (piano). EMI VSM C 069-12.829. ⌧ C 269-12.829.

* Alfons et Aloys Kontarsky (piano). DG 2530.710.

Ces Danses d'inspiration hongroise, ou lutôt tzigane, firent couler beaucoup d'encre lès leur parution, et suscitèrent de nombreu-es polémiques. Certaines, en effet, ne sont que de pures transcriptions de thèmes qui ne ont pas de Brahms ; d'autres sont de son ntière invention. Le Brahms «hungarisant» st le plus difficile à cerner qui soit, tellement sa propre imagination rythmique se confond (ou l'emporte) avec l'originalité rythmique du style populaire ou tzigane qu'il veut ainsi exalter. La version Katchen-Marty demeure d'une superbe objectivité, conservant juste-ment l'humeur spécifiquement brahmsienne et «nordique» de ces pseudo-danses hongroi-ses. Excellente prise de son.

Béroff et Collard sont plus enjoués, plus immédiatement expressifs, mais leur géné-reux brio, leur sens du *cantabile* illustrent davantage la superficialité joyeuse d'une telle musique que ses perspectives d'«études ryth-miques» (*cf.* Katchen-Marty).

Le Duo Kontarsky joue avec grande viva-cité, caractérisant chacune des Danses dans une optique simple et dépouillée. Vision froide, pauvre en couleurs, mais qui rend pleinement justice aux raffinements rythmi-ques de ces pages de divertissement.

Sept Fantaisies pour piano op. 116.

❀*** Julius Katchen (piano). Decca 592.163 (11 d.). + *Intégrale de l'œuvre pour piano, Les 3 Sonates pour violon et piano, Sonate pour violoncelle et piano n° 2, Les 3 Trios pour piano et cordes.*

*** Emil Guilels (piano). DG 2530.655 (sup.). + *Ballades op. 10.*

** Pascal Rogé (piano). Decca SXL 6.786 (G-B). Enregistré en 1978. + *Variations et Fugue sur un thème de Haendel.*

Les *Fantaisies op. 116* sont par certains aspects (dynamisme touffu et quasi «sym-phonique» des *Caprices*) beaucoup plus pro-ches de l'*Opus 76* que des trois ultimes cycles de rêveries pianistiques (*Op. 117, 118, 119*). Katchen offre une écrasante perfection tech-nique, doublée d'une acuité remarquable des subtilités rythmiques et des brusques con-trastes expressifs de ces pages beaucoup moins immédiates qu'on pourrait le croire. Approche violemment habitée, et pianisti-quement somptueuse.

Guilels offre de larges traits, un phrasé dense et austère qui avantage la rudesse d'écriture des *Caprices (Capriccio en ré mi-neur, Capriccio en sol mineur, Capriccio en ré mineur/la mineur).* Vision pure et classique.

Pascal Rogé privilégie, au contraire, les demi-teintes des *Intermezzi*, maîtrisant sans doute moins l'architecture globale ; mais il est magistral dans les nuances, l'élégance et la générosité du *rubato*, le pré-debussysme subtil et miroitant de certaines de ces pages (*Intermezzo en mi majeur*).

Trois Intermezzi pour piano op. 117.

❀*** Stephen Bishop-Kovacevich (piano). Philips 839.722 (sup.). + *Variations et Fugue sur un thème de Haendel, Klavierstücke op. 119.*

❀*** Radu Lupu (piano). Decca SXL 6504 (G-B). + *Rapsodie op. 79 n° 1. Schubert : Sonate pour piano en la mineur D. 784.*

*** Julius Katchen (piano). Decca 592.163 (11 d.). + *Intégrale de l'œuvre pour piano, Les 3 Sonates pour violon et piano, Sonate pour violoncelle et piano n° 2, Les 3 Trios pour piano et cordes.*

*** Wilhelm Kempff (piano). DG 138.903 (sup.). + *Klavierstücke op. 118 et 119.*

*** Inger Södergren (piano). Calliope CAL 1679. ⌧ 4.679. Enregistré en 1980. + *Rapsodies op. 79 nos 1 et 2, Klavierstücke op. 118.*

** Yves Nat (piano). EMI VSM «Références» C 051-16.400. Mono. Enregistré en 1955. + *Rapsodies op. 79 nos 1 et 2, Variations et Fugue sur un thème de Haendel.*

** Balint Vazsonyi (piano). Pye TPLS 13.035 (G-B). + *Rapsodies op. 79 nos 1 et 2, Variations et Fugue sur un thème de Haendel.*

Les trois *Intermezzi* de l'*Opus 117* sont des nocturnes, et même des paysages funèbres, d'une coloration tout en demi-teintes, et parmi les plus délicates à interpréter des pages pianistiques de Brahms. Stephen Bishop-Kovacevich se montre mystérieux, mais jamais ni morne ni triste, car il sait remarquablement traduire la concentration intérieure, l'impatience rythmique et surtout le singulier traitement mélodique de ces trois nébuleuses de l'*Opus 117*. La fermeté des contours se révèle ici idéale.

Radu Lupu adopte un ton sobre, rêveur, usant d'un toucher admirablement coloré ; sa retenue s'appuye sur un phrasé clair et profondément épuré qui va droit au texte.

Katchen est sombre, il recrée l'expression la plus délibérément funèbre d'une telle musique. Une certaine lourdeur percutante accentue ici la tension dramatique ; mais ce jeu capiteux, intense est bien le reflet d'une admirable compréhension des «caprices de la douleur» brahmsiens.

Wilhelm Kempff, très souple, très narratif, se meut tout au contraire dans un profond rêve... Il atteint ainsi une belle pureté dans les demi-teintes et dans le *rubato* expressif.

Inger Södergren concilie un sens constamment renouvelé du détail, une absolue rectitude quant à la lettre et la plus extrême clarté polyphonique. Le tempo est lent, la couleur variée (toucher), la réserve naturelle et frappante. L'*Intermezzo n° 3* (ut dièse mineur/la majeur) offre une magnifique limpidité de texture.

Nat, nerveux, abrupt, au tempo vif, rappelle à dessein toute la véhémence sous-jacente des trois *Intermezzi*. Le phrasé est imaginatif, menaçant, la variété du toucher et de l'expression remarquables. Mais l'on s'éloigne peut-être de tout un aspect secret de ces œuvres, et l'expression reste sans doute trop descriptive.

Balint Vazsonyi use d'un style beaucoup plus souple, et privilégie les contrastes coloristiques. Excellente technique pianistique.

Klavierstücke (Huit Pièces pour piano) op. 76.

❀*** Julius Katchen (piano). Decca 592.163 (11 d.). + *Intégrale de l'œuvre pour piano, Les 3 Sonates pour violon et piano, Sonate pour violoncelle et piano n° 2, Les Trios pour piano et cordes.*

** Walter Gieseking (piano). EMI Da Capo C 147-01.575/76 (2 d.) Mono. + *Rapsodies op. 79 nos 1 et 2, Quatre Fantaisies de l'Opus 116, Klavierstücke op. 118 et 119.*

Les *Caprices* et *Intermezzi* de l'*Opus 76* possèdent une expression symphonique, sombrement véhémente que Julius Katchen amplifie d'un style sévère, plus puissant que ductile. Le contrepoint (*Capriccio en fa dièse mineur, Capriccio en sol mineur*) comme l'invention rythmique (*Capriccio en ut dièse majeur*) sont éclairés et intégrés en un somptueux mouvement d'ensemble. Bonne prise de son.

Gieseking est beaucoup plus insinuant, sinon subtil, et l'emporte dans la transparence cristalline de l'*Intermezzo en la bémol majeur*, dans la douceur rêveuse de l'*Intermezzo en la majeur*. Approche mélancolique, sans doute moins dense ni charnue que celle d'un Katchen, mais captant parfois mieux les détours les plus imprévus du style pianistique de Brahms.

Klavierstücke (Six Pièces pour piano) op. 118.

❀*** Julius Katchen (piano). Decca 592.163 (11 d.). + *Intégrale de l'œuvre pour piano, Les 3 Sonates pour violon et piano, Sonate pour violoncelle et piano n° 2, Les 3 Trios pour piano et cordes.*

❀*** Radu Lupu (piano) Decca SXL 6.831 (G-B). Enregistré en 1976. + *Rapsodie op. 79 n° 2, Klavierstücke op. 119.*

❀*** Wilhelm Backhaus (piano). Decca «Eclipse» ECS 691 (G-B). + *Rapsodie op. 79 n° 1, Klavierstücke op. 76 n° 2, Fantaisie op. 116 n° 6, Intermezzo op. 117 n° 1, Klavierstücke op. 119 n°s 2 et 3.*

*** Inger Södergren (piano). Calliope CAL 1679. ⊠ 4.679. Enregistré en 1980. + *Rapsodies op. 79 n°s 1 et 2, Intermezzi op. 117.*

** Wilhelm Kempff (piano), DG 138.903 (sup.). + *Intermezzi op. 117, Klavierstücke op. 119.*

** György Sebök (piano). Erato 8046 (sup.). + *Valses op. 39.*

** Walter Gieseking (piano). EMI Da Capo C 147-01.575/76 (2 d.). Mono. + *Rapsodies op. 79 n°s 1 et 2, Klavierstücke op. 76, Quatre Fantaisies de l'Opus 116, Klavierstücke op. 119.*

D'abord moins immédiat (parce que plus hétérogène) que tous les autres cycles pianistiques de l'ultime période créatrice, l'*Opus 118* reste à notre avis un des plus puissants mais difficiles chefs-d'œuvre du compositeur. Il culmine dans l'extraordinaire *Intermezzo en mi bémol mineur* que Brahms destinait - tout comme le premier temps du Quintette à cordes op. 111 - à une éventuelle Cinquième Symphonie. Katchen est d'une force remarquable d'un bout à l'autre, il intègre à merveille l'aspect héroïque, la rudesse expressive (Ballade en sol mineur, *Intermezzo en fa mineur*) et les subtilités fort savoureuses de l'écriture contrapuntique. Vision ample, narrative, d'une authenticité passionnée, et interrogative. Le toucher est dur, la prise de son mate.

A l'extrême opposé de Katchen, Radu Lupu privilégie la courbe mélodique, aux dépens parfois de la clarté polyphonique. Mais son jeu, transparent, coloré, se révèle d'un pianisme irrécusable. Approche hypersensuelle, d'humeur impulsive, parfois plus tournée vers l'instrument que vers la *Phantasie* brahmsienne, excepté toutefois dans un exceptionnel *Intermezzo en mi bémol mineur* où Radu Lupu découvre sans aucun doute le plus mystérieux visage de Brahms.

Backhaus, choisissant et conservant tout au long une singulière vivacité de tempo, saisit surtout l'impulsion rythmique. La courbe dynamique reste remarquable, le phrasé est discipliné, l'articulation toujours évidente et parfois même (Ballade en sol mineur, *Intermezzo en mi bémol mineur*) d'une sévérité impitoyable. Prise de son ancienne mais claire.

Södergren, usant d'un généreux tempo, est plus intense dans les détails que dans le mouvement d'ensemble. Elle individualise chacune des Pièces plutôt qu'elle ne les intègre. Les premiers accords de la grande Ballade en sol mineur, saccadés, s'isolent trop du contexte, mais le lyrisme des *Intermezzi en la majeur* (deuxième thème) et en *fa mineur*, celui, rayonnant et cursif, de la *Romanze* (fa majeur/ré majeur) sont captés avec infiniment de sens poétique.

Kempff offre une stupéfiante liberté de respiration ; il ralentit, allège sans cesse. Lecture fantasque, sans emphase, mais d'une étonnante délicatesse dans les nuances, et parfois d'une assez riche désinvolture.

Sebök, intense, déconcerte beaucoup moins et maîtrise avec clarté les plus infimes sautes d'humeur. Approche logique, régulière, pacifiée qui rapproche peut-être trop l'*Opus 118* de l'atmosphère moins inquiétante des *Opus 117* et *119*.

Gieseking joue surtout sur la couleur, la beauté du son, la sérénité parfois maniériste du *cantabile*. Son *legato* est vraiment inspiré, mais la tension dramatique demeure un peu trop absente (*Intermezzo en la mineur*). Approche plus charmeuse que réellement émotionnelle (*cf.* Kempff) ou même sensuelle (*cf.* Lupu).

Klavierstücke op. 118 (extraits) : Intermezzo en la mineur op. 118 n° 1, Ballade en sol mineur op. 118 n° 3, Intermezzo en mi bémol mineur op. 118 n° 6.

❀*** Sviatoslav Richter (piano). Chant du Monde-Mélodia LDX 78.558 (sup.). + *Schumann : Bunte Blätter.*

Sviatoslav Richter n'a enregistré que trois des six *Pièces op. 118* (les trois plus grandes d'ailleurs), et c'est bien dommage. Désinvolture improvisante et aristocratique du phrasé (*Intermezzo en la mineur*), concentration formidable de l'articulation (*Ballade en sol mineur*), souffle irrésistible, impitoyable du mouvement (*Intermezzo en mi bémol mineur*) : une géniale recréation, hyperpersonnelle, faisant fi des traditions, fulgurante d'accent et de présence, couplée à une très subtile vision des *Bunte Blätter* de Schumann.

Klavierstücke (Quatre Pièces pour piano) op. 119.

❀*** Julius Katchen (piano). Decca 592.163 (11 d.). + *Intégrale de l'œuvre pour piano, Les 3 Sonates pour violon et piano, Sonate pour violoncelle et piano n° 2, Les 3 Trios pour piano et cordes.*

❀*** Radu Lupu (piano). Decca SXL 6.831 (G-B). Enregistré en 1976. + *Rapsodie op. 79 n° 2, Klavierstücke op. 118.*

❀*** Rudolf Serkin (piano). CBS 76.913. Enregistré en 1979. + *Variations et Fugue sur un thème de Haendel.*

*** Stephen Bishop-Kovacevich (piano). Philips 839.722 (sup.). + *Intermezzi op. 117, Variations et Fugue sur un thème de Haendel.*

** Wilhelm Kempff (piano). DG 138.903 (sup.). + *Intermezzi op. 117, Klavierstücke op. 118.*

** Balint Vazsonyi (piano). Pye TPLS 13.016 (G-B). + *Fantaisies op. 116 nos 1, 2 et 3, Variations sur un thème original op. 21 n° 1.*

Katchen, plus réfléchi qu'instinctif dans les deux premières pièces (*Intermezzi en si mineur* et *en mi mineur*), en traduit surtout le caractère grave, douloureux même, cet aspect *ritenuto* qui prolonge, en un lyrisme savamment complexe, l'univers de la valse. L'adorable sourire en *do* majeur (*Intermezzo n° 3*) retrouve ici toute l'étrangeté d'une simple danse de l'au-delà ; l'héroïque *Rapsodie en mi bémol* tout son *espressivo* solitaire et nordique. La fermeté de l'articulation, la sévérité du toucher renvoient au Brahms des grandes Sonates. Approche exigeante, d'une splendide maturité technique et intellectuelle : un des sommets absolus de l'intégrale de l'œuvre pour piano de Brahms signée Julius Katchen.

Lupu, à la fois intense et mystérieux, s'impose par la ductilité du phrasé, la souplesse du rythme (*Intermezzo en ut*), la qualité coloristique du toucher, l'éclairage exact donné aux longues lignes mélodiques. Vision sensuelle, et cependant chargée d'émotion, sinon de tension, qui culmine dans l'évasion tournoyante, elliptique de l'*Intermezzo en ut* comme dans la vaillance fortement dramatisée de l'ultime *Rapsodie en mi bémol*. Admirable enregistrement, couplé avec des versions de référence de l'*Opus 118*, et de la *Rapsodie en sol mineur*. La prise de son ne se situe malheureusement pas à la hauteur de l'interprétation.

Rudolf Serkin éclaire fantastiquement l'aspect «oblique» de la polyphonie contrapuntique de Brahms, écriture qui repose davantage sur le rôle de l'intervalle que sur celui du thème. Les enchevêtrements laissent ici apercevoir une imagination harmonique et rythmique directement prémonitoire du Schoenberg des *Klavierstücke*. Approche profondément analytique, audacieuse dans sa révélation du moindre détail, d'une austérité de phrasé et de mouvement qui fait réfléchir.

Bishop-Kovacevich exprime un certain équilibre entre l'élan sensuel (Lupu) et la clarté du dessin (Katchen, Serkin). Il pénètre sans doute moins en profondeur, mais offre en contrepartie un beau *cantabile*, et fait preuve d'un style sensible et châtié dans l'éclairage des enchaînements harmoniques (deux premiers *Intermezzi*).

Wilhelm Kempff, totalement intuitif et réfractaire au dynamisme analytique d'un Rudolf Serkin, s'isole dans le rêve, tempère d'un *legato* mélancolique la dureté de certaines lignes médianes. Vision sereine, née de la plus grande spontanéité, de l'inspiration de l'instant.

Vazsonyi exprime remarquablement toutes les nuances du texte, la flexibilité du rythme (*Intermezzi en mi mineur* et *en ut*). Les couleurs (toucher) sont naturelles, le *rubato* discret mais excellent, l'articulation (deuxième et troisième thème de la *Rapsodie en mi bémol*) étudiée mais irréprochable.

Liebeslieder Walzer pour chœur et piano à quatre mains op. 52 et op. 65.

** Gächinger Kantorei, Jürgen Uhde et Renate Werner (piano), Helmuth Rilling. Vox Turnabout TV 34.277 (étr.).

Les *Liebeslieder Walzer* (valses de chansons d'amour) sont une œuvre mineure, mais d'une séduction ardente et pure. Tendresse, souplesse d'inflexion, justesse infaillible de l'assise rythmique : un Brahms secret, à l'enivrante mélancolie.

Lieder, intégrale.

*** Jessye Norman (s), Dietrich Fischer-Dieskau (bar), Daniel Barenboïm (piano). DG 2740.279 (10 d.). Enregistré en 1972, 1981 et 1982.

On note chez Fischer-Dieskau quelques brutalités d'attaque çà et là, comme pour surcompenser l'insolent moelleux de la diction et du souffle, mais toujours un legato, une intonation, une intelligence, une sympathie qui conviennent singulièrement à Brahms. Jessye Norman s'impose par l'ampleur suave et solennelle du phrasé, l'attaque, l'intonation, l'inspiration. Nous n'avons qu'un regret : que sa portion soit congrue, son partenaire s'appropriant tout ce qui n'est pas spécifiquement destiné à la voix de femme. Quant à Barenboïm, il est l'âme vivante des plus belles réussites de cet album.

Lieder : La Belle Maguelonne, quinze romances sur des poèmes de Ludwig Tieck op. 33.

❀*** Dietrich Fischer-Dieskau (bar), Sviatoslav Richter (piano). EMI VSM C 065-02.155 (sup.).

Le cycle des *Romanzen aus Tieckes' Magelone op. 33* est un formidable et fantasmagorique chef-d'œuvre ; il contient au moins quatre des plus belles mélodies (*«Sind es Schmerzen, sind es Freuden», «Wir müssen uns trennen, geliebtes Saitenspiel», «Ruhe, Süssliebchen», «Muss es eine Trennung geben»*) que Brahms ou n'importe qui ait jamais inventées. Ceci pour répondre aux âneries proférées par Nietzsche, Bruckner, Hugo Wolf («Brahms n'a point de thème» !», lesquels osaient nier tout génie mélodique au compositeur. Dietrich Fischer-Dieskau et Sviatoslav Richter, s'aventurant sans cesse dans l'illumination, le vertige, n'offrant qu'expression chaleureuse, intensité contenue ou exaltée du moindre phrasé (*«Ruhe, Süssliebchen !»*). La diction, la sensibilité, l'élasticité rythmique des deux partenaires se révèlent véritablement inouïes. Une des plus grandes réalisations de toute l'histoire de l'enregistrement.

Lieder : Quatre Chants sérieux op. 121.

❀*** Hans Hotter (bar), Gerald Moore (piano). EMI Da Capo C 147-01.633/4 (2 d.) (RFA). + *Lieder op. 96 n° 2 et op. 94 n° 1. Arias de Bach et de Haendel, Lieder de Schubert et de Wolf.*

*** Alexander Kipnis (bar), Gerald Moore (piano). EMI HLM 7.040 (G-B). Ou Angel Seraphim 60.076 (USA). Mono (origine 78 t.). Enregistré en 1936.

*** Kathleen Ferrier (c), John Newmark (piano). Decca 592.159. Mono. Enregistré en 1949. + *Lieder. Haendel : airs extraits d'Admeto et d'Atalanta. Purcell : air extrait de The Fairy Quenn.*

** Dietrich Fischer-Dieskau (bar), Jörg Demus (piano). DG «Privilège» 2538.032 (sup.). + *9 Lieder.*

** Janet Baker (ms), André Previn (piano). EMI HMV ASD 3.605 (G-B). + *9 Lieder.*

* Dietrich Fischer-Dieskau (bar), Daniel Barenboïm (piano). DG 2707.066 (2 d.). + *Un Requiem Allemand.*

Hans Hotter et Gerald Moore arrivent à une parfaite fusion de l'archaïsme d'inspiration des *Quatre Chants sérieux* et de leur ample symphonisme d'écriture. Le style mélodique demeure sévère, dense, passionnel. Voilà sans aucun doute l'absolue référence.

Alexander Kipnis offre une noblesse de phrasé, un impact dramatique réellement admirables. Le timbre, l'ampleur, la technique vocale de Kipnis sont extraordinaires. L'enregistrement est ancien (1936), mais le repiquage se révèle excellent.

Kathleen Ferrier transfigure de tout son art ces *Chants* destinés à une voix masculine grave. Vision suprêmement émotionnelle, bouleversante d'angoisse et de chaleur d'inflexion, couplée avec des interprétations tout aussi géniales des magnifiques Lieder op. 91 n°s 1 et 2, en trio (avec alto à cordes).

Fischer-Dieskau a enregistré plusieurs fois les *Quatre Chants sérieux*. Sa version avec Jörg Demus demeure une des plus sobres ; les lignes sont pures, le phrasé simple, l'homogénéité et la justesse des nuances impressionnantes.

Janet Baker joue de subtiles variations coloristiques ; elle oublie un peu l'état d'esprit austère, la gravité réfléchie du texte au profit d'une souplesse, d'une ductilité rythmique profondément originales, mais profondément brahmsiennes. La finesse de nuances (phrasé, *pianissimos*, sons filés) reste remarquable. Approche intime, introvertie, à l'extrême opposé des versions Fischer-Dieskau.

Fischer-Dieskau avec Barenboïm souligne toute la portée psychologique et spirituelle du texte (*«Iche wandte mich»*) au détriment peut-être de la simple courbe (*«O Tod, wie bitter bist du»*). Approche hyperexpressive, éloquente, bénéficiant d'un accompagnement sophistiqué, inattendu mais parfois excellent de Daniel Barenboïm.

Lieder : Gestillte Sehnsucht et Geistliches Wiegenlied op. 91 (avec alto obligé), Ständchen op. 106 n° 1, Auf dem Kirchhofe op. 105 n° 4, Therese op. 86 n° 1, Sapphische Ode op. 94 n° 4, Der Jäger op. 95 n° 4, Regenlied op. 59 n° 3, Vergebliches Ständchen op. 84 n° 4.

*** Janet Baker (ms), André Previn (piano), Cecil Aronowitz (alto). EMI HMV ASD 3.605 (G-B). + *Quatre Chants sérieux.*

Les deux Chants pour voix d'alto avec accompagnement de piano et d'alto (*Gestillte Sehnsucht, Geistliches Wiegenlied*), pages parmi les plus surprenantes et mélancoliques du compositeur, libèrent avec Janet Baker une subtile poésie, d'un émouvant romantisme nocturne. *Auf dem Kirchhofe*, d'une grande simplicité, la célébrissime *Saphische Ode*, le prodigieux *Regenlied* («source» de la Première Sonate pour violon et piano) sont un complément idéal. Semblant rêver, Janet Baker est unique dans la tendresse, exemplaire dans la pureté des lignes et le ton élégiaque. Ce seul album-récital (qui comporte également une admirable version des *Quatre Chants sérieux*) résume à lui seul à peu près toutes les facettes du lied brahmsien.

Lieder : Von ewiger Liebe op. 43 n° 1, Die Mainacht op. 43 n° 2, Therese op. 86 n° 1, Botschaft op. 47 n° 1, Der Tod, das ist die kühle Nacht op. 96 n° 1, Wie Melodien zieht es mich op. 105 n° 1, Immer leiser wird mein Schlummer op. 105 n° 2, Meine Liebe ist grün op. 63 n° 5, Deux Lieder avec alto obligé op. 91 (Gestillte Sehnsucht, Geistliches Wiegenlied), O komme, holde Sommernacht op. 58 n° 4, Ständchen op. 106 n° 1.

** Jessye Norman (soprano), Geoffrey Parsons (piano), Ulrich von Wrochem (alto). Philips 9500.785. ⌧ 7300.859.

Sans doute moins libre, inspirée ni audacieuse que Janet Baker (notamment dans l'usage du *ritardando* ou du *pianissimo*), Jessye Norman offre un panorama tout aussi subtil et riche. *Therese, Von ewiger Liebe, Botschaft, Meine Liebe ist grün*, ou *Der Tod, das ist die kühle Nacht* sont en e ffet quelques-unes des plus saisissantes productions de Brahms dans le domaine du lied. La voix de Jessye Norman, généreuse, opulente, expressive, ne va guère au-delà du texte. Mais son approche ardente et impulsive apparaît d'évidence une excellente initiation.

Musique chorale intégrale.

*** Edith Mathis (s), Ann Murray (a), Gerhard Dickel (orgue), Solistes instrumentaux et membres de l'Orch. Symph. de la NDR de Hambourg, Günter Jena. DG 2741.018 (6 d.).

Sacrés ou profanes, ces choeurs offrent une grande variétés de combinaisons : jusqu'à huit voix, avec ou sans piano ou instruments, participation de solistes, choeurs d'hommes, etc. Une constante demeure, la «patte» du musicien. Cette puissance un peu drue, la densité de la matière chorale, parfois massive, toujours pleine, vigoureuse, au coloris tendant vers le sombre. L'exécution du choeur de Hambourg est superbe, et s'inscrit dans la plus haute tradition des choeurs allemands. Ensemble, qualité superbe des voix, justesse parfaite, caractère très typé et différencié pour chaque page.

Le reste du programme a sans doute moins d'intérêt. L'interprétation du Chœur Monteverdi de Hambourg dirigé par Jürgen Jürgens est d'une clarté, d'une flexibilité parfaites.

Musique chorale : Vier Gesänge pour voix de femmes, deux cors et harpe op. 17, Quatuors pour soprano, contralto, ténor, basse et piano op. 92, Lieder und Romanzen a cappella pour quatre voix mixtes op. 93a, n°s 2, 3 et 4.

* Gächinger Kantorei, Helmuth Rilling, Martin Galling (piano), Heinz Lohan et Karl Ludwig (cors), Char-

lotte Cassedanne ssedanne (harpe). Baerenreiter Musicaphon BM SL 1.329 (RFA).

Cet album est le seul à réunir les étranges ›t mystérieux *Vier Gesänge op. 17* pour voix le femmes, deux cors et harpe : formation nsolite, délicieuse et irremplaçable lumière ıordique qui illumine toutes les plus belles ›ages de la jeunesse du compositeur.

Nänie pour chœur et orchestre op. 82.

** Ch. Pro Arte de Lausanne, Orch. de la Suisse Romande, Ernest Ansermet. Decca SET 333/4 (2 d.) (G-B). + *Un Requiem allemand, Rapsodie pour contralto et chœur d'hommes.*

Nänie pour chœur mixte, orchestre et ıarpe *ad libitum* constitue le deuxième volet l'un triptyque choral dont les deux autres ont le *Chant du Destin* et le *Chant des Parques.* Ansermet interprète avec rectitude, ogique et une grande intransigeance cette ingulière ode funèbre, fort proche d'atmophère du *Requiem allemand*, ou même de la *Rapsodie pour contralto.* Ces deux œuvres omplètent justement le programme, dans ıne interprétation hyperclassique, apolliıienne, un peu morne du côté des chœurs, nais absolument remarquable du côté des olistes vocaux (Agnès Giebel, Hermann Prey, Helen Watts, tous au sommet de leur orme).

Œuvres pour orgue : Prélude et Fugue en la mineur, Prélude et Fugue en sol mineur, Fugue en la bémol mineur, Prélude de Choral et Fugue sur «O Traurigkeit, O Herzeleid», Onze Préludes de Chorals op. 122.

*** Jean Boyer (orgue Friedrich Becker de Ste-Marie de Wechold). Stil 0605 S 76 (2 d.). Enregistré en 1977.

Une véritable intégrale comprenant, outre es Chorals, les deux Préludes et Fugues et la Fugue en la bémol mineur. Une interprétaion extraordinairement réfléchie, une lecture n profondeur de ces pages écrites dans le ouvenir de Bach. Jean Boyer y fait preuve l'une maturité étonnante ; il a choisi pour ette musique un instrument restreint qui fait le chaque choral une confidence intime. Jusesse de ton dans le jeu et de sonorité dans le hoix de l'instrument : superbe.

Ouverture pour une fête académique op. 80.

❀*** Orch. Phil. de Londres, Adrian Boult. EMI ASD 2901 (G-B). + *Symphonies n° 4.*

*** Orch. du Concertgebouw d'Amsterdam, Willem Mengelberg. EMI Electrola C 053-01.543 (RFA). Mono (origine 78 t.). Enregistré en 1930. + *Symphonie n° 3.*

** Orch. Symph. de Londres, Pierre Monteux. Philips 6570.108 (G-B). + *Symphonie n° 2.*

** Orch. Symph. de Chicago, Georg Solti. Decca 390.098 (4 d.). Enregistré en 1979. + *Intégrale des Symphonies, Ouverture Tragique.*

Adrian Boult étonne par sa souplesse rythmique, une ductilité et une élégance de phrasé qui allègent et vivifient au mieux tout ce que l'Ouverture «académique» peut comporter de raideur quelque peu conventionnelle. Solennité (l'épisode *un poco maestoso*) et joie simple alternent ici avec une vélocité infiniment prenante. Ce style transparent n'est pas sans évoquer, de façon très heureuse, une étroite parenté avec la musique de Dvořák. Une excellente interprétation de la Quatrième Symphonie accompagne cette sobre et enthousiasmante Ouverture «académique».

Moins spontané, Mengelberg propose une Ouverture plus tempétueuse, irréversible qu'«académique». Les tempos sont largement contrastés, le *rubato* devenant même parfois insensé mais, fait étrange, le dynamisme flamboyant de Mengelberg parvient à isoler mieux que tout autre la soudaine fraîcheur de certains épisodes mélodiques. Cette lecture pleine d'embûches, d'accents spectaculaires, d'heureuses trouvailles, vaut beaucoup plus que le détour. Mengelberg agit de même avec la Troisième Symphonie (!), qui complète le disque : il en offre donc une vision kaléïdoscopique et par endroits - par endroits seulement, hélas ! - absolument sensationnelle.

Monteux apparaît peut-être dans l'absolu moins passionnant que Boult ou Mengelberg, mais il allège, de l'intérieur, la texture brahmsienne, en épouse tous les méandres et met remarquablement en valeur la tourbillonnante effervescence de chaque timbre tout comme la vitalité du mouvement d'ensemble. Cet enregistrement s'accompagne d'une interprétation supérieure de la Symphonie en ré à peine moins pure que la version du même chef avec la Philharmonie de Vienne.

Solti affirme la complexité rythmique et surtout thématique de l'ouvrage, plus qu'il n'en dissimule la relative convention de ton. Les séquences alternent ici avec une pugnacité un rien ostentatoire, l'équilibre finalement visé se faisant impérieux, exemplaire dans l'égalité comme dans la clarté de l'architecture. Cette option (aux antipodes de celle d'un Boult) est défendue avec une virtuosité de haut vol.

Ouverture Tragique op. 81.

❀*** Orch. Philharmonia, Carlo Maria Giulini. C 059-43.099. ⊠ C259-43.099. + *Symphonie n° 3.*

❀*** Orch. Phil. de Berlin, Herbert von Karajan. DG 2531.133. ⊠ 3301.133. Enregistré en 1978. + *Symphonie n° 3.* Ou DG 2740.193 (4 d.). + *Intégrale des Symphonies.*

*** Orch. Symph. de la NBC, Arturo Toscanini. EMI Da Capo C 027-01.035 (RFA). Mono. Enregistré en 1937. + *Mozart : Ouverture de la Flûte Enchantée. Weber : Invitation à la valse. Beethoven : Ouverture Leonore 1. Rossini : Ouverture de l'Echelle de soie.*

*** Orch. du Concertgebouw d'Amsterdam, Bernard Haitink. Philips 6747.270 (8 d.) (sup.). + *Concertos pour piano, Concerto pour violon, Intégrale des Symphonies, Variations sur un thème de Haydn, Ouverture Académique.*

*** Orch. Phil. Tchèque, Karel Ančerl. Supraphon 913.141. + *Double Concerto.*

** Orch. Phil. de Berlin, Herbert von Karajan. EMI VSM C 167-02.850/51 (2 d.). ⊠ TC-SLS 996. Enregistré en 1976. + *Un Requiem Allemand, Variations sur un thème de Haydn.*

** Orch. Philharmonia, Otto Klemperer. EMI VSM C 167-01.295/96 (2 d.). + *Un Requiem Allemand, Rhapsodie pour contralto.*

** Orch. Symph. de Chicago, Georg Solti. Decca 591.145. ⊠ 4-390.353. + *Symphonie n° 2.* Enregistré en 1978. Ou Decca 390.098 (4 d.). + *Intégrale des Symphonies, Ouverture Académique.*

La version Giulini-Philharmonia offre de la première à la dernière mesure une atmosphère unique. Toute la grande exposition *allegro ma non troppo* demeure un modèle d'intégration des contrastes et de direction dramatique ; chacune des idées secondaires, par son envolée rythmique et mélodique tranchante, semble ici se tendre vers une âpreté conflictuelle intense et même pathétique. Le développement atteint des rivages autres, avec davantage de tendresse expressive. Giulini, contrairement à ses habitudes, ne prend pas trop son temps, et le *tempo* demeure essentiellement vif, l'articulation claire, le phrasé souple et d'une ample respiration. Cette interprétation souveraine et sobre dégage un climat assez fantastique ; elle est couplée avec une version de référence de la difficile Troisième Symphonie. C'est là l'un des plus grands enregistrements jamais signés par Giulini, et l'un des plus recommandables albums de toute la discographie (importation américaine : le pressage est souvent déficient) !

Karajan 1978, contrairement à toute attente (et à sa propre légende) ne s'embarrasse nullement de nuances trop sophistiquées et va droit à l'essentiel, faisant preuve d'un beau ton épique qui emporte l'adhésion. Les phrasés et le tempo sont larges, l'orchestre d'une brillance pour une fois franche et même farouche, les *crescendos* expressifs conduits d'une main de fer. Seule la prise de son laisse à désirer : trop généreuse (et réverbérée), elle laisse cependant subsister le style de Karajan dans ce qu'il a de meilleur. La grandeur du mouvement général, la générosité du *rubato*, l'intelligence dans l'utilisation du *legato*, l'extraordinaire impulsion dynamique de cette version (malheureusement couplée avec une Troisième Symphonie trop rapide, un rien décevante) évoquent plus d'une fois l'art d'un Furtwängler (lequel, trois fois hélas !, n'a jamais enregistré cette œuvre).

Toscanini, qui prend et conserve un tempo insensé, exacerbe, on s'en doute, l'hypertension théâtrale de l'Ouverture en ré mineur, mais parvient aussi et surtout - malgré la rudesse d'articulation, la sévérité survoltée et fiévreuse du phrasé - à faire chanter tous les pupitres (l'Orchestre de la BBC, en 1937, était, il est vrai, d'une souplesse, d'une précision technique hors pair). Les contrastes entre chacune des idées secondaires et entre les deux grands thèmes n'ont sans doute jamais été rendus avec autant d'expression. Cette approche saisissante, explosive, ne plaira pas à tous. Plus encore que dans ses versions incisives des Première et Quatrième Symphonies, Toscanini a l'audace de s'emparer de la musique de Brahms et de la traduire à sa manière ; il tient magnifiquement le pari. Prise de son (pour l'époque) d'une étonnante fidélité, repiquage satisfaisant.

Beaucoup moins intense que Karajan 1978 - sans parler de Giulini ou de Toscanini -, Bernard Haitink remplace l'éloquence immédiate par de chaudes couleurs, un admirable travail du détail d'orchestre, une lisibilité accrue du contrepoint comme de la démarche rhétorique. Cette vision solide et plus intime introduit (développement) un déploiement supplémentaire dans l'échelle des phrasés et des nuances dynamiques. Les motifs y sont moins constamment antagonistes qu'ailleurs. L'Ouverture Tragique demeure ici comme voilée d'une légère brume mystérieuse, et la complexité du discours transparaît au travers d'un mouvement ennemi de toute violence. Exemplaire retenue qui s'oppose à cent quatre-vingts degrés à la rudesse d'un Toscanini : tout brahmsien doit pouvoir apprécier l'une et l'autre options.

Avec des contrastes dynamiques moindres que Karajan version 1978, Ancerl va comme lui droit au but et préserve à travers tous les épisodes un style fort et fervent. Les lignes instrumentales sont magistralement dosées, la flexibilité du tempo, le jeu des accentuations et des *sforzandos* remarquablement maîtrisés. L'aspect légendaire - intemporel - de l'Ouverture Tragique se concilie ici avec une grande rudesse expressive.

Karajan version 1976 érige sans coup férir un véritable et somptueux *allegro* de symphonie, spacieux, nuancé, d'une amplitude de phrasé sans pareil. L'urgence dramatique quelque peu au bénéfice du galbe de la courbe mélodique, de la lisibilité absolue de la polyphonie, de la pure perfection instrumentale. Interprétation grave, suprêmement hédoniste et cependant distanciée, exagérée, il est vrai par une prise de son vraiment peu sobre (beaucoup trop réverbérée). Mais la ligne générale demeure profondément originale en recréant une atmosphère hautaine, grandiose, qui mérite plus qu'un détour.

Klemperer offre une puissance monumentale, peut-être trop rhétorique, en opposant sans nuance le dramatisme interrogatif de l'*allegro non troppo* au calme mystérieux de l'épisode central (*molto piú moderato*). Démarche (l'inverse de celle d'un Giulini) qui privilégie sans cesse l'architecture de l'ensemble aux dépens de la ductilité dynamique et progressive de chacun des motifs secondaires. Cette lenteur solitaire et peu aimable se justifie par un travail d'orchestre admirable d'homogénéité.

Solti, sans atteindre sans doute la puissance véritable de la pensée du compositeur, choisit un climat à la fois sévère et spectaculaire. L'articulation est dense, le phrasé plus strict que lumineux (Giulini !), la profondeur plus démonstrative qu'analytique ; triomphe des soudains contrastes (exagérés par la prise de son) qui parvient cependant à établir une grande courbe dramatique et théâtrale d'un souffle indiscutable.

Quatuors à cordes pour deux violons, alto et violoncelle : n° 1 en ut mineur op. 51 n° 1, n° 2 en la mineur op. 51 n° 2, n° 3 en si bémol majeur op. 67.

*** Quatuor Janáček. Supraphon SU 783/84 (2 d.) (sup.).

*** Quatuor de Cleveland. RCA Victor DPS 2050 (2 d.) (G-B). Ou RCA VCS 7102 (2 d.) (USA).

*** Quatuor Bartók. Hungaroton SLPX 11.591/95 (5 d.) (sup.). *+ Sextuors à cordes op. 18 et op. 36, Quintettes à cordes op. 88 et op. 111.*

*** Quatuor Alban Berg. Telefunken 6.35447 (2 d.).

Le Quatuor Janáček, faisant preuve d'une virtuosité peu apparente, allège avec grand bonheur l'austérité un peu drue des deux *Quatuors* de l'*Opus 51*. Les archets tchèques possèdent, on le sait, des sonorités splendides ; une telle chaleur de timbre transfigure la rigueur structurelle et polyphonique du Quatuor en *ut* mineur comme les lignes fines et plus aérées du mystérieux *la* mineur. L'*Opus 67*, loin de toute emphase prolixe, garde ici un souffle, un *mezza-voce* fascinant de logique constructive. Bonne prise de son.

Très extravertis, les Cleveland (qui n'observent aucune des reprises des premiers mouvements) choisissent un *espressivo* lyrique peut-être plus intéressant par sa véhémence que par sa profondeur. L'extrême rigueur de l'écriture passe au second plan. Les timbres sont capiteux, la technique d'archet franche, l'impulsion rythmique excellente. L'interprétation de l'*Opus 67* domine l'ensemble, les Cleveland n'en adoucissant ni la chaleur, ni la savoureuse et «pseudo-rudimentaire» insistance rhétorique.

Le Quatuor Bartók, merveilleusement capté, offre une harmonieuse synthèse entre le ton parfois épique des Cleveland et la récréation intimiste, mais chargée de tension interne, des Janáček. Les tempos sont amples, la pulsation rythmique éminemment personnelle. Les Bartók ne s'interdisent pas une certaine grandeur dans le Quatuor en *ut* mineur. Le Quatuor en *la* mineur garde lui aussi un style sévère, mais remarquablement transparent.

Le Quatuor Alban Berg affirme une virtuosité presque périlleuse, toujours extravertie, au prix parfois du seul équilibre des voix (prédominance fréquente du premier violon). Cette éloquence pathétique, qui repose d'ailleurs sur une technique instrumentale vraiment magistrale, possède certainement bien des attraits. Le ton d'ensemble devient seulement plus proche de Beethoven que de Brahms, et l'éventail des qualités ici rassemblées demeure un rien démonstratif. Prise de son mate, timbres agressifs.

Quatuor à cordes n° 1 en ut mineur op. 51 n° 1.

*** Quatuor Melos de Stuttgart. DG 2530.345 (RFA). + *Quatuor n° 3.*

*** Quatuor Weller. Decca «Ace of Diamonds» SDD 322 (G-B). + *Quatuor n° 2.*

Le Quatuor Melos respire avec fougue (développement de l'*allegro*). Les phrasés sont remarquablement naturels. Ce dynamisne résolu, mordant, apparaît quelque peu tel un «retour aux sources». Excellente prise de son, bien aérée. (La reprise de l'*allegro* est omise).

Le Quatuor Weller est admirable dans les demi-teintes, et conserve pourtant une exemplaire souplesse pour les grandes périodes des mouvements vifs. La reprise de l'*allegro* est observée. Le mouvement lent, rendu intense, phrasé avec retenue, ne verse jamais dans le piège habituel du sentimentalisme. Excellent tempo, souverainement juste de la première à l'ultime mesure.

Quatuor à cordes n° 2 en la mineur op. 51 n° 2.

*** Quatuor Busch. EMI GR 2237 (Japon). Ou EMI VSM SHB 61 (7 d.). *«+Anthologie historique».* Mono. Enregistré en 1947.

*** Quatuor Weller. Decca «Ace of Diamonds» SDD 322 (G-B). + *Quatuor n° 1.*

** Quatuor de Tokyo. DG «Resonance» 2535.169 (RFA). + *Haydn : Quatuor op. 76 n° 1.*

L'approche du Quatuor Busch, pleine de vivacité et de lyrisme, ne porte pas trop son âge et traduit excellemment le mystérieux *espressivo* de l'*andante moderato*. La reprise de l'*allegro non troppo* est omise.

Le style même (viennois, mais sans aucune complaisance) du Quatuor Weller entre en totale symbiose avec le lyrisme fragile et parfois sibyllin (troisième mouvement) du Quatuor en *la* mineur. La souplesse des voix intermédiaires, l'articulation expressive donnée aux motifs secondaires démontrent un beau raffinement. Cette vision intime, et d'une vigilance exemplaire sur le plan stylistique (Finale), bénéficie d'une technique d'enregistrement précise et naturelle.

Le jeune Quatuor de Tokyo possède toute la précision souhaitable dans l'articulation et les phrasés, sans appuyer aucun effet. Les tempos sont généreux, la justesse d'intonation et la pureté de sonorités splendides. Interprétation plus âpre que les autres, plus incisive que vraiment intériorisée.

Quatuor à cordes n° 3 en si bémol majeur op. 67.

*** Quartetto Italiano. Philips 6703.029 (3 d.). + *Quatuors nos 1 et 3. Schumann : Quatuors op. 41.*

*** Quatuor Melos de Stuttgart. DG 2530.345 (RFA). + *Quatuor n° 1.*

Le Quartetto Italiano, d'un hédonisme parfois complaisant, déçoit à notre avis dans l'*Opus 51.* Son approche du Quatuor en *si* bémol se révèle bien meilleure ; ses timbres intenses et lumineux servent ici un phrasé ferme, une articulation plus serrée. Le dynamisme du premier temps, l'ampleur tournoyante et solaire des variations finales sont assurément splendides, et bien sûr généreusement défendus par la prise de son.

Le Quatuor Melos impose une vision plus appuyée, truculente, un climat sonore jaillissant, une tension passionnelle parfois violente. Les tempos sont moins lents que chez les Italiano, la polyphonie davantage dense et fouillée (la reprise du *vivace* n'est pas observée).

Quatuors pour piano et cordes : n° 1 en sol mineur op. 25, n° 2 en la majeur op. 26, n° 3 en ut mineur op. 60.

** Csilla Szabo, István Lantos, Sándos Falvai (piano), Membres du Quatuor Bartók. Hungaroton SLPX 11.596/600 (5 d.) (sup.). Enregistré en 1976. + *Quintette pour piano et cordes, Quintette pour clarinette et cordes.*

** Walter Trampler (alto), Beaux-Arts Trio. Philips 6747.068 (3 d.).

Deux des trois Quatuors avec piano, les n°s 1 et 2, sont des partitions prolixes, fort délicates à équilibrer. Le troisième, un admirable monument mariant tension subjective et concentration d'écriture, un peu à l'égal du Trio en *ut* mineur op. 101. La version hongroise faite avec les membres du Quatuor Bartók et différents pianistes garde au moins le mérite d'une réelle beauté sonore, à défaut d'homogénéité et de grandeur. Les phrasés sont généreux, l'impulsion rythmique - ce qui est bien la moindre des choses avec des artistes hongrois - toujours excellente. Mais une telle spontanéité - ostensible parfois (*Opus 25*) -, une telle justesse stylistique ne suffisent certes pas à cerner la richesse de ces pages. Le seul *Opus 60* bénéficie d'une interprétation à peine correcte ; pour deviner son grand message tragique, il faut sans aucun doute se reporter à l'introuvable gravure Myra Hess-Joseph Szigeti - Milton Katims - Paul Tortelier, que nous recommandons, sans trop d'espoirs, aux collectionneurs d'archives comme aux éditeurs... En revanche, la version Rubinstein-Guarneri, bien reçue par une certaine critique, est à notre avis peu justifiable, en grande partie à cause du jeu de Rubinstein.

L'enregistrement Beaux-Arts Trio Walter Trampler est une bonne lecture, homogène, énergique, constamment naturelle. Pourtant, l'invention rythmique reste trop à l'arrière-plan, et l'ampleur symphonique des premiers *allegros* un peu négligée. Excellente prise de son.

Quatuors pour piano, violon alto et violoncelle n° 1 en sol mineur op. 25 et n° 2 en la mineur op. 26.

❀*** Rudolf Serkin (piano), Adolf Busch (violon), Hugo Gottesmann ou Karl Doktor (alto), Hermann Busch (violoncelle). EMI Da Capo C 147 01.555/56 (2 d.) (RFA). Ou EMI VSM SHB 61 (7 d.). + *Anthologie historique.* Mono (origine 78 t.). Enregistré en 1949 et 1939.

Serkin-Busch - que n'ont-ils enregistré l'*Opus 60* ! - disciplinent remarquablement le lyrisme brahmsien (*allegro, andante* de l'*Opus 25*). Le difficile *Opus 26* est ici approfondi avec une ardeur peu ordinaire ; les inflexions schumanniennes de son *poco adagio* éclatent à merveille. Les Busch phrasent avec ampleur (coups d'archet), plénitude ; Serkin ne leur oppose que sobriété, et l'ensemble respire la densité vigoureuse et souple qui convient très exactement à ces pages. La qualité sonore de tels «repiquages» demeure un modèle.

Quintettes à cordes pour deux violons, deux altos et violoncelle : n° 1 en fa majeur op. 88, n° 2 en sol majeur op. 111.

❀*** György Konrad (alto), Quatuor Bartók. Hungaroton SLPX 11.591/95 (5 d.) (sup.). Enregistré en 1976. + *Sextuors à cordes n°s 1 et 2, Quatuors à cordes n°s 1 à 3.*

*** Cecil Aronowitz (alto), Quatuor Amadeus. DG «Privilège» 2733.011 (3 d.). + *Sextuors à cordes n°s 1 et 2.*

** Walter Trampler (alto), Quatuor de Budapest. Columbia MS 6025 (USA).

Quintessence de l'introspection brahmsienne - et sommets, avec le Quintette en *si* mineur op. 115, de toute la musique de chambre - ces deux extraordinaires Quintettes à cordes ont longtemps souffert d'une pauvre discographie. Ce n'est plus tout à fait le cas, mais il y aurait tout de même place pour de nombreuses (nouvelles) versions ! L'enregistrement Quatuor Bartók-György Konrad domine d'assez haut la discographie. La reprise du premier mouvement de l'*Opus 88* est observée mais point celle de l'*Opus 111.* L'aisance chaleureuse du discours (*allegro non troppo* et *grave ed appassionato* de l'*Opus 88*), la clarté de l'articulation (l'extraordinaire premier temps de l'Opus 111) - on sait que Brahms l'avait à l'origine prévu pour une Cinquième Symphonie..., triomphent à plein et la polyphonie forte en couleurs et en nuances de ces deux partitions n'est jamais étouffée par l'extrême vibration dramatique que les artistes hongrois prêtent à la moindre incise. Les mouvements centraux (*grave ed appassionato* en ut dièse mineur, *adagio* en ré mineur), remarquablement concentrés, exigent une parfaite continuité du phrasé, ici réalisée de manière exemplaire. Ces deux magnifiques interprétations, hautement nécessaires à tout fervent de Brahms, sont servies par une excellente prise de son, très ample.

La version du Quatuor Amadeus (avec Cecil Aronowitz) est placée sous le signe de l'élégance, d'une légèreté sinueuse, ductile et quelquefois incisive, qui s'accorde mieux aux mouvements médians. Les tempos sont nerveux, l'impulsion rythmique toujours parfaitement contrôlée, la polyphonie plus intériorisée que véritablement fouillée. Version sensuelle, au climat très convaincant. La poétique *cantabile* de l'*Opus 88* se trouve naturellement mis en relief, plus sans doute que le dynamisme expressif de l'*Opus 111*.

Le Quatuor de Budapest et Walter Trampler offrent, au contraire, une brusquerie, une puissance rhétorique qui excellent dans les mouvements vifs, surtout dans le temps initial de l'*Opus 111*, ici d'un éclatant héroïsme. La verve rythmique, la chaleur des phrasés reflètent une conception directe, parfois plus violente que rigoureuse (justesse d'intonation !). L'étrangeté prophétique du Quintette en sol op. 111 (début du développement de son *allegro non troppo*) est fort bien soulignée. Prise de son rude, en exact rapport avec l'interprétation.

Quintette pour clarinette, deux violons, alto et violoncelle en si mineur op. 115.

❀*** Alfred Boskovsky (clarinette), Membres de l'Octuor de Vienne. Decca «Ace of Diamonds» SDD 249 (G-B). Enregistré en 1958. + *Wagner : Adagio pour clarinette et quintette à cordes.*

❀*** Vladimir Riha (clarinette), Quatuor Smetana. Supraphon SUA 50.677 (Tchécoslovaquie). Enregistré en 1964. + *Mozart : Duo pour violon et alto K. 423.*

❀*** Reginald Kell (clarinette), Quatuor Busch. EMI GR 2240 (Japon). Ou EMI VSM SHB 61 (7 d.). Enregistré en 1937. + *«Anthologie historique».*

❀*** Gervase de Peyer (clarinette), Melos Ensemble de Londres. EMI ASD 620 (G-B).

*** Béla Kovács (clarinette), Quatuor Bartók. Hungaroton SLPX 11.596/600 (5 d.) (sup.). Enregistré en 1976. + *Trois Quatuors pour piano et cordes, Quintette pour piano et cordes.*

*** Karl Leister (clarinette), Quatuor Amadeus. DG 139.354.

** Jack Brymer (clarinette), Quatuor Allegri. Argo ZK 62 (G-B). + *Baermann : Adagio pour clarinette et cordes.*

Apogée de l'entière création brahmsienne, l'immense *notturno* qu'est le Quintette en *si* mineur a pratiquement toujours bénéficié d'une situation discographique à sa mesure. La version viennoise d'Alfred Boskovsky, proche de l'idéal, l'emporte par une pureté de style proprement irrésistible. Translucide, le premier *allegro* (avec la reprise) libère une pulsation très vivante et naturelle. Le dépouillement conféré à l'*adagio* traduit prodigieusement son économie structurelle comme la tension rapsodique et sombre de son épisode médian. Lecture subjective, infiniment nuancée, d'une incomparable noblesse émotionnelle, servie de surcroît par une excellente prise de son.

Le Quatuor Smetana et Vladimir Riha restituent la saveur *sui generis* des timbres ainsi confrontés, et s'imposent avant tout par la densité expressive (deuxième thème et développement de l'*allegro*, extraordinaires), doublée ici d'un sens architectural pleinement lucide (mouvements extrêmes). L'*adagio* - fantastique - est tout entier parcouru d'inflexions inquiétantes, de phrasés d'une foudroyante hardiesse. Les tempos demeurent amples (mais la reprise de l'*allegro* n'est hélas ! point observée). Version méconnue, suprêmement incisive, et d'une stupéfiante musicalité.

L'enregistrement Kell-Quatuor Busch, longtemps référence absolue de la discographie, possède de nombreuses séductions, avant tout grâce au phrasé plein et expressif des cordes, puis au lyrisme simple, direct du clarinettiste. L'évolution vertigineuse de l'*adagio* captive, mais nous demeurons bien loin de l'âpreté révélée chez les artistes tchèques. La reprise de l'*allegro* n'est pas observée. Vision classique, qui ne porte pas trop son âge (prise de son, repiquages satisfaisants).

Gervase de Peyer et le Melos Ensemble se révèlent parfois plus analytiques que leurs rivaux viennois ou tchèques. Ils privilégient cependant moins les prodigieuses accélérations psychologiques d'une telle musique que son unité d'ensemble. Les mouvements médians offrent une plénitude charnelle très heureuse. Gervase de Peyer phrase avec souplesse, et fait souvent preuve d'une salutaire concentration expressive (second thème de l'*adagio*). La reprise de l'*allegro* est observée. Une version sobre, un peu sombre et monolithique, mais d'une grande maîtrise technique et poétique.

Béla Kovács et le Quatuor Bartók choisissent une conception beaucoup plus colorée, sensuelle que réellement dramatique. Le respect attentif de l'invention rythmique s'accorde ici avec un ton d'improvisation très caractérisé, «hungarisant» si l'on veut. L'expression demeure fine, l'éclat, l'aération des phrasés captivants et généreux. Voilà certainement la plus séduisante, et la plus «immédiate» des récentes gravures. Excellente prise de son.

Karl Leister et le Quatuor Amadeus (qui observent la reprise du premier *allegro*) risquent parfois des phrasés libres, une articulation rythmique très rapsodique et bien subjective. Les contrastes dynamiques et coloristiques sont accentués sans réserve, l'atmosphère devenant peu à peu emplie d'une sensualité charmeuse à prendre ou à laisser. Vision lyrique, un rien superficielle et hédoniste, qui souffre d'une prise de son privilégiant par trop les cordes.

Jack Brymer avec le Quatuor Allegri conservent un hautain classicisme, sans fadeur aucune. La clarté polyphonique est excellemment rendue, l'articulation (épisode *presto assai* de l'*andantino*), toujours remarquable, et la sonorité de Brymer, brillante, pure et magistralement contrôlée. Mais l'ensemble manque d'engagement.

Quintette pour piano, deux violons, alto et violoncelle en fa mineur, op. 34.

*** Rudolf Serkin (piano), Quatuor Busch. Vox Turnabout THS 65.061 (USA). Ou EMI VSM SHB 61 (7 d.). Enregistré en 1938. + *«Anthologie historique»*.

*** Maurizio Pollini (piano), Quartetto Italiano. DG 2531.197 ⊠ 3301.197.

*** André Previn (piano), Quatuor Yale. EMI ASD 2873 (G-B). Ou Angel Seraphim S 36.928 (USA).

*** Rudolf Serkin (piano), Quatuor de Budapest. Columbia MS 6631 (USA).

** Christoph Eschenbach (piano), Quatuor Amadeus. DG 139.397 (RFA).

** Deszö Ránki (piano), Quatuor Bartók. Hungaroton SLPX 11.596/600 (5 d.). Enregistré en 1976. + *Les Trois Quatuors pour piano et cordes, Quintettes pour clarinette et cordes.*

Le Quintette en *fa* mineur, «la» grande œuvre de musique de chambre de la jeunesse de Brahms (et la plus prisée du public), bénéficia longtemps d'une situation discographique satisfaisante. Ce n'est plus tout à fait le cas, du moins si l'on envisage le seul catalogue français (!). Signalons aux fervents collectionneurs deux gravures difficilement trouvables, mais magistrales : le disque historique - incroyablement coloré - d'Harold Bauer et du Quatuor Flonzaley (1925) et la vision sans doute inégalée donnée par Sviatoslav Richter (avec le Quatuor Borodine). Serkin avec le Quatuor Busch (qui ne font pas la reprise de l'*allegro non troppo*) offrent une version dense, homogène et, à l'extrême opposé d'Harold Bauer et du Quatuor Flonzaley, définissent un peu l'*Opus 34* comme un «troisième concerto» brahmsien. *Tempo giusto*, accentuation «héroïque», densité des transitions, confrontation impérieuse du piano et des cordes, tout contribue ici à exalter la grandeur architecturale, la lumière sombre et farouchement nordique d'un ouvrage de toute façon assez extraordinaire pour supporter les approches les plus diverses.

Aucune indulgence, avec les Italiano : chaque note est à sa place avec son juste poids d'intensité, sa juste durée dans le phrasé. Le détail est poli, la phrase ardemment déclamée, les enchaînements subtilement traités. Pollini dompte l'espace sonore. Il s'insère, borde ou illustre la trame avec tour à tour autorité, pudeur ou flamme.

La singulière réunion Previn-Quatuor Yale retrouve un peu, au-delà d'une lecture très «avant-gardiste» qui privilégie les modernismes d'écriture (rythme), le lyrisme kaléïdoscopique et l'admirable variété coloristique qui faisaient le charme du vieux disque Bauer-Flonzaley. Approche originale, faite d'ellipses, d'incises ; chaque phrasé semble interroger l'œuvre. La mise en relief des motifs secondaires (*andante un poco adagio*) reste une belle leçon. Previn ne craint ici ni l'ardeur, ni un ton libre souvent proche de l'improvisation, et le Quatuor Yale ne cesse de répondre avec imagination à la sensibilité toute rapsodique du pianiste.

La seconde version Rudolf Serkin (avec la reprise du premier mouvement) ne possède point l'homogénéité ni la générosité touffue et énergique de l'enregistrement Serkin-Busch. Le Quatuor de Budapest appuie trop certains phrasés (traits du deuxième thème) et fait parfois preuve d'un sentimentalisme extraverti bien éloigné de la transparence exemplaire du clavier. Car Serkin, en quelque vingt ans, a considérablement mûri son approche. Sa rigueur déjà légendaire se double ici d'un romantisme jaillissant. Certains passages (début très mystérieux du développement de l'*allegro non troppo*) sont d'un grand bonheur. Un disque passionné, passionnant, qui souffre de la relative platitude de la prise de son.

Eschenbach-Amadeus (qui font aussi, avec raison, la reprise de l'*allegro non troppo*) excellents dans le fantastique juvénile du *scherzo*, dans le tourbillon «*Sturm und Drang* du Finale. Le difficile deuxième thème (premier mouvement) est bien accentué, sans trop d'arrières-pensées languides ; le troisième devient fougueux et lapidaire à souhait. Les Amadeus abusent parfois du *vibrato* ; mais l'union spirituelle et surtout poétique (mouvement lent) avec le soliste demeure incomparable.

Ránki-Quatuor Bartók ne font hélas ! point la reprise de l'*allegro non troppo*. Les deux premiers mouvements, tout en nuances, tardent à trouver leur véritable tempo psychologique. L'aération des deux derniers devient meilleure. Le son du Quatuor Bartók est vraiment superbe. Une vision jeune, intimiste, grisante parfois, mais qui manque d'homogénéité et de grandeur. La prise de son est fort généreuse.

Rapsodie pour contralto, chœur d'hommes et orchestre op. 53.

❀*** Kathleen Ferrier (a), Ch. et Orch. Phil. de Londres, Clemens Krauss. Decca 592.117. Mono. + *Mahler Rückert Lieder.*

*** Janet Baker (ms), Ch. John Alldis, Orch. Phil. de Londres, Adrian Boult. EMI ASD 3260 (G-B). + *R. Strauss : Quatre Lieder. Wagner : Wesendonck-Lieder.* Ou EMI ASD 2746 (G-B). + *Symphonie n° 2.*

*** Christa Ludwig (ms), Ch. et Orch. Philharmonia, Otto Klemperer. EMI-Electrola C 063-00.826. + *Zigeunerlieder. Wagner : Wesendonck-Lieder.* Ou EMI VSM C 167-01.295/96 (2 d.). + *Un Requiem allemand, Ouverture tragique.*

** Christa Ludwig (ms), Ch. du Singverein de Vienne, Orch. Phil. de Vienne, Karl Boehm. DG 2530.992. + *Symphonie n° 3.*

La Rapsodie pour contralto reflète une force mélancolique, et la direction à la fois très dense et détaillée de Clemens Krauss (qui choisit un tempo large) en accentue le caractère sombre. La transition entre *adagio* initial et *poco andante* à 6/4 demeure un modèle d'intériorité et de simplicité. Kathleen Ferrier chante avec une émotion contenue, son *vibrato* unique se mariant idéalement aux phrasés tour à tour solennels et interrogatifs de Krauss. Chaque note, chaque timbre acquiert ici un poids spécifique fondamental. Ce très bel enregistrement est une des pierres de touche de toute discographie brahmsienne.

L'élan devient beaucoup plus vif, la souplesse agogique plus grande chez Adrian Boult accompagnant Janet Baker : cette dernière prouve un absolu sens des plus infimes nuances, et une impulsion rythmique authentiquement brahmsienne. Cette version, rapide mais méditative, ductile mais introvertie, ignorant l'aspect le plus ouvertement dramatique de l'œuvre, s'écarte donc sensiblement des traditions. La troisième partie (*adagio* en majeur) s'éclaire même de façon singulière, la direction subtile d'Adrian Boult allégeant heureusement les ultimes mesures.

L'enregistrement Christa Ludwig-Otto Klemperer s'oppose à l'atmosphère poétique des deux précédentes versions. Il offre en contrepartie une architecture d'équilibre où chacune des inventions spécifiques de l'orchestre brahmsien ressort à la perfection. Klemperer dégage bien l'originalité de certains alliages, le rôle déterminant des altos, des bassons, du moindre *sforzando* des cors ou des cordes. Christa Ludwig, plus théâtrale que Ferrier ou Baker, chante superbement. Est-il abusif de retenir plutôt la direction de Klemperer, ici beaucoup plus efficace, cohérente et profonde que dans les quatre Symphonies ?

La seconde version signée Christa Ludwig diffère considérablement et vaut surtout par les choix esthétiques défendus par Boehm. Le tempo est d'une lenteur exceptionnelle, le chef isolant, bien davantage que les demi-teintes (*cf.* Boult), une densité coloristique étrangement proche de la musique de Wagner. L'ouvrage perd son aspect de plongée introspective et gagne une force homogène et rigoureuse, scénique presque par endroit. La prise de son privilégie l'orchestre et les chœurs, la voix solo demeurant toujours lointaine ; une telle option necontredit nullement les intentions de Boehm. Disque à connaître.

Rapsodie pour piano en si mineur op. 79 n° 1.

❀*** Wilhelm Backhaus (piano). Decca «Eclipse» ECS 691 (G-B). + *Klavierstücke op. 76 n° 2, Fantaisie op. 116 n° 6, Intermezzo op. 117 n° 1, Klavierstücke op. 118, op. 119 n°s 2 et 3.*

*** Julius Katchen (piano). Decca 592.163 (11 d.). + *Intégrale de l'œuvre pour piano, Les 3 Sonates pour violon et piano, Sonate pour violoncelle et piano n° 2, Les 3 Trios pour piano et cordes.*

*** Inger Södergren (piano). Calliope CAL 1679. ✉ 4.679. Enregistré en 1980. + *Rapsodie op. 79 n° 2, Intermezzi op. 117, Klavierstücke op. 118.*

** Radu Lupu (piano). Decca SXL 6.504 (G-B). + *Intermezzi op. 117. Schubert : Sonate pour piano en la mineur D. 784.*

Backhaus offre une version superbement autoritaire de la *Rapsodie en si mineur.* Le tempo est très vif, l'intégration des contrastes (deux thèmes principaux) rendue extrême. La prise de son, nette, conserve l'essentiel du toucher de Backhaus, de son articulation intense et pure.

Katchen architecture lui aussi avec grandeur, et les courbes dynamiques se révèlent cependant plus contrastées que chez Backhaus. Approche d'une grande force émotionnelle ; le tempo devient très souple, permettant un *rubato* expressif assez tourmenté, ce qui convient fort bien à une telle page.

Inger Södergren choisit un tempo très large et éclaire avec un merveilleux naturel la richesse spécifiquement polyphonique et harmonique (jeu de la main gauche). Les contrastes, les montées dynamiques sont amenées avec une grande science et un beau sens du détail. Vision équilibrée, fort poétique.

Radu Lupu marie excellemment le ton épique et l'intimisme paradoxal de la Première Rapsodie. Le toucher est admirablement coloré, l'accentuation pleine de brio. Approche impulsive, d'une réelle verdeur romantique.

Rapsodie pour piano en sol mineur op. 79 n° 2.

❀*** Radu Lupu (piano). Decca SXL 6.831 (G-B). Enregistré en 1976. + *Klavierstücke op. 118 et 119.*

*** Julius Katchen (piano). Decca 592.163 (11 d.). + *Intégrale de l'œuvre pour piano, Les 3 Sonates pour violon et piano, Sonate pour violoncelle et piano n° 2, Les 3 Trios pour piano et cordes.*

** Bruno Leonardo Gelber (piano). EMI VSM C 065-12.780 (sup.). + *Sonate pour piano n° 3.*

La Deuxième Rapsodie conserve la même ambiance de ballade nordique que la première, mais elle possède une écriture infiniment plus hardie et révolutionnaire. Arnold Schoenberg se plaisait à souligner entre autres son étonnante incertitude tonale. Radu Lupu révèle une peu ordinaire souplesse dynamique et rythmique. Le tempo reste vif, le phrasé généreux. Version très exigeante sur le plan du style, et qui l'emporte sur toute ses rivales par sa véhémence, son sens du *legato,* et surtout sa grande courbe expressive.

Katchen, moins coloré qu'impulsif, privilégie les éclairages sombres, l'inquiétude fuyante de chaque inflexion. Les phrasés, l'articulation conservent quelque chose d'âpre et de sensuel.

Sans pour autant choisir la voie du juste milieu, Gelber conserve un équilibre entre introspection et clarté de l'articulation. Les multiples facettes de l'œuvre sont bien mises en valeur.

Un Requiem allemand op. 45.

❀*** Elisabeth Schwarzkopf (s), Hans Hotter (b), Ch. du Singverein de Vienne, Orch. Phil. de Vienne, Herbert von Karajan. EMI VSM C 051-43.176. Mono. Enregistré en 1947. Ou EMI VSM C 153-03.200/05 (6 d.). + *Mozart : Une Petite Musique de Nuit, Ode Funèbre, Adagio et Fugue, Ouverture des Noces de Figaro. Beethoven : Symphonie n° 9. R. Strauss : Métamorphoses. Schubert : Symphonie n° 9. Tchaïkovsky : Symphonie n° 6.*

❁*** Elisabeth Schwarzkopf (s), Dietrich Fischer-Dieskau (bar), Ch. et Orch. Philharmonia, Otto Klemperer. EMI VSM C 167-01.295/96 (2 d.). Enregistré en 1961. + *Ouverture Tragique, Rapsodie pour contralto.*

❁*** Anna Tomova-Sintow (s), José van Dam (bar), Ch. du Singverein de Vienne, Orch. Phil. de Berlin, Herbert von Karajan. EMI VSM C 167-02.850/5 1 (2 d.). ⊠ TC-SLS 996 (2 c.). Enregistré en 1976. + *Ouverture Tragique, Variations sur un thème de Haydn.*

*** Gundula Janowitz (s), Eberhard Waechter (bar), Ch. du Singverein de Vienne, Orch. Phil. de Berlin, Herbert von Karajan. DG 2726.078 (2 d.). Enregistré en 1964. + *Variations sur un thème de Haydn.*

** Elisabeth Grümmer (s), Dietrich Fischer-Dieskau (bar), Ch. de la cathédrale Ste-Hedwige de Berlin, Orch. Phil. de Berlin, Rudolf Kempe. EMI Da Capo C 147-28.550/51 (2 d.) (RFA). + *Festund Gedenksprüche.*

** Edith Mathis (s), Dietrich Fischer-Dieskau (bar), Ch. du Festival d'Edimbourg, Orch. Phil. de Londres, Daniel Barenboïm. DG 2707.066 (2 d.). Enregistré en 1972. + *Quatre Chants sérieux.*

La toute première version Karajan (1947) demeure un miracle de musicalité et d'équilibre. Malgré l'ancienneté de la prise de son, la Philharmonie de Vienne sonne avec une netteté étonnante. Karajan ose sans cesse des nuances inouïes, faisant ressortir avec lumière et précision l'entrelacs mélodique et polyphonique, jusque dans les phases les plus compactes (introduction du troisième mouvement «*Herr, lehre doch mich*» et fugue en ré majeur, sixième mouvement - «*Denn wir haben hier*» - en son entier, rendu ici électrisant). La voix de Hans Hotter atteint presque son apogée, celle de Schwarzkopf, alors à ses débuts, est confondante de plasticité, et la pure diction de l'un comme de l'autre n'a sans doute jamais été égalée par quiconque (sublime «*Ihr habt nun Traurigkeit*». La conception de Karajan s'affirme déjà comme celle d'un beau chant étroitement mêlé au tissu symphonique. Le *rubato*, largement utilisé, n'est pour ainsi dire jamais exagéré, le tempo, ample sans excès, épousant à merveille la fluctuation rythmique exacte de la partition. Cette version longtemps introuvable a été rééditée (repiquage satisfaisant) en album microsillon : un événement !

Loin de la poésie grisante de Karajan 1947, comme de sa souplesse expressive, Klemperer affirme d'emblée une conception autoritaire (tempo, sévérité du phrasé) et s'y tient. Schwarzkopf et Fischer-Dieskau (exceptionnellement peu affecté) rayonnent d'inspiration mais demeurent soumis à l'austérité du chef. Les détails instrumentaux s'estompent ici au profit des seules grandes lignes architecturales ; la stature d'une telle approche ne manque certes point d'allure. Mais cette option, privilégiant la scansion (et non la pulsation) du texte musical, en accentue trop le dynamisme vertical, au détriment de la linéarité de la polyphonie, et surtout du dessin particulier de chaque motif thématique. Pour tous ceux qui voient dans le *Requiem allemand* un monument intemporel, Klemperer reste la référence absolue. Les autres préféreront l'émotion soulevée chez Karajan 1947, qui traduit d'ailleurs spontanément l'inspiration mélodique comme la riche pensée contrapuntique de l'œuvre.

La plus récente (1976) des trois versions de Herbert von Karajan est d'un niveau difficilement surpassable sur le plan de l'exécution technique (absolue perfection orchestrale, large supériorité des chœurs du Singverein sur ceux du Philharmonia). L'approche apparaît ici ouvertement analytique, ce qui entraîne parfois un tempo trop lent, mais de fait Karajan maîtrise les difficiles variantes agogiques (section transitoire du premier mouvement «*Selig sind, die da Leid tragen*») qui surabondent tout au long de l'œuvre. Le tempo s'accélère dans certains passages habituellement modérés («*Denn alles Fleisch*») : Karajan privilégie avant tout l'expression, et non la structure globale, il s'éloigne encore plus qu'ailleurs de la tradition «statique» et hautaine défendue par Otto Klemperer (*allegro non troppo* du deuxième mouvement, articulation rythmique du quatrième, *accelerando* amenant la deuxième section du sixième, *staccato* des cordes dans la *coda* du septième). La force de certains crescendos (deuxième mouvement) agit à plein. Les solistes sont superbes (Van Dam plus que Tomova-Sintow), mais ne peuvent cependant se comparer à Schwarzkopf et Hotter (Karajan 1947). Cette vision «maximaliste» - parce qu'à la fois hédoniste et remarquablement rigoureuse dans les détails - au niveau de l'écriture spécifiquement brahmsienne (rythme, modulations) comme à celui d'une recherche expressive (ici rendue plus dramatique que vraiment spirituelle) retiendra surtout pour sa transcendante direction : Karajan y donne de la première à l'ultime m esure une haute leçon de virtuosité. La prise de son est trop réverbérée.

Tout en jouant également sur les nuances expressives et coloristiques, Karajan 1964 offre une tension parfois moindre (première, troisième partie) ni aussi é troitement liée aux modulations harmoniques et rythmiques. L'orchestre, les chœurs surtout (la prise de son aidant) sonnent de manière très épurée, la courbe dynamique des épisodes vifs ou fugués demeurant toujours sobre. Karajan 1964 accentue le lyrisme plus que la lisibilité du contrepoint (*cf.* version 1976). Les phrasés sont simples, l'amplitude des contrastes sévèrement dosée. Eberhard Waechter déçoit un peu, Gundula Janowitz triomphe dans l'expression «angélique». Version radieuse, parfois trop contemplative, dont le haut niveau de réalisation technique ne doit pas masquer la ferveur. La gravité imprimée aux seconde et sixième parties, au *fugato* de la deuxième révèle un raffinement peu ordinaire, un climat peut-être plus mystérieux que dans toutes les autres versions.

Kempe offre un «concert spirituel» à la courbe dramatique unitaire ; il illustre à merveille l'ascendance «schützienne» du *Requiem allemand.* La netteté des lignes, l'assise rythmique (sixième partie), l'équilibre constant du tempo et des nuances dynamiques sont autant d'atouts indiscutables et établissent une atmosphère rigoureuse, épanouie, à mi-chemin de l'ampleur poétique des versions Karajan et de la magistrale sévérité de l'enregistrement Klemperer. Elisabeth Grümmer est excellente, Dietrich Fischer-Dieskau (un peu sophistiqué) à peine moins bon, les chœurs vivants et somptueusement mis en valeur. Vision méditative, et cependant charnelle (introduction du sixième mouvement), qui ne souffre nullement de l'âge relatif de la prise de son, et s'accorde exactement à une approche avant tout classique de l'œuvre.

A l'opposé, Barenboïm recherche visiblement des perspectives neuves, s'appuyant sur les contrastes, soulignant parfois de façon ostentatoire les détails d'orchestration, allègeant chaque plan, apportant un mouvement intentionnel et expressif aux nombreuses variantes agogiques. Il ne réussit pas toujours son pari, mais interroge l'œuvre d'inflexions personnelles. Les chœurs - inférieurs à ceux du Singverein ou de Ste-Hedwige - sont captés au tout premier plan. Fischer-Dieskau déçoit ici plus qu'avec Kempe, Edith Mathis dramatise son solo, mais s'accorde de fait mieux à la conception engagée, capricieuse et dénuée de mystère du chef. Cette version imparfaite, aventureuse, offre quelques fort beaux passages, mais l'éclairage des soubassements harmoniques y est souvent négligé.

Rinaldo, cantate pour ténor solo, chœur d'hommes et orchestre op. 50.

❀*** James King (t), Ch. Ambrosian, Orch. New Philharmonia, Claudio Abbado. Decca SXL 6386 (G-B). + *Le Chant du Destin.*

Unique *opus* dramatique de Brahms, *Rinaldo* reste cependant une cantate de concert et se rapproche en maints endroits du Schumann du *Paradis et la Péri,* voire du Weber d'*Euryanthe,* autant qu'elle annonce *Das klagende Lied* , l'*Opus 1* de Gustav Mahler... Cette grande scène orchestrale et chorale est demeurée fort injustement méconnue ; Abbado dirige avec éclat, vaillance, chargeant vigoureusement les phases les plus théâtrales d'un *agitato* aux résonances épiques (cinquième partie). Les chœurs sont excellents, James King plus conventionnel (son solo *andante con moto e poco agitato* manque de conviction), mais sa partie, si elle abonde en traits poétiques, demeure malgré tout la plus difficile à défendre.

Sérénade pour orchestre n° 1 en ré majeur op. 11.

❀*** Orch. de Chambre de Philadelphie, Anshel Brusilow. RCA Victor SB 6754 (G-B). Ou RCA LSC 2976 (USA).

*** Orch. du Concertgebouw d'Amsterdam, Bernard Haitink. Philips 9500.322 (sup.).

Anshel Brusilow (qui dirige une formation de chambre) dégage remarquablement les lignes de la polyphonie et l'invention rythmique naissante (trio du *scherzo,* basse syncopée de l'*adagio ma non troppo*) du très jeune Brahms. L'originalité «néo-classique» de l'*Opus 11* ressort à plein, la délicatesse, la finesse des nuances se révélant d'un goût exceptionnel. Admirable disque, difficile à trouver eu Europe.

Haitink regarde moins vers le charme de la Première Sérénade que vers son climat le plus grave («nordique») ; la qualité des phrasés, du tempo retenu, de l'éclairage donné à chaque *registration* instrumentale assure une indéniable sévérité, forte et concrète, à l'ensemble. La prise de son privilégie les basses.

Sérénade pour orchestre n° 2 en la majeur op. 16.

꙳*** Orch. Symph. de Londres, István Kertesz. Decca 593.007 (2 d.). *+ Sérénade n° 1. Dvořák : Sérénade pour vents.*

Infiniment plus intéressante que la Première Sérénade (et que bien d'autres œuvres plus célèbres de la maturité !), l'*Opus 16* (1858-1859) innove dans tout son siècle par la prédominance singulière accordée aux vents, la subtilité rythmique (superposition de 2/4 et de 3/4 du *scherzo*) et même l'imagination formelle (l'*adagio*). Brahms, tel dans le Concerto pour piano en ré mineur, regarde de près vers l'école néo-allemande de Liszt et Wagner, sous des dehors «neo-classiques», et sa pensée orchestrale annonce ici Schoenberg, Berg ou Stravinsky autant qu'elle rappelle Mozart. István Kertesz (qui a d'ailleurs signé une bonne intégrale des Quatre Symphonies, seulement un peu trop sage) explore admirablement la saveur purement instrumentale comme les innovations rythmiques de cette riche page - fort méconnue - du très jeune Brahms. Mise en place et rigueur de jeu des solistes londoniens sont exemplaires, et vont droit au but, épousant avec une remarquable souplesse les étonnants contrastes (*scherzo*), la finesse poétique (*Quasi menuetto*) et la grande densité expressive (section centrale de l'*adagio*) de l'ouvrage.

Sextuors à cordes pour deux violons, deux altos et deux violoncelles : n° 1 en si bémol majeur op. 18, n° 2 en sol majeur op. 36.

꙳*** György Konrad (alto), Ede Benda (violoncelle), Quatuor Bartók. Hungaroton SLPX 11.591/95 (5 d.) (sup.). Enregistré en 1976. *+ Quintettes à cordes, Quatuors à cordes nos 1 à 3.*

*** Cecil Aronowitz (alto), William Pleeth (violoncelle), Quatuor Amadeus. DG «Privilège» 2733.011 (3 d.). *+ Quintettes à cordes.*

Le Quatuor Bartók, augmenté de György Konrad et d'Ede Banda, ne fait pas les reprises des deux *allegros non troppo*. Les tempos sont assez vifs, l'aération de la polyphonie et la chaleur des timbres exemplaires. Approches jeunes et superbes, extrêmement chantantes, qui rendent constamment justice à l'envolée mélodique de l'*Opus 18* comme à la générosité davantage complexe de l'*Opus 36* (un très haut chef-d'œuvre de Brahms, méconnu). Prise de son ample et même trop réverbérée.

Les Amadeus conservent une tendresse d'inflexion proche de Schubert, et font preuve d'un *vibrato* et parfois d'un *portamento* plus viennois que nature. La grande portée symphonique des deux Sextuors s'estompe un peu, au profit d'une vision plus détendue, sensible, emplie de phrasés raffinés. Ces pages en particulier permettent un tel style, lorsqu'il est défendu avec autant de charme, de sens de la respiration. Le Sextuor en *sol* est, cependant, davantage dépouillé, concentré que l'*Opus 18*.

Sextuor à cordes n° 1 en si bémol majeur op. 18.

*** Isaac Stern, Alexander Schneider (violons), Milton Katims, Milton Thomas (altos), Pablo Casals, Madeleine Foley (violoncelle). CBS 75.324. Mono. Enregistré en 1952.

** Membres de l'Octuor Philharmonique de Berlin. Philips 5802.707.

La version «historique» des solistes réunis autour de Pablo Casals et d'Isaac Stern (Festival de Prades 1952) est naturellement vive et rayonnante, mais ne pèche pas par excès d'homogénéité. De grands coups d'ailes, des phrasés impulsifs remplacent parfois la plénitude, la précision attendues. Cette vision puissante et truculente reste finalement assez peu conventionnelle. La reprise de l'*allegro non troppo* est omise, et la prise de son date un peu.

A l'extrême opposé du généreux «concert de solistes» de la version Casals, la conception des Berlinois n'offre que robustesse, dynamisme, homogénéité sans fard. Les tempos sont moins fluctuants, les phrasés francs et sans audaces, la sonorité remarquablement pleine. Une parfaite mise en place, relativement simple, mais de haute qualité technique.

Sextuor à cordes n° 2 en sol majeur op. 36.

꙳*** Pina Carmirelli, Jon Toth (violons), Philipp Naegele, Caroline Lavine (altos), Fortunato Arico, Dorothy Reichenberger (violoncelles). CBS 75.913 (sup.). Enregistré en 1970.

De toutes les versions des Sextuors de Brahms, c'est certainement l'enregistrement du seul *Opus 36* par le Sextuor Carmirelli qui l'emporte par la perfection, l'authenticité la plus flagrante (et la plus émouvante). Réunis lors du Festival de Marlboro 1970 autour de Pina Carmirelli (*leader* actuel de l'ensemble I Musici), des solistes à peu près inconnus rivalisent ici de hardiesse et de ferveur. Les tempos demeurent extraordinairement lents, chaque phrasé habité d'une richesse d'inflexion phénoménale. Le Sextuor en *sol* retrouve ainsi une densité sonore et architecturale fantastique. L'exécution du mouvement lent (*poco adagio* à variations) compte au nombre des plus belles interprétations brahmsiennes jamais gravées. Toutes les reprises de l'œuvre sont fort justement observées. Un sommet absolu de la discographie, très relativement handicapé par une banale prise de son.

Sonates pour clarinette et piano : n° 1 en fa mineur op. 120 n° 1, n° 2 en mi bémol majeur op. 120 n° 2.

❀*** Gervase de Peyer (clarinette), Daniel Barenboïm (piano). EMI VSM C 069-00.365.

Les deux Sonates pour clarinette n'ont pas que de «chaudes couleurs automnales» et la Première, en *fa* mineur, un des plus hauts chefs-d'œuvre du compositeur, n'a rien à envier, notamment dans l'invention rythmique (fin de l'exposition et réexposition de l'*allegro appassionato*) aux plus ardentes pages de sa jeunesse. C'est le romantisme spécifiquement nordique que sait le mieux capter Gervase de Peyer, la mélancolie interrogative et amère des moindres transitions, la saveur de chaque incise thématique (*vivace* de l'*Opus 120 n° 1, allegro amabile* de la Sonate en *mi* bémol). Le phrasé large et sinueux du clarinettiste compense amplement la spécificité peut-être discutable de sa sonorité (ce n'est ni l'école allemande, ni la française : on rencontre le même problème avec Jack Brymer). Souple, agressif quand il le faut (c'est-à-dire rarement), raffiné toujours, Barenboïm l'accompagne très bien. Excellente prise de son.

Sonate pour clarinette et piano en fa mineur op. 120 n° 2.

** Jack Brymer (clarinette), David Lloyd (piano). Nimbus 2108. + *Weber : Grand Duo concertant.*

Jack Brymer joue l'exceptionnelle Première Sonate de l'*Opus 120* sans la moindre concession ; il éclaire d'un profil tranchant la tectonique exaltante et complexe du travail thématique. Sa sonorité, pure, intériorisée, également distante de la clarté, de la brillance de l'école française que des couleurs sombres de l'allemande, est certes à prendre ou à laisser. Mais l'allure générale, malgré une contrepartie pianistique trop contrastée, primaire (et bien mal servie par une ingrate prise de son), conserve, sous l'ascèse mélodique et contrapuntique, une ampleur véritable. Une interprétation puissante et élevée qui convaincra tout brahmsien.

Sonates op. 120 pour clarinette et piano, transcription pour alto et piano.

*** Pinchas Zukerman (alto), Daniel Barenboïm (piano). DG 2530.722.

** Bruno Pasquier (alto), Jean-Claude Pennetier (piano). Harmonia Mundi HM 1.092. Enregistré en 1982.

L'*Opus 120* est préférable à la clarinette ; mais la version alto (notamment pour la Sonate en *mi* bémol) possède elle aussi un intérêt essentiel. L'enregistrement Zukerman-Barenboïm se situe à un niveau assez élevé, grâce surtout à Barenboïm, qui ose, plus encore qu'avec Gervase de Peyer, approfondir chaque mesure et témoigne d'un bel élan dans l'accentuation rythmique comme dans la mise en évidence de l'incroyable liberté mélodique de ces pages (Sonate en *fa* mineur). Zukerman n'a pas l'ampleur de son d'un véritable altiste ; il chante et suit bien son partenaire, ce qui est déjà beaucoup.

Dans la Première Sonate, Jean-Claude Pennetier trouve des accents d'une concision superbe, une simplicité sublimée, tandis que Bruno Pasquier fait chanter son alto avec une constante noblesse et une poésie de tous les instants. La réussite n'est peut-être pas aussi évidente dans la Seconde Sonate. L'exceptionnelle liberté mélodique de cette page s'accorde sans doute mieux de la clarinette, dont la version pour alto représente une élégante transcription.

Sonate pour piano n° 1 en ut majeur op. 1.

*** Julius Katchen (piano). Decca 592.163 (11 d.). + *Intégrale de l'œuvre pour piano, Les 3 Sonates pour violon et piano, Sonate pour violoncelle et piano n° 2, Les trios pour piano et cordes.*

** Krystian Zimerman (piano). DG 2531.252. + *Sonate pour piano n° 2.*

Katchen l'emporte par la hauteur de ton, la vigueur du trait, la solidité de l'architecture. Les ascendances schubertiennes (*Wanderer-Phantasie*) et surtout beethovéniennes (*Hammerklavier op. 106*) du premier *allegro* sont justement soulignées (Katchen n'observe pas la reprise de l'*allegro*). Vision ample et dramatique, plus remarquable par sa droiture d'accents que par son relatif manque de nuances (le toucher de Katchen, plein mais peu raffiné).

Krystian Zimerman, au contraire, anime d'un tempérament fiévreux la sévère assise de cette Première Sonate. Quelques libertés textuelles (fluctuations sensibles du tempo, *ritenutos* expressifs trop prononcés) ne rompent nullement l'équilibre général. Interprétation fort souple, traversée d'un original *rubato* mélodique. Prise de son neutre.

Sonate pour piano n° 2 en fa dièse mineur op. 2.

❀*** Claudio Arrau (piano). Philips 9500.066. ⊠ 7300.476. + *Variations sur un thème de Paganini.*

*** Julius Katchen (piano). Decca 592.163 (11 d.). + *Intégrale de l'œuvre pour piano, Les 3 Sonates pour violon et piano, Sonate pour violoncelle et piano n° 2, Les 3 Trios pour piano et cordes.*

** Jean Martin (piano Bösendorfer). Arion ARN 31.918. + *Variations sur un thème de Schumann.*

** Krystian Zimerman (piano). DG 2531.252. + *Sonate pour piano n° 1.*

Arrau déploie un chant véhément, d'un superbe héroïsme. Les courbes dynamiques sont impressionnantes, les détails d'écriture magnifiés puis intégrés dans une majestueuse grandeur d'inflexion plus insidieusement schumannienne que nature. Un frémissant paysage, qui fait admirablement revivre l'épopée de «Johann. Kreisler junior» (Brahms signait ainsi ses compositions de jeunesse).

Katchen, sobre, survole l'entier parcours d'un souffle ferme et parfaitement soutenu. Les grandes envolées lyriques et la naïveté formelle de la Deuxième Sonate s'équilibrent ainsi en une éblouissante et homogène structure d'ensemble. La variété de coloris se révèle moindre que chez Arrau. Mais l'intensité du jeu, son caractère serré sont plus puissamment autoritaires.

Le mérite primordial de Jean Martin est de retrouver, par-delà les accidents, les traits de force de cet ouvrage inégal mais extraordinairement révélateur du plus pur romantisme brahmsien, une spontanéité, un élan imaginatif et expressif sans contraintes. Le timbre du clavier (Bösendorfer) n'est pas le moindre attrait d'une telle version, peu virtuose, mais claire, aérée, et naturellement émotionnelle.

Krystian Zimerman frissonne, parfois à fleur de peau, faisant preuve d'un dynamisme, d'un *cantabile* plus souples, rebondissants que toujours dominés ou assimilés. L'aisance dans le choix des tempos (*andante con espressione*), la technique du *rubato* ont une valeur indiscutable. Interprétation fervente et personnalisée qui ne bénéficie pas d'une prise de son à sa hauteur.

Sonate pour piano n° 3 en fa mineur op. 5.

❀*** Julius Katchen (piano). Decca 592.163 (11 d.). + *Intégrale de l'œuvre pour piano, Les 3 Sonates pour violon et piano, Sonate pour violoncelle et piano n° 2, Les 3 Trios pour piano et cordes.*

*** Claudio Arrau (piano). Philips 6500.377 (sup.). + *Scherzo op. 4.*

** Clifford Curzon (piano). Decca «Ace of Diamonds» SDD 498 (G-B). + *Intermezzi op. 117 n° 1, op. 119 n° 3.*

La Troisième Sonate est, avec la «*Hammerklavier*» et la Sonate de Liszt, l'ouvrage le plus puissamment symphonique de toute la littérature du piano. Julius Katchen maîtrise construction et rêve avec une exceptionnelle droiture. Rectitude et sévérité du phrasé (premier mouvement), dynamisme contrôlé de chaque inflexion, sérénité et grandeur de ton (*andante espressivo*), lisibilité absolue de la texture : un monument sculpté par l'intransigeance, et l'un des sommets de la discographie.

Claudio Arrau, moins oppressant, anime les grandes lignes d'une singulière atmosphère lyrique. Le phrasé est toujours large mais intense, suprêmement médité et réflexif, le toucher d'une beauté et d'une plénitude irrésistibles. Audacieux déploiement quasi orchestral, qui retient davantage par l'ascendance de la diction, la beauté des attaques, l'intelligente mise en lumière des soubassements harmoniques que par l'inflexion dramatique (*cf.* Katchen !).

Clifford Curzon adoucit peut-être l'héroïsme de l'*Opus 5*, mais il préserve remarquablement l'unité d'architecture malgré une flexibilité plus intériorisée qu'analytique des phrasés. La respiration devient libre, les fluctuations harmoniques et dynamiques sont favorisées sans excessive éloquence ni résignation. Mise en scène à la fois intime et forte, incomparable de race, d'esprit et d'une indiscutable subtilité poétique.

Sonates pour violon et piano : n° 1 en sol majeur «Regensonate» op. 78, n° 2 en la majeur op. 100, n° 3 en ré mineur op. 108.

❀*** Josef Suk (violon), Julius Katchen (piano). Decca 592.163 (11 d.). *+ Intégrale de l'œuvre pour piano, Sonate pour violoncelle et piano n° 2, Les 3 Trios pour piano et cordes.*

** Stoïka Milanová (violon), Dora Milanová (piano). Harmonia Mundi HMU 115/116 (2 d.). *+ Trio pour piano, violon et cor.*

** Jenny Abel (violon), Leonard Hokanson (piano). Harmonia Mundi-Electrola C 151-99.705/06 (2 d.) (RFA). *+ Allegro de la Sonate F.A.E.*

** Augustin Dumay (violon), Michel Béroff (piano). EMI VSM C 167-16.283/84 (2 d.). *+ Sonate F.A.E.*

Ces trois simples et superbes Sonates pour violons sont un des fleurons de toute la musique de chambre romantique, et la Première, la *«Regensonate»*, un absolu sommet d'invention mélodique, de liberté dans l'effusion et l'envolée : il est permis d'y voir le plus beau duo instrumental (conjointement, sans doute, avec la Sonate pour clarinette et piano op. 120. n° 1, en fa mineur) jamais conçu par Johannes Brahms. Les grands archets de notre temps (Oïstrakh, Milstein, Stern, Szeryng, Grumiaux, Zukerman) ont tous plus ou moins échoué à traduire la lumière, le chant, la puissance sous-jacente de ce magnifique triptyque. Suk avec Katchen - Suk souvent sombre, Katchen passionné, sensuel -, choisissant des tempos plutôt vifs, imposent un esprit à la fois magistral et illuminé. La prodigalité thématique de la *«Regensonate»*, les rêveries impulsives de l'*Opus 100*, la générosité plus brusque de l'automnale Sonate en *ré* mineur se révèlent ici aussi flagrantes qu'assimilées. Un seul disque, un incomparable monument - qui domine, et de fort haut, l'entière discographie. La prise de son est impeccable.

Sans posséder la plénitude technique et stylistique de Josef Suk, Stoïka Milanová atteint une intériorité, une sensibilité admirables, particulièrement dans les difficiles demi-teintes de l'*Opus 100*.. Les effusions mélodiques des *Opus 78* et *108*, moins contrôlées (ni aussi intimement schumanniennes) qu'avec Suk-Katchen, demeurent toujours authentiques et surtout extrêmement séduisantes. Cette interprétation avant tout «bien sonnante» et fervente s'accompagne d'une bonne version du Trio avec cor op. 40.

C'est sur un plan strictement musical que la réunion Jenny Abel-Leonard Hokanson se recommande. Techniquement, le violon de Jenny Abel n'est guère irréprochable ; ses options stylistiques (lenteur du tempo, phrasés toujours amples mais exceptionnellement détaillés, «analytiques»), d'une remarquable originalité, font surtout merveille dans la Première Sonate, qui prend ici une pureté et un ton de lyrisme vraiment immenses. La plénitude, la respiration des Sonates en *la* et en *ré* mineur sont à peine moindres. Vision intense, austère, froide parfois, mais qui fait preuve d'une magnifique authenticité dans l'ordonnance des fluctuations rythmiques, l'agogique (op. 100) comme la coloration poétique (*«Regensonate»*).

L'archet d'Augustin Dumay, très jeune pour ce répertoire, mais d'un niveau technique supérieur, ne manque ni de souffle (*«Regensonate»*) ni de clarté, d'unité dans l'intensité (second mouvement de l'*Opus 100*, *adagio* de la Sonate en *ré* mineur). Conception véritable, déjà très brahmsienne, malheureusement contredite par le manque d'engagement et le jeu un rien trop sec de son partenaire, pourtant excellent virtuose. La prise de son respecte d'ailleurs mieux la beauté de son d'Augustin Dumay que le jeu de Michel Béroff.

Sonates pour violoncelle et piano : n° 1 en mi mineur op. 38, n° 2 en fa majeur op. 99.

❀*** Rama Jucker (violoncelle), Werner Giger (piano). Accord ACC 140.049. Enregistré en 1981.

*** Jacqueline du Pré (violoncelle), Daniel Barenboïm (piano). EMI VSM C 063-00.393. Enregistré en 1969.

*** Pierre Fournier (violoncelle), Wilhelm Backhaus (piano). Decca «Eclipse» ECS 785 (G-B). Enregistré en 1954.

*** Mstislav Rostropovitch (violoncelle), Rudolf Serkin (piano). DG 2532.073. Enregistré en 1982.

** Paul Tortelier (violoncelle), Maria de la Pau (piano). EMI ASD 3612 (G-B).

Jucker et Giger trouvent immédiatement le ton juste qui fait que cette musique devient synonyme d'intimité, de dialogue grave et intense. Les deux musiciens sont au même diapason, faisant partager une passion qui reste profonde et pudique. Les deux instrumentistes suisses se révèlent être d'excellents musiciens et font preuve d'une rare communauté de pensée. On admirera avec quelle discrétion le pianiste se refuse à tout panache, à tout éclat pour mieux servir la simplicité du chant et alimenter le climat hautement poétique qui caractérise cette interprétation.

Jacqueline du Pré, admirablement secondée par l'intuition inventive de Barenboïm, apporte vigueur et impulsion rythmique aux temps les plus passionnés (*Finale* fugué de l'*Opus 38, allegro passionato* de la Deuxième Sonate). Tempos, phrasés nerveux et toujours très personnalisés (au détriment, parfois, de la justesse) imposent une vision spontanée, romantique sans emphase - qui est sans doute celle qui convient le mieux à ces deux grandes mais sévères architectures. Du Pré-Barenboïm omettent la reprise de l'*allegro non troppo* (Première Sonate) mais font celles de l'*allegretto quasi menuetto* et toutes celles de l'*Opus 99*.

Beaucoup plus contrôlés, sinon même révervés, Fournier - Backhaus l'emportent par la robustesse un peu rude (deuxième thème et développement du premier mouvement de l'*Opus 38*, superpositions contrapuntiques de son Finale) qui est un des principaux aspects du Brahms de ces deux terribles duos. Curieusement, l'*adagio affettuoso* de la Deuxième Sonate, avec sa richesse de demi-teintes, leur convient mieux que la véhémence de l'*allegro passionato*, où ils n'atteignent point, tant s'en faut, la réussite de la précédente version. Fournier-Backhaus ne font aucune reprise dans les mouvements vifs initiaux (*allegro non troppo* de l'*Opus 38, allegro vivace* de l'*Opus 99*) mais conservent, c'est heureux, celles des mouvements médians (*allegretto quasi menuetto* de l'*Opus 38, allegro passionato* de l'*Opus 99*). La prise de son porte assez gravement son âge.

Serkin et Rostropovitch, par le respect qu'ils se témoignent mutuellement, donnent une impression de prière commune, de parfait équilibre entre le clavier et le violoncelle qui n'essaie jamais de briller de manière gratuite. Cette approche manque peut-être de spontanéité, et les formidables références stylistiques des deux musiciens ressurgissent souvent. Cela dit, cette exceptionnelle rencontre séduira tous les mélomanes qui voient dans Brahms une synthèse superbement équilibrée d'un siècle de musique allemande, de Telemann à Beethoven.

Paul Tortelier exprime un style aussi original que diversifié. La souplesse du *rubato* (troisième thème, *allegro moderato* de la Sonate en *mi* mineur), la ductilité des inflexions (*allegretto quasi menuetto*), un *legato* à la fois flexible et dense (deux mouvements médians de l'*Opus 99*) confèrent une dimension expressive intense et émouvante. L'interprétation de Maria de la Pau, moins variée stylistiquement, reste en-deçà et n'est guère comparable à celles de Backaus ni, bien sûr, de Barenboïm. Prise de son incisive, mais pas toujours bien équilibrée ; cette version vaut surtout pour le jeu de Tortelier, son grand sens du détail, son économie dans l'utilisation du *vibrato*, l'accent émotionnel et même spirituel qu'il sait donner à la musique de Brahms.

Sonate pour violoncelle et piano n° 2 en fa majeur op. 99.

❀*** János Starker (violoncelle), Julius Katchen (piano). Decca 592.163 (11 d.). *+ Intégrale de l'œuvre pour piano, Les 3 Sonates pour violon et piano, Les 3 Trios pour piano et cordes.*

Pour la seule Deuxième *Sonate*, Starker et Katchen - qui font toutes les reprises - plongent de toute leur ardeur et de toute leur pudeur vers l'essence même du texte. L'héroïsme de l'*allegro vivace*, l'agogique inventive de l'*adagio affetuoso*, l'effervescence dynamique de l'*allegro passionato* se colorent ici d'admirables nuances lyriques. L'équilibre du jeu entre les deux instruments, le timbre même de János Starker, dramatique et mat, sa rigoureuse justesse d'intonation, l'absolue maîtrise brahmsienne de l'un comme l'autre des partenaires triomphent naturellement et souverainement. Vision puissante, jaillissante, bien supérieure à toutes les concurrentes, bénéficiant de surcroît d'une prise de son particulièrement honnête : elle fait amèrement regretter que Starker et Katchen n'aient jamais pu graver ensemble l'*Opus 38*.

Les Quatre Symphonies.

❀*** Orch. Phil. de Vienne (Symphonie n° 1), Orch. Phil. de Berlin (Symphonie n°ˢ 2, 3, 4), Wilhelm Furtwängler. EMI VSM C 153-53.420/26 (7 d.). Enregistré de 1947 à 1952. + *Danses Hongroises n°ˢ 1, 3 et 10, Concerto pour violon, Concerto pour piano n° 2, Double Concerto, Variations sur un thème de Haydn.*

*** Orch. Phil. de Berlin, Herbert von Karajan. DG 2740.193 (4 d.). ☒ 3371.041 (4 c.). Enregistré en 1978. + *Ouverture Tragique.* Ou DG 2531.131, 2531.132, 2531.133, 2531.134.

** Orch. du Concertgebouw d'Amsterdam, Bernard Haitink. Philips 6747.270 (8 d.) (sup.). + *Concertos pour piano n°ˢ 1 et 2, Ouverture Académique, Ouverture Tragique, Variations sur un thème de Haydn, Concerto pour violon, Double Concerto.*

** Orch. Phil. de Berlin, Herbert von Karajan. DG 2721.055 (4 d.) (sup). Enregistré en 1964. + *Variations sur un thème de Haydn.* Ou DG 138.924, 138.925, 138.926, 138.927.

* Orch. Symph. de Chicago, Georg Solti. Decca 390.098 (4 d.). Enregistré en 1978 et 1979. + *Ouverture Académique, Ouverture Tragique.*

L'intégrale de Furtwängler se classe nettement en tête, pour son sens du tragique, ses magnifiques envolées (*allegro con spirito* de la Deuxième Symphonie, *allegro con brio* de la Troisième, *Passacaille* de la Symphonie en mi mineur). L'aération des plans, les affirmations de phrases, sinon même de notes polarisatrices (mouvements médians de la Troisième Symphonie, début de la Quatrième) décuplent toute la dynamique conflictuelle. Elles invitent l'auditeur à une écoute particulièrement active. Chez Brahms, mélodie et harmonie, héritées souvent de Schumann, s'opposent à la rhétorique post-beethovénienne. Furtwängler n'a pas son pareil pour bien mettre en lumière cette lutte dense et fondamentale entre matériau et structure. Les forces directionnelles de la Troisième, de la Quatrième Symphonie (prises de son faites en public) sont ainsi exaltées de façon extraordinaire ; ce sont de véritables architectures vivantes, secouées d'éclairs, de lenteurs infinies, de calmes hypertendus, de déchaînements lyriques. Le choix du tempo, *molto instabile*, n'obéit qu'à la conception qu'avait Furtwängler du temps musical : faire éclater la grande forme d'une œuvre en chacune de ses composantes, de façon que l'on puisse percevoir l'itinéraire entier à chaque mesure. La Première, la Deuxième Symphonie souffrent de la précarité de la prise de son, mais la véhémence très engagée donnée à la Deuxième en renouvelle indiscutablement l'approche.

Karajan (version 1978) offre une vision magistrale, avant tout équilibrée, usant de tempos plutôt rapides, d'un *legato* constant mais nullement abusif, d'une science phénoménale dans l'échelle des nuances (*allegro* de la Première Symphonie, *adagio* de la Deuxième). La Quatrième, que Karajan dirige d'ailleurs toujours avec bonheur, se révèle une extraordinaire réussite, joignant à l'exactitude de la mise en place et à des tempos dignes de Toscanini une *aura* expressive unique, sombre et élégiaque. La Troisième souffre de la vélocité du tempo, et sa substance dramatique se perd au fil du jeu. La prise de son est somptueuse, mais peut-être trop enveloppée.

Les couleurs propres au Concertgebouw d'Amsterdam singularisent heureusement l'intégrale Haitink, homogène, robuste, remarquablement honnête. La Première, la Deuxième Symphonie offrent un beau travail du détail, une courbe plastique sombre mais finalement très séduisante. Cette puissance chaleureuse se perd un peu dans les deux autres Symphonies, mais la perfection du travail d'orchestre demeure.

Karajan (version 1964) donne une Deuxième et surtout une Quatrième de haute volée. L'orchestre est toujours splendide. D'extraordinaires nuances de phrasé, un tempo large, une grande liberté impulsive parfois digne de Furtwängler sont les atouts de la Quatrième ; on les retrouve dans les mouvements médians de la Deuxième, dans l'*allegro* final de la Première. La prise de son, trop réverbérée, ne nuit pas outre mesure à ce bel emportement romantique.

Georg Solti n'affirme évidemment pas la foisonnante complexité d'un Furtwängler, la richesse sensuelle d'un Karajan, ou l'authenticité «*sui generis*» de la version Haitink-Concertgebouw. L'engagement est limpide, moins subtil, axé sur l'architecture. Les tempos sont en général modérés. La prise de son, spectaculaire, accentue, parfois avec bonheur (Première) la rudesse de la mise en place. Les Deuxième, Troisième Symphonies sont jouées avec homogénéité, densité d'expression, un respect très juste de la lettre. La Quatrième domine, de loin, l'ensemble : extravertie, «surexposée» certes, mais animée d'une immense vigueur.

Symphonie n° 1 en ut mineur op. 68.

❀*** Orch. Phil. de Berlin, Wilhelm Furtwängler. DG 2721.202 (10 d.). Mono. Enregistré en 1952. + *«Das Vermächtnis». Haydn : Symphonie n° 88. Mozart : Symphonie n° 39. Beethoven : Symphonie n° 5, Ouverture d'Egmont. Schubert : Symphonies n°s 8 et 9. Schumann : Symphonie n° 4. Bruckner : Symphonie n° 7. Wagner : Ouvertures des Maîtres Chanteurs et de Parsifal. R. Strauss : Don Juan, Till Eulenspiegel. Furtwängler : Symphonie n° 2.*

❀*** Orch. Philharmonia, Guido Cantelli. Trianon C 027-03.762. Mono. Enregistré en 1953.

*** Orch. Phil. de Los Angeles, Carlo-Maria Giulini. DG 2532.056. Enregistré en 1982.

*** Orch. du Concertgebouw d'Amsterdam, Bernard Haitink. Philips 6500.519 (G-B).

*** Orch. de la NBC, Arturo Toscanini. RCA AT 115 (Italie, G-B). Mono. Enregistré en 1951.

** Orch. Phil. de Berlin, Herbert von Karajan. DG 2531.131. ⊠ 3301.131. Enregistré en 1978. Ou DG 2740.193 (4 d.). + *Intégrale des Symphonies, Ouverture Tragique.*

** Orch. Phil. Tchèque, Karel Ančerl. Supraphon-Eurodisc 28.075 (2 d.). + *Symphonie n° 2.*

** Orch. du Südwestfunk de Baden-Baden, Jasha Horenstein. Vox STPL 510.690 (étr.). Enregistré en 1962.

* Orch. Symph. de Chicago, Georg Solti. Decca 591.134. ⊠ 4-390.338. Ou Decca 390.098 (4 d.). + *Intégrale des Symphonies et des Ouvertures.*

L'enregistrement radio (Berlin 1952) de Wilhelm Furtwängler est infiniment supérieur à la version Vienne 1947 (reprise dans l'album EMI). Furtwängler insuffle à tout le premier mouvement (introduction *un poco sostenuto*, exposé du premier thème) une terrifiante grandeur. Le déploiement du tempo devient crucial durant le développement. L'*andante sostenuto* maintient une égale tension dramatique. Le Finale reste un prodigieux exemple de l'art de Furtwängler : les contrastes sont exacerbés puis intégrés d'une même main de fer. Les rapports de densité dynamique, essentiels pour cette page, sont maîtrisés à la perfection. Un disque suprêmement inspiré, un des plus beaux hommages jamais rendus à la musique de Brahms.

Cantelli favorise des tempos enlevés, jouant sur les gradations d'intensité avec une magistrale rigueur. L'introduction et tout l'*allegro* possèdent un élan fantastique, et nous offrent un Brahms clarifié, profondément lumineux. Cette approche faite de flamme et de précision culmine dans l'*andante sostenuto*. Les bois et les cordes du Philharmonia (épisode lyrique précédant la réexposition, hautbois et clarinette du deuxième thème) sont d'une beauté à couper le souffle. Le troisième mouvement devient à lui seul un étrange paysage poétique (*crescendo* des bois, lors du développement, *trio* à 6/8). Cantelli révèle dans le Finale une frémissante ardeur. Cette interprétation incisive, audacieuse par son acuité est peut-être dans l'absolu moins grande que celle de Furtwängler. Mais elle situe Brahms dans un éclairage beaucoup plus «universel».

On retrouve bien dans cette Première la griffe de Giulini, avec son sens inné du phrasé et des nuances - ce qui l'amène à choisir des tempos modérés, se déployant avec majesté. La lisibilité y gagne, et toute l'œuvre se pare alors d'un lyrisme intense. Le galbe, la beauté du coloris, la noblesse même de l'inspiration font le caractère exceptionnel de cette approche.

Bernard Haitink choisit un *tempo giusto*, et s'y tient. Le premier mouvement, moins dramatique que chez Furtwängler, moins romantique qu'avec Cantelli, manifeste une rigueur et un sens de l'architecture rares. Les timbres du Concertgebouw sont incomparables dans les mouvements médians, dont Haitink fait bien ressortir l'aspect librement concernant et quasi ornemental. Le Finale exprime plus de force, de rondeur dans chaque plan qu'une réelle grandeur tragique. Mais l'écriture polyphonique éclate dans toute sa vérité.

Arturo Toscanini, maître et modèle de Cantelli, place lui aussi la Première dans une tessiture de lumière. Mais les tempos divergent considérablement : ici, ils deviennent rès vifs, et les attaques, le phrasé, beaucoup noins linéaire, rendent un ton constamment lramatique (sinon aride) au premier mouvenent. Toscanini souligne comme à plaisir la ension métrique du discours (développenent de l'*allegro*), les ruptures dans l'intruion de chaque idée secondaire (Finale). Cette vision, d'un perfectionnisme fanatique quant à la lettre, est à elle seule toute une ıventure, à prendre ou à laisser. Aucun ɔrahmsien ne peut l'ignorer. Prise de son nate, en rapport exact avec l'interprétation.

Karajan (version 1978) définit dès le prenier temps une conception éminemment peronnelle, à la plastique souveraine et sompueuse. La rhétorique issue de l'exemple beethovénien s'estompe ici au profit du conour mélodique, d'un *rubato* supérieur et acif. Le tempo de l'*allegro* demeure *giusto*, sa ɔuissance davantage charnelle, sinon émoive, que dynamique. Les deux mouvements nédians retrouvent curieusement, malgré des ıuances très sophistiquées, une impulsion, ıne vitalité plus immédiates. Le Final proette une densité impressionnante, jouant à la ois sur le clair-obscur et la tension spécifiquement instrumentale. Cette extraordinaire ichesse de détails vise parfois au style de resque. Dans un tel contexte, le classicisme quasi objectif (et fort toscaninien) donné à la éroraison se révèle une splendide intuition.

Ančerl l'emporte par la vigueur des acents, une fière virilité (développement de 'allegro) parfois proche de l'exemple de Toscanini, du point de vue du tempo, des arêtes lynamiques. Les mouvements centraux ayonnent d'une inimitable verdeur de colois (les bois tchèques !). La franchise et la ougue apportées au Finale possèdent une orte d'intransigeance nerveuse hautement ingulière. Une Première résolue, imaginaive, qui sort des sentiers battus. La prise de on est mate, rendant avant tout justice à la variété des couleurs.

Avec un orchestre de moindre envergure, Horenstein réussit l'exploit d'une interprétaion idéalement lyrique. Tournant le dos aux raditions «monumentales» (*cf.* Klemperer, Haitink, Solti), il retrouve le souffle, le tragique romantique de la Première au travers le phrasés exceptionnellement larges, de empos généreux, d'un style toujours transɔarent. Ce type de direction, parfois proche le celle d'un Giulini, est mis au service d'une ɔrévision extrême dans la mise en valeur du noindre trait (*allegro* initial) comme des souɔassements harmoniques (Finale). Le Finale levient un chef-d'œuvre d'analyse et de synhèse ; il conserve, au-delà de la puissance hétorique, une poésie élégiaque inconnue ɔartout ailleurs (thème du *più andante* au cor t à la flûte, *sempre e passionato* !). La prise le son est en rapport avec la qualité de l'orchestre : passable. Mais cela n'a guère d'importance pour qui sait écouter. Un acte de foi, en même temps qu'une belle leçon de sensibilité et d'authenticité brahmsiennes.

Solti choisit une perspective de cohérence logique, et fait preuve d'une grande discipline rythmique (*allegro* initial). Les mouvements vifs sont puissamment charpentés, les contrastes d'intensité (Finale) intégrés dans le sens de l'architecture. L'orchestre sonne de somptueuse manière. Le chef et la prise de son privilégient les registres graves, ce qui donne à l'ensemble une teinte sobre et altière. Les tempos sont larges, particulièrement dans le Finale.

Symphonie n° 2 en ré majeur op. 73.

❀*** Orch. Phil. Tchèque, Karel Ančerl. Supraphon-Eurodisc 28.075 (2 d.). + *Symphonie n° 1.*

❀*** Orch. Phil. de Berlin, Claudio Abbado. DG 2530.125 (sup.). Enregistré en 1971.

*** Orch. Phil. de Vienne, Pierre Monteux. Decca 592.024. ⌧ 4-592.024. Enregistré en 1959.

*** Orch. Symph. Columbia, Bruno Walter. CBS 61.218 (G-B). + *Ouverture Tragique.* Ou CBS L 3 (3 d.). + *Intégrale des Symphonies.*

*** Orch. du Concergebouw d'Amsterdam, Bernard Haitink. Philips 6500.375 (G-B).

** Orch. Symph. de la Radio Danoise, Jasha Horenstein. Unicorn UNS 236 (G-B). Enregistré en 1972.

** Orch. Phil. de Berlin, Herbert von Karajan. DG 138.925 (sup.). Enregistré en 1964.

** Orch. Phil. de Berlin, Wilhelm Furtwängler. EMI VSM C 153-53.420/26 (7 d.). Enregistré en 1952. + *Intégrale des Symphonies, Danses Hongroises, Concertos, Variations sur un thème de Haydn.*

** Orch. Phil. de Berlin, Herbert von Karajan. DG 2531.132. ⌧ 3301.132. Enregistré en 1978. Ou DG 2740.193. + *Intégrale des Symphonies, Ouverture Tragique.*

Ančerl joue vivement l'*allegro non troppo.* La reprise n'est pas faite. Lyrisme des cinq idées secondaires, qui s'enchaînent naturellement au développement, sensualité des timbres : tout serait à citer, et chaque composante prend ici une dimension très pure. Le tempo demeure *giusto* ; Ančerl fait bien ressortir l'atmosphère légendaire du mouvement lent. *Allegretto grazioso* et Finale possèdent un tranchant exceptionnel. La prise de son, impeccable, restitue au mieux cette lucidité sans concession. Un sommet.

Abbado, qui fait la reprise, choisit un tempo ample et voir grand dès l'*allegro non troppo.* La mise en valeur de tous les motifs secondaires est faite avec autant d'intelligence que de lyrisme. Abbado exprime la profondeur de la texture orchestrale en s'opposant nettement à la tradition d'une Deuxième seulement élégiaque. L'expression devient puissante (*adagio*), le phrasé à la fois large et tendu : tout glorifie un climat pénétrant (réexposition de l'*allegro non troppo*) ou intensément expressif (mouvements médians). Le Finale, au-delà des contrastes, prouve une souplesse d'articulation et un sens dramatique souverains. La farouche éloquence de la *coda* constitue un bel exemple de l'art d'Abbado, alors à ses débuts.

La version Monteux-Vienne (légèrement supérieure à la version faite à Londres) semble prolonger l'âme secrète de la Symphonie en ré. Elle en exalte surtout la fantaisie mélodique et les caprices rythmiques (*allegretto grazioso*). Monteux, qui fait également la grande reprise du premier mouvement, use de temposmodérés, et met davantage l'accent sur la souplesse des lignes (surgissement de la première idée secondaire, aux cordes, deuxième thème, aux altos et violoncelles *cantando*) que sur l'incisivité des phases transitoires (Finale). La respiration jaillit sans aucune césure (développement de l'*allegro non troppo*). Une version admirable d'un bout à l'autre par sa grande rectitude. Prise de son ancienne, mais remarquablement fidèle à la rondeur et au moelleux de l'orchestre (Vienne !).

Bruno Walter souligne les nuances les plus sensuelles (deuxième thème de l'*allegro non troppo*) et les contours mélodiques en usant d'un généreux *rubato.* Cette conception hyperlumineuse culmine sans doute dans les deux mouvements intermédiaires, mais *allegro non troppo* et Finale conservent une spontanéité du phrasé ardente et sans pathos. L'orchestre, malheureusement, n'est que passable et la prise de son moyenne.

Haitink rapproche avec raison la Symphonie en ré de l'univers de Frantz Schubert, voire de celui de Bruckner. Il donne ainsi une certaine priorité au statisme contemplatif de certaines périodes mélodiques, davantage qu'aux phases réellement conflictuelles (*allegro non troppo*, Finale). La linéarité des mouvements médians affirme un ton serein, et le rôle du timbre (violoncelle et bois de l'*adagio*, hautbois de l'*allegretto*) ressort avec superbe. La virtuosité et la rigueur d'inflexion du Finale sont un modèle. La prise de son accentue la chaleur sombre et capiteuse du Concertgebouw.

Horenstein (concert public de la radio danoise) offre une interprétation singulière et magnifique. L'*allegro non troppo* (avec la reprise) tranche par son caractère intérieur sur les autres versions. La spontanéité du phrasé dans l'émergence de chaque motif secondaire demeure une leçon. On pense plus d'une fois à l'art, au piano, d'un Edwin Fischer, dans cette décontraction spécifique de la phrase, dans l'importance donnée à certaines fluctuations (développement) ; la souplesse rythmique, le dosage des lignes surprennent et conquièrent. Le Finale possède moins de retenue expressive ; mais il éclate, tourbillonne en conservant une merveilleuse sobriété. La prise de son est passable, l'orchestre médiocre.

Karajan 1964 marie admirablement éloquence, vigueur de l'articulation et sensualité purement instrumentale. Les mouvements extrêmes font surgir de vertigineuses envolées, une volupté subite et intense du phrasé. Au-delà de la rutilance (Finale), Karajan redécouvre avec panache et romantisme la pulsation réelle du rythme bramsien.

La vision de Wilhelm Furtwängler se situe résolument à l'opposé de la plupart des autres, par sa violence soutenue, l'arête cinglante donnée à chaque ligne, et par d'extrêmes fluctuations du tempo. La véhémence accordée aux temps vifs (comme, curieusement, à l'*adagio* qui prend ici une incroyable teneur sombre) montre évidemment la Deuxième sous un jour pour le moins inhabituel. La prise de son, d'une qualité relative, atténue quelque peu la clarté des accents (Finale).

Karajan version 1978, avec des tempos plus vifs qu'en 1964, situe l'œuvre en un espace homogène, rigoureux et parfois paroxystique. La plasticité des volumes, la somptuosité de la prise de son ne contredisent qu'à demi une telle précision des lignes. Malgré tout son faste orchestral, le Finale, où chaque plan devient remarquablement intégré dans l'architecture, révèle une sévérité inattaquable.

Symphonie n° 3 en fa majeur op. 90.

❀*** Orch. Phil. de Berlin, Wilhelm Furtwängler. EMI VSM C 153-53.420/26 (7 d.). Mono. Enregistré en 1949. *+ Intégrale des*

Symphonies, Danses Hongroises, Concertos, Variations sur un thème de Haydn. Ou Unicorn Wilhelm Furtwängler Society WFS 4 (G-B). Mono.

❀*** Orch. Philharmonia, Carlo Maria Giulini. Seraphim S 60.101 (USA). *+ Ouverture Tragique.*

❀*** Orch. Phil. de Vienne, Rafael Kubelik. Decca SDD 119 (G-B). Enregistré en 1956.

❀*** Orch. Philharmonia, Guido Cantelli. EMI Trianon 33.200. Mono. Enregistré en 1953.

** Orch. Phil. de Vienne, Herbert von Karajan. Decca 592.008. ⊠ 4-592.008. Enregistré en 1961. + *Ouverture tragique.*

** Orch. de Cleveland, George Szell. CBS 61.924 (sup.). + *Variations sur un thème de Haydn.*

** Orch. Symph. de Chicago, Georg Solti. Decca 591.148. ⊠ 4-390.355. Enregistré en 1978. Ou Decca 390.098 (4 d.). + *Intégrale des Symphonies, Ouvertures.*

La Troisième Symphonie est peut-être l'*Eroïca* de Brahms, mais aussi son «jardin secret», et l'une des plus grandes symphonies de tous les temps. C'est du moins ainsi que l'entend Furtwängler, qui construit tout en tension (et en clarté d'articulation) l'*allegro con brio*. La fin de l'exposition, le bref développement et la section *poco sostenuto* possèdent ici un ton fantastique, à la fois élémentaire et plus englobant, qui marque toute la différence avec les autres interprétations. Réexposition et *coda* libèrent une formidable énergie. Furtwängler dialogue véritablement avec son orchestre lors des fuyants jeux de timbre de l'*andante*, et la simple romance du *poco allegretto* prend un ton schumannien irrésistible. L'*allegro* final débute tel l'orage et s'achève dans le poudroiement lumineux des demi-teintes : Furtwängler marie brumes et soleil avec un maximum d'intensité (deuxième thème), il réussit le pari insensé de nous entraîner vers cette fin descendante, frissonnante, qui révèle l'abîme. Un des plus beaux disques de toute l'histoire, et certainement (conjointement à la Quatrième de Schumann et à deux ou trois Beethoven)le plus extraordinaire témoignage de l'art de Furtwängler. Prise de son excellente pour l'époque, mais on entend hélas ! aussi bien les toux du public que les détails d'orchestre.

Giulini (qui, malheureusement, tout comme Cantelli, omet la reprise de l'*allegro con brio*) pratique des tempos amples, réfléchissant davantage l'effusion lyrique, l'intensité de la phrase mélodique. Les contrastes, les ellipses mystérieuses de l'*allegro con brio* s'accordent ici à une respiration toujours remarquablement conduite. Un phrasé large mais subtil saisit au mieux le clair-obscur et les fluctuations rythimiques des deux temps intermédiaires. L'intériosation quasi visionnaire du Finale est à elle seule unique, elle semble en prolonger l'inquiétude interrogatoire si schumannienne. Prise de son passable, mais l'orchestre est excellent. Ce disque offre en complément une extraordinaire version de l'*Ouverture Tragique*....

Kubelik, dans un très grand jour (il s'agit sans doute du meilleur enregistrement de toute sa carrière), choisit un ton très romantique et bien que pratiquant des tempos plus vifs que ceux de Giulini ou de Furtwängler, il donne l'impression d'une immense et imposante largeur (*allegro con brio*). L'héroïque grandeur conférée aux deux volets extrêmes intègre au maximum les mille couleurs changeantes de cette musique aussi bien que sa singulière tension psychologique. Le registre des mouvements centraux devient à dessein davantage mystérieux. Kubelik insuffle un style très pur, essentiellement lyrique, à tout le Finale. L'orchestre, à la fois souple et sensuel, répond magistralement à une telle conception, passionnée et extravertie, mais la prise de son date un peu.

Cantelli reste au fil du texte qu'il détaille avec une prodigieuse rectitude. Les tempos sont vifs, mais sans autre effet remarquable qu'une vigoureuse gradation des densités dynamiques (section centrale de l'*allegro con brio*, exposé de l'*andante*). La franchise d'accent accordée à la moindre transition, l'âpre concentration du phrasé rappellent un peu Toscanini, mais sans la précipitation du tempo, rédhibitoire pour cet ouvrage en particulier. Cantelli privilégie avant tout la puissance déclamatoire du Finale, peut-être aux dépens de son interrogation souterraine et complexe. L'orchestre est d'une homogénéité admirable.

Karajan s'attache d'abord à la puissance majestueuse de la construction et, usant de tempos moins vifs qu'en ses autres gravures (d'ailleurs peu recommandables), porte l'expression des mouvements extrêmes à un point culminant. Les mouvements centraux sont plus sensuels que subtils et restent endeçà des visions limpides ou fluctuantes d'un Giulini ou d'un Kubelik. La prise de son synthétique, accentue l'homogénéité de la direction (Finale).

Szell offre une Troisième violemment contrastée tout en conservant un exceptionnel respect de la lettre. Le tempo demeure sévèrement *giusto*, l'éclairage donné à chaque grande période (mouvements médians, Finale) d'une rectitude implacable. Interprétation analytique, y compris dans l'*allegro con brio* (sans la reprise) dont les lignes directrices ressortent cependant avec suffisamment d'éloquence. L'Orchestre de Cleveland est à son sommet, et la prise de son obejctive.

Solti, on s'en doute, brille davantage par l'énergie (parfois trop charnelle) que par la mise en valeur des nuances et du climat poétique ; mais de fait, la rectitude de la mise en place, l'intelligence et le contrôle du phrasé surprennent agréablement. Approche pleine de flamme, de rhétorique presque douloureuse (développement de l'*allegro con brio*, et tout l'*andante*), qui ne s'abandonne que bien rarement au lyrisme sensuel. Le Finale devient dramatique à souhait. La prise de son, fort généreuse, répond à la perfection au style de la direction et à la précision du travail d'orchestre.

Symphonie n° 4 en mi mineur op. 98.

❀*** Orch. Phil. de Berlin, Wilhelm Furtwängler. EMI VSM 2C 153-53.420/26 (7 d.). Mono. Enregistré en 1948. + *Intégrale des Symphonies, Danses Hongroises, Concertos, Variations sur un thème de Haydn.* Ou Unicorn Wilhelm Furtwangler Society WFS 1. Mono. + *Danses Hongroises 1, 3, 10.* Ou EMI Da Capo C 147-50.336/39 (4 d.). Mono. + *Intégrale des Symphonies.*

❀*** Orch. de la NBC, Arturo Toscanini. RCA AT 146. Mono. Enregistré en 1951 (Italie, G-B).

❀*** Orch. Phil. de Berlin, Herbert von Karajan. DG 2531.134. ☒ 3301.134. Enregistré en 1978. Ou DG 2740.193 (4 d.). + *Intégrale des Symphonies, Ouverture Tragique.*

❀*** Orch. Phil. de Berlin, Herbert von Karajan. DG 138.927 (sup.). Enregistré en 1964.

*** Orch. Symph. de Chicago, Carlo Maria Giulini. EMI VSM C 069-02.083. Enregistré en 1969.

*** Orch. Symph. de Chicago, Georg Solti. Decca 591.087. Enregistré en 1978. Ou Decca 390.098 (4 d.). + *Intégrale des Symphonies, Ouvertures.*

** Orch. Phil. de Munich, Rudolf Kempe. Acanta 20 22394-9 (RFA, G-B). Enregistré en 1975.

** Orch. Philharmonia, Herbert von Karajan. MFP M 155-03.603/4 (2 d.). Mono. Enregistré en 1955. + *Symphonie n° 1 op. 68.*

* Orch. Phil. de Vienne, Karl Boehm. DG 2530.894 (sup.). + *Ouverture Tragique.*

Furtwängler transfigure le propos de la Quatrième (et en particulier de l' *allegro non troppo*), d'une grandeur quasi fatale. Non que l'hésitation, le tragique légèrement plaintif des idées secondaires ou du développement ne subsistent. Mais chaque transition ramène ici un insondable mystère. Le tempo reste plus exactement souple, sinon même flexible (second thème) que véritablement large. La gravité de l'*andante moderato* en *mi* majeur, son phrasé dense, sa ductilité rythmique s'éloignent de la tradition d'un simple *intermezzo* élégiaque et font ressortir à plein la crudité mélodique (et modale) de ce morceau. Le troisième temps, d'une rudesse phénoménale, est une des plus étonnantes surprises de cet enregistrement. L'atmosphère sombre, exacerbée de chacune des lignes de la *Passacaille*, sa majesté nullement sereine mais au contraire conflictuelle lui ajoutent une dimension supérieure et en font totalement oublier l'archaïsme de structure. Prise de son passable, mais les grands élans furtwängleriens éclatent malgré tout d'une brûlante véhémence.

Après l'océan de Furtwängler, le granit de Toscanini offre le plus saisissant des contrastes. La direction s'appuie ici sur une pulsation prodigieusement précise, jouant d'un phrasé à la limite de la sécheresse, usant de tempos extraordinairement vifs. La netteté des plans (développement de l'*allegro non troppo*), la raideur de l'architecture imposant une sévère Quatrième qui répond cependant avec une fabuleuse exactitude à la réelle courbe dramatique de l'ensemble. Version éminemment personnelle ; elle demeure aujourd'hui encore toute une aventure, malgré la matité et même la vétusté de la prise de son.

Karajan investit dans toutes ses approches de la Symphonie en mi mineur (un de ses plus constants triomphes, au concert comme au disque) une ferveur, une lumière sensuelle inimitables. La leçon de Toscanini porte à plein dans sa plus récente version (1978), et malgré la vivacité des tempos, l'équilibre rythmique (prodigieux dans le premier mouvement), le foisonnement frémissant de chaque incise, triomphant d'un bout à l'autre. L'approche apparaît analytique, et cependant passionnée, le mouvement dynamique exalté avec une acuité formidable. La pure beauté sonore de chaque ligne (*andante moderato, Passacaille*) délivre en contrepoint une dimension supplémentaire à la tonicité nette et transparente du phrasé. Sans doute moins personnellement engagé que Furtwängler ou Toscanini, Karajan va au-delà sur le plan de la perfection instrumentale (et sur celui de l'ardeur lyrique) : il offre la Quatrième la plus universellement classique. Prise de son somptueuse, à l'exacte mesure du travail d'orchestre.

Karajan pratique en 1964 des tempos plus larges, un déploiement sonore davantage généreux encore, un *legato* inflexible et impressionnant de chaleur romantique. L'approche est moins lucide, les tons (*andante moderato*) moins drus qu'en 1978, la plasticité du phrasé (*allegro non troppo, Passacaille*) bien davantage charnelle, l'assise rythmique beaucoup plus souple. Karajan expérimente de fort périlleuses gradations au niveau de la logique des nuances, des contrastes dynamiques. Interprétation plus passionnée qu'architecturée, qui exalte avant tout la subversion propre (héritée de Schumann) du matériau, bien davantage que la stricte dialectique du contrepoint (l'«hommage à Bach» du Finale).

Giulini s'éloigne de la radicalité ambitieuse d'un Toscanini (ou de Karajan 1978) aussi bien que de l'héroïsme généreux de Karajan 1964 ; il rejoint par certains aspects Furtwängler (largeur des tempos, amplitude extrême du phrasé). La lecture devient fouillée, pleine de flamme ; elle abonde en *rubatos* poétiques à souhait (*andante moderato*), en *rallentendos* intenses (*allégronon troppo*). L'*allegro giocoso*, dépourvu de tension, est beaucoup moins enthousiasmant qu'avec Furtwängler, Toscanini ou Karajan. La *Passacaille* trouve une pulsation très ample, mais autrement juste et ce type de phrasé parfois appuyée crée ici un climat puissant et émotif. L'orchestre comme la prise de son sont excellents.

Solti use de tempos modérés, préservant la vigueur des articulations rythmiques. Les mouvements extrêmes sont solidement architecturés. La conception, très exacte quant à la lettre, imprime une vaste perspective d'équilibre, de monument à l'ensemble. Les phrasés sont aussi peu interrogatifs (*allegro non troppo*, Variations rapides de la *Passacaille*) que ceux d'un Karajan peuvent l'être. Ce fondement architectural laisse cependant à nu maints détails, et le difficile *andante moderato* (au tempo très large) se nuance ici d'une distanciation relative mais superbe. La *Passacaille* empoigne par son cheminement contenu, habilement dosé. La technique d'enregistrement, spectaculaire, accentue la rigueur de la mise en place.

La richesse de texture (et de dynamique sonore) est d'évidence moins impressionnante chez Rudolf Kempe, qui choisit un tempo très rapide dans chacun des quatre mouvements. Acuité du phrasé, rigueur rythmique, justesse des articulations, netteté des attaques : Kempe opte sans détours pour un dramatique constamment rhétorique. La décantation de chaque plan (coda de l'*allegro non troppo*, exposé de l'*andante moderato*), l'exceptionnelle vitalité des temps vifs libèrent ici une expression hautaine et tendue. Esthétique sobre, courageuse même, qui caractérise fortement un des aspects essentiels de l'art de Brahms.

En 1955, Karajan ouvre l'*allegro non troppo* sous l'angle de la raideur, alternant à la vitesse de l'éclair nudité des plans et chaleureuse allégresse, avec une vivacité déjà bien singulière. Le second mouvement devient rude, pareillement assombri, les périodes les plus mystérieuses (deuxième thème, aux violoncelles) ne naissent que comme par secousse. La barbarie de l'*allegro giocoso*, d'un vibrant éclat, est réellement admirable. Le Finale est très différent de ce que fera Karajan par la suite ; vif, sillonné de phrasés infiniment moins radieux qu'en 1964, il renoue avec une trajectoire brutale - qu'il faut bien appeller toscaninienne. La prise de son datée contredit un peu la sensualité, l'aviditéviolentes du jeune Karajan. Voilà une version que tout brahmsien doit absolument connaître.

Boehm opère une synthèse neuve et presque totalement réussie entre Brahms et Bruckner. Le tissu orchestral est allégé, malgré un éclairage particulier qui privilégie les cordes, et les tempos sont plutôt très lents, excepté, curieusement, dans l'*andante moderato*. C'est une vision imposante, avant tout synthétique, parfois ouvertement au «second degré», et qui replace les phénomènes de discontinuité, de ruptures (développement du premier temps, *Passacaille*) dans un mouvement majestueux et méditatif.

Trio pour clarinette, violoncelle et piano en la mineur op. 114.

❀*** Michel Portal (clarinette), Frédéric Lodéon (violoncelle), Michel Dalberto (piano). Erato STU 71.159. ✉ MCE 71.159. Enregistré en 1978. + *Trio pour piano, violon et cor.*

La sonorité de Michel Portal, un souffle parfois, traduit à merveille le rêve, les inflexibles pulsions, enchevêtrés et sombres, de ce luxuriant chef-d'œuvre qu'est le Trio en *la* mineur. Frédéric Lodéon et Michel Dalberto poursuivent bien les intentions de la clarinette, dont le rôle demeure ici déterminant (et pas seulement du point de vue coloristique). La prise de son, de qualité mais parfois floue, accentue encore le mystère et l'intensité purement sensuelle d'une telle conception. Un sommet.

Trio pour piano, violon et cor en mi bémol majeur op. 40.

❀*** Rudolf Serkin (piano), Adolf Busch (violon), Aubrey Brain (cor). EMI GR 2242 (Japon). Enregistré en 1933. + *Sonate pour violon et piano n° 2.*

❀*** Vladimir Ashkenazy (piano), Itzhak Perlman (violon), Barry Tuckwell (cor). Decca 7207 (sup.). Enregistré en 1969. + *Franck : Sonate pour piano et violon.*

** Hephzibah Menuhin (piano), Yehudi Menuhin (violon), Alan Civil (cor). EMI VSM C 181-03.710/11 (2 d.). + *Sonates pour violon et piano.*

** Michel Dalberto (piano), Pierre Amoyal (violon), Pierre Del Vescovo (cor). Erato STU 71.159. ✉ MCE 71.159. Enregistré en 1978. + *Trio pour clarinette, violoncelle et piano.*

** Ján Panenká (piano), Josef Suk (violon), Zdenek Tylsar (cor). Supraphon 25.040 (2 d.). Enregistré en 1976. + *Intégrale des Trios pour piano, violon et violoncelle.*

La version Brain-Busch-Serkin reste un modèle d'équilibre, de poésie en clair-obscur. Aubrey Brain (père du célèbre Dennis Brain) donne ici une leçon de virtuosité et surtout de goût qui devrait être l'idéal pour tout corniste. Prise de son ancienne, évidemment, mais la clarté d'articulation de Busch, la présence déjà rayonnante (et sévère) du clavier de Serkin servent une conception aussi fine que personnelle.

Ashkenazy, Perlman et Barry Tuckwell, malgré des tempos vifs, aèrent les phrasés, articulent avec réflexion et une très grande amplitude dans la variété des couleurs et des nuances dynamiques. Le rêve du premier *andante*, la violence du *Scherzo*, les motivations plus secrètes (et le contrepoint) de l'*adagio* en *mi* bémol mineur ressortent facilement. La tension interne, l'énergie, la légèreté concise de cette version la rendent sans doute la plus parfaite de toutes ; elle est seulement moins directement engagée que la précédente. Somptueuse prise de son, couplage excentrique mais passionnant, avec une parfaite Sonate de Franck.

Les Menuhin avec Alan Civil traduisent en sonorités enveloppantes ou sinueuses la fresque romantique de ce Trio. Les tempos (et le jeu de Menuhin) ne sont pas toujours parfaits ; mais rarement le mystère de ce grave paysage n'a été rendu avec autant de lyrisme, et, nuance essentielle, d'inquiétude. Les interprètes captent ici la fantaisie presque douloureuse d'un rêve, et non le pittoresque trop facile engendré par la seule distribution instrumentale. Ils ont diablement raison.

Très classique, un peu appuyée dans ses accents (*andante* initial), la version Dalberto-Amoyal-Del Vescovo séduit avant tout par sa perfection technique (le jeu d'Amoyal), son allure reflexive et dénuée de grandiloquence, et un tournoyant Finale - rendu ici hautement virtuose. Les tempos sont larges, trop parfois (*andante*), excepté, bien sûr, dans le Finale. Bonne prise de son. Le couplage est d'un intérêt majeur, puisqu'il offre rien de moins que l'absolue référence du difficile et méconnu Trio en la mineur op. 114.

La version tchèque de Suk-Panenká-Tylsar n'est pas exempte de défauts (jeu un peu trop appuyé de Suk dans l'*andante, vibrato* parfois complaisant du corniste). Elle offre pourtant un ton typique d'Europe Centrale bien précieux pour cet ouvrage en particulier ; la rudesse de certains rythmes (*scherzo*, Finale), la souplesse miroitante des phrasés, la saveur un peu rauque des deux instruments mélodiques prouvent une musicalité naturelle et innée. Ce Brahms lumineux et sans lourdeur respire de *Phantasie* et de liberté. Les tempos sont généreux (surtout dans l'*adagio*), la prise de son bonne et le couplage fort intéressant (Trios pour piano et cordes).

Trios pour piano, violon et violoncelle : n° 1 en si majeur op. 8, n° 2 en ut majeur op. 87, n° 3 en ut mineur op. 101.

❀*** Julius Katchen (piano), Josef Suk (violon), János Starker (violoncelle). Decca 592.163 (11 d.). + *Intégrale de l'œuvre pour piano, Les 3 Sonates pour violon et piano, Sonate pour violoncelle et piano n° 2.*

*** Eugene Istomin (piano), Isaac Stern (violon), Leonard Rose (violoncelle). CBS 77.210 (2 d.).

*** Ján Panenká (piano), Josef Suk (violon), Josef Chuchro (violoncelle). Supraphon 25.040 (2 d.). Enregistré en 1976. + *Trio pour piano, violon et cor.*

Suk-Starker-Katchen expriment, directement et spécifiquement, la substance même des partitions ; phrasés, chaleur des intonations, expression exacte de l'assise rythmique comme de la fluidité thématique favorisent évidemment les *Opus* 8 et 101, d'ailleurs supérieurs d'un point de vue musical à l'*Opus 87* (pourtant plus célèbre). La profusion thématique du Trio en *si* majeur est révélée au travers d'une intensité, d'un dynamisme d'autant plus séduisants qu'ils demeurent profondément maîtrisés. La vigueur des accents, la rugosité prêtées au difficile et lapidaire Trio en *ut* mineur surprendront. Austérité et tension deviennent presque exacerbées : Suk-Starker-Katchen présentent à nu, avec une exigence du moindre détail comme de la construction globale, un chef-d'œuvre méconnu de Brahms. Excellente prise de son, un peu sombre et mate - ce qui ne nuit point, bien au contraire, au style de l'interprétation. Suk et ses compagnons font, très justement, la reprise dans l'*allegro con brio* de l'*Opus 8*, ainsi que celles de son *cherzo* et du *scherzo* de l'*Opus 87*.

Le Trio Stern, d'une haute virtuosité, obéit presque toujours à un certain rythme *appassionato* ; malgré cela, les tempos demeurent larges, les phrasés violents et disciplinés. Ce beau romantisme parfois extravagant triomphe dans les mouvements médians de l'*Opus 8*, dans le premier temps de l'*Opus 87*, dans l'entier *Opus 101*, ici remarquablement impétueux et enflammé. La liberté de phrasé et d'agogique est sans doute moins heureuse dans l'*allegro con brio* du Premier Trio, rendu peut-être trop rhétorique, appuyé en ses moindres contours. Cette interprétation extravertie vaut par son héroïsme, ses intuitions, le généreux panache du leader (Isaac Stern), alors au sommet de son art. La prise de son n'est pas exactement une réussite.

Avec un excellent choix des tempos (en général plus vifs qu'ailleurs), le Trio Suk se révèle remarquable dans le jeu foisonnant et grandiose de l'*Opus 8* (dont ils effectuent toutes les reprises) comme dans l'invention rythmique et contrapuntique de l'*Opus 101*. L'expression devient moins sombre qu'avec Suk-Starker-Katchen, moins voluptueuse ou agressive qu'avec le Trio Stern. Les Suk offrent davantage de mystère, de raffinement (*adagio de l'Opus 8*) et savent tempérer d'une douce lumière nocturne les terribles rafales rythmiques de l'*Opus 101* (*allegro energico, presto non assai*). C'est la dynamique formelle des œuvres qui se dégage ainsi, avec beaucoup d'homogénéité. Prise de son passable mais naturelle.

Trio pour piano, violon et violoncelle n° 1 en si majeur op. 8.

** Christian Zacharias (piano), Ulf Hoelscher (violon), Heinrich Schiff (violoncelle). EMI VSM C 069-46.682.

Si, en compagnie de Zacharias, Hoelscher et Schiff, on s'ennuie un peu dans *l'Adagio*, le ton chaleureux, le bonheur constant dans le phrasé, la poésie qu'ils savent prodiguer partout ailleurs emportent l'adhésion. On ne trouvera pas chez eux une conception intellectuellement ambitieuse, ni une révolution esthétique susceptibles de profondément renouveler l'interprétation de cet *Opus 8*, mais seulement une conviction, un abandon et un bonheur de jouer qui suffisent à les faire entrer de plain-pied dans le monde brahmsien.

Valses pour piano op. 39.

*** Julius Katchen (piano). Decca 592.163 (11 d.). + *Intégrale de l'œuvre pour piano, Les 3 Sonates pour violon et piano, Sonate pour violoncelle et piano n° 2, Les 3 Trios pour piano et cordes.*

** György Sebök (piano). Erato 8.046 (sup.). + *Klavierstücke op.118.*

** Bruno Leonardo Gelber (piano). EMI VSM C 069-14.125. + *Variations et Fugue sur un thème de Haendel.*

Julius Katchen enlève d'un style étourdissant et parfois savoureusement viennois les seize Valses op. 39. Tempo vif, généreuse souplesse rythmique, grande clarté du toucher et du phrasé : ces œuvres simples se vengent ici de toutes les contrefaçons et leur grande qualité d'écriture, leur économie, l'écoulement expressif de certaines d'entre elles sont définis en beauté.

Moins incisif, Sebök raffine au service des contrastes, d'un lyrisme infiniment poétique. Approche équilibrée, plus subtile, fine que vraiment nerveuse.

Gelber phrase avec retenue, juxtapose les inflexions aériennes ou sensuelles. L'articulation s'épure, l'envol rythmique garde une certaine pudeur. Approche magistrale dans la réserve, le sens de la respiration, la sûreté du style. Les *Variations Haendel* inscrites au verso déçoivent hélas ! sensiblement.

Variations et Fugue sur un thème de Haendel pour piano op. 24.

❀*** Claudio Arrau (piano). Philips 9500.446. ✉ 7300.652. Enregistré en 1978. + *Ballades pour piano op. 10.*

❀*** Yves Nat (piano Erard). EMI VSM «Références» C 051-16.400. Enregistré en 1955. + *Rapsodies op. 79 nos 1 et 2, Intermezzi op. 117.*

❀*** Julius Katchen (piano). Decca 592.163 (11 d.). + *Intégrale de l'œuvre pour piano, Les 3 Sonates pour violon et piano, Sonate pour violoncelle et piano n° 2, Les 3 Trios pour piano et cordes.*

*** Daniel Barenboïm (piano). DG 2530.335 (sup.). Enregistré en 1973. + *Variations sur un thème de Schumann op. 9, Variations sur l'andante du Sextuor n° 1 op. 18.*

** Pascal Rogé (piano). Decca SXL 6.786 (G-B). Enregistré en 1978. + *Fantaisies op. 116.*

** Rudolf Serkin (piano). CBS 76.913. Enregistré en 1979. + *Klavierstücke op. 119.*

** Stephen Bishop-Kovacevich (piano). Philips 839.722 (sup.). + *Klavierstücke op. 119, Intermezzi op. 117.*

Claudio Arrau offre une éblouissante variété coloristique, choisissant une optique plutôt sobre, jouant d'un phrasé sans retenue, ample et naturel. Le tempo est large, la respiration monumentale dès l'exposé du thème. Malgré son éventail peu ordinaire d'accents, de nuances une telle approche transforme quelque peu le propos : les *Variations Haendel* sont ici envisagées comme un tout, un unique parcours à la croissance dynamique affirmée. *Rubato* expressif (cinquième Variation), mystère, poésie, coloration orchestrale (sonneries de cuivres des septième, huitième, quinzième Variations), majesté du ton (neuvième, treizième) mettent en évidence une foisonnante architecture qui culmine *crescendo* dans une Fugue plus puissamment calme que dramatique. Cette vision large, dominée est couplée avec une approche tout aussi large des Quatre Ballades op. 10. Un disque majeur de la discographie.

Yves Nat, vif dès l'exposé, aux tempos nerveux, allège considérablement et remarquablement le propos de l'*Opus 24.* A l'austérité quasi toscaninienne des phrasés (cinq premières Variations) répond une violence très véhémente (neuvième, *czardas* des treizième et quatorzième Variations) parfois tempérée par l'élégance bondissante (dixneuvième, vingtième qui garde par-delà son sombre chromatisme une grande clarté poétique). C'est d'un très grand art narratif et rhétorique, plus volontaire que réellement romantique, et parfois fort peu brahmsien (*staccato* nerveux des Variations rapides). L'œuvre en sort transfigurée. L'héroïsme des ultimes vingt-quatrième et vingt-cinquième Variations, la densité chromatique de la Fugue sont autant de moments exceptionnels. Version excentrique, visionnaire, inégale, mais d'une éloquence saisissante. Nat joue sur un piano Erard, particulièrement riche en graves, et les nuances de son toucher sont impeccablement restituées par l'instrument (et par la prise de son).

Katchen est puissant d'un bout à l'autre et démontre une exceptionnelle technique pianistique, assortie d'un grand style. Le *misterioso* des cinquième, sixième ou vingtième Variations est ici fort sobre. Le ton est plus sombre qu'ardent, d'une matité ferme et puissante (phrasé, accentuation rythmique). Tout comme Arrau, mais à un degré moindre, Katchen unifie les *Variations Haendel.* Les dernières Variations, très violentes, et la sévère Fugue trahissent une relative dureté du toucher. Le couplage (avec une excellente version des *Variations Paganini*) est le plus cohérent de tous.

Barenboïm s'inscrit à l'exact opposé de la rigueur musclée d'un Julius Katchen. Le tempo est étrangement ample, parfois même beaucoup trop lent. Cette version, analytique, hyperdétaillée, diversifie chacune des Variations davantage qu'elle n'unifie l'ensemble. Malgré une relative absence de grands contrastes dynamiques, Barenboïm parvient à un indiscutable épanouissement coloristique, favorisant avant tout les épisodes lents ou mystérieux, les Variations de semi-caractère. La Fugue respire avec un singulier lyrisme. L'audace stylistique d'une telle version, sa grande richesse de nuances prennent un peu le sens du neuf.

Pascal Rogé offre une vision claire, naturellement chantante et parfois fort généreuse. La souplesse rythmique, l'aération de la texture polyphonique sont ici remarquables. Version d'un beau climat, dont l'exubérance purement pianistique manque un peu de hardiesse et d'originalité.

Rudolf Serkin se révèle beaucoup plus original, mais bien décevant dans les premières Variations, dénuées du moindre *cantabile*, emplies d'attaques brusques, crispées qui ne servent guère la musique de Brahms. Le ton se modifie sensiblement (et heureusement) dès les Variations centrales (*czardas* des treizième et quatorzième Variations, beaucoup moins inclémentes) et s'amplifie jusqu'à une très belle Fugue où l'on retrouve le *rubato* dynamique et expressif du Serkin des grands jours.

Stephen Bishop-Kovacevich séduit davantage par la délicatesse, le sens des nuances, une relative sophistication que par une puissance franche et pleine (*cf.* Arrau, Katchen). Les *Variations Haendel* deviennent plus diversifiées qu'incisives. Cet album vaut surtout pour son couplage avec une extraordinaire version des *Intermezzi op. 117* et des *Klavierstücke op. 119.*

Variations sur un thème de Haydn op. 56 a.

❀*** Orch. Phil. de Berlin, Herbert von Karajan. EMI VSM C 167-02.850/51 (2 c.). ⊠ TC-SLS 996 (2 c.). Enregistré en 1976. + *Un Requiem Allemand, Ouverture Tragique.*

❀*** Orch. Philharmonia, Carlo Maria Giulini. MFP M 055-00.544. ⊠ M 255-00.544. Enregistré en 1961. + *Schubert : Symphonie n° 8 «Inachevée».*

*** Orch. Phil. de Berlin, Herbert von Karajan. DG 2726.078 (2 d.). Enregistré en 1964. + *Un Requiem Allemand.*

** Orch. Phil. de Vienne, Wilhelm Furtwängler. EMI VSM C 153-53.420/26 (7 d.). Mono. Enregistré en 1952. + *Intégrale des Symphonies, Danses Hongroises, Concerto pour piano n° 2, Concerto pour violon, Double Concerto.*

** Orch. de Cleveland, George Szell. CBS 61.924 (sup.). Enregistré en 1964. + *Symphonie n°3.*

Karajan réalise en 1976 une version grisante de pure beauté instrumentale, soulignant d'un intense *rubato* les résonances les plus subtiles (*andante con moto* en si bémol mineur de la quatrième Variation, légendaire et plein de mystère, sicilienne fantasmagorique et voluptueuse de la septième Variation). Un modelé orchestral vertigineux unifie les phases apparemment les plus composites. Cette nostalgie émue conciliant sensibilité sensorielle et absolue perfection technique culmine dans un prodigieux Finale, qui devient à lui seul une véritable leçon de phrasé, d'équilibrage des nuances. Le tempo demeure extrêmement large (c'est la plus lente des versions retenues, avec celle de Furtwängler), la prise de son (trop réverbérée) d'un raffinement lumineux est tout hédoniste.

Giulini traite en musique de chambre les *Variations Haydn* et libère une incantation aussi émotionnelle que discrète en chacune des phases. La décantation des lignes, la précision du rythme (exposé du choral de St-Antoine, *piú vi vace* en *si* bémol mineur, *poco presto* en *si* bémol majeur, *sicilienne grazioso*) s'accompagnent ici d'une ample respiration, très éloignée du jeu sur le clair-obscur pratiqué chez Karajan 1976, et de fait constamment objective. Les phrasés sont simples, les couleurs orchestrales - il s'agit des plus grandes années du Philharmonia - équilibrées, la polyphonie rendue claire autant que souple. Cet album comporte au verso une excellente interprétation de la Symphonie «Inachevée», presque aussi bouleversante que la plus récente version Giulini.

Karajan 1964 est plus extraverti qu'en 1976, choisissant d'ailleurs un tempo beaucoup plus allant. Moins sophistiquée (et sans doute moins passionnante), cette version est animée d'un bout à l'autre d'une énergie presque beethovénienne. Le parcours devient ponctué avec rigueur, objectivité. Karajan exagère certaines figures, leur conférant un rôle expressif autant qu'architectural (deux premières Variations). Une volonté constante de contrastes, d'héroïsme dégage ici une tension propre, sans effets inutiles, un rien démonstrative (mais l'œuvre, en elle-même, ne l'est-elle pas un peu ? Seuls, Giulini et sans doute Furtwänglerfont oublier cet aspect-là). La prise de son, parfois trop enveloppée, met cepe ndant en valeur les basses et la richesse du tissu harmonique.

Furtwängler différencie au maximum chacune des Variations, dégageant dans les plus lentes une sonorité orchestrale profonde et audacieuse. Le phrasé comme le tempo sont toujours très amples, l'intensité agogique supérieure malgré cette relative lenteur, les rares tensions de l'ouvrages systématiques radicalisées. Une vision d'une dimension presque insolite, qui prête une paradoxale grandeur à tout le groupe final (sicilienne, *presto non troppo* en *si* bémol mineur et *passacaille andante*) joué ici avec une inhabituelle dynamique ascensio nnelle. La prise de son (enregistrement public), vraiment ingrate, ne rend qu'imparfaitement les couleurs de l'orchestre, surtout, hélas ! dans le Finale.

Szell installe dès l'abord, par sa rapidité (sinon sa brutalité) de tempo et la vigueur de ses phrasés, un souffle puissant, lapidaire, qui métamorphose assez considérablement le propos des *Variations Haydn*. Cette option une fois admise, on ne peut qu'admirer le dosage rigoureux des nuances, la rectitude du travail d'orchestre, l'expression épique conférée aux phases rapides, la rugosité de l'articulation rythmique. Prise de son et orchestre impeccables.

Variations sur un thème de Paganini pour piano op. 35.

❀*** Claudio Arrau (piano). Philips 9500.066. ⌧ 7300.476. + *Sonate pour piano n° 2.*

*** Julius Katchen (piano). Decca 592.163 (11 d.). + *Intégrale de l'œuvre pour piano, Les 3 Sonates pour violon et piano, Sonate pour violoncelle et piano n° 2, Les 3 Trios pour piano et cordes.*

*** François-René Duchâble (piano). Erato STU 71.401. ⌧ MCE 71.401. Enregistré en 1980. + *Rhapsodies op. 79 n° 1 et n° 2, Intermezzos op. 119.*

Arrau domine d'un jeu très intériorisé l'entier parcours des *Variations Paganini*, la largeur du tempo, la tension du phrasé s'appuyant sur d'extraordinaires bases techniques et stylistiques. Les *Variations Paganini* passent du stade de l'étude à celui du concert et la fantaisie surprenante de certaines d'entre elles (onzième du premier cahier, quatrième du second) dévoile une subtilité expressive *a priori* nullement évidente. Excellente prise de son.

Katchen, plus rapide, plus extérieur parfois qu'Arrau, démontre un splendide héroïsme. Sa virtuosité extravertie accentue le caractère des Variations les moins pianistiques (neuvième du premier cahier, quatrième du second). Les autres sont une éblouissante démonstration de maîtrise digitale. Version puissante, un peu sèche (toucher), relativement peu avantagée par la prise de son.

Le jeu de Duchâble s'appuie sur une organisation intellectuelle supérieure, une sensibilité aussi généreuse que dominée : on assiste à l'expression d'un art complet qui nous vaut une lecture éminemment brahmsienne de ces œuvres, sans afféterie, sans ostentation non plus, sans concession enfin.

Variations sur un thème de Schumann pour piano op. 9.

*** Julius Katchen (piano). Decca 592.163 (11 d.). + *Intégrale de l'œuvre pour piano, Les 3 Sonates pour violon et piano, Sonate pour violoncelle et piano n° 2, Les 3 Trios pour piano et cordes.*

*** Daniel Barenboïm (piano). DG 2530.335 (sup.). + *Variations et fugue sur un thème de Haendel, Variations sur l'andante du Sextuor à cordes n° 1.*

Ce premier cycle de Variations du jeune Brahms, hommage direct et émouvant à Robert et Clara Schumann, prouve déjà autant de maîtrise que de sensibilité poétique. L'écriture pianistique est plus complexe et techniquement plus achevée que dans les trois Sonates. Katchen, passionnant dans chacune des Variations (il s'agit d'un des plus beaux disques de son intégrale Brahms), révèle toutes les nouveautés d'écriture et la densité implicite de l'œuvre. Le couplage est excellent, puisqu'il offre une superbe version des méconnues *Variations sur un thème original.*

Barenboïm, vif, à l'agogique libre, présente davantage d'originalité stylistique que Katchen. Il accentue les contrastes, les couleurs, les moindres nuances. Vision d'abord intuitive, d'une qualité technique inégale, mais qui répond bien au climat fantasque de l'*Opus 9.*

Britten, Benjamin
(1913-1976)

Billy Budd.

*** Peter Glossop (Billy Budd), Peter Pears (captain Mere), Michael Langdon (Claggart), John Shirley-Quirk (Redburn), Benjamin Drake (Fint), David Kelly (Ratcliffe), Owen Brannigan (Donald), Robert Tear (le mousse), Ch. de l'école de garçons de Wandworth, Ambrosian Singers, Orch. Symph. de Londres, Benjamin Britten. Decca 379/81 (3 d.) (G-B).

Aventure de la mer et opéra métaphysique, *Billy Budd* est une des œuvres maîtresses de Britten. Un plateau sans vedettes féminines - marine oblige - est dominé par les trois personnages qu'incarnent Glossop, Langdon et Peter Pears, le Bien, le Mal et Celui qui doit juger. Les chanteurs assument avec une grande conviction ces rôles écrasants. Les chœurs et l'orchestre donnent toute la dimension nécessaire au déroulement de ce débat qui atteint la grandeur d'un mythe. C'est là une œuvre que l'on pourra difficilement oublier.

Trois Cantiques.

*** Robert Tear (ténor), James Bowman (contre ténor), Alan Civil (cor), Philip Ledger (piano). EMI VSM CSD 3773 (G-B).

Trois petites œuvres de chambre sur des sujets sacrés ; trois occasions de renouer avec une tradition qui a été particulièrement illustrée par Purcell. L'apparente simplicité de ces œuvres cache une extrême complexité qui ne supporterait pas la moindre médiocrité d'exécution. Les quatre interprètes gardent leur individualité tout en donnant une remarquable impression d'unité. Il faut particulièrement admirer le duo Bowman-Pears, qui supporte tout le poids du second Cantique, et le jeu d'Alan Civil au cor, qui apporte une richesse presque symphonique au troisième. Une interprétation exceptionnelle pour trois œuvres qui présentent des faces très différentes du talent si divers de Britten.

A Ceremony of Carols, op. 28. Missa brevis, op. 63. Rejoice in the Lamb, op. 30.

*** Ch. du St-John's College de Cambridge, George Guest. Argo ZRG 5440 (G-B).

Un bel ensemble de trois des grandes pièces de musique sacrée de Britten, toutes trois marquées par une référence à l'Eglise d'Angleterre. A peu de choses près, les deux grands chœurs de Cambridge ont adopté le même programme. La présence de *Rejoice in the Lamb* au lieu de *l'Hymne à Sainte Cécile* ne justifie sans doute pas de se donner le mal d'aller à la recherche de la version du St John's College, qui n'est disponible qu'en Grande-Bretagne. Mais celle-ci est cependant beaucoup plus épanouie et ouverte que celle des chœurs du King's College. Elle rayonne de sensibilité, et George Guest a remarquablement retrouvé le ton qui était celui de Britten lui-même. Il faut ajouter que les voix d'enfants sont admirables de lumière et de justesse. L'élégance du style, la chaleur des sentiments, tout est là pour faire de ce disque l'un des plus beaux enregistrements de Britten que l'on puisse rêver.

Les Illuminations (cycle de chants d'après Rimbaud), op. 18. Sérénade pour ténor, cor et cordes, op. 31.

❀*** Peter Pears (t), Barry Tuckwell (cor), Orch. de Chambre Anglais, Benjamin Britten. Decca SXL 6.649 (G-B).

*** Heather Harper (s), Robert Tear (t), Alan Civil (cor), Northern Sinfonia Orch., Neville Marriner. EMI VSM SXLP 30 194 (G-B).

Le couplage de deux des grands cycles de chants de Britten est intelligent. Peter Pears a toujours été pour le compositeur un interprète idéal, et la prestation de Barry Tuckwell est parfaite de poésie. Tout contribue à faire de cet enregistrement une admirable introduction à l'œuvre de Britten dans ce qu'elle a de plus spécifique : le mariage heureux de la voix et de l'orchestre.

Plus sèche et plus nerveuse que celle de Britten, la direction de Marriner nous rend dans sa légèreté presque immatérielle ce que nous perdons de la puissance d'expression de la version Decca. Robert Tear semble s'être donné à tâche de rester dans le droit fil de la tradition de Pears. Dans les *Illuminations*, la présence de Heather Harper se justifie, non seulement par l'extrême perfection de son chant, mais aussi par le fait que la pièce a été écrite pour un soprano dont le timbre convient mieux que celui d'un ténor au monde de visions fantastiques des poèmes de Rimbaud.

Mort à Venise (Death in Venice).

*** Peter Pears (Aschenbach), John Shirley-Quirk (le voyageur, et six autres rôles), James Bowman (Apollon), Kenneth Bowen (le portier de l'hôtel), Peter Leeming (un employé), Ch. de l'English Opera Group, Orch. de Chambre Anglais, Stewart Bedford. Decca 390.369 (3 d.).

L'œuvre n'a rien à voir avec le célèbre film de Visconti ; elle se rattache directement au célèbre roman de Thomas Mann. La description musicale de la désagrégation du personnage central, Aschenbach, est l'occasion d'un extraordinaire dialogue quasi permanent entre Peter Pears et John Shirley-Quirk, qui, sous des figures diverses, incarne les puissances qui vont conduire l'écrivain à sa destruction. Une remarquable performance d'acteurs que soutient le jeu tendu de l'orchestre. Il y avait dans cette œuvre un pari, celui de rendre vivante une histoire que le librettiste avait volontairement poussée vers l'abstraction. Ce pari, Britten l'a largement gagné en créant un des opéras les plus étranges de notre époque.

Noye's Fludde (Le déluge de Noé).

*** Owen Brannigan (Noé), Sheila Rex (La femme de Noé), Trevor Anthony (La voix de Dieu), voix d'enfants pour tous les autres rôles, Orch. de Chambre Anglais, Orch. d'enfants du Suffolk, Norman del Mar. Argo ZK 1 (G-B). Enregistré en 1961 sur le vif.

Dans cette composition sur un Mystère du XIVe siècle, la part du lion a été réservée au chant des enfants, tant en chœurs que comme solistes. Cela explique la clarté et une simplicité apparente de la musique. Le résultat a très évidemment été une grande joie pour tous les jeunes chanteurs ; et il ne nous est pas possible de résister à la contagion de cette joie, dans un disque où les meneurs de jeu ont obtenu de leurs jeunes interprètes une précision et une rigueur que leur envieraient bien des artistes chevronnées.

Trois Paraboles d'église : Curlew River, The Burning Fiery Furnace, The Prodigal Son.
Curlew River (La rivière aux courlis).

*** Peter Pears (la folle), John Shirley Quirk (le passeur), Harold Blackburn (l'abbé), Bryan Drake (le voyageur), Bruce Webb (la voix de l'esprit), Ch. et Ensemble de chambre, Benjamin Britten et Viola Tunnard. Decca IBB 101 (G-B).

The Burning Fiery Furnace (La fournaise ardente).

*** Peter Pears (Nebuchadnezzar), Bryan Drake (l'astronome), John Shirley Quirk (Shadrach), Robert Tear (Meshach), Stafford Dean (Abednego), Peter Leeming (le héraut), Ch. et Ensemble de chambre, Benjamin Britten et Viola Tunnard. Decca IBB 102 (G-B).

The Prodigal Son (Le fils prodigue).

*** Peter Pears (Le temptateur-l'abbé), John Shirley Quirk (le père), Bryan Drake (le fils aîné), Robert Tear (le fils cadet), Ch. et Ensemble de chambre, Benjamin Britten et Viola Tunnard. Decca IBB 103 (G-B).

Première des trois Paraboles d'église, *La Rivière aux courlis* a été inspirée à Britten par le Nô japonais. D'où le rôle féminin confié à un homme, d'où l'utilisation de musique et d'instrument extrême-orientaux. Le rythme lent donné à l'œuvre est soutenu par un jeu extrêmement expressif de la part des chanteurs, et par une utilisation d'un chant choral d'inspiration grégorienne qui contraste heureusement avec l'étrangeté du tissu sonore. Une remarquable prise de son rend très présent ce curieux mélange de mystère moyenâgeux et d'opéra de chambre.

La Fournaise ardente est la plus dramatique des trois Paraboles. Le rôle de l'ensemble instrumental y est à la fois plus traditionnel et plus marqué. La partie de trombone, tenue par Roger Brenner, indique puissamment la symbolique du feu. L'utilisation simultanée de musique traditionnelle et d'un coloris sonore très moderne donne à l'œuvre une personnalité très accusée.

Le Fils Prodigue, qui clôt le cycle des

Paraboles, est, comme ses deux œuvres-sœurs, interprété par les créateurs de l'œuvre. Il marque une légère rupture avec les deux ouvrages qui l'ont précédé. D'un ton plus uni, il s'inscrit plus évidemment dans la tradition des mystères moyenâgeux. La composition de Peter Pears domine une équipe de chanteurs parfaits, et la direction de Britten est une garantie de la fidélité d'interprétation d'un des ensembles les plus originaux de la musique anglaise du XXe siècle.

Peter Grimes, op. 33.

❀*** Jon Vickers (Peter Grimes), Heather Harper (Ellen Orford), Jonathan Summers (Captain Balstrode), Elizabeth Bainbridge (Auntie), Teresa Cahill (First niece), John Dobson (Bob Boles), Forbes Robinson (Swallow), Patricia Payne (Mrs Sedley), John Lanigan (Rev. Horace Adams), Thomas Allen (Ned Keene), Richard van Allan (Hobson), Ch. et Orch. du Théâtre Royal de Covent Garden, Colin Davis. Philips 6769.014 (3 d.). Enregistré en 1978.

Echappant au côté quelque peu hiératique que Britten avait donné à l'interprétation de son œuvre, Colin Davis fait admirablement ressortir toute la violence dramatique d'un opéra qui est celui de la solitude et du rejet d'un homme par ses semblables. Il est servi dans cette conception de l'œuvre par la force communicative de Jon Vickers, qui souligne la brutalité primitive du héros. Autour de lui, une équipe de chanteurs très homogènes, parmi lesquels il faut faire une mention particulière du nom de Heather Harper.

Quatuors à cordes n° 2, op. 36, et n° 3, op. 94.

** Quatuor Amadeus. Decca SXL 6893 (G-B). Enregistré en 1963 et 1978.

La musique de chambre de Britten est beaucoup moins bien connue que son œuvre symphonique ou dramatique. Elle est pourtant d'une grande richesse, alliant une solide tradition néo-classique à des recherches de sonorité qui font penser au Bartók des Quatuors. Le Quatuor Amadeus nous restitue deux œuvres assez différentes d'inspiration, avec une précision qui n'exclut pas la chaleur humaine. On retiendra particulièrement l'interprétation du troisième Quatuor, d'une grande liberté d'allure, qui peut se comparer aux meilleures œuvres de musique de chambre de ces dix dernières années.

Sérénade pour ténor, cor et cordes op. 31. Les Illuminations op. 18.

** Robert Tear (t), Dale Clevenger (cor), Orch. Symph. de Chicago, Orch. Philharmonia, Carlo-Maria Giulini. DG 2531.199.

La Sérénade est une œuvre subjugante, quelquefois virtuose, mais le plus souvent vibrant d'une âpre méditation extatique qui s'inscrit dans la plus grande tradition de la poésie métaphysique anglaise. Le cor, qui la traverse de bout en bout, la déchire de ses stridentes modulations. Sous la direction de Giulini, cette œuvre violente prend tout son relief, tout son pouvoir expressif et dramatique. Les *Illuminations,* composées quatre ans avant la Sérénade, n'atteignent pas le même sommet. C'est déjà fort, rauque, ardent, mais on sent l'effort pour se créer un style, pour être original.

Sinfonia da Requiem, op. 20 ; Symphonie pour violoncelle et orchestre.

*** Sinfonia : Nouvel Orch. Symph., Symphonie : Mstislav Rostropovitch (violoncelle), Orch. de Chambre Anglais, Benjamin Britten. Decca SXL 6 641 (G-B).

A première audition, il se dégage de ces deux œuvres une certaine impression de sécheresse, qui se dissipe vite dès que commence à agir la magie de Britten dans l'utilisation des sonorités. L'accord entre Rostropovitch et les musiciens de l'orchestre est complet, et donne tout son relief à une des œuvres les plus difficiles d'accès du compositeur. Quant à la *Sinfonia,* l'interprétation qui en est ici donnée reflète toute l'émotion que Britten avait cherché à mettre dans une œuvre consacrée au souvenir de ses parents récemment décédés.

Le Songe d'une nuit d'été (A Midsummer Night's Dream).

** Alfred Deller (Oberon), Elizabeth Harwood (Titania), Peter Pears (Lysander), Thomas Hemsley (Demetrius), Josephine Veasey (Hermia), Heather Harper (Helena), Stephen Terry (Puck), John Shirley-Quirk (Theseus), Helen Watts (Hyppolyta), Owen Brannigan (Bottom), Norman Lumsden (Quince), Kenneth Macdonald (Flute), David Kelly (Snug), Robert Tear (Snout), Keith Raggett (Starveling), Ch. des écoles Emanuel et de Downside, Orch. Symph. de Londres, Benjamin Britten. Decca 338-40 (3 d.) (G-B).

Enregistré peu de temps aprés la création de l'opéra, ce disque bénéficie de la présence de la plupart des créateurs des rôles. Cela en fait un véritable bottin du chant anglais des années 1960. Britten y est, comme à l'habitude, un admirable interprète de sa propre musique, et obtient de son orchestre une légèreté sans égale dans tous les passages musicaux qui recréent une atmosphère de féerie. Parmi les interprètes, il faut mentionner Alfred Deller, dont ce fut la seule approche au disque de la musique moderne, et qui donne un inoubliable relief au personnage d'Oberon.

Songs and proverbs of William Blake, op. 74 (pour baryton) ; The holy sonnets of John Donne, op. 35 (pour ténor)

*** Peter Pears (t), Dietrich Fischer-Dieskau (bar), Benjamin Britten (piano). Decca SXL 6391 (G-B).

Britten n'est jamais aussi à son aise que quand il a à fournir le contrepoint musical d'une œuvre littéraire de valeur. Ces deux cycles de chants, inspirés par des textes profondément émouvants, sont ici interprétés par les chanteurs mêmes à qui Britten les destinait. La perfection est complète, et rien ne vient altérer un plaisir qui s'adresse à l'intelligence et à la sensibilité autant qu'à l'oreille.

Spring Symphony, pour solistes, chœurs et orchestre, op. 44.

*** Jennifer Vyvyan (s), Norma Procter (c), Peter Pears (t) Ch. de garçons de l'école de Wandsworth, Ch. et Orch. de l'Opéra Royal de Covent Garden, Benjamin Britten. Decca SXL 2264 (G-B).

** Sheila Armstrong (s), Janet Baker (c), Robert Tear (t), Ch. de l'ecole de St-Clement Danes, Ch. et Orch. Symph. de Londres, André Previn. EMI VSM C 069-03.363.

Une grande œuvre, pleine de joie, où chœurs, solistes et orchestre se mêlent admirablement. Grâce à la direction de Britten, cette partition longue et complexe trouve toute son unité et sa cohésion, tous les éléments sonores tombent à leur place. On réalise alors toute la solidité de cette suite pour chœurs, qui se situe très loin des canons formels du développement symphonique. Certains des effets de jeunesse recherchés par Britten (enfants sifflant en contrepoint du chant de Jennifer Vyvyan) sont probablement mieux perçus au disque qu'au concert. De la fort belle musique, admirablement servie par des ingénieurs du son qui se sont appliqués à servir les moindres intentions de l'auteur.

Dans la version de Previn, la direction d'orchestre est assez distante, et la première place est laissée aux chœurs, qui sont les réels maîtres de jeu. L'œuvre y perd beaucoup en unité, mais quelques passages où les voix d'enfants se croisent avec celles des solistes sont d'une beauté à couper le souffle. Sheila Armstrong et Janet Baker sont très remarquables, mais Robert Tear n'a pas toujours la souplesse nécessaire, et son chant reste un peu trop dur pour une œuvre où le charme est une préoccupation constante du compositeur.

Variations et fugue sur un thème de Purcell («The Young Person's Guide to the Orchestra»), op. 34. Sérénade pour ténor, cor et cordes, op. 31.

*** Peter Pears (t), Barry Tuckwell (cor), Orch. Symph. de Londres, Benjamin Britten. Decca SXL 6110 (G-B).

Variations et fugue sur un thème de Purcell («The Young Person's Guide to the Orchestra»).

** Orch. Symph. de Londres, Andrew Davis. CBS 76 453 (G-B, USA). + *Prokofiev : Cinderella.*

Comme leur nom l'indique, les *Variations sur un Thème de Purcell* ont un but pédagogique, comparable à celui de *Pierre et le loup* de Prokofiev. Aussi en trouve-t-on de nombreux enregistrements, avec commentaire à l'usage des enfants (mais malheureusement aucun avec texte en français). Britten lui-même en a donné une interprétation remarquable de jeunesse et de vivacité. On peut s'étonner parfois de la voir si loin de la distinction toute britannique qui caractérise tant de ses œuvres ; mais si jamais musique a été faite pour donner à des jeunes l'envie d'approcher les mystères du concert et de l'orchestre, en voilà la version parfaite : la grande musique est devenue un jeu entre les mains du compositeur-chef d'orchestre. La version de la *Sérénade* qui complète le disque est identique à celle que l'on trouve par ailleurs couplée avec les *Illuminations*.

L'interprétation d'Andrew Davis est claire et solide, mais on peut lui reprocher de manquer un peu de brillant et de charme. Elle est agréablement couplée avec un ballet de Prokofiev.

War Requiem, op. 66.

*** Galina Vichnevskaia (s), Peter Pears (t), Dietrich Fischer-Dieskau (bar.), Chœur Bach, Chœur de Highgate School, Melos Ensemble, Orch. Symph. de Londres, Benjamin Britten. Decca 252/53 (2 d.) (G-B).

Des raisons d'ordre sentimental ont poussé Britten à confier l'interprétation de son *Requiem de Guerre* à des solistes appartenant à des nationalités différentes. C'est cependant regrettable, car Vichnievskaïa n'est pas très à son aise dans ce type de musique. L'interprétation de Pears et Fischer-Dieskau, au contraire, est de tout premier ordre. Les chœurs et l'orchestre répondent avec une extrême précision aux moindres intentions du compositeur. Les contrastes sonores sont particulièrement bien mis en valeur par les techniciens de chez Decca. Tout contribue à donner une qualité exceptionnelle à cette grande méditation philosophico-religieuse d'un après-guerre douloureux.

Bruch, Max
(1838-1920)

Concerto pour violon et orchestre n° 1 en sol mineur op. 26.

*** Ithzak Perlman (violon), Orch. Symph. de Londres, André Previn. EMI VSM C 069-02.428. ✉ C 269-02.428. + *Mendelssohn : Concerto pour violon n° 2.*

*** Shlomo Mintz (violon), Orch. Symph. de Chicago, Claudio Abbado. DG 2531 304. Enregistré en 1981. + *Mendelssohn : Concerto pour violon n° 2.*

*** Josef Suk, Orch. Phil. Tchèque, Karel Ančerl. Eurodisc 913.259. + *Mendelssohn : Concerto pour violon n° 2.*

Perlman fait preuve d'une stylistique remarquable, idéalement calculée, où l'on remarque surtout la souplesse et l'aisance de son phrasé. Les mêmes qualités se retrouvent dans le Concerto de Mendelssohn, exécuté dans une admirable envolée, qui souligne aussi chaque détail. Ce jeune violoniste se classe parmi les plus grands. André Previn l'accompagne avec justesse et précision.

Avec son premier enregistrement, ce jeune violoniste d'origine russe s'élève au niveau des plus grands. Il élargit l'inspiration romantique, un peu débridée, de Bruch, et lui donne son unité dans une forme rapsodique. L'orchestre aux sonorités royales, sous la baguette supérieurement intelligente et sensible d'Abbado, contribue largement à l'enchantement. En couplage, on trouve, classiquement le Concerto de Mendelssohn, mais joué avec la délicatesse d'une âme naïve, voire enfantine.

Avec Suk et Ančerl, même couplage que les versions Perlman/Previn et Mintz/Abbado pour un prix légèrement moins élevé. Mais le niveau de qualité reste, lui, aussi élevé : Josef Suk se montre, dans ce programme fort classique, très inspiré ; sa sonorité est riche et sa ligne mélodique profondément sensible.

Kol Nidrei pour violoncelle et orchestre, op. 47.

*** Paul Tortelier (violoncelle), Orch. Phil. Royal, Yan-Pascal Tortelier. EMI VSM C 069-07 047. Enregistré en 1978. + *Boëllmann : Variations symphoniques pour violoncelle et orchestre. Schumann : Concerto pour violoncelle.*

*** Christine Walewska (violoncelle), Orch. de l'Opéra de Monte-Carlo, Eliahu Inbal. Philips 6500.160. + *Bloch : Schelomo. Schumann : Concerto pour violoncelle.*

Dans cet *adagio*, Max Bruch utilise à fond les sonorités émouvantes du violoncelle, si proches de la voix humaine, et les fait chanter comme une prière. Ici, Tortelier parle en poète : on le sent libre de toute influence, et seule sa plus intime pensée s'exprime dans son geste musical, profondément humain. Un très beau complément de programme (dans Schumann, Tortelier se donne généreusement).

L'interprétation de Walewska est chaude et vivante, idéale pour l'esprit fervent de cette musique profondément hébraïque. La présence de *Schelomo,* de Bloch, fait un excellent pendant, tandis que son Schumann, intime et poétique, est de très grande classe.

Bruckner, Anton
(1824-1896)

Helgoland, pour chœur d'hommes et grand orchestre.

❀*** Orch. et Ch. Symph. de Chicago, Daniel Barenboïm. DG 2707.116 (2 d.) + *Psaume 150, Symphonie n° 7.* Enregistré en 1980.

*** Ch. Ambrosian, Orch. Symphonica de Londres, Wyn Morris. Symphonica SYM 11. + *Wagner : Liebesmahl der Apostel.*

Regroupement exemplaire, et dans une interprétation qui ne l'est pas moins, des deux dernières partitions que Bruckner put achever, au temps où la *Neuvième* était en chantier. C'est dire l'importance de *Helgoland,* moins connu encore que le *Psaume 150.* Barenboïm possède tous les atouts, toute la force de conviction qui en fait un chef-d'œuvre que nul ne saurait ignorer, d'autant que cette face superbe est offerte en prime avec une des plus belles Septièmes.

Couplage certes beaucoup moins séduisant chez Wyn Morris que chez Barenboïm, mais qui tentera ceux qui affectionnent le rapprochement Bruckner-Wagner, ici fort au détriment de ce dernier... Il reste que ce disque mémorable révéla *Helgoland,* et dans une interprétation qui conserve tous ses mérites : bel exemple de «fair-play» de la part d'un chef anglais, alors qu'il s'agit du récit d'une défaite anglaise, paraboliquement transposée à l'époque romaine !

Les 3 Messes, Te Deum, Psaume 150, 10 Motets.

*** Solistes, Orch. et Ch. de Munich et Berlin, Eugen Jochum. DG 2720.054 (5 d.) (RFA). Enregistré de 1962 à 1972.

A nouveau disponible en Allemagne, ce superbe album représente la plus vaste contribution d'un même interprète à la connaissance de l'œuvre sacrée du plus grand auteur catholique du XXe siècle. Ce sera pour tous les fervents non seulement de Bruckner mais de Jochum une perpétuelle source de joie, et l'on peut notamment y découvrir une large sélection des Motets dont certains sont des versions uniques. Quant aux Messes et au *Te Deum,* repris dans différentes gravures isolées, ils seront commentés sous chaque titre.

Messe n° 1 en ré mineur.

** Edith Mathis (s), Marga Schiml (m), Wieslaw Ochman (t), Karl Ridderbusch (b), Ch. et Orch. de la Radio Bavaroise, Eugen Jochum. DG 2530.314 (RFA).

Aux tout débuts du microsillon, Charles Adler avait donné de cette œuvre une version de référence (reprise ultérieurement par le catalogue Lumen). Celle de Jochum ne la vaut malheureusement pas.

Messe n° 2 en mi mineur.

❀*** Chœur Schütz, Ensemble à Vents de Londres, Roger Norrington. Argo ZRG 710 (G-B).

*** Ensemble Choral et Orchestral de Stuttgart, Helmuth Rilling. Bärenreiter BM 1330 (RFA).

*** Ch. et Orch. de la Radio Bavaroise, Eugen Jochum. DG 2530.139 (RFA). + *2 Motets.*

** Ch. Ste-Hedwige, Orch. de Berlin, Karl Forster. EMI Da Capo C 047-01.142 (sup.). + *Te Deum.*

** Ch. John Alldis, Orch. de Chambre Anglais, Daniel Barenboïm. EMI C 063-02.531 (sup.).

* Ch. de l'Opéra et Orch. Phil. de Vienne, Zubin Mehta. Decca SXL 6837. (G-B). + *Te Deum.*

Norrington, le plus ample dans son mouvement, offre une conception nettement «renaissante», et porte ainsi à son paroxysme l'affinité de Bruckner avec les maîtres de l'ancienne liturgie.

Rilling s'inscrit tout droit dans la tradition d'exécution de cette œuvre populaire outre-Rhin ; son interprétation est l'archétype de celles que l'on peut entendre dans les pays germaniques.

L'interprétation de Jochum ne le cède que

de peu aux autres grandes versions de cette Messe. Elle offre en outre l'avantage d'être complétée par deux Motets.

La version historique de Forster représente la conception la plus ramassée de l'œuvre. Parue en mono en 1955, elle a été récemment rééditée dans de très bonnes conditions techniques. Son authenticité peut lui valoir encore bien des suffrages.

Barenboïm occupe entre les versions lentes et les rapides une position intermédiaire et équilibrée ; mais sa réussite réside davantage dans la beauté sonore du détail que dans son mouvement général.

Mehta est ici le plus rapide de tous, mais ce parti pris ne rend pas totalement le climat spirituel de l'œuvre. Excellente qualité technique.

Messe n° 3 en fa mineur.

❀*** Dorothea Siebert (s), Dagmar Hermann (m), Erich Majkut (t), Otto Wiener (b), Akademie Kammerchor, Orch. de Vienne, Ferdinand Grossman. Vox PL 7940 (sup.). Mono.

*** Pilar Lorengar (s), Christa Ludwig (m), Josef Traxel (t), Walter Berry (b), Ch. Ste-Hedwige, Orch. de Berlin, Karl Forster. EMI Da Capo C 047-28.962 (RFA).

** Maria Stader (s), Claudia Hellmann (m), Ernst Haefliger (t), Kim Borg (b), Ch. et Orch. de la Radio Bavaroise, Eugen Jochum. DG 138.829 (RFA).

** Heather Harper (s), Anna Reynolds (m), Robert Tear (t), Marius Rintzler (b), Ch. et Orch. New Philharmonia, Daniel Barenboïm. EMI C 063-02.318 (sup.).

Remontant au premier temps du microsillon, l'admirable gravure de Grossman, dont tous les interprètes participaient de l'atavisme viennois le plus pur, n'a jamais été égalée. On ne peut que souhaiter sa réédition.

De peu postérieure à celle de Grossman, la version de Forster a bénéficié de la stéréophonie à ses débuts. Elle offrait peut-être un meilleur quatuor de solistes, sans que l'orchestre atteigne la chaleur et la conviction des Viennois.

L'enregistrement de Jochum est l'un de ses plus anciens consacrés à Bruckner. L'orchestre n'y atteint pas la qualité de ceux de Vienne ou de Berlin, et la conception générale manque un peu de vigueur.

Barenboïm a fait dans cette œuvre l'une de ses premières approches de l'œuvre de Bruckner, et n'y manifeste pas l'intériorité de ses enregistrements postérieurs.

Sept Pièces pour orgue.

** Jean Galard (orgue Danion Gonzales de la cathédrale de Beauvais). Solstice SOL 16. *+ œuvres de Barblan et Reubke.* Enregistré en 1980.

S'il ne s'agit pas vraiment d'une «intégrale» de l'œuvre d'orgue de Bruckner (quelques petits Préludes d'extrême jeunesse sont laissés de côté, qui se trouvent en revanche dans les gravures disponibles outre-Rhin), ce disque est fort précieux pour se faire une idée du style improvisateur qui pouvait être celui de Bruckner à l'orgue, qui fut le berceau des symphonies. Une pièce surtout retiendra l'attention, le *Prélude en ut* de 1884, avec la liberté de ses enchaînements harmoniques. Et le couplage offre ce chef-d'œuvre qu'est la Sonate de Reubke.

Psaume 150.

*** Maria Stader (s), Ch. et Orch. Phil. de Berlin, Eugen Jochum. DG 139.399 (sup.). *+ The Deum, Gloria de la Messe n° 3.* Ou DG 2720.054 (5 d.). *+ Geistliche Chorwerke* (RFA).

*** Ruth Welting (s), Orch. et Ch. Symph. de Chicago, Daniel Barenboïm. DG 2707.116 (2 d.). *+ Helgoland, Symphonie n° 7.* Enregistré en 1980.

Eugen Jochum est l'interprète idéal de ce grand hymne de jubilation, dont la force résulte pour une large part de sa brièveté, et qui se conclut sur une fugue chorale qui ne le cède en rien à celle du *Te Deum.* Cet enregistrement fut disponible dans divers couplages ; et l'on souhaiterait retrouver notamment celui qui l'associait à un large choix de Motets (DG 136.552 ou 636.552).

Chez Barenboïm, il s'agit, avec la Septième et *Helgoland,* d'un complément de face des mieux venus.

Quintette à cordes en fa majeur.

❀*** Quatuor Koeckert, George Schmid (alto). DG 18.042 (sup.). Mono.

❀*** Quintette Philharmonique de Vienne. Decca SDD 490 (G-B). + *Intermezzo en ré mineur.*

*** Quatuor Keller, George Schmid (alto). Da Camera 92.707/8 (2 d.). + *Quatuor en ut mineur, Intermezzo en ré mineur.*

Le Quatuor Koeckert et George Schmid ont donné la toute première gravure du Quintette. Celle-ci demeure probablement inégalée à ce jour, mais supprimée de longue date des catalogues, elle ne peut plus être mentionnée que pour mémoire.

Le Quintette de la Philharmonie de Vienne, composé des premiers pupitres du célèbre orchestre, apporte à cette page sa couleur rayonnante, sa chaleur communicative, la justesse de sa conception architecturale. Le disque est complété par l'*Intermezzo*, variante du *Scherzo* du Quintette dont il reprend d'ailleurs le *Trio*.

L'album de deux disques publié par Da Camera regroupe les trois œuvres instrumentales de Bruckner. L'interprétation du Quatuor Keller n'a sans doute pas la chaleur de celle des Viennois, mais possède le sens de la dynamique.

Requiem en ré mineur.

** Agnes Giebel (s), Hanna Schaer (a), Alva Tripp (t), Dirk Schortemeier (b), Ch. Bach de Bonn, Orch. de Siegerland, Herbert Ermert. Aulos-FSM 53.552. Enregistré en 1980.

Il s'agit de la cinquième gravure de ce premier essai de Bruckner dans la grande liturgie de concert qu'il allait tant illustrer. C'est dire que l'œuvre demeure en faveur, surtout outre-Rhin, d'où sont venues trois des interprétations antérieures. Celle-ci les surclasse indéniablement, et l'on regrettera seulement l'absence d'un complément (le *Requiem* ne dure que 35 minutes) qu'offrait en revanche Schönzeler (Unicorn UNS 210, G-B).

Les Symphonies, enregistrement «intégral».

❀*** Orch. Symph. de Chicago, Daniel Barenboïm. DG 2740.253 (12 d.). Enregistré de 1974 à 1980.

*** Orch. Phil. de Berlin et de la Radio Bavaroise, Eugen Jochum. DG 2740.136 (11 d.). Enregistré de 1958 à 1968. + *Te Deum.*

** Orch. du Concertgebouw d'Amsterdam, Bernard Haitink. Philips 6717.002 (12 d.). Enregistré de 1964 à 1973.

** Orch. Phil. de Berlin, Herbert von Karajan. DG 2740.264 (11 d.). Enregistré de 1976 à 1982.

** Orch. Phil. de Vienne, Claudio Abbado (Symphonie n° 1), Horst Stein (n°s 2 et 6), Karl Boehm (n°s 3 et 4), Lorin Maazel (n° 5), Georg Solti (n°s 7 et 8), Zubin Mehta (n° 9). Decca 635.256 (13 d.) (RFA).

** Orch. Gewandhaus de Leipzig, Kurt Masur. Eurodisc Ariola 301.587 (13 d.). (RFA). Enregistré de 1974 à 1978.

Entre la parution du premier coffret regroupant l'«intégrale» des symphonies, celui d'Eugen Jochum, et celle de Daniel Barenboïm en 1981, quatorze ans seulement se sont écoulés ; et le chemin accompli par la diffusion de l'œuvre brucknérienne se mesure aux trois autres coffrets parus entre-temps, et aux trois depuis en cours d'achèvement. Mis à part Wand, d'autant plus attendu qu'il fit une percée tardive bien que plus âgé d'une génération, s'il est un seul coffret que l'on doive acquérir (car la formule même est contestable), c'est celui de Barenboïm, qui offre non seulement les neuf symphonies numérotées, mais aussi l'avant-première «n° O», n'écartant (c'est notre seul regret) que celle en *fa mineur.* La maturation de l'interprétation du jeune chef de l'orchestre de Paris s'affirme entre la Quatrième, qu'il enregistra en premier lieu, et les deux premières ainsi que la Huitième, qui ont clos le cycle. Mais tout est exemplaire, et témoigne d'un engagement de tous les instants et d'un tempérament qui, pour être romantique dans l'âme, ne possède pas moins une hauteur de vue et une spiritualité tout à fait étonnantes. Et surtout, atout majeur, il s'agit des éditions Haas/Œser, c'est-à-dire des textes optimaux pour la quasi-totalité des œuvres.

L'album de Jochum, qui sera, comme les autres, détaillé avec chacune des Symphonies, suit l'édition musicale de Nowak. L'interprétation du grand chef bavarois met en relief la spiritualité du compositeur, ce qui lui vaut de réussir particulièrement bien les œuvres ultimes. En tant qu'ensemble, c'est assurément la plus homogène et la plus convaincante des intégrales. A noter qu'un coffret fragmentaire a été publié, regroupant les Symphonies n°s 4, 7, 8 et 9 avec le *Te Deum* (DG 2736.005, 6 disques).

Haitink s'oppose en tous points à Jochum. D'une part en ce qu'il suit la première édition critique des partitions, d'autre part par son interprétation soulignant l'humanité et la robustesse native du musicien. Ajoutons que son intégrale comporte non seulement les neuf Symphonies numérotées, mais aussi l'avant première «n° 0». On en retrouvera le commentaire à la notice de chacune des Symphonies.

Karajan paraît l'exact opposé de la version Barenboïm : bien loin de s'engager, le chef semble préférer chez Bruckner l'aspect coloriste, orchestrateur, la beauté sonore. Dans cette optique, Karajan excelle, évidemment... lui, et sa Philharmonie de Berlin. Malheureusement, Bruckner le dramaturge ne se trouve pas grandi par cette intégrale, mais poli, joli, mondain. Fascinant par le travail de la pâte sonore, cet enregistrement n'en est pas moins quelque peu lassant, précisément par l'absence de tension et surtout de spiritualité. Dans cette optique, les meilleures réussites demeurent la Première, peut-être la plus belle existante, et à un moindre degré la Cinquième et la Huitième, cette dernière surtout pour l'emploi de l'édition Haas. Par ailleurs, le choix de Karajan s'est partagé entre les deux éditions critiques, ce qui nous vaut des textes contestables pour la Seconde ou la Troisième. Une prise de son dans l'ensemble assez sourde aggrave encore la déception.

L'album Decca centre l'intégrale sur l'Orchestre Philharmonique de Vienne, placé sous différentes directions. Le résultat va de l'admirable (Boehm dans la Quatrième) au très discutable (Maazel), en passant par les premières interprétations brucknériennes de Horst Stein. Comme pour les recueils de Jochum et Haitink, les enregistrements les plus anciens auraient demandé à être renouvelés. A signaler que les différents chefs suivent l'édition de Nowak, à l'exception de Stein dans la Deuxième.

L'emploi des meilleurs textes serait enfin un avantage précieux à mettre à l'actif de l'intégrale Masur (Symphonies n° 1 à 9 ici encore) s'il n'y avait l'irritant problème de la Troisième, présentée dans la version édulcorée de 1889 tout comme chez Jochum ou Boehm. A noter que le cycle de Masur a d'abord paru en quatre coffrets partiels, dont on retiendra ci-après le premier.

Symphonies n°s 1, 2 et 3

** Orch. Gewandhaus de Leipzig, Kurt Masur. Eurodisc Ariola 300 032 445 (4 d.) (RFA).

Symphonies n°s 3, 4 et 8 (versions primitives).

❀*** Orchestre de Radio-Francfort, Eliahu Inbal

Symphonies n°s 4, 7, 8 et 9.

*** Orch. Phil. de Vienne et de Berlin, Wilhelm Furtwängler. DG 2740.201 (5 d.). Mono. Enregistré en 1944 et 1951.

Symphonies n°s 4, 7 et 9.

** Orch. Symph. Columbia, Bruno Walter. CBS R 4 (4 d.).

Symphonies n°s 4, 5 et 7.

** Orch. du Gewandhaus de Leipzig, Franz Konwitschny. Eurodisc XHK 86.367 (5 d.) (RFA).

Symphonies n°s 4, 7, 8 et 9.

* Orch. Symph. de Vienne, Otto Klemperer (Symphonie n° 4), Karl Boehm (n° 7), Orch. Pro Musica de Vienne (n°s 8 et 9). Vox VSPS 14 (6 d.) (USA). Mono.

L'avantage du regroupement des trois premières symphonies (on déplore l'absence des deux avant-premières) est d'offrir une vue saisissante de la conquête par Bruckner de la grande forme symphonique et de sa propre personnalité : c'est pourquoi le choix de la remouture tardive de la Troisième (1889), avec ses graves amputations, texte qu'aucune interprétation, si géniale soit-elle (et ce n'est pas le cas ici) ne peut sauver, est contraire au propos même d'un semblable album et en compromet donc l'intérêt, qui se concentre uniquement sur une très belle Seconde, parfaitement authentique celle-ci (avec le solo de cor).

La première gravure mondiale, par Inbal, des textes primitifs (imprimés entre 1973 et 1977) des Symphonies n°s 3, 4 et 8 est un événement majeur dans le domaine brucknérien. Seule, la Quatrième avait fait l'objet d'une gravure précédente, dans l'interprétation de la création, par Kurt Wöss, mais distribuée confidentiellement. La réalisation d'Inbal, enregistrée au cours des *Bruckner Tage* de Francfort en octobre 1982, offre le complément idéal à tous les coffrets d'«intégrales» jusqu'alors disponibles, et ce, dans des interprétations exemplaires alliées à une prise de son d'une finesse et d'une dynamique rares, faisant ressortir à merveille les hardiesses d'écriture et d'orchestration de ces étonnants premiers jets. En réalité, il s'agit pour les Troisième et Quatrième d'œuvres autonomes, parfaitement accomplies, et montrant l'audace de la conception symphonique brucknérienne avec un éclat que les versions remaniées, plus «raffinées», ne connaîtront pas au même degré. Le cas est différent pour la Huitième, dont la seconde (et usuelle) rédaction a nettement gagné en complexité ; mais cette version de 1887 n'est pas moins un jalon essentiel.

Le cas de Furtwängler est unique. Nul ne peut ignorer son approche de Bruckner, où il trouve le reflet le plus bouleversant de sa personnalité, au point que le chef s'est identifié au compositeur jusque dans sa propre création. On n'en est que plus surpris de constater qu'il a pu demeurer fidèle à la révision de Löwe pour la Symphonie n° 4 (contrairement à ce qu'indique la notice du livret). Dans la Huitième, sa Symphonie de prédilection, Furtwängler laisse le témoignage d'une magnifique exécution de concerts, avec les aléas que cela comporte. Quant à sa Neuvième, elle fait aujourd'hui référence absolue en la matière.

La vision de Bruno Walter peut sembler pâlir quelque peu auprès de celle de Furtwängler ; elle n'en est cependant pas moins engagée, surtout pour la Neuvième. Mais la lumière plus crue, en partie due à la prise de son en studio, d'une technique plus récente, dessert ici le mystère. A connaître, néanmoins.

Konwitschny eut le grand mérite de proposer les éditions authentiques en un temps où elles n'étaient pas encore universellement admises. Si son orchestre rivalise avec les plus grands, sa direction est parfois un peu lâche ; mais c'est là un document humain remarquable.

L'album rassemblé par Vox sous le titre de «Grands chefs brucknériens» groupe des gravures quasi historiques, certaines parmi les plus anciennes qu'ait offertes le microsillon. Parmi elles, seule la Septième de Boehm demeurait vraiment actuelle jusqu'à la récente et nouvelle gravure du même chef. La Quatrième de Klemperer était nettement précipitée ; la Huitième de Horenstein suivait l'édition déplorable de Nowak. La Neuvième du même chef reste un émouvant document par le potentiel dynamique étonnant qu'il parvenait à insuffler dans des tempos eux aussi bousculés.

Symphonie «d'étude» en fa mineur. Ouverture en sol mineur.

** Orch. Symph. de Londres, Elyakum Shapirra. EMI HMV ASD 2808 (G-B).

Unique gravure de ce tout premier essai de Bruckner dans la forme qu'il allait tant illustrer, elle est d'autant plus précieuse qu'elle lui associe l'*Ouverture en sol* dont c'est aussi l'unique version disponible. On pourra mesurer la distance qui sépare ces points de départ des accomplissements aujourd'hui connus, et découvrir la vraie nature, proche d'un Dvořák, de l'inspiration brucknérienne précoce, antérieure à sa découverte de Wagner.

Symphonie n° 0 en ré mineur.

❀*** Orch. Symph. de Chicago, Daniel Barenboïm. DG 2531.319. Enregistré en 1980.

** Orch. du Concertgebouw d'Amsterdam, Bernard Haitink. Philips 5802.724 (NL) ou SAL 3602 (G-B). Ou Philips 6717.002 (12 d.) *+ Intégrale.*

Problématique mais passionnante, cette Symphonie n'est connue que dans sa version notablement remaniée de 1869. Les gradations qui caractériseront le grand Bruckner s'y trouvent déjà présentes, et l'on aura en outre tout loisir d'identifier mainte anticipation thématique de symphonies ultérieures. Barenboïm offre une version qu'on peut qualifier de définitive, tant elle met en relief les traits les plus séduisants de ce qui demeure malgré tout un essai renié par le compositeur : mais le *Scherzo*, surtout, ne le cède en rien aux plus grands, qu'il surclasse en dynamisme pétulant, à l'instar du dernier Schubert.

Déjà très convaincant mais un peu trop timide, Haitink a révélé l'œuvre à une génération de mélomanes qui n'avaient pas eu l'heur de connaître la gravure historique d'un autre hollandais, Henk Spruit (Concert Hall ou Classic). Notons que deux autres gravures encore existent : Gelmini (Colosseum, RFA) et surtout le Viennois Ernst Märzendorfer, distribué seulement aux Etats-Unis (Classical Excellence CE 11 022).

Symphonie n° 1 en ut mineur.

❀*** Orch. Symphonique de Radio-Cologne, Günther Wand. Deutsche Harmonia Mundi C 065-99.937. Enregistré en 1981.

❀*** Orch. Staatskapelle de Dresde, Eugen Jochum. EMI VSM C 063-03.716. Enregistré en 1979.

*** Orch. Phil. de Berlin, Eugen Jochum. DG 139.131 (RFA). Ou DG 2740.136 (11 d.). *+ Intégrale et Te Deum.*

** Orch. Phil. de Vienne, Claudio Abbado. Decca 6494 (G-B). Ou Decca 635.256 (13 d.) (RFA). *+ Intégrale.*

** Orch. du Concertgebouw d'Amsterdam, Bernard Haitink. Philips 6500.439 (NL). Ou Philips 6717.002 (12 d.). *+ Intégrale.*

* Orch. de Vienne, Charles Adler. Unicorn LA 1015 (sup.). Mono.

L'intérêt capital de la version de Wand réside en ce qu'elle est la seule moderne (il y avait eu jadis un enregistrement par Adler) à présenter le dernier état de la partition, révisée par Bruckner lui-même et de son propre chef. Par ses tempos soutenus mais non hâtifs, et sa justesse d'accents, l'interprétation de Wand offre un équilibre, un classicisme qui s'appliquent merveilleusement à cette œuvre.

Quelque trois lustres après son premier enregistrement, Eugen Jochum en renouvelle la réussite avec plus de maîtrise encore. Dans cette gravure splendide, il intègre l'œuvre au tout grand répertoire de la symphonie ; il révèle du même coup la Staatskapelle de Dresde comme instrument brucknérien de premier ordre - ce qu'elle était déjà pour Strauss.

Dans son premier enregistrement, Jochum exalte magnifiquement la grandeur et le souffle déjà épique de cette œuvre, et l'inscrit dans le droit fil de la grande *Symphonie en ut* de Schubert - filiation on-ne-peut-plus heureuse et naturelle. Les libertés de tempo qu'il s'accorde vont de pair avec une conception de l'accentuation que l'on ne retrouve nulle part ailleurs.

Abbado est l'un des meilleurs avocats d'une œuvre en vérité d'avant-garde, et qui mérite bien mieux que son sort trop effacé. Il offre, rehaussé par le prestige de la Philharmonie de Vienne, une vision synthétique qu'on ne devrait pas ignorer... pour autant que l'on puisse encore se procurer cet enregistrement. A signaler qu'Abbado, comme tous les autres chefs aujourd'hui, suit la version première de la partition, d'une bien plus grande pureté stylistique que celle dite «de Vienne», beaucoup plus tardive (1891).

Haitink met au premier plan la verve, le dynamisme, la pulsation rythmique que Bruckner ne retrouvera plus à ce degré : avec lui, il s'agit en quelque sorte ici d'une «Symphonie n° 0» de Mahler.

Avec Adler, on peut faire connaissance de la seconde version de cette Symphonie, mouture hybride dont c'est l'unique enregistrement. C'est par cette partition que l'œuvre a été connue un demi-siècle durant : un document de collection.

Symphonie n° 2 en ut mineur.

❀*** Orch. Bruckner de Linz, Ludwig Georg Jochum. Urania 402 (sup.) ou Saga XID 5102-03 (2 d.) (G-B) (sup.). *+ Wagner : Symphonie en ut.*

** Orch. du Concertgebouw d'Amsterdam, Bernard Haitink. Philips 802.912 (NL) ou SAL 3785 (G-B). Ou Philips 6717.002 (12 d.) *+ Intégrale.*

** Orch. Phil. de Vienne, Horst Stein. Decca SXL 6681 (G-B). Ou Decca 635.256 (13 d.) (RFA) *+ Intégrale.* Enregistré en 1973.

** Orch. Symph. de Radio-Cologne, Günther Wand. Deutsche Harmonia Mundi C 065-99.938. Enregistré en 1981.

* Orch. Symph. de Vienne, Volkmar Andreae. Amadeo AVRS 5401 (Autriche) (sup.). Mono.

* Orch. Radio Bavaroise, Eugen Jochum. DG 139.132 (RFA). Ou DG 2740.136 (11 d.) *+ Intégrale et Te Deum.*

* Orch. Symph. de Vienne, Carlo Maria Giulini. EMI VSM C 065-02.633 (sup.) Enregistré en 1975.

Ludwig-Georg Jochum, le frère d'Eugen, est le seul à avoir enregistré, à l'aube du microsillon, la version correcte de cette Symphonie (Haas), et sans coupure. Vision resplendissante, toute de ferveur et de couleur locale à la fois : la Deuxième mérite vraiment ici son surnom de «Symphonie de Haute-Autriche».

Haitink, dans l'enregistrement de son intégrale, a opté lui aussi pour la version Haas, mais, pour faire tenir l'œuvre en un seul disque, a supprimé les reprises du Trio.

Stein, comme Haitink, pratique les coupures du Trio. C'est dommage, car cette version bénéficie, elle aussi, d'un splendide orchestre.

Günther Wand ne retient malheureusement pas le texte d'origine de cette symphonie qui subit de nombreuses coupures et retouches ; ce choix est pour le moins surprenant quand on connaît son souci de fidélité : il restitue tous les passges supprimés, mais conserve la seconde rédaction pour la conclusion de l'*Adagio*, se privant ainsi d'un incomparable solo de cor. Dommage, car cette réalisation est par ailleurs exemplaire.

La vieille gravure de Volkmaar Andreae ampute de plus la partition de toutes les coupures facultatives. Mais l'Orchestre Symphonique de Vienne est un familier de Bruckner, et le solo de cor de la fin de l'*Adagio* est ineffable.

Jochum, lui, a penché pour l'édition de Nowak, qui reproduit toutes les modifications exécutées par Bruckner sous la pression de son entourage et non la partition émanant de la stricte volonté du compositeur. Ce choix oblitère l'intérêt de cet enregistrement par ailleurs magnifique.

Giulini donne une interprétation de grand style et imprime à l'orchestre viennois une superbe plastique sonore et un extrême raffinement. Mais lui aussi utilise l'édition de Nowak.

Symphonie n° 3 en ré mineur.

** Orch. du Concertgebouw d'Amsterdam, Bernard Haitink. Philips 835.217 (NL) ou SAL 3506 (G-B). Ou Philips 6717.002 (12 d.). + *Intégrale.*

* Orch. Phil. de Vienne, Karl Boehm. Decca SXL 6505 (G-B).

* Orch. Phil. de Berlin, Herbert von Karajan. DG 2532 007. Enregistré en 1980.

De cette symphonie dont il existe trois rédactions très divergentes, Haitink fut le premier à graver la seconde version (1877/78), de loin préférable à la mouture ultérieure (1889), encore abrégée mais cependant adoptée par presque tous les autres interprètes. Hélas ! ce disque déjà ancien ne rendait guère justice à l'œuvre ni au chef, en considérable progrès depuis dans ce répertoire, et dont on souhaite vivement une nouvelle prestation. Notons que cet enregistrement demeure accessible dans l'intégrale du même chef, et que la seule autre gravure plus récente de ce texte, celle de Barenboïm, est elle aussi incluse dans son coffret et non disponible isolément.

Boehm, comme Jochum, Andreae ou Rojdestvenski, suit la révision tardive de 1889, qui trouve cependant avec lui un avocat de premier plan.

Un prise de son «nec plus ultra», un monstre sacré de la baguette qui, même si son style l'y prédisposait peu, a fait récemment de louables efforts pour approcher l'essence de Bruckner, et qui eût pu faire revenir au premier plan une œuvre dont les avatars ne se comptent plus. Hélas ! Karajan choisit lui aussi la dernière et inacceptable mouture, dont notamment le Finale n'est pas même de la plume de Bruckner.

Symphonie n° 4 en mi bémol majeur «Romantique».

❀*** Orch. Phil. de Vienne, Karl Boehm. Decca 593.008 (2 d.). Ou Decca 635.256 (13 d.) (RFA). + *Intégrale.* Enregistré en 1973.

*** Orch. Phil. de Berlin, Eugen Jochum. DG 2535.111 (RFA). Ou DG 2740.136 (11 d.). + *Intégrale et Te Deum.*

** Orch. Symph. de Chicago, Daniel Barenboïm. DG 2530.336. Enregistré en 1974.

* Orch. Phil. de Berlin, Herbert von Karajan. DG 2530.674. ✉ 3300.674. Enregistré en 1976.

Boehm offre de très loin l'interprétation qu'on peut qualifier d'idéale, la seule que l'on ne saurait ignorer. Il est impossible de déceler la moindre faille dans la précision du discours autant que dans le respect des moindres nuances ; et quant à l'architecture de l'ensemble, elle témoigne d'une largeur de vue à nulle autre pareille. Le prestige de la Philharmonie de Vienne, ses cordes somptueuses, ses cuivres merveilleux de velouté et d'exactitude dans le pianissimo, ajoutent la dernière touche de perfection à cette interprétation.

La vision grandiose d'Eugen Jochum fait de sa Quatrième (à côté de la Septième) l'un des plus beaux volets de son intégrale. On peut l'acquérir soit en un seul disque séparé, soit dans l'intégrale, soit dans le coffret qui l'associe aux trois dernières Symphonies et au *Te Deum*. La fougue de Jochum n'a d'égale que la réflexion profonde dont sont nourris les vastes arceaux de ce poème médiéval, et on passe bien volontiers sur un *rubato* dont il tire des effets dont lui seul a le secret. Notons qu'il ajoute à la partition un coup de cymbales au sommet du premier groupe du Finale : il en va de même chez Boehm, et cela s'explique par le dynamisme explosif de ce passage.

Face à ces géants, Barenboïm réussit la performance d'imposer une vision à la fois juvénile et d'une rare plénitude. Il dépouille l'œuvre de toute rhétorique superflue, et lui imprime une vigueur rarement égalée, sans toutefois exclure la réflexion ni la largeur de respiration nécessaires aux passages cruciaux. L'exemple le plus réussi de l'approche d'une nouvelle génération face à ce monument.

Karajan est le seul ici à conserver l'édition Haas, qui, pour cette Symphonie, le cède à celle de Nowak, établie à la lumière d'un manuscrit ultime de Bruckner redécouvert à New York après la guerre. Dans cette version, le thème générique n'est rappelé en conclusion que par son rythme, alors que dans l'autre édition la péroraison est beaucoup plus éclatante. A connaître, donc, à titre de comparaison, mais guère plus, le style du chef ne se trouvant guère en véritable communion avec l'esprit brucknérien.

Symphonie n° 5 en si bémol majeur.

❁*** Orch. du Concertgebouw d'Amsterdam, Eugen Jochum. Philips 6700.028 (2 d.) (NL). Enregistré en 1964. *+ Œuvres pour orgue de Bach, Bruhns et d'Aquin.*

*** Orch. Phil. de Munich, Rudolf Kempe. Acanta 22.526 (2 d.). (RFA). Enregistré en 1976.

*** Orch. Phil. de Leipzig, Gerhard Pflüger. Urania 239 (2 d.) (sup). Mono. *+ Weber : Symphonie n° 1.*

*** Orch. Symph. de Chicago, Daniel Barenboïm. DG 2707.113 (2 d.). Enregistré en 1979.

** Orch. Symph. de Radio-Cologne, Günther Wand. Deutsche Harmonia Mundi C 153-99.670/71 (2 d.). Enregistré en 1977.

** Orch. Phil. de Berlin, Herbert von Karajan. DG 2707.101 (2 d.). Enregistré en 1977.

** Orch. Symph. de Chicago, Georg Solti. Decca 390.244 (2 d.). Enregistré en 1980.

Jochum a gravé l'œuvre à trois reprises : la première en mono (jamais parue en Europe, et distribuée aux Etats-Unis par Capitol); la deuxième, peu réussie, dans le cadre de son intégrale, et celle-ci, référence irremplaçable, enregistrée dans l'abbaye d'Ottobeuren, en Bavière. Il est exceptionnel qu'un chef s'identifie à ce point à l'œuvre, cet exemple ne trouvant d'équivalent, chez Bruckner, qu'avec Furtwängler. Si l'on a pu voir en Bruckner un musicien «intemporel», une telle interprétation est assurément de celles qui donnent du poids à cette opinion qui n'est pas sans danger.

L'album de Kempe constitue également un document : pendant des décennies, ce chef donna des interprétations exemplaires, unissant le sens de l'architecture la plus solide à une frémissante sensibilité, sans qu'on ait jamais songé à lui fournir l'instrument orchestral nécessaire à leur traduction au disque. Il ne l'obtint que deux ans avant sa mort, et seule cette Cinquième en témoigne vraiment. Non moins engagée que celle de Jochum, sa vision ramène peut-être un peu plus l'œuvre à la portée du quotidien en ce qu'elle exalte sa saveur locale et le côté désolé de l'*Adagio*, déchirant poème de la solitude.

Au premier temps du microsillon, on se doit de donner un souvenir à la gravure de Pflüger, qui faisait partie de la série Urania résultant de la rafle des archives des radios allemandes par les Américains. Performance d'une telle beauté, d'un souffle si puissant qu'on a pu se demander s'il ne s'agissait pas d'un Furtwängler déguisé (depuis, une vraie gravure de Furtwängler a paru, mais elle est des plus décevantes).

Barenboïm renouvelle ici son exploit de la Quatrième. La respiration est d'une ampleur encore bien plus grande, les contrastes sont présents dans toute leur puissance, aussi bien en tempos qu'en dynamique, et seul un certain manque de chaleur, en particulier dans la sonorité des cordes, pourrait faire hésiter. Mais, musicalement, il s'agit d'une interprétation de synthèse qui s'impose pratiquement à l'égal des précédentes.

De conception très proche de celle de Kempe, et enregistrée à peu de distance, la Cinquième de Günther Wand fut aussi l'une des grandes révélations des années soixante-dix. Elle permit également à ce chef jusque-là relativement peu connu de prendre une juste revanche. Sa modestie - vertu brucknérienne par excellence ! - autant que sa profonde conviction assurent l'authenticité d'un document à connaître, point de départ d'une série dont les témoignages ultérieurs vont plus haut et plus loin encore.

Chez Karajan, nulle véritable erreur d'interprétation, un souci architectural également remarquable, une perfection du détail qui ne nuit pas au mouvement de l'ensemble, un côté grandiose qui se manifeste par un *Adagio* exceptionnellement retenu et par une péroraison impressionnante. Mais tout cela ne suffit pas à faire de cette splendide exécution une interprétation profondément engagée.

Une gravure d'une fidélité stupéfiante et tous les feux d'un orchestre de prestige ne peuvent masquer, chez Solti, certaines fautes de conception fondamentales, en particulier pour ce qui est de ses tempos. Battre à la croche le second thème de l'*Adagio,* le distendre comme si l'on étirait une pâte à gâteau jusqu'à la rompre, briser les tensions et affadir ainsi cette page unique, prendre au contraire le *Scherzo* tambour battant (certes, il faut des contrastes, mais pas à ce point !), tout cela impressionne (voir l'apothéose cuivrée, véritablement écrasante ici) mais ne convainc point.

Symphonie n° 6 en la majeur.

❀*** Orch. Symph. du Gürzenich de Cologne, Günther Wand. Deutsche Harmonia Mundi 065-99.672. Enregistré en 1977.

❀*** Orch. d'Etat de Bavière, Wolfgang Sawallisch. Orfeo S 042.821 A. Enregistré en 1981.

*** Orch. Staatskapelle de Dresde, Eugen Jochum. EMI VSM C 063-03.958. Enregistré en 1979.

** Orch. Symph. de la Radio Bavaroise, Eugen Jochum. DG 139.136 (RFA). Ou DG 2740.136 (11 d.). + *Intégrale et Te Deum.*

** Orch. du Concertgebouw d'Amsterdam, Bernard Haitink. Philips 6500.164 (NL). Ou Philips 6717.002 (12 d.) + *Intégrale.*

** Orch. Symph. de Chicago, Daniel Barenboïm. DG 2531.043. Enregistré en 1977.

* Orch. Phil. de Berlin, Herbert von Karajan. DG 2531.295. Enregistré en 1980.

* Orch. Phil. de Berlin, Josef Keilberth. Telefunken SLT 43.076 (RFA).

Günther Wand, dont les premières gravures restaient très en-deçà de son talent (surtout du fait d'instruments orchestraux insuffisants), fait une apparition brillante dans le monde de la Symphonie de Bruckner, où il semble prendre le relais de Kempe. Sa Sixième est miraculeuse de justesse, et le problématique Finale y devient pour la première fois l'égal des grands.

On attendait Sawallisch dans Bruckner au disque. Sa Sixième Symphonie ne déçoit pas cette attente. Avec lui, tout est clair et lumineux, évident. C'est une expérience passionnante que l'on vit d'un bout à l'autre de l'œuvre, menée avec une rare sûreté qui se joue de toutes les embûches. Mais Sawallisch, surtout, prouve que Bruckner peut aussi être considéré comme l'héritier direct de Schubert, et pas seulement comme le «symphoniste wagnérien». Ici, tout respire la fraîcheur ; quand aux tempos, ils sont d'une miraculeuse justesse.

Une très heureuse surprise attend le discophile français avec la nouvelle gravure d'Eugen Jochum. Elle est l'un des maillons les plus réussis (avec la Première) de son «intégrale» de Dresde. Si l'ensemble est, en vérité, fort décevant, il n'en sera que plus précieux de pouvoir acquérir séparément cette admirable Sixième, où celui qui incarna une grande époque de l'interprétation brucknérienne reste heureusement égal à lui-même, c'est-à-dire inspiré. N'en prenons pour exemple que l'*Adagio,* une des pages les plus émouvantes de Bruckner, qui s'élève ici à la hauteur de ses grands accomplissements ultérieurs.

Dès son ancienne «intégrale», Jochum avait réhabilité cette Symphonie jusque-là délaissée, mais qui, depuis, a pris largement sa revanche. Cette première interprétation conserve tous ses mérites, toute sa spiritualité, toute sa rayonnante chaleur humaine.

Jochum prend tout le temps nécessaire pour élever l'admirable mouvement lent à la hauteur de ceux des Symphonies environnantes. Une interprétation d'une grande spiritualité, rayonnante de chaleur humaine.

Haitink s'oppose à Jochum, ici comme ailleurs, par sa conception plus rationnelle, manifestée jusque dans les tempos. Son interprétation est l'une des plus nerveuses qu'il ait signées, ce qui est fort bien venu dans le *Scherzo.*

Barenboïm, inspiré en maint endroit *(Ada-*

gio, notamment), ne renouvelle pourtant pas sa réussite des Symphonies précédentes. Ses mouvements extrêmes ne sont pas très convaincants, les transitions de tempos entre groupes d'un même mouvement, en particulier, ne sont pas toujours très bien assurées, ce qui nuit à la dynamique. Mais l'ensemble respire une grandeur qui pourra lui valoir bien des suffrages.

Karajan propose une lecture dont le moins qu'on puisse dire est qu'elle ne fait pas l'unanimité. Les mouvements extrêmes souffrent d'une mise en place discutable quant à l'articulation des tempos ; l'*Adagio* est pesant, et seul le *Scherzo*, bien enlevé, pourrait convaincre. C'est insuffisant.

Un peu trop solennel, Keilberth conserve un mérite historique certain. Mais il passait à côté de l'espièglerie que le compositeur voulait lui-même conférer en particulier à son *Scherzo*. L'ensemble est dominé par une attitude très germanique, assez compassée et absolument pas viennoise.

Symphonie n° 7 en mi majeur.

❀*** Orch. Symph. de Chicago, Daniel Barenboïm. DG 2707.116 (2 d.). Enregistré en 1980. + *Helgoland, Psaume 150.*

❀*** Orch. Phil. de Berlin, Eugen Jochum. DG 2740.136 (11 d.) + *Intégrale Te Deum.*

❀*** Orch. Phil. de Vienne, Karl Boehm. DG 2709.068 (3 d.). Enregistré en 1977. + *Symphonie n° 8.*

*** Orch. Phil. de Berlin, Wilhelm Furtwängler. DG 2740.201 (5 d.) + *Symphonies n°s 4, 8 et 9.* Mono. Enregistré en 1951.

*** Orch. du Concertgebouw d'Amsterdam, Bernard Haitink. Philips 6769.028 (2 d.). ⌧ 7699.113 (2 c.). Enregistré en 1979. + *Wagner : Siegfried Idyll.*

** Orch. Phil. de Berlin, Herbert von Karajan. DG 2707.102 (2 d.). ⌧ 3370.023 (2 c.). Enregistré en 1977. + *Wagner : Siegfried Idyll.*

* Orch. Symph. de Radio-Cologne, Günther Wand. Deutsche Harmonia Mundi C 153-99.877/78 (2 d.). Enregistré en 1979.

Avec sa Septième, d'abord parue isolément avec les heureux compléments que sont *Helgoland* et le *Psaume 150*, Barenboïm signe un des volets les mieux venus de son cycle, un des plus riches d'une conception autonome qui, sans rien perdre de la beauté hiératique de l'œuvre, exalte au plus haut point ses vertus lyriques, ce qui fait d'elle l'ouvrage le plus «noblement populaire» de son auteur. C'est la plus belle tradition de Jochum. parée du prestige d'une somptueuse gravure moderne, bref, c'est ce qu'aurait dû être - mais que n'est pas - la nouvelle version du grand chef allemand. Barenboïm-le-romantique s'impose ici au premier rang.

D'une remarquable constance de style à travers ses deux enregistrements, l'interprétation de Jochum porte probablement à son comble la symbiose entre ce chef, qui est l'un des très grands de notre époque, et un créateur qu'il a servi sa vie durant avec une admirable modestie. L'*Adagio*, le plus lent de tous, atteint ici des paroxysmes pratiquement insurpassables, tant il est vrai que chez Bruckner tout est affaire de contrastes, et que l'amplitude dynamique est directement fonction de l'extension des durées. Pour la même raison, on pourra regretter que nul interprète n'élargisse suffisamment, au Finale, l'entrée de la péroraison.

Chez Karl Boehm, nous atteignons également l'un des sommets de l'interprétation brucknérienne. Il est du reste assez étonnant de constater la constance de la conception de ce chef, qui enregistra à plus de trente années d'écart deux interprétations très proches de cette œuvre. La première, que l'on retrouva récemment (Vox), est demeurée légendaire pour tous ceux pour qui elle représenta le premier acccès à Bruckner. La nouvelle s'impose désormais au premier rang pour qui tient à aller tout droit à l'essentiel.

L'âge des gravures de Furtwängler (il en parut successivement trois) conduit à recommander la mieux «rajeunie» des trois. Dans tous les cas, il s'agit d'enregistrements de concert, ce qui explique certains détails d'exécution, comme une relative hâte dans l'*Adagio*. Mais ces observations ne veulent pas dire que l'on puisse se priver d'une telle vision : la pérennité de la gloire de Furtwängler parle d'ailleurs d'elle-même.

La Septième de Haitink, incluse dans son intégrale, même disponible en édition isolée judicieusement associée au *Te Deum*, ne souffrait pas la comparaison avec les grands vétérans. Mais tout a changé avec la parution récente d'une interprétation infiniment plus mûre, plus approfondie et plus exaltante, par laquelle le chef manifeste, vis-à-vis des Symphonies ultimes, un degré de maîtrise égal à celui que l'on devait lui reconnaître dans les œuvres moins métaphysiques des débuts.

Chez Karajan, on retrouve toute la beauté formelle de sa Cinquième, mais on voit poindre ici ce que la Huitième accusera plus encore ; une tendance à uniformiser les tempos qui va à l'encontre de l'exigence des contrastes.

Günther Wand signe avec la Septième l'un des meilleurs maillons de son cycle aujourd'hui presque achevé. Mais, comme pour la Quatrième, cet album souffrira surtout de la très forte concurrence qui existe pour cette Symphonie, la mieux servie de toutes. Un handicap supplémentaire tient au fait qu'il s'agit du seul enregistrement qui, en deux disques, n'offre aucun complément de programme.

Symphonie n° 8 en ut mineur.

❀*** Orch. Symph. de Radio-Cologne, Günther Wand. Deutsche Harmonia Mundi C 153-99.853/54 (2 d.). Enregistré en 1979.

❀*** Orch. Phil. de Hambourg, Eugen Jochum. DG 18.051/52 (2 d.) (sup.). Mono. Enregistré en 1951.

*** Orch. Phil. de Vienne, Wilhelm Furtwängler. Unicorn 1109/10 (2 d.) (G-B). Mono. Enregistré en 1944. Ou DG 2740.201 (5 d.) + *Symphonies n°s 4, 7 et 9.*

*** The Philharmonic Symphony Orchestra, Carlos Païta. Lodia LOD 783/4 (2 d.). Enregistré en 1982.

*** Orch. du Concertgebouw d'Amsterdam, Bernard Haitink. Philips 6725.014 (3 d.). Enregistré en 1981. + *Symphonie n° 9.*

*** Orch. Tonhalle de Zurich, Rudolf Kempe. Ex-Libris 16.607 ou Tudor 74.003/04 (2 d.).

** Orch. Phil. de Berlin, Herbert von Karajan. DG 2707.085 (2 d.). ⊠ 3370.019 (2 c.). Enregistré en 1976.

* Orch. Phil. de Vienne, Karl Boehm. DG 2709.068 (3 d.). Enregistré en 1977. + *Symphonie n° 7.*

Parmi les gravures les plus récentes, celle de Günther Wand est sans conteste la plus enthousiasmante (gravure à ne pas confondre avec celle réalisée par le même chef avec l'orchestre du Gürzenich de Cologne). Renouvelant sa réussite de la Sixième, le grand chef allemand, qui s'acheminait ainsi vers une intégrale aujourd'hui achevée, s'impose comme le seul désormais en possession d'une aussi rayonnante vision brucknérienne. Sagesse des tempos, animés de l'intérieur d'une vie débordante, hauteur de conception et continuité de la pensée, le tout servi par une technique qui autorise de grands contrastes dynamiques. Précision importante : c'est bien de l'édition Haas qu'il s'agit ici, et non (comme l'indique faussement le dos de couverture) de la version primitive, laquelle n'est gravée que dans le coffret d'Eliahu Inbal.

L'approche de Jochum soulève un problème majeur, en ce que ses trois enregistrements ne suivent pas le même texte. Tandis que les deux plus récents (tant l'intégrale DG que le dernier EMI) adoptent la désastreuse édition Nowak de 1955, celui que le grand chef donnait dès 1951 faisait appel, quant à lui, à l'édition Haas : éphémèrement regravé par Héliodor, il requiert impérativement une nouvelle réédition. L'interprétation, miraculeuse de justesse et d'une indicible grandeur, est sans doute le plus beau témoignage brucknérien que le disque ait jamais fixé.

Furtwängler, créateur de l'édition Haas, nourrissait une prédilection pour cette œuvre. Il y a pourtant deux traits inattendus dans son interprétation : la suppression de dix mesures dans l'*Adagio*, et la hâte relative dans laquelle s'achève le Finale, sans nul doute inhérente à l'exécution de concert. Signalons que ce disque est également disponible dans l'une des anthologies mentionnées plus haut, et qu'il existe une autre interprétation de Furtwängler, à Berlin cette fois, toujours disponible en Allemagne, très proche de celle-ci. On choisira l'une ou l'autre, et seul le passionné inconditionnel souhaitera posséder les deux.

Résultat d'un profond travail de réflexion, la vision de Carlos Païta renouvelle radicalement l'approche de ce chef-d'œuvre en mettant en relief des aspects neufs et insoupçonnés, et surtout la force tellurienne du symphoniste. Version puissamment personnelle à situer à côté des plus grandes.

Le même progrès, le même approfondissement marquent la nouvelle gravure des deux symphonies ultimes par Haïtink par rapport à celles qui se trouvaient dans son «intégrale», et qui remontent aujourd'hui à plus de quinze ans. Nous sommes désormais en présence d'un interprète de premier plan, qui sait allier la profondeur spirituelle à la plus délicate finesse du phrasé. On remarquera aussi que ses tempos se sont considérablement élargis, presque trop dans les mouvements vifs.

Rudolf Kempe ne put graver la Huitième qu'avec le concours d'un orchestre qui, malgré une prestation méritoire, ne peut rendre vraiment justice à une œuvre aussi complexe. Ce document contient cependant un potentiel d'émotion rarement égalé.

Karajan a peu évolué entre ses deux interprétations enregistrées (la première avait paru chez Columbia, en 1958). Le *Scherzo* y est bien lourd, et insuffisant le contraste avec l'admirable rêverie du Trio. Les deux derniers mouvements demeurent à connaître, et l'on ne saurait oublier que c'est Karajan qui imposa l'œuvre en France, en 1965 et 1966.

Des enregistrements qui suivent l'édition Nowak de 1955, celui de Karl Boehm est associé à son admirable Septième. C'est en outre le plus réussi. Mais il faut écarter les autres gravures de cette édition, et connaître en revanche la version primitive, également imprimée par Nowak en 1973, et nouvellement gravée par Eliahu Inbal : il s'agit presque d'une tout autre symphonie.

Symphonie n° 9 en ré mineur.

❀*** Orch. Phil. de Berlin, Wilhelm Furtwängler. DG 18.854 ou Heliodor 2730.005 (sup.). Ou DG 2740.201 (5 d.) + *Symphonies n°s 4, 7 et 8.* Mono. Enregistré en 1944.

❀*** Orch. Phil. de Berlin, Eugen Jochum. DG 2535.173 (RFA). Ou DG 2740.136 (11 d.) + *Intégrale et Te Deum.*

*** Orch. Staatskapelle de Dresde, Eugen Jochum. EMI VSM C 063-43.197.

*** Orch. Phil. de Berlin, Herbert von Karajan. DG 2542.129 (RFA). Enregistré en 1966.

** Orch. Symph. de Radio-Cologne, Günther Wand. Deutsche Harmonia Mundi C 065-99.804. Enregistré en 1979.

** Orch. Symph. de Chicago, Daniel Barenboïm. DG 2530.639. Enregistré en 1976.

** Orch. Symph. Columbia, Bruno Walter. CBS 61.194. (sup.). Ou CBS R 4 (4 d.) + *Symphonies n°s 4 et 7.*

* Orch. Phil. de Vienne, Zubin Mehta. Decca SXL 6202 (G-B). Ou Decca 635.256 (13 d.) (RFA) + *Intégrale.* Enregistré en 1965.

Après que Siegmund von Hausegger l'eut créée en 1932 (sa gravure en 78 tours fut un jalon historique fondamental), c'est Furtwängler qui se fit le champion de la version originale de cette Symphonie. Retrouvé en 1963, son enregistrement n'est plus disponible en France en disque isolé, mais fait heureusement partie du coffret anthologique mentionné plus haut. C'est une interprétation magistrale, et un exemple quant au respect des contrastes et au refus de l'uniformité : le *Scherzo*, le plus rapide de tous, est une affolante course à l'abîme, tandis que l'*Adagio* saute sans transition à l'autre extrême, pour une méditation métaphysique paradisiaque.

Jochum est le seul qui atteigne à un sommet voisin de Furtwängler. Ses deux enregistrements sont très similaires dans une conception éminemment spiritualiste qui n'exclut ni l'impétuosité, ni la tendresse, et qui se révèle surtout accordée aux épisodes de «mystère», d'expectative faite de quasi-silence. Disponible isolément en Allemagne, cet enregistrement fait partie de l'intégrale.

Sans surpasser son propre enregistrement de 1965 à la tête de la Philharmonie de Berlin, Jochum retrouve ici son inspiration d'antan, dans ses tempos à peu près immuables et qui sont parmi les plus mesurés et les mieux contrastés que l'on puisse rencontrer.

Karajan aborda également la Neuvième à deux reprises ; séparés de neuf années seulement, ces enregistrements sont tous deux disponibles. Mais le premier demeure à tous égards le plus remarquable, où le grand chef aborde l'œuvre dans un sentiment réellement engagé. Sa seconde gravure (de 1977), par trop wagnérienne, ne retrouve ni la beauté mystérieuse, ni la véhémence grandiose de celle-ci.

Günther Wand pourrait égaler les grandes interprétations de Furtwängler, de Jochum ou de Karajan (I), si l'on n'avait pas osé un pari technique un peut trop risqué, celui de faire tenir les deux premiers mouvements sur une seule face. La dynamique brucknérienne ne supporte pas l'écrasement que suppose une face dépassant la demi-heure : on peut s'en convraincre *a contrario* par la réussite de l'*Adagio*, lequel occupe seul le verso du disque. La hauteur de pensée, la justesse du phrasé n'illustrent pas moins un interprète arrivé sur le tard à une gloire méritée.

Barenboïm, qui a enregistré la Neuvième après la Quatrième et avant la Cinquième, confirme sa maturation de l'univers brucknérien. Il comprend réellement et profondément l'ouvrage, même si le *Scherzo* reste encore un peu sage, seule réserve que l'on puisse vraiment adresser à cette version.

Walter, comme Klemperer ou Schuricht, fait partie de cette génération aujourd'hui disparue et entrée dans la légende. Tous trois ont enregistré cette œuvre, mais à un âge où ils n'étaient plus tout à fait au sommet de leur maîtrise. Dans le cas de Bruno Walter, cet enregistrement représente l'accomplissement d'une dette morale, puisqu'il ne se sentit en totale symbiose avec cette Symphonie qu'au cours d'une grave maladie. Ce fait confère à son interprétation une dimension vécue qui ne laisse pas d'émouvoir, mais ne suffit cependant pas à effacer le manque de précision de sa baguette.

Mehta s'est imposé avec ce disque qui fut son premier enregistrement. Il donne à entendre quelque chose de complètement insolite : la minutie de Karajan alliée à la dynamique de Furtwängler, mais sans son sens des valeurs et des contrastes. Mais comme ce qui est trop neuf, cette interprétation a mal vieilli après l'admiration qu'elle suscita.

Te Deum.

❀*** Maud Cunitz (s), Gertrude Pitzinger (m), Lorenz Fehenberger (t), Georg Hann (b), Ch. et Orch. de la Radio Bavaroise, Eugen Jochum. DG 17.155 (sup.). 25 cm. Mono.

*** Maria Stader (s), Sieglinde Wagner (m), Ernst Haefliger (t), Peter Lagger (b), Ch. et Orch. Phil. de Berlin, Eugen Jochum. DG 139.399 (sup.). + *Psaume 150, Gloria de la Messe n° 3.* Ou DG 2740.136 (11 d.). + *Intégrale des Symphonies.*

** Anna Tomova-Sintow (s), Agnes Baltsa (m), Peter Schreier (t), José van Dam (b), Ch. Singverein de Vienne, Orch. Phil. de Berlin, Herbert von Karajan. DG 2530. 704. + *Mozart : Messe du Couronnement.*

** Elly Ameling (s), Anna Reynolds (m), Peter Hofmann (t), Guus Hoeckman (b), Ch. de la Radio Néerlandaise, Orch. du Concertgebouw d'Amsterdam, Bernard Haitink. Philips 6570.391 (2 d.). + *Mahler : Symphonie n° 10, Adagio.*

* Agnes Giebel (s), Marga Höffgen (m), Josef Traxel (t), Gottlob Frick (b), Ch. Ste-Hedwige, Orch. Phil. de Berlin, Karl Forster. EMI Da Capo C 047-01.142 (RFA). Mono. + *Messe n° 2.*

* Martha Lipton (s), Frances Yeend (m), Robert Lloyd (t), Mack Harrell (b), Ch. Westminster, Orch. Phil. de New York, Bruno Walter. Philips GBL 5629 (G-B). + *Schubert : Rosamunde.* Ou CBS 61.731 (RFA). + *Wagner : Siegfried-Idyll.*

* Anne Pashley (s), Birgit Finnilä (m), Robert Tear (t), Don Garrard (b), Ch. et Orch. New Philharmonia, Daniel Barenboïm. EMI C 037-01. 991 (étr.). + *Bach : Magnificat.*

* Judith Blegen (s), Margarita Lilowa (m), Claes Ahnsjö (t), Peter Meven (b), Ch. Opéra et Orch. Phil. de Vienne, Zubin Mehta. Decca SXL 6837 (G-B). + *Messe n° 2.*

La première version enregistrée en microsillon du *Te Deum* demeure aujourd'hui la meilleure, Jochum y avait réuni des participants de premier ordre, qu'il s'agisse des solistes (la basse, surtout) ou de l'orchestre, formé depuis peu. La prise de son trahit son âge, mais la gravure en a été rajeunie lors de la reprise de cet enregistrement.

La seconde version de Jochum n'égale pas tout à fait la première. Mais on y retrouve cependant l'essentiel des qualités désormais familières chez ce grand chef.

Karajan a réalisé un document éblouissant par un quatuor vocal inégalé et une mise au point scrupuleuse de chaque partie, jusqu'au délicat violon solo. Mais ici encore, les mouvements lents manquent de contraste et certains moments tirent un peu en longueur.

La belle interprétation de Haitink a d'abord paru avec la 7ᵉ Symphonie, dont c'était le couplage idéal, deux thèmes de l'*Adagio* s'intégrant au *Te Deum.* Mais tandis que pour la Septième le même chef nous a depuis donné une gravure en considérable progrès, il est fort utile de retrouver ce *Te Deum* hautement apprécié en son temps pour la qualité de ses chœurs et la clarté de la prise de son, où l'orgue est assez discret pour ne pas nuire à l'orchestre, même dans les tutti.

D'une conception très ramassée, l'approche de Forster en est d'autant plus vigoureuse et brillante, mais elle a moins bien vieilli que l'autre version ancienne, celle de Jochum. A noter qu'elle renonçait à la partie d'orgue facultative.

Première à être parue en stéréo, la version de Walter demeure peut-être le meilleur témoignage de son approche de Bruckner. Ses multiples rééditions la rendent encore aujourd'hui disponible à l'étranger.

Comme pour la Messe en mi mineur, l'enregistrement de Barenboïm est l'un des premiers qu'il ait consacrés à Bruckner. On n'y sent pas encore l'approfondissement de la conception qui marque ses interprétations ultérieures.

Mehta est desservi par un très médiocre quatuor vocal, qui tranche un peu trop avec le reste des musiciens ici réunis. La générosité du programme n'est pas un argument suffisant en faveur de cette réalisation.

Bruhns, Nikolaus
(1665-1697)

L'œuvre pour orgue intégrale.

** Helmut Winter (orgue Klapmeyer d'Altenbruch). Harmonia Mundi HM 799.

L'intégrale de Helmut Winter est marquée d'un ton déclamatoire, profondément chaleureux, qui la tient à distance de l'académisme. Tant par l'élégance du style que par la somptuosité sonore de l'orgue Klapmeyer, elle demeure une contribution remarquable et fondamentale à la connaissance de l'orgue nord-allemand et de sa littérature.

Préludes et Fugues pour orgue en mi mineur (le grand et le petit) et en sol majeur.

❀*** Helmut Walcha (orgue A. Schnitger de Cappel). Enregistré en 1977. Archiv 2712.004 (4 d.). + *Œuvres pour orgue de Boehm, Lübeck, Pachelbel, Scheidt, Sweelinck et Tunder.*

Préludes et Fugues pour orgue en sol majeur, en mi mineur (le grand et le petit), Choral-Fantaisie sur «Nun komm, der Heiden Heiland».

*** Michel Chapuis (orgue Kern de St-Maximin à Thionville). Valois MB 835 (sup.). + *Hanff : Chorals pour orgue.*

Dans le coffret édité pour ses adieux aux discophiles, ces Préludes et Fugues sont animés d'une juvénile vigueur par Helmut Walcha qui fête ses soixante-dix printemps et ses retrouvailles avec l'orgue de Cappel, trente ans après y avoir réalisé ses premiers et mémorables enregistrements de Bach. Un moment privilégié et émouvant de l'histoire du disque.

Michel Chapuis s'en donne à cœur joie avec cette musique tumultueuse qui sollicite en permanence une pleine utilisation de toutes les ressources de l'instrument, pour créer les contrastes de mouvement et d'intensité qu'elle exige. Il faut noter l'intérêt supplémentaire que donne à ce disque le couplage avec les six Chorals de J.N. Hanff, dont nous avons ici le seul enregistrement disponible actuellement.

Bull, John
(1562-1628)

Pièces pour clavecin.

*** Bob van Asperen (clavecin). Telefunken 6.42874.

Le toucher de Bob van Asperen est précis, délicat, d'une grande élégance. La dextérité est éblouissante, et l'articulation, en collant très méticuleusement aux possibilités spécifiques du clavecin, réussit à en tirer les résonances les plus subtiles. Il est vrai que l'instrument choisi, un Ruckers de 1624, est d'une beauté sonore qui est à elle seule un régal.

Busnois, Antoine de Busne, dit
(1440-1492)

Missa «L'homme armé».

*** Pro Cantione Antiqua de Londres, Bruno Turner. Archiv ARC 2533.404 (sup.). Enregistré en 1978. + *Binchois : Motets.*

A œuvre magistrale, interprétation magistrale. Un sens aigu de la perfection, un amour constant de la musique, une volonté d'étude et de compréhension de l'œuvre animent ici le Pro Cantione Antiqua. La magnifique alliance des instruments et de voix pleines évoluant dans la souplesse, tisse les complexes replis de cette musique recueillie mais qui sait jubiler dans la gloire. Dans le moindre détail, cette réalisation atteint une rare qualité.

Busoni, Ferruccio
(1866-1924)

Concerto pour piano, orchestre et chœur d'hommes op. 39. Deux Etudes pour Doktor Faust op. 51 : Sarabande et Cortège.

*** John Ogdon (piano), Chœur John Alldis, Orch. Phil. Royal, Daniell Revenaugh. EMI VSM SLS 776 (2 d.). (G-B). Enregistré en 1968.

Autrefois disponibles en France, ces enregistrements ne figurent plus aujourd'hui qu'au catalogue anglais. Ils font date, car ils représentent deux premières mondiales au disque. La présente gravure du Concerto demeure encore la seule jamais entreprise de cette œuvre novatrice. Le jeu du pianiste, brillant, virtuose, mais toujours clair et maîtrisé, s'intègre et s'oppose avec bonheur à un orchestre vigoureux, précis, soutenant efficacement la perpétuelle tension de ces pages. La même ardeur, le même amour de cette musique grandiose s'imposent à nous dans les deux Etudes pour *Doktor Faust*. Une excellente qualité sonore parachève ce disque unique et important.

Doktor Faust, opéra, op. 51

❀*** Dietrich Fischer-Dieskau (Faust), Hildegard Hillebrecht (la Duchesse de Parme), Karl Christian Kohn (Méphistophélès), William Cochran (Wagner), Chœurs et Orch. de la Radio Bavaroise, Ferdinand Leitner. DG 2740.273 (3 d.). Enregistré en 1970.

Là encore, une première mondiale. Là aussi, un enregistrement absent du catalogue français après y avoir séjourné trois courtes années.. Une interprétation et une distribution remarquables, dominées par Dietrich Fischer-Dieskau campant le Faust «intellectuel» voulu par Busoni, et Hildegard Hillebrecht, parfaite Duchesse de Parme (premier rôle féminin, puisque Marguerite n'apparaît pas dans cet ouvrage). Une qualité sonore exemplaire, elle aussi, ajoute à la perfection de cette résurrection du testament musical (inachevé) de Busoni. Cet enregistrement révèle en pleine lumière l'art capital, pour comprendre les musiques de notre siècle, d'un grand artiste, d'un grand pédagogue qui, fort des leçons du passé, construisait l'avenir.

Œuvres pour 2 pianos : Duettino concertante sur le final du Concerto pour pianoforte en fa majeur de Mozart, Fantasia contrappuntistica d'après le Choral «Ehre sei Gott in der Höhe» et L'art de la fugue de J.-S. Bach, Fantasia per un Orgelwalze d'après la Fantasie für Orgelwalze KV 608, Improvvisazione sul corale di Bach «Wie wohl ist mir, o Freund der Seele».

*** Sergio Lorenzi et Gino Gorini (pianos). Harmonia Mundi HM 314 (sup.).

Voici un disque rare malgré sa mauvaise qualité technique. Rare par son programme pour le moins peu fréquenté, rare par des interprètes scrupuleux s'entendant à merveille pour restituer dans un jeu clair et chaleureux l'étonnante liberté d'écriture de leur compatriote. Un disque rare, enfin, par son prix super-économique.

Les six Sonatines pour piano.

** Paul Jacobs (piano). Nonesuch H-71.359 (sup.). Enregistré en 1978.

Cette première intégrale des Sonatines nous est révélée par un pianiste dont le jeu sensible et intelligent s'attache plus à restituer l'écriture dans son architecture que dans sa virtuosité. Il est bien servi en cela par une bonne réalisation technique. Un seul disque pour s'initier aux divers Busoni.

Transcriptions et paraphrases de Bach (Chaconne en ré mineur BWV 1004), Beethoven (Ecossaise en mi bémol majeur), Bizet (Fantaisie sur Carmen), Liszt (3 Etudes d'après Paganini), Mozart (2ᵉ mouvement du Concerto pour piano n° 9).

* Setrak (piano). EMI VSM C.065-14040 (sup.). Enregistré en 1976.

En excellent pianiste, l'interprète offre un disque curieux, amalgame de genres tant prisés dans les concerts du XIXᵉ siècle. Servi par une qualité sonore moyenne, il met néanmoins toute sa virtuosité à défendre ces pages. A écouter notamment, la Chaconne et la cadence magistrale écrite par Busoni pour le 2ᵉ mouvement du Concerto «Jeune homme». Cela, lorsque cet enregistrement, indisponible pour le moment, sera revenu au catalogue.

Bussotti, Sylvano
(né en 1931)

Bergkristall. Lorenzaccio Symphonie.

*** Orch. Symph. du Norddeutsche Rundfunk, Giuseppe Sinopoli. DG 2531.011 (sup.).

Chef d'orchestre et compositeur lui-même, Sinopoli était l'interprète idéal de Bussotti, dont il semble avoir saisi l'essence musicale même. D'une difficulté titanesque, cette partition demande un esprit de synthèse extrêmement clair dans son articulation, une précision démoniaque tant pour la densité polyphonique que pour l'équilibre des plans instrumentaux. Autant de qualités que possède Sinopoli et qu'il transmet à son orchestre, à quoi il faut ajouter une prescience peu commune de la nuance et de la sonorité «juste», un sens théâtral tout à fait latin et une force de suggestion marmoréenne. Prise de son magnifique.

Pour Clavier. Per Tre.

*** Richard Woodward (piano) EMI VSM EMSP 551 (2 d.) (sup.). + *Barraqué : Sonate pour piano, Brouwer : Sonate Pian'e Forte.*

Eblouissant de virtuosité, de puissance technique, Woodward au piano est un émerveillement de tous les instants, une angoisse de chaque seconde : comment cet équilibriste tient-il l'équilibre dans ces sphères tendues par un fil ténu ? Plongeant au cœur même de l'écriture picturale de Bussotti, il transcende véritablement la matière de son propos, et c'est en sculpteur qu'il façonne ces deux œuvres resplendissantes.

Rara Requiem.

❀*** Delia Surrat (s), Carol Plantamura (m), Georges Baratti (t), Claudio Desderi (bar), Sextuor de Solistes de la Schola Cantorum de Stuttgart, Ch. du Conservatoire de Sarrebrück, Italo Gomez (violoncelle), Karlheinz Böttner (guitare), Rafael Zambrano (percussion), Orch. Symph. de Radio-Sarrebrück, Gianpiero Taverna. DG 2530.754.

Parsemée d'éruptions, de mots se faisant cris (empruntés à Michel Ange, Racine, Homère, Heine, Adorno, Baudelaire etc.), cette partition puissante au souffle grandiose flirte avec Puccini, le Moyen Age, Mahler, Webern et tant d'autres. Musique libérée, strictement structurée, ce *Requiem* empli d'émotion séduit par sa prolifération, envoûte par sa luxuriance. C'est aussi ce qu'a désiré Taverna ami du compositeur qui investit ce chant d'amour et d'amitié d'un influx nerveux irisant chaque note, d'une tension à la fois méditative et passionnée. Un grand disque, où chaque instrumentiste dépasse la note pour atteindre la musique.

Buxtehude, Diedrich
(1637-1707)

Cantates d'église «in dulci jubilo» et «Jubilate Domino».

*** Michel Chapuis (orgue positif), Deller Consort. Harmonia Mundi HM 929. ⌧ HM 40-929. + *Prélude et Fugue pour orgue en sol mineur.*

La discographie a témoigné d'un regrettable mépris pour les œuvres vocales de Buxtehude, dont l'importance est cependant capitale puisqu'elles constituent ce pont tendu entre la musique religieuse de Schütz et la forme très élaborée que prendra la cantate chez Bach. Ce disque, qui répond peut-être au programme type d'une «Abendmusik» de Lübeck, présente deux Cantates dont le Deller Consort exalte la spiritualité. Dans le *Jubilate Domino*, notamment, la voix d'Alfred Deller, pure et dépouillée d'effets, cette voix «venue de l'âme», avive notre émotion à force de perfection.

L'Œuvre pour clavecin.

** Huguette Grémy-Chauliac (clavecin W. Dowd). FY 035/038 (sup.) (4 d.). Enregistré en 1976.

Si l'œuvre pour clavecin de Buxtehude demeure relativement dans l'ombre de celle que ce compositeur a léguée à l'orgue, elle contient cependant d'infinies richesses, en particulier dans les Suites, qu'Huguette Grémy-Chauliac met en valeur par un jeu superbe, où la virtuosité pure s'incline devant une intelligence subtile des rythmes et de l'emphase buxtehudienne.

L'Œuvre pour orgue intégrale.

❀*** Michel Chapuis (orgues de Thionville, Bremen-Oberneuland, St-Lambert d'Aurich et Francfort Nordweststadt). Valois CMB 82 (sup.) (7 d. disponibles séparément). Enregistré en 1970-1972.

** René Saorgin (orgues d'Alkmaar, Altenbruch, Zwolle et Arlesheim). Harmonia Mundi 505 (7 d. disponibles séparément). Enregistré en 1969.

** Lionel Rogg (orgues Marcussen de Soro et de Kolding, orgues Metzler de Laufenburg et de Netstal). EMI VSM C 165-16.351/8 (8 d.). Enregistré en 1978-1979.

* Bernard et Mireille Lagacé (orgue von Beckerath de l'église de l'Immaculée-Conception de Montréal). Calliope 173.138 (8 d.). Enregistré en 1978.

L'univers buxtehudien que découvre Michel Chapuis est celui d'une musique richement colorée, enflammée jusqu'à la véhémence dans les Préludes ou les Toccatas, mais qui sait se faire profondément méditative dans les Chorals. Une version qui laisse transparaître tout l'enthousiasme de son interprète et suscite le nôtre sans restriction.

René Saorgin demeure chronologiquement un pionnier dans cette intégrale, pour laquelle il ne fait appel qu'à des orgues historiques particulièrement somptueux. Cette réalisation y gagne une plus-value sonore incontestable, et ce d'autant que les prises de son ont remarquablement traduit les timbres de ces vénérables instruments. Si l'interprétation manque parfois d'un grain de fougue par rapport à celle de Chapuis, cette sagesse toute relative n'ôte rien à son côté «valeur sûre» parmi les intégrales disponibles.

Dans cette intégrale Buxtehude qui est sa plus récente production discographique, Lionel Rogg affirme une spontanéité dans laquelle s'épanouissent de nombreuses trouvailles d'interprétation. On est ici pleinement convaincu par une éloquence, moins enflammée certes que celle de Michel Chapuis, mais qui sait emporter notre adhésion par la justesse de son lyrisme tout buxtehudien.

Bernard et Mireille Lagacé ont une approche de Buxtehude dont l'application peut parfois sembler scolaire au regard de l'aisance déclamatoire de Chapuis et de Rogg. L'utilisation du seul orgue de l'Immaculée-Conception au long de cette intégrale tend à lui conférer une certaine monotonie, en dépit des remarquables qualités sonores de ce bel instrument signé de von Beckerath.

Œuvres pour orgue : Préludes et Fugues en sol majeur, mi mineur et ut majeur, Toccatas en ré mineur et sol majeur, Chorals divers.

*** Michel Chapuis (orgue Ahrend de l'église Cantate Domino de Francfort). Valois MB 1477.

Œuvres pour orgue : Préludes et Fugues en mi mineur (2) et mi majeur, Toccata en fa majeur, Chaconne en mi mineur, Choral-partita «Vater unser im Himmelreich», Choral «Komm, heiliger Geist, Herre Gott».

** René Saorgin (orgue F.C. Schnitger d'Alkmaar). Harmonia Mundi HM 701.

Michel Chapuis exploite magnifiquement les contrastes de ces Préludes et Toccatas aux traits parfois endiablés, mais entrecoupés d'intermèdes auxquels l'usage des jeux doux et du tremblant apporte une sérénité méditative. Il se montre par ailleurs un ornemaniste raffiné, sous les doigts duquel chaque Choral devient un véritable joyau baroque.

Les tempos relativement modérés de René Saorgin n'ôtent rien à l'élégance de ces Préludes et Fugues qui épanouissent à Alkmaar une rutilance toute buxtehudienne. Quant à la Partita «*Vater unser im Himmelreich*», elle est ici chargée d'une émotion à laquelle sa retenue, son intériorité dépouillée donnent le ton d'une authentique ferveur.

Byrd, William
(1543-1623)

Cantiones Sacrae (1575).

❀*** Cantares in Ecclesia, Michael Howard. Oiseau-Lyre SOL 311/3 (G-B). + *Tallis : Cantiones Sacrae.*

Les *Cantiones Sacrae* sont un recueil de motets latins offerts en 1575 à la reine Elisabeth par Tallis et Byrd, qui s'en étaient partagé la composition. C'est peut-être là le chant du cygne de la grande polyphonie sacrée anglaise, la complexité technique s'y allie à l'émotion la plus vive. Michael Howard en donne une interprétation éblouissante. On est pris dans cet écheveau de polyphonie de plus en plus complexe, où pas une ligne n'est laissée dans l'ombre, où pas un empâtement n'est toléré. Chaque phrase nous touche au plus profond de nous-mêmes ; la rigueur et la densité de la construction ne nous laissent pas souffler un seul moment. L'œuvre est à mettre au rang des plus grands morceaux de la musique spirituelle ; l'interprétation peut se comparer aux plus célèbres.

Messes à trois, à quatre et à cinq voix. Motet «Ave verum corpus». Magnificat et «Nunc dimittis» du service solennel.

❀*** Ch. du King's College de Cambridge, David Willcocks. Argo ZK 53/4 (2 d.) (G-B).

Les Messes de Byrd ont été remarquablement servies au disque. La version qu'en a réalisée Willcocks est d'une clarté et d'une limpidité totale. Le sens d'un phrasé impeccable s'allie avec une retenue et une simplicité dans la dynamique qui accentuent l'aspect liturgique, sans jamais affadir l'intensité du sentiment religieux. L'appel à l'attention de l'auditeur est d'une grande discrétion ; rien n'accroche l'oreille. Une telle musique demande toute notre attention, mais une fois que nous sommes entrés dans le jeu cérémoniel qui nous est proposé, l'envoûtement est total. On ne peut échapper à ces longues montées sonores, si pures et si calmes. C'est une grande leçon de méditation musicale qui nous est donnée là. Bon complément de programme avec deux pièces du service solennel, d'une esthétique beaucoup plus ornée.

Messes à trois, à quatre et à cinq voix. 21 Motets latins.

*** Deller Consort, Alfred Deller. Harmonia Mundi HM 211/13 (3 d.).

Le Deller Consort donne des Messes de Byrd une lecture d'une extrême simplicité. Le timbre des voix est merveilleusement pur ; on peut toutefois regretter parfois quelques légers maniérismes, ainsi que l'utilisation de voix féminines au lieu des voix d'enfants prévues par le compositeur. Comme dans toutes les grandes réalisations de Deller, la pureté du son et l'intensité émotionnelle sont les caractéristiques premières de cette version (cette intensité est d'ailleurs plus marquée dans la Messe à cinq voix). Un très riche choix de Motets vient compléter l'ensemble et nous donner la possibilité de mieux connaître les aspects multiples du talent de Byrd.

Messes à quatre et à cinq voix.

** Ch. de la Cathédrale Christ Church d'Oxford, Simon Preston. Argo 596.001.

La version de Preston, qui n'a enregistré que deux des Messes, est moins recueillie que celle de ses collègues. Admirablement servi par les chœurs de Christ Church, il nous fait entendre une Messe à cinq voix d'un dramatisme contenu mais incisif, qui ne peut laisser personne indifférent. Il est moins heureux dans la Messe à quatre voix, où son interprétation est un peu trop facile, plus rythmée qu'on ne l'attendrait chez Byrd, mais qui n'en reste pas moins très séduisante. Un certain mystère disparaît au profit d'un accès plus direct de l'auditeur.

Motets. Fantaisies pour violes. Consort songs.

** London Early Music Group. RCA RL 25.211.

Un pot-pourri de l'œuvre religieuse et profane de Byrd. Le choix des œuvres est excellent, sortant des sentiers battus. L'exécution sait rester souple et vivante, sans se départir d'une grande rigueur. Intonation et accentuation instrumentale donnent à ces œuvres une vie et une présence qui nous touchent. Il faut insister tout particulièrement sur la souplesse vocale dont les chanteurs font preuve dans l'interprétation des motets les plus difficiles d'accès.

My Ladye Nevells Booke.

❀*** Christopher Hogwood (clavecin, virginal, orgue positif). Oiseau-Lyre D 2901/4 (4 d.). Enregistré en 1976.

Hogwood donne cette importante collection de pièces pour clavier de Byrd en utilisant le clavecin, le virginal et l'orgue positif. Il évite ainsi la monotonie que l'on pourrait craindre devant l'écoute de huit faces de musique pour clavecin. Sur chaque instrument, son jeu est une merveille de précision, d'intelligence et de sensibilité. Pas une erreur, pas une faute de goût dans cet album qui constitue un monument parfait à la gloire du grand musicien anglais. Jamais œuvre ne nous a aussi parfaitement parlé notre langage émotif sans s'écarter le moins du monde des règles du jeu de la musique élisabéthaine.

Pièces pour clavecin : Coranto en ut, Fantasia en ré mineur, Gaillarde en ré mineur, Hugh Aston's ground, Lachrymae pavan, Mistress Mary Brownlow's Galliard, Pavane et gaillarde en sol, Pavane et gaillarde en ut mineur, Prélude en ut, Quadran pavan and gailliard.

* Colin Tilney (clavecin et virginal). EMI VSM C 063-30.120.

Colin Tilney interprète ces pièces de Byrd sur des instruments anciens, clavecin et virginal. Il en donne une lecture plaisante, qui ne va pas toujours très loin en profondeur, mais est continuellement vivante et bien rythmée. On sent le musicien bien à l'aise avec la musique qu'il transmet, et, par voie de conséquence, nous sommes bien à l'aise avec Byrd. Peut-être même un peu trop, car l'extrême précision de l'interprète prive parfois la musique d'une partie du mystère que devrait lui donner sa complexité. Un je-ne-sais-quoi disparaît dans cette version un peu trop parfaite formellement.

Pièces pour clavier.

** Glenn Gould (piano). CBS 72.988 (sup.). *+ Gibbons : Pièces pour clavier.*

L'interprétation de Gould, reconstituant littéralement une œuvre en donnant une valeur particulière à chaque note, l'isolant comme dans un écrin, donne un éclairage tout particulier à la musique si complexe des musiciens de la Renaissance anglaise. On ne se soucie plus guère qu'il emploie un piano pour traduire une musique ancienne, ni qu'il emploie ce style saccadé. Tout se passe comme si nous étions en présence d'une recréation d'un univers sonore étranger à toute tradition particulière. Un tour de force artistique que l'on peut admirer ou haïr, mais qui ne peut certainement pas laisser indifférent. Il s'agit d'une musique toute neuve apparemment, en rupture avec toute tradition culturelle antérieure.

Psaumes, Sonnets et Chansons tristes et pieuses (1588).

*** The Consort of Musicke, Anthony Rooley. Oiseau-Lyre 595.073. Enregistré en 1982.

Ne pouvant graver intégralement ce recueil sur un seul disque, Anthony Rooley a fait un choix judicieux, allant du psaume à l'air funèbre, en passant par le sonnet symbolique et la pastorale. Les versions originales pour une voix et quatre violes alternent avec les versions de publication, c'est-à-dire cinq voix polyphoniques. Le Consort of Musicke réunit des voix fraîches, agréables et justes qui interprètent ces douze joyaux du madrigal anglais avec tout le sérieux, le charme et la subtilité requis.

C

Cage, John
(né en 1912)

Concerto pour piano préparé.

*** Yuji Takahashi (piano), Orch. Phil. de Buffalo, Lukas Foss. Nonesuch H 71202 (USA). *+ Foss : Variations Baroques.*

Le Concerto de Cage ne se laisse pas facilement approcher, et une audition superficielle n'en dégagera que le «pointillisme» ; mais si votre attention se concentre, c'est alors la découverte d'une matière en mutation dont l'ascétisme premier n'est qu'habit d'emprunt. L'œuvre de Foss, plus accessible, ne vous révélera son immatérielle beauté que si vous dépassez l'anecdotique des œuvres de Haendel, Bach et Scarlatti, employées et triturées ici jusqu'à leur éclatement «par l'intérieur». Les interprètes réalisent avec cet enregistrement une gageure dont la difficulté de départ nous permet de mesurer l'ampleur de la réussite.

HPSCHD, pour clavecins et bande magnétique.

* Antoinette Visher, N. Bruce (clavecin), David Tudor (clavecin électronique). Réalisation du Studio de musique expérimentale de l'Université de l'Illinois. Nonesuch H 71.224 (USA). *+ Ben Johnston : Quatuor à cordes n° 2.*

Abréviation de «Harpsichord» (clavecin), *HPSCHD* est le fait de la collaboration de Lejaren Hiller (spécialiste d'électronique) et de John Cage. Trois clavecins sont ici réunis, mélangés à 51 bandes magnétiques (réalisées par l'ordinateur) mixées pour l'exécution. Fait à remarquer : la participation active requise de l'auditeur, celui-ci se devant de suivre les indications précisément minutées quant à l'utilisation de son amplificateur. Et l'on se prend à ce «jeu» ! En tous les cas, essayer n'engage à rien... Le Quatuor à cordes n° 2 de Ben Jonhston est, quant à lui, d'un contraste total avec l'œuvre qui précède. Ne nous y trompons pas, voilà de la très belle musique.

Music of Changes, Livres I à IV.

❀*** Herbert Henck (piano). Wergo 60.099. Enregistré en 1982.

Le piano préparé : Cage recule les frontières de l'art musical, le canular apparent signifie qu'il cherche à modifier les sonorités et les propriétés acoustiques du piano, voulant accroître l'imprévisibilité du résultat sonore. A cela, Cage veut ajouter l'indétermination du matériau sonore lui-même : l'acte de composer devient acte indéterminé. Herbert Henck est l'interprète idéal de cette musique : à l'entendre, on se croit devenu familier des horizons sans fin de la musique d'aujourd'hui.

Sonates et Interludes, pour piano préparé.

*** Mara Ajemian (piano préparé). Harmonia Mundi HM 730.

Ces Sonates et Interludes datent de 1948, mais leur imagination sonore, leurs vertus poétiques n'ont pas été entamées par le temps. Leur dédicataire, Mara Ajemian, le prouve avec une efficacité sans faille.

Tossed as it is untroubled. A Valentine out of season. Music for Marcel Duchamp. Prelude for meditation. Root of an unfocus. Dream. Suite for toy-piano.

* Jeanne Kirstein (piano et piano préparé). CBS «Moot» S 34 61225 (sup.).

Jeanne Kirstein nous invite à une musique à la limite d'elle-même, à un voyage spatial intemporel au travers de la liquéfaction d'un univers sonore. Partez donc sans crainte à la découverte de ces terres flottantes entre air et eau. La pianiste n'en fait ni trop, ni trop peu : un équilibre périlleux à atteindre, sans aucun doute.

Caldara, Antonio
(1670-1736)

Cantate «Il Gioco del Quadriglio» (l'Hombre).

*** Elena Rizzieri (Clarice), Basia Retchitska (Livia), Maria-Grazia Ferracini (Camilla), Maria Minetto (Ottavia). Società Cameristica di Lugano, Edwin Loehrer. Accord ACC 140.006. Enregistré en 1963. + *Canons. Madrigal, Cantate.*

Edwin Loehrer a redécouvert les plus belles pages profanes du Baroque italien. La cantate, ou plutôt le mini-opéra de Caldara, compte parmi ses réussites les plus exquises. En scène, quatre donzelles bien typées disputant une partie de cartes, qui se chamaillent, s'invectivent puis se réconcilient, tout cela en quatre courts récitatifs spirituels entrecoupés d'airs délicieusement chantés. L'accompagnement de Loehrer est parfait, bien entendu.

Motets. Crucifixus.

** Felicity Palmer (s), Philip Langridge (t), Paul Esswood (hc), Christopher Keyte (b), Ch. St John's College de Cambridge, Philomusica de Londres, George Guest. Argo ZRG 850 (G-B). Enregistré en 1977. + *Bononcini : Stabat Mater. Lotti : Crucifixus.*

De même que les œuvres qui complètent ce disque, le *Crucifixus* de Caldara est une page mineure. Mais il s'agit d'un enregistrement à posséder pour son intérêt historique et musical. D'une part, ce sont trois premières au disque ; d'autre part, Guest et toute son équipe les servent avec leur talent coutumier : chœurs et solistes admirables, ensembles justement équilibrés contribuent à donner à cette réalisation un caractère de perfection.

Calmel, Roger
(né en 1921)

Marie au calvaire, oratorio sur un texte de Charles Péguy.

* Odile Pietti (s), Pascale Gallet (m), Michel Piquemal (bar), Danielle Delorme (récitante), Orch. Bernard Thomas, Chorales du Luxembourg, de Gagny, du Panthéon, Bernard Thomas. Verseau M 10.048. Enregistré en 1978.

La rencontre de l'univers poétique de Charles Péguy avec le lyrisme direct du compositeur Roger Calmel fait une œuvre chaleureuse dont l'enregistrement conserve le frémissement du direct. C'est sans doute ce qui convient à cette architecture sonore dont Roger Calmel a soutenu les assises par des plages simples de type choral. Pensée pour le mouvement para-liturgique de Saint-Séverin, l'œuvre appelle l'adhésion collective et y réussit.

Campra, André
(1660-1744)

L'Europe galante, ballet, pour deux sopranos et haute-contre.

*** Rachel Yakar (s), Marjanne Kweksilber (s), René Jacobs (hc), La Petite Bande, Sigiswald Kuijken (premier violon), Gustav Leonhardt. Deutsche Harmonia Mundi HM 20.319. Enregistré en 1973.

Gustav Leonhardt et La Petite Bande, en parfaits spécialistes de la musique ancienne qu'ils sont, interprètent ce charmant ballet de cour dans l'esprit et dans la lettre... et sur instruments anciens, comme il se doit. Leur fantaisie communicative nous rappelle qu'à Versailles aussi, on oubliait parfois les fastes. Excellente réalisation technique.

Les Fêtes vénitiennes, opéra (Suite d'orchestre)

** Collegium Aureum. Deutsche Harmonia Mundi HM 20.336. Enregistré en 1966.

Une prise de son fort bien équilibrée nous restitue cette musique tour à tour émouvante et divertissante dans une interprétation remarquable, sur instruments anciens. Un bel enregistrement d'une musique décidément trop délaissée par l'ensemble des éditeurs.

Messe des défunts à grand chœur et symphonie.

*** Judith Nelson et Dinah Harris (s), Jean-Claude Orliac et Wynford Evans (t), Stephan Roberts (b), Monteverdi Choir, English Baroque Soloists, John-Eliot Gardiner. Erato STU 71.310. ⊠ MCE 71.310.

** Edith Selig (s), Jocelyne Chamonin (s), André Meurant (t), Jean-Jacques Lesueur (t), Georges Abdoun (b), Chœurs Philippe Caillard et Stéphane Caillat, Orch. Jean-Francois Paillard, Louis Frémaux. Erato MUS 19.039. ⊠ MCE 19.039. Enregistré en 1960.

L'interprétation de Gardiner, survenant vingt ans après celle de Frémaux, montre à quel point a été profonde la modification des mentalités par rapport à ce type de musique. A la conception entièrement triomphaliste de Frémaux, modelée sur l'architecture versaillaise, a succédé avec Gardiner une tradition à la fois plus intime et plus liée à la musique de tous les jours, changement qui a été rendu possible par une meilleure connaissance des techniques musicales du XVIIe siècle.

L'enregistrement de Frémaux concrétise un moment de l'histoire discographique. Gravé aux aurores de la stéréo, il témoigne du courage d'une maison qui, à l'avant-garde des modes, défrichait notre patrimoine et se lançait dans une défense et illustration de la musique ancienne. Bien sûr, il n'y a pas d'instruments anciens, l'approfondissement du style est relatif, mais les interprètes assument leur partie sans défaillance, avec sérieux et enthousiasme. La technique est ancienne, bien que rénovée.

Canteloube, Joseph
(1897-1957)

Chants d'Auvergne.

** Victoria de Los Angeles (s), Orch. Lamoureux, Jean-Pierre Jacquillat. EMI VSM C 069-02.256. *+ Chausson : Poème de l'Amour et de la Mer.*

La voix chaude de Victoria de Los Angeles - sans une trace d'accent - s'adapte merveilleusement aux chansons populaires harmonisées par cet élève de Vincent d'Indy. En toile de fond, l'orchestre déploie beaucoup d'élégance et de fraîcheur, soulignées par une grande qualité d'enregistrement.

Chants de France.

* Frederica von Stade (s), Martin Katz (piano). CBS 76.728. Enregistré en 1978. *+ Debussy : Chansons de Bilitis, Dowland, Hall, Liszt, Purcell : mélodies et airs.*

Au milieu de ce disque-récital de Frederica von Stade, les chansons de Canteloube ressortent par le charme irrésistible que la cantatrice sait leur insuffler. Ses effets vocaux sont très séduisants, bien que ces pages eussent gagné à plus de simplicité dans leur interprétation.

Caplet, André
(1878-1925)

Conte fantastique, pour harpe et quatuor à cordes, «Le Masque de la mort rouge» (d'après les «Histoires extraordinaires» d'Edgar Poe).

* Lily Laskine (harpe), Quatuor Via Nova. Erato STU 70.798 (sup.). Enregistré en 1974. + *Ibert : Trio. Pierné : Variations libres. Ravel : Introduction pour harpe.*

André Caplet, disciple et ami de Claude Debussy, chef d'orchestre de grand talent, fut trop tôt arraché à la composition. On attend toujours que le disque se décide à publier son chef-d'œuvre, *le Miroir de Jésus*. Pour lors, on est réduit aux partitions de moindre ampleur. Le Quatuor Via Nova et l'incomparable Lily Laskine donnent du *Masque de la mort rouge* une version superbe. Mystère, frissons, peur s'insinuent dans une partition étrange d'une personnelle modernité.

Epiphanie, pour violoncelle et orchestre.

❀*** Frédéric Lodéon (violoncelle), Orch. Philharmonia, Charles Dutoit. Erato STU 71.368. ✉ MCE 71.368. Enregistré en 1980 + *Lalo : Concerto pour violoncelle.*

Frédéric Lodéon et Charles Dutoit nous révèlent de façon magistrale les extraordinaires beautés de cette étrange partition - ni concerto, ni poème symphonique - qu'est *Epiphanie*. Un langage vigoureux, buriné, taillé en profondeur, qui rénove d'une manière extrêmement personnelle et inattendue les tensions existant entre soliste et orchestre. Lodéon est en tout point remarquable, et l'Orchestre Philharmonia, mené par Charles Dutoit, lui sert de magnifique faire-valoir autant que d'exemplaire partenaire.

Messe à trois voix, a capella.

** Maîtrise Gabriel Fauré, Thérèse Farré-Fizio. Musidisc RC 614. Enregistré en 1971. + *Britten : Ceremony of carols.*

La Messe à trois voix, dite «Messe des petits de Saint-Eustache la Forêt», est un petit chef-d'œuvre d'écriture vocale qui évoque par son climat les *organa* du Moyen Age. Mais l'interprétation de ces pages d'apparente simplicité réclame de la ferveur, de l'élan. La maîtrise Gabriel Fauré de Marseille est connue pour avoir ces qualités. C'est une pure bouffée de musique, l'heureuse présence de voix jeunes qui connaissent le prix de l'enthousiasme.

Carissimi, Giacomo
(1605-1674)

Ezechias. Abraham et Isaac. Tolle sponsa. Messe à huit voix.

*** Karine Rosat (s), Jennifer Smith (s), Hanna Schaer (c), John Elwes (t), Fernando Serafim (t), Philippe Huttenlocher (bar), Michel Brodard (b), Ch. et Orch. de la Fondation Gulbenkian, Michel Corboz. Erato STU 70.762 (sup.).

Michel Corboz dirige avec vigueur un programme varié et représentatif des différentes formes du talent de Carissimi. La complexité du tissu vocal de la Messe n'a que peu de choses à voir avec la simplicité linéaire du récit des deux courts oratorios qu'il nous livre. Ce qui unit ces diverses interprétations, c'est le climat de jeunesse et de vigueur qui s'en dégage. Clarté des attaques, simplicité du dessin, parfaite netteté de l'ensemble : les musiciens de la Fondation Gulbenkian ont eu à cœur de bien servir la musique de Carissimi et de nous la rendre présente et pleine de vie. Ils ont réalisé un disque clair et fidèle qui sert bien le musicien.

Histoire de Jonas.

*** The Louis Halsey Singers, Louis Halsey. Oiseau-Lyre 395.076. + *Cavalli : Missa pro defunctis.*

Halsey donne de ce court oratorio de Carissimi une lecture étonnamment moderne. Le jeu des doubles chœurs, leur alternance avec les récitatifs et les ariosos font déjà penser aux grands oratorios de la période du baroque triomphant. Il n'y a pourtant dans ce jeu musical aux facettes multiples aucune éloquence inutile. Les interprètes ont veillé à garder à l'ensemble une discrétion et une pudeur qui nous éloignent de l'opéra et nous rapprochent de l'église. L'accompagnement instrumental reste très discret, permettant à la parole d'avoir tout son plein impact.

Jephté. Trois motets : O vulnera doloris, Salve salve puellule, O quam pulchra es.

** Jennifer Smith (s), Helena Claudio (a), Fernando Serafim (t), Olivier Dufour (t), Philippe Huttenlocher (b), Orch. et Ch. de la Fondation

Gulbenkian, Michel Corboz. Erato STU 70.688.

L'exécution que donne Michel Corboz de ces œuvres de Carissimi est toute en nerfs et en muscles. Il ne reste rien de l'atmosphère un peu surchauffée des musiques vénitiennes de la génération précédente. L'insistance est mise sur la nécessité de dégager la clarté du récit, le dramatisme des interventions du chœur. Le chef a résolument pris parti pour une interprétation de théâtre, où une parfaite compréhension des éléments narratifs est plus importante que l'impressionnisme musical. La musique n'en souffre nullement ; son dessin n'en est que plus net et affirmé, et son intensité est soulignée par des mouvements discrets de l'orchestre.

Missa a quinque et a novem, pour soli, chœurs et orchestre. Motet Super flumina Babylonis.

* Soliste, Ch. et Orch. de l'Angelicum de Milan, Alberto Zedda. Charlin AMS 71 (sup.).

Le romain Carissimi emploie ici toutes les ressources vocales de l'école vénitienne. Importance relative de l'orchestre, complexité des interventions de solistes, richesse du chœur, tout crée un étonnant chatoiement sonore. La Messe est interprétée par des artistes italiens qui n'ont pas individuellement de talent particulièrement brillant, mais qui chantent cette musique compliquée avec une grande spontanéité, comme s'il s'agissait de l'office habituel du dimanche. Cette familiarité avec la somptuosité assez exceptionnelle du matériau employé ne manque ni d'intérêt, ni de charme.

Carter, Elliott
(né en 1908)

Concerto pour orchestre.

** Orch. Phil. de New York, Leonard Bernstein. CBS M 30.112 (USA). + *William Schumann : In praise of Shahn.*

Le Concerto pour orchestre est essentiellement un jeu musical sur les transformations sonores d'une donnée première à l'aspect faussement simple. Les mouvements se chevauchent, et il est difficile d'isoler une des facettes d'une œuvre en perpétuelle modification. Bernstein donne une fort belle version de ce travail, où les éclats instrumentaux sont violents, inattendus, mais jamais inutiles. Il y met le mélange de passion et de sang-froid intellectuel nécessaire pour rendre sensible une très grande poésie. L'œuvre de William Schumann qui complète le disque est beaucoup plus conventionnelle dans sa modernité de commande. Elle donne toutefois l'occasion de faire jouer les timbres d'un orchestre parfaitement à l'aise dans une page difficile.

Quatuor n° 2.

*** Quatuor Juilliard. Modern American Music Series M 32.738 (USA). + *Quatuor n° 3.*

** Composers Quartet. Nonesuch 32.803 (USA). + *Quatuor n° 1.*

L'interprétation du Deuxième Quatuor par les Juilliard, qui en sont les dédicataires, est une parfaite démonstration de fidélité aux intentions de l'auteur. En effet, un jeu permanent de permutations met en valeur chaque musicien à son tour aux dépens des autres, réduits pour un temps à un rôle d'opposition rythmique. Une prise de son très étudiée permet à l'auditeur de suivre ces étranges mouvements d'où semble exclue toute continuité. Dans le Troisième Quatuor, beaucoup plus étudié, l'ensemble instrumental se divise continuellement en sous-ensembles qui enchaînent des tempos opposés mais joués simultanément. C'est à une sorte de démonstration de géométrie sonore dans l'espace que se livre le Quatuor Juilliard avec un incontestable succès.

Le Composers Quartet interprète le second Quatuor comme une suite logique du premier. Cela le conduit à restituer une continuité thématique qui n'est pas toujours évidente. Mais les instruments sonnent bien et nous procurent un plaisir physique parfois absent de versions plus cérébrales. Le premier Quatuor, d'une construction solidement classique, s'inscrit dans la tradition schoenbergienne. Les interprètes le jouent avec une grande rigueur, en s'efforçant, avec succès d'ailleurs, de faire ressortir la continuité d'un thème qui sous-tend toute l'œuvre sans jamais apparaître de façon évidente.

Sonate pour flûte, hautbois, violoncelle et piano. Sonate pour violoncelle et piano.

*** Harvey Sollberger (flûte), Charles Kuskin (hautbois), Fred Sherry (violoncelle), Paul Jacobs (piano), Joel Krosnick (violoncelle), Paul Jacobs (piano). Nonesuch H 71.234 (USA).

La Sonate pour quatre instruments est toute faite d'éclats sonores. Une rupture permanente des lignes, qui l'écarte de tout néo-classicisme, est mise en valeur par le chatoiement continuel du jeu des solistes. Les sonorités sont belles, inattendues ; l'interprétation est incisive à souhait, ne laissant jamais l'oreille en repos et l'entraînant dans un kaléidoscope de sons nouveaux. La Sonate pour piano et violoncelle est plus proche du classicisme d'un Bartók. L'interprétation qui en est donnée est solide et claire. On a parfois l'impression que le poids du piano l'emporte sur celui du violoncelle.

Une Symphonie de trois orchestres. A Mirror on which to dwell.

*** Orch. Phil. de New York, Pierre Boulez ; Ensemble Speculum Musicae, Richard Fitz, Susan Wyner (s). CBS 76.812. ⌧ 40-76.812.

Avec ces deux œuvres datant de 1976, nous pouvons entendre la musique d'un compositeur parvenu à sa pleine maturité. La *Symphonie* met en scène trois orchestres qui se séparent progressivement les uns des autres, en une vaste courbe aux riches détails. *A Mirror on which to dwell* est une des meilleures pages de Carter : ce sont six poèmes d'un ésotérisme audacieux, traités avec densité et véhémence. L'interprétation dirigée par Boulez apparaît remarquablement fidèle à la pensée du compositeur.

Cassanea de Mondonville, Jean-Joseph
(1711-1772)

Pièces de clavecin avec voix ou violon.

** Judith Nelson (s), William Christie (clavecin), Stanley Richtie (violon). Harmonia Mundi HM 1045. Enregistré en 1980.

Mondonville est historiquement important, car il est le créateur d'un genre nouveau qui allait enterrer la sonate avec basse continue : la pièce de clavecin avec accompagnement. Ce disque s'écoute avec un plaisir constant grâce à ses interprètes ; William Christie soutient avec mouvement, finesse et clarté la partie de clavecin, la voix de Judith Nelson s'étire dans un style d'une exemplaire pureté et il ne faut pas oublier enfin la sonorité suave et l'articulation intelligente de Stanley Richtie au violon baroque.

Six sonates pour violon et clavecin, opus 3.

*** Lars Frydén (violon baroque, Kennedy, 1767), Gustav Leonhardt (clavecin Kirckman, 1766). Telefunken 6.41071 (G-B, RFA). Stéréo origine mono.

Comme dans les *Pièces en Concert* de Rameau, le clavecin a dans ces Sonates un rôle concertant et le violon un rôle d'accompagnement. Des pages d'une brillante virtuosité, très imprégnées du style des concertos vivaldiens. Avec son extraordinaire pulsation rythmique, Gustav Leonhardt donne à Lars Frydén une réplique aussi fougueuse qu'architecturée. L'équilibre entre les deux instruments est bon, mais leur séparation stéréophonique - artificielle - rappelle l'âge de cet album, important pour l'histoire de la sonate et l'intérêt de l'interprétation.

Castelnuovo-Tedesco, Mario
(1895-1968)

Concerto pour guitare et orchestre en ré majeur op. 99.

** Angel Romero (guitare), Orch. de Chambre Anglais, Federico Moreno Torroba. EMI VSM C 069-43.233. Enregistré en 1981. + *Moreno Torroba : Homenaje a la Seguidilla.*

** John Williams (guitare), Orch. de Chambre Anglais, Charles Groves. CBS 79.334 (3 d.). + *Giuliani : Concerto n° 1 pour guitare. Rodrigo : Concierto de Aranjuez, Fantasia para un gentilhombre. Villa-Lobos : Concerto pour guitare. Vivaldi : Concerto pour luth RV 93, Sonate en trio RV 82.*

* Narciso Yepes (guitare), Orch. Symph. de Londres, Garcia Navarro. DG 2530.718. ⌧ 3300.718. + *Villa-Lobos : Concerto pour guitare.*

Ce concerto pour guitare est de facture très classique. L'écriture en est très travaillée, dans une esthétique «sous-Falla» très chatoyante et somme toute pleine d'agrément. Angel Romero se montre excellent, démontrant un constant souci de raffinement allié à la précision et à la séduction. Un bon disque de référence pour une musique de bonne famille...

L'enregistrement dirigé par Charles Groves met pleinement en valeur l'interprétation de John Williams pour ce Concerto : la musique manque souvent d'originalité, mais plaît par son attrait mélodique. En cela, elle est bien servie par le jeu chaleureux et par l'ample phrasé du soliste.

Yepes défend du mieux qu'il le peut ce Concerto, en s'efforçant de suppléer aux faiblesses de la partition par toutes les ressources de sa vitalité et de son lyrisme.

Catalani, Alfredo
(1854-1893)

La Wally, opéra.

* Renata Tebaldi (Wally), Mario del Monaco (Hagenbach), Justino Diaz (Stromminger), Piero Cappuccilli (Gellner), Orch. de l'Opéra de Monte Carlo, Ch. lyrique de Turin, Fausto Cleva. Decca SET 394/96 (3 d.) (sup.). Enregistré en 1968.

Renata Tebaldi, dans les années cinquante, fut une splendide Wally, pour la beauté du timbre, la nostalgie de l'interprétation (encore que nous ne soyons pas au niveau des Olivero et Callas). Ce disque, venu un peu tard pour rendre justice à cette belle œuvre romantique, préserve encore l'essentiel de son interprétation. Del Monaco retrouve de beaux instants de fureur, et Cappuccilli fait bonne figure sous la baguette assez nerveuse et convaincue de Fausto Cleva.

Cavalieri, Emilio dei
(1550-1602)

La Rappresentazione di Anima e di Corpo.

❀*** Tatiana Troyanos (Anima), Hermann Prey (Corpo), Kurt Equiluz (Inteletto), Theo Adam (Tempo), Herbert Lackner (Consiglio), Paul Esswood (Piacere), Teresa Zylis-Gara (Angelo Custode), Edda Moser (Vita mundana), Ernst Gutstein (Anima dannata), Sylvia Geszty (Anima beata), Arleen Augér (Eco), Wiener Kammerchor, Capella Academica de Vienne, Ensemble Wolfgang von Karajan, Charles Mackerras. Archiv 2708.016 (2 d.).

Cet ancêtre commun de l'opéra et de l'oratorio bénéficie dans cet enregistrement d'une distribution difficile à égaler. Les solistes y ont un rôle parfois délicat, car ils sont amenés à chanter certains passages sous une forme madrigalesque en même temps qu'il leur faut déployer toute la richesse vocale de la musique baroque naissante. Dans une œuvre complexe, qui fait jouer plusieurs chœurs, Charles Mackerras arrive à donner un fil conducteur précis et à faire sentir, derrière les abstractions que sont les personnages, la réalité et le relief d'un spectacle qui fut représenté. Une somptuosité et une intensité rarement atteintes font regretter que ce disque ait disparu des catalogues.

Cavalli, Pier Francesco
(1602-1676)

La Calisto.

❀*** Ileana Cotrubas (Calisto), James Bowman (Endymion), Janet Baker (Diane), Hugues Cuénod (Linfea), Federico Davia (Pan), Owen Brannigan (Sylvain), Ugo Trama (Jupiter), Peter Gottlieb (Mercure), Solistes, Ch. du Festival de Glyndebourne, Orch. Phil. de Londres, Raymond Leppard. Argo ZNF 11-12 (2 d.) (G-B).

Il s'agit ici d'une version de l'opéra de Cavalli adaptée pour le Festival de Glyndebourne par Raymond Leppard. Allégé de certaines longueurs, c'est devenu le plus charmant des divertissements mi-comiques, mi-pastoraux. La réalisation est d'une rare perfection. Précision et délicatesse de l'orchestre, intelligence des interprètes qui passent avec aisance du registre de la préciosité sentimentale à celui de la comédie, tout contribue à notre plaisir. La distribution est dominée par Janet Baker, éblouissante, qu'entourent James Bowman, Ileana Cotrubas et Hugues Cuénod, irrésistible dans un rôle de vieille nymphe acariâtre. L'ensemble de l'équipe de Glyndebourne est d'une remarquable homogénéité. Une très belle prise de son, réalisée sur place, contribue à faire de cet enregistrement un chef-d'œuvre.

Ercole Amante

*** Felicity Palmer (Iole), Ulrik Cold (Hercule), Colette Alliot-Lugaz (Vénus), Yvonne Minton (Junon), Patricia Miller (Déjanire), Solistes, Ch. et Orch. de l'English Bach Festival, Michel Corboz. Luciano Sgrizzi (clavecin). Erato STU 71 328 (3 d.). Enregistré en 1980.

Michel Corboz reconstitue de l'intérieur une admirable version de cet opéra du premier baroque commandé par l'Italien Mazarin à l'occasion du mariage de Louis XIV pour faire connaître à la Cour de France cet art que Cavalli, derrière Monteverdi, était en train de porter à la perfection. Plus encore que le travail des solistes, il faut admirer l'élan de cette création qui apparaît en plein jour bien plus vivante, dans la complexité de son dessin, que l'opéra traditionnel tel qu'il va se figer dans les cinquante années qui suivront. Le récitatif chanté a encore toute sa vigueur ; la richesse et la variété des ensembles donnent à l'œuvre une variété qui ne faiblit jamais. Une grande et heureuse réalisation.

Missa pro defunctis.

*** The Louis Halsey Singers, Louis Halsey. Oiseau-Lyre 395.076. + *Carissimi : Histoire de Jonas.*

Une polyphonie très dense et très serrée caractérise ce *Requiem* écrit par Cavalli en prévision de ses propres obsèques. L'interprétation, fort brillante, est basée sur le travail des chœurs dont les quelques solistes se détachent à peine. Le contraste est appuyé entre l'éclat des grandes masses chorales, très brillantes (*Dies Irae*), et l'intensité religieuse beaucoup plus contenue et discrète de certains passages méditatifs (*Sanctus* ou *Agnus Dei*). Les chœurs, que dirige Louis Halsey, sont très précis dans leur dynamique. Excellente prise de son.

L'Ormindo.

*** John Wakefield (Ormindo), Peter-Christoph Runge (Amida), Isabel Garcisanz (Nerillo), Hanneke van Bork (Sicle), Jean Allister (Melide), Hugues Cuénod (Erice), Anne Howells (Erisbe), Jane Berbié (Mirinda), Federico Davia (Ariadeno), Richard van Allan (Osmano), Orch. Phil. de Londres, Raymond Leppard. Argo ZNF 8-10 (3 d.) (G-B).

Un des spectacles du Festival de Glyndebourne enregistré sur place avec la troupe qui l'a créé. Il s'en dégage une atmosphère de vie et de chaleur dont le mérite revient, avant tout, à Raymond Leppard, qui a procédé à la restitution de l'œuvre et qui dirige l'orchestre. Un *continuo* particulièrement riche contribue à créer des sonorités larges et plaisantes. Une troupe excellente, au sein de laquelle il faut particulièrement admirer le couple John Wakefield-Anne Howells, défend avec vivacité une partition et un texte bien séduisants. Dans des rôles secondaires, Isabel Garcisanz et Hugues Cuénod apportent des notes de charme ou d'humour qui ne font qu'ajouter à notre plaisir. Un coffret dont on ne peut qu'espérer le retour rapide au catalogue français.

Cererols, Joan
(1618-1680)

Missa de Batalla, Missa de Gloria.

* Escoliana et Capella de Musica de Montserrat, Ars Musicae de Barcelone (Roma Escales), Ireneu Segarra. Deutsche Harmonia Mundi HM 20.362/63 (2 d.) ⌧ 30.362/63. Enregistré en 1978. + *Morales : Messe et Motet.*

On saisira mieux ici que dans les œuvres de Morales les intentions du chœur, les nuances, les alternances tutti/soli. Pourtant, il subsiste quelques faiblesses dans l'interprétation : une justesse pas toujours très rigoureuse, un ensemble qui peut laisser à désirer entre chœur et instruments et même à l'intérieur du chœur. La pompe ecclésiastique se révèle ici dans toute sa gloire baroque. Bien qu'imparfait, l'enregistrement reste séduisant.

Missa pro defunctis. Vivoyo. Pues para en la sepultura.

*** Escolania et Capella de Musica de Montserrat, Ireneu Segarra. Harmonia Mundi HM 30.373.

Tout ici vient du plus profond du cœur. A côté de tant de résurrections anglo-saxonnes qui tournent volontiers à l'angélisme, les choristes de Montserrat - où vécut d'ailleurs le moine-musicien - élèvent un chant d'une intensité poignante, fait de chair et de sang. L'interprétation atteint un degré de profondeur mystique qui, en se déployant, semble vaincre le temps et toucher à l'ampleur de l'éternité.

Certon, Pierre
(mort en 1572)

Messe «sus le pont d'Avignon». Chansons.

** Camerata de Boston, Joël Cohen-CO:INT:Cohen (Joël). Harmonia Mundi HM 1034. Enregistré en 1979.

C'est en restant fidèle au style de Lassus et au moule déjà ancien de la messe-parodie que Certon écrivit celle-ci, centrée sur une chanson de sa composition, «sus le pont d'Avignon». Les voix brillantes, pleines de jeunesse et d'élan de la Camerata de Boston, son sens musical raffiné et sûr, des tempos sages mais alertes, qui correspondent parfaitement à l'esprit de l'œuvre, tout est réuni pour que ce disque soit une réussite. Les chansons profitent des mêmes qualités. Une bonne illustration d'un compositeur à la mode au XVIe siècle.

Chabrier, Emmanuel
(1841-1894)

Anthologie orchestrale : Bourrée fantasque, España, Ouverture de Gwendoline, Joyeuse marche, Danse slave et Polonaise du Roi malgré lui, Suite pastorale.

❀*** Orch. Symph. de Detroit, Paul Paray. Philips 6538.018.

Anthologie orchestrale : España, Suite pastorale, Joyeuse marche, Danse slave, Fête polonaise.

*** Orch. de la Suisse Romande, Ernest Ansermet. Decca 592.093. Enregistré en 1964.

La splendide anthologie de Paul Paray est vraiment la plus représentative de l'esprit de cette musique. On assiste à un véritable jaillissement de mélodies, de rythmes dansants, d'instruments en fête. Ce feu d'artifice éblouissant est à retenir comme référence quasi absolue.

Au programme d'Ansermet, il ne manquerait que la *Bourrée Fantasque*, si l'orchestration en était de Chabrier lui-même. Interprète privilégié de la musique française, le chef donne de ces pages une vision aussi précise que vivante.

Une Education manquée, opéra-comique.

** Liliane Berton (Hélène), Jane Berbié (Gontran), Jean-Christophe Benoît (Pausanias), Orch. des Concerts du Conservatoire, Jean-Claude Hartemann. EMI Plaisir Musical 130.575 (sup.).

Ce charmant ouvrage, malheureusement disparu des catalogues, bénéficiait surtout d'une belle distribution française, bien adaptée à son style : Liliane Berton s'y montre une cantatrice émérite, qui sait également dire un texte, si banal soit-il, avec esprit et naturel. Jean-Christophe Benoît est un comédien-chanteur fort adroit ; quant à Jane Berbié, si elle est moins à l'aise que dans la comédie pure, elle n'en chante pas moins tout à fait joliment. La direction de Jean-Christophe Hartemann est pleine d'entrain et de légèreté. La prise de son, très soignée, achève les qualités de cette réalisation.

España

*** Orch. de Philadeplhie, Riccardo Muti. EMI VSM C 069-03.799. Enregistré en 1979. *+ Falla : Le Tricorne, suites 1 et 2. Ravel : Rapsodie espagnole.*

Muti inspire à l'Orchestre de Philadelphie une sauvagerie à laquelle nous ne sommes pas habitués de la part de cette formation. On y sent une luxuriance faite de fierté et de sensualité, grâce à quoi España atteint à un climat de puissance qui frise la violence. Un

Tricorne et une *Rapsodie espagnole* de la même veine complètent une belle féria ibérique.

Treize Mélodies.

* Bruno Laplante (bar), Janine Lachance (piano). Calliope CAL 1880. Enregistré en 1978.

Cette intégrale des Mélodies de Chabrier est très décevante, et cela est bien regrettable. Bruno Laplante a voulu recréer un «style d'époque», mais il tombe malheureusement dans des exagérations d'un goût fâcheux : le trémolo est incontrôlé, la diction affectée. Ses efforts se retournent contre lui, et son interprétation est agaçante, sans humour ni simplicité. Pourtant, l'excellente pianiste Janine Lachance nous faisait bien percevoir ces aspects de Chabrier. Ce disque est mentionné parce qu'il est le seul à présenter ces charmantes pièces, toutes d'humour et de tendresse ; mais l'intégrale reste à faire.

L'œuvre pour piano à deux mains, quatre mains et pour deux pianos.

*** Pierre Barbizet, Jean Hubeau (pianos). Erato STU 714.983 (3 d.). Enregistré en 1982.

On ne peut que se réjouir de la publication de cette intégrale qui vient combler un grand vide dans la discographie d'Emmanuel Chabrier, des plus réduites. Pierre Barbizet nous fait partager les harmonies sensuelles de Chabrier dont il fait ses délices et révèle, au-delà de toute virtuosité, les trésors d'une écriture qui était singulièrement en avance sur son temps. Les pièces pour deux pianos et pour piano à quatre mains, où Jean Hubeau apporte son concours, ne sont pas moins réussies.

L'œuvre pour piano : Bourrée fantasque, Capriccio, Habanera, Impromptu, Marche des Cipayes, Pièces pittoresques, Pièces pour piano, Air de ballet.

** Annie d'Arco (piano). Calliope 182.829 (2 d.).

Cette presque intégrale, d'où est absente la *Suite de Valses*, manquait au catalogue ; mais elle ne fait pas figure de réalisation définitive. Quelque chose, en effet, ne satisfait pas complètement dans la façon dont Annie d'Arco aborde Chabrier. Elle semble le prendre trop au sérieux, trop le «jouer», là où il suffirait d'effleurer. Son interprétation manque un peu de la liberté dont le compositeur était lui-même animé lorsqu'il se mettait au piano. Mais l'ensemble est cependant fort honorable.

Champion de Chambonnières, Jacques

(1602-1672)

Livre Premier de clavecin : Suites 1 à 5.

** Kenneth Gilbert (clavecin Garnier). Argo ZK 80.

En musicologue averti et rigoureux, Kenneth Gilbert respecte le tempo et l'accentuation propres à chacune des danses qui constituent ces Suites. Mais son jeu, dans sa rigueur, pèche par une certaine raideur, contre laquelle l'inégalisation des rythmes ne peut rien. Sans cette légère gaucherie du toucher, l'interprétation serait irréprochable. Très bonne prise de son d'un superbe clavecin historique.

Charpentier, Gustave

(1860-1956)

Louise, opéra.

*** Ileana Cotrubas (Louise), Placido Domingo (Julien), Gabriel Bacquier (le père), Jane Berbié (la mère), Ch. Ambrosien, Orch. New Philharmonia, Georges Prêtre. CBS 79.302 (3 d.).

* Beverly Sills (Louise), Nicolaï Gedda (Julien), José van Dam (le père), Mignon Dunn (la mère), Maîtrise de la Résurrection, Ch. et Orch. de l'Opéra, Julius Rudel. EMI VSMC 167-02.950/52 (3 d.). Quadri. Enregistré en 1977.

La version dirigée par Prêtre se distingue par une distribution intelligente et bien équilibrée. Cotrubas, en plus de sa technique vocale sans faille, apporte à son rôle le charme juvénile qui le rend authentique. Si Domingo est un Julien un peu lourd, le couple Bacquier-Berbié donne aux parents de Louise une présence remarquable. La direction de Georges Prêtre, particulièrement chaleureuse ici, s'attache à rendre une atmosphère aussi riche et claire que possible.

Chez Rudel, des erreurs dans le choix des interprètes principaux : une Louise intelligente, mais la voix de Sills n'a plus la jeunesse du personnage, non plus que celle de Gedda, malgré son grand art du chant. La mère est passable. Seul, José van Dam ressort plus honorablement de cette distribution, même si, à l'inverse, il campe un père un peu jeune - mais splendide. Rudel assure une direction efficace ; on retire cependant l'impression d'écouter une musique de film. Une version, somme toute, peu convaincante.

Impressions d'Italie, suite pour orchestre.

* Orch. de l'Opéra-Comique, Pierre Dervaux. EMI VSM C 053-11.137. + *Massenet : Scènes pittoresques.*

Pierre Dervaux propose une version pleine d'éclat de ces *Impressions d'Italie*, mais le brillant de son interprétation n'exclut jamais le goût. Le couplage avec les *Scènes pittoresques de Massenet* offre un disque d'une musique sans prétention et agréable.

Charpentier, Jacques
(né en 1933)

72 Etudes karnatiques.

** Jacques Charpentier (piano). Philips 839.276 (sup.). Enregistré en 1968.

Avec les 72 *Etudes karnatiques*, publiées en 1968, ce fut la révélation d'un compositeur devenu maintenant directeur de la musique en France. L'auteur, au piano, avait fait un choix dans cet important recueil, fruit d'une rencontre avec la culture traditionnelle de l'Inde. Piano-percussion, piano-cloches piano-cordes pincées... autant d'aspects d'une pensée musicale qui réunit l'interprète et le compositeur.

Livre d'Orgue. Offertoires pour orgue.

** Jacques Charpentier (orgue Cavaillé-Coll de St-Germain en Laye). Erato STU 71.225 (2 d.). Enregistré en 1977.

Pianiste, chef d'orchestre, Jacques Charpentier est aussi organiste. Le titulaire de l'instrument de l'église Saint-Nicolas du Chardonnet s'attaque ici à un hommage à Saint Thomas d'Aquin pour le septième centenaire de sa mort. La créature, la rédemption provoquent l'inspiration du compositeur et l'interprète en met en lumière les contrastes, les tendresses. *Offertoires* pour grand orgue, œuvre de jeunesse, évoquent l'univers expressif d'Olivier Messiaen, mais sous les doigts de l'organiste perce la personnalité du créateur.

Symphonie n° 3 «Shiva Nataraja». Récitatif pour violon et orchestre.

** Devy Erlih (violon), Orch. Phil. de l'ORTF, Jacques Charpentier. Inédits ORTF BAR 995.009 (sup.).

Une partition d'une grande richesse sonore inspirée par Shiva «Roi de la danse», équilibre incessant entre la création et la destruction. L'Orchestre Philharmonique de l'ORTF, avec la diversité, le raffinement et la puissance de ses ressources sonores, fait merveille dans cette page dense et chatoyante. Devy Erlih répond à la Symphonie dans le climat plus apaisé d'un long et subtil récitatif, où il chante dans une nuance à la fois secrète et intense.

Charpentier, Marc-Antoine
(1634-1704)

Actéon.

*** Dominique Visse (hc), Agnès Mellon (hc), Ens. vocal et instrumental «les Arts Florissants», William Christie. Harmonia Mundi HM 1.095. Enregistré en 1982.

Charpentier a traité le thème d'*Actéon* en six séquences brèves, les scènes de chasse alternant avec les scènes de bain, le chœur des hommes avec le chœur des femmes. Dans le rôle d'Actéon, le jeune haute-contre Dominique Visse s'affirme comme un des meilleurs artistes dans cette spécialité périlleuse : voix juvénile et frémissante qui donne à tous les monologues d'Actéon leur émotion désirable. Agnès Mellon, Diane à la voix pure, et l'Ensemble «Les Arts Forissants - qui signe ici l'un de ses meilleurs disques - achèvent de faire de cet enregistrement une parfaite réussite.

Caecilia, Virgo et Martyr. Filius Prodigius.

** Birgit Grenat (s), Michel Laplénie (t), Josep Benet (hc), Ensemble vocal et instrumental «Les Arts florissants», William Christie. Harmonia Mundi HM 10.066. Enregistré en 1979.

Cette réalisation est particulièrement intéressante, car elle fait avancer la redécouverte de Marc-Antoine Charpentier dans la voie mal connue de ses oratorios. Inspiré par les modèles de Carissimi, le musicien confie à un *historicus*, sorte d'évangéliste, les passages narratifs, tandis que l'expression émotive est chantée par les solistes et les chœurs. Le soprano Birgit Grenat défend avec chaleur le rôle de la sainte musicienne, mais sa voix manque quelque peu de personnalité ; les hommes ne s'attirent pas ce reproche, mais le sommet de cet oratorio est à chercher dans les chœurs, d'une lumineuse beauté. Dans l'oratorio du *Fils prodigue*, on n'entend presque que des voix masculines, et l'on remarque le timbre souple et tendre de Josep Benet, chargé d'émotion. Les chœurs sont également d'une grande puissance expressive.

David et Jonathas.

*** Colette Alliot-Lugaz (Jonathas), Paul Esswood (David), René Jacobs (la Pythonisse), Antoine David (Joabel), Philippe Huttenlocher (Saül), Roger Soyer (Achis), Ensemble de solistes, Ensemble de la Cigale de Lyon et du Lycée Musical, Maîtrise de l'Opéra de Lyon, English Bach Baroque Festival Orchestra, Michel Corboz. Erato STU 71.435 (3 d.). Enregistré en 1981.

On ne peut rester insensible à la passion qui anime Michel Corboz : il règne en maître sur ce *David et Jonathas* où Charpentier a su transposer la richesse et la densité des oratorios de Carissimi dans un style purement français, et donne une admirable cohésion à une équipe nombreuse venue d'horizons différents. Corboz obtient de l'orchestre une force rythmique où l'œuvre trouve tout son souffle. Les solistes sont tous excellents et achèvent de faire de cette première une réussite exemplaire.

Le Jugement dernier, oratorio pour soli, chœur et orchestre. Beatus Vir, pour soli, chœur et orchestre.

*** Evelyn Brunner, Helena Vieira (s), Naoko Ihara (c), Alain Zaepffel (hc), Alejandro Ramirez (t), Philippe Huttenlocher (bar), Ch. Symph. et Orch. de la Fondation Gulbenkian de Lisbonne, Michel Corboz. Erato STU 71.222 ⌧ MCE 71.222. Enregistré en 1978.

Le *Jugement dernier* est une œuvre majestueuse, où les chœurs, depuis la grande masse jusqu'à l'ensemble de solistes, se taillent la part du lion. Le *Beatus Vir* paraît plus traditionnel, mais révèle une profonde sensibilité. Corboz en fait une magnifique réalisation, vivante et soignée, avec des chœurs d'une belle intensité dramatique et très précis, qui mettent bien en relief les structures complexes de la composition. Parmi les solistes, on remarque Philippe Huttenlocher, dans les récitatifs passionnés de basse, et le ravissant soprano d'Evelyn Brunner.

Leçons des Ténèbres.

*** René Jacobs (hc), Judith Nelson, Anne Verkinderen (s), Wieland Kuijken (basse de viole), William Christie (clavecin et orgue), Konrad Junghänel (théorbe). Harmonia Mundi HM 1.005/7 (3 d.). Enregistré en 1977 et 1978. Harmonia Mundi HM 1.008/9 (2 d.). ⌧ HM 40-1008/9 (2 c.).

*** Anne-Marie Rodde, Jocelyne Chamonin, Liliane Guitton (s), Sonia Nigoghossian, Clara Wirz (ms), Helen Watts (c), La Grande Ecurie et La Chambre du Roy, Jean-Claude Malgoire. CBS 79.320 (3 d.). Enregistré en 1978.

La version de René Jacobs offre environ une face et demie de musique inédite : une série de *Répons pour l'Office du Mercredi*, mais qui n'appartiennent pas toutes au texte de Jérémie. Sur le plan musical, on trouve ici un parti pris de préciosité mélodique qui semble oublier les mots au profit de la pureté désincarnée : les moyens en sont une ligne mélodique où les mélismes et les ornements s'allongent à l'extrême. Les interprètes possèdent un art remarquable et nous valent des instants de perfection absolue, notamment dans l'inoubliable *Jerusalem* de la *Leçon du Vendredi.*

Plus sobre que la version René Jacobs est celle de Malgoire, qui s'est souvenu que ces *Leçons* avaient été écrites pour des femmes. A la virtuosité, il préfère une clarté, une intensité dramatique à découvert. La ligne mélodique gagne en pureté ce qu'elle perd en ornementation. Les voix ont toutes cette simplicité mélodieuse, sauf peut-être celle d'Helen Watts, dont le timbre s'adapte moins bien au climat de la liturgie. L'accompagnement de luth, théorbe, orgue de chœur et basse continue est parfait dans cette atmosphère recueillie.

Magnificat à 8 voix et 8 instruments.

*** Felicity Lott, Eiddwen Harrhy (s), Charles Brett (ct), Ian Partridge (t), Stephen Roberts (b), Ch. du King's College de Cambridge, Academy of St-Martin-in-the-Fields, Philip Ledger. EMI VSM C 069-02.960. Quadri. ⌧ C 269-02.960. Enregistré en 1977.

** Martha Angelici, Jocelyne Chamonin (s), André Mallabrera (ct), Rémy Corazza (t), Jacques Mars (b), Ch. des JMF, Orch. Jean-François Paillard, Louis Martini. Erato EF 28.021. ⌧ MCE 28.021. + *Te Deum.*

La construction de ce *Magnificat* révèle une étonnante symétrie en trois doubles chœurs enchâssant deux paires de versets pour solistes, chaque paire étant elle-même géométriquement organisée. Mais cette architecture impeccable recèle une exquise variété de couleurs et de nuances. Douceur et tendresse font parfois place à l'humour des rythmes de danse. La version Ledger, qui préfère des voix adultes des deux sexes aux voix des garçons du chœur, est superbe, notamment pour ces chœurs de Cambridge dont la perfection n'est plus à vanter : dans le «*Et exaltavit humiles*», ils nous portent littéralement hors du monde. Sur l'autre face, un *Te Deum* de la même qualité.

La réalisation plus ancienne de Louis Martini présente le même couplage *Magnificat-Te Deum* : c'est un disque qui a fait longtemps référence et qui, malgré des interprétations aujourd'hui préférables, reste d'un bon niveau musical et technique.

Messe Assumpta est Maria. Dialogus inter Chrstum et Peccatores.

*** Judith Nelson, Colette Alliot-Lugaz, Lynda Russel (s), John York-Skinner (ct), Michaël Goldthorpe (t), Richard Jackson, Erion Rayner Cook (b), Ch. et Orch. de l'English Bach Festival. Erato STU 71.281. ⌧ MCE 71.281. Enregistré en 1981.

Avec ce très beau disque, les Anglais nous donnent à la fois deux premières et une leçon d'interprétation (pour un musicien français !). *Assumpta est Maria* révèle la profonde piété de Charpentier, alliée à une savante écriture qui sait toutefois éviter de tomber dans le style d'opéra, comme bien de ses contemporains écrivant pour l'église. Le *Dialogus,* de forme et de texte plus libres, permet aux interprètes d'atteindre un surcroît de vérité et de spontanéité intérieures.

Messe en sol mineur, à 4 voix, 4 violons, 2 flûtes, 2 hautbois, «A Monsieur Mauroy» : extraits.

* Solistes, Ch. Renaissance, Xavier Ricour. Arion ARN 31.919.

Sur le plan musical, il s'agit là d'une fort belle réalisation. La fraîcheur et la justesse du quintette de solistes s'imposent immédiatement. Peut-être le chœur est-il trop massif pour l'écriture polyphonique très dense du compositeur : l'interprétation eût gagné à une masse chorale moins importante. Mais le style des voix comme celui des instruments sont excellents. La direction, un peu carrée, manque parfois de fluidité. Il est dommage que l'ensemble soit desservi par une médiocre prise de son, qui annule presque l'effet stéréophonique.

Messe de minuit sur des airs de Noël. Sonate à six.

** Camerata de Boston, Joël Cohen. Telefunken 6.42630.

Dans cette précieuse réalisation, la *Messe de minuit* bénéficie des recherches antérieures rehaussées par l'expérience et le goût très sûrs de la Camerata de Boston. Les voix sonnent, rondes et claires ; et si l'atmosphère n'est pas d'une extrême ferveur religieuse, du moins est-elle pleine de la liesse et de l'espérance liées à la populaire fête de Noël. Le programme est renforcé d'une exquise *Sonate,* dont les neuf mouvements sont autant de moments délicieusement poétiques. Cette initiative est d'autant plus à louer qu'elle est aujourd'hui l'unique incursion dans la musique de chambre de Charpentier.

Messe des Morts à quatre voix et continuo. Messe des Morts à quatre voix et instruments.

** Bernadette Degelin, Anne Verkinderen (s), David James (ct), Jan Caals (t), Kurt Widmer (b), Westvlaams Vocaal Ensemble, Musica Polyphonica, Louis Devos. Erato STU 71.291. ⌧ MCE 71.291. Enregistré en 1979.

La première parution au disque de deux œuvres aussi belles et denses que ces deux *Messes des Morts* de Charpentier constitue de toute façon un événement. Le style, plus recueilli dans la Messe avec simple continuo, se libère dans l'autre en une polyphonie très libre qui ne craint pas le choc des tonalités. L'interprétation suit remarquablement Charpentier dans sa recherche d'une intense émotion dramatique. Le désir d'obtenir des effets baroques est juste et intéressant. Cependant, l'ensemble manque d'éclat et semble rester trop discret dans l'expression. Mais cela est compensé par la calme conviction et la sincérité émouvante qui s'en dégage.

Messe pour les Trépassés, pour soli, double chœur et 4 parties instrumentales. Miserere des Jésuites, pour solistes, chœur et orchestre.

*** Karine Rosat, Jennifer Smith (s), Hanna Schaer (a), John Elwes, Fernando Serafim (t), Philippe Huttenlocher (bar), Michel Brodard (b), Ch. Symph. et Orch. de la Fondation Gulbenkian de Lisbonne, Michel Corboz. Erato STU 70.765/66 (2 d.).

La réalisation de Michel Corboz est admirable : un des plus beaux enregistrements consacrés à Charpentier. Le chef suisse ne s'est pas contenté de suivre scrupuleusement les indications de la partition autographe ; il fait preuve d'un sens divinatoire qui rencontre dans les moindres détails l'esprit du maître. La qualité des chœurs est tout à fait remarquable. Les solistes, malgré quelques inégalités, restent tous au plus haut niveau. Cela fait d'autant plus regretter que la prise de son soit si médiocre, au point d'effacer quasiment l'effet stéréophonique de l'opposition des deux chœurs. Une révélation de deux chefs-d'œuvre .

La mort de Saül et de Jonathan. Cantique en l'honneur de Saint Louis, roi de France.

** Bernadette Degelin, Dominique Mols (s), Elisabeth Strumphler (c), David James (hc), Louis Devos, Jan Caals (t), Marc Meersman (bar), Kurt Widmer, Jules Bastin, John Dur (basses), Gent Madrigaalkoor, Cantabile Gent, Musica Polyphonica, Louis Devos. Erato STU 71.466. ⌧ MCE 71.466. Enregistré en 1981.

Dans *Saül,* Charpentier tire du chœur des effets de tension d'une rare puissance ; il est théâtral sans s'éloigner du ton de la liturgie, il est religieux sans emphase et fait vivre avec intensité le récit biblique. On le sent déjà plus pompeux et officiel dans l'admirable cantique à la gloire de Saint Louis. L'interprétation de Louis Devos se montre en tous points à la hauteur des intentions de Charpentier.

Pastorale de la naissance de N.-S. Jésus-Christ. Magnificat à troix voix d'hommes sur la même basse.

** Agnès Mellon (l'Ange), Philippe Cantor (l'Ancien). Jill Feldmann (une bergère), Gregory Reinhart (un berger), Guillemette Laurens (2e ange) ; Dominique Visse (hc), Michel Laplénie (t), Philipppe Cantor (b) ; Ensemble instrumental et vocal, William Christie. Harmonia Mundi HM 1082. ⌧ 40.1082. Enregistré en 1981.

Dans sa *Pastorale,* Charpentier, le Parisien italianisé, dégage une saine odeur de terroir campagnard. Cette simplicité voulue, qui n'est jamais pauvreté, est admirablement servie par l'ensemble que dirige William Christie. L'équilibre se maintient toujours entre la simplicité du récit et l'élégance de la phrase musicale, grâce à des musiciens et à des chanteurs rompus aux techniques de l'interprétation baroque. Le *Magnificat* bénéficie de la même interprétation sans inutiles apprêts.

Te Deum en ut majeur, pour soli, deux chœurs, et deux orchestres.

** Magda Kalmar, Ilona Tokody (s), Klara Takacs, Livia Budai (c), Attila Fülop (t), Kolos Kovats (b), Ch. de Veszprem, Orch. Phil. de Budapest, Istvan Zambo. Hungaroton SLPX 11.907 (étr.). Enregistré en 1978. *+ J.-S. Bach : Cantate BWV 50.*

Ce disque est une réalisation soignée qui donne une juste idée de la splendeur et de la grandeur sonore de ces pages. Les solistes sont tous de haute qualité. On regrettera seulement les effectifs un peu massifs de cette interprétation, et surtout une prise de son dont le manque d'ampleur rend mal compte de l'imposante répartition spatiale imaginée par Charpentier. La *Cantate BWV 50*, qui est en réalité un motet, manque un peu de rigueur rythmique, mais elle ne représente qu'une courte plage.

Te Deum en ré majeur, pour soli, chœur et orchestre.

*** Elsa Saque, Joanna Silva (s), John Williams (ct), Fernando Serafim (t), Philippe Huttenlocher (bar), José-Olivereira Lopes (b), Ch. Symph. et Orch. de la Fondation Gulbenkian de Lisbonne, Michel Corboz. Erato STU 71.002. ⌧ MCE 71.002. *+ In Nativitatem Domini, Tenebrae factae sunt, Salve Regina, Seniores populi (répons du Mercredi Saint).*

*** Felicity Lott, Eiddwen Harrhy (s), Charles Brett (ct), Ian Partridge (t), Stephen Roberts (b), Ch. du King's College de Cambridge, Academy of St-Martin-in-the-Fields, Philip Ledger. EMI VSM C 069-02.960. Quadri. ⌧ C 269-02.960. Enregistré en 1977. *+ Magnificat à 8 voix et 8 instruments.*

** Martha Angelici, Jocelyne Chamonin (s), André Mallabrera (hc), Rémy Corazza (t), Jacques Mars (b), Ch. des JMF, Orch. Jean-François Paillard, Louis Martini. Erato EF 28.021. ⌧ MCE 28.021. *+ Magnificat à 8 voix et 8 instruments.*

Michel Corboz, en adoptant généralement un tempo lent, accentue le côté majestueux et puissant de l'œuvre. Les chœurs sont superbes, ronds et pleins. Parmi les solistes, il faut surtout retenir Philippe Huttenlocher ; le ténor Fernando Serafim manque parfois de volume dans l'aigu. Sur l'autre face, quatre inédits, dont le *Salve Regina* et le *Tenebrae*, bouleversants. Dans ce dernier, Huttenlocher chante d'une façon très émouvante, un peu trop moderne, peut-être. Mais à ce niveau de qualité, il est difficile de parler de critique, et cet enregistrement est d'une grande beauté.

On pourrait également regretter le parti pris de modernisme de cette version : instruments modernes, diapason élevé, solistes adultes, et non pas voix de garçons sortant du chœur. Mais c'est une question de point de vue, et il nous reste à admirer : les chanteurs, tous anglais, font honneur à l'école britannique, surtout Felicity Lott, Charles Brett et Ian Patridge. Encore plus merveilleux sont les chœurs, légers, transparents, dont les interventions sont toujours un miracle. Sur l'autre face, une pièce superbe, plus recueillie et émouvante, avec le *Magnificat.*

La réalisation de Louis Martini du *Te Deum* de Charpentier est la seconde qu'il ait enregistrée : on y constate un net progrès dans l'approfondissement de l'œuvre, joint à une technique bien supérieure pour l'enregistrement. Un grand disque à son époque, mais dépassé depuis par des interprétations supérieures.

Chausson, Ernest
(1885-1899)

Concert en ré majeur pour piano, violon et quatuor à cordes (appelé parfois improprement Sextuor).

*** Pierre Barbizet (piano), Christian Ferras (violon), Quatuor Parrenin. EMI VSM C 065-12.141 (sup.). *+ Chanson perpétuelle.*

*** Robert Casadesus (piano), Zino Francescatti (violon), Quatuor Guilet. Philips L 01.275 (sup.). *+ Poème pour violon et orchestre.*

** Alfred Cortot (piano), Jacques Thibaud (violon), quatuor à cordes anonyme. EMI VSM C 051-03.719 Mono, origine 78 tours. Enregistré en 1931.

** Louis Kentner (piano), Yehudi Menuhin (violon), Quatuor Pascal. EMI VSM FALP 353 (sup.). Mono.

La version Barbizet/Ferras/Parrenin convainc par son modernisme chantant, son ton décidé, sa superbe plastique. Ici, solistes et quatuor font réellement un bloc et ne donnent pas l'impression d'un dialogue «concertant». L'œuvre - une des plus belles de Chausson - trouve un ton juste, éloquent et constamment noble. Couplage très réussi avec la *Chanson perpétuelle* sur un poème de Charles Cros.

Casadesus/Francescatti et les Guilet donnent du *Concert* une vision de haut lignage. Archet royal, piano d'une superbe plastique, quatuor remarquablement efficace dans l'analyse architectonique. Ce qui domine ici, c'est un sentiment d'élan romantique passé au crible de la raison : un ardent classicisme.

Avec Cortot et Thibaud, le *Concert* s'inscrit dans une ligne de tradition chère à Franck et à son école. C'est un document exceptionnel, où les deux grands solistes savent montrer leur sympathie envers une telle musique. Aujourd'hui, cependant, la conception serait assez différente.

Témoignage d'une époque, d'un style, d'une sensibilité, le disque Kentner/Menuhin/Quatuor Pascal est longtemps resté sur le marché. On peut cependant lui reprocher deux choses : de tomber parfois dans le douceâtre - ce que l'on n'admet plus aujourd'hui - et d'être d'une technique d'enregistrement bien vieillie. Pour nostalgiques du passé.

Mélodies : Chanson perpétuelle.

*** Jessye Norman (s), Orch. Phil. de Monte-Carlo, Armin Jordan. Erato NUM 75.059. + *Poème de l'amour et de la mer, Mélodies.*

Mélodies : Chanson perpétuelle (version pour soprano, quatuor à cordes et piano).

*** Andrée Esposito (s), Pierre Barbizet (piano), Quatuor Parrenin. EMI VSM C 065-12.141 (sup.). Enregistré en 1968. + *Concert en ré majeur.*

Mélodies : Cantique à l'épouse, Chanson d'amour, Charme, Le colibri, Nanny, Nos souvenirs, Oraison, Papillons, Sérénade italienne.

*** Gérard Souzay (bar), Dalton Baldwin (piano). EMI VSM C 069-16.217. Quadri. Enregistré en 1978. + *Poème de l'amour et de la mer.*

Mélodies : Cantique à l'épouse, Charme, Le colibri, Heures, Papillons, Sérénade italienne, Serre chaude, Serre d'ennui.

* Bruno Laplante (bar), Janine Lachance (piano). Calliope CAL 1860. Enregistré en 1977. *Poème de l'amour et de la mer.*

Jessye Norman n'a pas de rivale dans la *Chanson perpétuelle.* Elle est, comme il convient dans cette œuvre désespérée, tout entière dans son chant, mais, avec un très grand style, conserve une retenue, une pudeur qui rendent sa plainte encore plus déchirante.

La *Chanson perpétuelle* a trouvé en Andrée Esposito une interprète exemplaire. Et comme ce disque contient une des plus belles versions du *Concert* op. 21, c'est dire son intérêt exceptionnel.

Sans atteindre à la perfection, le disque de Souzay/Baldwin (reprenant, en l'augmentant, un ancien enregistrement Decca, 25 cm, avec Jacqueline Bonneau) offre un bel éventail de l'art mélodique de Chausson. Articulation nette, intelligence musicale, goût raffiné, style affirmé cherchant - mais sans y parvenir toujours - à balayer les langueurs fin de siècle ou certaines insuffisances des poèmes (op. 36 par exemple). Là encore, Baldwin, au piano, est exemplaire.

Le disque Laplante/Lachance n'atteint pas - loin de là ! - à la réussite de Souzay/Baldwin. Piano sans grande envolée ni poésie. Quant à la voix, le ton est pleurard, la diction affectée, le style mièvre : bien des obstacles et inconvénients pour faire aimer Chausson. C'est dommage, car il est le seul à contenir intégralement ce chef-d'œuvre que sont les *Serres* sur des textes de Maeterlinck.

Poème de l'amour et de la mer.

❀*** Irma Kolassi (m), Orch. Phil. de Londres, Louis de Froment. Decca LX 3150 (sup.). 25 cm. Enregistré en 1956.

*** Jessye Norman (s), Orch. Phil. de Monte-Carlo, Armin Jordan. Erato NUM 75.059. + *Chanson perpétuelle, Mélodies.*

*** Gérard Souzay (bar), Orch. de Chambre de la Radio Télévision Belge, Edgard Doneux. EMI VSM C 069-16.217. Quadri. Enregistré en 1978. + *Mélodies.*

** Victoria de Los Angeles (s), Orch. Lamoureux, Jean-Pierre Jacquillat. EMI VSM C 069-02.256. Enregistré en 1973. + *Canteloube : Chants d'Auvergne.*

* Nedda Casei (m), Orch. Symph. de Prague, Martin Turnovsky. Supraphon 12.0513 (étr.). + *Ravel : Shéhérazade.*

Irma Kolassi a laissé une version inoubliable, et jusqu'ici inégalée, de ce vaste poème de l'amour malheureux. Avec elle, le texte - au demeurant assez faible - de Maurice Bouchor se trouve transcendé et, dépassant les mots, l'interprète atteint à une vérité psychologique du drame bouleversante, car profondément vécue.

La grande voix de Jessye Norman favorise la musique aux dépens du texte; mais, avec une puissance aussi admirable dans les *forte* que sa délicatesse dans les *piano*, elle dispose d'une telle gamme dynamique que l'audition du *Poème de l'amour et de la mer* est absolument bouleversante. La direction d'Armin Jordan a la même générosité, la même chaleur.

Le souci de Gérard Souzay est de dépoussiérer l'œuvre, d'en gommer certaines langueurs fin de siècle. Il y parvient le plus souvent et donne au poème son véritable sens, tandis qu'une chaleur communicative met en valeur le galbe de la mélodie, à laquelle l'orchestre, bien conduit, apporte un surcroît de richesse. C'est par ailleurs, et de loin, le disque le plus «homogène», puisque complété par neuf mélodies, de Chausson également.

Victoria de Los Angeles, en dépit de fort beaux moments, n'atteint pas aux sommets d'Irma Kolassi. Quelques faiblesses vocales, jointes à certains effets de prononciation, laissent un peu l'auditeur dans une impression de factice et de fabriqué. Mais le chant reste beau.

Nedda Casei, pas plus que d'autres interprètes parfois fort renommées, n'a su, elle non plus, ressusciter l'œuvre dans ses forces les plus secrètes. La prononciation est impossible à force de flou et d'empâtement. C'est dommage, car l'orchestre sonnait assez bien.

Poème pour violon et orchestre op 25.

❀*** Zino Francescatti (violon), Orch. Phil. de New York, Leonard Bernstein. CBS 75.247. (sup.). + *Saint-Saëns : Introduction et Rondo capriccioso. Ravel : Tzigane.*

❀*** Pinchas Zukerman (violon), Orch. Symph. de Londres, Charles Mackerras. CBS 72.828 (sup.). + *Saint-Saëns : Introduction et Rondo capriccioso. Vieuxtemps : Concerto pour violon n° 5. Wieniawski : Polonaise.*

❀*** Jean Mouillère (violon), Orch. Phil. de Monte-Carlo, Armin Jordan. Erato NUM 75.052. + *Lekeu : Fantaisie symphonique sur deux airs populaires angevins, Adagio pour quatuor d'orchestre op.3. Rabaud : Procession nocturne op.6.*

*** Arthur Grumiaux (violon), Orch. Lamoureux, Manuel Rosenthal. Philips 90.228 (sup.). + *Ravel : Tzigane. Vieuxtemps : Concerto pour violon n° 4.*

*** Itzhak Perlman (violon), Orch. de Paris, Jean Martinon. EMI VSM C 069-02.635. ⊠ C 269-02.635. + *Ravel : Tzigane. Saint-Saëns : Havanaise, Introduction et Rondo capriccioso.*

** Ginette Neveu (violon), Orch. Philharmonia, Isaac Dobrowen. EMI VSM C 051-03.982. Mono. + *Debussy : Sonate pour violon et piano. Ravel : Tzigane.*

* Jacques Thibaud (violon), Orch. Lamoureux, Eugène Bigot. Turnabout TV 4.257. + *Mozart : Concerto pour violon n° 3.*

* Yehudi Menuhin (violon), Orch. Philharmonia, John Pritchard. EMI VSM C 059-43.113. ⊠ C 259-43.113. + *Lalo : Symphonie espagnole.*

Zino Francescatti grava le *Poème* au moins deux fois. Si la version avec le Philadelphia Orchestra et Ormandy reste un modèle (CBS 72.247), la version avec le Philharmonique de New York et Bernstein est encore plus réussie (notamment sur le plan technique), et des plus exaltantes. Le violon y brille dans les passages de virtuosité de façon royale, et l'on aperçoit bien dans le crescendo médian l'annonce comme la conclusion du drame. L'orchestre s'enflamme, Bernstein aussi. Et nous de même.

Pinchas Zukerman : un sommet de musique révélée par le disciple d'Isaac Stern. Merveilleux de sensibilité, de pudeur, de passion, de finesse ; frémissant, humain et noble. Orchestre excellent, tout comme la technique d'enregistrement. Ce qui fait de ce disque une des meilleures références «modernes» du *Poème*.

Jean Mouillère donne du *Poème* de Chausson une interprétation très personnelle en même temps que très belle. Refusant les effets faciles, les tensions paroxystiques, il choisit davantage le chant intérieur, la volonté d'apparaître toujours humain. Cette réserve volontaire nous vaut une vision éminemment poétique.

Attiré par cette œuvre qu'il a jouée maintes fois et enregistrée plusieurs, Grumiaux offre une technique très belle, d'une extrême finesse de sonorité. L'élan généreux, la sensibilité dépouillée en font une version de référence, car ici l'orchestre est remarquablement conduit. Mais la force maléfique du texte littéraire fait un peu défaut au profit d'une clarté d'expression au demeurant exemplaire.

Le disque de Perlman est exceptionnel, par son brio, sa classe, sa sensibilité bardée de retenue et de concision. Mais ce qui convient dans le reste du programme (Ravel, Saint-Saëns) se trouve dans le *Poème* légèrement en-deçà. L'atmosphère générale reste en effet un peu trop dénuée du dramatisme intérieur qui marque le substratum littéraire. Mais la technique (violonistique, de direction et d'enregistrement) est superbe.

Le *Poème* fut un des chevaux de bataille de Ginette Neveu, où elle réussissait admirablement, à la fois lyrique, passionnée et dominatrice. Mais l'orchestre sonne ici très en retrait, et Dobrowen manque un peu de chaleur.

Jacques Thibaud, accompagné avec beaucoup de finesse par Eugène Bigot qui lui permet de vibrer largement au-dessus de l'Orchestre Lamoureux, a laissé une traduction pleine de charme, de poésie et d'humanité. Mais il y a sans doute plus dans la partition, et son côté démoniaque ne se perçoit guère ici. Si la technique d'enregistrement est faible, le disque vaut en revanche pour le soliste.

Avec le Philharmonia, Menuhin ne saurait rivaliser avec Francescatti, Oïstrakh ou Perlman. Pourtant, il se dégage de son interprétation une rare plénitude, une exquise finesse, une luminosité passionnée. Sans doute voudrait-on plus de force maléfique. Mais ce n'est point son tempérament.

Quatuor à cordes op. 35 (achevé par Vincent d'Indy).

*** Quatuor Via Nova. Erato STU 70.635. (sup.). + *Roussel : Quatuor à cordes.*

Dans cette œuvre tendue, pleine d'aperçus nouveaux, de subtiles nuances, encore imparfaitement assumée, certes, mais riche d'un avenir prometteur brisé par la mort subite du musicien, les Via Nova se montrent tout simplement exemplaires. Avec eux, foin des attitudes languides, morbides au profit de la vérité de l'œuvre, de sa virilité aussi comme de sa poésie intérieure.

Quatuor avec piano en la majeur op. 30.

** Quatuor Elyséen. Arion ARN 38.652. Enregistré en 1981.

Partition d'été, le Quatuor avec piano est une œuvre d'une grande luminosité où le bonheur et la paix témoignent de la maturité du musicien alors en pleine possession de son art. Les membres du Quatuor Elyséen défendent parfaitement la partition, en restituant magnifiquement le climat limpide, sans rien gommer de son inspiration profonde.

Symphonie en si bémol majeur op. 20.

*** Orch. du Capitol de Toulouse, Michel Plasson. EMI VSM C 069-14.086. ⌧ C 269-14.086. Enregistré en 1977. + *Soir de fête.*

*** Orch. de la Suisse Romande, Ernest Ansermet. Decca SXL 6310 (G-B). + *Franck : Les Eolides.*

** Orch. Symph. de Boston, Charles Munch. RCA 650.739 (sup.).

* Orch. Symph. de Detroit, Paul Paray. Philips 6.598 (sup.). Ou Philips 6747.351 (6d.). + *Symphonies de Berlioz, Bizet, Franck, Gounod, d'Indy, Lalo et Saint-Saëns.*

Michel Plasson, à la tête de l'Orchestre du Capitole, a réussi une performance superbe : vision lyrique, généreuse, sensible à la construction rationnelle de l'œuvre comme à son expression multiple. Une seconde gravure a, bel exemple de probité, retouché certains passages estimés insuffisamment «rendus» dans la première. Ajoutons que Plasson est le premier chef à avoir gravé *Soir de Fête*, partition de haute lignée qui complète admirablement ce très beau disque.

Ernest Ansermet apporte à la partition de Chausson son habituel souci de l'analyse - plans sonores, couleur, richesse harmonique soulignée. Sa version, servie par une technique remarquable, sait marier la plasticité de l'architecture et le lyrisme d'une matière orchestrale en fusion. La dynamique intérieure de l'expression lyrique de l'œuvre en deviennent communicatives. Disque superbe.

Charles Munch aimait beaucoup cette œuvre dont il a donné une version assez remarquable à la tête de l'Orchestre Symphonique de Boston. Couleur de l'orchestre, vivacité des tempos, fortes tensions internes sont malheureusement un peu assourdies par une prise de son vieillie.

Paul Paray aimait, lui aussi, la Symphonie en si bémol. Sans atteindre au premier rang, sa version est encore très recommandable par l'évidence du souci architectural, d'un romantisme généreux tempéré par la raison, le caractère même de Chausson.

Trio en sol mineur pour piano, violon et violoncelle.

*** Daria Hovora (piano), Gérard Jarry (violon), Frédéric Lodéon (violoncelle). Centre Culturel de Valprivas CCV 1.016. + *Pièce pour violoncelle et piano op. 39.*

** Trio di Bolzano. Vox PL 8.950 (sup.). Mono. + *Franck : Trio en fa dièse.*

Il est très dommage que la version Hovora-Jarry-Lodéon soit de distribution restreinte. Sans atteindre à la perfection, elle donne une fort bonne idée de cette œuvre de jeunesse où Chausson apparaît plein de joie (ce qui restera plutôt rare dans son œuvre) et déjà sûr de sa technique (ici héritée de la «forme cyclique» chère à Franck). Ce Trio s'inscrit comme l'une des pages les moins tourmentées, sinon les plus spontanément heureuses du jeune musicien qui montre ici sa maîtrise de l'écriture. Belles envolées lyriques, très légèrement soulignées. Bon couplage avec la *Pièce* op. 39.

La vieille version du Trio di Bolzano n'était pas sans qualités malgré sa prise de son un peu aigre et aujourd'hui dépassée. L'œuvre de Chausson s'y déployait avec finesse et assurance. Le couplage, demeuré irremplacé, accusait la parenté spirituelle et compositionnelle de Franck et Chausson.

Chávez, Carlos
(1899-1978)

Tambuco, pour percussions. Toccata, pour percussions.

* Percussions de Strasbourg. Philips 6526.017 (sup.). + *Cage : First Construction in Metal. Varèse : Ionisation*

Un disque plutôt décevant : la Toccata, néo-classique, et le pittoresque *Tambuco* de Chávez ne sont guère passionnants. Cage reste estimable, et Varèse est ici assez mal servi par les Percussions de Strasbourg. Cette formation excellente nous laisse insatisfaits dans son exécution, car elle a privilégié une technique de haute précision au détriment de l'enthousiasme pur et des émotions fortes. Mais c'est là la seule œuvre enregistrée de Chávez disponible en France.

Chaynes, Charles
(né en 1925)

Poèmes de Sappho, pour soprano et trio à cordes.

*** Mady Mesplé (s), Trio à Cordes Français. EMI VSM C 069-16.364. + *Visions concertantes pour guitare et 12 cordes.*

Les *Quatre Poèmes de Sappho* allient une musique extrêmement savante, où se mêlent les techniques d'écriture les plus avancées, à une poésie profonde qui les fait échapper à la froideur intellectuelle. L'interprétation est ici incomparable : Mady Mesplé se montre prodigieuse dans une partition redoutable que peu de cantatrices peuvent aborder.

Pour un monde noir, pour voix de soprano et orchestre.

*** Christiane Eda-Pierre (s), Nouvel Orch. Phil., Gilbert Amy. Calliope CAL 1857. Enregistré en 1978.

Que l'on se rassure devant ce titre : l'inspiration de Chaynes est étrangère à toute mode, à tout snobisme. Le compositeur n'emploie pas le langage violent de la révolte, mais, patient explorateur, il va à la recherche de l'identité du monde noir, à travers ses rythmes, ses sonorités, ses thèmes... Qui, mieux que que Christiane Eda-Pierre inspiratrice et dédicataire de l'œuvre, pouvait en servir les difficultés et en rendre, sans vaine virtuosité, la force et la tendresse ?

Tarquinia, triptyque pour ondes Martenot, piano et percussions : Jeu de Phersu, Orphée, La tombe de la chasse et de la pêche. M'zab, suite pour piano.

*** Trio Deslogères, Odette Chaynes-Decaux (piano). Calliope CAL 1.847.

Tarquinia, triptyque aux couleurs fortement contrastées, a été écrit pour le Trio Deslogères qui l'interprète ici magistralement : par la sûreté de son jeu et par son sens presque pictural de la sonorité, il restitue le lyrisme tel que l'a voulu le compositeur. En complément, Odette Chaynes-Decaux, au piano, joue à la perfection la Suite *M'zab*, grâce à sa technique alliée à une grande sensibilité. La prise de son, excellente, rehausse encore la qualité de ce disque.

Cherubini, Luigi
(1760-1842)

Les Abencérages, opéra. Version italienne.

** Anita Cerquetti (Noraima), Louis Roney (Almanzor), Alvino Misciano (Consalvo), Mario Petri (Alemar), Ch. et Orch. du Mai Musical Florentin, Carlo Maria Giulini. Cetra LO 66 (3 d.). Mono. Enregistré sur le vif en 1956.

L'original français n'étant pas disponible en édition commerciale, cette traduction vaut pour la direction sobre et lyrique de Giulini, qui sait faire alterner la véhémence de l'auteur de *Médée* et sa volonté de retour au classicisme en 1813. Mais surtout, nous trouvons ici, à son apogée, la voix exceptionnelle, le somptueux velours et le tempérament d'Anita Cerquetti : unique ! Le reste est honnête, mais mieux vaut réentendre Georges Thill (VSM). Ni livret, ni résumé de l'action.

Les deux journées (ou Le porteur d'eau), comédie lyrique.

* Janine Micheau (Constance), Pierre Gianotti (Comte Armand), Charles Paul (Danieli Micheli), Eugène Régnier (Antonio), Orch. Royal Phil. de Londres, Ch. de la BBC, Thomas Beecham. Cetra LO 49 (2 d.). Mono. Enregistré sur le vif en 1947.

Une curiosité, à coup sûr, qui porte son âge, mais permet de retrouver un Beecham lyrique, peu incliné à la comédie, et offre sans doute le plus ancien témoignage disponible de la voix de Janine Micheau et du délicieux ténor Gianotti. Tout cela est honnêtement chanté, mais le texte parlé ne l'est guère mieux par les Français que par les Anglais.

Médée, opéra. Version italienne.

❀*** Maria Callas (Médée), Gino Penno (Jason), Fedora Barbieri (Néris), Maria Luisa Nache (Glauce), Giuseppe Modesti (Créon), Ch. et Orch. de la Scala de Milan, Leonard Bernstein. Cetra LO 36 (3 d.). Mono. Enregistré sur le vif en 1953.

*** Maria Callas (Médée), Mirto Pecchi (Jason), Miriam Pirazzini (Néris), Renata Scotto (Glauce), Giuseppe Modesti (Créon), Ch. et Orch. de la Scala de Milan, Tullio Serafin. Ricordi OCL 16.014/16 (3 d.). Mono. Enregistré en 1957.

* Sylvia Sass (Médée), Veriano Lucchetti (Jason), Klara Takacs (Néris), Magda Kalmar (Glauce), Kolos Kovats (Créon), Ch. de la Radio Hongroise, Orch. Symph. de Budapest, Lamberto Gardelli. Hungaroton SLPX 11.904/6 (3 d.) (étr.). Enregistré en 1977.

Médée, opéra.
Version française originale (extraits).

* Rita Gorr (Médée), Guy Chauvet (Jason), Andrée Esposito (Dircé), René Bianco (Créon), Ch. et Orch. de l'Opéra de Paris, Georges Prêtre. EMI VSM Plaisir Musical 30.502 (sup.). Enregistré en 1962.

Avec un Bernstein jeune et volcanique et une Callas démoniaque, survoltée, en pleine possession de ses moyens vocaux et dramatiques, jouant des oppositions de registres avec génie, avec la présence invisible du public de la Scala, on comprend le prix de cet inestimable témoignage, au son très remarquable pour une prise sur le vif de 1953. D'autant que le ténor Penno était à son apogée, et Barbieri encore impressionnante : mieux qu'un document, c'est la *Médée* à connaître.

Maria Callas et Serafin jouent, au studio, le jeu de la tragédie classique, avec un équilibre qui n'exclut pas le déchaînement de l'héroïne au dernier acte. Tout est superbe, avec le meilleur Jason qui soit, et la jeune Renata Scotto qui livre une des plus belles pages de chant réalisées depuis la guerre. Il ne manque que la progression dramatique du «live», tel qu'on la retrouve encore à Londres en 1959 avec Jon Vickers : deux «présences» inoubliables, malgré tout !

La version de Gardelli est à recommander strictement aux amateurs de haute fidélité, malgré le beau Jason de Luchetti et l'excellente Magda Kalmar. Mais ni le chef, ni Sylvia Sass n'ont les moyens suffisants pour empoigner le drame, même sans le souvenir de Callas.

La sélection dirigée par Georges Prêtre donne un reflet partiel du spectacle de l'Opéra de Paris (Chauvet remplaçant ici imparfaitement Albert Lance), avec une superbe Andrée Esposito, mais une Rita Gorr dont les impétueux élans dramatiques et le timbre somptueux ne peuvent venir à bout d'un rôle de pur soprano. C'est là néanmoins le seul témoignage de la version française originale.

Quatuors à cordes : n° 1 en mi bémol majeur, n° 2 en ut majeur, n° 3 en ré mineur, n° 4 en mi majeur, n° 5 en fa majeur, n° 6 en la mineur.

** Quatuor Melos. Archiv 2723.044 (3 d.) (RFA). Enregistré en 1975.

L'interprétation est, sans aucun doute, de haut niveau, et la chaude sonorité des Melos, très homogènes mais généralement avares de grands sentiments, convient mieux à Cherubini qu'à Schubert. L'intégrale s'imposait-elle ? Les œuvres sont belles, et bien qu'écrites de 1814 à 1837, très classiques en face de la production contemporaine des Boëly et Onslow, en face même du *Requiem en ré mineur*, précédant le dernier Quatuor. Mais le son est beau, et la gageure tenue.

Requiem à la mémoire de Louis XVI en ut mineur.

*** Ch. Robert Shaw, Orch. Symph. NBC, Arturo Toscanini. RCA VL 42.949 (2 d.) (USA). Mono. Enregistré en 1950. *+ Symphonie en ré majeur, Ouvertures d'Ali Baba, d'Anacréon et de Médée.*

** Ch. et Orch. Symph. de la Radio Autrichienne, Lamberto Gardelli. Philips 9500.715. ⌧ 7300.805. Enregistré en 1979.

* Ch. Morski Zvusti, Orch. Symph. de la Radio Bulgare, Vassil Stefanov. Harmonia Mundi HMU 143. Enregistré en 1973.

Toscanini, bien sûr, connaissait le *Requiem* de Verdi, et son admiration pour l'œuvre est ici patente. Mais Cherubini, lui, ne connaissait pas Verdi ; or, l'homme qui se voulait un pur classique fut, malgré tout, le premier musicien romantique français. Même si le chœur (cela peut être dû à l'âge de l'exécution) ne témoigne pas d'une juste piété à la mémoire de Louis XVI, laissons-nous emporter par l'enthousiasme du chef et des cordes.

Gardelli, qui n'est pas un chef de théâtre, trouve ici le plein épanouissement de ses dons et de son effusion lyrique : à l'inverse de Toscanini, qui tirait l'œuvre vers Verdi, il la rattache à Mozart, et sans doute a-t-il raison. En fait, à la tête de très beaux chœurs, moelleux et sonnant bien, il laisse à cette œuvre son énigmatique intemporalité qui convenait si bien à Cherubini. A signaler notamment l'*Introït* et l'*Agnus Dei*, particulièrement mystiques.

Le travail des Bulgares est toujours une garantie de sérieux, et leur chef s'en tient strictement à l'éthique d'une œuvre qui marqua le retour à l'ancien régime en 1816 : Cherubini y gagne-t-il ? Aux voix un peu blanches du chœur s'oppose néanmoins un orchestre très clair, dont notamment les bois sonnent admirablement. La gravure est honnête, sans plus.

Requiem pour chœurs d'hommes et orchestre en ré mineur.

*** Ch. Ambrosien, Orch. New Philharmonia, Riccardo Muti. EMI VSM C 069-02.589. Enregistré en 1974.

Muti a parfaitement saisi la fausse contrition du musicien, contraint à n'utiliser qu'un chœur masculin, mais qui, en 1836, a assimilé la leçon du romantisme parisien, même celui d'un Berlioz, qui s'en inspirera à son tour : d'où une direction ample, nuancée, aux solides contrastes, et le splendide Chœur Ambrosien, un vrai chœur d'opéra. Prise de son volontairement «travaillée», très - trop ? - riche en basses, mais sans réverbération excessive.

Symphonie en ré majeur. Ouvertures d'Ali Baba, d'Anacréon et de Médée.

*** Orch. Symph. NBC, Arturo Toscanini. RCA VL 42.949 (2 d.) (USA). Mono. Enregistré en 1950. + *Requiem en ut mineur.*

Grâce à un couplage passionnant - c'est la seule occasion d'entendre les Ouvertures d'*Ali Baba* et d'*Anacréon*, outre celle de *Médée* -, cet extraordinaire témoignage de l'art exalté de Toscanini pose un problème de musicologie. En effet, son interprétation de la Symphonie, romantique et déchaînée, force l'admiration, mais adopte un tempo ultra rapide : le finale deux fois plus vif que celui de l'Orchestre de Prague, et le menuet transformé en un Scherzo beethovénien à un temps. Beethoven admirait Cherubini ; alors, admirons Toscanini.

Chopin, Frédéric
(1810-1849)

Œuvre intégrale.

** Halina Czerny-Stefanska, Jan Ekier, Zbigniew Drzewiecki, Lidia Grichtolowna, Barbara Hesse-Bukowska, Wladslaw Kedra, Wanda Klimowickz, Regina Smendzianska, Ludwik Stefanski, Wladyslaw Szpilman, Henryk Sztompka, Maria Wilkormiska, Boleslaw Woytowicz, Jerzy Zuralev (piano), Aleksander Ciechanski, Halina Kowalska, Kazimierz Wilkomirski (violoncelle), Wlodimierz Tomaszczuck (flûte), Stefania Woytowicz (soprano), Andrzej Bachelda (ténor), Tadeusz Wronski (violon), Orch. Phil. et Symph. de Varsovie, Witold Rowicki. Erato 9.005 (25 d.).

Réalisée sous l'égide de l'Etat polonais, cette intégrale est à réserver au fanatique qui y trouvera tout - ou presque - ce que Chopin a laissé. La qualité d'ensemble de ces interprétations est bonne, mais ne saurait faire oublier les disques de Cortot, Lipatti, Pollini, Perlemuter et Horowitz, pour ne citer qu'eux. Cependant, on découvrira avec intérêt nombre de pages inaccessibles ailleurs, et des styles d'interprétations parfois très éloignés de ce que nous sommes habitués à entendre. La présentation est somptueuse, et le texte de présentation fait honneur à son auteur.

Andante spianato et grande Polonaise pour piano et orchestre en mi bémol majeur, op. 22.

** Samson François (piano), Orch. Société des Concerts du Conservatoire, Georges Tzipine. Enregistré en 1957. EMI VSM C 163-53.523/27 M (5 d.). Mono. + *Ballades, Etudes, Impromptus, Mazurkas, 4 Scherzos.*

* Claudio Arrau (piano), Orch. Phil. de Londres, Eliahu Inbal. Philips 6747.003 (3 d.). Enregistré en 1972. + *Concertos nos 1 et 2, Fantaisie sur des airs polonais, Krakowiak, Variations sur «Là ci darem la mano».*

Samson François était le panache, la liberté improvisatrice et la fantaisie incarnés. Qui mieux que lui pouvait donner un sens à la virtuosité ronflante de cette œuvre qui n'est du meilleur Chopin ?

Claudio Arrau n'a pas les mêmes qualités que Samson François. La réflexion, le contrôle de soi, l'humilité, qui parfois va jusqu'à l'effacement, et un jeu d'une beauté plastique unique sont les marques de son art. Le grand pianiste chilien ne semble pas tout à fait dans son élément ; mais que son piano est beau et convaincant !

Andante spianato et grande Polonaise pour piano solo en mi bémol majeur, op. 22.

*** Alfred Cortot (piano). Adès 16 017. (sup.). Mono (origine 78 t. acoustique). Enregistré en 1910 + *Etudes op. 10 n° 5 et op. 25 n° 9, Prélude op. 28 n° 15. Bach : Largo du Concerto en fa mineur BWV 1056. Saint-Saëns : Etude en forme* *de valse. Schubert : Transcription par Liszt de Resquiescant in pace.*

** Josef Hofmann (piano Steinway). International Piano Archives 5001/2 (USA). Mono. Enregistré en 1937. + *Ballade n° 1, Berceuse, Etude op. 25 n° 9, Nocturnes nos 2 et 5, Valses nos 5 et 6. Beethoven : Marche turque des Ruines d'Athènes. Brahms : Ouverture pour une fête académique. Hofmann : Chromaticon pour piano et orchestre. Mendelssohn : La Fileuse. Moszkowski : Caprice espagnol, op. 37. Rachmaninov : Prélude, op. 23 n° 5. Rubinstein : Concerto n° 4.*

* Arthur Rubinstein (piano). RCA FRL1 7.027. ⌧ FRK1 7.027. + *Polonaise n° 7. 4 Impromptus.*

* Martha Argerich (piano). DG 2530.530. Enregistré en 1974. + *Scherzo n° 2, Sonate n° 2.*

On a beaucoup glosé sur la technique pianistique de Cortot. Que ses détracteurs écoutent donc cet enregistrement qui date de 1910... Non seulement Cortot a été un grand interprète, mais on peut affirmer qu'il demeure l'un des plus époustouflants techniciens du piano au XXe siècle. Si l'*Andante spianato* souffre de quelques maniérismes - propres à l'époque -, la grande Polonaise, dont les traits fusent dans tous les sens, est proprement renversante par son brio. La restauration technique de l'enregistrement est de premier ordre.

Enregistrée en 1937, lors du concert de jubilé de Josef Hofmann, voilà la version la plus raffinée qui se puisse concevoir. Un inédit : Hofmann, suivant en cela la tradition des grands virtuoses du siècle dernier, improvise quelques instants avant d'attaquer l'*Andante spianato*, pour plonger l'auditeur dans l'ambiance voulue. Du grand art - artifice ? Là aussi, la restauration technique est parfaite.

Arthur Rubinstein a enregistré au moins deux fois l'Opus 22 ; nous avons choisi la plus récente de ses gravures pour sa simplicité, sa fougue et son allant.

Martha Argerich n'est pas à proprement parler une interprète fidèle aux textes qu'elle sert ; son engagement, toutefois, est total. Ici, on lui pardonnera ses coups de griffes et l'on admirera la qualité de son toucher.

Les 4 Ballades : n° 1 en sol mineur op. 23, n° 2 en fa majeur op. 38, n° 3 en la bémol majeur op. 47, n° 4 en fa mineur op. 52.

❀*** Vlado Perlemuter (piano). Nimbus 2.110. Quadri. Enregistré en 1977.

❀*** François-René Duchâble (piano). Erato NUM 75.088. Enregistré en 1983. + *Polonaise-Fantaisie, Polonaise Héroïque.*

*** Alfred Cortot (piano). EMI VSM C 153-03. 090/6 (7 d.). Mono. Enregistré en 1933. + *Barcarolle, Berceuse, 2 Chants polonais, Concerto n° 2, Etudes op. 10 et op. 25, 3 Etudes op. posthume, Fantaisie op. 49, 4 Impromptus, Nocturnes nos 2, 4, 5, 7, 15 et 16, Polonaise n° 6 «Héroïque», Prélude op. 28, Prélude op. 45, Sonates nos 2 et 3, Tarentelle, 14 Valses.*

** Claudio Arrau (piano). Philips 9500.393. Enregistré en 1977. + *Fantaisie op. 49.*

* Arthur Rubinstein (piano). RCA ARL 10.625. ⌧ ARK1 0.625.

* Nikita Magaloff (piano). Philips 6768.067 (16 d.). + *Intégrale de l'œuvre pour piano.*

Bien qu'il ne soit pas très connu, Vlado Perlemuter est l'un des plus grands pianistes d'aujourd'hui. Depuis Dinu Lipatti et Alfred Cortot - pour ne parler que des disparus -, on n'avait pas entendu jouer Chopin comme cela. Un jeu de piano large et profond, une conduite exemplaire des phrasés qui n'est pas sans évoquer l'art de Nellie Melba et une subtilité rythmique étonnante donnent à ce disque valeur de référence.

Avec Duchâble, la Première Ballade est subtile, attendrie et poétique. Dans la Deuxième, les contrastes entre l'élégie et la cavalcade héroïque sont peut-être un peu trop étudiés. La Troisième est d'une grâce irrésistible.. Quant à la Quatrième, elle manque un peu de distance par rapport au texte, et de cette liberté qu'y montre Perlemuter. Dans la *Polonaise Héroïque*, Duchâble rappelle Horowitz par son sens de l'épopée.

Version célébrissime qui a tenu le haut du pavé depuis sa parution au temps des 78 tours. L'art d'Alfred Cortot est là tout entier. Un style volontiers oratoire et alambiqué, mais servi par un tel génie de l'instrument que l'on ne peut que s'incliner.

Une lumière diffuse et irisée semble émaner de cette interprétation. Autant Perlemuter et Cortot jouent en dehors du piano, autant Claudio Arrau s'abîme dans la brume crépusculaire de son jeu. Sa main gauche n'est plus la servante, mais le guide sur lequel le chant peut s'affirmer.

On retrouvera le prodigieux savoir - faire d'Arthur Rubinstein avec cette interprétation qui met parfaitement en valeur l'architecture en trompe l'oeil de ces poèmes. L'émotion reste toutefois en-deçà de celle qui se dégage des versions précitées.

Nikita Magaloff exprime parfaitement la violence et l'héroïsme présents dans les Ballades, ce qui ne va pas toutefois sans bousculade. Mais on préférera cet engagement et ce flamboiement à la rigueur pâlotte de certains spécialistes du piano déliquescent.

Ballade n° 1 en sol mineur, op. 23.

❀*** Arturo Benedetti Michelangeli (piano Steinway). DG 2530.236. ⊠ 3300.349. + *Mazurkas n°s 19, 20, 22, 25, 34, 42, 45, 46, 47 et 49 ; Prélude, op. 45, Scherzo n° 2.*

*** Vladimir Horowitz (piano Steinway). CBS 79.340 (3 d.). Enregistré en 1963. + *Etudes n°s 3, 4, 5 et 12, Mazurkas n°s 7, 13, 20, 23, 27, 32 et 38, Nocturne n° 15, Polonaises n°s 3, 5, 6 et 7, Prélude n° 6, Rondo n° 2, Sonate n° 2, Valses n°s 3 et 7.*

*** Maurizio Pollini (piano). EMI VSM C 069-01.897. + *Nocturnes n°s 4, 5, 7 et 8, Polonaises n°s 5 et 6 «Héroïque».*

*** Joseph Hoffmann (piano Steinway). International Piano Archives 5001/2 (2 d.) (USA). Mono. Enregistré en 1937. + *Andante spianato et grande Polonaise, Berceuse, Etude n° 9 op. 25, Nocturnes n°s 2 et 5, Valses n°s 5 et 6. Beethoven : Marche turque des Ruines d'Athènes. Brahms : Ouverture pour une fête académique. Hofmann : Chromaticon pour piano et orchestre. Mendelssohn : La Fileuse. Moszkowski : Caprice espagnol op. 37. Rachmaninov : Prélude op. 23 n° 5. Rubinstein : Concerto n° 4.*

Michelangeli, ou quand la simplicité absolue, la nudité peut cacher le cœur le plus brûlant. Derrière le masque douloureux de ce Pierrot lunaire, on sent la passion dévorante d'un homme angoissé. Arturo Benedetti Michelangeli ne peut pas ne pas nous donner d'autres témoignages de sa conception de l'univers de Chopin. Imaginons la Barcarolle, la Berceuse ou les Préludes sous ses doigts désolés.

Au premier abord, on est surpris, voire agacé par le jeu fracassant de Vladimir Horowitz. Et puis, à la seconde écoute, on est converti par ce diable d'homme, même si sa lecture de Chopin est bien lisztienne. Mais n'est-ce pas le propre des grands artistes que de vous convaincre ?

Après six années d'une retraite qu'il s'était imposée, Maurizio Pollini faisait un retour remarqué et définitif dans les studios d'enregistrement et sur l'estrade des concerts. Interprétation lisse et fluide, qui n'est pas sans rappeler l'art de Dinu Lipatti.

Enregistrement public réalisé en 1937 par le prince des pianistes, Josef Hoffmann. Une imagination sans limite pour faire sonner le piano. Ecoutez la façon miraculeuse dont il joue le thème de la Ballade (mesures 8 à 21). Cette phrase est répétée sept fois de suite ; eh bien, Hoffmann ne la redit jamais de la même façon, obtenant chaque fois des reflets prismatiques de son instrument. Un grand moment.

Ballade n° 2 en fa majeur, op. 38.

❀*** Vlado Perlemuter (piano Pleyel). Festival FC 453. Enregistré en 1960. + *Barcarolle, Berceuse, Etude op. 10 n° 12, Fantaisie op. 49, Scherzo n° 2, Tarentelle.*

Si vous voulez savoir comment sonne un piano de Pleyel, écoutez avec une attention ce disque de Vlado Perlemuter qui obtint un Grand Prix de l'Académie Charles Cros lors de sa parution. Vous serez convaincu que la facture française ne méritait pas le sort qui est le sien. Vlado Perlemuter se montre égal à lui-même, c'est-à-dire grand parmi les grands.

Barcarolle en fa dièse majeur op. 60.

❀*** Dinu Lipatti (piano). EMI VSM C 051-03.815 M. Mono. Enregistré en 1948. + *Mazurka n° 32, Nocturne n° 8, Sonate n° 3, Valse n° 2.*

❀*** Vlado Perlemuter (piano Pleyel). Festival FC 453. Enregistré en 1960. + *Ballade n° 2, Berceuse, Etude op. 10 n° 12, Fantaisie op. 49, Scherzo n° 2, Tarentelle.*

*** Yves Nat (piano). EMI VSM C 051-12.005 M. Mono. Enregistré en 1953. + *Fantaisie op. 49, Sonate n° 2.*

** Alfred Cortot (piano). EMI VSM C 153-03.090/6 (7 d.). Mono. Enregistré en 1933. + *4 Ballades, Berceuse, 2 Chants polonais, Concerto n° 2, Etudes op. 10 et op. 25, 3 Etudes op. posthume, Fantaisie op. 49, 4 Impromptus, Nocturnes n°s 2, 4, 5, 7, 15 et 16, Polonaise n° 6 «Héroïque», Préludes op. 28, Prélude op. 45, Sonates n°s 2 et 3, Tarentelle, 14 Valses.*

* Vladimir Ashkenazy (piano). Decca 390.100. Enregistré en 1977. + *Ballade n° 3, Concerto n° 2, Nocturne n° 17, Scherzo n° 3.*

La rigueur de Dinu Lipatti s'associe à la poésie la plus subtile pour nous donner une interprétation idéale de cette page. L'artiste nous laisse là l'un des plus émouvants témoignages de son art suprême.

Avec Vlado Perlemuter, le chef-d'œuvre de Chopin prend des allures fauréennes ; que c'est beau, joué avec cette nonchalance et ce doux balancement régulier et quel instrument ! Sa sonorité cristalline et légèrement voilée est grisante.

Yves Nat voit grand, et comme il a raison... On quitte la brume et la lagune pour la pleine mer et ses rafales. Plus abrupt, plus immédiat que Lipatti et Perlemuter, il convainc par son engagement sans concession.

Alfred Cortot avait une conception éminemment personnelle de la Barcarolle, qu'il jouait dans un murmure frémissant, entrecoupé, çà et là, d'explosions presque furieuses. Curieusement, on pense au piano du Brahms vieillissant.

Simplicité, style sans défaut, brio, voici les qualités de Vladimir Ashkenazy ; mais est-ce suffisant ? Si cette interprétation était la seule disponible sur le marché, on applaudirait à sa réussite, Malheureusement, il y a Lipatti, Perlemuter et Cortot. On peut néanmoins être tenté par le programme de ce disque, qui regroupe des pages contemporaines de la Barcarolle.

Berceuse en ré bémol majeur op. 57.

❀*** Vlado Perlemuter (piano Pleyel). Festival FC 453. Enregistré en 1960. + *Ballade n° 2, Barcarolle, Etude op. 10 n° 12, Fantaisie op. 49, Scherzo n° 2, Tarentelle.*

*** Alfred Cortot (piano). EMI VSM C 152-03.090/6 (7 d.). Enregistré en 1949. + *4 Ballades, Barcarolle, 2 Chants polonais, Concerto n° 2, Etudes op. 10 et op. 25, 3 Etudes op. posthume, Fantaisie op. 49, 4 Impromptus, Nocturnes n°s 2, 4, 5, 7 et 15, Polonaise n° 6 «Héroïque», Préludes op. 28, Prélude op. 45, Sonates n°s 2 et 3, Tarentelle, 14 Valses.*

** Arthur Rubinstein (piano) RCA ARL1 0.868. ⊠ ARK1 0.868. + *Barcarolle, Boléro, Etudes op. posthume, Fantaisie op. 49, Tarentelle.*

Cette musique de l'engourdissement de l'âme trouve sous les doigts de Vlado Perlemuter un traducteur d'une extatique tendresse. Et pourtant, quelle économie de moyens, tout paraît si simple, si évident...

Pour Alfred Cortot, tout est ici affaire de sonorités. Ecoutez de quelle moirure et de quelle vaporeuse lumière il colore les méandres sinueux de cette prodigieuse série de variations sur une basse obstinée.

Ce qui vaut surtout dans l'enregistrement d'Arthur Rubinstein, c'est le charme et la simplicité mis en valeur par un art d'une prodigieuse luminosité. Mais à aucun moment, on ne se sent envahi par cette douce torpeur ou Perlemuter et Cortot vous plongent dès les premiers instants.

Concerto pour piano et orchestre n° 1 en mi mineur op. 11.

*** Samson François (piano), Orch. Opéra de Monte Carlo, Louis Frémaux. EMI VSM C 069-12.506. ⊠ C 269-12.506. Enregistré en 1964.

*** Krystian Zimerman (piano Steinway), Orch. Phil. de Los Angeles, Carlo Maria Giulini. DG 2531.125. ⊠ 3301.125. Enregistré en 1978.

** Claudio Arrau (piano Steinway), Orch. Phil. de Londres, Eliahu Inbal. Philips 6747.003 (3 d.). Enregistré en 1971. + *Concerto n° 2, Andante spianato et grande Polonaise, Fantaisie sur des airs polonais, Kakowiak, Variations sur «Lá ci darem la mano».*

** Maurizio Pollini (piano), Orch. Philharmonia, Paul Kletzki. EMI VSM C 069-00.182. ⌧ C 269-00.182. Enregistré en 1960.

** Emil Guilels (piano), Orch. Symph. de Moscou, Kiril Kondrachine. Chant du Monde CM 02.209 (étr.).

** Mieczyslaw Horszowski (piano), Orch. Pro Musica de Vienne, Hans Swarowsky. Vox PL 7870 (sup.). Mono. + *4 Impromptus.*

Samson François, ou la liberté recréatrice. En dépit d'un accompagnement orchestral insuffisant (ô, l'orchestre !), Samson François s'investit totalement dans ce Concerto un peu longuet mais d'une évidente sincérité. On se demande ce qu'il faut admirer le plus, la verve et la fougue des 1er et 3e mouvements ou la tendresse murmurée du second.

Krystian Zimerman ressemble étrangement à la lithographie de Engelmann représentant Chopin en 1833. Mais cela ne serait rien sans la fougue, l'émoi et les frémissements de ses vingt-cinq printemps. Quant à Giulini, qui l'accompagne, il réussit à force de noblesse et sollicitude à élever le discours orchestral au niveau de la partie du soliste. Un détail encore : ce disque a été enregistré en public... Ceci explique sans doute cela.

Le jeu tout en finesse de Claudio Arrau, sa subtilité et sa qualité exceptionnelle de *cantando* ne parviennent pas à masquer un certain relâchement rythmique et un manque de tension évident, mais pas très gênant.

Enregistré peu après le Concours Chopin de Varsovie qui, en 1960, vit la victoire de Maurizio Pollini, ce disque souffre un peu du même défaut que celui de Lipatti. Ici, le style doit être au service d'une ardente confession.

Emil Guilels a enregistré deux fois ce Concerto, une fois aux Etats-Unis avec Eugene Ormandy, l'autre en URSS avec Kiril Kondrachine. On préférera cette dernière version, plus directe et d'une beauté plastique inégalée. Mais on regrette cette succession de passages alanguis et mornes qui trahissent un manque d'affinités avec l'univers de Chopin.

Non, Horszowski n'est pas uniquement l'accompagnateur attitré de Pau Casals, il est aussi un merveilleux pianiste qui nous donne là un témoignage de son art fait de simplicité et de grâce confondues. Mais ce disque est devenu introuvable. Sera-t-il jamais réédité ?

Concerto pour piano et orchestre n° 2 en fa mineur op. 21.

❀*** Clara Haskil (piano Steinway), Orch. des Concerts Lamoureux, Igor Markevitch. Philips 6570.591. ⌧ 7310.591. Enregistré en 1960. + *Falla : Nuits dans les Jardins d'Espagne.*

*** Claudio Arrau (piano Steinway), Orch. Phil. de Londres, Eliahu Inbal. Philips 6747.003. Enregistré en 1971. + *Andante spianato et grande Polonaise, Concerto n° 1, Fantaisie sur des airs polonais, Krakowiak, Variations sur «Lá ci darem la mano».*

** Stefan Askenase (piano), Orch. Phil. de Berlin, Leopold Ludwig. DG 2538.056 (sup.). + *Polonaises nos 3 et 6.*

* Maria João Pires (piano Steinway), Orch. Opéra de Monte Carlo, Armin Jordan. Erato STU 71.129. (2 d.). Enregistré en 1977. + *Concerto n° 1, Krakowiak.*

* Arthur Rubinstein (piano), Orch. de Philadelphie, Eugene Ormandy. RCA ARL1 0.867. ⌧ ARK1 0.867. + *Fantaisie sur des airs polonais.*

* Marguerite Long (piano), Orch. Société des Concerts du Conservatoire, André Cluytens. EMI Columbia FCX 193 (sup.). Mono.

On n'attend pas Clara Haskil dans ce répertoire. Cependant, elle nous donne l'une des plus grandes interprétations chopiniennes de l'histoire du disque. Si vous voulez savoir comment Chopin devait jouer du piano, recueillez avec émotion ce témoignage unique d'une artiste qui, à l'exemple du compositeur, était obligée de ruser avec des forces qui la trahissaient. Igor Markevitch métamorphose son orchestre en un grand châle épousant la frêle silhouette de la grande dame du piano. Le matériel d'orchestre utilisé est celui mis au point par Alfred Cortot à la demande de Furtwängler ; on admirera son travail, qui transfigure l'accompagnement habituellement utilisé.

Ardent et conquérant, Claudio Arrau donne l'illusion d'improviser avec une souplesse féline. Eliahu Inbal lui donne une réplique à sa mesure.

Grand pianiste méconnu en France, Stefan Askenase est un spécialiste de Chopin. Son interprétation sensible, pudique et d'un admirable élan met bien en valeur toutes les subtilités d'un texte exigeant.

N'est pas Clara Haskil qui veut. Maria João Pires réussit cependant, non sans quelques maniérismes, à rappeler le souvenir de sa grande aînée. Peu d'oppositions de dynamique, un climat rêveur sans grandes passions - c'est là où le bât blesse - et une minutieuse mise en valeur de tous les détails de la partition sont à mettre à l'actif de cette lecture délicate.

Le charme, la facilité, l'optimisme sont les vertus de Rubinstein en un disque sans surprise. Mais sa fougue un peu superficielle est de loin préférable aux éclats de nos broyeurs d'ivoire.

Marguerite Long fut une interprète privilégiée de ce Concerto, et à sa demande, Messager en remania l'orchestration, amputant du même coup l'introduction du 1er mouvement d'un grand nombre de mesures. Un phrasé d'une justesse miraculeuse, servi par une technique pianistique irréprochable, ne peut tout à fait masquer un manque relatif d'engagement (moins sensible dans la première gravure qu'en fit l'illustre pianiste dans les années 1930 avec un orchestre dirigé par Philippe Gaubert, enregistrement hélas ! non reporté en microsillon).

24 Etudes pour piano : 12 Etudes op. 10, 12 Etudes op. 25.

❀*** Alfred Cortot (piano). EMI VSM C 153-03.090/6 (7 d.). Mono. Enregistré en 1934. + *4 Ballades, Barcarolle, Berceuse, 2 Chants polonais, Concerto n° 2, 3 Etudes op. posthume, Fantaisie op. 49, 4 Impromptus, Nocturnes nos 2 ,4 ,5, 15 et 16, Polonaise n° 6 «Héroïque», Préludes op. 28, Prélude op. 45, Sonates nos 1 et 2, Tarentelle, 14 Valses.*

❀*** François-René Duchâble (piano). Erato NUM 75.001. ⌧ MCE 75.001. Enregistré en 1980.

*** Maurizio Pollini (piano Steinway). DG 2530.291. ⌧ 3300.287. Enregistré en 1973.

** Nikita Magaloff (piano). Philips 6768.067 (16 d.). + *Intégrale de l'œuvre pour piano.*

** Samson François (piano). Enregistré en 1955. EMI VSM C 163-53.523/7 M. (5 d.). Mono. + *Andante spianato, Ballades, Impromptus, Mazurkas, Scherzos.*

* Alexandre Slobodyanik (piano). Chant du Monde CM 02.667 (2 d.) (étr.). Enregistré en 1971. + *Fantaisie op. 49. Scherzo n° 3.*

Version insurpassée et insurpassable, puisque depuis plus de quarante ans elle domine : Alfred Cortot y fait une fois de plus la preuve de sa prodigieuse maîtrise technique et de son imagination poétique sans limite. La qualité exceptionnelle de la regravure permet d'apprécier sans gêne ce prodigieux témoignage d'un style hélas ! révolu.

Ce qu'on admire le plus chez Duchâble, outre une technique qui se fait totalement oublier tant elle est maîtrisée, c'est le ton, le grain du son qui émeuvent dès les premières mesures. C'est aussi cette façon qu'il a d'arriver sur la pointe des pieds au seuil de chaque Etude et de n'affirmer que peu à peu son propos, colorant chacune de sa juste palette expressive, refusant toute surcharge. L'une des plus belles interprétations de Chopin dans l'histoire du disque, qui laisse toutes les autres loin derrière, Cortot excepté.

Si ce n'était cette horrible prise de son (le mot n'est pas trop fort), Maurizio Pollini aurait pu, non pas détrôner Albert Cortot, mais au moins venir s'installer à sa droite. Il y a un tel miracle d'équilibre entre la technique instrumentale et l'émotion que l'on espère bien voir Pollini enregistrer de nouveau les deux recueils.

Nikita Magaloff prouve, s'il en était encore besoin, qu'il est un grand maître du clavier. Toutefois, on remarquera une certaine uniformité expressive et instrumentale qui, à la longue, pourra lasser.

Le problème, avec Samson François, vient du fait que sa technique n'était pas toujours au rendez-vous. Qu'importe, son engagement et son imagination font presque tout passer, et paradoxalement, ses inégalités deviennent expressives.

Enregistré en concert, ce qui n'est pas rien quand on considère la redoutable difficulté de ces Etudes, Alexandre Slobodyanik tire admirablement son épingle du jeu. Il a une conception très personnelle de ce bréviaire des pianistes. Des tempos modérés et un souci de fluidité permanent le conduisent à cultiver un peu trop exclusivement l'amour du beau son ; dans cette optique particulière, c'est une réussite.

Etudes op. 10 n°s 2, 5, 8, et 10. Etudes op. 25 n°s 1, 2, 3, 4, 6, 7, 8, 9, 11.

*** Wilhelm Backhaus (piano). Decca LX 3091 (sup.). Mono.

Foin des alanguissements et des pâmoisons : Wilhelm Backhaus impose sa conception drue et passionnée de ces quelques Etudes parmi les plus belles. On aimerait voir rééditer ce disque, ainsi que celui sur lequel figurait la Première Ballade. L'industrie du disque doit bien cela à ce grand maître.

Les 3 Nouvelles Etudes pour la Méthode des Méthodes de Moschelès et Fétis op. posthume.

*** Alfred Cortot (piano). EMI VSM C 153-03.090/6 (7 d.). Mono, Enregistré en 1949. + *4 Ballades, Barcarolle, Berceuse, 2 Chants polonais, Concerto n° 2, Etudes op. 10 et op. 25, Fantaisie op. 49, 4 Impromptus, Nocturnes n°s 2, 4, 5, 15, et 16, Polonaise n° 6 «Héroïque», Préludes op. 28, Prélude op. 45, Sonates n°s 1 et 2, Tarentelle, 14 Valses.*

** Arthur Rubinstein (piano). RCA ARL1 0.868. ⌧ ARK1 0.868. + *Barcarolle, Berceuse, Boléro, Fantaisie op. 49, Tarentelle.*

** Nikita Magaloff (piano). Philips 6768.067 (16 d.). + *Intégrale de l'œuvre pour piano.*

Bien qu'enregistrées à la fin de la vie d'Alfred Cortot, ces Etudes posthumes sont un modèle de poésie et de chaleur communicatives que n'arrive pas à entacher un rubato un peu trop exagéré.

Le roi Arthur ne voit que limpidité dans ces trois pages ; mais quel art souverain... et puis peut-être a-t-il raison !

Assez proche d'Alfred Cortot par le mouvement, Nikita Magaloff n'en a toutefois pas l'extraordinaire qualité de toucher.

Fantaisie en fa mineur op 49.

❀*** Yves Nat (piano). EMI VSM C 051-12.005 M. Mono. Enregistré en 1953. + *Barcarolle, Sonate n° 2.*

❀*** Vlado Perlemuter (piano Pleyel). Festival FC 453. Enregistré en 1960. + *Ballade n° 2, Barcarolle, Berceuse, Etude op. 10 n° 12, Scherzo n° 2, Tarentelle.*

*** Claudio Arrau (piano Steinway). Philips 9500.393. Enregistré en 1977. + *4 Ballades.*

*** Alfred Cortot (piano). EMI VSM C 153-03.090/6 (7 d.). Mono. Enregistré en 1933. + *4 Ballades, Barcarolle, Berceuse, 2 Chants polonais, Concerto n° 2, Etudes op. 10 et op. 25, 4 Impromptus, Nocturnes n°s 2, 4, 5, 7, 15 et 16, Polonaise n° 6 «Héroïque», Prélude op. 28, Prélude op. 45, Sonates n°s 1 et 2, Tarentelle, 14 Valses.*

Dès les premières notes, Yves Nat vous empoigne et ne vous relâchera plus. Une puissance incroyable et un sentiment chevaleresque d'une hautaine éloquence convertiraient le pire des détracteurs de Chopin.

Une grandeur sans concession, un souffle et une puissance flamboyante servis par un art aussi efficace qu'invisible. Vlado Perlemuter s'impose aux côtés d'Yves Nat sans qu'il soit vraiment possible de les départager.

Claudio Arrau aborde la Fantaisie avec une retenue qui pourra étonner, mais il en profite pour construire une immense procession angoissée qui culmine dans la partie médiane, d'une méditative profondeur.

Cortot redonne une évidence et une logique à l'enchaînement d'idées qui ne sont pas toujours bien amenées dans la partition. On regrettera un certain manque de simplicité et certaines coquetteries dans la diction. Mais quelle présence.

Fantaisie pour piano et orchestre sur des airs nationaux polonais op. 13.

❀*** Wladslaw Kedra (piano), Orch. Nat. Phil. et Symph. de Varsovie, Witold Rowicki. Erato ERA 9.005 (25 d.). + *Intégrale de l'œuvre de Chopin.*

** Arthur Rubinstein (piano), Orch. de Philadelphie, Eugene Ormandy. RCA ARL1 0.867. ⌧ ARK1 0.867. + *Concerto n° 2.*

** Claudio Arrau (piano), Orch. Phil. de Londres, Eliahu Inbal. Philips 6747.003. Enregistré en 1971. + *Concertos n°s 1 et 2, Andante spianato et grande Polonaise, Krakowiak, Variations sur «Lá ci darem la mano».*

Un pianiste trépignant et caracolant dans une œuvre qui réclame une invention jaillissante. Wladslaw Kedra fut l'une des grandes révélations de l'intégrale nationale polonaise. Mais pourquoi ce disque n'existe-t-il pas isolément ?

Un retour aux sources pour Arthur Rubinstein, qui se souvient des chants de sa Pologne natale. Beaucoup de brio et de séduction dans une œuvre plus difficile qu'il n'y paraît.

Ce que Claudio Arrau perd en panache, il le retrouve en beauté expressive, en chant. Une conception noble et retenue, à laquelle il manque un soupçon de folie batailleuse.

Les 4 Impromptus : n° 1 en la bémol majeur op. 29, n° 2 en fa dièse majeur op. 36, n° 3 en sol bémol majeur op. 51, n° 4 en ut dièse mineur «Fantaisie - Impromptu» op. 66.

❀*** Alfred Cortot (piano), EMI VSM C 153 - 03.090/6 (7 d.). Mono. Enregistré en 1933. + *4 Ballades, Barcarolle, Berceuse, 2 Chants polonais, Concerto n° 2, Etudes op. 10 et op. 25, Nocturnes n°s 2, 4, 5, 15 et 16, Polonaise n° 6 «Héroïque», Prélude op. 28, Prélude op. 45, Sonates n°s 1 et 2, Tarentelle, 14 Valses.*

*** Nikita Magaloff (piano Steinway), Philips 6768.067 (16 d.). + *Intégrale de l'œuvre pour piano.*

*** Samson François (piano). Enregistré en 1955. EMI VSM C 163-53.523/7 M (5 d.). Mono. + *Andante spianato, Ballades, Etudes, Mazurkas, Scherzos.*

** Claudio Arrau (piano). Philips 9500.963. ⌧ 7300.963. + *Barcarolle, Valses n°s 16 à 19.*

** Arthur Rubinstein (piano). RCA FRL1 7.027. ⌧ FRK1 7.027. + *Andante spianato et grande Polonaise, Polonaise n° 7.*

Alfred Cortot est l'interprète qui met le mieux en valeur l'aspect improvisé de ces quatre pages bouillonnantes de vie. Avec une qualité de toucher que l'on aimerait trouver chez nos pianistes contemporains.

Avec Nikita Magaloff, on frôle parfois la sentimentalité, sans toutefois y sombrer. Il rend cependant aux Impromptus leur netteté de contours et leur verve rythmique.

Fantasque comme à son habitude, Samson François bouscule un peu des lignes pourtant nettement dessinées. Mais quelle fulgurante présence et quelle impérieuse diction !

Arrau donne à ces pages rabâchées une dimension et une gravité qui sont les marques caractéristiques de ses interprétations. Un Chopin ample par le son, au toucher immense, qui est aux antipodes du Chopin de salon. Cette densité dans la pensée et dans l'expression musicale ne convient cependant pas à tous les moments des Impromptus.

Arthur Rubinstein est ici d'un galbe et d'un fini exemplaires, d'un poli de diamantaire, ce qui ne va pas sans sécheresse et sans complaisance. Le beau-son-en-soi ne vaut pas grand-chose, et ne saurait en tout cas remplacer l'éloquence d'une passion souveraine que l'on trouve au plus haut degré chez Cortot.

Krakowiak, Grand Rondo de Concert pour piano et orchestre en fa majeur op. 14.

❀*** Wladslaw Kedra (piano), Orch. Phil. et Symph. de Varsovie, Witold Rowicki. Erato 9.005 (25 d.). + *Intégrale de l'œuvre de Chopin.*

*** Stefan Askenase (piano), Orch. de la Résidence de la Haye, Willem Van Otterloo. DG 2538.062 (sup.). + *Concerto n° 1.*

** Claudio Arrau (piano), Orch. Phil. de Londres, Eliahu Inbal. Philips 6747.003 (3 d.). Enregistré en 1971. + *Andante spianato et grande Polonaise, Concertos n°s 1 et 2, Fantaisie sur des airs polonais, Variations sur «Lá ci darem la mano».*

** Maria João Pires (piano), Orch. Opéra de Monte Carlo, Armin Jordan. Erato STU 71.129 (2 d.). Enregistré en 1977. + *Concertos n°s 1 et 2.*

On retrouve dans cette interprétation de Wladslaw Kedra tout ce qui fait le charme de sa lecture de la Fantaisie sur des Airs nationaux polonais. Insurpassé.

Très proche de Wladslaw Kedra par sa conception enjouée et incisive, Stefan Askenase n'a pas tout à fait la même liberté jaillissante que son confrère polonais.

Claudio Arrau manque de panache et de fantaisie dans la *Krakowiak*, qui demeure un peu plate sous ses doigts. Mais quelle beauté de jeu !

Maria João Pires ne manque pas d'invention ni de vivacité, mais elle n'atteint pas encore à cette caractérisation qui est l'apanage des grands. Cela dit, on aimera sa luminosité et son éclat.

Les 57 Mazurkas : n° 1 en fa dièse mineur op. 6 n° 1, n° 2 en ut dièse mineur op. 6 n° 2, n° 3 en mi bémol majeur op. 6 n° 3, n° 4 en mi bémol mineur op. 6 n° 4, n° 5 en si bémol majeur op. 7 n° 1, n° 6 en la mineur op. 7 n° 2, n° 7 en fa mineur op. 7 n° 3, n° 8 en la bémol majeur op. 7 n° 4, n° 9 en ut majeur op. 7 n° 5, n° 10 en si bémol majeur op. 17 n° 1, n° 11 en mi mineur op. 17 n° 2, n° 12 en la bémol majeur op. 17 n° 3, n° 13 en la mineur op. 17 n° 4, n° 14 en sol mineur op. 24 n° 1, n° 15 en ut majeur op. 24 n° 2, n° 16 en la bémol majeur op. 24 n° 3, n° 17 en si bémol mineur op. 24 n° 4, n° 18 en ut mineur op. 30 n° 1, n° 19 en si mineur op. 30 n° 2, n° 20 en ré bémol majeur op. 30 n° 3, n° 21 en ut dièse mineur op. 30 n° 4, n° 22 en sol dièse mineur op. 33 n° 1, n° 23 en ré majeur op. 33 n° 2, n° 24 en ut majeur op. 33 n° 3, n° 25 en si mineur op. 33 n° 4, n° 26 en ut dièse mineur op. 41 n° 1, n° 27 en mi mineur op. 41 n° 2, n° 28 en si majeur op. 41 n° 3, n° 29 en la bémol majeur op. 41 n° 4, n° 30 en sol majeur op. 50 n° 1, n° 31 en la bémol majeur op. 50 n° 2 n° 32 en ut dièse mineur op. 50 n° 3, n° 33 en si majeur op. 56 n° 1, n° 34 en ut majeur op. 56 n° 2, n° 35 en ut mineur op. 56 n° 3, n° 36 en la mineur op. 59 n° 1, n° 37 en la bémol majeur op. 59 n° 2, n° 38 en fa dièse mineur op. 59 n° 3, n° 39 en si majeur op. 63 n° 1, n° 40 en fa mineur op. 63 n° 2, n° 41 en ut dièse mineur op. 63 n° 3, n° 42 en sol majeur op. 67 n° 1 (posthume - BI 93), n° 43 en sol mineur op. 67 n° 2 (BI 167), n° 44 en ut majeur op. 67 n° 3 (BI 93), n° 45 en la mineur op. 67 n° 4 (BI 163), n° 46 en ut majeur op. 68 n° 1 (posthume - BI 38), n° 47 en la mineur op. 68 n° 2 (BI 18), n° 48 en fa majeur op. 68 n° 3 (BI 34), n° 49 en fa mineur op. 68 n° 4 (BI 168), n° 50 en sol majeur (BI 16), n° 51 en si bémol majeur (BI 16), n° 52 en la mineur (BI 134) (ex n° 50), n° 53 en la mineur (BI 140) (ex n° 51), n° 54 en ré majeur (BI 71), n° 55 en si bémol majeur (BI 73), n° 56 en ut majeur (BI 82), n° 57 en la bémol majeur (BI 185).

*** Henryk Sztompka (piano). Erato 9.005 (25 d.). *+ Intégrale de l'œuvre de Chopin.*

Henryk Sztompka ne regarde pas les Mazurkas par le petit bout de la lorgnette. Elles deviennent l'écho des fêtes de villages, et leur saveur rustique l'oblige parfois à mettre du plomb dans son piano. Cette lecture sobre et virile ne sera pas du goût de tout le monde, et s'il est vrai qu'elle néglige un peu l'aspect émotionnel de ces brèves danses, il n'en est pas moins juste de constater qu'elle évite le piège de la sophistication.

Mazurkas nos 1 à 49, 52 et 53.

*** Arthur Rubinstein (piano). RCA FRL1 7.029/31 (3 d.).

** Nikita Magaloff (piano). Philips 6768.067 (16 d.). *+ Intégrale de l'œuvre pour piano.*

* Arthur Rubinstein (piano). EMI USM C 151-01.170/1 (2 d.). Mono origine 78 t. Enregistré en 1938 et 1939.

Une certaine nonchalance et une tenue aristocratique sourdent du piano d'Arthur Rubinstein. Conception qui est l'antithèse de celles de Sztompka et de Lilamand, et qui pourra, non sans raisons, être préférée pour sa prodigieuse tenue d'ensemble.

Avec Nikita Magaloff, un modèle de perfection rythmique et pianistique qui fait regretter une certaine uniformité de couleur et de sentiment. Une conception trop littérale, sans doute, mais préservée de la sentimentalité dont on affuble parfois les Mazurkas ; et là n'est pas le moindre mérite de cette interprétation.

Première version d'Arthur Rubinstein. Enregistrée au temps du 78 tours, elle demeure le modèle d'une certaine conception mondaine des Mazurkas. Il n'y a sans doute pas beaucoup de canons sous les fleurs, mais qu'elles sont belles !

Mazurkas n°s 2, 6, 11, 12, 20, 22, 26, 27, 31, 32, 36, 37, 40, 41, 43, 47 et 52.

*** William Kapell (piano). RCA A 630.288 (sup.). Mono.

William Kapell, jeune pianiste décédé accidentellement en 1953, avait tout reçu en partage : la grâce, le talent et le génie. C'est une bouleversante confession que nous entendons là. Quel dommage que ce disque ne soit plus accessible ! Il mérite de figurer parmi les grands enregistrements de l'histoire du microsillon.

Mazurkas n°s 1 à 35.

*** Eva Osinska (piano Steinway). Cassiopée 369.213 (n°s 1 à 18) et Cassiopée 369.215 (n°s 19 à 35). Enregistré en 1979.

Eva Osinska est sans doute l'interprète la plus fidèle aux indications de Chopin. Son jeu sobre et bien timbré convient superbement aux Mazurkas gaies et enjouées, mais sait doucement s'infléchir vers la rêverie et la confession. Sous réserve de l'achèvement de son intégrale, nous tiendrons sans doute, avec ses trois disques, la version de référence des Mazurkas. Prise de son claire et nette.

Mazurkas n°s 7, 20, 23, 27, 32 et 38.

*** Vladimir Horowitz (piano Steinway). CBS 76.307. *+ Etudes op. 10 n°s 3, 4 et 12, Polonaise n° 3, Prélude n° 6, Valse n° 7.*

Si Charles Lilamand a le don rare de pouvoir colorer chaque Mazurka, Vladimir Horowitz a le génie de savoir les mettre en scène. Chaque danse devient une sorte de tableautin d'un réalisme extraordinaire. Quel dommage que nous n'ayons pas l'intégrale sous ses doigts-là.

Mazurkas n°s 19, 20, 22, 25, 34, 42, 45, 46, 47 et 49.

*** Arturo Benedetti Michelangeli (piano Steinway). DG 2530.236. ⌧ 3300.349. Enregistré en 1973. *+ Ballade n° 1, Prélude op. 45, Scherzo n° 2.*

La même conception linéaire que William Kapell, avec peut-être encore plus de tristesse désolée. Ici aussi, on regrettera amèrement de ne pouvoir disposer de l'intégrale des Mazurkas par le grand Michelangeli.

Mélodies op. 74.

❀*** Teresa Zylis-Gara(s), Halina Czerny-Stefanska (piano). Erato STU 71.527. Enregistré en 1983.

La voix diaphane de Teresa Zylis-Gara et le jeu pudique de Halina Czerny-Stefanska donnent à ces confidences fugitives que sont les mélodies de Chopin toute leur dimension. Il se dégage de ces pages dénuées de tout éclat de passion un climat à la Pouchkine qui imprègne l'auditeur longuement après que le disque s'est tu.

Les 21 Nocturnes : n° 1 en si bémol majeur op. 9 n° 1, n° 2 en mi bémol majeur op. 9 n° 2, n° 3 en si majeur op. 9 n° 3, n° 4 en fa majeur op. 15 n° 1, n° 5 en fa dièse majeur op. 15 n° 2, n° 6 en sol mineur op. 15 n° 3, n° 7 en ut dièse mineur op. 27 n° 1, n° 8 en ré bémol majeur op. 27 n° 2, n° 9 en si majeur op. 32 n° 1, n° 10 en la bémol majeur op. 32 n° 2, n° 11 en sol mineur op. 37 n° 1, n° 12 en sol majeur op. 37 n° 2, n° 13 en ut mineur op. 48 n° 1, n° 14 en fa dièse mineur op. 48 n° 2, n° 15 en fa mineur op. 55 n° 1, n° 16 en mi bémol majeur op. 55 n° 2, n° 17 en si majeur op. 62 n° 1, n° 18 en mi majeur op. 62 n° 2, n° 19 en mi majeur op. 72 (posthume), n° 20 en ut dièse mineur op. posthume, n° 21 en ut mineur op. posthume.

❀*** Claudio Arrau (piano Steinway). Philips 6747.485 (2 d.). ⌧ 7699.088. (2 c.). Enregistré en 1978.

** Nikita Magaloff (piano). Philips 6768.067 (16 d.). *+ Intégrale de l'œuvre pour piano.*

Une vocalité ré-inventée par le pudique Claudio Arrau. Non content de bien chanter, il calque sa respiration sur la voix imaginaire d'une diva bellinienne. Une envoûtante paix se dégage de cet enregistrement qui a obtenu le «Diapason d'Or» de l'année 1979.

Plus âpre, plus direct, Nikita Magaloff prend un parti de grandeur inhabituel. Il en résulte parfois des accès de brutalité passagers qui sont la rançon de l'engagement de ce magnifique artiste.

Nocturnes nos 1 à 19.

*** Samson François (piano). EMI VSM C 165 - 12.146/7 (2 d.). Enregistré en 1966.

*** Arthur Rubinstein (piano). RCA ARL2 0.623 (2 d.).

** Arthur Rubinstein (piano). EMI VSM C 187-00.162/3 (2 d.). Mono. Enregistré en 1936 et en 1937 (sup.).

La nature secrète de Samson François trouvait dans ces Nocturnes un terrain d'élection privilégié pour s'épanouir. Moins parfait que Claudio Arrau, plus lunaire aussi, cet album restera son plus émouvant témoignage d'artiste.

Admirablement décanté et d'une ligne pure et sans détour, tels apparaissent les Nocturnes par Arthur Rubinstein. Au meilleur de sa forme, il déploie des rares qualités d'émotion.

En 1936 et en 1937, Arthur Rubinstein enregistrait pour la première fois l'intégralité des Nocturnes. Sans doute cultive-t-il un peu trop exclusivement l'attrait mélodique de chaque pièce au détriment de la grandeur et du souffle qui parfois les animent ; mais quel jeu de piano !

Nocturnes nos 2, 3, 4, 5, 7, 15 et 19.

* Vladimir Horowitz (piano Steinway). RCA VM 42.710 (4 d.). Stéréo artificielle. Enregistré respectivement en 1957, 1957, 1957, 1947, 1957, 1952, 1953. + *Andante spianato et grande Polonaise, Ballades nos 1, 3 et 4, Barcarolle, Etudes op. 10 nos 3 et 4, Impromptu n° 1, Mazurkas nos 17 et 21, Polonaise n° 6 «Héroïque», Polonaise Fantaisie, Scherzos nos 1, 2 et 3, Sonate n° 2, Valses nos 2 et 7.*

On ne résiste pas au piano de Vladimir Horowitz, qui curieusement se partage entre un brio parfois excessif et un alanguissement qui affadissent ces Nocturnes qui n'ont pas besoin de l'être.

Nocturnes nos 2, 4, 5, 7, 15, 16.

*** Alfred Cortot (piano). EMI VSM C 153-603.090/6 (7 d.). Mono. Enregistré en 1929, 1951, 1948, 1951, 1947, 1947. + *4 Ballades, Barcarolle, Berceuse, 2 Chants polonais, Concerto n° 2, Etudes op. 10 et op. 25, 3 Etudes op. posthume, Fantaisie op. 49, 4 Impromptus, Polonaise n° 6 «Héroïque», Préludes op. 28, Prélude op. 45, Sonates nos 1 et 2, Tarentelle, 14 Valses.*

Enregistrés à des époques différentes de la carrière de Cortot, ces six Nocturnes témoignent de la qualité unique de son toucher. Et même si quelques inégalités viennent ternir les opus 15 n° 1 et 55 n° 2, on ne peut que s'incliner.

Nocturnes nos 4, 5, 7, 8.

*** Maurizio Pollini (piano Steinway). EMI VSM C 069-01.897. + *Ballade n° 1, Polonaises nos 5 et 6 «Héroïque».*

La simplicité et le refus de l'éclat caractérisent l'approche par Maurizio Pollini de ces quatre Nocturnes. La rigueur, qui n'est pas tant qualité que, plûtot, un état préalable à toute interprétation, se trouve ici transfigurée par un musicien en état de grâce.

Nocturnes nos 4, 7, 8, 9, 13.

*** Yura Guller (piano). Ducretet - Thomson 255 C 040 (sup.). 25 cm. Mono.

Le naturel, l'absence d'affectation et la qualité d'un toucher persuasif font regretter la disparition de ce disque qui, de plus, est l'un des rares témoignages de l'une des plus stupéfiantes pianistes du XXe siècle.

Les 16 Polonaises : n° 1 en ut dièse mineur op. 26 n° 1, n° 2 en mi bémol mineur op. 26 n° 2, n° 3 en la majeur op. 40 n° 1 «Militaire», n° 4 en ut mineur op. 40 n° 2, n° 5 en fa dièse mineur op. 44, n° 6 en la bémol majeur op. 53 «Héroïque», n° 7 en la bémol majeur «Polonaise fantaisie» op. 61, n° 8 en ré mineur op. 71 n° 1, n° 9 en si bémol majeur op. 71 n° 2, n° 10 en fa mineur op. 71 n° 3, n° 11 en sol mineur op. posthume, n° 12 en si bémol majeur op. posthume, n° 13 en la bémol majeur op. posthume, n° 14 en sol dièse mineur op. posthume, n° 15 en si bémol mineur op. posthume, n° 16 en sol bémol majeur op. posthume.

** Halina Czerny-Stefanska (piano), Ludwik Stefanski (piano), Jan Ekier (piano). Erato ERA 9.005 (25 d.). + *Intégrale de l'œuvre de Chopin.*

* Nikita Magaloff (piano). Philips 6768.067 (16 d.). + *Intégrale de l'œuvre pour piano.*

Trois interprètes se partagent les Polonaises dans l'intégrale Erato. Ludwik Stefanski joue les Polonaises n°s 10, 15 et 16 avec un tact et une discrétion dans le phrasé qui sont les marques d'un talent de musicien. Halina Czerny-Stefanska - la femme de Ludwik Stefanski -, de son côté, joue les Polonaises n°s 1, 2, 8, 9, 11 à 14 avec une éloquence et une noblesse proches de la perfection. On trouvera plus échevelé, plus batailleur, mais pas plus douloureux, plus secrètement passionné. Quant à Jan Ekier, il a été choisi pour interpréter les Polonaises n°s 3 à 7. Son tempérament, sa générosité ne feront pas oublier une conception un peu brouillonne, qui n'accorde que peu d'intérêt à la ligne et aux plans sonores.

Nikita Magaloff a une vision originale de ces seize manifestes que sont les Polonaises. Ses tempos, généralement très modérés, visent à mettre en valeur la spécifité de la Polonaise en tant que danse. Evidemment, cette conception peut se justifier, et la réussite de Malagoff en est la preuve, mais il en découle une sorte d'uniformité et - pourquoi ne pas l'écrire ? - une certaine monotonie.

Polonaises n°s 1 à 10.

*** Samson François (piano). EMI VSM C 069-10.291/2 (2 d.). ⌧ C 269-10.291/2 (2 c.). Enregistré en 1968 et 1969.

L'anti Magaloff. Samson François était un interprète qui parlait toujours à la première personne. Tout ici n'est que l'expression d'un sentiment d'une impérieuse grandeur et d'une évidente sincérité.

Polonaises n°s 1 à 6.

*** Arthur Rubinstein (piano). RCA FRLI 7.028. ⌧ FRKI 7.028.

Arthur Rubinstein a joué ces Polonaises un peu partout dans le monde, tout au long d'une carrière auréolée de gloire et de succès. Nous retrouvons intactes dans ce disque ses qualités légendaires de pianiste sans l'espèce de superficialité mondaine que l'on a pu parfois lui reprocher. Il ne manque qu'un soupçon de dramatisme pour rendre cet enregistrement parfait.

Polonaises n°s 1 à 7.

*** Maurizio Pollini (piano Steinway). DG 2530.659. ⌧ 3300.659.

On ne sait plus très bien quoi dire lorsqu'il s'agit de Maurizio Pollini. Ses qualités sont de celles qui dépassent l'analyse. Un respect presque scolaire des textes et un naturel confondant, doublés par une puissance de concentration et un art pianistique proche de ceux de Dinu Lipatti, font de ce jeune pianiste le modèle pour toute une génération.

Polonaises n°s 5 et 7.

❀*** Vlado Perlemuter (piano). Nimbus 45.015 (45 tours/30cm). Enregistré en 1981 et 1982. + *Barcarolle, Berceuse, Fantaisie.*

Dans ce récital Chopin, on ne sait ce qu'il faut admirer le plus chez Perlemuter : son fabuleux pianisme, la rigueur de son approche stylistique, la noblesse et l'efficacité de son tempérament dramatique ou cette pudique sensibilité qui entraîne l'auditeur au cœur même de l'œuvre. La Polonaise n° 5 revêt un héroïsme déterminé et conscient; la n° 7, *Polonaise-Fantaisie*, s'impose en référence, menée par la diversité et la force poétique de ce jeu, par l'acuité de cette vision qui rend à Chopin sa dimension visionnaire.

Polonaises n°s 6 et 7.

*** Vladimir Horowitz (piano Steinway). CBS 75.969 ⌧ 40-75.969. + *Etude op. 10 n° 5, Introduction et Rondo op. 16, Mazurka n° 13, Valse n° 3.*

Les riches heures de Vladimir Horowitz. Il y a tout, dans cette incarnation des Polonaises, le souffle, la grandeur épique, la noblesse et par-dessus tout, un sens de la mise en scène irrésistible. Et quelle sonorité de piano limpide et profonde !

Les 24 Préludes op. 28.

❀*** Alfred Cortot (piano). EMI VSM C 153-603.090/6 (7 d.). Mono. Enregistré en 1933. + *4 Ballades, Berceuse, 2 Chants polonais, Concerto n° 2, Etudes op. 10 et op. 25, 3 Etudes op. posthume, Fantaisie op. 49, 4 Impromptus, Nocturnes n°s 2, 4, 5, 7, 15 et 16, Polonaise n° 6 «Héroïque», Préludes op. 28,*

Prélude op. 45, Sonates nos 2 et 3, Tarentelle, 14 Valses.

❀*** Bella Davidovitch (piano Steinway). Philips 9500.666. ⊠ 7300.764.

❀*** Maurizio Pollini (piano Steinway). DG 2530.550. ⊠ 3300.550.

*** Claudio Arrau (piano Steinway). Philips 6500.622 ⊠ 7300.335. + *Prélude op. 45, Prélude en la bémol majeur «A Pierre Wolff».*

** Alicia de Larrocha (piano). Decca SXL 6.733. (G-B). + *Berceuse.*

** Nikita Magaloff (piano). Philips 6768.067 (16 d.) + *Intégrale de l'œuvre pour piano.*

* Cor de Groot (piano). Fontana 700.070 (sup.). Stéréo artificielle.

* Murray Perahia (piano). CBS 76.422.

* Maria João Pires (piano Steinway). Erato EF 28.027. ⊠ MCE 28.027. Enregistré en 1975. + *Prélude op. 45.*

* Martha Argerich (piano). DG 2530.721. ⊠ 3300.721. + *Prélude op. 45, Prélude en la bémol majeur «A Pierre Wolff».*

Alfred Cortot a enregistré trois fois les Préludes, en 1927, en 1933, et pendant la Seconde Guerre mondiale. C'est sa seconde version qui doit être retenue pour sa prodigieuse capacité de recréation et sa parfaite mise en œuvre digitale. Encore une fois, la technique pianistique en laissera plus d'un ébahi (8e, 16e, et 24e Préludes). Cortot a été le premier à envisager les Préludes comme un tout organique dont chaque pièce ne serait qu'un moment privilégié, et le miracle vient de là : l'unité naît de la diversité.

Hier inconnue, Bella Davidovitch s'impose aujourd'hui - tout au moins dans ce disque - au firmament. Une prodigieuse maîtrise pianistique qui n'est pas sans évoquer celle de Vladimir Horowitz, mise au service d'une conception grandiose qui ne laisse aucune place à l'alanguissement et à la sentimentalité. Sans doute parfois d'une grandeur démesurée, mais toujours convaincant.

Finalement, Maurizio Pollini est proche d'Alfred Cortot dans sa volonté d'unifier ce kaléidoscope. Mais les chemins empruntés diffèrent quelque peu. Autant Cortot cherchait et trouvait pour chaque Prélude une couleur et une ambiance particulières, autant Pollini privilégie le mouvement général et construit son interprétation de l'extérieur, traçant ainsi une grande trajectoire.

Claudio Arrau, à la façon de Cortot, joue sur les couleurs et la diversité sans toutefois atteindre l'unité de son aîné. Le refus du pathos et de l'éclat donnent à ce disque un climat souvent poignant à force d'effacement et de nudité dans l'expression.

Un jeu d'une beauté plastique qui atteint parfois au sublime (Préludes nos 17 et 23), voilà la qualité première d'Alicia de Larrocha. Mais comment peut-on enregistrer le piano ainsi ? L'aigu est détimbré, le médium glauque et l'aigu ressemble fort à celui d'une harpe.

Nikita Magaloff respecte avec un scrupule presque tatillon les indications portées sur les partitions. Ne pas croire pour autant qu'il colle au texte : au contraire, il fait preuve d'une imagination et d'un sens du rebondissement remarquables. On reste toutefois en deçà des enregistrements de Cortot, Davidovich et Pollini.

A peu près oublié aujourd'hui, Cor de Groot fut dans les annés 1950 un pianiste admiré du plus grand nombre. Son interprétation, qui figurait encore récemment dans une série très économique, se recommande à l'attention des amateurs par sa simplicité, son brio et son achèvement. On ne retrouve pas le grand style de Cortot ou de Pollini avec cette interprétation, mais Cor de Groot ne dénature jamais Chopin, et c'est déjà beaucoup.

Murray Perahia joue du bout des doigts, certes, mais aussi du bout du chœur. S'il ne met pas en évidence toute la complexité de l'univers tourmenté des Préludes, il en saisit parfaitement le fugitif et le tragique.

Plus musicienne que pianiste, Maria João Pires réussit là ou d'autres illustres concertistes ont échoué. Placée sous le signe de Mozart, cette lecture, qui ne manque pas d'énergie, est l'exacte opposée de celle de Bella Davidovich. La nuit et le soleil de midi.

On ne peut nier que Martha Argerich soit un tempérament, qu'elle soit une pianiste au jeu incandescent, mais on ne peut s'empêcher non plus de penser qu'elle ne maîtrise pas toujours son style. A côté d'incontestables réussites (8e, 16e Préludes), on est obligé de reconnaître que l'on frôle parfois la caricature.

Prélude en ut dièse mineur op. 45

❀*** Arturo Benedetti Michelangeli (piano Steinway). DG 2530.236 ⊠ 3300.349. + *Ballade n° 1, Mazurkas* *n*[os] *19, 20, 22, 25, 34, 42, 45, 46, 47 et 49, Scherzo n° 2.*

*** Vlado Perlemuter (piano). Concert hall SMS 2207 (Sup.). + *Préludes op. 28.*

** Alfred Cortot (piano). EMI VSM C 153-03.090/6. (7 d.). Mono. Enregistré en 1949, + *4 Ballades, Barcarolle, Berceuse, 2 Chants polonais, Concerto n° 2, Etudes op. 10 et op. 25, 3 Etudes op. posthume, Fantaisie op. 49, 4 Impromptus, Nocturnes n° 2, 4, 5, 7, 15 et 16, Polonaise n° 6 «Héroïque», Préludes op. 28, Sonates n*[os] *2 et 3, Tarentelle, 14 Valses.*

Le toucher lumineux et pur comme une gemme d'Arturo Benedetti Michelangeli traduit à merveille les mouvances tonales de ce prisme harmonique.

Si ce n'était une prise de son un peu empâtée dans le bas médium, Vlado Perlemuter pourrait prétendre faire jeu égal avec Michelangeli. L'impalpable douceur de son toucher et l'exceptionnel fini de son jeu confèrent à son interprétation un charme inégalable.

Enregistré au soir de la carrière d'Alfred Cortot, cette version du Prélude op. 45 laisse, en dépit d'une mise en œuvre digitale imparfaite, percevoir l'art incomparable du plus bel interprète chopinien du XXe siècle.

Les 4 Scherzos : n° 1 en si mineur op. 20, n° 2 en si bémol mineur. op. 31, n° 3 en ut dièse mineur op. 39, en mi majeur op. 54.

❀*** Samson François (piano). Enregistré en 1955. EMI VSM C 163-53.523/7 M (5 d.). Mono. + *Andante spianato, Ballades, Impromptus, Mazurkas.*

*** Nikita Magaloff (piano). Philips 6768.067. + *Intégrale de l'œuvre pour piano.*

** Eva Osinska (piano Steinway). Cassiopée 369.214. Enregistré en 1979.

** Sviatoslav Richter (piano Yamaha). Chant du monde LDX 78.670. ✉ K 200.

* Arthur Rubinstein (piano). RCA ARL1 0.869.

Il semble bien que les Scherzos aient été écrits pour Samsom François, qui en est l'interprète de référence. Ce musicien de génie met parfaitement en évidence les ruptures de ton et l'allure improvisée de ces quatre opus.

Nikita Magaloff signe ici une des réussites de son intégrale de l'œuvre de Chopin. Il passe sans coup férir de la puissance incantatoire (1er Scherzo) à la fureur (2e Scherzo), de la prière wagnérienne (3e Scherzo) à la lumière (4e Scherzo).

Sviatoslav Richter ne ne se bat pas contre son instrument, mais il aurait dû se battre pour en avoir un autre. Ce piano, monochrome, à la sonorité éclatante et impersonnelle, grève un interprète inspiré et habité. L'angoisse morbide qui souvent s'échappe de ces Scherzos est portée à son paroxysme par Richter. Mais encore une fois, que ce piano est laid !

Arthur Rubinstein, qui par nature est un optimiste, passe un peu à côté de la fureur des premiers Scherzos. Il réussit mieux le 3e, d'un galbe irréprochable, mais surtout le 4e, d'une liberté et d'une bonne humeur contagieuses.

Il semble qu'Eva Osinska soit en train de s'acheminer vers un enregistrement intégral de l'œuvre pour piano de Chopin. A l'exemple de beaucoup d'interprètes polonais, elle insiste plus sur la vigueur et l'héroïsme, sur la puissance et la fougue, que sur la subtilité et la tendresse. Servie par un superbe Steinway remarquablement enregistré, elle force l'admiration dans les Scherzos par son urgence dramatique et son autorité. Tout au plus lui reprochera-t-on une certaine inertie dans le 3e Scherzo, mais elle tient ses tempos de façon remarquable.

Scherzos n[os] **1, 2, 3.**

*** Vladimir Horowitz (piano Steinway). RCA VM 42.710 (4 d.). Stéréo artificielle. Enregistré en 1950 et 1957. + *Andante spianato et grande Polonaise, les 4 Ballades, Barcarolle, Etudes op. 10 n*[os] *3 et 4, Impromptu n° 1, Mazurkas n° 17 et 21, Polonaise n° 6 «Héroïque», Polonaise Fantaisie, Sonate n° 2, Valses n*[os] *2 et 7.*

«Horowitz au piano, c'est Satan en personne.» Ce mot de Clara Haskil illustre parfaitement cette interprétation. On peut critiquer dans le détail une lecture qui vise à l'effet et qui, curieusement, se partage entre la langueur et la puissance la plus incroyable ; mais Horowitz vous tient sous le magnétisme de son jeu, et c'est cela qui compte.

Scherzo n° 2.

❀*** Arturo Benedetti Michelangeli (piano Steinway). DG 2530.236 ⌧ 3300.236. + *Ballade n° 1, Mazurkas n°s 19, 20, 22, 25, 34, 42, 45, 46, 47 et 49, Prélude op. 45.*

*** Vlado Perlemuter (piano Pleyel). Festival FC 453. Enregistré en 1960. + *Ballade n° 2, Barcarolle, Berceuse, Etude op.10 n° 12, Fantaisie op. 49, Tarentelle.*

Une version en marge de la discographie. Arturo Benedetti Michelangeli épure son jeu jusqu'à l'immatérialité. Le chant s'éploie avec une luminosité et une douceur quasi religieuse (mesures 65 à 96). Trop d'interprètes de Chopin jouent avec une assurance et un aplomb qui ne sont pas de mise ; Michelangeli, le grand, doute, s'interroge et interroge le texte, mais sous une apparente impassibilité il vous plonge dans le trouble. Bouleversant.

Simple, humble, Vlado Perlemuter s'efface, se retranche derrière le graphe musical. Ne pas croire pour autant qu'il est objectif, voire distant, non, il est chaleureux, amical, et son naturel est convaincant.

Sonate n° 2 en si bémol mineur op. 35 «Funèbre».

❀*** Yves Nat (piano). EMI VSM C 051-12.005 M. Mono. Enregistré en 1953. + *Barcarolle, Fantaisie op. 49.*

❀*** Vlado Perlemuter (piano Steinway). Nimbus 2.109. Quadri. Enregistré en 1977. + *Sonate n° 3.*

❀*** Alfred Cortot (piano). EMI VSM C 153-03.090/6 (7 d.). Mono. Enregistré en 1933. + *4 Ballades, Barcarolle, Berceuse, 2 Chants polonais, Concerto n° 2, Etudes op. 10 et op. 25, 3 Etudes op. posthume, Fantaisie op. 49, 4 Impromptus, Nocturnes n°s 2, 4, 5, 7, 15 et 16, Polonaise n° 6 «Héroïque», Préludes op. 28, Prélude op. 45, Sonate n° 3, Tarentelle, 14 Valses.*

*** Serge Rachmaninov (piano). RCA 731.024 (sup.). Mono. Enregistré en 1930. + *Mazurka n° 41, Nocturnes n°s 2 et 5, Valses n°s 1, 3, 6, 7, 10, 11 et 14.*

*** Ivo Pogorelich (piano). DG 2531.346. ⌧ 3301.346. Enregistré en 1971. + *Prélude en ut dièse mineur op. 45, Scherzo n° 3, Nocturne n° 16, Etudes op. 10 n°s 8 et 10 et op. 25 n° 6.*

** Arturo Benedetti Michelangeli (piano). Cetra Opera Live LO 517 (2 d.). Mono. Enregistré en 1952. + *Beethoven : Sonate n° 3. Brahms : Variations sur un thème de Paganini. Ravel : Valses nobles et sentimentales. Scarlatti : 3 Sonates.*

** Bruno Leonardo Gelber (piano). EMI VSM C 069-73.040. Enregistré en 1979. + *Sonate n° 3.*

** Emil Guilels (piano). Chant du Monde LDX-A 8.337 (sup.). + *Liszt : Sonate en si mineur.*

** Vladimir Horowitz (piano Steinway). CBS 79.340 (3 d.). Enregistré en 1962. + *Ballade n° 1, Etudes n°s 3, 4, 5 et 12, Mazurkas n°s 7, 13, 20, 23, 27, 32 et 38, Nocturne n° 15, Polonaises n°s 3, 5, 6 et 7, Prélude n° 6, Rondo n° 2, Valses n° 3 et 7.*

** Alexandre Uninsky (piano). Fontana 700.011. Stéréo artificielle. + *Etudes op. 10 n°s 3, 7, 8 et 12. Polonaises n°s 3 «Militaire» et 6 «Héroïque».*

Yves Nat ne nous a laissé que trois interprétations d'œuvres de Chopin, qui sont réunies sur ce disque. «S'oublier totalement afin que l'œuvre se ressouvienne», ce mot d'Yves Nat en dit plus long que n'importe quelle analyse de cette foudroyante recréation.

Sans avoir tout à fait le dramatisme visionnaire de Nat, Vlado Perlemuter s'impose par son esprit tragique et sa maturité, son sens de la construction, son contrôle absolu des tempos et la perfection de son jeu, d'une présence sans relâchement.

Alfred Cortot a enregistré trois fois cette

Sonate. Deux fois au temps du 78 tours et une fois en 1953. Sa meilleure version est la seconde, enregistrée en 1933. Une diction haletante et désespérée dans le 1er mouvement, les jeux funèbres du 2e mouvement, l'implacabilité rythmique de la Marche funèbre et l'effroi du finale ne font que renforcer le caractère définitif de cette interprétation, qui est à mettre sur un plan d'égalité avec celles de Nat et Perlemuter.

Si le compositeur Serge Rachmaninov peut être contesté, le pianiste ne pourra être qu'admiré. Sobre et implacable, Rachmaninov s'imposerait aux côtés des versions précitées s'il ne jouait pas si vite la Marche funèbre (65 à la noire). Cependant, on comprend mal la disparition de ce disque historique, qui fait partie du patrimoine culturel du monde.

Le jeu lumineux et délié d'Ivo Pogorelich franchit les obstacles avec une souplesse et une facilité stupéfiantes, et rappelle celui du jeune Horowitz. L'originalité de Pogorelich se manifeste de façon saisissante dans la Sonate : dans une perfection technique insurpassable on retrouve un éclairage romantique qui peut aujourd'hui surprendre, les Pollini et les Duchâble nous ayant habitués à une conception plus «classique» de l'art de Chopin.

Arturo Benedetti Michelangeli enregistre peu ; aussi en est-on réduit à publier des bandes de concert dont la qualité technique laisse parfois à désirer. C'est le cas de cet album de deux disques à peu près audibles, bien que le piano soit cotonneux et que la dynamique soit totalement rabotée. Seulement, un témoignage de Michelangeli doit toujours être écouté avec passion et médité avec raison. Celui-là ne faillit pas à la règle, par son dépouillement presque monacal et son refus de l'effet.

Le Chopin de Gelber frappe aussitôt par sa noblesse. Il a de la substance, il y circule du sang, il s'y tend des conflits, il porte les marques de l'humain et de l'amer. Un disque difficile, dont la fréquentation assidue révélera l'exigeante et victorieuse unité.

Emil Guilels a enregistré deux fois cette Sonate, dans des interprétations assez proches (la première était couplée avec deux Préludes et Fugues de Chostakovitch). Version d'un dramatisme austère et d'un classicisme grandiose, non sans froideur, mais d'un pianisme éblouissant.

Vladimir Horowitz chez lui, à son piano. En effet, la firme CBS avait installé à demeure des micros chez l'illustre pianiste qui avait déserté salles de concert et studios d'enregistrement. Curieusement, cette Sonate ne semble pas avoir toujours inspiré Horowitz. Sa version parue chez RCA se partage entre la broderie et l'affectation, tandis que cette version CBS, plus rigoureuse et dramatique, n'est toutefois pas totalement convaincante, en partie à cause du tempo étiré du trio de la Marche funèbre.

Qui se souvient d'Alexandre Uninsky ? Il fut le premier pianiste français à remporter un grand prix au concours Chopin de Varsovie. Pourtant, ces interprétations d'un goût et d'un style irréprochables rendent justice à l'invention de Chopin à défaut de la recréer totalement. Inscrit dans une série économique, ce disque est à conseiller avant ceux d'Arthur Rubinstein, Miloz Mágin, Claude Kahn, Georges Cziffra ou Alexis Weissenberg, que nous n'avons pas retenus dans cette sélection.

Sonate n° 3 en si mineur op. 58.

❀*** Dinu Lipatti (piano Steinway). EMI VSM C 051-03.815 M. Mono. Enregistré en 1947. + *Barcarolle, Mazurka n° 32, Nocturne n° 8, Valse n° 2.*

❀*** Vlado Perlemuter (piano Steinway). Nimbus 2.109. Quadri. Enregistré en 1977. + *Sonate n° 2.*

*** Alfred Cortot (piano). EMI VSM C 153-03.090/6 (7 d.). Mono. Enregistré en 1934. + *4 Ballades, Barcarolle, Berceuse, 2 Chants polonais, Concerto n° 2, Etudes op. 10 et op. 25, 3 Etudes op. posthume, Fantaisie op. 49, 4 Impromptus, Nocturnes nos 2, 4, 5, 7, 15 et 16, Polonaise n° 6 «Héroïque», Préludes op. 28, Prélude op. 45, Sonate n° 2, Tarentelle, 14 Valses.*

** Emil Guilels (piano). DG 2531.099 (sup.). + *Polonaises n° 3, 4 et 6 «Héroïque».*

** Martha Argerich (piano Steinway). DG 2531.289. ✉ 33-1.289. + *Sonate n° 2.*

Dinu Lipatti était un élu de Dieu. Chacune de ses interprétations était le fruit d'une intense réflexion passée au crible d'une sensibilité pudique mais ô ! combien présente. C'est un document émouvant et l'une des plus belles interprétations chopiniennes qui se puisse concevoir. Miracle d'équilibre et de profondeur, de lyrisme tout italien et d'introspection troublante.

Vlado Perlemuter est à placer au même niveau que Dinu Lipatti. Sensible, pudique, d'une admirable tenue stylistique, voilà comment apparaît cette version admirable. Au soir d'une carrière discrète mais exemplaire, Vlado Perlemuter s'impose au sein d'une discographie déjà riche de réussites.

Alfred Cortot désirait voir ajouter l'indication *Fieramente* au *Maestoso* initial. Et toute son interprétation est contenue dans cette indication. On regrettera tout au plus quelques coquetteries dans la diction, mais on admirera la sonorité mystérieuse du *Largo* et la virtuosité transcendante du Finale.

Emil Guilels remodèle les tempos de cette Sonate, et pour convaincre, sa conception demande beaucoup d'attention de la part de l'auditeur. Vision désincarnée, d'où toute subjectivité est bannie au profit d'une lumière diffuse.

Quand Martha Argerich s'assagit et réfrène son ardeur trépignante, elle émeut par une simplicité et une rare qualité de toucher. On ne retrouve pas la prodigieuse maîtrise de Perlemuter, de Lipatti ou de Guilels, mais une spontanéité qui est la marque de la *jeunesse.*

Sonate pour violoncelle et piano en sol mineur op. 65.

*** Anner Bylsma (violoncelle), Gérard Van Blerk (piano). Acanta 25 21 577-6. + *Grand duo concertant sur des thèmes de Robert le Diable de Meyerbeer, Polonaise brillante pour violoncelle et piano op. 3.*

** Mstislav Rostropovitch (violoncelle), Martha Argerich (piano). DG 2531.201. ⊠ 3301.201. + *Polonaise pour violoncelle et piano op. 3. Schumann : Adagio et allegro en la bémol op. 70.*

** Paul Tortelier (violoncelle), Aldo Ciccolini (piano). EMI VSM CVB 2148 (G-B). + *Rachmaninov : Sonate pour violoncelle et piano.*

Bylsma et Van Blerk, sur des instruments à peu de chose près contemporains des oeuvres jouées, nous donnent une vision radicalement opposée à celle de Rostropovitch et Argerich. Chez eux, la fougue, la virtuosité cèdent le pas à la profondeur, à l'introspection, au naturel. Les deux interprètes ne se départissent jamais d'un sérieux qui, paradoxalement, devient parodique, et le rythme immuable du pianiste donne alors tout son sens à la virtuosité sinueuse du violoncelle.

Rostropovitch révèle dans cette musique, qui n'est peut-être qu'une apogée d'élégance mondaine, les accents et les mélismes triomphalement baroques d'un sonnet de Mickiewicz, et sa compagne lui tisse des figures de rêve dans chaque volubile rafale de doubles croches.

La version de Tortelier peut être recommandée pour sa tenue et sa simplicité, en dépit de la participation bien terne d'Aldo Ciccolini.

Tarentelle en la bémol majeur op. 43.

*** Vlado Perlemuter (piano Pleyel). Festival FC 453. Enregistré en 1960. + *Ballade n° 2, Barcarolle, Berceuse, Etude op. 10 n° 12, Fantaisie op. 49, Scherzo n° 2.*

*** Arthur Rubinstein (piano). RCA ARL1 0.868. ⊠ ARK1 0.868. + *Barcarolle, Berceuse, Boléro, 3 Etudes op. posthume, Fantaisie op. 49.*

Une exception dans la production de Chopin : nul tourment ne vient ternir cette page de virtuosité. Vlado Perlemuter reste d'une discrétion et d'une netteté dans la découpe des rythmes, exemplaires.

Virtuose sans complexe, Arthur Rubinstein traduit avec une verve irrésistible cette page tournoyante.

Trio pour piano, violon et violoncelle en sol mineur op. 8.

** Trio Ravel. Arion 38.427. Enregistré en 1978. + *Ecossaises, Nocturnes n°s 20 et 21, Polonaise pour violoncelle et piano, Valses n°s 18 et 19.*

Si seulement Chopin avait persisté dans cette voie, peut-être nous aurait-il donné quelques-unes parmi les plus belles pages de la musique de chambre. Belle lecture, fine et poétique, de ce Trio plus difficile qu'il n'y paraît.

Les 19 Valses : n° 1 en mi bémol majeur op. 18, n° 2 en la bémol majeur op. 34 n° 1, n° 3 en la mineur op. 34 n° 2, n° 4 en fa majeur op. 34 n° 3, n° 5 en la bémol majeur op. 42, n° 6 en ré bémol majeur op. 64 n° 1, n° 7 en ut dièse mineur op. 64 n° 2, n° 8 en la bémol majeur op. 64 n° 3, n° 9 en la bémol majeur op. 69 n° 1, n° 10 en si mineur op. 69 n° 2, n° 11 en sol bémol majeur op. 70 n° 1, n° 12 en fa mineur op. 70 n° 2, n° 13 en ré bémol

majeur op. 70 n° 3, n° 14 en mi mineur op. posthume, n° 15 en mi majeur op. posthume, n° 16 en la bémol majeur op. posthume, n° 17 en mi bémol majeur op. posthume, n° 18 en la mineur op. posthume, n° 19 en mi bémol majeur op. posthume.

*** Nikita Magaloff (piano). Philips 6768.067 (16 d.). *+ Intégrale de l'œuvre pour piano.*

** Reine Gianoli (piano Steinway). Adès 10.001 (1 d. 33t. 30 cm et 1 d. 33t 17 cm). Enregistré en 1975.

Nikita Magaloff est d'une grâce confondante, dans ces Valses tellement rabâchées que l'on finit par ne plus vouloir les écouter. Il réussit ce miracle de nous les faire redécouvrir comme aux premiers jours, débarrassées de toutes les séductions dont on les a apprêtées.

Reine Gianoli était une femme qui s'engageait totalement dans tout ce qu'elle faisait. Sous ses doigts, les Valses prennent une densité et une épaisseur que l'on ne leur connaît guère. Mais il y a une chose sur laquelle il faudra passer si vous achetez ce disque, c'est sa qualité sonore ; en effet, le piano est d'une dureté effrayante, dont Reine Gianoli, qui possédait l'un des plus beaux touchers de piano de l'après-guerre, n'est en aucun cas responsable.

Valses n°ˢ 1 à 14.

❀*** Dinu Lipatti (piano). EMI VSM C 051-00.167 M. ⌧ C 251-00.167. Mono. Enregistré en 1948.

❀*** Krystian Zimerman (piano Steinway). DG 2530.965. ⌧ 3300.965.

*** Claudio Arrau (piano). Philips 9500.739. ⌧ 7300.824.

*** Arthur Rubinstein (piano). RCA ARL1 0.624. ⌧ ARK1 0.624.

Enregistrement légendaire de Lipatti, qui est à Chopin ce que ceux de Schnabel sont à Beethoven. Dinu Lipatti promène un regard détaché sur ce monde qu'il va bientôt quitter pour toujours.

La tête renversée en arrière, l'œil mi-clos, le sourire aux lèvres, Krystian Zimerman joue pour vous seul une musique qu'il réinvente avec encore plus d'évidence que Magaloff. La grande version moderne de ces pages.

Arrau signe ici une version de chambre de ces Valses, à l'opposé de celle de Lipatti, plus contrastée, plus «concert». Ces tempos mesurés, cette dynamique réduite, ce toucher subtil au-delà de l'imaginable, cette chaleur expressive... tout dans le jeu d'Arrau rappelle les descriptions que l'on donne de celui de Chopin. Les dernières Valses (n°ˢ 16 à 19), interprétées dans le même esprit, figurent en complément de programme du disque consacré par Arrau aux *Impromptus.*

On trouve chez Rubinstein un brio et une force de persuasion peu commune ; mais que tout paraît clinquant après Lipatti et Zimmerman !

Valses n°ˢ 1 et 3 à 14.

*** Dinu Lipatti (piano). EMI Da capo C 147-00.463/4 (2 d.). ⌧ C 447-03.109. Enregistré en 1950. *+ Bach : Partita n° 1 BWV 825. Mozart : Sonate n° 8. Schubert : Impromptus op. 90 n°ˢ 2 et 3.*

Le dernier concert public de Dinu Lipatti, à Besançon, en septembre 1950 : il ne lui restait plus que quelques mois à vivre. En plus de la 1ʳᵉ Partita de Bach, de la 8ᵉᵐᵉ Sonate de Mozart et de deux Impromptus de Schubert, il avait inscrit les 14 Valses de Chopin à son programme. Ses forces ne lui permirent pas de les jouer toutes. A l'écoute, on ne se rend pas compte de la lutte qu'il devait mener contre des forces qui l'abandonnaient. Oui, la perfection est de ce monde.

Variations pour piano et orchestre en si bémol majeur op. 2 sur «Lá ci darem la mano» du Don Juan de Mozart.

❀*** Wladslaw Kedra (piano), Orch. Nat. Phil. et Symph. de Varsovie, Witold Rowicki. Erato ERA 9.005 (25 d.). *+ Intégrale de l'œuvre de Chopin.*

*** Claudio Arrau (piano), Orch. Phil. de Londres, Eliahu Inbal. Philips 6747.003. Enregistré en 1971. *+ Concertos n°ˢ 1 et 2, Andante spianato et grande Polonaise, Krakowiak, Fantaisie sur des airs polonais.*

La verve et la subtilité rythmique de Wladslaw Kedra sont époustouflantes. Sa façon de faire jaillir la phrase musicale et de la conduire jusqu'à son épanouissement avec une grande économie de moyens rend cette interprétation insurpassable. Elle est malheureusement enfouie dans un coffret de vingt-cinq disques.

Claudio Arrau ennoblit tout ce qu'il touche. Son interprétation manque bien un peu de fantaisie et de liberté, mais elle est si idéalement belle et fière que l'on est conquis.

Chostakovitch, Dimitri
(1906-1975)

L'Age d'or, suite de ballet op. 22a. Le Boulon, suite de ballet op. 27a.

** Orch. du Bolchoï, Orch. d'harmonie de l'Académie militaire de l'air, Maxime Chostakovitch. Chant du Monde Mélodia C 1387 (étr.).

La force satirique de la musique de Chostakovitch se développe dans cet *Age d'or* de 1930, qui raconte les aventures de footballeurs soviétiques partis jouer à l'étranger. Quant au *Boulon* (1931), il se situe dans une usine et est prétexte à un grand nombre de tableaux très pittoresques. Disque plein de verve, montrant un musicien de vingt-cinq ans maître de son talent d'orchestrateur et confiant dans la vie nouvelle. Son fils Maxime déchaîne l'Orchestre du Bolchoï, magnifiquement animé. Bonne prise de son.

Le Chant des forêts, oratorio pour ténor, basse, chœurs d'enfants, chœur mixte et orchestre op. 81.

** I. Kilitchevski (t), Ivan Petrov (b), Ch. et Orch. de l'Etat d'URSS, Evgueni Mravinski. Chant du Monde LDX 8387 (sup.).

* Vladimir Ivanovski (t), Ivan Petrov (b), Ch. de la République de Russie, Orch. Phil. de Moscou, Alexandre Yourlov. Chant du Monde LDX 78 602.

C'est avec ce disque de Mravinski que les mélomanes français firent connaissance du nom de Chostakovitch : version célèbre, quasi historique, mais qui pour beaucoup classa définitivement le compositeur comme musicien «officiel». Quelle erreur ! La prise de son a beaucoup vieilli, mais quelle ferveur dans cet oratorio «populaire» à la gloire du socialisme stalinien (1949) !...

Avec la version plus récente et stéréophonique de Yourlov, on apprécie mieux les détails et les plans sonores de l'œuvre. Solistes et chœurs sont excellents, sans pour autant atteindre à l'enthousiasme communicatif de la version Mravinski. Si le *Chant des forêts* reste une œuvre significative d'un climat politique, et à ce titre intéressante, elle n'en reste pas moins une œuvre mineure du compositeur.

11 Chants hébraïques, pour soprano, contralto, ténor et piano op. 79.

** Nina Dorliac (s), Zaria Doloukhanova (c), Alexei Maslennikov (t), Dimitri Chostakovitch (piano). Chants du Monde LDX 8219 (sup.). Enregistré en 1959. + *Symphonie n° 9.*

* Maria Croonen (s), Annelies Burmeister (c), Peter Schreier (t), Orch. Symph. de Berlin, Kurt Sanderling. Wergo 60.023. Enregistré en 1966. + *Blacher, Dessau, Hartmann, Henze, Wagner-Regeny : Chronique juive.*

L'enregistrement réalisé avec le compositeur au piano, dans la version originale avec accompagnement de piano, est une gravure proprement historique qui mériterait une réédition.

La version avec orchestre réalisée en Allemagne révèle une œuvre particulièrement attachante, défendue dans les meilleures conditions. Malheureusement, l'œuvre collective gravée sur l'autre face est d'un intérêt moindre.

Le clair ruisseau, ballet op. 39 : Suites nos 1, 2 et 3.

* Orch. du Bolchoï, Maxime Chostakovitch. Chant du Monde V. 1427 ou DG 2530.615 (étr.).

Œuvre assez conventionnelle dans la tradition du ballet russe Tchaïkovsky-Petipa, avec des élans lyriques à faire pleurer et une légèreté souriante. Valses, romances sentimentales, galops, gavottes sont traités avec soin par le fils du compositeur, et l'Orchestre du Bolchoï garantit le style. Excellente prise de son.

Concertino pour 2 pianos op 94. Trois Danses fantastiques.

* Maxime et Dimitri Chostakovitch (pianos). Monitor MC 2040 (sup.). Enregistré en 1960.

* Hans Helmut Schwarz et Edith Henrici (pianos). Da Camera SM 93 107. Enregistré en 1966 *+ Borodine : Danses Polovtsiennes, Glinka : Variations «dans les vallées lointaines», Scriabine : Sonate n° 4, Fantaisie op. posth., Stravinsky : 3 Danses de Petrouchka.*

Le disque de Chostakovitch père et fils évoque irrésistiblement celui réalisé par Igor Stravinsky et son fils Sviatoslav Soulima en 1935, consacré également à un concerto pour deux pianos sans orchestre. Hélas ! dans les deux cas, ils sont aujourd'hui pratiquement introuvables. Un document qui mériterait d'être réédité, même si l'œuvre est assez secondaire.

Heureusement, le disque Schwarz-Henrici comble en partie cette lacune, pour ceux qui veulent avoir une approche complète de son œuvre.

Concertos pour piano et orchestre n°s 1 et 2.

*** Dimitri Chostakovitch (piano), Ludovic Vaillant (trompette), Orch. National de la RTF, André Cluytens. EMI VSM C 061-12.114 (sup.). Enregistré en 1959. *+ 3 Danses Fantastiques op. 5.*

*** Eugène List (piano), Orch. de la Radio et de la Télévision de Moscou, Maxime Chostakovitch. CBS 76 822. Enregistré en 1975.

Le néo-classicisme de ces deux partitions les a rendues très populaires. Dimitri Chostakovitch enregistra ce disque lors de son passage en France, en même temps que la 11e Symphonie. Du côté du soliste comme de l'orchestre, le jeu est brillant et très classique. Une référence qui fait oublier l'enregistrement réalisé en 1961 du Concerto n° 2 avec l'Orchestre de l'URSS sous la direction d'Alexander Gaouk, couplé avec la 6e Symphonie. En prime, les trois *Danses Fantastiques.*

L'enregistrement d'Eugène List fut souhaité par Chostakovitch et réalisé seulement quelques mois avant sa mort. List a joué souvent l'œuvre en présence du compositeur. L'interprétation est également brillante, avec un soupçon de romantisme, surtout dans le Concerto n° 2. Prise de son excellente.

Concerto pour violon et orchestre n° 1 en la mineur op. 77.

*** David Oïstrakh (violon), Orch. New Philharmonia, Maxime Chostakovitch. EMI VSM C 069-02.400. Enregistré en 1974.

** Igor Oïstrakh (violon). Orch. Symph. Radio URSS, Maxime Chostakovitch. Chant du Monde LDX 78.576 (étr.). Enregistré en 1975.

David Oïstrakh enregistra l'œuvre aux premiers temps du microsillon à Leningrad avec Mravinski, et à New York avec Mitropoulos. Mais c'est incontestablement ce dernier enregistrement qui fait référence, compte tenu de la personnalité des musiciens en présence.

On ne saisit pas bien, dès lors, la nécessité d'un nouvel enregistrement avec les fils des deux géants russes. Pourtant, on doit s'accorder à reconnaître leur réussite sur le plan musical : mais l'archet de David est irremplaçable.

Concerto pour violon et orchestre n° 2 en ut dièse mineur op. 129.

*** David Oïstrakh (violon), Orch. Phil. Moscou, Kiril Kondrachine. Chant du Monde LDX 78.415 (étr.). Enregistré en 1968 *+ Symphonie n° 6.*

Unique version de ce concerto austère, sans concession à la virtuosité, mais auquel chef et surtout soliste insufflent un climat très intérieur. Au verso, la meilleure version de la Symphonie n° 6.

Concerto pour violoncelle et orchestre n° 1 op. 107.

*** Mstislav Rostropovitch (violoncelle), Orch. Philadelphie, Eugène Ormandy. CBS 60.284. Enregistré en 1972. *+ Symphonie n° 1.*

Unique enregistrement d'un magnifique concerto écrit à l'intention de Rostropovitch. Un document injustement retiré du catalogue.

Concerto pour violoncelle et orchestre n° 2 op. 126.

*** Mstislav Rostropovitch (violoncelle), Orch. Symph. Boston, Seiji Ozawa. DG 2530.653. ✉ 3300.653. Enregistré en 1976. + *Glazounov : Le Chant du Ménestrel.*

Œuvre également très attachante, ce Concerto pour violoncelle dédié à Rostropovitch trouve là une interprétation de référence, qui plus est, magnifiquement captée. Le couplage est original.

Hamlet, suite d'orchestre d'après Shakespeare.

* Orch. Phil. de Moscou, Guennadi Rojdestvenski. Chant du Monde LDX 78.414. (sup.). Enregistré en 1964. + *Symphonie n° 4.*

Cette musique de scène de 1932 témoigne du goût de Chostakovitch pour les éléments grotesques et mécanisés. Voir Prokofiev... Une interprétation justement spectaculaire sous la baguette de Rojdestvenski, mais la prise de son a tout de même un peu vieilli sur le plan dynamique.

Katerina Ismailova, opéra. (version remaniée de Lady Macbeth du district de Mzensk).

*** E. Andreeva (Catherina), G. Efimov (Serge), E Boulavine (Boris), V. Radzievski (Zinovy), M. Tiouremov (le balourd miteux), N. Issakova (Sonietka), D. Potapovskaia (Axinia), Solistes, Ch. et Orch. du Théâtre Stanislavski, G. Provatorov. Chant du Monde LDX 78.400/03 (4 d.) (sup.). Enregistré en 1963.

Il s'agit de la version remaniée en 1958 de *Lady Macbeth*, retirée de la scène par Staline en 1936. La reprise de l'œuvre en décembre 1962 sous le titre de *Katerina Ismailova* attira l'attention du monde musical sur ce chef-d'œuvre de l'art lyrique contemporain. Les différences entre les deux versions ne sont pas essentielles, et la force dramatique de la partition reste aussi intense. Cet enregistrement, réalisé à l'issue des représentations de 1962 est particulièrement vivant, proche de la scène. Cependant, malgré ses mérites, cette version n'a pas les qualités vocales de celles de Rostropovitch, et l'orchestre est moins brillant. Somme toute, ce coffret demeure l'unique représentation de la version officielle de l'ouvrage.

Lady Macbeth du district de Mzensk, opéra. (Première version de Katerina Ismailova).

❀*** Galina Vichnevskaia (Catherine), Nicolai Gedda (Serge), Dimiter Petkov (Boris), Werner Krenn (Zinovi), Robert Tear (le balourd miteux), Birgit Finnilä (Sonietka), Taru Valjakka (Axinia), Ch. Ambrosien, Orch. Symph. de Londres, Mstislav Rostropovitch. EMI VSM 2 C 167-03.374/6 (3 d.). Enregistré en 1978.

Œuvre essentielle, qui devait être condamnée par Staline après deux années de succès en raison de son modernisme, «chaos au lieu de musique» (*La Pravda*). Le pessimisme du livret d'un réalisme provocant («pornophonie») dénonce principalement l'appareil policier, la violence, l'ennui de la vie quotidienne, l'amour impossible. Chostakovitch remania l'œuvre en 1958 et l'appela *Katerina Ismailova.* C'est pourtant la version primitive de l'opéra que dirige ici Rostropovitch, avec une distribution exceptionnelle au premier rang de laquelle figure Galina Vichnevskaia dans un de ses plus beaux rôles. L'ensemble est remarquablement exécuté et capté. Une très grande réussite.

La Mort de Stenka Razine, cantate pour basse, chœur et orchestre op. 119.

*** Vitali Gromadski (b), Ch. URSS, Orch. Phil. de Moscou, Kiril Kondrachine. Chant du Monde LDX 78 376 (étr.). Enregistré en 1966. + *Symphonie n° 9.*

La Mort de Stenka Razine est une des œuvres les plus poignantes et inspirées du compositeur, qui s'affirme ici comme le digne héritier de Moussorgsky. Cette réalisation est exemplaire, sur le plan vocal notamment, et surclasse nettement par son dramatisme les versions concurrentes publiées depuis. Les interprètes sont ceux de la création (décembre 1964), et l'enregistrement a été supervisé par le compositeur.

Le Nez, opéra-bouffe op. 15.

❀*** Edouard Akhimov (Kovalev), Boris Tarkhov (l'inspecteur de police), Valery Belikh (Iakovelich, le barbier), Boris Droujinine (Ivan), Alexandre Lomonossov (le Nez), Liudmila Sapeguina (Mme Podtochine), Liudmila Oukolova (sa fille), Ch. et Orch. du Théâtre Musical de Chambre de Moscou, Guennadi Rojdestvenski. Chant du Monde LDX 78.609/10 (2 d.) (étr.). Enregistré en 1975.

Unique version d'une œuvre essentielle pour qui veut connaître la modernité de Chostakovitch en 1929. Un chef-d'œuvre de notre temps révélé ici dans les meilleures conditions. L'enregistrement a été effectué quelques mois après la reprise de l'ouvrage en 1974. Réalisation exemplaire, dans une distribution idéale du côté des chanteurs et des instrumentistes de l'orchestre, soumis tous aux exigences de la plus grande virtuosité. Rojdestvenski dirige l'ensemble avec un brio extraordinaire.

La Nouvelle Babylone, suite.

** Solistes de l'Orch. Phil. Moscou, Guennadi Rojdestvenski. Chant du Monde LDX 78.168 (étr.). Enregistré en 1977.

Chostakovitch écrivit la musique de près d'une trentaine de films. Nous trouvons ici un témoignage éclatant du caractère visuel de son art, en cette suite tirée du film de Trauberg et Kozintsev réalisé en 1928. C'est Rojdestvenski qui la dirige, après en avoir assuré la révision d'après le matériel du compositeur. On pourra se faire une idée plus complète de Chostakovitch musicien de cinéma en se procurant (mais à l'étranger seulement) le disque réalisé par Maxime Chostakovitch, consacré aux films *Zoya* (1942) et *Pirogov* (1947).

Œuvres pour piano : 3 Danses fantastiques, Polka de l'âge d'or, 4 Préludes op. 34, 7 Pièces pour les enfants (titres annoncés par le compositeur). Prélude n° 8.

* Dimitri Chostakovitch (piano). Mercury 16002/3 (sup.). Mono.

Quelques archives qui mériteraient d'être republiées. Elles furent groupées sous le titre «Dimitri Chostakovitch dans ses œuvres», démontrant que nous avions affaire somme toute à un pianiste excellent.

Les 24 Préludes pour piano op. 34.

* Robert Cornman (piano). Decca FST 133.515 (sup.).

Préludes pour piano op. 34 n°s 1, 4, 10, 12, 14, 15, 16, 19 et 24.

** Lazar Berman (piano). DG 2530.096. ⌧ 3301.096. Enregistré en 1978. *+ Moussorgsky : Tableaux d'une exposition.*

Robert Corman est le seul à avoir enregistré l'intégralité de ces Préludes. Le 14e Prélude a été orchestré et enregistré par Léopold Stokowski.

La sélection opérée par Lazar Berman choisit les meilleures de ces pages. L'interprétation est tout à fait excellente. Un disque à retenir, même si on était en droit d'attendre une version plus convaincante des *Tableaux d'une exposition.*

Les 24 Préludes et Fugues pour piano op. 87.

* Roger Woodward (piano). RCA LRL2 5.100 (2 d.) (sup.). Enregistré en 1975.

Préludes et Fugues pour piano op. 87 n°s 4, 12, 14, 15, 17 et 23.

** Sviatoslav Richter (piano). Chant du Monde LDX 78.431 (étr.). Enregistré en 1963.

L'intégrale de Roger Woodward ne parvient pas toujours à préserver l'intérêt de certaines pages mineures. Le jeu du pianiste, rompu à la musique contemporaine, est parfois dur et sec, pas très «habité».

On préférera la sélection de Sviatoslav Richter, qui respecte l'ascèse de l'écriture tout en donnant un sens profond à ces pages considérées ici à l'égal du *Clavier bien tempéré* moderne.

Quatuors à cordes n°s 1 à 15.

** Quatuor Fitzwilliam. Decca 591.018 (7 d.). Enregistré de 1974 à 1978.

Si les jeunes solistes du Quatuor Fitzwilliam ont crânement tenté d'exprimer toute la puissance lyrique, la vague qu'est ce slavisme successivement nostalgique puis exubérant, ils ont atteint une perfection sans concurrence dans les œuvres médianes. Pour celles de la dernière période, on peut leur reprocher d'avoir remplacé certaines rudesses, la formidable révolte cachée, le climat de mort blafarde par un style trop uniformément plus élégant qu'engagé.

Quatuors à cordes n°s 1 à 12.

*** Quatuor Borodine. EMI SLS 879 (6 d.) (étr.).

Face au monde des 15 Symphonies, le massif des Quatuors se présente avec l'avantage d'une unité de pensée plus grande, sans aucune faille pratiquement. De ce fait, on reste interdit devant les nombreuses lacunes de la discographie française dans ce domaine. Il est proprement scandaleux que le coffret du Quatuor Borodine n'ait pas été diffusé encore en France. Dans presque tous les cas, son interprétation est excellente. Seuls, les Quatuors 12 et 13 ont été diffusés ici en un disque séparé.

Quatuor à cordes n° 14.

*** Quatuor Beethoven. Chant du Monde LDX 78.614 (étr.). + *Sonate pour alto et piano.*

Le Quatuor Beethoven rassemble quatre amis du compositeur qui ont constamment servi son œuvre. Leurs interprétations ont valeur de référence quant à l'esprit, et concurrencent avantageusement le Quatuor Borodine. Hélas ! leurs disques ont fort peu été diffusés en Occident. Le couplage permet de découvrir la dernière composition de Chostakovitch. Un document.

Quintette en sol mineur pour piano et cordes op. 57.

** Dimitri Chostakovitch (piano), Quatuor Beethoven de Moscou. Chant du Monde LD 8139 (sup.).

** Evá Bernáthová, Quatuor Janáček. Supraphon SUP 50.045 (sup.). Enregistré en 1965.

Le néo-classicisme de l'œuvre contribua à son succès. Sans atteindre à la réussite du Trio op. 67, le Quintette n'en demeure pas moins une œuvre de grande qualité par la sincérité de son écriture. La présence du compositeur au piano entouré de ses amis du Quatuor Beethoven devrait engager l'éditeur à republier ce disque de référence.

La réalisation tchèque s'impose par son raffinement et sa musicalité. Le prélude et la fugue qui ouvre le Quintette atteignent ici à une réelle grandeur.

7 Romances sur des poèmes d'Alexander Blok pour soprano, violon, violoncelle et piano op. 127.

** Galina Vichnevskaia (s), Ulf Hoelscher (violon), Mstislav Rostropovitch (violoncelle), Vasso Devetzi (piano). EMI VSM C 167-02.726/8 (3 d.). Enregistré en 1976. + *5 Satires. Moussorgski : Mélodies. Tchaïkovski : Mélodies.*

* Mary Ellen Pracht (s), New Amsterdam Trio. Turnabout TY 34.280 (sup.). + *Trio op. 67.*

Les 7 Romances furent écrites à l'occasion du 50e anniversaire de la révolution bolchévique (1967). Œuvre d'une belle facture, qui mériterait d'être mieux connue. La voix de Vichnevskaia donne à ces romances leur caractère lyrique et poétique. L'accompagnement est excellent. Un disque de référence au couplage idéal.

L'enregistrement de Mary Ellen Pracht présente des qualités évidentes, mais on souhaiterait une diction russe meilleure. Le timbre de la voix n'est pas non plus exceptionnel.

5 Satires pour soprano et piano op. 109.

*** Galina Vichnevskaia (s), Mstislav Rostropovitch (piano). EMI VSM C 167-02.726/8 (3 d.). Enregistré en 1976. + *7 Romances sur des poèmes d'Alexander Blok, op. 127. Moussorgski : Mélodies. Tchaïkovski : Mélodies.*

Ces 5 mélodies d'après les *Tableaux du passé* de Sacha Thiomy sont magnifiquement interprétées et gravées par le couple Vichnevskaia-Rostropovitch, ce dernier s'affirmant ici comme un excellent pianiste accompagnateur. L'intérêt de ce disque est encore renforcé par l'avantage du couplage.

Sonate pour alto et piano op. 149.

*** Fedor Droujinine (alto), Mikhaïl Mountian (piano). Chant du Monde LDX 78.614 (étr.). Enregistré en 1977. + *Quatuor n° 14.*

La Sonate pour alto est la dernière œuvre de Chostakovitch. Ce testament musical est un hommage à la mémoire de Beethoven, dont le compositeur cite, dans le troisième mouvement, un court extrait de la Sonate «au clair de lune». L'œuvre fut écrite à l'intention de Fédor Droujinine, altiste du Quatuor Beethoven, qui en donne là une version idéale dans l'esprit comme dans la lettre. Un disque très émouvant. Excellent couplage.

Sonate pour piano n° 1 op. 12.

* Pleshakov (piano). Orion 6915 (USA). Enregistré en 1973. + *Aphorisme op. 13, 3 Danses Fantastiques op. 5, 5 Préludes de l'opus 34.*

Sonate pour piano n° 2 op. 61.

** Emil Guilels, piano. RCA RB 6678 (sup.). Enregistré en 1966. + *Liszt : Sonate en si mineur.*

* Annie d'Arco (piano). Erato STU 70.477 (sup.). Enregistré en 1978. + *Concerto n° 1 op. 35.*

Unique version de la première Sonate pour piano. Un récital rare sur tous les plans, car il présente le jeune Chostakovitch expérimentant les ressources du clavier. Ce disque mériterait d'être importé des Etats-Unis.

La Sonate pour piano n° 2 est une œuvre de détente, composée entre les Symphonies n°s 7 et 8, dédiée à la mémoire de Leonide Nikolaiev, ancien professeur de Chostakovitch. C'est pourtant une œuvre difficile, sombre, sans concession à la virtuosité, dont Guilels s'attache magnifiquement à rendre l'esprit et l'architecture.

Annie d'Arco donne une version plus prosaïque, mais irréprochable sur le plan pianistique. En outre, il est facile de se la procurer.

Sonate pour violon et piano op. 134.

*** David Oïstrakh (violon), Sviatoslav Richter (piano). Chant du Monde 02.355 (étr.). Enregistré en 1970.

Œuvre de maturité dédiée à David Oïstrakh, elle est ici interprétée par ses deux créateurs, amis personnels du compositeur. Version de référence, donc, d'une page superbe que servent l'héroïsme et l'intensité du violoniste et la perfection classique du pianiste.

Sonate pour violoncelle et piano en ré mineur op. 40.

*** Mstislav Rostropovitch (violoncelle), Dimitri Chostakovitch (piano). Chant du Monde CDM 78.388 (étr.). Enregistré en 1961. + *Prokofiev : Sonate op. 119.*

Soucieux de la création de son opéra *Katerina Ismailova*, Chostakovitch se détend avec son ballet *Le clair ruisseau* et avec cette Sonate pour violoncelle et piano d'une grande intensité lyrique. Ce n'est pas une partition révolutionnaire, mais une œuvre très brillante pour les deux instruments, en dehors du largo d'un style déclamatoire, d'un caractère sombre. La version avec le compositeur fait bien sûr référence, d'autant qu'elle est bien captée. Et la sonorité de Rostropovitch reste unique. Une leçon de violoncelle.

Sonnets de Michel-Ange, Suite pour basse et orchestre ou piano op. 145 a.

*** Evgueni Nesterenko (b), Orch. Symph. de la Radio et Télévision de l'URSS, Maxime Chostakovitch. Chant du Monde LDX 78.163 (étr.). Enregistré en 1977.

* John Shirley-Quirk (bar), Vladimir Ashkenazy (piano). Decca SXL 6849 (G-B). Enregistré en 1977.

Ce cycle de 11 mélodies sur des textes de Michel-Ange pose le problème de l'immortalité du créateur qui continue à vivre par ses œuvres. Œuvre d'une profonde inspiration, méditation d'un artiste qui sent la fin proche. Les interprètes de ce disque sont ceux de la création. La voix est splendide.

La création de cet opus 145 avait été précédée d'une première version avec piano quelques jours plus tôt. John Shirley-Quirk, malgré ses qualités vocales, n'a pas la profondeur de Nestierenko, et Ashkenazy ne peut apporter les couleurs de l'orchestre.

Les 15 Symphonies.

*** Ch. de la République de Russie, Orch. Phil. de Moscou, Kiril Kondrachine. Chant du Monde LDX 78 621/34 (14 d.) (étr.). Enregistré de 1961 à 1975.

** Divers Orch. russes, Kiril Kondrachine, Rudolf Barchaï, Evgueni Mravinsky, Maxime Chostakovitch, Evgueni Svetlanov. EMI SLS 50.525 (13 d.). (G-B). *+ L'Age d'or (extraits), Le Boulon (extraits), Le soleil luit sur la patrie.*

C'est sans aucun doute dans le domaine de la Symphonie que Chostakovitch a donné l'essentiel de son message artistique comme chantre de son pays, de l'homme face à son destin. On peut relever quelques faiblesses, mais dans le même temps reconnaître la permanente sincérité du compositeur. Pour ces raisons, les versions russes restent préférables aux versions occidentales, même si sur un plan strictement musical et surtout technique elles sont parfois inférieures. L'intégrale Kondrachine présente l'intérêt de l'unité de conception, tant de la part du chef que de la part de l'orchestre. Elle a été réalisée entièrement par Melodya dans les studios d'enregistrement de Moscou. En outre, elle présente les Symphonies 2 et 3, non disponibles séparément. On ne peut prétendre connaître Chostakovitch sans posséder ce précieux coffret, heureusement disponible en France. Pochette très documentée.

Ce n'est hélas ! pas le cas de l'ensemble réalisé par divers orchestres russes, sous la direction d'amis proches du compositeur. Un certain nombre de ces disques sont d'ailleurs disponibles séparément en France. L'occasion nous est ainsi offerte de comparer les différentes conceptions de chef et les diverses qualités des orchestres utilisés : Leningrad, Philharmonie de Moscou, Orchestre Symphonique de la Radio d'URSS... La qualité de la prise de son reste très variable d'un disque à l'autre.

Symphonie n° 1 en fa mineur op. 10.

*** Orch. Symph. Radio URSS, Yuri Ahronovitch. Chant du Monde LDX 78.515 (étr.). Enregistré en 1972. *+ Ouverture sur des thèmes populaires russes et kirghizes op. 115.*

*** Orch. Phil. Tchèque, Karel Ančerl. Supraphon SU 50.576. Enregistré en 1965. *+ Ouverture Solennelle op. 96.*

* Orch. Phil. de New York, Leonard Bernstein. CBS 60.284.. Enregistré en 1959. *+ Concerto n° 1 pour violoncelle et orch. op. 107.*

Ce chef-d'œuvre composé à dix-neuf ans trouve en Aronovitch une excellente traduction fort bien captée : il y a l'esprit décousu faisant passer de la joie la plus exubérante au lyrisme le plus sombre. L'instabilité des climats successifs de l'œuvre est ici fort bien rendue. Le couplage permet l'accès au seul enregistrement de l'Ouverture op. 115.

Karel Ančerl ajoute une certaine élégance dans le lyrisme et un certain raffinement dans l'humour. L'œuvre vacille entre le monde romantique (Tchaïkovsky, Glazounov) et un milieu très caricatural qui annoncent Stravinsky ou Prokofiev. Ančerl réussit fort bien à trouver l'unité des contrastes.

Ormandy, qui fut toujours un ardent défenseur de l'œuvre de Chostakovitch, signe là une version très brillante de la Symphonie, mais il a surtout le mérite de proposer en complément l'extraordinaire Concerto pour violoncelle op. 107 en compagnie de Rostropovitch.

Symphonie n° 2 en si majeur «Octobre» op. 14.

*** Ch. de la République de Russie, Orch. Phil. de Moscou, Kiril Kondrachine. Chant du Monde LDX 78.621 (sup.). Enregistré en 1972. *+ Symphonie n° 1.*

Cette Symphonie en un seul mouvement de dix-huit minutes, d'un modernisme provocant, est scandaleusement délaissée par le disque, et l'éditeur français n'a pas cru bon de la diffuser en dehors de l'intégrale. C'est fort dommage, car elle est ici magnifiquement interprétée.

Symphonie n° 3 en mi bémol majeur «Premier mai» op. 20.

*** Ch. de la République de Russie, Orch. Phil. de Moscou, Kiril Kondrachine. Chant du Monde LDX 78.622/3 (2 d.) Enregistré en 1972. *+ Symphonie n° 4.*

Œuvre jumelle de la précédente (même formation), la Symphonie n° 3 ne présente pas le même intérêt par son manque d'homogénéité un peu déroutant. Kondrachine en donne une version de référence, non disponible en France hors du coffret intégral des Symphonies. Il existe aux Etats-Unis le même enregistrement couplé avec l'unique version du cycle de chœurs *Fidélité* op. 136 (Angel 40.245). Les discophiles anglais sont également plus chanceux.

Symphonie n° 4 en ut mineur op. 43.

*** Orch. Phil. de Moscou, Kiril Kondrachine. Chant du Monde LDX 78.622/3 (2 d.). Enregistré en 1962. + *Symphonie n° 3.*

*** Orch. Phil. de Londres, Bernard Haitink. Decca 591.174. Enregistré en 1979.

Malgré les mérites de l'enregistrement réalisé par Eugène Ormandy (non distribué en France), c'est bien sous la baguette de Kondrachine qu'il faut découvrir ce sommet écrit en 1935-1936, mais révélé seulement en décembre 1960. Il en traduit magnifiquement le climat étrange, dans l'héritage de Mahler, l'inquiétude, le cynisme. Mérite vraiment le détour.

Haitink, grand mahlérien, est particulièrement à son aise dans la quatrième Symphonie, plus que nulle autre proche du compositeur viennois, et sait donner à la musique de Chostakovitch cet aspect à la fois cosmique et introspectif qui lui sied. Il en restitue non seulement parfaitement l'esprit mais traduit la partition avec un éclat et une précision remarquables.

Symphonie n° 5 en ré mineur op. 47.

*** Orch. Symph. de la Radio et Télévision Russe, Maxime Chostakovitch. EMI VSM C 069-92.004 (étr.). Enregistré en 1972.

*** Orch. du Concertgebouw d'Amsterdam, Bernard Haitink. Decca 591.274. Enregistré en 1981.

*** Orch. Phil. Tchèque, Karel Ančerl. Eurodisc 913.160. Enregistré en 1963.

*** Orch. Phil. de New York, Leonard Bernstein. CBS 35.854. Enregistré en 1979.

*** Orch. Phil. de Moscou, Kiril Kondrachine. Chant du Monde LDX 78 624. Enregistré en 1964.

Plus d'une vingtaine de versions discographiques pour cette Symphonie dont le romantisme renoue avec la tradition héritée de Tchaïkovski. Maxime Chostakovitch nous en donne la version la plus belle, mettant parfaitement en valeur l'orchestration, projetant en pleine lumière tous les détails de la partition magnifiquement maîtrisée.

Haitink nous fait retrouver l'intensité sereine du créateur de cette Cinquième, Evgueni Mravinski, en résolvant les problèmes spirituels que pose cette partition beethovénienne, au lieu de les ignorer. Forte de la splendeur du Concertgebouw, en particulier celle des cuivres qui ont toute la puissance souhaitée, cette version s'impose par sa perfection plastique et par la largeur des vues du chef.

Ančerl, moins bien enregistré, va plus loin dans l'expression humaine de l'œuvre, particulièrement dans les mouvements 1 et 3. Malgré le ton optimiste de l'ouvrage, Ančerl est le seul à traduire le drame intérieur du compositeur renonçant au modernisme de son langage pour «jouer un rôle de premier plan dans la refonte de la conscience humaine».

Bernstein laisse comme vacant, sombre et désolé, le flux apparemment libre de cet orchestre encore sauvage et mélancolique, et parfois (*largo*) le soulève d'un lyrisme torride mais farouchement dominé. L'exécution purement instrumentale est d'une perfection technique incomparable. Vision puissante d'un bout à l'autre, plus foncièrement intense que démonstrative, qui vient se placer très haut dans la hiérarchie.

Kondrachine évoque également ce triomphe spirituel de l'artiste cherchant à s'inscrire dans la tradition pour mieux travailler à «l'édification de la cité». Interprétation brillante, héroïque dans le final. Il est dommage que nous ne possédions plus l'enregistrement de Mravinski, créateur de l'ouvrage le 21 novembre 1937, avec son orchestre de Leningrad.

Symphonie n° 6 en si mineur op. 54.

*** Orch. Phil. de Moscou, Kiril Kondrachine. Chant du Monde LDX 78.595/96 (2 d.). Enregistré en 1967. + *Symphonie n° 7.*

** Orch. Phil. de New York, Leonard Bernstein. CBS 72.730 (sup.). Enregistré en 1969. + *Prokofiev : Suite Scythe op. 20.*

* Orch. Symph. de Chicago, Leopold Stokowski. RCA 644.554 (sup.). + *L'Age d'or, suite de ballet op. 22a.*

Cette œuvre apparaît comme le prolongement de la Symphonie n° 5 à laquelle elle apporte une réponse d'ordre psychologique plus intérieure, du moins dans son grand largo initial. Seul, Kondrachine nous permet de suivre cet itinéraire de l'artiste dans les meilleures conditions musicales et techniques. De plus, le couplage permet l'accès à l'unique version du Concerto pour violon n° 2 avec David Oïstrakh en soliste.

A un moindre degré, on est heureux de saluer ici la réussite de Leonard Bernstein, qui traduit bien le caractère introspectif du premier mouvement tout autant que le caractère extraverti des deux scherzos qui suivent. Au verso, une version très brillante de la *Suite Scythe* de Prokofiev.

Leopold Stokowski, infatigable défenseur de la musique de son temps, créa la 6ᵉ Symphonie aux Etats-Unis à la tête de l'Orchestre de Philadelphie le 29 novembre 1940. Nous avons là un beau témoignage de son art exempt des excès qu'on lui reproche un peu trop souvent. La Suite de *L'Age d'or* achève de contribuer à la réussite de ce disque.

Symphonie n° 7 en ut majeur «à la ville de Leningrad» op. 60.

*** Orch. Symph. URSS, Evgueni Svetlanov. EMI SLS 784 (G-B). + *Kabalevski : Concerto pour violoncelle.*

** Orch. Phil. de Moscou, Kiril Kondrachine. Chant du Monde LDX 78.595/96 (2 d.). Enregistré en 1975. + *Symphonie n° 6.*

** Orch. Phil. Tchèque, Václav Neumann. Supraphon 913.093 (2 d.). + *Symphonie n° 9.*

Plus en raison des circonstances dramatiques dans lesquelles cette partition a été composée qu'en raison de sa réelle valeur musicale, cette Symphonie a été souvent jouée et enregistrée. Après sa première audition en mars 1942 par Samossoud, elle fut créée à New York par Toscanini, puis reprise pas moins de 62 fois l'année suivante par Koussevitzki, Stokowski, Mitropoulos, Ormandy. C'est Charles Munch qui en assura à l'Opéra de Paris la création française. La Symphonie fut gravée par Ančerl, Berglund, Bernstein, Celibidache, Mravinski... Evgueni Svetlanov rend à l'œuvre toute sa puissance évocatrice et sa tension dramatique. Curieux couplage avec un Kabalevski très anodin.

Kondrachine construit un peu moins bien son interprétation, plus soucieux d'effets extérieurs avec des tempos un peu trop rapides. Mais le couplage est bien préférable à la version Svetlanov et, surtout, Kondrachine est bien distribué en France en dehors de l'intégrale des symphonies.

Václav Neumann s'impose par la qualité de sa direction, très équilibrée quant à la mise en valeur des plans sonores. L'Orchestre Philharmonique Tchèque sonne magnifiquement, et la qualité des pupitres donne un sens aux moments les plus «creux» de l'œuvre.

Symphonie n° 8 en ut mineur op. 65.

*** Orch. Phil. de Moscou, Kiril Kondrachine. Chant du Monde LDX 78.627 (étr.). Enregistré en 1961.

* Orch. Phil. de Londres, André Prévin. EMI ASD 2917 (G-B). Enregistré en 1973.

Aux effets extérieurs dramatiques mais un peu faciles de la Symphonie n° 7 répond la méditation douloureuse sur l'humanité en guerre qu'est la Symphonie n° 8. A défaut d'une version réalisée par Mravinski qui assura la première exécution publique et qui suggéra certaines nuances retenues par le compositeur, l'interprétation de Kondrachine apparaît comme tout à fait excellente.

André Prévin, mieux servi sur le plan de la prise de son, ne parvient pas à créer l'atmosphère de cette étrange partition qui, malgré tout, dévoile ici les quelques longueurs qui n'apparaissaient pas avec Kondrachine.

Symphonie n° 9 en mi bémol majeur op. 70.

*** Orch. Phil. de Moscou, Kiril Kondrachine. Chant du Monde LDX 78.376 (étr.). Enregistré en 1965. + *La Mort de Stenka Razine.*

L'intérêt de l'interprétation de Kondrachine dans cette œuvre d'un néo-classicisme haydnien un peu désuet est augmenté du fait de l'excellence du couplage.

Symphonie n° 10 en mi mineur op. 93.

*** Orch. Symph. Radio URSS, Evgueni Svetlanov. EMI ASD 2420 (G-B).

*** Orch. Phil. de Moscou, Kiril Kondrachine. Chant du Monde LDX 78.629 (étr.). Enregistré en 1973.

** Orch. Phil. de Leningrad, Evgueni Mravinski. Saga XID 5228 (étr.). Enregistré en 1964.

* Orch. Phil. de Londres, Bernard Haitink. Decca SXL 6838 (G-B.). Enregistré en 1977.

Après dix ans de silence, voici un nouveau chef-d'œuvre dans le domaine de la Symphonie, inaugurant l'ère post-stalinienne : affirmation du moi artistique (thème DSCH) par rapport au moi politique (thème du tyran dans le Scherzo). Svetlanov s'impose dans cette «tragédie optimiste». Hélas ! son disque n'est pas couramment disponible en France.

Kondrachine signe là un des meilleurs moments de son intégrale, en dégageant le caractère tragique de la partition. Sans aucun doute, une version de référence, qui de plus est bien gravée.

Il est difficile de se procurer actuellement le disque de Mravinski, créateur de l'œuvre le 17 décembre 1953 avec son Orchestre de Leningrad. «Le plus grand chef que j'aie jamais rencontré», affirmait Chostakovitch. Ce disque existe cependant, et malgré les réserves concernant la prise de son, a une valeur de référence.

Bernard Haitink à la tête de l'Orchestre de Londres donne une version très occidentale de l'œuvre, avec un romantisme hors de propos. Mais l'orchestre sonne tellement bien ! Dommage qu'il n'y ait que la lettre et point l'esprit.

Symphonie n° 11 en sol mineur «1905» op. 103.

*** Orch. Phil. de Moscou, Kiril Kondrachine. Chant du Monde CDM 78.577. Enregistré en 1973.

** Orch. National de la RTF, André Cluytens. EMI VSM C 069-12.197 (sup.). Enregistré en 1959.

Ample poème symphonique composé pour le quarantième anniversaire de la Révolution d'octobre (1957). Kondrachine donne le ton épique à l'œuvre dont le caractère narratif et visuel est parfaitement rendu.

Lors de son séjour à Paris en 1959, Chostakovitch devait enregistrer ses deux Concertos pour piano et superviser l'enregistrement de la 11e Symphonie : trop rare contribution française au génie du compositeur pour ne pas la signaler, d'autant plus qu'elle est de très bonne qualité.

Symphonie n° 12 en ré mineur «1917» op. 112.

*** Orch. Phil. de Moscou, Kiril Kondrachine. Chant du Monde LDX 78.631 (sup.). Enregistré en 1972.

*** Orchestre du Concertgebouw d'Amsterdam, Bernard Haitink. Decca 591.3311. Enregistré en 1982. *+ Ouverture sur des thèmes populaires russes et kirghizes op. 115.*

** Orch. Phil. de Leningrad, Evgueni Mravinski. Chant du Monde LDX 78.465 (étr.).

** Orch. Philharmonia, Georges Prêtre. EMI VSM ASDF 794 (sup.). Enregistré en 1964.

* Orch. de la Radio Bulgare, Russlan Raychev. Harmonia Mundi 125. ⌧ HM 40-125.

Le disque de Kondrachine s'impose sans aucun doute dans cette œuvre assez secondaire.

Avec Haitink, le pittoresque historique, les accents «nevskiens» et l'éloquence de façade ont disparu au profit d'une splendeur sonore incomparable. L'ombre de Wagner et de Mahler se profile avec bonheur dans ce poème symphonique plus désabusé qu'héroïque. Telle quelle, cette partition trouve enfin sa continuité, une logique incontestable qui la rend sœur des Symphonies n° 6 et n° 11, aux prolongements historiques comparables, mais à la conviction plus immédiate.

La version de Mravinski fait référence, puisque celui-ci assura la création de l'œuvre en septembre 1961. Mais la prise de son n'est guère fameuse.

Georges Prêtre a signé une interprétation de cette 12e Symphonie tout à fait remarquable. On regrette de ne pas la voir figurer dans une version économique.

En collection économique très avantageuse, la version de Russlan Raychev se révèle proche de l'esprit de la partition et constitue donc une bonne approche de cette œuvre.

Symphonie n° 13 en si bémol mineur pour basse, chœur de basses et orchestre op. 113.

*** Arthur Eisen (b), Ch. de la République de Russie, Orch. Phil. de Moscou, Kiril Kondrachine. Chant du Monde LDX 78.500 (étr.). Enregistré en 1967.

* Vitali Gromadsky (b), Ch. et Orch. Phil. de Moscou, Kiril Kondrachine. Classic 920.068 (sup.). Enregistré en 1963.

* Tom Krause (b), Ch. et Orch. de Philadelphie, Eugène Ormandy. RCA SB 6830 (G-B). Enregistré en 1971.

La 13e est une Symphonie-cantate sur cinq poèmes d'Evgueni Evtouchenko. Kondrachine, créateur de l'ouvrage en décembre 1962, fait ressortir l'inspiration profonde qui l'a engendrée, évoquant l'art d'un Moussorgsky. Soliste, chœurs et orchestre constituent des modèles.

Pour des raisons de texte laissant à penser que les Russes pouvaient être antisémites, Evtouchenko dut procéder à quelques retouches. La musique ne changea en rien. Cet enregistrement clandestin comporte cependant le texte original. La prise de son rappelle qu'il s'agit d'un document pris sur le vif.

La version réalisée à Philadelphie par Eugène Ormandy a été effectuée dans les meilleures conditions et avec le souci de servir au mieux la dernière œuvre d'un ami admiré. Toutefois, la qualité des voix reste bien en deçà des voix russes, indispensables ici.

Symphonie n° 14 pour soprano, basse et orchestre de chambre op. 135.

❀*** Galina Vichnevskaia (s), Marc Rechetine (b), Ensemble de Solistes de la Philharmonie de Moscou, Mstislav Rostropovitch. Chant du Monde LDX 78.554. Enregistré en 1974.

❀*** Julia Varady (s), Dietrich Fischer-Dieskau (bar), Orch. du Concertgebouw d'Amsterdam, Bernard Haitink. Decca 591.185. ⌧ 4-390.398. Enregistré en 1980.

*** Evguenia Tselovalnik (s), Evgueni Nesterenko (b), Ensemble de Solistes de la Philharmonie de Moscou, Kiril Kondrachine. Chant du Monde LDX 78.633 (étr.). Enregistré en 1974. + *Symphonies (intégrale).*

Sans doute le chef-d'œuvre absolu du compositeur, ce cycle de onze mélodies est réduit à deux chanteurs, orchestre de chambre à cordes et percussions. A juste raison, on a pu comparer cette 14e Symphonie aux *Chants et Danses de la Mort* de Moussorgsky (que Chostakovitch a orchestré) et au *Chant de la Terre* de Mahler. Rostropovitch, secondé par les deux créateurs de l'œuvre, donne la version la plus angoissante, bouleversante. Un sommet.

Haitink plie son travail au service de l'expression et de l'intensité. Mais surtout, mieux que nul autre, il nous fait découvrir ce que ce discours apporte de renouveau dans le langage de Chostakovitch. Les deux chanteurs n'«en font» jamais trop, rendant un ton tout à fait personnel par leur émotion discrète, à la fois presque tendre et toujours tendue. On décèle que l'œuvre devient un tout universel, un roc déchiqueté, magnifique de puissance, qui ne cessera de grandir encore.

Kondrachine (comme Eugène Ormandy ou Rudolf Barchaï, créateur de l'œuvre) atteint également à un haut niveau d'expression. Mais malgré ses mérites, il ne parvient pas à égaler la version de Rostropovitch, indisponible hors du coffret de l'intégrale des Symphonies.

Symphonie n° 15 en la majeur op. 141.

*** Orch. Radio URSS, Maxime Chostakovitch. Chant du Monde LDX 78.535 (étr.). Enregistré en 1973.

*** Orch. Phil. de Moscou, Kiril Kondrachine. Chant du Monde LDX 78.634 (étr.). Enregistré en 1974. + *Symphonies (intégrale).*

* Orch. Phil. de Londres, Bernard Haitink. Decca SXL 6906 (étr.). Enregistré en 1978.

C'est à son fils Maxime que Dimitri Chostakovitch confia la création de cette 15e Symphonie (8 janvier 1972), d'un caractère énigmatique avec ses citations empruntées à Rossini et à Wagner. Nous disposons avec son enregistrement d'un disque de référence cautionné par la présence du compositeur à toutes les répétitions.

Malgré les qualités rencontrées à l'audition de la version Kondrachine, d'une belle rigueur et un peu mieux captée, on doit préférer la version précédente tout en déplorant qu'elle ne soit pas disponible en version séparée du coffret de l'intégrale des Symphonies.

La réalisation de Bernard Haitink rend hommage à l'orchestration de l'œuvre que la qualité de la prise de son fait bien ressortir. Mais l'esprit profond de l'œuvre, qui prend ici valeur de testament musical, demeure absent de ce disque.

Trio pour piano et cordes en mi mineur op. 67.

*** Dimitri Bachkirov (piano), Igor Bezrodny (violon), Mikhaïl Khomister (violoncelle). EMI VSM C 063-90.278 (sup.). *+ Mozart : Trio K. 548.*

** Dimitri Chostakovitch (piano), David Oïstrakh (violon), Milos Sadlo (violoncelle). Supraphon 0-10-2. 371/72 (2 d.). *+ Beethoven : Romance n° 2. Brahms : Double concerto. Mozart : Concerto pour violon n° 3.*

* Serebriakov (piano), Mikhaïl Vaiman (violon), Mstislav Rostropovitch (violoncelle). EMI ASD 2718 (sup.). *+ Sonate pour violon et piano op. 134.*

Sans doute le chef-d'œuvre de la musique de chambre de Chostakovitch, en dehors de certains Quatuors. Bachkirov, Bezrodny et Khomister en traduisent avec émotion - et quelle musicalité ! Le message profond. Leur jeu est raffiné, sans afféterie, merveilleusement construit. Après le tourbillon du Scherzo, la passacaille du largo et l'éloquence de l'allegretto atteignent ici au plus haut niveau d'émotion vraie.

La présence du compositeur au piano confère à cet enregistrement un caractère authentique et de première importance. Hélas ! il est bien difficile de se le procurer aujourd'hui.

Sans aucun doute les artistes réunis autour de Rostropovitch contribuent à faire de cette version une grande réussite sur le plan instrumental. Mais on ne trouve pas là l'intensité dramatique des autres versions. Le couplage est bien préférable pourtant.

Ciconia, Johannès
(vers 1335-1411)

Madrigaux et Ballades.

** Clemencic Consort, René Clemencic. Harmonia Mundi HM 10.068. Enregistré en 1979.

Formé aux techniques françaises de Guillaume de Machaut, auquel il doit le goût des formes isorythmiques et modales, Ciconia eut la révélation du style italien au cours de ses voyages. D'où l'alternance dans son œuvre de ces deux composantes. L'enregistrement du Clemencic Consort comblera de joie les partisans des reconstitutions radicales, en optant pour des solutions «fort bigarrées», où la couleur, les conflits de timbres, l'accentuation des rythmes et des mètres sont toujours envisagés sous l'angle du résultat expressif, voire de l'émotion.

Cilea, Francesco
(1866-1950)

Adriana Lecouvreur, opéra.

*** Magda Olivero (Adriana), Giulietta Simionato (Princesse de Bouillon), Franco Corelli (Maurizio), Ettore Bastianini (Michonnet ; Sesto Bruscantini au 1er acte), Orch. et Ch. du San Carlo de Naples, Mario Rossi. Bruno Walter Society BWS 294 (2 d.). Mono (sup.). Enregistré sur le vif en 1959.

*** Renata Scotto (Adriana), Elena Obraztsova (Princesse de Bouillon), Placido Domingo (Maurizio), Sherill Milnes (Michonnet), Orch. Philharmonia, Ch. Ambrosien, James Levine. CBS 79.310 (3 d.). Enregistré en 1977.

Magda Olivero, méticuleusement préparée par l'auteur, est Adriana comme Callas était Médée ou Caruso Paillasse. Elle n'y est surpassée que par elle-même dans ses extraits du même rôle (Cetra) ou ses divers enregistrements sur le vif : une incarnation historique, avec aussi à ses côtés l'inégalable Princesse de Simionato, alors à l'apogée de ses moyens, un Corelli admirable nuançant à l'infini sa grande voix, et l'ambiance du théâtre, la vérité qui compense la précarité sonore de ce témoignage.

Autre grand enregistrement, celui de Levine, confiant en cette œuvre, grâce aussi à la très belle gravure et à la superbe voix de Scotto, qui s'est très intelligemment inspirée de Magda Olivero et affirme une émouvante fragilité. Domingo est très engagé dans son personnage, mais peine pour nuancer son aigu : il faut connaître Bergonzi (Récital Decca) et Caruso, le créateur. Obraztsova est, vocalement, étourdissante, mais plus empoisonneuse que princesse, et le reste mieux qu'honnête.

L'Arlésienne, opéra.

** Ferruccio Tagliavini (Federico), Pia Tassinari (Rose Mamaï), Paolo Silveri (Balthasar), Gianna Galli (Vivette), Orch. et Ch. de la RAI de Turin, Arturo Basile. Cetra LPS 3255 (2 d.). Mono. Enregistré en 1954.

Créée par Caruso, l'œuvre repose sur un *Lamento* célèbre, qu'il faut entendre par Schipa (RCA), Gigli (EMI) ou Pavarotti (Decca). Mais Tagliavini en est encore, en 1954, le merveilleux interprète, sensible, rêveur, et très bien secondé par Pia Tassinari, son épouse, Silveri et la jeune Gianna Galli. A écouter.

Cimarosa, Domenico
(1749-1801)

Le Maître de chapelle (Intermezzo giocoso).

*** Renato Cesari (b), Orch. des Cento Soli, Ettore Gracis. Musidisc RC 672. + *3 Ouvertures : La Belle Grecque, Le Mariage Secret, L'Amateur d'antiquités romaines.*

** Sesto Bruscantini (b), Orch. de la RAI, Alberto Zedda. Tudor 73.008. Enregistré en 1978. + *Airs d'opéras du Mariage Secret et des Astuces féminines.*

* Philippe Huttenlocher (b), Orch. de Chambre de Lausanne, Armin Jordan. Erato STU 71.059. Enregistré en 1976. + *Ouverture et un air pour basse du Mariage Secret, Ouverture de L'Amateur d'antiquités romaines.*

Comment rêver d'une interprétation plus spontanée, plus enthousiasmante que celle de Cimarosa par Gracis ? Son orchestre s'amuse autant que nous en dialoguant d'égal à égal avec Renato Cesari, et se montre même parfois plus humain, plus cabotin que le chanteur lui-même. La voix est bien timbrée, puissante, avec une belle prononciation italienne et une musicalité sans faille. Notre plaisir est total, d'autant plus que la prise de son est claire et naturelle, malgré l'âge respectable de l'enregistrement.

Dans une version superbe, Bruscantini donne une leçon de théâtre très réussie. Avant tout en raison de ses irrésistibles talents d'acteur : son humeur formidable, sa voix rayonnante lui permettent tous les excès, toutes les libertés avec le texte, qu'il ne manque pas de prendre avec un naturel déconcertant. Mais aussi parce que la remarquable technique d'enregistrement nous permet de goûter pleinement le dialogue entre le pitoyable «Maestro» et son turbulent orchestre. La direction de Zedda, très fouillée, déborde de vie.

Jordan et Huttenlocher ont un gros handicap à surmonter : ils n'ont pas vu le jour sous le ciel d'Italie. Le ton de l'œuvre s'en ressent. Le chanteur n'évite pas les pièges de la caricature, force sur les contrastes bouffes, analyse la moindre nuance pour l'amplifier jusqu'à l'outré. Au contraire, il manque à l'orchestre ce grain de folie qui emporte l'adhésion. Tout est léché, calculé, habilement équilibré. Beaucoup trop, sans doute.

Le Mariage secret (opéra).

❀*** Giulietta Simionato (Fidalma), Cesare Valletti (Paolino), Sesto Bruscantini (Il Conte), Alda Noni (Carolina), Ornella Rovero (Elisetta), Antonio Cassinelli (Geronimo), Orch. du Mai Musical Florentin, Ermanno Wolf-Ferrari. Cetra LPS 3214 (3 d.) (Italie) (sup.).

** Ebe Stignani (Fidalma), Luis Alwa (Paolino), Franco Calabrese (Il Conte), Graziella Sciutti (Carolina), Eugenia Ratti (Elisetta), Carlo Badioli (Geronimo), Orch. della «Piccola Scala», Nino Sanzogno. EMI VSM 3 C 163-17645/47 (3 d.) (Italie). Enregistré en 1956.

* Julia Hamari (Fidalma), Ryland Davies (Paolino), Alberto Rinaldi (Il Conte), Arleen Augér (Carolina), Julia Varady (Elisetta), Dietrich Fi-

scher-Dieskau (Geronimo), Orch. de Chambre Anglais, Daniel Barenboïm. DG 2709.069 (3 d.).

Le Mariage secret par Wolf-Ferrari restera sans doute irremplacé. Peut-on rêver d'un sextuor vocal plus vrai, plus prenant, passant du «sotto voce» aux éclats dramatiques avec un même naturel ? Le pittoresque Bruscantini, le brillant Valletti, l'élégante Simionato et l'impertinente Noni ne jouaient pas : ils *étaient* le Comte, Paolino, Fidalma et Carolina. Disparu actuellement de tous les catalogues, cet enregistrement devrait bien vite y retrouver sa place. La technique, malheureusement, a bien mal vieilli...

Sanzogno avait, pour l'ouverture de la «Piccola Scala» en 1955, la distribution presque idéale pour un *Mariage secret* définitif : une Sciutti exquise, toute griffes et ongles, un Alva plein de verve et d'invention, une Simionato irrésistible. Par malchance, Stignani, à son crépuscule, remplaça l'année suivante Simionato pour le présent enregistrement, desservi aussi par une Ratti aigrelette et un Badioli bien terne. Il fallait l'enthousiasme formidable, le sens inné du théâtre de Sanzogno pour rendre crédible cet ensemble bancal. Il s'engage, s'amuse, s'enflamme, et la musique de Cimarosa prend vie.

On ne pouvait qu'attendre le meilleur de Barenboïm. La finesse de l'orchestre et la merveilleuse homogénéité de la phalange vocale permettaient tous les espoirs. Le résultat est superbe, impeccable, mais sans joie. Point de naturel impertinent ; point de physionomies colorées. Seuls, Fischer-Dieskau avec une vitalité phénoménale et Varady, piquante et malicieuse, sortent leur épingle du jeu. Rinaldi, trop pâle, Hamari, distante, Davies, emprunté, et Augér, trop innocente, nous frustrent d'un besoin d'authenticité que Barenboïm, souple mais strict, n'arrive pas lui non plus à faire passer.

Requiem.

* Elly Ameling (s), Birgit Finnilä (c), Richard van Vrooman (t), Kurt Widmer (b), Ch. du Festival de Montreux, Orch. de Chambre de Lausanne, Vittorio Negri. Philips 5839.752.

Negri est un chef entier, simple et direct, et le *Requiem* de Cimarosa ne lui convient guère. Dans cette œuvre ambiguë, la spiritualité fervente côtoie les plaisirs sensuels les plus païens. Ces deux sentiments doivent s'unir, se mêler en une expression unique, cohérente, l'interprète d'exception peut gagner ce pari impossible, Negri a échoué. Il cajole les belles mélodies de ses solistes féminines (magnifiques, il est vrai), mais abandonne les chœurs à eux-mêmes dans une triste indifférence. Le contraste est trop flagrant : Dieu est oublié et le plaisir règne en maître. Curieux, pour un *Requiem*..

Sinfonie en si bémol majeur de «L'Italiana in Londra», en ré majeur de «Caio Mario», en ré majeur de «I due Supposti Conti». Concerto pour clavecin et orchestre en si bémol majeur.

*** Elzbieta Stefanska Lukowicz (clavecin), The Masterplayers, Richard Schumacher. Italia ITL 70.032 (Italie).

Les Masterplayers brûlent d'un feu inespéré. Quel ensemble dynamique, effronté, propre à la jubilation comme au drame ! Les staccatos crépitent comme des feux de joie, la moindre phrase mélodique s'envole en un lyrisme sensuel qui nous transporte sur les scènes de Naples. Et, comble d'arrogance, ils disputent la vedette à Lukowicz dans l'aimable Concerto, en rivalisant d'esprit, d'humour et d'agilité avec le clavecin. Une formidable allégresse.

32 Sonates pour clavecin.

❀*** Roberte Mamou (piano). Pavane Records ADW 7044. Enregistré en 1980.

Roberte Mamou réalise ici un enregistrement exceptionnel. Sur un piano subtilement réglé, elle va, virevolte, danse, s'émeut, rebondit, s'interroge un moment, donnant à l'instant fugitif sa ligne, son phrasé, la fine saveur de son harmonie. Sa technique a la poésie de l'exactitude et les grâces de l'abandon. C'est du grand art.

Clementi, Muzio
(1752-1832)

Sonates en si bémol majeur op. 24 n° 2, en fa dièse mineur op. 25 n° 5, en sol majeur op. 37 n° 2, en fa mineur op. 13 n° 6.

*** Jos van Immerseel (pianoforte). Accent ACC 7911. Enregistré en 1979.

En choisissant d'interpréter ces Sonates sur un pianoforte (Michaël Rosenberger, Vienne, env. 1795), Jos van Immerseel prend le parti de faire ressortir le côté passéiste de Clementi, celui qui le rattache à la manière de Domenico Scarlatti. Rien de rétrograde dans ce choix, mais le désir d'inscrire l'auteur dans le juste cadre d'une époque charnière. Le goût et la qualité de l'interprétation rendent ce désir vraiment convaincant.

Sonates en fa dièse mineur op. 25 n° 5, en la majeur op. 13 n° 6 (éd. 1785), en fa mineur op. 13 n° 6. Trois «Montferrine» op. 49.

*** Luciano Sgrizzi (piano). Alpha DB 195 (Belgique).

Luciano Sgrizzi, au piano moderne, fait découvrir l'aspect novateur de Clementi : ce musicien se situe à la charnière entre l'esprit d'un Domenico Scarlatti, mais préfigure déjà, par les hardiesses de ses trouvailles, le monde poétique de Schubert. Le jeu souple et musical de Sgrizzi intensifie ce dernier aspect rêveur, mais il n'y a là ni tricherie ni dépersonnalisation : rien qu'une connaissance sensible et intelligente de Clementi.

Sonates op. 40 n°s 1 à 3 et op. 50 n°s 1 à 3.

** Maria Tipo (piano). Italia 70 035 (3 d.).

Maria Tipo est une très grande pianiste : cela apparaît avec évidence dans ce coffret. Son interprétation superbe de netteté et de finesse ne laisse rien à désirer sur le plan de la profondeur d'une expression romantique puissante. Nous découvrons un nouveau Clementi, passionné. Malheureusement, si la présentation est magnifique et le texte d'accompagnement de haute qualité, la prise de son fait un piano étriqué, très décevant.

Clérambault, Louis-Nicolas
(1676-1749)

Orphée. Médée.

** Rachel Yakar (s), Reinhard Goebel (violon), Wilbert Hazelzet (flûte traversière), Charles Medlam (viole de gambe), Alan Curtis (clavecin). Archiv 2533.442. Enregistré en 1980.

Ces deux cantates datent des toutes premières années du XVIIIe siècle. Par leur style, elles annoncent déjà Rameau et nous placent au chœur de l'école française. L'interprétation de Rachel Yakar contribue à leur donner cette réalité d'une musique qui est l'action théâtrale; la voix est belle, riche et souple; le phrasé intelligent donne toute sa valeur au récitatif. L'accompagnement orchestral est toujours discret, mais fait figure de soutien et de partenaire essentiel de la voix.

Premier Livre d'orgue, en deux Suites.

*** Michel Chapuis (orgue F.-H. Clicquot de la cathédrale de Poitiers). Astrée AS 20. Enregistré en 1971. + *Dumage : Livre d'orgue.*

*** André Isoir (orgue F.-H. Clicquot du Palais de Fontainebleau). Calliope 1915. Enregistré en 1975. + *Gaspard Corrette : Pièces d'orgue.*

Une très belle version des célébrissimes pages de Clérambault. Chapuis les confie aux sonorités amples et réverbérées du grand Clicquot de Poitiers. Ce n'est peut-être pas idéal, c'est tout de même très beau... Clérambault se trouve, sur ce disque, en compagnie de Dumage : l'idée est excellente.

S'approchant au maximum de l'esthétique de ces pièces, Isoir joue ici l'orgue du Palais de Fontainebleau, remarquablement restauré par Kern en 1968. Les pièces de Clérambault y prennent leur véritable dimension : divertissement pour le salon. Le résultat est assez curieux, peu habituel, mais vaut le détour... Trois petites pièces de G. Corrette complètent ce disque, que l'on peut trouver aussi dans un coffret de trois disques (Dumage, Guilain, d'Andrieu) consacré au «Siècle de Louis XV».

Constant, Marius
(né en 1925)

Quatorze Stations pour percussions et six instruments.

*** Sylvio Gualda (percussions), Solistes de l'Ensemble Ars Nova. Erato STU 70.603. + *Stockhausen : Zyklus.*

Dans ces *Quatorze Stations*, la percussion suit le déroulement de la Passion, comme un spectateur entouré d'un chœur formé de six solistes. Il faut saluer la performance de Sylvio Gualda, créateur de l'œuvre, qui s'affirme non seulement comme un grand virtuose, mais comme un musicien sensible et sincère. L'excellente prise de son stéréophonique permet de localiser dans une vérité impressionnante le parcours du percussionniste qui chemine d'un instrument à l'autre, selon un schéma déterminé et rappelé sur la pochette du disque.

Septentrion, ballet.

*** Elise Ross (voix), Ensemble Ars Nova, Marius Constant. Erato STU 70.917 (sup.).

Marius Constant pour la musique, Yves Navarre pour le livret et Roland Petit pour la chorégraphie se sont unis pour faire naître ce ballet. Sa réalisation au disque écarte malheureusement l'élément visuel de la danse ; mais la voix de l'acteur et la partition suffisent à nous introduire dans ce monde de poésie, de délire et de mort. Les sonorités familières des instruments classiques alternent avec les rythmes du *free jazz* et de la musique pop, et, de ces modes hétérogènes, Constant, qui tient la baguette, bâtit un ensemble cohérent : une admirable réalisation technique permet presque de visualiser tout ce déroulement frénétique jusqu'au moment final où il se fige, expression de mort et d'éternité.

Stress (écrit en collaboration avec Martial Solal). Psyché, pour deux pianos et percussions. Trois Complexes pour piano et contrebasse.

** Martial Solal (piano), Daniel Humair (batterie), Cesarius Alvim, Quintette de Cuivres Ars Nova, Sylvio Gualda (percussions), Marius Constant, Katia et Marielle Labèque (pianos), Jean-Pierre Drouet (percussions), Jean-François Jenny-Clark (contrebasse). Erato STU 71.238. Enregistré en 1979.

Excellent disque, où se révèle, à travers trois œuvres, l'originalité de Constant. *Stress*, qui intègre des éléments venus du jazz, échappe au danger du «placage» d'un style sur un autre. Les interprètes ont eu l'intelligence de ne pas tenter l'impossible fusion du jazz et du classique, mais de faire dialoguer les deux langages. *Psyché* est une pièce brillante et dense, aux effets saisissants. Quant aux *Complexes*, écrits à 24 ans, ils montrent que Constant possédait déjà une profonde maturité et un style très personnel.

Coperario, Giovanni
(vers 1575-1626)

Chantsde deuil. Consort music.

** Martyn Hill (t), Anthony Rooley (luth), The Consort of Music. Oiseau-Lyre OL 595.008.

Sous un nom à la résonance italienne, un bon musicien anglais contemporain de Jacques Ier. Une face du disque est consacrée à des chants déplorant la mort d'un des fils de ce roi. La rhétorique d'usage se déploie de façon un peu conventionnelle, mais est rachetée par la qualité de voix et d'expression de Martyn Hill, admirablement soutenu par le luth de Rooley. Sur l'autre face, des fantaisies instrumentales fort bien interprétées nous permettent de faire connaissance avec un musicien dont l'œuvre ne manque pas de charme et donne l'occasion à un excellent ensemble de nous entraîner dans tous les détours d'une musique complexe et subtile où les interprètes semblent fort à l'aise.

Copland, Aaron
(né en 1900)

Billy the Kid. Appalachian Spring.

*** Orch. Phil. de New York, Leonard Bernstein. CBS 76.869.

Pittoresque, festive : il est peut-être dommage que la musique de Copland ne figure pas plus amplement au catalogue. Avec *Appalachian Spring*, nous avons le témoignage d'une expression vraiment populaire et authentique. Le climat qui s'en dégage n'est pas éloigné de l'univers de Bernstein : c'est pourquoi ce chef se montre particulièrement généreux et inspiré dans son interprétation. Rien de cérébral, au contraire, une vitalité quasi animale marque ces pages.

Quatuor pour piano et cordes. Passacaglia.

** Walter Chodack (piano), Trio à cordes de Paris. Adès 14.002. + *Gershwin : 3 Préludes pour piano. Kalajian : Suite.*

Le Quatuor, qui constitue la pièce maîtresse de ce disque, est une œuvre de la maturité du compositeur et porte les marques de sa recherche dans la voie du dodécaphonisme sériel. Outre sa *Passacaglia*, antérieure de trente ans, les pièces qui complètent l'enregistrement composent un bon panorama de la musique américaine. Programme remarquablement servi et défendu par le Trio de Paris, vivant et homogène, et par le pianiste new-yorkais Walter Chodack, très à l'aise dans ce répertoire.

Corelli, Arcangelo
(1653-1713)

12 Concertos grossos op. 6 (intégrale).

*** La Petite Bande, Sigiswald Kuijken. Harmonia Mundi HM 20305/07 (3 d.). Enregistré en 1977, 1978 et 1979.

*** Academy of St-Martin-in-the-Fields, Neville Marriner. Argo ZRG 773-5 (3 d.) (G-B). Enregistré en 1973.

** Orchestre de Chambre Franz Liszt, János Rolla. Hungaroton SLPD 12376-78 (3 d.). Enregistré en 1981.

** I Solisti Veneti, Claudio Scimone. Erate NUM 730.163 (3 d.). Enregistré en 1980.

Enregistré en plusieurs époques, cet *Opus 6* par Kuijken montre combien la Petite Bande a gagné en plénitude sonore, en homogénéité, en limpidité dans la musicalité, en naturel dans la plasticité. Les quatre premiers Concertos datent de 1977 et ont un je-ne-sais-quoi de froid, de rigide - impression qui s'estompe complètement avec les derniers gravés, où l'on goûte un bonheur physique total par la cohésion, le chatoiement des timbres, la finesse et la légèreté des sonorités. Globalement, la meilleure version.

Corelli par Marriner, c'est tout le raffinement anglais, avec son élégance, sa mesure, son expression retenue mais subtile, faite de petites touches de couleur pétillantes de fantaisie et d'invention. On savoure l'infinie variété de la basse continue, le phrasé sec et précis des archets, les cadences pleines d'esprit du violon soliste, qui s'abandonne parfois au fil d'un adagio à une tristesse digne. Un régal.

Classique dans ses conceptions, sobre dans le jeu des archets, nerveux mais sans crispation, l'Orchestre de chambre Franz Liszt offre une version fort honorable, traditionnelle, qui trouve place auprès des «grands de la même lignée» (Gracis, I Musici ou Oïstrakh), tous absents actuellement des catalogues mondiaux.

L'esprit de la version de Claudio Scimone est fidèle aux conceptions du chef sur le baroque italien. Lecture «plein soleil», cordes très chantantes et caressantes, avec un accent mis sur le lyrisme et l'expressivité. L'écoute est agréable, les archets charriant à plaisir le «son» *legato*, caractéristique de l'ensemble vénitien. Malgré quelques reproches (manque de rigueur dans la conduite des mouvements lents, direction plus suggestive que réellement ferme), cet enregistrement est très recommandable.

12 Sonates pour violon et basse continue op. 5 (intégrale).

*** Eduard Melkus (violon), Huguette Dreyfus (clavecin), Garo Atmacayan (violoncelle), Karl Scheit (luth). Archiv 2708.026 (2 d.) (RFA/USA).

Basée sur une somptueuse documentation musicologique, l'interprétation de Melkus ne se fige pas dans un style, mais propose au contraire les plus diverses restitutions, passant de l'ornementation étourdissante au dépouillement nu et sobre. Une basse continue protéiforme mêle au hasard des œuvres les basses d'archet et les instruments à clavier, qui épicent avec un goût très sûr les arabesques du violon. Une belle réussite.

Sonates pour violon et basse continue, op. 5, nos 1 à 6.

*** Lucy van Dael (violon), Alan Curtis (clavecin), Wouter Möller (violoncelle). EMI Electrola 1C 065-46.439.

Lucy van Dael est une tourmentée. Vorace d'ornementation sophistiquée, de cadences, de double-cordes, de nuances d'expression, elle captive l'écoute sans que se relâche une seule seconde l'attention. La joie ne la submerge pas et son jeu n'est pas tonifiant. Mais elle a tant à dire et elle le dit si bien qu'on ne peut qu'applaudir devant tant de richesses. Les instruments anciens sont beaux, et la basse continue sonne remarquablement.

Corrette, Michel
(1709-1795)

Nouveau Livre de Noëls.

*** Michel Chapuis (orgue Clicquot de Souvigny). Astrée AS 42. ⌧ CAS 42. Enregistré en 1979.

Un disque exemplaire à beaucoup de points de vue. Le programme : des pages peu fréquentées par les organistes (et donc peu répandues dans le public). Une interprétation qui est un modèle d'intelligence, de style et de vivacité. Chapuis, comme à l'accoutumée, a choisi un orgue exactement adapté à ces Noëls, où ils sonnent avec le plus grand charme et dans les registrations préconisées par l'auteur lui-même. Sur le plan technique, tout est parfait.

Costeley, Guillaume
(1531-1606)

Chansons : Je veus aimer ardantement, Mignonne allons voir si la rose, La terre les eaux va buvant.

** Quatuor Vocal Stéphane Caillat, Stéphane Caillat. Calliope Cal 1 820 (sup.). + *Chansons d'Anonyme, Bertrand, Castro, Certon, Chardavoine, Goudimel, de la Grotte, Janequin, Lassus, de Monte, Regnard.*

Chansons : Je vois de glissantes eaux, Mignonne allons voir si la rose.

* Quatuor Vocal François-Marc Roger, François-Marc Roger. Erol 7413 FP ER. Enregistré en 1979. + *Chansons de Janequin, Sermisy, Le Jeune, Passereau.*

Le disque de Caillat allie le pédagogique à l'agréable. Centré autour de ce mouvement renaissant qui voulait réconcilier musique et poésie, il illustre avec goût et sûreté historique l'œuvre de Ronsard, ne donnant ainsi qu'un petit aperçu de l'ensemble de la composition de Costeley. Mais ces auteurs de Chansons ne se sont-ils pas livrés à cet émaillement ? Préférence est encore donnée ici à l'intimité, au phénomène naissant du salon. Un bon enregistrement.

La réalisation dirigée par François-Marc Roger manque de qualités techniques, mais témoigne de l'évolution que prend actuellement l'interprétation de ce répertoire du XVIe siècle. Intimité des petits ensembles, recherche du ton le plus juste, le plus historiquement proche de ce qui pouvait être alors entendu. La qualité des jeunes interprètes de cet enregistrement emporte l'adhésion de l'auditeur et lui révèle certains aspects inconnus de l'écriture vocale de cette époque.

Fantaisie sur orgue ou épinette.

*** André Isoir (orgue Koenig d'Angers). Calliope Cal 1901 ⌧ CAL 4 901. + *Œuvres pour orgue d'Anonyme, du Caurroy, Francisque, Gervaise, Janequin, Le Jeune, Sandrin.*

Isoir propose une interprétation très juste par son ton, ses recherches sonores. C'était les débuts de la musique instrumentale pure, sans support vocal, sans timbre connu. Bien que l'œuvre de Costeley ne soit pas ici complètement représentée, elle méritait qu'on en fasse mention.

Couperin, Armand-Louis
(1725-1789)

Symphonie de clavecins. 2e Quatuor à deux clavecins. Les quatre Nations : la Française, l'Italienne.

** William Christie, David Fuller (clavecins). Harmonia Mundi HM 1051. ⌧ HM 40-1051. Enregistré en 1980.

La Symphonie pousse aussi loin que possible la technique du clavecin, et le deuxième Quatuor est d'une beauté rayonnante. William Christie et David Fuller en donnent une interprétation véritablement exemplaire. Le goût s'y allie avec la fantaisie et la finesse dans les timbres, avec la sobriété et la sûreté dans l'approche musicologique.

Couperin, François
(1668-1733)

L'Art de toucher le clavecin : huit Préludes et une Allemande.

*** Huguette Dreyfus (clavecin). Valois MB 797 (4 d.) (sup.). *+ Ordres nos 3, 4, 6, 11, 13, 18, 24, 26 et 27.*

** Kenneth Gilbert (clavecin). Harmonia Mundi HMU 355/58 (4 d.). *+ 2e Livre de clavecin.*

L'interprétation de l'*Art de toucher le clavecin* par Huguette Dreyfus, venant en complément d'Ordres extraits des quatre Livres, correspond tout à fait au titre de l'œuvre, car la claveciniste y fait précisément montre de beaucoup d'art et d'élégance. Sensibilité, équilibre, pureté de style sont les traits dominants de son jeu, qui sont ceux requis pour servir dans l'esprit cette musique vraiment française. Attentive à la qualité sonore, elle choisit avec soin ses registrations, pleines de son instinct des couleurs. Elle se montre aussi à l'aise dans les Préludes rythmés et vifs que dans ceux méditatifs et rêveurs.

La version enregistrée par Kenneth Gilbert ne fait pas oublier celle de Huguette Dreyfus, mais elle s'impose aussi par ses grandes qualités. Le jeu est distingué et le style très pur. Le cheminement des voix est toujours perceptible, malgré les ornements dont Gilbert sait préserver la valeur mélodique. Sobriété et intelligence marquent le choix des registrations. L'instrument, une copie exacte d'un Hemsch de 1750, est accordé au tempérament inégal, ce qui donne un résultat très subtil, une irisation délicate des sonorités, rehaussée par une excellente prise de son. Un petit livret accompagne le coffret.

Concerts : les Nouveaux Concerts, les Concerts Royaux.

*** Frans Brüggen (flûte), Barthold Kuijken (flûte), Sigiswald Kuijken (violon), Wieland Kuijken (viole de gambe), Ensemble d'Instruments Anciens. Philips 6747.174 (6 d.) (sup.). *+ 5 Sonates.*

*** Thomas Brandis (violon), Heinz Holliger (hautbois), Laurenzius Strehl, Josef Ulsamer (viole de gambe, violone), Christiane Jacottet (clavecin), Aurèle Nicolet (flûte). Archiv 2723.046 (4 d.) (sup.).

Le coffret des Kuijken réunit pour la première fois l'ensemble de la musique concertante de Couperin. L'idée est d'autant plus séduisante qu'on a utilisé des instruments ayant exactement la sonorité de ceux de l'époque. La présentation des œuvres est assurée par une excellente étude (texte en français également). Pourtant, une légère déception vient assombrir l'écoute de ces plages pourtant superbement jouées. Cela vient essentiellement de deux partis pris stylistiques : d'une part, cette reconstitution semble abstraite tant elle adopte une esthétique retenue et trop loin de la vie ; d'autre part, il y a un abus des gonflements rapides de certaines notes, qui engendre une lassitude confinant au mal de mer. Cela dit, il reste un tempo alerte, une très belle ligne mélodique, des rythmes vigoureux qui mettent en relief des éléments d'expression. Un gros actif donc, pour permettre de recommander cette réalisation.

Il y a également du bien à dire de la version proposée par Archiv des *Concerts* de Couperin. Si le programme est moins riche que l'intégrale des Kuijken, qui comporte en plus cinq des *Sonates*, l'interprétation est très bonne, quoique différente sur le plan de la conception. Le jeu est plus homogène, et l'on n'a plus ces effets désagréables de «soufflets» sur les notes. La volonté de reconstitution est moins affirmée, l'atmosphère est plus classique : tendresse et charme y dominent, ce qui est un avantage par rapport à la froideur relative chez les Kuijken.

Les Quatre Concerts Royaux.

* Brigitte Haudebourg (clavecin), Jacques Vandeville (hautbois), Philippe Foulon (viole de gambe), Jean-Louis Fiat (basson). Arion ARN 38.581. Enregistré en 1980.

Cet enregistrement s'écoute avec plaisir surtout parce que, au hautbois, Vandeville sent cette musique avec une tendresse et une souplesse qui ne peuvent laisser indifférent. Malheureusement, certaines erreurs viennent porter ombrage : le fait d'avoir confié le «dessus», donc le chant, à ce seul hautbois au lieu d'y adjoindre, selon l'usage, divers instruments, donne une impression de découvert et de monotonie, qu'accentue encore le recul sonore du clavecin.

Trois Leçons de Ténèbres, pour le Mercredi-Saint, sur les Lamentations du Prophète Jérémie.

*** Nadine Sautereau (s), Janine Collard (ms), Noëllie Pierront (orgue). Erato DP 23.1. Mono.

** Judith Nelson, Emma Kikby (s), Jane Ryan (viole de gambe), Christopher Hogwood (orgue de chambre). Oiseau-Lyre OL 595.016. Enregistré en 1978. *+ Motet pour le jour de Pâques.*

** Alfred Deller (hc), Philipp Todd (t), Raphaël Perulli (viole de gambe), Michel Chapuis (orgue). Harmonia Mundi HMU 2.461 (2 d.).

Malgré son âge - il remonte aux premières années du microsillon -, le disque Erato reste la plus belle et lumineuse interprétation que l'on puisse trouver des *Leçons de Ténèbres.* Aucune des versions suivantes n'atteint une telle appropriation des voix, ni un tel potentiel émotionnel, ni une telle justesse de style, ni enfin, une authenticité d'esprit aussi profonde.

L'interprétation par Judith Nelson, Emma Kikby et Christopher Hogwood est pure et nette comme du cristal, mais aussi froide. Il manque l'émotion qui fait s'arrêter sur un mot, une inflexion, une syllabe, cette liberté un peu déclamatoire qui caractérise le phrasé du XVIIe siècle. Le duo des sopranos, l'un de timbre brillant, l'autre plus moelleux, atteint des sommets dans le style, mais on ne retrouve pas ce climat impalpable qu'avaient su créer, dans un style certes vieilli, Nadine Sautereau et Janine Collard.

Ces *Leçons* sont sans doute un sommet de l'art de Couperin et il appartient aux interprètes d'en respecter l'esprit : c'est pourquoi on ne peut se satisfaire de l'interprétation d'Alfred Deller, car la présence de la voix de haute-contre ne se justifie guère ici. Sa voix est belle, c'est incontestable, mais une voix de femme, historiquement possible dans le cadre de cette composition destinée à un couvent de femmes, eût été plus adéquate. A l'orgue de la Chapelle des Augustins de Brignolles, Michel Chapuis fait preuve d'une discrétion qui va bien à cette musique.

Messe pour orgue à l'usage des couvents.

*** André Isoir (orgue Koenig de Sarre-Union). Calliope 1908. ⌧ 4908. Enregistré en 1973.

*** Michel Chapuis (orgue de St-Nicolas à Pertuis). Astrée AS 35. Enregistré en 1977.

** Michel Chapuis (orgue Isnard de Saint-Maximin-du-Var). Harmonia Mundi HM 715. Enregistré en 1968.

On retrouve dans cette *Messe des Couvents* par Isoir toutes les qualités d'interprétation signalées à propos de la *Messe des Paroisses* ; mais de plus, l'instrument utilisé ici se révèle particulièrement intéressant puisqu'il s'agit d'un orgue de facture moderne construit toutefois en suivant scrupuleusement les recommandations formulées par Dom Bedos de Celles en 1766.

La dimension intérieure de la *Messe des Couvents* se trouve révélée d'une façon saisissante sur l'orgue de Pertuis. Si Michel Chapuis ne remet pas en cause profondément ce qu'il avait fait dix ans plus tôt, l'adéquation de l'instrument à l'œuvre est ici plus idéalement réalisée.

A St-Maximin-du-Var, Michel Chapuis donne une *Messe des Couvents* spécialement fastueuse, trop peut-être dans la mesure où l'idée que l'on se fait de cette œuvre suppose davantage d'intimité sonore que la *Messe des Paroisses.* Cela dit, l'interprétation, qui fut à l'époque de la parution de ce disque une véritable révélation musicologique, demeure aujourd'hui un modèle d'intelligence et de distinction.

Messe pour orgue à l'usage des paroisses.

*** André Isoir (orgue Haerpfer-Erman de St-Germain-des-Prés à Paris). Calliope 1907. ⌧ 4907. Enregistré en 1973.

*** Michel Chapuis (orgue Isnard de Saint-Maximin-du-Var). Harmonia Mundi HMB 714. ⌧ HMB 40-714. Enregistré en 1968.

** Michel Chapuis (orgue de St-Nicolas à Pertuis). Astrée AS 34. Enregistré en 1977.

Chez André Isoir, on appréciera la perfection coulée et la richesse imaginative d'une ornementation à laquelle cet interprète apporte une contribution personnelle importante. Cet art d'improviser les agréments avec une étonnante spontanéité répond bien aux exigences vraies de cette musique, qui ne doit pas se jouer telle qu'elle est écrite sous peine d'ennuyer.

Les Messes de Michel Chapuis à Saint-Maximin sont les premières en date enregistrées par cet artiste. Elles émerveillèrent à l'époque et n'ont rien perdu aujourd'hui de leur lustre. La *Messe des Paroisses* se pare ici d'une admirable solennité qu'accusent les timbres du grand orgue Isnard, d'une ampleur et d'une majesté toutes royales.

Dix ans plus tard, à Pertuis, Michel Chapuis est l'égal de lui même. Seul, le choix instrumental fait ressortir une différence : il manque à Pertuis un rien de cette souveraine grandeur qui nous fait préférer la *Messe des Paroisses* à Saint-Maximin.

Motets à une ou deux voix.

** Anna-Maria Bondi, Nicole Fallien (s), Françoise Petit (clavecin), Solistes de Paris, Henri-Claude Fantapié. SFP 91.033 et 91.041 (2 d.).

Cette réalisation fait découvrir un aspect de Couperin généralement négligé, car le compositeur survit surtout dans ses œuvres instrumentales, alors que sa musique vocale et sacrée est au moins aussi importante pour l'histoire musicale. La qualité de l'invention mélodique et de l'intensité expressive en font un héritier de Marc-Antoine Charpentier. La réalisation artistique est de haut niveau, avec le soprano Anna-Maria Bondi, et les solistes instrumentaux. La direction de l'ensemble est assurée avec un sens évident du style.

L'Œuvre pour clavecin intégrale.

*** Scott Ross (clavecin). Stil 1.607 (8 d.) et 2.106 (8 d.). Enregistré en 1977 et 1978.

*** Blandine Verlet (clavecin). Astrée AST 21 (Ordre I, L'Art de toucher le clavecin), AST 22 (Ordre II), AST 23 (Ordres III et IV), AST 24 (Ordre V), AST 25 (Ordres VI, XI et XII), AST 26 (Ordres VII et VIII), AST 27 (Ordres IX et X), AST 28 (Ordres XII, XVII et XVIII), AST 29 (Ordres XIV et XIX), AST 30 (Ordres XV et XVI), AST 31 (Ordres XX, XXI et XXII), AST 32 (Ordres XXIII et XXIV), AST 33 (Ordres XXV, XXVI et XXVII).

** Kenneth Gilbert (clavecin). Harmonia Mundi HMU 351/54 (4 d.) (Livre I : Ordres I à V), HMU 355/58 (4 d.) (Livre II : Ordres VI à XII), HMU 359/62 (4 d.) (Livre III : Ordres XIII à XIX), HMU 363/66 (4 d.) (Livre IV : Ordres XX à XXVII).

Les Pièces pour clavecin de François Couperin sont à la musique ce que les miniatures sont à la peinture : leur donner un quelconque caractère baroque, y introduire cette volonté d'effet-pour-l'effet caractéristique de ce style grandiose, serait commettre un lourd contresens. Chez Couperin, tout est suggéré au second degré, tout, dans ces jardins à la française, doit être indiqué avec beaucoup de subtilité et de délicatesse. C'est pourquoi l'intégrale par Scott Ross mérite tous les éloges. Cet artiste a su garder dans son jeu, très sobre et très pur, cette subtilité, cet art un peu caché, qui, tout en étant secret, ne tombe jamais dans le maniérisme. De son clavecin, un magnifique instrument ancien, il tire des sonorités rares, sur lesquelles il se livre, dans chaque pièce, à un véritable travail de ciseleur.

Blandine Verlet a distillé, petit à petit, les disques, qui, tels un puzzle, forment maintenant cette intégrale qui se place parmi les plus grandes. Son art est fait d'intelligence, de sensibilité et d'une capacité merveilleuse de communication intime avec les œuvres. Jamais la musique n'est oubliée au profit de la musicologie, et il traîne tout au long de ces plages un subtil parfum poétique dont on ne saurait se lasser. Rappelons que, pour couronner le tout, la présentation matérielle offerte par Astrée est absolument superbe.

Personne ne pourra nier que Kenneth Gilbert est un artiste intelligent et un remarquable pédagogue. Mais pour Couperin, il s'en est un peu trop tenu à la lettre des partitions, et sa lecture est par trop scrupuleuse. A son actif, on ne peut lui reprocher de manquer d'objectivité par rapport au texte ; mais il fallait quand même plus de poésie, voire de génie, pour animer ces tableautins musicaux. L'audition de l'enregistrement de Gilbert laisse une impression de froideur, de manque de présence qui montre combien la juste voie est difficile à trouver entre les excès d'expression et une honnêteté qui mène vite à l'ennui.

Œuvres pour clavecin : La Favorite, Les Moissonneurs, Les Langueurs tendres, Le Gazouillement, La Commère, Le Moucheron, Les Bergeries, Les Tambourins, Les Fastes de la grande et ancienne ménestrandise, Les Vielleux et les gueux, Les Jongleurs, sauteurs et saltimbanques avec les ours et les singes, Le Dodo ou l'amour au berceau, Mu-

sette de Taverny, La Passacaille, Les Folies Françaises ou les Dominos, Les Calotins et les calotines ou la pièce à trestous, Les Vergers fleuris, Sœur Monique, Le Rossignol en amour.

*** Wanda Landowska (clavecin). EMI «Références» C 051-03.933. Mono (origine 78 t). Enregistré en 1930 et 1934.

Un enregistrement propre à transporter les amoureux du clavecin et de sa plus grande servante. Bien entendu, les connaissances musicologiques de l'époque, comme du reste les techniques d'enregistrement surprendront un peu les oreilles, mais les authentiques passionnés iront au-delà pour se donner tout entiers au coup de foudre Landowska.

Œuvres pour clavecin : Sixième Prélude de l'Art de toucher le clavecin, VIIIe, XIe, XIIIe et XVe Ordres.

*** Rafaël Puyana (clavecin). Philips 6770.013 (2 d.).

Un mot peut définir le jeu de Rafaël Puyana : il est vivant. A ce titre, il sait rendre avec beaucoup d'art et de science les titres parlants et la graphie musicale si complexe de Couperin, restitue admirablement toute la gamme des sentiments. On appréciera particulièrement son excellente version des deux suites célèbres : *Fastes de la Grande et Ancienne Menestrandise* (XIe Ordre) et *Les Folies Françaises* (XIIIe Ordre). Le VIIIe Ordre, placé sous le signe de la chorégraphie, est ciselé à la fois avec finesse et vigueur. L'instrument utilisé, un magnifique Rückers de 1646, permet de retrouver le véritable relief de toutes ces pièces, et met en pleine lumière la valeur expressive des ornements.

Deux Suites pour viole et basse continue, n° 1 en mi mineur, n° 2 en la majeur.

❀*** Jordi Savall (viole de gambe), Ariane Maurette (basse de viole), Ton Koopman (clavecin). Astrée AS 1. ⊠ CAS 1.

Cette première mondiale est importante : il s'agit de la dernière œuvre de Couperin, son testament musical et spirituel. Les deux Suites qui constituent l'œuvre sont fort différentes : la première est un traditionnel enchaînement de sept mouvements, la seconde s'apparenterait plutôt à la sonate et à la toccata. L'interprétation est dominée par le grand violiste qu'est Jordi Savall. Cet artiste se signale déjà, malgré sa jeunesse, par une maturité et une musicalité peu courantes. Son disque se situe à un niveau des plus élevés, tant pour son programme que pour sa qualité artistique et sa réalisation technique.

Couperin, Louis
(1626-1661)

Pièces de clavecin : Suite en ré mineur (Prélude, Allemande, Courante, Sarabande, Canaries, Volte, La Pastourelle, Chaconne), La Piémontaise, Pavane, Suite en ut majeur (Prélude, Allemande, Courante, Sarabande, Passacaille), Suite en fa majeur (Prélude, Allemande grave, Courante, Sarabande, Branle de Basque, Gaillarde, Chaconne).

*** Blandine Verlet (clavecin Hemsch, 1754). Valois-Résurgences MB 314. Enregistré en 1971.

Un des rares disques entièrement consacrés à Louis Couperin. Certaines pièces comptent parmi les plus remarquables du compositeur : Préludes, Chaconnes, Passacaille, Pavane. Le jeu de Blandine Verlet équilibre vigueur et raffinement, se souciant de rendre présente l'architecture sous le foisonnement des ornements. Malgré une certaine fermeté dans le discours qui ne laisse pas toujours à la part de rêve la liberté suffisante pour s'exprimer, son interprétation fait revivre l'essentiel de cette musique : noblesse, élans rythmiques, sensibilité ardente. La prise de son donne toute leur plénitude aux sonorités rayonnantes d'un clavecin ancien.

Pièces pour orgue : Allemande, Sarabande en canon, Fantaisie, Chaconne en ré mineur, Branle de basque, Fantaisie, Passacaille.

*** André Isoir (orgue Koenig d'Angers, 1972). Calliope CAL 1905. Enregistré en 1973. *+ Geoffroy : Pièces pour orgue.*

Ces quelques pièces ne donnent qu'un aperçu de l'art du compositeur, mais elles suffisent pour deviner la mesure de son génie. Servi par un orgue qui «répond» merveilleusement à sa pensée et à sa sensibilité,

André Isoir apporte à chacune d'elles la qualité d'un jeu attentif à l'expression juste et les nuances d'un art très sûr de la registration. Supportant bien la confrontation, l'œuvre de Geoffroy est assez intéressante pour ne pas la laisser longtemps ignorée. La prise de son est remarquable de vérité.

Suite pour clavecin en fa majeur (Prélude, Allemande grave, Courante, Sarabande, Chaconne, Tombeau de Monsieur de Blancrocher, Gigue, Chaconne).

*** Colin Tilney (clavecin Vincent Tibaut, 1681). EMI VSM C 065-309045 Quadri. + *Geoffroy : Suites en ut mineur et fa mineur.*

La «sereine sensualité» que Tilney discerne dans l'art du compositeur transparaît également à travers l'interprétation du claveciniste anglais : dans le déploiement des accords arpégés, la liberté du phrasé, le balancement du rythme. Ajoutons une parfaite assimilation du style français, et le naturel d'un jeu d'où affleure à vif l'émotion. Les timbres colorés du clavecin au tempérament inégal, et sa sonorité un peu «luthée», sont en parfaite harmonie avec le caractère de cette musique. Deux Suites de Geoffroy révèlent l'art original de ce contemporain de Couperin dont elles encadrent l'œuvre sans aucune rupture de style

Suites en la mineur, en ut majeur, en fa majeur. Pavane en fa dièse majeur.

*** Gustav Leonhardt (clavecin). Harmonia Mundi 20.377. Enregistré en 1979.

Un très grand disque de clavecin signé par le maître hollandais. Sous ses doigts, faisant résonner un instrument, copie d'ancien à la sonorité ample, chaude et profonde, le génie de Louis Couperin apparaît avec éclat. Si d'autres interprètes choisissent d'en montrer l'aimable fougue, Leonhardt préfère nous plonger dans une atmosphère presque douloureuse, où, parmi des ors rares, affleurent des âpretés lugubres (*Tombeau de M. Blancrocher*.

Crecquillon, Thomas
(mort en 1557)

Chansons et Motets pour voix et instruments.

* Ensemble Per Cantar e Sonar, Ensemble vocal Stéphane Caillat, Stéphane Caillat. Erato STU 71.213. Enregistré en 1978.

Une anthologie représentative des divers genres dans lesquels s'est illustré ce maître de chapelle de Charles Quint, bien oublié aujourd'hui. L'interprétation sert fort bien la calme sérénité et la verve mélodique de ces pages. Les voix agréables, bien distinctes, mais évoluant toujours avec homogénéité, créent le fondu nécessaire à la fraîcheur raffinée des chansons comme au recueillement des pièces religieuses. Une fine musicalité, à la recherche des demi-teintes, rend l'atmosphère intime de la vie musicale au début du XVIe siècle. Réalisation technique très moyenne.

Croft, William
(1678-1727)

Musique vocale et instrumentale, Cantates Hymn on divine musick et By purling streams. Suites pour clavecin en ut mineur, en mi mineur, en mi bémol et en ut mineur. Sonates pour violon en sol mineur et en si mineur.

* Honor Sheppard (s), Marjorie Lavers (violon), Michael Dobson (hautbois), Jane Ryan (viole de gambe), Robert Elliott (clavecin). Oryx 1730 (G-B).

Quelques échantillons variés de la production d'un Anglais contemporain de Haendel. L'équilibre est excellent entre pièces pour la voix et musique instrumentale. Les divers interprètes donnent à leur prestation ce qu'il faut de virtuosité sans que soit oubliée une certaine intensité sentimentale très sensible dans les deux cantates. C'est moins bien que du génie - ou même un grand talent -, c'est mieux qu'une musique de circonstance. A prendre comme les musiciens nous l'offrent : une occasion de faire revivre de la belle musique oubliée.

Crumb, George
(né en 1929)

Music for a Summer Evening (Makrocosmos III), pour 2 pianos amplifiés et percussion.

** Gilbert Kalish, James Freeman (pianos), Raymond Desroches, Richard Fitz (percussion). Nonesuch 71.311 (USA).

Cette *Musique pour un soir d'été* ne tombe pas dans le piège de l'hermétisme, comme nombre d'ouvrages contemporains. Son caractère moderne (influence de Bartók, recherches sonores...) reste simple et séduisant, agréable pour l'auditeur. Ici, l'interprétation a le grand mérite de surmonter les difficultés liées à la liberté laissée aux exécutants : tout se passe avec une rigueur qui n'exclut pas une irrationnalité où se glisse la part de rêve. Une jolie réalisation.

Ancient Voices of Children, cycle de mélodies sur des poèmes de F.G. Lorca, pour mezzo, sopraniste, hautbois, mandoline, harpe, piano électrique et percussion.

*** Jan de Gaetani (ms), Michael Dash (hc), Ensemble de Chambre Contemporain, Arthur Weisberg. Nonesuch 32.804 (USA).

Crumb rend avec une merveilleuse intensité les symboles de la poésie de Lorca. Pour cela, il joue sur les timbres des instruments, mais c'est surtout grâce à la voix extraordinaire de Jan de Gaetani, presque immatérielle tant elle est parfaite, que tous les effets deviennent possibles. On peut regretter la présence d'un haute-contre là où une voix d'enfant eût donné plus de vérité. L'enregistrement est d'une qualité technique exemplaire, qui permet à la musique de s'exprimer jusque dans ses intentions les plus détaillées : à un tel point de qualité, le disque fait partie de l'œuvre.

Cui, César
(1835-1918)

18 Miniatures pour piano. Impromptu-Caprice. Valse en mi mineur.

** Bernard Ringeissen (piano). Adès 7.081/83 (3 d.). Enregistré en 1979. *+ Pièces pour piano du Groupe des Cinq (Balakirev, Moussorgski, Rimski-Korsakov, Borodine).*

Ringeissen a bien saisi l'esprit de ces piécettes, qui, sans doute, sont les plus russes de ce fils d'officier français émigré, et dont les opéras et les mélodies sont bien peu slaves. La tentative vaut la peine, et on regrettera seulement l'absence de sillon à vide entre les diverses pièces.

D

Dallapiccola, Luigi
(1904-1975)

Le Prisonnier.

❀*** Giulia Barrera (la Mère), Romano Emili (le Geôlier et l'Inquisiteur), Maurizio Mazzieri (le Prisonnier), Orch. Symph. de Washington, Ch. de l'Université de Maryland, Antal Doráti. Decca Head 10 (G-B).

Achevé en 1948, le chef-d'œuvre de Dallapiccola n'a rien perdu de sa force, de son impact. Cri révolté lancé contre toute oppression de la liberté de l'individu, cette partition est magnifiquement servie par Mazzieri, qui campe un Prisonnier aux accents dramatiques, d'une vérité, d'une douleur bouleversantes, et par Emili, inquiétant, révoltant de sadisme, d'hypocrisie, de cruauté gratuite dans son rôle de Geôlier/Inquisiteur. Quant à la Mère de Barrera, dévorée de chagrin, d'angoisse et d'espoir, elle ne dépareille point dans ce «Quatuor» de solistes admirables d'intensité. Chœurs, orchestre et chef sont au diapason des chanteurs, fouillent plus loin encore dans la psychologie des personnages en nous offrant une vision de feu et de glace, d'une violence écrasante.

Dandrieu, Jean-François
(1682-1738)

Noëls pour orgue.

*** Michel Chapuis (orgue J.G. Koenig de Sarre-Union). Valois-Résurgences MB 311. Enregistré en 1969. + *Noëls de d'Aquin et Balbastre.*

Parmi les deux ou trois disques de Noëls qu'il faut avoir (avec un Isoir ou un Gil). Chapuis est ici prodigieux, et l'orgue de Sarre-Union d'une superbe poésie. Lumineux. Sur le même disque, on trouvera les principales œuvres de deux autres grands «noëlistes». A ne pas manquer.

Pièces pour orgue : Plein-jeu, Fugue sur Ave Maris Stella, Basse et dessus de trompette, Flûtes, Trio avec pédale, Basse de cromorne, Récit de nazard, Muzète, Offertoire, Duo en cor de chasse.

*** André Isoir (orgue Kern de Saint-Séverin à Paris). Calliope CAL 1914. Enregistré en 1974. + *Dumage : Livre d'orgue.*

Aspects de l'orgue pittoresque au XVIIIe siècle. Jouées avec tout ce qu'il faut de malice et d'esprit par André Isoir, ces pièces sonnent excellemment sur l'orgue moderne de Saint-Séverin. Un tour d'horizon très représentatif de l'art souvent truculent de Dandrieu. Le couplage est particulièrement intéressant : un Dumage de premier plan. On peut trouver ce disque en coffret (trois disques) avec Guilain et Clérambault.

Premier Livre de clavecin, extraits.

** Brigitte Haudebourg (clavecin). Arion ARN 38.420. Enregistré en 1977.

Première mondiale. La très bonne claveciniste Brigitte Haudebourg fait à nouveau figure d'initiatrice dans un domaine encore peu exploré ; elle le fait avec de solides qualités techniques. Mais Jean-François Dandrieu souffre d'être le contemporain d'un «grand» Couperin. Le clavecin est superbe (Hemsch 1754).

Danican-Philidor, François André
(1726-1795)

Le Sorcier.

** Peggy Bouveret (Agathe), Judith Mok (Simone), Chantal Reyjal (Justine), Udo Reinemann (Julien), Jean-Claude Orliac (Blaise), Bernard Boudier (Bastien), Orch. de Rennes, Marc Soustrot. Arion ARN 238.027 (2 d.). Enregistré en 1980.

Une première mondiale qui enrichit la discographie de l'opéra-comique français prérévolutionnaire. Cet enregistrement est le reflet exact des représentations données en mai 1980 à la Maison de la Culture de Rennes. Il se distingue par un beau sextuor de solistes, dominé par une charmante Agate, et le baryton expressif d'Udo Reinemann. La délicieuse musique de Philidor fait passer l'abondance du texte parlé, pierre d'achoppement de chanteurs qui ne sont pas des comédiens.

Daniel-Lesur
(né en 1908)

Andrea del Sarto, opéra : extraits.

* Gabriel Bacquier (bar), Andrée Esposito (s), Danièle Perriers (s), Alain Vanzo (t), Jacques Mars (b), Ch. et Orch. National de l'ORTF, Manuel Rosenthal. Inédits ORTF BAR 995.037 (sup.). Enregistré en 1973.

Les «Inédits de l'ORTF», aujourd'hui disparus, nous ont permis d'avoir des extraits significatifs de l'œuvre maîtresse de Daniel-Lesur. Il est toujours redoutable en ce domaine d'intéresser le musicien, de s'exprimer soi-même et d'avoir l'oreille du public. Daniel-Lesur a franchi avec succès tous ces obstacles, et l'enregistrement permet de revivre les principaux moments de l'action dramatique dans une distribution de premier plan.

Dao, Nguyen-Thien
(né en 1940)

Bat-Khuat.

** Ensemble de percussion de l'Orchestre de Paris. EMI VSM C069-11.326 (sup.). *+ Constant : Equal. Delécluse : Quintuple.*

Disque prétexte à la naissance de cet ensemble de percussion, remarquable au demeurant. Précisons que les œuvres gravées ici ont été spécialement composées pour cette occasion... *Bat Khuat* part d'une volonté anti-expressionniste, et semble nous dire que la non-mélodie du chaos originel est capable d'engendrer des rapports mélodiques nouveaux, tout aussi valables. Et assurément, Dao est des plus convaincants. Mais bien plus intéressant est son approche des intensités, des timbres, des couleurs-atmosphères, du Temps élastique «à-la-Léger». L'œuvre de Marius Constant n'est heureusement pas réductible à la démonstration de virtuosité que nous propose Jacques Delécluse .

May.

*** Sylvio Gualda (percussion). Erato STU 71106. ⌧ MCE 71.106. *+ Xenakis : Psappha.* Carter : 4 Pièces pour timbales.

Loin de Webern ou d'un certain Debussy, le compositeur vietnamien cherche bien plutôt ses racines dans une perception, une conception de l'univers sonore aux parfums d'Orient. Si les pulsations européennes n'ont plus cours dans cette partition qui nous enchante une face durant, force nous est donc de nous plonger à «cœur ouvert» dans cette ambiance étrange, envoûtante, où la nature et sa polyphonie invisible nous invitent à nous retrouver. Sylvio Gualda, en magicien, réussit à dépasser la virtuosité en la transcendant par un état de grâce où musicalité, sensibilité, sensualité sont seuls perceptibles ! Et cela sans compter l'admirable *Psappha* de

Xenakis et les pièces pour timbales d'Elliot Carter, le plus important des compositeurs américains contemporains.

Phu Dông, pour quintette de cuivres et percussion. Gio Dông, pour voix seule. Bà Me Viet-Nam, pour contrebasse solo et ensemble instrumental.

❀*** Quintette Ars Nova, Sylvio Gualda (percussion), Ens. Ars Nova, Nguyen-Thien Dao. Erato STU 71114 (sup.).

Le frémissement que crée jusque dans notre chair cette re-création sonore d'un univers habité par les espaces infinis du cosmos de notre être intérieur est indescriptible. Disons seulement que le dramatisme, la poétique nés de l'imperceptible bruissement d'une percussion, ou du déchaînement féroce et violent des éléments sont un véritable choc physique et émotionnel. Ajoutons encore que la stupéfiante virtuosité du compositeur dans son solo vocal en langue vietnamienne rend le «trip» le plus audacieux, fade et inexistant... Un compositeur et une musique à découvrir absolument.

Dargomijski, Alexandre
(1813-1869)

Anthologie : Mazeppa, Rogdana (opéras, fragments), Baba Yaga, Kazatchok, Fantaisie tchoukhone (fantaisies orchestrales).

** Vladimir Makhov (t), Boris Dobrine (t), Valentina Boudareva (s), Ch. et Orch. divers, Evgueni Akoulov et Alexandre Stassevitch. Mélodia - Chant du Monde 33 CM 03.263 (URSS).

Un ensemble peut-être disparate, et qui ne compense pas l'absence au catalogue des indispensables mélodies de Dargomijski ; mais un pas important dans la connaissance de cet étrange musicien, une bonne interprétation orchestrale et d'excellents solistes, à une exception près.

Le Convive de pierre, opéra.

*** Vladimir Atlantov (Don Juan), Alexandre Vedernikov (Leporello), Tamara Milashkina (Dona Anna), Tamara Siniavskaïa (Dona Laura), Vladimir Valaitis (Don Carlos), Orch. du Théâtre Bolchoï de Moscou, Mark Ermler. Mélodia-Chant du Monde LDX 78.661/62 (2 d.) (étr.). Enregistré en 1977.

*** Alexei Maslennikov (Don Juan), Georg Pankov (Leporello) Galina Vichnevskaïa (Dona Anna), Irina Arkhipova (Dona Laura), Vladimir Zacharov (Don Carlos), Orch. de la Radio de Moscou, Boris Khaikine. Mélodia D 08.975/78 (2 d.) (URSS).

C'est la gravure exceptionnelle et la direction étincelante de Mark Ermler qui emportent d'abord l'adhésion, et ne serait-ce la prestation absolument catastrophique de Vedernikov, dont la voix ne quitte pas le fond de la gorge, ce disque serait l'un des grands moments de la discographie russe de ces dernières années. Atlantov est autoritaire et convaincant, Malashkina très attachante, et le mezzo de Tamara Sniniavskaïa est le plus beau timbre grave que l'on puisse rêver aujourd'hui.

Superbe version de Boris Khaikine, dont le son date à peine, conduite avec une juste objectivité par un parfait spécialiste. Un Don Juan (Alexei Maslennikov) irrésistible et impérieux, un Don Carlos (Vladimir Zacharov) plaintif et admirable, et un duo féminin plein de panache, quoique trop peu différencié : une autre version à posséder sans faute.

Roussalka, opéra.

*** Ivan Kozlowski (le prince), Alexandre Krivtchenia (le meunier), Evguenia Smolenskaïa (Natacha), Veronika Borisenko (la princesse), Ch. et Orch. du Théâtre Bolchoï de Moscou, Evgueni Svetlanov. Mélodia D 04.424/29 (3 d.) (URSS). Mono.

** Vladimir Kiltchevski (le prince), Alexandre Pirogov (le meunier), Evguenia Smolenskaïa (Natacha), Valentina Gagarina (la princesse), Ch. et Orch. du Théâtre Bolchoï de Moscou, Vassili Nebolssine. Mélodia M 10 36.629/34 (3 d.) (URSS). Mono.

Svetlanov, alors assez jeune, conduit de façon éloquente une version très russe, estompant au mieux les ballets à la française, mettant en vedette l'extraordinaire Kozlowski, pathétique, déchiré par le remords, et digne de ses illustres prédécesseurs, Sobinov et Smirnoff. Krivtchenia camperait un solide meunier si l'on ne connaissait les hallucinants témoignages laissés par Chaliapine (VSM OVD 50.020). Les femmes sont d'un niveau honnête, et la gravure très correcte.

La version dirigée par Nebolssine est probablement une bande radiophonique récemment -et fort bien- reportée en disques, mais où le chef, à notre étonnement, prend peu d'intérêt à l'œuvre, et semble rappeler ce que le génial auteur russe doit à l'Occident. Pirogov, très âgé, n'en est pas moins très présent et efficace, le ténor est excellent bien que peu personnel, et malgré quelque aigreur du côté féminin, Smolenskaïa est ici supérieure à elle-même par rapport à l'autre version.

Dauvergne, Antoine
(1713-1797)

Concerts de symphonies à 4 parties pour 3 violons et basse : n° 1 en si bémol majeur, n° 2 en fa majeur, n° 3 en si mineur.

* Ensemble Instrumental de Grenoble, Stéphane Cardon. Arion ARN 38.430. ⌧ ARN 40-38.430. Enregistré en 1977.

Encore qu'elles ne soient pas des chefs-d'œuvre, ces pièces, vivantes et variées, font alterner avec bonheur tantôt le style gracieux, tantôt le grave et le solennel. Elles représentent bien la musique symphonique du rococo galant français. Il faut apprécier leur découverte grâce aux instrumentistes de Grenoble : leur interprétation est pleine d'entrain, et échappe toujours à l'ennui, bien que l'on puisse reprocher à Stéphane Cardon de ne pas assez différencier les tempos.

La Coquette trompée, opéra-comique.

** Michèle Pena (Clarence), Isabel Garcisanz (Florise), Philip Langridge (Damon), Ensemble Instrumental de France, Jean-Pierre Wallez. IPG 7.335 (sup.). Quadri.

La *Coquette* n'est certes pas un opéra de grande classe, mais un divertissement charmant que l'on découvre ici avec plaisir. D'autant plus que la réalisation ne présente aucun défaut. Sans doute les accents - respectivement espagnol et anglais d'Isabel Garcisanz et Philip Langridge - sont-ils un peu gênants, mais les chanteurs ont des voix ravissantes et forment avec Michèle Pena un trio idéal. L'orchestre, au son transparent, est dirigé avec beaucoup d'entrain par Jean-Pierre Wallez.

Debussy, Claude
(1862-1918)

Anthologie historique : La soirée dans Grenade, Poisson d'Or, Quatuor à cordes, Sonate pour violon et piano, L'Ombre des arbres, Pelléas et Mélisande (extraits).

*** Ricardo Viñès (piano), Quatuor Calvet, Jacques Thibaud (violon), Alfred Cortot (piano), Mary Garden (s), Claude Debussy (piano). EMI VSM OVD 49.323 (sup.). Mono (origine 78 t.).

Debussy accompagnant Mary Garden, ce n'est, en raison de l'âge de la gravure, qu'un document, mais combien émouvant. Il faut se souvenir que Ricardo Viñès a créé les *Estampes* et les *Images*. Quant aux enregistrements de la Sonate par Jacques Thibaud et Alfred Cortot et du Quatuor par le Quatuor Calvet, il furent en leur temps considérés comme exemplaires et demeurent aujourd'hui des pièces de collection.

Intégrale de l'œuvre pour piano.

❁*** Walter Gieseking (piano). EMI Références 1545.653 (5 d.). Mono. Enregistré de 1953 à 1955.

❁*** Samson François (piano). Arabesques, Berceuse héroïque, Children's corner, Estampes, Etudes (extraits), Images, L'Isle joyeuse, Masques, La plus que lente, Rêverie, Suite bergamasque : EMI VSM C 191-11.651/54 (4 d.). Enregistré de 1968 à 1970.

*** Werner Haas (piano). Avec Noël Lee pour les œuvres à 2 pianos ou à 4 mains. Arabesques, Ballade, Berceuse héroïque, Children's corner, Danse (Tarentelle styrienne), Danse bohémienne, D'un cahier d'esquisses, En blanc et noir, Epigraphes antiques, Estampes, Etudes, Hommage à Haydn, Images, Lindaraja, L'Isle joyeuse, Marche écossaise, Masques, Mazurka, Nocturnes, Petite Suite, Le petit nègre, La plus que lente, Pour le piano, Préludes, Rêverie, Suite bergamasque, Valse romantique. Philips 6747.181 (6 d.).

*** Noël Lee (piano). Arabesque, Ballade, Berceuse héroïque, La Boîte à joujoux, Children's corner, Danse (Tarentelle styrienne), Danse bohémienne, D'un cahier d'esquisses, Estampes, Etudes, Hommage à Haydn, Images, 3 Images inédites, L'Isle joyeuse, Masques, Mazurka, Nocturne, Le petit nègre, La plus que lente, Pour le piano, Préludes, Rêverie, Suite bergamasque, Valse romantique. Valois CMB 19 (6 d.). Enregistré en 1971 (sup.).

L'intégrale de celui qui fut, pour nombre de discophiles, le grand initiateur de l'œuvre pour piano de Debussy, Walter Gieseking, est revenue au catalogue français. Elle est à la fois le témoin d'une certaine conception de l'univers debussyste privilégiant l'«impressionnisme», un des chefs-d'œuvre du disque, et une leçon d'art pianistique. C'est par la séduction sonore, par la gamme infinie des nuances et des couleurs, que la magie opère d'abord. A cet égard, les *Images* et les *Estampes* apparaissent comme les sommets de cette intégrale. Mais il y a bien autre chose dans l'interprétation de Walter Gieseking : on y trouve une animation intérieure, très contrôlée, très mesurée, mais intense.

L'intégrale de Samson François est malheureusement restée inachevée (il manque notamment les deux cahiers de Préludes). Très personnelle, elle est à l'image de cet artiste dont l'audace inventive était guidée autant par l'instinct que par l'intelligence. Samson François fait ressortir les aspects oniriques de l'univers debussyste. Il fait rêver, il inquiète, il charme. Il opère par une sorte de magie très différente de celle de Gieseking.

Chez Werner Haas, disciple de Walter Gieseking, la séduction sonore est incontestable. Il trouve toujours le ton juste, équilibre le dessin et la couleur, atteint une sorte de «classicisme» qui le différencie de Samson François. Mais il y a là moins de rêve, moins d'imagination créatrice. Notons que son intégrale est enrichie des œuvres à 2 pianos et à 4 mains.

L'intégrale de Noël Lee est la seule complète, puisqu'elle comprend *La Boîte à joujoux* et les trois *Images inédites.* Noël Lee, dont le jeu est d'une rare finesse, fait ressortir toutes les subtilités de l'écriture debussyste, mais pèche par excès de raffinement, et, parfois, manque d'ampleur.

Arabesques pour piano.

*** Marguerite Long (piano). EMI VSM C 051-16.349 M. Mono (origine 78 t.). Enregistré en 1930. + *Jardins sous la pluie, La plus que lente. Milhaud : Alfama, Concerto n° 1 pour piano, Paysandu. Ravel : Concerto n° 1 pour piano.*

** Pascal Rogé (piano). Decca 390.243. Enregistré en 1978. + *Pour le piano, Estampes, Suite bergamasque, Mazurka, Rêverie.*

Le jeu lumineux et souple de Marguerite Long donne, avec une rare élégance, aux deux *Arabesques* de Claude Debussy le caractère qu'il importe de conserver à une musique qui ne vise pas à la profondeur mais qui est la séduction même.

Pascal Rogé interprète avec finesse, élégance et naturel ces pages mineures, et le couplage, réunissant des œuvres de Debussy écrites entre 1880 et 1903, est cohérent.

La Boîte à joujoux, ballet pour enfants en 4 tableaux : Le magasin de jouets, Le champ de bataille, La bergerie à vendre, Après fortune faite. Version pour orchestre (orchestration André Caplet).

*** Orch. de la Suisse Romande, Ernest Ansermet. Decca SDD 293 (G-B). Enregistré en 1959. + *Dukas : La Péri.*

La Boîte à joujoux, version pour piano.

*** Noël Lee (piano). Valois MB 965. Enregistré en 1971. + *Berceuse héroïque, Children's corner, Hommage à Haydn, La plus que lente.*

La version d'Ernest Ansermet n'est malheureusement pas disponible en France. Sa netteté, ses fraîches couleurs conviennent à cette imagerie enfantine dans laquelle Debussy a mis beaucoup de tendresse.

Dans la version pianistique originale, Noël Lee fait preuve de goût, de finesse, de sensibilité. Cet excellent enregistrement se recommande aussi par le couplage avec *Children's corner.*

Les Chansons de Bilitis, musique de scène.

*** Annick Devriès (récitante), Danièle Galland (s), Noël Lee (piano et célesta), Michel Debost et Kathleen Chastain (flûtes), Martine Géliot et Joëlle Bernard (harpes). Arion 38.350. Enregistré en 1976. + *Trois Chansons de Bilitis, Six Epigraphes antiques.*

Réunir la musique de scène composée vers 1900 pour les poèmes de Pierre Louÿs aux *Epigraphes antiques* qui en sont issues et aux trois mélodies de 1898, voilà le couplage idéal. La réalisation est excellente. La souple diction d'Annick Devriès s'allie à la transparence de l'ensemble instrumental (flûtes, harpes, célesta) pour marier, avec un art subtil, la poésie raffinée de Pierre Louÿs et la délicate musique de Debussy.

Children's corner, pour piano : Docteur Gradus ad Parnassum, Jimbo's lullaby, Serenade for the doll, The snow is dancing, The little sheppard, Golliwog's cake-walk.

❀*** Arturo Benedetti Michelangeli (piano). DG 2530.196. ✉ 3300.226. Enregistré en 1971. + *Images.*

❀*** Walter Gieseking (piano). EMI VSM C 061-1029 (sup.). Mono. + *Suite bergamasque.*

*** Alfred Cortot (piano). EMI VSM COLH 93 (sup.). Mono (origine 78 t.). + *Préludes, Livre 1.*

** Théodore Paraskivesco (piano). Calliope 1.833. Enregistré en 1977. + *Images.*

Avec Arturo Benedetti Michelangeli, *Children's corner*, ce regard ému de Debussy sur les jeux de sa fille, devient quelque chose d'infiniment précieux. Conservant une grande pudeur dans l'expression de la tendresse, c'est par la délicatesse des nuances, par la finesse et l'acuité du trait que ce maître du piano rend justice à la subtilité et à l'ingénuité de l'art debussyste.

Coloriste qui joue sur les sonorités comme d'autres sur les timbres de l'orchestre, Walter Gieseking fait chatoyer les pages de *Children's corner.* C'est, là aussi, du très grand art.

L'approche d'Alfred Cortot est plus subjective. C'est celle d'un poète dont l'interprétation est émue, imaginative, animée.

On revient à une certaine objectivité avec Théodore Paraskivesco. Un beau coloris, un dosage raffiné, des nuances dans un sentiment d'un goût irréprochable. Voilà qui peut et qui devrait séduire.

La Damoiselle élue, cantate pour soprano, chœur et orchestre sur un poème de Dante Gabriel Rossetti.

❀*** Janine Micheau (s), Janine Collard (ms), Ch. Elisabeth Brasseur, Orch. de la Société des Concerts du Conservatoire, Jean Fournet. Decca LXT 273 (sup.). + *Chabrier : Ode à la musique, Le Roi malgré lui (extraits).*

*** Barbara Hendricks (s), Jocelyne Taillon (ms), Ch. et Orch. de Paris, Daniel Barenboïm. DG 2531.263. Enregistré en 1980. + *Trois Ballades de François Villon, Invocation, Salut printemps.*

On regrette l'absence au catalogue de l'enregistrement de Janine Micheau, dont la voix souple et désincarnée se prêtait particulièrement bien à l'évocation de la *Damoiselle élue.* Il n'y a que des éloges à faire de Janine Collard, de la Chorale Brasseur et de la direction de Jean Fournet. Le couplage associe à la cantate de Debussy l'*Ode à la musique* de Chabrier et des extraits du *Roi malgré lui.* Couplage peu homogène, mais, en l'occurrence, qui s'en plaindrait ?

La voix idéale de Barbara Hendricks est celle que l'on attendait pour *La Damoiselle élue.* Elle ne déçoit pas. L'art subtil de Jocelyne Taillon contribue efficacement à créer le climat de cette œuvre à la fois sensuelle et éthérée. Le chœur est excellent. Une seule réserve : on pourrait souhaiter un orchestre plus transparent. Le couplage permet de découvrir deux «exercices d'école» du très jeune Debussy : *Invocation* et *Salut printemps.* A l'autre pôle, les *Ballades de François Villon,* avec Fischer-Dieskau, qui apparaît assez étranger à l'esprit de ces trois mélodies.

Danses pour harpe et orchestre : Danse sacrée, Danse profane.

❀*** Lily Laskine (harpe), Orch. de Chambre Jean-François Paillard, Jean-François Paillard. Erato STU 70.422. Enregistré en 1969. + *Epigraphes antiques, Petite Suite.*

*** Alice Chalifonx (harpe), Orch. de Cleveland, Pierre Boulez. CBS 75.725. Enregistré en 1969. + *Images.*

La sonorité superbe de Lily Laskine ainsi que la vitalité qui caractérise son interprétation des *Danses pour harpe* donnent à ces pages leurs dimensions véritables. On remarque aussi l'excellent équilibre de l'instrument soliste et de l'orchestre. Le couplage permet de découvrir la transcription des *Epigraphes antiques* réalisée par Jean-François Paillard.

Dans l'enregistrement d'Alice Chalifonx et de Pierre Boulez, l'«archaïsme» des *Danses pour harpe* s'oppose à la «modernité» des *Images* pour orchestre. Mais ici l'«archaïsme» n'est pas du tout synonyme de pâleur : on peut admirer, au contraire, le relief et la rigueur de cette interprétation.

En blanc et noir, pour deux pianos.

❀*** Martha Argerich, Stephen Bishop (pianos). Philips 9500.434. Enregistré en 1978. + *Bartók : Sonate pour 2 pianos et percussion. Mozart : Andante et Variations K.501.*

*** Werner Haas, Noël Lee (pianos). Philips 6747.181 (6 d.). Enregistré en 1972. + *Intégrale de l'œuvre pour piano.*

** Alfons et Aloys Kontarsky (pianos). Wergo 60.008. + *Epigraphes antiques, Lindaraja, Petite Suite.*

L'enregistrement de Martha Argerich et Stephen Bishop a beaucoup de relief et de vie. Il fait ressortir les caprices de l'inspiration, la liberté de la démarche. Cette interprétation, qui doit beaucoup à la personnalité exceptionnelle de Martha Argerich, est justifiée dans cette œuvre composée en 1915, par les audaces de l'écriture debussyste. A noter, le couplage avec la *Sonate pour deux pianos et percussion* de Béla Bartók.

L'interprétation de Werner Haas et Noël Lee est plus sage, mais elle est souple, vivante, poétique. Le couplage, réunissant toutes les œuvres pour quatre mains et deux pianos de Debussy, y compris *Lindaraja* (premier état de la *Soirée dans Grenade*), est un élément positif.

Alfons et Aloys Kontarsky projettent sur *En blanc et noir* un éclairage qui dessine avec une précision presque cruelle les détails d'une écriture nerveuse, acérée. Cette version, trop rigoureuse peut-être, est en complète opposition avec celle de Werner Haas et Noël Lee.

Six Epigraphes antiques, pour piano à quatre mains.

*** Noël Lee (piano). Arion 38.350. Enregistré en 1976. + *Chansons de Bilitis (mélodies, musique de scène).*

** Noël Lee, Werner Haas (piano). Philips 6747.181 (6 d.). Enregistré en 1971. + *Intégrale de l'œuvre pour piano.*

** Théodore Paraskivesco, Jacques Rouvier (piano). Calliope 1.834. Enregistré en 1979. + *Pour le piano, Estampes.*

Le caractère de ces esquisses poétiques est admirablement rendu dans la version très nuancée réalisée par Noël Lee (qui est son propre partenaire). Le couplage témoigne d'une recherche intelligente.

Dans un couplage plus classique, la version de Noël Lee et Werner Haas est stylistiquement excellente, mais un peu moins évocatrice que la précédente.

Très bien enregistrés, Théodore Paraskivesco et Jacques Rouvier séduisent par la beauté de leurs sonorités, l'équilibre et l'homogénéité de leur jeu. Le couplage est moins cohérent que chez Noël Lee seul et chez Noël Lee-Werner Haas.

Estampes pour piano : Pagodes, Soirée dans Grenade, Jardins sous la pluie.

❀*** Walter Gieseking (piano). EMI Références 1545.653 (5 d.). Mono. + *Intégrale de l'œuvre pour piano.*

*** Samson François (piano). EMI VSM C 069-12.136. + *Children's corner, Pour le piano, Suite bergamasque.*

** Théodore Paraskivesco (piano). Calliope 1.834. Enregistré en 1979. + *Pour le piano, Six Epigraphes antiques.*

Walter Gieseking est ici incomparable. Les sortilèges du timbre (*Pagodes*), le raffinement des nuances (*Soirée dans Grenade*), la richesse sonore (*Jardins sous la pluie*) envoûtant, captivent, éblouissent. Cette grande leçon d'interprétation debussyste conserve, aujourd'hui encore, l'attrait de la nouveauté et séduit par son naturel.

L'interprétation de Samson François relève d'une autre optique. L'enchantement sonore a moins d'importance. La recherche d'un climat, l'expression intérieure jouent un rôle essentiel. Cette recherche, cette expression trouvent leur accomplissement dans ce qui est, là aussi, du très beau piano.

Théodore Paraskivesco apparaît d'emblée plus «objectif». Cette objectivité n'est ni sécheresse, ni froideur. La sonorité est généreuse, sensuelle ; les nuances sont dosées avec autant d'intelligence que de sensibilité. Mais on souhaiterait parfois plus d'«imagination», plus de liberté. L'enregistrement est, sur le plan technique, très remarquable.

12 Etudes pour piano.

*** Michel Béroff (piano). EMI VSM C 167-14.171/72. (2d.). Enregistré en 1974. + *Préludes.*

*** Anne Queffélec (piano). Erato STU 71 384. Enregistré en 1980.

** Claude Helffer (piano). Harmonia Mundi 951/53 (3 d.). Enregistré en 1971. + *Préludes, Livres 1 et 2.*

Etudes, extraits.

*** Samson François (piano). EMI VSM C 191-11.651/54 (4 d.). Enregistré en 1970. + *Intégrale (inachevée) de l'œuvre pour piano.*

*** Vladimir Horowitz (piano). EMI VSM C 061-01.902 (sup.). Mono (origine 78 t.). + *Œuvres de Bach, Beethoven, Chopin, Poulenc, Rimsky-Korsakov, Scarlatti, Stravinsky.*

Michel Béroff aborde les *Etudes* (et on ne peut que lui donner raison) comme une œuvre «moderne». Son interprétation à la fois vivantes, poétique et lucide, surprend par son audace. La magie des *Estampes* et des *Images* a fait place à des recherches pianistiques qui seront grosses de conséquences. Béroff n'esquive pas cet aspect expérimental, mais, en même temps, il retrouve la liberté de respiration qui est indispensable pour restituer à Debussy sa vérité musicale.

Pour son premier enregistrement d'une œuvre de Debussy, Anne Queffélec n'a pas choisi la facilité : les Etudes sont un sommet à la fois de virtuosité et d'intuition poétique. Voici pourtant une grande réussite, d'autant que sa version est très personnelle. Le choix d'un Steinway marque un parti pris de luminosité, et la pianiste privilégie les arabesques de la ligne mélodique par rapport aux résonances des accords. On entendra un art raffiné de la nuance, avec un côté nostalgique envoûtant. En face d'une telle personnalité, le jeu des comparaisons est vain, mais cela force l'admiration.

Claude Helffer, familier de la musique d'aujourd'hui, met en évidence les audaces de l'écriture debussyste sans négliger pour autant les aspects sensibles et poétiques des *Etudes.*

Samson François devait, pour son intégrale, enregistrer toutes les *Etudes.* Il n'en eut pas le temps. Mais les *Etudes* qu'il nous laisse témoignent de la vision très personnelle de l'œuvre de Debussy qu'elle éclaire en profondeur.

Dans un récital qui va de Bach à Poulenc, sous les doigts inspirés de Horowitz, l'*Etude pour les arpèges composés* se révèle poème, et poème envoûtant.

Fantaisie pour piano et orchestre.

*** Anne Queffélec (piano),. Orch. National de l'Opéra de Monte-Carlo, Armin Jordan. Erato STU 71 400. Enregistré en 1980. + *Rhapsodie pour orchestre et saxophone alto, Rhapsodie pour orchestre et clarinette principale.*

Anne Queffélec, soliste de cette Fantaisie, procure un rare plaisir : on ne peut jouer avec plus de finesse, plus de rêveuse poésie. Certes, il ne s'agit pas d'un des sommets de la production de Debussy, mais elle la sert avec infiniment d'intelligence et de conviction. En complément, une excellente Rhapsodie pour saxophone ; celle avec clarinette est plus décevante. Remarquable direction d'Armin Jordan.

Images, pour orchestre : Gigues, Ibéria, Rondes de printemps.

❀*** Orch. Symph. de Londres, Pierre Monteux. Philips 6570.805. ⊠ 7310.805. + *Martyre de Saint-Sébastien (extraits).*

*** Orch. de Cleveland, Pierre Boulez. CBS 75.725. Enregistré en 1969. + *Danses pour harpe et orchestre.*

Images, extrait : Ibéria (Par les rues et par les chemins, Les parfums de la nuit, Le matin d'un jour de fête).

*** Orch. Symph. NBC, Arturo Toscanini. RCA VL 42.950 (3 d.). Mono. Enregistré en 1950. + *La Mer. Saint-Saëns : Symphonie n° 3, Danse macabre. Bizet : Carmen (Suite). Franck : Psyché (extrait). Dukas : L'Apprenti sorcier. Ravel : Daphnis et Chloé (Suite n° 2).*

A la tête de l'Orchestre Symphonique de Londres dont il avait pris la direction en 1952, Pierre Monteux fait ressortir, avec une précision extraordinaire en même temps qu'avec une imagination sans cesse en éveil, la poésie intense de ces pages où la musique, s'affranchissant de tous les moules préfabriqués, s'avance mystérieuse ou fantasque à la recherche d'un univers sans pesanteur, fait, selon le mot de Debussy, «de couleurs et de temps rythmés». Allier ainsi l'exactitude et la magie, la rigueur et la sensualité, tient du miracle. Servie par une excellente prise de son, cette interprétation demeure inégalée...

Pierre Boulez n'a ni l'ampleur, ni l'imagination créatrice de Pierre Monteux. Son interprétation des *Images* se définit par un mot : l'exactitude. Mais s'agissant d'une attention scrupuleuse aux moindres indications de nuances et d'accents, cette exactitude est «payante». Elle nous vaut un Debussy plus secret, contenu dans son lyrisme, mais précurseur de toutes les audaces du XXe siècle et, à cet égard, singulièrement éclairé par la lucidité de Pierre Boulez. Une interprétation que l'on peut dire «révélatrice».

Réédité en 1980, et de la manière la plus heureuse, l'enregistrement mono d'*Ibéria* par Arturo Toscanini est étonnant à plus d'un titre. D'abord, par le caractère résolument «moderne» d'une interprétation qui ne sacrifie jamais au prétendu «impressionnisme» de Debussy, mais fait, au contraire, ressortir les audaces de l'écriture et de l'orchestration. Aussi, par la lumière que Toscanini projette sur ce triptyque, dont le dernier volet (*Le Matin d'un jour de fête*) est particulièrement éblouissant.

Images pour piano. Livre 1 : Reflets dans l'eau, Hommage à Rameau, Mouvement. Livre 2 : Cloches à travers les feuilles, Et la lune descend sur le temple qui fut, Poissons d'or.

❀*** Claudio Arrau (piano). Philips 9500.965. ⊠ 7300.965. Enregistré en 1981. + *Estampes.*

❀*** Yvonne Lefébure (piano). FY 109. Enregistré en 1982. + *Masques, L'Isle joyeuse.*

❀*** Arturo Benedetti Michelangeli (piano). DG 2530.196. ⊠ 3300.226. Enregistré en 1971. + *Children's corner.*

❀*** Walter Gieseking (piano). EMI VSM RLS 752 (2 d.). Mono. + *Estampes, Préludes.* Ou EMI «Références» 1545.653 (5 d.). Mono. + *Intégrale de l'œuvre pour piano.*

** Théodore Paraskivesco (piano). Calliope 1.833. Enregistré en 1977. + *Children's corner.*

** Jean-Philippe Collard (piano). EMI VSM C 069-14.139. Quadri. Enregistré en 1977. + *Estampes, L'Isle joyeuse, Masques.*

Arrau signe ici un disque sublime : son Debussy, au sens absolu du terme, est incomparable. Cette gravité, cette lenteur qui, au-delà des images fugitives, semblent rechercher une communication avec ce qu'il y a de plus mystérieux, de plus profond, de plus obscur dans l'univers debussyste, tout cela impose un nouvel angle d'écoute. On ne résiste pas à cette vision que l'on dirait crépusculaire.

Avec Yvonne Lefébure, c'est l'éclat d'une lumière réfractée, mêlée à l'élément liquide, qui nous parvient comme venue d'un autre univers, celui du souvenir. Trois moments sont d'une particulière beauté : *Hommage à Rameau, Reflets dans l'eau,et la lune descend sur le temple qui fut.* L'un des trop rares témoignages de cette immense interprète de la musique française qu'est Yvonne Lefébure, qui semble avoir fait sienne la leçon de Debussy disant : «Les mains ne sont pas faites pour être en l'air sur le piano, mais pour rentrer dedans.

La beauté de la sonorité, la gamme subtile des nuances, l'intelligence du texte caractérisent l'interprétation d'Arturo Benedetti Michelangeli, grand seigneur du piano et artiste au sens le plus complet du terme. On ne peut mettre plus de sensualité dans l'évocation d'un paysage, plus de nostalgie dans un hommage à un musicien du passé, plus de vivacité dans la traduction du fugace, de l'instantané. Et l'enregistrement est superbe.

C'est un des plus beaux enregistrements de Walter Gieseking que celui des *Images* (couplées avec *Estampes* et *Pour le piano*). Un des «classiques du disque». Ce jeu, à la fois ample et fluide, fait oublier le piano au bénéfice des éléments naturels qui ont nourri l'inspiration de Debussy. Il y a là une sorte de magie dont on ne se lasse pas.

Très bien enregistré, Théodore Paraskivesco est moins subtil que Michelangeli, moins poète que Gieseking, mais on peut admirer la parfaite convenance de son style, la plénitude et la douceur de sa sonorité. Son interprétation ne s'écarte pas de la vérité debussyste.

Plus imaginatif que Paraskivesco, Jean-Philippe Collard renouvelle, d'une certaine façon, par sa liberté de ton et d'allure l'interprétation des *Images*. Dans cette optique, le Livre 2 est une particulière réussite.

Images pour piano inédites : Lent (mélancolique et doux), Souvenir du Louvre, Quelques aspects de «Nous n'irons plus au bois».

*** Noël Lee (piano). Valois MB 964. Enregistré en 1971. + *Préludes, Livre 2.*

Ces trois pièces inédites ont été inscrites en 1894. La seconde (*Souvenir du Louvre*) deviendra la *Sarabande* de la Suite *Pour le piano*. La troisième annonce (mais surtout par son titre) *Les Jardins sous la pluie* du recueil des *Estampes*. L'interprétation de Noël Lee est délicate et poétique. Elle conserve à ces pièces que Debussy définissait comme des «conversations entre le piano et soi» leur caractère intime.

L'Isle joyeuse, pour piano.

❀*** Vladimir Horowitz (piano). CBS 77.204 (2 d.). + *Œuvres de Chopin, Haydn, Liszt, Mozart, Schumann, Scriabine.*

*** Walter Gieseking (piano). EMI VSM C 061-1546 (sup). Mono. + *Arabesques, Ballade, Danse, Nocturnes, Masques, La plus que lente.*

** Noël Lee (piano). Valois MB 963 (sup.). Enregistré en 1971. + *Masques, Préludes, Livre 1.*

** Jean-Philippe Collard (piano). EMI VSM C 069-14.139. Quadri. Enregistré en 1977. + *Estampes, Images, Masques.*

Vladimir Horowitz est éblouissant. Plus nerveuse que celle de Walter Gieseking, son interprétation, pour être d'un autre caractère, n'en est pas moins convaincante. Cependant, dans cette formule (récital en deux disques), l'environnement de l'*Isle joyeuse* est plutôt hétéroclite.

La sonorité lumineuse de Walter Gieseking éclaire cette œuvre qui est, dans tous les sens du terme, une des plus heureuses de Claude Debussy. A l'ampleur de la structure musicale, correspond l'ampleur de l'interprétation.

Avec Noël Lee, on ne se trouve plus au même niveau de haute virtuosité, mais la finesse du trait, la subtilité des nuances, la vérité poétique de l'interprétation peuvent orienter le choix de tout discophile sur cette version.

La version de Jean-Philippe Collard se caractérise par sa vivacité, sa souplesse, sa liberté. Le couplage avec *Estampes* et les *Images* est cohérent ; il s'y adjoint, comme chez Gieseking et Lee, *Masques*, la pièce écrite en juillet 1904, juste avant l'*Isle joyeuse.*

Jeux, poème dansé.

❀*** Orch. New Philharmonia, Pierre Boulez. CBS 75.533. ✉ 40-75.533. Enregistré en 1967. + *La Mer, Prélude à l'après-midi d'un faune.*

*** Orch. du Concertgebouw d'Amsterdam, Bernard Haitink. Philips 9500.674. + *Nocturnes.*

*** Orch. de l'Académie Sainte-Cécile de Rome, Victor de Sabata. EMI VSM FALP 178 (sup.). Mono. Enregistré en 1952. + *Respighi : Les Fontaines de Rome.*

La meilleure version de *Jeux*, musique de l'instant, en perpétuel renouvellement, est celle de Pierre Boulez. On ne peut en effet diriger cette partition avec plus de vivacité, d'intelligence, d'attention aux détails d'articulation et de timbre. Le couplage avec *La Mer* permet, dans l'optique proposée par Boulez, de comparer ces *Jeux* avec les *Jeux de vagues.*

Jeux, dont Debussy disait que c'était une musique «à peu près joyeuse», est la grande réussite du disque de Haitink. On ne peut qu'admirer le modelé de la pâte orchestrale, l'équilibre des timbres, la richesse des nuances. Mais, aux jeux de l'intelligence pure auxquels nous convie une version comme comme celle de Boulez, Haitink substitue des jeux plus inquiétants et voluptueux, qui nous conduisent au cœur du mystère debussyste. En couplage, des *Nocturnes* frappants par la profondeur de leur vision dramatique.

Dans les débuts du disque microsillon, Victor de Sabata nous avait révélé *Jeux* dans une version dont la vivacité et la pureté linéaire restent admirables. On souhaiterait sa réédition.

Le Martyre de Saint-Sébastien, mystère en cinq actes de Gabriele d'Annunzio.

*** Vera Korène, Maria Casarès, Jean Marchat (récitants), Martha Angelici (s), Solange Michel (ms), Rita Gorr (ms), Ch. Raymond Saint-Paul, Orch. National de la RTF, André Cluytens. EMI Columbia FCX 33.840 (3 d.) (sup.). Mono.

Le Martyre de Saint-Sébastien : extraits lyriques.

** Janine Collard (ct), Christiane Gayraud (c), Falcon, Ch. et Orch. du Théâtre des Champs-Elysées, Désiré-Emile Inghelbrecht. Ducretet 320 C 155 (sup.). Mono.

** Florence Kopleff (c), Phyllis Curtin (s), Ch., Orch. Symph. de Boston, Charles Munch. RCA FVL 7276 (3 d.) (sup.). + *Images, La Mer, Nocturnes, Prélude à l'après-midi d'un faune, Printemps.*

Le Martyre de Saint-Sébastien, extraits symphoniques.

*** Orch. Symph. de Londres, Pierre Monteux. Philips 6570.805. ✉ 7310.805. + *Images.*

L'adaptation de Véra Korène respecte le texte de d'Annunzio. D'excellents chanteurs, d'excellents acteurs, la direction d'André Cluytens, une prise de son mono très réussie : ces atouts n'ont pas empêché la disparition (momentanée, espérons-le) de cette version qui est l'unique enregistrement intégral du *Martyre de Saint-Sébastien.*

Dans la version d'Inghelbrecht, le texte est réduit au minimum. La musique de Debussy, heureusement complète, est fort bien interprétée par le chef d'orchestre qui l'avait dirigée, pour la première fois au concert, le 14 juin 1912. C'est là un document dont la réédition s'impose.

L'enregistrement réalisé par Charles Munch à la tête de l'Orchestre de Boston, avec des solistes et des chœurs américains, seule version disponible aujourd'hui en France du *Martyre de Saint-Sébastien* dans sa forme scénique, satisfait surtout par l'interprétation des pages orchestrales que Munch anime avec la ferveur qu'on lui connaît.

Ce sont pourtant les extraits symphoniques du *Martyre de Saint-Sébastien* qui, dans l'état de la discographie actuelle, s'imposent à l'attention du discophile, grâce à la version que nous en donne Pierre Monteux. Couplées avec les *Images,* ces pages resplendissent d'un éclat à la fois sensuel et spirituel qui correspond à l'esprit de cette œuvre, mutilée sans doute, mais si audacieuse, si haute, qu'elle apparaît, dans une interprétation de ce niveau, comme une des plus belles expressions du génie de Claude Debussy.

Masques, pour piano.

❁*** Samson François (piano). EMI VSM C 191-11.651/54 (4 d.). Enregistré en 1970. + *Intégrale (inachevée) de l'œuvre pour piano.*

*** Jean-Philippe Collard (piano). EMI VSM C 069-14.139. Quadri. Enregistré en 1977. + *Estampes, Images, L'Isle joyeuse.*

La virtuosité inspirée de Samson François fait ressortir tout ce qu'il y a d'inquiétant dans *Masques,* que Debussy composa en 1904. C'est là une interprétation révélatrice, dont on ne retrouvera nulle part ailleurs l'équivalent.

Jean-Philippe Collard recherche un autre éclairage : celui d'une «fête galante» à la manière de Verlaine. Il restitue avec vivacité et souplesse le caractère fantasque de cette pièce, opportunément couplée ici avec l'*Isle joyeuse*.

Mélodies : Nuit d'étoiles, Fleur des blés, Beau soir, Mandoline, La Belle au bois dormant, Voici que le printemps, Paysage sentimental, Zéphyr, Rondeau, Quatre chansons de jeunesse, Rondel chinois, Aimons-nous et dormons, Jane, Calmes dans le demi-jour, Romance, Les cloches, Cinq Poèmes de Charles Baudelaire, Les Angélus, La mer est plus belle, Le son du cor s'afflige, L'échelonnement des haies, Fêtes galantes, 1er recueil, Dans le jardin, Proses lyriques, Ariettes oubliées, Trois Chansons de Bilitis, Fêtes galantes n° 2, Chansons de France, Le Promenoir des deux amants, Trois ballades de François Villon, Trois Poèmes de Stéphane Mallarmé, Noël des enfants qui n'ont plus de maison.

** Elly Ameling (s), Michèle Command (s), Mady Mesplé (s), Frederica von Stade (s), Gérard Souzay (bar), Dalton Baldwin (piano). EMI VSM C 165-16.371/4 (4 d.). Enregistré de 1971 à 1979.

Mélodies : Ballades de Villon, Chansons de France, Fêtes galantes (2e cahier), Noël des enfants qui n'ont plus de maison, Poèmes de Mallarmé.

❁*** Bernard Kruysen (bar), Noël Lee (piano). Astrée AS 58.

Mélodies : Apparition, Ariettes oubliées, L'Echelonnement des haies, Fêtes galantes, Jet d'eau, Mandoline, Noël des enfants qui n'ont plus de maison, Pantomime, Paysage sentimental, Pierrot, Romances, Rondeau, Zéphir.

❁*** Janine Micheau (s), Aldo Ciccolini (piano). EMI Columbia FCX 687 (sup).

Mélodies : Cinq Poèmes de Baudelaire, Nuit d'étoiles, Fleur des blés, Romance, Dans le jardin, Les Angélus, L'ombre des arbres, Mandoline, Le son du cor s'afflige, L'échelonnement des haies, Trois Poèmes de Stéphane Mallarmé.

*** Hugues Cuénod (t), Martin Isepp (piano). Nimbus 2127. Enregistré en 1972.

Mélodies : Ariettes oubliées, Chansons de Bilitis, Fêtes galantes, Ballades de Villon.

*** Flore Wend (s), Noël Lee (piano). Valois MB 2 (sup.).

Mélodies : Ariettes oubliées, Chansons de Bilitis, En sourdine (extrait des Fêtes galantes), Proses lyriques.

** Irène Jarsky (s), Martine Joste (piano). Valois MB 1.438.

Le coffret publié par EMI est un événement en ce qu'il présente, à l'exception de quelques petites pièces peu importantes, l'ensemble de la production pour chant et piano de Debussy. L'évolution apparaît très clairement en trois grandes périodes. Les interprètes ont été intelligemment répartis pour que les voix, à quelques réserves près, servent au mieux chaque mélodie. On admirera le raffinement et le goût de Baldwin, unique accompagnateur.

Le disque de Bernard Kruysen et Noël Lee réunit quelques-unes des plus belles réalisations de Claude Debussy dans le domaine de la mélodie pour chant et piano. L'interprétation est à la hauteur de cet art subtil et dense ; la voix est chaude, émouvante ; la diction parfaite ; le piano, la poésie même.

L'agilité vocale de Janine Micheau et sa fine musicalité nous font découvrir et aimer les mélodies du très jeune Debussy. Le plaisir n'est pas moins vif lorsque la cantatrice, merveilleusement accompagnée par Aldo Ciccolini, interprète des pages plus connues comme les *Les Ariettes oubliées*. La réédition de ce récital serait opportune.

Le disque de Cuénod, il faut le signaler, est consacré autant à Baudelaire, Verlaine et Mallarmé qu'à Debussy. La voix extraordinairement ductile d'Hugues Cuénod se prête remarquablement à ce subtil mélange de musique et de poésie. Avec Souzay, il est le seul interprète à entrer idéalement dans l'intimité des trois poètes : il en résulte un rayonnement exceptionnel. L'accompagnement de Martin Isepp apporte un parfait balancement entre la voix et le piano.

Autre enregistrement dont on souhaiterait la réédition : celui de Flore Wend, dont les *Chansons de Bilitis* sont un modèle de style. Cette excellente cantatrice est accompagnée par Noël Lee.

Irène Jarsky et Martine Joste proposent un récital qui comporte, et c'est une rareté, les *Proses lyriques*. Interprétation intelligente, sensible, et stylistiquement juste.

La Mer, trois esquisses symphoniques : De l'aube à midi sur la mer, Jeux de vagues, Dialogue du vent et de la mer.

❀*** Orch. Symph. NBC, Arturo Toscanini. RCA VL 42.950 (3 d.). Mono. Enregistré en 1950. + *Ibéria. Bizet : Carmen (Suite n° 2). Franck : Psyché (extrait). Ravel : Daphnis et Chloé (Suite n° 2). Saint-Saëns : Symphonie n° 3, Danse macabre. Dukas : L'Apprenti sorcier.*

❀*** Orch. Phil. Tchèque, Roger Désormière. Eurodisc 913.296 (2 d.) (étr.). Mono. + *Nuages, Fêtes. Bizet : L'Arlésienne (Suites n°s 1 et 2), Carmen (Suite n° 1). Ravel : Boléro.*

*** Orch. Symph. de Boston, Charles Munch. RCA FVL 37.276 (3 d.) (sup.). + *Images, Martyre de Saint-Sébastien, Nocturnes, Prélude à l'après-midi d'un faune, Printemps.*

*** Orch. National de l'ORTF, Charles Munch. Festival FC 408. ⌧ FCK 4008. + *Nocturnes.*

*** Orch. New Philharmonia, Pierre Boulez. CBS 75.533. ⌧ 40-75.533. Enregistré en 1967. + *Jeux, Prélude à l'après-midi d'un faune.*

*** Orch. Symph. de Boston, Pierre Monteux. RCA GM 43.366. ⌧ GK 43.366. Mono. Enregistré en 1954. + *Nocturnes.*

*** Orch. Symph. de Boston, Serge Koussevitzky. Victrola VICS 1514 (sup.). Mono (origine 78 t.).

*** Orch. Phil. de Strasbourg, Alain Lombard. Erato STU 71 158. Enregistré en 1978 et 1980. + *Nocturnes.*

** Orch. Philharmonia, Guido Cantelli. EMI VSM C 027-03.758. Mono. + *Martyre de Saint-Sébastien.*

* Orch. Symph. de Chicago, Georg Solti. Decca 591.096. ⌧ 4-390.102. Enregistré en 1977. + *Prélude à l'après-midi d'un faune. Ravel : Boléro.*

Arturo Toscanini gagne sur tous les plans. Netteté des traits, précision rythmique, transparence des couleurs : rien n'est laissé dans l'ombre, rien ne manque. C'est une interprétation idéale, qui fait ressortir la «modernité» de l'œuvre de Claude Debussy parce qu'elle la scrute dans les moindres détails tout en lui communiquant un mouvement d'une prodigieuse souplesse.

Roger Désormière, moins brillant que Toscanini, mais aussi exact et aussi sobre en ce qui concerne «l'impressionnisme», obtient une fluidité et une continuité qui nous valent une interprétation exemplaire par son authenticité, sa pureté.

Charles Munch, à la tête de l'Orchestre Symphonique de Boston, allie mystère, sensualité, ampleur cosmique. Les *Jeux de vagues* nous conduisent au cœur de l'inspiration debussyste. *Le Dialogue du vent et de la mer* est passionné, tumultueux.

Dans la version réalisée avec l'Orchestre National de l'ORTF, Charles Munch bénéficie d'une meilleur enregistrement. On y retrouve les caractéristiques de la version précédente, mais l'interprétation apparaît plus contrôlée, moins rayonnante peut-être. A signaler le couplage avec *Nocturnes*.

Pierre Boulez recherche d'abord la fluidité, la transparence. La progression de la lumière, dans le premier volet, est graduée avec une extrême habileté. Dans les *Jeux de vagues*, la «modernité» de Debussy est mise en évidence. Dans le troisième volet, affrontements et mutations de forces antagonistes nous éloignent d'une vision «impressionniste». La prise de son est analytique, très fouillée.

Clarté, ampleur, équilibre : si la vision de Charles Munch est «dionysiaque», celle de Pierre Monteux est «apollinienne». Les lignes de force de la partition debussyste sont mises en lumière avec cette évidence qui est le propre des interprétation de Monteux.

L'enregistrement «historique» de Serge Koussevitzky n'est pas disponible en France. On ne peut que le regretter, car sa transparence, sa magie sonore le placent, malgré son âge, en très bonne place parmi les nombreuses versions de *La Mer*.

Ce qui frappe d'abord dans l'enregistrement de Lombard, c'est la beauté des sonorités orchestrales, la volupté des sons, indispensables chez Debussy. Il y a aussi une vaste échelle dynamique, allant de l'imperceptible à la violence déchaînée. Enfin, un excellent choix de tempos. Sa vision de *la mer* respire naturellement, et trouve une unité heureuse dont la sensualité est très proche de la peinture impressionniste. En couplage, une version non moins bonne des *Nocturne*, fait de ce disque l'un des meilleurs existant pour ces deux œuvres.

On retrouve, en édition économique, l'enregistrement réalisé par Guido Cantelli. Le jeune chef, prématurément disparu, nous avait donné une excellente version de *La Mer*, caractérisée par sa clarté, sa sobriété, son élégance et sa vitalité.

Georg Solti donne une magnifique démonstration de technique instrumentale. L'orchestre est superbe et l'enregistrement extraordinairement réussi. Mais on a beaucoup de raisons de préférer à cette version en très haute fidélité les enregistrements mono de Toscanini et de Désormière.

Trois Nocturnes pour orchestre : Nuages, Fêtes, Sirènes.

❀*** Orch. National de l'ORTF, Charles Munch. Festival FC 408. ⊠ FCK 4008. + *La Mer.*

❀*** Orch. Symph. de Boston, Ch. du Conservatoire de Nouvelle Angleterre, Claudio Abbado. DG 2530.038. + *Ravel : Daphnis et Chloé, Pavane pour une Infante défunte.*

*** Orch. National et Ch. de la RDF, Désiré-Emile Inghelbrecht. EMI Columbia FCX 216 (sup.). Mono. + *Marche écossaise, Prélude à l'après-midi d'un faune.*

** Orch. Symph. de Boston, Ch. du Festival du Berkshire, Pierre Monteux. RCA GM A 3.366. ⊠ GK 43.366. Mono. Enregistré en 1955. + *La Mer.*

** Orch. du Concertgebouw d'Amsterdam, Bernard Haitink. Philips 9500.674. + *Jeux.*

** Orch. Phil. de Strasbourg, Alain Lombard. Erato STU 71 158. Enregistré en 1978 et 1980. + *La Mer.*

Deux Nocturnes : Nuages, Fêtes.

❀*** Orch. Phil. Tchèque, Roger Désormière. Eurodisc 913.296 (2 d.) (étr.). Mono. + *La Mer. Bizet : L'Arlésienne, Carmen (Suites). Ravel : Boléro.*

*** Orch. Symph. de Londres, Pierre Monteux. Decca 592.033. ⊠ 4-592.033. Enregistré en 1961. + *Prélude à l'après-midi d'un faune. Ravel : Rapsodie espagnole, Pavane pour une infante défunte.*

L'interprétation des *Nocturnes* par Charles Munch ne s'arrête pas à un «impressionnisme» superficiel, mais recherche le mystère, l'émotion, qu'il s'agisse de la marche lente des *Nuages*, des jeux de lumière des *Fêtes*, du chant envoûtant des *Sirènes*. Charles Munch impose sa vérité poétique qui rejoint d'une manière quasi miraculeuse celle de Claude Debussy.

Lors de sa publication, l'enregistrement de Claudio Abbado fut, à double titre, révélateur, d'abord de la personnalité du chef d'orchestre, puis d'une nouvelle approche de la musique de Claude Debussy. Claudio Abbado délivrait des forces vives qu'on ne soupçonnait pas. Sa version des *Nocturnes*, animée, contrastée, et mise en valeur par une superbe prise de son, est de celles qu'on ne peut ignorer.

Tenant d'une tradition debussyste qui recherchait la transparence et la fluidité, Inghelbrecht nous a donné une excellente version des *Nocturnes*, dont la réapparition au catalogue serait bienvenue.

Couplé avec *La Mer*, l'enregistrement réalisé par Pierre Monteux à la tête de l'Orchestre Symphonique de Boston n'est pas diffusé en France et on peut le regretter. Cette interprétation a beaucoup de vie et de relief, elle nous rappelle que la musique de Debussy est faite «de couleurs et de temps rythmés». Une seule réserve : dans *Sirènes*, les chœurs sont un peu trop «présents».

Haitink donne une vision dramatique de l'univers debussyste, qui apporte à cet enregistrement sa signification et son unité. Il fait peser sur ces Nocturnes une atmosphère d'angoisse impressionnante : la lumière, pour peu qu'elle existe encore, est toujours estompée dans une brume grise, qui rend *Nuages* désolés, *Fêtes*, un cortège fantomatique, et *Sirènes*, un signe de mort qui donne le frisson. On peut certes discuter cette prise de position, mais on ne peut en nier l'extraordinaire logique, et le resserrement symboliste d'un tableau qui n'en prend que plus d'expression. En couplage, des *Jeux* voluptueux et inquiétants.

Lombard donne des Nocturnes une vision

rêveuse et lumineuse à la fois, extrêmement chatoyante : grâce à une parfaite intelligence des tempos, les *Nuages* gardent leur marche lente et mélancolique, *Sirènes* leur paisible ondulation, et *Fêtes* ne cherche pas une précipitation qui casserait le climat onirique. Dans *Sirènes,* il faut remarquer la grande qualité des chœurs de l'Opéra du Rhin, et leur cohésion impeccable avec l'orchestre. Avec en couplage une *Mer* au merveilleux climat impressionniste, ce disque est à ranger parmi les meilleurs consacrés à l'orchestre de Debussy.

La netteté, la pureté de l'interprétation de Roger Désormière donnent à *Nuages* et à *Fêtes* un caractère de perfection qui émeut, en dehors de toute considération extérieure à la musique. L'essentiel du message debussyste est là, gravé pour l'éternité. Telle est la leçon d'une fidélité absolue au texte.

Avec la plus-value sonore qu'apporte un meilleur enregistrement, celui réalisé par Pierre Monteux à la tête de l'Orchestre Symphonique de Londres apparaît plus accompli encore que sa précédente version des Nocturnes ; aussi regrette-t-on ici l'absence des *Sirènes.*

Pelléas et Mélisande, drame lyrique en cinq actes.

❀*** Jacques Jansen (Pelléas), Irène Joachim (Mélisande), Henri Etcheverry (Golaud), Paul Cabanel (Arkel), Germaine Cernay (Geneviève), Leïla Ben Sedira (Yniold), Orch. de l'Opéra-Comique, Roger Désormière. EMI VSM C 153-12.513/15 M (3 d.). Mono (origine 78 t.) Enregistré en 1942.

❀*** Richard Stilwell (Pelléas), Frederica von Stade (Mélisande), José van Dam (Golaud), Ruggero Raimondi (Arkel), Nadine Denize (Geneviève), Christine Barbaux (Yniold), Orch. Phil. de Berlin, Herbert von Karajan. EMI VSM C 167-03.650/52 (3 d.). ⌧ TC-SLS 5.172. (3 c.). Enregistré en 1978.

❀*** Eric Tappy (Pélleas), Rachel Yakar (Mélisande), Philippe Huttenlocher (Golaud), François Loup (Arkel), Jocelyne Taillon (Geneviève), Colette Alliot-Lugaz (Yniold), Orch. National de l'Opéra de Monte-Carlo, Armin Jordan. Erato STU71.296 (3 d.). Enregistré en 1979.

*** Claude Dormoy (Pelléas), Michèle Command (Mélisande), Gabriel Bacquier (Golaud), Roger Soyer (Arkel), Jocelyne Taillon (Geneviève), Monique Pouradier-Duteil (Yniold), Orch. de Lyon, Serge Baudo. Eurodisc 25.396.(3 d.). Quadri. Enregistré en 1978.

** George Shirley (Pelléas), Elisabeth Söderström (Mélisande), Donald McIntyre (Golaud), David Ward (Arkel), Yvonne Minton (Geneviève), Antony Britten (Yniold), Orch. de l'Opéra de Covent Garden, Pierre Boulez. CBS 77.324 (3 d.). Enregistré en 1970.

Version de référence, version historique plusieurs fois rééditée, et récemment dans d'excellentes conditions techniques, celle de Roger Désormière n'a pas été dépassée. Une merveilleuse distribution, avec un Pelléas et une Mélisande parfaitement incarnés par Jacques Jansen et Irène Joachim, avec le Golaud émouvant d'Etcheverry et l'Arkel impressionnant de Paul Cabanel. Un orchestre conduit avec cette exactitude dans l'émotion qui était le secret de Roger Désormière, pur musicien entre les purs. C'est un enregistrement mono ; sur le plan de la vérité sonore, on trouvera de meilleures versions, mais sur le plan de la vérité musicale, cette version n'a pas encore été rejointe.

Dans la version de Karajan, l'orchestre possède une présence exceptionnelle qui, toutefois, n'est jamais indiscrète, car le grand chef d'orchestre joue des demi-teintes en artiste raffiné. Frederica von Stade est une Mélisande mystérieuse, émouvante. José von Dam, bouleversant d'humanité, est très remarquable dans le rôle de Golaud et Ruggero Raimondi, très nuancé, ne l'est pas moins dans celui d'Arkel. Karajan crée un climat dramatique et poétique dont on subit l'envoûtement. L'enregistrement est techniquement très réussi.

Après d'illustres prédécesseurs, la version Jordan trouve encore une vision neuve et cohérente de cette œuvre, qui tend à approfondir la vérité psychologique des personnages pour les rendre plus proches de nous. Ils n'appartiennent plus à la légende, mais agissent dans un drame dont la progression insensible est menée avec un rare bonheur. La distribution, intelligente et homogène, est, en bloc, une belle réussite. La valeur de cet enregistrement est surtout due à la personnalité sensible et artiste que lui a imprimée Jordan.

Avec Serge Baudo, on revient à une conception plus traditionnelle que l'on pourrait rapprocher de celle de Roger Désormière. Claude Dormoy et Michèle Command ont les voix qui conviennent à Pelléas et à Mélisande. Le Golaud de Gabriel Bacquier est impressionnant. La direction de Serge Baudo, sobre, efficace, est toujours juste. Cette version, sans esthétisme ni théâtralité excessive, se caractérise par sa fidélité au texte debussyste.

En accentuant le caractère dramatique de l'œuvre, Pierre Boulez renouvelle l'interprétation de Pelléas et Mélisande. L'orchestre est superbe. Les voix de Pelléas et de Mélisande sont belles, et leurs couleurs sont justifiées par le niveau de passion où s'établissent les rapports entre les personnages. Mais c'est une fausse bonne idée que de confier le rôle d'Yniold à un enfant. Version très personnelle, version inégale sans doute, mais dont on ne peut ignorer l'existence.

Pour le piano : Prélude, Sarabande, Toccata.

❀*** Walter Gieseking (piano). EMI Références 1545.653 (5 d.). Mono. + *Intégrale de l'œuvre pour piano.*

*** Samson François (piano). EMI VSM C 069-12.136. Enregistré en 1968. + *Children's corner, Estampes, Suite bergamasque.*

*** Noël Lee (piano). Valois-Résurgences MB 332. Enregistré en 1971. + *Estampes, Images.*

** Théodore Paraskivesco (piano). Calliope 1.834. Enregistré en 1979. + *Epigraphes antiques, Estampes.*

Couplé avec les *Estampes* et les *Images*, l'enregistrement de Walter Gieseking demeure une version de référence. Rayonnement de la sonorité et vigueur dans le *Prélude* et la *Toccata*, élégance altière dans la *Sarabande* : tout porte, ici, la marque inaltérable de la perfection.

Samson François fait vivre ces pages d'une vie intense. Son interprétation poétique de la *Sarabande* est d'une rare séduction, séduction que l'on retrouve dans la *Suite bergamasque* qu'un couplage bien inspiré réunit à la Suite *Pour le piano.*

Dans le disque de Noël Lee, le couplage est le même que chez Walter Gieseking, mais c'est une autre couleur, moins généreuse, une autre forme de raffinement, plus recherchée, que nous trouvons ici, et l'on peut préférer la simplicité de Gieseking.

La simplicité, c'est précisément ce qu'on peut admirer dans l'interprétation de Théodore Paraskivesco, dont la sonorité ample et onctueuse est servie par une excellente prise de son. Couplage «classique» avec les *Estampes.* Plus inattendues : les *Epigraphes antiques* pour piano à quatre mains, jouées avec le concours de Jacques Rouvier.

Prélude à l'après-midi d'un faune.

❀*** Orch. Symph. de Boston, Charles Munch. RCA FVL 3 7.276. (3 d.) (sup.). + *Images. Martyre de Saint-Sébastien. La Mer, Nocturnes, Printemps.*

❀*** Orch. Symph. de Londres, Pierre Monteux. Decca 592.033. ⊠ 4-592.033. Enregistré en 1961. + *Nuages, Fêtes. Ravel : Rapsodie espagnole, Panave pour une infante défunte.*

*** Orch. New Philharmonia, Pierre Boulez. CBS 75.533. ⊠ 40-75.533. Enregistré en 1967. + *Jeux, La Mer.*

* Orch. Symph. de Londres, André Previn. EMI VSM 2 C 069-03.692. Enregistré en 1979. + *Images.*

C'est une des grandes interprétations debussystes que celle du *Prélude à l'après-midi d'un faune* par Charles Munch. Le frémissement de la lumière, la sensualité diffuse dans ce paysage sonore sont traduits avec autant d'intensité que d'intériorité, avec autant de couleur que de transparence, et la mélodie de la flûte est amoureusement dessinée.

Réussite comparable à celle de Charles Munch, l'interprétation de Pierre Monteux propose un paysage que l'on dirait plus classique, celui d'une Grèce idéale, mais, là encore, le sens exquis de la couleur et la souplesse de la direction nous transportent au cœur de l'univers debussyste.

Dans cette page dont il a écrit qu'elle instaurait une «respiration nouvelle de l'art musical», Pierre Boulez recherche la plus grande transparence. Avec des nuances raffinées, avec un très grand souci du détail, il analyse en profondeur la partition de Debussy. C'est là une interprétation moins sensuelle, moins colorée que celles de Munch et de Monteux, mais il s'en dégage toutefois une indéniable séduction qui tient à l'intelligence, à la subtilité avec lesquelles Boulez illustre et défend sa conception.

Chez André Previn, le couplage est le même que dans le disque de Tilson-Thomas, mais l'approche du *Prélude* est plus superficielle. Il fait reconnaître, toutefois, que l'orchestre y respire avec autant de naturel que la flûte du faune. Mais il faut surtout rendre justice aux qualités d'un enregistrement qui restitue les timbres de l'orchestre avec une extraordinaire vérité.

Préludes pour piano, Livres 1 et 2.

❀*** Walter Gieseking (piano). Livre 1 : EMI VSM RLS 752 (2 d.). Mono. Enregistré en 1953 et 1954. + *Estampes, Images.* Ou EMI Références 1545.653 (5 d.). Mono. + *Intégrale de l'œuvre pour piano.*

*** Robert Casadesus (piano). CBS 76.668. Enregistré en 1945, 1953 et 1954.

*** Claudio Arrau (piano). Livre 1 : Philips 9500.676. ✉ 7300.771. Livre 2 : Philips 9500.747. ✉ 7300.832. Enregistré en 1980.

** Théodore Paraskivesco (piano). Livre 1 : Calliope 1.831. + *Berceuse héroïque.* Livre 2 : Calliope 1.832.

** Michel Béroff (piano). EMI VSM C 167-14.171 (2 d.). Enregistré en 1977. + *Etudes.*

Préludes pour piano, Livre 1.

❀*** Arturo Benedetti Michelangeli (piano). DG 2531.200. ✉ 3301.200. Enregistré en 1978.

** Alfred Cortot (piano). EMI VSM COLH 93 (sup.). Mono (origine 78 t.). + *Children's corner.*

La sensualité dans l'exactitude, une inimaginable précision et une magie souveraine : tel est le paradoxe des *Préludes* sous les doigts de Walter Gieseking. On atteint, dans l'objectivité, un certain absolu, et cet absolu donne à rêver autant et plus qu'une interprétation subjectivement orientée.

La démarche de Robert Casadesus est plus analytique. Elle convient davantage au second Livre des *Préludes* qu'au premier. Les couleurs sont légèrement posées. Le dessin est très net. Mais le jeu ne manque ni de souplesse ni d'élégance.

L'interprétation de Claudio Arrau est somptueuse. A la plénitude de la sonorité correspond la gravité du regard. Avec un total dédain de l'«impressionnisme» et de l'«anecdote», ce regard va au-delà des apparences. Et cette interprétation très personnelle est de celles dont on subit l'ascendant.

L'enregistrement de Théodore Paraskivesco bénéficie d'une prise de son exceptionnellement riche. On retrouve ici, mais sans la même magie, la grande sensualité de Walter Gieseking.

Michel Béroff, beaucoup plus audacieux, ne mesure ni ses forces ni son imagination. Certaines duretés peuvent être contestées, mais dans les *Préludes* animés sa vitalité est remarquable.

Avec des dessins, des nuances, des rythmes d'une extrême précision, Arturo Benedetti Michelangeli construit des architectures de rêve. Tout, ici, est pesé, calculé, contrôlé, et le matériau qu'il emploie est d'une extraordinaire beauté. Ajoutons à ceci qu'il place chacun des *Préludes* de ce premier Livre dans son climat propre. On ne peut imaginer ni interprétation plus parfaite, ni vision plus poétique.

Poète, Alfred Cortot l'est aussi, mais la pâte pianistique, aussi raffinée qu'elle soit, n'a pas la qualité de celle de Michelangeli. L'enregistrement n'a pas, non plus, le même niveau technique. Mais cette interprétation du premier Livre des *Préludes*, très admirée en son temps, reste admirable par l'intelligence du texte et par l'émotion qui se dégage du jeu du grand pianiste.

Le Printemps, suite symphonique.

❀*** Orch. Symph. de Boston, Charles Munch. RCA FVL3 7.276 (3 d.) (sup.). + *Images, Le Martyre de Saint-Sébastien, La Mer, Nocturnes, Prélude à l'après-midi d'un faune.*

Composé en 1887, *Printemps* n'est pas une œuvre descriptive, ni même impressionniste, mais l'expression d'une «éclatante joie de renaître à une vie nouvelle». C'est dans ce sens - indiqué par Debussy lui-même - que Charles Munch en donne une interprétation dont la ferveur et le rayonnement sont irrésistibles.

Quatuor à cordes en sol mineur.

❀*** Quatuor LaSalle. DG 2530.235. Enregistré en 1972. + *Ravel : Quatuor.*

*** Quatuor Via Nova. Erato 70.613. Enregistré en 1969. + *Ravel : Quatuor.*

*** Quatuor Juilliard. CBS 75.998. Enregistré en 1972. + *Ravel : Quatuor.*

*** Quatuor Capet. EMI VSM C 051-16.419. Mono (origine 78 t.). Enregistré en 1927. + *Ravel : Quatuor.*

*** Quatuor Calvet. EMI VSM OVD 49.323 (sup.). Mono (origine 78 t.). + *Anthologie historique.*

L'interprétation du Quatuor LaSalle est exemplaire. Avec un respect absolu du texte, elle se caractérise par sa transparence, son équilibre. Les accents passionnés du Quatuor de Debussy ne sont pas ignorés, mais traduits avec une pudeur qui répond aux exigences du compositeur. C'est là une interprétation remarquable, aussi bien sur le plan de la beauté stylistique que sur celui de la perfection technique.

Moins «achevée» que la version du Quatuor LaSalle, celle du Quatuor Via Nova éclaire l'œuvre de Debussy d'une lumière plus rayonnante. Version plus intuitive que raisonnée, que l'on peut préférer pour son ardeur et son lyrisme : c'est là affaire de goût personnel.

Les amoureux de la perfection et de la virtuosité se tourneront vers la version du Quatuor Juilliard, plus froide assurément que celle du Quatuor Via Nova, mais assez exceptionnelle sur le plan de la virtuosité et d'une remarquable homogénéité.

Récemment réédité dans d'excellentes conditions techniques, l'enregistrement du Quatuor Capet étonne par sa virtuosité, son coloris, sa chaleur. C'est là un document inestimable, mais aussi, pour les interprètes à venir, une grande leçon de liberté.

Compte tenu des conditions d'enregistrement et de l'évidente plus-value technique de la version du Quatuor LaSalle, celle du Quatuor Calvet se caractérise, elle aussi, par sa transparence, son équilibre, sa beauté stylistique et sa pudeur expressive. Sa réédition serait opportune.

Rapsodie pour orchestre avec clarinette principale.

*** Gervase de Peyer (clarinette), Orch. New Philharmonia, Pierre Boulez. CBS 75.785. + *Nocturnes, Printemps.*

** George Pieterson (clarinette), Orch. du Concertgebouw d'Amsterdam, Bernard Haitink. Philips 9500.359. ⌧ 7300.586. Enregistré en 1977. + *La Mer, Prélude à l'après-midi d'un faune, Marche écossaise.*

** Anthony Morf (clarinette), Orch. National de l'Opéra de Monte-Carlo, Armin Jordan. Erato STU 71.400. Enregistré en 1980. + *Rhapsodie pour orchestre et saxophone alto. Fantaisie pour piano et orchestre.*

La version de Gervase de Peyer et de Pierre Boulez se caractérise par sa fluidité et sa finesse. Le couplage est moins cohérent que dans les enregistrements de Dangain et de Deplus.

Dans l'enregistrement de George Pieterson et de Bernard Haitink, le soliste est bien intégré à l'orchestre et la couleur de l'ensemble convient au caractère de cette œuvre qui n'est pas virtuosité pure mais poésie rêveuse.

Il est regrettable que le saxophoniste Anthony Morf n'apparaisse pas au même niveau que de Peyer : sa sonorité est moins belle, son jeu moins souple. Dommage, car le reste du disque, sous la direction d'un Jordan au style très élégant, est de haute qualité, et d'un programme intéressant et cohérent.

Rapsodie pour orchestre et saxophone alto.

*** Claude Delangle (saxophone), Orch. National de l'Opéra de Monte-Carlo, Armin Jordan. Erato STU 71.400. Enregistré en 1980. + *Rapsodie pour orchestre avec clarinette principale, Fantaisie pour piano et orchestre.*

La sonorité poétique et l'agilité de Claude Delangle font merveille dans cette Rapsodie. L'instrument soliste, que l'on croyait à tort voué aux romances sentimentales, produit ici ses lettres de noblesse. Son timbre se prête aux raffinements debussystes, et le solite ne joue jamais «en-dehors», mais toujours en communication parfaite avec l'orchestre. A écouter aussi Anne Queffélec, excellente dans la Fantaisie.

Trois Sonates : pour violoncelle et piano, pour flûte, alto et harpe, pour violon et piano.

*** Maurice Gendron (violoncelle), Michel Debost (flûte), Yehudi Menuhin (alto et violon), Lily Laskine (harpe), Jacques Février (piano). EMI VSM C 069-14.038. Enregistré en 1975. + *Syrinx.*

** Maurice Gendron (violoncelle), Roger Bourdin (flûte), Colette Lequien (alto), Arthur Grumiaux (violon), Jean Françaix (piano). Philips 5802.770. Enregistré en 1966. + *Syrinx.*

Sonate pour violoncelle et piano.

*** Mstislav Rostropovitch (violoncelle), Benjamin Britten (piano). Decca SXL 2.298 (G-B). + *Britten : Sonate pour violoncelle et piano. Schumann : Pièces en style Populaire. Sonate pour flûte, alto et harpe.*

** Christian Lardé (flûte), Gérard Caussé (alto), Marie-Claire Jamet (harpe). Erato 71.232. Enregistré en 1978. + *Syrinx. Roussel : Trio pour flûte, alto et violoncelle, Impromptu pour harpe.*

Sonate pour violon et piano.

*** Christian Ferras (violon), Pierre Barbizet (piano). EMI VSM ASDF 769 (sup.). + *Enesco : Sonate pour violon et piano n° 3. Ravel : Tzigane.*

L'intégrale signée de Maurice Gendron, Michel Debost, Yehudi Menuhin, Lily Laskine et Jacques Février est une réussite que l'on pourrait presque dire totale, car les personnalités de ces grands interprètes se sont merveilleusement pliées aux disciplines de la musique de chambre, de telle sorte que vitalité, émotion et justesse stylistique se trouvent ici associées.

On peut préférer, dans l'intégrale réalisée par Maurice Gendron, Roger Bourdin, Colette Lequien, Arthur Grumiaux et Jean Françaix, la Sonate pour violoncelle et piano, d'une rare subtilité ici ; mais pour les autres Sonates et pour *Syrinx*, la précédente intégrale apparaît à la fois plus vivante et plus juste.

C'est une version exceptionnelle de la Sonate pour violoncelle et piano que celle signée de Rostropovitch et de Britten : interprétation très personnelle qui met en valeur les audaces de l'écriture debussyste et ses irradiations poétiques. Mais le couplage n'est guère cohérent.

Le couplage (Debussy-Roussel) est plus logique en ce qui concerne la Sonate pour flûte, alto et harpe enregistrée par Christian Lardé, Gérard Caussé et Marie-Claire Jamet ; mais cette version, raffinée, poétique, a moins de relief que celle qui est signée de Debost, Menuhin et Laskine.

Parmi les versions isolées de la Sonate pour violon et piano, il faut retenir celle de Christian Ferras et Pierre Barbizet, dont le charme, l'élan, la vérité stylistique, comblent notre attente.

Petite Suite pour piano à quatre mains : En bateau, Cortège, Menuet, Ballet.

** Werner Haas, Noël Lee (piano). Philips 6747.181 (6 d.). Enregistré en 1971. + *Intégrale de l'œuvre pour piano.*

Petite Suite pour piano à quatre mains, orchestrée par Henri Büsser.

*** Orch. de la Suisse Romande, Ernest Ansermet. Decca 592.055.⊠ 4-592.055. + *Clair de lune (de la Suite bergamasque), Danse, La Mer, Prélude à l'après-midi d'un faune.*

** Orch. de Chambre Jean-François Paillard, Jean-François Paillard. Erato 70.422. Enregistré en 1969. + *Danses pour harpe, Epigraphes antiques.*

On peut, à l'orchestration de Henri Büsser, préférer la version originale pour piano à quatre mains. La version qu'en offrent Werner Haas et Noël Lee a beaucoup d'agrément, et il est intéressant, grâce au couplage, de mesurer la distance qui sépare la *petite Suite* au chef-d'œuvre qu'est *En blanc et noir*, composé en 1915.

Cette œuvre, qui n'annonce que bien furtivement le futur Debussy, est devenue populaire grâce à l'orchestration de Henri Büsser. La version réalisée par Ansermet et l'Orchestre de la Suisse Romande est d'une excellente tenue et se recommande également par un couplage et son édition en série économique.

La perspective de l'orchestre de chambre réussit également à ces quatre pièces que l'interprétation vivante et claire de Jean-

François Paillard sert efficacement. A noter le couplage avec les *Danses pour harpe*, dont Lily Laskine est la soliste.

Suite bergamasque pour piano : Prélude, Menuet, Clair de lune, Passepied.

❀*** Walter Gieseking (piano). EMI Références 1545.653 (5 d.). Mono. + *Intégrale de l'œuvre pour piano.*

*** Samson François (piano). EMI VSM C 069-12.136. enregistré en 1968. + *Children's corner, Estampes, Pour le piano.*

Walter Gieseking joue avec une extraordinaire élégance ces pièces qui sont un hommage nostalgique à la musique du passé. Debussy est ici très proche des *Fêtes galantes* de Verlaine. La magie des sonorités contribue à accentuer ce climat verlainien.

Samson François n'est ni moins élégant ni moins poète. Moins raffiné peut-être que Gieseking. Il fait, en revanche, mieux ressortir le caractère nostalgique de la *Suite bergamasque.*

Syrinx, pour flûte seule.

❀*** Michel Debost (flûte). EMI VSM C 069-14.038. Enregistré en 1976. + *Sonate pour flûte, alto et harpe, Sonate pour violoncelle et piano, Sonate pour violon et piano.*

*** Jean-Pierre Rampal (flûte). Erato STU 70.515. Enregistré en 1968. + *Bartók : Suite paysanne. Poulenc, Prokofiev : Sonates pour flûte et piano.*

** Christian Lardé (flûte). Erato STU 71.232. Enregistré en 1978. + *Sonate pour flûte, alto et harpe. Roussel : Trio pour flûte, alto et violoncelle, Impromptu pour harpe.*

Le souffle de Michel Debost, l'ampleur de sa sonorité donnent ses véritables dimensions à cette œuvre qui, malgré sa brièveté, est une des pages majeures de Debussy. Couplage cohérent avec les trois Sonates (on retrouve Debost dans la 2e Sonate).

Jean-Pierre Rampal dessine avec son élégance, sa virtuosité et sa merveilleuse sonorité les arabesques de la mélodie debussyste. Le couplage (Bartók, Poulenc, Prokofiev) est moins cohérent ; mais les admirateurs du grand flûtiste ne s'en plaindront pas.

La version de Christian Lardé se caractérise par sa finesse, sa pureté. Couplage intelligent avec la Sonate pour flûte, alto et harpe et des œuvres d'Albert Roussel.

Delalande, Michel-Richard
(1657 -1726)

De Profundis, grand motet pour soli, chœur et orchestres. Regina Coeli, pour soli, chœur et orchestre.

❀*** Yvonne Perrin (s), Magali Schwartz (ms), Claudine Perret (a), Olivier Dufour (t), Philippe Huttenlocher (bar), Nicolas Tüller (b), Ensemble Vocal et Instrumental de Lausanne, Michel Corboz. Erato STU 70.584. Enregistré en 1970.

*** Edith Selig (s), Jocelyne Chamonin (s), André Mallabrera (hc), Rémy Corazza (t), Jacques Mars (b), Chorale Stéphane Caillat, Orch. de Chambre Jean-François Paillard, Stéphane Caillat. Erato EFM 8.075 (sup.). Enregistré en 1962.

La version de référence, et la seule actuellement disponible, du *De Profundis*, ce chef-d'œuvre de la musique sacrée. Des interprètes d'une haute tenue. Michel Corboz, en orfèvre du chant sacré, façonne l'architecture grandiose de cette œuvre dans la noblesse et la sobriété, en cisèle les lignes mélodiques, qui alors deviennent forces vives de l'émotion. L'Ensemble de Lausanne joue sur instruments modernes, et cette vision ne pratique guère le «style», mais elle nous conduit ailleurs: là où souffle l'Esprit, là où la joie sourd en chaque note, dans une osmose idéale entre la musique et le texte, fidèle en cela à l'esthétique de Delalande. Une vision intemporelle d'une musique éternelle, profonde et émouvante. L'effusion de joie du *Regina Coeli* constitue un heureux contraste. Déplorons simplement une prise de son un peu maigre pour ce disque exceptionnel.

Souhaitons que cette gravure reparaisse bientôt au catalogue en série économique, ce que son âge justifie pleinement. Tout un chacun pourrait alors acquérir un beau disque, un enregistrement de pionniers où chacun tient sa place avec finesse et musicalité. A la foi profonde et bouleversante de ces deux œuvres, les interprètes ajoutent ici leur propre foi en une musique que leur enthousiasme et leur persévérance faisaient alors renaître. Peut-être le même éditeur satisferait-il les amateurs en publiant de nouveau les gravures d'autres motets reparues et supprimées depuis peu. Elles sont certes anciennes, mais leur qualité, ainsi que la pauvreté du catalogue, autoriseraient une présence continue dans les séries économiques.

Deus in adjutorium, motet pour soli, chœur et orchestre. Usquequo Domine, motet pour soli, chœur et orchestre.

*** Michelle Berod (s), Arlette Coste (a), Jean-Pierre Maurer (t), Michel Denonfoux (b), Madrigal de Lyon, Ensemble instrumental de Grenoble, Stéphane Cardon. Arion ARN 38.432. Enregistré en 1977.

L'enthousiasme de la jeunesse pour des œuvres d'un abord difficile, peu fréquentées par le disque. La flamme, une rare intuition de la spiritualité de cette musique, une interprétation lumineuse de foi et d'émotion nous amènent à oublier la relative inexpérience des choristes quant au style classique, ainsi que leurs quelques défaillances techniques. Un disque chaleureux, vivant, par de jeunes interprètes à encourager vivement, d'autant plus que cette gravure, d'une excellente qualité sonore, est la seule version récente de motets avec chœur qui soit présente au catalogue. Il existerait, paraît-il, soixante-dix de ces motets ; or, depuis une vingtaine d'années, nous n'en connaissons qu'une dizaine : à quand les soixante autres .

Leçons de Ténèbres. Extraits : Troisième Leçon pour le Mercredi Saint, Troisième Leçon pour le Jeudi Saint, Troisième Leçon pour le Vendredi Saint.

* Micaëla Etcheverry (ms), Laurence Boulay (clavecin et orgue), Jean Louis Charbonnier (viole de gambe). Erato STU 71.447. ⌧ MCE 71.447. Enregistré en 1977.

Cette première mondiale ne nous présente qu'une vision incomplète de ces *Leçons.* Delalande, peu habitué à écrire pour la voix chantant en solo, y fait fleurir un style trop orné restreignant l'émotion, s'éloignant de l'esprit de ce genre bien particulier. Pour les inconditionnels du Grand Siècle qui y trouveront matière à comparaison (plutôt défavorable) avec les grandes *Leçons* de Couperin et de Charpentier. Ils seront d'ailleurs desservis par une interprétation trop sage, où le feu sacré apparaît singulièrement absent. Une musique peu enthousiasmante dans une vision peu enthousiaste.

Miserere mei Deus.

❁*** Gregory Reinhart (b), Brigitte Bellamy (s), Guillemette Laurens (s), Jean-Claude Orliac et Michel Laplénie (t), Michel Verschaeve (b), Groupe vocal «Arpèges» de Bordeaux, La Grande Ecurie et la Chambre du Roy, Jean-Claude Malgoire. CBS 74.042. ⌧ 40-74.042. Enregistré en 1981.

Le grand mérite de Malgoire et de ses mucisiens, c'est de s'éloigner de la pompe et de la gloire un peu compassées du grand style «versaillais» pour retrouver un ton plus simple, plus intime, en tout état de cause plus naturel. Une gravure qui joue magistralement des trois composantes majeures - noblesse, sobriété, frémissement intérieur - dont vit cet authentique chef-d'oeuvre qu'est le *Miserere.* A la lumière des recherches les plus récentes, la Grande Ecurie signe là l'une de ses plus belles réussites.

Symphonies pour les soupers du Roy. Extraits : Premier Caprice ou Caprice de Villers-Cotterêts, Deuxième Fantaisie ou Caprice que le Roy demandait souvent, Troisième Caprice en ré majeur, Concert de trompette pour les fêtes sur le canal de Versailles.

** Maurice André (t), Orch. de Chambre Jean-Francois Paillard, Jean-François Paillard. Erato STU 70.185. ⌧ MCE 70.185. Enregistré en 1964.

L'enregistrement de Paillard fêtera en 1980 ses seize ans d'existence. Il est demeuré au catalogue depuis sa naissance jusqu'à aujourd'hui sans faillir une seule fois. Il nous présente, dans une interprétation pleine d'autorité, de vie, et marquée d'un goût sûr, les pages célèbres d'une musique festive préfigurant, avec des moyens plus modestes, des œuvres telles que la *Water Music* ou la *Royal Fireworks Music* de Haendel. Mais est-il raisonnable qu'un enregistrement de cet âge, malgré sa bonne qualité sonore, soit proposé au même prix qu'une parution récente ? A quand la reconversion en «économique» .

Delibes, Léo
(1836-1891)

Coppélia, ballet.

*** Orch. de la Suisse Romande, Richard Bonynge. Decca 593.011. (2 d.).

** Orch. Symph. de Minneapolis, Antal Doráti. Philips 6768.225 (2 d.). ⌧ 7515.018. (2 c.). Enregistré en 1961.

** Orch. de la Suisse Romande, Ernest Ansermet. Decca DPA 581/2 (2 d.) (G-B).

** Orch. Phil. de Rotterdam, David Zinman. Philips 6769.035 (2 d.). ⌧ 7699.126. (2 c.).

Coppélia : extraits.

*** Orch. Symph. de Boston, Pierre Monteux. RCA GL 43.708. ⌧ GK 43.708. Enregistré en 1953. + *Sylvia : extraits.*

Richard Bonynge, de même que dans le domaine de l'art lyrique, se révèle un chef inspiré dans celui de la musique de ballet. Ainsi lui devons-nous cette excellente version de *Coppélia*, pleine de flamme et si conforme à l'esprit de l'art chorégraphique.

De grande qualité également est la version d'Antal Doráti, avec l'Orchestre Symphonique de Minneapolis. Le chef est excellent, la prise de son des plus honnêtes - et le prix aussi, puisqu'il propose deux disques pour le prix d'un.

De deux ans l'aîné de celui de Doráti, le disque d'Ansermet se situe sur le même niveau artistique et technique. Et les conditions de prix sont aussi compétitives : le choix sera donc fonction des goûts personnels pour l'un ou l'autre de ces deux grands chefs.

Ni l'Orchestre Philharmonique de Rotterdam, ni David Zinman qui le dirige ne sont fort connus ; et pourtant, ils nous offrent une version de grande qualité du ballet intégral de *Coppélia*. Les mérites de cette version sont multiples, à commencer par un aspect authentiquement chorégraphique : trop de chefs, même parmi les plus illustres, ont tendance à interpréter la musique de ballet comme s'il s'agissait d'un poème symphonique ; il en résulte des tempos sur lesquels une ballerine aurait la plupart du temps bien du mal à danser. Or, la *Coppélia* de Zinman est à la fois dansable et dansante. En outre, l'orchestre dispose d'excellents solistes, en particulier le clarinettiste Bas de Jong et l'altiste Gerrit Oldeman.

A recommander sans réserve, la réédition en stéréophonie de l'enregistrement de Pierre Monteux, d'extraits de *Coppélia*, complétés par des extraits de *Sylvia*. Ce panorama constitue un des meilleurs disques jamais consacrés à la musique de ballet de Léo Delibes.

Lakmé, opéra-comique.

*** Mady Mesplé (Lakmé), Charles Burles (Gérald), Roger Soyer (Nilakantha), Danielle Millet (Mallika), Jean-Christophe Benoît (Frédéric), Ch. et Orch. de l'Opéra-Comique, Alain Lombard. EMI VSM C 167-10.975/7 (3 d.).

*** Mado Robin (Lakmé), Libero De Luca (Gérald), Jean Borthayre (Nilakantha), Jacques Jansen (Frédéric), Ch. et Orch. de l'Opéra-Comique, George Sebastian. Festival CFC 60.031. (3 d.). Mono.

Lakmé : extraits.

*** Mady Mesplé (Lakmé), Charles Burles (Gérald), Roger Soyer (Nilakantha), Danielle Millet (Mallika), Ch. et Orch. de l'Opéra-Comique, Alain Lombard. EMI VSM C 069-12.511. ⌧ C 269-12.511.

La version dirigée par Alain Lombard est actuellement la meilleure intégrale de *Lakmé* que l'on puisse avoir, et le mérite en revient à Mady Mesplé, pour son interprétation idéale du rôle titre. Son personnage est d'une fraîcheur incomparable, mélange de tendresse et de fragilité. Ne considérant pas la virtuosité, pourtant impeccable chez elle, comme une fin en soi, elle préfère nous retenir par l'émotion et le charme de son jeu. Elle est ici entourée avec beaucoup de soin. Charles Burles chante avec aisance le rôle de Gérald, et Roger Soyer donne un poids de vérité au conventionnel Nilakantha. La direction d'Alain Lombard est souple et séduisante.

La version dirigée par Sebastian est à recommander pour la présence de Mado Robine, une des plus belles interprètes du rôle de Lakmé.

Pour les sélections, le choix se présente

entre trois versions fort différentes par leur âge et leur caractère. La plus récente est extraite de l'intégrale d'Alain Lombard, excellent à tout point de vue, et surtout par la présence de Mady Mesplé.

Sylvia, ou la Nymphe de Diane, ballet.

*** Orch. New Philharmonia, Richard Bonynge. Decca 593.010. (2 d.).

** Orch. du Théâtre National de l'Opéra, Jean-Baptiste Mari. EMI VSM C 167-16.261/2 (2 d.). Quadri.

** Orch. Symph. de Londres, Anatole Fistoulari. Philips 6768.223. (2 d.). ⌧ 7515.016 (2 c.).

Sylvia : extraits.

*** Orch. Symph. de Boston, Pierre Monteux. RCA GL 43 708. ⌧ GK 43.708. Enregistré en 1953. + *Coppélia : extraits.*

Contrairement à *Coppélia*, largement connu et représenté, *Sylvia*, à cause de son livret médiocre, est resté dans l'ombre. Heureusement, Richard Bonynge nous en offre une version rigoureusement intégrale, et réalisée avec le plus grand soin. C'est une grande réussite, et un plaisir de voir quelle jeunesse et quelle fraîcheur il rend à cette musique. La qualité technique est somptueuse, et le coffret contient en outre un très bon livret de présentation, trilingue. Pour toutes ces raisons, un enregistrement de référence.

Jean-Baptiste Mari a parfaitement saisi et exprimé le caractère dansant de cette musique de ballet que Tchaïkovsky lui-même considérait comme un modèle. Rien ici ne vient gâter notre plaisir, et, sans atteindre les raffinements de Bonynge, Mari ne décevra pas les amateurs de musique et de ballet.

Fistoulari a eu le mérite d'être le premier à réaliser une version intégrale de ce ballet généralement boudé. Sa vision cherche à être vraiment chorégraphique, et il respecte l'esprit et le rythme de la danse. Peut-être ce scrupule lui fait-il manquer un peu de flamme, mais on ne peut lui reprocher ce souci d'authenticité par rapport au ballet.

Pour ceux qu'une sélection contenterait, on ne peut que recommander l'excellente réédition de la version de Pierre Monteux, complétée par des extraits de *Coppélia*. Ce disque est l'un des meilleurs consacrés à la musique de ballet de Delibes, et le génie de Monteux y fait merveille.

Denissov, Edison
(né en 1929)

Trio pour violon, violoncelle et piano. Sonate pour violon et piano. Signes en blanc pour piano.

*** Jean-Pierre Armengaud (piano), Devy Erlih (violon), Alain Meunier (violoncelle). Chant du Monde LDX 78.685. Enregistré en 1979.

Excellente réalisation, la première consacrée exclusivement à des œuvres de Denissov. On y constatera que ce compositeur, en échappant à l'influence de l'académisme officiel, a su trouver sa personnalité. Les interprètes ont très bien compris et rendu le lyrisme de la Sonate, proche de Prokoviev, ainsi que la dimension, doublement boulezienne et slave, des *Signes.*

Desmarest, Henry
(1661-1741)

Motets lorrains : Domine ne in furore, Confitebor.

*** Erato STU 71.511. Enregistré en 1982. Solistes, Ch. du New College d'Oxford, Ens. Fiori Musicali, Edward Higginbottom.

Dans le sillage de Charpentier et de Delalande, Henry Desmarest fait montre d'une orginalité d'écriture et de ton qui éclate tout au long de cet enregistrement. Edward Higginbottom et son équipe sont les interprètes inspirés que réclame cette musique d'exception, et les artisans du succès de ce travail d'exhumation. Signalons également l'excellence des solistes, où domine le soprano ailé de Barbara Schlick.

Devienne, François
(1760-1803)

Concerto n° 7 pour flûte et orchestre en mi mineur.

* Maxence Larrieu (flûte), Ensemble Instrumental de France, Jean-Pierre Wallez. IPG 7.179 (sup.). Quadri.

Maxence Larrieu se joue des difficultés de cette partition qui, œuvre d'un flûtiste, demande à l'interprète une constante virtuosité. Il tempère sa technique d'une musicalité et d'un goût très sûrs. Deux ombres à ce tableau : l'accompagnement un peu sec de Jean-Pierre Wallez, accusé par une prise de son trop présente qui impose trop les entrées de l'orchestre. Le programme de ce disque aurait pu se passer du manque de discrétion de la quadriphonie.

Symphonie concertante pour 2 flûtes en sol majeur.

** Jean-Pierre Rampal, Ransom Wilson (flûtes), I Solisti Veneti, Claudio Scimone. Erato STU 70.888. ⌧ MCE 70.888 (sup.). + *Dieter : Concerto concertant pour flûte. Viotti : Concerto pour flûte.*

Cette Symphonie concertante n'est assurément pas un grand chef-d'œuvre, mais sa musique agréable et sans prétention ne dépare pas le programme de ce disque, construit autour de la flûte. Deux artistes de grande classe pour l'interpréter : l'un dont la renommée n'est plus à faire, Rampal, l'autre qui mérite d'être connu, Ransom Wilson. Ils donnent beaucoup de vie et de relief à cette musique assez légère. Les Solisti Veniti possèdent une sonorité dont la verdeur s'accorde très bien à ce répertoire, ainsi que leur motricité et leur imagination pleine d'alacrité.

Diabelli, Anton
(1781-1858)

Sonatines pour guitare et pianoforte op. 68 et op. 102. Sonatines pour piano à quatre mains op. 150 n° 2 et op. 24 n° 2. Sonatines pour piano op. 168 n°ˢ 1, 3 et 7.

* Hans Kann et Rosario Marciano (piano-table), Romulo Lazarde (guitare). Harmonia Mundi HM 435.

L'intérêt de cet enregistrement est de permettre de découvrir un musicien, certes mineur, dans le charme prenant de sonorités désuètes. Le «piano-table» de 1835, qui est utilisé ici, possède une percussion très raffinée qui s'allie avec bonheur à la guitare, alors qu'un piano moderne l'écraserait. Belle prise de son.

Dittersdorf, Karl Ditters von
(1739-1799)

Esther, oratorio pour soli, chœurs et orchestre.

* Magda Kalmar (Esther), Ilona Tokody (Zare), Klara Takacs (Atta), Jozsef Horvat (Assuérus), György Kaplan (Aman), Lájos Miller (Mardoche), Livia Budai (alto solo), Ch. des Madrigalistes de Budapest, Orch. de Chambre Franz Liszt, Ferenc Szekeres. Hungaroton SLPX 11.745/6 (2 d.) (étr.).

L'apparition au catalogue de cette œuvre originale et géniale comble heureusement l'injuste lacune frappant Dittersdorf. Son *Esther* innove sur deux points essentiels : l'action dramatique continue est abandonnée au profit de tableaux correspondants aux temps forts ; la musique s'attache plus à décrire la psychologie des personnages qu'à servir de base à des prouesses de *bel canto.* Tous les exécutants sont ici irréprochables, et du plus haut niveau, bien que la direction de Szekeres soit trop timide. Mais c'est une grosse erreur que d'avoir limité la portée de cette œuvre en utilisant une formation vocale et instrumentale de chambre, encore diminuée par une prise de son sans ampleur. La valeur de cette intéressante réalisation en souffre incontestablement.

Donatoni, Franco
(né en 1927)

Jeux pour deux, pour orgue positif et clavecin.

*** Elisabeth Chojnacka (clavecin), Jean-Louis Gil (orgue). Erato STU 71266. + *Œuvres de Xenakis, Mâ-*

che, Halffter, Ligeti, Marco, Constant.

Une interprétation enthousiasmante et une immense frustration : six minutes seulement de magnifique musique de Donatoni. Heureusement, le programme est d'une grande homogénéité qualitative : on y trouve l'éblouissant *Khoai-Xoai* de Xenakis, l'envoûtante incantation de *Solstice*, de Mâche, le tout à fait surprenant *Hungarian Rock* de Ligeti et la forte émotion contenue dans l'*Adieu* de Halffter (autre injuste oublié du disque)... Et l'on se demande qui, actuellement, pourrait bien mettre en péril la suprématie incontestable d'Elisabeth Chojnacka.

Donizetti, Gaetano
(1797-1848)

Anna Bolena, opéra.

❀*** Maria Callas (Anna Bolena), Giulietta Simionato (Giovanna), Gianni Raimondi (Percy), Nicola Rossi Lemeni (Enrico VIII), Orch. et Ch. de la Scala de Milan, Gianandrea Gavazzeni. Cetra L.O. 53 (3 d.). Mono. Enregistré sur le vif en 1957.

* Beverly Sills (Anna Bolena), Shirley Verrett (Giovanna), Stuart Burrows (Percy), Paul Plishka (Enrico VIII), Orch. Symph. de Londres, Ch. John Alldis, Julius Rudel. EMI VSM C165-94.391/94 (4 d.) (sup.). Enregistré en 1973.

La Callas, le 14 avril 1957, connut, à la Scala, le triomphe le plus incontestable de sa carrière. C'est l'instant à conserver par excellence : l'entrée, le duo avec Jane Seymour, la bouleversante scène finale sont des hauts lieux de la discographie. La Simionato ne lui est en rien inférieure, et c'est là aussi son meilleur témoignage sonore. Les hommes ne sont pas sur le même niveau, mais Raimondi sait chanter, et s'il manque près d'une heure de musique, l'essentiel est préservé. Quant au son de cette retransmission radio, il est impeccable. Un luxe.

S'il faut être privé de la prodigieuse version («privée») de Callas et Simionato, la version Rudel en quatre disques respecte l'intégralité de ce premier succès de Donizetti, plutôt longuet. Assez pesant, le chef ne facilite guère l'écoute, et seule Verrett peut enthousiasmer (sans faire oublier l'excellente Horne de la malheureuse version Decca, 1969). Beverly Sills est une virtuose accomplie, mais ne possède ni la voix, ni le sens dramatique du rôle. Plishka chante bien mais n'est guère l'implacable Henry VIII, et Burrows est quasi grotesque.

Il Campanello dello speziale, opéra bouffe.

** Renato Capecchi (Enrico), Sesto Bruscantini (Annibale), Clara Scarangella (Serafina), Orch. et Ch. de la RAI de Turin, Alfredo Simonetto. Cetra LPC 50027. Mono. Enregistré en 1954.

* Alberto Rinaldi (Enrico), Alfredo Mariotti (Annibale), Emma Bruno de Santis (Serafina), Orch. et Ch. de la Fenice de Venise, Ettore Gracis. DG 139.123 (sup.). Enregistré en 1965.

Ce petit chef-d'œuvre de comique de bon goût - avec ses savoureuses phrases françaises - est servi avec un bonheur sans rival par Capecchi et Bruscantini, et le retour au catalogue de ce disque aussi économique que réussi est le bienvenu pour une meilleure approche du Donizetti comique.

Dans la version Gracis, la stéréo n'apporte rien à la netteté et à la précision du texte. La direction trop belle, trop soignée, s'accorde moins bien aux voix assez ingrates de Rinaldi et de Mariotti, bons interprètes, mais nettement moins impliqués par ce mariage du beau chant et de la récitation.

Don Pasquale, opéra bouffe.

*** Tito Schipa (Ernesto), Adelaide Saraceni (Norina), Afro Poli (Malatesta), Ernesto Badini (Don Pasquale), Ch. et Orch. de la Scala de Milan, Carlo Sabajno. EMI 153-03.555/56 (2 d.) (Italie). Mono, origine 78 t. Enregistré en 1932.

** Cesare Valletti (Ernesto), Alda Noni (Norina), Mario Borriello (Malatesta), Sesto Bruscantini (Don Pasquale), Orch. et Ch. de la RAI de Turin, Mario Rossi. Cetra LPS 3242 (2 d.). Mono. Enregistré en 1952.

** János Bandi (Ernesto), Magda Kalmar (Norina), Istvan Gati (Malatesta), Jozsef Gregor (Don Pasquale), Ch. de la Radio-Télévision Hongroise, Orch. de l'Etat Hongrois, Istvan Fischer. Hungaroton SLPD 12.416/18 (3 d.).

* Ugo Benelli (Ernesto), Anna Maccianti (Norina), Mario Basiola jr. (Malatesta), Alfredo Mariotti (Don Pasquale), Orch. et Ch. du Mai Musical Florentin, Ettore Gracis. DG 2705.039 (2 d.). Enregistré en 1964.

Grâce à Tito Schipa (et à Sabajno), et comme il n'existe pas de version moderne satisfaisante, celle-ci demeure la référence incontestée, malgré les coupures (reprises ou cabalettes) et un soprano au style discutable. Mais le phrasé, la musicalité, le grand style de Schipa, nanti déjà de vingt années de carrière, sont sans égal. Baryton et basse jouent bien le jeu de «bouffes» dans l'excellente tradition, mais les collectionneurs n'oublieront pas Giuseppe de Luca et la basse Corradetti.

Cetra nous offre avec Valletti le meilleur successeur qui soit de Schipa, et la pétulante Alda Noni, excellente soubrette mozartienne, rompue au charme du rôle - un nom trop oublié aujourd'hui, mais une véritable Gueden italienne. Bruscantini, encore que trop barytonnant, est simplement le meilleur Don Pasquale de la discographie ; le baryton et le chef sont très en règle avec la partition. Quoique datant elle aussi, la prise de son monophonique est néanmoins plus présente que celle des disques historiques de Sabajno.

Les Hongrois ne réussissent pas toujours dans l'opéra italien : il faut donc saluer la réussite d'Ivan Fischer et de son équipe. Jozsef Gregor (Don Pasquale) a la drôlerie et l'abattage nécessaires : le ténor se tire fort bien aussi de son rôle élégiaque, et le baryton joue à la perfection l'entremetteur de comédie. La seule réserve irait peut-être à Magda Kalmar, qui chante le grand air de Norina d'une voix trop tendue.

Dirigée avec soin par Gracis, la seule version stéréo homogène ne possède cependant pas la *vis comica* ni la souplesse du chant donizettien : ténor et soprano chantent sans nuances, quoique très proprement. A signaler toutefois une version récente (EMI, USA), où Alfredo Kraus est le plus extraordinaire Ernesto qui soit, mais seul à défendre l'œuvre au sein d'un ensemble hétérogène.

Le Duc d'Albe, opéra.

** Ivana Tosini (Amelia), Renato Cioni (Marcello), Louis Quilico (le Duc), Vladimiro Ganzarolli (Sandoval), Orch. et Ch. du Théâtre Verdi de Trieste, Thomas Schippers. Melodram 2 (2 d.) (Italie), ou Discoreale DRL 302 (2 d.). Mono. Enregistré sur le vif en 1959.

Une curiosité, à coup sûr, puisque l'opéra demeura inachevé. On y voit à quel point l'auteur, au terme de sa courte vie, se rapprochait déjà de Verdi. Schippers, alors très jeune, dirige avec conviction et fermeté cette œuvre jusqu'ici connue par l'air *«Angelo casto e bello»* gravé par Caruso, mais remplacé ici par le *«Spirto gentil»* de *La Favorite*. Interprétation vigoureuse - trop - d'artistes alors fort jeunes qui perdirent rapidement leurs belles voix par excès de vérisme.

L'Elixir d'amour, opéra bouffe.

** Cesare Valletti (Nemorino), Alda Noni (Adina), Sesto Bruscantini (Dulcamara), Afro Poli (Belcore), Orch. et Ch. de la RAI de Rome, Gianandrea Gavazzeni. Cetra LPS 3235 (2 d.). Mono. Enregistré en 1952.

** Luciano Pavarotti (Nemorino), Joan Sutherland (Adina), Spiro Malas (Dulcamara), Dominic Cossa (Belcore), Orch. de Chambre Anglais, Ch. Ambrosien, Richard Bonynge. Decca SET 503/05 (3 d.) (sup.). Enregistré en 1971.

* Placido Domingo (Nemorino), Ileana Cotrubas (Adina), Geraint Evans (Dulcamara), Ingvar Wixell (Belcore), Orch. et Ch. de Covent Garden, John Pritchard. CBS 79.210 (2 d.). Enregistré en 1977.

Bien soignée par Gavazzeni, la meilleure version de référence d'un chef-d'œuvre très mal servi par le disque, mais défendu ici par des spécialistes coutumiers de leurs rôles : Valletti, excellent à défaut de Schipa (78 t. «repiqués» chez RCA) ou de Tagliavini ; Alda Noni, la meilleure Adina, sachant s'amuser, émouvoir, et Bruscantini, cocasse et visuel, tous deux n'oubliant jamais le chant. De l'excellent travail, mais pas l'étincelle que l'on doit trouver au théâtre. Petites coupures habituelles.

Pavarotti, aidé par son physique un peu

gauche, figura longtemps sur scène un Nemorino presque idéal, et le disque capte bien son interprétation désinvolte, amusante, parfois émouvante, encore que légèrement maniérée. Joan Sutherland, qui chante à la perfection (et bénéficie d'une aria supplémentaire à la fin) n'est jamais la piquante Adina, mais s'écoute avec plaisir : il manque ici la séduisante Freni, si mal entourée dans l'ennuyeuse version EMI. Le reste est assez terne, et Bonynge est plus noble que véritablement comique ou sentimental. La qualité technique est incomparablement supérieure à celle de la version Gavazzeni.

Avec Pritchard, des interprètes inattendus (Domingo, comme Caruso, chante cet *Elixir*, Radames et Alvaro : mais Gigli aussi, et mieux !), un chef et des chœurs qui s'amusent, beaucoup de vie, un son parfait, de bons artistes ; mais un chant trop appuyé (Wixell, inférieur à Capecchi, chez Decca), séduisant mais trop tendu (Domingo), assez scolaire (Cotrubas) ou exagérément caricatural (Evans). Et pourtant, un ensemble bien plaisant .

La Favorite, opéra français. Version italienne.

❀*** Giulietta Simionato (Leonora), Giuseppe di Stefano (Fernando), Enzo Mascherini (Alfonso), Cesare Siepi (Baldassare), Orch. et Ch. du Palais des Beaux-Arts de Mexico, Renato Cellini. Cetra LO 2 (3 d.). Mono. Enregistré sur le vif en 1950.

*** Fedora Barbieri (Leonora), Gianni Raimondi (Fernando), Carlo Tagliabue (Alfonso), Giulio Neri (Baldassare), Orch. et Ch. de la RAI de Turin, Angelo Questa. Musidisc MU 311. Mono. Enregistré en 1954.

* Fiorenza Cossotto (Leonora), Luciano Pavarotti (Fernando), Gabriel Bacquier (Alfonso), Nicolaï Ghiaurov (Baldassare), Ileana Cotrubas (Inés), Orch. et Ch. du Comunale de Bologne, Richard Bonynge. Decca D 96 (3 d.) (G-B). Enregistré en 1974 et 1976.

Il faut le «direct» et des voix excitantes pour défendre cet opéra pourtant si populaire : ici, bien captés par la radio, nous avons une Simionato rayonnante, d'une somptueuse beauté vocale, émouvante même, un di Stefano tel qu'on oublie qu'il a chanté naguère (le disque préserve le *bis* imposé par la foule, à l'acte IV), un Siepi absolument unique et un Mascherini très sonore, chantant diablement bien... mais toujours *forte*.

La version distribuée par Musidisc offre un chef attentif plus qu'inspiré, une regravure exceptionnelle, et un quatuor vocal quasi idéal : Barbieri encore en pleine forme, monumentale quoique parfois trop vériste, le jeune Raimondi superbement chantant - on pense presque à Kraus - et un Tagliabue peu concerné, mais le dernier des grands barytons. En prime, la basse noire et implacable du fanatique Giulio Neri : les derniers héritiers de la grande manière italienne d'antan.

Seule version stéréo, celle de Bonynge demanda quatre annés d'efforts aux ingénieurs de Decca... le chef y est heureusement neutre (car à défaut d'un Arena empoignant l'œuvre, il vaut mieux la prudence), Pavarotti émet des sons glorieux -, mais nous sommes aux antipodes des Caruso, Lauri Volpi ou Gigli, ainsi que Cossotto ; mais Bacquier, qui n'a jamais chanté le rôle, ne lie guère les sons, et se montre à la limite de l'inacceptable.

La Fille du Régiment, opéra-comique français.

** Joan Sutherland (Marie), Luciano Pavarotti (Tonio), Spiro Malas (Sulpice), Monica Sinclair (la Marquise), Orch. et Ch. de Covent Garden, Richard Bonynge. Decca SET 372/73 (2 d.) (sup.). Enregistré en 1967.

Joan Sutherland est éblouissante de virtuosité, variant à l'envi les reprises, et son brio rachète l'absence d'un timbre plus pathétique (Toti dal Monte, Mirella Freni), de même que l'exubérance sympathique de Pavarotti, et les neuf *contre-ut* de son premier air compensent l'absence d'une ligne de chant plus rigoureuse (Mac Cormack -EMI- autrefois, Alfredo Kraus aujourd'hui). Le français parlé de Monica Sinclair est proprement hilarant, mais la direction excellente.

Lucie de Lammermoor, opéra.

*** Joan Sutherland (Lucia), Luciano Pavarotti (Edgardo), Sherill Milnes (Enrico), Nicolaï Ghiaurov (Raimondo), Orch. et Ch. de Covent Garden, Richard Bonynge. Decca 4-390.008. (3 d.). Enregistré en 1972.

** Lina Pagliughi (Lucia), Giovanni Malipiero (Edgardo), Giuseppe Manacchini (Enrico), Luciano Neroni (Raimondo), Orch. et Ch. de la RAI de Turin, Ugo Tansini. Cetra LPC 1205 (3 d.). Mono, origine 78 t. Enregistré en 1942.

* Montserrat Caballé (Lucia), José Carreras (Edgardo), Vicente Sardinero (Enrico), Samuel Ramey (Raimondo), Orch. New Philharmonia, Ch. Ambrosien, Jésùs Lopez-Coboz. Philips 6703.080 (3 d.). Enregistré en 1977.

Aprés Adelina Patti et Toti dal Monte, Maria Callas fut Lucia comme nulle autre. Le disque a conservé ses interprétations : plusieurs en direct et malheureusement en éditions privées (dont celle, géniale, de 1956 avec Karajan), et deux chez EMI en studio. De celles-ci, on regrettera que celle, excellente pour Callas, de 1953, soit raccourcie et inégale, et que celle de 1959, en stéréo, soit bouleversante d'interprétation mais vocalement discutable. On trouvera donc sous la direction de Bonynge une version stéréo et complète (premier air de la basse, duo «*della sfida*», reprises, chœurs, etc.), avec Joan Sutherland, à peine inférieure à sa première version chez Decca (mais avec des partenaires inégaux), éclatante encore que quelque peu lymphatique. Pavarotti est ardent, viril, plus séduisant que véritablement attentif aux nuances. Bons partenaires et bonne baguette.

La version historique dirigée par Tansini fait entendre Lina Pagliughi, d'une admirable pureté, traditionnelle mais jamais maniérée, le meilleur ténor de la discographie (si l'on excepte Bergonzi dans ses enregistrements RCA de 1966 et EMI de 1970, les deux fois mal entouré), de bons partenaires bien dirigés... Que demander d'autre ? Sinon de se reporter, naturellement, aux extraits en disques 78 tours de Schipa, Gigli, Galli Curci et Toti dal Monte, réédités chez RCA et EMI.

L'enregistrement de Lopez-Cobos propose un travail de musicologie intéressant en soi, avec le retour à l'orchestration authentique, jamais respectée, et aux tonalités initialement prévues par Donizetti. Mais comme l'auteur avait, dès la création, largement modifié ses intentions premières, on peut s'interroger sur la portée de ce travail d'archiviste, soutenu par un chef peu convaincu et une Caballé très en difficulté dans l'aigu, même ramené à ses justes proportions. Plus séduisant, Carreras peine lui aussi dans l'aigu. Quant au texte explicatif français qui accompagne l'enregistrement, il accumule les contre-sens.

Lucrèce Borgia, opéra.

*** Montserrat Caballé (Lucrezia), Alfredo Kraus (Gennaro), Shirley Verret (Maffio Orsini), Ezio Flagello (Alfonso), Orch. et Ch. de la RCA Italienne, Jonel Perlea. RCA VLS 45.148. (3 d.). ☒ VKS 45.148. (2 d.). Enregistré en 1966.

** Joan Sutherland (Lucrezia), Giacomo Aragall (Gennaro), Marilyn Horne (Maffio Orsini), Ingvar Wixell (Alfonso), Orch. National Phil., Ch. Opéra de Londres, Richard Bonynge. Decca D 93 D 3 (3 d.). Enregistré en 1978.

Montserrat Caballé, dans le rôle qui la révéla brusquement un an plus tôt aux États-Unis, et Kraus dans le premier disque digne de lui. Elle, aux demi-teintes de rêve, à la splendide virtuosité, à la pureté vocale encore vierge, mais peu soucieuse de la terrible empoisonneuse qu'elle incarne ; lui, exceptionnel de beau chant dans un rôle trop court. Bonne prestation de Shirley Verrett, sans pouvoir rivaliser avec Horne (récital Decca) ; Flagello correct, sans grande dimension. Bonne direction.

Bonynge a ajouté pour sa version enregistrée divers airs pour soprano refaits par l'auteur pour différentes interprètes et une très difficile scène pour le ténor, écrite pour Ivanov, exhumée à l'intention d'Alfredo Kraus qui l'a chantée sur scène mais a laissé la place ici à son compatriote Giacomo Aragall, qui s'en sort honnêtement. Joan Sutherland, toujours grande dame, brille vocalement là où une Leyla Gencex bouleverse, à la scène ; Horne est superbe, mais Wixell manque bien de panache.

Maria Stuarda, opéra.

** Joan Sutherland (Maria Stuarda), Huguette Tourangeau (Elisabetta), Luciano Pavarotti (Leicester), Roger Soyer (Talbot), Orch. et Ch. du Comunale de Bologne, Richard Bonynge. Decca 390.368 (3 d.). Enregistré en 1974 et en 1975.

L'un des meilleurs ouvrages du «Donizetti méconnu» que se sont disputées à la scène les Caballé et Sutherland : sans doute pour cela l'épouse du très sensible chef Richard Bonynge a-t-elle voulu «en remettre», faisant étalage de son suraigu jusqu'à un *contre-mi* bien pénible et bien inutile, car elle prouve assez par ailleurs. Huguette Tourangeau est beaucoup plus supportable ici qu'ailleurs, Soyer très honnête, et Pavarotti presque trop luxueux pour un rôle de grâce pure.

Dowland, John
(1563-1626)

Airs et solos de luth.

** Deller Consort, Mark Deller. Harmonia Mundi HM 1076. Enregistré en 1981.

Le Deller Consort, qui n'a pas hésité à compléter certaines chansons inachevées, a misé sur l'engagement expressif des interprètes, un engagement que réclament le style vigoureux, l'écriture très maîtrisée et la fusion totale de l'originalité du compositeur dans la mode d'une époque. Les plans sonores s'opposent avec netteté, les ornements sont faits avec délicatesse et sont parfaitement intégrés à la ligne mélodique.

Ayres, Livres 1, 2 et 3.

*** Emma Kirkby (s), John York Skinner (hc), Martyn Hill (t), David Thomas (b), Consort of Musick, Anthony Rooley. Livre 1 : Oiseau Lyre DSLO 508/9 (2 d.) (G-B). Livre 2 : Oiseau-Lyre DSLO 528/9 (G-B). Livre 3 : Oiseau Lyre DSLO 531/2 (2 d.) (G-B).

On ne saurait trop louer l'art avec lequel Anthony Rooley a assuré la réalisation de ces deux recueils. Variant, pour éviter toute monotonie, la présentation des chansons de Dowland, il les fait accompagner au luth ou à la viole de basse, avec diverses combinaisons instrumentales. Il en présente même certaines sans aucun support instrumental. Il est fort bien servi par quatre solistes de talent pour qui la musique de la Renaissance est devenue une seconde nature. Ces disques présentent un des plus beaux bouquets possibles du côté souriant et mondain de la musique élisabéthaine. La perfection de la reconstitution ne nuit jamais au plaisir direct de l'écoute, ce qui est la marque d'une grande sensibilité jointe à une belle discrétion. L'ensemble de ces enregistrements constitue une somme magistrale qui permet de connaître pleinement le génie de Dowland, musicien pour la voix, sous ses multiples facettes.

Chants accompagnés au luth. Pièces pour luth. Consort music.

*** Alfred Deller (hc), Robert Spencer, Nigel North (luth), Consort of Six. Harmonia Mundi HM 244/6 (3 d.).

Une admirable sélection dans les différents domaines musicaux explorés par Dowland. On ne sait ce qu'il faut le plus admirer : l'intelligence et la sensibilité de Deller qui chante quelques airs, la précision et la finesse du jeu de Robert Spencer, qui est le grand animateur de ce programme, la cohésion du *consort* d'instruments anciens qui vient compléter ce tableau du génie de Dowland. Il est difficile de rêver d'un disque plus finement sensible, mieux accordé à la personnalité complexe de Dowland. Un seul reproche possible : pour réaliser leur programme, les artistes ont écrémé les meilleures pièces des divers recueils d'œuvres du maître. L'amateur se trouvera donc en situation, s'il veut faire avec Dowland plus ample connaissance, d'avoir presque certainement quelques morceaux en double.

Lachrymae, 21 danses pour luth et cordes (1604).

** Anthony Rooley (luth), Consort of Music. Oiseau Lyre DSLO 517 (G-B).

Le titre de cette œuvre exprime immédiatement tout le paradoxe de l'œuvre de Dowland : le mot «pleurs» y est associé à la notion de danses. Anthony Rooley excelle à traduire le mélange de mélancolie profonde et de subtilité mondaine qui marque l'œuvre instrumentale du compositeur. Faisant très bien corps avec l'ensemble de cordes qu'il anime, bien servi par une très belle prise de son, il nous transporte dans un univers étrange, dont le maniérisme peut parfois nous inquiéter, mais dont la puissance de séduction est grande.

Les Lamentations de Mr. Henry Noell. Psaumes et chants sacrés.

* Martyn Hill (t), John York Skinner (hc), Consort of Music, Anthony Rooley. Oiseau Lyre 595.021. + *Musique vocale sacrée.*

La finesse et la justesse de ton de Martyn Hill et de John York Skinner donnent de la vie et de l'émotion à des pièces de musique religieuse à usage domestique qui ne comptent pas parmi les chefs-d'œuvre de Dowland. Comme toutes les interprétations de Rooley, celle-ci se présente avec une grande rigueur et un louable souci d'exactitude technique. Cela en fait, malgré certaines réserves sur les œuvres interprétées, un témoignage très sûr et très harmonieux d'une certaine forme de musique peu représentée par ailleurs dans les catalogues d'éditeurs.

L'oeuvre complète pour luth.

*** Anthony Bailes,, Jakob Lindberg , Nigel North, Anthony Rooley, Christopher Wilson (luth). Oiseau-Lyre 595.604. (5 d.).

Il s'agit là d'un monument. Avoir osé enregistrer l'intégrale des pièces pour luth que nous a transmises Dowland est de la part d'un éditeur un acte de confiance dans la passion des auditeurs - ou un acte de folie. Ne nous plaignons pas, la subtilité de Dowland s'exprime rarement mieux qu'à travers les accents un peu fragiles du luth. Toute la préciosité du musicien, toute sa sensibilité, cette apparente faiblesse devant les peines de l'existence se font entendre, sans insistance mais aussi sans possibilité d'une interprétation trop brillante comme le permettraient d'autres instruments. Le luth convient admirablement à cette musique fragile, violente et raffinée. L'éditeur a confié la responsabilité de cette réalisation à cinq artistes différents. Le toucher de l'instrument varie, mais l'essentiel, la fidélité à l'esprit du compositeur, reste constant. Une réalisation majeure.

A Pilgrimes Solace (1612) («La consolation du Pèlerin»)

*** Emma Kirkby et Glenda Simpson (s), John York Skinner (hc), Martyn Hill (t), David Thomas (b), The Consort of Musicke, Anthony Rooley. Oiseau-Lyre 390.259.

Ce recueil tient une place à part dans l'œuvre de Dowland. Il se caractérise par un curieux mélange de textes profanes et de textes sacrés. L'ambiguïté est d'autant plus frappante que le ton sur lequel chante le musicien-poète garde la même intensité, la même fragilité passionnée quel que soit le versant sur lequel l'entraîne son inquiétude. L'interprétation d'Anthony Rooley, grand spécialiste en la matière, nous fait bien sentir que ce n'est pas le choix d'un domaine spirituel ou d'un autre qui est en jeu, mais bien le tempérament de Dowland, ce perpétuel inquiet, exilé volontaire pendant la plus grande partie de sa vie, le plus typique des musiciens qui ont orné l'âge de Shakespeare. Les interprètes restituent à merveille ce climat de poésie et d'instabilité propre à un musicien dont on commence seulement à reconnaître toute l'importance.

Transcriptions pour le clavier par d'autres musiciens.

** Colin Tilney (clavecin). Oiseau Lyre DSLO 552 (G-B).

Comme le titre l'indique, il ne s'agit pas là de l'œuvre de Dowland, mais des transcriptions qui en ont été faites par des musiciens anglais ou hollandais, ses contemporains. C'est un festival assez éblouissant des possibilités et des techniques du clavecin en ce début du XVIIe siècle. Utilisant un instrument d'époque, Tilney nous promène depuis la simple chanson ornementée jusqu'aux variations les plus complexes. Il excelle à cette diversité qui nous permet d'apprécier toute la richesse du fond musical dans lequel se sont développés tant de grands maîtres.

Dufay, Guillaume
(1400-1474)

Chansons d'amour courtois : Ce moys de May, Hélas mon dueil, La belle se siet au piet de la tour, Lamentation de Constantinople, Par droit je puis bien complaindre et gemir, Vergene bella che di sol vestita, Donnes l'assault à la forteresse, Navré je suis.

** The Early Music Consort, David Munrow. EMI VSM C 167-05.410/12 (3 d.) (G-B). *+ Anthologie du XIVe siècle.*

Un enregistrement intéressant par la vue d'ensemble qu'il donne de tout un siècle. Dufay clôt ce tour d'horizon par ses œuvres profanes les plus marquantes. L'interprétation du Early Music Consort séduit par sa vivacité et son expressivité, tout en conservant un sens de la réalisation historique très vif. Il est heureux que ces œuvres figurent au catalogue sous cette forme quasi pédagogique.

Chansons et Motets. Chansons : Adieu m'amour, Bon jour, bon mois, Ce jour de l'an, Ce moys de May, Craindre vous vueil, Hélas mon dueil, J'attendray tant

qu'il vous playra, Pour l'amour de ma doulce amye, Quellle fronte signorelle, Se la face ay pale, Vergene bella, che di sol vestita. Motets : Christe redemptor omnium, Magnanimae, Mirandas parit haec urbs, O gemma, lux et speculum.

*** Studio der frühen Musik, Thomas Binkley. EMI Electrola Reflexe C 063-30.124.

Une réussite sur tous les plans. Un échantillonage complet de l'œuvre de Dufay : compositeur profane en langue française et italienne, compositeur religieux. L'interprétation fait preuve d'une extrême délicatesse, refusant tous les effets vocaux que rendent possibles nos techniques de chant actuelles. Une restitution très proche de l'original par ces voix souples, capables des acrobaties les plus raffinées et servant avant tout l'expressivité. Luth et ensemble choral se marient dans la force et dans le style. Au plan technique, un enregistrement impeccable d'une présence exceptionnelle. Les effets stéréophoniques sont intelligents et très agréables. Un disque vivant du plus haut intérêt pour la connaissance de l'œuvre de Dufay.

5 Chants religieux : Vergine bella, Vexilla regis, Flos florum, Veni Creator, Alma Redemptoris Mater.

*** Pro Musica Antiqua, Safford Cape. Archiv 14.019 (sup.). Mono. *+ 8 Madrigaux et Caccie du Codex d'Antonio Squarcialupi.*

Les enregistrements de Safford Cape nous séduiront toujours. Leur rareté ne les a pas fait supplanter par des groupes plus jeunes. S'ils nous proposent autre chose que ce que nous avons coutume d'entendre aujourd'hui en matière de musique ancienne, ce n'en est pas moins beau ; et l'amour que le Pro Musica Antiqua porte à ce qu'il a entrepris fait tomber toutes les murailles techniques. A ne pas manquer si, par hasard, vous le rencontrez.

Messe «Caput».

** Clemencic Consort, René Clemencic. Harmonia Mundi HM 996. Enregistré en 1976.

Une œuvre moins abordable quant à l'écriture que la Messe *«Ecce ancilla Domini»*. Dufay est ici plus touffu, plus imposant, même plus hermétique. Le Clemencic Consort se fera à ce style : longues parties instrumentales développant le *cantus firmus*, style très intérieur, presque majestueux, voix veloutées qui insistent sur les mouvements mélodiques sculptant l'architecture de l'œuvre. Pour pallier une certaine monotonie, René Clemencic alterne soli et tutti, sans pour autant que les voix se distinguent les unes des autres par une touche personnelle. Encore une fois, nous sommes conviés à un office et non à un concert, l'aspect fonctionnel de l'œuvre n'est jamais oublié.

Messe «Ecce Ancilla Domini».

*** Clemencic Consort, René Clemencic. Harmonia Mundi HMU 997. Enregistré en 1977.

Solennité, joie, splendeurs d'une cour et d'une liturgie, voici ce que propose le Clemencic Consort. Après une invite grégorienne qui énonce la «teneur» de la messe, les voix s'élancent, souples, harmonieuses et dans une cohésion parfaite à l'assaut de nos oreilles endormies dans le conformisme de la musique ancienne. René Clemencic ne cherche pas à constituer une anthologie, mais restitue un office complet, prenant les tempos nécessaires aux déroulements de la cérémonie. Soucieux de respecter les habitudes de l'époque, il intercale des interludes instrumentaux entre les versets, glosant la polyphonie ; ou souligne de sonneries de trompettes et de roulements de tambour les moments particulièrement importants. Dufay revit ainsi dans tous ses éclats, dans toute sa profondeur.

Messe «Sine nomine».

** Clemencic Consort, René Clemencic. Harmonia Mundi HMU 939. *+ Anonyme XIIIe siècle : Chanson. Machaut : Chanson. Marguerite d'Autriche : Livre de danses.*

Une interprétation plus traditionnelle, moins inventive, qui convient bien au caractère un peu plus médiéval de cette Messe. Malgré ce côté moins innovateur, cette Messe est peut-être une des plus intérieures, des plus attachantes du maître. Le Clemencic Consort se fait moins brillant, les voix moins nombreuses se fondent à l'accompagnement instrumental, sont mises sur le même plan sonore. Une écriture moins riche, une voix de chantre pour deux voix instrumentales. Si cet enregistrement n'est pas le meilleur du Clemencic Consort, il est important de le connaître pour apprécier la faculté d'adaptation de l'ensemble à l'œuvre qu'il décide d'interpréter. De plus, ce disque est d'un grand intérêt pour ceux qui voudraient faire une étude comparée des divers styles de Guillaume Dufay.

«Musique à la cour de Bourgogne» : Chansons, Ballades, Rondeaux, Danses.

* Musica Reservata, Michael Morrow, John Beckett. Philips 6500.085 (sup.).

Un disque maintenant disparu du catalogue, ne pouvant sans doute pas soutenir la concurrence du Pro Cantione Antiqua de Londres et du Studio der frühen Musik. Il mérite pourtant de figurer ici pour sa qualité dans l'approche des œuvres qu'il propose. Musica Reservata montre une volonté d'expliquer l'esprit, le sens de ce qu'il interprète. Il serait à rapprocher de la démarche plus tardive du Clemencic Consort. Il y à dans ce disque une remise en question de l'interprétation traditionnelle de la polyphonie profane.

L'oeuvre profane.

❀*** Ensemble médiéval de Londres, Peter et Thimoty Davies. Oiseau-Lyre 595.001 (6 d.).

L'Ensemble médiéval de Londres nous révèle dans des conditions de réalisation exemplaires près de cent Chansons, c'est-à-dire la totalité de ce que nous connaissons de l'oeuvre profane du compositeur qui domine tout le XVe siècle européen. Rondeaux, Virelais ou Ballades, chantés ou seulement instrumentaux, c'est un extraordinaire panorama de la vie de la fin du Moyen Age que nous dressent les treize musiciens anglais, chantant et jouant des instruments avec un goût, un esprit et une confondante sensibilité.

Dufourt, Hugues
(né en 1943)

Saturne.

❀*** Ensemble instrumental et Ensemble d'instruments électroniques de l'Itinéraire, Peter Eötvös. Sappho 004. Enregistré en 1979.

Dans *Saturne*, Hugues Dufourt a réuni trois familles instrumentales (percussion, lutherie électronique, instruments à vent), dont la rencontre, estime-t-il, peut «contribuer à la naissance d'une nouvelle organologie». L'écriture ne précède pas l'œuvre, mais c'est l'œuvre qui se crée directement par l'organisation des données sonores. Dufourt recherche un contraste fluctuation, une indétermination créatrice de tension, que les timbres instrumentaux renforcent d'une lumière volontairement blafarde et inquiétante. Les interprètes réussissent magnifiquement à créer cette atmosphère, et, d'une œuvre puissante et personnelle alliée à d'excellents instrumentistes, naît ce disque passionnant, justement couronné par l'Académie Charles Cros.

Dukas, Paul
(1865-1935)

L'Apprenti sorcier, scherzo symphonique.

❀*** Orch. Symph. NBC, Arturo Toscanini. RCA VL 42950 (3 d.). Mono. Enregistré en 1950. *+ Bizet : Carmen (suite n° 1) ; Debussy : La Mer, Ibéria ; Franck : Psyché et Eros ; Ravel : Daphnis et Chloé (suite n° 2) ; Saint-Saëns : Symphonie n° 3, Danse macabre.*

*** Orch. Nat. de l'ORTF, Jean Martinon. Erato STU 70699. Enregistré en 1971. *+ La Péri, Polyeucte.*

*** Orch. Phil. de Londres, Walter Weller. Decca 591.101. Enregistré en 1976. *+ Symphonie.*

** Orch. Phil. Tchèque, Antonio de Almeida. Supraphon 25.346. Enregistré en 1973. *+ La Péri, Polyeucte.*

Enregistré sur le vif à Carnegie Hall en 1950, la version de Toscanini est bien la plus survoltée et la plus inquiétante de toutes celles que l'on connaisse. On y retrouvera la fidélité (presque) tatillonne et la tension qui sont le signe des interprétations du maestrissimo. Et que dire de cette élégance, de ce chic, de cette patte ? Rien, c'est l'évidence. Dans le même coffret, quelques-uns des ouvrages majeurs de la littérature orchestrale française au tournant du XXe siècle, dans des interprétations qui demeurent encore aujourd'hui insurpassées. La nouvelle gravure monophonique a rendu une jeunesse inespérée à ces enregistrements.

Jean Martinon propose un programme homogène, dans une interprétation qui a du nerf, mais aussi de la légèreté et de la finesse, et rend bien l'atmosphère de légende de la partition. Si les cordes de l'Orchestre national n'étaient pas à l'époque au rang des meilleures, on ne peut en dire autant des vents, qui captivent par leur mordant et leurs sonorités pastorales.

Moins de mystère, sans doute, avec Walter Weller, mais un orchestre plus fondu et, pour tout dire, plus beau. Walter Weller met admirablement bien en valeur la construction de l'œuvre en négligeant peut-être un peu trop l'atmosphère sulfureuse qui devrait s'y épanouir.

Chez Almeida, programme identique à celui de Martinon. Une belle lecture de la partition : c'est vif et coloré, mais un peu superficiel. L'orchestre est superbe, la prise de son spacieuse et le prix moyen.

Ariane et Barbe-Bleue.

* Katherine Ciesinski (Ariane), Gabriel Bacquier (Barbe-Bleue), Mariana Paunova (la Nourrice), Hanna Schaer (Sélysette), Anne-Marie Blanzat (Ygraine), Jocelyne Chamonin (Mélisande), Michelle Command (Bellangère), Chris de Moor, André Meurant, Gilbert Chrétien (Trois Paysans), Ch. et Nouvel Orch. Phil. de Radio France, Armin Jordan. Erato NUM 750.693 (3 d.). Enregistré en 1983.

Pour son entrée au catalogue, *Ariane et Barbe-Bleue* bénéficie d'une exécution de premier ordre. Katherine Ciesinski est une Ariane irréprochable dans les passages les plus difficiles de son rôle, émouvante par sa sincérité, sa noblesse, son idéalisme ; le timbre de sa voix correspond à l'idée que l'on se fait du personnage. Les autres femmes ont aussi été choisies avec le même bonheur : leurs voix caractérisent parfaitement leur personnages. Quant à Armin Jordan, il conduit avec autant de fermeté que d'intelligence et de subtilité cet ouvrage dont l'idéalisme désenchanté s'inscrit dans la pâte sonore la plus somptueuse ; un ouvrage qui ne comporte aucune facilité, ni aucune détente, et dont il dessine avec netteté la vaste architecture.

La Péri, poème dansé.

*** Orch. Nat. de l'ORTF, Jean Martinon. Erato STU 70699. Enregistré en 1971. *+ L'Apprenti sorcier, Polyeucte.*

*** Orch. Phil. de New York, Pierre Boulez. CBS 76519 (sup.). Enregistré en 1976. *+ Roussel : Symphonie n° 3.*

* Orch. Phil. Tchèque, Antonio de Almeida. Supraphon 25.346. Enregistré en 1973. *+ L'Apprenti sorcier, Polyeucte.*

Jean Martinon anime cette partition de l'intérieur, il y est d'une grande humanité et souple comme un félin. Pourtant, sa rigueur formelle est grande : respect des tempos et des indications du compositeur sont à la base de sa démarche, mais ne sont heureusement pas un but.

Paradoxalement, Pierre Boulez apparaîtra ici assez peu rigoureux, et l'on remarquera quelques fluctuations de tempo. En revanche, on admirera sans réserve son allant et sa générosité. Il est dommage que la 3e Symphonie de Roussel soit à ce point ratée : erreurs de tempos et fautes rythmiques s'y succèdent ; dommage aussi que la prise de son soit un peu trop réverbérée.

Direction un peu molle de Almeida, et manquant singulièrement de relief. La musique devient lascive et quelque peu épaisse ; c'est un peu regrettable, mais l'orchestre est si beau et la prise de son si claire que l'on pourra se laiser tenter par ce disque de prix raisonnable.

Polyeucte, ouverture pour la tragédie de Pierre Corneille.

*** Orch. Nat. de l'ORTF, Jean Martinon. Erato STU 70699. Enregistré en 1971. *+ L'Apprenti sorcier, La Péri.*

** Orch. Phil. Tchèque, Antonio de Almeida. Supraphon 25.346. Enregistré en 1973. *+ L'Apprenti sorcier, La Péri.*

Une grande réussite de Martinon. La mise en place est proche de l'idéal, les gradations dynamiques très bien conduites, et l'étagement des plans sonores parfait. L'orchestration assez luxuriante de cette ouverture est ici éclaircie au maximum.

Une belle revanche pour Antonio de Almeida. Sans être pleinement satisfaisante, son interprétation dégage un charme envoûtant ; elle est assez statique et d'une grande intériorité. L'orchestre est toujours aussi beau et bien capté.

Grande Sonate pour piano en mi bémol. La plainte au loin du faune. Prélude élégiaque sur le nom de Haydn.

❀*** François Duchâble (piano). EMI VSM C 069-16288. Quadri. Enregistré en 1978.

La Sonate est l'un des grands chefs-d'œuvre du répertoire : quarante-cinq minutes d'une musique dense et passionnée, qui n'a son équivalent que dans les dernières sonates de Beethoven. François Duchâble y est impressionnant par une fougue et une impétuosité dignes des plus grands virtuoses du début du XXe siècle. Et pourtant, cette interprétation est d'une rigueur exemplaire par son respect total des nuances et des indications portées sur la partition. On trouvera aussi sur ce disque deux œuvres qui sont le témoignage d'un des grands créateurs de la musique dans la première moitié de notre siècle.

Symphonie en ut majeur.

❀*** Orch. Phil. de Londres, Walter Weller. Decca 591.101. Enregistré en 1976. + *L'Apprenti sorcier.*

Interprétation enthousiasmante de Walter Weller, par la grâce d'un orchestre virtuose, d'une prise de son excellente et d'un chef qui imprime à cette grande symphonie méconnue un élan et une puissance étonnants. Les tempos sont souvent très rapides, mais exacts. C'est une véritable résurrection.

Variations, Interlude et Finale sur un thème de Rameau.

❀*** Yvonne Lefébure (piano). FY 017 (sup.) Enregistré en 1974. + *Prélude élégiaque sur le nom de Haydn ; Emmanuel : Sonatines n°s III, IV, VI pour piano.*

** Jean Doyen (piano). Musidisc RC 742. + *Ducasse : Rythmes ; Hahn : 3 Etudes ; d'Indy : Fantaisie sur un vieil air de ronde française ; Pierné : Passacaille ; Vierne : 6 Préludes.*

* Annie d'Arco (piano). Calliope CAL 1.811 (sup.). Enregistré en 1972. + *Pierné : Variations op. 42.*

Elève de Paul Dukas, Yvonne Lefébure fut la première à enregistrer ces Variations au temps du 78 tours. Elle en demeure la meilleure interprète, sachant admirablement faire ressortir l'architecture de cette imposante composition tout en lui donnant un élan rhapsodique et fantasque. Du grand art. Les Sonatines de Maurice Emmanuel qui figurent sur l'autre face méritent plus que le détour.

Moins engagé, Jean Doyen joue la carte du XVIIIe siècle, avec un jeu plus léger et détaché qu'il ne le faudrait. Ce que l'on perd en profondeur nous est restitué en élégance et en finesse. On peut aimer, mais n'est-ce pas là tout ce que l'on peut reprocher à la musique française ? Le disque est en série très économique, et son programme regroupe des pages indisponibles par ailleurs.

Annie d'Arco ne se pose pas de question et joue avec un grand élan et une fougue indéniable. L'œuvre en devient moins lisible. La prise de son est superbe, claire et naturelle, avec un grand respect de l'instrument. Là également, l'autre face est consacrée à la musique française avec de belles variations de Pierné.

Dumage, Pierre
(1676-1751)

Livre d'orgue, suite du Ier ton.

*** André Isoir (orgue Kern de St-Séverin de Paris). Calliope CAL 1914. Enregistré en 1974. + *Jean-François d'Andrieu : Pièces d'orgue.*

*** Michel Chapuis (orgue Clicquot de la cathédrale de Poitiers). Astrée AS 20. Enregistré en 1971. + *Clérambault : les deux Suites pour orgue.*

Isoir n'a pas choisi un orgue historique pour l'enregistrement de ce «grand» Livre d'orgue. Cette liberté avec l'histoire trouve un écho dans la liberté, qui lui est naturelle, avec laquelle il recrée véritablement ces pages qui semblent naître dans l'instant parées des atours (improvisés) de l'ornementation baroque. La face 2 est un récital d'Andrieu des plus agréables.

Mieux adapté à Dumage qu'à Clérambault, qui figure au verso de ce disque, l'orgue de Poitiers est superbe pour ces pages qui demandent de voir large et ample... Chapuis nous donne une interprétation sobre, mais remarquable de poésie, de l'un des sommets de l'orgue français au XVIIIe siècle.

Dunstable, John
(vers 1380-1453)

«Dunstable et son époque» : Credo à quatre voix, Gloria à quatre voix, Trois Motets pour la Sainte-Catherine.

** Ensemble Pro Cantione Antiqua de Londres, Bruno Turner. Deutsche Harmonia Mundi C 065-99.739. + *Motets de Power, Cooke, Damett.*

Un ensemble de pièces du plus grand compositeur du Moyen Age finissant en Angleterre et de quelques-uns de ses contemporains. La polyphonie très complexe de cette musique proche de celle de l'Ecole franco-bourguignonne trouve dans le petit ensemble Pro Cantione Antiqua des interprètes de choix. Clarté des voix, précision des lignes qui se croisent et se recroisent dans un dessin fabuleusement compliqué, tout est mis au service d'une sensibilité extrêmement aiguë. La moindre inflexion est chargée de sens; les beautés de la forme ne cachent jamais l'expression d'une religiosité complexe et presque maladive.

Duparc, Henri
(1848-1933)

Mélodies.

*** Bernard Kruysen (bar), Danièle Galland (s), Noël Lee (piano). Valois-Résurgences MB 312.

On ne peut trouver meilleur interprète que Bernard Kruysen, dont la voix, superbe et riche, se coule avec beaucoup d'art et d'intelligence dans les Mélodies de Duparc. Il sait en rendre le climat séducteur et puissant pour les élever au-dessus du simple divertissement de salon. Sa complicité avec Noël Lee est très persuasive. Danielle Galland chante avec goût *Au pays où se fait la guerre*, réservé à une voix féminine. Il n'empêche que la réédition du vieux disque de Camille Maurane serait la bienvenue.

4 Mélodies : Chanson triste, Invitation au voyage, Phidylé, La Vie antérieure.

*** Jessye Norman (s), Dalton Baldwin (piano). Philips 9500.356. + *Poulenc, Satie, Ravel : Mélodies.*

Grâce aux immenses possibilités de sa voix - longueur exceptionnelle, homogénéité dans toutes les nuances de la dynamique -, Jessye Norman ose donner une interprétation vraiment variée de ces Mélodies trop souvent murmurées : elle les fait vivre avec une intelligence rehaussée par un style et une prononciation impeccables. Connaissant ses qualités, Dalton Baldwin l'accompagne avec toute la puissance qu'elle mérite. Avec Ravel, Poulenc et Satie, ce disque constitue un superbe panorama de trois quarts de siècle de mélodie française.

Duphly Jacques
(1715-1789)

Pièces de clavecin : La Belombre, Les Grâces, La Damanzy, La Forqueray, La Pothoüin, Allemande/Courante, Menuets, La Félix, Chaconne.

❁*** Gustav Leonhardt (clavecin Rubio). Philips «Seon» 6575.017 (sup.).

De cet art décoratif porté à son plus haut degré de perfection, Gustav Leonhardt tire une poésie d'un raffinement et d'une séduction continuels. Avec un toucher magistralement étudié, de subtils décalages entre les mains, il fait sentir toute la saveur sonore de ces pièces. Prise de son un peu trop brillante : tendance à la dureté.

Pièces de clavecin : La Victoire, La Félix, La de Drummond, La Millenitta, La Forqueray, La de Vatre, Rondeau, Médée.

*** Blandine Verlet (clavecin Hemsch). Philips 6504.150 (sup.). + *Balbastre : Pièces pour clavecin.*

Moins souverainement inspirée, moins magistralement contrôlée dans sa technique que celle de Gustav Leonhardt, l'interprétation de Blandine Verlet nous livre néanmoins ces pages avec un goût plein d'aisance et une sorte de musicalité instinctive. Excellente, la prise de son restitue l'instrument - un Hemsch de 1754 - dans toute sa délicate magnificence.

Dupré, Marcel
(1886-1971)

Le Chemin de la Croix, 14 méditations pour orgue op. 29.

*** Philippe Lefebvre (orgue Cavaillé-Coll de Saint-Ouen de Rouen). FY 007 (sup.). Enregistré en 1974.

** Rolande Falcinelli (orgue), Monica Boucheix (récitante). REM 10.895 (2 d.). + *Symphonie-Passion.*

** Suzanne Chaisemartin (orgue Cavaillé-Coll de Saint-Etienne de Caen). Erol 97411. Enregistré en 1974.

Un jeune organiste, Philippe Lefebvre, joue les pages les plus tragiques de Dupré sur un instrument particulièrement apprécié du Maître. Grâce à un jeu très inspiré, il pénètre au cœur du mystère douloureux de la Passion. Un disque admirable qui, hélas! a disparu du catalogue.

On ne peut ici louer l'interprétation de Rolande Falcinelli sans rendre hommage à sa partenaire Monica Boucheix dont la prestation, ô combien difficile, s'intègre pleinement à la conception de l'œuvre. Rolande Falcinelli possède quant à elle une intelligence profonde de ce *Chemin de la Croix.* Elle l'a longuement analysé au cours des années, elle en a décrypté la symbolique, pour nous en livrer une vision qui nous ébranle au plus profond de notre sensibilité.

Suzanne Chaisemartin fait entendre ici un instrument trop rarement enregistré : c'est l'un des principaux atouts de ce disque. L'interprétation de ces pages pleines des plus poignants accents est ici étrangement sage et pudique. Une superbe prise de son.

Symphonie-Passion. Trois Préludes et Fugues op.7. Cortège et Litanie op.19. Variations sur Noël op. 20. Evocation op. 37.

*** Pierre Cochereau (orgue de Notre-Dame de Paris). FY 020/21 (2 d.) (sup.).

Symphonie-Passion, Choral et Fugue, Hymne «Iste Confessor» du Tombeau de Titelouze, Choral «In dulci jubilo», Toccata sur «Ave Maris Stella».

*** Marcel Dupré (orgue Cavaillé-Coll de Saint-Ouen de Rouen). Philips 6537 011 (sup.).

Symphonie-Passion.

** Rolande Falcinelli (orgue). REM 10.895 (2 d.). + *Le Chemin de la Croix.*

Pierre Cochereau interprète quelques-unes des grandes architectures de Dupré : un répertoire qui lui convient particulièrement bien et dont il donne une vision rajeunie et personnelle. Bénéficiant d'une technique d'enregistrement supérieure au disque de Dupré, Cochereau peut être préféré à l'auteur lui-même jouant ses œuvres *(Symphonie-Passion)* pour le charme de ses registrations à Notre-Dame, une rythmique moins rigide, la vie qui passe dans ces vastes œuvres.

Dupré par Dupré sur l'orgue préféré du compositeur : un document exceptionnel... Pour les inconditionnels du Maître. Un panorama assez représentatif du style Dupré : concert - liturgie. En série économique depuis le printemps 1977.

Rolande Falcinelli, fille spirituelle et fidèle disciple de Marcel Dupré, a su retrouver l'architecture colossale de la *Symphonie-Passion,* mais sans lourdeur aucune : malgré l'importance des masses sonores mobilisées, tout demeure clair et aéré, telle la haute nef d'une cathédrale aux vitraux ensoleillés.

Durante, Francesco
(1684-1755)

8 duetti da camera.

*** Judith Nelson (s), René Jacobs (hc), Wieland Kuijken (violoncelle), William Christie (clavecin). Harmonia Mundi HM 1014. ⌧ HM 40-1.014. Enregistré en 1978.

Ces «leçons de chant» de Durante sont une découverte superbe, et trouvent avec le Concerto Vocale des interprètes de rêve. Judith Nelson et René Jacobs ont besoin l'un de l'autre pour s'épanouir et exprimer une émotion intense, transparente, sans artifice. Leurs voix communient en des sons étranges, sans vibrato, qui s'enroulent amoureusement, douloureusement, mêlés aux timbres réservés et délicats du violoncelle et du clavecin. Un éblouissement.

Durey, Louis
(1888-1979)

Œuvres pour piano : deux Pièces pour piano à quatre mains op. 7, Romances sans paroles op. 21, Trois Préludes op. 26, Deux Etudes op. 29, Nocturne op. 40, Six Pièces de l'Automne 53 op. 75.

* Françoise Petit (piano), Madeleine Chacun (piano, dans les pièces à quatre mains). Calliope CAL 1815 (sup.). Enregistré en 1973.

C'est là le seul disque qui ait été intégralement consacré à Louis Durey. Ces pièces pour piano sont interprétées avec une conviction sincère et un art consommé, et bénéficient d'une excellente réalisation technique. On regrettera néanmoins de ne pas disposer d'œuvres plus substantielles de ce compositeur attachant.

Duruflé, Maurice
(né en 1902)

L'œuvre d'orgue intégrale.

*** Herndon Spillman (orgue de Saint-Salomon -Saint-Grégoire de Pithiviers). FY 002/003 (2 d.) (sup.). Enregistré en 1973.

*** Philippe Lefebvre (orgue Danion-Gonzalez de la cathédrale de Chartres). FY 100 (2 d.). Enregistré en 1981. *+ Tournemire : 5 Improvisations reconstituées par Maurice Duruflé.*

Cet enregistrement de l'Américain Herndon Spillman comble une lacune. Etayé par une technique achevée, son jeu redonne à ces œuvres leur élan intérieur, leur éloquence poétique, leur rythmique souple et la clarté de leur construction. Adéquation de l'orgue de Pithiviers, dont la palette classico-romantique des jeux répond aux exigences d'une registration chatoyante. Un hommage digne du compositeur.

Philippe Lefebvre insiste moins que Herndon Spillmann, compte tenu de la nature de l'instrument de Chartres, sur la ductilité et la couleur des partitions. En revanche, il met admirablement l'accent sur leur foisonnante richesse harmonique et agogique, sur leur puissance émotive et sur leur cheminement interne.

Pièces pour orgue : Scherzo op. 2, Prélude, adagio et choral varié sur le «Veni Creator» op. 4, Prélude en mi bémol mineur et Sicilienne de la Suite op. 5, Prélude et fugue sur le nom d'ALAIN op. 7.

*** Maurice Duruflé, Marie-Madeleine Duruflé-Chevalier (orgue Beuchet-Debierre de l'église Saint-Etienne-du-Mont à Paris, orgue Gonzalez de la cathédrale de Soissons). Erato EDO 245 (sup.).

L'admirable talent de Marie-Madeleine Duruflé-Chevalier et de Maurice Duruflé, dont les œuvres prennent ici tout leur sens et leurs dimensions. Art inventif et classique, nourri des mélodies et des modes grégoriens, soucieux de la perfection des idées et des formes. Les deux orgues apportent leur coloration un peu sombre et romantique. Un témoignage unique.

Requiem pour soli, chœurs et orchestre op. 9.

*** Hélène Bouvier (m), Xavier Depraz (b), Ch. Philippe Caillard et Stéphane Caillat, Orch. Lamoureux, Maurice Duruflé. Erato STU 70.010. Enregistré en 1958.

** Kiri Te Kanawa (s), Siegmund Nimsgern (bar), Ambrosian Singers, Desborough School Choir, Orch. New Philharmonia, Andrew Davis. CBS 76633. *+ Danse lente pour orchestre op. 6 n° 2.*

Une énergie qui imprime son élan à l'espérance, une sérénité confiante animent l'interprétation de Duruflé et mettent en évidence les idées-forces de son œuvre. Remarquable exécution qui équilibre les parties vocales et instrumentales. Simplicité poignante des solos de Xavier Depraz et d'Hélène Bouvier. Seule une légère raideur dans les chœurs bride l'envol rythmique des mélodies grégoriennes. La prise de son très «présente» achève de donner à l'ensemble tout son rayonnement.

Très belle version d'Andrew Davis : interprétation intériorisée, limpide et fervente ; transparence et plasticité des chœurs ; émouvante conviction de Kiri Te Kanawa et de Siegmund Nimsgern. Mais la prise de son relègue les voix chorales dans un lointain brumeux et ôte de la définition aux timbres de l'orchestre. Et le niveau sonore est insuffisant.

Dutilleux, Henri
(né en 1916)

Concerto pour violoncelle et orchestre «Tout un monde lointain».

❀*** Mstislav Rostropovitch (violoncelle), Orch. de Paris, Serge Baudo. EMI VSM C 069-02.687. Enregistré en 1975. + *Lutoslawski : Concerto pour violoncelle et orchestre.*

Tout un monde lointain est une œuvre secrète, dans laquelle le violoncelle est l'instrument propre à «servir de relais, de médium entre l'univers baudelairien et le monde sonore, pour tout ce qui s'identifie à l'idée d'évasion». Rostropovitch, instigateur, dédicataire et créateur de l'œuvre, est l'ambiguïté même, suivi en cela par Serge Baudo. Son violoncelle chante avec passion, en donnant l'impression, comme le souhaite le compositeur, que la partition se crée peu à peu, pour trouver sa forme au gré du développement d'un discours à la fois mystérieux et troublant. Un tel accord entre un compositeur, un chef d'orchestre et un soliste de ce niveau est exceptionnel.

Le Loup, ballet.

** Orch. de la Société des Concert du Conservatoire, Georges Prêtre. EMI VSM C 065-12.091. Enregistré en 1962. + *Milhaud : La Création du Monde. Poulenc : Les Biches.*

* Orch. du Théâtre des Champs-Elysées, Paul Bonneau. Ducretet 270 C 060 (sup.). 25 cm. Mono.

La version de Georges Prêtre, soigneusement mise en place sur le plan de la technique d'enregistrement, fut, sinon une révélation, du moins l'occasion de compléter l'impression première laissée par l'ancienne version de Paul Bonneau et de placer l'œuvre parmi les réussites de la musique de ballet de ces trente dernières années. Excellent couplage.

L'enregistrement de Paul Bonneau est à rappeler à titre historique, puisque réalisé au lendemain de la création de l'œuvre à la scène, en 1953, elle la fit connaître aux discophiles - dans une réalisation malheureusement très dépassée.

Sonate pour piano.

*** Marie-Catherine Girod (piano). Solstice SOL 18. Enregistré en 1980. + *Jolivet : Sonate n° 1 pour piano.*

** Geneviève Joy (piano). BAM LD 020 (sup.). Enregistré en 1957. + *Ohana : Caprichos, Sonate monodique.*

Marie-Catherine Girod donne à la Sonate de Dutilleux un éclat, une jeunesse que la version plus robuste et classique de Geneviève Joy ne laissait pas entrevoir. Son interprétation «avance» magnifiquement sans qu'aucun détail ne soit escamoté. La virtuosité réclamée par cette Sonate trouve une extériorisation éclatante dans la Sonate de Jolivet inscrite au verso, où la réussite de la jeune pianiste est tout aussi évidente.

Par une technique pianistique parfaite et une sensibilité maîtrisée, Geneviève Joy, femme du compositeur et créatrice de l'œuvre, sait aller au-delà des notes pour délivrer une pensée musicale personnelle, s'appuyant pourtant sur une tradition solide, mais revivifiée.

Symphonie n° 1.

❀*** Orch. Phil. de Lille, Jean-Claude Casadesus. Calliope 1861 (sup.). Enregistré en 1977.

** Orch. National de l'ORTF, Jean Martinon. Inédits ORTF 995.028 (sup.). Enregistré en 1973. + *Martinon : Symphonie n° 2.*

Jean-Claude Casadesus, venant après les enregistrements de Pierre Dervaux et de Jean Martinon, est sans doute celui qui est allé le plus loin dans la compréhension de cette œuvre, articulant très clairement les plans sonores et insufflant aux ressauts du discours une unité, une force particulièrement convaincantes. Ayant reçu le plein assentiment du compositeur, cet enregistrement bénéficie en outre d'une technique de prise de son superlative.

On rappelera le disque de Jean Martinon,

aujourd'hui introuvable, pour son interprétation passionnée et exigeante à la fois, et pour l'intérêt du programme complété par l'attachante Deuxième Symphonie du chef d'orchestre.

Symphonie n° 2 «le double». Métaboles.

❀*** Orch. Lamoureux, Charles Munch. Erato STU 70.840. Enregistré en 1965.

De retour en France, Charles Munch y enregistra Roussel, Honegger et Dutilleux, avant Berlioz et Ravel. Avec une éloquence maîtrisée dans le détail, un sens poétique toujours en éveil et nuancé, Munch entraîne l'Orchestre Lamoureux, au mieux de sa forme, vers des sommets de lyrisme dans la Deuxième Symphonie. Quant aux *Métaboles*, bénéficiant là aussi d'un travail orchestral d'une admirable rigueur, Munch les façonne au fur et à mesure du déroulement de l'œuvre, évoquant des compositions picturales ou des architectures de la nature.

Timbres, Espace, Mouvement, ou la Nuit étoilée.

❀*** Orch. Nat. de France, Mstislav Rostropovitch. Erato STU 71.516. + *Métaboles.*

Rostropovitch signe ici son plus beau disque d'orchestre. L'accord profond qui existe entre le compositeur et l'interprète trouve avec *Timbres, Espace, Mouvement* ou *La Nuit étoilée* son plus parfait accomplissement. Cette œuvre inspirée par un tableau de Van Gogh, *La Nuit étoilée,* oppose un groupe très important de bois, de cuivres et de percussions métalliques à un groupe d'instruments à cordes qui ne comporte que des violoncelles et des contrebasses, créant l'impression de large espace que dégage cette partition extraordinairement mobile et fluide. Cette réussite absolue à laquelle l'Orchestre National de France et ses solistes apportent une contribution déterminante est complétée par une version des *Métaboles* certes différente de celle de Munch, mais tout aussi intense et chaleureuse.

Dvořák, Antonín
(1841-1904)

Cinq Bagatelles, pour deux violons, violoncelle et harmonium op. 47.

*** Miroslav Kampelsheimer (piano), Membres du Quatuor Vlach. Supraphon 50.463 (étr.). Enregistré en 1961. + *Quatuor op. 51.*

** Rudolf Firkusny (piano), Membres du Quatuor Juilliard. CBS 76.619. Enregistré en 1974. + *Quintette op. 81.*

** Peter Planyavsky (piano), Membres du Quintette Philharmonia de Vienne. Decca SDD 487 (G-B). Enregistré en 1975. + *Quintette op. 97.*

Ces délicieuses *Bagatelles* sont faites pour être jouées sur l'harmonium d'une petite église de campagne ; aussi perdent-elles quelque peu de leur saveur originelle une fois transcrites au grand clavier. La version historique de Kampelsheimer et des Vlach reste la plus authentique, malheureusement disparue du catalogue français.

Le grand pianiste tchèque Rudolf Firkusny, devenu américain, est le véritable inspirateur de son enregistrement avec les Juilliard, qui suivent scrupuleusement le texte plus qu'ils ne cherchent à retrouver derrière ces pages simples une facette originale de la personnalité de Dvořák. De ce programme expressif et heureux, portrait d'un musicien profondément généreux, les interprètes donnent une vision virtuose où manquent parfois la vigueur et l'ampleur du trait.

La version enregistrée par les Viennois du Quintette Philharmonia est pleine de finesse et d'entrain.

Sept Chansons d'amour op. 83. Dans l'Esprit des chants populaires, 4 Mélodies op. 73. Trois Chansons grecques op. 50.

** Jindrich Jindrák (bar), Alfred Holeček (piano). Supraphon 1 12 1.349 (G-B). Enregistré en 1972. + *Chansons Tziganes.*

L'excellent baryton Jindrich Jindrák est venu prendre le relais de l'unique interprète de ces cycles de mélodies, le ténor Benö Blachut, qui les enregistra voici vingt-cinq ans. Cette voix plus sombre convient presque mieux à ces petites pièces intimes que Dvořák aimait accompagner au clavier, lorsqu'il recevait l'un de ses nombreux amis chanteurs.L'impeccable Alfred Holeček s'impose avec plus d'éclat dans cette nouvelle réalisation que lorsqu'il accompagnait le plus grand chanteur tchèque de l'époque.

Dix Chants bibliques pour voix et piano op. 99.

*** Vera Soukupová (c), Ivan Morávec (piano). Supraphon 50.898 (étr.). Enregistré en 1968. + *Mélodie tzigane n° 4, Chant du soir n° 3.*

Dix Chants bibliques : extraits.

** Dietrich Fischer-Dieskau (bar), Jörg Demus (piano). DG 138.644 (RFA). Enregistré en 1960. + *Brahms : Chants sérieux.*

L'unique version intégrale de ces *Chants bibliques* a été gravée par le grand contralto Vera Soukupová, qui leur donne toute la splendeur de son timbre magnifique, avec lequel elle interprète les lieder de Mahler de façon aussi somptueuse. Mais si la voix est belle, on peut toutefois regretter que la chanteuse reste souvent au-dessous de l'expression souhaitée ici.

Il est dommage que Dietrich Fischer-Dieskau n'ait pas jugé utile d'enregistrer ces chants dans leur intégralité. Son grand art de la mélodie lui fait restituer avec beaucoup d'intelligence le climat biblique de ces pages.

Cinq Chants bibliques orchestrés par Dvořák.

** Jindrich Jindrák (bar), Orch. Symph. de Prague, Václav Smetáček. Supraphon 1.12.0981/2 (2 d.). Enregistré en 1970. + *Messe en ré, Psaume 149.*

Dvořák a lui-même écrit une version pour orchestre pour cinq des *dix Chants bibliques,* pour voix et piano, transcription d'essence très mahlérienne. C'est ici le baryton tchèque Jindrich Jindrák qui les interprète, mais on sent, malgré la qualité incontestable de cette gravure, que ce n'est pas encore la version définitive de ce cycle, le plus beau que Dvořák ait consacré à la voix. Il faudrait rendre plus profondément encore la pureté et le lyrisme inspiré de ces pages.

Les Chemises de noce, ballade pour soli, chœur et orchestre op. 69.

*** Drahomirá Tikalová (s), Benö Blachut (t), Ladislav Mraz (t), Ch. et Orch. Phil. Tchèque, Jaroslav Krombholc. Supraphon 50 381/2 (2 d.). Enregistré en 1962.

Cette ballade poétique, où le fantastique rejoint la prière naïve, est certes moins ambitieuse que les grands oratorios d'essence liturgique. Près d'un siècle après sa genèse, on s'aperçoit enfin que ce qui fit la gloire internationale de Dvořák - musique symphonique dans le sillage de Brahms et grandes fresques du style *Requiem, Messe* ou *Te Deum* - est finalement la part la moins personnelle de son auteur. Ces mystérieuses *Chemises de noce* rejoignent l'inspiration qui fera des quatre derniers poèmes symphoniques de Dvořák de véritables contes. Grâce à la vivacité de la baguette de Krombholc, on ne peut se tromper d'atmosphère : cette ballade n'est pas une pièce liturgique déguisée, mais une histoire où la foi de l'héroïne rejoint la puissance salvatrice de la nature et de Dieu. Le trio vocal ne manque pas de vaillance, le chœur possède une merveilleuse ampleur, tandis que l'orchestre sonne avec cette profondeur caractéristique de la Philharmonie Tchèque.

Concerto pour piano et orchestre en sol mineur op. 33.

*** František Maxian (piano), Orch. Phil. Tchèque, Václav Tálich. Supraphon 10.163 (étr.). Mono. Enregistré en 1954.

*** Rudolf Firkusny (piano), Orch. Symph. de Saint-Louis, Walter Süsskind. Vox Box 5.135 (3 d.) (étr.). Enregistré en 1972. + *Concerto pour violon, Concerto pour violoncelle.*

** Justus Frantz (piano), Orch. Phil. de New York, Leonard Bernstein. CBS 76.480 (USA). Enregistré en 1975.

* Sviatoslav Richter, Orch. National de Bavière, Carlos Kleiber. EMI VSM C 069-02.884. Quadri. Enregistré en 1977.

Il existe de ce Concerto deux éditions imprimées : celle de Breslau de 1883, et celle de Vilèm Kurz (1919), pianiste et professeur tchèque qui reprit le manuscrit surchargé d'annotations par Dvořák, mécontent de son œuvre. František Maxian suit la version originale de 1876, mais cette gravure est devenue difficilement accessible.

Rudolf Firkusny joue une réalisation de son cru : fidèle à l'original dans les deux premiers mouvements, à la coupure prévue par Vilèm Kurz dans le finale. Étant donné l'état des choses en ce qui concerne la version Maxian/Tálich, c'est la version Firkusny/Süsskind qui reste, et de loin, la meilleure : on sent que les deux grands musiciens tchèques savent ici de quoi ils parlent.

Justus Frantz suit l'édition de 1919 révisée par Kurz. Sans être aussi intéressante que la version de Firkusny, celle-ci vaut par le jeu à la fois puissant et délié de Frantz, fort éloquemment accompagné par Leonard Bernstein, dont on pourrait cependant dire que, par moments, il a tendance à oublier Dvořák pour Tchaïkovsky.

Décevante est la version où joue Sviatoslav Richter, qui suit intégralement l'édition de Breslau. Bien que slave, le pianiste reste totalement étranger au monde simple et exubérant du grand compositeur bohème. Il se laisse souvent aller à un *rubato* aussi désuet que hors de propos. Quant à Carlos Kleiber, il n'a pas une parcelle de ce romantisme à fleur de peau et reste à la surface de cette musique poétique, rêveuse et fougueuse tout à la fois.

Concerto pour violon et orchestre en la mineur op. 53.

❀*** Josef Suk (violon), Orch. Phil. Tchèque, Karel Ančerl. Supraphon 200.453. Enregistré en 1961. + *Romance op. 11.*

*** Josef Suk (violon), Orch. Phil. Tchèque, Václav Neumann. Supraphon 200.340. Enregistré en 1976. + *Romance op. 11.*

*** Itzhak Perlman (violon), Orch. Phil. de Londres, Daniel Barenboïm. EMI VSM C 069-02.634. ⌧ C 269.02.634. Enregistré en 1975. + *Romance op. 11.*

** Ruggiero Ricci (violon), Orch. Symph. de Saint-Louis, Walter Süsskind. Vox Box 5.135 (3 d.) (étr.). Enregistré en 1972. + *Concerto pour violoncelle, Concerto pour piano.*

Josef Suk a donné deux enregistrements de ce Concerto pour violon à un quart de siècle d'écart, le premier sous la direction de Karel Ančerl, le second avec Václav Neumann. Pour ce qui est du grand soliste, son jeu constitue une référence dans les deux cas, et si beaucoup de violonistes ont abordé l'œuvre, aucun n'a encore réussi à égaler la suprématie tchèque.

La gravure Ančerl est moins spectaculaire et puissamment symphonique que celle de son successeur Neumann, mais mieux enlevée et plus riche émotionnellement.

Sur le plan strictement instrumental, Itzhak Perlman s'impose : par la chaleur et la virtuosité de son jeu, c'est lui qui approche le plus du grand maître tchèque. Daniel Barenboïm lui fournit un bel accompagnement, auquel on reprochera d'être quelque peu apathique dans le mouvement lent.

La version de Ruggiero Ricci se recommande par la technique extraordinaire du soliste et l'accompagnement magistral de Walter Süsskind. L'esprit de cet enregistrement possède franchise et panache, mais, en regard de la gravure de Josef Suk, manque de chaleur et d'intériorité.

Concerto pour violoncelle et orchestre n° 1 en la mineur. Concerto pour violoncelle et orchestre n° 2 en si mineur op. 104. Polonaise pour violoncelle et piano en la mineur. Rondo pour violoncelle et orchestre en sol mineur op. 94. Le Silence de la forêt pour violoncelle et piano, op. 68 n° 5.

*** Milos Sadlo (violoncelle), Orch. Phil. Tchèque, Václav Neumann. Supraphon 1-10.2081/2 (2 d.) Enregistré en 1977.

Le principal - et grand - intérêt de cette réalisation réside dans le Concerto pour violoncelle n° 1 : on en doit la résurrection à Jarmil Burghauser et Milos Sadlo, à partir de la version connue, qui était avec piano. L'orchestration de Burghauser, sans oblitérer le caractère éminemment mélodique de l'œuvre, permet au soliste de «souffler» par instants et d'inaugurer le dialogue entre violoncelle et divers ensembles de l'orchestre. La beauté des deux premiers mouvements enchaînés se retrouve sous les doigts de l'unique interprète actuel, le professeur Milos Sadlo.

Concerto pour violoncelle et orchestre n° 2 en si mineur op. 104.

❁*** Mstislav Rostropovitch (violoncelle), Orch. Phil. Tchèque, Václav Talich. Supraphon 87.152. ☒ 401.741. Enregistré en 1953.

❁*** Mstislav Rostropovitch (violoncelle); Orch. Phil. de Berlin, Herbert von Karajan. DG 139.044 ☒ 3300.170. Enregistré en 1969. + *Tchaïkovsky : Variations rococo.*

❁*** Pablo Casals (violoncelle), Orch. Phil. Tchèque, George Szell. EMI VSM C 061-00.762 (sup.). Mono (origine 78 t.). Enregistré en 1937.

*** Pierre Fournier (violoncelle), Orch. Phil. de Berlin, George Szell. DG 2535.106 (G-B). Enregistré en 1961.

** Zara Nelsová (violoncelle), Orch. Symph. de Saint-Louis, Walter Süsskind. Vox Box 5.135 (3 d.) (étr.). Enregistré en 1975. + *Concerto pour piano, Concerto pour violon.*

** Milos Sadlo (violoncelle), Orch. Phil. Tchèque, Václav Neumann. Supraphon 1 10 2081/2 (2 d.). Enregistré en 1976. + *Concerto n° 1 pour violoncelle, Polonaise, Rondo, Waldesruhe.*

Pour obtenir la quintessence de cette partition généreuse, il faut lier le chant national tchèque qui la parcourt au cadre de la symphonie romantique qui le met en scène. Peu de couples chef-soliste ont atteint l'incandescence suprême, si ce n'est avec Rostropovitch, qui enregistra l'œuvre par deux fois. Sa version de 1953 est peut-être la plus belle de toutes, sous la baguette du sévère Václav Talich, chantre du lyrisme slave apparemment le plus improvisé.

La seconde version Rostropovitch se situe très près de la précédente. Cette fois avec la Philharmonie de Berlin et Herbert von Karajan, elle bénéficie de l'enregistrement stéréophonique et d'un complément de programme, avec les *Variations rococo,* qui ne sont certes pas du meilleur Tchaïkovsky, mais dont c'est, là encore, une version de référence.

Pour les collectionneurs amateurs de belles interprétations historiques, on ne saurait trop recommander d'écouter la gravure d'un pionnier tel que Pablo Casals, avec au pupitre George Szell.

L'interprétation de Pierre Fournier se caractérise par la richesse de sa sonorité et de son phrasé, par le mélange nécessaire de noblesse et de tension. Dans les passages lyriques, il charme l'oreille, puis la ravit par l'exubérance du finale. L'expression mélodique du mouvement lent est particulièrement exquise. Les qualités du soliste sont mises en relief par une prise de son riche et profonde.

A un prix économique, et tout aussi recommandable sur le plan de la qualité, est la version où joue Zara Nelsová, sous la direction de Walter Süsskind. C'est une vision extrêmement chaude et romantique, qui donne l'impression d'être littéralement habitée. L'accompagnement orchestral, lui aussi à la fois sobre et enflammé, ne reste pas en arrière.

Moins illustre peut-être, mais encore de très bon niveau, la gravure plus récente par Milos Sadlo et la Philharmonie Tchèque, sous la baguette de Václav Neumann.

Les Cyprès, 18 Mélodies : transcriptions de 12 Mélodies pour quatuor à cordes.

*** Quatuor de Prague. DG 2740.177 (12 d.). Enregistré en 1974. + *Intégrale des 14 Quatuors à cordes, Deux Valses.*

Les Cyprès, extraits : Mélodies nos 1, 2, 8, 9, 11.

** Quatuor Dvořák. Supraphon 50.684 (étr.). Enregistré en 1965. + *Quintette à cordes.*

Qui veut pénétrer le lyrisme intime de Dvořák doit se laisser conquérir par le charme pénétrant de ces *Cyprès,* cycle de mélodies sans voix et sans paroles confiées aux chantres habituels de la sensibilité slave, le quatuor à cordes. La gravure intégrale, qui fait partie du très beau coffret contenant l'intégrale des Quatuors à cordes exécutés par le Quatuor de Prague, emmené par l'indomptable Novótny, est à posséder.

Pour une sélection de quelques pièces des *Cyprès,* on devra recourir à l'excellent disque du Quatuor Dvořák, qui leur donne un aimable côté «de salon» et où l'on sent particulièrement bien leur origine de chansons. En couplage, un très beau *Quintette à cordes op. 97.*

Huit Danses slaves pour piano à quatre mains op. 46. Huit Danses slaves pour piano à quatre mains op. 72.

*** Alfred Brendel, Walter Klien (pianos). Turnabout 34.060 (USA). Enregistré en 1958.

** Jean-Philippe Collard, Michel Béroff (pianos). EMI VSM C 069-14.085. Quadri. ⌧ C 269-14.085. Enregistré en 1975.

** Vlastimil Lejšek, Verá Lejsková (pianos). Supraphon 89.025 (2 d.). Enregistré en 1971. + *Légendes.*

Le tandem Alfred Brendel-Walter Klien a enregistré de ces *Danses slaves pour piano à quatre mains* une version qui, pour être déjà ancienne, n'en est pas moins d'une perfection de style assez extraordinaire. Les deux artistes font preuve d'une étroite communion de sentiment avec cette musique. La gravure est fort correcte, même si le clavier manque un peu de corps.

Pour trouver une bonne version de ces *Danses*, il n'y a qu'à faire confiance aux ressources françaises et se procurer l'enregistrement par Jean-Philippe Collard et Michel Béroff : elle est pleine d'une vitalité convaincante, même si quelques excès de virtuosité viennent troubler, par instants, la limpidité de cette musique.

Les spécialistes tenteront d'acquérir la référence établie par les époux Lejšek, qui, en couplage, proposent la seule gravure moderne des *10 Légendes.*

Huit Danses slaves op. 46 : version orchestrale. Huit Danses slaves op. 72 : version orchestrale.

*** Orch. Symph. de Prague, Karel Sejná. Eurodisc-Supraphon 913.155 (2 d.) (étr.). Enregistré en 1958.

*** Orch. Phil. Tchèque, Václav Neumann. Telefunken ⌧ 4.41303 (n°s 1 à 10). Enregistré en 1975.

** Orch. de la Radiodiffusion Bavaroise, Rafael Kubelik. N°s 1 à 8 : DG 2530.466. Enregistré en 1970. + *Scherzo Capriccioso.* N°s 9 à 16 : DG 2740.238 (6 d.). Enregistré en 1972. + *Légendes, Ouvertures, Poèmes symphoniques, Scherzo Capriccioso, Variations symphoniques.*

Danses slaves, extraits : n°s 1, 3, 7, 10, 16.

** Orch. Phil. de Berlin, Herbert von Karajan. DG 138.080. ⌧ 3300.114. Enregistré en 1975. + *Brahms : Quatre Danses hongroises.*

Pour la version orchestrale des *Danses slaves*, il faut savoir gré de la regravure, fort bonne, chez Supraphon de la référence établie il y a plus de vingt ans par Karel Sejna.

La version dirigée par Václav Neumann a pour elle l'orchestre, le rayonnement de la Philharmonie Tchèque. Il y a aussi une différence dans l'esprit par rapport à la version de Kubelik : celle de Neumann est plus contrastée et variée, et ce chef se montre particulièrement magistral dans les rythmes rapides.

On appréciera le style de Rafael Kubelik, qui n'a pas oublié sa Bohême natale malgré son séjour bavarois : il exprime avec beaucoup de tendresse et de nonchalance les danses lentes. L'orchestre qu'il dirige est particulièrement brillant et poli.

Sur le plan de l'orchestre, Karajan vient mettre tout le monde d'accord. Sa sélection de *Danses* possède un chic inimitable, à la fois par sa séduction et par sa rectitude rythmique. Et le couplage avec Brahms est particulièrement heureux.

Le Diable et Catherine, opéra.

** Anna Barová (Catherine), Richard Novák (Marbuel), Jaroslav Horáček (Lucifer), Miloš Ježil (Jirka), Ch. et Orch. de l'Opéra Janáček de Brno, Jiří Pinkas. Supraphon 1116 3.181 (3 d.). Enregistré en 1979.

Cette première gravure moderne du *Diable et Catherine* - il existait une version ancienne dirigée par Chalabala - souffre de la direction un peu lente de Pinkas, qui utilise ses chœurs avec un peu trop de mollesse pour faire progresser les divers climats de ce récit fleuve. Les compositions d'Anna Barová (Catherine) et de Richard Novák (Marbuel), ce dernier tour à tour inquiétant, lyrique et lugubre dans son rôle de «brave diable», sont les points forts d'une distribution d'où se distingue également le Lucifer tout en nuances et fort spirituel de Jaroslav Horáček. Cette réalisation, cependant, rend bien compte de ce qu'est cet ouvrage plus ouvert à l'atmosphère populaire qu'à la poésie du fantastique.

Le Drapeau américain, cantate pour ténor, baryton, chœur et orchestre op. 102. Suite américaine op. 98b.

** Josef Evans (t), Barry McDaniel (bar), Ch. de la cathédrale Sainte-Hedwige de Berlin, Ch. de Chambre RIAS, Orch. Radio-Symph. de Berlin, Michael Tilson-Thomas. CBS 76.510 (USA). Enregistré en 1973.

Deux premières mondiales, mais qui ne sont pas des sommets dans la carrière de Dvořák : la Cantate fut commandée pour célébrer la 4ᵉ Centenaire de la découverte de l'Amérique, ce qui n'inspira au musicien de l'Ancien Monde que des pages fort conventionnelles. La *Suite américaine* ne manque ni de charme ni de verve, mais elle est profondément pianistique et perd à l'orchestration. L'ensemble des interprètes berlinois fera regretter aux nostalgiques la version de Fricsay. Le jeune chef américain Michael Tilson-Thomas, sans retrouver la pulsation authentique de Dvořák, a le ton juste, la beauté de couleur, la simplicité sans emphase inutile indispensables pour ces musiques, l'une trop sentimentale, l'autre trop conventionnelle.

Les Héritiers de la Montagne Blanche, hymne pour chœurs mixtes et orcheste, op. 30.

*** Ch. Phil. Tchèque, Orch. Symph. de Prague, Zdenék Košler. Supraphon 1 12 1.437. Enregistré en 1973. *+ Smetana : La Chanson Tchèque. Foester : Mai.*

Cette cantate lyrique d'expression hautement patriotique, reprenant l'un des thèmes essentiels de la résistance tchèque, fit beaucoup pour faire connaître des siens un jeune compositeur inconnu. Créé à Prague en 1873, cet hymne fut remanié en 1880 et 1885. L'édition unique aujourd'hui utilisée supprime l'épilogue original, par trop pessimiste, et suit la version de 1885. Grâce à la qualité de ses musiciens, Košler arrive sans peine à donner toute la gradation, l'intensité aux épisodes successifs : début sombre, réveil, jubilation, appel de cor et conclusion monumentale. Pour qui veut connaître l'évolution de Dvořák, la gravure de cette mini-cantate est un point de départ indispensable.

Le Jacobin, opéra, op. 84.

*** Karel Průša (le comte Vilém), Václav Ziték (Bohus), René Tuček (Adolf), Marcela Machotková (Julie), Karel Berman (Philippe), Vilém Přibyl(Jiři), Benö Blachût (Benda), Daniela Sounová (Terinka), Ivana Mixová (Lotinka), Ch. d'enfants Kantilena, Ch. Pavel Künn, Orch. Phil. de l'Etat de Brno, Jiři Pinkas. Supraphon 1112-2.481/83 (3 d.). Enregistré en 1977.

Premier enregistrement mondial du septième des dix opéras de Dvořák. Le livret est assez mince, mais la musique est là pour nous faire vivre dans un village de Bohême. Un magnifique leitmotiv, la berceuse que chante Julie, l'épouse du héros, est un véritable talisman, annonciateur de bonheur et de paix. Marcela Machotková a la beauté du timbre qui sied à ce rôle, même si la voix manque légèrement d'intensité. Václav Ziték est un Jacobin plus sage que convaincant. Son jeu manque du contraste attendu pour varier le climat et ne pas laisser au seul Jiři la charge de faire avancer l'action. Reste la splendeur des chœurs, qui impose ce climat d'intimité, de conte, que cherchait Dvořák. La scène où Benda - l'excellent Benö Blachût qui fêtait alors ses 64 ans ! - fait répéter aux enfants une sérénade pour la fête au château est un véritable morceau d'anthologie. Sur le plan de la direction, Jiři Pinkas manque un peu de mordant et n'impose pas les quelques contrastes qui auraient fait de cette réalisation une référence si longtemps attendue.

Légendes, dix Pièces originales pour piano à quatre mains.

*** Vlastimil Lejšek, Verá Lejsková (pianos). Supraphon 89.025 (2 d.). Enregistré en 1971. *+ Danses slaves op. 45 et op. 72.*

Légendes nᵒˢ 1 à 4.

** Béatrice et Walter Klien (pianos). Turnabout 34.041 (G-B). Enregistré en 1960. *+ Brahms : Valses. Schubert : Marches militaires. Grieg : Danses norvégiennes.*

Ces *Légendes*, qui firent la gloire de Dvořák auprès de Hanslik et de Brahms, sont absentes du catalogue, alors qu'elles devraient compléter toute intégrale des *Danses slaves*, dans leur version originale ou orchestrée. Le fait que la gravure par les époux Lejšek soit la seule intégrale existante recommande de s'y arrêter. Ce n'est pas pour autant un pis-aller, car elle est fort bonne. Les interprètes sont tout à fait idéaux dans ce répertoire intime, mythique, épique... et bon enfant.

De moindre intérêt, puisque sélective, la version de Béatrice et Walter Klien ; mais, en complément de *Valses* de Brahms, le tout compose un disque agréable.

Légendes, dix Pièces originales pour piano à quatre mains transcrites pour orchestre.

*** Orch. Phil. de Londres, Raymond Leppard. Philips 6500.188 (étr.). Enregistré en 1971.

*** Orch. Phil. de l'Etat de Brno, Jiři Pinkas. Supraphon 1101393 (étr.). Enregistré en 1972.

L'orchestration des *Légendes* pour bois et cordes, où interviennent, tels des personnages, parfois des cors, une trompette, une harpe ou des timbales, est un modèle d'efficacité et de délicatesse. La gravure de Raymond Leppard a été furtivement importée ; il aborde l'œuvre dans un esprit résolument «musique de chambre» et demeure, pour cela, un peu timide dans l'emploi des cuivres.

L'esprit de Jiři Pinkas, au contraire, se veut plus héroïque qu'intimiste, avec beaucoup de brillance et de couleurs dans l'orchestre. Cette démarche amène parfois à un certain grossissement du trait de ces délicates pièces.

Mélodies tziganes, cycle de sept pièces pour voix et piano op. 55.

*** Peter Schreier (t), Walter Dunkel (piano). VEB Eterna 825.793 (RDA). Enregistré en 1963. + *Brahms : 20 Deutsche Volkslieder.*

*** Jindrích Jindrák (bar), Alfred Holeček (piano). Supraphon 1 12 1.349 (G-B). Enregistré en 1972. + *Chansons d'amour, Dans l'esprit des chants populaires, Chansons grecques modernes.*

Mélodie tzigane nº 4.

** Verá Soukupová (c), Ivan Moravec (piano). Supraphon 50.898 (étr.). Enregistré en 1966. + *Chants bibliques, Chant du soir.*

Contrairement aux autres cycles de mélodies écrits par Dvořák, celui-ci utilise un texte allemand, traduction de l'original tchèque du poète Adolf Heyduk. Cela explique la suprématie du ténor allemand Peter Schreier dans ce cycle vibrant, alliant l'humour à la tendresse, et d'où est tirée l'une des plus charmantes mélodies du maître tchèque, et l'une des plus connues, «quand ma vieille mère m'apprenait à chanter», mélodie que Casals, Piatigorsky ou Menuhin n'ont pas hésité à transcrire pour leur instrument.

Plus sombre, la voix du baryton tchèque Jindrích Jindrák convient bien à ces mélodies intimes. Il faut aussi citer l'accompagnement spécialement merveilleux d'Alfred Holeček, qui, quelque vingt ans auparavant, avait enregistré ce cycle avec le grand ténor Benö Blachut.

La célèbre mélodie «quand ma mère m'apprenait...» figure dans le disque que le contralto Verá Soukupová à consacré aux *Chants bibliques* : à écouter en passant, et à saisir.

Messe en ré majeur pour soli, chœurs, orgue et orchestre op. 86.

*** Neil Ritchie (s), Alan Byers (t), Robert Morton (t), Andrew Giles (bar), Ch. de Christ Church Cathedral de Cambridge, Simon Preston. Argo ZRG 781 (G-B). Enregistré en 1974.

*** Marcela Machotková (s), Stanislavá Skatulova (a), Aldřich Lindauer (t), Dalibor Jedlička (b), Jaroslav Tvrzsky (orgue), Ch. Phil. Tchèque, Orch. Symph. de Prague, Václav Smetáček. Supraphon 1120981/2 (2 d.). Enregistré en 1973. + *Te Deum, Psaume 149, Cinq Chants bibliques.*

Simon Preston nous donne la version de 1887, avec orgue, de cette Messe, et, tout en dirigeant, il tient en personne cette partie d'orgue. Sa vision de l'œuvre est toute de tendre simplicité et de plénitude, et il a l'avantage de bénéficier d'un chœur de grande qualité. Son quatuor vocal apparaît plus comme un ensemble de solistes choisis dans le chœur que comme des voix indépendantes, nettement mises en vedette.

Avec Václav Smetaček (qui enregistre cette Messe pour la seconde fois, sa précédente gravure bénéficiant de l'excellent ténor Benö Blachut), nous avons la version de 1892, avec orchestre. Le décor est à la fois grandiose et inspiré. Les solistes sont, cette fois, bien détachés sur l'orchestre, tandis que le chœur fait preuve d'une ampleur haendelienne. L'orchestre, enfin, est fort bien capté. Une version différente dans l'esprit par rapport à la version Preston, mais une référence, même si l'on peut rêver d'un quatuor vocal plus brillant.

L'œuvre pour piano intégrale : Humoresques, Suite en la majeur, Tema con variazioni, Quatre Eglogues, Trois Feuillets d'album, Danses écossaises, Klavierstücke, Mazurkas, Valses, Esquisses poétiques, Silhouettes, Pièces diverses.

*** Radoslav Kvapil (piano). Supraphon 87.876 (6 d.). Enregistré de 1967 à 1970.

La légèreté du toucher de Kvapil, une sorte d'imagination créatrice, le refus de toute virtuosité qui ne serait qu'un exercice gratuit, lui permettent de nous restituer à l'état pur l'essentiel de cette musique très peu connue : le chant d'un homme heureux, disant à qui veut l'entendre la beauté de son pays et le plaisir d'y vivre. Il y a ici entre le musicien et son interprète une parfaite adéquation : tout, du coup, semble simple, et nous ne devons pas perdre de vue que nous sommes en présence de chefs-d'œuvre joués à la perfection.

Œuvres pour piano et violon : Nocturne en si majeur op. 40, Mazurka en mi mineur op. 89, Sonate en fa majeur op. 57, Ballade en ré mineur op. 15 n° 1, Quatre Pièces romantiques op. 75, Sonatine en sol majeur op. 100. Transcriptions pour piano et violon : Danse slave op. 46 n° 2, Humoresque op. 101 n° 7.

*** Josef Suk (violon), Alfred Holeček (piano). Supraphon 87.944. (2 d.). Enregistré en 1971.

Qui veut connaître l'œuvre de chambre pour violon et piano d'Antonín Dvořák peut faire confiance à l'arrière-petit-fils du compositeur pour lui en prouver toute la splendeur, la vie et le romantisme charmeur. La pureté mozartienne, l'intensité romantique du violon de Suk conviennent parfaitement à l'aspect plutôt contemplatif de cette partie de l'œuvre de Dvořák. Son compère, Alfred Holeček, le suit avec prudence et netteté. L'œuvre essentielle, la Sonatine de 1893, plaisait fort à Fritz Kreisler qui la joua de par le monde. Une somme musicale aussi agréable qu'évocatrice qu'on ne peut mieux écouter que sous l'archet pacifique et chaleureux de Suk. En complément, pour «corser» ce récital, Suk interprète la *Danse slave* en mi mineur et la transcription par Kreisler de l'*Humoresque* originale pour piano, mais qui est, depuis bientôt un siècle, une des pièces de charme les plus émouvantes du répertoire.

L'Ondin, poème symphonique op. 107.

❀*** Orch. Phil. Tchèque, Zdeněk Chalabala. Supraphon 50.455 (étr.). Enregistré en 1962. *+ Le Pigeon des bois, Ouverture Hussite.*

** Orch. Symph. de Londres, István Kertesz. Decca SXL 6.543 (G-B). Enregistré en 1972. *+ La Sorcière de Midi, Ouverture Mon Pays, Ouverture Hussite.*

* Orch. Phil. Tchèque, Václav Neumann. Supraphon 300.051 (2 d.). Quadri. Enregistré en 1977. *+ Le Pigeon des bois, La Sorcière de Midi, Le Rouet d'or, Ouverture Hussite.*

* Orch. Symph. de la Radio Bavaroise, Rafael Kubelik. DG 2740.238 (6 d.). *+ Légendes, Ouvertures, Poèmes symphoniques, Scherzo Capriccioso, Variations symphoniques.*

Il n'est que des chefs slaves pour s'être jusqu'ici aventurés à exprimer le véritable testament musical et spirituel du «père» de la musique symphonique tchèque. Le regretté Zdeněk Chalabala, remarquable chef de ballet et d'opéra, n'est connu que des spécialistes. Sa vision de *l'Ondin* est aussi tendrement élégiaque qu'impeccablement structurée, tel un ballet imaginaire né du premier conte écrit pour la célèbre *Guirlande* d'Erben. La Philharmonie Tchèque sonne comme aux plus beaux jours. Une prise de son, réverbérée, donne une impression de puissance et d'ampleur convenant parfaitement au style dramatique du chef.

La courte carrière du jeune chef hongrois István Kertesz lui a néanmoins laissé le temps de réaliser l'intégrale de l'œuvre symphonique de Dvořák. Le caractère élégiaque de *l'Ondin* ne lui permet pas d'exprimer tout son sens de la couleur et d'atteindre cette perfection de construction, toute mozartienne, qu'il montre dans d'autres partitions, moins typiquement slaves. Plus analytique, sa vision est moins convaincante que celle de Chalabala, mais suffit à prouver que les grands ténors de la baguette devraient fréquenter plus souvent ce poème symphonique, bien plus original que l'inusable Symphonie «du Nouveau-Monde».

Quinze ans après Chalabala, l'actuel directeur de la Philharmonie Tchèque, Václav Neumann, propose une nouvelle gravure de ce même poème symphonique, dans les mêmes conditions que son prédécesseur. Quelques pesanteurs ou «tics» wagnériens viennent modérer notre plaisir, même si le climat général est bien conforme à la tradition dramatique imposée par Václav Tálich.

Celui qui fut, jusqu'en 1948, le jeune chef de la Philharmonie Tchèque, Rafael Kubelik, a lui aussi enregistré l'intégrale symphonique de Dvořák. Sous sa baguette, habituée à tous les détours du romantisme allemand et tchèque, *l'Ondin* perd un peu de sa puissance dramatique. Contrairement à la vision de Chalabala, ce poème n'a plus rien de chorégraphique. La mélancolie slave atavique transparaît à chaque instant, privilégiant les nombreux moments élégiaques. Plus qu'un conte violent et noir, *l'Ondin* est devenu un conte de fées, un mauvais génie dont les méfaits ne peuvent entamer l'optimisme inaltérable de l'âme tchèque.

Ouvertures Mon Pays op. 62, Dans la Nature op. 91, Carnaval op. 92, Othello op. 93.

*** Orch. Phil. Tchèque, Karel Ančerl. Supraphon 50.432 (étr.). Enregistré en 1962.

** Orch. Radio-Symph. de Prague, Jaroslav Krombholc. Supraphon 4 10 1.990 (étr.). Enregistré en 1975.

Ouverture Hussite op. 67.

** Orch. Phil. Tchèque, Václav Neumann. Supraphon 300.051 (2 d.). Quadri. Enregistré en 1976. + *L'Ondin, La Sorcière de midi, Le Pigeon des bois, Le Rouet d'or.*

Ouvertures Mon pays natal op. 62, Hussite op. 67, Dans la nature op. 91, Carnaval op. 92, Othello op. 93.

** Orch. Symph. de la Radio Bavaroise, Rafael Kubelik. DG 2740.238 (6 d.). Enregistré en 1976. + *Légendes, Poèmes symphoniques, Scherzo Capriccioso, Variations symphoniques.*

Karel Ančerl a réuni fort opportunément les trois volets du triptyque projeté en 1889 par Dvořák, qui devait s'appeler «Nature, Vie et Amour», et lier les trois dernières ouvertures op. 91, 92 et 93. Dramatique, ample, sa vision n'a rien d'anecdotique ni de folklorisante, et impose une respiration, un tourbillon panthéiste slave qui fait de ce triptyque un véritable prologue aux poèmes symphoniques op. 107 à 110. Il est aussi à l'aise pour évoquer la voix de la nature, seule source de calme, d'ascèse et de bonheur que dans la «fiesta» du *Carnaval*, ou la grandeur héroïque d'*Othello*.

Jaroslav Krombholc, chef lyrique inspiré et véhément, n'a pas le même souffle dramatique qu'Ančerl. Disposant d'un orchestre de moindre beauté instrumentale, il surprend par le modernisme de sa vision qui rend l'orchestre dvorakien de 1890 précurseur non seulement du Suk de *Maturation*, mais d'une des composantes du génie futur de Janáček. Doué d'un véritable sens de l'improvisation, Krombholc «modernise» la rythmique des deux derniers volets et leur insuffle une respiration d'une irrésistible fantaisie. Qui veut connaître ce triptyque sous un jour pour le moins non traditionnel écoutera Krombholc avec ravissement.

Neumann est fort convaincant, même si le grossissement du trait est sensible entre ses interprétations et celles d'Ančerl. Cette gravure, s'inscrivant dans un coffret proposant le testament orchestral et spirituel de Dvořák, offre un complément à la fois bienvenu sur le plan du style, et convaincant techniquement parlant.

Pour Kubelik, Dvořák était un calme. Refusant de donner aux deux derniers volets une ossature dramatique comme Ančerl, Kubelik laisse le premier volet s'animer de lui-même et imposer son climat à l'ensemble. Cette vision peut être considérée comme dédramatisée et platonique, mais reste néanmoins la plus conforme à l'écriture du compositeur, techniquement régie par le modèle brahmsien, mais aux libres envolées mélodiques.

Le Pigeon des bois (Holoubék), poème symphonique op. 110.

❀*** Orch. Phil. Tchèque, Zdeněk Chalabala. Supraphon 50.435 (étr.). Enregistré en 1962. + *Le Rouet d'Or.*

*** Orch. Phil. Tchèque, Václav Neumann. Supraphon 300.051 (2 d.). Quadri. Enregistré en 1977. + *L'Ondin, La Sorcière de Midi, Le Rouet d'or, Ouverture Hussite.*

Zdeněk Chalabala prend à bras-le-corps cette partition mettant en musique les horribles contes qu'égrènent les ballades populaires d'Erben. Tel un opéra miniature, l'œuvre se déroule avec un art consommé de la mise en scène. Débutant sur une marche funèbre, la musique devient ensuite enjôleuse, pour se poursuivre sur un air de danse à la gaîté irrépressible. Puis Chalabala ménage le suspense en introduisant peu à peu le leitmotiv exprimant le remords de l'empoisonneuse, la vision de ce «pigeon des bois» venant se poser sur le chêne courbé au-dessus de la tombe du mari qu'elle a fait disparaître. On peut ne pas aimer la perspective de la prise de son, réverbérée et donnant une vaste profondeur. Que l'auditeur sache qu'elle correspond à l'acoustique réelle de la salle de la Philharmonie Tchèque, dont la «rumeur» est fort bien rendue.

Václav Neumann, par sa deuxième gravure (il a enregistré cet *Opus 110* pour Telefunken), ne renouvelle pas le miracle de l'animation que réussissait Chalabala. Avec lui, Dvořák revient bien à 1896. Certaines couleurs, l'acuité rythmique sont moins évidentes qu'avec son prédécesseur. Il n'en reste pas moins que sa vision est la plus récemment enregistrée et que la perspective sonore est fort agréable. Il s'impose devant ces quelques confrères ayant enregistré l'œuvre, que ce soient Mehta ou Kubelik.

Psaume 149 pour chœur et orchestre op. 79.

*** Ch. Phil. Tchèque, Orch. Symph. de Prague, Václav Smetáček. Supraphon 1 12 0981/2 (2 d.). Enregistré en 1973. + *Messe en ré majeur, Te Deum, Chants bibliques.*

La version de Smetáček est conforme à l'édition Simrock de 1891, dévolue à un chœur mixte et un grand orchestre. Bien que proposant un texte tchèque, allemand ou anglais, l'utilisation de la version tchèque originale, prise dans la Bible de Kralice, impose une accentuation slave, enlevant beaucoup au cérémonial quelque peu factice de cette acclamation, pour lui insuffler cette ambiance joyeuse et pacifique, parfaitement conforme à l'esprit de ce psaume. La splendeur du chœur dirigé par Veselka suffit à considérer cette version comme une référence. Par ailleurs, la direction de Smetáček possède cette précision sans contrainte qu'un Boehm a su imposer dans des partitions comparables.

Quatuors à cordes n°s 1 à 14.

*** Quatuor de Prague. DG 2740.177 (12 d.). Enregistré de 1974 à 1977.

Quatuor à cordes n° 9.

*** Quatuor Smetana. Supraphon 50.259 (étr.). Enregistré en 1962. + *Martinu : Quatuor n° 4.*

Quatuors à cordes n°s 9 et 12.

*** Quatuor Janáček. Decca SDD 250 (G-B). Enregistré en 1964.

Quatuors à cordes n°s 11 et 12.

*** Quatuor Talich. Calliope CAL 1.617. ⌧ 4.617. Enregistré en 1977.

Quatuor à cordes n° 13.

** Quatuor Alban Berg. Telefunken 6.41933. Enregistré en 1977.

Le Quatuor de Prague, formation emmenée par Bretislav Novotný, a littéralement imposé l'ensemble des 14 Quatuors de Dvořák, traditionnellement réduit aux cinq derniers. Ne craignant pas de tailler large dans les nombreux Quatuors de jeunesse, Novotný a réussi la gageure de tenir la distance sur l'ensemble de ces esquisses des années 1869-73, par la solidité de la construction et surtout l'intensité irrésistible qu'il a mises à faire vivre ces miracles de mélodie spontanée, ayant parfois bien du mal à entrer dans le moule classique du quatuor à cordes. L'unique édition concurrente, due au Quatuor Kohon, paraît bien pâle comparée à la puissance dramatique, la frénésie qui s'emparent de ces Tchèques à la moindre esquisse de *skočna* ou de *furiant.* L'altiste Lubomir Malý, chantre privilégié de la mélancolie bohème et de ses magies mélodiques, a cette sonorité profonde capable d'habiter les espaces un peu vastes des Opus 2 à 16.

Il faut rendre au Quatuor Smetana l'hommage qui lui est dû. Sa version du Quatuor en ré mineur est une véritable splendeur. Là encore, l'altiste, Milán Skampa, possède cette sobriété, cette intensité qui font reconnaître en quelques secondes sa nationalité. Offrant, en complément, l'unique version du 4e Quatuor de Martinu, ce disque est une référence.

Les membres du Quatuor Janáček, jusqu'à la mort de leur *leader*, Jiři Travniček, en 1973, étaient le seul ensemble pouvant rivaliser avec leurs amis du Quatuor Smetana dans le répertoire bohème. Le disque qu'ils réalisèrent à Londres reste une référence, tant pour la prise de son que pour l'interprétation. Plus «sentimentaux» par instants que les «Prague», plus instinctifs que les «Smetana», ils offrent l'alternative attendue à ces deux références.

Les jeunes quartettistes emmenés par Petr Messiereur, premier violon du Quatuor Talich, firent sensation pour leur premier disque occidental. Ne craignant pas de parcourir le même itinéraire que leurs aînés, ils se sont imposés comme des interprètes privilégiés de Dvořák, arrivant à faire se rejoindre la sensibilité «viennoise» du 1er violon à l'humanité secrète de l'altiste, Ján Talich, chantre de l'âme tchèque. Ainsi, le dernier Dvořák se voit parer de ses frémissements immédiats, mais également de son chant profond qui n'a plus rien d'anecdotique.

Les virtuoses viennois du Quatuor Alban Berg élargissent la voie tracée par Messiereur et «annexent» littéralement la joie profonde qui parcourt le Quatuor en *sol*. Moins pudique que Talich, l'altiste des Berg, Hatto Beyerle, tente de vous prendre par les sentiments dans le magnifique *adagio* second de cet *Opus 106*. Cette volonté s'exprime avec toute la splendeur instrumentale dont on sait capables les «Berg» .

Quatuors avec piano n° 1 en ré majeur op. 23 et n° 2 en mi bémol majeur op. 87.

** Menahem Pressler (piano), Beaux-Arts Trio. Philips 6500.452 (étr.). Enregistré en 1971.

* Rudolf Firkusny (piano), Membres du Quatuor Juilliard. CBS 79.218 (2 d.). Enregistré en 1977.

L'irrésistible styliste qu'est Menahem Pressler, le pianiste du Beaux-Arts Trio, arrive à nous faire croire que le Quatuor en ré majeur aurait aussi bien pu être écrit par un Mendelssohn né à Prague qu'un jeune Schubert s'essayant à cette forme instrumentale. La démonstration est techniquement convaincante, mais survient le finale dont le symphonisme brahmsien, encore mal assimilé, nous rapproche brutalement d'un demi-siècle. Cette fois, on regrette que le meneur ait la «patte» trop légère, tandis que les douze cordes qui le sous-tendent n'ont pas l'ampleur qu'on peut attendre. Tout différent est l'*Opus 87*, à la forme fort achevée. Cette fois, le clavier peut jouer à plaisir des subtilités d'intonation, varier la couleur et relancer le discours. Mais, là encore, les cordes n'osent pas atteindre au symphonisme attendu et on reste dans une certaine ambiance de salon.

Rudolf Firkusny n'a pas l'excuse de Pressler sur la non-consanguinité avec ce patrimoine musical. Il semble néanmoins avoir quelque peu oublié sa terre natale, en l'écoutant «bavarder», par instants, dans cet *Opus 23* qui peut effectivement devenir bavard si l'on n'y prend sévèrement garde. La prise de son ne rend pas toute la splendeur des cordes du Quatuor Juilliard. L'*Opus 87* s'impose avec plus d'évidence. Les comparaisons avec le modèle brahmsien (*op. 60*) n'ont rien de désobligeantes, et la démarche générale - tempos fort lents - tranche avec l'allégresse mendelssohnienne de leur concurrent, le Beaux-Arts Trio.

Quintette pour deux violons, deux altos et violoncelle n° 1 en la mineur op. 1.

*** Membres de l'Octuor Phil. de Berlin. Philips 839.754 (étr.). Enregistré en 1970. + *Sextuor.*

Qui veut écouter une œuvre pleine de souvenirs mozartiens et schubertiens, tout en bénéficiant de ce chant spontané dont était capable un Dvořák de vingt ans, tentera d'acquérir le premier disque des Berlinois, aussi pur de style qu'impeccablement enregistré. Le Sextuor joint, dédié à Joachim, se rapproche déjà plus du modèle brahmsien, et le miracle mélodique dvorakien a perdu de sa spontanéité. Les Berlinois ne tentent pas d'imposer la rigueur à laquelle tend la construction d'une œuvre qu'une *dumka*, puis cinq tendres variations menées par le violoncelle, font sœur du Quintette op. 97.

Quintette pour deux violons, deux altos et violoncelle n° 2 en mi bémol majeur op. 97.

*** Quatuor Smetana, Josef Suk (alto). Supraphon 25.990. Enregistré en 1977. + *Le Silence de la forêt.*

*** Quintette Phil. de Vienne. Decca SDD 487 (G-B). Enregistré en 1977. + *Bagatelles op. 47.*

Depuis trente ans, les membres du Quatuor Smetana sont les ambassadeurs les plus renommés du répertoire bohème pour quatuor. Avec le renfort du plus grand, tant à l'alto qu'au violon, des solistes tchèques, Josef Suk, ils nous donnent une «leçon» de «dvorakisme», tant ils exécutent parfaitement le texte tout en s'en tenant à l'esprit du maître slave pour qui, douceur, simplicité, danse, vie étaient les règles intangibles de l'expression. Suk nous donne sa transcription à l'alto de l'admirable *Silence de la forêt (Waldesruhe)*, que Dvořák avait, lui, transcrit du piano original pour violoncelle et piano.

A Vienne, les excellents solistes du Quintette Philharmonia n'ont pas la simplicité inaccessible des Smetana. Mais la pureté de la prise de son tout comme le charme de leur style font succomber... et cet *Opus 97* devient peu à peu une sérénade pour cordes dont les solistes seraient les premiers pupitres. La générosité du minutage nous permet d'entendre la meilleure version des six délicieuses *Bagatelles* pour trio à cordes et harmonium qui, à elles seules, valent le détour.

Quintette pour deux violons, alto, violoncelle et contrebasse en sol majeur.

*** Membres de l'Octuor de Vienne. Decca SDD 423 (G-B). Enregistré en 1969. + *Spohr : Quintette.*

*** Quatuor Dvořák, František Pošta (contrebasse). Supraphon 50.185 (étr.). Enregistré en 1961.

Des membres du fameux Octuor de Vienne (cette fois, sans Willi Boskovsky) viennent concurrencer les cordes tchèques dans leur propre répertoire. Cette réussite n'est pas étrangère à la beauté de son et l'intensité du style de l'altiste Günther Breitenbach. Insistant sur le charme étonnant de ce Quintette, qui semble une aimable sublimation de l'*Opus 163* schubertien, ces Viennois allègent parfois l'ampleur naturelle d'un discours que l'auteur a voulu passant avec rigueur de la sobriété à l'exubérance. En complément, le Quintette piano, flûte, clarinette, cor et basson de Spohr est unique au catalogue. Admirables prise de son et gravure.

Ce sont les membres du Quatuor Dvořák, avec le contrebassiste František Pošta, qui imposèrent ce Quintette aussi sobre qu'intense, aussi exubérant que magnifiquement contenu. Avec eux, on ne pense plus à Schubert, mais au quatuor en ré mineur de Smetana, avec ces silences, cris, passions vécues et son animation permanente.

Quintette pour piano et quatuor à cordes n° 2 en la majeur op. 81.

*** Artur Schnabel (piano), Membres du Quatuor Pro Arte. World Record Club SH 408. Mono (origine 78 t.). Enregistré en 1934. + *Schumann : Quintette op. 47.*

*** Clifford Curzon (piano), Quatuor Phil. de Vienne. Decca SDD 270 (G-B). Enregistré en 1962. + *Schubert : Quatuor n° 12 «Quartettsatz».*

** Rudolf Firkusny (piano), Membres du Quatuor Juilliard. CBS 76.619. Enregistré en 1975. + *Bagatelles op. 47.*

Il faut avouer que l'écoute du document signé d'Arthur Schnabel et du fameux Quatuor Pro Arte (Onnou-Halleux-Prévost-Maas) vous emplit peu à peu d'une tension, d'une acuité sensible qu'aucune autre lecture n'a atteintes. Avec Schnabel et Onnou, les souvenirs de Schumann, de Brahms, de Schubert sont là, mais également la sublimation de la tension que ces interprètes savaient retrouver lorsqu'ils s'attaquaient aux Quatuors et Quintettes de Mozart.

Avec les Viennois emmenés tant par Willi Boskowsky que par l'excellent pianiste qu'est Clifford Curzon, nous n'atteignons pas la même nervosité émotive - spécifiquement mozartienne -, mais ce charme ensoleillé, cette verve dansante que l'essentiel de ce Quintette propose. Seule, la douce *dumka* élégiaque et, par instants, nostalgique reste en deçà de son lyrisme atavique. Magnifique regravure.

Avec le pianiste américain Rudolf Firkusny, natif de Bohême, la fusion entre l'âme tchèque et la rigueur de l'école de chambre américaine est plus que réelle. Le pianiste mène le jeu, le 1er violon, Robert Mann, se laissant guider dans cette suite de chants et danses de Bohême. La densité sonore du quatuor est parfois trop retenue, vis-à-vis du style et des intentions du clavier. La vision d'ensemble est fort belle, même si l'intensité des contrastes, la vigueur et la spontanéité de certains accents (*scherzo*) peuvent être plus nettes. L'interprétation des *Bagatelles*, complétant le disque, manque par trop de finesse pour concurrencer la gravure des Viennois (Decca SDD 487). Mais la prise de son n'est certainement pas étrangère à cette impression de grosseur de trait.

Requiem pour soli, chœur et orchestre, op. 89.

*** Pilar Lorengar (s), Erzsébet Komlóssy (c), Robert Ilosfalvy (t), Tom Krause (b), Ch. Ambrosian Singers, Orch. Symph. de Londres. István Kertesz. Decca 593.022 (2 d.). Enregistré en 1968.

** Teresa Zylis-Gara (s), Stefano Toczyska (c), Peter Dvorsky (t), Leonard Mroz (bar), Ch. et Nouvel Orch. Phil. de Radio France, Armin Jordan. Erato 71.430 (2 d.). ⌧ MCE 71.430 (2 d.). Enregistré en 1981.

Pour imposer cette grande fresque, István Kertesz avait su admirablement équilibrer ce que cette messe haendelienne devait aux conventions du genre et ce qui en fait son originalité. Dvořák n'a pas cherché à parler plus fort que Verdi ou Berlioz, à étonner par son réalisme religieux. Comme d'ordinaire, son message est tout de simplicité et de ferveur, de foi en une humanité aimant les beautés de la nature et espérant qu'une vie future sera l'achèvement de sa vision terrestre. Avec un style aussi net que subtil, le grand chef a varié les divers épisodes de cet hommage funèbre. Malgré une grande mélancolie générale, l'œuvre est d'une beauté plastique dont les accents ne sont pas une simple déclinaison liturgique. Le quatuor vocal est du plus bel effet, et les chœurs excellents, ainsi que la perspective orchestrale.

Dans la première partie, Jordan est animé d'un profond sens de l'extase et de l'humanité. Le quatuor vocal est splendide, tandis que le chœur français tient l'énergie cataclysmique du *Dies Irae* et arrive à personnifier la condamnation du *Confutatis maledictis,* alors que l'orchestre promet la rédemption avec un lyrisme tendre. La tension émotive, malheureusement, se relâche dans la seconde partie pour ne réapparaître que dans l'*Agnus Dei* conclusif qui ne manque pas de grandeur.

Le Rouet d'or, poème symphonique op. 109.

❀*** Orch. Phil. Tchèque, Zdeněk Chalabala. Supraphon 50.435 (étr.). Enregistré en 1962. + *Le Pigeon des bois.*

*** Orch. Symph. de Londres, István Kertesz. Decca SXL 6.510 (G-B). Enregistré en 1970. + *Variations symphoniques.*

** Orch. Phil. Tchèque, Václav Neumann. Supraphon 300.051 (2 d.). Quadri. + *L'Ondin, La Sorcière de midi, Le Pigeon des bois, Ouverture Hussite.*

** Orch. Phil. Janáček d'Ostrava, Otakar Trhlik. Supraphon 1 10 1889 (étr.). Enregistré en 1976. + *Janáček : Tarass Boulba.*

Le Rouet d'or est le plus développé des quatre poèmes symphoniques empruntant aux ballades populaires d'Erben leur argument littéraire. C'est celui qui suit avec le plus de fidélité une aventure que l'interprète doit prendre en compte sans sombrer dans l'anecdotique ou l'emphase. L'œuvre doit vivre et se renouveler, tel un ballet imaginaire, par la magie du rythme et le choix des couleurs. A ce jeu, Zdeněk Chalabala, rompu à tous les artifices des métiers de la scène, conduit cette sinistre histoire à son terme sans que l'ennui ne perce à la moindre seconde. Les thèmes propres à *Dornička* (la Cendrillon de cette ballade) et au rouet délateur ont cette douceur, cette intensité féerique, marques du dernier Dvořák.

István Kertesz avait également gravé une excellente mise en scène de ce poème. Moins chorégraphique que Chalabala, jouant sur des effets de contrastes d'intensité et de rythmes, il tentait une synthèse symphonique que l'œuvre ne demande peut-être pas. Il réussit, néanmoins, à imposer cette thèse difficile dans une fort belle gravure. Cette volonté stylistique est, au contraire, parfaitement justifiée dans les *Variations symphoniques* de 1877, guirlande de 28 «moments» où la jovialité et la bonne humeur alternent avec une rigueur aussi clairement appliquée que parfois naïve.

Václav Neumann joue franchement le jeu de ce conte «moral» qu'une musique passant du charme féerique à une diction presque wagnérienne «raconte» avec conviction. Sans atteindre à l'évidence d'un Chalabala, Neumann réussit fort bien les passages dramatiques qu'il organise tel un lied mahlérien. Les élans de beauté, de fraîcheur lui sont plus étrangers et ne possèdent ni l'élégance de Kertesz, ni la vitalité rythmique de Chalabala.

Les fanatiques de cette œuvre trouveront en Otakar Trhlik (et la Philharmonie Janáček d'Ostrava) des interprètes authentiques de cet *Opus 109.* Très proche du style de Chalabala, sans en avoir le panache parfois irrésistible, nous tenons là la gravure moderne la plus authentique, si ce n'est la plus virtuose. La trilogie de *Tarass Boulba* de Janáček est un complément de choix.

Rusalka, opéra op. 114.

** Ivo Žídek (le Prince), Alena Miková (la Princesse étrangère), Milada Subrtová (Rusalka), Eduard Haken (l'Ondin), Marie Ovcacikova (Jezibaba), Ch. et Orch. du Théâtre National de Prague, Zdeněk Chalabala. Supraphon 50.440 (4 d.). Enregistré en 1962.

Le monde des eaux dormantes et des bois est un des domaines privilégiés de Dvořák ayant atteint la pleine maturité. *Rusalka* est une autre vision, cette fois, pour la scène, du monde poétique qui était celui des quatre poèmes symphoniques op. 107 à 110 écrits sur des ballades populaires d'Erben. Le souffle lyrique de Dvořák est rendu avec la même évidence que ces poèmes par Zdeněk Chalabala. Même si l'on peut affirmer que la splendeur des airs prêtés aux personnages de Rusalka, la naïade, ou de la Princesse étrangère, pourrait trouver interprètes à la plus grande liberté que Milada Subrtová ou Alena Miková (quand entendra-t-on ce splendide ouvrage avec des timbres comparables à ceux d'Elisabeth Schwarzkopf ou de Frederica von Stade ?), les interprètes masculins ont l'ampleur scénique et poétique que supposent leurs rôles, en particulier Ivo Židek, au faîte de sa carrière. Gravure unique, qu'il faut rechercher et conserver comme telle.

Sainte Ludmilla, oratorio pour quintette vocal, chœur et orchestre op. 71

*** Eva Zikmundová (s), Verá Soukupová (a), Benö Blachut (t), Vladimir Krejčik (t), Richard Novak (b), Ch. et Orch. Phil. Tchèque, Václav Smetáček. Supraphon 50.585/7 (3 d.). Enregistré en 1964.

Cet oratorio, dédié à honorer la christianisation de toute la nation tchèque, permit à Dvořák d'affirmer l'idendité nationale en utilisant le vieux choral de St.-Wenceslas «Seigneur, ayez pitié de nous ! (*Hospodine, pomiluj ny* !)». Smetáček respecte totalement cette volonté d'opéra sacré en trois actes. Solistes, chœur et orchestre sont les meilleurs disponibles et, la belle perspective de la prise de son aidant, on ne voit quelle autre vision on pourrait exiger de cet immense acte de foi. Smetáček anime l'ensemble avec autant d'efficacité que de rigueur et respecte fort bien le caractère d'action dramatique où chaque intervention des solistes correspond à une gradation dans l'accomplissement de la volonté de Dieu. Une référence.

Sérénade n° 1 pour cordes en mi majeur op. 22. Sérénade n° 2 pour instruments à vent, violoncelle et contrebasse en ré mineur op. 44.

*** Membres de l'Orch. Phil. Tchèque, Václav Talich. Supraphon 10.326 (étr.). Mono. Enregistré en 1953 et 1956.

** Orch. de Chambre de Prague, Josef Vlach, Harmonie de Chambre de Prague, Martin Turnovsky. Supraphon 50.760 (étr.). Enregistré en 1966 et 1967.

Sérénade n° 1 pour cordes en mi majeur op. 22.

*** Orch. de Chambre de Prague, Josef Vlach. Supraphon 1 10 2.146 (étr.). Enregistré en 1976. + *Suite tchèque.*

Les fanatiques de Dvořák devront tenter de trouver la trace de la référence établie par Václav Talich de ces deux suites complémentaires. La regravure est excellente et rend fort bien le style bondissant et appuyé du plus grand chef slave des années 1917 à 1961, date de sa mort.

Malgré la vingtaine de gravures qu'a provoquées cet *Opus 22*, il est bien rare d'en entendre une qui tienne compte de la spécificité de cette musique et ne l'attire abusivement vers Tchaïkovsky. Le très strict Josef Vlach ne peut être taxé d'une telle volonté. Son style a la netteté d'une mise en place mozartienne. Encore plus rare est l'approche de l'*Opus 44* par le jeune et talentueux chef tchèque Martin Turnovsky, que les événements d'août 1968 ont réduit à un difficile exil. Sans jamais sombrer dans le pastiche ni de Rejcha, ni de Hummel, et encore moins des sérénades beethovéniennes, Turnovsky rend toutes les facettes du génie mélodique dvorakien, heureux de la liberté d'expression que lui offrent des vents solistes et huit cordes en «continuo». Turnovsky, admirable interprète de Haydn et Mozart, donne finesse et rigueur à cette symphonie champêtre.

L'Orchestre de Chambre de Prague, sans chef comme il se doit, a réédité son succès de l'époque de son *leader*, Josef Vlach. Moins connue, la *Suite tchèque* trouve, sur l'autre face, sa meilleure interprétation.

Suite n° 1 en ré majeur «Tchèque» op. 39.

*** Orch. de Chambre de Prague, Josef Vlach. Supraphon 1 10 2.146 (étr.). Enregistré en 1976. + *Sérénade op. 22.*

Malgré l'usage d'une forme archaïque que Mozart avait amenée à son apogée, cette «suite» en cinq mouvements suit encore le plan formel hérité de cette tradition. Les solistes de l'Orchestre de Chambre de Prague réussissent ainsi à suivre avec rigueur la lettre d'une telle musique, tout en colorant leur discours des dialogues savoureux entre flûte et cor anglais, tandis que les rythmes de *soušedska* épicent le menuet central et une *furiant* le *presto* final.

Suite n° 2 en la majeur «Américaine» op. 98.

* Orch. Radio-Symph. de Berlin, Michael Tilson-Thomas. CBS 76.510 (USA). Enregistré en 1976. + *Le Drapeau américain.*

Il est permis de préférer la version originale pour piano de la Suite «Américaine», malgré la bonne volonté de l'excellent Tilson-Thomas. Uniquement pour dvorakophile chevronné..

Neuf Symphonies : n° 1 en ut mineur «Les Cloches de Zlonice», n° 2 en si bémol majeur op. 4, n° 3 en mi bémol majeur op. 10, n° 4 en ré mineur op. 13, n° 5 en fa majeur op. 76, n° 6 en ré majeur op. 60, n° 7 en ré mineur op. 70, n° 8 en sol majeur op. 88, n° 9 en mi mineur «du Nouveau Monde» op. 95.

*** Orch. Phil. Tchèque, Václav Neumann. Supraphon AR 87.118 (8 d.). Enregistré de 1970 à 1973.

Pour embrasser l'intégralité du monde symphonique de Dvořák, on suivra le guide le plus autorisé dans ce domaine, l'actuel directeur musical de la Philharmonie Tchèque, Václav Neumann (cela est valable pour les Symphonies, mais également pour les Ouvertures et Poèmes symphoniques). Comme toute intégrale, celle de Neumann se présente comme un compromis entre d'innombrables options stylistiques possibles. Neumann est l'homme du juste milieu, dramatique sans sombrer dans le Grand Guignol, énergique, et imposant une construction architecturale nette, même si cette volonté conduit à quelques platitudes qu'avaient su éviter les interprètes d'intégrales supprimées, signées István Kertesz ou Rafael Kubelik. La prise de son, enfin, accuse la diction dramatique de Neumann, la «rumeur» de la Philharmonie Tchèque nous arrivant une fois synthétisée par la réverbération naturelle de la salle Smetana.

Symphonie n° 6 en ré majeur op. 60.

*** Orch. Phil. Tchèque, Karel Ančerl. Supraphon 27.878. ⌧ 401.749. Enregistré en 1965.

Il est plus que regrettable que la carrière mouvementée de Karel Ančerl - déporté en 1942, choisissant l'exil en 1969, mourant d'un cancer à Toronto en 1973 - n'ait pas permis à ce chef inné de l'inspiration slave et du romantisme brahmso-mahlérien de graver l'intégrale de l'œuvre orchestrale de Dvořák. On ne peut donc que recommander d'acquérir les gravures d'Ančerl chaque fois que l'on désire une œuvre séparée qu'il a enregistrée, ou bien à l'intérieur de ce coffret composite qui donne un exact reflet de ce que fut son talent. Cela est vrai pour la 6ᵉ Symphonie de Dvořák, sœur tchèque de la pastorale 2ᵉ Symphonie de Brahms.

Symphonie n° 7 en ré mineur op. 70.

❀*** Orch. Symph. de Londres, Pierre Monteux. Decca 592.025. Enregistré en 1959.

** Orch. Phil. de Londres, Carlo Maria Giulini. EMI VSM C 069-02.830. Quadri. Enregistré en 1976.

L'enregistrement de la 7ᵉ Symphonie par Pierre Monteux fait partie du trésor musical que nous a légué cet immense chef d'orchestre. Sa version est à la fois la mieux construite, mais sans à-coups rythmiques, sans rugosités, et la plus chantante, avec une indicible poésie pastorale. Il faut ajouter que la prise de son en pure et véritable stéréophonie des grandes années est une merveille de précision et d'ambiance.

Carlo Maria Giulini, chef aussi scrupuleux qu'inspiré, arrive à expliquer le «tragique» de la Symphonie en ré mineur. Faisant de Dvořák un héritier direct de la sensualité mozartienne comme du mélodisme schubertien inquiet et tendu, il donne à l'œuvre une densité que les interprètes slaves balaient d'ordinaire à larges traits. Giulini s'accroche au détail et gomme, tel un Toscanini, ce qu'une certaine tradition avait ajouté comme lourdeur d'accents. Avec lui, la trame orchestrale retrouve sa plénitude, son classicisme inspiré. Il est dommage que le London Philharmonic n'ait pas les cordes des Philharmonies de Vienne et de Berlin, sans quoi la vision de Giulini s'imposerait, inquiète et passionnée.

Symphonie n° 8 en sol majeur op. 88.

❀*** Orch. du Concertgebouw d'Amsterdam, Colin Davis. Philips 9500.317. ⌧ 7300.611. Enregistré en 1978.

*** Orch. Phil. de Berlin, Rafael Kubelik. DG 139.181 (étr.). Enregistré en 1966.

*** Orch. Phil. Tchèque, Václav Talich. Supraphon 10.156 (étr.). Mono. Enregistré en 1954.

*** Orch. Symph. de Chicago, Carlo Maria Giulini. DG 2531.046. ⌧ 3301.046. Enregistré en 1978.

Colin Davis a enregistré le triptyque formé par les trois dernières Symphonies. Il faut avouer que la clarté de sa battue et le célèbre son de l'Orchestre du Concertgebouw donnent, tant sur le plan des bois que celui des cuivres et des cordes, une perspective sonore rarement atteinte. Comme la prise de son est particulièrement réussie, on peut facilement se laisser prendre à ce discours exemplaire, où il ne manque que l'expression d'une sensibilité affirmée.

Rafael Kubelik, chef romantique tchèque, interprète élu du romantisme schumannien et brahmsien, parcourt avec une certaine nostalgie les vastes espaces champêtres et les élans passionnés du plus grand symphoniste de son pays natal. Disposant d'un instrument incomparable - la Philharmonie de Berlin -, il peut jouer des sonorités de cette phalange sans être obligé de marquer nettement la structure très classique de l'œuvre. Seul, Kubelik sait faire chanter avec ce lyrisme chaleureux et très pur l'*Adagio* de cette magnifique Symphonie.

Talich jouait avec la même perfection Wagner que Richard Strauss. Son enregistrement, aujourd'hui légendaire, de la Symphonie en sol majeur, reste doué d'une puissance évocatrice, d'un sens de l'évolution dramatique peu communs. Bien que monophonique, la gravure historique est fort agréable. Une pièce de collection actuellement difficile à trouver, mais qui n'en est pas moins une référence.

En écoutant Giulini enlever toute patine traditionnelle à la 8ᵉ Symphonie, on peut être conduit à trouver qu'il en fait trop et que le discours, ample et extraverti, de cette œuvre perd de son impact à la traiter comme s'il s'agissait de la 39ᵉ de Mozart ou de la 5ᵉ de Schubert. Disposant cette fois d'un excellent orchestre, Giulini peut aller néanmoins jusqu'au bout de sa démonstration et nous convaincre que, finalement, cet immense chant de vie et de joie tire bénéfice de ce traitement anti-grandiloquence. La perspective sonore, un peu courte, concourt encore à cette vision *da camera* inhabituelle.

Symphonie n° 9 en mi mineur «du Nouveau Monde» op. 95.

❀*** Orch. Phil. Tchèque, Karel Ančerl. Supraphon 25.925. ⌧ 401.743. Enregistré en 1965.

❀*** Orch. Phil. Tchèque, Václav Talich. Supraphon 10.128 (étr.). Mono. Enregistré en 1952.

*** Orch. Radio-Symph. de Berlin, Ferenc Fricsay. DG 2538.117. ⌧ 3318.007. Enregistré en 1959.

*** Orch. Phil. de Berlin, Rafael Kubelik. DG 2530.415. Enregistré en 1972.

*** Orch. Phil. de Vienne, Karl Boehm. DG 2531.098. ⌧ 3301.098. Enregistré en 1978.

Ančerl a été assurément l'un des plus grands interprètes de Dvořák. Interprète élu de la musique bohémienne, ses versions sont très généralement à placer en tête de la discographie. Son enregistrement de la Symphonie «du Nouveau Monde», pourtant si souvent portée au disque, ne déroge pas à la règle. Sa primauté vaut encore ici, même si la prise de son, moins fine que dans son enregistrement de la 6ᵉ Symphonie, noie quelques subtilités de couleur que les bois de la Philharmonie Tchèque avaient voulu nous transmettre.

La gravure réalisée par Talich de la célébrissime Symphonie «du Nouveau Monde» constitue une référence historique. Sur le plan du tempérament, l'œuvre lui sied encore plus naturellement que le caractère éminemment «pacifique» de la 8ᵉ. La prise de son, en revanche, est de moindre pureté. Qui veut connaître l'art d'un des plus grands chefs de la première moitié du XXᵉ siècle doit écouter cet enregistrement.

Avec Fricsay, on retrouve le style engagé de Talich. Le grand chef hongrois disparu enregistra trois fois cette 9ᵉ Symphonie, la dernière fois avec la Philharmonie de Berlin. Même si la prise de son n'a pas toujours conservé la splendeur et la perspective sonores voulues par Fricsay, cette gravure reste l'un des rares exemples du style spontané passant quasiment sans transition de la mélancolie la plus habitée ou de la *furia* dansante à l'ordonnance la plus rigoureuse, aux affirmations pompeuses et héroïques les plus achevées. Les admirateurs de Fricsay tenteront de retrouver la gravure de 1952 avec le RIAS-Sinfonie Orchester Berlin.

Kubelik est égal à son image d'interprète lyrique et chaleureux dans la véritable suite d'hymnes que forme la 9ᵉ Symphonie. La déclamation plus systématique des thèmes offre moins de possibilités de contrastes, dans le registre lyrique, que la 8e. De ce fait, la lecture de Kubelik, à la sonorité fastueuse, trouve son apogée dans le très célèbre second mouvement, *largo*.

Saluons la dernière gravure de Karl Boehm dont, à quatre-vingt-cinq ans, l'élan, tout en étant le contraire de la spontanéité slave, redonne fraîcheur à cette Symphonie, facilement défraîchie par trop d'interprétations où le chef cherche plus à briller qu'à jouer le jeu de la partition. Avec une Philharmonie de Vienne en pleine forme, Boehm offre l'une des plus belles alternatives dans une vision technique impeccable (prise de son comprise).

Te Deum pour soli, chœur et orchestre op. 103.

*** Maria Helenita Olivarès (s), Gianni Maffeo (bar), Ch. Phil. Tchèque, Orch. Symph. de Prague, Václav Smetáček. Supraphon 1 12 0981/2 (2 d.). Enregistré en 1973. + *Messe en ré majeur, Psaume 149, Chants bibliques.*

Le style à la fois simple et souverain de Smetáček évite de faire de cette œuvre de circonstance un *alleluiah* d'esprit haendélien et d'écriture emphatiquement romantique. Admirablement enregistrée, cette version suffit largement à la connaissance que nous devons avoir d'un style d'œuvres qui fit le succès d'époque de Dvořák et qui paraît, aujourd'hui, la partie de son œuvre la plus désuète. Le couplage avec la *Messe* et le *Psaume 149*, œuvres effectivement habitées par une confiance terrienne en Dieu, impose l'ensemble.

Trios pour piano, violon et violoncelle n° 1 en si bémol majeur op. 21, n° 2 en sol mineur op. 26, n° 3 en fa mineur op. 65, n° 4 en mi mineur «Dumky» op. 90.

*** Beaux-Arts Trio. Philips 6703.015 (3 d.) (étr.). Enregistré de 1965 à 1970.

Trio n° 3 en fa mineur op. 65.

*** Trio Suk. Supraphon 50.817 (étr.). Enregistré en 1966.

Trios n° 3 en fa mineur op. 65 et n° 4 en mi mineur «Dumky» op. 90.

** Trio Yuval. DG 2530.371 (étr.). Enregistré en 1972.

Trio n° 4 en mi mineur «Dumky» op. 90.

** Trio Haydn de Vienne. Telefunken 6.42352 (étr.). Enregistré en 1978. + *Smetana : Trio op. 15.*

Si les deux premiers Trios de Dvořák ne sont encore connus que des «dvorakophiles» impénitents, on peut affirmer que les deux derniers figurent parmi les plus belles pages de la littérature romantique pour trio avec piano. Les experts du Beaux-Arts Trio ont immédiatement donné à ces quatre chefs-d'œuvre la dimension qui leur convenait. Avec l'art souverain du toucher et du style qui habite leur pianiste, Menahem Pressler, on assiste à une véritable métamorphose du «petit compositeur national tchèque», cette fois comparé aux plus grands, et se trouvant défendu avec la même noblesse et la même flamme par ceux qui ont fait profession de donner à Mozart, Schubert, Mendelssohn et surtout Schumann et Brahms, leur pureté première. Une telle perspective fait des *Opus 21* et *26* des essais plus que convaincants, tandis que les poèmes pour piano et cordes, passionnés et dansants, que sont les *Opus 65* et *90* sortent comme épurés d'un folklorisme slave qui aurait fait long feu. Ce coffret n'est disponible que sur commande spéciale en import.

Moins stylisée, plus lente, plus romantique, en un mot, est l'approche de ces quatre chefs-d'œuvre par le Trio Suk, formé du célèbre violoniste Josef Suk, du pianiste Jan Panenka et du violoncelliste Josef Chuchro. Ce Trio, formé d'artistes tchèques de classe internationale, a enregistré pour Supraphon l'intégrale de ces quatre œuvres. Leur parution en Occident est prévue pour 1881 (alors que les prises de son ont été terminées en 1978). En attendant cette édition, les mélomanes qui sont habitués à la sonorité chaleureuse et romantique de Suk pourront acquérir l'excellente gravure de l'*Opus 65*, réalisée en 1966. Passionnée, contrastée, expressive, chaleureuse, hautement virtuose, successivement mélancolique puis dansante, cette vision de cette suite de *dumkas* reste la plus authentique.

Dans une approche comparable à celle du Trio Suk, mais avec une perfection de style moins achevée, les membres du Trio israélien Yuval proposent des Trios 3 et 4 des visions hautes et colorées et animées d'une farouche énergie. Cette intensité dépasse même l'esprit initial de ces œuvres, car chez Dvořák aucune passion ne va jusqu'à l'anéantissement ou à l'aigreur.

Assez conventionnelle est l'interprétation de l'*Opus 90* par les jeunes solistes du Trio Haydn de Vienne. Leur style est proche du modèle proposé par les Beaux-Arts. Le pianiste a ce toucher net et charmeur qui convient, mais les huit cordes, qui simulent l'orchestre de chambre qui l'accompagne, manquent parfois d'intensité ou de puissance symphonique. Leur Smetana (*Trio op. 15*) est paradoxalement plus contrasté et vivant. Très belle perspective sonore et grande pureté de gravure.

E

Egk, Werner
(1901-1983)

Peer Gynt, opéra en trois actes

*** Roland Hermann (Peer Gynt), Norma Sharp (solveig), Cornelia Wulkopf (Aase), Janet Perry (Ingrid), Heiner Hopfner (Mads),Hans Hopf (le Vieux), Kari Lövaas (la Rouquine) Ch. et Orch de la Radio Bavaroise, Heinz Wallberg. Orfeo S 005.823 (3 d.). Enregistré en 1981.

Le superbe travail de Heinz Wallberg à la tête de l'Orchestre de la Radio munichoise nous plonge sans difficulté dans les mondes chimériques du voyageur Gynt. La distribution vocale est sans reproches : Roland Hermann, Norma Sharp et Kari Lövaas dominent une équipe très homogène. Cela nous vaut quelques beaux morceaux de bravoure.

Eisler, Hanns
(1898-1962)

Quatre Berceuses d'une mère prolétaire. Schweik dans la seconde guerre mondiale.

*** Gisela May (s), Orch. du Studio Wergo, Henry Krischil. Wergo WER 60.041 (RFA). *+ Dessau : Lieder sur des textes de Bertolt Brecht.*

Quelques-uns des textes les plus émouvants de Brecht, pour lesquels Eisler a composé une musique âpre et violente, souvent plus convaincante que celle de Weill. Gisela May en donne une interprétation chaude et prenante, d'une extrême rigueur. Elle est souvent à la limite d'un *Sprechgesang* qui lui permet de souligner les effets dramatiques du texte. Chacune des pièces présentées devient une petite cantate à une voix, très construite et profondément émouvante. Excellent couplage avec certains des chants de théâtre écrits pour Brecht par Paul Dessau.

Quatorze façons de décrire la pluie, variations op. 70. Symphonie de chambre. Zeitungsausschnitte (Coupure de journal) op. 11. Nonet n° 1 (32 variations sur un thème de cinq mesures). Sonate pour piano op. 6. Lieder sur des textes de Bertolt Brecht, Goethe et Schiller.

** Roswitha Trexler (ms), Walter Olbertz (piano), Ensemble de chambre, Orch. de Chambre de Berlin, Walter Goehr. Wergo WER 60.064 (3 d.) (RFA).

Disciple estimé de Schoenberg, passé à la musique prolétarienne, Eisler est l'un des grands oubliés de la musique allemande contemporaine des années noires. Un ensemble d'œuvres regroupées ici nous permet d'apprécier les divers aspects de son talent. On est souvent bien plus près du *Pierrot Lunaire* que des violences d'un Weill. L'interprétation est très rigoureuse et précise. Elle met en valeur les variations de l'*Opus 70* ou la *Symphonie de chambre*, qui apparaissent dignes de comparaison avec les grandes œuvres de la musique sérielle.

Elgar, Edward
(1857-1934)

Concerto pour violon et orchestre en si mineur op. 61.

*** Itzhak Perlman (violon), Orch. Symph. de Chicago, Daniel Barenboïm. DG 2532.035. ⌧ 3302.035.

Perlman maîtrise de haute main ce Concerto peu connu, dont il déjoue tous les pièges sentimentaux et qu'il parvient à épurer de son jeu lumineux, transparent et pourtant merveilleusement profond. Quant à Barenboïm, il a mûri par rapport à son précédent enregistrement de l'ouvrage : nulle outrance, mais un geste d'une extrême noblesse qui confère à la partition une grandeur inhabituelle, une retenue de tous les instants, un classicisme altier.

Concerto pour violoncelle et orchestre en mi mineur op. 85.

*** Jacqueline Du Pré (violoncelle), Orch. de Philadelphie, Daniel Barenboïm. CBS 76.529. Enregistré en 1970. + *Variations Enigma.*

Cet enregistrement a été réalisé sur le vif, au cours d'un concert donné en novembre 1970. C'est peut-être ce qui explique l'extraordinaire chaleur qui s'en dégage : on est bien loin de toute pompe victorienne. La soliste est d'une spontanéité parfaite et traduit à merveille toute la richesse de sensibilité qui est en puissance dans ce Concerto. Le chef a visiblement modelé le jeu de l'orchestre sur celui du violoncelle, arrivant dans le grand mouvement *lento* à une puissance d'expression rarement atteinte. Ces qualités doivent facilement faire oublier les quelques défauts inséparables d'un enregistrement en direct.

Falstaff. Dans le Sud (Alassio).

*** Orch. Phil. de Londres, Georg Solti. Decca 390.186.

Un enregistrement comme celui-ci justifierait, si c'était nécessaire, l'engouement des Anglais pour la musique d'Elgar. La direction de Solti est nerveuse à souhait, elle donne une articulation vive et un coloris plein de charme à une musique bien fabriquée mais qui nous semble parfois très démodée. La rêverie élégiaque de *Dans le Sud* prend un relief descriptif où règnent le soleil, l'eau et les arbres. La bouffonnerie de *Falstaff* éclate à plaisir. Le poème symphonique à thème, cher à nos grands-parents, retrouve grâce à une direction magistrale et sans complexes ses lettres de noblesse. Une belle prise de son accroît le relief de l'orchestration et donne à l'œuvre une réelle présence.

Falstaff. Ouverture Cockaigne.

*** Orch. Phil. de Londres, Daniel Barenboïm. CBS 76.284 (sup.).

C'est une excellente idée d'avoir regroupé deux des œuvres d'Elgar dont le caractère narratif est le plus accusé. Comédie shakespearienne ou description du Londres victorien, Barenboïm nous offre là le meilleur disque de sa série d'enregistrements d'Elgar. Faisant briller ses instruments, jouant sur les petits détails descriptifs, il donne de cette musique une version d'une gaieté communicative. Dans *Cockaigne*, en particulier, il ne nous épargne ni les vendeurs des rues, ni les fanfares militaires, ni les cantiques de l'Armée du Salut. Et tout cela pour notre plus grande joie.

Les cinq marches de Pomp and circumstance. Marche impériale. Suite La Couronne des Indes.

* Orch. Phil. de Londres, Daniel Barenboïm. CBS 76.248.

Tout un programme de musiques de circonstances : couronnements, jubilés... Les splendeurs d'un XIXe siècle se prolongeant presque jusqu'à nos jours sont évoquées par Barenboïm avec ce qu'il faut de solennité, de pompe et d'allant. Ce n'est certes pas la faute du chef si cette musique n'évoque plus grand-chose pour nous. Sa direction est précise, pleine de feu, quasi militaire, son orchestre est magnifique. Mais ce genre de pièces montées se prête mal au concert symphonique.

Première marche de Pomp and circumstance.

*** Orch. Symph. et Ch. de la BBC, Colin Davis. Philips 6588.011. + *Extraits de Berlioz, Wagner, Mendelssohn, Walton, Williamson, Arne, Parry.*

Il faut avoir entendu cette œuvre assez banale reprise en chœur par le public de l'une des «Proms» londoniennes, pour comprendre ce que peut être une musique vraiment populaire. Cet enregistrement sur le vif, réalisé au Royal Albert Hall, nous met en contact avec une foule de jeunes mélomanes en délire, qui hurlent comme à un concert de musique pop. La maîtrise de Colin Davis, qui, dans cette atmosphère surchauffée, dirige son orchestre et donne quelques fort belles interprétations de fragments de grands classiques, est là pour prouver que dans un bon chef d'orchestre, il y a un dompteur qui sommeille.

Le songe de Gerontius.

*** Nicolai Gedda (t), Helen Watts (c), Robert Lloyd (b), Ch. Phil. de Londres, Ch. John Alldis, Orch. New Philharmonia, Adrian Boult. EMI VSM SLS 987 (2 d.) (G-B). Quadri.

Sur un poème du Cardinal Newman, Elgar a écrit un vaste oratorio-cantate auquel il est difficile de trouver des points de comparaison. L'importance attachée par le compositeur au texte demande un grand effort de la part des solistes. Gedda et Watts sont ici parfaits, exprimant de façon claire une émotion profonde qui répond à celle qui anime les chœurs. Dans ce poème de la mort et du paradis, la musique d'Elgar reste d'une grande discrétion, et l'orchestre, sous la direction de Boult, semble s'attacher plus à nous ouvrir des horizons qu'à une description directe des états d'âme des personnages de ce drame spirituel en musique. La perfection technique, jointe à cette discrétion, rend l'ensemble de cette interprétation particulièrement émouvant.

Symphonie n° 1 en la bémol majeur op. 55.

** Orch. Philharmonia, John Barbirolli. EMI VSM C 053-00.218 (sup.).

* Orch. Phil. de Londres, Daniel Barenboïm. CBS 76.247 (étr.).

L'interprétation de Barbirolli est résolument tournée du côté romantique d'Elgar. Elle accentue les contrastes de tempos, souligne les intentions du compositeur, parfois même un peu lourdement. Ce qu'il pourrait y avoir d'exagéré dans une telle démarche est heureusement racheté par une grande sincérité dans l'approche sentimentale de l'œuvre et par une admirable performance orchestrale. La richesse des timbres, l'amplitude des mouvements, la beauté de certains phrasés, donnent à ce monument un peu pompeux une réelle grandeur.

Barenboïm a étudié, avant son enregistrement, les disques qu'avait réalisés en 78 tours Elgar lui-même. Cela devrait être une garantie de respect des tempos et des inflexions principales. Il est malheureusement desservi, dans cette version, par un orchestre un peu trop sec, qui manque de la richesse sonore et de l'onction que demande la musique d'Elgar.

Symphonie n° 2 en mi bémol op. 63.

*** Orch. Phil. de Londres, Georg Solti. Decca SXL 6723 (G-B).

** Orch. Phil. de Londres, Daniel Barenboïm. CBS 73.094 (G-B).

Solti dirige Elgar en grand chef romantique. Sa version est nerveuse, presque hachée, urgente, et culmine dans un dernier mouvement qui est un véritable paroxysme sonore. Cette brutalité dans le travail du chef est servie par un orchestre au mieux de sa forme, qui crée toutes les conditions du succès par la splendeur du tissu instrumental qu'il offre à l'auditeur. La prise de son respecte bien l'équilibre des masses mises en mouvement dans cette version dépouillée de toute la pompe et la solennité victoriennes.

La version de Barenboïm semble, à certains égards, caricaturale. Sa lecture est d'un romantisme très personnel, qu'on pourrait croire exagéré s'il n'avait pour lui la caution de toute une tradition. On peut cependant être quelque peu inquiet devant certaines ruptures de tempos, devant une crispation permanente pour arriver à l'effet sonore final, étincelant mais quelque peu sollicité.

Variations sur un thème original «Enigma variations» op. 36.

*** Orch. Phil. de Los Angeles, Zubin Mehta. Decca 6592 (G-B). *+ Ives : Symphonie n° 1.*

** Orch. Phil de Londres, Daniel Barenboïm. CBS 76.529. *+ Concerto pour violoncelle.*

Mehta donne une interprétation sans aucun éclat, toute en finesse, qui convient parfaitement à cette œuvre qui relève par moments du poème symphonique, par d'autres d'un jeu d'esprit s'exprimant sous la forme musicale. Il ne force jamais sur la richesse orchestrale et fait ressortir tout ce que l'œuvre peut avoir de gentiment descriptif d'un monde passé. Son interprétation nous livre une délicieuse confidence sur une façon d'être victorien, avec beaucoup de charme et de précision, et un goût très sûr qui lui évite de tomber jamais dans la caricature.

L'interprétation de Barenboïm est pleine de fantaisie. Devant cette série de petits tableaux intimes, il a résolument choisi le côté descriptif de l'œuvre. Son orchestre est brillant, et le chef en profite pour souligner tous les effets d'orchestration d'une main très sûre. Il a parfois tendance à exagérer les différences de tempo ou de volume sonore, privant ainsi l'œuvre de son aspect de grisaille pleine d'humour et de confidences. C'est une option qui nous vaut de très beaux passages symphoniques, mais qui fait malheureusement ressortir ce qu'Elgar peut avoir de démodé.

Eloy, Jean-Claude
(né en 1938)

Equivalences, pour 18 instruments.

** Les Percussions de Strasbourg et Solistes du Domaine Musical. Adès 14.022. + *Messiaen : 7 Haï-Kaï. Pousseur : Madrigal III.*

Equivalences fut créé lors du Festival de Darmstadt en 1963. Elève de Boulez à partir de 1962, Eloy reste nettement influencé ici par son maître, bien que çà et là percent des réminiscences de musique extrême-orientales. Que Eloy n'y eût point encore trouvé sa voie n'enlève rien à la puissance créatrice qui se dégage de ces pages. Un disque admirablement interprété, qui a le mérite de réunir en outre les *7 Haï-Kaï* de Messiaen et le *Madrigal III* de Pousseur, un compositeur trop souvent oublié.

Faisceaux-Diffractions.

** Ensemble Ars Nova, Swingle Singers, Gouëlon (récitant), J. Covallero (b), Boris de Vinogradov. Inédits ORTF 995.038 (sup.). + *Zbar : Swingle Novae.*

Eloy recrée, à sa manière, l'essence d'un Orient imaginaire, passé au filtre de sa sensibilité occidentale. Rien de «folklorique» ici, de la musique seulement, violente, secrète, qui parle au cœur et à la sensibilité. L'anecdotique de l'œuvre du très doué Michel Zbar, élève de Messiaen, ne parvient point pourtant à nous convaincre. Que cela n'entache pas outre mesure ce très beau disque.

Shanti, musique de méditation pour sons électroniques et concrets.

*** Réalisation du Studio de Cologne. Erato STU 71.205/06 (2 d.). Enregistré en 1972-1973.

«S'enfoncer dans le son», nous dit Eloy. C'est en effet le seul moyen de rentrer, de faire partie un tant soit peu de cette «spirale illimitée» où la Paix impose aussi la lutte et la violence. Fondée sur une perception du temps autre que celle communément acceptée, voici que cette œuvre nous ouvre des horizons insoupçonnés au travers de cette mer sonore aux flux et reflux imprévisibles, à la dynamique subtile et raffinée. Il suffit de se laisser absorber... Malheureusement, il n'existe point de recettes assurant d'y parvenir.

Gaku-No-Michi, ou les Voies de la Musique, pour sons électroniques et concrets.

*** Studio Electronique de la Radio de Tokyo, réalisation de Jean Claude Eloy. Adès 21.005 (2 d.) (sup.).

Cette œuvre symbolique, initiatique, regorge de richesse, de climats, d'intelligence et de musicalité. Les codes n'y ont plus beaucoup d'importance pour l'auditeur, tout comme devient quelque peu dérisoire de savoir que ces Voies de la Musique se penchent sur les problèmes conceptuels du concret et de l'abstrait. Réalisation excellente.

Enesco, Georges
(1881-1955)

Poème roumain, suite symphonique pour orchestre. Deux Rapsodies roumaines op. 11 en la majeur et en ré majeur.

*** Orch. Symph. de la Radio-Télévision Roumaine, Iosif Conta. Déesse DEE 81. ✉ MF 81.

La musique des deux *Rapsodies roumaines* est profondément inspirée par la patrie d'Enesco, et l'on sent dans cet enregistrement la joie qu'éprouve l'orchestre à jouer ces pages en leur prêtant tout ce qu'elles ont d'authentique et d'instinctif. Nous sommes comblés par cette interprétation presque idiomatique, qui constitue une référence. Le *Poème* roumain est une œuvre de jeunesse moins réussie, mais sauvée ici de son manque de variété par ce même enthousiasme des musiciens. Une très bonne qualité d'enregistrement ajoute à l'intérêt de ce disque, plein d'un Enesco typiquement roumain.

Sonate pour piano n° 3 en ré majeur.

*** Dinu Lipatti (piano). EMI VSM C 051-01.696. Mono. Enregistré en 1950. + *Brahms : Valses. Liszt : Sonnet 104 de Pétrarque. Ravel : Alborada del gracioso. Scarlatti : Sonates. Schubert : Impromptus.*

Il n'était pas nécessaire à Lipatti d'être Roumain pour rendre pleine justice à son compatriote Enesco ; mais en plus d'une exécution splendide, il passe ici une chaleur et une émotion particulières. Tout le programme de ce disque-récital, sixième de la série «Hommage à Dinu Lipatti», est passionnant. Il faut noter que les Valses de Brahms sont jouées à quatre mains avec Nadia Boulanger.

Erkel, Ferenc
(1810-1893)

Bánk Bán, opéra.

*** Jozsèf Simándy (Bánk Bán), Sándor Nágy (Endre II), Erzsébet Komlóssy (la reine Gertrude), Józsèf Reti (Otto), Karola Agay (Melinda), Ch. de l'Opéra d'Etat, Orch. de la Société Phil. de Budapest, János Ferencsik. Hungaroton LPX 11.376/7/8 (3 d.) (sup.).

Guère connu hors de son pays, Ferenc Erkel a consacré presque exclusivement sa longue carrière à composer avec le plus grand soin des ouvrages lyriques. Il fut l'un des premiers à utiliser l'inspiration nationale et patriotique, et *Bánk Bán*, l'un de ses ouvrages les plus connus, se base sur une réalité historique : le héros qui en fait le titre passe pour avoir libéré la Hongrie de l'oppression étrangère, incarnée par une reine d'origine autrichienne. La partition possède de grandes qualités lyriques et dramatiques, et l'exécution enregistrée ici est remarquable. Dans le rôle titre, Jozsèf Simándy n'est plus à l'apogée de sa carrière, mais sa voix de ténor héroïque reste soutenue par un superbe tempérament musical. Le mezzo Erzsébet Komlóssy possède une belle puissance dramatique. János Ferencsik, dont on connaît les mérites, est en grande forme. Une bonne occasion de renouveler ses connaissances en matière lyrique à condition de pouvoir se procurer cet enregistrement dont il faut déplorer qu'il ne soit pas régulièrement distribué en France.

F

Falla, Manuel de
(1876-1946)

L'Amour sorcier, ballet avec mezzo soprano.

*** Victoria de Los Angeles (s), Orch. Philharmonia, Carlo Maria Giulini. EMI VSM C 053-01.317 (sup.). + *Le Tricorne.*

** Teresa Berganza (ms), Orch. Symph. de Londres, Garcia Navarro. DG 2707.108 (2 d.). Enregistré en 1978. + *La vie brève.*

** Nati Mistral (ms), Orch. New Philharmonia, Rafael Frühbeck de Burgos. Decca Jubilee JB50 (G-B). + *Granados : Goyescas. Ravel : Alborada del gracioso, Pavane.*

L'enregistrement sûrement le plus équilibré, le plus universel : Victoria de Los Angeles, incandescente dans chacune de ses interventions, inspire à Carlo Maria Giulini un discours lyrique et enflammé, mis en valeur par une prise de son parfaitement réussie quoique déjà ancienne.

Garcia Navarro sollicite d'une façon excessive une partition riche de détails ; la prise de son contrastée et brillante va d'ailleurs dans le même sens. Teresa Berganza, plus à sa place ici que dans le rôle de Salud, impose sa présence dramatique sans toutefois faire oublier Los Angeles.

Le timbre si particulier de Nati Mistral, qui possède un registre de poitrine rauque et arraché, est parfait ici. On regrettera d'autant plus le manque de muscle, de nerf de la direction pourtant chaleureuse de Frühbeck de Burgos.

L'Atlantide, cantate scénique en un prologue et trois parties d'après le poème en catalan de Jacint Verdaguer.

** Vicente Sardinero (le narrateur), Enriqueta Tarrès (Reine Isabelle), Anna Ricci (Reine Pyrene), Eduardo Gimenez (l'Archange), Paloma Perez-Igno (Dame de la cour), Maîtrise d'enfants de Nuestra Señora del Recuerdo, Ch. et Orch. National d'Espagne, Rafael Frühbeck de Burgos. EMI VSM C 167-02.987 (2 d.) (sup.). Enregistré en 1977.

Pour cette résurrection, il aurait fallu une interprétation plus puissante, plus affirmée que celle que nous donne Frühbeck de Burgos. Les solistes, sans être exceptionnels, se tirent bien de leur tâche, avec une mention particulière pour Vicente Sardinero, dont le style est superbe. Seul enregistrement disponible.

Chansons populaires espagnoles pour soprano et piano.

*** Maria Barrientos (s), Manuel de Falla (piano). EMI VSM C 153-16.241/2 (2 d.). Mono (origine 78 t.). Enregistré en 1928. + *L'Amour sorcier, extraits et transcription ; Concerto pour clavecin ; Pièces espagnoles ; Psyché ; Soneto ; Tréteaux de Maître Pierre ; Le Tricorne.*

*** Teresa Berganza (ms), Narciso Yepes (guitare). DG 2530.875. + *Lorca : Chansons.*

** Victoria de Los Angeles (s), Gonzalo Soriano (piano). EMI VSM C 181-52.297/8 (2 d.). + *Concerto pour clavecin ; Nuits dans les jardins d'Espagne ; Le Tricorne.*

La version historique avec Manuel de Falla et l'illustre Maria Barrientos est un témoignage précieux sur la façon dont doivent être appréhendées ces *Chansons populaires.* Une seule autre version, plus âpre, plus passionnée peut lui être comparée, celle de Conchita Supervia enregistrée en 1935 pour Odéon, et qui n'a pas été rééditée en microsillon.

Version un peu en marge de la discographie. Teresa Berganza est d'une sombre intensité, d'une passion dévorante plus proche de Supervia que de Los Angeles, et c'est tant mieux ; mais ce qui fait l'originalité de ce disque c'est le passage du piano à la guitare pour l'accompagnement. On y gagne une couleur profondément authentique pour des pages qui appartiennent au fonds culturel populaire espagnol.

Interprétation sensible, lyrique dans une optique concert : on reprochera à Victoria de Los Angeles un certain maniérisme et une certaine uniformité psychologique, mais la beauté ensorcelante de son timbre fruité est inégalée. Gonzalo Soriano lui apporte un soutien pianistique exemplaire.

Nuits dans les jardins d'Espagne, pour piano et orchestre.

❀*** Clara Haskil (piano), Orch. des Concerts Lamoureux, Igor Markevitch. Philips 6570.591. ✉ 7310-591. Enregistré en 1960. + *Chopin : Concerto n° 2 pour piano et orchestre.*

*** Alicia de Larrocha, Orch. de la Suisse Romande, Sergiu Comissiona. Decca SXL 6528 (G-B). + *Chopin : Concerto n° 2 pour piano et orchestre.*

** Gonzalo Soriano (piano), Orch. National d'Espagne, Ataulfo Argenta. Decca SDD 446 (G-B). + *Rodrigo : Concierto de Aranjuez.*

** Gonzalo Soriano (piano), Orch. de la Société des Concerts du Conservatoire, Rafael Frühbeck de Burgos. EMI VSM C 181-02.297/98 (2 d.). + *Chansons populaires espagnoles, Concerto pour clavecin, Le Tricorne.*

Aucun enregistrement ne rend comme celui de Haskil et Markevitch l'atmosphère brûlante de ces trois nocturnes. A la simplicité, à la profondeur du discours de Clara Haskil répond le climat brûlant dégagé par l'orchestre dirigé par l'un des plus grands spécialistes de la musique espagnole, Igor Markevitch. Enregistrement stéréo d'une parfaite qualité sonore.

Alicia de Larrocha retrouve presque l'atmosphère du jeu de Clara Haskil, le toucher naturellement émouvant, la présence de l'illustre pianiste roumaine. L'Orchestre de la Suisse Romande, dirigé par Sergiu Comissiona, lui répond avec une noblesse et une cambrure tout espagnoles.

Très bel enregistrement de Soriano et Argenta, plus détendu, plus clair pour ce qui est de la partie pianistique, plus âpre et calciné pour l'orchestre - d'où un manque d'unité entre les deux protagonistes.

L'unité entre soliste et orchestre, on la retrouve dans l'enregistrement du même Soriano, accompagné cette fois par Frühbeck de Burgos. Enregistrement plus immédiat, traitant les *Nuits* comme un concerto et non comme un duo. Séduisant, sans doute : mais conforme au vœu de Falla ?

Pièces pour piano : Quatre pièces espagnoles, Fantaisie Bétique, Le Tricorne (extraits : trois danses), L'Amour sorcier (extraits transcrits pour piano).

*** Alicia de Larrocha (piano). Decca 591.199.

Pièces pour piano : Quatre pièces espagnoles, Fantaisie Bétique, Pour le tombeau de Paul Dukas, Le Tricorne (Danse du meunier), L'Amour sorcier (Danse du feu), La vie brève (Danse espagnole n° 1).

** Teresa Llacuna (piano). EMI VSM C 065-14.067.

Pièces pour piano : Quatre pièces espagnoles, Fantaisie Bétique, Nocturne, Pour le tombeau de Paul Dukas, Sérénade andalouse, Valse caprice.

** Joaquin Achucarro (piano). RCA SRL1 2.359 (USA).

La grande dame du piano espagnol retrouve l'authenticité du chant andalou. Versions insurpassées de la *Fantaisie Bétique*, dont aucune autre lecture n'est à ce point arrachée, vibrante et sèche, et des *Quatre pièces espagnoles*. On regrettera amèrement que le reste du programme soit consacré à des transcriptions qui édulcorent le sens profond de ces pages.

Teresa Llacuna manque un peu de puissance et de sécheresse dans la *Fantaisie Bétique*. En revanche, la subtilité de son toucher, la finesse de sa palette expressive rendent à merveille l'atmosphère des *Quatre pièces espagnoles*. Là aussi, on trouvera les transcriptions habituelles, mais également une pièce de taille, *le Tombeau de Paul Dukàs*, émouvant hommage au grand compositeur français.

Le mérite du disque d'Achucarro est, outre une excellente interprétation des grandes pièces, de nous offrir un programme sans transcription. Celles-ci ont été remplacées par trois pièces presque jamais enregistrées, *Nocturne*, *Sérénade andalouse* et *Valse caprice*, de loin plus intéressantes que la sempiternelle *Danse rituelle du feu*.

Concerto pour clavecin, flûte, hautbois, clarinette, violon et violoncelle en ré majeur.

❀*** Rafael Puyana (clavecin), Ensemble de solistes, Charles Mackerras. Philips 6539.034 (sup.). + *Nuits dans les jardins d'Espagne, Le Tricorne.*

*** Manuel de Falla (clavecin Pleyel), Solistes. EMI VSM C 153-16.241/2 (2 d.). Mono (origine 78 t.). Enregistré en 1930. + *L'Amour sorcier (extraits et transcriptions), Chansons populaires espagnoles, Pièces espagnoles, Psyché, Soneto, Les Tréteaux de Maître Pierre, Le Tricorne.*

*** Robert Veyron-Lacroix (clavecin), Ensemble Instrumental, Charles Dutoit. Erato ERA 9.241. ✉ MCE 9.241. Enregistré en 1971. + *Psyché, Les Tréteaux de Maître Pierre.*

Raphael Puyana et Charles Mackerras sont les interprètes qui ont sans doute le mieux réussi ce jeu d'aimantation entre les instrumentistes que désirait Falla. Le clavecin de Puyana, sonore et envoûtant par son intensité et sa sombre flamme, domine au premier plan selon le vœu du compositeur.

L'interprétation historique de cette œuvre réunit autour de Falla quelques-uns des grands instrumentistes de l'époque, dont Marcel Moÿse. Interprétation qui a obtenu l'approbation de Falla, après avoir demandé quinze prises différentes. Il faut néanmoins reconnaître que la technique d'enregistrement trahit une lecture sobre et architecturée.

Version haute en couleur de Veyron-Lacroix. L'enregistrement, techniquement superbe, met admirablement bien en valeur la virtuosité des instrumentistes placés sous la direction de Charles Dutoit. Robert Veyron-Lacroix renouvelle sa performance réalisée pour le premier enregistrement stéréo de l'ouvrage, aujourd'hui indisponible.

Les Tréteaux de Maître Pierre, adaptation musicale sous forme d'opéra d'un épisode du Don Quichotte de Cervantes.

❀*** Francisco Navarro (Maître Pierre), Chano Gonzalo (Don Quichotte), Blanca Seone (le truchement), Orch. du Théâtre des Champs-Elysées, Ernesto Halffter. EMI VSM C 153-16.241/2 (2 d.). Mono. Enregistré en 1953. + *L'Amour sorcier (extraits), Chansons populaires espagnoles, Concerto pour clavecin, Pièces espagnoles, Psyché, Soneto, Le Tricorne.*

** Manuel Perez-Bermudez (Maître Pierre), Thomas Cabrera (Don Quichotte), Ana Higueras-Aragon (le truchement), Ensemble Instrumental, Charles Dutoit. Erato ERA 9.241. ✉ MCE 9.241. Enregistré en 1971. + *Concerto pour clavecin, Psyché.*

Sous la baguette du disciple de Falla, Ernesto Halffter, l'Orchestre du Théâtre des Champs-Elysées, chauffé à blanc, donne sa pleine mesure et l'équipe vocale dominée par Blanca Seone, prodigieuse dans le rôle du truchement, apporte à cet enregistrement une puissance évocatrice qu'aucun autre n'a su lui donner avec autant d'évidence.

Enregistrement très homogène dirigé par Dutoit, avec des solistes vocaux excellents et un ensemble instrumental en situation. Tout est parfait, mais il n'en demeure pas moins que l'ambiance générale paraît pâle face à celle de l'enregistrement d'Halffter.

Le Tricorne, ballet avec soprano.

*** Jan de Gaetani (ms), Orch. Phil. de New York, Pierre Boulez. CBS 76.500 (étr.). + *Concerto pour clavecin.*

*** Teresa Berganza (ms), Orch. Symph. de Boston, Seiji Ozawa. DG 2530.823. ⌧ 3300.823.

** Victoria de Los Angeles (s), Orch. Philharmonia, Rafael Frühbeck de Burgos. EMI VSM C181-52.297/8 (2 d.). + *Chansons populaires espagnoles, Concerto pour clavecin, Nuits dans les jardins d'Espagne.*

Une direction d'orchestre fouillée, chaleureuse, tendue et lyrique, un orchestre virtuose et une soliste sobre et puissante achèvent de donner à ce disque de Boulez valeur de référence.

La version Ozawa est d'une rigueur de mise en place inapprochable, d'une beauté de son soufflante, d'une intensité étonnante chez ce chef, et puis Teresa Berganza est parfaitement à l'aise dans un répertoire qu'on imagine taillé pour elle.

Victoria de Los Angeles, c'est avant tout un timbre de voix, une présence lumineuse. Dire que *le Tricorne* réclame ces qualités-là est un pas que nous ne franchirons pas, mais le propre des grands interprètes est de vous convaincre du bien-fondé de leur choix. Frühbeck de Burgos et Los Angeles y parviennent.

La Vie brève, opéra.

❀*** Victoria de Los Angeles (Salud), Ines Rivadeneyra (la grand-mère), Carlo Cossuta (Paco), Victor de Narke (l'oncle), Gabriel Moreno (le chanteur), Luis Villarejo (Manuel), Ch. Orfeon Donasteria, Orch. National d'Espagne, Rafael Frühbeck de Burgos, EMI VSM C 167-00.048/9 (2 d.) (sup.). + *Granados : Tonadillas.*

** Teresa Berganza (Salud), Alicia Nafé (la grand-mère), José Carreras (Paco), Juan Pons (l'oncle), Manuel Mairena (le chanteur), Ramón Contreras (Manuel), Narciso Yepes (guitare), Ch. Ambrosian, Orch. Symph. de Londres, Garcia Navarro. DG 2707.108 (2 d.). Enregistré en 1978. + *L'Amour sorcier.*

Superbe ! Chacun des protagonistes de l'enregistrement de Los Angeles est parfait, tant vocalement que dramatiquement. L'orchestre et les chœurs sont admirablement bien dirigés par Frühbeck de Burgos qui joue à fond le jeu vériste. Victoria de Los Angeles, qui avait enregistré la première mondiale de *La Vie brève* en 1954, sous la direction d'Ernesto Halffter, a approfondi son rôle et elle donne de Salud une composition d'une émotion déchirante.

S'il ne fallait donner qu'un qualificatif à la version de Berganza, ce serait «luxueux», tant tout semble brillant. Teresa Berganza n'a ni la voix du rôle, ni le timbre, mais elle se tire merveilleusement d'affaire en s'appropriant tant qu'elle le peut le rôle de Salud. La direction fouillée de Garcia Navarro, mettant en valeur les pupitres du somptueux Symphonique de Londres et accusant la passion contenue dans ce drame, manque de nuance, de climat et concourt à donner à cette version son éclat, trop brillant.

Fauré, Gabriel
(1845-1924)

Anthologie d'œuvres pour piano : Thème et variations op. 73, Nocturnes nos 1, 6, 7, 12 et 13, Impromptus nos 2 et 5.

❀*** Yvonne Lefébure (piano). FY 088. Enregistré en 1980.

Yvonne Lefébure nous saisit par la puissance d'un jeu sur lequel les années ne semblent pas avoir de prise, par un toucher qui fait sonner les aigus de piano comme s'il s'agissait de minuscules clochettes de porcelaine chinoise, et par une tenue exemplaire des tempos. Sous cet éclairage sévère, dru, sans complaisance, l'œuvre de Fauré brille tout d'un coup d'une force et d'une grandeur qu'on avait fini par oublier. Un disque dès à présent historique.

Ballade pour piano et orchestre en fa dièse majeur op. 19.

*** Jean Hubeau (piano), Orch. de Chambre de Lausanne, Armin Jordan. Erato STU 71.495. Enregistré en 1981. + *Masques et Bergamasques, Pelléas et Mélisande, Pavane.*

*** Robert Casadesus (piano), Orch. Phil. de New York, Leonard Bernstein. CBS 61.097 (USA). + *Franck : Variations Symphoniques.*

** Eric Heidsieck, Orch. Festival Grand Rué, Roberto Benzi. Cassiopée 369.187. + *Fantaisie pour piano et orchestre.*

* Marguerite Long (piano), Orch. Concerts du Conservatoire, André Cluytens. EMI VSM C 061-12.063 (sup.). Mono. Enregistré en 1953. + *Ravel : Concerto en sol.*

L'entente est parfaite entre Jean Hubeau et Armin Jordan. Le piano est totalement intégré dans l'orchestre, un piano qui pèse juste ce qu'il faut, ni trop, ni trop peu : merveille d'équilibre, de tact et d'élégance sans mièvrerie. La même élégance, la même retenue caractérisent les interprétations de *Masques et Bergamasques* et de la *Pavane*, celle-ci tout en demi-teintes. Dans *Pelléas et Mélisande*, cette discrétion, cependant, est peut-être excessive.

Robert Casadesus et Leonard Bernstein renouvellent l'approche de cette partition un peu fanée. Une vigueur peu commune, une puissance et un dynamisme exceptionnels sont les vertus de cette magnifique lecture. On regrettera tout au plus une relative précipitation dans le finale.

Musicien sensible et éloquent, Eric Heidsieck, sans égaler Casadesus, parvient à redonner à la Ballade une nouvelle jeunesse. Cette version s'impose par sa simplicité sans emphase, sa sensibilité et sa grâce.

Un témoignage : Marguerite Long fut l'inlassable propagatrice de la musique de Fauré. Il n'en demeure pas moins vrai que son interprétation pèche par une joliesse excessive et par un manque d'unité regrettable.

13 Barcarolles pour piano.

*** Eric Heidsieck (piano). Cassiopée 369.211.

** Jean-Philippe Collard (piano). EMI VSM C 069-11.328.

Superbe ! Eric Heidsieck déploie ici des qualités que l'on ne rencontre que trop rarement dans l'interprétation fauréenne. L'ampleur du phrasé le dispute à la rigueur d'un tempo tenu et à la beauté plastique du jeu. Hélas ! une gravure maladroite réduit à une ou deux secondes le «blanc» entre chaque Barcarolle, ce qui fait qu'à l'audition on a un peu l'impression qu'elles s'enchaînent toutes. Eric Heidsieck a choisi non pas de les jouer dans l'ordre chronologique, mais par affinités de tonalités.

Jean-Philippe Collard est d'une fluidité et d'une légèreté presque évaporée. C'est très beau, un peu mièvre peut-être, mais d'un grand charme.

Caligula, musique de scène pour la tragédie d'Alexandre Dumas fils. Madrigal. Pavane. Shylock, musique de scène pour le Marchand de Venise de Shakespeare.

** Michel Sénéchal (t), Ch. de l'Opéra de Paris, Orch. de Chambre de l'ORTF, Antonio de Almeida. Inédits ORTF 995.012 (sup.).

Un beau disque, qui réunit des œuvres rares de Fauré dont *Shylock*, dans sa version intégrale avec ténor. Interprétation sensible, un peu molle, mais d'une ambiance juste et sans faute de goût. Il n'y a guère que Michel Sénéchal dont le style détonne un peu dans *Shylock*. Quant à la *Pavane*, c'est sa version de référence. Disque à peu près introuvable aujourd'hui.

Chant funéraire, pour harmonie op. 117.

* Musique des Gardiens de la Paix, Désiré Dondeyne. Calliope 1839. Enregistré en 1974. + *Koechlin : Chorals. Schmitt : Dionysiaques.*

Unique version disponible de ce *Chant funéraire*, composé pour le retour des cendres de Napoléon Ier. L'interprétation, un peu raide, est magnifiée par une prise de son superlative.

Dolly, six pièces pour piano à quatre mains op. 56.

** Eric et Tania Heidsieck (piano). Cassiopée CAS 369.190. + *Préludes pour piano, Souvenirs de Bayreuth.*

Interprétation émue, d'une simplicité presque naïve et d'une superbe mise en œuvre digitale. Eric et Tania Heidsieck forment un vrai duo, et cela s'entend.

Fantaisie pour piano et orchestre en sol majeur op. 111.

*** Alicia de Larrocha (piano), Orch. Phil. de Londres, Rafael Frühbeck de Burgos. Decca 591.198. + *Ravel : Concertos en sol et en ré.*

* Eric Heidsieck (piano), Orch. Festival du Grand Rué, Roberto Benzi. Cassiopée 369.187. + *Ballade pour piano et orchestre.*

Magnifique Alicia de Larrocha, qui réussit à animer cette partition redoutable. On se demande ce qu'il faut admirer le plus dans son interprétation, la beauté d'un toucher unique, la simplicité d'un phrasé pourtant particulièrement difficile à élaborer ou le souffle d'une conception grandiose.

On ne retrouve pas l'extraordinaire présence d'Alicia de Larrocha dans l'interprétation d'Eric Heidsieck, mais une lecture sobre et lyrique qui, bien que peu de mise ici, pourra tenter.

Impromptu pour harpe op. 86.

*** Lily Laskine (harpe). Erato EFM 18.030 (sup.). + *Bach : Partita BWV 1002. Golestan : Ballade roumaine. Matielli : Sonate. Pierné : Impromtu-Caprice. Roussel : Impromptu. Saint-Saëns : Fantaisie. Tansman : Pour les enfants.*

Les riches heures de Lily Laskine. La passion, l'amour de la musique qui habitent cette extraordinaire musicienne se retrouvent entièrement dans ce disque.

Masques et Bergamasques, suite d'orchestre op. 112. Pelléas et Mélisande, musique de scène pour la pièce de Maurice Maeterlinck op. 80. Dolly (orchestration par Rabaud des six pièces pour piano à quatre mains).

** Orch. de Paris, Serge Baudo. EMI VSM C 069-10.584. Enregistré en 1969.

Très jolie interprétation de Serge Baudo et de l'Orchestre de Paris. On trouve dans ce disque une grâce, une sensibilité et une luminosité rayonnantes. On regrettera la présence de l'orchestration par Rabaud de *Dolly*, qui aurait avantageusement dû être remplacée par des extraits symphoniques de *Penélope.*

Mélodies op. 1 à 58.

** Jacques Herbillon (bar), Théodore Paraskivesco (piano). Calliope 184.143 (3 d.). Enregistré en 1973.

Mélodies op. 61 à 118.

* Jacques Herbillon (bar), Anne-Marie Rodde (s), Théodore Paraskivesco (piano). Calliope 184.146 (3 d.). Enregistré en 1973.

Mélodies op. 1 à 118.

** Gérard Souzay (bar), Elly Ameling (s), Dalton Baldwin (piano). EMI VSM C 165-12.831/5 (5 d.).

Si Jacques Herbillon ne possède pas une voix à la couleur très agréable, il convaincra néanmoins par sa simplicité, son élan juvénile. Il gomme toutes les suavités, les maniérismes qui rendent souvent les Mélodies de jeunesse de Fauré insupportables. Théodore Paraskivesco l'accompagne avec un soin attentif et une qualité de toucher surprenante. La prise de son, d'un équilibre remarquable, est un modèle du genre.

Herbillon était parfaitement à l'aise dans les Mélodies de jeunesse, mais on ne peut en dire autant de celle de la maturité. Ici, sa voix ingrate, manquant de puissance (*Horizon chimérique*), de subtilité (*Bonne chanson*) ne peut totalement racheter son interprétation simple et directe. On admirera sans réserve la qualité exceptionnelle de l'accompagnement de Théodore Paraskivesco.

Si l'intégrale EMI avait été enregistrée vingt ans plus tôt, Gérard Souzay y aurait sans doute fait une prestation d'un autre niveau. Ici, il décevra par une voix usée, dont il ne reste plus que la trame, et par un maniérisme qui accentue la superficialité des Mélodies de jeunesse et ne donne pas leur pleine mesure aux grands cycles de la maturité. Quant à Elly Ameling, disons qu'elle ne chante pas dans son arbre généalogique et qu'à défaut d'être mauvaise, son interprétation est souvent indifférente. Par un artifice de la technique, Ameling chante avec elle-même les duos. Dalton Baldwin est le parfait accompagnateur que l'on connaît par ailleurs.

Mélodies : Après un rêve op. 7 n° 1, Arpège op. 76 n° 2, Au cimetière op. 51 n° 2, Aurore op. 39 n° 1, Automne op. 18 n° 3, Les Berceaux op. 23 n° 1, Chanson du pécheur op. 4 n° 1, Dans la forêt de septembre op. 85 n° 1, Ici-bas ! op. 8 n° 3, Larmes op. 51 n° 1, Nell op. 18 n° 1, Le Parfum impérissable op. 76 n° 1, Le plus doux chemin op. 87 n° 1, Poème d'un jour op. 21, Les présents op. 46 n° 1, Prison op 83 n° 1, La rose op. 51 n° 4, Les roses d'Ispahan op. 39 n° 4, Le secret op. 23 n° 3, Soir op. 83 n° 2.

❀*** Camille Maurane (bar), Pierre Maillard-Verger (piano). Musidisc RC 693. Mono.

Parmi tous les interprètes masculins des Mélodies de Fauré, il en est un dont le talent l'a placé depuis longtemps au-dessus de la mêlée : c'est Camille Maurane. Par sa simplicité, son naturel, son élan, sa subtilité et son intelligence musicale, par la beauté d'une voix au timbre naturellement émouvant, il donne à chacune des mélodies qu'il interprète son poids, sa mesure et son ambiance. Dans ce disque, il est accompagné par Pierre Maillard-Verger avec une subtilité et un art confondants. La prise de son monophonique est un modèle de clarté et d'équilibre.

Mélodies : La chanson du pêcheur op. 4 n° 1, Clair de lune op. 46 n° 2, L'horizon chimérique op. 118.

** Charles Panzéra (Gar), Magdeleine Panzéra-Baillot (piano). EMI VSM C 151-73.084/5 (2 d.). Mono (origine 78 t.). + *Airs et Mélodies de Berlioz, Caplet, Chausson, Debussy, Duparc, Falla, Gounod, Lully, Milhaud, Mozart, Schubert, Schumann, Séverac.*

Bien sûr, Charles Panzéra ne possède pas la plus belle voix du monde, loin de là, mais il sait au même degré que Maurane rendre à chaque mot son juste poids, son accent. Dédicataire de l'*Horizon chimérique*, il en donne une version superbe de force d'évocation. Malheureusement, sa femme Magdeleine Panzéra-Baillot, qui l'accompagne au piano, manque de retenue et son accompagnement est souvent brutal.

Mélodies : Clair de lune op. 46 n° 2, Le don silencieux op. 92, La bonne chanson op. 61, L'horizon chimérique op. 118, Le Jardin clos op. 106, Mirages op. 113.

❀*** Camille Maurane (bar), Lili Bienvenu (piano). Erato LDE 3.008 (sup.). Mono.

Le plus beau disque de Mélodies de Fauré. Un programme qui réunit les grands cycles dans l'interprétation inoubliable de Camille Maurane et de Lili Bienvenu.Les interprètes collent parfaitement au texte, à la musique et à l'atmosphère qui s'en dégage. Un document inestimable sur l'art de bien chanter Fauré.

La Chanson d'Eve op. 95.

❀*** Irma Kolassi (ms), Jacqueline Bonneau (piano). Decca LXT 2897 (sup.). Mono. + *Milhaud : Poèmes juifs.*

On retrouve le timbre émouvant d'Irma Kolassi, sa grandeur, son *aura* à travers cette miraculeuse interprétation de la *Chanson d'Eve.* Hélas ! Ce disque est introuvable, comme tous ceux de cette grande dame.

Mélodies : Au cimetière op. 51 n° 2, Automne op. 18 n° 3, La Chanson d'amour op. 27 n° 1, Clair de lune op. 46 n° 2, La fée aux chansons op. 27 n° 2, L'horizon chimérique op. 118, Larmes op. 51 n° 1, Mélodies de Venise op. 58, Les présents op. 46 n° 1, Prison op. 83 n° 1, La rose op. 51 n° 4, Soir op. 83 n° 2, Spleen op. 51 n° 3, Le voyageur op. 18 n° 2.

*** Bernard Kruysen (bar), Noel Lee (piano). Valois MB 765.

Excellente interprétation de l'*Horizon chimérique*, supérieure encore à celle du dédicataire (Charles Panzéra), par sa qualité vocale et par l'accompagnement acéré de Noel Lee. En complément, on trouvera, superbement interprétées, les *Mélodies de Venise* et quelques-unes parmi les plus connues des Mélodies du compositeur.

Mélodies : Accompagnement op. 85 n° 3, Arpège op. 76 n° 2, La bonne chanson op. 61, Dans la forêt de septembre, La fleur qui va sur l'eau op. 85 n° 2, Mirages op. 113, Le parfum impérissable op. 76 n° 1.

*** Bernard Kruysen (baryton), Noel Lee (piano). Valois-Résurgences MB 315.

De tous les interprètes actuels de Fauré, Bernard Kruysen est peut-être le plus convaincant, par sa chaleur communicative, son intériorité, sa simplicité et sa capacité à créer une atmosphère convaincante pour chacun des poèmes mis en musique. Ce disque présente les meilleures versions disponibles de *la Bonne chanson* et des *Mirages*. L'accompagnement un peu sec de Noel Lee surprendra de la part d'un interprète qui nous a laissé par ailleurs de beaux disques consacrés à Debussy.

Treize Nocturnes pour piano.

❀*** Eric Heidsieck (piano). EMI VSM C 181-12.038/39 (2 d.). Enregistré en 1962. + *Thème et Variations.*

*** Jean-Philippe Collard (piano). EMI VSM C 069-12.575/76 (2 d.). + *Thème et Variations.*

Eric Heidsieck, tout jeune à l'époque de cet enregistrement, s'imposait par une sorte d'instinct dans ces magnifiques poèmes que sont les Nocturnes. Personne, depuis, n'a retrouvé ce frémissement, cette puissance, cette grandeur.

Comparé à Eric Heidsieck, Jean-Philippe Collard paraît un peu timide, sauf dans le Treizième Nocturne, dont il donne l'interprétation de référence. Pour manquer un peu de force et d'éloquence, son interprétation n'en demeure pas moins superbe par son lyrisme discrètement épanoui et par sa simplicité. Les deux disques de cet ensemble sont disponibles séparément.

L'œuvre d'orchestre : Pelléas et Mélisande op. 80, Masques et Bergamasques op. 112, Les Djinns op. 12, Shylock op. 55, Caligula op. 52, Prélude de Pénélope, Ballade pour piano et orchestre op. 19, Elégie pour violoncelle et orchestre op. 24, Fantaisie pour piano et orchestre op. 3, Berceuse pour violon et orchestre op. 16.

*** Frederica von Stade (ms), Nicolaï Gedda (t), Ensemble vocal Alix Bourbon, Jean-Philippe Collard (piano), Paul Tortelier (violoncelle), Yan-Pascal Tortelier (violon), Orch. du Capitole de Toulouse, Michel Plasson. EMI VSM C 167-73.071/3 (3 d.). Enregistré de 1979 à 1981.

Tout au long de cette réalisation du plus grand intérêt, Michel Plasson trouve le juste équilibre entre l'émotion, le lyrisme, le charme et la légèreté. Frederica von Stade, mystérieuse Mélisande, et Nicolaï Gedda, fauréen au style impeccable, apportent leur précieux concours, ainsi que Collard et Tortelier et tous nous font découvrir - ou redécouvrir - le plaisir d'une musique qui n'a rien perdu aujourd'hui de sa séduction.

Pénélope.

❀*** Jessye Normann (Pénélope), Jocelyne Taillon (Euryclée), Colette Alliot-Lugaz (Alkandre), Christine Barbaux (Phylo), Danièle Borst (Lydie), Michèle Command (Mélantho), Norma Lecler (Cléone), Alain Vanzo (Ulysse), Jean Dupouy (Antinoüs), Paul Guigue (Ctésippe), Gérard Friedmann (Léodès), Philippe Huttenlocher (Eurymaque), José van Dam (Eumée), François Leroux (Pisandre), Ensemble vocal Jean Laforge, Orch. Phil. de Monte-Carlo, Charles Dutoit. Erato STU 71.386 (3 d.). Enregistré en 1980.

Charles Dutoit a longuement médité la partition et lui imprime une souplesse, une malléabilité qui la rendent frémissante, subtile, mystérieuse, la débarrassent de toute afféterie pour la hisser sans partage au plus haut degré de noblesse et d'émotion contenue. Avec lui, le poème lyrique de Fauré se pare bien de toute la poésie et de tout le lyrisme qu'y avait inclus le compositeur. Les trois actes se dérouleront dans une atmosphère profondément humaine, pleine de pudeur et de réserve, jusqu'à l'éclatement sensuel, enivrant de la fin. De là cette gradation régulière qui gonfle la musique de scène en scène. Les solistes, choisis avec grand soin, concourent tous à la vérité intrinsèque et à la pleine réussite de l'ouvrage. Distinguons cependant Jessye Normann qui nous laisse de Pénélope une image dont on ne se départira plus.

Neuf Préludes pour piano.

** Eric Heidsieck (piano). Cassiopée 369.190. + *Dolly, Souvenirs de Bayreuth.*

Une interprétation qui se partage entre le meilleur et l'ordinaire. Le meilleur, ce sont les Préludes n°s 2, 7 et 8, joués avec une puissance et une force d'évocation qui est la marque de cet interprète ; l'ordinaire, les autres Préludes, qui se bousculent (4e et 5e) ou qui, au contraire, traînent comme le 1er.

Quatuor à cordes.

*** Quatuor Via Nova. Erato STU 70.551. + *Quatuor avec piano n° 1.*

** Quatuor Parrenin. EMI VSM C 165-16.331/6 (6 d.). + *Intégrale de la musique de chambre.*

Via Nova donne une interprétation lumineuse, sans pathos, d'une grande beauté de son et d'une mise en place parfaite.

Plus terne, moins lumineuse, mais plus engagée, plus abrupte, l'interprétation des Parrenin, moins bien enregistrée que la précédente, paraît moins fidèle à l'esprit de ce Quatuor ultime.

Quatuor pour piano et trio à cordes n° 1 en ut mineur op. 15.

❀*** Jean-Philippe Collard (piano), Augustin Dumay (violon), Bruno Pasquier (alto), Frédéric Lodéon (violoncelle). EMI VSM C 165-16.331/6. + *Intégrale de la Musique de chambre.*

*** Robert Casadesus (piano), Membres du Quatuor Calvet. EMI VSM C 061-11.305 (sup.). Mono (origine 78 t.). + *Ravel : Introduction et allegro. Schmitt : Quintette.*

** Marguerite Long (piano), Trio Pasquier. EMI VSM C 051-12.815. Mono. + *Quatuor n° 2.*

** Emil Guilels (piano), Leonid Kogan (violon), Rudolf Barchaï (alto), Mstislav Rostropovitch (violoncelle). Chant du Monde LDX 78.392 (étr.).

Superbe d'intensité, avec un mouvement lent intense et un finale lumineux et puissant, l'interprétation réunissant de jeunes interprètes dont la moyenne d'âge est d'environ trente ans renouvelle, décape même, un Quatuor trop souvent joué du bout des doigts.

Pour qui ne serait pas sensible au son émoussé des 78 tours, voici une interprétation sans doute inégalée de ce Quatuor : Robert Casadesus et le Quatuor Calvet jouent avec une simplicité, un refus du geste gracile et de l'effet une musique qui leur est consubstantielle.

Retenue dans les mouvements vifs, mélancolique dans le mouvement lent, l'interprétation de Marguerite Long et des Pasquier a longtemps fait figure de référence. Bien qu'un peu dépassée aujourd'hui, elle garde encore un grand pouvoir de séduction.

En dehors de toute tradition, l'interprétation russe est la plus puissante, la plus expressive de ce Quatuor. Il n'en reste pas moins que les quatre solistes demeurent des individualités, et qu'ils ne se fondent pas assez. Une mention pour le piano de Guilels, superbe par la simplicité et la pureté presque mozartienne de son élocution.

Quatuor pour piano et trio à cordes n° 2 en sol mineur op. 45.

❀*** Jean-Philippe Collard (piano), Jacques Ghestem (violon), Gérard Caussé (alto), Pierre Penassou (violoncelle). EMI VSM C 165-16.331/6 (6 d.). + *Intégrale de la Musique de chambre.*

*** Marguerite Long (piano), Jacques Thibaud (violon), Maurice Vieux (alto), Pierre Fournier (violoncelle). EMI VSM C 051-12.815. Mono (origine 78 t.). + *Quatuor n° 1.*

* Jean Hubeau (piano), Raymond Gallois-Montbrun (violon), Colette Lequien (alto), André Navarra (violoncelle). Erato STU 70.552. + *Trio avec piano.*

Jean-Philippe Collard et ses coéquipiers bousculent les idées reçues en matière d'interprétation fauréenne. On cherchera en vain les tics, les ralentissements, les soufflets dont Fauré avait horreur et qui pourtant faisaient loi. Et on admirera la puissance, le souffle, la vitalité d'une interprétation parfaitement architecturée, qui rend enfin pleinement justice à ce Quatuor.

Autant Marguerite Long, seule au piano, est une détestable interprète fauréenne - on lui doit pour une bonne part l'installation de la fausse tradition d'interprétation fauréenne -, autant lorsqu'elle est entourée de musiciens elle convainc par un allant, une fraîcheur, une puissance aussi, dignes des meilleurs interprètes d'aujourd'hui. C'est tout ce qui fait le prix de son enregistrement, qui date du début des années quarante.

Si tous les interprètes de l'édition Erato étaient du niveau de Jean Hubeau et d'André Navarra, il n'y aurait aucun problème, ce serait la version de référence. Hélas ! Raymond Gallois-Montbrun et Colette Lequien déçoivent par un manque de maîtrise instrumentale. Cependant, si l'on est allergique aux repiquages de 78 tours ou à l'achat d'une intégrale de la musique de chambre de Fauré, on pourra choisir cette version au souffle puissant.

Quintettes pour piano et quatuor à cordes n° 1 en ré mineur op. 89, n° 2 en ut mineur op. 115.

⊛*** Jean Hubeau (piano), Quatuor Via Nova. Erato STU 70.550.

*** Jean Philippe Collard (piano), Quatuor Parrenin. EMI VSM C 165-16.331/6 (6 d.). *+ Intégrale de la musique de chambre.*

Un piano tendu, puissant et d'une rigueur d'accent convaincante entraîne un quatuor à cordes d'une beauté de son et d'un élan jubilatoire. Une interprétation monolithique, servie par une prise de son parfaitement définie.

Plus souples, plus nuancés, Jean-Philippe Collard et le Quatuor Parrenin s'écoutent beaucoup plus jouer. Cultivant un peu trop le beau son et l'élégie, leur interprétation, qui pourtant dégage un climat souvant poignant, paraît légèrement en retrait de la précédente. La prise de son est moins fidèle, plus globale, et la couleur privilégie l'analyse.

Requiem pour soprano, baryton, chœur et orchestre op. 48.

⊛*** Pierrette Alarie (s), Camille Maurane (bar), Ch. Elisabeth Brasseur, Orch. des Concerts Lamoureux, Jean Fournet. Fontana 6554.037 (sup.). Mono.

⊛*** Gisèle Peyron (s), Doda Conrad (bar), Ch. et Orch., Nadia Boulanger, Maurice Duruflé (orgue). EMI VSM C 051-16.359. Mono (origine 78 t). Enregistré en 1948.

*** Martha Angelici (s), Louis Noguera (bar), Chanteurs de St-Eustache, Orch., André Cluytens. Trianon 33.167 (sup.). Mono. *+ Messe basse.*

** Sheila Armstrong (s), Dietrich Fischer-Dieskau (bar), Ch. du Festival d'Edimbourg, Orch. de Paris, Daniel Barenboïm. EMI VSM C 059-02.568. ⌧ C 259-02.568. *+ Pavane.*

** Lucia Popp (s), Siegmund Nimsgern (bar), Ch. Ambrosien, Orch. Philharmonia, Andrew Davis. CBS 76.734. ⌧ 40-76.734. *+ Pavane.*

* Alain Clément (s garçon), Philippe Huttenlocher (bar), Maîtrise St-Pierre-aux-Liens de Bulle, Orch. Symph. de Berne, Michel Corboz. Erato STU 70.735. ⌧ MCE 70.735.

L'interprétation de Jean Fournet, avec un soprano pur et lumineux, un baryton d'une simplicité émouvante, un chœur superbe et une direction sobre et fervente, se place au sommet de la discographie. Hélas ! Elle est indisponible.

L'enregistrement de Nadia Boulanger a été réédité en 1979. Un soprano lumineux et angélique, un baryton malheureusement à bout de voix, un chœur céleste, une direction extraordinaire par son allant, sa sobriété et sa ferveur, et par-dessus tout une prise de son monophonique d'un équilibre que l'on ne retrouvera pas dans les éditions stéréophoniques, placent cette édition aux côtés de la précédente.

Bouleversante, Martha Angelici est remarquablement entourée par un baryton sobre et juste et un ensemble orchestral anonyme dans l'exécution conduite par le grand André Cluytens.

Ah ! S'il n'y avait pas de solistes vocaux dans le *Requiem* de Barenboïm, nul doute que nous aurions là une interprétation de référence. L'orchestre et les chœurs, dans une succession de fondus enchaînés, traduisent à merveille le cheminement de l'âme. Malheureusement, Dietrich Fischer-Dieskau est ici d'un mauvais goût insupportable, et Sheila Armstrong est loin d'égaler Pierrette Alarie ou Gisèle Peyron.

Enregistrement très homogène d'Andrew Davis, avec un soprano et un baryton sobres et séraphiques, et un orchestre juste et serein. Mais on s'ennuie... La prise de son, ouatée et terne, n'y est sans doute pas étrangère.

Si le garçon soprano chantait juste, si l'orchestre était d'un autre niveau... Tel qu'il est, le disque de Corboz, pourtant intéressant par ses partis pris d'allégement et son absence de tout effet, ne saurait convaincre totalement.

Sonates pour violon et piano n° 1 en la majeur op. 13, n° 2 en mi mineur op. 108.

❀*** Anne Queffélec (piano), Pierre Amoyal (violon). Erato STU 71.195. ⌧ MCE 71.195. Enregistré en 1979.

*** Arthur Grumiaux (violon), Paul Crossley (piano). Philips 9500.534.

** Augustin Dumay (violon), Jean-Philippe Collard (piano). EMI VSM C 165-16.331/6 (6 d.). *+ Intégrale de la musique de chambre.*

Deux jeunes interprètes passionnés et incandescents donnent de ces Sonates une interprétation de référence, qui renouvelle totalement l'idée que l'on se faisait des deux œuvres.

La beauté de son légendaire d'Arthur Grumiaux trouve une magnifique occasion de s'épanouir dans ces deux Sonates. Paul Crossley l'accompagne avec un goût et une discrétion remarquables.

Le manque de tension et la sonorité un peu verte du violon d'Augustin Dumay grèvent une interprétation dominée par le piano impérieux de Jean-Philippe Collard, qui en quelques années, c'est-à-dire entre son enregistrement des *Nocturnes* et celui-ci, est parvenu à s'imposer comme le grand pianiste fauréen d'aujourd'hui.

Sonates pour violoncelle et piano n° 1 en ré mineur op. 109, n° 2 en sol mineur op. 117.

❀*** Paul Tortelier (violoncelle), Eric Heidsieck (piano). EMI VSM C 069-12.894. *+ Elégie, Papillons, Sérénade.*

❀*** Paul Tortelier (violoncelle), Jean Hubeau (piano). Erato STU 70.101 (sup.). *+ Elégie.*

** Frédéric Lodéon (violoncelle), Jean-Philippe Collard (piano). EMI VSM C 165-16.331/6 (6 d.). *+ Intégrale de la musique de chambre.*

Toute la rudesse, tous les éclats de la première Sonate trouvent en Paul Tortelier un traducteur parfait, tandis que Eric Heidsieck y est parfois (second thème du finale) d'une relative neutralité. Il s'impose sans partage dans le lyrisme continu de la seconde Sonate, où Tortelier égale sa performance réalisée pour la Première.

Paul Tortelier est fidèle à lui-même : sa prestation a peu varié entre ses deux enregistrements. Jean Hubeau a les qualités exactement contraires à celles de Eric Heidsieck, puisqu'il se montre plus à l'aise dans les coups d'éclat de la première Sonate que dans les confidences de la seconde.

Si la version Lodéon-Collard pèche, c'est par un certain manque de tenue. L'expression y est intense et passionnée, mais brouillonne. A vouloir trop faire dire à la musique, on finit par l'écraser.

Thème et variations pour piano en ut dièse mineur op. 73.

❀*** Vlado Perlemuter (piano). Denon OX-7.012. Enregistré en 1974. *+ Debussy : Images, Pour le piano. Ravel : Sonatine.*

*** Jean-Philippe Collard (piano). EMI VSM C 069-12.576. *+ Nocturnes 8 à 13.*

*** Eric Heidsieck (piano). EMI VSM 181-12.038/39 (2 d.). *+ Nocturnes pour piano.*

Perlemuter donne une interprétation inapprochée de ce chef-d'œuvre peu fréquenté par les pianistes. Le lyrisme, la grandeur sans concession, la noblesse de ce grand musicien sont là magnifiés par une prise de son splendide, qui laisse merveilleusement passer la légendaire qualité de son toucher.

Pudique et recueilli, discret dans la confidence la plus émue, Jean-Philippe Collard signe une belle version qui n'atteint pas celle exceptionnelle, de Vlado Perlemuter, mais s'impose tout de même comme une grande réussite.

Le tout jeune Eric Heidsieck était tout feu tout flamme, et son enregistrement volontaire, dynamique et emporté en est le témoignage. Aucune inégalité ne vient ternir son élan. Vision complémentaire de celle de Jean-Philippe Collard. Choisir entre les deux sera affaire de goût.

Trio pour piano, violon et violoncelle en ré mineur op. 120.

*** Piano Quartet de Londres. Oiseau-Lyre SOL 299 (G-B). *+ Quatuor pour piano n° 1.*

** Jean-Philippe Collard (piano), Augustin Dumay (violon), Frédéric Lodéon (violoncelle). EMI VSM C 165-16.331/6 (6 d.). *+ Intégrale de la musique de chambre.*

Le Quatuor londonien a signé une version de référence du Trio, d'une homogénéité, d'une profondeur d'expression bouleversante et d'une tenue exemplaire. Cet enregistrement, jamais distribué en France, s'impose sans partage.

Lyriques, passionnés, fervents, les trois jeunes interprètes français manquent un peu de recul. Leur interprétation gagnerait à être un peu plus décantée, plus sereine ; mais telle qu'elle est, elle se recommande néanmoins pour son intensité.

Ferneyhough, Brian
(né en 1943)

Transit.

** Rosemary Hardy (s), Linda Hurst, Elisabeth Harrison (m), Peter Hall (t), Brian Etheridge (bar), Roderick Earle (b), The London Sinfonietta, Elgar Howarth. Decca Head 18 (G-B).

Commentaire philosophique en même temps qu'œuvre musicale, *Transit* demande beaucoup aux interprètes pour ne pas tomber dans l'abstraction. Les chanteurs, les solistes extraits de l'orchestre, l'orchestre lui-même divisé en cinq groupes indépendants réussissent le tour de force de nous intéresser par l'esprit et par l'oreille. La direction du tout est assurée de façon magistrale par Elgar Howarth. Une très belle prise de son contribue à la clarté de compréhension de cette œuvre difficile.

Sonatas pour quatuor à cordes.

* Quatuor de Berne. RCA RL 25.141 (USA).

Dans une œuvre difficile - un seul mouvement divisé en vingt-quatre courtes sections indépendantes - le Quatuor de Berne affirme sa qualité. Dominant la partition, il lui assure une continuité structurelle, tandis qu'il fait ressortir les différences de traitement du matériau sonore, aspect essentiel de la fragmentation de l'œuvre en facettes multiples.

Ferrari, Luc
(né en 1929)

Presque rien n° 2. Promenade symphonique à travers un paysage musical.

*** INA GRM 9104 Fe. Enregistré en 1977 et 1978.

Etonnant itinéraire à travers l'univers volontairement original et strictement personnel de Luc Ferrari, qui fuit toute catégorisation. *Presque rien n° 2* est un paysage méditerranéen et nocturne, à la fois intérieur et extérieur, dont la calme courbe est un moment déchirée par un violent orage. La *Promenade* est une tranche de vie sonore dans une Algérie libérée du colonialisme français, témoignage humain et objectif d'un micro qui ne prend pas parti.

Field, John
(1782-1837)

Nocturnes.

** Roberte Mamou (piano). Pavane ADW 7.110/11 (2 d.).

Roberte Mamou interprète John Field à la perfection : son toucher est sensible, sa sonorité subtile, son jeu de couleurs étendu. Elle joue avec émotion et simplicité, et sous ses doigts les Nocturnes prennent toute leur signification de pièces aux allures libres, oscillant entre la romance et l'air d'opéra dans le style de Rossini. Ces pièces, cependant, n'échappent pas à la répétition qui conduit à une certaine monotonie.

Fischer, Johann Caspar Ferdinand
(? -1746)

Le Parnasse musical. Pièces de clavecin.

*** William Christie (clavecin William Dowd). Harmonia Mundi HMU 1.026. Enregistré en 1979.

Ces pièces, si bien écrites pour faire sonner le clavier et qui devaient inspirer J.S. Bach, trouvent un interprète admirable en la personne de William Christie. Impeccable maîtrise technique, *rubato* senti, remarquable *legato* intérieur, compréhension limpide de l'écriture. Avec cet album, la musique de Fischer n'est pas seulement ressuscitée sur d'excellentes bases musicologiques, elle s'empare de notre sensibilité par une sorte de *cantabile* ininterrompu.

Flotow, Friedrich von
(1812-1883)

Martha, ou le Marché de Richmond, opéra-comique.

*** Anneliese Rothenberger (Martha), Nicolaï Gedda (Lyonel), Brigitte Fassbaender (Nancy), Hermann Prey (Plumkett), David Weller (Lord Mickelford), Hans Knoblich (Le Prince de Richmond), Ch. de l'Opéra de Munich, Orch. de l'Etat de Bavière, Robert Heger. EMI VSM C 197-30.241/43 (3 d.) (étr.). Enregistré en 1968.

* Lucia Popp (Martha), Siegfried Jerusalem (Lyonel), Doris Soffel (Nancy), Karl Ridderbusch (Plumkett), Siegmund Nimsgern (Lord Mickelford), Albrecht Peter (Le Prince de Richmond), Ch. de la Radio Bavaroise, Orch. de la Radio de Munich, Heinz Wallberg. Eurodisc AR 25.422 (3 d.) (étr.). Quadri. Enregistré en 1977.

Version absolument complète de *Martha* que celle dirigée par Heger, réalisée dans des conditions artistiques et techniques parfaites. Les tenants des quatre rôles principaux sont remarquables : Anneliese Rothenberger a une voix délicieuse, Gedda est au meilleur de sa forme, Fassbaender et Prey montrent toute la splendeur de leurs possibilités. Les Chœurs et l'Orchestre de l'Opéra de Munich achèvent la perfection de cette réalisation merveilleuse d'un joyau de la musique lyrique allemande.

Loin de valoir l'interprétation de Robert Heger, celle de Wallberg nous laisse un peu sur notre faim : Lucia Popp possède certes un joli timbre, mais son personnage reste sans vie. Le reste de la distribution est honorable, mais ne suffit pas à animer l'ouvrage.

Fomine, Yevstignei Ipatovitch
(1761-1800)

Orphée et Eurydice, tragédie musicale.

* Vitali Koniaiev (Orphée), Nina Drobicheva (Eurydice), Ch. de l'Académie Russe, Orch. de la Radio-Télévision de l'URSS, Vladimir Yesipov. Mélodia Chant du Monde LDX 78751. Enregistré en 1966.

Une passionnante partition de ce contemporain de Mozart. Les deux protagonistes y sont des rôles parlés sur la musique, en mélodrame ; le chœur de basses à l'unisson fait s'exprimer les dieux, et l'orchestre dépeint toutes les variations des sentiments et des situations. La musique atteint parfois le grandiose beethovénien de *Fidelio*. Mais la réalisation artistique de cet unique et récent enregistrement ne rend pas toute justice à ce chef-d'œuvre : exécution orchestrale parfois approximative, timbres instrumentaux ingrats, manque de tension et d'imagination ; les deux acteurs dramatiques et le chœur, eux, sont splendides. Il est également particulièrement frustrant que l'album ne comporte aucune traduction du livret (ni même l'original en russe !).

Forqueray, Antoine
(1672-1745)

Pièces pour clavecin : La Bellemont, La Couperin, La Laborde.

** Kenneth Gilbert (clavecin). Harmonia Mundi HMU 940. ⌧ HM 40-940. *+ Marchand : Suite. Duphly : La Félix, La Forqueray, Chaconne.*

Forqueray avait écrit quelque trois cents pièces pour son instrument, la viole de gambe, mais son fils en publia certaines pour le clavecin. C'est ainsi que nous les retrouvons sous les doigts de Kenneth Gilbert, sur un très bel instrument dont les qualités sonores sont sauvegardées par une excellente prise de son. Son toucher est délicat, et fait chanter ces pages avec la noblesse expressive propre à leur instrument d'origine. Dans le complément de ce programme, il est amusant de remarquer que l'hommage du Parisien Duphly s'est porté sur ce maître du XVIIe avec *La Forqueray.*

Pièces pour viole : 1re Suite en ré mineur, 2e Suite en sol majeur.

*** Jordi Savall, Christophe Coin (viole de gambe), Ton Koopman (clavecin). Astrée AS 19. Enregistré en 1979.

Avec Forqueray, la viole de gambe atteint ses ultimes possibilités, ses limites diaboliques d'une fulgurante virtuosité : après lui, l'instrument mourra. Mais il renaît dans toute son ancienne splendeur grâce à des interprètes aussi remarquable que Christophe Coin et surtout Jordi Savall dont l'archet ne semble jamais désarçonné par les terribles difficultés. Pour l'auditeur, cette maîtrise résulte en un plaisir grave et beau : on est saisi par la grandeur assez austère de ces profondes sonorités.

Troisième Suite en ré majeur : La Ferrand, La Régente, La Tronchin, La Angrave, La Du Vaucel, La Eynaud, Chaconne.

*** Wieland Kuijken (viole de gambe), Sigiswald Kuijken (viole de gambe continuo), Robert Kohnen (clavecin). Accent ACC 7808. Enregistré en 1978. *+ Dolle : Deuxième Suite en ré mineur.*

Grâce à ce disque, on découvre, outre une musique admirable, les trésors de finesse dont est capable la viole de gambe. La virtuosité tranquille du soliste va des accents plaintifs à la fantaisie la plus débridée, sans qu'il y paraisse. Les frères Kuijken jouent avec une entente parfaite, entente encore resserrée par le discret continuo. La musique de Forqueray prend ici une évidence envoûtante qui peut conquérir les plus réticents.

Cinquième Suite en ut mineur : La Rameau, La Guignon, La Léon, La Boisson, La Montigni, La Silva, Jupiter.

*** Sigiswald Kuijken (violon et viole de gambe), Wieland Kuijken (viole de gambe), Gustav Leonhardt (clavecin). Harmonia Mundi HMU 20.346. Enregistré en 1970. *+ D'Anglebert : Prélude en sol. Marais : La Sonnerie de Sainte-Geneviève-du-Mont, Le Tombeau de Monsieur de Sainte-Colombe.*

Les amateurs raffinés trouveront des joies subtiles dans ce disque d'une musique française trop mal connue. A côté de la *Suite* de Forqueray, véritable joyau aux feux sombres, se déploient d'admirables pages, comme l'étonnante *Sonnerie* de Marin Marais. Les trois interprètes adoptent un style singulier, et leur manière de délivrer le son de la corde a quelque chose d'envoûtant.

Foulds, John
(1880-1939)

Quartetto intimo op. 89. Lento quieto op. 97. Aquarelles op. 32.

Quatuor Endellion. Pearl SHE 564. Enregistré en 1981.

Ces trois œuvres appartiennent à la production dite «sérieuse» de ce compositeur anglais bien oublié. Le *Lento quieto* ne se démarque pas d'un esprit romanesque et mahlérien assez banal, mais la seconde des trois aquarelles laisse apparaître une écriture beaucoup plus fouillée, avec des techniques expressives rappelant Berg ou Schœnberg. La pièce maîtresse est cependant le *Quartetto intimo,* très bien structuré, alternant tension et détente. Le Quatuor Endellion se montre tout à son avantage dans la multiplicité expressionniste de l'œuvre et dans les délicats passages techniques dont elle est émaillée.

Franck, César
(1822-1890)

Les Béatitudes, oratorio.

* Denise Monteil (s), Simone Couderc (s), Xavier Depraz (b), Pierre Cochereau (orgue), Ch. Elisabeth Brasseur, Petits Chanteurs de Chaillot, Orch. Académie Symph. de Paris,

Jean Allain. Schwann AMS 4504/05 (2 d.) Enregistré en 1962.

L'enregistrement des *Béatitudes* par Jean Allain, pour être le premier mondial, n'en déçoit pas moins. Non que l'œuvre soit mal dirigée ou chantée. Mais l'ensemble de la prestation accuse trop de faiblesses pour être pleinement recommandable : manque d'homogénéité dans les voix, souvent peu heureuses, les différents pupitres de l'orchestre, enfin la direction elle-même. L'œuvre est donc à reprendre avec un chef puissant et visionnaire. Donnée ici à titre purement indicatif.

Le Chasseur maudit. Les Eolides. Rédemption.

** Orch. Phil. de Budapest, Jean-Marie Martin. Erato EFM 8067 (sup.).

Le disque de J.-M. Martin a le triple avantage aujourd'hui d'être le seul et le plus complet de la musique symphonique de Franck, d'être excellent, enfin d'être présenté en série économique. Sans atteindre à l'envolée lyrique du vieil enregistrement d'André Cluytens, il reste encore ce qui mérite le plus de figurer au catalogue.

Le Chasseur maudit. Psyché (partie orchestrale seule). Nocturne.

** Orch. de Paris, Daniel Barenboïm, Christa Ludwig (m). DG 2530.771.

Barenboïm, qui a signé une des meilleures versions qui soient de la Symphonie, a gravé *le Chasseur maudit* et *Psyché* dans sa version orchestrale seule (quatre mouvements). Magnifique orchestre, prise de son remarquable. Malheureusement, le programme reste un peu court, malgré l'intérêt des quatre minutes offert par *Nocturne* (mais si Christa Ludwig y apporte une émotion assez pure, un lyrisme assez contenu, sa diction est assez floue et la prononciation française quelque peu maltraitée).

Mélodies : L'Emir de Bengador, Lied, Le mariage des roses, Nocturne, La procession, S'il est un charmant gazon, Le vase brisé.

* Bruno Laplante (bar), Janine Lachance (piano). Calliope CAL 1870. Enregistré en 1978. *+ Lekeu : Mélodies.*

Ce disque a le mérite de présenter sept mélodies de Franck finalement assez peu connues. Et s'il fallait encore «déséraphicuser» l'auteur du célèbre Quintette, il suffirait d'écouter *L'Emir de Bengador* ou *S'il est un charmant gazon*, petites polissonneries sagement gommées du XIXe siècle. L'interprétation est assez moyenne - meilleure, toutefois, que les récitals consacrés par ces mêmes interprètes à Massenet ou surtout à Chausson. A connaître pour prendre la mesure du Franck mélodiste.

L'œuvre pour orgue : intégrale des grandes pièces. Fantaisie op. 16, Grande pièce symphonique op. 17, Prélude, fugue et variations op. 18, Pastorale op. 19, Prière op. 20, Final op. 21 ; les trois pièces de 1878 : Cantabile, Fantaisie en la mineur, Pièce héroïque ; les trois Chorals.

❀*** Marie-Claire Alain (orgue Cavaillé-Coll de St-François-de-Sales de Lyon). Erato STU 71.035 (3 d.).

❀*** André Isoir (orgue Cavaillé-Coll de la cathédrale de Luçon). Calliope 191.921 (3 d.).

*** André Marchal (orgue de St-Eustache de Paris). Erato LDE 3.069/71 (3 d.) (sup.). Mono.

** Jean Langlais (orgue de Ste-Clotilde de Paris). Arion ARN 336.008 (3 d.).

** Jean Costa (orgue de St-Sernin de Toulouse). Musidisc CRC 9 (3 d.).

Sous les doigts de Marie-Claire Alain, l'œuvre de Franck est approchée avec un grand respect musicologique, ce qui n'exclut ni la ferveur, ni la beauté de l'expression. Effort de lisibilité, exécution fidèle à l'esprit du compositeur, volonté de retrouver le style même de l'auteur ; mais rien d'intellectuel ni de gratuit dans ce jeu de lignes et de forces où la pudeur sentimentale l'emporte sur les effets et tapages habituels. Il en naît un Franck très humain, coloriste subtil et grandiose architecte, grandi et régénéré, car délivré de sa défroque de Pater Seraphicus au bénéfice de son humaine grandeur.

Il est difficile de départager Marie-Claire Alain et André Isoir. Le jeu, l'atmosphère sont dans l'un et l'autre cas exceptionnels. Ici se trouve discrètement soulignée la sourde sensualité de l'organiste de Ste-Clotilde. De là cette tension intérieure qui met à profit les chromatismes tendus, les oppositions de timbres, les complémentarités de plan structurels ou sonores, pour déboucher en pleine lumière ou en pleine action. Legatos très souples, jeu superbe d'autorité et de finesse qui demande aux coloris de l'orgue de Luçon la traduction intime et douloureuse d'une méditation tournée vers le charnel et le drame vécu, vers également l'imploration de la prière issue d'une tension de l'être tout entier tourné vers Dieu. Technique superbe, les timbres et l'orgue et les plans sonores étant admirablement respectés.

En dépit de son âge et d'une prise de son ne rivalisant plus guère avec les canons actuels, la vision d'André Marchal demeure un exemple, à la fois sur le plan de la ferveur, affichée devant le vaste monument franckiste ; de la beauté d'une interprétation faisant large part au mysticisme et à l'humain ; de la poésie, enfin, qui imprègne chaque œuvre, chaque mesure, chaque note. C'est également un «document» sur Marchal - dont on possède finalement peu d'enregistrements - mais aussi sur une façon de concevoir la musique d'orgue de Franck, peu après la Seconde Guerre mondiale. Cette souple tension poétique doublée d'une admiration fervente concourt à donner à cette version une place prééminente - sans doute encore pour longtemps, en dépit des modes passagères.

L'intégrale de Jean Langlais a pour elle et contre elle plusieurs données importantes. Contre, une certaine vision «intellectuelle», un peu affichée, serrant de près le texte, partant du postulat que l'écriture est là, immuable, avec ses registrations d'origine (?). Respect louable, mais qui a pour contrepartie une certaine rigueur et qui, mettant au premier plan la facture instrumentale, fait de chaque pièce un morceau d'anthologie, isolé d'un plus vaste édifice compositionnel. Jean Langlais, moins sensuel que rationnel, en vient alors à privilégier le rythme, la forme et les couleurs au détriment de la vie intérieure et du mysticisme latent enfoui dans chaque partition. Sur le plan technique, prise de son et gravure moyennes.

Pour être éditée en série «économique», l'intégrale de Jean Costa n'en possède pas moins de solides atouts. D'abord, son prix. Mais aussi l'orgue (Cavaillé-Coll) de St-Sernin de Toulouse. Enfin, une très vivante vision qui cherche tout à la fois à donner de l'œuvre de Franck une interprétation grandiose (par la richesse des plans), humaine (par la ferveur de l'interprétation), mystique (par la justesse de ton et l'envolée lyrique), poétique (par la beauté des registrations). Sur le plan de l'expression, celle-ci se situe à mi-chemin d'André Marchal, dont elle procède par l'esprit, et des versions Alain ou Isoir, dont elle se rapproche par le jeu. C'est bien dire son intérêt.

Œuvres pour orgue : les trois Chorals, Pastorale.

*** André Marchal (orgue de St-Eustache à Paris). Erato MUS 19.006. ⌧ MCE 19.006. Stéréo (origine mono). Enregistré en 1958.

Œuvres pour orgue : les trois Chorals, Cantabile.

*** René Saorgin (orgue de Castelnaudary). Harmonia Mundi HM 1.213. Enregistré en 1979.

Œuvres pour orgue : Cantabile, Fantaisie en la mineur, Pièce héroïque, Huit pièces pour orgue ou harmonium.

** Pierre Cochereau (orgue de Notre-Dame de Paris). Saga 5390 (sup.).

Œuvres pour orgue : les trois Chorals, Pièce héroïque.

** Feike Asma (orgue de la Vieille-Eglise d'Amsterdam). Philips 00182 (sup.).

Œuvres pour orgue : les trois Chorals, Pièce héroïque.

** Marcel Dupré (orgue de St-Thomas de New York). Mercury 75.006 (USA).

Interprète d'élection de Franck, et l'un des héritiers les plus authentiques du maître de Ste-Clotilde, Marchal dégage d'incomparable manière la poésie des trois Chorals, du troisième principalement. Ce document est d'autant mieux venu qu'il s'agit de l'un des trop rares témoignages discographiques du grand organiste disparu. On regrettera seulement la stéréophonisation artificielle de la prise de son monophonique.

Le récital de René Saorgin apporte une belle couleur et une religiosité aux trois ultimes Chorals comme au *Cantabile* de 1878. Ici s'affirme une vision très claire, dépouillée de toute emphase, souple dans ses rubatos extrêmement subtils (1er Choral), et tout empreinte de ferveur. La qualité technique de l'enregistrement met parfaitement en valeur les admirables registrations comme les magnifiques couleurs de l'orgue de Castelnaudary, contemporain, précisément, des trois pièces de 1878. Un maître-disque.

Les enregistrements de Pierre Cochereau sont d'une grande richesse et servis par l'imposante voix du Cavaillé-Coll de Notre-Dame de Paris. Parmi les différents disques, on choisira peut-être, de préférence, celui qui est publié par Saga. Il est en effet le seul à présenter huit des 44 pièces pour orgue ou harmonium. Or, ce ne sont pas là des œuvres aussi mineures que d'aucuns le prétendent.

Feike Asma eut son heure de gloire, et les sonorités de l'orgue de la Vieille-Eglise d'Amsterdam sont si belles, si poétiques, que ce vieux disque mérite de survivre et d'attirer l'attention des collectionneurs.

Le disque de Marcel Dupré ne brille guère par l'orgue de St-Thomas de New York. En revanche, il montre à l'évidence le style du grand organiste improvisateur, et sa perception (assez insolite parfois) de la musique de Franck. Un document qui vaut presque davantage pour Dupré que pour Franck lui-même.

Prélude, Choral et Fugue. Prélude, Aria et Finale.

❀*** Alfred Cortot (piano). EMI VSM C 061-01.354 (sup.). Mono. + *Variations Symphoniques.*

* Jean-Charles Richard (piano). Valois MB 908 (sup.). + *Danse lente.*

* Annie d'Arco (piano). Calliope CAL 1.804.

La version par excellence de ces deux fameux triptyques. Le style, l'intelligence des textes, la maîtrise souveraine des moyens pianistiques concourent à faire de cet enregistrement une référence absolue en la matière. Un maître disque, même si l'interprétation des *Variations symphoniques*, inscrite en seconde face, n'égale pas cette réussite.

Jean-Charles Richard avait une approche toute en nuances et poésie des deux grands triptyques de Franck. Il est dommage que son disque, heureusement complété par la *Danse lente* qu'il fut le premier à enregistrer, soit retiré depuis longtemps du catalogue. Pour collectionneurs, donc.

Annie d'Arco n'a pas renouvelé ses magnifiques prestations dédiées à d'autres musiciens (Pierné, Saint-Saëns, Dukas ou Chabrier par exemple). Le ton est juste, la vision généreuse, les plans architecturaux bien mis en valeur. Mais il manque à cette interprétation volontaire et un rien abrupte un peu d'abandon et de poésie crépusculaire. Toutefois, l'écriture se trouve débarrassée des langueurs fin de siècle. Ceci compensera cela, et milite en faveur d'une écoute attentive.

Quatuor à cordes.

*** Quatuor de Prague. Supraphon 1111 2.979. Enregistré en 1980.

Dans une tradition tout à la fois classique et romantique, à l'instar de l'œuvre elle-même, le jeune Quatuor de Prague se montre vibrant et chaleureux, mais réservé aussi. Il entre de plein-pied dans les grandes architectures composées qui structurent le premier mouvement et donne du *Scherzo* une image juste et magnifiquement nuancée, très mendelssohnienne de facture et de sonorités. Le *Largetto* trouve un abandon lyrique fort retenu tandis que le *Finale* va porter à l'incandescence les thèmes essentiels de la partition, offrant ainsi une sorte de compendium de toute la science du musicien.

Quintette pour piano et cordes.

❀*** Samson François (piano), Quatuor Bernède. EMI VSM C 069-11.307. Enregistré en 1970.

*** Jacqueline Eymar (piano), Quatuor Loewenguth. Philips 00381 (sup.). + *Prélude, Choral et Fugue.*

** Evá Bernathová (piano), Quatuor Janáček. Supraphon 50.471 (étr.).

** Quintette de Varsovie. GID SMS 2513 (sup.). + *Debussy : Sonate pour violoncelle et piano.*

La version du Quatuor Bernède qu'épaule Samson François reste aujourd'hui la plus convaincante de cette œuvre tendue à l'extrême («du paroxysme tout le temps», grommelait Debussy). L'œuvre est rendue ici avec vigueur, lyrisme et un soin exemplaire pour en restituer les plans sonores et psychologiques.

Le vieil enregistrement de Jacqueline Eymar et du Quatuor Loewenguth demeure, en dépit des ans et d'une technique dépassée, un modèle d'interprétation qui n'a peut-être été jamais surpassé jusqu'ici. Tout y est franckiste, d'extrême sensibilité et qualité, de lyrisme et de pudeur, de force et de retenue : les contraires réconciliés. Malheureusement introuvable - ou presque. Et c'est d'autant plus dommage que la version de *Prélude, Choral et Fugue* inscrite au verso est splendide.

En dépit d'un grand Prix du Disque et de chaleureux partisans, la version du Quatuor Janáček/Evá Bernathová n'a peut-être pas toutes les références pour apparaître pleinement franckiste. Il y manque parfois un léger abandon, un rien de lyrisme qui eût rendu avec plus de chaleur cette partition étonnante où, pour l'unique fois, Franck emploiera l'expression «con passione».

Le Quatuor de Varsovie a donné une bonne interprétation de l'œuvre de Franck. Chaleur, humanité, lyrisme. La technique d'enregistrement a un peu vieilli, mais la beauté de l'œuvre transparaît bien sous les archets que semble soutenir et architecturer le piano de Wladimir Szpilman. Il est dommage que cette bonne version ait également quitté le catalogue.

Sonate pour violon et piano.

*** Augustin Dumay (violon), Jean-Philippe Collard (piano). EMI VSM C 069-14.186. Quadri. + *Andantino quietoso, Duo pour violon et piano sur des motifs de «Gulistan».*

*** Arthur Grumiaux (violon), György Sebök (piano). Philips 9500.568. + *Grieg : Sonate pour violon et piano n⁰ 3.*

** David Oïstrakh (violon), Sviatoslav Richter (piano). Chant du Monde LDX 78.444. + *Brahms : Sonate pour violon et piano n⁰ 3.*

** Itzhak Perlman (violon), Vladimir Ashkenazy (piano). Decca SXL 6408 (G-B). + *Brahms : Trio avec cor.*

** Catherine Courtois (violon), Catherine Collard (piano). Erato STU 71.280. + *Lekeu : Sonate pour violon et piano.*

** Jacques Thibaud (violon), Alfred Cortot (piano). EMI Pathé COLH 74. (sup.). Mono.

Le disque de Dumay et Collard est, de tous, le plus homogène (puisqu'il porte en complément deux œuvres de jeunesse jamais gravées) et sans doute l'un des plus réussis qui soient. La jeunesse des interprètes s'extériorise dans les mouvements rapides, architecturés avec soin, tandis que leur tendresse native donne aux volets plus lents une superbe plastique et intériorité. De plus, le climat intimiste de l'œuvre est savamment recréé. Disque qui s'impose.

La version Grumiaux/Sebök, outre qu'elle s'accompagne d'une magnifique vision de la belle Sonate en ut mineur de Grieg, s'impose par sa noblesse, sa ductilité, son architecture interne et une magnifique sonorité générale qui trouve sa plus haute expression dans le *Recitativo-Fantasia.* Un disque d'extrême qualité.

Avec le duo Oïstrakh/Richter, nous écoutons évidemment du très beau piano et du très beau violon. Mais le climat, il faut bien l'avouer, n'est pas très franckiste. On écoutera cependant ce disque pour le plaisir des sonorités, son lyrisme contenu et sa générosité entachée de quelque slavisme... Couplage intéressant.

Perlman et Ashkenazy étaient-ils bien faits pour traduire dans sa vérité profonde l'œuvre de Franck et en restituer toute la beauté intérieure ? Si le violon de Perlman se montre subtil et généreux à souhait, le piano d'Ashkenazy, en revanche, offre quelque froideur. Mais là encore, et comme dans le cas d'Oïstrakh/Richter, si le climat franckiste n'est pas totalement restitué, la gravure vaut pour la beauté plastique et sonore. Ce qui n'est pas un mince compliment.

Le récent disque des deux Catherine, Courtois et Collard, apporte de précieux enseignements sur la façon dont Franck peut être aujourd'hui perçu par de jeunes interprètes. Plus encore que Dumay/Collard peut-être, elles dépoussièrent l'œuvre, refusant d'en faire un cheval de bataille - ce qui n'exclut pas pour autant la fougue - et cherchent à imposer un climat très intimiste, plus proche de Fauré que de Schumann ou Brahms. Et c'est fort bien et beau ainsi. D'autant que le complément (Sonate de Lekeu) figure parmi les plus belles interprétations de cette œuvre, elle aussi, bien difficile à recréer.

Le témoignage de Thibaut/Cortot est évidemment d'un autre âge... et manifeste de tout autres conceptions. Ici la «tradition franckiste» est évidemment de mise, mais également vue à travers une atmosphère un peu rétro et telle qu'on la pouvait vivre après la Première Guerre mondiale en pensant à la «Belle Epoque». C'est donc plus un document unique, et à connaître.

Symphonie en ré mineur.

❀*** Orch. Phil. de Vienne, Wilhelm Furtwängler. Decca 592.107. Mono. Enregistré en 1953.

❀*** Orch. Symph. de Chicago, Pierre Monteux. RCA FRL 2 7262 (USA). Enregistré en 1961.

*** Orch. Phil. de Strasbourg, Alain Lombard. Erato STU 71.019. ⌧ MCE 71.019.

*** Orch. de Paris, Daniel Barenboïm. DG 2530.707. ⌧ 3300.707. + *Rédemption.*

*** Orch. de Paris, Herbert von Karajan. EMI VSM C 069-02.034. ⌧ C 269-02.034.

*** Orch. National de l'ORTF, Jean Martinon. Erato STU 70.510 (sup.). + *Variations Symphoniques.*

*** Orch. Symph. de la Radio Bavaroise, Kiril Kondrachine. Philips 6514.119. ⌧ 7337.119.

** Orch. de la Société des Concerts du Conservatoire, Charles Munch. Decca LXT 2692 (sup.). Mono. + *Variations Symphoniques.*

Ce qui d'emblée frappe, dans la version Furtwängler, c'est la pleine humanité qui sourd de cette musique gonflée de vie, aspirée littéralement vers une lumière surnaturelle qui devient croissante au long de chaque mouvement. Franck humain et mystique, voilà ce que rend à merveille ce disque inoubliable, couplé avec une magnifique version de *Siegfried Idyll* par Hans Knappertsbusch.

Monteux à la tête de l'Orchestre de Chicago, c'est la fougue servie par un instrument idéal aux sonorités pleines, enflammées. C'est aussi le souci, bien français, des plans sonores et des couleurs orchestrales au service d'une pensée très humaine, là encore, et merveilleusement équilibrée.

A la tête du Philharmonique de Strasbourg, Lombard tisse une Symphonie impressionnante de vitalité. Fièvre, sarcasmes, sensualité, presque toujours cachés chez Franck, éclatent ici au grand jour, avec une énergie, une vérité, une ductilité qui laisseraient pantois les habitués du saint de vitrail. A donner le frisson.

Avec Barenboïm, la jeunesse et le frémissement l'emportent sur la réflexion intérieure, sur le mysticisme propre au Pater Seraphicus. Mais comment ne pas être sensible à ce constant souci de la forme et du rythme, de la couleur et de l'harmonie, le tout servi par une prise de son exemplaire ?

Karajan voit en Franck plus un architecte et un peintre aux couleurs soulignées qu'un mystique tout pénétré d'une lumière venant de l'Au-Delà. On reste ébloui par la performance, la sûreté du geste, le merveilleux rendu sonore. Et la beauté de l'Orchestre de Paris.

Martinon, plus intérieur, plus sévère aussi, cherche à dépoussiérer le visage du Pater Seraphicus pour retrouver en lui le mystique et l'architecte. Avec lui, nous sentons la filiation qui relie Franck aux grands romantiques, nous percevons bien les ressourcements des thèmes. Une fort émouvante version, pénétrée d'intériorité.

Avec Kondrachine, nous sommes loin de l'image du pieux «Pater Seraphicus». Franck, ici, apparaît ambigu au possible, partagé entre Apollon et Cybèle, et donnant plus volontiers la main à cette dernière. Une vision électrisante, gorgée de sève, de vie et de dynamique, jusqu'à en devenir inquiétante, tant elle nous révèle d'étranges profondeurs.

Charles Munch a gravé deux fois la Symphonie de Franck. Plutôt que la version enregistrée avec le Philharmonique de Rotterdam (dont le dernier mouvement est assez déroutant), on choisira comme témoignage du grand chef celle réalisée avec l'Orchestre du Conservatoire. Même si la technique a quelque peu vieilli, l'élan, le souffle épique demeurent. Un exemple à méditer.

Variations symphoniques, pour piano et orchestre.

** Aldo Ciccolini (pinao), Orch. de la Société des Concerts du Conservatoire, André Cluytens. EMI Trianon 33.132. + *d'Indy : Symphonie cévenole.*

** Marie-Françoise Bucquet (piano), Orch. de l'Opéra de Monte-Carlo, Paul Capolongo. Philips 6500.171. ⌧ 7300.111. + *d'Indy : Symphonie cévenole. Fauré : Ballade.*

** Alfred Cortot (piano), Orch. Phil. de Londres, Landon Ronald. EMI VSM C 061-01.354 (sup.). Mono. + *Prélude, Choral et Fugue ; Prélude, Aria et Finale.*

Cluytens, musicien franco-belge - comme Franck - a laissé des Poèmes symphoniques et des *Variations* une version attachante qui n'a d'ailleurs guère été surpassée. Ici, le piano de Ciccolini est perlé, fin, délicat - un peu trop, peut être ? -, mais toujours poétique. Offert en série «économique», ce disque s'impose sur tout les plans.

Marie-Françoise Bucquet a donné un témoignage plein de poésie et de ferveur dans son enregistrement réalisé avec Capolongo. Et de tous les disques présentant ces *Varia-*

tions symphoniques, celui-ci est le seul à offrir un couplage aussi intéressant. A recommander chaudement.

Plus encore que par les *Variations symphoniques*, le disque de Cortot s'impose pour les deux grands triptyques pianistiques. Mais l'œuvre de 1885 n'en demeure pas moins fort bien restituée, et mérite de rester au catalogue pour la grande leçon de style et de ferveur que nous propose Alfred Cortot.

Frédéric II, roi de Prusse
(1713-1786)

Trois Concertos pour flûte : n° 1 en sol majeur, n° 2 en sol majeur, n° 4 en ré majeur.

** Ensemble Pro Arte de Munich, Kurt Redel. Philips 9502.058.

Les rois musiciens ne sont pas si nombreux que l'on puisse se permettre de négliger complètement leur œuvre musicale. D'autant que, dans le cas de Frédéric de Prusse, le monarque était doublé d'un compositeur d'un certain métier. Ces trois Concertos en apportent la preuve. Œuvres d'un roi flûtiste, ils sont faits avant tout pour mettre la flûte en valeur, ce dont l'interprétation de Kurt Redel rend parfaitement compte. Soliste instrumental en même temps que chef d'orchestre, il nous livre les concertos royaux comme ils ont dû être conçus : des œuvres faciles, sans prétention, destinées à faire briller un instrumentiste à peu de frais techniques. Recevons-les donc ainsi, même si nous n'y trouvons pas la trace du génie.

Symphonies n° 1 en sol majeur, n° 2 en sol majeur, n° 3 en ré majeur, n° 4 en la majeur.

** Ensemble Pro Arte de Munich, Kurt Redel. Philips 9502.057.

Compositions d'amateur, puisque Frédéric II avait des occupations professionnelles extrêmement absorbantes, ces quatre Symphonies sont une belle preuve de la qualité d'invention musicale d'un membre de l'aristocratie européenne au XVIII° siècle, et ceci dans les couches les plus élevées d'une société pour qui une certaine forme de musique décorative était un langage parfaitement naturel. Kurt Redel les interprète très simplement, sans aucun des ornements que la musicographie nous a appris à porter sur la musique de ce siècle. Rien ne vient souligner ce que le travail harmonique a d'assez pauvre ; nous restons en présence de ce que cette musique a été conçue pour être : un élément d'ameublement décoratif destiné à être joué entre amis pour le plaisir d'amis.

Frescobaldi, Girolamo
(1583-1643)

Arie, Canzone, Partite, Balletti, Toccate.

*** Ens. Affetti Musicali. Ricercar RIC 003. Enregistré en 1980.

La qualité même et la passion des interprètes de ce disque font oublier qu'ils sont présents, pour ne plus découvrir et admirer que le seul Frescobaldi. Une palette de teintes, des pinceaux et un maître qui, pour être confidentiels, n'en sont pas moins excellents. La richesse mélodique et les structures de courbes constamment mouvantes de Frescobaldi trouvent ici les défenseurs les plus convaincants que l'on puisse rêver.

Canzon seconda. Canzon quarta.

❀*** Quadro Hotteterre. Telefunken 6.42335. Enregistré en 1978. + *Pièces italiennes pour flûte à bec de Bassano, Cima, Fontana, Gabrielli, A. Scarlatti, Turini, Merula, Virgiliano.*

Deux pièces seulement de Frescobaldi dans ce vaste tour d'horizon de la musique italienne des XVI° et XVII° siècles. L'émerveillement est total devant la perfection technique et la séduction qui émanent de ces pages. Invention rythmique, liberté et exubérance mélodiques sont reines dans un programme habilement établi. Excellente prise de son.

Fiori musicali, pour orgue.

*** Luigi Fernando Tagliavini (orgue Antegnati de Brescia), Ch. de l'Immacolata de Bergame, Don Egidio Corbetta. Erato STU 70.918/19 (2 d.) (sup.). Enregistré en 1974.

* Lucienne Antonini (orgue doré de Notre-Dame d'Avignon), Ensemble Vocal d'Avignon, Georges Durand. Arion ARN 31.915/16 (2 d.) Enregistré en 1972.

Plus de quinze ans après une première version de ces pièces sur l'orgue Cipri de San Martino à Bologne, Tagliavini les rejoue dans un style plus approfondi et plus réfléchi, et cette fois sur un autre bel instrument, celui de Brescia. Si l'interprétation a évolué (en bien) avec le temps, on peut trouver que cette nouvelle version se trouve desservie par une prise de son proche et dure. Mais l'enregistrement est stéréophonique, à la différence de celui de 1958.

Avec Antonini, voici une version des *Fiori musicali* en série économique, ce qui est un atout important pour une édition dont la prise de son est très moyenne. L'orgue d'Avignon est un instrument fort intéressant, un des rares exemples d'orgue italien peu altéré sur le sol français. Et quoique datant du début du XIXe siècle (Piantanida), il convient fort bien à ces pages. Il reste que Lucienne Antonini ne soulève pas l'enthousiasme, tant son jeu est peu chaleureux et même rigide.

Madrigaux : Aria di Passacaglia, Aria di Romanesca, Aria di Ruggieri, Se l'aura spira.

** René Jacobs (hc), Ton Koopman (clavecin). Telefunken 6.42226 (RFA). Enregistré en 1977. + *Chansons d'amour italiennes de l'époque baroque (Gagliano, India, Caccini, Quagliati).*

Persuasif et souvent inspiré, René Jacobs nous fait découvrir, situé parmi ses contemporains, le très grand talent de mélodiste de Frescobaldi, un aspect trop méconnu de l'art de ce grand musicien. L'entente est parfaite entre le chanteur et le clavecin, tenu magistralement par Ton Koopman. La prise de son est bien faite.

Il primo libro di Capricci, 1624.

*** Gustav Leonhardt (clavecin et orgue), Harry van der Kamp (bar). Deutsche Harmonia Mundi C 157-99. 835/36 (2 d.). Enregistré en 1979.

Gustav Leonhardt joue comme en état de grâce ces pièces qui se caractérisent tour à tour par une austérité contrapunctique héritée de la polyphonie franco-flamande, par l'apparition d'une nouvelle sensibilité tonale, d'un langage plus libre, dramatique et directionnel ou par la presque-synthèse de ces deux univers. A chaque fois, il fait apparaître un degré de personnalisation, de teneur affective, d'individualisation des lignes sans cesse plus rigoureux et fascinant. Une admirable réalisation où la précision, la fantaisie dans l'articulation éclatent d'évidence.

Toccatas pour orgue.

** Lionel Rogg (orgue Antegnati de San Giuseppe de Brescia). EMI VSM C 069-73.039. ⌧ C 269-73-039. Enregistré en 1980.

Sur l'admirable orgue Antegnati de Brescia, Lionel Rogg retrouve l'esprit baroque même du compositeur. Rogg, c'est l'apothéose de l'imagination, un permanent esprit d'invention, une splendide conception de la liberté prônée par Frescobaldi lui-même.

Froberger, Johann Jacob
(1616-1667)

Œuvres pour clavecin : Fantaisie II en mi mineur ; Lamentation faite sur la Mort très douloureuse de sa Majesté impériale Ferdinand le troisième ; Suites I en la mineur, XV en la mineur, XX en ré mineur ; Toccatas III en sol majeur, X en fa majeur, XII en la mineur.

❀*** Gustav Leonhardt (clavecin Rückers). Harmonia Mundi 20.360. Enregistré en 1962.

Le tempérament profond de Gustav Leonhardt et son intelligence architecturale font merveille dans ces œuvres difficiles, d'une grande densité contrapuntique. De très loin le plus beau disque consacré à Froberger, malgré une prise de son qui tend à noyer l'étincellante sonorité du clavecin dans la réverbération.

Œuvres pour clavecin : Suites XII en ut mineur, XVIII en sol mineur, XX en ré mineur, XXX en la mineur ; Tombeau sur la Mort de Monsieur Blancheroche ; Lamentation faite sur la Mort très douloureuse de sa Majesté impériale Ferdinand le troisième.

*** Blandine Verlet (clavecin). Astrée AS 5.

Encore mieux enregistré que le disque Archiv, celui-ci séduit aussi par le tempérament vigoureux de Blandine Verlet. Mais l'interprétation manque souvent d'unité et l'exécution de soin dans le détail.

Suites I en mi mineur, II en la majeur, III en sol mineur, IV en la mineur, V en ré mineur, VI en ut mineur.

*** Kenneth Gilbert (clavecin «Le père Bellot»). Archiv 2533.419. Enregistré en 1978.

Malgré sa remarquable analyse de l'œuvre, Gilbert, dans la fameuse «Lamentation», n'atteint pas à la présence métaphysique, à la densité de Leonhardt. Dans les pièces virtuoses, son jeu est toujours lumineusement construit, mais d'une prudence dans les tempos qui peut ennuyer, et à laquelle on peut légitimement préférer le jeu plus instinctif mais aussi plus fougueux de Blandine Verlet.

G

Gabrieli, Giovanni
(1557-1612)

Motets : Beata es Virgo Maria, O Domine Jesu Christe, O Jesu mi dulcissime.

*** Julie Kennard (s), Paul Taylor (t), BBC Singers, John Poole. CBS 76.531 (étr.). Enregistré en 1977. + *Gesualdo, Alessandro et Domenico Scarlatti : Motets.*

Les trois Motets proposés ici comptent parmi les plus belles œuvres de Giovanni Gabrieli. John Poole les colore d'une atmosphère tout en demi-teinte, pleine d'un lyrisme contenu, et l'interprétation des deux chanteurs solistes est excellente. Avec les œuvres qui complètent ce programme (Gesualdo, A. et D. Scarlatti) nous est offerte une heure de très belle musique spirituelle.

Sacrae Symphoniae, extraits.

*** Solistes, Taverner Choir, London Cornett and Sackbut Ensemble, Andrew Parrot. Oiseau-Lyre 595.018.

*** Solistes, Ch. Symph., Ch. de Chambre, Orch. Gulbenkian, Ensemble vocal, Grand Ch. de l'Université, Orch. de Chambre de Lausanne, Michel Corboz. Erato STU 70.674/5 (2 d.). Enregistré en 1972.

Andrew Parrot dirige un ensemble de haute volée pour une musique de toute beauté. Emma Kirkby est remarquable dans le *Magnificat* initial, et certaines pages sont bouleversantes : le *In ecclesiis* par la solennité des deux ténors Eliott et Hill, le *Surrexit Christus*, par la justesse esthétique et l'investissement des interprètes. Corboz paraît en comparaison plus libre, plus moderne, mais non moins superbe.

Une musique d'une beauté extraordinaire, idéalement servie par l'interprétation de Michel Corboz. La mise en place de tous les éléments sonores est parfaite, et les cornets, malgré certaines assertions relatives aux instruments anciens, jouent très juste. L'Ensemble de Lausanne, aussi bien que les exécutants de la Fondation Gulbenkian, ont rarement été employés avec autant de bonheur. La prise de son, tout en manquant un peu de profondeur, reste satisfaisante. Un ensemble de haut niveau.

Canzoni de sonare.

*** Ensemble Hesperion XX. EMI-Reflexe C 065-45.646. + *Guami : Canzoni.*

C'est Gabrieli qui a codifié les normes de la *Canzone da sonare*, c'est-à-dire de la chanson à jouer sur des instruments. Il s'agit d'une œuvre courte, où l'imagination est libre d'aller du contrepoint à l'harmonie la plus riche. Ce domaine, mal illustré au disque, trouve des interprètes de choix avec l'Ensemble Hesperion XX. Les instruments ont des timbres splendides, et les diverses voix ressortent avec une clarté monteverdienne. Tempos justes, nuances fines nous restituent l'atmosphère éclatante et riche de Venise. Une qualité exceptionnelle d'enregistrement, avec une utilisation intelligente des procédés stéréophoniques, rehausse encore la grande réussite de cette réalisation. Réuni à Gabrieli, son collègue organiste à Saint-Marc, Guami, dont les œuvres complètent heureusement le programme.

Galuppi, Baldassare
(1706-1785)

4 Concertos pour clavecin et orchestre, en sol majeur, ut majeur, fa majeur et ut mineur.

** Edoardo Farina (clavecin Bartolomeo Formentelli), I Solisti Veneti, Claudio Scimone. Erato STU 71.050. Enregistré en 1976.

La musique de Galuppi, enjouée, galante, lyrique, mais sans grands contrastes, a trouvé en Scimone un serviteur attentionné. Sa direction follement imaginative et toujours imprévisible s'attarde sur l'anecdote, réveille l'intérêt par des effets de timbre là où l'écriture s'essouffle, crée de toutes pièces des couleurs douces ou crues, mais sans toutefois écraser par la masse orchestrale le clavecin d'Edoardo Farina, qui enchante par sa finesse et la délicatesse de ses nuances.

Magnificat en sol majeur, pour sopramo, choeur et orchestre.

** Ana Maria Miranda (s), Ria Bollen (a.), Ch. de Chambre de Berne, Orch. de Chambre de Pforzheim, Jörg Ewald Dähler. Claves D 801. ⌧ MC 801. Enregistré en 1977. *Vivaldi : Gloria RV 589.*

Le *Magnificat* de Galuppi se situe dans la droite lignée de la musique sacrée avec chœurs de Vivaldi, qui aurait fort bien pu en être l'auteur. La transparence et la tension rythmique de l'œuvre, la remarquable maîtrise avec laquelle les éléments polyphoniques s'allient à l'écriture harmonique indiquent l'œuvre de maturité. L'air pour soprano avec violon obligé *«Esurientes implevit bonis»* est un pur chef-d'œuvre. Ana Maria Miranda y est remarquable, et Dähler dirige ses musiciens suisses avec un recueillement et un style impeccables. Une découverte.

6 Sonates pour clavecin tirées du «Passatempo al cembalo».

* Jörg Ewald Dähler (clavecin). Claves D 603. Enregistré en 1975.

L'instrument moderne de Dähler ne relève pas d'un choix judicieux. Sa lourdeur, son ampleur grasse dans le grave, qu'une prise de son réverbérante ne fait qu'accentuer, évoquent un curieux Galuppi. L'interprétation carrée souligne cette impression décevante, bien éloignée de la galanterie charmante qui devrait animer ces sonates virevoltantes. Quelques moments nostalgiques en demi-teinte font se déchirer le voile, et l'émotion naît enfin. Des instants de grâce qui sauvent ce disque de la banalité.

Geminiani, Franscesco Saverio
(1687-1762)

6 Concertos grossos, op. 3 (intégrale).

*** Jaap Schröder, Catherine Mackintosh (violon), Trevor Jones (alto), Anthony Pleeth (violoncelle), The Academy of Ancient Music, Christopher Hogwood. Oiseau-Lyre OL 595.042. Enregistré en 1976.

Vive les instruments anciens quand Hogwood est à la baguette ! A-t-on jamais entendu des nuances plus recherchées, des accents plus fruités, une ardeur plus communicative ? Les recherches de style sont transcendées. Seule compte ici la musicalité exceptionnelle de l'ensemble, qui n'a rien à envier aux plus grands, y compris I Musici. L'authenticité de style n'est plus synonyme de restitution figée. La musique bouge, vibre, s'enflamme. Elle est «baroque» au plein sens du terme.

6 Concertos grossos, op. 7.

** Academy of St. Martin-in-the-Fields, Iona Brown. EMI ASV ALH 927. Enregistré en 1982.

Clarté du discours, distinction, élégance, voilà des qualificatifs qui «collent» bien au jeu de Iona Brown, à la tête de son ensemble anglais. On ne peut s'empêcher de rêver au relief qu'Hogwood a su donner aux œuvres sœurs de l'*Opus 3* ; mais cette interprétation reste valeureuse, pour cet opus d'écriture peut-être encore plus inventive que les autres, où Geminiani joue des contrastes délibérés entre les styles français et italiens, pigmente la trame des archets par des vents, et densifie l'écriture par une seconde partie d'altos.

La forêt enchantée, Suite pour trompette, cors, flûtes et cordes.

** I Solisti Veneti, Claudio Scimone. Erato MUS 19.014. Enregistré en 1973.

Le grand talent de Claudio Scimone est d'être, dans son expression, italien jusqu'au bout des ongles. Les figures pittoresques rencontrées dans cette forêt enchantée sont, pour cette raison, vécues avec un sens du drame : des démons, le sang, le feu, la mort surgissent au détour d'un solo de violon étourdissant, d'un changement de rythme ou d'un trait inattendu. Mais pour Geminiani, le mystère de la forêt est en fait la rencontre des goûts italien, français et allemand. Dommage que I Solisti Veneti ne s'y attarde guère. Il est vrai que les subtilités du style français n'intéressent que modérément le chef padouan...

Gershwin, George
(1898-1937)

Anthologie. « La vie en musique de George Gershwin » : Rhapsody in Blue, pour piano et orchestre ; Un Américain à Paris ; Porgy and Bess (Suite symphonique) ; Chansons : Swanee, Somebody loves me, Oh lady be good, Fascinating rhythm, Someone to watch over me, The man I love, 'S wonderful, Liza, Embraceable you, I got rhythm, Bidin' my time, But not for me, They can't take that away from me, Promenade, A foggy day, Love is here to stay, Love walked in.

** Eugène List (piano), Orch. Symph. Eastman-Rochester, Howard Hanson ; Orch. Symph. de Minneapolis, Antal Doráti ; Orch. de la Marine Royale Néerlandaise ; Orch. Schilperhoot, Frederick Fennell ; Dutch Swing College Band ; Ivor Raimonde et son Orch. ; Reg Tisley et son Orch. Philips 6768.780 (2 d.).

Anthologie : Concerto en fa majeur pour piano et orchestre ; Rhapsody in Blue, pour piano et orchestre ; Variations sur « I got rhythm », pour piano et orchestre ; Un Américain à Paris ; Ouverture cubaine ; Porgy and Bess (Suite symphonique) ; *Deuxième Rapsodie*, « Manhattan Rhapsody », pour piano et orchestre ; Trois Préludes pour piano ; Chansons : The man I love, Bidin' my time, I've got a crush on you, Aren't you kind of glad we did, Looking for a boy, He loves and She loves.

** Werner Haas (piano), Sarah Vaughan (chant), Orch. de l'Opéra de Monte-Carlo, Edo de Waart, Eliahu Inbal ; H. Mooney et son Orch. Philips 6747.062 (3 d.).

« La vie en musique », pour ceux qui voudraient posséder un large éventail, offert dans l'ordre chronologique, de la production du compositeur. Des interprétations honnêtes, parmi lesquelles se détachent les visions d'*Un Américain à Paris* et de la suite symphonique de *Porgy and Bess* par Antal Doráti. Une technique sonore correcte pour cet itinéraire Gershwin, partant de l'aube avec *Swanee* pour s'achever, avec *Love walked in*, en un crépuscule trop tôt venu.

Interprétations de bon niveau pour l'anthologie en trois disques, qui, en plus des pages habituelles, offre la *Deuxième Rapsodie* pour piano et orchestre, oeuvre peu connue et digne d'intérêt. Un joyau pour les amateurs : Sarah Vaughan interprétant un choix des fameux standards où l'auteur charme de tout son talent de mélodiste raffiné. Réalisation technique correcte.

Un Américain à Paris.

*** Orch. Phil. de Los Angeles, Zubin Mehta. Decca SXL 6.811 (étr.). + *Bernstein : Candide (ouverture) ; Copland : Appalachian Spring.*

** Corky Siegel (harmonica), William Russo (piano), Orch. Symph. de San Francisco, Seiji Ozawa. DG 2530.788. ⌧ 3300.788. + *Russo : Street Music.*

** Orch. Symph. NBC, Arturo Toscanini. RCA AT 129 (étr.). Mono. Enregistré en 1945. + *Grofé : Grand Canyon Suite.*

Un Américain à Paris. Concerto en fa majeur pour piano et orchestre. Rhapsody in Blue, pour piano et orchestre.

*** Leonard Pennario (piano), Orch. Symph. de Pittsburgh, William Steinberg ; Orch. Paul Whiteman, Paul Whiteman. EMI Trianon 33.174.

Un Américain à Paris. Ouverture cubaine. Rhapsody in Blue, pour piano et orchestre.

* Ivan Davis (piano), Orch. de Cleveland, Lorin Maazel. Decca 591.103.

La très belle version d'*Un Américain à Paris* de Mehta donne à admirer un magnifique orchestre, homogène, puissant, incisif, capté largement, dans une qualité sonore de grande valeur. Une vision plus vigoureuse, plus haute en couleurs que celle de Maazel, une réalisation technique plus moderne que pour Bernstein. En supplément, nous retiendrons surtout l'*Appalachian Spring* de Copland, petit joyau de fraîcheur. Une réédition attendue.

Dans une très bonne réalisation technique, Ozawa donne une vision pleine de vie et de couleurs de cet Américain arpentant les Champs-Elysées. La musique américaine au fil de l'amour. En complément, une œuvre puissamment originale, expressive, pétrie de talent et de savoir, d'un autre compositeur d'Outre-Atlantique.

Toscanini se devait bien d'enregistrer, à la tête de son fidèle orchestre, ces deux pages populaires d'une Amérique qui l'aimait tant. Une vision pas toujours très orthodoxe de l'une et de l'autre œuvres, mais la joie de découvrir, dans une reproduction sonore très honorable, un volcan italien aux prises avec le Blues. Pour les curieux et les collectionneurs.

La version de Pennario, dans une qualité technique fort honnête, à un prix hautement compétitif et dans un programme très généreux, propose de belles versions de ces œuvres maîtresses du compositeur. Le soliste déploie un talent sûr, plein d'ardeur juvénile et de spontanéité dans la *Rhapsody* et le *Concerto*, fidèlement soutenu par les deux orchestres. Paul Whiteman et sa grande formation nous rappellent, tant dans cette même *Rhapsody* (dont ils furent les commanditaires et les créateurs avec Gershwin au piano) que dans *Un Américain à Paris*, leur identification naturelle à cette musique dont ils nous restituent la verve et la tendresse dans le plus pur style du magicien de Broadway.

Avec Maazel, bonne version de ballet, manquant sans doute un peu de nostalgie envers l'Amérique lointaine, exécutée assurément dans un style trop classique, mais bénéficiant d'un orchestre virtuose aux cordes admirables et d'une prise de son magnifique et spectaculaire. En complément, une *Ouverture cubaine* de très bonne tenue, mais une *Rhapsody in blue* qui n'a pour seule frénésie que son acharnement dans la sagesse et dans une esthétique dénuée d'engagement personnel. Pour les amateurs de somptuosité sonore.

Un Américain à Paris. Rhapsody in Blue, pour piano et orchestre.

❀*** George Gershwin (piano, enregistré sur rouleaux en 1925), Orch. Phil. de New York, Columbia Jazz Band, Michael Tilson-Thomas. CBS 76.509. ⌧ 40-76.509.

*** Leonard Bernstein (piano), Orch. Phil. de New York, Leonard Bernstein. CBS 75.080. ⌧ 40-75.080

Concerto en fa majeur pour piano et orchestre. Rhapsody in Blue, pour piano et orchestre.

❀*** Philippe Entremont (piano), Orch. de Philadelphie, Eugène Ormandy. CBS 60.005. ⌧ 40-60.005.

*** Daniel Wayenberg (piano), Orch. de la Société des Concerts du Conservatoire, Georges Prêtre. EMI VSM C 059-11.656. ⌧ C 259-11.656.

** Eugène List (piano), Orch. Symph. Eastman-Rochester, Howard Hanson. Philips 6513.003. ⌧ 7303.039.

Concerto en fa majeur pour piano et orchestre. Rhapsody in Blue, pour piano et orchestre. Variations sur « I got rhythm », pour piano et orchestre.

** Werner Haas (piano), Orch. Nat. de l'Opéra de Monte-Carlo, Edo de Waart. Philips 6500.118. ⌧ 7300.096.

Rhapsody in Blue, pour piano et orchestre.

*** Julius Katchen (piano), Orch. Symph. de Londres, Istvan Kertesz. Decca SXL 6.411. ⌧ SXC 6411 (étr.). *+ Prokofiev : Concerto n° 3 pour piano et orchestre ; Ravel : Concerto pour la main gauche.*

Rhapsody in Blue. Concerto en fa (versions pour deux pianos).

*** Katia et Marielle Labèque (pianos). Philips 9500.917. ⌧ 7300.917. Enregistré en 1980.

Chez Tilson-Thomas, *Un Américain à Paris* hautement coloré, agrémenté d'une percussion spectaculaire, virtuose, et d'un haut volume sonore. Mais l'événement, c'est cette *Rhapsody in Blue,* mixage d'une bande- enregistrée aujourd'hui sur piano Duo Art - de l'interprétation du compositeur inscrite sur rouleaux perforés, avec l'accompagnement original pour jazz band, joué par un orchestre moderne. Cette interprétation nous offre un irrésistible parfum d'époque, la saveur du Broadway d'avant-guerre, la jeunesse ardente, fantasque, tendre... et communicative d'une page que les interprètes « classiques » ont trop souvent l'habitude d'engoncer dans de rigides atours. Quelques petits décalages entre soliste et orchestre, mais la verdeur d'une orchestration, une qualité sonore très correcte, le bain de jouvence d'une vision savoureuse et décapante... qui est celle du compositeur.

Les enregistrements de Bernstein sont déjà anciens, mais d'une spontanéité et d'une subtilité étonnantes. Qui, mieux que l'auteur de *West Side Story* et de *Songfest,* pouvait nous restituer dans ces musiques l'ambivalence des styles jazzique et classique ? Lyrique, heureux, tendre, tout simplement humain, très subtil dans les rythmes, dans le rendu des images sonores, que ce soit au piano ou à la baguette, il nous séduit et nous touche par son bonheur de vivre pour nous cette musique qu'il aime. Mais à quand de nouvelles versions témoignant des somptuosités de la technique moderne ?

Entremont et Ormandy proposent un disque exemplaire : la réunion d'un jeune loup au clavier et d'un vieux routier de l'orchestre, qui nous offrent tout simplement une version de référence. Pianiste et orchestre s'entendent à merveille ; clarté des différents plans sonores, précision des traits, évidence des phrasés, brio, sensibilité, font de ces gravures le carrefour idéal entre tous les genres, entre tous les âges. Un grand moment d'amour, de passion et de vérité où souffle un fort vent de liberté, où le respect de l'esprit et de la lettre engendre la spontanéité la plus immédiate, la plus heureuse. Souhaitons que cet enregistrement, par ailleurs fort bien réalisé techniquement, revienne très prochainement sur le marché français.

La version de Wayenberg montre que Gershwin est décidément bien servi dans les catégories de prix économiques. Voilà un enregistrement qui reçut un des grands prix du disque en 1961. Daniel Wayenberg, fin pianiste bien trop méconnu du public, offre ici l'antithèse des interprétations d'Eugène List. Parfaitement à l'aise dans cette musique, il oppose lyrisme communicatif et âpreté jazzique avec un rare bonheur. L'orchestre, particulièrement remarquable par son équilibre rythmique, l'accompagne sans faillir dans cette quête heureuse et farouche de l'identité d'une musique qu'il perçoit dans son essence même. Qualité sonore satisfaisante.

Les enregistrements de List et Hanson sont anciens mais bien captés, et offerts à un prix économique. Eugène List, pianiste complet, donne de ces œuvres des visions enthousiastes, faisant chanter les magnifiques mélodies de Gershwin. L'orchestre lui répond avec la même conviction. Mais cette interprétation brillante et spectaculaire n'a que trop tendance à demeurer un traitement de surface.

Bon disque de Werner Haas, qui ne modifie guère la discographie mais vaut surtout par une brillante interprétation des *Variations sur « I got rhythm »*, peu gravées dans leur version avec orchestre. Ces enregistrements nous montrent un pianiste d'une belle sensibilité et d'un brio certain, mais qui nous semble délaisser quelque peu la spontanéité et la liberté rythmique de ces œuvres, éléments venus du jazz, certes, mais leur appartenant en propre.

Katchen et Kertesz nous ont aujourd'hui quittés. Le grand pianiste qu'était Julius Katchen fait encore une fois la démonstration, dans cette *Rhapsody* qu'il enregistra peu avant sa mort prématurée, de son jeu nerveux, sensible et puissant dans une interprétation parfaitement idiomatique, inspirée et spontanée. Istvan Kertesz lui donne la réplique avec un grand respect des textes et une remarquable maîtrise orchestrale. Un couplage vraiment très heureux offre deux chefs-d'œuvre dans une interprétation tout autant magnifique. Voilà, dans une réalisation technique sans défaut, un document irremplaçable sur l'art profond et accompli d'un grand artiste parvenu à la plus haute spiritualité dans une maîtrise sans faille.

On ne résiste pas à la vivacité, à l'enthousiasme communicatif des soeurs Labèque. Rappelons que cette version pour deux pianos restitue la forme originale de la célèbre

Rhapsody in Blue. Au-delà de la virtuosité et de la perfection technique, Katia et Marielle Labèque, par leur sens du coloris et de la vie rythmique, rejoignent l'essence même de la musique.

Œuvres pour piano : Trois Préludes, Rhapsody in Blue, Songbook (Swanee, Somebody loves me, Who cares?, The man I love, Nobody but you, Do it again, 'S wonderful, Oh lady be good, Sweet and low, That certain feeling, Liza, I got rhythm).

** André Watts (piano). CBS 76.508.

Œuvres pour piano : Ouverture cubaine, Porgy and Bess (Introduction), Trois Préludes, Rhapsody in Blue, Second Rhapsody, Songbook, Deux valses, Variations sur « I got rhythm ».

** Frances Veri, Michael Jamanis (piano). EMI VSM 2C 181-96.863/4 (2 d.). Enregistré en 1976.

André Watts donne le seul enregistrement facilement disponible de la *Rhapsody in Blue* dans sa version pour piano seul. En prime, les Préludes et une sélection du *Songbook* (nous ne l'entendrons jamais assez !). André Watts nous soumet une conception pleine de charme, mais les couleurs qu'il suggère, moins crues, moins drues que celles choisies par Bolcom, sont peut-être plus éloignées de Gershwin. Technique honnête.

L'enregistrement de Veri et Jamanis rappelle que, comme d'autres compositeurs, Gershwin écrivait une première version pour deux pianos de ses œuvres opposant l'instrument soliste à l'orchestre ou écrites pour l'orchestre seul. Il réduisait aussi certaines de ses partitions pour des exécutions telles que celle qui nous est proposée ici (mais tous les arrangements de ce disque ne sont pas de Gershwin). Les deux solistes donnent de cet éclairage peu commun d'œuvres célèbres une vision subtilement dosée, jeune, vivante, où ils se font plaisir pour notre plus grand bonneur et déjouent aisément le piège délicat des réminiscences classiques et des éléments «jazzy». Une curiosité : la deuxième Rapsodie, très rarement enregistrée. Bonne réalisation sonore pour ces deux disques vendus au prix d'un seul.

Ouvertures : Oh Kay!, Funny Face, Girl Crazy, Strike up the Band, Of thee I sing, Let'em eat cake.

** Orch. Phil. de Buffalo, Michael Tilson-Thomas.
Tilson-Thomas. CBS 76.632.

Un jeune chef talentueux au service d'une musique toujours jeune. Où l'on découvre que le héros écrivit de nombreuses comédies musicales, dont il nous est restitué ici quelques ouvertures. Des pages pratiquement inconnues chez nous, un genre bien connu chez Gershwin, même si vous croyez ne pas le connaître : n'avez-vous jamais fréquenté quelque petit film hollywoodien où s'agitait aimablement un jeune homme du nom de Fred Astaire? Des œuvres au charme prenant, au lyrisme chaleureux et à l'inspiration mélodique toujours heureuse, mais desservies par une prise de son compacte et assez confuse.

Porgy and Bess, opéra.

*** Donny Ray Albert (Porgy), Clamma Dale (Bess), Andrew Smith (Crown), Wilma Shakesnider (Serena), Betty Lane (Clara), Alexander B. Smalls (Jake), Carol Brice (Maria), Larry Marshall (Sportin'Life), Ch. et Orch. du Grand Opéra de Houston, John DeMain. RCA RL 02.109 (3 d.). ⌧ RK 02.109. Enregistré en 1976.

** Willard White (Porgy), Leona Mitchell (Bess), Henry Mc Boatwright (Crown), Florence Quivar (Serena), Barbara Hendricks (Clara), Arthur Thompson (Jake), Barbara Conrad (Maria), François Clemons (Sportin' Life), Ch. et Orch. de Cleveland, Lorin Maazel. Decca 390.010. (3 d.). ⌧ 4-390.010 (3 c.).

Porgy and Bess, opéra (extraits).

*** Donny Ray Albert (Porgy), Clamma Dale (Bess), Andrew Smith (Crown), Solistes, Ch. et Orch. du Grand Opéra de Houston, John DeMain. RCA RL 42.412. ⌧ RK 42.412. Enregistré en 1976.

*** William Warfield (Porgy), Leontyne Price (Bess), Henry Mc Boatwright (Crown), Solistes, Ch. et Orch. RCA, Skitch Henderson. RCA GL 43.714. ⌧ GK 43.714.

La version DeMain est l'occasion de retrouver la troupe que l'on a pu voir à Paris en 1977. Rencontre attendue entre la musique et le drame, née d'une longue et fructueuse confrontation scénique avec l'œuvre. Les belles voix chaleureuses de cette équipe rompue à la technique classique, la baguette sensible et nerveuse du chef ainsi qu'une mise en scène soigneusement reconstituée pour le discophile font de cette version, malgré une réalisation technique des plus moyennes, la référence : pour la vie et la couleur des personnages, pour la force dramatique d'une œuvre tendre, généreuse et douloureuse où Gershwin met l'Amérique face à son indifférence, face à la ségrégation, où ses influences européennes (Charpentier, Puccini, Berg, Schönberg) mènent Gershwin vers un opéra purement américain où poésie, rire, violence et douleur nous conduisent du personnel vers l'universel.

L'enregistrement de Maazel est la première tentative entreprise par une équipe classique pour rendre en stéréo cet opéra dans son intégralité. La qualité des voix est fort belle, la direction sans reproche sur le plan de la pure technique musicale et de l'idiomatisme. Mais cette version pèche par sa qualité même : la mise en place des voix et de l'orchestre, le soin apporté à la plastique sonore de cette interprétation sont contrebalancés par un manque de vie, de couleur, par un rendu insuffisant de la force dramatique de l'œuvre. Somme toute, une remarquable version de concert, dans une réalisation technique de haute référence (prise de son splendide !), pour ceux qu'intéresserait plus la musique de Gershwin magnifiquement restituée que la sensibilité douloureuse du peuple noir américain aux prises avec la condition humaine, avec sa condition sociale.

Une sélection de l'enregistrement intégral de DeMain, pour ceux qui ne voudraient posséder que les pages les plus marquantes, les plus connues de l'ouvrage. Un long aperçu qui leur donnera sans doute l'envie de se reporter à l'intégrale pour en connaître plus. Interprétation exemplaire.

Quoique déjà ancien, l'enregistrement de Henderson possède une qualité sonore de premier ordre. Excellente interprétation de la troupe qui donna, il y a près de trente ans, une audience internationale au chef-d'œuvre de Gershwin, et nous révéla la grande Leontyne Price. Celle-ci incarne si admirablement son personnage qu'il semble avoir été créé pour elle. William Warfield lui donne la réplique avec une puissance et une sincérité bouleversantes. Un grand document.

Gervaise, Claude
(1505-1555)

Danses : Allemande, Branle de Champagne, Branle courant.

❀*** Pro Musica Antiqua de Bruxelles, Safford Cape. Dover HCR 5221 (sup.). Mono. + *Attaignant, Créquillon, Lassus, Gombert, Clemens non Papa, de Rore, Le Roy, du Caurroy, Sermisy, Goudimel.*

Une anthologie maintenant disparue du commerce, mais qui conserve une jeunesse et un charme fous. Une interprétation de haute qualité, avec un esprit d'authenticité exceptionnel. Il s'en dégage une beauté émouvante et même captivante.

Danses : Branle, Branle de Bourgogne, Branle de Champagne.

*** André Isoir (orgue positif). Calliope Cal 1901. ⌧ CAL 4.901. + *Anonyme, du Caurroy, Costeley, Francisque, Janequin, Le Jeune, Sandrin.*

La musique instrumentale prenant l'essor que nous savons au XVIe siècle, pourquoi être surpris de voir les danses jouées sur un instruments maintenant principalement religieux ? Il n'est pas douteux que les positifs étaient courants dans les intérieurs avant l'épinette, et l'interprétation que donne ici André Isoir de ces trois pièces ne nous fait pas regretter les vièles et flageolets de rigueur pour ces manifestations : jeu varié qui donne à une simple danse quelque chose d'intérieur, de majestueux. Il ressort à l'écoute que la construction architecturale de ces morceaux est parfaitement réfléchie.

Gesualdo, Carlo
(1560-1613)

Chants sacrés : Ave dulcissima Maria, Ave Regina coelorum, Hei mihi Domine, O Crux benedicta, O vos omnes, Benedictus, Miserere (Psaume 80).

*** Deller Consort. Harmonia Mundi 203. ✉ 40.203. + *Madrigaux à cinq voix.*

La vieille anthologie du Deller Consort reste un jalon historique de la discographie gesualdienne. Avec une ferveur qui s'accorde fort bien au modelé de la ligne polyphonique et cette science du chant qui, sur le plan sonore, permet d'identifier immédiatement une interprétation de la célèbre formation. Sans doute, la virtuosité et les raffinements expressifs des Deller appellent-ils la salle de concert plus que le sanctuaire. Mais la spiritualité des œuvres est sauve, tandis que sont soulignées les mille audaces et frictions harmoniques du langage, dans une perspective qui tire davantage la musique vers la transcendande immatérielle des élizabéthains que vers le poignant mysticisme -fondamentalement «catholique» d'inspiration- de Gesualdo. Tel quel, un témoignage à ne pas oublier.

Les Madrigaux à cinq voix, enregistrement intégral : Livres 1 à 6.

❀*** Quintette Vocale Italiano. Harmonia Mundi HM 300/6 (7 d.) (sup.).

Bien difficile à trouver aujourd'hui dans son intégralité, voici la référence absolue pour l'univers profane de Gesualdo. Une approche qui n'a jamais été égalée, et dont la réussite tient avant tout à la conception «soliste» (une voix par pupitre) d'Ephrikian, qui accuse ainsi les cruelles harmonies de l'écriture et toute la modernité d'un discours dont les «*stravaganze*» se jouent littéralement des règles et interdits de la tradition. Hyper-expressifs (ô combien !), brûlant les mots avec les sentiments, ces disques mettent à nu la vérité de la géniale musique avec un souci quasi visuel de la symbolique madrigalesque et une intensité dans le cri ou la prière qui font paraître routinières toutes les visions concurrentes.

Madrigaux du Livre VI.

*** Collegium Vocale de Cologne. CBS D 37. 758. Enregistré en 1981.

Voici sans doute l'approche la plus torturée et, harmoniquement parlant, la plus radicale qui ait jamais été tentée au disque pour Carlo Gesualdo. Dans sa perspective «maniérisante», le Gesualdo hyper-expérimental imaginé par le Collegium Vocale de Cologne effraiera peut-être certains dans la mesure où il se distingue des versions à l'italienne qui accusent les ressorts dramatiques du chant en privilégiant les *affeti* - soupirs, sanglots - traditionnels. Mais cette approche est suffisamment neuve pour que nous nous accommodions de couleurs et d'un style inhabituels.

Répons du Vendredi Saint (Feria Sexta).

*** Ensemble A Sei Voci. Erato STU 71.520. Enregistré en 1982.

L'enregistrement du groupe A Sei Voci, face au perfectionnisme du Deller Consort ou au recueillement de Montserrat, retiendra l'attention de plus d'un amateur soucieux de s'en tenir, pour ces *Répons,* à des extraits. Un disque habité, et qui prouve, par sa musicalité sans faille, sa façon toute moderne de faire passer l'inquiétude avec la ferveur, et un sens de l'image sacrée qui hausse le chant à la valeur d'un acte liturgique.

Responsoria de la Semaine Sainte.

*** Deller Consort. Harmonia Mundi DR 220, 230, 240, 250 (4 d.). Enregistré de 1971 à 1973. + *Chants sacrés.*

*** Escolania de Montserrat, Don Ireneu Segarra. Archiv 2710.028 (3 d.). Enregistré en 1979. + *Benedictus, Miserere.*

Deux versions s'affrontent dans cette «somme» religieuse. Celle des Deller d'abord (chronologiquement la plus ancienne) : approche virtuose, envoûtante par de nombreux aspects, supérieurement chantée et s'attachant à un «portrait» littéral de la musique qu'elle fouille en profondeur pour mieux en dégager la singularité novatrice et lui faire rendre toute sa charge harmonique, ces accents «inouïs» et comme venus d'ailleurs, qui impressionnent tant l'auditeur d'aujourd'hui.

La vision toute récente de l'Escolania de Montserrat moins avide de dissonances et de modernité, moins soucieuse d'interroger Gesualdo au nom de nos motivations, moins complice de nos mentalités, mais habitée par une spiritualité intense, n'ayant, au fond, qu'un seul objectif en tête : rendre ces œuvres à leur vocation première, c'est-à-dire à l'Eglise. D'où une intériorité plus grande et un sens de la prière qui ne va pas, toutefois, sans une certaine uniformité d'accents, l'Escolania ne mettant pas dans sa réalisation la recherche esthétique qui caractérise les Deller. En fait, l'idéal serait ici de posséder les deux versions : Deller, pour son exigeant perfectionnisme et une musicalité qui n'ignore pas, pour autant, «les choses du Ciel», et Montserrat tourmentée par l'idée de Dieu comme bien peu l'ont été avant elle..

Gibbons, Orlando
(1583-1625)

Fantaisies royales.

*** Jordi Savall, Christophe Coin, Sergi Casademunt (violes). Astrée AS 43.

Dans des pièces au contenu sentimental et personnel important, la petite équipe qu'anime Jordi Savall nous donne une démonstration éblouissante des possibilités offertes par un *consort* de violes. Jeux de contraste, effets d'entrelacement, affirmation d'une ligne mélodique simple entre des arabesques très chargées d'ornements, entrées successives des voix, tout est employé pour faire valoir un admirable texte musical. Un tel niveau de perfection technique collective est exceptionnel. Lorsqu'il est mis au service d'une musique aussi belle, on ne peut qu'applaudir.

Madrigaux et Motets.

*** Emma Kirkby, Christina Pound (s), Kevin Smith (hc), Martyn Hill, Rogers Covey-Crump (t), David Thomas (b), Consort of Musick, Anthony Rooley. Oiseau Lyre DSLO 512 (G-B).

L'intégrale du seul recueil de musique vocale laissée par Gibbons en dehors de sa musique d'église. La présentation qu'en donne Anthony Rooley est en tous points exemplaire. Une attention aussi grande a été apportée au problème du chant qu'à celui de l'accompagnement instrumental. C'est vraiment une équipe homogène de chanteurs et d'instrumentistes que nous avons en face de nous. Cette cohésion permet de manier la voix comme un instrument, et de la fondre dans un ensemble dont elle ne se distingue que lorsqu'elle a à apporter un supplément de signification. Il y a là un travail très riche de possibilités que Rooley a utilisé assez largement sans jamais systématiser.

Musique pour clavier.

*** Christopher Hogwood (orgue, clavecin et épinette). Oiseau Lyre DSLO 515 (G-B).

Hogwood utilise pour nous présenter cette sélection de l'œuvre pour clavier de Gibbons un petit orgue de salon du XVIIe siècle, un clavecin de Jan Rückers, et une épinette contemporaine de la reine Elisabeth. Le choix de ces instruments est déjà, en soi-même, porteur de bien des satisfactions pour l'amateur de clavier ancien ; mais le plaisir est à son comble quand on entend la musique grave, comme recueillie, de Gibbons. Hogwood joue avec un grand détachement, n'insistant jamais, laissant cette musique délicate parler d'elle-même ; il ne recherche jamais l'effet et son extrême pudeur est le plus sûr moyen de faire ressortir la beauté naturelle de la musique qu'il interprète.

Musique d'église.

*** The Clerkes of Oxenford, David Wulstan. Calliope Cal 1.611. ⌧ 4.611. Cal 1.612.

** Ch. du King's College de Cambridge, Jacobean Consort of Viols, David Willcocks. Argo ZK 8 (G-B).

Un ensemble d'amateurs d'Oxford donne ici une collection homogène de musique sacrée de Gibbons qui souffre la comparaison avec les meilleures versions. L'ensemble est assez nombreux, mais choristes et solistes forment un groupe sans faille. Il règne dans ces interprétations un climat de recueillement et de tension très fascinant. La clarté des voix, si essentielle à ce type de musique, ne laisse rien à désirer, pas plus que le sens aigu qu'a Wulstan du maniement d'une polyphonie complexe qui s'interrompt parfois pour laisser la place à un ou plusieurs solistes dont l'intervention vient modifier l'équilibre de toute l'œuvre. Ce qui domine dans ces disques, c'est la perfection de la mise en place. Rien, jamais, ne semble laissé au hasard.

Enregistré dans le style d'une cérémonie religieuse, motets et prières étant remis à leur place respective, le disque de Willcocks est un bon témoignage sur la façon dont la musique d'église Tudor survit encore, de façon normale, dans les collèges des universités anglaises. Le choix des Hymnes est imposé par la lithurgie, mais il comporte quelques-unes des plus belles pièces de Gibbons. Les chœurs sont d'excellente qualité. La prise de son n'est malheureusement pas parfaite, particulièrement en ce qui concerne le rapport entre les voix et les instruments.

Musique vocale et instrumentale.

** Deller Consort, Jaye Consort of Viols, Alfred Deller. Harmonia Mundi HM 219. ⌧ HM 40-219.

Un pot-pourri intelligemment composé de musique sacrée, de madrigaux et de musique pour un ensemble de violes. Ce disque est une fort bonne introduction à l'œuvre de Gibbons. Les interprètes sont pour la plupart remarquables ; le goût le plus parfait a présidé à la selection des pièces qui nous sont données ; la sensibilité de Deller qui anime l'ensemble de la réalisation n'est plus à vanter. Il y a toutefois quelque chose de déconcertant dans le passage incessant d'un genre à l'autre. Chaque réalisation est belle, mais le tout manque de cohésion et l'on souhaiterait un programme plus solidement construit.

Gilles, Jean
(1669-1705)

Trois Motets : Laudate nomen Domini, Laetatus sum, Paratum cor meum Deus.

* Ensemble Vocal d'Avignon, Georges Durand. Arion ARN 31.909.

L'interprétation de ces trois Motets présente de grandes qualités, à commercer par le désir d'exprimer le caractère propre de chaque page de la partition. Les choristes sont bien disciplinés et ont une belle homogénéité de timbre. Cependant, le style vocal de certains solistes est moins satisfaisant, avec un vibrato un peu trop large et certains ornements trop brusques. Le style de la direction est impeccable, mais manque parfois de chaleur personnelle, ce qui est accentué par la prise de son plate et assez mate. Mais c'est une première très intéressante en matière de musique du XVIIIe siècle.

Requiem «des services funèbres de Rameau et de Louis XV».

❀*** Anne-Marie Rodde (s), Jean Nirouët (a), Martyn Hill (t), Ulrich Studer , Peter Kooy (b), Collegium Vocale de Gand, Musica Antiqua de Cologne, Philippe Herreweghe . Archiv 2533.461. Enregistré en 1981. *+ Corrette : Carillon des morts.*

*** Nadine Sautereau (s), André Mallabrera (t), Rémy Corazza (t), Xavier Depraz (b), Ch. Philippe Caillard, Orch. de Chambre Jean-François Paillard, Louis Frémaux. Erato STU 70.253. ⌧ MCE 70.253.

*** Annick Simon (s), André Meurant (t), Michel Hamel (t), Xavier Depraz (b), Ch. Philippe Caillard, Ensemble Instrumental Jean-François Paillard, Louis Frémaux. Erato EF 28.025. ⌧ MCE 28.025.

Philippe Herreweghe a choisi de revenir aux effectifs originaux, se fondant sur de tout autres bases musicologiques que Frémaux. Herreweghe a réussi une interprétation profondément émouvante, axée sur le dramatisme du texte, et a d'ailleurs rejeté tout ce qui ne contribue pas à intensifier ce dernier. Ni fracas, ni maniérisme, ni concession, mais une respiration ample, profonde, pour ainsi dire incantatoire.

A dix ans d'écart, Louis Frémaux a donné deux enregistrements de ce *Requiem* de Jean Gilles. Des points communs : la participation de Xavier Depraz, la basse du quatuor de solistes, les Chœurs Philippe Caillard et l'Orchestre Jean-François Paillard. Dans cette seconde version, les voix des solistes sont plus fondues et dégagent une émotion plus intense. Les chœurs et l'orchestre, égaux dans les deux versions, sont excellents. La prise de son est ici large et claire, mais peut-être moins profonde que la première.

La version plus ancienne ne le cède pas à l'enregistrement plus récent et presque jumeau : si donc les solistes peuvent paraître moins convaincants, la prise de son est, elle, particulièrement belle et profonde.

Giordano, Umberto
(1867-1948)

Andrea Chenier, opéra.

❀*** Beniamino Gigli (Chénier), Maria Caniglia (Maddalena), Gino Bechi (Gerard), Giulietta Simionato (Comtesse), Giuseppe Taddei (Fouquier Tinville), Italo Tajo (Roucher), Orch. et Ch. de la Scala de Milan, Oliviero de Fabritiis. EMI 153-17.069/70 (2 d.) (Italie). Mono, origine 78 t. Enregistré en 1941.

*** Placido Domingo (Chénier), Renata Scotto (Maddalena), Sherill Milnes (Gérard), Orch. National Phil. de Londres, Ch. John Alldis, James Levine. RCA RL 02.046 (3 d.) (USA). Enregistré en 1976.

Si l'auteur n'est pas au pupitre (hélas !), les interprètes qui étaient ses familiers triomphent de ce chef médiocre : Gigli, superbe, est plein d'un enthousiasme ici bien contenu, et demeure le modèle inégalé. Maria Caniglia, bouleversante malgré quelques stridences, nous rappelle ce que lui doit Callas. Bechi au sommet de sa forme, et les petits rôles déjà tenus par les grandes vedettes du lendemain : le document indispensable.

Avec l'enthousiasme et le talent de Levine, avec une stéréo somptueuse, la version récente fait oublier les précédentes au microsillon (Tebaldi mal soutenue, Corelli mal entouré, etc.). Renata Scotto, qui n'a pourtant pas les moyens du rôle, s'en tire avec une beauté vocale de rêve, une émotion déchirante, entraînant un Domingo passionné qui, malgré d'évidentes difficultés, réussit au studio ce qu'il n'a jamais réussi à la scène. Les partenaires sont bons et la troupe homogène.

Fedora, opéra.

** Magda Olivero (Fedora), Mario del Monaco (Loris), Tito Gobbi (De Siriex), Orch. et Ch. de l'Opéra de Monte Carlo, Lamberto Gardelli. Decca SFT 435/36 (2 d.) (sup.) Enregistré en 1969.

Sans doute plus soigné que *Chenier*, cet opéra refuse le grand rôle au ténor, d'où sa moindre popularité. Conçu pour un «monstre sacré» féminin, il l'a ici en Magda Olivero, féminine, tigresse, amante vengeresse ou désespérée, jouant de mille couleurs vocales et d'une palette de sentiments inépuisable. Del Monaco n'est plus au sommet de sa forme (il faut se reporter à Caruso et Gigli, surtout, anthologie EMI, pour entendre l'air «*Amor ti vieta*»). Le reste est correct, dirigé sans enthousiasme.

Giuliani, Mauro
(1781-1828)

Concerto pour guitare, cordes et timbales en la majeur, op. 30. Deux Rossiniane sur des thèmes d'opéras de Rossini, op. 119 et 121.

*** Julian Bream (guitare), Ensemble Melos. RCA FRL1 7.184 (sup.).

Concerto pour guitare, cordes et timbales en la majeur, op. 30.

** Narciso Yepes (guitare). Orch. de Chambre Anglais, Garcia Navarro. DG 2530.975. + *Rodrigo : Fantaisie pour un gentilhomme.*

Un beau disque, où la sensibilité le dispute à la finesse. Une vision romantique du *Concerto* par le grand défenseur de la littérature pour luth. Son art de la perfection, sa sensibilité jamais prise en défaut le mettent en tête de la discographie. Les *Rossiniane*, pour la première fois enregistrées, sont des paraphrases sur des thèmes de Rossini (comme les fameuses *Soirées musicales* de Liszt). Le plaisir, dans ce genre de musique purement digitale, ne peut nous être dévolu que par l'instrumentiste : Bream s'y emploie à merveille. Une agréable définition sonore achève de faire de ce disque une référence pour l'art précieux d'un incomparable artiste. Souhaitons qu'il soit réédité bientôt.

Le bonheur absolu de faire de la musique ensemble, une entente parfaite entre le soliste et le chef. Narciso Yepes se joue des difficultés avec son brio habituel, et nous restitue l'atmosphère précise de ces pages. Une qualité sonore correcte pour l'enregistrement de cette œuvre pleine de grâce et d'ardeur virtuose du Paganini de la guitare, ami de Beethoven, où se retrouve tout le charme de cette Vienne où il vécut. Un couplage très bien venu avec la *Fantaisie pour un gentilhomme* de Rodrigo.

Grande Sonate pour flûte et guitare, op. 85.

** Jean-Pierre Rampal (flûte), René Bartoli (guitare). Harmonia Mundi HMU 711. ✉ 40-711. + *Loeillet : Sonate op. 1 n° 1 ; Visée : Suite pour guitare en ré mineur.*

Une interprétation éblouissante de cette *Grande Sonate pour flûte et guitare*, servie par une bonne réalisation sonore. Le témoignage d'une association alors assez répandue entre un autre instrument soliste et la guitare (par exemple, les œuvres pour violon et guitare de Paganini). Le couplage achève de faire de ce disque la rencontre du charme et de l'inconnu.

Sonate en ut majeur, op. 15. Sonatine en ré majeur, op. 71 n° 3.

*** Narciso Yepes (guitare). DG 2530.871. Enregistré en 1977. + *Sor : Variations ; Tarrega : Préludes, Mazurka, Capricho arabe.*

Deux belles pages, qui révèlent une certaine influence de la musique de piano sur le compositeur. Toujours respectueux de l'architecture, l'interprète domine parfaitement toute difficulté technique, modèle son discours avec variété et délicatesse. Beauté du son, sensibilité, expressivité libérée concourent à offrir un modèle d'interprétation. Le complément du récital s'affirmant de la même veine et l'ensemble de ce disque bénéficiant en outre d'une réalisation technique de haute tenue, nous sommes en présence, ici, d'une remarquable édition.

Glazounov, Alexandre
(1865-1936)

Chant du Ménestrel, pour violoncelle et orchestre, op. 71.

** Mstislav Rostropovitch (violoncelle), Orch. Symph. de Boston, Seiji Ozawa. DG 2530.653. ⌧ 3300.653. + *Chostakovitch : Concerto pour violoncelle n° 2.*

Les amateurs de beau violoncelle, chantant et romantique, seront sans doute ravis par ce *Chant du Ménestrel* interprété par Rostropovitch, et le seul reproche qu'ils pourront faire est sa brièveté. Mais c'est incontestablement très beau. Cette courte pièce de Glazounov n'est pas le plat de résistance de ce disque, qui se recommande surtout par une interprétation remarquable du second *Concerto pour violoncelle* de Chostakovitch.

Concerto pour saxophone et orchestre à cordes en mi bémol majeur op. 109. Quatuor pour saxophone en si bémol majeur op. 109.

* Lev Mikhaïlov (saxophone), Ensemble de solistes du Grand Orch. Symph. de la Radio-Télévision de l'URSS, Alexandre Korneev. Chant du Monde 6.997 (étr.).

Ces deux œuvres pour saxophone, fort méconnues, sont dues à l'admiration que professait Glazounov pour les musiciens de la Garde Républicaine. Le Concerto, réduit à un seul mouvement, se borne à faire valoir les possibilités techniques et expressives de l'instrument. Le Quatuor, plus intéressant, se développe en trois parties, et la seconde comporte des pastiches avoués de Chopin et de Schumann. Il en existait, chez Decca, une version 78 tours avec le Quatuor Marcel Mule, version que l'on doit rappeler aux discophiles collectionneurs. Quant aux musiciens russes, ils servent au mieux ces pages rarement entendues, et si leur sonorité est parfois un peu rude, ce disque reste une réalisation originale.

Concerto pour violon et orchestre en la mineur op. 82.

*** Jasha Heifetz (violon), Orch. Symph. de la RCA, Walter Hendl. RCA RL 42.228 (USA). + *Vieuxtemps : Concerto pour violon n° 5.*

** Nathan Milstein (violon), Orch. Symph. de Pittsburg, William Steinberg. EMI Electrola C 037-85.135 (étr.). Enregistré en 1958. + *Dvořák : Concerto pour violon op. 53.*

** Pierre Amoyal (violon), Orch. Phil. Royal, Claudio Scimone. Erato STU 71.164. ⌧ MCE 71.164. Enregistré en 1977. + *Bruch : Concerto pour violon n° 1.*

Heifetz se montre incomparable dans cette œuvre dont il rééquilibre la douceur avec puissance. Son interprétation est la plus parfaite techniquement, en même temps que la plus passionnée. Walter Hendl, à la tête de l'Orchestre Symphonique de la RCA, lui fournit un splendide accompagnement. Malgré son âge et une technique forcément vieillie, ce disque doit être connu et recommandé.

Sans atteindre la perfection de la version de Heifetz, celle de Nathan Milstein est d'un style impeccable. Dans son accompagnement orchestral, Steinberg joue franchement le jeu symphonique de cette œuvre écrite comme un vaste poème. En couplage, une bonne version du Concerto pour violon de Dvorák (mais non la meilleure). Le désir de retrouver la pureté transcendante du style du Milstein de 1958 peut justifier à lui seul l'acquisition de ce disque admirablement regravé.

L'interprétation de Pierre Amoyal est très pure, d'un lyrisme superbement contrôlé. Le jeu est classique et rigoureux, même, mais cette rigueur n'exclut jamais une réelle beauté. L'accompagnement de Claudio Scimone accentue le côté brillant de l'œuvre. Un couplage intéressant, avec une version du Concerto n° 1 de Max Bruch qui compte parmi les meilleures.

Les Saisons, ballet op. 67. Deux Valses de concert n° 1 op. 47 et n° 2 op. 51.

*** Orch. de la Suisse Romande, Ernest Ansermet. Decca SXL 6269 (G-B).

* Orch. Philharmonia, Evgueni Svetlanov. EMI VSM C 069-03.268. Quadri. Enregistré en 1977.

C'est par le ballet des *Saisons* que Glazounov est le plus connu. Sans avoir le talent de Tchaïkovsky, il ne manque ni de charme, ni de savoir-faire, et l'idée du chorégraphe Marius Petita, qui consiste à commencer par *l'Hiver* pour réchauffer jusqu'à un *Automne* dionysiaque, donne à l'ensemble une progression. L'interprétation d'Ansermet avec l'Orchestre de la Suisse Romande est la plus satisfaisante, dans une lecture méticuleuse, un peu froide au début, mais très bien jouée, principalement du côté des cordes et des vents. Les *Valses de Concert* sont interprétées avec soin.

Un peu trop sage, dans sa parfaite correction, est la version de ce même programme proposée par Svetlanov. A cette musique quelque peu facile, il faut apporter une honnête conviction qui manque ici. De même, pour les *Valses*, l'interprétation ne cherche pas à leur donner une personnalité, et elles semblent appartenir purement et simplement au ballet *Les Saisons*.

Scènes de ballets, suite pour orchestre op. 52. Poème lyrique en ré bémol majeur op. 12. Cortège solennel en sol majeur.

*** Grand Orch. Symph. de la Radio de l'URSS, Guennadi Rojdestvenski. Mélodia 4.033 (URSS).

La *Suite de ballet* est de l'excellente musique chorégraphique contemporaine des grandes œuvres de Tchaïkovsky et écrites sous leur influence, tandis que *Poème lyrique* et *Cortège solennel* évoquent plutôt Moussorgsky. Le disque russe qui présente cet intéressant programme est d'une haute qualité musicale : il rend justice à ce compositeur trop négligé qu'est Glazounov, en mettant bien en valeur les séductions d'un orchestre particulièrement somptueux.

Symphonie n° 5 en si bémol majeur op. 55.

* Orch. Symph. de la Radio-Télévision de l'URSS, Vladimir Fedosseiev. Mélodia 06.469 (URSS).

Première apparition au catalogue de cette 5ᵉ Symphonie, qui est une partition pleine d'idées séduisantes, trop souvent gâtées par un souci de formalisme. Malgré de beaux traits, où l'on retrouve l'influence de Tchaïkovsky, Schumann et Mahler, on sent souvent une certaine «mécanique symphonique». La version qu'en donne Fedosseiev ne sort pas des cadres de la convention ; l'orchestre «éclate» dans une vision grandiose, mais trop prévisible. La valeur de la prestation, bien que réelle, est entachée de l'imagerie traditionnelle de l'école russe.

Symphonie n° 6 en ut mineur, op. 58.

** Orch. Symph. de la Radio-Télévision de l'URSS, Vladimir Fedosseiev. Mélodia 8.215 (URSS).

La 6ᵉ Symphonie de Glazounov est beaucoup plus originale que la 5ᵉ, très marquée par les conventions et la tradition symphonique. On y remarque des images plus fortes et dramatiques, et des mélodies dont le naturel fleure bon le terroir. L'interprétation s'en ressent, et il y passe un souffle de liberté, de générosité et de chaleur humaine qui vient enflammer les traditions de la grande symphonie russe dont Fedosseiev et l'Orchestre de la Radio-Télévision de l'URSS sont tout naturellement dépositaires.

Glinka, Mikhaïl
(1804-1857)

Russlan et Ludmilla, opéra.

*** Ivan Petrov (Russlan), Vera Firsova (Ludmilla), Georgy Nelepp (Finn), Alexei Krivtchenia (Farlaf), Serguei Lemeshev (Baïan), Evguenia Verbitskaïa (Ratmir), Ch. et Orch. du Théâtre Bolchoï de Moscou, Kiril Kondrachine. Melodia LP 02.452/61 (5 d.) (URSS).

** Evgueni Nesterenko (Russlan), Bela Roudenko (Ludmilla), Alexei Maslennikov (Finn), Boris Morosov (Farlaf), Alexandre Arkhipov (Baïan), Tamara Siniavskaïa (Ratmir), Ch. et Orch. du Théâtre Bolchoï de Moscou, Iouri Simonov. Chant du Monde LDX 78.681/84. (4 d.). Enregistré en 1978.

Dirigée avec foi par un étonnant Kondrachine, cette version au son remarquable vaut pour sa présence dramatique et quelques merveilleuses prestations vocales : Lesmeshev dans un court rôle de barde, Nelepp, épique et large, Vera Firsova vocalisant avec perfection. Petrov chante admirablement, Krivtchenia est convaincant, mais Verbitzkaïa dénote un certain déclin vocal.

La prise de son moderne donne sa valeur à la réalisation de Simonov, permettant des effets de fantastique impressionnants dans le dialogue avec la «Tête». Nesterenko a la grandeur épique du rôle et plus de conviction que Petrov dans la vieille version, la basse Morosov excelle également et le mezzo Siniavskaïa a la plus belle voix de contralto lyrique imaginable en 1980. Hélas ! il faut déplorer les prestations plus médiocres des ténors, et surtout une direction clinquante et peu inspirée.

La vie pour le Tzar (Ivan Soussanine), opéra.

*** Boris Christoff (Soussanine), Teresa Stich-Randall (Antonida), Nicolaï Gedda (Sobinine), Melina Bugarinovitch (Vania), Ch. de l'Opéra de Belgrade, Orch. Lamoureux, Igor Markevitch. EMI VSM C 163-73.011/13 (3 d.). Mono. Enregistré en 1958.

** Ivan Petrov (Soussanine), Vera Firsova (Antonida), N. Gries (Sobinine), Valentine Klepitskaia (Vania), Ch. et Orch. du Théâtre Bolchoï de Moscou, Boris Kaikine. Melodia D 016.337/82 (3 d.) (URSS).

Markevitch, russe francisé, un orchestre français, des chœurs slaves et des interprètes cosmopolites donnent le ton exact à la merveilleuse version du premier opéra russe, terriblement inspiré par Rossini et Donizetti, ce qui est ici patent. Christoff est bouleversant, Stich-Randall très attachante sinon très idiomatique, Bugarinovitch (dont l'air principal est coupé) correcte, et Gedda assez extraordinaire, d'autant plus qu'il est le seul de la discographie à chanter le redoutable air suraigu de Sobinine. Excellents, l'orchestre et les chœurs : une absence au catalogue absolument inadmissible.

Version très russe de Kaikine, excellente en soi, mais témoignant d'une connaissance de Moussorgsky ou de Rimsky... que n'avait pas l'auteur ! Petrov et Vera Firsova sont peut-être intrinsèquement plus «vocaux» que les solistes de Markevitch, mais moins inspirés. Chœurs superbes, mais le ténor, quelconque, supprime sa scène principale. Avec l'excellent Kaikine, cette version surclasse néanmoins les Bulgares (Decca) et l'introuvable version 78 t. avec Nelepp et Natalia Shpiller.

Globokar, Vinko
(né en 1934)

Atemstudie, pour hautbois solo. Ausstrahlungen. Fluide.

** Heinz Holliger (hautbois), Michel Portal (clarinette), Ensemble Musique Vivante, Diego Masson. Harmonia Mundi HMU 933.

Jeux de sonorités, exploration des possibilités instrumentales et humaines (*Atemstudie*, étude respiratoire, doit être jouée sans couper le son pour respirer), sollicitations de la personnalité des interprètes (dans *Ausstrahlungen*, le clarinettiste amène ses partenaires à s'exprimer totalement) : Globokar ne cache pas sa passion pour la recherche dans le domaine des instruments à vent. Il en résulte une réalisation à découvrir pour son audacieuse cocasserie et pour les performances des solistes, tous remarquables.

Gluck, Christoph-Willibald von
(1714-1787)

Alceste.

❀*** Jessye Norman (Alceste), Nicolaï Gedda (Admète), Tom Krause (Le Grand-Prêtre), Sigmund Nimsgern (Hercule), Bernd Weikl (Apollon), Ch. et Orch. Symph. de la Radio Bavaroise, Serge Baudo. Orféo S 027.823 (3 d.). Enregistré en 1982.

Avec Jessye Norman, Alceste ressuscite en pleine gloire. Car tout ce qui est simplement héroïque dans ce rôle meurtrier est assumé avec une noblesse et une simplicité épiques, et surtout les longs passages méditatifs, assombris, anxieux, sont dits, suggérés, peints en musique, avec une sensibilité et une beauté sublimes. Nicolaï Gedda n'a pas à craindre la comparaison d'un Thill; quant à Krause, Nimsgern et Weikl, ils ont tous trois trouvé le secret de la déclamation de Gluck : projeter les mots de façon incisive et même emphatique, mais sans s'asphyxier de son propre son. Baudo, sans doute un peu raide dans le soutien des airs, est remarquablement souple et sensible dans le traitement du récitatif : la respiration est là et le marbre s'anime.

Le Cadi dupé, opéra.

** Walter Berry (le Cadi), Anneliese Rothenberger (Fatime), Helen Donath (Zelmire), Nicolaï Gedda (Nuradin), Klaus Hirte (Omar), Regina Marheinecke (Oméga), Ch. et Orch. de l'Opéra de Munich, Otmar Suitner. EMI VSM C 065-28.834 (RFA). Quadri.

Ce petit opéra préfigure, par son sujet et son style, *L'Enlèvement au sérail* qu'il précède de vingt ans. Mais il est loin d'en avoir le génie, et le grand Gluck ne se manifeste pas ici. Il reste une aimable turquerie, où la «couleur locale» est donnée par cymbales, triangles et autres instruments originaux. L'interprétation, venant de chanteurs de grande classe, rend ce divertissement des plus agréables.

Iphigénie en Aulide, opéra.

*** Anna Moffo (Iphigénie), Dietrich Fischer-Dieskau (Agamemnon), Trudeliese Schmidt (Clytemnestre), Ludovico Spiess (Achille), Thomas Stewart (Calchas), Arleen Auger (Artémis), Ch. et Orch. de la Radio Bavaroise, Kurt Eichhorn. Eurodisc 86.271 (2 d.) (étr.).

La version retenue pour cet enregistrement est celle, en allemand, revue - et corrigée - par Wagner en 1847, donc beaucoup plus romantique, notamment sur le plan de l'orchestration, que celle de 1774. Purisme mis à part, le résultat sonne magnifiquement, d'autant plus que l'interprétation est ici admirable, tant sur le plan orchestral que sur le plan vocal. Parmi les chanteurs, Anna Moffo et Fischer-Dieskau se détachent par la noblesse et l'expressivité de leur art. Les Français regretteront que la plaquette et le livret se limitent à l'anglais et à l'allemand, mais le plaisir de l'oreille est si grand..

Orphée et Eurydice, opéra.

❀*** René Jacobs (Orfeo), Marianne Kweksilber (Eurydice), Magdalena Falewicz (L'Amour), Collegium Vocale de Gand, La Petite Bande, Sigiswald Kuijken. Accent 8223/24 (2 d.). Enregistré en 1982.

❀*** Kathleen Ferrier (Orfeo), Greet Koeman (Eurydice), Nel Duval (L'Amour), Ch. et Orch. de l'Opéra Néerlandais, Charles Brück. EMI VSM C 151-25.637 138 (2 d.). Mono. Enregistré en 1951.

*** Marilyn Horne (Orfeo), Pilar Lorengar (Eurydice), Helen Donath (L'Amour), Ch. et Orch. de l'Opéra de Covent Garden, Georg Solti. Decca 390.011 (2 d.).

*** Nicolaï Gedda (Orfeo), Janine Micheau (Eurydice), Liliane Berton (L'Amour), Ch. René Duclos, Orch. du Conservatoire, Louis de Froment. EMI VSM C 153-12.059/60 (2 d.) (sup.). Enregistré en 1955.

Avec Kuijken, c'est en fait d'*Orfeo ed Euridice* qu'il s'agit, version originale en italien révisée par Pieter Andriessen et Sigiswald Kuijken. A l'audition de cet enregistrement, on est emporté par une interprétation fluide où tout semble parfaitement aisé. L'unité de l'oeuvre est totale, car le fil conducteur n'est pas tant assuré par le chant que par le jeu des cordes qui assurent la continuité en même temps qu'elles modèlent le style des chanteurs. Jacobs donne à son interprétation d'Orfeo une intensité d'émotion qui fait oublier ses prédécesseurs. Signalons enfin la parfaite homogénéité de toutes les parties de ce merveilleux ensemble qui vient se placer tout en haut de la discographie.

L'intégrale en italien dirigée par Charles Brück nous présente la version de Berlioz : c'est l'enregistrement d'une soirée donnée en 1951 au Théâtre Municipal d'Amsterdam, où l'on vit le sommet de l'art de Kathleen Ferrier. Elle est vraiment le centre de cet *Orphée*, par ailleurs admirablement dirigé. Par ses accents profonds, par son timbre émouvant de vrai contralto qui se situe aux frontières troublantes des deux sexes, elle atteint à la beauté absolue, elle donne le frisson des choses sacrées. Il est indispensable d'avoir entendu ce document sublime de cette inoubliable cantatrice.

Solti donne une version plus homogène, tant du point de vue des chœurs, qui sont parfaits, que pour les rôles entourant Orphée : Pilar Lorengar, une Eurydice un peu pâle, mais très musicale, et Helen Donath, exquise dans le rôle de l'Amour. La distribution est dominée par la performance de la merveilleuse Marilyn Horne, dont le timbre riche et grave est idéal pour incarner le héros. Georg Solti donne ici la version originale italienne, augmentée des meilleurs passages de la version française. Sa direction est fluide et remarquablement équilibrée.

Enregistrée au Festival d'Aix-en-Provence en 1955, la version dirigée par Louis de Froment propose une restitution musicologique de la version française de l'ouvrage, d'après les manuscrits originaux de la création en 1774. Sa seconde originalité est que le rôle-titre y est tenu par un ténor et non par un contralto : lorsque ce ténor est Nicolaï Gedda, on ne perd rien au change, car il chante d'une façon admirable de grâce, d'émotion et de musicalité.

Gounod, Charles
(1818-1893)

Faust, opéra.

❀*** Placido Domingo (Faust), Mirella Freni (Marguerite), Nicolaï Ghiaurov (Méphistophélès), Thomas Allen (Valentin), Jocelyne Taillon (Marthe), Michèle Command (Siébel), Ch. et Orch de l'Opéra de Paris, Georges Prêtre. EMI VSM C 165-03.574 177 (4 d.). Enregistré en 1978.

❀*** Nicolaï Gedda (Faust), Victoria de Los Angeles (Marguerite), Boris Christoff (Méphistophélès), Ernest Blanc (Valentin), Rita Gorr (Marthe), Liliane Berton (Siebel), Ch. et Orch. de l'Opéra de Paris, André Cluytens. EMI VSM C 165-00.395/8 (4 d.).

*** Giacomo Aragall (Faust), Montserrat Caballé (Marguerite), Paul Plishka (Méphistophélès), Philippe Huttenlocher (Valentin), Jocelyne Taillon (Marthe), Anita Terzian (Siebel), Ch. de l'Opéra du Rhin, Orch. Phil. de Strasbourg, Alain Lombard. Erato STU 71.031/34 (4 d.).

Une très belle distribution, qui chante (presque) sans accent-Méphisto excepté, mais ce n'est pas grave. Une équipe brillante et homogène, où les Français valorisent leurs rôles. L'orchestre est sans doute un peu trop mis en avant lorsqu'il intervient seul, mais le Prélude est mystérieux à souhait, et la Kermesse parfaitement mise en place. Et puis, il s'agit là de la version complète, avec la touchante scène de la chambre de Marguerite et la totalité de la Nuit de Walpurgis, sans les coupures pratiquées pour loger le ballet. Celui-ci n'a pas été omis pour autant, puisqu'il figure, détaché de son contexte, sur la huitième face de l'enregistrement. Malgré de petites réserves, c'est sans doute là la réalisation la plus satisfaisante qui ait été gravée au disque.

La version Cluytens bénéficie avant tout d'une distribution rêvée : Victoria de Los Angeles incarne Marguerite avec toute la suavité de sa voix, Gedda est le Faust idéal grâce à son chant souple et aisé ; le Méphisto de Boris Christoff vaudrait à lui tout seul que l'on possédât cet enregistrement : sa riche basse revêt mille facettes pour composer un personnage difficilement oubliable. Et Ernest Blanc campe un Valentin qui est d'emblée sympathique. Ces solistes de premier ordre sous la baguette compétente d'André Cluytens, nous offrent une interprétation de grande référence. Il existe un condensé en deux disques où l'on trouvera les plus beaux passages (et les plus célèbres).

Lombard, par une direction très retenue, imprime à sa vision une gravité particulière. Les chanteurs sont tous d'une qualité exceptionnelle. Arragal, sans égaler Gedda, est excellent, mais il faut admirer la Marguerite de Montserrat Caballé : elle prend le parti de donner à son rôle une maturité et une profondeur inaccoutumées, mettant dans chaque mot un lourd dramatisme. Les chœurs et l'orchestre contribuent de leur côté à une très belle version, profondément théâtrale.

Mireille, opéra.

** Mirella Freni (Mireille), Alain Vanzo (Vincent), José Van Dam (Ourrias), Gabriel Bacquier (Ramon), Jane Rhodes (Taven), Christiane Barbaux (Vincenette), Marc Vento (Ambroise), Michèle Command (Clémence), Ch. et Orch. du Capitole de Toulouse, Michel Plasson. EMI VSM C 167-73. 021/23 (3 d.). ⌧ C 297-73.021/23 (3 c.). Enregistré en 1979.

Il y avait vingt ans que cette oeuvre n'avait pas eu les honneurs d'une intégrale au disque. La présente réalisation comble tous les espoirs. On ne peut qu'accorder des louanges à l'ensemble de la distribution, avec mention spéciale pour la délicieuse héroïne, parfaite dans toute la gamme des sentiments qu'elle peut exprimer par sa voix radieuse. Orchestre, choeurs et direction de Plasson excellents aussi.

Petite Symphonie pour instruments à vent, en si mineur.

** Octuor Maurice Bourgue. Calliope CAL 1.827. *+ d'Indy : Chansons et Danses.*

L'Octuor Maurice Bourgue donne une interprétation quasi parfaite de ce morceau, à qui il rend son vrai caractère d'humour jeune et savant. Les instrumentistes se font par moments solistes, puis se fondent dans la masse en respectant l'homogénéité et la précision, sans jamais oublier la musicalité. L'idée de réunir Gounod et d'Indy est cohérente et subtile. Ce disque, doté en plus d'une bonne notice musicologique, représente un divertissement de grande qualité.

Roméo et Juliette, opéra.

** Mirella Freni (Juliette), Franco Corelli (Roméo), Henri Gui (Mercutio), Xavier Depraz (Frère Laurent), Eliane Lublin (Stéphano), Claude Calès (Capulet), Michèle Vilma (Gertrude), Yves Bisson (Pâris), Ch. et Orch. de l'Opéra de Paris, Alain Lombard. EMI VSM CAN 235/37 (3 d.).

La distribution de cette intégrale est incontestablement dominée par la charmante Juliette de Mirella Freni : sa voix claire et émouvante convient vraiment à la jeune héroïne, et aucun accent ne gêne l'articulation. Mais son partenaire Franco Corelli a une prononciation très défectueuse, et ses abus de ports de voix sont assez pénibles. Les autres interprètes forment heureusement une équipe homogène et plaisante, où l'on remarque surtout Eliane Lublin. La direction de Lombard rend bien la légèreté élégante et sensible de cette partition.

Granados, Enrique
(1867-1916)

Allegro de concert. Danses espagnoles n°s 1, 2, 3, 5, 11. Danse lente. Goyescas N°s 3, 4 et 5.

*** Teresa Llacuna (piano). EMI VSM C 065-16.277. Enregistré en 1977.

Dans une discographie trop rare pour un compositeur comme Enrique Granados, l'enregistrement de la pianiste Teresa Llacuna est le bienvenu. C'est une interprète rigoureuse qui, tout en portant au détail une attention méticuleuse, ne néglige pas pour autant le galbe de la mélodie. Prenant son temps, ne bousculant jamais les tempos, elle joue avec une grâce et un naturel confondants. Beaucoup de sensibilité, de noblesse et d'intériorité.

Danses espagnoles.

** Alicia de Larrocha (piano). Decca 591.244. ⌧ 4-390.408.

Les *Danses espagnoles* représentent un côté agréable et original de la musique de Granados : faisant preuve tour à tour de nonchalance et de verdeur rythmique, il modèle un langage expressif propre à traduire toutes les nuances du sentiment. Alicia de Larrocha sait les exprimer avec une ferveur exempte de tout effet facile, par son jeu sensible et coloré.

Goyescas, pour piano.

*** Alicia de Larrocha (piano). Decca SLX 6785 (G-B). Enregistré en 1976.

Alicia de Larrocha avait enregistré ces *Goyescas* dix ans auparavant : les revoici plus tard, dans un style encore plus épuré, dans une conception encore plus affinée. L'interprète se garde bien de tomber dans les pièges du sentimentalisme, du pittoresque et de la virtuosité. Cette parfaite musicienne donne une grande leçon de style : pureté du dessin, souplesse des nuances, parfois baignées d'une délicate mélancolie. Sans conteste, une version de référence, et sans doute pour longtemps.

L'Œuvre pour piano intégrale. Vol. 1 : Goyescas, Six Etudes expressives, Danse lente, Allegro de concert, Chants de la jeunesse, Barcarolle, Prélude et six pièces sur des chants populaires espagnols, Deux Impromptus, Apparition, Etude, Caprice espagnol. Vol 2 : Douze danses espagnoles, Valses poétiques, Paysage, Cartas de Amor, Scènes poétiques, A la Pradera, El Pelele, Scènes romantiques, Moresca chansons arabes, Livre d'heures, Caresse, Rapsodie aragonaise.

** Marylène Dosse (piano). Vox SVBX 5.485 (6 d.) (étr.).

Dans cette volumineuse réalisation (en deux coffrets de trois disques), Marylène Dosse joue vraiment le jeu de l'œuvre complète : elle n'omet ni les pages juvéniles, ni les feuillets d'album. Grâce à quoi nous découvrons en particulier les *Six Pièces sur des chants populaires espagnols*, un chef-d'œuvre dont le style pur et lumineux dépasse en intérêt les célèbres *Danses espagnoles*. L'interprétation montre une ardeur généreuse, une technique et une sonorité brillantes. Marylène Dosse résiste parfois mal à un certain sentimentalisme, ou reste en-deçà des exigences stylistiques. Mais en d'autres endroits, elle atteint à une vérité d'expression fascinante.

Six Scènes romantiques pour piano.

*** Alicia de Larrocha (piano). Erato DUE 20.234 (2 d.). 🖂 MCE 20.234 (2 c.). + *Goyescas.*

Grâce à son tempérament et à son maître qui fut disciple de Granados, Alicia de Larrocha se trouve dans une position idéale pour exprimer la vérité profonde de cette musique. Aussi bien dans les *Goyescas*, aristocratiques et populaires, que dans les *Scènes romantiques*, plus anciennes, elle sait atteindre le rythme, la couleur et la vie de l'âme espagnole, telles que les a ressenties le compositeur. Deux chefs-d'œuvre à découvrir dans une interprétation de référence.

Tonadillas, mélodies.

*** Victoria de Los Angeles (s), Gonzalo Soriano (piano). EMI VSM C 168-00.0048/49 (2 d.) (sup.). + *Falla : La vie brève.*

Les neuf *Tonadillas* enregistrées ici constituent un exquis récital de mélodies dans le style ancien. Victoria de Los Angeles en est l'interprète idéale, avec sa voix caressante, douce et flexible, qui cisèle l'expression avec une délicieuse aisance. Elle est, de plus, fort bien accompagnée par Gonzalo Soriano. La même réalisation contient sur trois faces, *La vie brève*, de Falla, dans une interprétation quasi exemplaire.

Graun, Carl Heinrich
(1703-1759)

La Mort du Christ.

** Bernadette Degelin, Dominique Mols(s), Peter Ickx (hc), Louis Devos et Ludwig van Gijsegem(t), Kurt Widmer(b), Ens. Vocal de Westvlaams, Musica Polyphonica, Louis Devos. Erato NUM 750.602 (2 d.). Enregistré en 1982.

Cet oratorio célèbre en son temps et joué jusqu'à la fin du XIXe siècle est à peu près oublié de nos jours. L'interprétation qu'en propose Louis Devos manque parfois de force dans cette musique qui n'en a pas trop : cela produit un résultat un peu anémique et douceâtre qui s'accorde mal avec la teneur du sujet. En revanche, l'aspect mélodieux, recueilli, un peu «sentimental» - sans nuance péjorative - de l'oratorio de Graun est fort bien restitué.

Grégorien, chant

Chants vieils espagnols de l'ordinaire et du propre de la messe.

*** Chœur des moines de l'abbaye de Santo Domingo de Silos, dom Ismael Fernandez de la Cuesta. Archiv 2533.163. Enregistré en 1968.

Un répertoire ibérique, aux accents mélodiques particuliers, fait l'objet de cet enregistrement ; ces mélodies appartiennent à ce fond mozarabe et néo-mozarabe qui n'a jamais franchi les Pyrénées. On sera particulièrement attentif à la pièce *Statuit Dominus* (avant-dernière plage de la face 2), aux inflexions caractéristiques. Le chœur des moines de Santo Domingo n'a pas des qualités qui le recommanderaient plutôt que tout autre ; il reste dans une honnête moyenne, sans plus. Mais cet enregistrement est surtout intéressant pour son répertoire.

Première messe de Noël : Dominus dixit ad me (introït) ; Kyrie, Gloria, Sanctus, Agnus IX ; Tecum principium (graduel) ; Alleluia. Dominus dixit ad me ; Credo V ; Laetentur caeli (offertoire) ; In splendoribus (communion) ; Oraison ; Epitre; Evangile ; Pater noster ; Postcommunion.

** Chœur des moines de l'abbaye bénédictine Saint-Martin de Beuron, P. Dr. Maurus Pfaff. Archiv 198.153 Enregistré en 1959.

La première messe de l'office de Noël est ici enregistrée non seulement avec le propre et l'ordinaire (n° IX, particulièrement festif), mais aussi avec les oraisons et les lectures (épître et évangile), ainsi que la préface et le *Pater noster* - ce qui est relativement rare. En outre, le style de ce chœur allemand, en raison notamment de la gravité d'échelle (les moines chantent un peu plus bas qu'a Solesmes, où l'on a plutôt tendance à pousser vers la tessiture de ténor), propose une vision qui lui est propre. L'allure demeure calme, le ton assez étale, la dynamique régulière. La prise de son, malgré l'ancienneté de l'enregistrement, respecte la beauté des voix, relativement peu apprêtées, et conserve suffisamment d'écho pour rendre compte d'une résonance naturelle d'édifice religieux.

Propres des messes de la Nativité (première messe), de l'Epiphanie, de Pâques, de l'Ascension.

** Chœur du monastère d'Einsiedeln, P. Roman Bannwart. Archiv 2533.131. Enregistré en 1972.

Les voix fortes, aux sonorités pleines et amples, de la chorale du monastère bénédictin d'Einsiedeln (célèbre pour ses manuscrits du Xe siècle) accusent une nette différence avec celles de Solesmes. Nous n'en relèverons que l'interprétation rythmique, qui distingue les longues et les brèves avec plus de soin, sans faire intervenir la théorie solesmienne des ictus (se reporter au texte de présentation). On constate des élans, des accélérations, des retenues variées et une différenciation de dynamique quand on passe d'une pièce à l'autre. Un bon exemple de tradition originale, quoique toujours respectueuse des grands principes énoncés à Solesmes.

Douze répons de Noël (matines).

*** Schola du monastère de Montserrat, P. Gregori Estrada. Archiv 2533 158. Enregistré en 1973.

Le monastère catalan de Montserrat est mondialement célèbre pour son chœur polyphonique. On a plus rarement l'occasion de l'entendre dans des monodies grégoriennes. Cela en vaut la peine. Le modelage du texte musical y est particulièrement différencié, tant au point de vue de l'agogique que de la dynamique ; ainsi constate-t-on des intensifications de voix sur telle ou telle figure essentielle, des accélérations ou des décélérations expressives, des répétitions sur une même note (voulant mieux traduire les groupes de distropha ou de tristropha, par exemple). Ces répons de Noël sont en outre enregistrés au disque pour la première fois. Dom Gregori Estrada dirige avec un enthousiasme réellement communicatif. A remarquer la tessiture relativement grave de l'ensemble.

Chant ambrosien (florilège).

** Capella musicale del Duomo di Milano, Luigi Benedetti et Luciano Migliavacca. Archiv 2533.284. Enregistré en 1974.

* Polifonica Ambrosiana, Giuseppe Biella. Vox Box SVBX 5207 (3 d.).

Le chant ambrosien, rattaché à la tradition locale de l'église de Milan (dont saint Ambroise fut l'évêque au IVe siècle), offre des particularités nombreuses que le disque Archiv dévoile avec bonheur. Le style est notamment très riche en longues figures mélismatiques de plusieurs dizaines de notes. Ce qui invite à se demander pourquoi on s'obstine encore à vouloir les chanter égales, contre toute évidence. Ce n'est pas en raison de la qualité de l'interprétation, mais plutôt pour prendre connaissance d'un type mélodique et répertorial original que ce disque, par ailleurs bien gravé, est à écouter.

Il en va de même du coffret Vox, qui fut peu diffusé en France, mais qui est valable essentiellement pour faire connaître un répertoire à peu près totalement ignoré des mélomanes. Ici encore, l'interprétation n'est pas ce qui doit retenir essentiellement l'attention. La fin de la deuxième plage (*Canite in initio*) de la face 5 est un exemple typique des longs mélismes ambrosiens, inconnus du chant grégorien ordinaire.

« Gregorianische Gesänge » (chants grégoriens). Hymnes, séquences, répons (de 400 à 1400) : Conditor alme siderum, Nato canunt omnia (séquence), Cum natus esset Jesus (évangile), Lumen ad revelationem + Nunc dimittis (antienne + cantique), Mittit ad virginem (séquence), O redemptor sume carmen (hymne), Surrex it Dominus vere (invitatoire-répons + psaume), Ad coenam agnis providi (hymne), Veni sancte spiritus (hymne), Kyrie fons bonitatis, Aeterne rerum conditor (hymne), Te deum laudamus.

*** Capella Antiqua de Munich, Konrad Ruhland. Telefunken SAWT 9493 (RFA). Enregistré en 1966.

Ce disque, disponible en Allemagne, mériterait une diffusion soutenue. L'interprétation des hymnes, séquences et répons correspond à une plus grande vérité rythmique que celle de Solesmes (égalisation des notes). Konrad Ruhland respecte le rythme ternaire, par exemple (brève-longue, brève-longue). La Capella Antiqua de Munich chante avec chaleur ces monodies quelquefois ornées d'une polyphonie débutante (après l'an 1000). Un disque indispensable.

« Elégies pour les rois et les princes ». Chants mozarabes : Requiem ; Miserere mei Deus. Planctus Karolli : A solis ortu (mort de Charlemagne, 814). Litanie : Miserere illi Deus. Planctus de Paulin d'Aquilée : Mecum Timavi saxa (799). Planctus Hugonis abbatis (844) ; In anniversario domini Dagoberti regis (639) ; A lament fort William the conqueror (1087) ; Leçon et répons de l'office des morts (Ego sum resurrectio et vita ; De profundis clamavi).

*** Deller Consort, Alfred Deller. Harmonia Mundi HMU 237. Enregistré en 1975.

Interprétés par le Deller Consort, voici une riche mine d'inédits de chant grégorien ou d'époque grégorienne. Tous les disques de cette série peuvent être retenus, mais notamment celui-ci, consacré à des pages célébrant les rois et les princes. Il n'est cependant pas sûr du tout que des voix traitées avec la finesse d'intonation de cet ensemble vocal correspondent à la vérité historique. En outre, l'interprétation en notes égales est peu vraisemblable. L'intérêt provient essentiellement du répertoire inédit et de la beauté (anachronique) des voix.

Chant grégorien : pièces diverses.

*** Magdalith. Polydor 2401 122.

Disque singulier à maints égards. La soliste, tout d'abord, dont la voix est exceptionnelle. L'interprétation, ensuite, qui renoue avec une manière de chanter ce répertoire qui est, sans nul doute, et quelles que soient les réserves à faire, plus proche de la vérité historique que celle à laquelle nous sommes habitués. Malgré des défauts de prise de son, ce disque est absolument à écouter.

Grétry, André-Modeste
(1741-1813)

L'Amant jaloux, ou les Fausses Apparences, opéra-comique. Richard Cœur de Lion, opéra.

*** L'Amant jaloux : Mady Mesplé (Léonore), Danièle Perriers (Isabelle), Christiane Chateau (Jacinthe), Charles Burles (Florival), Bruce Brewer (Don Alonze), Jules Bastin (Lopez), Orch. de Chambre Radio Télévision Belge, Edgar Doneux. Richard Cœur de Lion : Charles Burles (Richard), Michel Trempont (Blondel), Mady Mesplé (Laurette), Danièle Perriers (Marguerite), Jacqueline Sternotte (Antonio), Orch. de Chambre Radio Télévision Belge, Edgar Doneux. EMI VSM C 167-16.236/38 (3 d.). Quadri. Enregistré en 1977.

Ce coffret réunit deux faces différentes de la musique de Grétry : avec *Richard*, c'est le style noble et conventionnel, avec l'*Amant*, le style gai et léger. Mais dans l'un comme dans l'autre, l'interprétation s'adapte très bien : les trois chanteuses sont fort à l'aise, surtout Mesplé, dans ce répertoire qui lui sied à merveille. Deux excellents ténors légers, capables des nuances indispensables à ce genre d'ouvrage, un Blondel bravement campé par Michel Trempont, et toute la sûreté du métier de Bastin. Le tout dirigé avec entrain et raffinement serait idéal si l'on avait supprimé ou allégé les dialogues parlés, assez mal servis par ces chanteurs qui ne sont pas des comédiens.

Zémire et Azor, comédie-ballet.

*** Mady Mesplé (Zémire), Roland Bufkens (Azor), Jean-Claude Orliac (Ali), Jean Van Gorp (Sander), Sabine Louis (Lisbé), Suzanna Simonka (Fatmé), Orch. de Chambre Radio Télévision Belge, Edgar Doneux. EMI VSM C 167-12.881/2 (2 d.).

Une première mondiale qui est en même temps une réussite éclatante et rend justice à la musique charmante de Grétry. Mady Mesplé domine la distribution en incarnant la Zémire idéale, dont elle possède la fraîcheur et la jeunesse. Autour d'elle, des partenaires de qualité, et la direction élégante d'Edgar Doneux.

Grieg, Edvard
(1843-1907)

Au temps de Hollberg op. 40. Musique de scène pour Sigurd Jorsalfar op. 56. Suite lyrique pour orchestre op. 54.

** Orchestre de Chambre Anglais, Raymond Leppard. Philips 9500.748 ⌧ 7300.833.

Leppard cherche en Grieg ses résonances de poète impressionniste, ses climats rêveurs, sa pointe de mélancolie, pour brosser des tableaux aux teintes d'aquarelle. On admirera l'infinité des nuances qu'il tire de la palette de son orchestre. Sa plus grande intelligence est de servir un musicien dont l'inspiration ne fut pas prométhéenne dans la veine qui éclaire le mieux son caractère délicat.

Concerto pour piano et orchestre en la mineur op. 16.

*** Radu Lupu (piano), Orch. Symph. de Londres, André Previn. Decca SXL 6624 (G-B). + *Schumann : Concerto pour piano.*

*** Dinu Lipatti (piano), Orch. Philharmonia, Alceo Galliera. EMI Da Capo C 047-00.770. Mono. + *Schumann : Concerto pour piano.*

** Geza Anda (piano), Orch. Phil. de Berlin, Rafael Kubelik. DG 138.888. ⌧ 3300.120. + *Schumann : Concerto pour piano.*

Lupu offre une version de Grieg où l'on sent une connaissance profonde de la partition et une analyse conduisant à une volonté de construction. Les recherches de couleurs aboutissent à une réussite d'une belle plénitude. L'interprétation du Concerto de Schumann est tout aussi heureuse, dans l'expressivité épanouie du phrasé.

Enregistrement ancien et pas toujours disponible, celui de Dinu Lipatti est à citer comme référence pour l'art exemplaire. A retenir également pour la merveilleuse version du Concerto de Schumann qui occupe l'autre face du disque.

Geza Anda était un pianiste extrêmement doué, et il interprétait cette œuvre en pleine connaissance de cause, sans jamais trahir la pensée de l'auteur. Il y a de magnifiques moments dans cette gravure, mais nous sommes peut-être trop marqués par l'inoubliable Lipatti pour ne pas remarquer ici quelques ombres : relâchements dans l'accentuation rythmique et dans le phrasé. On l'oublie d'autant plus vite que Geza Anda est plus riche de personnalité. Au pupitre, Rafael Kubelik se montre un peu trop mesuré pour cette musique.

Peer Gynt, musique de scène pour le drame d'Ibsen, op. 23.

*** Ilse Hollweg (s), Elisabeth Vaughan (s), Choral Society, Orch. Royal Phil., Thomas Beecham. EMI VSM C 069-00.136. ⌧ C 269-00.136.

La voix d'Ilse Hollweg, sinon sublime, est d'une très grande beauté. Mais c'est surtout l'art consommé de Sir Thomas qui donne à cet enregistrement un climat vraiment magique : pour le créer, il use de petites touches personnelles et habilement placées, et bénéficie d'un pupitre de cordes au jeu tout à fait remarquable. La prise de son stéréophonique est en outre un modèle du genre.

Peer Gynt : Suites d'orchestre 1 et 2. Danses norvégiennes.

*** Orch. de Chambre Anglais, Raymond Leppard. Philips 9500.106. ⌧ 7300.513.

Raymond Leppard réussit à débarrasser cette musique (trop) célèbre des clichés dont elle est chargée. Les extraits contenus dans ce programme séduisant et populaire sont joués sans concession à un goût parfois discutable. Une excellente réalisation.

Peer Gynt : Suites d'orchestre 1 et 2. Sigurd Jorsalfar.

*** Orch. Symph. de Prague, Václav Smetáček. Supraphon 25 929. Enregistré en 1976.

Dès les premières mesures, on sent que Smetáček tisse autour de nous la toile d'araignée de l'évidence, et nous nous retrouvons pris au piège d'un *Peer Gynt* ardent et coloré, délicat, mais puissamment dramatique. Grâce à ces inspirations de peintre-poète, il réussit à nous faire croire aussi à *Sigurd Jorsalfar,* partition de bien moindre génie. Un disque de référence.

Pièces lyriques pour piano : sélection.

*** Emil Guilels (piano). DG 2530.476 (sup.).

Dans les soixante-six miniatures que sont les *Pièces lyriques,* Grieg avoue n'avoir pas recherché la nouveauté, mais la vérité des sentiments. C'est dans ce sens, et pour rendre la simplicité des élans qui les animent, qu'Emil Guilels a travaillé, voulant dégager cette musique de sa réputation de tableaux enfantins. Le résultat est extraordinaire : rien de désuet, mais un climat très expressif, rendant à chaque pièce son atmosphère, son intimité et sa fraîcheur. Grieg trouve là son interprète idéal.

Sonate en mi mineur op. 7.

*** Glenn Gould (piano). CBS 60.290. Enregistré en 1972. + *Bizet : Premier Nocturne, Variations chromatiques.*

Glenn Gould aborde la *Sonate op.* 7 de Grieg avec un enthousiasme qui rend pleinement justice à son ardeur juvénile. Ici comme toujours ailleurs, il donne l'impression de réinventer ce qu'il joue, et, de la sorte, restitue à la musique sa fraîcheur première.

Sonate pour violon et piano n° 3 en ut mineur op. 45.

*** Arthur Grumiaux (violon), György Sebök (piano). Philips 9500.568. Enregistré en 1978. + *Franck : Sonate pour violon et piano.*

Cette Sonate, qui avait toujours eu quelque mal à se maintenir au catalogue, semble avoir trouvé sa référence idéale avec la version Grumiaux-Sebök. Le violon est magnifique de chaleur et de lyrisme en même temps que de tact. Il adopte le chant de chaque mouvement : profondeur du *legato,* espièglerie, angoisse, tendresse passionnée. Il se mêle idéalement au piano de György Sebök, qui donne ici toute sa mesure ; son jeu est à la fois solide et ému, onctueux dans le phrasé. Sur l'autre face, une Sonate de Franck qui se classe parmi les meilleures versions. Un disque magnifique.

Symphonie en ut mineur.

*** Orch. Symph. de Bergen, Kersten Andersen. Decca 591.156. ⌧ 4-390.363. Enregistré en 1981.

Une oeuvre en création mondiale, pourtant signée d'un nom illustre. Mais, fait sans doute unique dans les annales de la composition, c'est Grieg lui-même, un Grieg d'une vingtaine d'années, qui avait inscrit sur son manuscrit «à ne jamais jouer». Les détenteurs dudit manuscrit ont heureusement transgressé cette volonté, et nous permettent de découvrir qu'elle est injustifiée : car cette oeuvre, sans encore montrer la future voie du maître norvégien, en prouve le génie. On la trouvera ici interprétée avec un splendide enthousiasme qui renforcera le plaisir de la découverte.

Grigny, Nicolas de
(1672-1703)

Livre d'Orgue.

*** André Isoir (orgue Clicquot de Poitiers). Calliope CAL 1910 (Messe : Kyrie + *Lebègue : Suite du Ier ton, Elévation, Symphonie).* Calliope CAL 1911 (Messe : Gloria, Offertoire, Sanctus, Agnus Dei). André Isoir (orgue Isnard de Saint-Maximin de Provence). Calliope CAL 1912. ⌧ 4912. (Les Cinq Hymnes).

*** Michel Chapuis (orgue Schwenkedel de Saint-Christophe à Belfort) Astrée AS 8 (Messe). Astrée AS 9 (Hymnes).

Chez André Isoir, le *Livre d'Orgue* de Nicolas de Grigny est nimbé d'une atmosphère profondément liturgique, et les instruments choisis contribuent à en exalter la religiosité. André Isoir a magnifiquement intégré cette spiritualité de Grigny dans un jeu très fin, d'une étonnante sérénité, qui laisse s'épanouir la guirlande des ornements et donne quand il le faut toute sa vivacité à un grand-jeu sans céder à la brusquerie. Une telle compréhension de Grigny suscite la méditation, et plus encore devient mystique au vrai sens du mot.

Chez Michel Chapuis, la spiritualité de Grigny est plus extravertie, plus souriante, et la piété se fait plus décorative. Un tempo alerte dynamise les grands plein-jeux, qui conservent cependant une merveilleuse transparence grâce au jeu souple et aéré de l'interprète.

Guilain Freinsberg, Jean-Adam
(1ere moitié du XVIIIe siècle)

Suites pour orgue des 1er, 2e, 3e et 4e tons.

*** André Isoir (orgue Louis-Alexandre Clicquot de Houdan). Calliope 1913. Enregistré en 1974.

La remarquable et idéale rencontre d'une musique et d'un instrument, l'une et l'autre servis de la manière la plus intelligente et la plus sensible par André Isoir. L'orgue historique de Houdan est un miracle à lui tout seul, de conversation, de poésie et d'équilibre. Quand s'ajoute à cela le jeu d'un interprète qui n'est que raffinement, élégance et spirituelle vivacité : Guilain a bien de la chance et nous aussi. Indispensable.

Guilmant, Alexandre
(1837-1911)

Sonate pour orgue n° 1 (Finale).

*** André Isoir (orgue Isnard/Cavaillé-Coll/Boisseau de Pithiviers). Calliope 1922. Enregistré en 1977. *+ Panorama de l'orgue symphonique français : Pierné, Boëllmann, Nibelle, Widor, Gigout, Ropartz.*

Sonates pour orgue nos 3 ,4, 5, 7. Deux Noëls.

*** Odile Pierre (orgue Cavaillé-Coll de Castelnaudary). RCA RL 37.295 (2 d.). Enregistré en 1979.

Isoir offre le seul enregistrement de la pièce la moins méconnue de Guilmant. Un disque qui réunit un maximum d'atouts favorables : une interprétation exceptionnellement brillante et intelligente, un instrument qui présente la synthèse trop rarement réussie des esthétiques classique et symphonique de la facture d'orgue française, une prise de son remarquable de clarté - et enfin, un programme de pièces rares associé à ce Finale. Un disque original que l'on peut trouver isolé ou dans un coffret de trois disques consacrés à l'Orgue Symphonique (Calliope 1922-24).

Deux disques pour un géant de l'orgue symphonique, ce n'est pas de trop. Et si la musique n'est pas toujours sur les cimes de l'inspiration, l'orgue superbe (Jean Pierre Cavaillé, 1778 - Aristide Cavaillé-Coll, 1860) et le jeu convaincant et vivace d'Odile Pierre donnent un intérêt réel à cet enregistrement qui, par ailleurs, comble une lacune non moins réelle dans la discographie.

H

Haendel, George Frederic
(1685-1759)

Acis and Galatea.

❀*** Norma Burrowes (Galatea), Anthony Rolfe Johnson (Acis), Martyn Hill (Damon), Willard White (Polyphemus), English Baroque Soloists, John Eliot Gardiner. Archiv 2708.038 (2 d.).

** Jill Gomez (Galatea), Robert Tear (Acis), Philip Langridge (Damon), Benjamin Luxon (Polyphemus), Ch. et Academy of St-Martin-in-the Fields, Neville Marriner. Argo ZRG 886-7 (2 d.) (G-B).

* Honor Sheppard (Galatea), John Buttrey (Acis), Neil Jenkins (Damon), Maurice Bevan (Polyphemus), Deller Consort, Orch. de Chambre du Festival de Stour, Alfred Deller. Harmonia Mundi HM 216/7 (2 d.).

Une version d'*Acis et Galatée* qui sort de l'ordinaire : non seulement Gardiner a utilisé des instruments anciens dont il sait faire jouer tous les timbres et toute la souplesse, mais il a poussé la fidélité à l'interprétation authentique jusqu'à ne pas utiliser de chœurs et à les remplacer par les quatre solistes chantant ensemble. Toute son interprétation est marquée du même soin de ne rien faire qui ne soit absolument conforme à ce que le compositeur avait prévu à l'origine. Ce souci méticuleux ne se sent absolument pas lors de l'exécution, qui est d'une vivacité et d'une spontanéité absolues. On ne sait s'il faut plus admirer l'intelligence et la finesse du chef ou les performances des chanteurs qui apparaissent parfaitement à l'aise et ne donnent à aucun moment l'impression de faire des efforts. Le comble de la perfection est qu'on ne sente le travail de préparation à aucun moment.

Neville Marriner a quelque peu chargé la partition d'origine. Instruments plus nombreux, chœur indépendant des solistes, il nous donne de l'œuvre une version plus près de nos habitudes. Son interprétation est toutefois pleine de charme et de souplesse, et l'on ne saurait trop admirer la Galatée de Jill Gomez ou le Damon de Langridge. Nous sommes devant une version très soignée, précise et gaie en même temps. De la très belle musique de salon, où la perfection technique l'emporte quelquefois sur l'émotion.

Plus ancienne de quelques années, la version dirigée par Deller se caractérise par la haute qualité des chœurs et l'extrême sensibilité au climat haendélien que ce musicien a si bien servi. On a l'impression que les moindres inflexions des chanteurs ou de l'orchestre sont chargées de signification. Rien n'a été négligé pour nous émouvoir et nous charmer. A l'extrême limite de cette recherche, on est parfois bien près du maniérisme.

Admeto, re di Tessaglia.

** René Jacobs (Admeto), Rachel Yakar (Alceste), Ulrik Cold (Hercule, Apollon), Rita Dams (Orindo), James Bowman (Trasimede), Jill Gomez (Antigone), Max van Egmond (Meraspe), Il Complesso Barocco,

Alan Curtis. EMI VSM 1C-30.808/12 (5 d.) (étr.).

Un enregistrement sans aucune coupure - avec toutes les splendeurs et toutes les longueurs - d'un opéra baroque de la grande époque. Un ensemble, utilisant des instruments anciens avec beaucoup de charme et de précision, soutient d'admirables chanteurs dans une œuvre qui est essentiellement faite pour mettre en valeur des voix de virtuoses.

Alceste.

*** Judith Nelson et Emma Kirkby (s), Margaret Cable (ms), Paul Elliott (t), David Thomas (b), The Academy of Ancient Music, dir. Christopher Hogwood. Oiseau-Lyre 595.043.

Ce qui nous reste du grand opéra anglais que Haendel fut sur le point de réaliser à la fin de sa vie. Mûri par la pratique de l'oratorio, l'auteur échappe à un certain nombre des conventions qui rendent parfois pénible l'audition des grands opéras baroques de modèle italien. Il retrouve pour partie la fraîcheur de certaines arias d'*Acis et Galatée;* mais l'orchestration est plus riche, non seulement d'interprétation, mais aussi de coloris. Malgré un aspect inévitable de morceaux fragmentaires, c'est une oeuvre majeure que nous restitue Christopher Hogwood, avec un soin et une précision que l'on ne peut qu'admirer sans réserves. Les chanteurs sont tous très accoutumés à ce type de musique qui ne semble plus présenter pour eux aucune difficulté.

Alcina.

* Joan Sutherland (Alcina), Teresa Berganza (Ruggiero), Monica Sinclair (Bradamante), Luigi Alva (Oronte), Graziella Sciutti (Morgana), Mirella Freni (Oberto), Ezio Flagello (Melisso), Orch. Symph. de Londres, Richard Bonynge. Decca 232/4 (3 d.) (G-B).

Un des opéras de Haendel qui laissent le plus de place à l'orchestre, puisqu'à l'origine il comportait des ballets. Cela ne pose aucun problème à Bonynge, qui nous donne une interprétation souple, élégante et peu passionnante. Mais le plateau est splendide. Il est dominé par Joan Sutherland, qui a voulu y trouver un de ses grands rôles, au point que certaines arias ont été détournées de leur destination primitive pour lui être affectés. Il en résulte un certain déséquilibre dont souffrent les autres protagonistes de l'œuvre. C'est bien regrettable, car on a parfois l'impression d'écouter un récital plus qu'une œuvre dramatique. Ne nous plaignons toutefois pas trop : le grand premier rôle réalise une performance de virtuosité proprement stupéfiante.

Alexander's Feast (La Fête d'Alexandre).

❀*** Felicity Palmer (s), Anthony Rolfe Johnson (t), Stephen Roberts (b), Ch. Bach de Stockholm, Concentus Musicus de Vienne, Nikolaus Harnoncourt. Telefunken 635.440 (2 d.).

L'équilibre auquel nous sommes habitués dans l'interprétation des œuvres de Haendel est ici volontairement modifié par Harnoncourt. Remise en valeur de l'orchestre et des solistes par rapport aux chœurs dont l'importance est légèrement diminuée, recherche d'un expressionnisme musical vigoureux, tout est fait pour donner vie à ce qui n'est en réalité qu'une cantate allégorique. Le résultat peut parfois surprendre ; il n'en est pas moins très convaincant, car le chef a su animer ses instrumentistes et ses solistes de façon à les faire complètement sortir des usages traditionnels. Il suffit, pour s'en rendre compte, de comparer la version Harnoncourt avec le très beau disque, mais combien plus classique, que nous avait donné, il y a une dizaine d'années, Alfred Deller.

L'Allegro ed il penseroso.

* Elsie Morison, Jacqueline Delman, Elizabeth Harwood (s), Helen Watts (c), Peter Pears (t), Hervey Allan (b), St-Anthony Singers, Philomusica de Londres, David Willcocks. Oiseau-Lyre SOL 62.025/6 (2 d.) (G-B). Enregistré en 1961.

Cette œuvre a été tirée par Haendel d'un sujet allégorique de John Milton. C'est peut-être ce qui explique qu'elle manque de la force communicative qui marque les oratorios d'origine biblique. David Willcocks en donne une version légèrement abrégée, où tout n'est pas toujours de même qualité. Mais certains passages, notamment ceux où interviennent les chœurs, sont d'une très grande beauté. Peter Pears, Elsie Morison et Helen Watts sont parfaits dans des airs où alternent vivacité héroïque et sensibilité pastorale.

L'Allegro, il penseroso ed il moderato.

❀***Michael Ginn, Patricia Kwella, Marie McLaughlin, Jennifer Smith (s), Maldwyn Davies, Martyn Hill (t), Stephen Varcoe (b), Monteverdi Choir, English Soloists, John Eliot Gardiner. Erato STU 71.325 (2 d.). ⌧ MCE 71.325 (2 c.) Enregistré en 1980.

Deux disques tout bonnement exceptionnels, qui brillent par leur finesse, par leur fraîcheur, l'humour, la poésie et par la justesse du ton, par une beauté simple et directe et par une perfection de tous les instants.

Apollo e Daphne.

** Agnes Giebel (Daphné), Dietrich Fischer-Dieskau (Apollon), musiciens de l'Orch. Phil. de Berlin, Günther Weissenborn. DG 139.153 (sup.).

Datant de l'extrême jeunesse de Haendel, cette Cantate est déjà un petit opéra à deux personnages. Les deux protagonistes semblent avoir été créés pour ce dialogue mi-amoureux, mi-tragique. L'appui instrumental donné par des solistes de grande classe est discret mais assez présent pour qu'on ait envie de l'entendre plus. Un divertissement parfait.

Ariodante.

** Janet Baker (Ariodante), Edith Mathis (Ginevra), Norma Burrowes (Dalinda), James Bowman (Polinesso), David Randall (Lurcanio), Chœur et Orch. de Chambre Anglais, Raymond Leppard. Philips 6769.025 (4 d.).

Ariodante est l'un des rares opéras de Haendel qui n'avaient pas été complètement oubliés par le disque. Mais c'est la première fois que nous en avons un enregistrement intégral. Cela valait la peine d'attendre, car le plateau réuni avec Leppard est exceptionnel. On trouve dans l'œuvre quelques-unes des plus belles pages écrites par le compositeur pour le duo des voix de soprano et d'alto. James Bowman est superbe dans un rôle de méchant de mélodrame. La direction précise et nerveuse de Raymond Leppard assure à l'œuvre une vie et un allant qui la rendent des plus séduisantes.

Belshazzar (Balthasar).

*** Robert Tear (Belshazzar), Felicity Palmer (Nicotris), Maureen Lehane (Cyrus), Paul Esswood (Daniel), Ch. de Chambre de Stockholm, Concentus Musicus de Vienne, Nikolaus Harnoncourt. Telefunken 635.326 (4 d.) (étr.).

Harnoncourt a rarement réussi, autant qu'avec cette version de *Belshazzar*, à faire ressortir tout le côté théâtral - au bon sens du mot - des oratorios haendéliens. Une certaine façon qui lui est particulière de moduler ses effets orchestraux amène les chanteurs à faire un effort supplémentaire pour entrer dans le jeu de cette dramatisation purement musicale : de chanteurs, ils doivent devenir également acteurs. C'est ce qu'ils font ici, où il faut particulièrement applaudir Felicity Palmer, Robert Tear et Paul Esswood qui chantent comme ils le feraient sur une scène devant un public anxieux de suivre une action dramatique. Les chœurs sont excellents et participent à donner le mouvement qui rend cette interprétation inimitable.

Cantates italiennes en solo : Nel dolce dell'oblio, Un'alma innamorata, Figlio d'alte speranze, Armida abbandonata.

** Marjanne Kweksilber (s), Musica Antiqua Amsterdam, Ton Koopman. EMI Telefunken 642.367 (étr.).

Cantates italiennes en solo : Silete venti, Crudel tiranno amor. Air «Piangero la sorte mia».

** Elly Ameling (s), Orch. de Chambre Anglais, Raymond Leppard. Philips 6500.008 (sup.).

Cantate italiennes en solo : Lucrezia. Airs tirés des opéras et oratorios.

** Janet Baker (m), Orch. de Chambre Anglais, Raymond Leppard. Philips 6570.801.

Cantates italiennes en solo : Ah ! Crudel nel pianto mio, Armida abbandonata.

** Janet Baker (m), Orch. de Chambre Anglais, Raymond Leppard. EMI VSM SME 91.760 (sup.).

Un nouveau pas dans l'interprétation «à l'ancienne» de la musique baroque : Marjanne Kweksilber chante avec une voix volontairement blanche, contrôlant son vibrato avec la plus grande sévérité. L'accompagnement de Tom Koopman, tout en finesse, n'écrase jamais une voix qui donne une extraordinaire impression de fragilité. Qu'on est loin des grandes affirmations théâtrales des opéras de Haendel !

Ameling chante le *Silete venti*, Cantate des vingt ans du compositeur, avec une allégresse débordante. Son style est tout en finesse ; elle semble ne jamais insister sur une note, et pourtant l'insistance urgente de certains passages triomphaux est aussi convaincante que dans les récitals de chanteuses disposant de voix plus lourdement timbrées. L'orchestre se laisse prendre à la contagion de cette joie intérieure et brille de tous ses feux, tout en gardant paradoxalement la même discrétion.

Janet Baker a beaucoup chanté Haendel. Elle ajoute ici à une cantate de jeunesse quelques-uns des airs d'opéras ou d'oratorios (entre autres le célèbre *Largo* de *Xerxès*). C'est un plaisir que d'entendre cette grande voix chanter avec tant de simplicité et sans aucune recherche d'effet théâtral. Ce qu'on perd en intérêt dramatique, on le retrouve dans la familiarité d'un concert où la soliste, comme l'orchestre, adoptent un ton d'extrême simplicité.

Dans deux Cantates très dramatiques, Janet Baker nous rappelle qu'elle a interprété nombre des grandes œuvres de Haendel. L'intensité du sentiment s'accompagne d'une science impeccable de l'ornementation. L'interprète se meut avec une extraordinaire aisance dans les plus grandes difficultés d'un style encore tout italien.

Le Choix d'Hercule.

** James Bowman (Hercule), Heather Harper (le Plaisir), Helen Watts (la Vertu), Robert Tear (un serviteur du Plaisir), Ch. du King's College de Cambridge, Academy of St-Martin-in-the-Fields, Philip Ledger. EMI VSM ASD 3148 (G.B.).

A mi-chemin entre la cantate et l'oratorio, cette œuvre de vieillesse est enlevée avec vivacité par des solistes et des chœurs qui semblent prendre plaisir à interpréter une musique pleine de charme. Philip Ledger dirige un chœur et un orchestre dont la réputation n'est plus à faire. La vertu l'emporte officiellement, mais pour nous c'est le plaisir qui l'emporte - notre plaisir, s'entend.

Concertos «a due cori» (n° 1 en si bémol majeur, n° 2 en fa majeur, n° 3 en fa majeur).

*** Orch. de Chambre Anglais, Raymond Leppard. Philips 802.894. (sup.).

** Academy of St Martin-in-the-Fields.Neville Marriner. Philips 9500 756.

Leppard donne dans ce disque une magistrale démonstration de la «grande manière» haendélienne. Ce n'est pas au hasard que l'un de ces Concertos commence par un mouvement *pomposo* : les deux groupes instrumentaux qui doivent dialoguer avec l'orchestre sont pleins de vigueur et d'allant. Personne ne craint de faire trop de bruit ou de marquer le rythme trop énergiquement. Tout est grand, solide, sonore et réconfortant. On sort tout ragaillardi de cette interprétation pleine d'une énergie débordante.

Marriner cherche, pour ces grands Concertos à deux choeurs, une interprétation relativement légère et articulée. Il souligne peu les effets d'orchestre un peu ronflants de pièces que leur auteur destinait à de grandes manifestations solennelles. Ce faisant, il leur enlève une part de ce capital de solidité et de confiance en soi que distille la musique de Haendel quand on lui donne toute la majesté qu'elle nécessite. Ces oeuvres de décoration appelleraient une interprétation complètement moderne (option que Marriner n'a pas retenue), ou bien résolument triomphaliste. Sur ce dernier terrain, la version de Leppard reste imbattue.

Concertos grossos op. 3.

*** Academy of St-Martin-in-the-Fields, Neville Marriner. Decca SDDB 294/7 (4 d.). (G-B). *+ Concertos grossos op. 6.*

** English Baroque Soloists, John Eliot Gardiner. Erato STU 71.367. ⌧ MCE 71.367.

* La Grande Ecurie et la Chambre du Roy, Jean-Claude Malgoire. CBS 76.474 (sup.).

Les Concertos grossos de l'opus 3 sont des œuvres brillantes où Haendel a utilisé, comme il le faisait souvent, un matériau mélodique de toutes provenances. La part de la spontanéité instrumentale y est grande. Le mérite de l'interprétation qu'en donne Marriner est de leur avoir rendu une certaine cohésion. Les musiciens de l'Academy of St-Martin-in-the-Fields sont très capables d'être de bons solistes, et ils le prouvent ; mais ils forment aussi une phalange disciplinée avec laquelle Marriner peut mettre en valeur tout ce que ces ouvrages charmants peuvent avoir de rigoureux et qui pourrait disparaître dans l'éclat des interventions individuelles. Une très remarquable performance qui est malheureusement couplée avec les Concertos de l'opus 6, ce qui en rend l'acquisition onéreuse.

John Eliot Gardiner et ses musiciens utilisent des instruments anciens. Ils sont au cœur de cette école anglaise qui nous a valu quelques-unes des plus belles réalisations dans le domaine de la musique baroque. Et pourtant, dans ces Concertos de Haendel, ils sont comme soumis à une discipline traditionnelle qui les rapproche bien plus de l'interprétation d'un Marriner que des visions plus vigoureuses des membres de l'école germano-hollandaise (si l'on peut parler sous un seul vocable de musiciens aussi divers). Le résultat de leur travail est fort plaisant, jeune, clair, spontané ; on aimerait toutefois, pour atteindre la perfection, un peu plus de fantaisie, un contrôle moins serré. Telle quelle, cette interprétation se situe au même rang que celle de Marriner et, avantage appréciable, est dissociable de l'enregistrement des Concertos de l'Opus 6.

La Grande Ecurie et la Chambre du Roy a pris son origine dans la réunion d'un certain nombre de solistes de talent. C'est dire s'ils sont à leur affaire dans ces Concertos si riches en possibilités d'expression de virtuosité. L'interprétation de Malgoire est extrêmement séduisante, pleine de bonne humeur et d'entrain. Elle manque parfois un peu de la rigueur nécessaire pour faire sentir, derrière le chant des instruments, un dessin d'ensemble.

Concertos grossos op. 6.

❀*** Academy of St-Martin-in-the Fields, Neville Marriner Decca SDDB 294/7 (4 d.) (G-B). + *Concertos grossos op. 3.*

** La Grande Ecurie et la Chambre du Roy, Jean-Claude Malgoire. CBS 79.306 (3 d.) (sup.).

* Orchestre Bach de Munich, Karl Richter. Archiv 2533.088, 2533.141, 2533.142, 2533.159 (4 d.).

Les douze Concertos de l'opus 6 sont l'œuvre la plus ambitieuse de Haendel dans le domaine de la musique orchestrale, la seule peut-être où les problèmes de technique musicale l'aient directement intéressés. Ils méritaient l'interprétation dense et approfondie qu'en donne Marriner. Nous ne sommes plus dans le domaine de la fantaisie et des interventions éclatantes de solistes divers, mais devant une construction rigoureuse, basée sur le groupe des cordes, et où les rapports de masses ont une importance extrême. Marriner a su imposer à ses musiciens le phrasé et le sens des pulsations rythmiques nécessaires à cette musique d'une profonde gravité derrière ses apparences brillantes. Les instruments ont un son admirable. Il n'y a pas une erreur. Si l'on pouvait parler de perfection...

Malgoire et son ensemble interprètent ces Concertos «à l'ancienne». Ils se sont donnés beaucoup de peine pour reconstituer un climat de sérénité légère et enjouée, propre à mettre en valeur la sonorité des instruments baroques. Mais ils y ont peut-être trop bien réussi, car il ressort de leur interprétation une joie de vivre pleine de charme qui n'est peut-être pas dans les intentions du compositeur. La lumière méditerranéenne ne réussit pas toujours au Haendel des grandes années d'Angleterre. C'est une option d'interprétation qui est en cause bien plus que le jeu des musiciens qui est parfait de souplesse.

A entendre Karl Richter, on a vraiment l'impression que Haendel est un frère tout proche de Bach. Son interprétation est fouillée en profondeur, allant rechercher les intentions philosophiques que l'auteur n'y a peut-être jamais mises. Il dirige son orchestre avec autorité, rendant admirablement le côté de santé rigoureuse que l'on trouve si souvent chez Haendel. Il penche un peu beaucoup du côté rigoureux des rythmes, mais ce n'est nullement désagréable. Dans l'ensemble, une belle version confortable et rassurante.

Concertos pour hautbois en si bémol majeur (2) et en ré majeur.

* Alfred Sous (hautbois), Schola Cantorum Basiliensis, Hans-Martin Linde. Archiv 2533.079 (RFA). + *Concerto grosso en ré majeur, Ouverture en ré majeur.*

La Schola Cantorum Basiliensis donne une majesté certaine à ces Concertos, œuvres secondaires de Haendel. Mais le musicien aimait le hautbois et il a réservé à son instrument favori de bien jolis passages qu'Alfred Sous enlève avec beaucoup d'aisance. Il joue sur un instrument d'époque, comme d'ailleurs tous les musiciens de l'ensemble. Ceux-ci contribuent par un jeu plein de discrétion à donner à ce disque un fort plaisant aspect de divertissement.

Concertos pour orgue.

❀*** Daniel Chorzempa, Concerto Amsterdam, Jaap Schröder. Philips 6709.009 (5 d.).

*** George Malcolm, Academy of St-Martin-in-the-Fields, Neville Marriner. Argo D 301/04 (4 d.) (G-B).

** Herbert Tachezi, Concentus Musicus de Vienne, Nikolaus Harnoncourt. EMI Telefunken 635.282 (3 d.).

** Eduard Müller, Schola Cantorum Basiliensis, August Wenzinger. Archiv 2723.042 (5 d.).

Chorzempa et Schröder ont placé leur enregistrement des Concertos pour orgue sous le signe de l'authenticité. Authenticité des instruments anciens, authenticité de la prise de son qui ne nous épargne aucun des souffles de l'orgue, authenticité de l'interprétation. Contrairement à ce qui se passe souvent, c'est l'organiste qui est le maître du jeu. On sait que le compositeur tenait lui-même l'orgue lors de ses concerts, et qu'il improvisait abondamment. Chorzempa s'est donné pour règle de se rapprocher le plus possible, dans son jeu, du style de l'improvisation. Il y réussit admirablement et donne une extraordinaire impression de liberté. L'orchestre lui répond à la perfection ; les rythmes traduisent un souffle profond, une sorte de jubilation intérieure. Rien dans tout cela qui sente le moins du monde la démonstration : nous sommes transportés dans le monde haendélien avec une magie très efficace.

Malcolm et Marriner sont des hommes de rigueur. Ils donnent de ces Concertos une image plaisante, un peu savante, et même austère par moments. Pourtant, Malcolm n'hésite pas dans l'utilisation de l'ornementation, ce qu'il fait avec sûreté et élégance. Il joue au clavecin deux des Concertos et montre le même sens du juste équilibre. Le résultat est dans l'ensemble magnifique ; on pourrait toutefois lui reprocher un certain manque de vigueur et un excès dans la sophistication. Mais le discours est si clair que l'on se laisse prendre à son plaisir.

Harnoncourt, avec Tachezi, ne donne que les douze Concertos des opus 4 et 7. Autant le chef est à l'aise dans cette musique large et rythmée qui permet de faire jouer le timbre des instruments, autant Herbert Tachezi semble gêné. Il lui manque l'audace nécessaire pour compléter ce que la partition haendélienne a gardé qui est d'assurer le continuo dans les concerts d'Harnoncourt. Cette timidité est fâcheuse, car elle s'accorde mal avec le côté exubérant du style de l'orchestre.

La version Müller/Wenzinger est remarquable par un climat très différent de toutes les autres interprétations. Il y règne une sorte de sérénité et de douceur qui tirent les œuvres du côté de sonates d'église. C'est au jeu de l'organiste beaucoup plus qu'à la direction de l'orchestre que nous devons ce curieux effet qui ne manque pas de séduction. Dans cet esprit, il faut signaler que cette version est la seule qui donne le chœur d'*Alleluia* qui termine, dans le manuscrit haendélien, le Concerto en fa majeur n° 4.

9 Deutsche Arien.

* Edith Mathis (s), Consortium Musicum. EMI Electrola C 053-28.024 (RFA).

* Colette Comoy (s), Ensemble Vetera et Nova. Solstice SOL 19.

Edith Mathis chante avec un délicieux mélange de simplicité et de chaleur ces neuf étranges pièces, contribution unique de la maturité de Haendel à la musique dévotionnelle allemande. Le Consortium Musicum fait mieux qu'accompagner une chanteuse ; il transforme son intervention en une sorte de sonate à trois pour voix, un instrument et basse continue. La réussite est complète, ce qui n'était pas facile dans des morceaux dont la nature même écartait toute idée d'interprétation brillante.

L'interprétation de l'ensemble français retrouve un mouvement et un phrasé baroques et restitue à des pièces dévotionnelles une liberté d'allure fort séduisante. On se sent très éloigné de toute componction, de toute attitude conventionnelle. Haendel nous apparaît dans une jeunesse et une fraîcheur inattendues. Cette vivacité d'allure, jointe à un sentiment très juste de la dynamique baroque valent bien que l'on pardonne quelques petites difficultés d'exécution.

Dixit Dominus.

❀*** Felicity Palmer, Margaret Marshall (s), Charles Brett, J.A. Messana (hc), Alexander Thomson, Richard Morton (t), David Wilson-

Johnson (b), Ch. et Orch. Monteverdi, John Eliot Gardiner. Erato STU 71.055. ⌧ MCE 71.055. + *Zadok the Priest.*

** Teresa Zylis-Gara (s), Janet Baker (m), Robert Tear (t), Martin Lane (hc), John Shirley-Quirk (b), Ch. du King's College de Cambridge, Orch. de Chambre Anglais, David Willcocks. EMI VSM SXLP 30.444.

Une des premières et des plus belles réalisations de John Eliot Gardiner. Dans une œuvre de l'époque italienne de Haendel, il arrive à faire déjà pressentir ce que le compositeur réalisera dans sa période de maturité en Angleterre. Toute la splendeur et l'aspect triomphal des chœurs et d'un orchestre que rien n'arrête dans sa conquête de l'espace sonore, le chant déployé des solistes, la grande fugue monumentale qui achève l'œuvre, tout est rendu avec une générosité et une homogénéité pleines de splendeur. Le couplage ingénieux avec l'hymne *Zadok the Priest* permet de constater la constance de l'esprit musical haendélien.

David Willcocks donne du *Dixit Dominus* une version beaucoup plus italienne qu'anglaise. On retrouve pourtant le style très marqué des chœurs du King's College. Les solistes eux-mêmes, qui sont très remarquables, ne modifient en rien leur façon habituelle de chanter Haendel. C'est beaucoup plus dans la construction d'ensemble que se marque la différence. La trame générale de l'œuvre est moins serrée ; on est plutôt en présence d'une succession de numéros, magnifiques certes, mais qui ne constituent pas un tout homogène et restent étrangers à toute architecture dramatique.

Duos et cantates de chambre : Tanti strali, Sento la che ristretto, Beato in ver, Parti l'idolo mio, Langue geme.

*** Judith Nelson (s), René Jacobs (hc), Wieland Kuijken (violon), William Christie (clavecin), Konrad Junghanel (théorbe). Harmonia Mundi HM 1004. ⌧ HM 40-1004.

Le parfait équilibre d'un soprano et d'un haute-contre, soutenus par une basse fort discrète, nous fait connaître un Haendel très inattendu, tout en couleurs intimes. Judith Nelson et René Jacobs ont chacun une belle voix, mais ils parviennent à une sorte de perfection dans les pièces en duo où l'entrelacement de leurs deux timbres différents donne à la musique un effet irréel.

Hercules.

❁*** John Tomlinson (Hercules), Sarah Walker (Dejanira), Anthony Rolfe Johnson (Hyllus), Jennifer Smith (Iole), Catherine Denley (Lichas), Peter Savidge (un prêtre), Monteverdi Choir, English Baroque Soloists, John Eliot Gardiner. Archiv 2742.004 (3 d.). Enregistré en 1982.

Gardiner donne de ce «drame musical» une interprétation qui respecte parfaitement le projet du compositeur, en évitant le double obstacle de la gymnastique vocale gratuite et d'une certaine pompe dans la noblesse. Ici, le récitatif se charge d'un poids de signification intense et la maîtrise de Gardiner se manifeste nettement dans la façon dont il réussit à lier les divers moments du drame et à leur donner une homogénéité qui dépasse le découpage en numéros de la partition. Quant aux solistes, ils sont aussi près de la perfection qu'il est possible de l'être.

Hymnes Chandos.

*** April Cantelo, Elisabeth Vaughan, Caroline Friend (s), Ian Partridge, Alexander Young, Philip Langridge (t), Forbes Robinson (b), Ch. du King's College de Cambridge, Academy of St-Martin-in-the-Fields, David Willcocks. Argo ZRG 541 (The Lord is my light, As pants the hart). Argo ZRG 5490 (O praise the Lord, Let God arise). Argo ZRG 766 (I will magnify Thee, In the Lord I put my trust) (G-B).

L'important, ici, ce ne sont ni les solistes, ni l'orchestre, mais les chœurs. Dans ces pièces où Haendel se familiarisait avec la musique de son nouveau pays, la tradition chorale anglaise demandait à être servie par des interprètes de la qualité des célèbres chœurs de Cambridge. Ceux-ci mettent dans leur interprétation une spontanéité et une jeunesse dignes des œuvres qu'ils enregistrent.

Hymnes du couronnement : Zadok the priest, My heart is inditing, Let thy hand be strengthened, The king shall rejoice.

** Chœur du King's College de Cambridge, Orch. de Chambre Anglais, David Willcocks. Argo ZRG 5369 (G-B).

Les Chœurs du King's College sont aussi beaux que jamais : phrasé, élégance du texte, souplesse du chant, tout y est. Mais la splendeur de ces pièces écrites pour une grande cérémonie demande un ensemble un peu plus massif. La finesse des voix, qui est habituellement un atout, nuit quelque peu ici ; elles ne s'affirment pas assez devant un orchestre aux couleurs somptueuses.

Israël en Egypte.

** Heather Harper, Patricia Clark (s), Paul Esswood (hc), Alexander Young (t), Michael Rippon, Christopher Keyte (b), Ch. du Festival de Leeds, Orch. de Chambre Anglais, Charles Mackerras. Archiv 2708.020 (2 d.). Enregistré en 1970.

* Jean Knibbs, Marylin Troth, Daryl Greene, Elisabeth Priday (s), Christopher Royall, Ashley Stafford, Brian Gordon, Julian Clarkson (hc), Paul Elliott, William Kendall (t), Stephen Varcoe, Charles Stewart (b), Ch. et Orch. Monteverdi, John Eliot Gardiner. Erato STU 71.245 (2 d.) ⌧ MCE 71.245 (2 c.). Enregistré en 1978.

Pour son enregistrement d'*Israël en Egypte*, Mackerras disposait de remarquables solistes et de chœurs formés dans la grande tradition du chant haendélien vécu comme un mode d'expression quasi spontané. Il a su tirer du contraste entre l'élégance d'une Heather Harper ou d'un Paul Esswood, et la spontanéité presque brutale de ses chœurs, des effets d'émotion auxquels on ne peut échapper. Dans cette œuvre où la part des chœurs est prédominante, il a évité toute emphase, sans pour autant se priver des grands mouvements de masse qui étaient si chers aux chefs d'orchestre d'il y a cinquante ans. L'équilibre est parfaitement réussi, sans pesanteur ni préciosité.

Gardiner travaille avec des effectifs choraux plus légers que ceux auxquels on est généralement accoutumé dans l'exécution des oratorios de Haendel. Il fait en revanche une très large place aux petits ensembles de solistes venant s'opposer au chœur principal, dans un effet quasi concertant. Cette option donne à sa version une grande souplesse et beaucoup d'élégance. Il n'est malheureusement pas toujours parfaitement servi par les qualités vocales des exécutants, solistes ou choristes, un peu faibles pour le poids d'héroïsme que représentent les grandes machines sonores montées par Haendel.

Jephta.

❁*** Werner Hollweg (Jephta), Thomas Thomaschke (Zebul), Glenys Linos (Storgè), Elisabeth Gale (Iphis), Paul Esswood (Hamor), Gabriele Sima (l'Ange), Ch. d'enfants Mozart, Ch. Arnold Schoenberg, Concentus Musicus de Vienne, Nikolaus Harnoncourt. Telefunken 635.499 (4 d.) ⌧ 435.499 (3 c.).

❁*** Anthony Rolfe-Johnson (Jephta), Christopher Keyte (Zebul), Alfreda Hodgson (Storgè), Margaret Marshall (Iphis), Paul Esswood (Hamor), Emma Kirkby (l'Ange), ch. d'enfants de Southend, Academy et choeurs de St. Martin-in-the-Fields, dir. Neville Marriner. Enregistré en 1979. Argo D181D (4 d.) (G.B).

En version intégrale, le dernier et, peut-être, le plus émouvant des oratorios de Haendel. La réalisation de Harnoncourt est magnifique ; il donne une grandeur dramatique aux chœurs en même temps qu'il obtient de ses chanteurs une performance tendue et un approfondissement de la sensibilité qui nous restituent tout ce que l'œuvre a de poignant. Comme toujours, le Concentus Musicus utilise des instruments anciens joués à l'ancienne. Cet enregistrement comporte quelques-uns des plus beaux passages de Haendel qu'il soit possible d'entendre au disque.

Un son clair et transparent, une approche respectueuse du chef-d'oeuvre de Haendel, une absence complète d'emphase, voici ce qui caractérise la version de Marriner. La simplicité du travail de l'orchestre est plus apparente que réelle, car l'emploi d'instruments modernes n'empêche pas le chef de retrouver de l'intérieur le rythme balancé de la musique baroque ; mais sa discrétion donne la possibilité aux chanteurs de donner le meilleur d'eux-mêmes sans jamais avoir à forcer le ton, à souligner un effet. La dimension dramatique de l'ouvrage gagne à ce dépouillement total qui ne masque jamais les lignes si pures du chant haendélien. Une remarquable prise de son met ce disque au tout premier rang des enregistrements consacrés aux oratorios de Haendel.

Judas Maccabaeus (Judas Macchabée).

*** Ryland Davies (Judas Macchabée), Felicity Palmer (une femme juive), Janet Baker (un juif), John

Shirley-Quirk (Simon), Christopher Keyte (Eupolemus), Paul Esswood (un messager), Ch. de l'Ecole de Wandsworth, Orch. de Chambre Anglais, Charles Mackerras. Archiv 2710.021 (3 d.). ⌧ 3376. 011 (3c.).

De la grande fresque patriotique qu'est *Judas Macchabée*, Mackerras donne une version un peu solennelle et académique qui convient bien au sujet. L'orchestre est précis, mais sonne bien ; les ornements sont de bonne venue ; les chanteurs sont admirables, surtout Janet Baker. Tout est ce qu'on peut faire de plus beau et de plus soigné pour une grande manifestation officielle. Malgré cet aspect un peu pompeux, ce n'est jamais ennuyeux, tant la vigueur de la musique haendélienne est communicative.

Jules César (Giulio Cesare).

* Dietrich Fischer-Dieskau (Jules César), Tatiana Troyanos (Cléopâtre), Julia Hamari (Cornelia), Peter Schreier (Sesto), Franz Crass (Tolemeo), Chœur et Orch. Bach de Munich, Karl Richter. DG 2720/23 (4 d.) (sup.).

La direction précise, ferme et carrée de Richter donne à cette version de *Jules César* un je-ne-sais-quoi de très militaire. L'interprétation contribue, dans une certaine mesure, à cette impression, car le producteur a jugé bon de confier le rôle principal à un baryton et non pas à un alto comme le prévoyait le musicien. Fischer-Dieskau y est excellent, comme le sont d'ailleurs Troyanos et Hamari, mais l'équilibre de l'œuvre se ressent de cette modification difficilement excusable. Quelques arias admirablement interprétées viennent nous consoler de notre relative insatisfaction.

Jules César (extraits)

**Joan Sutherland (Cléopâtre), Marylin Horne (Cornelia), Margreta Elkins (Jules César), Monica Sinclair (Ptolémée) Richard Conrad (Sextus) Nouvel Orch. Symph. de Londres, Richard Bonynge. Decca 390.189.

On oublie parfois que Haendel est, entre autres choses, un des pères du «bel canto» et que ses opéras ont eu pour raison d'être la présence en Angleterre des plus grands chanteurs d'Europe. C'est dans cette perspective qu'il faut écouter ce disque. Comme toute sélection, il ne peut rendre compte de la dynamique théâtrale d'un opéra, mais la performance des «monstres sacrés» que sont Sutherland et Horne se suffit en elle-même. La voix, rien que la voix, mais toute la voix, pourrait être le sous-titre de cet enregistrement, d'une certaine façon, il est plus fidèle à l'esprit haendélien que bien des réalisations qui se veulent historiques.

Laudate pueri. Nisi Dominus. Salve Regina.

** Deller Consort, The King's Musick, Mark Deller. Harmonia Mundi HM 1054. ⌧ HM 40-1054.

Trois compositions qui datent de la période mal connue du séjour du jeune Haendel en Italie. Elles montrent une extraordinaire sûreté dans l'écriture pour la voix et dans le jeu des rapports entre solistès, choeur et orchestre. Mark Deller fait avec ce disque acte de prise de succession, continuant l'effort d'exploration qu'avait, toute sa vie, poursuivi Alfred Deller. La nature des oeuvres interprétées n'offre pas la possibilité de faire preuve des qualités de finesse et d'élégance qui caractérisaient Alfred Deller, mais son fils affirme ici un talent ferme de chef de choeurs. La mise en place est précise; les oeuvres sont interprétées avec tout l'élan souhaitable. Le Deller Consort reste digne de sa réputation.

Messiah (Le Messie).

❀*** Heather Harper (s), Helen Watts (c), John Wakefield (t), John Shirley-Quirk (b), Ch. et Orch. Symph. de Londres Colin Davis. Philips 3. 005 (3 d.). ⌧ 7699.009 (3 c.).

*** Janet Baker (m), Elizabeth Harwood (s), Robert Tear (t), Raimund Herincx (b), Paul Esswood (ct), Ambrosian Singers, Orch. de Chambre Anglais, Charles Mackerras. EMI VSM C 167-00.635/7 (3 d.).

*** Felicity Palmer (s), Helen Watts (c), Ryland Davies (t), John Shirley-Quirk (b), Ch. et Orch. de Chambre Anglais, Raymond Leppard. Erato STU 70.921/23 (3 d.). ⌧ MCE 70.962 (2 c.).

*** Jennifer Smith (s), Charles Brett (hc), Martyn Hill (t), Ulrich Cold (b), Ch. de la cathédrale de Winchester, La Grande Ecurie et la Chambre du Roy, Jean-Claude Malgoire. CBS 79.336 (3 d.). Enregistré en 1980.

** Elly Ameling (s), Anna Reynolds (c), Philip Langridge (t), Gwynne Howell (b), Ch. et Academy of St-Martin-in-the-Fields, Neville Marriner. Argo D18D3 (3 d.) (G-B).

** Judith Nelson et Emma Kirkby (s), Carolyn Watkinson (c), Paul Elliott (t), David Thomas (b), Ch. de la cathédrale Christ Church d'Oxford, The Academy of Ancient Music, Christopher Hogwood. Oiseau-Lyre 595.045 (3 d.).

** Elsie Morison (s), Marjorie Thomas (c), Richard Lewis (t), James Milligan (b), Société Chorale de Huddersfield, Orch. Royal Phil. de Liverpool, Malcolm Sargent. Trianon 33.324/6 (3 d.).

* Jennifer Vyvyan (s), Monica Sinclair (c), Jon Vickers (t), Giorgio Tozzi (b), Ch. et Orch. Phil. Royal, Thomas Beecham. RCA SER 5631/4 (4 d.) (G-B).

* Elisabeth Schwarzkopf (s), Grace Hoffman (c), Nicolaï Gedda (t), Jerome Hines (b), Ch. et Orch. Philharmonia, Otto Klemperer. EMI VSM C 069-01.393 (3 d.). ⊠ C 269-01.393 (3 c.). Enregistré en 1964.

Le Messie a été bien souvent enregistré. Mais rarement un enregistrement aura eu l'importance historique de celui que Colin Davis a réalisé en 1967. Il marque en effet l'abandon d'une tradition plus que séculaire d'orchestrations excessivement gonflées, de chœurs innombrables, d'interprétations dont la qualité se jugeait au volume. La démarche entreprise par Davis est un véritable retour aux sources. Elle rend à l'œuvre ses proportions d'origine, ses possibilités de tempos rapides, èle la sort de l'engoncement solennel où l'avait enfermée un excès de piété musicale et nationale. Il se trouve que cette première version au disque d'un *Messie* «rénové» est, de plus, excellente. Les chanteurs sont pleins d'émotion et peuvent se laisser aller à une certaine grâce, jusque là techniquement impossible. Mais c'est surtout en matière de chœurs que le travail de Davis est remarquable : ils ont un mordant, une spontanéité qui nous frappent encore aujourd'hui comme au premier jour. Tout est parfaitement équilibré ; l'architecture sonore ressort dans toute sa gloire.

Mackerras donne du *Messie* une lecture solide et claire, au rythme parfois un peu rapide, mais qui n'en perd jamais pour autant son intériorité. Les voix, chœurs et solistes, sont remarquablement homogènes et de tout premier ordre. L'utilisation de la voix de contre-ténor de Paul Esswood, à qui sont confiés, suivant une tradition ancienne, certains airs habituellement chantés par la basse, ne contribue pas peu au charme de cet enregistrement.

L'interprétation de Leppard est d'un beau classicisme. Profitant des chemins qui lui ont été ouverts, il recherche la meilleure balance entre une tradition méditative, avec laquelle il cherche visiblement à renouer, et la spontanéité que lui permettent des solistes très homogènes et un chœur très maniable. Sa version est très émouvante ; Felicity Palmer et Ryland Davies sont pour beaucoup dans la qualité de densité atteinte sans emphase.

Malgoire donne une version du *Messie* qui se veut fidèle à la réalisation de la première exécution de l'oeuvre à Dublin. Sans entrer dans le détail (domaine d'érudits et non de musiciens) de ce qui a été réellement exécuté le 13 avril 1742, il faut reconnaître que ce *Messie*, allégé, radieux, rendu à ses proportions primitives, est une révélation. Jean-Claude Malgoire nous apporte un grand bonheur, car il nous rend un chef-d'oeuvre usé par des siècles de dévotion plus ou moins fidèle et il nous le rend tout neuf. Nous avons l'impression admirable d'entendre *le Messie* pour la première fois. Quelques hésitations techniques, quelques interprétations discutables, si légères fussent-elles, empêchent malheureusement cette version de se situer parmi les meilleures de la discographie actuelle.

Neville Marriner a poussé plus loin que quiconque la recherche d'authenticité formelle, cherchant à reconstituer, parmi les innombrables variantes des exécutions du *Messie* du vivant de l'auteur, les données exactes de la première exécution à Londres. Un parti pris d'extrême rapidité enlève parfois de la force de conviction à sa version. Toutefois, la légèreté des chœurs de Saint-Martin, la qualité de voix d'Ameling et de Langridge lui permettent de donner des effets de grande jubilation sans aucune insistance. Un *Messie* «de chambre» qui manque peut-être de solennité, mais où l'émotion réside dans l'intimité même du propos.

Christopher Hogwood utilise comme Malgoire des instruments anciens (pour autant que ce terme ait un sens). Comme lui, il se réfère à une interprétation précise, d'époque haendélienne, du *Messie*. Il a choisi la version dite «des Enfants Trouvés», dont nous savons qu'elle a été utilisée par le compositeur dans les dernières années de sa vie. Ici s'arrête la ressemblance. Hogwood se montre beaucoup plus rigoureux comme musicologue que quiconque. Chanteurs et musiciens correspondent, à l'unité près, aux textes anciens. Le travail de l'archéologue est complet et indiscutable. Malheureusement, le musicien n'a pas été capable d'inspirer à l'ensemble qu'il dirigeait une vision du *Messie* qui soit à la fois solidement articulée et suffisamment sensible. A côté de merveilleux passages, nous trouvons des moments qui tiennent péniblement de l'exercice scolaire. Mais de bout en bout est respectée une magnifique correction d'allure ; nous sentons que nous sommes en présence d'un grand classique, et donc d'un objet de respect. Nous aimerions mieux un peu plus de passion et un peu moins de ce respect qui est pourtant la marque d'une très haute conscience.

La réédition de la version Sargent (en série très éconnomique) permet de saisir ce qu'était en pleine période victorienne une exécution du *Messie* dans l'Angleterre industrielle. C'est le seul chef à utiliser une chorale recrutée parmi les tisserands et les mineurs du Yorkshire. La profondeur du sentiment religieux qui se dégage de leur chant ramène l'œuvre à ce qu'elle a été pour bien des générations, une liturgie collective. Le tout est large, généreux, un peu solennel et guindé, mais fort beau au demeurant.

Avec Beecham, nous arrivons à la question des réorchestrations. Pour équilibrer les grandes masses chorales couramment employées au début du siècle, l'usage s'était institué de renforcer l'orchestre, non seulement en multipliant les pupitres, mais en ajoutant des instruments, et donc des sonorités totalement étrangères à la partition d'origine. Nous avons ici une version avec cymbales et enclume assez surprenante, mais qui ne manque pas de grandeur. Les chanteurs sont obligés de s'affirmer en face du fracas des instruments. Cela ressemble parfois trop à un opéra du XIXe siècle ; par moments, cela peut soulever l'enthousiasme. La lenteur des tempos employés amène cette version à s'étaler sur quatre disques.

Klemperer nous donne du *Messie* une version pensée en des termes très différents des habitudes des chefs anglais. Pour lui, Haendel est proche parent de Bach. Nous y perdons beaucoup de spontanéité, mais nous y gagnons un approfondissement du travail des chœurs et une recherche d'émotion qui sont très émouvants. Ni le chef, ni les solistes, techniquement excellents, n'ont l'air très à l'aise dans la simplicité de certains arias haendéliens.

Messias (Le Messie), version réorchestrée par Mozart, chantée en allemand.

* Edith Mathis (s), Birgit Finnilä (c), Peter Schreier (t), Theo Adam (b), Ch. et Orch. de la Radio Autrichienne, Charles Mackerras. Archiv 2710.016 (3 d.).

On peut s'interroger sur l'opportunité d'enregistrer le *Messie* dans l'arrangement qu'en a fait Mozart. C'est un document d'érudition plutôt qu'un grand apport à l'œuvre de l'un - ou de l'autre - des deux compositeurs. Il faut toutefois reconnaître que l'enregistrement que dirige Mackerras est splendide. Une excellente prise de son fait ressortir tous les détails de cette orchestration renouvelée, tandis que les solistes se lancent avec générosité dans l'aventure. Car c'en est une, et Peter Schreier, qui se voit confié des airs prévus par Haendel pour être chantés par un chœur, a quelque mal. Edith Mathis et Birgit Finnilä sont excellentes dans un registre un peu plus appuyé que celui des versions anglaises.

Musiques de ballet : Alcina, Ariodante, Il pastor fido.

** Academy of St-Martin-in-the-Fields, Neville Marriner. Argo 396.237.

Neville Marriner a su trouver pour diriger ces musiques de ballet, épisodes rares dans l'œuvre de Haendel, un ton très différent de celui généralement employé pour l'exécution des œuvres orchestrales du compositeur. Les rythmes ne sont pas trop appuyés, une ambiance d'allégresse domine, qui exclut toute la solennité habituelle. On ne se sent pas loin de Rameau et de la musique française. La technique d'enregistrement fait ressortir tout ce que l'interprétation a d'élégant et d'un peu précieux. Dans un genre mineur, c'est une réussite complète.

Ode pour l'Anniversaire de la Reine Anne.

❀*** Judith Nelson, Emma Kirkby (s), Shirley Minty (c), James Bowman (hc), Martyn Hill (t), David Thomas (b), Ch. de la Christ Church d'Oxford, Academy of Ancient Music, Simon Preston. Oiseau Lyre 595.047 + *Hymne pour l'Hôpital des enfants trouvés.*

** Honor Sheppard, Mary Thomas (t), Alfred et Mark Deller (hc), Maurice Bevan (bar), Ch. de Chambre de Vienne, Orch. du Festival de Vienne, Alfred Deller. Amadeo AVRS 5031 (sup.). + *Trois Hymnes du couronnement.*

Une prise de son transparente, des chœurs d'amateurs absolument parfaits de concentration sur une musique qui leur parle, de très bons solistes, un orchestre habitué au maniement des instruments anciens, il y a dans ce disque tous les éléments de la réussite. Aussi Simon Preston peut-il nous faire goûter tout à loisir deux pages très différentes, l'une toute en triomphe exubérant, l'autre, œuvre de vieillesse de Haendel, beaucoup plus méditative. Il réussit parfaitement dans un genre comme dans l'autre. James Bowman donne dans l'*Hymne pour l'Hôpital des enfants trouvés* une de ses plus étonnantes performances.

Certaines vieilles cires ont gardé des qualités toutes particulières. C'est le cas de l'enregistrement réalisé à Vienne par Alfred Deller. Son talent comme haute-contre n'est plus à découvrir, mais ses qualités de chef d'orchestre méritent d'être mieux connues. Il a donné ici une version extraordinairement souple et musclée à la fois de pièces écrites par Haendel pour des circonstances officielles. Il leur insuffle assez de vitalité pour en faire autre chose que de simples musiques de cérémonie.

Ode à Sainte Cécile.

*** Felicity Palmer (s), Anthony Rolfe-Johnson (t), Ch. Bach de Stockholm, Concentus Musicus de Vienne, Nikolaus Harnoncourt. EMI Telefunken 642.349. ⊠ 442.349.

** April Cantelo (s), Ian Partridge (t), Ch. du King's College de Cambridge, Academy of St-Martin-in-the-Fields, David Willcocks. Argo ZRG 563 (G-B).

Harnoncourt cherche dans toutes ses interprétations à réinventer la musique baroque. Il y a rarement aussi bien réussi que dans cet enregistrement de l'*Ode à Sainte Cécile.* Dans cette musique partiellement imitative, où chaque numéro correspond à l'intervention d'un instrument particulier, il a su mettre en valeur chaque timbre, donnant à la partition une vie et une exubérance sans pareilles. En même temps, l'architecture d'ensemble est respectée, dans une montée vers la grande fugue finale où les chœurs se surpassent.

Willcocks donne un enregistrement parfaitement anglais de l'*Ode à Sainte Cécile.* Entendons par là qu'il a cherché à faire un travail beau, net et fidèle, beaucoup plus qu'à créer une fresque mouvementée en l'honneur de la musique. April Cantelo et Ian Partridge sont les instruments parfaits d'une telle conception, tant est grande l'apparente simplicité de leurs interventions. Les chœurs, mêlés de voix d'enfants, du King's College donnent la même impression d'aisance. Le tout est si clair que l'on se surprend parfois à souhaiter un peu plus de passion. Mais qui pourrait se plaindre d'une telle qualité obtenue avec des moyens aussi peu voyants ?

Œuvres complètes pour clavecin.

** Eberhard Kraus (clavecin). Da Camera Magna SM 93.406/15 (10 d.) (RFA).

La notion d'intégrale de l'œuvre pour clavecin de Haendel reste un peu imprécise. Trop d'œuvres ne sont pas encore sorties des archives ; trop d'autres sont d'attribution douteuse. Sous cette réserve, le travail accompli par Eberhard Kraus est digne de tous les éloges. Utilisant, pour rompre toute monotonie, cinq instruments anciens, il montre une intelligence du détail et une sensibilité hors de pair. Il est, dans l'ensemble, plus à l'aise dans les pièces courtes, à fort impact direct, que dans les grandes architectures complexes où il lui arrive de manquer un peu de souffle ; mais ses qualités le mettent au tout premier rang des interprètes haendéliens, et l'entreprise qu'il a risquée est unique.

Œuvres pour clavecin : Aria en la majeur, Capriccio en fa majeur, Capriccio en sol mineur, Chaconne en sol majeur, Fantaisie en ut majeur, Partita en la majeur, Prélude, allemande et courante en ut mineur, Prélude et allegro en sol mineur, Prélude et leçon en la mineur, Sonate en trois mouvements en ut mineur, Sonate en la mineur, Sonate en ut mineur, Suite en ré mineur.

* Luciano Sgrizzi (clavecin). Erato STU 9.180 (3 d.) (sup.).

Une belle sélection d'œuvres appartenant à toutes les périodes de la vie du compositeur. Le jeu de Sgrizzi est agréable et souple. Il marque plus le côté formel et la bonne et solide construction de l'œuvre haendélienne que la profondeur des sentiments, une certaine fantaisie poétique, avec lesquelles il garde ses distances. Mais la variété du programme, la netteté de l'interprétation font de cette version une bonne présentation d'une musique pour clavier trop rarement jouée.

Œuvres pour clavecin. Transcription de musique orchestrale.

* Kenneth Cooper (clavecin). Vanguard VSD 71.224 (USA).

La plus grande partie de la musique orchestrale de Haendel a été publiée de son vivant dans des transcriptions pour clavecin, qu'il a effectuées lui-même ou supervisées. Kenneth Cooper nous en donne quelques exemples dans un récital où nous pouvons apprécier la clarté de son jeu et son sens du rythme. Celui-ci est particulièrement nécessaire dans la transcription de la *Water Music* qui clôt le disque, fascinante de gaieté et de jeunesse.

Orlando.

* Sofia Steffan (Orlando), Graziella Sciutti (Angelica), Bernadette Greevy (Medoro), Carole Bogard (Dorinda), Marius Rintzler (Zoroastro), Orch. du Volksoper de Vienne, Stephen Simon. RCA LSC 6197 (3 d.) (USA).

Le seul enregistrement existant d'un des grands opéras «fantastiques» de Haendel. Le style de la direction, le jeu de l'orchestre, le travail des chanteurs sont tous de belle qualité sans être particulièrement inspirés. Un style classique, direct, qui sert bien l'œuvre, mais ne donne que peu d'envolée. Il y manque, pour entraîner notre adhésion, un petit grain de passion, ou même de folie. Mais, si l'on ne rencontre pas de grands sommets, c'est aussi une interprétation sans faiblesses.

Parthenope.

*** Krisztina Laki (Parthenope), René Jacobs (Arsace), Helga Müller-Molinari (Rosmira), John York Skinner (Armindo), Martyn Hill (Emilio), Stephen Varcoe (Ormonte), La Petite Bande, Sigiswald Kuijken. Harmonia Mundi HM 20.364/67 (4 d.). ⌧ HM 30. 364/66 (3 c.).

Un renouveau absolument radical dans l'interprétation de l'opéra haendélien. Aux voix de haute-contre répondent des voix de femmes au vibrato volontairement atténué ; l'orchestre, qui emploie des instruments anciens, est tout en souplesse, avec des rondeurs et des gonflements qui soulignent toutes les intentions du livret. La direction de Sigiswald Kuijken est d'une précision et d'une sensibilité extrêmes. Il réussit à éviter, dans ce long opéra, de nous donner l'impression que nous assistons à une reconstitution historique, tout en allant plus loin que quiconque dans la voie de la fidélité absolue aux canons d'époque de l'expression haendélienne.

La Passion d'après B. H. Brockes.

* Maria Stader, Edda Moser (s), Rosemarie Sommer (c), Paul Esswood (hc), Ernst Haefliger, Jerry Jennings (t), Theo Adam, Jakob Stämpfli (b), Ch. de la cathédrale de Ratisbonne, Schola Cantorum Basiliensis, August Wenzinger. Archiv 104.959/61 (3 d.) (sup.).

La seule œuvre importante que Haendel ait écrite dans sa langue et pour la liturgie de son église d'origine. On est loin des Passions de Bach, mais Wenzinger rend bien le mérite de cette Passion massive, solidement construite. Les chanteurs sont à la mesure du chef d'orchestre ; ils travaillent sérieusement, mais sans mettre beaucoup de chaleur dans l'exécution d'une œuvre que Bach connaissait et ne dédaignait pas.

La Resurrezione.

*** Emma Kirkby, Patricia Kwella (s), Carolyn Watkinson (a), Ian Partridge (t), David Thomas (b), The Academy of Ancient Music, Christopher Hogwood. Oiseau-Lyre 595.076 (3 d.).

La Resurrezione est le premier oratorio composé par Haendel; c'est un ouvrage de jeunesse, très proche encore des formules de l'opéra italien. L'exécution est exemplaire, et c'est l'une des meilleures que nous ait données l'équipe Hogwood. La distribution féminine l'emporte toutefois sur la distribution masculine.

Rinaldo.

** Carolyn Watkinson (Rinaldo), Paul Esswood (Goffredo), Ileana Cotrubas (Almirena), Charles Brett (Eustazio), Ulrik Cold (Argante), La Grande Ecurie et la Chambre du Roy, Jean-Claude Malgoire. CBS 79 308 (3 d.).

Jean-Claude Malgoire semble s'être donné à tâche de renouer avec certaines des extravagances scéniques qui avaient été reprochées à l'auteur lorsqu'il présenta l'opéra sur la scène londonienne : bruits imitatifs de tempête, effets champêtres, tout y est, servi par une fort belle prise de son. Mais l'essentiel reste la performance fournie par la magnifique équipe de chanteurs réunis pour cette réalisation. Carolyn Watkinson est un magnifique Rinaldo, à qui Ileana Cotrubas et Paul Esswood donnent dignement la réplique dans un style où la majesté n'exclut pas une certaine dose de bonne humeur. Un enregistrement qui sonne jeune pour un opéra de jeunesse.

Rodelinda.

* Teresa Stich-Randall (Rodelinda), Maureen Forrester (Bertarido), Alexander Young (Grimoaldo), Hilde Rössl-Majdan (Edulge), Helen Watts (Unulfo), John Boyden (Gariboldo), Orch. de Radio Vienne, Brian Prietsman. Westminster WGSO 8205 (3 d.). (USA).

Une interprétation extrêmement classique de Haendel, sans grandes recherches dans le domaine de l'interprétation baroque de la musique ancienne, et servie par un ensemble de chanteurs de très haute qualité ; l'homogénéité dans la qualité du chant correspond à une certaine uniformité dans l'action dont les éléments dramatiques sont peu sensibles, toute l'œuvre étant traité sur le même ton de noble héroïsme. Un exemple presque parfait d'une grande interprétation haendélienne d'il y a quinze ans.

Royal Fireworks Music (Musique pour les feux d'artifice royaux).

*** Orch. de Chambre Anglais, Raymond Leppard. Philips 6500.369. ⌧ 7300.239. + *Concerto en fa majeur (2) et en ré mineur.*

*** Academy of St-Martin-in-the-Fields, Neville Marriner. Argo 396.112. ⌧ 4.396.112. + *Water Music.*

** Academy of St. Martin-in-the-Fields, Neville Marriner. Philips 9500 768. + *Concerto Grosso «Le Festin d'Alexandre», ouverture en ré majeur.*

Leppard donne de la *Musique pour les feux d'artifice* une version solide où il joue beaucoup sur le contraste entre de grands éclats de cuivres et des passages beaucoup plus pacifiques, comme la grande Sicilienne pour bois et cordes. Il en ressort une variété très plaisante, qui ne nuit en rien à l'architecture un peu solennelle de l'ensemble de l'œuvre. Le couplage joint trois Concertos encore inédits qui représentent très vraisemblablement des «premiers états» de l'ouvrage et de la *Water Music.*

Les fastes éclatants de la *Fireworks Music* permettent à Marriner de faire chatoyer plus encore que d'habitude toute les facettes de son orchestre. Les nombreux passages où la partition prévoit la mise en vedette d'un instrumentiste conviennent également à une formation où la qualité des musiciens est grande. Marriner n'a pas cédé à la tentation de la rapidité du virtuose. Suivant de très près toutes les inflexions de la mélodie, il les transforme en mouvement rythmique spontané avec un phrasé exemplaire.

Comme pour sa *Water Music,* Neville Marriner nous donne, dix ans plus tard, une nouvelle version de la *Musique pour les feux d'artifice royaux.* De la même façon, il modèle le style de cette nouvelle interprétation sur celui de Raymond Leppard. Ce qu'il fait d'ailleurs avec une certaine efficacité, car son disque ressemble à celui de Leppard sur bien des points. On n'en regrette pas moins l'originalité de sa première lecture, d'autant que celle-ci n'est pas aussi solide et bien assise que celle de son modèle. Le couplage avec des oeuvres aussi populaires que le concerto «Le Festin d'Alexandre» ou l'Ouverture en ré devrait faire de ce disque une plate-forme populaire de «Haendel-pour-les-jours-de-fête».

Salomon.

** Justino Diaz (Salomon), Sheila Armstrong (la fille du pharaon, première prostituée, la reine de Saba), Robert Tear (Zadok), Felicity Palmer (seconde prostituée), Michael Rippon (un lévite), Ch. Amor Artis, Orch. de Chambre Anglais, Johannes Somary. Vanguard 71.204/6 (3 d.) (USA).

Somary dirige l'Orchestre de Chambre Anglais avec soin et précision. La lecture de Haendel n'est pas inspirée, mais elle n'est jamais médiocre ou grandiloquente. Il estime que son principal rôle est d'introduire et de soutenir les chanteurs, ce qui peut se justifier quand on voit la qualité du plateau qu'il a réuni. Justino Diaz est un Salomon superbe, et Sheila Armstrong, qui lui donne la réplique dans les trois parties de l'oratorio, accomplit une performance digne d'être remarquée. Les chœurs sont excellents. Le tout forme un bel équilibre, très loin de la version revue par Beecham où tout a été sacrifié aux grands éclats sonores.

Samson.

*** Alexander Young (Samson), Martina Arroyo (Dalila), Norma Procter (Micah), Helen Donath et Sheila Armstrong (divers rôles occasionnels), Jerry Jennings (un philistin), Thomas Stewart (Manoah), Ezio Flagello (Harapha), Ch. et Orch. Bach de Munich, Karl Richter. Archiv 643.517/20 (4 d.) (sup.). Enregistré en 1968.

*** Robert Tear (Samson), Janet Baker (Dalila), Helen Watts (Micah), Norma Burrowes (femme philistine), Felicity Lott (messager, femme philistine), Philip Langridge (philistin), Alexander Olivier (philistin), John Shirley-Quirk (Manoah), Benjamin Luxon (Harapha), London Voices, Orch. de Chambre Anglais, Raymond Leppard. Erato STU 71.240 (4 d.) Enregistré en 1979.

L'enregistrement de *Samson* par Richter remonte à 1968. Sa réalisation technique était exceptionnelle et justifierait à elle seule sa réédition, d'autant que Karl Richter a rarement été aussi puissamment inspiré par Haendel. Il donne de l'oratorio une vue d'ensemble pleine et noble, ce qui ne l'empêche pas d'avoir le souci de la qualité du moindre détail. Bien servi par un remarquable plateau, dans lequel Alexander Young se fait particulièrement remarquer, il a signé là un des grands enregistrements de sa carrière. On peut regretter certaines coupures maladroites dans la partition.

La version de Leppard présente le grand mérite d'être complète. Mais son mérite ne se borne pas à cela : il nous donne une lecture de Haendel tout en souplesse, insistant peu sur l'aspect rythmique de la musique, subordonnant les effets orchestraux aux effets de chant, qu'il s'agisse des morceaux pour chœur (où il obtient ses plus beaux effets), ou des morceaux pour solistes qui donnent l'occasion d'entendre des voix exceptionnelles, parfaitement à leur aise dans la musique de Haendel. Si l'on peut faire un choix dans un ensemble très homogène, il faudrait citer Janet Baker et Helen Watts, particulièrement émouvantes l'une comme l'autre.

Saül.

*** Donald McIntyre (Saül), Ryland Davies (Jonathan), James Bowman (David), Margaret Price (Merab), Sheila Armstrong (Michal), Ch. du Festival de Leeds, Orch. de Chambre Anglais, Charles Mackerras. Archiv 2722.008 (3 d.) (sup.).

Un enregistrement de très grande classe. Mackerras équilibre admirablement une lecture «à l'ancienne» de Haendel (gonflements rythmiques, jeu des voix) et l'emploi d'un orchestre d'instruments modernes. Un peu de science, beaucoup d'élégance, une rare compréhension des impératifs dramatiques du texte, tout est mis en place pour notre plaisir et notre émotion. Le contraste des chœurs et des solistes est un modèle de précision, ainsi que l'utilisation des timbres des voix. Le trio principal masculin joue des effets basse/ténor/haute-contre d'une admirable façon. La grande élégie sur la mort de Saül, qui termine l'ouvrage, est à elle seule un chef-d'œuvre. Il n'y a dans tout cela pas une erreur ou un faux pas.

Semele.

** William Herbert (Jupiter), George Prangnell (Cadmus), John Whitworth (Athamas), George James (Somnus), Robert Ellis (Apollo), Anna Pollak (Juno), Brenda Griffith (Iris), Jennifer Vyvyan (Semele), Helen Watts (Ino), St-Anthony Singers, Orch. Symph. de Londres, Anthony Lewis. Oiseau Lyre SOL 111/3 (3 d.) (G-B).

** Robert Tear (Jupiter), Justino Diaz (Cadmus, Somnus), Mark Deller (Athamas), Edgar Flett (Apollon), Helen Watts (Junon, Ino), Felicity Palmer (Iris), Sheila Armstrong (Sémélé), Ch. Amor Artis, Orch. de Chambre Anglais, Johannes Somary. Harmonia Mundi 5101/03 (3 d.).

Oratorio «profane», *Semele* ne se distingue d'un opéra que par la place plus importante donnée aux chœurs et par le fait que la langue employée est l'anglais. Anthony Lewis a cependant choisi une option très intimiste de l'œuvre, lui donnant tout l'aspect d'un opéra de chambre. Servi par une remarquable équipe de chanteurs - Jennifer Vyvyan, en particulier, est inoubliable, il nous donne un des plus délicieux mélanges de charme, de chaleur et de rigueur intellectuelle que l'on puisse souhaiter. Il n'y a, dans son interprétation, pas l'ombre d'une faute de goût. On peut seulement regretter que la version utilisée soit assez fortement coupée et qu'il nous manque certains airs de grande venue.

Si le travail de l'orchestre de la réalisation Somary reste un peu trop froid et distingué, on ne peut qu'admirer la qualité et l'homogénéité du plateau qui a été réuni par Somary. Les rôles principaux (Jupiter, Sémélé, Junon) sont interprétés avec beaucoup d'esprit et la performance des acteurs mérite autant d'applaudissements que celle des chanteurs. Cet oratorio-opéra nous montre un Haendel aussi maître de la technique vocale que dans les opéras italiens les plus éblouissants, mais jouant sur un registre plus simple et familier. Nous sommes dans la droite ligne qui part du *Didon et Enée* de Purcell.

Les Sonates pour un instrument à vent et basse continue : en ut majeur op. 1/7 pour flûte à bec, en la mineur pour flûte traversière, en ut mineur op. 1/8 pour hautbois, en la mineur op. 1/4 pour flûte à bec, en sol majeur op. 1/5 pour flûte traversière, en mi mineur op. 1/1b pour flûte traversière, en si mineur pour flûte traversière, en sol mineur op. 1/2 pour flûte à bec, en ré mineur pour flûte à bec, en si bémol majeur pour flûte à bec, en si bémol majeur pour hautbois, en fa majeur op. 1/11 pour flûte à bec ; Menuet en mi mineur pour flûte traversière, Andante en si mineur pour flûte traversière, Mouvement en ré mineur pour flûte à bec, Allegro en fa majeur pour hautbois.

*** Frans Brüggen (flûte), Bruce Haynes (hautbois), Bob van Asperen (clavecin et orgue), Anner Bijlsma (violoncelle), Hans Jürg Lange (basson). RCA Seon RL 30.408 (3 d.).

La notion d'intégrale a peu de sens quand on connaît la liberté que maintenaient les musiciens du XVIIIe siècle en ce qui concerne l'utilisation de tel ou tel instrument pour interpréter leurs œuvres. Nous sommes ici en présence d'une collection de pièces de musique de chambre pour lesquelles la flûte ou le hautbois semblent le meilleur support. Frans Brüggen et son équipe s'en donnent à cœur joie. Ces pièces sont charmantes, et elles demandent une interprétation toute en fantaisie, d'où soit exclue toute lourdeur scholastique inutile. La qualité du jeu des artistes réside justement dans une incroyable vitalité toujours renouvelée, dans une jeunesse d'esprit, dans une capacité permanente d'invention. Aucune vertu ne pouvait mieux convenir à la musique haendélienne. qui est mouvement mélodique avant toute chose.

Sonates pour violon et basse continue.

* Eduard Melkus (violon), August Wenzinger (violoncelle), Eduard Müller (clavecin et orgue), Karl Scheit (luth). Archiv 198.474/5 (2 d.) (sup.)

Ce disque est, pour sa plus grande part, composé de celles des Sonates de l'opus 1 qui on été écrites pour le violon. L'enregistrement en a été réalisé sur des instruments anciens par une équipe de musiciens qu'on sent plus habitués à la musique allemande qu'à l'œuvre de Haendel. L'exécution est souple, ne manque pas d'ampleur, se déroule en faisant ressortir les plus charmants détails, mais elle ne possède pas ce sens de l'urgence et cette sorte de brutalité que demande la musique de George-Frédéric, même lorsqu'il s'agit de musique intime, ce qui est le cas.

Sonates en trio : en si mineur pour traversière, violon et basse continue op. 2 n° 1b, en ré mineur pour deux violons et basse continue op. 2 n° 3, en ré mineur pour hautbois, violon et basse continue, en sol majeur pour flûte à bec, violon et basse continue op. 2 n° 5.

** Frans Brüggen (flûte). Jürg Schaeftlein (hautbois), Alice Harnoncourt, Walter Pfeiffer (violons), Nikolaus Harnoncourt (violoncelle), Herbert Tachezi (clavecin). Telefunken SAWT 9559 A (RFA).

Sonates en trio : en ut mineur op. 2/1, en sol mineur op. 2/2, en si bémol majeur op. 2/4, en fa majeur op. 2/5, en sol mineur op.2/7, en sol mineur op. 2/8, en mi majeur op. 2/9, en ré mineur, en la majeur op. 5/1, en ré majeur op. 5/2, en sol majeur op. 5/4, en sol mineur op. 5/5, en fa majeur op. 5/6.

** Ens. Ars Rediviva, Milan Munclinger. Supraphon 111.1251/3 (3 d.) (G-B).

Les Sonates en trio de Haendel ne figurent pratiquement plus au catalogue français ; ce sont pourtant des œuvres indispensables à la compréhension du musicien. L'enregistrement qu'en donne un petit nombre de musiciens groupés autour de Harnoncourt est passionnant. Il serait insuffisant de dire que l'exécution est soignée ; en fait, la recherche de la perfection amène parfois certains maniérismes qui pourront irriter ceux qui aiment que leur musique baroque leur soit servie sur un plat moderne. Les gonflements de son, les notes soutenues sont un peu trop prévisibles ; mais en même temps, on sent le souffle d'une respiration large, une allure parfaitement naturelle, un souci de ne pas s'écarter d'un rythme presque biologique. On pardonne facilement une pointe de maniérisme devant tant de beauté naturelle.

L'ensemble tchèque Ars Rediviva donne, des Sonates en trio, l'ensemble le plus complet qu'on ait eu au disque jusqu'à ce jour. Ces musiciens emploient des instruments modernes dans un esprit spécifiquement baroque de recherche de la diversité et des contrastes. Leur interprétation est très sensible, bien aérée, équilibrant soigneusement le poids donné aux divers instruments. Ils ont à la fois du style et de la vitalité ; ce qui leur permet de donner de l'animation à un programme chargé d'œuvres qui pourraient sembler monotones dans leur coupe presque identique.

Sosarme.

*** Alfred Deller (Sosarme), William Herbert (Haliate), Nancy Evans (Erenice), Margaret Ritchie (Elmira), Helen Watts (Melo), Ian Wallace (Altomaro), The St-Anthony Singers, The St-Cecilia Orch., Anthony Lewis. Oiseau-Lyre SOL 124/6 (3 d.) (GB). Stéréo d'origine mono.

Version «regonflée» d'un opéra primitivement publié en mono (et en deux disques). La qualité technique n'en est pas moins satisfaisante. Certaines coupures ont permis de concentrer l'intérêt de cette interprétation sur les plus beaux passages d'émotion lyrique où Deller et Margaret Ritchie sont particulièrement inspirés. La direction d'Anthony Lewis est d'une solidité et d'une rigueur toutes britanniques ; les puristes pourront regretter que le chef n'ait pas jugé bon de tenir compte de certains impératifs de l'interprétation baroque de la musique de Haendel, mais la perfection et l'équilibre de cette réalisation en font une réussite très exceptionnelle.

Suites pour clavecin : Recueils de 1720 et de 1733.

* Eric Heidsieck (piano). Cassiopée CAS 240.004 (4 d.).

Eric Heidsieck interprète l'œuvre pour clavier de Haendel au piano et non au clavecin. La musique y perd un certain mordant et une nervosité incisive qui sont les marques personnelles du compositeur. En revanche, les sonorités plus amples de l'instrument moderne permettent à l'artiste de jouer sur le côté large et sentimental des œuvres interprétées. Son jeu sensible et moelleux utilise fort bien les possibilités qui lui sont ainsi données.

Suites pour clavecin : Recueil de 1720.

*** Kenneth Gilbert (clavecin). Harmonia Mundi HM 447 (2 d.).

** Colin Tilney (clavecin). Archiv 2533.168/9. (2 d.).

La version de Gilbert se place tout entière sous le signe d'une virtuosité contrôlée. On y retrouve toutes les qualités qui font la grandeur de la musique haendélienne. Dans une architecture solide, nous sentons tout le jeu de la tension créatrice, de la noblesse de sentiments, d'une exaltation jubilante. Le jeu de l'interprète est pourtant d'une parfaite spontanéité, trouvant son épanouissement dans un naturel constant. Le sens du phrasé fait retrouver sous le dessin plus sec du clavecin la générosité de la phrase chantée. Il s'agit vraiment d'un enregistrement hors de pair.

Colin Tilney voit dans les Suites de Haendel une occasion de déployer une virtuosité naturelle. Il a spontanément le sens de l'ornement, parfois même jusqu'à l'excès : il arrive qu'on perde, dans le feu d'artifice de son jeu, le sens des proportions d'ensemble des pièces qu'il interprète. Il est fort bien servi par un instrument hambourgeois du début du XVIIIe siècle et par une prise de son très claire.

Suites pour clavecin : n° 5 en mi majeur, n° 10 en ré mineur, n° 14 en sol majeur, n° 13 en si bémol majeur.

** Ruggero Gerlin (clavecin). Musidisc RC 795.

Quatre des Suites les plus connues de Haendel ; on pourra entendre dans la Suite n° 5 les célèbres variations dites «de l'harmonieux forgeron». Le jeu de Ruggero Gerlin est éblouissant de sensibilité et d'intelligence. Les moindres intentions apparaissent en clair, et nous apprenons avec lui que Haendel était un grand claveciniste. Il est malheureusement dommage que l'instrument utilisé ne soit pas à la hauteur des qualités de l'interprète.

Tamerlan (Tamerlano).

** Gwendolyn Killebrew (Tamerlan), Alexander Young (Bajazet), Sofia Steffan (Andronicus), Carole Bogard (Asteria), Joanna Simon (Irene), Marius Rintzler (Leo), Orch. de Chambre de Copenhague, John Moriarty. Cambridge 2902 (4 d.) (G-B).

Quatre heures d'une musique de Haendel pratiquement inconnue : un des opéras du compositeur où l'auditeur se sent le plus concerné par l'action dramatique. On échappe à un bon nombre des poncifs et des tournures creuses de l'opéra baroque pour entrer dans un monde que la direction très impérative de John Moriarty rend étonnamment présent. Tous les chanteurs se sont résolument engagés dans le même mouvement de réalisme dramatique. La basse Marius Rintzler est particulièrement remarquable, mais l'ensemble du plateau composé d'artistes relativement peu connus en France - à l'exception peut-être d'Alexander Young, ténor haendélien par excellence - est très homogène ; tous contribuent à donner son relief et son intensité à une interprétation d'une rare présence.

Te Deum de Dettingen.

* Jean Knibbs, Valerie Hill (s), Ashley Stafford (hc), John Potter (t), Michael George (b), Ch. National de Paris, Ch. et Orch. de l'Université Paris-Sorbonne, Jacques Grimbert. Enregistré en 1981. Calliope CAL 1688.

Cette grande page glorieuse de Haendel nous est présentée dans une version extrêmement vivante et bien charpentée. Jacques Grimbert a allégé le poids parfois massif des choeurs d'origine par un emploi systématique des solistes chantant en ensemble. Nous y gagnons une vision très nette de l'architecture de l'oeuvre, sans oublier le fait que les solistes sont excellents et qu'ils nous permettent d'apprécier quelques trouvailles mélodiques admirables, proches parentes de certains des meilleurs morceaux du *Messie* ou de *Jephta*. Les chœurs étudiants qui composent le gros des troupes de ce *Te Deum* sont capables de rester légers et articulés malgré l'abondance de leurs effectifs. Tout contribue à donner à cette interprétation une grande intelligence alliée à une belle sensibilité.

Te Deum et Jubilate d'Utrecht.

*** Emma Kirkby, Judith Nelson (s), Charles Brett (hc), Rogers Covey-Crump, Paul Eliott (t), David Thomas (b), Ch. de la cathédrale Christ Church d'Oxford. The Academy of Ancient Music, Simon Preston. Oiseau-Lyre 395.281. Enregistré en 1980.

Chez Preston, chant des solistes et travail des chœurs sont si intimement liés que les premiers n'apparaissent que comme la pointe, tout juste isolée, d'un mouvement de tout l'ensemble. Il n'y a plus qu'une seule voix qui se gonfle, s'amplifie en se démultipliant pour revenir, en fin de phrase, à une expression presque linéaire. Tout ici est intérieur, précis et délicat, en demi-teintes.

Theodora.

** Heather Harper (Theodora), Maureen Forrester (Didimus), Maureen Lehane (Irene), Alexander Young (Septimius), John Lawrenson (Valens), Chœur Amor Artis, Orch. de Chambre Anglais, Johannes Somary. Cardinal VCS 10.050/2 (3 d.) (USA).

Seul enregistrement existant une fois encore d'un des oratorios de la fin de la vie de Haendel, un des plus beaux aussi, bien qu'il soit pratiquement inconnu. Dans un style très classique, il est admirablement servi par Somary et une équipe de chanteurs pour qui Haendel n'a plus guère de secrets. Une des musiques les plus jeunes que le compositeur ait écrites est servie ici avec une fraîcheur et une grâce remarquables. Dans un type d'interprétation très conventionnel, on n'est pas loin de la perfection absolue.

Water Music (version intégrale).

❀*** Orchestre de Chambre Anglais, Raymond Leppard. Philips 6500.047. ⊠ 7300-060.

*** Academy of St-Martin-in-the-Fields, Neville Marriner. Argo 396.112. ⊠ 4.396.112. + *Fireworks Music.*

** Concentus Musicus de Vienne, Nikolaus Harnoncourt. EMI Telefunken 642.368. ⊠ 442.368.

** Academy of St-Martin-in-the-Fields, Neville Marriner. Philips 9500.691.⊠ 7300.779

** Orch. de l'Opéra d'Etat de Vienne, Hermann Scherchen. Westminster WGS 8114 (USA).

** Philomusica de Londres, Thurston Dart. Oiseau Lyre 279.021/2 (2 d.) (G-B). *+ Concerto en si bémol pour harpe et luth, Concerto en fa majeur pour harpe, Concerto grosso en ut (la Fête d'Alexandre).*

** La Grande Ecurie et la Chambre du Roy, Jean-Claude Malgoire. CBS 75.971. ⊠ 40-75.971.

La *Water Music* de Leppard est une version admirablement construite. Un beau jeu d'alternance entre mouvements vifs et mouvements lents, auxquels il donne une allure romantique, crée une sorte de balancement qui évoque très bien la promenade sur l'eau. Le timbre des instruments est beau, la direction souple. Tout semble fait pour notre plaisir et notre confort.

Neville Marriner, à son habitude, a tendance à céder à la tentation d'une accélération un peu uniforme. La nervosité est grande et fort prenante. Elle met en valeur l'extrême précision des musiciens de St-Martin-in-the-Fields. Mais la rapidité n'est jamais que relative, et les mouvements lents sont pris avec un phrasé élégiaque qui fait penser au meilleur Purcell. Finalement, l'équilibre se fait fort bien entre les morceaux, et l'architecture d'ensemble se dégage clairement. Bon couplage - qui est une performance technique - avec la *Musique pour les feux d'artifice royaux.*

Jouée sur des instruments anciens, la version de Harnoncourt surprend par un certain parti pris d'agressivité, tant sur le plan des rythmes retenus que sur celui des sonorités. Elle présente le grand mérite de bouleverser les conventions dans une œuvre que l'on aurait tendance à ne plus écouter pour l'avoir trop entendue. Grâce à Harnoncourt, nous retrouvons toutes les surprises d'une musique de plein air et de divertissement.

Dix ans après sa première version réalisée pour Decca, Neville Marriner enregistre à nouveau la *Water Music.* Il semble avoir abandonné ce qui faisait les vertus propres de sa première version, nervosité, rapidité, élégance d'un phrasé qui ne s'apesantissait jamais. Pour compenser, il a cherché à acquérir les vertus qui caractériseraient l'interprétation de Leppard, en particulier cette rondeur et cette solidité confortable qui mettaient si bien à l'aise. Le résultat n'est concluant qu'à moitié. L'auditeur se prend à regretter les deux versions anciennes, car la nouvelle ne pousse la logique du choix dans aucune des deux directions. Bien qu'ayant perdu ses signes caractéristiques les plus nets, elle n'en reste pas moins un des meilleurs représentants de la tradition haendélienne la plus classique.

Scherchen dirigeant la *Water Music* balaye toutes les habitudes et les convenances. C'est en amoureux des sons pour eux-mêmes qu'il travaille. Les trouvailles sont fréquentes dans une version dont on a parfois l'impression qu'elle doit plus au chef d'orchestre qu'au compositeur. Mais cette transformation rend à la *Water Music* une jeunesse et une actualité qui nous surprennent.

Thurston Dart est l'un des créateurs de toute une tradition d'interprétation de la musique haendélienne. Il a restitué à des musiques endormies au concert le sens du rythme. Sa version de la *Water Music* peut difficilement s'écouter sans qu'on ait envie de danser. L'orchestre a une rigueur et une fidélité au texte toute britannique. Présenté en étui de deux disques pour le prix approximatif d'un, cet enregistrement permet d'ajouter à sa discothèque un certain nombre de ces Concertos de Haendel qui sont en général des réorchestrations par le compositeur d'œuvres antérieures.

Jean-Claude Malgoire a résolument placé sa *Water Music* sous le signe du divertissement. Plus de cuivres et de vents que de cordes, une utilisation généreuse des percussions, il ressort de tout cela une atmosphère de fête presque populaire. On se sent plus près de la Provence que de la Tamise, ce qui est loin d'être déplaisant si l'on accepte de laisser une certaine liberté aux interprètes d'une œuvre qui n'a jamais été écrite que pour plaire une soirée.

The Ways of Zion do mourn (Les chemins de Sion), Antienne funèbre pour la Reine Caroline.

❀*** Norma Burrowes (s), Charles Brett (hc), Martyn Hill (t), Stephen Varcoe (b), Ch. et Orch. Monteverdi, John Eliot Gardiner. Erato STU 71.173. ⌧ MCE 71.173.

Mal connue, cette ode funèbre, composée par Haendel peu de temps après sa grande maladie, est une de ses œuvres les plus profondément émouvantes. L'interprétation qu'en donne John Eliot Gardiner est digne de tous les éloges. Articulant les différents numéros de l'ouvrage, construisant devant nous le grand édifice dramatique, il utilise avec une science rare le talent de très bons solistes, dont les rôles restent pourtant assez effacés par l'importance donnée aux chœurs. Le jeu des contrastes est net, mais jamais exagéré ; le rôle de l'orchestre reste discret ; tout est centré sur deux ou trois passages qui sont parmi les sommets de l'art choral chez Haendel et que les chœurs Monteverdi rendent à la satisfaction des haendéliens les plus difficiles.

Xerxès (Serse).

* Carolyn Watkinson (Xerxès), Paul Esswood (Arsamene), Ortrud Wenkel (Amastre), Barbara Hendricks (Romilda), Anne-Marie Rodde (Atalanta), Ulrik Cold (Ariodate), Ulrich Studer (Elviro), Ens. Vocal Jean Bridier, La Grande Ecurie et la Chambre du Roy, Jean-Claude Malgoire. CBS 79.325 (3 d.). Enregistré en 1979.

Les voix sont très belles (il faut en particulier citer Carolyn Watkinson, Barbara Hendricks et Paul Esswood), la reconstitution orchestrale est fidèle, et pourtant il semble par moments que Jean-Claude Malgoire hésite sur le style qu'il veut donner à l'œuvre. Il lui manque quelque chose de cette somptuosité dans l'affirmation qui donne tout leur caractère aux opéras haendéliens. Le côté bouffe de l'opéra, seul ouvrage où Haendel se soit laissé aller à plaisanter, est lourdement marqué par le jeu d'Ulrich Studer, ce qui se remarque d'autant plus que les autres interprètes restent très fidèle à la conception héroïque plus habituelle à ce type d'œuvre.

Hahn, Reynaldo
(1875-1947)

Le Bal de Béatrice d'Este, pièces de ballet.

** Orch. de Paris, Jean-Pierre Jacquillat. EMI VSM C 053-10.017. + *Messager : Les deux pigeons, Isoline (ballets).*

Sept pièces racées, un ballet dans le style ancien, des archaïsmes savoureux, interprétés par un bon chef et un orchestre soucieux d'honorer l'art français. Les ballets *Isoline* et *les Deux pigeons* de Messager, contemporain et ami de Hahn, complètent opportunément ce disque.

Concerto pour piano n° 1 en mi mineur. Mélodies.

*** Magda Tagliaferro (piano), Orch. anonyme, Reynaldo Hahn. EMI VSM C 061-14.024 (sup.). Mono (origine 78 t.). + *Bizet, Gounod : Mélodies. Offenbach : La Boulangère a des écus (2 airs). Rousseau : Un air du devin du village.*

Ce disque, intitulé «un Souvenir de Reynaldo Hahn», constitue un véritable document qui enchantera les passionnés de ce musicien et conquerra les plus tièdes. Magda Tagliaferro donne de ce Concerto, dont elle est la dédicataire, une interprétation merveilleuse : sensible, rêveuse, mais aussi éclatante. Et la présence au pupitre du compositeur en personne est une bonne garantie d'authenticité. A ne pas manquer dans ce disque : Hahn interprète de ses propres mélodies et s'accompagnant au piano. Tout un art du chant où texte et musique ne font qu'un. Moments également rares que ceux où Ninon Vallin chante l'*Heure exquise* et la *Dernière Valse*. Des témoignages de grande valeur.

Mélodies : A Chloris, D'une prison, L'énamourée, Etudes latines, L'incrédule, Infidélité, Offrande, Paysage, Quand je fus au pavillon, Le rossignol des lilas, Si mes vers avaient des ailes.

* Bruno Laplante (bar), Janine Lachance (piano). Calliope CAL 1.840.

Dans ces Mélodies que menace la préciosité, Bruno Laplante a le mérite d'une diction naturelle et sans maniérisme, ainsi que d'une interprétation musicale saine et sensible. Sans doute n'a-t-il pas une gamme expressive très étendue, et l'accumulation de ces œuvres en fait ressortir la monochromie. C'est un disque estimable qui ne peut manquer de plaire à qui aime cette atmosphère nostalgique et un peu surannée.

Haydn, Josef
(1732-1809)

Airs, Cantate, Cavatine.

** Teresa Berganza (s), Orch. de Chambre Ecossais, Raymond Leppard. Erato NUM 75.038.

Ces airs, écrits pour mettre la voix en valeur, trouvent en Teresa Berganza la forte personnalité nécessaire à leur réhabilitation, même si leur tessiture est souvent un peu trop aiguë pour elle ; certaines notes sont un peu criées, mais la comédienne, en particulier dans le récitatif de la *Cantate*, supplée largement à cette légère réserve.

Arias : «Tergi i vezzosi rai» extrait d'Acide e Galatea, «Un cor si tenero» extrait d'«Il Disertore», «Dice benissimo» extrait de «La Scuola dei gelosi», «Spann' deine langen Ohren» extrait de la «Vera Cstanza».

*** Dietrich Fischer-Dieskau (bar), Orch. Haydn de Vienne, Reinhard Peter. Decca SXL 6490 (G-B). *+ Mozart : Arias.*

Ce disque superbe ne contient que des «*rarities*», mais la plupart, pour Haydn du moins, sont des pièces délicieuses, légères à souhait. Bien entendu, elles bénéficient d'une interprétation de grand style avec Fischer-Dieskau, qui, tel le Cherubino des *Noces*, «fait bien tout ce qu'il fait».

Armida, opéra.

** Jessye Norman (Armida), Claës Ahnsjö (Rinaldo), Norma Burrowes (Zelmira), Samuel Ramey (Idreno), Anthony Rolfe-Johnson (Clotarco), Orch. de Chambre de Lausanne, Antal Doráti. Philips 6769.021.

Doráti a récemment proposé le dernier opéra qu'Haydn ait écrit à Esterháza après vingt années de service. Il tient la gageure de l'opera seria et fait avec son *Armida* un coup d'éclat. L'action, qui raconte les démêlés d'un pieux Croisé (amoureux, bien sûr) qu'une magicienne veut détourner de son devoir, est des plus minces, et interdit presque toute représentation à la scène. C'est pourquoi une version au disque est précieuse. Il y a peu d'ensembles et, selon le schéma *seria*, l'ouvrage consiste surtout en une suite d'arias. Les interprètes sont excellents. Jessye Norman chante avec beaucoup de séduction, quoique sa voix semble souvent retenue à l'excès. Claës Ahnsjö manque un peu de volume dans le bas, mais son style est joli et distingué. Quant au maître d'œuvre, Antal Doráti, à lui, bien sûr, tous les éloges largement mérités.

Cantate «Berenice, che Fai ?» Hob. XXIVa. 10.

*** Jennifer Vyvyan (s), Haydn Orchestra, Harry Newstone. Decca ECS 635 (G-B). *+ Mozart : Airs de concert K. 272 et 505.*

Jennifer Vyvyan n'a pas encore été détrônée pour l'interprétation de la Cantate *Berenice*. Dans cette pièce brillante demandant une voix souple, et il est étonnant de voir comment le riche timbre de cette cantatrice arrive à se faire en même temps aussi agile. On peut occasionnellement lui reprocher de chanter légèrement trop bas, mais il reste un esprit dramatique remarquable qui anime toutes ces scènes un peu conventionnelles.

Cantate «Miseri noi, misera patria» Hob. XXIVA.7. Air «Solo e pensoso» Hob. XXIVb.20. Air extrait de l'opéra «Armida».

** Bethany Beardslee (s), Ensemble Musica Viva, James Bolle. Monitor MCS (C) 214 (USA). *+ Pergolèse : Storace.*

La Cantate «*Miseri noi*» (vers 1790) et l'air «*Solo e pensoso*» (1798), écrit sur un sonnet de Pétrarque, sont magnifiques. Cela fait souhaiter une version intégrale des airs de concert pour soprano de Haydn.

Cantilena pro Adventu «Ein' Magd, ein' Dienerin» Hob. XXIIId.1.

** Gertraud Stoklassa (s), Orch. de Chambre de Mayence, Günther Kehr. Turnabout TV 34.180 (étr.). *+ Purcell : «Behold, I bring you glad tidings». Scarlatti : Cantata Pastorale.*

Ce disque présente l'intérêt d'un programme qui sort complètement des sentiers battus de la discographie de Haydn, et qui n'en est pas moins fort bien interprété.

Les quatorze Canzonets anglaises Hob. XXVIa. 25 à 36, 41 et 42.

* James Griffett (t), Bryan Vickers (t). SHE 540 (G-B).

Ce disque est le seul à réunir toutes les *Canzonets* composées par Haydn au cours de ses séjours à Londres. La musqiue est splendide, parfois schubertienne avant la lettre ; malheureusement, l'interprétation n'est pas toujours idéale.

Chœur «L'Orage» Hob. XXIVa.8. Cantate «L'Election d'un Maître de Chapelle» Hob. XXIVa.11. Chœur des Danois Hob. XXX.5a. Chœur «Svanisce in un momento» extrait du «Retour de Tobie».

* Ch. Madrigal de Budapest, Orch. de l'Etat Hongrois, Ferenc Szekeres. Hungaroton SLPX 11.527 (étr.).

Le programme figurant sur ce disque est intéressant et bien interprété, mais il appelle quelques remarques. La cantate «*L'Election d'un Maître de Chapelle*» est d'authenticité douteuse, et le chœur «*L'Orage*», de 1792, dont c'est la seule version mondiale, est malheureusement exécuté sans les parties de trompettes et de timbales.

Les quatre Trios vocaux et les neuf Quatuors vocaux.

*** Ana-Maria Miranda (s), Clara Wirtz (a), Marcel Quillevéré (t), Udo Reinemann (bar), Brigitte Haudebourg (clavecin). Arion ARN 38.403.

Ce disque amène au catalogue toute une gerbe de chefs-d'œuvre qu'il convient de fêter sans arrière-pensée. Ces pièces, qui sont la lointaine descendance du madrigal, anticipent cependant sur l'univers futur du Lied et du chœur romantique. Elles sont habitées par un climat de profonde spiritualité qui tient quelque chose des climats maçonniques. Il faut saluer l'interprétation comme elle le mérite, car les solistes, remarquablement soutenus par le clavecin de Brigitte Haudebourg, s'entendent et mêlent leurs voix avec un merveilleux instinct. Tous donnent le reflet des préoccupations les plus intimes de l'âme du compositeur.

Onze Concertinos pour pianoforte et instruments Hob. XIV 1, 3, 7, 8, 9, 11, 12, 13 et C2, et Hob. XVIII 10 et F2. Trois Concertos pour orgue Hob. XVIII. 1, 5 et 8.

* Ilse von Alpenheim (pianoforte), Franz Lehrndorfer (orgue), Orch. de Chambre du Würtemberg, Jörg Färber. Vox Box SVBX 5141 (3 d.) (étr.).

Bonne interprétation, mais disponible seulement outre-Atlantique. On se consolera, car les cinq Divertissements ainsi que les Concertos pour orgue sont disponibles séparément sur d'autres bons disques. On pourra toutefois regretter l'intéressante partition avec deux cors qui se trouve dans cet album.

Concertos pour clavier et orchestre en ut majeur Hob. XVIII.5, en fa majeur Hob. XVIII.7, en fa majeur Hob. XVIIIF2 et en ut majeur Hob. XIV 12.

* Malcolm Frager (piano), RIAS Sinfonietta, Ernö Sebestyén. Schwann VSM 2056.

Sont ici présentées et interprétées des œuvres qu'on retrouve parfois dans d'autres catégories que celles des morceaux concertants. Le *Hob. XVIII.7* est une transcription réalisée du temps de Haydn, mais non par le compositeur lui-même, du Trio pour piano, violon et violoncelle n° 6.

Concertos pour clavier et orchestre n° 3 en fa majeur, n° 4 en sol majeur, n° 5 en ut majeur, n° 6 en fa majeur et n° 11 en ré majeur. Double Concerto pour violon et clavecin en fa majeur Hob. XVIII.6. Sonate pour deux cors, clavecin et cordes en mi bémol majeur Hob. XIV 1.

** Robert Veyron-Lacroix (clavecin), Gérard Jarry (violon), Orch de Chambre de Toulouse, Louis Auriacombe. EMI VSM C 181-52.728/29 (2 d.).

Le Concerto n° 6 en fa majeur, spécialité de Robert Veyron-Lacroix, n'est sûrement pas de Haydn - peut-être de Pleyel. Il n'en reste pas moins que cet album est très beau, une des meilleures réalisations de Louis Auriacombe et de l'Orchestre de Chambre de Toulouse.

Concertos pour clavier Hob XVIII. n° 3 en fa majeur, n° 9 en sol majeur et n° 11 en ré majeur.

* Christiane Jaccottet (clavecin Dobson), Orch. de Chambre de Lausanne, Michel Corboz. Erato STU 70.989.

Un joli disque, qu'il convient de citer dans la mesure où il est couramment disponible en France, ce qui n'est pas souvent le cas des œuvres de Haydn, assez mal représentées chez nous. Procédant plus d'une optique baroque que d'une conception classique, ces interprétations séduisent par le mouvement et la discrète virtuosité de la soliste. Mais trop de joliesse et de rapidité donnent à ces œuvres un aspect superficiel et leur confère un certain manque de carrure.

Concerto pour clavier et orchestre Hob. XVIII n° 3 en fa majeur.

*** Heinz Schröter (piano), Orch. de Chambre de Cologne, Helmut Müller-Brühl. Schwann VSM 817 (RFA). + *Hoffmeister : Concerto pour piano.*

Cette version, malheureusement indisponible en France, doit être citée, car il est difficile d'interpréter mieux ce Concerto dans une version pianistique.

Concertos pour clavier en sol majeur n° 4 Hob. XVIII et en ré majeur n° 11 Hob. XVIII.

* Arturo Benedetti-Michelangeli (piano), Orch. de Chambre de Zurich, Edmond de Stoutz. EMI VSM C 069-02.614. ⊠ C 269-02.614.

Il faut citer cet enregistrement au piano en raison de la beauté du jeu de Benedetti-Michelangeli. Mais ce pianiste prend avec le texte de singulières libertés. On reste très partagé entre son admiration et l'incertitude où l'on est sur ce que l'on entend.

Concertos pour cor et orchestre n° 1 en ré majeur et n° 2 en mi bémol majeur.

*** Barry Tuckwell (cor), Orch. de Chambre Anglais, Barry Tuckwell. EMI VSM C 069-03.362. Enregistré en 1978. + *Michael Haydn : Concertino pour cor en ré majeur.*

Le Concerto n° 1 n'est pas vraiment virtuose, c'est plutôt une œuvre de climat. Tuckwell joue ici sur la chaleur de la sonorité, le velouté des ombres et les changements d'éclairage : il reste toujours dans un merveilleux équilibre qui le garde de tous les excès d'expression. Le *n° 2* est plus varié, et c'est ici un régal, avec un *Allegro* sain et heureux, un *Adagio* de toute beauté, et un *Allegro* final qui chasse toute trace de mélancolie. Le *Concertino* de Michel Haydn coule de la première note à la dernière, et cette dernière note nous trouve tout surpris que cela soit déjà fini..

Concertos pour deux lyres organisées : n° 1 en ut majeur, n° 2 en sol majeur, n° 3 en sol majeur, n° 4 en fa majeur, et n° 5 en fa mineur (arrangements pour flûte et hautbois).

* Jean-Pierre Rampal (flûte), Pierre Pierlot (hautbois), Collegium Musicum de Paris, Roland Douatte. Musidisc 763/4 (2 d. séparés).

Cette transcription pour flûte et hautbois ne contredit pas les intentions de Haydn. L'enregistrement a près de vingt ans, mais il n'en reste pas moins fort appréciable. Signalons qu'il en existait une version pour deux flûtes à bec chez Amadeo.

Les six Concertos pour orgue.

*** Ton Koopman (orgue). Ensemble Baroque d'Amsterdam, Ton Koopman. Philips 6769.065 (2 d.).

Koopman s'est gardé de toute solennité, soulignant au contraire un allant et une joie de vivre qui éclatent à chaque instant dans ces Concertos dont un seul a semble-t-il été spécifiquement composé pour l'orgue. Les instruments anciens sont utilisés de façon précise, sans aucune affectation et confèrent à l'orchestre une légèreté bondissante.

Concertos pour orgue et orchestre n° 1 en ut majeur, n° 5 en ut majeur, et n° 8 en ut majeur.

** Edward Power-Briggs (orgue), Orch. Symph. de Columbia, Rozsnay. Columbia MG 32.985 (USA). + *Mozart : Sonates pour orgue.*

Les trois Concertos en ut majeur pour orgue au clavecin étaient jadis disponibles sur un disque CBS isolé. On les trouve ici couplés avec des Sonates de Mozart. L'interprétation est précieuse, notamment dans la mesure où elle fut réalisée sur un des orgues d'Eisenstadt.

Concertos pour orgue et orchestre n° 1 en ut majeur, n° 8 en ut majeur, et n° 10 en ut majeur.

*** Marie-Claire Alain (orgue), Bournemouth Sinfonietta, Theodor Guschlbauer. Erato STU 70.998. ⌧ MCE 70.998.

Dans ce programme très cohérent qui réunit trois Concertos en *ut* majeur pouvant être aussi bien joués à l'orgue qu'au clavecin, Marie-Claire Alain et Guschlbauer se montrent au-dessus de tout éloge : il faut noter en particulier la remarquable intervention des cuivres percutants dans le n° 8.

Concerto pour orgue et orchestre n° 1 en ut majeur.

*** Simon Preston (orgue), Academy of St-Martin-in-the-Fields, Neville Marriner. Argo ZK 6 (G-B). + *Concerto pour cor, Concerto pour trompette.*

Sur ce disque sont regroupées les meilleures plages de disques antérieurs : le Concerto pour orgue avec Preston est interprété avec brio. En couplage, on appréciera les prestations de Maurice André dans le Concerto pour trompette et Barry Tuckwell dans le Concerto pour cor.

Concerto pour trompette en mi bémol majeur Hob. VIIe.1. Symphonie concertante pour violon, violoncelle, hautbois, basson et orchestre.

*** Maurice André (trompette), Walter Forchert (violon), Hans Haüblein (violoncelle), Otto Winter (hautbois), Helman Jung (basson), Orch. Symph. de Bamberg, Theodor Guschlbauer. Erato STU 70.652. ⌧ MCE 70.652. + *Ouverture de «L'incontro improvviso».*

Cette version du célèbre Concerto pour trompette s'impose, en soi et aussi pour son couplage substantiel (une belle ouverture «à la turque», et l'une des meilleures versions de la Symphonie concertante). On évite ainsi le récital de trompette et les œuvres d'intérêt secondaire qui, en général, encombrent ce genre de programme.

Concerto pour violon, clavecin et orchestre en fa majeur. Concertos pour violon et orchestre en ut majeur, en la mineur et en sol majeur. Symphonie concertante pour violon, violoncelle, hautbois, basson et orchestre.

*** Salvatore Accardo (violon), Heinrich Schiff (violoncelle), Neil Black (hautbois), Graham Sheen (basson), Bruno Canino (clavecin), Orchestre de Chambre Anglais, Salvatore Accardo. Philips 6769.059 (2 d.). ⌧ 7654.059 (2 c.).

L'entreprise de Salvatore Accardo et de l'Orchestre de Chambre Anglais qu'il dirige de son archet de soliste est tout simplememt exaltante. Cet ensemble réduit permet d'abord de lire dans toute leur finesse d'écriture les partitions de Haydn et donne, par la netteté des attaques, une vigueur exceptionnelle à ces pages où la vitalité, le tact, la réserve vont de pair avec la bonne humeur et une poésie de tous les instants.

Concertos pour violon et orchestre n° 1 en ut majeur, n° 2 en la majeur, et n° 3 en sol majeur.

* Gérard Jarry (violon), Orch. de Chambre, Jean-François Paillard. Erato STU 70.770.

Jeu franc et sans surprise de Gérard Jarry, goût et sensibilité. Accompagnement traditionnel et robuste et Jean-François Paillard, à qui il manque ici un peu de gaîté et de lumière. Sans génie, mais agréable.

Concerto pour violon et orchestre en la majeur Hob. VIIa. 3.

*** Robert Gerle (violon), Orch. de Radio Vienne, Robert Zeller. Westminster 17.106 (USA) (sup.). + *Michael Haydn : Concerto pour violon.*

Parmi les versions séparées des Concertos pour violon, la plus éblouissante du Concerto en la était certainement celle gravée par Robert Gerle, chez Westminster. Elle a disparu malheureusememt des catalogues, et nous la citons ici pour mémoire.

Concertos pour violoncelle et orchestre n° 1 en ut majeur Hob. VIIb. et n° 2 en ré majeur Hob. VIIb.

*** Mstislav Rostropovitch (violoncelle), Academy of St-Martin-in-the-Fields, Mstislav Rostropovitch. EMI VSM C 069-02.767. ⊠ C 269-02.767.

** Frédéric Lodéon (violoncelle), Bournemouth Sinfonietta, Theodor Guschlbauer. Erato STU 70.869.

Le grand violoncelliste russe a profondément mûri ces pages auxquelles il donne fluidité, tendresse, virtuosité sans pesanteur. Son entente avec les solistes de l'Academy of St-Martin-in-the-Fields est spontanée et enthousiaste. Le Concerto en ré souffre un peu de l'absence d'un chef d'orchestre au sens traditionnel du terme, ce que manifestent de menus décalages et des sonorités d'orchestre un peu moins agréables. Mais la perfection d'archet, la virtuosité «naturelle», la joie communicative de Rostropovitch font de cet enregistrement la version de référence.

Frédéric Lodéon et Theodor Guschlbauer baignent les deux partitions d'une musicalité évidente, d'un style viennois d'un goût et d'une sûreté parfaits. Si Frédéric Lodéon n'a pas la personnalité écrasante de son illustre aîné Rostropovitch, il n'en domine pas moins les deux œuvres par l'équilibre souverain entre la justesse du ton et la technique instrumentale.

Concerto pour violoncelle et orchestre n° 1 en ut majeur Hob. VIIb.

❀*** Mstislav Rostropovitch (violoncelle), Orch. de Chambre Anglais, Benjamin Britten. Decca SLX 6136 (G-B). + *Britten : Symphonie op. 68.*

Première des deux versions discographiques signées de Rostropovitch pour le Concerto en ut. Version géniale, à posséder absolument : Rostropovitch et Britten signent là une de ces gravures enthousiasmantes qui font date. C'est l'idéal, non seulement pour ce Concerto pour violoncelle, mais également la façon la plus rêvée de jouer un concerto pour violoncelle du XVIIIe siècle.

La Création, oratorio.

❀*** Gundula Janowitz (s), Fritz Wunderlich (t), Werner Krenn (t), Dietrich Fischer-Dieskau (bar), Walter Berry (b), Ch. du Singverein de Vienne, Orch. Phil. de Berlin, Herbert von Karajan. DG 2707.044 (2 d.). ⊠ 3370. 005 (2 c.). Enregistré en 1966.

❀*** Elly Ameling (s), Werner Krenn (t), Tom Krause (b), Erna Spoorenberg (s), Robin Fairhurst (b), Ch. de l'Opéra d'Etat et Orch. Phil. de Vienne, Karl Münchinger. Decca 593.041 (2 d.).

*** Trude Eipperle (s), Julius Patzak (t), Georg Hann (b), Ch. et Orch. Phil. de Vienne, Clemens Krauss. Preiser Records (3 d.) (Autriche). Mono.

*** Elisabeth Grümmer (s), Josef Traxel (t), Gottlob Frick (b), Ch. de la cathédrale Ste-Hedwige de Berlin, Orch. Symph. de Berlin, Karl Forster. EMI USM C 181-29.144/45 (2 d.).

*** Krisztina Laki (s), Neil Mackie (t), Philippe Huttenlocher (b), Collegium Vocale de Gand, La petite Bande, Sigiswald Kuijken. Accent ACC 8.228/29 (2 d.). Enregistré en 1983.

En fait, c'est toujours entre la version de Münchinger et celle de Karajan que devraient choisir en premier lieu les amateurs soucieux de haute fidélité. Karajan est certainement, des deux, le chef le plus complet, celui qui fait le mieux ressortir les multiples facettes du chef-d'œuvre. A noter que l'enregistrememt Karajan fut interrompu par la mort de Wunderlich en 1966, et repris plus tard avec un autre ténor pour les récitatifs.

La version Münchinger est portée par un enthousiasme des plus communicatifs. Les chœurs sont splendides, et Dieu sait s'ils comptent chez Haydn ! Les tempos sont excellents. Le «Chaos» et le début de la troisième partie sont tout à fait réussis.

Premier jamais réalisé, l'enregistrement de Clemens Krauss date des débuts du microsillon. Il parut aux Etats-Unis sous l'égide de la Haydn Society. Il comporte deux solistes masculins qui n'ont jamais été égalés depuis. Et que dire du «Chaos» par Krauss ? Version historique de référence, grâce à laquelle de nombreux mélomanes ont pu prendre conscience de l'existence de l'ouvrage. Il est heureux qu'elle n'ait pas entièrement disparu des catalogues internationaux.

Parue vers 1960, la version Forster vaut par des solistes exceptionnels et par un climat assez rare de haute spiritualité. De toutes, c'est la plus religieuse, la plus orientée vers l'église. Le «Chaos» est malheureusement quelque peu décevant.

Kuijken crée une vision toute nouvelle de l'action réciproque de la voix et de l'instrument. La façon de souligner d'un trait le mouvement de la voix soliste, de préparer la ritournelle d'une aria, de marquer d'un son net et comme isolé un épisode du récit, témoigne d'un sens naturel de la capacité de faire chanter un instrument de pair à compagnon avec la voix humaine. Les solistes sont de belle qualité, mais les grandes interventions chorales restent assez banales. Trop différente des autres versions, cette *Création* leur est difficilement comparable.

Divertissement à huit voix pour baryton, deux cors, deux violons, alto, violoncelle et violone en la majeur, ré majeur et sol majeur.

** Münchner-Baryton Trio, Jan Schroeder et Gottfried Langenstein (cors naturels), Werner Grobholz et Gunter Klein (violons), Bernhard Mahne (violone). Archiv 2533.465. Enregistré en 1980.

Haydn impose ici un discours véritablement neuf, la relative facilité de la partie de baryton mise à part, avec des jeux de timbres et de rythmes déjà pré-beethovéniens. L'interprétation du Münchner-Baryton Trio, renforcé d'instrumentistes valeureux pour les besoins de la cause, coule de source et transcende constamment l'anecdote. On y trouve le style infaillible de l'approche, avec cette touche viennoise irremplaçable dans un tel répertoire, et ces sonorités poétiques qui jamais n'appuient ni ne pèsent.

Cinq Divertissements pour clavecin et trio à cordes Hob. XIV 4, 7, 8, 9 et 13.

*** János Sebestyén (clavecin), Membres du Quatuor Tátrai. Hungaroton SLPX 11.468 (étr.).

On trouvera, avec les Hongrois, une interprétation excellente de ces œuvres de jeunesse, à l'écriture concise.

Sept Divertissements pour deux hautbois, deux cors et deux bassons.

*** London Wind Soloists, Jack Brymer. Decca SDD 450 (G-B).

Cinq Divertissements pour deux hautbois, deux cors et deux bassons.

** Solistes Hongrois. Hungaroton SLPX 11.719 (étr.).

C'est à coup sûr le disque anglais qui s'impose pour ces Divertissements, car son interprétation est vraiment recommandable et son programme est plus complet que celui du disque hongrois qui ne comporte que cinq Divertissements.

L'interprétation hongroise est bonne, comme la plupart du temps, mais en l'occurrence, un programme incomplet poussera à choisir l'interprétation dirigée par Jack Brymer.

Six Divertissements pour flûte, violon et violoncelle op. 38 ou op. 100.

*** Barthold Kuijken (flûte), Sigiswald Kuijken (violon), Wieland Kuijken (violoncelle). Accent ACC 7807. Enregistré en 1978.

On écoutera ces six Trios avec un plaisir toujours renouvelé. Sous leur apparente facilité, ils possèdent une richesse qui dépasse le cadre du divertimento. Les Kuijken, tout en restant attentifs aux détails de la partition, n'alourdissent jamais le mouvement. Leur interprétation est toujours empreinte de naturel, et c'est de la musique de chambre au meilleur sens du terme.

Six Duos pour violon et alto Hob. VI. 1 à 6.

** Dénes Kovács (violon), Gezá Nemeth (alto). Hungaroton SLPX 11.426/27 (2 d.) (étr.). + *Mozart : Duos K. 423 et 424.*

Les œuvres de Haydn tiennent ici en trois faces, une face restant pour Mozart. Lors de la parution de cet album au début des années 1970, il s'agissait, pour les Duos de Haydn, d'une première mondiale. C'est en outre une excellente version, qui surpasse très largement la version parue de façon éphémère chez Decca.

La Fedeltá premiata, opéra.

❀*** Ileana Cotrubas (Nerina), Frederica von Stade (Amarenta), Lucia Valentini-Terrani (Celia), Luigi Alva (Lindoro), Alan Titus (Perrucchetto), Tonny Landy (Fileno), Ch. de la Radio Suisse Romande, Orch. de Chambre de Lausanne, Antal Doráti. Philips 6707.028 (4 d.).

L'intrigue, qui n'est ni simple ni originale (faute de temps, Haydn avait emprunté à Cimarosa son *Infedelta Fedele*), met en scène des bergers et des nymphes, ainsi qu'un burlesque Comte Perrucchetto. Parfois comique, la musique exprime aussi, à certains moments, les sommets de la passion ou du désespoir. A côté de la traditionnelle chaîne des arias, on découvrira de merveilleux ensembles aux finales des actes. Les chanteurs sont tous excellents, depuis l'illustre et délicieuse Cotrubas, avec à ses côtés l'irremplaçable Alva, jusqu'aux moins connus, comme le jeune Américain Alan Titus, qui, habitué au rôle de Papageno, campe un Perrucchetto très bouffon. Grâce à Doráti, le tout bénéficie d'une superbe unité de style, avec ses touches franches et savoureuses.

L'Incontro improvviso.

*** Claes H.Ahnsjö (Ali), Linda Zoghby (Rezia), Margaret Marshall (Balkis), Della Jones (Dardane), Domenico Trimarchi (Osmin), Benjamin Luxon (Calandro), Orch. de Chambre de Lausanne, Antal Doráti. Philips 6769.040 (3 d.).

Oublions la turquerie, parfois naïve ou laborieuse. Cet *Incontro* est une trouvaille où frissonne déjà un romantisme d'opéra seria qui ne se retrouvera pas. Et à animer ce petit chef-d'œuvre, Doráti met des affections, des précisions, des légèretés parfaites, entouré par une très remarquable équipe de solistes où brillent tout particulièrement Claes H.Ahnsjö et Margaret Marshall.

L'Infedeltá delusa, opéra.

*** Edith Mathis (Vespina), Barbara Hendricks (Sandrina), Aldo Baldin (Filippo), Claes H. Ahnsjö (Nencio), Orch. de Chambre de Lausanne, Antal Doráti. Philips 6769.061 (3 d.). + *Airs complémentaires et Trio.*

Toute la gloire de cette réussite revient à Antal Doráti. Tour à tour véhément, abondonné, passionné ou merveilleusement drôle, il traduit parfaitement la bouffonnerie d'un ouvrage où perce en maints endroits un certain tragique de la condition sociale qui nous montre un Haydn doucement revendicatif. D'une équipe de chanteurs de tout premier ordre, il faut distinguer tout particulièrement Edith Mathis, qui s'impose dès le premier quatuor et nous laisse étourdis et pantois à force de vivacité, d'abattage, d'aisance à contrefaire sa voix pour devenir, à travers ses travestis successifs, Vespina, une vieille femme, un marquis italien ou un notaire véreux... A vous couper le souffle.

L'Isola disabitata, opéra.

*** Linda Zoghby (Sylvia), Norma Lener (Costanza), Luigi Alva (Gernando), Renato Bruson (Enrico), Orch. de Chambre de Lausanne, Antal Doráti. Philips 6700.119 (2 d.).

Composé sur un excellent texte de Métastase, et reposant seulement sur quatre personnages, en une sorte de huis-clos, cet ouvrage, qui est un opéra-seria, se caractérise par une grande densité dramatique et psychologique. Son traitement musical est original, vivant et très riche. Ses aspects passionnés reflètent peut-être les sentiments intimes du musicien. L'interprétation est à la hauteur d'une œuvre aussi belle : les deux rôles de femmes sont pleins de subtilité dans leur évolution. L'interprète du personnage si mouvant de Silvia, l'héroïne, est un peu dépassée par cette complexité. Mais les deux hommes, loin de jouer les comparses, créent deux personnages remarquables de profondeur et d'humanité. L'illustration orchestrale d'Antal Doráti est admirable de brio et de tact.

Vingt-quatre Menuets pour orchestre Hob. IX 16.

*** Philharmonia Hungarica, Antal Doráti. Decca 591.172 (2 d.) (G-B).

Il s'agit là de la seule version disponible de ces œuvres tardives, datant d'environ 1796. Mais on ne le regrettera pas, car Antal Doráti en donne une interprétation absolument magnifique.

Douze Menuets Hob. IX 11. Douze Danses allemandes Hob. IX 12.

** Orch. de l'Opéra de Vienne, Hans Gillesberger. Haydn Society (USA). Ou Nixa HLP 1022 (G-B). Mono.

* Orch. Symph. d'Innsbruck, Robert Wagner. Menuets : Turnabout TV 34.011 (G-B). *+ Mozart : Danses K. 586.* Danses allemandes : Vox PL 12.580 (sup.). *+ Mozart : Danses K. 509 et 600. Beethoven : WoO 14.*

Il s'agit là de danses composées en novembre 1792 pour les bals de la Redoute, à Vienne. Une version moderne fait cruellement défaut dans les catalogues, et il faudrait rééditer la version ancienne, mais splendide, dirigée par Gillesberger.

Les Douze Menuets sont disponibles au catalogue anglais dans la version, bonne mais sans plus, dirigée par Robert Wagner.

Messes en fa majeur Hob. XXII.1 et en sol majeur «Rorate Caeli Desuper» Hob. XXII.3. Salve Regina en mi bémol majeur Hob. XXIIIb.4. Non nobis Domine Hob. XXIIIa. 1.

* Elisabeth Speiser (s), Verena Gohl (c), Musiciens de Chambre de Zurich, Willi Gohl. Jecklin 518 (étr.).

L'interprétation de la *Messe en fa* n'atteint pas les sommets de celle dirigée par Preston et, pour la *Messe en sol*, il existe un autre enregistrement dirigé par Gohl, chez Turnabout. Mais la gravure Jecklin est précieuse pour deux pages dont il n'existe pas d'autre version : le *Motet «Non nobis Domine»* et le *Salve Regina* (d'authenticité douteuse).

Messes en fa majeur Hob. XXII.1 et en sol majeur «St-Nicolas» Hob. XXII.6.

❀*** Judith Nelson (s), Emma Kirkby (s), Shirley Minty (c), Rogers Covey-Crump (t), David Thomas (b), Ch. de Christ Church Cathedral d'Oxford, Academy of Ancient Music, Simon Preston. Oiseau-Lyre 595.049.

Cette réalisation sublime, justement couronnée d'un Grand Prix du Disque, se passe de tout commentaire : il suffit de l'écouter pour être conquis.

Messe en sol majeur «Rorate Coeli Desuper» Hob. XXII.3. Missa brevis a capella.

* Singkreis et Orch. de Chambre de Zurich, Willi Gohl. Turnabout TV 34.501 (étr.). *+ Mozart : Messe n° 7 K. 167.*

L'authenticité de cette Messe de jeunesse retrouvée récemment est discutée, quoique probable (elle pourrait être de Georg Reutter). Elle trouve ici une interprétation correcte, mais loin d'être idéale. Quoi qu'il en soit, c'est une œuvre agréable, mais secondaire.

Messe en mi bémol majeur avec solo d'orgue Hob. XXII.4.

*** Judith Nelson (s), Carolyn Watkinson (c), Martyn Hill (t), David Thomas (b), Ch. de Christ Church Cathedral d'Oxford, Academy of Ancient Music, Simon Preston. Oiseau-Lyre 595.048.

Ce disque, dont la distribution recouvre à peu près celle de l'enregistrement primé par le Prix du Disque, ne lui est guère inférieur, et c'est là une autre réalisation de tout premier plan que donnent Simon Preston et son équipe.

Messe en ut majeur «de Ste-Cécile» Hob. XXII.5. Messe en sol majeur «Rorate Coeli Desuper» Hob. XXII.3.

*** Judith Nelson (s), Margaret Cable (ms), Martyn Hill (t), David Thomas (b), Ch. de la cathédrale Christ Church d'Oxford, Academy of Ancient Music, Simon Preston. Oiseau-Lyre 595.013 (2 d.).

Cet enregistrement de Simon Preston est à tous égards remarquable. Sous sa direction élégante, précise, fine sans mièvrerie, dramatique sans emphase et qui semble trouver spontanément le tempo et l'intensité exacte, l'orchestre ne prend pas la vedette qui, dans la *Messe de Sainte-Cécile*, caractéristique du genre «messe-opéra», revient aux solistes. Ces derniers, tous excellents, sont guidés par une certaine pudeur qui les éloigne de tout ce qui sentirait le *bel canto* et qui permet la mise en valeur du texte liturgique qui constitue l'épure architecturale de toute l'œuvre.

Messe en ut majeur «de Ste-Cécile» Hob. XXII.5. Te Deum en ut majeur Hob. XXIIIc.2.

*** Elisabeth Speiser (s), Helen Watts (c), Kurt Equiluz (t), Siegmund Nimsgern (b), Ch. d'enfants Hymnus de Stuttgart, Ensemble Instrumental Keltsch, Gerhard Wilhelm (Messe Ste-Cécile). Ch. de la cathédrale Ste-Hedwige de Berlin, Orch. Symph. de Berlin, Karl Forster (Te Deum). EMI VSM C 155-29.058 (2 d.) (sup.).

La Messe Ste-Cécile, la plus longue de Haydn, date de 1766, et le bref mais saisissant *Te Deum*, de 1800. Pour ce dernier, la version Forster est de loin préférable à celle gravée par Fricsay. Pour la Messe, il n'en existe pour le moment aucune autre version, bien qu'elle ait été enregistrée jadis par Gillesberger, puis par Jochum. Ce coffret, au demeurant splendide, s'impose donc aisément.

Messe en si bémol majeur avec solo d'orgue Hob. XXII.7.

*** Elly Ameling (s), Peter Planyavsky (orgue), Ch. de l'Opéra de Vienne, Orch. Phil. de Vienne, Karl Münchinger. Decca SXL 6747 (G-B). + *Mozart : Messe K. 167.*

Cette petite Messe avec orgue, dite aussi *Missa Brevis St Joannis de Deo*, fut composée vers 1775 et destinée aux Hospitaliers de St-Jean-de-Dieu. Elle doit son autre nom au double solo orgue et soprano qui figure au *Benedictus*. Elly Ameling y fait admirer sa voix nuancée, souple et légère, tandis que la direction de Münchinger met l'accent sur un caractère allant, joyeux et enlevé. C'est vraiment la version de référence pour cette page charmante. La *Messe de la Sainte Trinité* de Mozart, qui figure au verso, est également de beau style.

Messes en si bémol majeur avec solo d'orgue Hob. XXII.7. et en ut majeur «Mariazell» Hob. XXII.8. Quatre Pièces pour horloge à mécanisme d'orgue.

*** Jennifer Smith (s), Helen Watts (c), Robert Tear (t), Benjamin Luxon (b), Ch. du St-John's College de Cambridge, Academy of St-Martin-in-the-Fields. George Guest. Argo ZRG 867 (G-B).

Le programme est bien établi, car il regroupe deux œuvres appartenant à la même période de la vie du compositeur, mais de caractère totalement différent. La Messe «de Mariazell» est une composition brillante de gande envergure, et les amateurs d'opéras retrouveront avec plaisir un des airs du *Mondo della Luna* transcrit pour quatuor vocal dans le *Benedictus*. L'autre Messe est plus restreinte, ne serait-ce que par l'artifice qui consiste à faire se superposer certaines phrases de la liturgie. L'interprétation est de bonne tenue. Seul, Robert Tear semble à la limite de ses moyens et «tire» dans l'*Incarnatus* de la «Mariazell». Guest donne à ces deux œuvres un caractère de joie dans la louange divine, et il faut décerner une mention particulière à l'organiste John Scott qui donne une jolie prime avec ses Quatre Pièces pour horloge.

Messe en ré mineur «In Angustiis» ou «Lord Nelson» Hob. XXII.11.

*** Sylvia Stahlman (s), Helen Watts (c), Werner Braun (t), Tom Krause (b), Ch. du King's College de Cambridge, Orch. Symph. de Londres, David Willcocks. Argo ZRG 5.325 (G-B).

Ecrite comme son nom l'indique dans des tempos d'angoisse et de guerre, cette Messe reflète cependant toute la sérénité personnelle qui est une marque du génie de Haydn. L'enregistrement et l'interprétation sont remarquables. Le disque faisait partie d'un ensemble de six grandes Messes qu'il faudrait vite retrouver au catalogue français.

Messe en si bémol majeur «Theresienmesse» Hob. XXII.12.

** Uta Spreckelsen (s), Hanna Schaer (c), John Elwes (t), Brodard (b), Ensemble Vocal de Lausanne, Orch. de Chambre de Lausanne, Michel Corboz. Erato STU 71.058. ⌧ MCE 71.058.

Voici l'une des plus belles, sinon la plus belle des messes de Haydn. Ce chef-d'œuvre a été composé entre les deux Oratorios de *la Création* et des *Saisons*, soit en 1799. L'orchestration est pleine de vie, riche d'une ligne mélodique très prenante, et l'instrumentation, avec ses trompettes, clarinettes, timbales et orgue, sonne haut et clair. Corboz adopte un tempo plus lent et plus accentué que dans la version du Collegium Aureum, malheureusement supprimée. La prise de son, généreuse, donne aux chœurs une belle rondeur. Les solistes sont de bon niveau, même si leurs concurrents des autres versions disparues étaient quelquefois de qualité supérieure. C'est une bonne version, peut-être un peu en dessous de ce que nous sommes habitués à recevoir d'outre-monts.

Messe en si bémol majeur «de la Création» Hob. XXII.13.

** Maria Taborsky (s), Julia Falk (c), Erich Zur Eck (t), Carlo Schmidt (b), Camerata Academica, Ch. du Mozarteum de Salzbourg, Ernst Hinreiner. Schwann AMS 35 (RFA).

Pour la Messe «de la Création», Hinreiner surclasse légèrement son rival britannique George Guest. Parue en 1962 (c'était alors une première mondiale longtemps attendue), sa version vaut notamment par une étonnante densité spirituelle.

Messe en si bémol majeur «Harmoniemesse» Hob. XXII.14.

*** Ilona Tokody (s), Klara Takacs (a), Denes Gulyas (t), Jozsef Gregor (b), Ch. et Orch. Phil. Slovaques, János Ferencsik. Hungaroton SLPD 12.360. Enregistré en 1982.

L'équipe réunie par János Ferencsik marque d'entrée son approche de ce ton inimitable, de ce mélange de ferveur et de bonnes manières qui font les réussites éclatantes dans le répertoire classique. Dépositaire de la tradition viennoise, Ferencsik hausse cette œuvre à la dimension universelle, et nous en donne une remarquable version, puissamment structurée et charpentée, avec l'appui d'un quatuor de chanteurs parfaitement à l'aise dans la rayonnante vocalité des épisodes solistes.

Il Mondo della Luna, opéra.

*** Domenico Trimarchi (Buonafede), Luigi Alva (Ecclitico), Frederica von Stade (Lisetta), Arleen Augér (Flaminia), Edith Mathis (Clarice), Lucia Valentini-Terrani (Ernesto), Anthony Rolfe-Johnson (Cecco), Ch. de la Radio Suisse Romande, Orch. de Chambre de Lausanne, Antal Doráti. Philips 6769.003. ⌧ 7699.078.

Un certain déséquilibre sur le plan du livret gêne un peu la compréhension d'une œuvre où plusieurs comédies se retrouvent en une. Mais sur le plan musical, les arias sont charmantes et les intermèdes bien venus. Haydn a changé de type de musique chaque fois que le récit change d'atmosphère, et passe de la scène conventionnelle aux fantaisies débridées du monde de la lune. Il ne faut pas non plus chercher dans les personnages une grande cohérence psychologique. Pour l'interprétation, elle se ressent des années que Doráti a passées au service de Haydn, qui semble être devenu avec lui une seconde nature. Les chanteurs sont tous excellents, mais il faut citer surtout l'adorable Frederica von Stade en soubrette, et Luigi Alva, parfait en amoureux déguisé en astronome, pour berner le papa récalcitrant.

Huit Nocturnes pour le Roi de Naples Hob. II 25 à 32.

*** The Music Party, Alan Hacker. Oiseau-Lyre 595.012 (2 d.).

Ces huit chefs-d'œuvre datant de 1790, longtemps absents des catalogues, y sont revenus dans leur ensemble, en de splendides interprétations. La version Hacker, justement couronnée d'un Grand Prix du Disque, car elle est extraordinaire, utilise des instruments anciens, et uniquement des clarinettes.

Pour les deux parties principales, Ohmiaya utilise tantôt des clarinettes, tantôt des violons. C'est une idée qui se défend parfaitement, et d'ailleurs, ce disque avait fait sensation lors de sa parution en 1973.

Orlando Paladino, opéra.

*** George Shirley (Orlando), Arleen Augér (Angelica), Elly Ameling (Eurilla), Claës Ahnsjö (Medoro), Benjamin Luxon (Rodomonte), Domenico Trimarchi (Pasquale), Gwendolyn Killebrew (Alcina), Maurizio Mazzieri (Caronte), Gabor Carelli (Licona), Orch. de Chambre de Lausanne, Antal Doráti. Philips 6707.029.

Chevalerie et mythologie se mêlent pour cet opéra qui est l'un des plus beaux qu'ait écrits Haydn : avec *Armida* et *Orfeo ed Euridice*, il forme la trilogie des trois dernières œuvres lyriques de ce compositeur. L'enchantement dure de la première à la dernière des huit faces, sans jamais se relâcher, ce qui est quasi miraculeux pour un opéra. La musique est superbe, et l'on se sent déjà dans l'environnement des opéras de Mozart à venir. Doráti apporte à cette musique le côté dramatique et vivant tout en restant dans le style le plus pur de la musique plus «intellectuelle» de Haydn. Parmi les interprètes, certains ont déjà fait leurs preuves sous sa baguette dans l'*Infedeltá delusa* et *la Vera Costanza*, ce qui donne à l'équipe une très bonne homogénéité. C'est vraiment un événement discographique de tout premier plan.

Les dix Quatuors de jeunesse « n° 0 », op. 1 n°s 1 à 4 et op. 2 n°s 1, 2, 4 et 6.

*** Quatuor Aeolian. Argo HDNM 52/56 (5 d.) (G-B).

On trouvera ici une interprétation remarquable et sans concurrence : il s'agit d'un des plus beaux fleurons de l'intégrale entreprise par les Aeolian.

Six Quatuors à cordes op. 9 Hob. III. 19/24.

*** Quatuor Aeolian. Argo HDNQ 61/66 (6 d.) (G-B). + *Quatuors op. 17.*

** Quatuor Dekány. Vox Box SVBX 563 (3 d.) (étr.). + *Les Sept Paroles du Christ.*

Les Aeolian sont ici excellents, mais il faut préciser que, pour l'interprétation de l'*Opus 17*, ils ne sont pas les meilleurs. Or, le couplage importe dans cette comparaison assez serrée.

Les Dekány méritent beaucoup d'éloges dans ce programme - fait exceptionnel, car, de toutes les séries de Quatuors enregistrées par eux, l'*Opus 9* est bien le seul qui puisse figurer dans notre choix.

Six Quatuors op. 17 Hob. III. 25 à 30.

*** Quatuor Tátrai. Hungaroton SLPX 11.382/84 (3 d.) (étr.).

** Quatuor Aeolian. Argo HDQN 61/66 (6 d.) (G-B). + *Quatuors op. 9.*

Les Tátrai pénètrent au cœur de cette musique et restent les seuls à y être vraiment parvenus, depuis les anciens disques du Quatuor Schneider (Haydn Society).

Malgré leurs qualités et leur suprématie pour bien des Quatuors, les Aeolian n'arrivent qu'en seconde position. Il va sans dire que cela n'a rien de déshonorant, et que leur interprétation reste à un niveau plus que satisfaisant.

Six Quatuors op. 20 Hob. III. 31 à 36.

*** Quatuor Tátrai. Hungaroton SLPX 11.332/34 (3 d.) (étr.).

*** Quatuor Juilliard. CBS 79.305 (3 d.).

Cette série de six Quatuors bénéficie de deux grandes réalisations qu'il est bien difficile de départager. Ils ont donné lieu à des sommets de la discographie haydnienne, et pour bien faire, il conviendrait de posséder les deux interprétations, car elles sont d'esprit différent et ne se recoupent pas. Les Tátrai dégagent, dans leur jeu, plus de chaleur.

Les Juilliard (qui observent la plupart des secondes reprises dans les mouvements extrêmes) donnent une version plus puissante.

Pour mémoire, ajoutons que les Aeolian ne viennent que loin derrière dans ce programme.

Six Quatuors op. 33 Hob. III. 37 à 42.

*** Quatuor Tátrai. Hungaroton SLPX 1188.789 (3 d.) (étr.).

*** Quatuor Weller. Decca SDD 278 et 279 (2 d.) (G-B).

Pour cette série de Quatuors, ce sont encore les Tátrai qui dominent et donnent la version la plus profonde et la plus intéressante.

Il faut leur adjoindre les Weller, dont l'interprétation s'inscrit peu derrière eux. Citons aussi pour référence les Schneider, excellents, et les Aeolian (bons), tandis que les Dekány restent à un niveau médiocre.

Six Quatuors op. 50 Hob. III. 44 à 49.

*** Quatuor de Tokyo. DG 2740.135 (3 d.) (RFA).

*** Quatuor Fine Arts. Vox Box SVBX 595 (3 d.) (étr.). *+ Quatuor op. 103.*

Les Tokyo sont superbes d'élan et leur entente est parfaite. Ils produisent l'effet d'une conversation animée, mais en même temps sérieuse, l'idéal pour un Quatuor à cordes. La sonorité, rendue à merveille par l'enregistrement, flatte l'oreille, et le vibrato du premier violon est présent sans dépasser excessivement.

Si la version des Tokyo est la meilleure depuis l'ancienne des Schneider (Haydn Society), celle des Fine Arts la suit de près, mais elle n'est pas disponible en France, ni en Europe. Notons qu'on attend pour la rentrée 1980 une version des Tátrai qu'il faut guetter avec vigilance.

Six Quatuors op. 54 et 55 Hob. III 57 à 62.

** Quatuor Aeolian. Argo HDNS 67/69 (3 d.) (G-B).

Pour ces six Quatuors seulement, ce coffret des Aeolian, bien interprété, est le seul en lice. Il est surclassé par d'autres versions, mais celles-ci ont disparu du catalogue (les Juilliard pour l'*Opus 54* et les Allegri pour l'*Opus 55*).

Trois Quatuors op. 54 Hob. III 57 à 59.

*** Quatuor Juilliard. CBS 76.079 (3 d.) (sup.).

Les Juilliard n'ont jamais été égalés dans l'*Opus 54* ; il faut actuellement se contenter d'une version honnête mais inférieure, celle du Quatuor Aeolian, en attendant la réédition de ce coffret.

Quatuors à cordes op. 54 n° 1 en sol majeur et n° 2 en ut majeur.

❀*** Quatuor Orlando. Philips 9500.996.

Les Orlando, dès le martèlement quasi bartokien des croches dans l'*allegro con brio* du Quatuor en sol, nous fixent sur le sens inné qu'ils ont du Haydn le plus romantique qui est aussi le plus moderne. Cette optique qui conjugue à merveille vie, chaleur des timbres, sens harmonieux des beaux et longs phrasés mélodiques et impeccable vitalité rythmique s'accorde encore mieux s'il se peut au Quatuor en ut majeur. Nous tenons là l'un des plus beaux hommages jamais rendus à la musique de chambre de Haydn.

Trois Quatuors op. 55. Hob. III 60 à 62.

*** Quatuor Allegri. Westminster CSD 3503 (3 d.) (sup.).

L'interprétation de l'*Opus 55* par les Allegri faisait date dans la discographie haydnienne, mais on ne la trouve plus du tout, même aux Etats-Unis. Il faut se rabattre en l'occurrence sur le coffret des Aeolian. Mais il fallait aussi signaler cette ancienne réalisation, à l'usage de ceux qui ont la chance de la posséder et à l'adresse de l'éditeur qui devrait bien la rééditer.

Douze Quatuors op. 54, 55, et 64 Hob. 57 à 68.

*** Quatuor Amadeus. DG 2740.107 (6 d.) (RFA).

Les Amadeus signent un coffret d'une excellente tenue globale, même si l'on peut, pour certaines œuvres précises, préférer d'autres versions. Toutefois, il convient de dire que leur interprétation de l'*Opus 64 n° 2* est une révélation.

Six Quatuors op. 64 Hob. 63 à 68.

*** Quatuor Tátrai. Hungaroton SLPX 11.838/40 (3 d.).

Une fois de plus, ce sont les Tátrai qui sont en tête des interprètes d'une série de Quatuors, mais il ne faut pas oublier pour autant les trois anciens disques isolés du Wiener Konzerthaus Quartett (Westminster XWN 18.603/4/5).

Six Quatuors op. 71 et 74 Hob. III. 69 à 74.

*** Quatuor Amadeus. DG 2709.090 (3 d.).

Pour ces Quatuors, la meilleure version d'ensemble est celle des Amadeus, qui signent en outre leur meilleur coffret Haydn : c'est donc à ce double titre qu'il convient de posséder cette interprétation.

Six Quatuors op. 76 Hob. III. 75 à 80.

❀*** Quatuor à cordes de Tokyo. CBS 79.339 (3 d.). Enregistré en 1981.

Dans la technique comme dans la sensibilité, le Quatuor de Tokyo atteint un sommet de perfection. La diversité de ces Quatuors est merveilleusement servie par le son des fameux Amati des Japonais, qui donne toute leur plénitude aux grandes phrases *cantabile* si chères à Haydn. Ce qui pourrait n'être que noblesse de façade va très loin dans le domaine du cœur : le lyrisme n'y est jamais simple question de forme ; c'est Haydn tout entier qui nous est livré, sans que le décor vienne jamais cacher la fascinante jeunesse du vieux musicien.

*** Quatuor Tátrai. Hungaroton CALB 11/13 ou SLPX 1205/07 (3 d.).

L'interprétation des Tátrai est belle et jouée avec sérieux, mais aussi avec une certaine passion. Les *Adagios* sont particulièrement expressifs, et les finales sont remarquables pour leur esprit et leur virtuosité. Là encore, personne, depuis sa parution à la fin des années soixante, n'a ravi sa suprématie à cette formation, qui rejoint, par des voies différentes, l'ancienne réussite du Wiener Konzerthaus Quartett.

Six Quatuors op. 76 Hob. III. 75 à 80. Deux Quatuors op. 77 Hob. III. 81 et 82. Quatuor op. 103 Hob. III. 83.

*** Quatuor Aeolian. Argo 57/60 (4 d.) (G-B).

Dans l'*Opus 76*, les Aeolian suivent de près, même de très près, les Tátrai, et leur *Opus 77*, si l'on fait abstraction du disque du Quatuor Heifetz disparu depuis longtemps, est de loin le meilleur jamais réalisé. De leur intégrale, les Aeolian ont donc mieux réussi les extrêmes : les tout premiers (*Opus 1, 2 et 9*) et les tout derniers (*Opus 76, 77 et 103*).

Deux Quatuors op. 77 Hob. III. 81 et 82.

* Quatuor Tátrai. Hungaroton SLPX 11.776.

Curieusement, les Tátrai déçoivent un peu ici : ils ne sont pas assez incisifs, et manquent d'élan dans les menuets (qui sont en réalité de véritables scherzos).

Quatuors en fa majeur op. 3 n° 5 (apocryphe), en ré majeur op. 64 n° 5 « L'Alouette », et en ré mineur op. 76 n° 2 « Les Quintes ».

*** Quartetto Italiano. Philips 5835.370.

Disponible depuis de nombreuses années, ce disque n'a rien perdu de son éclat, en particulier à cause d'une extraordinaire version de l'« Alouette ».

Quatuors en fa majeur op. 3 n° 5 (apocryphe), en mi bémol majeur op. 33 n° 2 « La Plaisanterie », et en ré mineur op. 76 n° 2 « Les Quintes ».

** Quatuor Janáček. Decca SDD 285 (G-B).

Il existe en France (chez Philips) un disque du Quartetto Italiano qui offre sensiblement le même programme, sauf que « La Plaisanterie » présentée ici y est remplacée par « L'Alouette ». L'interprétation en est aussi précieuse, et l'on retiendra surtout celle de ce Quatuor « L'Alouette ».

Quatuors en sol majeur op. 54 n° 1 et en ut majeur op. 54 n° 2.

** Quatuor Amadeus. DG 2530.302 (RFA).

Les Amadeus se montrent ici au meilleur d'eux-mêmes, bien que les interprétations soient parfois entachées d'un certain excès en matière d'expression. Cependant, il convient de recommander chaudement ce disque, dont la prise de son est extrêmement satisfaisante.

Quatuors en sol mineur op. 74 n° 3 « Le Cavalier », et en ut majeur op. 73 n° 3 « L'Empereur ».

*** Quatuor Alban Berg. Telefunken 6.41302. ✉ 4.41302.

Voici le premier disque du Quatuor Berg, et en même temps celui qui a fait passer cette formation à une renommée internationale. Il fait savoir qu'ici la performance est superbe de brillance. Le mouvement lent de « L'Empereur » n'avait jamais été joué avec autant de chaleur et d'éloquence et pour les deux œuvres, l'interprétation de ce Quatuor de grande classe révèle une belle maîtrise.

Quatuors en ut majeur op. 76 n° 3 « L'Empereur » et en si bémol majeur op. 76 n° 4 «Lever de soleil».

*** Quartetto Italiano. Philips 9500.157.

La performance du Quartetto Italiano est tout à fait remarquable de précision, de finesse et de mise en forme. Dans ce couplage, qui a fait aussi l'objet d'une gravure des Aeolian, ils restent le premier choix. Cela fait souhaiter qu'ils enregistrent une intégrale de l'*Opus 76*.

Quatuors à cordes en si bémol majeur op. 76 n° 4 «Lever de soleil» et en mi bémol majeur op. 76 n° 6.

*** Quatuor Orlando. Philips 6514.204.

Dans l'*Opus 76 n° 4*, les Orlando trouvent un ton propre et personnel, animé d'un parfait sens du rythme, qu'ils conserveront jusqu'au bout. Leur sonorité ample et naturellement mélodique leur permet d'aborder l' *Opus 76 n° 6* avec une égale assurance. Cette conception, qui n'a en soi rien de révolutionnaire, séduit par la solidité de sa technique et par l'élévation de son inspiration.

Le Retour de Tobie, oratorio.

** Barbara Hendricks (Raffaele), Linda Zoghby (Sara), Della Jones (Anna), Philip Langridge (Tobia), Benjamin Luxon (Tobia), Ch. du Festival de Brighton, Orch. Phil. Royal, Antal Doráti. Decca 591.027 (4 d.). Enregistré en 1979.

Doráti impose ce monumental essai où perce le chef-d'œuvre. Mais qu'on n'attende pas d'action : le récitatif, de bout en bout, est remarquablement expressif et soutenu, mais les airs, eux, redoutablement développés, décoratifs, répétés. Pourtant, une si noble palette saura nous faire prendre patience et nous révéler la splendeur de cet ouvrage d'où émergent des chœurs d'une stupéfiante beauté.

** Veronika Kincses (s), Klara Takacs (c), Attila Fulöp (t), Bende (b), Ch. Madrigal de Budapest, Orch. Symph. de l'Etat Hongrois, Ferenc Szekeres. Hungaroton 11.660/64 (4 d.) (étr.).

Parue en 1974, cette version est la seule réalisée à ce jour de cet oratorio. Une nouvelle sous la direction d'Antal Doráti est annoncée prochainement.

Les Saisons, oratorio.

*** Trude Eipperle (s), Julius Patzak (t), Georg Hann (b), Ch. et Orch. Phil. de Vienne, Clemens Krauss. Preiser Records (3 d.) (Autriche). Mono.

*** Ileana Cotrubas (s), Werner Krenn (t), Hans Sotin (b), Ch. du Festival de Brighton, Orch. Phil. Royal, Antal Doráti. Decca 390.116 (3 d.) (G-B). Enregistré en 1978.

*** Edda Moser (s), Eric Tappy (t), Philippe Huttenlocher (bar), Ch. de la Radio Suisse Romande et Pro Arte de Lausanne, Orch. de Chambre de Lausanne, Armin Jordan. Erato STU 71.292 (3 d.). Enregistré en 1979.

** Gundula Janowitz (s), Werner Hollweg (t), Walter Berry (b), Ch. de l'Opéra de Berlin, Orch. Phil. de Berlin, Herbert von Karajan. EMI VSM 167-02.383/85 (3 d.). Enregistré en 1974.

* Gundula Janowitz (s), Peter Schreier (t), Martti Talvela (b), Ch. du Singverein de Vienne, Orch. Symph. de Vienne, Karl Boehm. DG 2709.026 (3 d.). ✉ 3371.028 (3 c.). Enregistré en 1967.

Sauf pour la première version parue, *Les Saisons* ont eu longtemps moins de chance que *La Création*. La liste en est glorieusement ouverte par Clemens Krauss, qui signe également ici une très belle réussite, due toujours à des solistes de grande classe : c'est un document qu'on ne saurait trop recommander de se procurer autant qu'il est possible.

Avec Antal Doráti paraissait enfin la version qui manquait dans la discographie moderne, grâce à la fois à sa technique d'enregistrement, à des solistes superbes (en particulier le soprano et la basse), et à un style remarquable. On tient enfin la version de référence, en exceptant, bien sûr, la gravure historique de Krauss.

Cela n'a pas empêché Armin Jordan de démontrer, en 1979, qu'il y avait encore de la place pour de nouvelles *Saisons*. Les solistes, sauf peut-être le ténor, sont moins satisfaisants que chez Doráti, mais les chœurs ont un impact que l'on ne retrouve nulle part ailleurs (Doráti s'en approche de près).

Avec Karajan, c'est le spectaculaire qui domine. Mais la technique d'enregistrement, avec ses réverbérations, est impossible, et les solistes ne sont pas toujours à la hauteur.

Parue en 1967, la version Boehm fit l'unanimité (ou presque) autour d'elle, mais avec le recul, on s'aperçoit que c'était en grande partie pour avoir surgi dans un quasi-désert. Elle bénéficie de l'extraordinaire présence de Talvela, mais, en définitive, demeure assez froide.

Six Scherzandi Hob. II 33 à 38.

** Orch. de Chambre du Piémont, Nicholas Harsányi. Turnabout TV 37.112 (G-B).

Très bonne version, plus vivante que celle, disparue, de Ohmiya, de ces ouvrages de 1760. On peut aussi les trouver en coffret Vox Box (SVBX 5108) avec les huit Nocturnes, mais il vaut mieux l'acquérir séparément, car l'interprétation des Nocturnes y est parfois discutable.

Les sept dernières Paroles du Christ en Croix.

*** Orch. de Chambre de Prague, Milan Munclinger. Supraphon 1.10.1047. Enregistré en 1973.

** Academy of St-Martin-in-the-Fields, Neville Marriner. EMI VSM C 069-02.958. Quadri.

La discographie est nettement dominée par la royale splendeur de la version Munclinger à la tête de l'Orchestre de Chambre de Prague. Elle contient un aspect particulièrement dramatique qui la rend quasiment irremplaçable.

Plus récent est le disque de Neville Marriner : on notera que sa version se trouve enrichie d'un certain nombre de détails étrangers à la partition. Cela étant, sans atteindre les tensions dramatiques des deux précédentes versions, il faut reconnaître qu'une belle sensibilité parcourt ici toute l'œuvre.

Les sept dernières paroles du Christ en Croix, version oratorio.

** Veronika Kincses (s), Klara Takacs (c), György Korondi (t), Joszef Gregor (b), Istvan Lantos (orgue), Ch. de Budapest, Orch. Symph. d'Etat de Hongrie, János Ferencsik. Hungaroton SLPX 12199/200 (2 d.). + *Salve Regina pour quatre voix solistes, orgue et cordes Hob. XXIII b 2.*

Ferencsik s'en tient apparemment à la lettre du texte là où Scherchen dirigeait une véritable «passion» ayant sa démarche, laissant aux seuls moyens musicaux le soin d'imprimer un rythme, une progression continue qui semble fondre en une même unité une œuvre qui pourtant juxtapose une suite de «moments» uniquement liés par l'émotion qui s'empare de l'auditeur. Le tempo fort lent que maintient Ferencsik laisse au quatuor vocal le temps d'atteindre le plein épanouissement de sa couleur de voix.

Les sept dernières Paroles du Christ, version pour quatuor à cordes.

*** Quatuor Amadeus. DG 2530.213 (RFA). Enregistré en 1973.

*** Gidon Kremer, Kathrin Rabus (violons), Gérard Caussé (alto), Ko Iwasaki (violoncelle). Philips 6514.153.

*** Quatuor Via Nova. Erato STU 70.728. Enregistré en 1972.

En 1788, Haydn fait une transcription de la version originale pour orchestre et la destine au quatuor à cordes. Cette transcription prend le numéro d'*Opus 51* et vient s'insérer dans la liste des Quatuors. De nombreuses versions discographiques existent de cette œuvre, mais peu doivent être retenues, car l'extrême difficulté d'une partition qui ne doit jamais être monotone tout en restant sobre élimine beaucoup de concurrents. La première place est tenue par les Amadeus qui en ont gravé deux versions séparées par une vingtaine d'années. Ils y déploient une ascèse subtile, très intellectuelle, qui en fait un modèle pour les quatuors.

Aucune version ne peut se comparer à l'approche des quatre musiciens réunis ici. La raison de cette différence provient essentiellement du jeu de Gidon Kremer, qui ne s'abandonne pas, pour une fois, aux sonorités métalliques qu'il affectionne ; au contraire, il prend résolument le parti de la chaleur, de la communication et d'une certaine dramatisation, rendant ces pages aussi vivantes qu'accessibles.

Les Via Nova ne manquent pas d'une certaine âpreté, qui est nécessaire pour donner de la grandeur à l'œuvre, mais ils sont dans un état de grâce plus sensible auquel l'auditeur pourra éventuellement mieux réagir qu'avec les Amadeus.

Les sept dernières Paroles du Christ, version pour clavier.

* John McCabe (piano). Decca 5 HDN 112/5 (4 d.) (G-B). + *Menuets, Sonates, Variations pour clavier.*

A signaler à titre de curiosité : la version pour piano (non réalisée par Haydn), et la seule qui existe, jouée par John McCabe qui l'a intégrée dans le dernier volume de son intégrale de la musique pour piano.

Sonates pour piano n° 1 à 62. Variations en fa mineur Hob. XVII.6, en mi bémol majeur Hob. XVII.3, en ut majeur Hob. XVII.5, en la majeur Hob. XVII.2, en ré majeur Hob. XVII.7. Capriccio en sol Hob. XVII.A. Fantaisie en ut Hob. XVII.4. Adagio en fa, Hob. XVII.9, Allegro molto en ré. Douze Menuets Hob. IX.8. Douze Danses allemandes Hob. IX 13. Douze Menuets Hob. IX.21. Douze Danses allemandes Hob. IX.10.

*** Rudolf Buchbinder (piano). Telefunken 6.35088 (6 d.). : Sonates n°s 1 à 20 et 29 à 34. Telefunken 6.35249 (6 d.) : Sonates n°s 35 à 53. Telefunken 6.35281 (6 d.): fin des Sonates.

Couronnée d'un Grand Prix du Disque, cette intégrale est jouée d'un bout à l'autre sur un piano moderne. On discutera de certains détails, mais la grandeur et la précision qui animent ces interprétations, la virtuosité intelligente des finales, la profondeur des mouvements lents ne peuvent qu'emporter une admiration enthousiaste.

Œuvre pour piano-forte, intégrale Volume 1 (1767-1779) : Sonates pour piano-forte n°s 31, 32, 33, 38, 47, 48, 49, 50. Volume II (1782-1797) : Sonates pour piano-forte n°s 54, 58, 59, 60, 61, 62 ; Andante con variazioni en fa mineur H.XVII.6 ; Fantasia en ut majeur H.XVII.4 ; Arietta con 12 variazioni en mi bémol majeur H.XVII.3 ; Variations sur «Gott erhalte» d'après H.III.77.

❀*** Paul Badura-Skoda (piano-forte). Astrée AS 913 et AS 914 (2 x 3 d.). Enregistré en 1980, 81 et 82.

Badura-Skoda, plus qu'un pianiste, est un musicien-pianiste. Il possède mieux que quiconque la maîtrise de la forme et du phrasé. Cette qualité, qui n'est pas si fréquente, lui permet de construire les vastes proportions des sonates que Haydn a conçues à la fin de sa vie. La vie, justement, habite littéralement ses interprétations, avec la liberté du phrasé, avec le sens de la pulsation de l'œuvre qui avance et prend forme dans le temps. Ces deux coffrets nous montrent Badura-Skoda au sommet de son art, et les quelques réserves infimes que l'on peut formuler ici ou là restent secondaires devant l'approfondissement des œuvres par l'art de l'interprète.

Intégrale des Sonates pour clavier.

** Sonates n°s 1 à 19. János Sebestyen et Szusza Pertis (clavecin). Hungaroton SLPX 11.614/17 (4 d.) (étr). Sonates n° 20 et n°s 28 à 41. Zoltán Kocsis et István Lantos (piano). Hungaroton SLPX 11.616/22 (5 d.) (étr.). + *Pièces diverses pour clavier.* Sonates n°s 42 à 53. Sándor Falvai et Aniko Szegedi (piano). Hungaroton SLPX 11. 800/02 (3 d.) (étr.). Sonates n°s 54 à 62. Deszö Ranki (piano). Hungaroton SLPX 11.625/27 (3 d.) (étr.). + *Pièces diverses pour clavier.*

Cette deuxième intégrale présente elle aussi les *Sonates* dans l'ordre chronologique le plus récent, celui de Christa Landon. Huit interprètes, pour la plupart de jeunes représentants de la nouvelle école de piano hongroise, se partagent la tâche. Le premier volume est interprété au clavecin : on pourra l'écouter à titre de comparaison, parallèlement à celui de Buchbinder. Les autres sont joués sur un piano moderne. Ce qu'on entend est, sauf exception, moins spectaculaire qu'avec Buchbinder, mais toute justice est rendue à la musique de Haydn.

Sonates pour clavier n° 31 en la bémol majeur, n° 32 en sol mineur et n° 62 en mi bémol majeur.

*** Lili Kraus (piano). EMI VSM «Références» C 051-73.088. Mono. Enregistré en 1955 et 1956.

Finesse, sensibilité, intelligence du jeu : Haydn par Lili Kraus ravira par cet équilibre permanent entre sensibilité et virtuosité. Un disque unique aussi par son couplage.

Sonates pour clavier n° 32 en sol mineur, n° 38 en fa majeur et n° 47 en si mineur.

*** Paul Badura-Skoda (piano-forte). Astrée AS 80. Enregistré en 1980.

Paul Badura-Skoda nous rend sensible à cette transformation dynamique de thèmes mélodiques simples, qui fait tout l'art de Haydn et que le climat *Sturm und Drang* de ces Sonates illustre avec une évidence toute particulière. Un disque qui se place dans l'esprit des autres interprétations de Badura-Skoda.

Sonates pour clavier n° 33 en ut mineur et n° 59 en mi bémol majeur.

*** Alfred Brendel (piano). Philips 9500.774. ⌧ 7300.862.

Brendel aborde ces deux Sonates dans un esprit voisin de ses interprétations beethovéniennes, à l'opposé de tout caractère galant. Chaque note est chargée de son poids d'émotion et d'intension expressive musicale. Voilà un piano qui chante avec une volonté extraordinairement «pensée» de défendre le texte. Quant à la passion, elle reste tout entière contenue et couve tout au long de l'œuvre sans jamais éclater.

Sonates n° 53 en mi mineur et n° 62 en mi bémol majeur. Fantaisie en ut majeur Hob. XVII.4. Variations en fa mineur Hob. XVII.6.

*** Wilhelm Backhaus (piano). Decca ECS 692 (G-B).

Wilhelm Backhaus est le seul pianiste de sa génération à avoir consacré un disque à Haydn : celui-ci est en tous points remarquable, et on appréciera sa possession en marge de l'une ou l'autre des intégrales.

Les six dernières Sonates pour clavier : n° 56 en ré majeur, n° 58 en ut majeur, n° 59 en mi bémol majeur, n° 60 en ut majeur, n° 61 en ré majeur et n° 62 en mi bémol majeur.

*** Glenn Gould (piano). CBS D2 36.947 (2 d.). Enregistré en 1982.

On aime ou on déteste Glenn Gould... Toujours est-il qu'il nous amène ici à une rigueur plus classique qui n'est en aucun cas synonyme de froideur et d'ennui. Il règne ici au contraire une verve, une gaieté, une simplicité qui nous introduisent dans «cet état de bonheur et de sérénité» qui est, selon Glenn Gould, le but de l'art.

Sonates n° 59 en mi bémol majeur et n° 62 en mi bémol majeur. Fantaisie en ut majeur Hob. XVII.4.

** Thèrèse Dussaut (piano). Arion ARN 30 A 144 (sup.).

Ces ouvrages puissants avaient trouvé en Thérèse Dussaut une interprète idéale qui en restituait toute la portée. Malheureusement ce disque a disparu : ceux qui le possèdent devront en savoir la valeur. Mais il faut le citer pour mémoire.

Sonates pour clavier n° 60 en ut majeur, n° 61 en ré majeur et n° 62 en mi bémol majeur.

❀*** Paul Badura-Skoda (piano-forte). Astrée AS 83. ⌧ CAS 83. Enregistré en 1980.

La lisibilité extraordinaire du jeu de Paul Badura-Skoda excelle à rendre toutes les finesses de l'écriture complexe et chantante des trois dernières Sonates de Haydn. La sensibilité aiguisée de l'interprète se trouve modérée par son sens classique plus à la recherche de l'art que du message. Symbiose entre le compositeur et l'interprète qu'accroît encore la sonorité pleine, vibrante et efficace du piano-forte Schantz.

Sonate n° 62 en mi bémol majeur.

** Vladimir Horowitz (piano). RCA VH 010 (USA). Mono. + *Moussorgsky : Tableaux d'une exposition.*

Enregistrée quelque vingt ans après une première version rééditée chez EMI, cette interprétation, qui est supérieure à la précédente, montre que Vladimir Horowitz sait jouer autre chose que du Liszt... à qui l'ignorerait encore.

Lo Speziale, opéra.

* Attila Fulöp (Sempronio), István Rozsos (Mengone), Magda Kalmar (Grilletta), Veronika Kincses (Volpina), Orch. de Chambre Franz Liszt, György Lehel. Hungaroton SLPX 11.926/27 (2 d.) (étr.).

La conjonction de Haydn avec un livret de Goldoni ne produit pas le feu d'artifice attendu : pourtant, la musique est charmante, mais elle ne forme pas un tout cohérent. Il faut dire qu'en 1768, Haydn avait encore assez peu produit pour la scène et restait malhabile. Chaque pièce prise séparément est parfaite, mais l'enchaînement est boiteux. L'action au disque reste assez obscure, et cela est encore aggravé par une distribution des voix inhabituelle : par exemple, le barbon et l'amoureux méritant sont tous les deux des ténors. Les chanteurs sont bons en moyenne, Magda Kalmar séduisante, mais Veronika Kincses moins satisfaisante. La direction d'orchestre, assez mince, ne fait pas d'efforts pour donner un semblant d'unité à ce puzzle musical. Mais pour les haydniens, il ne faut pas qu'ils boudent leur plaisir...

Stabat Mater en sol mineur Hob. XX bis.

*** Sheila Armstrong (s), Ann Murray (c), Martin Hill (t), Philippe Huttenlocher (b), Ens. Vocal et Orch. de Chambre de Lausanne, Michel Corboz. Erato NUM 75.025. ⌧ MCE 75.025. Enregistré en 1981.

Chez Corboz, une souplesse infinie imprègne chaque mesure de l'œuvre, depuis l'attaque du *Stabat*, presque féline, jusqu'à l'ineffable *«Quand corpus morietur»*. Ses tempos rapides créent une très grande variété d'atmosphère, beaucoup plus que le ton solennel auquel aurait mené une vision moins animée. Les solistes font, quant à eux, preuve d'une grande homogénéité de style et de timbre, contribuant largement au succès de cette gravure.

Stabat Mater en sol mineur Hob. XXbis. Libera me Hob. XXIIb.1.

** Anna-Maria Bondi (s), Claudia Eder (ms), Axel Reichardt (t), Jürg Krattinger (b), Ensemble vocal Jean Bridier, Henri-Claude Fantapié. ARS 70.001/02 (2 d.).

Les pages de ce *Stabat Mater*, composé au seuil d'une longue et fructueuse carrière, sont déjà pleines de richesses que l'on verra se développer chez Haydn jusqu'à la *Création* et aux *Saisons* dont elles annoncent les épanchements lyriques. Les morceaux correspondant aux versets se succèdent avec de la variété, mais le climat général est profondément émouvant, le ton étant donné par le chœur initial *a capella*, qui se déroule dans une atmosphère poignante. Henri-Claude Fantapié a restitué ces pages avec une minutie digne d'éloges et un sentiment exact des tempos et des nuances. Les voix sont fraîches, agréables, avec des phrasés sobres et expressifs. Ce morceau jusque-là méconnu nous est dévoilé dans une version très musicale et sensible qui lui fait honneur.

Symphonies : Intégrales.

❀*** Orch. Philharmonia Hungarica, Antal Doráti. Decca HDNA 1/6 (6 d.) (G-B). (Symphonies n°s 1 à 19) ; HDNB 7/12 (6 d.) (G-B). (Symphonies n°s 20 à 35) ; HDNC 13/18 (6 d.) (G-B). (Symphonies n°s 36 à 48) ; HDND 19/22 (4 d.) (G-B). (Symphonies n°s 49 à 56) ; HDNE 23/26 (4 d.) (G-B). (Symphonies n°s 57 à 64) ; HDNF 27/30 (4 d.) (G-B). (Symphonies n°s 65 à 72) ; HDNG 31/34 (4 d.) (G-B). (Symphonies n°s 73 à 81) ; HDNH 35/40 (6 d.) (G-B). (Symphonies n°s 82 à 92 + *Symphonie Concertante*) ; HDNJ 41/46 (6 d.) (G-B). (Symphonies n°s 93 à 104).

*** Orch. de l'Opéra d'Etat de Vienne, Max Goberman. Odyssey 32160006 (USA). (Symphonies n°s 1, 2 et 3 + *Lo Speziale : Ouverture*) ; Odyssey 32160034 (USA). (Symphonies n°s 4, 5 et 6) ; Odyssey 32160052 (USA). (Symphonies n°s 7 et 8) ; Odyssey 32160082 (USA). (Symphonies n°s 9, 10 et 11) ; Odyssey 32160116 (USA). (Symphonies n°s 12, 13 et 14) ; Odyssey 32160166 (USA). (Symphonies n°s 15, 16 et 17) ; Odyssey 32160342 (USA). (Symphonies n°s 18, 19 et 20) ; Odyssey 32160374 (USA). (Symphonies n°s 21 et 22).

Pour les Symphonies, il convient de citer tout d'abord, en réservant provisoirement tout jugement de valeur, l'intégrale réalisée en neuf coffrets par Antal Doráti, et dont certains disques on été édités séparément. Officiellement, cet ensemble n'est plus disponible en France, mais il reste régulièrement importé. Doráti «gonfle» peu les Symphonies les plus légères en trois mouvements seulement comme les n°s 1, 10, 17 ou 19, et sa conception de la trilogie de 1761 (*le Matin, le Midi* et *le Soir*) compte parmi les meilleures, avec notamment les nécessaires solos de contrebasse (et non de violoncelle) dans les trios des menuets.

Aux Etats-Unis sont disponibles, dans la série économique Odyssey, huit disques d'une autre intégrale, interrompue en 1962 par la mort de son chef responsable, Max Goberman, et dont les autres éléments ont malheureusement disparu des listes. Pour explorer les Symphonies des toutes premières années de la carrière de Haydn, les disques de Goberman s'imposent au premier chef. Dans les Symphonies plus «légères» où excelle Doráti, Goberman est lui aussi admirable, et apparaît comme nettement préférable dans d'autres Symphonies particulièrement substantielles comme les n°s 12, 13, 14 ou 16.

Intégrale des Symphonies «à titre» : n° 22 « Le Philosophe», n° 31 «Mit dem Hornsignal», n° 43 «Mercure», n° 44 «Funèbre», n° 45 «Les Adieux», n° 48 «Maria-Theresia», n° 49 «La Passione», n° 55 « Le Maître d'école», n° 59 «Le Feu», n° 73 «La Chasse», n° 82 «L'Ours», n° 83 «La Poule», n° 85 «La Reine», n° 92 «Oxford», n° 94 «La Surprise», n° 96 «Le Miracle», n° 100 «Militaire», n° 101 «L'Horloge», n° 103 «Roulement de timbales», n° 104 «Londres».

*** Academy of St-Martin-in-the-Fields, Neville Marriner. Philips 9500.198. (n°s 22 et 55). Philips 9500.518. ⌧ 7300.674 (n°s 31 et 73). Enregistré en 1978. Philips 9500.159 (n°s 43 et 59). Philips 9500.199 (n°s 44 et 49). Philips 9500.520. ⌧ 7300.676 (n°s 45 et 101). Enregistré en 1978. Philips 9500.200 (n°s 48 et 85). Philips 9500.519. ⌧ 7300.675 (n°s 82 et 83). Philips 9500.304. ⌧ 7300.593 (n°s 92 et 104). Philips 9500.348. ⌧ 7300.594 (n°s 94 et 96). Philips 9500.255. ⌧ 7300.543 n°s 100 et 103).

Symphonie après symphonie, cette intégrale s'est construite lentement, mais sûrement, et il ne saurait s'écouler beaucoup de temps qu'elle ne soit complète. Elle s'affirme d'ores et déjà, parvenue à ce point d'avancement, comme un ensemble exceptionnellement cohérent et réussi. Certaines Symphonies sont, parmi d'autres, les meilleures versions que l'on puisse actuellement trouver au catalogue : c'est le cas par exemple des «Londres» et «Oxford», dont il est difficile de trouver interprétation plus fine et plus fouillée. La célèbre n° 101, «L'Horloge», est aussi un autre grand moment : Marriner bouscule des traditions, mais sans gratuité, et en donne une lecture qui retrouve, à plus de trente ans de distance, l'esprit d'un Busch.

Anthologie : Symphonies n° 62 en ré majeur, n° 63A et 63B en ut majeur «La Roxolane», n° 66 en si bémol majeur, n° 67 en fa majeur, n° 69 en ut majeur «Laudon», n° 70 en ré majeur, n° 71 en si bémol majeur, n° 73 en ré majeur «La Chasse», n° 74 en mi bémol majeur, n° 75 en ré majeur, n° 76 en mi bémol majeur, n° 77 en si bémol majeur, n° 78 en ut mineur, n° 79 en fa majeur, n° 80 en ré mineur et n° 81 en sol majeur.

*** Orch. de la Fondation Haydn, Antonio de Almeida. Philips 6747.170 (9 d.) (sup.). + *Ouverture de l'Infedeltá delusa.*

Almeida a enregistré dix-sept symphonies, qui, pour établir un élément de comparaison, sont réparties sur les albums n°s 5 à 7 de l'intégrale de Doráti. La supériorité d'Almeida est éclatante dans certaines œuvres : la n° 62, dont le second mouvement, sorte d'opéra sans paroles, atteint au sublime. Pour les n°s 66, 69, 71 et 75, ces Symphonies, sous sa direction, ont une grandeur et une ampleur extraordinaires, mais jamais excessives - en particulier, mais pas seulement, dans les mouvements lents. A lui également la palme absolue pour les n°s 63, 67, 73 et 77. Mais on remarque des faiblesses dans les n°s 70 et 74, ainsi que 76, 79, 80 et 81. Il reste que l'album d'Almeida abonde en exceptionnelles réussites, et qu'on ne saurait s'en passer, tant il est décisif dans ce domaine.

Anthologie : Symphonies n° 6 en ré majeur «Le Matin», n° 7 en ut majeur «Le Midi», n° 8 en sol majeur «Le Soir», n° 21 en la majeur, n° 31 en ré majeur «Mit dem Hornsignal», n° 48 en ut majeur «Maria Theresia», n° 85 en si bémol majeur «La Reine», n° 94 en sol majeur «La Surprise», n° 100 en sol majeur «Militaire», n° 101 en ré majeur «L'Horloge».

*** Orch. de Chambre de la Sarre, Karl Ristenpart. Musidisc CRC 27 (4 d.).

On ne dira jamais assez l'importance du travail accompli par Karl Ristenpart à la tête de l'Orchestre de Chambre de la Sarre. En écoutant cette réédition, Ristenpart nous rappelle qu'il fut, avec quelque vingt ans d'avance, un véritable précurseur dans le domaine de l'interprétation des Symphonies de Haydn. Ses exécutions n'atteignent pas au degré de perfection des ensembles actuels, mais toute grandiloquence est bannie au profit de la vie. Par ses conceptions rythmiques et son sens des couleurs instrumentales, Ristenpart anticipe sur un Neville Marriner.

Symphonies n° 1 en ré majeur, n° 13 en ré majeur et n° 28 en la majeur.

** Orch. de Bolzano, Antonio Pedrotti. Turnabout TV 41128 (USA).

Le disque de Pedrotti offre l'intérêt de présenter des Symphonies peu enregistrées, comme la première ou la n° 13. Mais c'est surtout pour sa n° 28 qu'il faut le retenir, car il est le seul à en rendre toutes les finesses, principalement dans le mouvement lent. Pour les n°s 1 et 13, on se reportera à l'intégrale Doráti, particulièrement excellent pour les Symphonies du début de la carrière de Haydn.

Symphonies n° 6 en ré majeur «Le Matin», n° 7 en ut majeur «Le Midi», n° 8 en sol majeur «Le Soir».

*** Orch. de Chambre du Festival de Vienne, Wilfried Boettscher. Vox Musicalis 35049. Ou Turnabout 34150 (USA).

** Orch. de Chambre de Lausanne, Armin Jordan. Erato STU 71170 (2 d.). ⌧ MCE 71.170 (2 c.). + *Symphonie n° 22 «Le Philosophe».*

** Orch. de Chambre de la Sarre, Karl Ristenpart. Musidisc CRC 27 (4 d.). + *Symphonies n°s 21, 31, 48, 85, 94, 96, 100, 103.*

* Academy of Saint-Martin-in-the-Fields, Neville Marriner. Philips 6514.076. ⌧ 7337.076.

L'idéal de ces trois Symphonies de 1791 se trouve dans le disque de Wilfried Boettscher, dont le seul défaut est de n'être disponible qu'aux Etats-Unis.

L'album Erato dirigé par Armin Jordan offre, avec quatre des plus belles Symphonies de Haydn, un programme attrayant. On pourra tout de même regretter l'absence d'un clavecin continuo.

Pour la trilogie «Le Matin», «Le Midi» et «Le Soir», on peur aussi écouter l'excellente et utile réédition économique avec Karl Ristenpart à la tête de l'Orchestre de Chambre de la Sarre.

Marriner signe une très bonne interprétation de ces œuvres, allégée à son habitude, et précise sans excès de sécheresse. C'est très joli, mais parfois un peu sage et manquant d'une certaine tension qu'on trouvait dans ses meilleures enregistrements haydniens.

Symphonies n° 13 en ré majeur, n° 29 en mi majeur et n° 64 en la majeur.

*** Little Orchestra of London, Leslie Jones. Nonesuch H 71121 (USA).

Le disque dirigé par Leslie Jones offre la seule version actuellement disponible de la n° 64, une des plus grandes Symphonies de Haydn. Mais il faut en outre le retenir pour une excellente version de la n° 29, avec un trio de menuet au climat fantomatique, et un finale à vous couper le souffle.

Symphonies n° 20 en ut majeur, n° 21 en la majeur et n° 22 en mi bémol majeur «Le Philosophe».

*** Orch. Philharmonia Hungarica, Antal Doráti. Decca SDD 468 (G-B).

Ce disque est tiré de l'intégrale enregistrée par Antal Doráti. Il contient une célèbre symphonie «à titre», la n° 22 «Le Philosophe». C'est une interprétation de haut niveau, qui pourtant, avec des rivales anciennes comme celles de Goberman ou Karl Haas (supprimée) et modernes, avec Marriner, ne peut plus prétendre au premier rang seule, tout en restant largement dans le peloton de tête.

Symphonies n°s 26 «Les Lamentations», 27, et 45 «Les Adieux».

*** Orch. de Chambre Hongrois, Vilmos Tátrai. Hungaroton SLPX 11.458 (étr.).

Pour la n° 26, la meilleure interprétation «moderne» est incontestablement celle dirigée par Vilmos Tátrai. Dans les intégrales Doráti et Goberman, cette symphonie n'est pas des plus réussies, car l'un et l'autre, curieusement, prennent le premier mouvement trop lentement et sans élan. Le disque de Tátrai est en outre le seul à offrir une version de la n° 27. Quant à la célèbre Symphonie «des Adieux», c'en est, parmi d'autres, une interprétation de qualité.

Symphonies n° 29 en mi majeur, n° 30 en ut majeur «Alleluia» et n° 31 en ré majeur «Mit dem Hornsignal».

** Orch. Philharmonia Hungarica, Antal Dórati. Decca SDD 458 (G-B).

Ce disque isolé est tiré du second coffret de l'intégrale enregistrée par Doráti, et l'on y remarque la présence de la plaisante n° 31, avec son «Appel de cor». Nous en avons là une excellente interprétation, ce qui n'empêche pas de souhaiter la réédition de cette même Symphonie gravée en 78 tours par Clemens Krauss. Signalons en outre que ce second coffret Doráti contient notamment une n° 35 de belle tenue (sans faire oublier Goberman), et les deux seules versions disponibles au monde des deux Symphonies éclatantes en ut majeur, avec cors alto et timbales, les n°s 32 et 33.

Symphonies n° 36 en mi bémol majeur et n° 45 en fa dièse mineur «Les Adieux».

** Orch. de Chambre de Munich, Hans Stadlmair. Bärenreiter BM 30 SL 1704 (sup.).

Bien que disparu, ce disque se recommande d'abord par la présence au pupitre de Stadlmair, et aussi par une bonne version de la n° 36, Symphonie peu enregistrée qui, dans l'intégrale de Doráti, manque singulièrement de tension.

Symphonies n° 42 en ré majeur et n° 45 en fa dièse mineur «Les Adieux».

** Orch. Philharmonia Hungarica, Antal Doráti. Decca SDD 414 (G-B).

Il est heureux que la Symphonie n° 42, de vastes dimensions et marquant une étape importante dans la carrière de Haydn, soit disponible séparément ailleurs que dans le troisième album de l'intégrale Doráti. Ceux qui, malgré la splendeur des autres versions des Symphonies contenues dans cet album, ne souhaiteraient pas l'acquérir auront tout intérêt à posséder ce disque. Au revers, une acceptable Symphonie «des Adieux».

Symphonies n° 43 en mi bémol majeur «Mercure» et n° 59 en la majeur «Le Feu».

*** Academy of St-Martin-in-the-Fields, Neville Marriner. Philips 9500.159.

Deux remarquables interprétations qui mettent en valeur la virtuosité des instrumentistes de la célèbre Academy et la science de leur chef. Marriner prend le parti de privilégier le quatuor des cordes, alors que le reste de l'orchestre sonne d'une façon plus lointaine (on notait chez Doráti l'intention contraire, consistant à mettre en avant les sonorités des cuivres et des bois). Dans la n° 43, le clavecin occupe une place de tout premier plan, autre originalité. L'écoute de ce disque est très stimulante, enthousiasmante, même.

Symphonies n° 44 en mi mineur «Funèbre», et n° 45 en fa dièse mineur «les Adieux».

** Orch. de Chambre de Pologne, Jerzy Maksymiuk. EMI VSM C 069-03.765. Enregistré en 1979.

Avec une maîtrise saisissante, Maksymiuk et ses musiciens polonais intègrent l'élément *Sturm und Drang* de ces Symphonies à leur aspect formel pour obtenir une idéale synthèse de la pensée et du mouvement. Avec un orchestre moderne, ils retrouvent d'instinct le mordant, la magie des timbres des instruments baroques, ceci sans jamais songer à l'exercice de style virtuose.

Symphonies n° 44 en mi mineur «Funèbre» et n° 49 en fa mineur «La Passione».

*** Academy of St-Martin-in-the-Fields, Neville Marriner. Philips 9500.199.

L'interprétation de Marriner se remarque par ses arêtes vives et par les contrastes de ses perspectives sonores. Si l'on peut parfois lui reprocher de ne pas se laisser suffisamment aller aux épanchements du *Sturm und Drang*, il ne s'en montre pas moins un chef de grande classe, notamment dans la n° 44, où il amène le mineur de la seconde partie de l'*andante* avec un goût et une précision remarquables.

Symphonies n° 45 en fa dièse mineur «Les Adieux» et n° 48 en ut majeur «Maria-Theresia».

** Orch. de Chambre Anglais, Daniel Barenboïm. DG 2531.091. ⊠ 3301.091.

De la brillante Symphonie «Maria-Theresia», Barenboïm conçoit une présentation spectaculaire : il souligne l'éclat des trompettes et du cor dans son registre haut, anime les phrases méditatives et survolte le finale, étourdissant. Dans la chute en peau de chagrin de la n° 45, il s'emploie avec une grande maîtrise à mettre en valeur le savant système de départ des musiciens. Un grand souci de l'émergence du détail lui fait parfois rompre la continuité du discours, et, ne serait sa science de la direction, on pourrait l'accuser de manquer quelque peu de simplicité.

Symphonies n° 46 en si majeur et n° 47 en sol majeur.

*** Orch. de Chambre de Pologne, Jerzy Maksymiuk. EMI VSM C 069-03.438. Enregistré en 1978.

L'écoute de ces deux Symphonies dirigées par Maksymiuk est un moment exceptionnel. Dès les premières mesures, la netteté des coups d'archet, la légèreté de la matière sonore, l'absence d'inertie collective évoquent la magie d'un Menuhin ou d'un Toscanini. La musique n'y est jamais superficielle, mais toujours portée à son plus haut degré de perfection, et rayonnant d'une irrésistible force émotionnelle.

Symphonies n° 48 en ut majeur «Maria-Theresia» et n° 49 en fa mineur «La Passione».

*** Orch. de Chambre de Pologne, Jerzy Maksymiuk. EMI VSM C 069-03.436. Enregistré en 1979.

En couplant deux Symphonies de caractère très différent, pour ne pas dire opposé, Jerzy Maksymiuk déploie tous ses talents de chef, et ils sont vraiment remarquables : dans l'atmosphère de fête de l'exubérante n° 48, il fait éclater la joie avec une vivacité et une précision qui semblent difficilement surpassables. Pour le climat endeuillé de «La Passione», il trouve une noble gandeur qui refuse les artifices faciles du pathétisme. Il est le seul à avoir trouvé une sobriété aussi passionnée, aidé en cela par un Orchestre de Chambre de Pologne vraiment admirable.

Symphonies n° 48 en ut majeur «Maria-Theresa» et n° 56 en ut majeur.

*** Orch. de l'Opéra d'Etat de Vienne, Max Goberman. CBS 61.661 (G-B).

Ce disque tiré de l'intégrale gravée par Goberman est précieux tant par sa rareté que par ses évidentes qualités. Il est réédité depuis quelque temps en Angleterre, et il n'est pas trop malaisé de se le procurer. Tant pour son excellente n° 48 que pour une n° 56 dominant de loin ses concurrentes (Doráti et Tátrai), on ne saurait trop recommander son acquisition avant qu'il ne disparaisse de nouveau.

Symphonies n° 50 en ut majeur et n° 43 en mi bémol majeur «Mercure».

*** Orch. de Chambre de l'Etat Danois, Mögens Wöldike. Saga Span 6206 (G-B). Ou Haydn Society HS 9071 (USA) Mono.

La n° 50 par Wöldike est de loin la meilleure version de cette œuvre. Enregistrée en 1953, elle se pare de qualités sonores et musicales que pourraient lui envier bien des réalisations plus récentes. Dans la n° 43, on pourra préférer Doráti ou Marriner, mais cela ne signifie pas que Wöldike y soit inférieur de beaucoup.

Symphonies n° 55 en mi bémol majeur «Le Maître d'Ecole» et n° 22 en mi bémol majeur «Le Philosophe».

** Academy of St-Martin-in-the-Fields, Neville Marriner. Philips 9500.198.

Cet enregistrement se situe fort bien dans la lignée de l'intégrale des Symphonies «à titre» entreprise par Neville Marriner. C'est dire qu'il satisfait par son dynamisme et par son art de la direction. Un détail gênera peut-être les auditeurs scrupuleux : dans la n° 22, il omet inexplicablement la seconde reprise du finale... que nous aurions pourtant bien volontiers réentendue .

Symphonies n° 51 en si bémol majeur et n° 55 en mi bémol majeur «Le Maître d'école».

** Orch. Philarmonia Hungarica, Antal Doráti. Decca SDD 415 (G-B).

Dans son quatrième album d'intégrale, Doráti s'impose tout spécialement pour sa version de la n° 51, et il est heureux que celle-ci soit disponible séparément. Il faut se rappeler que Goberman en a gravé lui aussi une très bonne version, mais on doit reconnaître que chez Doráti, les acrobaties des cors au début de second mouvement sont nettement plus justes. Pour la n° 55, Doráti se classe honorablement parmi d'autres versions tant anciennes que récentes.

Symphonies n° 60 en ut majeur «Le Distrait» et n° 52 en ut mineur.

*** Orch. Esterházy, David Blum. Vanguard HM 275 D (G-B). Ou HM 27 (USA).

La n° 60 est une de ces Symphonies plutôt rarement enregistrées, et il faut se féliciter de ce que ce «Distrait» ait été irrésistiblement gravé chez Vanguard par David Blum, qui donne là à la discographie haydnienne l'un de ses plus beaux fleurons. Outre celle, disparue, de Goberman, elle domine toutes les autres.

Symphonies n° 60 en ut majeur «Le Distrait» et n° 67 en fa majeur.

* Orch. Philharmonia Hungarica, Antal Doráti. Decca SDD 358 (G-B).

Ce disque est issu d'une tranche de l'intégrale d'Antal Doráti qui ne compte pas parmi les meilleures, et qui, souvent, est doublée victorieusement par les albums d'Antonio de Almeida. C'est le cas pour la n° 67, où l'on peut également se référer à l'excellente interprétation dirigée par Vilmos Tátrai (avec la n° 68). Quant à la n° 60, il faut se tourner vers David Blum, qui la rend tout à fait irrésistible.

Symphonies n° 61 en ré majeur et n° 77 en si bémol majeur.

*** Little Orchestra of London, Leslie Jones. Nonesuch 71.168 (USA).

*** Ensemble Baroque de Vienne, Theodor Guschlbauer. Erato STU 70405 (sup.).

Leslie Jones, dont les mérites sont déjà été relevés à propos des Symphonies n°s 13, 29 et 64, donne de nouveau ici une interprétation fort réussie avec le même orchestre. Pour la 61, on le préférera même à Doráti, en ce qu'il lui confère un poids plus intense. Ce disque n'est malheureusement pas disponible en France.

Avec le même programme, le disque de Guschlbauer présente les mêmes qualités d'interprétation que celui de Jones, avec l'avantage d'être disponible en France. On prendra plaisir à écouter cette n° 61, œuvre brillante, pleine de nouveautés et de variations, jouée avec autant de poésie que de vigueur, et bénéficiant comme tout ce disque d'une excellente prise de son.

Symphonies n° 63 en ut majeur «La Roxolane» et n° 78 en ut mineur.

** Little Orchestra of London, Leslie Jones. Nonesuch 32.800 (G-B). + *Ouverture d'Orfeo ed Euridice.*

Pour les amateurs de Haydn, le disque de Jones est une aubaine qui leur permettra d'écouter deux Symphonies mal servies au disque, mais néanmoins attachantes. La «Roxolane» a été composée à partir de l'opéra *Il Mondo della Luna.* Cette interprétation est pleine de vigueur et de jeunesse ; la concision des attaques et la netteté rythmiques maintiennent constamment l'intérêt, et il n'y manque pas certains moments d'abandon gracieux typiques de ce sensible XVIIIe siècle.

Symphonies n° 70 en ré majeur et n° 48 en ut majeur «Maria-Theresa».

** Orch. de Chambre Anglais, Raymond Leppard. Philips 6500.194 (G-B).

C'est avec Raymond Leppard à la tête de l'English Chamber Orchestra que l'on trouve la meilleure version de cet ouvrage étrange qu'est la Symphonie n° 70. S'il surpasse dans cette dernière l'intégrale Doráti et l'album Almeida, la n° 48 qui se trouve au revers est assez discutable et ne peut se comparer à nombre d'excellentes interprétations.

Symphonie n° 72 en ré majeur.

* Orch. des Concerts du Château de Brühl, Hans Müller-Brühl. Schwann VMW 2008 (RFA). + *Concerto pour deux cors, Cassation pour quatre cors et cordes.*

Pour cette n° 72 qui, curieusement, forme un «trou» dans l'album d'Almeida, il est préférable, et de loin, de se reporter au sixième album de l'intégrale d'Antal Doráti, qui va du n° 65 au présent ouvrage. Notons cependant que, pour son contenu, cet album est le plus sérieusement concurrencé par nombre d'autres versions qui lui sont égales, sinon supérieures.

Symphonies n° 73 en ré majeur «La Chasse» et n° 74 en mi bémol majeur.

* Orch. Philharmonia Hungarica, Antal Doráti. Decca SDD 413 (G-B).

De ce disque, il ne faut retenir que l'interprétation de la n° 74, qui est ici beaucoup plus alerte et entraîne que dans les albums Almeida. En revanche, on possède nombre d'interprétation de la n° 73 «La Chasse» plus recommandables que celle de Doráti ; outre ce même Almeida à qui l'on peut décerner la palme sur ce chapitre, on peut également recommander les baguettes de Neville Marriner et de Vilmos Tátrai.

Symphonies n° 73 en ré majeur «La Chasse» et n° 31 en ré majeur «Mit dem Hornsignal».

*** Academy of St-Martin-in-the-Fields, Neville Marriner. Philips 9500.518. ⊠ 7300.674.

** Orch. de Chambre Hongrois, Vilmos Tátrai. Hungaroton SLPX 1.252.

Un programme intéressant et plaisant tout à la fois : ces deux Symphonies sont distantes de quinze années, et dans la plus récente, la n° 73, on sent que le *Sturm und Drang* est passé par là et a été assimilé. Le grand mérite de Neville Marriner est d'avoir su différencier dans son interprétation cette chronologie essentielle. Mais il reste pour toutes les Symphonies, quelle que soit leur date, la qualité de ses phrasés, la finesse de son orchestre et la clarté transparente de sa direction. La n° 31, avec la fanfare de quatre remarquables cornistes et un mouvement lent où les solistes sont touchés par la grâce, est une réussite pure.

L'Orchestre de Chambre Hongrois dirigé par Vilmos Tátrai donne de ces deux Symphonies une interprétation heureuse et fervente, qui, lors de sa parution, était sans nul doute la meilleure, mais qui, malgré ses évidentes qualités, doit aujourd'hui s'effacer devant celles, encore plus éclatantes, de Neville Marriner.

Symphonies n° 75 en ré majeur, n° 34 en ré mineur et n° 54 en sol majeur.

* Little Orchestra of London, Leslie Jones. Nonesuch 71106 (USA).

La version de la n° 75 dirigée par Leslie Jones a le mérite d'être la seule, avec celle d'Almeida, où les trompettes et les timbales qui y figurent soient parfaitement audibles. Mais celle d'Almeida est quand même préférable, et la présente version sera choisie par ceux qui ne veulent pas tout le coffret. Pour la n° 54, il faut se reporter aux albums de l'intégrale Doráti, nettement plus dynamiques d'interprétation.

Symphonies n° 81 en sol majeur et n° 85 en si bémol majeur «La Reine».

*** Orch. de Chambre de la Sarre, Karl Ristenpart. Discophiles Français DF 116 (sup.). Mono.

Ce disque a disparu avec les «Discophiles Français» qui l'éditaient, mais il est maintenant possible de se procurer la n° 85 (mais non la n° 81 qui n'a pas été comprise dans la réédition) chez Musidisc, dans la nouvelle édition comprenant dix Symphonies. La direction de Ristenpart donne à ces œuvres un étonnant caractère de modernité, et l'on sait assez que ce grand chef joua un rôle essentiel dans l'interprétation de la musique baroque.

Symphonies n° 81 en sol majeur et n° 59 en la majeur «le Feu».

** Orch. de Chambre du Festival de Bath, Antal Doráti. Philips MY 131.037 (sup.).

Ce disque, hélas ! supprimé, contenait une excellente version de la n° 81 que Doráti avait particulièrement réussie. Pour retrouver cette qualité, il faut donc se reporter à l'album n° 7 de son intégrale (d'autant plus que la version Ristenpart en disque séparé a également disparu). Pour la n° 59, c'est Neville Marriner qu'il faut écouter.

Les six Symphonies «parisiennes» : n° 82 en ut majeur «L'Ours», n° 83 en sol mineur «La Poule», n° 84 en mi bémol majeur, n° 85 en si bémol majeur «La Reine», n° 86 en ré majeur, n° 87 en la majeur.

*** Little Orchestra of London, Leslie Jones. Nonesuch 73.011 (3 d.) (USA).

** Orch. Phil. de Berlin, Herbert von Karajan. DG 2741.005 (3 d.). ⌧ 3382.005 (3 c.). Enregistré en 1981.

L'intégrale signée Leslie Jones s'impose, comme toujours avec ce chef, par un sens tout à fait remarquable de l'orchestration haydnienne, ainsi que par ses qualités de style. Il n'appelle aucune réserve majeure, sauf celle-ci, dont il n'est aucunement responsable : ces disques ne se trouvent qu'aux Etats-Unis, comme d'ailleurs la quasi-totalité des productions de Jones en matière de symphonies de Haydn.

Avec Karajan et Berlin, Haydn gagne sur le plan de l'architecture, de la solidité et de l'aventure harmonique ce qu'il perd un peu en légèreté et en transparence. On peut certes préférer une approche plus gonflée de fantaisie ; mais pourtant, on se laisse prendre à ce discours dont on aime la constante musicalité et la volonté organisatrice.

Symphonies n° 82 en ut majeur «L'Ours» et n° 83 en sol mineur «La Poule».

*** Academy of St-Martin-in-the-Fields, Neville Marriner. Philips 9500.519. ⌧ 7300.675.

La tentation était trop grande pour que Marriner ne couplât pas dans son intégrale des symphonies «à titre» ces surnoms cocasses d'*«Ours»* et de *«Poule»*. La n° 82 est parfaite : on y voit la manière exemplaire de faire apparaître plus rapide qu'il n'est en réalité un mouvement pris assez modérément. Jamais l'*allegretto* n'a été joué avec autant de légèreté et de précision. Le finale est un vrai feu d'artifice. Si «la Poule» ne vaut pas «L'Ours», elle n'en est pas moins étonnante par ses contrastes un peu hétérogènes, et s'achève sur un bouquet final quasi rossinien.

Symphonies n° 87 en la majeur et n° 103 en mi bémol majeur «Roulement de timbales».

*** Orch. du Concertgebouw d'Amsterdam, Colin Davis. Philips 9500.303. ⌧ 7300.589. Enregistré en 1977.

D'emblée, Colin Davis se hisse au tout premier plan, et sa version se compare sans conteste aux meilleures. Dans la 87, il possède la majesté et le velours de Sanderling, le rêve de Menuhin, la malléabilité de Doráti, la subtilité de Beecham. Et la n° 103 ne suscite pas moins l'admiration. Il est inutile de continuer à dérouler les éloges les plus superlatifs : il suffit de dire pour conclure que nous sommes ici en présence d'un des grands disques consacrés aux Symphonies de Haydn.

Symphonies n° 88 en sol majeur et n° 89 en fa majeur.

❀*** Orch. Phil. de Vienne, Karl Boehm. DG 2530.343 (sup.).

*** Orch. Philharmonia Hungarica, Antal Doráti. Decca SDD 431 (G-B).

La n° 89 est victime au disque d'un incompréhensible ostracisme dont Boehm la tire - premier mérite -, et avec quel talent ! Il en fait ressortir la fine beauté et l'intérêt avec un art prestigieux. Et quelle direction d'orchestre ! Dès les premières mesures, on admire la rondeur des cordes, la précision des attaques, la ligne mélodique qui ne cesse de renaître, en un mot, la vie intense qui anime ces pages : la n° 88 trouve bien entendu ici une version prestigieuse. Voilà un disque qu'il convient de placer au pinacle des interprétations de Haydn.

Des onze symphonies (n°s 82 à 92) du huitième coffret Doráti, toutes, sauf la n° 91, ont été éditées séparément : sur ce disque sont groupées deux œuvres dont l'une est plus marquante, la n° 88. Fort souvent enregistrée, elle bénéficie ici d'une interprétation de premier plan. Doráti s'inscrit aisément parmi les chefs les plus convaincants, car peu ont su rendre le côté à la fois populaire et sophistiqué du trio de cette n° 88.

Symphonies n° 88 en sol majeur et n° 92 en sol majeur «Oxford».

*** Orch. de l'Opéra d'Etat de Vienne, Hermann Scherchen. Westminster WST 14 616 (sup.).

Parmi les enregistrements de la n° 88 dus aux vétérans de la direction d'orchestre, il fait citer avant tout celui de Scherchen, bien qu'elle ait disparu des catalogues : c'est une version phénoménale, voire excentrique, mais géniale, des comme-il-ne-s'en-fait-plus-guère.

Symphonie n° 90 en ut majeur. Symphonie Concertante en si bémol majeur.

*** Orch. Phil. de Vienne, Karl Boehm. DG 2530.398.

Aucun disque séparé disponible en France ne présentait cette n° 90 : il fallait pour faire sa connaissance se reporter à l'intégrale d'Antal Doráti dans le huitième coffret. C'était une bonne version, mais ce disque vient à point nommé, car on y relève les mêmes qualités qui faisaient le mérite de Boehm dans les n°s 88 et 89. Rien n'est laissé au hasard, et il en résulte une remarquable n° 90. La Symphonie Concertante qui l'accompagne est bonne, mais celle de Guschlbauer fait incontestablement référence.

Symphonies n° 90 en ut majeur et n° 91 en mi bémol majeur.

** Little Orchestra of London, Leslie Jones. Nonesuch 71191 (USA).

La n° 90 présentée ici est presque aussi remarquable que celle qui figure au huitième album de l'intégrale Doráti. Quant à la n° 91, elle se place dans une bonne troisième place après les versions de Jochum et de Swoboda, qui dominent mieux la partition.

Symphonies n° 90 en ut majeur et n° 92 en sol majeur «Oxford».

*** Orch. Philharmonia Hungarica, Antal Doráti. Decca SDD 412 (G-B).

La Symphonie «Oxford» n'a pas manqué de bons serviteurs. Doráti reste parmi ses plus remarquables, avec ce disque où nous la trouvons couplée avec la n° 90, plus rarement gravée, dont on ne peut avoir de meilleure interprétation que celle-ci. Ce disque constitue donc une aubaine pour ceux qui préféreraient ne pas acheter l'intégrale.

Les douze Symphonies «londoniennes» : n° 93 en ré majeur, n° 94 en sol majeur «La Surprise», n° 95 en ut mineur, n° 96 en ré majeur «Le Miracle», n° 97 en ut majeur, n° 98 en si bémol majeur, n° 99 en si bémol majeur, n° 100 en sol majeur «Militaire», n° 101 en ré majeur «L'Horloge», n° 102 en si bémol majeur, n° 103 en mi bémol majeur «Roulement de timbales», n° 104 en ré majeur «Londres».

*** Orch. Phil. Royal, Thomas Beecham. EMI VSM C 137-50.238/43. *+ Répétitions des Symphonies n°s 100, 101 et 104, et de l'Enlèvement au Sérail (Mozart).*

*** Orch. de l'Opéra d'Etat de Vienne, Hermann Scherchen. Westminster WST 8322/7 (6 d.) (USA) (sup.). Mono.

*** Orch. Phil. de Londres, Eugen Jochum. DG 2720.064 (6 d.) (sup.).

** Little Orchestra of London, Leslie Jones. Nonesuch 73019 (6 d.) (USA).

L'intégrale des Symphonies «londoniennes» a été gravée par Beecham dans les années cinquante, avant l'établissement par Robbins Landon des versions authentiques de ces ouvrages, ou sans en tenir compte (c'est aussi le cas de Hermann Scherchen). On le sent particulièrement dans les n°s 96 et 98. Chez Beecham, à quelques exceptions près, les cuivres et les timbales ne sont pas assez présents, et l'on regrette l'absence de certaines reprises. Mais quel esprit et quelle vivacité dans la n° 94, quelle intelligence dans l'*Andante* de la n° 101, et quelle grandeur dans la n° 104 !

Pas plus que Beecham, Scherchen n'observe les reprises des premiers mouvements. Certains tempos - premier mouvement de la n° 98 - sont monstrueusement lents, d'autres - premier mouvement de la n° 93 - étonnamment rapides, mais ses interprétations sont les premières à avoir été réalisées dans une optique résolument moderne. La lenteur des *Adagios* des n°s 93, 99 ou 104 surprend pour commencer, mais se révèle en fin de compte totalement convaincante. Particulièrement passionnantes sont, par Scherchen, les n°s 93, 95, 97, 99, 100, 102 et 104.

Une grande leçon «d'anatomie musicale», où Jochum travaille en pleine pâte sonore, comprenant dans ses moindres ressorts le phénomène de la symphonie haydnienne. Alerte dans les tempos rapides, il sait s'abandonner avec une extrême élégance dans les mouvements rêveurs. La sonorité de l'orchestre, captée avec soin, est le plus souvent magnifique, surtout dans les pupitres de vents. Les cordes manquent parfois un peu de moelleux, mais c'est là un réserve mineure. Par la justesse du ton et la haute tenue de la pensée, voici une version fort remarquable.

La gravure par Jones bénéficie du résultat des travaux musicologiques de Robbins Landon, et elle est recommandable, sans avoir le génie de Beecham ou de Jones. Toutefois, on y trouvera une version de la n° 93 qui, avec celle de Doráti, compte parmi les meilleures qui se puissent imaginer.

Symphonies n° 93 en ré majeur et n° 94 en sol mineur «la Surprise».

*** Orch. Royal Philharmonique, Thomas Beecham. EMI VSM C 051-01.425. Enregistré en 1957.

Chez Beecham, on regrette que les cuivres et les timbales ne soient pas assez présents, et l'on peut déplorer l'absence de certaines reprises ; mais cela étant, quel esprit, quelle vivacité et quelle intelligence !

Symphonie n° 94 en sol majeur «La Surprise».

*** Orch. Phil. de Vienne, Wilhelm Furtwängler. EMI Da Capo C 027-00.906. Mono. Enregistré en 1948. + *Mozart : Symphonie n° 40.*

C'est une très bonne... surprise que de retrouver cette Symphonie dans une aussi illustre interprétation : disparue il y a dix ans, nous accueillons son retour avec d'autant plus de plaisir que les éditeurs n'en ont pas profité pour lui faire subir les outrages d'une «stéréophonisation» intempestive. Dans Haydn, l'interprétation est très personnelle, et pour le Mozart qui complète, cette n° 40 est une des toutes premières, toute considération technique oubliée.

Symphonies n° 94 en sol majeur «La Surprise» et n° 96 en ré majeur «Le Miracle».

❀*** Academy of St-Martin-in-the-Fields, Neville Marriner. Philips 9500.348. ⌧ 7300.594.

Voici l'un des grands disques de Marriner consacrés à Haydn. Rien n'y manque. La chaleur de la lecture s'ajoute à la légèreté et à l'esprit d'une interprétation tout en finesse et en nuances, vigoureuse pourtant et superbement articulée. Le soin de Marriner se manifeste aussi dans le choix du texte, et c'est dans une telle version que tout le fruit des travaux de Robbins Landon prend sa valeur.

Symphonies n° 94 en sol majeur «La Surprise» et n° 101 en ré majeur «L'Horloge».

* Orch. de la NBC, Arturo Toscanini. RCA AT 120 (USA). Mono. Enregistré en 1953 et 1946.

A titre de curiosité, il faut écouter la n° 94 sous la baguette de Toscanini : le maestrissimo fait du menuet une sorte de super-scherzo qui n'est pas fait pour diminuer sa réputation de chef pressé. Il est vrai que l'indication de tempo est la plus rapide que Haydn ait jamais utilisée pour ce type de mouvement.

Symphonies n° 95 en ut mineur et n° 101 en ré majeur «L'Horloge».

** Orch. Symph. de Chicago, Fritz Reiner. RCA GL 43.848. ⌧ GK 43.848.

Haydn par Reiner, c'est une conception forte, puissante, volontaire. Cette vision une fois acceptée surprendra par ses trouvailles harmoniques, par la mise en évidence de détails d'orchestration, par sa chaleur enfin. L'orchestre, malheureusement, ne suit pas toujours, et parfois gêne par son épaisseur (Menuetto de la 95).

Symphonie n° 99 en mi bémol majeur.

*** Orch. de la NBC, Arturo Toscanini. RCA AT 149 (USA). Mono. Enregistré en 1949. + *Symphonie Concertante.*

La n° 99 par Toscanini est une grande réussite : ce chef signe là son meilleur enregistrement consacré à Haydn, tant sur le plan de l'intelligence musicale que sur le plan de la prise de son, excellente pour l'époque.

Symphonies n° 99 en mi bémol majeur et n° 101 en ré majeur «L'Horloge».

*** Orch. Phil. de New York, Leonard Bernstein. CBS 76580 (USA).

Par la netteté des plans architecturaux, par la ciselure des thèmes, par la finesse transparente des interventions instrumentales, Leonard Bernstein donne ici une vision extrêmement intéressante de ces deux Symphonies. Visiblement, le chef a cherché à faire chanter son orchestre pour rendre plus clair le texte musical. Le seul reproche que l'on pourrait faire à cette version est que la formation orchestrale se révèle trop fournie pour une œuvre comme «L'Horloge», qui nécessite plutôt la légèreté d'une pendulette. Cela dit, il n'en reste pas moins une n° 99 de choix et une n° 101 qui se classe parmi les meilleures.

Symphonies n° 99 en mi bémol majeur et n° 102 en si bémol majeur.

** Orch. de l'Opéra d'Etat de Vienne, Mögens Wöldike. Vanguard S 211 (USA). Ou SRV 211 (G-B).

Wöldike fut le premier, vers 1957, à enregistrer des Symphonies «londoniennes» à partir des partitions authentiques préparées par Landon. Le style orchestral du dernier Haydn ainsi révélé fut très mal accepté par certains critiques habitués aux enregistrements d'avant guerre (par exemple la n° 96 par Bruno Walter), ou du début du microsillon. Mais aujourd'hui, nous sommes à même de juger que les interprétations de Wöldike n'on rien perdu de leur impact.

Symphonies n° 100 en sol majeur «Militaire» et n° 102 en si bémol majeur.

** Orch. New Philharmonia, Otto Klemperer. Angel S 36364 (USA).

Klemperer dirige la n° 100 dans un esprit beethovénien qu'il n'est pas sacrilège de discuter, mais auquel certains ne seront pas insensibles : après tout, le titre autorise une certaine grandeur, sinon la grandiloquence. C'est toutefois par une extraordinaire n° 102, la plus grande réussite de Klemperer dans Haydn, que ce disque est précieux.

Symphonies n° 100 en sol majeur «Militaire» et n° 103 en mi bémol majeur «Roulement de timbales».

*** Academy of St-Martin-in-the-Fields, Neville Marriner. Philips 9500.255. ⌧ 7300.543.

Pour ces deux Symphonies, l'interprétation de Marriner retient l'attention par ses options originales : avec lui, la solennité de l'*allegro* de la n° 100 disparaît au profit d'un rebondissement rythmique inhabituel, avec des couleurs de flûtes et de hautbois très vertes. De même, dans l'introduction de la n° 103, pleine de mystère et d'un remarquable *legato*, il renouvelle totalement la vision de cette page. Tout en restant de très haute qualité, Marriner ose un Haydn différent.

Symphonies n° 100 en sol majeur «Militaire» et n° 104 en ré majeur «Londres».

*** Orch. du Concertgebouw d'Amsterdam, Colin Davis. Philips 9500.510. ⌧ 7300.670. Enregistré en 1978.

Un disque superbe, qui vient confirmer la vocation de grand haydnien de Colin Davis. Ce chef possède pour lui deux vertus efficaces en ce domaine : le culte du style à la viennoise et le sens de la forme qui fait rayonner l'expression. Dans la «Militaire», il impose une image exaltante et tonifiante, et ses humeurs martiales ne manquent pas d'un certain humour. La «Londres» figure ici dans une version qui tient du miracle, laissent loin derrière tous les autres interprètes, à l'exception de Jochum et de Doráti, entre qui il s'inscrit. La grandeur sévère du premier et la vitalité prosaïque du second : de très belles références.

Symphonies n° 102 en si bémol majeur et n° 103 en mi bémol majeur «Roulement de timbales».

** Orch. Phil. de Londres, Georg Solti. Decca 591.278. Enregistré en 1981.

Qu'il s'agisse de la qualité de la phrase ou de la beauté du son, Solti fait ici penser à Szell. Le *Vivace* de la *Symphonie n° 102* est un peu empâté, mais le chef fait parfaitement ressortir la grandeur de l'œuvre. Dans la n° 103, Solti nous fait découvrir, par la clarté de son interprétation, les beautés qui sont cachées sous le brillant de la virtuosité. Seul manque ici ce rien d'humour que Szell, précisément, savait faire jaillir au détour d'une phrase.

Trios pour baryton, « viola di bordone », alto et violoncelle Hob. XI. n°s 37, 48, 70, 71, 85, 96, 97, 109, 113, 117 et 121.

** Esterházy Baryton Trio. EMI VSM SLS 5.095 (2 d.) (sup.). Quadri.

Le baryton « viola di bordone », instrument de la famille des violes, a joui, à la fin du XVIIIe siècle, d'une popularité aussi brève que vive. Nicolas Esterházy en jouait, ainsi d'ailleurs que le roi de Naples. C'est ce qui explique l'importance du nombre de pièces pour cet instrument dans la littérature de Haydn. Excellent interprétation de cette anthologie par une formation qui s'est précisément constituée dans le but d'honorer ces œuvres.

Les 43 Trios pour clavier, violon et violoncelle.

*** Beaux-Arts Trio. Philips 6768.077 (14 d.).

Ces chefs-d'œuvre furent longtemps les ouvrages instrumentaux importants de Haydn les plus scandaleusement négligés par le disque. Le Beaux-Arts Trio a choisi de les enregistrer tous, même ceux (en petit nombre, il est vrai) d'extrême jeunesse, sur un piano moderne. Le violon et le violoncelle, eux non plus, ne sont pas d'époque. Cette option n'est pas la seule concevable, et il existe des versions séparées sur instruments anciens. La réussite de cette réalisation est cependant éclatante, sanctionnée par plusieurs Grands Prix du Disque, et justifie pleinement l'achat de quatorze disques. Signalons toutefois qu'il en existe des coffrets séparés qui se répartissent comme suit : *Trios n°s 1 à 16* (Philips 6747.414), *Trios n°s 17 à 30* (Philips 6747.414), *Trios n°s 31 à 45* (Philips 6747.415). Le total de 43 et la numérotation jusqu'à 45 s'expliquent par le fait que les *Trios n°s 8 et 9* sont perdus.

Trios pour clavier, violon et violoncelle n° 27 et n°s 31 à 45.

*** Huguette Dreyfus (clavecin), Eduard Melkus (violon), Elisabeth Vogt (violoncelle). Valois Résurgences CMB 15 (4 d.).

Paru en 1971, cet album utilisant des instruments anciens avait fait sensation, car plusieurs Trios parmi les plus grands y étaient enregistrés en première mondiale. L'interprétation reste de premier plan, et assure à cette version une place de choix à côté de celle du Beaux-Arts Trio.

Trios «London» n°s 1 à 4. Divertissement op. 100 n°s 2 et 6.

** Jean-Pierre Rampal (flûte), Isaac Stern (violon), Mstislav Rostropovitch (violoncelle). CBS D 37.786. Enregistré en 1982.

Rampal, Stern et Rostropovich confèrent à cette musique pleine de charme et de vivacité tout son caractère naturel et enjoué, spontané et subtil. L'expression même de la joie de vivre.

La Vera Costanza, opéra.

*** Jessye Norman (Rosina), Claës Ahnsjö (Errico), Helen Donath (Lisetta), Kari Lövaas (Irène), Vladimiro Ganzarolli (Villotto), Anthony Rolfe-Johnson (Ernesto), Domenico Trimarchi (Masino), Orch. de Chambre de Lausanne, Antal Doráti. Philips 6703.077 (3 d.).

L'œuvre s'inscrit dans le cadre du *dramma giocoso*, à la trame plus poussée que dans l'opéra bouffe. Le livret n'est certes pas un modèle de clarté, mais il comporte des qualités essentielles : belles pages de réflexion, vigueur et vivacité. Le Masino que nous y voyons est un cousin de Figaro, et la Rosine est plus proche de la Comtesse des *Noces* que de la jeune pupille du *Barbier*. Toute l'œuvre est comme entraînée dans un courant ascendant qui culmine à la fin du second acte. Antal Doráti est évidemment idéal pour galvaniser ses interprètes et leur faire comprendre ce vif-argent. Jessye Norman est bouleversante. Notons que le coffret, pour couronner une réussite complète, offre un livret dont l'excellente traduction est fidèle à la souple prosodie et au style original de l'italien de l'époque.

Haydn, Michael
(1737-1806)

Adagio et Allegro molto pour cor, trombone alto et orchestre.

*** Hermann Baumann (cor), Armin Rosin (trombone alto), Orch. Philharmonia Hungarica, Toav Talmi. Telefunken 6.42419. *+ Albrechtsberger, Wagenseil : Concertos.*

Page musicalement étonnante et rarissime, qui demeure inconnue même des discophiles chevronnés. Une bonne occasion de sortir des sentiers battus, avec en prime une interprétation de grand choix.

Trois Airs religieux.

** Erika Rüggberg (s), Peter Schranner (b), Franz Lehrndorfer (orgue), Orch., Josef Schmidhuber. Musica Bavarica MB 302 (RFA). *+ Mozart : Offertoires K. 34 et 72.*

Un disque précieux, interprété avec une ferveur qui convient bien à cette musique tout imprégnée de spiritualité. Les trois airs sont splendides, et dans celui de basse, l'accompagnement orchestral s'enrichit pour le plaisir de l'oreille d'une partie d'alto solo.

Concertino pour cor en ré majeur.

*** Barry Tuckwell (cor), Orch. de Chambre Anglais, Barry Tuckwell. EMI VSM C 069-03.362. Enregistré en 1978. *+ J. Haydn : Concertos pour cor nos 1 et 2.*

Extrêmement virtuose, le Concertino pour cor est beaucoup plus proche de Mozart que de Corelli. Barry Tuckwell, en tant que chef et que soliste, domine la partition avec un brio qui ne laisse aucune place à la critique. Il fait couler l'œuvre de la première à la dernière note avec une facilité qui rend l'écoute des plus plaisantes. Les deux Concertos pour cor de Josef Haydn ne sont pas moins dignes d'éloges, et composent un programme de cor des plus réussis.

Concerto pour cor et orchestre. Six Menuets.

*** Academy of St-Martin-in-the-Fields, Neville Marriner. Argo 543 (G-B). *+ J. Haydn : Concerto pour trompette, Six Danses allemandes.*

Un programme des plus attrayants. Les six Menuets de 1784 s'imposent d'eux-mêmes, et les Concertos, qu'ils soient de Michael ou de Franz Joseph, n'ont jamais été si bien joués. Les *Danses allemandes* du couplage n'existent nulle part ailleurs.

Concerto pour trompette et orchestre en ut majeur.

* Bernard Soustrot (trompette), Orch. de Chambre Unisono, Hans Oskar Koch. Unisono NS 22.557 (RFA). *+ Molter, Rosier, Vejvanovsky, Telemann : Concertos pour trompette.*

Beaucoup moins connu que son heureux frère en ré majeur, ce Concerto en ut est facile à écouter. Comme il n'est pas indispensable, et simple figurant dans un classique disque de Concertos pour trompette, on se consolera facilement d'avoir à passer le Rhin pour se le procurer.

Concerto pour trompette et orchestre en ré majeur. Concerto pour cor en ré majeur. Double Concerto pour orgue et alto en ut majeur.

** Maurice André (trompette), Georges Barboteu (cor), Marie-Claire Alain (orgue), Marie-Thérèse Chailley (alto), Orch. de Chambre, Jean-François Paillard. Erato STU 70.210 (sup.).

Ce disque déjà ancien vaut encore grâce à Maurice André, indéracinable dans son interprétation du célèbre Concerto en ré majeur. Cette œuvre existe en d'autres disques, mais il est préférable de posséder un album entièrement consacré au même compositeur. Le Concerto pour orgue et alto est finement joué, avec précision et sensibilité. Seul, le Concerto pour cor a trouvé tout récemment une interprétation préférable (bien que Barboteu soit tout à fait honorable), avec Barry Tuckwell et l'Orchestre de Chambre Anglais.

Concerto pour violon en si bémol majeur.

** Robert Gerle (violon), Orch. de Radio Vienne, Robert Zeller. Westminster WST 17.106 (sup.). *+ J. Haydn : Concerto pour violon et orchestre en la majeur.*

Ce Concerto pour violon est une très belle œuvre qui date de 1760. Elle bénéficie au disque de deux interprétations de premier plan, mais assez différentes l'une de l'autre dans l'esprit. Celle de Robert Gerle est magnifique, et se complète d'une version idéale du Concerto en la de Josef Haydn. Ce disque est malheureusement supprimé.

Divertissement en sol majeur.

** Octuor de Vienne. Decca SXL 6055 (G-B). *+ Mozart : Divertissement K. 287.*

Un agréable complément de programme. Et la version du Divertissement de Mozart est d'une interprétation qui domine toutes les autres.

Divertissement en si bémol majeur. Notturno en fa majeur.

** Ensemble de Musique de Chambre de Zurich. Schwann VBM 1013 (RFA). *+ J. Haydn : Divertissement en ré majeur Hob. II.22.*

Les œuvres enregistrées sont remarquables, en particulier le Divertissement. L'interprétation est, quant à elle, des mieux venues.

Missa Sancti Aloyssi en si bémol majeur. Deux Offertoires. Séquence «ad festum S.P. Augustini».

*** Evá Márton (s), Katalyn Szokefalvi-Nagy (c), György Nemeth (b), Ch. de jeunes filles et Orch. Phil. de Györ, Miklos Szabo. Hungaroton SLPX 11.678 (étr.).

Un des plus beaux disques de musique religieuse de l'époque classique. La *Messe* date de 1777.

Musique pour une opérette mythologique.

** Orch. de Chambre de la Société Philharmonique de Budapest, Miklos Erdelyi. Hungaroton SLPX 1264 (étr.). *+ J.C. Werner : Œuvres.*

Sous ce titre original, on peut se demander quel genre de musique se cache. Celle-ci est des plus agréables, et se compare aux divertissements et sérénades du Mozart des années 1770 : son *K. 247* serait un bon parallèle. Il ne s'agit pas ici d'une musique «légère» qui ne s'écoute que d'une oreille, mais d'une œuvre importante et substantielle.

Quatuor à cordes n° 5 en fa majeur.

* Quatuor du Mozarteum de Salzbourg. Amadeo AVRS 19.055 (sup.). *+ J. Haydn, Kraus : Quatuors.*

Le programme présenté sur ce disque est intéressant, mais il l'aurait été encore davantage si le Quatuor de Joseph Haydn enregistré en complément avait été remplacé par un autre de son frère, ou de ce compositeur encore ignoré qu'est Johann Martin Kraus (1756-1792).

Quintette à cordes en ut majeur. Quatuor à cordes n° 4 en sol mineur. Andante du Quatuor à cordes n° 6 en ut majeur.

** Quatuor Arcana, Alain Mehaye (2e alto). Centre Culturel de Valprivas CCV 1012.

Le Quintette en ut date de 1773. C'est une belle œuvre, bien jouée, encore qu'il faille regretter l'absence des reprises dans les mouvements extrêmes. Quant au Quatuor, ce disque en présente l'unique version mondiale.

Quintettes à cordes en sol majeur et en fa majeur.

*** Quintette à cordes de la Philharmonie de Vienne. Decca SDD 340 (G-B).

Tant pour son programme que pour la qualité de son interprétation, ce disque est fort intéressant à posséder. Le Quintette en sol est un chef-d'œuvre immense dont on retrouve les échos chez Mozart, en particulier dans le Quintette en sol mineur K. 516.

Symphonie en ut majeur.

* Orch. de Chambre de la Sarre, Karl Ristenpart. Erato STU 70.318 (sup.). + *Œuvres de Mozart, L. Mozart, Biber, Muffat et Caldara.*

Cette Symphonie en ut figurait au programme d'un disque «salzbourgeois», au milieu d'œuvres comparables par le caractère et la chronologie. Il est supprimé des catalogues, mais son interprétation, dominée par la baguette du grand Ristenpart, vaut de le citer pour mémoire.

Symphonie en ré majeur. Sérénade en ré majeur.

** Orch. Phil. de Budapest, János Sándor. Hungaroton SLPX 11.358 (étr.).

Un beau disque consacré à Michel Haydn, avec la Symphonie en ré majeur, qui est tout à fait fascinante et comporte surtout un menuet qui se grave dans l'esprit tant il est prenant. La Sérénade de 1785 contient aussi de belles pages, en particulier son *Andante* à variations.

Symphonies en sol majeur et en la majeur. Concerto pour violon et orchestre en la majeur.

*** William Armon (violon), Little Orchestra of London, Leslie Jones. Golden Guinea GSGC 14.131 (G-B).

Bien qu'il faille se le procurer outre-Manche, il serait important de faire tous les efforts possibles dans ce but tant ce disque est remarquable. Si Charles Mackerras, avec l'Orchestre de Chambre Anglais, nous a donné une excellente version de la Symphonie en *sol*, celle en *la*, la dernière de Michael Haydn (datant de 1789), ne lui cède en rien. Quant au Concerto pour violon, il vaut largement ceux de Mozart, et l'interprétation donnée ici surclasse de loin celle d'Arthur Grumiaux enregistrée chez Philips.

Der Traum (le Rêve), pantomime en deux actes.

** Dolorès Aldes, Karin Küster-Jordan, Ingrid Mayr, Walter Raninger, Camerata Academica de Salzbourg, Ernst Hinreiner. Schwann VSM 2036 (RFA).

Document précieux que ce disque, car c'est le seul enregistrement de musique vocale profane de Michael Haydn jamais réalisé. On y trouve notamment une irrésistible «scène turque» où le chanteur, à l'instar du truchement dans l'intronisation de Jourdain-Mamamouchi, ne prononce que des onomatopées.

Vêpres des Saints Innocents. Deux Graduels.

*** Ch. de jeunes filles et Orch. Phil. de Györ, Miklos Szabo. Hungaroton SLPX 11.531 (étr.).

Une réalisation fascinante, révélant à quel point Michael Haydn était un grand maître de la musique religieuse.

Henry, Pierre
(né en 1927)

L'Apocalypse de Jean.

❀*** Jean Négroni (lecteur), réalisation de Pierre Henry et I. Chandon, Studio Apsome. Philips 3017 (3 d.) (sup.).

La première commande officielle que reçoit Pierre Henry et l'une des très rares œuvres qui n'aient pas subi de retouches successives de sa part, ce qui tend à nous faire penser qu'elle traduit, avec justesse, la lecture de Pierre Henry du grand texte sacré. Jean Negroni prête son concours en interprète souple, à la voix chargée d'émotion travaillée «polyphoniquement» grâce à certaines techniques électroacoustiques. Sons concrets et sons électroniques forment une sorte de film de sons plein d'images. Une des grandes œuvres de notre temps (inachevée, et qui sans doute le restera).

Futuristie.

* Concert d'après la manifestation sonore et visuelle en hommage à Luigi Russolo, musicien et peintre futuriste, créée le 16 octobre 1975 au Grand Théâtre de Chaillot à Paris. Philips 6510.020. Enregistré en 1975.

Cet hommage à ce premier prophète de la musique concrète apparaît également comme une œuvre synthèse de l'art de Pierre Henry. Une fois dégagé de son aspect quincaillerie, le spectacle audio-visuel de Chaillot s'impose comme une extraordinaire démonstration qu'a le compositeur concret de son langage : une réussite propre à convertir les plus hermétiques à ce genre de musique.

Variations pour une porte et un soupir.

*** Réalisation de Pierre Henry, Studio Apsome. Philips 836.898 (sup.).

Le «classique» de Pierre Henry. Vingt-cinq variations de deux ou trois minutes chacune, d'une extrême économie de moyens sonores : une porte de grenier et un souffle comme partenaire. L'habileté de Pierre Henry atteint des sommets dans l'invention des formes sonores. Il s'y révèle un maître étonnant des contrastes, repos et progressions...

Hindemith, Paul
(1895-1963)

Mathis le peintre, opéra.

*** Dietrich Fischer-Dieskau (Mathis), James King (Cardinal Albrecht de Brandebourg), Gerd Feldhoff (Lorenz von Pommersfelden), Manfred Schmidt (Wolfgang Capito), William Cochran (Hans Schwalb), Alexander Malta (Truchsess von Waldburg), Donald Grobe (Sylvester von Schaumberg), Schaumberg), Rose Wagemann (Ursula), Urszula Koszut (Regina), Trudeliese Schmidt (Gräfin Helfenstein), Ch. et Orch. Symph. de la Radio Bavaroise, Rafaël Kubelik. EMI Electrola C 165-03.515/7 (3 d.). Quadri.

Toute critique mise à part, la réalisation de cet opéra de Hindemith est très importante et mérite d'être connue, car elle apporte une pièce qui manquait au dossier de ce musicien. Il s'agit d'une œuvre-symbole, traitant de l'isolement de l'artiste au milieu des violences du monde : le parallèle avec la propre situation de Hindemith en Allemagne nazie est clair. L'interprétation nécessitait du souffle et de la générosité pour animer le lyrisme humanitaire des idées : la baguette ardente de Rafaël Kubelik ne déçoit pas et sait communiquer aux chœurs et à l'orchestre l'intensité maximale. La distribution est dominée par la composition de Fischer-Dieskau pour Mathis, à qui il donne une juste touche pathétique en plus de la stature dramatique. A ses côtés, on remarque James King, mais il y a des faiblesses chez Rose Wagemann et Urszula Koszut.

Métamorphoses symphoniques sur des thèmes de C.M. von Weber.

*** Orch. Phil. de Berlin, Wilhelm Furtwängler. DG 2535.164 (sup.). Mono (origine 78 t.). Enregistré en 1947. *+ Brahms : Variations sur un thème de Haydn.*

Une superbe page d'orchestre dans une interprétation grandiose. Excellent couplage avec d'autres Variations pour orchestre, celles de Brahms d'après Haydn : trois siècles de musique se donnent la main sur ce disque magnifique, très bien regravé pour le microsillon, en monophonie véritable.

Der Schwanendreher, concerto d'après des chants populaires anciens, pour alto et petit orchestre.

** Daniel Benyamini (alto), Orch. de Paris, Daniel Barenboïm. DG 2531.249. Enregistré en 1979. *+ Bartók : Concerto pour alto et orchestre.*

Dans ce Concerto créé en 1935, la petite harmonie de l'Orchestre de Paris s'en donne à cœur joie, sous la battue efficace de Daniel Barenboïm. L'alto intense de Daniel Benyamini brille sans s'embarrasser de subtilités de couleur et de timbre. Cette vaillance le sert pour Hindemith, mais il manque de sensibilité pour le Concerto de Bartók, dont la qualité générale est ici plutôt décevante. Un très bon point pour Hindemith.

Sonate pour flûte et piano. Sonate pour piano à quatre mains «Piano duet». Sonate pour violoncelle et piano op. 11 n° 3.

** Michel Debost (flûte), Alain Meunier (violoncelle), Christian Ivaldi, Noël Lee (pianos). Arion ARN 38.691.

Nous devons à ces musiciens français de premier plan la résurrection de cette littérature de chambre aussi étrangère à l'influence des musiciens de l'Ecole de Vienne qu'à celle des musiciens nationaux d'audience universelle comme Bartók et Martinů.

Concerto pour orgue et orchestre. Sept pièces en trio pour trois trautoniums. Konzertstück pour trautonium et accompagnement de cordes.

*** Anton Heiller (orgue), Orchestre de la Radio Autrichienne, Milan Horvat, Oskar Sala (trautonium), Orch. de Chambre de Munich, Hans Stadlmair. Telefunken 6.42529. Enregistré en 1978 et 1979.

Un très beau disque et une triple nouveauté. On y trouve, portées à leur maximum de perfection, les pièces pour trautonium, instrument comparable aux Ondes Martenot, émettant un seul son modifiable en intensité et en harmoniques. L'orchestre développe une richesse de timbres qui s'accorde fort bien à cet instrument. Avec le Concerto pour orgue, c'est toute la simplicité baroque qui s'exprime dans une pièce haendelienne du XXe siècle.

Holborne, Anthony
(1550-1602)

Leçons pour le luth, le cistre et l'orpharion.

** Anthony Bailes (luth, orpharion), Anthony Thomas (cistre), Michel Piguet (flûte à bec, chalumeau), Ensemble Ricercar de Bâle, Michel Piguet. Deutsche Harmonia Mundi 1 C 069-99.975. Enregistré en 1982.

Piguet et Bailes donnent la priorité aux instruments à vent, rendant ainsi hommage aux *waits* de l'Angleterre élisabéthaine. Nous admirons la précision et la variété rythmique, la science de la polyphonie, une certaine verdeur de propos.

Pavanes et gaillardes.

* The Guildhall Waith, The Consort of Musicke, Trevor Jones, Anthony Rooley. Oiseau-Lyre 595.034. *+ Pages choisies.*

Animé du souci d'authenticité qu'on lui connaît, le Consort of Musicke nous restitue, dans ce disque, ces pièces instrumentales de Holborne avec un soin attentif qui rend compte de toute la finesse des œuvres en utilisant dans leur intégralité toutes les possibilités de l'époque.

Holst, Gustav
(1874-1934)

Les Planètes, suite pour orchestre op. 32.

** Ambrosian Singers, Orch. Concertgebouw d'Amsterdam, Neville Marriner. Philips 9500.425. Enregistré en 1978.

** Ch. de femmes du Chœur Philharmonique de Londres, Orch. Philharmonique de Londres, Georg Solti. Decca SET 628 (G-B). Enregistré en 1978.

Marriner choisit de donner aux *Planètes* un caractère plus spirituel que grandiose, malgré les possibilités offertes par l'emploi du grand orchestre. Cette vision pourrait, certes, affaiblir le côté spectaculaire de l'œuvre si elle n'était compensée par une grande homogénéité, où passe un souffle tour à tour féerique et mystique. Neville Marriner suit la dernière édition réalisée en tenant compte des annotations de Gustav Holst quant à la lenteur des tempos et à de nombreuses petites retouches modales.

Avec Solti, c'est le contraire : une puissante intensité dramatique renforcée par la sonorité des cuivres et des bois du Philharmonique de Londres. Les Ambrosian Singers de la version Marriner sont préférables aux femmes du Chœur Philharmonique, mais c'est plutôt une question d'atmosphère qui guidera vers l'une ou l'autre de ces deux versions de qualité.

Homilius, Gottfried August
(1714-1785)

Quinze Chorals. Trio en sol majeur.

** Georges Guillard (orgue). Arion ARN 38.552. Enregistré en 1979.

Ce disque, rare à plusieurs titres, devrait inciter à chercher une meilleure connaissance de l'œuvre de ce compositeur organiste, qui de son temps n'était pas parmi les moindres. Sous le toucher nuancé et sensible de Georges Guillard, on sent percer les orages du *Sturm und Drang* à travers la rhétorique baroque. L'art consommé de l'interprète met remarquablement en valeur les sonorités nord-allemandes de l'orgue Kern de Notre-Dame des Blancs-Manteaux.

Honegger, Arthur
(1892-1955)

Une Cantate de Noël. Pacific 231. Rugby. Pastorale d'été.

*** Camille Maurane (bar), Ch. et Maîtrise de l'ORTF, Henriette Puig-Roget (orgue), Orch. National de l'ORTF, Jean Martinon. EMI VSM C 069-11663.⌧ C 269-11.663.

Aurait-on oublié que Jean Martinon était un grand chef, que voilà un disque qui nous le rappelle fort à propos. Dans la *Cantate*, les effets étagés qu'il ménage maintiennent le discours dramatique en suspens et c'est de main de maître qu'il dirige l'Orchestre National, un orchestre tout en relief qui injecte un sang neuf à la partition. Car la version Tzipine a vieilli, Ansermet bien qu'excellent «date» un peu, et Baudo y est superficiel dans sa lecture appliquée. Martinon s'impose donc. En outre, le tonus vivifiant qu'il insuffle aux pages symphoniques complétant ce disque, révèle un Honegger dépoussiéré qui ne mérite absolument pas le silence méprisant dont on l'entoure. En fait de «néo-classicisme», il faut écouter ses âpres dissonances, ses trouvailles d'orchestration et d'écriture dont Martinon se délecte. Dans l'espoir de nous faire partager son enthousiasme ? Nous sommes, quant à nous, désormais acquis à sa cause.

La Danse des Morts, oratorio sur un texte de Paul Claudel. Symphonie n° 2.

❀*** Jean-Louis Barrault (récitant), Odette Turba-Rabier (s), Eliette Schenneberg (m), Ch. Yvonne Gouverné, Orch. de la Société des Concerts du Conservatoire, Charles Munch. EMI VSM C 061-10901 (sup.). Mono.

Un disque indispensable tant pour *La Danse des Morts* (dont c'est l'unique enregistrement) que pour son interprétation inspirée. «Tu dirigeras bien si chaque musicien a le sentiment que c'est pour lui que tu diriges», écrivait le compositeur. On ne sait si les musiciens l'ont éprouvé ainsi, mais qu'importe, puisque nous sentons au travers de cet enregistrement-témoin le «courant» passer..

Horace victorieux, symphonie pour orchestre. Mouvement symphonique n° 3. Symphonie n° 1.

*** Orch. National de l'ORTF, Michel Tabachnik. Barclay 995.042 (sup).

Ce disque vaut surtout par son couplage. C'est en effet le seul enregistrement discographique *d'Horace victorieux*, œuvre dont Honegger écrivait «c'est la chose la plus originale et la mieux réussie qui soit de mes mains». A l'écoute, on comprend pourquoi la partition fut si mal accueillie par le plublic : l'orchestration y est contrastée et massive, le langage puissant sans concession et, à la limite, austère. Quant à la *1re Symphonie* enregistrée ici, jamais elle n'a été plus âpre, plus intensément tournée vers la lutte intérieure de la masse orchestrale en ébullition.

Jeanne au Bûcher, oratorio sur un texte de Paul Claudel.

❀*** Nelly Borgeau (Jeanne), Michel Favory (Frère Dominique), Christianne Chateau (s), Anne-Marie Rodde (s), Lenka Loubalova (s), Huguette Brachet (c), Pedro Proenza (t), Zdenek Jankovsky (t), François Loup (b), Françoise Deslogères (ondes Martenot), Ch. d'enfants de Kühn, Ch. et Orch. Phil. Tchèque, Serge Baudo. EMI VSM C 167-98349/50 (2 d.) (étr.). Enregistré en 1974.

Si Pedro Proenza et les chœurs ne semblent pas maîtriser la langue de Claudel, il n'en reste pas moins que l'œuvre est ici magnifiquement servie. La vision d'ensemble y est puissante, et profonde la compréhension de la symbiose texte-musique. Baudo n'y renie ni la vulgarité, ni la majesté, ni l'humour, ni la satire, ni la cruauté, ni la «crudité» (sur le plan de la sonorité), il n'y omet ni le mysticisme religieux, ni l'impact dramatique, ni le côté populaire, pour ne pas dire populeux de certains passages. Il faut en outre remarquer qu'il est superbement épaulé par une distribution plus que satisfaisante. De ci de là, il gomme bien quelques vieillissements un peu naïfs de la partition, mais les coloris qu'il donne à l'Orchestre Philharmonique Tchèque sont un véritable feu d'artifice.

Le Roi David, oratorio sur un texte de René Morax. Version originale.

** Christiane Eda-Pierre (s), Janine Collard (a), Eric Tappy (t), Jean Desailly, Simone Valère (récitants), Chorale et Ens. Instr. Philippe Caillard, Charles Dutoit. Erato STU 70.667/68 (2 d.).

Le Roi David, oratorio sur un texte de René Morax. Version pour grand orchestre.

*** Janine Micheau (s), Janine Collard (a), Pierre Mollet (bar), Jean Hervé (récitant), Chorale Elisabeth Brasseur, Maurice Duruflé (orgue), Orch. Nat. de l'ORTF, Arthur Honegger. Telefunken HT 7/8 (2 d.) (sup.). Enregistré en 1953.

Il ne faut pas oublier que cette œuvre fut créée primitivement en tant que musique de scène, et cela avec dix-sept instruments (sans cordes ni orgue). Avoir ainsi choisi d'enregistrer la version originale débarrassant la partition de son aspect oratorio, en lui rendant par la même occasion sa pureté originelle. La clarté transparente que prend alors l'œuvre est évidente, et l'on se prend à découvrir mille détails et trouvailles que l'orchestration avait gommée quelque peu. Eric Tappy y est admirable, et Dutoit trouve un style tout à la fois épuré et sans esbrouffe, intériorisé et sans complaisance attendrie vis-à-vis de la sonorité-en-soi. Seules remarques : le désagrément d'avoir dissocié, par la mise en face, le 3ᵉ Psaume de David du chœur des prophètes, et, la prise de son, non exempte de critiques.

A quand la réédition du *Roi David* par Honegger lui-même ? Il y a quelques années, «Plaisir-Musical» regravait cette version malheureusement re-disparue depuis. La désaffection vis-à-vis de cet enregistrement est inexplicable : les interprètes n'y méritaient que compliments, le repiquage y était superbement réussi, et la vision de l'auteur possédait la valeur d'un témoignage émouvant et plein d'enseignement. La conception d'Honegger, baignée de mysticisme, montrait un roi David fait de chair et de sang. Une version non plus extatique, mais profondément humaine et dramatique. De plus, ce disque reste un des très rares enregistrements du maître dirigeant.

Les 5 Symphonies.

❀*** Orch. Phil. Tchèque, Serge Baudo. Supraphon AR 87.604 (3 d.). Enregistré en 1963. + *Chant de joie, Pacific 231, Pastorale d'été.*

* Orch. du Capitole de Toulouse, Michel Plasson. EMI VSM C 167-16327/29 (3 d.). Enregistré en 1977 et 1978 + *Pacific 231.*

Baudo investit ses Symphonies de «l'intérieur», sans oublier que le Philharmonique Tchèque est capable du pianissimo le plus ténu comme du fortissimo le plus apocalyptique, de la plus onctueuse sonorité comme de la plus «crue». Cela étant, il y a bien quelques ratés dans cette intégrale. Ainsi en est-il de la *1ʳᵉ Symphonie*, où Baudo n'arrive pas à résoudre le problème de l'unité organique de l'œuvre, ou, dans une moindre mesure, la *2ᵉ Symphonie*, honnête sans être inspirée. A noter la première mondiale du *Chant de joie*, une œuvre indispensable. Serge Baudo signe donc une version innervée par l'esprit bien plus que par la lettre, où, pour paraphraser Mahler, la musique est présente «derrière chaque note».

Ce qu'il y a d'admirable chez Plasson, c'est le souci de faire sonner chaque détail de l'orchestration, de rendre à chaque coloris son éclat le plus vif. Cela, malheureusement, au détriment de la rigueur formelle toute classique d'Honegger. Plasson a beau manier les timbres avec science, son romantisme reste tout extérieur, en «effets», sa lecture, superficielle. C'est le cas notamment de la 1ʳᵉ et de la 5ᵉ Symphonies. Si, dans la 2ᵉ, le chef d'orchestre trouve de très belles envolées lyriques, cela excuse-t-il la suppression de la trompette «ad libitum» (à valeur d'*obligato*) dans le dernier mouvement ? Il faut cependant reconnaître que les mouvements lents y prennent une ampleur assez étonnante. Si, dans la «Liturgique» (3ᵉ), les tempos sont encore ralentis (le«*Dona nobis pacem*» est significatif à cet égard), l'orchestre du Capitole de Toulouse n'arrive pas à se défaire de son parti pris d'esthétisme, tout comme dans la 4ᵉ, d'ailleurs. En outre, il semble que cet orchestre s'essouffle dans certains passages, que les instrumentistes soient à la limite de leurs possibilités. En bref, l'emballage (léché) est sophistiqué, mais ce qu'il renferme de musique est bien creux.

Symphonie n° 2 pour cordes et trompette ad libitum, et Symphonie n° 3 «liturgique».

*** Orch. Phil. de Berlin, Herbert von Karajan. DG 2543.805. Enregistré en 1973.

On peut ne pas tomber toujours d'accord avec ce que fait Karajan, mais il faut reconnaître qu'il ne fait jamais les choses à moitié... Ici, son parti pris dramatique (faisant référence aux circonstances compositionnelles des deux œuvres) nous amène face à Schopenhauer et au «fatum» schumannien. Question de climat ? Assurément, et cela grâce à des temps volontairement lents (bien plus lents que chez Munch, par exemple). Karajan gomme, efface les nuances, les contrastes, s'étire dans les pianos et pianissimos, suspend le temps en lui insufflant une énergie sous-jacente, prête à éclater, tendue vers cette délivrance de colère, de violence retenues toujours et encore. Une version toute «en-dedans», introspection qui dépasse la musique pour atteindre l'expression juste du désarroi, de l'angoisse de l'homme face au spectacle de sa propre destruction. Honegger transfiguré, transcendé, ou peut-être, tout simplement, enfin lui-même.

Hotteterre, Jacques
(1684-1762)

Œuvres pour flûte à bec et flûte traversière : Suites, Sonates, Pièces et Brunettes.

❀*** Frans Brüggen (flûte à bec), Barthold Kuijken (flûte traversière), Gustav Leonhardt (clavecin), Wieland Kuijken (viole de gambe). Philips Seon 6776 002 (3 d.) (sup.). Enregistré en 1977.

Beaucoup plus qu'une simple curiosité, un témoignage d'une singulière valeur esthétique sur l'art de l'un des plus grands flûtistes français de l'époque baroque. Portant sur les effets d'articulation et d'ornementation, cet art exige des instruments d'époque et des artistes en possédant totalement la maîtrise. C'est évidemment le cas des interprètes de cet enregistrement, qui ajoutent à cette maîtrise une audace et une profondeur d'instinct avec lesquelles ils plongent au plus vivant de la sensibilité baroque. De surcroît, la réalisation technique est de premier plan.

Hume, Thomas
(1570-1645)

Musicall Humors

*** Jordi Savall (basse de viole). Astrée AS 77. Enregistré en 1982.

Peu de disques aussi bien que celui-ci rendent aussi sensible à la poétique sonore propre à la viole. Jordi Savall nous tient en haleine durant ces cinquante minutes de solo. Il ne fait pas seulement le climat étrange et parfois si changeant de ces *Musicall Humors*, il crée aussi une sorte d'hypnotisme par la seule magie du son. Les innovations techniques de Hume, si étroitement pensées par et pour la viole, l'incitent à livrer dans toute sa nudité la complicité, l'intimité qui le lie à son instrument.

Hummel, Johann Nepomuk
(1778-1837)

Concerto pour mandoline et orchestre en sol majeur. Introduction, thème et variations pour hautbois et orchestre op. 102. Rondeau de société pour piano et orchestre op. 117.

** Raymond Saint-Clivier (mandoline), Jacques Chambon (hautbois), Anne Queffélec (piano), Orch. de Chambre Jean-François Paillard. Erato STU 70.700.

Aucune page essentielle dans ce disque, mais trois ouvrages plaisants. Les trois solistes traduisent à merveille la clarté et la vivacité d'un discours sans problèmes. L'orchestre, un peu routinier, les accompagne avec simplicité.

Concerto pour trompette et orchestre en mi majeur.

*** Maurice André (trompette), Orch. des Concerts Lamoureux, Jean-Baptiste Mari. Erato 70.915. ⌧ MCE 70.915. *+ Aroutounian : Concerto pour trompette.*

La virtuosité sans faille de notre trompettiste national trouve avec le Concerto de Hummel un terrain particulièrement favorable pour s'étaler au grand jour. Le contrôle absolu de son souffle, digne de la plus grande des divas, et la beauté stupéfiante de son qu'il tire de son instrument laissent loin derrière toutes les «époumonades» de ses malheureux rivaux.

Sonates pour piano en fa dièse mineur op. 81 et en ré majeur op. 106.

*** Malcolm Binns (pianofortes Georg Hashka, Vienne vers 1825, et Carl Schmidt, Presbourg vers 1830). Oiseau Lyre 595.014. Enregistré en 1977.

Magnifique interprétation par Malcolm Binns de deux superbes Sonates de Hummel. L'interprète les exécute sur deux pianos d'époque parfaitement restaurés, avec une science confondante. Sachant jouer des couleurs propres à chacun des instruments, son fin toucher illumine les cantilènes des mouvements lents, et son contrôle de la dynamique nous évite ce son de pot fêlé dont beaucoup d'interprètes nous gratifient lorsqu'ils jouent du piano ancien.

Humperdinck, Engelbert
(1854-1921)

Hänsel und Gretel, conte lyrique en trois tableaux.

*** Elisabeth Schwarzkopf (Hänsel), Elisabeth Grümmer (Gretel), Maria von Ilosvay (la Sorcière), Josef Metternich (Peter), Else Schürhoff (Gertrude), Annie Felbermeyer (le Marchand de sable), Ch. de la Loughton High School et de l'Essex Bancroft's School, Orch. Philharmonia, Herbert von Karajan. EMI HMV SLS 5.145 (2 d.). Enregistré en 1953.

** Anna Moffo (Hänsel), Helen Donath (Gretel), Christa Ludwig (la Sorcière), Dietrich Fischer-Dieskau (Peter), Charlotte Berthold (Gertrude), Arleen Auger (le Marchand de sable), Ch. d'enfants de Tölz, Orch. Symph. de la Radio Bavaroise, Kurt Eichhorn. Eurodisc 85.340 (2 d.) (étr.).

** Brigitte Fassbaender (Hänsel), Lucia Popp (Gretel), Anny Schlemm (la Sorcière), Walter Berry (Peter), Julia Hamari (Gertrude), Norma Burrowes (le Marchand de sable), Ch. des Petits Chanteurs de Vienne, Orch. Phil. de Vienne, Georg Solti. Decca D 131 D2 (2 d.) (G-B). Enregistré en 1978.

La version Karajan, qui date du début des années cinquante, et maintenant stéréophonisée, est peut-être la plus satisfaisante, si l'on ne tient pas compte de la supériorité technique des versions plus récentes. Sans doute est-ce dû au climat de fraîcheur de la direction de Karajan et aux voix difficilement surpassables d'Elisabeth Schwarzkopf et d'Elisabeth Grümmer.

Kurt Eichhorn respecte, dans sa direction alerte, précise et d'un goût parfait, l'atmosphère féerique de ce conte. Les chanteurs, qui comptent parmi les plus grands, semblent avoir pris très au sérieux les personnages légendaires qu'ils incarnent avec beaucoup de tact : aucune fausse candeur, mais chacun joue son rôle avec plaisir et conviction. Une très bonne prise de son insiste sur des effets stéréophoniques très poussés.

D'égale valeur, grâce à un plateau de chanteurs tout aussi prestigieux, l'enregistrement dû à Georg Solti rend également justice au côté féerique de l'œuvre. Le chef hongrois met davantage en lumière l'aspect post-wagnérien de l'écriture orchestrale, aidé en cela par une rutilante Philharmonie de Vienne.

I

Ibert, Jacques
(1890-1962)

Le Chevalier errant

** Jean Davy (le récitant), Odile Mallet (la récitante), Roger Gardes (ténor), Michel Roux (basse), Ch. et Orch. Nat. de la Radio-diffusion française, Georges Tzipine. Bourg BG 3.003. Enregistré en 1955.

Epopée chorégraphique en quatre tableaux d'après Cervantès, *Le Chevalier errant*, «choréodrame» hispanisant, marque une sorte de retour à l'opéra-ballet tel que l'aimait le XVIIe siècle. Cet enregistrement, couronné en 1956 par l'Académie du disque français, n'a rien perdu aujourd'hui de sa séduction et de sa vitalité pleine de tendresse et de charme.

Escales.

*** Orch. National de l'ORTF, Jean Martinon. EMI VSM C 069-12.890. *+ Ouverture de Fête ; Tropismes.*

* Orch. de Paris, Daniel Barenboïm. CBS 76.523 (sup.). *+ Chabrier : España. Debussy : Prélude à l'après-midi d'un faune. Ravel : Daphnis et Chloé (Suite n° 2).*

Bien des chefs ont dirigé ces *Escales*, mais Jean Martinon, par son sens raffiné de la nuance, du phrasé, de la présence humaine, nous offre ici l'interprétation idéale. Son art s'exprime avec autant de richesse dans les autres œuvres présentées sur ce disque, qui constitue un hommage de très grande classe à Jacques Ibert.

Beaucoup plus - un peu trop - sage est l'interprétation proposée par Barenboïm. S'il fait preuve de grandes qualités sur le plan du détail, du fini, de la clarté, il manque de la parcelle d'enthousiasme qui fait les instants privilégiés de la musique. Les *Escales* constituent le meilleur moment de ce disque dont le programme, assez disparate et discutable, rassemble des œuvres d'esprit trop divers.

Persée et Andromède

*** Andrée Esposito (Andromède), Marcel Huylbrock (Persée), Jacques Mars (Cathos le monstre), Janine Collard (Thétis), Orch. Phil. de l'ORTF, Eugène Bigot. Bourg BG 3.002. Enregistré en 1963.

Cette brillante fantaisie mythologique de Nino, d'après Jules Laforgue, est une amusante pochade mise en musique avec un raffinement extrême. Les harmonies sont riches, et l'instrumentation rutilante trahit l'influence de Debussy et de Ravel. Cette réalisation dirigée par Eugène Bigot est en tous points excellente, et les solistes interprètent tous leurs rôles avec une justesse, une intelligence et une diction exemplaires. Quarante-cinq minutes de fraîcheur bien française et de bonheur constant.

Les Rencontres-Histoires... Petite Suite en quinze images. Le vent dans les ruines. Toccata sur le nom d'Albert Roussel.

** Françoise Gobet (piano). Métropole 2599 016.

Qui se soucie de musique française ne peut ignorer ce premier enregistrement intégral de l'oeuvre pianistique d'Ibert. Il a en outre le mérite d'être signé par une musicienne ayant très bien connu le compositeur, ce qui permet de rendre sa manière avec plus d'authenticité. Une fois bien admis qu'Ibert n'est pas Beethoven, on admirera la richesse d'une inspiration élégante, poétique et toujours originale.

Symphonie concertante, pour hautbois et orchestre à cordes. La Licorne ou le Triomphe de la chasteté, suite symphonique.

** Jacques Vandeville (hautbois), Orch. Phil. de Nice, Jacques-Francis Manzone. Metropole 2599.066. Enregistré en 1979.

Ibert lui-même reconnaissait que sa Symphonie concertante était l'un des ouvrages qu'il avait le plus longuement médité. C'est en effet une musique riche et profonde qui nous est rendue avec talent par Jacques Vandeville, dont l'interprétation est tour à tour vivante, colorée et sensible. La direction de Manzone reste un peu décevante, car elle manque de souplesse et de luminosité. Elle sert toutefois beaucoup mieux *La Licorne*, qui complète le disque : on sent Manzone plus à l'aise dans cette élégante musique de ballet.

Indy, Vincent (d')
(1851-1931)

Chansons et Danses pour vents.

*** Octuor Maurice Bourgue. Calliope CAL 1827. Enregistré en 1975. *+ Gounod : Petite Symphonie.*

L'Octuor de Maurice Bourgue est d'une finesse, d'une beauté de son réellement superbes. La prise de son, d'une clarté rare, met en valeur chacune des inflexions de cet ensemble dont le bonheur de jouer est contagieux.

Fantaisie pour piano «sur un vieil air de ronde française».

** Jean Doyen (piano). Musidisc RC 742. Mono *+ Ducasse : Etudes. Dukas : Variations sur un thème de Rameau. Hahn : Etudes. Pierné : Passacaille. Vierne : Préludes.*

Jean Doyen s'est toujours plu à défendre la musique française ; et comment ne pas le comprendre en écoutant cette musique vive, enjouée et pleine d'esprit ? Disque inscrit dans une série très économique.

Istar, variations symphoniques op. 42. Wallenstein, trilogie d'après le poème dramatique de Schiller.

** Pierre Dervaux, Orch. des Pays de la Loire. EMI VSM C 069-16.301. Enregistré en 1975.

Pierre Dervaux a choisi pour le premier disque de son orchestre de servir d'Indy. Dans la marée de disques inutiles, il fallait souligner cet acte téméraire. Son interprétation pleine de vie et de mouvement fera bien vite pardonner quelques approximations de mise en place. Dans *Wallenstein*, il met l'accent sur le dramatisme et sur l'énergie de ces trois tableaux, tout en valorisant chaque plan sonore. Bien sûr, l'orchestre n'a pas le poli de certaines grandes formations, mais l'élan et la foi sauvent tout.

Jour d'été à la montagne. La forêt enchantée op. 8. Tableaux de voyage op. 36.

** Pierre Dervaux, Orch. des Pays de la Loire. EMI VSM C 069-16301. Enregistré en 1978.

Malgré un certain manque de cohérence générale, Pierre Dervaux imprime un élan généreux à ces pages méconnues d'un des grands symphonistes français. On retiendra tout particulièrement *Jour d'été à la montagne*, dont la poésie riche et colorée se coule souplement dans le moule de cette rigueur chère à l'auteur de la *Cévenole*.

Musique de chambre : Suite en ré dans le style ancien pour deux flûtes, trompettes et cordes op. 24, Karadec op. 34, musique de scène pour un drame d'André Alexandre, Concert pour piano, flûte, violoncelle et orchestre à cordes op. 89.

** Jean-Pierre Rampal, Philippe Pierlot (flûtes), Maurice André (trompette), François-René Duchâble (piano), Frédéric Lodéon (violoncelle), Orch. de Chambre Jean-François Paillard, Jean-François Paillard. Erato STU 71.423. ⌧ MCE 71.423.Enregistré en 1981.

Un disque bienvenu : justesse des proportions, sensibilité pudique, élégance de l'écriture, tout est admirable dans ces pages sur lesquelles s'est posé le sceau de la perfection. L'interprétation, enjouée dans la Suite op. 24, sobre et subtile dans le Concert op. 89, rend pleinement justice à la musique inspirée de Vincent d'Indy.

Symphonie sur un chant montagnard français pour piano et orchestre en sol majeur op. 25, «Symphonie Cévenole».

*** Robert Casadesus (piano), Orch. de Philadelphie, Eugène Ormandy. CBS 76.552 (sup.). + *Ravel : Concerto pour la main gauche.*

** Aldo Ciccolini (piano), Orch. Société des Concerts du Conservatoire, André Cluytens. Trianon 33.132. Mono. + *Franck : Variations symphoniques.*

Quelle musique vivifiante ! A écouter les jours nuageux. Robert Casadesus joue avec cette simplicité dont on dit qu'elle vient du cœur ; attentif à chacune de ses inflexions, Eugène Ormandy joue le jeu de la grandeur, sans pour autant négliger les multiples détails raffinés que renferme la partition.

Aldo Ciccolini et André Cluytens ne manquent pas de vigueur, ni de poésie, mais l'impressionnisme de leur interprétation n'est pas toujours convaincant.

Symphonie n° 2 en si bémol majeur op. 57.

** Orch. du Capitole de Toulouse, Michel Plasson. EMI VSM C 069-73.100. ⌧ C 269-73.100. Enregistré en 1981.

Première et excellente gravure de cette *Symphonie op. 57* dans laquelle Vincent d'Indy affirme tout entier ses contradictions et ses qualités complémentaires, son wagnérisme et son goût français pour les harmonies modales et les thèmes populaires. L'interprétation de Michel Plasson est très lyrique, très colorée et met en valeur la substance et la richesse de l'orchestration de Vincent d'Indy.

Thème varié, Fugue et Chanson pour piano op. 85.

* Annie d'Arco (piano). Calliope CAL 1812 (sup.). Enregistré en 1974. + *Chanson : Paysage. Ropartz : Croquis, 3ᵉ Nocturne.*

A défaut de nous avoir donné un enregistrement de la Sonate pour piano de d'Indy, Annie d'Arco, pour qui la défense et illustration de la musique française n'est pas un vain mot, a choisi ce *Thème varié* auquel elle imprime une belle vitalité, pas toujours exempte de raideur cependant.

Ives, Charles
(1874-1954)

«Le monde de Charles Ives».

*** Sonate pour piano n° 2 «Concord Mass. 1840-1860» : Ralph Kirkpatrick (piano). Quatuor à cordes n° 2 : Quatuor Juilliard. Psaumes et œuvres chorales : Gregg Smith Singers, Ch. du Collège d'Ithaca, Ch. des Texas Boys de Fort Worth, Gregg Smith. Three Places in New England : Orch. de Philadelphie, Eugene Ormandy. Washington's Birthday : Orch. Phil. de New York, Leonard Bernstein. Ouverture Robert Browning : Orch. Symph. Américain, Leopold Stokowski. CBS S 77.406 (3 d.) (sup.).

Un véritable concert de tous les talents. La Sonate «Concord» est interprétée par son créateur. Le Quatuor Juilliard est à son plus haut niveau de perfection. Gregg Smith et les trois chefs d'orchestre sont là, qui ont le plus fait pour faire entendre au monde l'œuvre de Ives. Toutes les pièces du programme présentent de l'intérêt. Une sélection d'œuvres et un choix de musiciens comme on n'en fait guère.

Lieder.

** Dietrich Fischer-Dieskau (bar), Michael Ponti (piano). DG 2530.696 (RFA).

Fischer-Dieskau s'attaquant à l'un des phénomènes musicaux les plus étranges de notre temps. Les Lieder de Ives sont, soit des pièces entièrement originales, soit des sortes de «collages» où la partie chantée est presque complètement indépendante de la mélodie du piano. La voix est toujours aussi belle, l'intelligence des textes aussi vive. Michael Ponti est le partenaire du grand chanteur dans cette entreprise délicate ; il s'en tire avec tous les honneurs. Le jeu est détaché ; le sens de l'humour nécessaire devant de telles difficultés est grand.

Symphonie n° 1 en ré mineur.

** Orchestre de Philadelphie, Eugene Ormandy. CBS 72.683 (sup.). *+ Variations sur «America».*

* Orch. Phil. de Los Angeles, Zubin Mehta. Decca 6592 GP 360 (G-B). *+ Elgar : Variations Enigma.*

Ormandy interprète avec vigueur cette Symphonie de jeunesse, où Ives se laisse aller à l'imitation de Dvořák. L'œuvre prend sous sa baguette un caractère de grande vigueur, avec une insistance particulière sur les irrégularités rythmiques qui donnent une grande vie à une musique mélodiquement très classique. Le couplage avec les *Variations «America»* est particulièrement heureux, car il fait ressortir le côté humoristique et incongru du génie du compositeur.

L'enregistrement de Mehta est très soigné. Presque trop, car l'auditeur est amené à constater qu'il ne se passe pas grand-chose dans la partition et que l'œuvre est bien proche de tant de morceaux symphoniques écrits à la fin du XIXe siècle en utilisant des fragments de musique populaire. Civilisé et bien peigné, cela fait un parfait pendant aux Variations d'Elgar qui occupent l'autre face du disque.

Symphonie n° 2.

** Orch. Phil. de New York, Leonard Bernstein. CBS 77.424 (sup.).

Bernstein traduit à merveille le mélange perpétuel de thèmes populaires et de grandes envolées orchestrales compliquées qui constituent le style qu'Ives était en train de se forger lorsqu'il écrivit la seconde Symphonie. La superposition de rythmes différents, les changements perpétuels de tonalité demandent que l'architecture de l'œuvre soit très rigoureusement remise en place. C'est ce que fait le chef qui souligne de façon vigoureuse les traits essentiels et ne nous laisse jamais nager dans des détails inutiles.

Symphonie n° 3 «The camp meeting».

** Orch. Phil. de New York, Leonard Bernstein. CBS 60.268. *+ Decoration day, Central Park in the dark, The unanswered question.*

Bernstein a regroupé sur un même disque la plus simple des symphonies de Ives et trois poèmes symphoniques beaucoup plus ambitieux. Il traite toutes ces œuvres avec sa vigueur et sa fougue coutumières, faisant ressortir les éclats sonores des instruments sans jamais perdre de vue la construction d'ensemble d'une musique à laquelle le compositeur a voulu donner un caractère imitatif précis.

Symphonie n° 4.

** Schola Cantorum de New York, Orch. Symph. Américain, David Katz, José Serebrier, Léopold Stokowski. CBS 72.403 (sup.).

* Orch. Symph. de Boston, Seiji Ozawa. DG 2530.787 *+ Central Park in the dark.*

Suivant la volonté du compositeur, Leopold Stokowski s'est associé deux chefs d'orchestre assistants pour diriger cette œuvre foisonnante, polyrythmique, polytonale, où règne la confusion du génie. Il parvient à nous donner l'impression que nous dominons cette masse de musique en fusion, véritable volcan de sons, comme on n'en avait jamais entendu encore. L'orchestre et le chœur semblent n'avoir aucune difficulté à retrouver leur chemin dans ce dédale. On a vraiment la sensation d'assister à la création d'un nouveau monde musical.

La version d'Ozawa est d'une grande perfection technique. Il domine cette partition complexe avec la même aisance apparente que s'il s'agissait d'une œuvre classique. Mais ce que nous gagnons en perfection des sons - car le travail des techniciens est remarquable -, nous le perdons en mystère et en sens de la découverte. Devenue apparemment facile, la Symphonie n'exerce plus sur nous la même fascination. Fort bon couplage avec *Central Park in the dark*, pièce impressionniste où la précision d'Ozawa crée un climat de grisaille un peu froide extrêmement intéressant.

Holidays Symphony.

* Orch. Philharmonique de New York, Leonard Bernstein. CBS MS-7147 (USA).

Le talent volcanique de Bernstein s'assouplit ici pour rendre les subtilités impressionnistes de ces pièces, évocation musicale d'une Amérique traditionnelle. La qualité des instruments et des chanteurs donne un aspect poli au granit taillé à grands traits par Ives. Les audaces du compositeur ne nous effraient plus, tant elles semblent maîtrisées par les exécutants.

J

Jacquet de la Guerre, Elisabeth
(1667-1729)

Quatre Suites pour clavecin

** Emer Buckley (clavecin). Harmonia Mundi HM 1.098. Enregistré en 1982.

Emer Buckley nous persuade que les *Suites* d'Elisabeth Jacquet de la Guerre ne sont pas le fond sonore d'une galante alcôve versaillaise, mais bien la musique qui s'écoute dans le salon d'une femme d'esprit. Son interprétation écarte de parti pris le maniérisme et la mièvrerie et s'applique à valoriser l'élégance, le raffinement, et parfois aussi une sorte de hauteur distante que cette musique consent à livrer pour peu qu'on veuille bien les y chercher.

Janáček, Leoš
(1854-1928)

L'Affaire Makropoulos, opéra.

*** Elisabeth Söderström (Emilia), Peter Dvorský (Albert), Vladimir Krejčik (Vitek), A. Czaková (Kristina), Ch. de l'Opéra d'Etat de Vienne, Orch. Phil. de Vienne, Charles Mackerras. Decca 396.015.(2 d.). Enregistré en 1979.

** Libuse Prylová (Emilia), Ivo Zídék (Albert), Rudolf Vonašek (Vitek), Helena Tattermuschová (Kristina), Ch. et Orch. du Théâtre National de Prague, Bohumil Gregor. Supraphon 50.811. Enregistré en 1966.

Même si l'*Affaire Makropoulos* n'apporte rien de très original dans l'évolution esthétique de Janáček, cet opéra offre à l'héroïne un rôle digne des grandes actions du théâtre le plus total. Peu de cantatrices ont pris le risque de rendre un tel personnage. Dans la gravure viennoise, Elisabeth Söderström s'exprime avec une intensité hallucinante, en particulier dans le monologue qui conduira à sa décision d'accepter la mort... Elle est entourée par les meilleurs chanteurs tchèques. Charles Mackerras conduit le Philharmonique de Vienne avec une recherche de la couleur de timbre splendide.

L'équipe tchèque dirigée par Bohumil Gregor ne peut prétendre à une si grande splendeur, mais elle vaut beaucoup par une direction frénétique et un dramatisme incandescent. Libuse Prylová, qui n'en est pas moins une artiste remarquable, ne rejoint pas l'interprétation puissante de Söderström, qui, elle, pouvait être comparée à l'inoubliable Marie Collier.

Les Aventures de la petite renarde rusée, opéra.

❀***Zdenèk Kroupá (le forestier), Jaroslava Procházková (sa femme), Jan Hlavsa (l'instituteur), Dalibor Jedlička (le curé), Helena Tattermuschová (la renarde Fine-Oreille), Eva Zikmundová (le renard), Libuse Marová (le chien), Ch. et Orch. du

Théâtre National de Prague, Bohumil Gregor. Supraphon 1 12 1.181 (2 d.). Enregistré en 1972.

*** Dalibor Jedlička (le forestier), Eva Zigmundová (sa femme), Vladimir Krejčík (l'instituteur), Richard Novák (le curé), Lucia Popp (la renarde Fine-Oreille), Eva Randová (le renard), Libuše Marová (le chien), Ch. de l'Opéra d'Etat de Vienne, Ch. d'enfants de Bratislava, Orch. Phil. de Vienne, Charles Mackerras. Decca 591.248 (2 d.). Enregistré en 1981.

*** Richard Novák (le forestier), Helena Buldrová (sa femme), Miroslav Frydlewicz (l'instituteur), Karel Průša (le curé), Magdalèna Hajóssyová (la renarde Fine-Oreille), Gabriela Beňačková-Cápová (le renard), Ivana Mixová (le chien), Ch. et Orch. Phil. Tchèque, Václav Neumann. Supraphon 1116 3.471/72 (2 d.). Enregistré en 1979.

Bohumil Gregor est l'animateur frénétique de ce conte lyrique où la nature vient à la rencontre des humains (le trio incomparable formé par l'instituteur, le garde-forestier et le curé !), tandis que les animaux s'intègrent ou font vivre ces scènes champêtres. Helena Tattermuschová, dans le rôle de la renarde Fine-Oreille, ne manque ni de charme, ni d'intensité, et le reste du plateau est d'une parfaite homogénéité. Elle fait oublier Böhmová qui la précédait dans l'enregistrement monophonique de 1955, dirigé par Neumann.

Charles Mackerras, disposant d'une troupe exclusivement tchèque à l'exception de Lucia Popp, se veut plus exubérant que Gregor et Neumann, ses prédécesseurs ; il se montre également moins lyrique et féerique qu'eux. La magnifique plus-value sonore que nous offre la Philharmonie de Vienne fait que cette œuvre de terroir prend une autre stature, la spontanéité du parler étant remplacée par la luxuriance des couleurs. On pourra longtemps épiloguer sur la prononciation morave de Lucia Popp... L'important reste que Mackerras donne un nouvel éclairage à l'ouvrage, sans effacer cependant le souvenir du lyrisme plus appuyé de Gregor.

Neumann, ici, a pris quelque distance par rapport à sa verve d'antan. Il n'atteint ni au lyrisme, ni aux prolongements impressionnistes et moussorgskiens de Bohumil Gregor, mais se veut à la fois plus strict, plus ému et plus paysan que Mackerras. Le plateau vocal, exclusivement tchèque, est de tout premier ordre.

Les Aventures de la petite renarde rusée : suite d'orchestre.

*** Orch. Phil. Tchèque, Václav Neumann. Panton 8111.0055. (étr.). Enregistré en 1978.

Václav Talich a réalisé la suite d'orchestre posthume, extraite de l'opéra *la Petite Renarde rusée.* On ne peut que recommander vivement la version dirigée par Václav Neumann, éclatante de lyrisme et de rythme.

Cantate Amarus.

** E. Gebauerová (s), Jiří Zahradníček (t), René Tuček (bar), Ch. Phil. Tchèque, Orch. Phil. d'Ostrava, Otakar Trhlík. Supraphon 1 12 1.678 (étr.). Enregistré en 1974. + *Suk : Sous le pommier.*

Elaborée au cours de la même période que *Jenufá*, la Cantate *Amarus* attendit elle aussi quinze ans avant d'atteindre à la célébrité. Créée le 2 décembre 1900 à Kroměříz, par des chœurs et un orchestre formés en grande partie d'amateurs sous la direction du compositeur, l'œuvre déçut. En pleine guerre (1915), le fondateur du *Chœur des Instituteurs Moraves* de Brno, Ferdinand Vach, en donne une traduction exemplaire. Depuis, cette cantate, où la mort n'intervient qu'après que la beauté de la nature et de l'amour ont illuminé la vie de moine d'*Amarus*, reste un modèle pour les musiciens tchèques du XXe siècle. Rien de moins funèbre que cet hymne où des cloches presque de fête se fondent pour métamorphoser le *leitmotiv* lugubre exprimant la demande d'*Amarus*, le moine orphelin, désirant rejoindre sa mère. L'excellente version de Neumann (1955) ayant disparu des catalogues (Supraphon 10.387), il reste à souhaiter que celle d'Otakar Trhlík soit importée d'Allemagne ou de Tchécoslovaquie.

Capriccio pour piano (main gauche) et ensemble d'instruments à vent.

** Josef Páleníček (piano), Ensemble d'instruments à vent de la Philharmonie Tchèque, Cerný. Supraphon 1 11 1.481/2 (2 d.). Enregistré en 1972. + *Concertino pour piano, Sur un sentier broussailleux, Sonate, Dans les brumes.*

Il existe quatre gravures de cette œuvre curieuse, la première étant celle du dédicataire, le pianiste, manchot par fait de guerre, Otakar Hollmann (Supraphon 10.356 mono), les trois autres étant de niveau comparable. Celle du tandem Rudolf Firkusny/Kubelik reste la moins moderne et la plus facile d'accès, alors que celle due à Radoslav/Kvapil/Hanousek (Panton 11 0.211) impose cette impression de vie jaillissante, explosive, qui était celle que transmettait l'auteur de la *Sinfonietta*. Le contrepoint orchestral semble être un résumé de cette œuvre contemporaine du *Capriccio* et doit mener le jeu. La version Palenïček/Cerný est un heureux compromis entre l'esprit de divertissement de Kubelik et la perfection percussive de Kvapil.

Carnets d'un disparu, pour mezzo soprano, ténor, chœur féminin (trois solistes) et piano.

❀*** Clara Wirz (ms), Peter Keller (t), Chanteurs de Lucerne, Mario Venzago (piano), Hansruedi Willisegger. Accord 140.007. Enregistré en 1979.

En attendant la disponibilité de la nouvelle version tchèque, enregistrée en 1978 mais non encore disponible, même à Prague, il faut saluer comme elle le mérite la gravure réalisée avec Clara Wirz, intense et tendre gitane, Peter Keller, aussi vaillant que sensible, et les solistes du Chœur de Lucerne, l'ensemble étant conduit avec délicatesse par Hansruedi Willisegger. Rappelons que Janáček a expressément autorisé la version allemande de ce micro-opéra. Dans cette optique, cette version dépasse la référence qu'était jusqu'alors la gravure de Kubelik, aujourd'hui supprimée du catalogue.

9 Chœurs, pour voix d'hommes.

*** Ch. des Instituteurs moraves, Antonin Tucapsky. Supraphon 1 12 0878. Enregistré en 1970.

De la merveilleuse musique : Janáček étant passé maître dans la composition des chœurs, et le Chœur des Instituteurs moraves est étroitement attaché à toute une partie de son existence. L'un des morceaux, *la Fée de l'Angelus*, fut composé tout spécialement pour cette formation après que Janáček l'eut entendue. L'interprétation est à la fois passionnée et inspirée : un disque extrêmement prenant.

19 Chœurs pour voix d'hommes. 18 Chœurs mixtes. 6 Mélodies populaires d'Hukvaldy.

*** Ch. Phil. de Prague, Ch. Phil. Tchèque, Josef Veselka. Supraphon 1 12 2441/2. (2 d.) (étr.). Enregistré en 1977.

Il est inutile d'insister sur l'importance première de l'œuvre pour chœur dans l'étude du style de Janáček. On peut ainsi juger quelle était l'influence réelle de Smetana dans les années 1870-80 sur l'instituteur-chef de chœur qu'était ce Morave bourru et têtu. La violence de son style, le miracle qui parcourra toute sa musique, après un demi-siècle de travail solitaire, sera particulièrement évident pour qui se donnera la peine d'écouter l'intégralité des chœurs d'hommes. L'anthologie de Josef Veselka est d'une qualité indiscutable et prend le relais de la vieille édition de Soupal à la tête du Chœur des Instituteurs Moraves. Les fanatiques de ces chœurs pourront retrouver Veselka dans les chœurs manquant à cette anthologie en se procurant à l'étranger le disque Panton 11 0400.

Concertino pour piano et petit ensemble.

** Josef Páleníček (piano), Ensemble Phil. Tchèque. Supraphon 1 11 1.481/2 (2 d.). Enregistré en 1972. *+ Capriccio pour la main gauche, Dans les brumes, Sur un sentier broussailleux, Sonate.*

Comme pour le *Capriccio*, le catalogue français est aujourd'hui muet. Pourtant, des pianistes comme Holeček, Firkusny, Kvapil, Klien, Páleníček (par deux fois) ont enregistré ce septuor concertant qu'est ce Concertino, qui, tout comme le sextuor qui le précède, pourrait être également sous-titré «jeunesse» (mladi). Josef Páleníček paraîtra un peu docte, comparé à Kvapil ou Firkusny, l'un plus incisif et impulsif, l'autre plus gai et simple. Le Melos Ensemble de Londres avait enregistré (1967) une version « de chambre», dans la même volonté de stylisation bon enfant que Firkusny et les solistes bavarois. L'édition critique de Janáček justifie le choix de l'équipe Kvapil/Hanousek, donnant la primauté à la perfection du déroulement rythmique sur les nuances de couleur.

Le Conte, sonate pour violoncelle et piano.

** Stanislav Apolin (violoncelle), Radoslav Kvapil (piano). Panton 11.0214 (étr). Enregistré en 1971. + *Sonate pour violon et piano, Jeunesse.*

La Sonate pour violoncelle et piano s'inspire d'un poème épique de Joukovsky contant la légende du Tsar Berendej. Il met en scène le tsar, son fils Ivan, Kostej, le roi des Enfers, et la fille de ce dernier, Maria. Un jour, le tsarevitch avait vu nager sur un lac trente canetons au plumage argenté qui s'étaient, sous son regard, transformés en autant de jeunes filles. La plus belle n'était autre que Maria, qu'il jure alors de prendre pour épouse. Mais Kostej lui impose deux épreuves dont il ne peut venir à bout qu'avec la complicité de Maria. La Sonate décrit les tribulations du tsarevitch, auquel le violoncelle donne sa voix ; le piano vit les scènes et joue le rôle de Maria. La version à recommander est celle, excellente, d'Apolin et Kvapil, qui mieux que tout autre duo, animent ce conte de fées de toute sa verve rapsodique et lyrique.

Dans les brumes, quatre pièces pour piano.

*** Radoslav Kvapil (piano). Panton 11.0213 (étr.). Enregistré en 1971. + *Souvenir, Danses moraves, Tema con variazioni.*

** Josef Páleníček (piano). Supraphon 1 11 1481/2 (2 d.). Enregistré en 1972. + *Capriccio pour la main gauche, Concertino pour piano et ensemble de chambre, Sonate, Sur un sentier broussailleux.*

Si ce n'était la «diction» presque vocale qu'exige cette musique, tout pianiste devrait avoir la curiosité de la mettre à son répertoire, au même titre que certains Préludes de Debussy. Mais loin des scintillements et des mirages impressionnistes, ces pièces mettent en musique de douces cantilènes moraves aux sixtes profondes et envoûtantes. Ici, la gitane des *Carnets d'un disparu*, tout comme *l'Enfant du violoneux* vous content des histoires qui paraissent d'une effarante réalité tant cette musique est directe et son intériorité d'une déchirante richesse. Evá Bernathová, Firkusny, Kapvil, Antonin Kubalek, Lamar Crowson, Ute Starke et d'autres ont enregistré ce quatrain inimitable. La vision de Kvapil se caractérise par une sorte de gravité bon enfant, héritée de la dernière manière de Dvořák.

Le jeu de Páleníček, d'égale qualité que celui de Kvapil, est différent dans l'esprit. Il a ce frémissement inquiet, cette tension qui sourd naturellement de l'impressionnisme viscéral qui est bien autre chose qu'une curiosité grammaticale ou une fausse modernité.

Trois Danses moraves, pour piano.

*** Radoslav Kvapil (piano). Panton 11.0213 (étr.). Enregistré en 1971. + *Tema con variazioni, Sonate, Souvenir, Dans les brumes.*

*** Rudolf Firkusny (piano). DG 2707.055 (sup.) Enregistré en 1969. + *Capriccio, Dans les brumes, Sonate, Sur un sentier broussailleux, Concertino pour la main gauche.*

On peut, certes, ignorer ces trois courtes pièces, mais on les appréciera néanmoins, car elles apparaissent au détour des récitals de deux grands pianistes tchèques. Celui de Radoslav est d'une exceptionnelle qualité artistique.

Le programme offert par l'enregistrement de Firkusny est à peu près semblable à celui de Kvapil. Sans atteindre un niveau aussi remarquable, il reste d'une très bonne tenue artistique.

De la Maison des Morts, opéra.

*** Dalibor Jedlička (Gorianchikov), Jaroslava Janska (Aljeja), Jïri Zahradniček (Morosov), Antonín Svorč (le Commandant), Ivo Sitek (Skuratov), Jaroslav Sousek (Tchekunov), Ch. et Orch. Phil. de Vienne, Charles Mackerras. Decca 591.034 (2 d.). ⌧ 4-390.276 (2 c). Enregistré en 1980.

** Václav Bednar (Gorianchikov), Helena Tattermuschová (Alillia), Beno Blachút (Morosov), Jaroslav Horaček (le Commandant), Ivo Zídék (Skuratov), Joszef Heriban (Tchekunov), Ch. et Orch. du Théâtre National de Prague, Bohumil Gregor. Eurodisc 919.031. Enregistré en 1964.

** Milada Jirglova (Aleja), Vilém Přibyl (Filka), Ivo Zídek (Skouratov), Richard Novak (Gorianchikov), Jaroslav Soucek (Chichkov), Jaroslav Horaček (le Commandant), Benö Blachút (le vieux prisonnier), Jaroslav Striska (le grand prisonnier), Karel Berman (le petit prisonnier), Jindrích Jindrák (Tchekounov), Milan Karpisek (Sapkin, Kedrill), Ch. et Orch. Phil. Tchèque, Václav Neumann. Supraphon 301.092 (2 d.). Enregistré en 1979.

Mackerras nous donne pour la première fois au disque la version et intégralement originale de Janáček, où l'instrumentation est d'une phénoménale verdeur. Le principal protagoniste reste l'orchestre, acide, anguleux, extraordinairement contrasté et renouvelé à chaque mesure. Mackerras dirige avec une enthousiasmante clarté cette immense polyphonie lyrique où la Philharmonie de Vienne peut accomplir d'éclatantes prouesses. On retrouve les mêmes chanteurs que dans les précédentes productions Mackerras/Vienne ou Supraphon, et d'autres, nouveaux, tout aussi bons.

Ce reportage sur quatre années de «vie» dans un bagne sibérien est resté non seulement d'une actualité brûlante, mais son absence totale d'action l'a débarrassé de toutes les conventions pouvant suspendre cet irrémédiable marche à la mort. Le véritable truchement est ici l'orchestre. Janáček utilise la petite harmonie avec l'efficacité que nous lui avons connue dans le *Capriccio* ou la *Sinfonietta*. Les arêtes doivent rester vives, tant sur le plan de la rythmique vocale, calquée sur le parler-chanter morave, que sur celui de la netteté d'émission de ces instruments à vent au pouvoir décapant digne d'un Varèse. A ce titre, l'édition de Gregor, d'une magnifique homogénéité vocale, peut encore être améliorée en contrastes et en couleur orchestrale.

Avec Neumann, la puissance dramatique est phénoménale. Les cordes explosent, palpitent, les cuivres grognent, crient, geignent ; les voix émeuvent, les récits sont sommanbuliques, le monologue de Chichkov est saisissant. On pourra discuter sur l'Aleja de Jirglova, le timbre perçant de Mikova, mais Novak, Přibyl, Zidek, Soucek sont là et imposent une indéniable authenticité. Même remarque pour les choeurs et l'orchestre, qui n'ont pas à rougir de la comparaison avec Vienne.

Le Destin, opéra.

*** Vilém Přibyl (Zivny), M. Hayossyova (Milá), Ch. et Orch. de l'Opéra de Brno, František Jiléк. Supraphon 1112 2011/2 (2 d.). Enregistré en 1976.

Première gravure mondiale du cinquième des dix ouvrages écrits pour la scène par Janáček. Depuis plus d'un siècle, cet opéra déroute. Le livret, en octosyllabes, envahi d'expressions à double sens, est aujourd'hui difficile d'accès pour les Tchèques eux-mêmes. La mise en scène orchestrale est extraordinaire, l'efficacité d'écriture digne du meilleur Berg, qui annonce le chef-d'œuvre qu'est *De la Maison des Morts*. La réalisation de l'Opéra de Brno est de toute beauté et impose cette œuvre où Janáček s'est mis lui-même en scène dans trois situations humaines successives. A acquérir absolument par ceux qui veulent accéder au monde lyrique du maître morave.

Jenufá, opéra.

*** Anna Barová (Jenufá), Nadeždá Kniplová (Kostelnická), Gabriela Benacková (Buryjovká). Karel Berman (Steva), Vladimir Krejčik (Lacá), Ch. et Orch. de Brno, František Jiléк. Eurodisc 300.260 (2 d.). Enregistré en 1977.

Jenufá : extraits.

*** Libuše Domaninská (Jenufá), Nadežda Kniplová (Kostelnická), Maria Mrazová (Buryjovká), Vilém Přibyl (Stevá), Jindrích Jindrák (Lacá), Ch. et Orch. du Théâtre National de Prague, Bohumil Gregor. Supraphon 1 12 0791 (étr.). Enregistré en 1968.

Jenufá fit la gloire de Janáček, et l'on ne peut comprendre son absence prolongée de notre catalogue. Fort heureusement, une toute nouvelle version y fait son apparition, réalisée à Brno, où Janáček professa un demi-siècle durant. Cette réalisation est de grande qualité, et remplace fort avantageusement les versions malheureusement supprimées de Jaroslav Vogel (Supraphon 10.243/45, mono, 1950) et de Bohumil Gregor (1968).

Le disque d'extraits dirigés par Gregor est tiré de l'intégrale disparue, où brillait tout particulièrement la merveilleuse Jenufá incarnée avec tant de tendresse et de passion par Libuśe Domaninská.

Jeunesse, sextuor pour instruments à vent.

*** Quintette à vent de Prague, A. Nachtaval (clarinette-basse). Supraphon 1 11 1177 (étr.). Enregistré en 1972. *+ Martinů : Sextuor. Kabelac : Sextuor.*

* Les Solistes à vent de Vienne. Decca SDD 523 (G-B). Enregistré en 1976. *+ Ibert : Trois Pièces. Hindemith : Kleine Kammermusik op. 24 n°2. Ligeti : 10 Pièces pour quintette à vent.*

Il est regrettable que ce Sextuor *Jeunesse* soit absent du catalogue français. Les versions recommandables ne sont disponibles qu'à l'étranger. Sur le plan du style, seul le Quintette à vent de Prague dispose de l'intensité, par instants frénétique, que demande cette *mini-sinfonietta* pour instruments à vent.

L'ensemble des Solistes à vent de Vienne recherche plus les jeux de timbre et une virtuosité peu ordinaire qu'une prémonition de cette *Jeunesse* permanente qui s'était emparée des dernières partitions du maître morave.

Katya Kabanová, opéra.

*** Elisabeth Söderström (Katya), Peter Dvorský (Boris), Vladimir Krejčik (Tikhon), Nadežda Kniplová (la Kabanicha), Ch. de l'Opéra d'Etat de Vienne, Orch. Phil. de Vienne, Charles Mackerras. Decca 390.014 (2 d.). Enregistré en 1977.

** Drahomira Tikalová (Katya), Benö Blachút (Boris), Bohumir Vích (Tikhon), Ivana Mixová (Varvara), Ludmilla Komancová (la Kabanicha), Ch. et Orch. du Théâtre National de Prague, Jaroslav Krombholc. Supraphon 50.005/6 (2 d.) (étr.). Enregistré en 1962.

La première apparition du soprano suédois Elisabeth Söderström dans le rôle de Katya Kabanová fut un véritable triomphe. Néanmoins, la guerre entre les tenants d'une artiste d'origine tchèque pour «dire» ce texte à l'accentuation spécifique du terroir morave et les amateurs d'opéra qui, comme Kleiber dès 1923, firent connaître cet ouvrage à Vienne, n'est pas terminée ; il reste qu'ainsi entourée d'artistes des théâtres nationaux tchèques, Söderström donne un relief saisissant à cet être tout de tendresse et de pureté, aussi passionné que bourrelé de scrupules, puis de remords. On ne peut qu'admirer la douce limpidité de Söderström dans ces monologues et ces duos d'amour, puis d'adieu avec Boris, tandis qu'elle est capable de l'intensité la plus pleine lors de la scène de l'aveu. Elle s'impose ainsi devant l'excellente Katya de l'enregistrement tchèque de 1962, Drahomira Tikalová, plus à l'aise dans l'intense que dans la tendresse diaphane. Avec Söderström, on retrouve la terrifiante Nadejda Kniplová dans le rôle de la Kabanicha, que nous avions découverte dans celui de Kostelnická de *Jenufá*. Enfin, Mackerras remet à leur place les deux petits interludes prévus pour les changements de décor entre les trois actes, pages que n'avait pas retenues la gravure de 1962, préparée par le regretté Talich qui préconisait quelques coupures.

L'interprète tchèque du rôle de Katya vit le drame d'une manière directe et fortement contrastée. On la sent beaucoup plus à l'aise dans le registre de l'intensité que dans celui de la tendresse et de la transparence : alors que Söderström graduait son personnage jusqu'à la fatalité du suicide final, Tikalová le conçoit tout d'un bloc de passion. On remarque la superbe interprétation du ténor Benö Blachût, alors au faîte d'une grande carrière. Sur le plan orchestral, Krombholc est désavantagé, car il ne dispose pas de la splendide palette, des timbres et des contrastes dynamiques que la Philharmonie de Vienne offrait à Mackerras. Aussi, la vision se fait-elle plus simple et plus réaliste, faute de pouvoir jouer sur les nuances.

Messe glagolitique.

❀*** Libuše Domaninská (s), Vera Soukupová (c), Benö Blachût (t), Eduard Haken (b), Jaroslav Vodrazká (orgue), Ch. Phil. et Orch. Phil. Tchèque, Karel Ančerl. Supraphon 50.519. Enregistré en 1963.

*** B. Benacková (s), Vera Soukupová (c), Livora (t), Karel Průša (b), Ch. Phil. et orch. Phil. Tchèque, Václav Neumann. Panton 11.0720 (étr.) Enregistré en 1978.

* Helga Pilarczyk (s), Janis Martin (s), Nicolaï Gedda (t), George Gaynes (b), Ch. de Westminster, Orch. Phil. de New-York, Leonard Bernstein. CBS 75.361 (étr.). Enregistré en 1967.

* Teresa Kubiak (s), Anne Collins (ms), Robert Tear (t), Wolfgang Schöne (b), Ch. du Festival de Brighton, Orch. Phil. Royal de Londres, Rudolf Kempe. Decca 390.205. Enregistré en 1973.

Cet hymne à la culture slave *glagolitique* vient de *glagol*, signifiant slavon, requiert soprano, alto, ténor et basse, chœur mixte et orchestre. La vision qu'en grava Karel Ančerl allie la puissance dramatique à cette évidence slave qui fait que cette «messe» devient bien plus un acte de foi en la pérennité de l'âme de ce peuple «slavon» qu'une musique liturgique ou «opératique» du style laissé par Berlioz ou Verdi. L'enregistrement de Karel Ančerl fut d'ailleurs couronné du Grand Prix de l'Académie Charles Cros en 1964.

A l'étranger, on peut se procurer une très bonne version : le disque qui résulte d'un enregistrement de concert public, donné le 5 janvier 1978, dans la fameuse salle Dvořák à Prague, avec au pupitre, Václav Neumann.

La gravure d'un chef aussi réputé que Leonard Bernstein n'est pourtant pas à retenir pour ce répertoire, car elle manque d'authenticité : c'est en effet un peuple qui chante dans son arbre généalogique, et qui seul peut y chanter juste. Il semble que seuls les slaves puissent trouver l'esprit qui convient.

Même remarque pour la version dirigée par Kempe, qui est cependant brillante, vivante, et qui bénéficie du très beau chant du soprano Teresa Kubiac. Mais il manque, là aussi, l'ardeur slave.

Deux Quatuors à cordes : n° 1, inspiré par la «Sonate à Kreutzer», n° 2 «Lettres intimes».

*** Quatuor Janáček. Supraphon 50.556 (étr.). Enregistré en 1963.

** Quatuor de Kreuzberg. Telefunken 6.42179. Enregistré en 1977.

* Quatuor Gabrieli. Decca SDD 527 (G-B). Enregistré en 1977.

Ce diptyque forme certainement l'un des plus curieux chefs-d'œuvre de la littérature pour quatuor. Que la femme déchirée du roman de Tolstoï puisse soudain vivre avec la même intensité par le truchement d'un premier violon exprimant sa rage, sa passion, son innocence comme son besoin d'amour et de beauté, est une réussite unique. Avec le second Quatuor, dans une clarté tendre et cruelle, dans cette intimité propre à la musique de chambre, Janáček met en scène ses besoins profonds d'amour, réalisant ce véritable journal, ces *carnets* qui seront, pour les *Lettres intimes*, quelques semaines plus tard, ceux *d'un disparu*. Quant à la forme de ce diptyque, elle se veut absolument classique. Reste que, sur le plan de l'intonation, l'instantanéité des accents, le jeu des couleurs harmoniques, ces œuvres sont uniques. Pendant un demi-siècle, seuls des ensembles tchèques se sont risqués à tenter d'en traduire les méditations intimes comme les accès de tendresse ou de rage. A ce titre, la gravure du Quatuor Janáček est une référence.

Pour leur premier disque, les musiciens du Quatuor Kreuzberg n'ont pas choisi la facilité. Mais c'est pourtant une entière réussite, riche de promesses. La qualité expressive des interventions solistes, la justesse des tempos, la précision rythmique contribuent à faire de cette gravure une version digne d'un ensemble tchèque.

Les Gabrieli se laissent aller à un déchaînement symphonique puissant, mais le revers de la médaille est qu'ils se laissent eux-mêmes enivrer par leur beau son, et romantisent ce qui devrait rester rythmique, explosif et spontané. Ils en font trop, et l'on perd le souffle de cette musique si tendue que le manuscrit en est parfois indéchiffrable.

Sinfonietta, pour orchestre.

❀*** Orch. Phil. Tchèque, Karel Ančerl. Supraphon 80.942. Enregistré en 1961. *+ Tarass Boulba.*

*** Orch. Phil. Tchèque, Zdeněk Košler. Supraphon 1 10 2167 (étr.). Enregistré en 1977. *+ Tarass Boulba.*

*** Orch. Phil. Tchèque, Bretislav Bakala. Rediffusion HCN 8005 (étr.). Enregistré en 1953.

** Orch. de la Radiodiffusion Bavaroise, Rafael Kubelik. DG 2530.075 (sup.). Enregistré en 1970. *+ Tarass Boulba.*

** Orch. Symph. de Londres, Claudio Abbado. Decca SXL 6.398 (G-B). Enregistré en 1969. *+ Hindemith : Métamorphoses symphoniques.*

* Orch. Phil. Royal de Londres, Zdenek Macal. IPG 7678 (sup.). Enregistré en 1975. *+ Tarass Boulba.*

Cette œuvre inspirée, bouillonnante, d'une indomptable liberté de ton et de rythme, cette spartakiade géniale doit être le «jaillissement de l'âme de tout un peuple». Il faut bien reconnaître que seuls les chefs tchèques ont réussi à créer une fresque d'une frénésie qui n'est en rien un excercice de style. Les cuivres sont soumis à rude épreuve. Des trois enregistrements où joue la Philharmonie Tchèque, c'est celui de Karel Ančerl qui arrive en tête, pour le génie incontestable de ce grand chef disparu. On reconnaît tout de suite son sens incomparable de la mise en scène dramatique, du rythme naturel, sa façon de servir la prodigieuse vitalité de Janáček en gardant une ordonnance et une unité parfaite : la référence absolue.

Zdeněk Košler est le second chef tchèque a réussir à rendre l'esprit bouillant de cette *Sinfonietta*, grâce, bien sûr, à la présence de cette merveilleuse machine qu'est l'Orchestre Philharmonique Tchèque.

De même pour Bakala qui atteint, lui aussi, à cette plénitude, cette rudesse qui font penser à la puissance liturgique d'un rite païen. La liste de ces trois gravures aurait pu s'allonger d'une quatrième aussi bonne, si l'enregistrement de Kubelik, avec le même orchestre (1946), était disponible.

La version Kubelik/Radio Bavaroise est plus forte et directe que vraiment subtile. L'orchestre se veut brillant et virtuose, et l'enregistrement accentue cette bravoure en appuyant les effets de cuivres.

Claudio Abbado fait preuve d'une sensibilité aiguë de la nuance qui ne dégénère jamais en mesquinerie pédante, et il obtient tout ce qu'il veut d'un Orchestre Symphonique de Londres en grande forme, superbement enregistré, avec une prise de son qui rend aussi bien les effets puissants que les détails les plus subtils. En couplage, d'excellentes *Métamorphoses symphoniques* d'Hindemith.

Malgré tous les efforts de Zdenek Macal, on sent tout de suite qu'il n'obtient pas de son orchestre la réponse attendue : le Royal Philharmonic, pour cette musique, est loin de valoir son homologue slave. A cette version, il manque vitalité, truculence, grandeur, souffle épique et teintes étranges : Janáček n'est pas là.

Sonate pour piano «1.X.1905».

*** Radoslav Kvapil (piano). Panton 11 0213 (étr.). Enregistré en 1971. + *Tema con variazioni, Souvenir, Trois Danses moraves.*

** Josef Páleníček (piano). Supraphon 50.416 (étr.). Enregistré en 1963. + *Concertino.*

* Rudolf Firkusny (piano). DG 2707.055. (sup.). Enregistré en 1969. + *Capriccio, Dans les brumes, Concertino pour la main gauche, Sur un sentier broussailleux, Danses moraves.*

Depuis la disparition de la version de référence d'Evá Bernathová (Erato 70.518), il faut faire venir de l'étranger la version de Kvapil. Cet artiste est actuellement l'interprète le mieux inspiré du répertoire du piano tchèque contemporain. On frémira à l'écoute de ce disque, car cette Sonate atrophiée fut sauvée par sa première interprète qui en conserva les deux premiers mouvements, *pressentiment-mort.*

A l'étranger également, on pourra se procurer l'une des deux versions enregistrées par Josef Páleníček : ce pianiste n'arrive pas à trouver le climat étrange et onirique qui naît sous les doigts de Kvapil, mais il est toujours d'une irréprochable justesse de ton.

La version, du reste supprimée, de Rudolf Firkusny n'est pas à regretter outre mesure, car elle n'apparaît que comme une bien pâle épure.

Sonate pour violon et piano.

❀*** Josef Suk (violon), Jan Panenká (piano). Supraphon 1 11 2341/2 (2 d.). Enregistré en 1975. + *Nedbal, Novak, Foerster : Sonates pour violon et piano.*

*** Petr Messiereur (violon), Jarmila Kozderková (piano). Panton 11 0214 (étr.). Enregistré en 1968. + *Le Conte.*

*** Sergiù Luca (violon), Paul Schoenfield (piano). Nonesuch H 71.350 (USA). Enregistré en 1976. + *Dvořák : Pièces romantiques op. 77. Smetana : Duo «du pays natal».*

* David Oïstrakh (violon), Frieda Bauer (piano). Chant du Monde LDX 78.489 (étr.). Enregistré en 1968.

L'équipe Suk/Panenka représente le classicisme suprême à la sonorité dorée et somptueuse, idéale dans ce répertoire. Il est presque obligatoire de se procurer leur enregistrement de 1975, qui, de plus, constitue une véritable - et passionnante - anthologie de la sonate tchèque.

Tout différent est l'esprit que l'on trouve

avec Petr Messiereur, l'actuel leader du Quatuor Talich. On sent là un frémissement forgé au contact de la musique viennoise, et qui fait se rejoindre la «nervosité» mozartienne et l'élan vital qui animent la musique de Janáček.

La vision élaborée par Sergiú Luca, artiste américain d'origine roumaine, a toutes les vertus d'une tension virtuose, et permettant aux amateurs se refusant à faire venir les autres gravures en import, de disposer d'une belle interprétation rapsodique et savamment spontanée.

Malgré tout le prestige de David Oïstrakh, on se demande quelle raison a conduit ce grand musicien à se fourvoyer dans cette Sonate qui n'a rien à voir avec le lyrisme «simplifié» d'un Prokofiev.

Souvenir, bagatelle pour piano.

*** Radoslav Kvapil (piano). Panton 11 0213 (étr.). Enregistré en 1971. + *Sonate 1905. Dans les brumes, Danses moraves, Tema con variazioni.*

Œuvre posthume, récemment découverte, cette bagatelle est d'un modernisme étonnant en sa courte durée (cinq minutes). Elle ouvre la voie aux compositeurs tchèques d'aujourd'hui, de Lubos Fiser à Jan Klusak.

Suite pour orchestre à cordes.

*** Orch. de Chambre Janáček, Zdenek Dejmek. Panton 8110 0054 (étr.). Enregistré en 1978.

*** Orch. de Chambre de Los Angeles, Neville Marriner. Argo ZRG 729 (étr.). Enregistré en 1974. + *Suk : Sérénade. Richard Strauss : Sextuor d'après Capriccio.*

Tout comme la *Sérénade op. 22* de Dvořák, la Suite pour orchestre à cordes de Janáček est le seul exemple de musique écrite au XIXe siècle par le maître morave qui soit, aujourd'hui encore, au répertoire des orchestres de chambre. Une autre pièce contemporaine, *Idylle*, demeure confidentielle. A tout seigneur, tout honneur : aussi faut-il saluer ici l'interprétation de l'Orchestre de Chambre Leoš Janáček, dont c'est le premier disque : extraordinaire formation qui ne mérite que des éloges, et qui pour un coup d'essai fait un coup de maître.

C'est à Londres qu'il faudra aller se procurer une autre très bonne version, celle de Marriner : le chef ne cherche pas à dépasser la signification de cette pièce, mais la laisse s'exprimer seule avec son charme et sa séduction. L'enregistrement est particulièrement riche et soigné.

Sur un sentier broussailleux, petites pièces pour piano : Livre I (10 pièces), Livre II (5 pièces).

❁*** Radoslav Kvapil (piano). Panton 11 0212 (étr.). Enregistré en 1970.

*** Ivan Klansky (piano). Supraphon 1111 2.976. Enregistré en 1980. + *Tema con variazioni.*

** Rudolf Firkusny (piano). DG 2707.055 (sup.). Enregistré en 1969. + *Capriccio, Concertino, Dans les brumes, Sonate 1.X.1905, Tema con variazioni.*

Ce recueil de quinze pièces offre un itinéraire intime, un premier journal de la vie du maître morave relatant tout autant ses déceptions et ses souffrances que son amour pour ses forêts natales et ses dévotions d'enfant pour la Vierge de Frydek. Ce fait suffit à montrer la difficulté qu'il y a à rendre cette suite de scènes champêtres, d'événements de famille, de prières ou de cris. C'est Radoslav Kvapil qui, le plus, a su rendre les acquisitions de style successives du Janáček des années 80, écrivant sur l'harmonium de la classe de Brno, à celui de 1903 pleurant sur sa fille Olga.

Ivan Klansky, même s'il ne dispose pas encore de la puissance de contraste de Páleniček ou de la poésie profonde de Kvapil, sait distiller une véritable émotion sans prendre de liberté avec les particularités rythmiques du discours.

Rudolf Firkusny a su saisir l'aspect de la tendresse, mais une vision limitée à ce seul sentiment ne rend pas complètement compte de tout l'univers qui s'ouvre dans ces pièces.

Tarass Boulba, rapsodie slave pour orchestre : 1. Mort d'Andrei ; 2. Mort d'Ostap ; 3. Prophétie et Mort de Tarass Boulba.

❁*** Orch. Phil. Tchèque, Karel Ančerl. Supraphon 80.942. Enregistré en 1961. + *Sinfonietta.*

*** Orch. Phil. Tchèque, Zdeněk Košler. Supraphon 1 10 2167 (étr.). Enregistré en 1977. + *Sinfonietta.*

** Orch. Phil. de l'Etat de Brno, Jiří Belohvalek. Panton 11 0728 (étr.). Enregistré en 1976. + *Sinfonietta.*

** Orchestre Phil. Janáček d'Ostrava, Otakar Trhlik. Supraphon 1 10 1889 (étr.) Enregistré en 1975. + *Dvořák : Le Rouet d'or.*

** Orch. Phil. de Londres, François Huybrechts. Decca SXL 6507 (G-B). Enregistré en 1970. + *Danses.*

* Orch. Phil. Royal de Londres, Zdenek Macal. IPG 7678 (sup.). Enregistré en 1975. + *Sinfonietta.*

La vision de Karel Ančerl reste insurpassée, malgré son ancienneté relative. Personne, mieux que lui, n'a su faire se rencontrer le sens épique du récit de Gogol et cet amour frénétque que celui-ci et ses fils portaient à leur terre natale. Même si son inspiration russe est fort connue et peut se déceler tout au long de sa carrière créatrice, Janáček, bien avant le Prokofiev d'*Alexandre Newski* ou d'*Ivan le Terrible*, sait passer du climat élégiaque du premier volet à l'ivresse du second où une démarche de cortège funèbre vient se dissoudre dans une mazurka ironique.

La version de Zdeněk Košler est strictement conforme à l'héritage de Talich par sa flamboyance «dvorakienne», autre voix possible, mais qui ne peut combler celui qui a frémi à l'écoute de la sensibilité d'Ančerl.

Le disque de Belohvalek mérite aussi d'être cité comme proche encore de l'esprit d'Ančerl, sans en posséder la tendresse sous-jacente.

Il en est de même pour la version dirigée par Otakar Trhlik, égale en qualité et en atmosphère à la version de Belohvalek.

Le jeune chef belge François Huybrechts nous réserve une bonne surprise, avec une version vraiment bonne, où il sait éviter tout emphase mélodramatique, et trouve un ton authentiquement émouvant, avec l'éloquence retenue de la *Prophétie et Mort de Tarass Boulba.*

La gravure de Zdenek Macal paraît bien fade après tous ces talents attachés à faire ressortir les éléments sensibles de la partition. Malheureusement, ce chef, qui ne manque pas d'intentions dans ce sens, est mal servi par un orchestre qui n'arrive pas à répondre à ses sollicitations.

Tema con variazioni, pour piano.

*** Radoslav Kvapil (piano). Panton 11.0213 (étr.). Enregistré en 1971. + *Sonate, Souvenir, Dans les brumes, Danses moraves.*

** Rudolf Firkusny (piano). DG 2707.055 (sup.). Enregistré en 1969. + *Capriccio, Concertino pour la main gauche, Dans les brumes, Sur un sentier broussailleux, Danses moraves, Sonate.*

Cette courte page fut écrite à Leipzig en 1879, alors que Janáček s'attachait à suivre l'enseignement musical allemand. Ces «Variations de Zdenka» complètent le récital gravé par Radoslav Kvapil, récital dont les pièces maîtresses sont évidemment *Dans les brumes* et la Sonate pour piano.

Rudolf Firkusny, pianiste américain d'origine tchèque, n'atteint pas à la même incandescence dans son intégrale de la musique pour piano de Janáček. Il faut néanmoins retenir la sensibilité qui parcourt la réalisation intégrale des deux Livres de *Sur un sentier broussailleux*, ainsi que les œuvres de jeunesse, comme ces *Variations de Zdenka, les Danses moraves* ou le con moto de la *Sonate 1905.*

Les Voyages de Monsieur Brouček : dans la lune, de par le XVe siècle, opéra-comique.

** Bohumir Vich (Monsieur Brouček), Ivo Zídék (un peintre), Libuše Domaninká (Malinka), Premýsl Koči (Sexton), Karel Berman (Würfl), Helena Tattermuschová (un étudiant, l'apprentie...), Jaroslav Dobrá (Kedruta), Ch. du Théâtre Smetana de Prague, Orch. du Théâtre National de Prague, Václav Neumann. Supraphon 50.531/3 (3 d.). (étr.). Enregistré en 1963.

Tout comme les *Aventures de la Petite Renarde rusée*, les *Voyages de Monsieur Brouček* forment une œuvre que la scène a bien du mal à rendre en son intégralité. Mi-comiques, mi-surréalistes, ces *Voyages* n'empruntent plus les recettes bohèmes et viennoises qui ont fait la gloire du plus célèbre opéra-comique tchèque, la *Fiancée vendue* de Smetana. Tout comme dans l'Affaire Makropoulos, le rôle du héros principal - ici un ténor - est écrasant et requiert un artiste exceptionnel (ce qu'est Elisabeth Söderström dans l'Emilia de l'*Affaire Makropoulos*). Ici,

Bohumir Vich tient ce rôle plus qu'honorablement, mais sa composition n'a pas cette fantaisie dévastatrice que supposent les deux épisodes de la nouvelle de Svatoplůk Cech. Ce coffret, bien que non importé, est disponible à l'étranger et répondra aux aspirations des mélomanes voulant découvrir l'intégralité du monde scénique de Janáček. Il faudrait néanmoins demander, par exemple, au jeune Peter Dvorský, d'enregistrer cet opéra-comique pour qu'on dispose d'une version vraiment exhaustive de ce chef-d'œuvre au difficile équilibre.

Janequin, Clément
(1480-1560)

Chansons : Il estoit une fillette, Petite nymphe folastre, La guerre (La Bataille de Marignan), Las ! povre cœur, Le chant des oiseaux, Ma peine n'est pas grande, Au joli jeux.

❀*** Pro Musica Antiqua, Safford Cape. Archiv 14.042 (sup.) Mono. + *Gastoldi :12 Balletti.*

Chansons : Un gay bergier, Jehanneton fut l'autre jour, L'espoir confus, Il estoit une fillette, Guillot Ung jour, Secouez moy, Une belle jeune espousée, Ung jour Robin, Plus ne suys, Baisez moy tost, M'amye a eu de Dieu, S'y celle là qui onsques, Las qu'on congneust, L'amour la mort et la vie, O Fortune n'estois-tu pas contente, J'atens le temps, Va rossignol, Si come il chiaro sole, Ou mettra l'on ung baiser.

*** Ensemble Polyphonique de France, Charles Ravier. Astrée AS 3. Enregistré en 1976.

Chansons : Tétin refaict plus blanc, Or vien, ça vien m'amye, Non n'en feray, je n'en feray rien, Ung jour Robin, Robin couché mesme terre, Secouez-moy, Il me suffit du temps passé, Ung jour Colin, Frère Frappart Trousse, Le caquet des femmes.

** Ensemble Jacques Feuillie, Jacques Feuillie. Arion 38.210. + *Chansons libertines de la Renaissance de : Certon, Gentian, Le Jeune, Lupi, Ninot le Petit, Passereau, Planson, Sermisy.*

Chansons : Le chant des oyseaux, La guerre (La Bataille de Marignan), On veit mon cueur en grande tristesse, Sus approchez ces lèvres vermeillettes, A ce joly moys de mai, Aussi tost que je voy ma mye, Ce May nous dit la verdure, Cent baysers, Ce petit dieu qui vole, Le chant de l'alouette, Dur acier et dyamant, Est-il possible o ma maîtresse, Il ferait bon planter le may, Je liz au cuer de ma mye, Je ne congnois femme en ceste contrée, Je veulx que ma mye soit telle, Ma peine n'est pas grande, O cruaulté logée en grand beauté, Quand contremont, Si le coqu.

** Ensemble Polyphonique de Paris, Charles Ravier. Valois-Résurgences MB 319. Enregistré en 1960.

Chansons : Chantons sonnons trompettes, Au vert bois, Le chant du rossignol, Plus ne suis, Va rossignol, Ouvrez-moi l'huis, Or vit mon cœur, On vous est allé reporter, Tu as tout seul Jhan, Jhan, Toutes les nuits tu m'es présente, Sus approchez ces lèvres, Bel aubépin.

** Ensemble Vocal Philippe Caillard, Philippe Caillard. Erato STU 70.519 (sup.). + *Antoine de Bertrand : Amours de Ronsard, Chansons.*

Chansons : La guerre (La Bataille de Marignan), Le chant de l'alouette, Le chant des oiseaux.

** Ensemble Vocal Philippe Caillard, Philippe Caillard. Erato EFM 8026 (sup.). + *Certon, Josquin des Prez, Cadeac, Mauduit, Lassus, Claude Le Jeune.*

Chansons : Le chant des oiseaux, Il s'en va tard, Il pleut, il vente, Le chant du rossignol : en escoutant, La guerre (La Bataille de Marignan), Ce moys de May,

Au des partir triste deul, Faisons le dire mensonger.

* Quatuor Vocal François-Marc Roger, François-Marc Roger. Erol 7413. Enregistré en 1979. + *Sermisy, Claude Le Jeune, Costeley, Passereau.*

La réalisation de Cape ne laissera de nous séduire par sa vie, ses clins d'œil, et surtout par sa qualité musicale exceptionnelle. Très suggestif comme parfaitement lyrique, le Pro Musica Antiqua prime toujours par son authenticité.

L'interprétation et la réalisation de l'anthologie dirigée par Ravier frisent la perfection. La beauté des voix, leur présence, la perfection des nuances, la compréhension du texte sont soignées jusque dans les moindres détails. Une belle réussite pour ce répertoire extrêmement divertissant.

Jacques Feuillie a rassemblé sur un disque l'inspiration licencieuse de cette époque foncièrement libre de la Renaissance. On peut discuter de l'utilité musicale d'une telle anthologie, mais l'interprétation ne tombe jamais dans le vulgaire, et maintient ce répertoire à son niveau de simple badinerie assez crue. Une grande délicatesse dans les nuances, une belle fidélité aux structures polyphoniques par une volonté de mettre en scène, voire de suggérer en n'extrapolant pas : chose extraordinaire, la musique ainsi interprétée prend une dimension descriptive très intense.

L'enregistrement de Ravier avec l'Ensemble Polyphonique de Paris date maintenant, mais il garde sa qualité d'interprétation. Les voix sont belles, parfois inégales, avec une prédominance du soprano qui peut être contestable. Les paroles ne sont pas toujours claires, ce qui enlève quelque piment à ce répertoire. Musicalement, une interprétation nuancée, souple, bien en place, toujours vivante et sensible.

Avec Caillard, nous retrouvons le répertoire type de la chorale *a capella* abordé par une formation de haut niveau. Par des nuances subtiles mais bien marquées, la variété des pâtes sonores, la délicatesse des timbres, Philippe Caillard entre avec bonheur dans le jeu de Janequin, tantôt passionné, tantôt espiègle. Les paroles ressortent avec netteté, l'architecture polyphonique est bien rendue. Aucun chœur n'accède à cette qualité actuellement.

L'autre disque de Philippe Caillard, avec *la Bataille de Marignan*, bénéficie lui aussi d'une excellente interprétation, très nette, très vivante. Les voix sont suffisamment pures et bien choisies pour créer un ensemble de belle qualité, qui parvient à rendre la jovialité, le ton imitatif et descriptif de Janequin. Un sens musical bien aiguisé.

La modestie des effectifs de François-Marc Roger n'enlève rien à la qualité suggestive de cette musique, au contraire. Il y a dans cet enregistrement une présence de chaque voix qui fait ressortir des détails d'écriture inaudibles lorsque les chœurs sont plus nourris. Vie, pittoresque, ardeur, lyrisme sont aussi bien rendus par ce jeune quatuor vocal.

Jolas, Betsy
(née en 1926)

D'un opéra de voyage, pour orchestre de chambre.

** Orch. du Domaine Musical, Gilbert Amy. Adès 16.012 (sup.). + *Berio : Tempi concertati. Varèse : Offrandes.*

L'exécution exacte et subtile de Gilbert Amy convient parfaitement à cette œuvre concise, à mi-chemin du rêve : sorte d'opéra de poche, sans texte ni chanteurs où le jeu des instruments évoque les multiples comportements de voix imaginaires.

Quatuor II pour soprano coloratura, violon, alto et violoncelle.

*** Mady Mesplé (s), Trio à Cordes Français. EMI VSM CVB 2190 (sup). + *Boucourechliev : Archipel 1. Xenakis : Herma.*

Mady Mesplé et le Trio à Cordes Français restituent magnifiquement tout ce réseau de sonorités neuves et complexes, où les rapports les plus diversifiés se nouent entre la voix et les cordes. Grâce à sa technique transcendante, le soprano assume avec aisance et finesse les difficultés d'une «fonction» instrumentale inhabituelle.

Stances, pour piano et orchestre. Points d'aube, pour alto et 13 instruments à vent. J.D.E., pour 14 instruments.

*** Claude Helffer (piano), Serge Collot (alto), Nouvel Orch. Phil. de Radio-France, Ensemble Ars Nova, Marius Constant. Adès 14.013. Enregistré en 1978.

Claude Helffer et Serge Collot, qui donnent ici le meilleur de leur talent, et Marius Constant, à la direction précise, sont les interprètes magiciens de ces musiques aux sonorités d'éclat ou de mystère, en continuelle mouvance, aux enchaînements insaisissables, mais toujours sous-tendues par la clarté de la démarche, et dont l'unité ne se dément jamais.

Jolivet, André
(1905-1974)

«Hommage à André Jolivet» : Concertos pour flûte et orchestre, Suite en concert pour flûte et orchestre, Concerto pour harpe et orchestre, Concerto pour ondes Martenot et orchestre, Concertino pour trompette, piano et orchestre, Concerto pour trompette et orchestre, Concertos pour violoncelle et orchestre nos 1 et 2.

*** Jean-Pierre Rampal (flûte), Lily Laskine (harpe), Jeanne Loriod (ondes), Maurice André (trompette), Annie d'Arco (piano), André Navarra et Mstislav Rostropovitch (violoncelle), Orch. Lamoureux, Orch. Phil. de l'ORTF, Orch. National de l'ORTF, André Jolivet. Erato 9.123/25 (3 d.) (sup.).

Ce coffret de trois disques, publié au lendemain de la mort du compositeur, regroupe des enregistrements existant auparavant. S'il y manque le Concerto pour piano et celui pour basson, d'autres œuvres, majeures, y sont représentées et défendues par des solistes de premier plan et d'excellentes formations sous la direction de l'auteur lui-même. C'est dire sa valeur exemplaire et souligner l'authenticité de ces interprétations.

Œuvres pour orgue : Hymne à St-André, Hymne à l'univers, Arioso Barocco, Mandala.

*** Daniel Roth (Orgue de St-Victor à Marseille), Dany Barraud (s), René Perinelli (trompette). Arion ARN 38.530. Enregistré en 1979.

Œuvre peu connue que la musique d'orgue de Jolivet, une musique qui ne laisse aucune place à l'effet, à la formule «entendue» et ne cède à aucun système, et que traduit idéalement Daniel Roth. De son jeu d'une aisance et d'une sûreté digitales confondantes émane une sorte d'ivresse qui fascine : c'est à n'en pas douter exactement ce que Jolivet recherchait dans le choix de l'instrument et dans son écriture.

Œuvres pour piano : Cinq danses rituelles, Mana, Hopi Snake Dance (pour deux pianos), Etude sur les modes antiques.

** Françoise Petit (piano). SFP 91.046. Enregistré en 1975.

S'il manque nécessairement à cette anthologie les deux très belles Sonates pour piano, gravées il y a déjà longtemps par Daniel Wayenberg, le choix de Françoise Petit est judicieux. Les *Cinq danses rituelles* rappellent opportunément la source vive de l'art de Jolivet : une réflexion musicale sur les énergies magiques, sacrées, surnaturelles. *Mana* est l'autre grand pan de cette gravure. Françoise Petit, qui maîtrise superbement cette musique, n'oublie pas dans sa conception de l'œuvre de rappeler la présence poétique et magique des six objets à l'origine du recueil ; elle en fait plus largement une sorte d'hommage à Varèse, ami et maître de Jolivet. Pour la petite histoire, notons que *Hopi Snake Dance*, pour deux pianos, a été enregistré par Françoise Petit en «re-recording».

Sonate n° 1 pour piano.

❀*** Marie-Catherine Girod (piano), Solstice SOL 18. Enregistré en 1981. *+ Dutilleux : Sonate pour piano.*

Maire-Catherine Girod est une interprète à la mesure de la Sonate de Jolivet, qui réclame une virtuosité éclatante. La jeune pianiste en domine les mille tracasseries techniques avec une puissance d'attaque, une sûreté de jeu, une profonde musicalité et surtout ce sens dans l'incantation si cher au compositeur, tout cela faisant de son interprétation un tour de force qui est aussi une référence absolue.

Josquin des Prez
(1442-1527)

Anthologie : Credo, De profundis, Benedicta es caelorum Regina, Inviolata, integra et casta es Maria, Scaramella, Allegez-moi, El grillo, De tous biens

plaine, Guillaume se va, Fortuna desperata, Adieu mes amours, Vive le Roy, La Spagna, La Bernardina.

*** The Early Music Consort, David Munrow. EMI VSM SLS 5049 (3 d.) (G-B). + *Musique ancienne des Pays-Bas : Chansons profanes, Musique instrumentale, Mouvements de messes, Motets.*

La qualité du Early Music Consort n'est plus à prouver, mais ce qui particularise leurs réalisations est l'intelligence avec laquelle David Munrow savait organiser un disque, pour qu'en plus de la beauté l'auditeur puisse en tirer un enseignement. Avoir dispersé l'œuvre de Josquin des Prez parmi celle de ses contemporains laisse apparaître affinités et disparités, d'où un intérêt très vif. A ce souci pédagogique s'allient une qualité musicale très sûre, un raffinement jamais défaillant, mais qui ne tombe pas dans la mièvrerie. Une interprétation authentique et parfaitement belle.

Chansons, Pavanes et Frottole : Mille regretz (chanson et pavane), Scaramella va alla guerre, Adieu mes amours, plaine de dueil, In te Domine sepravi, Tenez-moy en vos bras, Faulte d'argent, El grillo, Cuers desolez par toute nations (3 versions), Bergerette savoysienne, Rocordans de mia segnora, Regretz sans fin.

* Musica Reservata, Michael Morrow. Argo ARG 739 (G-B). + *Déploration sur la mort de Johannes Ockeghem.*

Ce n'est pas le meilleur enregistrement que l'on pourra trouver des chansons de Josquin des Prez ; il présente un aspect grossier parfois même grotesque qui n'est pas toujours du meilleur effet. Pourtant, il donne une idée assez complète de ce qu'est l'œuvre de Josquin, en touchant à toutes les inspirations, en montrant l'évolution vers une musique plus de divertissement et instrumentale. Bien que l'ensemble Musica Reservata ait de sérieuses qualités, son interprétation reste toutefois assez extérieure, n'accédant jamais à l'émotion authentique.

Chansons : N'esse pas ung grant deplaisir, Fortuna d'un gran tempo, Bergerette savoysienne, Parfons regretz, Scaramella, Faulte d'argent, Basiez-moy.

❁*** Pro Musica Antiqua, Safford Cape. Archiv 198.171 (sup.). + *Missa Pange Lingua.*

Coupler ces Chansons avec la Messe *Pange Lingua*, c'est donner une idée très complète de l'œuvre de Josquin, toute partagée entre le sacré et le profane. Et mettre dans chaque inspiration un esprit approprié en restant toujours très proche de la réalité historique, c'est ce qu'excelle à faire Safford Cape et son ensemble. Autant la Messe est dépouillée, autant ces Chansons sont agrémentées de ritournelles, de supports instrumentaux. Il se dégage de cette interprétation une vie intense, comme un fourmillement interne. La musique jaillit, et seulement la musique. Aucun essai d'adaptation, et tout passe sans aucune difficulté. Aujourd'hui encore, il est difficile de faire mieux.

Messe «Ave maris stella». Motets : Tu solus qui facis mirabilia, Mittit ad virginem, Absalon fili mi, Salve Regina.

* Ch. de chambre de l'Université de l'Illinois, George Hunter. Nonesuch 32.802 (USA).

A œuvres vivantes, interprétations vivantes... mais point trop n'en faut ! Et sans rechercher systématiquement l'art de la demi-teinte dans ce répertoire, on est en droit de regretter ici un certain manque de rondeur. Les qualités vocales ne manquent cependant pas à ce chœur - aisance, pureté, sens mélodique, et un esprit de jeunesse, un goût de la dynamique qui conviennent d'ailleurs mieux aux Motets qu'à la Messe. La technique d'enregistrement ne rend malheureusement pas compte de toutes les richesses de ce chœur très sûr, affirmé et musicien.

Missa «L'homme armé» super voces musicales. Motets : Huc me sydereo, Plangent eum.

❁*** Pro Cantione Antiqua de Londres, Bruno Turner. Archiv 2533.360. Enregistré en 1976. + *Gombert : Musae Jovis, Circumdederunt me. Vinders : O mors inevitabilis, Requiem aeternam (Deplorations).*

Ce disque est la réalisation d'un ensemble prodigieux. La souplesse des voix met en valeur les mélismes raffinés de l'œuvre, leur beauté ne nuit pas à l'homogénéité remarquable du groupe et à l'équilibre des pupitres au niveau volume. Leur marche rigoureuse fait penser à des traits de couleur qui coulent en volutes derrière un verre sans jamais se mêler. Tout est précis, d'une cohésion parfaite ; les nuances sont marquées sans être forcées ; la tranquillité, la sensibilité et la vie intense qui se dégagent de cette interprétation éveillent perpétuellement l'attention vers l'«avènement» musical. Une très bonne technique rehausse encore la qualité de cet enregistrement.

Messe la, sol, fa, ré, mi.

* Capella Antiqua de Munich, Konrad Ruhland. Philips Seon 6775.005 (sup.). + *Miserere, Chansons et Motets.*

Une interprétation qui a choisi la version pour grand chœur, l'aspect grandiose et éclatant à une certaine intimité mieux venue de nos jours. Les voix sont un peu appuyées, les tempos parfois trop rapides. Mais il ressort de tout ceci une volonté de comprendre cette œuvre et de faire que la musique avance, dynamique, toujours renaissante de ses cendres mélodiques. Sur le plan musical, une réalisation dont on peut parler.

Messe Pange Lingua.

❀*** Pro Musica Antiqua, Safford Cape. Archiv 198.171 (sup.). + *8 Compositions profanes.*

** Ch. Philippe Caillard, Philippe Caillard. Erato STU 70.421 (sup.). + *Miserere.*

** Les Madrigalistes de Prague, Miroslav Venhoda. Valois-Résurgences MB 316. Enregistré en 1968. + *3 Motets.*

Bien que le plus ancien, celui de Safford Cape est encore le meilleur enregistrement de cette Messe par son ampleur, la profondeur des voix, l'atmosphère émouvante et recueillie du chant totalement *a capella*. On y trouve une authenticité devenue rare dans les réalisations modernes, qui, même dans les plus exigeantes, présentent cet aspect de «vouloir faire». La technique de ce disque ne pâlit nullement devant celle de ses cadets : les voix sont présentes, pleines, d'une fidélité assez exceptionnelle. Safford Cape atteint ici une simplicité qui confine au plus grand art.

Philippe Caillard enregistre l'œuvre dans un esprit essentiellement choral, mais malgré un effectif un peu trop lourd pour ce répertoire, il accède à une expression juste, recueillie et émouvante. L'*Agnus Dei*, en particulier, prend une dimension remarquable. Les voix sont belles, souples, brillantes mais jamais superficielles. L'équilibre des pupitres permet de faire ressortir la structure polyphonique de l'œuvre avec une netteté jamais didactique. Une réalisation de qualité et qui ne peut que séduire les amateurs d'ensemble choral.

Les Madrigalistes de Prague allient les exigences historiques aux aspirations chorales. Leur interprétation réconcilie souplesse des voix et rigueur liturgique : plutôt que de briller, ils cherchent à glorifier. Soulignons la délicatesse des nuances, les changements de tempo essentiellement signifiants, la vie intense de cet enregistrement. Quant à la qualité technique, ce disque présente quelques défauts, mais ils sont compensés par l'intérêt qu'il ne manque pas de susciter.

Miserere.

** Ch. Philippe Caillard, Philippe Caillard. Erato STU 70.421 (sup.). + *Messe Pange Lingua.*

* Capella Antiqua de Munich, Konrad Ruhland. Philips Seon 6775.005 (sup.). + *Messe la, sol, fa, ré, mi, Chansons et Motets.*

La plénitude de la Chorale Philippe Caillard rend compte de toute la splendeur de cette œuvre. L'interprétation, brillante, ne néglige pas pour autant l'esprit recueilli, dramatique même, qui l'anime. Une belle réalisation, technique et musicale.

Konrad Ruhland donne une version plus terne de l'œuvre. Même éclat, même pompe, mais plus de lourdeur, moins d'inspiration. L'intérêt de ce disque est plus centré sur l'aperçu suffisamment complet de l'œuvre de Josquin.

Motets : Alma redemptoris Mater, Planxit autem David, O virgo virginum.

** Les Madrigalistes de Prague, Miroslav Venhoda. Valois-Résurgences MB 316. Enregistré en 1968. + *Missa Pange Lingua.*

Selon leur habitude, les Madrigalistes de Prague donnent ici une interprétation fidèle de l'œuvre, mais elle manque un peu d'âme. Les qualités vocales, d'ensemble sont constantes : aucune faute de goût, rien d'exagéré ou d'inutile. Efficacité, expressivité, beauté, voilà ce qui caractérise cet enregistrement aux menus défauts techniques.

K

Kabalevski, Dimitri
(né en 1904)

Requiem.

* Valentina Levko (ms), Vladimir Valaitis (bar), Ch. d'Etat de Moscou, Ch. d'enfants, Orch. Symph. Phil. Moscou, Dimitri Kabalevski. Chant du Monde Melodia C 0805 (2 d.) (URSS).

Dans la lignée de Prokofiev, cette œuvre «officielle» alterne scènes lyriques et épisodes héroïques à l'instar d'*Ivan le Terrible* ou *Alexandre Newski.* La musique est populaire, certes, mais pourtant dégagée du morbide ou du grandiose ; elle révèle un compositeur qui s'est acquitté de sa tâche avec la perfection que lui permet son très solide métier. On ne peut que se féliciter de la beauté de l'interprétation, tant de la part des chœurs, de l'orchestre et du chef. Très belle prise de son, amplement restituée, même si la gravure manque un peu de grave.

Kagel, Mauricio
(né en 1931)

Unguis incarnatus est, pour piano et violoncelle.

*** Siegfried Palm (violoncelle), Aloys Kontarsky (piano). DG 2530.562 (sup.). + *Brown : Musique pour violoncelle et piano. Penderecki : Capriccio pour violoncelle. Webern : Kleine Stücke. Xenakis : Nomos alpha. Yun Isang : Glissés. Zimmermann : Kurze Studien.*

La partition de Mauricio Kagel ne manque pas d'intérêt dans son surréalisme dévastateur, mais elle doit énormément à la prodigieuse science du violoncelle dont fait preuve Siegfried Palm. Ce disque offre en outre des pages d'une beauté qui, avec les *Kleine Stücke* de Webern, atteint le sublime. Un programme passionnant par un interprète génial.

Khatchaturian, Aram
(1903-1978)

Concerto pour violon et orchestre en ré majeur.

*** David Oïstrakh, Orch. Symph. de la Radio de l'URSS, Aram Khatchaturian. Chant du Monde LDX 78.385.

Ce Concerto est l'un des meilleurs aspects de l'œuvre de Khatchaturian : on y trouve un contraste frappant entre une expression directe et débordante, et le chant de thèmes très lyriques. Bien que cet enregistrement ne soit pas des plus récents, il constitue une référence à la fois par la direction assurée par le compositeur lui-même, et par la très belle interprétation de David Oïstrakh.

Gayaneh, extraits.

*** Orch. Symph. de Londres, Aram Khatchaturian. EMI VSM C 069-02.849. ⊠ C 269-02.849. Quadri. + *Spartacus : extraits.*

Nul mieux que Khatchaturian lui-même ne peut défendre sa musique : c'est pourquoi ce disque, offrant des extraits des ballets *Gayaneh* (dont la célèbre *Danse du sabre*) et *Spartacus*, constitue un document précieux. L'Orchestre Symphonique de Londres s'y montre particulièrement somptueux.

Kodály, Zoltán
(1882-1967)

Sept Chœurs pour voix d'enfants et de femmes.

*** Ch. de Budapest, Ch. Féminin Hongrois, Orch. Symph. de l'Etat de Hongrie, Zoltán Kodály. Amadeo Vanguard AVRS 6264 (étr.). Mono. + *Te Deum de Buda.*

Malgré la monophonie, ces chœurs sont enregistrés avec une qualité technique très satisfaisante. Mais le plus grand intérêt de ce disque est évidemment la présence au pupitre de Kodály en personne, belle garantie d'authenticité. Ce sont là des pages superbes, d'une écriture riche et variée : un *Ave Maria*, d'une beauté simple et émouvante, une hymne semi profane à l'An neuf, deux très jolis cantiques de Noël sur des mélodies traditionnelles hongroises, et surtout un très beau *Cantique de Consolation* remontant à l'époque de la Réforme. L'interprétation est la meilleure que l'on puisse trouver. En couplage, un intéressant *Te Deum de Buda*, dirigé aussi par Kodály, à Budapest, qui, lui, est d'une qualité technique moins réussie.

Danses de Galantá.
Danses de Marosszék.

*** Orch. Phil. de Budapest, János Ferencsik. Hungaroton SLPX 1.194 (étr.). + *Háry János : Suite d'orchestre.*

L'interprétation par János Ferencsik de ces Danses de Galantá et de Marosszék se signale par une verve rare : complété par la Suite d'orchestre de Háry János, ce programme, qui réunit les œuvres les plus populaires de Kodály, est proposé à un prix intéressant, attirant pour ceux qui ne possèdent pas déjà ces morceaux.

Les Fileuses de Transylvanie, jeu lyrique en un acte, sur des texte du folklore hongrois.

❀*** Erzsébet Komlóssy (s), György Melis (bar), Jozséf Simándy (t), Zsuzsa Barlay (c), Evá Andor (s), Sándor Palcso (t), Ch. de la Radio Hongroise, János Ferencsik. Hungaroton SLPX 11.504/5 (2 d.) (étr.).

Ce *jeu lyrique sur des thèmes du folklore* est un chef-d'œuvre de Kodály. Ces divertissements inventés par les jeunes filles et les jeunes gens du village pour distraire de son chagrin l'une de leurs amies dont le fiancé est faussement accusé, sont les prétextes d'une musique variée à l'infini : le ton passe de la fraîcheur des chants populaires au lyrisme le plus somptueux et le plus débordant. On écoute cela d'un trait avec ravissement, tant le plaisir ne cesse de se renouveler. L'interprétation est ici de premier ordre, grâce à la voix riche et au jeu truculent de la contralto Erzsébet Komlóssy et du grand baryton György Melis. Les chœurs méritent les plus grands éloges, ainsi que la direction pleine de verve et de flamme de János Ferencsik. Une première mondiale captivante.

Háry János

* Sandor Solyom Nágy (Háry János), Klara Takacs (Orzse), Antal Pager (l'Empereur François d'Autriche), Maria Sudlik (l'Impératrice), Balazs Poka (Napoléon), Katalin Meszöly (Marie-Louise), Jozsef Gregor (Marci), Sandor Palcso (le Chevalier Ebelastin), Ch. d'enfants de la Radio Télévision Hongroise, János Ferencsik. Hungaroton SLPX 12.187/89 (3 d.).

Pour que le public français puisse jouir de toute la truculence de cette farce en quatre tableaux, de toute sa tendresse, il aurait fallu, dans le rôle du récitant, un génial diseur pour animer un texte hongrois peu accessible... Musicalement, la direction de János Ferencsik donne vie à cette suite de chansons, certaines nostalgiques, d'autres conquérantes, tandis que certains passages nous ramènent aux frontières de l'opéra-comique populaire. L'épilogue est particulièrement enlevé. Signalons aussi que pour la première fois au disque l'intégralité des pièces et airs prévus pour les versions successives de l'œuvre ont été retenus.

Háry János, suite d'orchestre.

*** Orch. de la Radio de Berlin, Ferenc Fricsay. DG 135.114 (sup.). + *Stravinsky : L'Oiseau de feu.*

** Orch. Phil. de Budapest, János Ferencsik. Hungaroton SLPX 1.194 (étr.). Danses de Galantá, Danses de Marosszék.

C'est incontestablement le grand Ferenc Fricsay qui a signé l'interprétation idéale de cette Suite extraite de l'Opéra *Háry János.* Si l'on ajoute que sa gravure nous empêche de regretter trop amèrement la disparition de celle de Toscanini, qui était purement éblouissante, tout est dit, ou presque.

Avec le même couplage (*Danses de Galantá* et de *Marosszék*), le choix est assez égal entre Doráti et Ferencsik, mais peut-être quand même une petite préférence pour Doráti dans *Háry János,* et pour Ferencsik pour les *Danses.*

Missa brevis, pour soliste, chœur mixte et orgue. Te Deum du château de Buda.

* Evá Andor (s), Marta Szirmay (c), József Réti (t), Joszef Grégor (b), Ch. et Orch. de la Radio-Télévision Hongroise, János Ferencsik. Hungaroton SLPX 11.397 (étr.).

La *Missa brevis* fut d'abord écrite pour orgue, puis orchestrée. C'est une très belle partition, ainsi que le Te Deum célébrant le 25ᵉ anniversaire de la libération de Buda de l'occupation turque. L'interprétation que donne ici de ces deux œuvres le chef János Ferencsik est plutôt décevante : il dispose de moyens vocaux et instrumentaux de très bonne qualité, mais sa direction semble toujours rester bien en-deçà de ce qu'on attendrait sur le plan de l'émotion pour la *Messe* et de la splendeur pour le *Te Deum.* La prise de son, assez médiocre, ne fait rien pour donner un peu plus de chaleur et de présence à cet enregistrement. Même s'ils sont anciens, il vaut mieux se référer aux enregistrements dirigés par Kodály lui-même et disponibles à l'étranger.

Musique de chambre, enregistrement intégral : Adagio pour violoncelle et piano, Duo pour violon et violoncelle, Capriccio pour violoncelle seul, Epigrammes, Intermezzo pour trio à cordes, Trois Préludes de choral pour violoncelle et piano, Prélude et fugue pour violoncelle et piano, Quatuors à cordes nᵒˢ 1 et 2, Sérénade pour deux violons et alto, Sonatine pour violoncelle et piano.

*** Vilmos Tátraï, Peter Komlos, I. Vakonyi (violon), György Konrad (alto), Laszlo Mezö, Ede Banda (violoncelle), Lorant Szücs, Kornel Zempléni, Adam Fellegi (piano), Quatuor Tátraï. Hungaroton CAL 113/5 (3 d.) (étr.).

L'ensemble de ce coffret consacré à l'intégrale de la musique de chambre de Kodály est de très haut niveau (intégrale à deux exceptions près : la Sonate pour violoncelle et piano op. 4 et la Sonate pour violoncelle seul op. 8). Les Tátraï font merveille ; on remarque surtout la délicieuse Sérénade op. 12, où les deux violons et le violoncelle se renvoient la mélodie dans des inflexions tour à tour tendres, brusques ou mystérieuses. Vilmos Tátraï et Ede Banda, dans le Duo op. 7, rejoignent les interprétations historiques et disparues d'illustres artistes comme Suk-Navarra ou Keifet-Piatigorski. On retrouve dans les étranges *Epigrammes* les modulations inhabituelles qui sont la clef de l'univers harmonique de Kodály. L'*Intermezzo pour trio à cordes* nous ramène à la musique pure, conjuguée avec les mélodies paysannes. Une édition indispensable tant par l'étendue de son programme que par la qualité de son interprétation.

L'œuvre chorale. Vol. 1 : L'appel de Zrinyi, Jésus et les marchands du temple, Les vieux, Les filles de Norvège, Les éternels retardataires, A Ferenc Liszt. Vol. 2 : Chant du soir, Lamento sicule, Compliment, Deux chants populaires de Zobor, Images des monts Matra, Belle supplique, Ode au roi Saint Etienne, Chant oublié de Balassi, Vœux de paix, Te Deum de Sandor Sik.

** Lajos Miller (baryton), Ch. de la Radio Télévision Hongroise, János Ferencsik et Ferenc Sapszon. Hungaroton SLPD 12.352 (vol. 1) et SLPX 12.398 (vol. 2).

Qui veut vraiment connaître la personnalité musicale de Kodály doit se plonger dans le riche univers de sa musique chorale, qui compte plus d'une centaine d'œuvres a capella, quelques-unes avec accompagnement d'orchestre, et surtout une centaine de pièces didactiques spécifiquement hongroises. L'interprétation que donnent les Chœurs de la Radio Télévision hongroise de cette musique peu connue est d'une rigueur toute classique.

Œuvres pour piano : Danses pour les enfants, Méditation sur un motif de Claude Debussy, Danses Marosszék, 24 Petits Canons sur les touches noires, Sept Pièces pour piano op. 11, Neuf Pièces pour piano op. 3, Valsette.

❀*** Kornel Zempléni (piano). Hungaroton SLPX 11.913/14 (2 d.) (étr.).

Cette intégrale des œuvres pour piano de Kodály permet de mieux situer son évolution et de dégager les traits de l'attachante personnalité de ce compositeur. Alors qu'il se cherche encore à l'époque des *Neuf Pièces* et de la *Méditation*, il trouve sa voie avec les *Danses du Marosszék*. Cette œuvre, dont la version orchestrée a les splendeurs de l'*Iberia* d'Albeniz, est pleine de rythmes enflammés. Les *Danses pour les enfants* sont construites dans l'esprit de Bartók. Kornel Zempléni est un interprète de premier ordre : formé à la tradition de la musique hongroise, il met au service d'une musique sensible et colorée, bien articulée sur des rythmes imprévus, un art pianistique complet qui lui permet d'aborder avec un égal bonheur les pages de haut niveau comme les plus secrètes.

Le Paon s'est envolé, seize Variations symphoniques sur un thème populaire hongrois.

❀*** Orch. Symph. de Budapest, György Lehel. Hungaroton SLPX 12.252. + *Danses de Galantá, Danses de Marosszék.*

*** Orch. Phil. de Budapest, Laszlo Somogyi. Chant du Monde LDX S 8.277 (étr.). + *Quatre Chœurs.*

*** Orch. Symph. de l'Etat Hongrois, Antál Doráti. Hungaroton SLPX 11.392. + *Psalmus Hungaricus op. 13.*

Avec les deux Suites de Danses, le programme de Lehel est extrêmement représentatif de l'art si typiquement hongrois de Zoltán Kodály. Ces pièces se trouvent réunies sur un même disque pour la première fois et, qui plus est, nous les trouvons dans une interprétation de référence. L'orchestre de Budapest est superbe, et Lehel, depuis vingt ans qu'il le dirige, en fait ce qu'il veut.

Laszlo Somogyi conduit avec un sens très fin des intentions du compositeur, et sa version monophonique égale en qualité artistique l'enregistrement plus récent de Lehel. En complément de programme, quatre chœurs populaires harmonisés par Kodály et chantés par des ensembles vocaux de grande classe.

Très belle direction inspirée et, bien sûr, meilleure technique, pour la récente version d'Antál Doráti, complétée par le *Psalmus Hungaricus.* Le chef est digne de ses prédécesseurs par l'ardeur et la vitalité de sa conception.

Psalmus Hungaricus, pour ténor, chœurs et orchestre op. 13.

*** Joszef Szimandy (t), Ch. et Orch. de l'Etat Hongrois, Antál Doráti. Hungaroton SLPX 11.392. + *Le Paon.*

** William MacAlpine (t), Ch. Phil. de Londres, Orch. Phil. de Londres, Georg Solti. Decca Eclipse 533 (G-B).

Dans le domaine vocal, le *Psalmus Hungaricus* est bien le chef-d'œuvre de Kodály : équilibre parfait entre un langage très personnel et un style de portée universelle. L'interprétation la plus récente, par Antál Doráti, possède les plus hautes qualités de musicalité, et bénéficie de la meilleure technique. Certains passages du ténor ne sont pas des plus réussis, mais on remarque plutôt l'excellence des chœurs et l'ardeur inspirée de la direction de Doráti. En couplage, une très bonne version du *Paon,* qui décidera peut-être du choix, si l'on veut s'en tenir à un programme Kodály.

On trouve également au catalogue international une fort belle version sous la direction de Georg Solti : si on peut musicalement la comparer aux meilleures du genre, la technique malheureusement ne suit pas, mais cela n'entache en rien les qualités artistiques de Solti.

Quatuors à cordes n°s 1 et 2

*** Quatuor Kodály. Hungaroton SLPD 12.362.

Le Quatuor Kodály, désormais fort d'un premier violon de classe comparable à celle de son altiste et de son violoncelliste, s'impose sans difficulté devant l'unique gravure de ces deux œuvres, déjà ancienne, et que l'on devait au Quatuor Tátraî. La vision qu'il nous donne du *Second Quatuor*, tout à fait moderne de style, est remarquable.

Sonate pour violoncelle et piano op. 4. Sonate pour violoncelle seul op. 8.

*** Miklos Perenyi (violoncelle), Jenö Jando (piano). Hungaroton SLPX 11.864. Enregistré en 1977.

Le catalogue était devenu étrangement vide pour ces deux Sonates qui sont pourtant des œuvres passionnantes pour la connaissance de la recherche musicale de Kodály. L'Opus 4 est le résultat des contacts et des nouvelles vues que le compositeur prend sur la musique en compagnie de Bartók, au cours des années 1905-1910 : en même temps, il écoute Debussy, rencontre Romain Rolland... Elle se caractérise par une perpétuelle mouvance totale, une incertitude entre le clavier et le violoncelle. L'*Opus 8* est d'une tout autre essence : là, le violoncelle seul se veut tour à tour voix, harpe, cymbalum, orchestre tzigane, percussions. L'ahurissant naturel du violoncelliste Miklos Perenyi le place en tête de toutes les interprétations disparues, même par les plus grands maîtres. Dans l'*Opus 4*, la prise de son n'est peut-être pas idéale sur le plan de l'équilibre entre les deux instruments, mais brille d'une radieuse splendeur.

Koechlin, Charles
(1867-1951)

Les Bandar-Log, poème symphonique op. 176.

*** Orch. Symph. de la BBC, Antal Doráti. EMI VSM ASDM 878 (sup.). Enregistré en 1966. + *Boulez : Soleil des eaux. Messiaen : Chronochromie.*

Ce *Scherzo de singes*, dernière pièce d'une partition écrite sur le *Livre de la Jungle* de Kipling, est d'une richesse de composition exceptionnelle : grave et humoristique à la fois, synthèse de toutes les techniques d'écriture, elle offre une orchestration étincelante, ici remarquablement comprise et mise en valeur par Doráti. Sous sa baguette, l'Orchestre de la BBC en donne une éblouissante interprétation, rehaussée par une prise de son et une gravure impeccables. Le complément avec Boulez et Messiaen compose un très beau disque de musique française contemporaine.

Etudes pour saxophone alto et piano, op. 188.

* Jacques Desloges (saxophone), Anne-Marie Desloges (piano). Edition Française de Musique EFM 012. + *Pièces pour saxophone de Beugniot, Calmel et Pichaureau.*

Ce disque a le mérite de donner la parole à une formation de grande qualité, le Quatuor de saxophones Jacques Desloges, et de rendre justice à des compositeurs trop négligés, parmi lesquels Charles Koechlin. Ses 15 Etudes (dont 10 enregistrées ici) sont des pages intéressantes, mais non le meilleur de son œuvre ; elles bénéficient d'une bonne interprétation : une réalisation tout à la gloire du saxophone.

Quelques chorals pour des fêtes populaires, pour harmonie.

* Musique des Gardiens de la Paix, Désiré Dondeyne. Calliope CAL 1.839. + *Fauré : Chant funéraire. Schmitt : Dionysiaques.*

Les *Chorals*, admirablement sculptés, tonifiants, constituent une œuvre magnifique qui méritait, au même titre que les *Dionysiaques* de Florent Schmitt et le *Chant funéraire* de Fauré, de sortir de l'oubli. Cela est fait, et bien fait par les musiciens des Gardiens de la Paix, malgré parfois un certain manque d'ensemble. La prise de son est excellente, respectant au mieux timbres et plans sonores, et la dynamique remarquable.

Korngold, Erich Wolfgang
(1897-1957)

La Ville morte, opéra.

*** Carol Neblett (Marietta), René Kollo (Paul), Hermann Prey (Fritz), Benjamin Luxon (Frank), Rose Wagemann (Brigitta), Ch. et Orch. de la Radio Bavaroise, Erich Leinsdorf. RCA ARL3-1199 (3 d.) (USA). Enregistré en 1975.

Cet enregistrement ne fit, hélas ! qu'une brève apparition au catalogue français. Et pourtant, il s'agit là incontestablement d'une grande œuvre du théâtre lyrique des années vingt, puissamment expressionniste et d'un grand raffinement d'écriture. Remonté avec triomphe à la scène à New York, c'est dans la même distribution que l'ouvrage a été enregistré, avec toute la vie et la caractérisation désirables, sous la conduite vigoureuse et dramatique de Leinsdorf. Excellente réalisation technique.

Violanta.

*** Evá Márton (Violanta), Walter Berry (Simone Trovai), Siegfried Jerusalem (Alfonso), Ruth Hesse (Barbara), Solistes, Ch. et Orch. de la Radio Bavaroise, Marek Janowski. CBS 79 229 (2 d.). Enregistré en 1981.

Korngold écrivit cet opéra en un acte à dix-huit ans, et la création à Munich sous la baguette de Bruno Walter eut un très grand succès. C'est une brève histoire d'amour et de mort située dans la Venise du XVe siècle, dont la trame, excellemment ficelée, a des échos stendhaliens. Le style musical, que l'on peut apparenter à celui de R. Strauss, demeure parfaitement original et incontestablement génial. L'orchestre est magnifique, et les personnages sont caractérisés avec une brûlante maîtrise. Une distribution et une direction sans faille distinguent encore cette réalisation, supervisée par Georges Korngold, le propre fils du compositeur.

Kozeluh, Leopold
(1747-1818)

Symphonie concertante en mi bémol majeur pour mandoline, trompette, piano-forte, contrebasse et orchestre. Concerto pour piano-forte à quatre mains en si bémol majeur.

*** Bonifacio Bianchi (mandoline), Jean-Paul Leroy (trompette), Franco Angeleri et Micaela Mingardo-Angeleri (piano-forte), Leonardo Colonna (contrebasse), I Solisti Veneti, Claudio Scimone. Erato STU 71.305. Enregistré en 1979.

Un musicologue tchèque a récemment mis en évidence que la production abondante et pourtant ignorée de Kozeluh constituait le meilleur exemple du classicisme viennois avant Beethoven. Elle surpasse parfois même l'élégance de C.P.E. Bach. Aussi pourra-t-on l'apprécier avec ce programme brillant et original, dont la splendeur picturale est admirablement mise en valeur par des interprètes de haute qualité.

Kurtag, György
(né en 1926)

Les Dits de Peter Bornemisza. Quatre mélodies sur des poèmes de Pilinszky.

❀*** Erika Sziklay (s), Istvan Gati (bar), Lorant Szücs (piano), Ens. Instr. Andràs Mihaly. Hungaroton SLPX 11845 (étr.).

Le texte des *Dits de Peter Bornemisza* (en hongrois archaïque) d'une violence terrible, est mis en valeur par une musique qui construit peu à peu un monolithe impressionnant de puissance. On n'y peut résister, tout comme il semble impossible de ne point se laisser prendre à l'envoûtement subtil d'Erika Sziklay, dont la voix irremplaçable et la technique parfaite ne nous laissent aucune seconde d'hésitation. Mention spéciale au pianiste-orchestre. Les *Quatre mélodies* complétant ce disque nous portent ailleurs dans un dépouillement extrême où ne reste que le fil tendu de l'émotion née de la voix sombre à souhait de Istvan Gati.

Quatuor à cordes op. 1. Quintette à vents op. 2. Huit pièces pour piano op. 3. Huit Duos pour violon et cymbalum. Gammes, pour piano.

*** Quatuor Eder, Quintette à vents «Jeunesse», Judit Havesi (violon), Jozsef Szalay (cymbalum), Zoltan Kocsis, Marta et György Kurtag (pianos). Hungaroton SLPX 11846 (étr.).

Dans un style raréfié, ciselé à la Webern, voici des pièces de musique de chambre où le matériau est compressé, étiré, aéré jusqu'à l'épure totale. Rêves fantasmagoriques, eaux miroitantes, ellipses capricieuses, architectures en transparence, images de brumes noyées... Il fallait, afin de rendre l'indicible, l'évanescent, le poids à cette matière, des musiciens intelligents à la finesse rare, à la compréhension poétique vive : les voici.

L

Lajtha, Laszlo
(1892-1963)

Magnificat op. 60. Trois Hymnes à la Vierge op. 65. Quatre Madrigaux op. 29.

*** Chœurs Féminins de Györ, Laszlo Hoffmann (orgue), Ch. de Chambre de l'Académie Franz Liszt, István Parkai. Hungaroton SLPX 11.965.

Bien des raisons invitent à porter une attention toute particulière à ce superbe disque. Tout d'abord, il gonfle utilement un catalogue bien chiche envers ce compositeur hongrois. Ensuite, le programme est passionnant, de la piété limpide du *Magnificat* et des hymnes, à la délicieuse sensibilité archaïsante des Madrigaux (de Charles d'Orléans). Merveilleuse interprétation, qui devrait faire rendre mieux justice à Lajtha.

Quatuor à cordes n° 10 op. 58 (Suite transylvanienne en 3 parties). Sinfonietta pour cordes op. 43.

** Quatuor Tátraï, Orch. de Chambre Hongrois, Vilmos Tátraï. Hungaroton SLPX 12.018 (étr.).

Les deux ouvrages proposés dans ce disque témoignent de l'inspiration folklorique chère à Lajtha, en même temps que de ses qualités d'écriture. Tout cela est rendu à merveille par des interprètes de premier ordre : le Quatuor Tátraï ajoute à sa célèbre perfection une exécution fougueuse ; l'Orchestre de Chambre Hongrois se montre poétique et expressif au-dessus d'une technique sans faille. Une très agréable réalisation.

Symphonie n° 4 «Le Printemps» op. 52. Symphonie n° 9 op. 67.

*** Orch. Symph. Etat Hongrois, János Ferencsik. Hungaroton SLPX 11.564 (étr.).

Le Grand Prix attribué à ce disque par l'Académie Charles Cros est un juste hommage à une première mondiale consacrée au compositeur hongrois. Son compatriote János Ferencsik donne ici une interprétation transcendante de ces deux Symphonies. Son art de la direction s'exprime passionnément dans tous les registres : il est aussi convaincant dans la douceur et la poésie irréelles que dans l'éloquence lyrique et dramatique.

Lalo, Edouard
(1823-1892)

Concerto pour violoncelle et orchestre en ré mineur.

❀*** André Navarra, Orch. Concerts Lamoureux, Charles Munch. Erato EF 28.018. ⌧ MCE 28.018. + *Saint-Saëns : Concerto n° 1 pour violoncelle.*

*** János Starker (violoncelle), Orch. Phil. de Londres, Stanislas Skrowaczewski. Philips 6538.023 (sup.). + *Namouna, Roi d'Ys (Ouverture).*

André Navarra et Charles Munch forment un tandem inapprochable et inapproché. La prise de son, claire et lumineuse, met admirablement bien en valeur la complicité de deux grands artistes qui croient mordicus en ce qu'ils font et qui s'engagent totalement.

Pierre Fournier et Jean Martinon, ou le triomphe de l'élégance. On trouvera des versions plus engagées, plus sanguines (Navarra/Munch), mais plus élégante et fine, nous en doutons.

János Starker et Stanislas Skrowaczewski jouent le jeu de la virtuosité et de l'épure. L'archet de Starker semble voler, mais cette virtuosité est accompagnée d'une telle poésie et d'une telle lumière qu'elle se fait oublier.

Namouna, suites d'orchestre.

** Ernest Ansermet, Orch. Suisse Romande. Decca 7.007 (sup.). + *Divertissement, Rapsodie.*

* Jean Martinon, Orch. National de l'ORTF. DG 2543.803. + *Rapsodie.*

Ernest Ansermet et son Orchestre de la Suisse Romande plongent au cœur de la partition pour en tirer le suc. Une mise en place parfaite et une ambiance d'une verve et d'une chaleur communicatives donnent valeur de référence à ce disque.

Jean Martinon s'attache aux rythmes qu'il burine à l'extrême, ce qui ne va pas, hélas ! sans quelques lourdeurs. Mais une *aura* poétique et une intensité convaincantes vous feront bien vite oublier ces menus défauts.

Rapsodie Norvégienne pour orchestre.

*** Paul Paray, Orch. Opéra de Monte-Carlo. Erato 70.771. ⌧ MCE 70.771. Enregistré en 1972. + *Symphonie Espagnole.*

** Jean Martinon, Orch. National de l'ORTF. DG 2543.803. + *Namouna.*

* Antonio de Almeida, Opéra de Monte-Carlo. Philips 6500.927. ⌧ 7300.625. + *Roi d'Ys (Ouvertures), Symphonie.*

Paul Paray a toujours défendu le répertoire français avec une foi et une conviction que l'on retrouve intactes dans cet enregistrement réalisé au soir d'une carrière exemplaire.

Jean Martinon joue le jeu de la verve, et son ardeur est communicative. Il tire de son orchestre, supérieur à celui de Paul Paray, des sonorités d'une fraîcheur revigorante.

Compacte, ramassée, telle apparaît la version de Antonio de Almeida ; mais son orchestre, admirablement capté par une prise de son exemplaire, pêche par une lourdeur parfois écrasante.

Le Roi d'Ys, opéra.

*** Janine Micheau (Rozenn), Henri Legay (Milio), Rita Gorr (Margared), Jean Borthayre (Karnac), Pierre Savignol (le Roi), Jacques Mars (Saint Corentin) Ch. et Orch. National de l'ORTF, André Cluytens. EMI VSM C 153-11.068/9. (2 d.) (sup.).

Janine Micheau nous laisse là un témoignage émouvant de son art. Quelle intelligence et quelle économie de moyens dans la caractérisation d'un rôle exigeant ! On comprend mal pourquoi l'éditeur a supprimé cet enregistrement unique de l'opéra de Lalo.

Sonate pour violon et piano op. 12. Trio pour piano, violon et violoncelle op. 26.

** Flora Elphège (violon), Jean Martin (piano), Claude Burgos (violoncelle). Arion ARN 31.952. Enregistré en 1975.

La complicité de ces musiciens exigeants dans leur art est un émouvant réconfort. Chaleureux, fraternels, ils effacent en quelques instants le souvenir d'une armée de virtuoses. Hélas ! une prise de son un peu dure vient parfois gâcher notre plaisir.

Sonate pour violoncelle et piano.

** Reinhold Buhl (violoncelle), Raya Birguer (piano). Calliope CAL 1.805 (sup.). Enregistré en 1972. + *Chausson : Pièce pour violoncelle et piano. Vierne : Sonate pour violoncelle et piano.*

Une version équilibrée, et pour tout dire exemplaire. Attentifs à traduire la beauté réelle de cette page, ces deux interprètes croient en cette Sonate : n'est-ce pas là l'essentiel .

Symphonie en sol mineur.

*** Orch. National de l'ORTF, Thomas Beecham. EMI VSM C 053-00.175 (sup.). + *Bizet : Symphonie en ut.*

* Orch. Opéra de Monte-Carlo, Antonio de Almeida. Philips 6500.927. ⌧ 7300.625.

En dehors de Mozart, de ses gros cigares et de Haydn, Sir Thomas avait une autre passion : la musique française. Ce pince-sans-rire cachait, sous une apparence sévère, des trésors de tendresse dont il fait bénéficier cette Symphonie qu'il chérissait.

Almeida est ici d'une lourdeur et d'un empois qui contrastent avec des envolées lyriques étonnantes et rassurantes... Prise de son superbe.

Symphonie Espagnole pour violon et orchestre op. 21.

❀*** Itzhak Perlman (violon), Orchestre de Paris, Daniel Barenboïm. DG 2532.011. ⌧ 3302.011. + *Berlioz : Rêverie et Caprice op. 8, pour violon et orchestre.*

❀*** Pierre Amoyal (violon), Orch. Opéra Monte-Carlo, Paul Paray. Erato STU 70.771. ⌧ MCE 70.771. Enregistré en 1972. + *Rapsodie Norvégienne.*

*** Arthur Grumiaux (violon), Orch. Concerts Lamoureux, Manuel Rosenthal. Philips 5835.184. + *Saint-Saëns : Havanaise, Introduction et Rondo capriccioso.*

* Henryk Szeryng (violon), Orch. Opéra Monte-Carlo, Edouard van Remoortel. Philips 6500.195. + *Ravel : Tzigane.*

Perlman déploie un archet souverain, des sonorités exceptionnelles, une technique éblouissante. Il entre dans le jeu sans aucune réticence, pleinement, avec un évident plaisir, ivre de lumière, de rythme, de couleurs. Son interprétation pleine d'entrain se signale par l'humour, par un frémissement intérieur de tous les instants. Un disque superbe.

Amoyal, Paray. Le jeune loup et le vieillard chenu. Non, ce n'est pas une fable de Jean de La Fontaine, mais l'évocation d'une rencontre au sommet entre deux artistes d'une totale sincérité. Tout y est, le panache, la virtuosité, l'humour, l'émotion.

Arthur Grumiaux n'est pas un foudre de guerre, et c'est tant mieux. Ses qualités sont ailleurs, et son art fait d'une grâce discrètement épanouie trouve un terrain idéal pour s'exprimer ici. Il gomme toutes les facilités que renferme cette partition et nous en donne un visage débarrassé de tous les tics que la tradition y avait accumulés.

La modestie n'est pas la qualité dominante de Henryk Szeryng ; aussi ne vous étonnez pas si à l'écoute vous trouvez qu'il tire un peu trop la couverture à lui. Mais sa sonorité et son style sans défaut passent tellement bien la rampe..

Lambert, Michel
(vers 1620-1696)

Airirs de cour : Sombres déserts, Doux charmes, A ce retour de la maison nouvelle, Vous ne sauriez, mes yeux, Vos mépris chaque jour, Que faites-vous, Sylvie ?, Laisse-moy soupirer, Une jeune et tendre beauté, Goûtons un doux repos.

*** René Jacobs (hc), Concerto Vocale. Harmonia Mundi HM 1061 (2 d.). Enregistré en 1980. + *Duffault : Pavane pour luth. Du Buisson : plainte sur la mort de M. Lambert.*

La réalisation du Concerto Vocale est à la mesure exacte de cette musique qui n'enfle jamais le ton. La voix de René Jacobs, avec ce timbre voilé de haute-contre – au ton secrètement blessé – et ces accents sensibles qui répondent aux moindres intentiòns des mots, est très précisément celle qu'appelait l'art de Michel Lambert.

Landini, Francesco
(vers 1335-1397)

Caro signor, Nessum ponga, La pescha, El mie dolce sospir, Gram piant' agl' occhi.

❀*** Pro Musica Antiqua, Safford Cape. Archiv 14.019 (sup.). Mono. Enregistré en 1953. + *Madrigales et Caccie du Codex Squarcialupi : Jacopo da Bologna, Giovanni da Cascia, Gherardello, Dufay.*

Un enregistrement d'archives, maintenant, mais qui possède encore toute la vie d'une interprétation exceptionnellement belle. Il y a dans toutes ces réalisations de Safford Cape une capacité d'envoûtement, un ton parfaitement juste qui empêchent tout vieillissement. Un tel enregistrement ressortirait de nos jours, il serait sans doute le meilleur.

Che pena è quest' al cor, I' piego amor, Donna, S'i' t'o fallito, Adiu, Adiu, dous dame, Ma' non s'andra, Una colonba candida, O fanciulla giulia, Chosi pensoso, De, dimi tu, Questa fanciull' amor (2 fois), Non avra ma' pieta (2 fois), Gram piant' agli ochi.

*** Studio der frühen Musik, Thomas Binkley. EMI-VSM Réflexe C 063-30.113.

C'est une interprétation très vivante, très présente, belle par sa pureté mélodique et harmonique, que présente le Studio der frühen Musik. Elle reste, de plus, très proche de ce que pouvait être le «concert» de l'époque. De très belles voix qui savent se faire humoristiques, lyriques ou entraînantes. Toute la richesse des compositions de Landini se trouve parfaitement rendue.

Va pure amore, I'prieg amor, Per allegrezza, Gram piant' agli occhi.

** Ensemble Ricercare de Zurich, Bill Miskell (t). Harmonia Mundi HM 592. + *Machaut, Cordier, Gallo et Francus de Insulis, Johannes Simon de Haspre, Dufay, Anonymes.*

Une interprétation intéressante par la qualité des instruments utilisés et par la conscience musicale et historique avec lesquelles ils sont maniés. L'Ensemble Ricercare fait preuve d'imagination et de respect pour la forme originale de l'œuvre qu'il interprète. Tout en rendant compte de la tendance qui voulait que les chansons les plus lyriques soient interprétées aux instruments, les talents mélodiques de Landini ne sont pas oubliés et la voix pleine et souple du ténor sait en faire apprécier tous les accents.

Landowski, Marcel
(né en 1915)

Le Fou, opéra.

*** Claudine Carlson (Isadora), José van Dam (Peter Bel), Philippe Huttenlocher (le Prince), Rémy Corazza (Artus), Solistes, Ch. de l'Opéra du Rhin, Orch. Phil. de Strasbourg, Alain Lombard. Erato STU 71.249 (2 d.). Enregistré en 1978.

Le Fou est sans doute une des plus grandes œuvres de Marcel Landowski. Pour évoquer les problèmes qui assaillent la conscience des savants en temps de guerre totale, pour peindre la mort ou la survie des peuples, rien n'a été refusé au compositeur : un plateau de haut niveau, avec en tête José van Dam et Philippe Huttenlocher, un orchestre, des chœurs préparés dans le détail. De la sorte, l'impact de l'œuvre est puissant. Dans cette partition qui illustre la «philosophie» de Landowski, le mouvement dramatique a de la grandeur. Les interrogations sont posées avec vigueur, le lyrisme réclame les droits imprescriptibles de l'émotion.

Les Hauts de Hurlevent, «Histoire d'une Passion».

*** Groupe de Musique de chambre expérimentale de l'Itinéraire, Groupe d'instruments électroniques de l'Itinéraire, Orch. Colonne, Marcel Landowski. EMI VSM C 069-73.140. Enregistré en 1982.

Marcel Landowski n'est certes pas le premier à avoir tenté la coexistence entre synthétiseurs, groupe de musique de chambre et orchestre symphonique. Peut-être est-il l'un des rares à avoir transformé ce mariage musical en mariage d'amour. La fusion est si parfaite qu'on ne distingue plus ce qui est dit par un instrument électronique du discours d'un instrument classique. Tous racontent d'une seule voix la très belle et très tragique *Histoire d'une Passion.*

Symphonie n° 1 «Jean de la Peur». Symphonie n° 3 «Des Espaces».

** Orch. Phil. de l'ORTF, Charles Brück. Philips 6504.060. Enregistré en 1969.

Les œuvres de Landowski sont représentées au catalogue discographique par des pages maîtresses. Sur le plan symphonique, cet enregistrement regroupe deux partitions importantes du compositeur. On y retrouve l'amour et le mysticisme qui sont au cœur de la Symphonie «Jean de la Peur» ; quant à la Symphonie «Des Espaces», dans un même esprit, elle ménage de vigoureux contrastes, évoquant les étendues terrestres et l'élan sans limite des rêves et de l'imagination. Charles Brück et l'Orchestre Philharmonique de l'ORTF sculptent avec force cette riche matière sonore.

Le Ventriloque, comédie lyrique et chorégraphique.

** Xavier Depraz (b), Jean-Christophe Benoît (bar), Nadine Sautereau (s), Orch. de la Société des Concerts du Conservatoire, Marcel Landowski. EMI VSM C 065-14.084 (sup.). Enregistré en 1966.

Les J.M.F., autour des années 1956, ont pu apprécier cette œuvre lyrique de Marcel Landowski écrite pour eux. Après des dizaines d'auditions, la partition fut enregistrée. Elle demeure au catalogue, et c'est l'une des rares œuvres lyriques d'aujourd'hui à avoir triomphé des atteintes du temps. Il faut dire que l'interprétation en est exemplaire. Les solistes et l'orchestre placé sous la direction du compositeur racontent en lignes fortes, en plans largement expressifs, les aventures d'un ventriloque envoûté par une poupée maléfique.

Langlais, Jean
(né en 1907)

Messe Salve Regina. Chorals pour trompette et orgue n° 1, 3, 4. Psaume solennel n° 3.

*** Maîtrise de Notre-Dame de Paris, Petits Chanteurs de Sainte-Marie d'Antony, Maîtrise de la Résurrection, Ensemble de Cuivres Roger Delmotte, Quatuor de trombones de Paris, Roger Delmotte (trompette), Pierre Cochereau, Jacques Marichal, Georges Bessonnet (orgue), Patrick Giraud, Jean Revert. Solstice SOL 14. Enregistré en 1979 et 1980.

On voit avec satisfaction revenir au catalogue la Messe qui avait été l'objet, jadis, d'un enregistrement d'une rare excellence. Autour de cette œuvre-pilier, deux inédits discographiques, avec trois des sept Chorals pour trompette et orgue, et le *Psaume 148*, dont l'inspiration vibrante se réclame simultanément du Moyen Age et de Stravinsky. Très belle interprétation, fervente et haute en couleurs.

La Rue, Pierre de
(1460-1518)

Motets : Laudate Dominum, Pater de caelis, Gaude Virgo, Salve Regina.

*** Pro Cantione Antiqua de Londres, Bruno Turner. Archiv 2533.377 (RFA). Enregistré en 1977. *+ Obrecht : Motets.*

Une belle réalisation, tant musicale que technique, par sa simplicité et l'authenticité que recherche constamment le Pro Cantione Antiqua. Cet ensemble fuse de ses belles voix, rendant avec souplesse et délicatesse la dynamique du compositeur. La discrétion et la modestie des moyens utilisés font de ce disque une réussite de grande qualité.

Lassus, Roland de
(1530-1594)

Chansons : Un jeune moine, Matona mia cara, Le rossignol, Mon cœur se recommande à vous.

* Ensemble Vocal Philippe Caillard, Philippe Caillard. Erato Mus 19.045. ✉ MCE 19.045. + *œuvres de Bonnet, Cadéac, Certon, Janequin, Josquin des Frez, Lejeune, Mauduit, Passereau.*

Ne laissons pas tomber dans l'oubli ces réalisations très vivantes, aux belles harmonies, de cet ensemble dont la qualité de voix était assez remarquable. Cet enregistrement, bien que fait dans un esprit beaucoup plus choral qu'historique, ne présente aucune faute de goût ; il est en outre du ton le plus juste... et français .

Les Larmes de Saint Pierre.

*** The Consort of Musicke, Anthony Rooley. Oiseau-Lyre 595.088. Enregistré en 1982.

** Ensemble Vocal Raphaël Passaquet, Raphaël Passaquet. Harmonia Mundi HM 2.961 (2 d.). Enregistré en 1973.

Par son approche incroyable de délié et de plasticité, le Consort of Musicke, au long d'une mise en œuvre caractéristique des dernières recherches de la musicologie actuelle, montre qu'il a d'abord retenu des œuvres la leçon madrigalesque, en la mariant à une conception déjà baroquisante du chant. Cependant l'atout majeur de cette étonnante vision est de privilégier l'accent personnel et la confession individualiste et aussi d'accuser au maximum, les traits modernes d'une polyphonie déjà troublée par les ferments monodiques et la touche sensible du futur *Stile nuovo.*

Pour l'œuvre maîtresse de Lassus, son testament en quelque sorte, un seul enregistrement, celui de l'Ensemble Raphaël Passaquet. Il s'y coule avec intelligence et musicalité, sachant allier la sobriété à l'éclat d'un chœur à sept voix. Une interprétation qui sait être chatoyante par les timbres pleins et bien affirmés ou parfaitement fondus dans l'ensemble. Les nuances rigoureuses, la délicatesse des effets de double chœur, l'unité de ton entre le sens et l'interprétation mélodique rendent ce disque intéressant, voire émouvant.

Magnificat «Praeter verum seriem» à 6 voix. Alma redemptoris mater, motet à 6 voix. Ave Maria, motet à 5 voix.

** Pro Cantione Antiqua de Londres, Collegium Aureum, Membres du Tölzerknabenchor, Ensemble de vents de Hambourg, Bruno Turner. Deutsche Harmonia Mundi HM 20.358 (sup.). + *Gabrieli : Motets à la Vierge.*

Dans cet enregistrement maintenant disparu, on trouvera la perfection chorale, musicale et historique habituelle au Pro Cantione Antiqua. Bruno Turner ne recherche aucun effet : tout est ressenti nécessaire à l'écoute comme à la réalisation. Une splendeur discrète dans ses manifestations. Soulignons l'intérêt de nous faire connaître l'inspiration contemplative de Lassus.

Les Meslanges d'Orlande de Lassus. Tome I, Chansons 1 à 20 : Las voulez vous, L'heureux amour, Si le long temps, Un advocat dit à sa femme, Sauter dancer, Si par souhait, En un chasteau, Monsieur l'Abé qui dort icy ?, Soyons joyeux, Quand mon mary, Ardant amour, A ce matin, Si je suis brun, resp, Ne vous soit estrange, La nuict froide et sombre, O vin en vigne, Avecques vous mon amour finira, Un jour vis un foulon, Je l'ayme bien, Fleur de quinze ans.

❀*** Ensemble Polyphonique de France, Charles Ravier. Astrée AS 11. Enregistré en 1975.

Les qualités de l'Ensemble Polyphonique de France sont portées au plus haut de leurs forces dans cet enregistrement : délicatesse, précision, musicalité, souplesse. De belles voix qui mettent bien en évidence l'articulation polyphonique des œuvres, des tempos bien choisis qui soulignent la beauté mélodique et s'adaptent parfaitement à l'esprit de la chanson. Une réussite par l'entente des timbres et la fusion à laquelle ils parviennent. La réalisation matérielle et technique est exceptionnelle.

Les Meslanges d'Orlande de Lassus. Tome II, Chansons 21 à 44 : Un doux nenny, Hélas, quel jour, Le tems passé, Si du malheur, En espoir vis, Le suis quasi prest, Du cors absent, I'ay cherché la science, La mort est jeu, Si vous n'estes en bon point, Le vray amy, Orsus filles, Qui bien se mire, Scays-tu dire

l'Ave, O tems divers, De vous servir, Trop endurer, Vray Dieu disoit une fillette, Il estoit une religieuse, Le tems peut bien, Petite folle, Fuyons tous d'amour le jeu, Hatez-vous de me faire grace, En un lieu où l'on ne void goutte.

*** Ensemble Polyphonique de France, Charles Ravier. Astrée AS 12. Enregistré en 1972.

S'il n'y avait aucune réserve à faire pour le premier volume des Chansons de Lassus par l'Ensemble Polyphonique de France, il n'en est pas de même ici, où l'utilisation des seules voix d'hommes modifie complètement l'atmosphère du disque. Certains frottements de justesse peuvent chagriner l'oreille la plus avertie. Cependant il n'en reste pas moins vrai que l'esprit de ces Chansons est très bien rendu, avec sobriété, émotion, parfois même le sourire. Le soin apporté à la réalisation de cet enregistrement en fait un bon disque.

Missa Sexta, octo vocibus, ad imitationem «Vinum bonum». Timor Domini pricipium. Komht her zu mir, spricht Gottes Son. Magnificat sexti toni. Schaff mir doch, Recht in Sachen mein. Timor et tremor, Exaudi Deus. Avoi Gugliemo. Sybilla Europea, Vedi l'aurora. O fugace dolcezza, Marona mia cara. La nuict froide et sombre, Bicinium. Der Tag ist so freudenreich. Im Mayen hört man die hanen krayen. Die Fassnacht ist ein schöne Zeit. Am Abend spat beim kühlein Wein.

** Capella Antiqua de Munich, Konrad Ruhland. BASF 29 21192 A (2 d.) (sup.). + *Anthologie de la musique à la cour de Bavière au XVIe siècle.*

L'intérêt de ce disque réside surtout dans le fait qu'il situe Lassus dans un contexte régional précis, montrant ainsi sa faculté d'adaptation à toutes les esthétiques. La réalisation de Konrad Ruhland est belle ; elle témoigne un souci constant de se mettre dans l'esprit du texte interprété, sans idée préconçue. Une interprétation très musicale, à laquelle on pourrait sans doute reprocher de servir plus l'oreille moderne que celle du XVIe siècle.

Moduli Quinis Vocibus. Motets.

❀*** Collegium Vocale et Solistes du Ch. d'enfants de Hanovre, Philippe Herreweghe. Astrée AS 44. Enregistré en 1979. + *Musique dans les provinces du Nord.*

Jamais cette œuvre n'avait été enregistrée auparavant, et c'est par une réalisation d'une très grande qualité que Philippe Herreweghe nous permet de la découvrir. La vie, la sensibilité, l'émotion sont magnifiquement rendues par les voix d'une pureté et d'une netteté assez exceptionnelles. L'écriture polyphonique se dégage des plis luxueux des masses sonores qui se mêlent et se poursuivent avec souplesse et fluidité. La retenue et l'intimité, le recueillement de ces pièces s'imposent par la modestie des effets et des effectifs choraux. Une lecture très vivante, très active, parfois même espiègle de la musique de Lassus.

Motets : Omnes de Saba venient, Salve Regina Mater misericordia, Alma redemptoris mater, Psalmus poenitentialis V, Tui sunt coeli.

* Ch. de la Christ Church Cathedral d'Oxford, Simon Preston. Argo ZRG 795 (G-B). Enregistré en 1975.

C'est toujours avec un choc auditif que l'on rencontre les chœurs de garçons anglais. Il ne manque pas de se produire avec cet enregistrement : des voix très pures qui évoluent sans difficulté dans les aigus avec un côté acide très prairie anglo-saxonne, mais un équilibre parfaitement contrôlé. Tout ce qu'il faut pour rendre le luxe, la beauté dans toute sa plénitude de ces compositions renaissantes, c'est tout autre chose que ce que propose le Pro Cantione Antiqua, ce n'est peut-être pas exactement ce que l'on attend en matière de réalisation authentique, mais c'est très beau. N'est-ce pas tout ce qui compte.

Les Prophéties de la Sibylle, Messe Super «dixit Joseph».

** Les Madrigalistes de Prague, Miroslav Venhoda. Valois MB 881 (sup.). Enregistré en 1970.

Les qualités des Madrigalistes de Prague excellent à rendre le chromatisme de ces prophéties : aucun désir de «montrer» l'italianisme, une sobriété dans l'exécution, des voix très pures, souples, qui ne perdent pas de leur sensibilité ni de leur expressivité. Miroslav Venhoda ne cherche pas à faire briller sa chorale, il ne tend qu'à rendre brillant et captivant Roland de Lassus.

Psaumes de pénitence. Motets Ave Regina caelorum, Salve Regina.

❀*** Pro Cantione Antiqua de Londres, Ensemble de Vents de Musique Ancienne de Hambourg, Bruno Turner. Archiv 2533.290 (RFA). Enregistré en 1974.

Un disque merveilleux, tant par sa réalisation technique que musicale. Des tempos alliant la vie à la modération rendent avec efficacité le caractère recueilli de ces Psaumes. Les voix, très pures, jouent à s'envoyer les unes aux autres le texte, le rendant alors très compréhensible. Aucune emphase, tant sur le plan de la masse sonore que sur celui de l'interprétation. L'effectif bien proportionné fait ressortir toutes les voix dans leur complexité, sans nuire à l'homogénéité de l'ensemble. Chacun fait preuve de délicatesse, de souplesse, de raffinement, mais tout cela dans une intense simplicité. Les nuances sont parfaitement contrôlées, les effets tutti/soli contrebalancés par la profondeur. Musique et histoire se trouvent ici en parfait accord.

Requiem à 5 voix. O bone Jesu, Motet à 4 voix.

*** Ensemble Pro Cantione Antiqua de Londres, Bruno Turner. Deutsche Harmonia Mundi 1C 065-99.603.

Egal à lui-même, le Pro Cantione Antiqua de Londres donne ici une très belle réalisation de cette Messe de Requiem et du motet : musicale, rigoureuse, recueillie. La qualité exceptionnelle des voix et de l'ensemble confère une pureté de style rarement obtenue. Les séquences grégoriennes montrent une précision d'attaque et une rigueur dans le mouvement mélodique quasi parfaites. Bruno Turner a su donner à ce Requiem sa fonction liturgique, ne le libérant point malgré les accents harmoniques renaissants de l'écriture rigoureuse, épurée, encore proche de l'esthétique de Ockeghem. Tout le sens de l'œuvre se trouve conservé par l'ajout des pièces liturgiques grégoriennes pour les lacunes que présente le texte.

Sacrae Cantiones (Motets).

*** Collegium Vocale et membres du Knabenchor de Hanovre, Philippe Herreweghe ; Hespérion XX, Jordi Savall. Astrée AS 57. Enregistré en 1979.

Le résultat de l'approche fouillée et anticonventionnelle de Jordi Savall et Hespérion XX est bouleversant : recherche de la splendeur dans la couleur, la pureté, la lumière très particulière des voix. Affinement des nuances, alternance des «chœurs», éclatement de la pâte sonore dans l'espace, rythmes variés et complexes sous-tendant l'expressivité de la pièce entretiennent une atmosphère particulièrement recueillie, d'une plénitude musicale, d'une brillance technique évidentes mais au service de la seule beauté.

Sacrae lectiones ex propheta Job.

** Les Madrigalistes de Prague, Miroslav Venhoda. Valois MB 871 (sup.). Enregistré en 1969.

Cette œuvre qui tranche sur le climat des Chansons par son aspect dramatique et même inquiétant, les Madrigalistes de Prague parviennent à nous en faire goûter toutes les beautés. Ils touchent ici le répertoire par excellence pour un chœur mixte, et savent se contenir dans la sobriété d'exécution que nécessite l'esprit de l'œuvre, ce qui n'exclut pas la plénitude de l'ensemble choral, la brillance de l'harmonie. Justesse de ton, souplesse des voix, une grande musicalité qui s'efforce de souligner la structure polyphonique des Lectures qualifient le mieux cet enregistrement. Soulignons l'homogénéité des voix qui se fondent sans difficulté dans la masse sonore.

Lawes, William
(1602-1645)

Dialogues, Psaumes, Elégies.

*** Emma Kirkby et Poppy Holden (s), John York Skinner (hc), Martyn Hill (t), David Thomas (b), The Consort of Musicke, Anthony Rooley. Oiseau-Lyre 390.191. + *Œuvres de Jenkins.*

La musique vocale de William Lawes ne présente pas toujours la même originalité que sa musique instrumentale. Il s'inscrit plus nettement dans un courant contemporain dont ce disque nous offre un bon exemple, puisque, à côté de pièces du compositeur, nous en trouvons une de son frère, et une autre de John Jenkins qui avait été son maître et ami. Nous ne pouvons qu'admirer la souplesse avec laquelle les interprètes ont rendu la diversité des modes et des humeurs de Lawes devant la musique. Elégiaque, plaisantin, mais surtout grave, obsédé par l'idée de mort, il reste en toutes occasions un homme d'intelligence, à la recherche de la solution la plus efficace, la plus audacieuse pour traduire cette angoisse intérieure qu'il partage avec toute une époque.

Suites pour violons et violes de basse (Division Viols)

*** The Consort of Musicke. Oiseau-Lyre 395.042.

Nous nous trouvons ici devant un des premiers exemples de virtuosité recherchée comme telle dans de la musique écrite pour un instrument à cordes accompagné. Qu'il s'agisse du violon ou de la «division viol», cette petite viole de basse spécifiquement anglaise, l'écriture est nerveuse, rapide, pleine d'audace. C'est plutôt du côté de la basse d'accompagnement qu'il faut chercher les éléments traditionnels, et précisément dans l'emploi à cette fin de l'orgue. Réduit à une formation en quatuor soutenu par l'orgue, le Consort of Musicke donne à ces œuvres un relief et une présence qui s'accorde très bien avec l'apparente facilité d'accès que donne une interprétation qui semble entièrement familiarisée avec ce style musical.

Suite n° 2 en ré mineur. Sonate n° 8 en ré majeur. Consort n° 10 en sol mineur. Huit chansons pour haute-contre et luth.

*** René Jacobs (hc), membres du Leonhardt Consort, Gustav Leonhardt. RCA Seon RL 30.375.

Quelques artistes partant à la découverte d'un musicien oublié, tel pourrait être le titre de ce disque. William Lawes, qui nous est révélé, est un homme et un compositeur passionnant. Mort dans une des batailles de la Guerre Civile, il représente, aussi bien dans le temps que par son style, le dernier maillon de la chaîne dans une aventure musicale qui a duré plus d'un siècle et que nous baptisons du terme d'ensemble de musique élisabéthaine. Gustav Leonhardt, René Jacobs et leurs complices font ressortir l'aspect expressionniste du musicien, sa volonté d'émouvoir à tout prix, la hardiesse de sa démarche technique. Ils chargent peut-être un peu les traits pour être plus convaincants. Mais ils nous font toucher du doigt le point de perfection atteint par la musique anglaise à la veille d'une crise politique où elle devait trouver, sinon la mort, du moins la fin d'un équilibre exceptionnel.

Lebègue, Nicolas
(1630-1702)

Premier Livre d'orgue

**Jean-Patrice Brosse (orgue de la cathédrale N.-D. de Saint-Bertrand-de-Comminges). Arion ARN 336.034 (3 d.). Enregistré en 1981.

L'enregistrement intégral de ce *Premier Livre d'orgue* est une première qui fait suite aux extraits que l'on devait à Marie-Claire Alain. Jean Patrice Brosse, loin de s'en tenir à la lettre, a su restituer l'esprit du compositeur en n'hésitant pas à utiliser toutes les ressources offertes par l'orgue de Saint-Bertrand-de-Comminges, en conformité avec les successeurs immédiats de Lebègue.

Premier Livre (Suites du 1er et du 2e ton, extraits de la Suite du 6e ton). Deuxième Livre (Prélude, Duo, Récit pour le cromorne, Basse de trompette, Trio, Dialogue, Plein-jeu). Troisième Livre (Les Cloches, Elévation en sol, Offertoire sur «O filii»).

** Marie-Claire Alain (orgue de Caudebec-en-Caux). Erato 70.950 (sup.). Enregistré en 1976.

Un portrait complet du maître de Grigny, à travers les extraits les plus significatifs de son abondante production pour l'instrument liturgique. Marie-Claire Alain tire le meilleur parti d'un instrument qui n'a pas les qualités sonores de quelques autres moins exactement contemporains de la musique enregistrée ici, mais d'une authenticité indiscutable (Isoir à Poitiers). Le seul disque entièrement consacré à Lebègue.

Suite du 2e ton. Elévation en sol. Symphonie sur le bémol fa.

*** André Isoir (orgue F.H. Clicquot de la cathédrale de Poitiers). Calliope 1910-1911 (2 d.). Enregistré en 1977. + *Grigny : Messe.* Ou Calliope 1910-1912 (3 d.). + *Grigny : œuvre complète.*

Une face Lebègue qui est en quelque sorte une introduction à l'intégrale de Grigny. Le rapprochement de ces deux compositeurs se comprend aisément : Lebègue, qui fut le maître de N. de Grigny, sert ici de faire-valoir à son génial disciple. Nous avons là l'illustration des principales formes liturgiques en vigueur à la fin du XVIIe siècle français, sur l'un des plus beaux instruments de la fin du siècle suivant.

Leclair, Jean-Marie
(1697-1764)

Les 12 Concertos pour violon et orchestre.

** Gérard Jarry (violon), Christian Lardé (flûte), Orch. de Chambre Jean-François Paillard, Jean-François Paillard. Erato STU 71.093 (3 d.). Enregistré en 1977 et 1978.

La seule version intégrale des Concertos de Leclair. L'interprétation reste fidèle au style d'interprétation traditionnel, mais l'orchestre sonne avec autant de rondeur que d'homogénéité, et surtout le violon de Gérard Jarry excelle par sa perfection technique et sa grande honnêteté musicale. Prise de son chaude et présente, mais manquant légèrement de finesse.

Concertos pour violon op. VII n° 3, op. VII n° 5 et op. X n° 6.

*** Jaap Schröder (violon et direction), Concerto Amsterdam. Telefunken 6.42180.

Jaap Schröder à la tête de l'excellent ensemble d'instruments anciens Concerto Amsterdam va beaucoup plus loin dans son approfondissement stylistique que Paillard, dont la direction, par comparaison, semble quelque peu besogneuse. Ses solos sont nettement plus acérés, plus en relief que ceux de G. Jarry, mais ils n'ont pas toujours la simplicité émouvante de ceux-ci. Prise de son dynamique, qui accuse parfois les sonorités âpres des cordes baroques.

Ouverture op. 13. Ouverture op. 14 pour deux violons et basse continue. Sonate pour deux violons op. 12 n° 5. Sonate pour deux violons op. 12 n° 6.

*** Musica Antiqua de Cologne, Reinhard Goebel. Archiv 2533414. Enregistré en 1978.

Des œuvres de chambre parmi les dernières qu'ait écrites Leclair. L'écriture violonistique du compositeur s'y trouve portée à son stade de plus haute maturité. Reinhard Goebel et son ensemble cernent ces pages avec une technique d'une précision extrême et une intelligence stylistique d'une acuité saisissante. De tous les enregistrements consacrés à Leclair, le plus convaincant, d'autant plus que la prise de son est remarquablement transparente et l'usinage soigné.

Lecocq, Charles
(1832-1918)

La Fille de Madame Angot, opérette.

** Mady Mesplé (Clairette), Christine Stutzmann (Mlle Lange), Bernard Sinclair (Ange Pitou), Charles Burles (Pomponnet), Michel Roux (Larivaudière, Buteux, le Cabaretier), Denise Benoît (Amaranthe, Mme Herbelin), Gérard Chapuis (Louchard), Jacques Loreau (Trénitz), Pierre Saugey (un Cadet), Ch. et Orch. de l'Opéra, Jean Doussard. EMI Pathé C 161.12500/1 (2 d.).

La Fille de Madame Angot, opérette : extraits.

* Lina Dachary (Clairette), Solange Michel (Mlle Lange), Michel Dens (Ange Pitou), Joseph Peyron (Pomponnet), Pierre Germain (Larivaudière), Marguerite Legouhy (Amaranthe), Raymond Bonté (Trénitz), René Ronsil (un officier, un cadet), Ch. Raymond Saint-Paul, Orch. Lamoureux, Jules Gressier. EMI Pathé C 057-12.085. Stéréo d'origine mono. Enregistré en 1952.

Malgré une erreur de distribution (le rôle de Mlle Lange, surtout au disque, réclame une voix de mezzo), l'intégrale de Jean Doussard est très satisfaisante. Outre qu'elle bénéficie de l'orchestre et des chœurs de l'Opéra, tous les interprètes ont su adopter le style léger qui s'impose.

La sélection Gressier est parfaitement classique, et même un peu trop.

Le Petit Duc, opérette : extraits.

* Nadine Renaux, (Duc de Parthenay), Liliane Berton (Duchesse de Parthenay), Willy Clément (Montlandry), Freda Betti (Directrice du couvent), René Hérent (Frimousse), Orch. Lamoureux, Jules Gressier. EMI Pathé C 057-12.107. Stéréo d'origine mono.

On peut se contenter de la sélection Pathé, plus fidèle à l'esprit d'une œuvre qui, quoiqu'on fasse, a beaucoup vieilli.

Lehár, Franz
(1870-1948)

Paganini, opérette (en allemand).

** Anneliese Rothenberger (Anna-Elisa), Nicolaï Gedda (Paganini), Olivera Miljakovic (Bella), Heinz Zednik (Pimpinelli), Ch. Opéra de Munich, Orch. Symph. de Bavière, Willi Boskovsky. EMI VSM C 157-30.752/53 (2 d.) (étr.). Quadri. Enregistré en 1977.

Paganini, opérette : extraits (en français).

* Andrine Forli (Anna-Elisa), Michel Dens (Paganini), Nadine Sautereau (Bella), Guy Godin (Pimpinelli), Orch. Société des Concerts du Conservatoire, Frank Pourcel. EMI Pathé C 057-12.127.

Il ne suffisait pas à Nicolaï Gedda d'être un ténor universel, à l'aigu particulièrement facile. Le voilà devenu baryton, d'opérette il est vrai, mais l'opérette de Lehár n'est pas de celles qui se chantonnent. Le reste de la distribution, sous la baguette d'un spécialiste, est du même niveau.

Et si l'on se contente des airs les plus célèbres, on les trouvera bien chantés, notamment par l'inusable Michel Dens, dans la sélection dirigée par Frank Pourcel.

Le Pays du sourire, opérette (en allemand).

*** Elisabeth Schwarzkopf (Lisa), Nicolaï Gedda (Sou-chong). Emmy Loose (Mi), Erich Kunz (Gustave), Otokar Krauss (Tchang), Ch. et Orch. Philharmonia, Otto Ackermann. EMI VSM C 149-03.047/48 (2 d.).Mono.

Le Pays du sourire, opérette (en français).

* Bernadette Antoine (Lisa), Michel Dens (Sou-chong), Sylvia Paule (Mi), Gilbert Guimay (Gustave), Charles Duclos (Tchang), Ch. René Duclos, Orch. Lamoureux, Yvon Leenart. EMI VSM C 161-12.077/78 (2 d.). Enregistré en 1970.

Le Pays du sourire, opérette : extraits (en allemand).

** Elisabeth Schwarzkopf (Lisa), Nicolaï Gedda (Sou-chong), Emmy Loose (Mi), Ch. et Orch. Philharmonia, Otto Ackermann. EMI Columbia 33 CX 1712 (RFA). Mono. + *La Veuve joyeuse, extraits.* Enregistrlé en 1953.

Le rôle créé par Richard Tauber n'est certes pas indigne du talent de Nicolaï Gedda, mais Elisabeth Schwarzkopf dans celui, plutôt sacrifié, de Lisa, c'est vraiment du luxe. On regrette que la technique de l'époque n'ait pas été à la hauteur d'une telle distribution.

Le rôle de Sou-chong, écrit pour un ténor, a été longtemps un des chevaux de bataille du baryton Michel Dens, qui l'a chanté des centaines de fois sur les scènes françaises. Sa longue carrière tirait à sa fin quand il l'a enregistré, mais le témoignage reste valable.

Citons pour mémoire un disque (importé) d'extraits de la version Ackermann, couplés avec des extraits de *la Veuve joyeuse* où l'on retrouve les mêmes artistes. Il ne figure plus au catalogue français.

La Veuve joyeuse, opérette (en allemand).

*** Elisabeth Schwarzkopf (Hanna), Erich Kunz (Danilo), Emmy Loose (Valencienne), Nicolaï Gedda (Camille de Rosillon), Anton Niessner (Mirko Zeta), Otakar Krauss (Cascada), Josef Schmidinger (Raoul de Saint-Brioché), Ch. et Orch. Philharmonia, Otto Ackermann. EMI Columbia C 149.03.116/17 (2 d.). Mono. Enregistré en 1953.

** Elizabeth Harwood (Hanna), René Kollo (Danilo), Teresa Stratas (Valencienne), Werner Hollweg (Camille de Rosillon), Zoltán Kélémen (Mirko Zeta), Donald Grobe (Cascada), Werner Krenn (Raoul de Saint-Brioché), Ch. Opéra de Berlin, Orch. Phil. de Berlin, Herbert von Karajan. DG 20707.070 (2 d.) RFA. Enregistré en 1973.

** Elisabeth Schwarzkopf (Hanna), Eberhard Waechter (Danilo), Hanny Steffek (Valencienne), Nicolaï Gedda (Camille de Rosillon), Knapp (Mirko Zeta), Kurt Equiluz (Cascada), Strohbauer (Raoul de Saint-Brioché), Ch. et Orch. Philharmonia, Lovro von Matacic. EMI VSM C 153.00.001/02 (2 d.). Enregistré en 1962.

La Veuve joyeuse, opérette (en français).

* Micheline Dax (Missia Palmieri), Michel Dens (Danilo), Suzanne Lafaye (Nadia), André Mallabrera (Coutançon), Michel Roux (Popoff), Christos Grigoriou (Lérida), Jean-Christophe Benoît (d'Estillac), Ch. René-Duclos, Orch. Société des Concerts du Conservatoire, Yvon Leenart. EMI VSM C.161.12080/81 (2 d.). Enregistré en 1968.

La plus ancienne des intégrales en allemand de *la Veuve joyeuse* est peut-être la plus parfaite, la plus séduisante, la plus «viennoise». Son seul petit défaut, en dehors du fait qu'elle ne bénéficie pas d'un enregistrement stéréo, c'est qu'Erich Kunz a la voix bien trop mûre pour un jeune homme et donne l'impression que Danilo est un vieux beau plutôt qu'un playboy.

On ne saurait adresser ce genre de reproche à René Kollo, qui réussit à faire complètement oublier son emploi habituel de ténor wagnérien. La distribution entière est d'ailleurs magnifique, et il faut avouer que Karajan et la Philharmonie de Berlin au service de Lehár, c'est quelque chose !

Si la version de Lovro von Matacic nous paraît encore supérieure, c'est qu'elle bénéficie de l'incomparable Schwarzkopf, d'ailleurs bien entourée. Qui chantera jamais la «Chanson de Vilya» comme elle le fait ?

La version française, chantée par des artistes français, ne peut que paraître bien pâle auprès de telles réalisations. Celle d'Yvon Leenart est pourtant fort honnête, encore que l'excellente comédienne Micheline Dax n'ait pas tout à fait les moyens vocaux que réclame le rôle de Hanna Glawari... pardon ! Missia Palmieri.

Le Jeune, Claude
(1527-1600)

Chansons : Qu'est devenu ce bel œil, Voici du gai printemps, Perdre le sens devant vous, Las ! où vas-tu sans moi.

** Ensemble Vocal Philippe Caillard, Philippe Caillard. Erato MUS 19.045. ⌧ MCE 19.045. *Œuvres de Bonnet, Cadéac, Certon, Janequin, Josquin des Prez, Lassus, Mauduit, Passereau.*

Au sommet de sa qualité, l'Ensemble Philippe Caillard donne ici une très belle interprétation, sensible, juste, raffinée de Claude Le Jeune. La diction est excellente, et tout est ressenti comme nécessaire. Le choix des œuvres proposées, hormis qu'il est typique de ce genre de manifestation chorale, rend compte de toutes les tendances musicales du compositeur. Un exemple de qualité et de vie pour les chorales à venir.

Messe en ré «ad Placitum».

*** Deller Consort, Alfred Deller. Harmonia Mundi HMU 251. Enregistré en 1975. *+ Titelouze : Quatre versets sur le Veni Creator.*

Le Deller Consort tisse avec un plaisir extrême, une délicatesse, une joie mesurée les lignes complexes des diverses voix de cette musique ouverte, fleurie, mais à la structure très élaborée. Une belle interprétation où variété, rigueur et expressivité sont les guides des musiciens. La présence de la voix de soprano élève encore cette œuvre vers la brillance céleste ; il y a dans ce disque un aspect précieux très agréable.

Octonaires de la vanité et inconstance du Monde.

*** Ensemble Jacques Feuillie, Jacques Feuillie. Arion 38.195.

L'interprétation que donne ici l'Ensemble Jacques Feuillie repose sur une étude très approfondie des problèmes divers que posent ces *Octonaires.* Chaque interprète s'est imprégné de l'esprit de l'œuvre pour retrouver le but ésotérique de Le Jeune. Clarté, vie, netteté, musicalité, avec toujours cette grande simplicité et cette délicatesse qui mènent au maximum de l'expression.

Le Printemps.

** Ensemble Jacques Feuillie, Jacques Feuillie. Arion 336.009 (3 d.).

Avec les *Octonaires de la vanité et inconstance du monde* et *Le Printemps,* l'Ensemble Jacques Feuillie fait le tour de la question Le Jeune. Il nous livre un document remarquable sur la composition de ce musicien passionné de recherches ésotériques. Moins réussi que les *Octonaires, Le Printemps* ne laissera de séduire par la pureté de son interprétation, la délicatesse et la précision de la diction. Il se dégage de cet enregistrement beaucoup de charme mélodique et pittoresque. Une grande œuvre bien servie ; une manifestation pédagogique et historique intéressante.

Lekeu, Guillaume
(1870-1894)

Fantaisie symphonique sur deux airs populaires angevins. Adagio pour quatuor d'orchestre op. 3.

**Jean Mouillère, Ronald Patterson (violons), Jean-Pierre Pigerre (alto), Lane Andersson (violoncelle), Orch. Phil. de Monte-Carlo, Armin Jordan. Erato NUM 75.052. + *Chausson : Poème. Rabaud : Procession nocturne.*

Interprétation bouleversante de ces deux pages de Lekeu, qui sont deux chefs-d'œuvre où le jeune compositeur révèle un tempérament de coloriste et d'orchestrateur-né. La page la plus saisissante est l'*Adagio* pour quatuor d'orchestre, où l'écriture savante et maîtrisée n'étouffe jamais le sentiment. Lekeu s'y montre autant l'héritier des romantiques et de Franck que le précurseur du Schoenberg de la *Nuit transfigurée.*

Trois Poèmes pour chant et piano (avec quatuor à cordes pour Nocturne).

** Bruno Laplante (chant), Janine Lachance (piano), Quatuor non désigné. Calliope CAL 1870. + *Franck : Mélodies.*

Ce bel hommage canadien à Guillaume Lekeu - qui complète celui rendu, au verso, à son maître César Franck - comporte la seule occasion d'entendre le *Nocturne* dans la version avec accompagnement de piano et quatuor due à Lekeu lui-même.

Sonate pour violon et piano en sol majeur.

*** Arthur Grumiaux (violon), Dinah Varsi (piano). Musique en Wallonie MW 14 (Belgique).

*** Christian Ferras (violon), Pierre Barbizet (piano). DG 139.124. + *Franck : Sonate pour violon et piano.*

** Catherine Courtois (violon), Catherine Collard (piano). Erato STU 71.280. Enregistré en 1979. + *Franck : Sonate pour violon et piano.*

La célèbre Sonate dédiée à Ysaÿe, et sur laquelle repose depuis un siècle la pérennité de son auteur, a connu à ce jour une dizaine de gravures, dont la moitié au cours de la dernière décennie, ce qui manifeste le regain d'intérêt qu'elle suscite de nos jours. Mais nul ne l'a servie avec un sens du style, et notamment une retenue (dans le sublime *Lento*), comparables à ceux d'Arthur Grumiaux, pour ne rien dire de sa merveilleuse, enchanteresse sonorité. On doit admettre que sa première gravure, donnée vers 1956 avec l'idéale complicité de Riccardo Castagnone (Philips mono A 00348 L + Sonate de Debussy) n'a pas été surpassée par celle sous rubrique, qui demeure toutefois, en stéréo, la version de référence.

Si la typhoïde n'avait emporté Guillaume Lekeu à vingt-six ans, il nous aurait sans doute laissé une œuvre passionnante, car cette Sonate montre une sensibilité et une noblesse dont la profondeur ne peut que toucher. Et c'est grâce à l'interprétation fervente et romantique de Christian Ferras et de Pierre Barbizet que se déploie tout le lyrisme de ce morceau : une réalisation digne d'une musique aussi belle et trop méconnue, enrichie par une qualité sonore des plus satisfaisantes.

De cette page difficile à recréer, Catherine Courtois et Catherine Collard donnent l'une des plus belles interprétations qui soient, lui restituant sa jeunesse, sa fraîcheur et son climat intime.

Leoncavallo, Ruggero
(1858-1919)

Paillasse (I Pagliacci), opéra.

❀*** Beniamino Gigli (Canio), Mario Basiola (Tonio), Iva Pacetti (Nedda), Leone Paci (Silvio), Giuseppe Nessi (Beppe), Orch. et Ch. de la Scala de Milan, Franco Ghione. EMI 153-18.425/27 (3 d.) (Italie). Mono, origine 78 t. Enregistré en 1934. + *Mascagni : Cavalleria Rusticana.*

*** Luciano Pavarotti (Canio), Ingvar Wixell (Tonio), Mirella Freni (Nedda), Lorenzo Saccomani (Silvio), Vincenzo Bello (Beppe), Orch. National Phil. de Londres, Ch. divers, Giuseppe Patané. Decca 390.016 (3 d.). ⌧ 4-390.016. (3 c.). Enregistré en 1977. + *Mascagni : Cavalleria Rusticana.*

** Carlo Bergonzi (Canio), Giuseppe Taddei (Tonio), Joan Carlyle (Nedda), Rolando Panerai (Silvio), Ugo Benelli (Beppe), Orch. et Ch. de la Scala de Milan, Herbert von Karajan. DG 2709.020 (3 d.). Enregistré en 1965. + *Mascagni : Cavalleria Rusticana.*

* Mario del Monaco (Canio), Afro Poli (Tonio, sauf prologue), Clara Petrella (Nedda), Aldo Protti (Silvio et Tonio), Piero de Palma (Beppe), Orch. et Ch. de l'Académie Ste-Cécile de Rome, Alberto Erede. Decca ACL 201/2 (2 d.). (sup.) Mono. Enregistré en 1953.

Les disques historiques de 1934 sont le meilleur des enregistrements intégraux d'un Gigli de quarante-quatre ans, au sommet de sa royauté vocale, interprète sincère et encore sans excès, inégalé, sinon dans les extraits isolés laissés par Caruso (RCA et EMI), Pertile surtout (EMI italien) ou Martinelli (RCA) aux temps du 78 tours. Basiola chante ici le meilleur Prologue de toute l'histoire, le chef est au mieux de sa carrière, mais l'orchestre assez lointain. Iva Pacetti, à la voix chaude, ne fait pas oublier Pampanini (édition de 1930, report 33 tours, EMI), la meilleure Nedda possible, entourée d'un Merli véhément et d'un encore formidable Galeffi, dans la lignée du fameux Tonio de Titta Ruffo.

Une parfaite gravure stéréo favorisant les voix, quelques pages inconnues, une direction attachante de Patané, et une distribution tour à tour séduisante et décevante : Wixell très en forme, ne serait-ce un aigu rebelle, Pavarotti parfois inexact, mais le plus humain, le plus déchiré qui soit, Freni quasi idéale d'émotion, parfois à la limite de ses moyens, les meilleurs Silvio et Beppe possibles : pas toujours le «choc» vocal, mais la version la plus humaine.

Karajan, peut-être moins concerné par l'œuvre, ne retrouve pas tout à fait la perfection de sa *Cavalleria* (couplée avec *Paillasse*), tout en gardant la première place parmi les chefs retenus ici. Sans doute aussi, malgré leurs qualités musicales, ni Taddei, ni Joan Carlyle n'ont la dimension ni le sens de leurs rôles respectifs, et Panarai apparaît quelque peu en difficulté. Demeure un Bergonzi éclatant, se surpassant constamment, et donnant au rôle de Canio une noblesse inaccoutumée.

Une réédition souhaitée pour une version de *Paillasse* seul, avec un del Monaco jeune, typique des années cinquante, et terriblement attachant dans sa sincérité un peu fruste, vocalement éclatant. Réplique véhémente de Petrella ; Protti chante correctement le Prologue, puis le rôle de Silvio. On peut ne pas négliger une bonne version homogène (RCA, 1972) réunissant une Caballé inattendue à Domingo et à Milnes, un peu détachés.

La Bohème, opéra.

❁*** Lucia Popp (Mimi), Franco Bonisolli (Marcello), Alexandrina Milcheva (Musetta), Bernd Weikl (Rodolfo), Alan Titus (Schaunard), Alexander Malta (Barbemuche), Friedrich Lenz (Gaudenzio), Raimund Grumbach (Colline), Norbert Orth (Durand), Sofia Lis (Eugenia), Ch. de la Radio Bavaroise, Orch. de la Radio Munichoise, Heinz Wallberg. Orfeo S 023.823 (3 d.). Enregistré en 1981.

Il est vain de comparer cette *Bohème* avec celle de Puccini tant leur propos et leur mise en œuvre musicale diffèrent. La distribution brille par sa haute qualité : Bernd Weil est un Rodolfo véhément dans la passion, auquel répond la fraîcheur blessée de Luccia Popp que l'on n'attendait pas dans ce répertoir.

Franco Bonisolli, qui en fait beaucoup dans le sanglot, est néanmoins un Marcello de belle venue, avec des élans superbes, et Alexandrina Miltcheva est une magnifique Musetta. Excellente direction de Wallberg.

Liadov, Anatole
(1855-1914)

Anthologie d'œuvres pour orchestre : De l'Apocalypse op. 66, Baba Yaga op. 56, Ballades de l'ancien temps, Huit Chansons russes op. 58, Kikimora op. 63, Le Lac enchanté op. 62, Une Tabatière à musique, valse-badinage op. 32.

*** Orch. Symph. d'Etat de l'URSS, Evgueni Svetlanov. EMI VSM C 065-93.211 (étr.).

Liadov est un musicien de premier ordre, et ce disque-concert qui lui est consacré répond à une excellente idée. De toute la période classique, on peut le considérer comme le plus grand et le plus égal après Moussorgsky. Cette anthologie comble donc un vide injuste des catalogues, et Svetlanov s'y montre merveilleux. L'orchestre n'a jamais mieux joué, à la fois limpide et bariolé, et rend à ravir les intentions de Liadov, meilleur styliste que les autres symphonistes russes. Audelà du plaisir de certaines pages populaires, on pourra méditer sur ce que Stravinsky, qui connaissait fort bien ce musicien, a pu apprendre de ses œuvres.

Huit Chansons russes op. 58.

** Orch. de la Suisse Romande, Ernest Ansermet. Decca Eclipse ECS 742 (G-B). + *Tchaïkovsky : Symphonie n° 4.*

Les *Huit Chansons russes*, inspirées du folklore, sont peu connues, comme d'ailleurs l'ensemble de l'œuvre de Liadov, qui fut plutôt une sorte de miniaturiste qu'un compositeur prolifique. Avec lui, tout est question d'atmosphère, et c'est par là que l'enregistrement d'Ansermet est très réussi : il a su restituer à cette musique son côte charmant, et nous la trouvons là bien jouée et bien enregistrée.

Ligeti, György
(né en 1923)

Concerto de chambre (1). Ramifications : pour 12 solistes (2), pour orchestre à cordes (3). Dix Pièces pour quintette à vent (4). Articulation (5).

*** Ensemble «Die Reihe», Friedrich Cerha (1). Orch. de Chambre de la Sarre, Antonio Janigro (2). Orch. du Südwestfunk, Ernest Bour (3). Quintette à vent du Südwestfunk (4). Bande magnétique (5). Wergo 60.059 (RFA).

Voici un Ligeti judicieux et un couplage fort intelligemment articulé. En outre, les instrumentistes dépassent ici la simple lecture des notes pour atteindre enfin à l'art ! S'appropriant le langage du compositeur, les musiciens y investissent entièrement leur influx émotionnel autant que nerveux... et cela se sent dans la tension à fleur de notes, dans le foisonnement de ces pages d'où naissent des sonorités, des timbres envoûtants, des masses, des volumes, des reliefs étonnants. Le tout moulé dans une virtuosité jamais gratuite.

Le grand Macabre, opéra : scènes et interludes.

*** Inga Nielsen (s), Olive Fredericks (ms), Peter Haage (t), Dieter Weller (bar), Ch. et Orch. de la Radio Danoise, Elgar Howarth. Wergo WER 60085. Enregistré en 1979.

Cet enregistrement constitue une excellente introduction à l'univers foisonnant, baroque et quasi absurde de l'opéra de Ligeti, à cette musique fortement frappée, stylistiquement hétérogène, mais d'une précision dans l'agencement et d'une maîtrise acoustique remarquablement efficaces.

Mélodie, pour orchestre. Double concerto, pour flûte, hautbois et orchestre. Concerto pour 13 instruments.

❀*** Aurèle Nicolet (flûte), Heinz Holliger (hautbois), London Sinfonietta, David Atherton. Decca HEAD 12 (G-B).

Alchimiste de l'infiniment petit, Ligeti, par la minutie qu'il apporte au détail infinitésimal, fait éclater son univers microscopique initial en un macrocosme prismatique. Inspirés, Nicolet et Holliger se fondent dans la pâte sonore ; du souffle imperceptible naît une poésie à l'état pur, des rivières de diamants débarrassés de leur gangue. Quant à Atherton, il s'approprie la partition de l'intérieur, la taillant en orfèvre, prenant en charge cette matière grouillante de pulsations.

Quatuors à cordes n° 1 «Métamorphoses» et n° 2.

❀*** Quatuor Arditti. Wergo WER 60079. Enregistré en 1978.

Le premier Quatuor, influencé par la *Suite Lyrique* de Berg et par les Quatuors 3 et 4 de Bartók, et le second, œuvre quasi parfaite qui marie étonnamment explosion et contemplation, trouvent l'un comme l'autre avec les musiciens du Quatuor Arditti des interprètes exemplaires dont la précision, la beauté de timbres et la justesse d'intonation sont vraiment phénoménales.

Requiem (1). Lontano (2). Continuum, pour clavecin (3).

❀*** Liliana Poli (s), Barbro Ericson (ms), Ch. de la Radio Bavaroise, Orch. de la Radio de Hesse, Michael Gielen (1). Orch. du Sudwestfunk, Ernest Bour (2). Antoinette Visher (clavecin) (3). Wergo 60.045 (RFA).

Apocalyptique, le *Requiem* de Ligeti (commémorant les victimes de l'holocauste d'Auschwitz) est ici rendu dans un climat de fièvre qui nous mène des régions extrêmes de la terreur à celles encore plus extrêmes du vide béant, abyssal, sans espoir, déchiré seulement par le silence. *Lontano* est un maillon supplémentaire à ajouter à la chaîne évolutive de ce créateur se penchant sur la dynamique du statisme. L'interprétation y est remarquable en tous points, et Bour s'affirme comme un chef d'exception. En complément nous est offerte l'hypnotisante pièce pour clavecin *Continuum*.

Volumina. Etudes n° 1 d'Harmonies.

** Gerd Zacher (orgue). DG 104.990 (sup.). + *Kagel : Fantaisie avec obligati. Allende-Blin : Sonorité.*

Gerd Zacher réussit la gageure de parvenir sur son orgue (transformé pour l'occasion) au total infro-chromatique, aux glissandos sur toute l'étendue du clavier, tout en s'appropriant des sonorités de la musique concrète et électronique - et cela, en modifiant la pression de son instrument. C'est donc à un véritable festival de couleurs que nous convie ce disque. A tous moments, Zacher déploie une sensibilité raffinée, y compris dans les passages de virtuosité diabolique de *Volumina.*

Liszt, Franz
(1811-1886)

Les Années de pèlerinage. 1re Année (la Suisse) : 1. Chapelle de Guillaume Tell : 2. Lac de Wallenstadt, 3. Pastorale, 4. Au bord d'une source, 5. Orage, 6. Le mal du pays, 7. La vallée d'Obermann, 8. Eglogue, 9. Cloches de Genève. 2e Année (Italie) : 10. Il Sposalizio, 11. Il pensieroso, 12. Canzonetta de Salvador Rosa, 13, 14, 15. Sonnets de Pétrarque, 16. Sonate après une lecture de Dante, 17. Venezia e Napoli. 3e Année (Italie) : 18. Angelus, 19. Les Cyprès de la villa d'Este, 20. Les jeux d'eau de la villa d'Este, 21. Sunt Lacrymae, 22. Marche funèbre, 23. Sursum corda.

❀*** Lazar Berman (piano). DG 2740.175 (3 d.).

*** Aldo Ciccolini (piano). EMI VSM C 069-10.449/12.808/10.451 (3 d.).

Les Années de pèlerinage : 2e Année (sauf n° 17).

** Alfred Brendel (piano). Philips 6500.420.

Ces *Années de pèlerinage* en trois parties, deux consacrées à l'Italie, la première à la Suisse, sont comme un vaste journal de voyage musical composé sur plus de cinquante ans. Leur interprétation demande poésie, invention, et un grand sens de la couleur. Sans doute est-ce pour cela que Lazar Berman s'y montre exceptionnel : incontestablement, il a gravé la version de référence de ce monument de la littérature pianistique.

Ciccolini avait gravé une première fois cette œuvre en 1956 : c'était son entrée au catalogue en tant qu'intégrale, et en monophonie. Il a réenregistré les trois *Années*, cette fois en stéréophonie, en 1963, et l'éditeur a eu la bonne idée de les publier en disques séparés. Malgré une certaine réserve qui maintient les pages à panache dans les limites de la pudeur, il s'agit d'une interprétation d'un poète et d'un grand artiste.

Dans la seconde *Année*, Brendel démontre l'universalité de son talent et de son tempérament. Avec son jeu vraiment et authentiquement romantique, on touche là l'essence et le cœur même de la démarche sensible de l'auteur. Tout est dit en termes d'émotions profondes, avec un subtil dosage d'accents fluides ou énergiques, rendus encore plus présents par une excellente prise de son.

Anthologie pianistique : Aux cyprès de la Villa d'Este, Les jeux d'eau à la Villa d'Este, Sunt lacryma rerum, Berceuse, Valse oubliée n° 1, Etoile du malheur, Insomnie, question et réponse, Marche funèbre pour la mort de Mosonyi, Csardas macabre.

❀*** Alfred Brendel (piano). Philips 9500.775. ⊠ 7300.863.

Brendel saisit et exalte le pianisme visionnaire, figuratif, métaphysique du dernier Liszt. Il y insuffle un déploiement extraordinaire, une sorte de grandeur tragique d'autant plus prodigieuse qu'elle ne joue que sur la netteté, l'articulation confiante, imposante de chaque plan, la plasticité sculpturale d'un toucher délivrant dans chaque élan une intensité poétique hors pair. Piano aux tons tour à tour drus, capiteux, réfléchis, graves, fermeté des traits qui joue sans cesse avec l'effusion et avec la lumière, mouvements vifs et presque invisibles d'une musique de l'adieu qui est musique des origines.

Anthologie pianistique : Au bord d'une source, Etude d'exécution transcendentale n° 10, Sonnet de Pétrarque n° 104, Méphisto-Valse n° 1.

*** Horacio Gutierrez (piano). EMI Electrola C063-03-463. Enregistré en 1979. + *Sonate en si mineur.*

Le jeune pianiste américano-cubain Horacio Gutierrez a choisi quatre œuvres bien faites pour démontrer à la fois le génie du compositeur et les possibilités d'interprète dont il fait preuve. Aussi virtuose que sensible, aussi brillant qu'inspiré, Horacio Gutierrez joue la *Sonate en si mineur* avec une poésie à la fois délicate et envoûtante. L'*Etude n° 10* révèle une incontestable maîtrise technique, tandis que le début de la *Méphisto-Valse* est vraiment prodigieux. Au total, un disque qui n'est pas loin d'être un coup de maître.

Anthologie pianistique : Chaconne et Sarabande d'Almira, Polonaise d'Eugène Onéguine, Variations sur «Weinen, Klagen, Sorgen, Zagen», Epithalame, In festo Tranfigurationis Domini Nostri Jesu Christi.

*** Gregor Weichert (piano). Accord ACC 140.020. Enregistré en 1979.

Un disque à marquer d'une pierre blanche, où l'on entend Gregor Weichert faire une entrée remarquée aux catalogues. Avec trois pièces inédites sur cinq, il nous présente un Liszt inhabituel, sans faux-brillant, un Liszt intime et presque amical. L'interprète adopte une attitude de parfaite discrétion devant les œuvres. Il s'interdit tout effet, et s'efface devant la musique. Mais cela ne signifie pas manque de personnalité, on sent ici la présence d'un maître.

Anthologie pianistique : Quatre Méphisto-Valses, Bagatelle sans tonalité, Méphisto-Polka.

*** Setrak (piano). Solstice 10. Enregistré en 1980.

Le grand public ignore peut-être qui est Setrak, mais les amateurs de Liszt tiennent sans doute ce nom pour celui d'un remarquable pianiste. Son entreprise consiste ici en une confrontation passionnante des œuvres où règne Méphisto : Les *Valses*, une éblouissante *Polka*, et cette *Bagatelle sans tonalité* qui porte le diable, non dans son titre, mais dans ses chromatismes et ses rythmes complètement déroutants. Sous forme de charade musicale, ce disque est une belle entreprise, couronnée de succès.

Anthologie pianistique : Méphisto-Valse n° 1, La Lorelei, Rapsodies Hongroises n°ˢ 11 et 14, Funérailles, Message d'amour, Au bord d'une source.

** Misha Dichter (piano). Philips 9500.401. Enregistré en 1977.

Pour démontrer son talent, Misha Dichter choisit d'équilibrer son programme entre le très et le moins connu. D'emblée, avec la *Méphisto-Valse*, on sent la présence d'une forte personnalité, par la solidité de la technique, la souplesse des nuances et la fermeté du toucher. Dichter trouve des sonorités très belles, et dans *Funérailles*, il fait chanter le thème principal comme peu de pianistes ont su le faire.

Ballades pour piano : n° 1 en ré bémol majeur, n° 2 en si mineur.

*** Aldo Ciccolini (piano). EMI VSM C 181-16.215/16 (2 d.). + *Harmonies poétiques et religieuses.*

Ballade n° 2.

*** Claudio Arrau (piano). Philips 5802.906. + *Années de pèlerinage (extraits), Valse oubliée n° 1.*

Si l'on excepte l'intégrale de France Clidat, Aldo Ciccolini est le seul pianiste dont on puisse trouver actuellement une version de ces deux *Ballades.* Et il ne faut pas s'en plaindre, car elle est de qualité. Il s'agit d'un coffret comprenant, en outre, les *Harmonies poétiques et religieuses,* et où s'exprime, tout au long des quatre faces, les talents d'épanchement lyrique de Ciccolini. Tout en restant dans les limites d'un style à la fois pur et sobre, il fait passer un univers de sentiments variés.

On ne trouvera que la *Ballade n° 2* dans le disque superbe de Claudio Arrau, admirablement interprété, avec toute la fulgurance et aussi toute l'intériorité dont il est capable. C'est, du reste, un enregistrement indispensable à qui aime Liszt, ou le piano en général, et à posséder en marge des enregistrements d'œuvres intégrales.

Bruits de fête, poème symphonique n° 7.

*** Orch. Phil. de Londres, Bernard Haitink. Philips 6709.005 (5 d.). + *Intégrale des Poèmes symphoniques, Méphisto-Valse.*

** Orch. Phil. de Londres, Georg Solti. Decca SXL 6.863 (G-B). Enregistré en 1977. + *Les Préludes, Prométhée.*

Haitink a longtemps été le seul à offrir cette œuvre rare et pour lors introuvable. Sa version se signale par une direction souple et poétique ; on apprécie les nuances et la finesse rythmique de l'interprétation.

Avec la même formation (le Philharmonique de Londres), Solti consacre un deuxième disque aux *Poèmes symphoniques.* Son *Bruits de fête* manifeste un désir très clair d'exprimer en une fusion les deux courants qui animent l'œuvre, la liesse populaire et une exultation plus aristocratique. Son geste est ample et sûr, mais il manque la souplesse et le «fouillé» de la version Haitink.

Cantiques et Hymnes : Cantico del sol, Les cloches de la Cathédrale de Strasbourg, Sainte Cécile, Psaume 116 «Laudate Dominum», Cantantibus organis.

** Livia Budaï (ms), Klara Takács (c), Sándor Nágy et György Melis (bar), Sándor Margittay (orgue), Ch. et Orch. Symph. de la Radio Télévision Hongroise, János Ferencsik. Hungaroton SLPX 11.797 (étr.).

Ce disque renferme une musique splendide, souvent exceptionnelle. Liszt réussit le tour de force de composer aussi bien sur des textes de Mme de Girardin ou de Longfellow, guère enthousiasmants, il faut bien l'avouer, que sur un sublime poème du Poverello. Malheureusement, l'enregistrement est inégal dans sa qualité : en effet, si les chœurs et l'orchestre sont du plus haut niveau, si la direction de Ferencsik est d'une puissance et d'une précision exemplaires, les solistes déçoivent souvent par un style vocal que gâte un *vibrato* exagéré et mal contrôlé. Cette critique n'autorise pas l'enthousiasme sans restriction qu'aurait pu susciter une réalisation passionnante.

Trois Caprices poétiques, ou Etudes de concert pour piano : 1. Il lamento, 2. La leggerezza, 3. Un sospiro.

❀*** Claudio Arrau (piano). Philips 6747.412 (2 d.). + *Etudes d'exécution transcendente.*

Les *Caprices poétiques* témoignent de l'admiration que leur auteur portait à la musique de Chopin. On y trouve un charme mélodique et une richesse d'invention qui prouve combien féconde était l'admiration chez Liszt. Pour l'interprétation, Arrau est le grand triomphateur. On ne peut rêver jeu plus harmonieux, plus élégant et plus fluide. Sa vision a quelque chose d'envoûtant, tout en restant sobre et discrète dans sa perfection.

Christus, oratorio.

*** Evá Andor (s), Zsuzsa Németh (ms), József Réti (t), Sándor Nágy (bar), Joszef Gregor (b), Lájos Basti (récitant) Sándor Margittay (orgue), Ch. de Budapest, Orch. de l'Etat Hongrois, Miklos Forrai. Hungaroton CALB 48/50 (3 d.) (étr.).

Cette immense partition de deux heures contient des pages admirables dans tous les domaines : orchestral, choral, vocal. S'il arrive à Liszt de s'exprimer en langage du XVIe siècle, cela ne sonne jamais faux, avec l'impression d'entendre du «néo...». La réalisation hongroise dirigée par Forrai est vraiment remarquable, le chef possédant suffisamment de personnalité pour soutenir une œuvre de cette envergure. Peut-être aurait-il pu aller plus loin dans l'expression de certains passages, mais ce n'est qu'une question de nuances. Chœurs et solistes sont excellents ; seul, le récitant frappe en prononçant le texte latin suivant une tradition allemande qui n'est plus de mise.

Concertos pour piano et orchestre n° 1 en mi bémol majeur et n° 2 en la majeur.

❀*** Lazar Berman (piano), Orch. Symph. de Vienne, Carlo Maria Giulini. DG 2530.770. ⌧ 3300.770.

❀*** Claudio Arrau (piano), Orch. Symph. de Londres, Colin Davis. Philips 9500.780. ⌧ 7300.854.

*** Samson François (piano), Orch. Philharmonia, Constantin Silvestri. MFP M 055-10.350. ⌧ M 255-10.350. Enregistré en 1960.

*** Alfred Brendel (piano), Orch. Phil. de Londres, Bernard Haitink. Philips 6500.734. ⌧ 7300.229. *Danse macabre.*

*** Sviatoslav Richter (piano), Orch. Symph. de Londres, Kiril Kondrachine. Philips 6504.015. ⌧ 18.008.

** Emil von Sauer (piano), Orch. des Concerts du Conservatoire, Felix Weingartner. Gramophon COLC 81 (sup.). Mono.

Admirable tandem que celui formé par Berman et Giulini, pour le meilleur service de Liszt : voilà du romantisme pur et vrai, débarrassé de toute enflure gratuite. A force de sincérité et de ferveur, nous sommes entraînés au cœur du piano lisztien, avec ce qu'il faut d'héroïsme et de spectaculaire. Giulini se montre aussi inspiré que son soliste, et il se hausse vers le lyrisme le plus chaud sans jamais tomber dans l'excès du «débraillé». A coup sûr, la grande référence, malgré la présence de versions de très belle qualité.

Arrau, lié par son maître Martin Krause, propre élève de Liszt, à la tradition de la sonorité et de la gravité lisztiennes, nous désigne, par-delà leur exubérance, toute l'éloquence de ces deux Concertos avec une diction hautaine et sculpturale qui est tout simplement irrésistible.

Samson François donne une des interprétations les plus musicales, pianistiquement : à égal degré de perfection technique, on peut opposer la rigueur de Berman à la poésie de Samson François, qui fait passer l'imagination en premier. Une vision très attachante, et qui a de plus le bon goût d'être présentée en série économique.

Brendel, interprète remarquablement rompu à la musique de Liszt, en approfondit ici les données. Le jeu est très pur, d'un romantisme tempéré, plus lyrique que brillant. La palette sonore est riche, et la construction à la fois logique et sensible. La direction de Haitink est souverainement équilibrée entre les dessins pianistiques et la vitalité de l'orchestre. En complément, une *Danse macabre* étonnamment maîtrisée.

Dans le disque Richter/Kondrachine, il faut faire un distingo entre le Concerto n° 1 et le n° 2. Le n° 1 n'est pas aussi réussi qu'on aurait pu l'attendre, car le soliste n'échappe pas aux tentations de la déclamation, et la direction de Kondrachine est trop sentimentale. En revanche, cette même équipe est bien près de nous offrir «la» version du Concerto n° 2. Une version libre, ouverte et noble, où Richter s'engage dans un combat intense pour avancer dans le texte au niveau le plus profond. L'orchestre se montre musclé et épique, triomphal, tout en sachant trouver un remarquable *cantabile*. Du très beau Liszt.

La version de Sauer, repiquée à partir de disques 78 tours, est plus qu'un document : c'est un exemple, pour le n° 1, de *cantabile*, de *rubato* contrôlé, de légèreté, de goût et de clarté. Même si, sur le plan de la reproduction sonore, elle ne peut prétendre à égaler les versions plus récentes, sur le plan musical, il y a encore à y apprendre. Le Concerto n° 2 est moins réussi, car Sauer s'y montre plus maniéré, et son style démodé souffre plus de la prise de son forcément plate et lointaine.

Concerto pour piano et orchestre n° 1 en mi bémol majeur.

*** Youri Boukoff (piano), Orch. Symph. de Vienne, László Somogyi. Philips 6768.166 (2 d.). + *Caprices n°s 2 et 3, Fantaisies hongroises, Polonaise n° 2, Préludes, Rapsodie hongroise n° 2, Rêve d'amour.*

*** Martha Argerich (piano), Orch. Symph. de Londres, Claudio Abbado. DG 139.383. ⊠ 3300.166. + *Chopin : Concerto pour piano n° 1.*

Pour qui se contente du seul Concerto n° 1, il ne manque pas de bonnes versions, à commencer par celle de Youri Boukoff. On retrouve dans son jeu les qualités qui faisaient l'intérêt et la grandeur des disques présentant les deux Concertos couplés : technique irréprochable, jeu à la fois puissant et poétique. Ce double disque présente l'originalité d'interprètes et de chefs multiples (Cziffra, Campanella, Benzi, Ceccato), qui assument chacun une partie d'un très beau programme Liszt.

Couplé avec le Concerto n° 1 de Chopin, Martha Argerich nous offre du n° 1 de Liszt une version incandescente. La sonorité de son instrument est absolument superbe, et l'on reste frappé par la cohésion qui unit la soliste au chef, Claudio Abbado. Une interprétation qui ne peut laisser indifférent, tant il s'y manifeste de tempérament et de personnalité.

Concerto dans le style hongrois, pour piano et orchestre (orchestration de Tchaïkovski).

** Cyprien Katsaris (piano), Orch. de Philadelphie, Eugène Ormandy. EMI VSM C 069-43.199. ⊠ C 269-43.199. Enregistré en 1981. + *Fantaisie hongroise, Wanderer Fantaisie d'après Schubert.*

Ce *Concerto dans le style hongrois*, orchestré par Tchaïkovski, est une œuvre quelque peu hybride, même si son écriture pianistique porte indéniablement la marque de Liszt. Cyprien Katsaris lui donne autant de brillant que de souplesse, comme aux autres œuvres que l'on trouve sur ce disque peu banal. Du beau piano, à l'aigu scintillant, doué d'une belle couleur lisztienne.

Six Consolations pour piano.

** Aldo Ciccolini (piano). EMI VSM C 069-11.664. ⊠ C 269-11.664. + *Légendes, Nocturnes.*

Sommets d'un disque consacré à la musique «élégiaque» pour piano de Liszt, ces *Consolations* sont emplies jusqu'au bord d'une suavité qui ne se sauve que sous les doigts d'un interprète stylé. Dieu merci, Aldo Ciccolini nous fait échapper aux flots attristants de l'attendrissement, et construit un ensemble émouvant.

Danse macabre (Totentanz). Variations sur le Dies Irae pour piano et orchestre.

*** Alfred Brendel, (piano), Orch. Phil. de Londres, Bernard Haitink. Philips 6500.374. ⊠ 7300.229. + *Concertos n°s 1 et 2.*

Complément, mais complément de choix que cette *Danse macabre sur le thème du Dies Irae*, décidément cher aux grands romantiques (Berlioz et le dernier mouvement de la *Fantastique*...). Quoi qu'il en soit, la rencontre de Brendel, lisztien de prédilection, avec Haitink, qui a gravé l'intégrale des Poèmes symphoniques, est une éclatante réussite, tant dans cette *Danse* que dans les deux *Concertos*, versions de référence.

Dante Symphonie.

*** Veronika Kincses (s), Ch. de la Radio-Télévision Hongroise, Orch. Phil. de Budapest, György Lehel. Hungaroton SLPX 11.918.

En 1961, Lehel avait gravé une très belle version de ce triptyque de la *Dante Symphonie*. Voici une nouvelle réalisation, avec le même orchestre et les mêmes chœurs (seule, la soprano est différente), encore plus satisfaisante que la première. Ayant mûrement pensé son texte, Lehel en extrait tout le suc, et peut en exprimer les moindres inflexions. Si l'on eût aimé un peu plus de démesure dans l'*Enfer*, en revanche, le long chant du *Purgatoire* atteint un juste niveau de méditation, et dans le *Magnificat* final, la voix pure de Veronika Kincses et l'ampleur des chœurs couronnent avec émotion cette géniale partition.

Du Berceau jusqu'à la tombe, poème symphonique n° 13.

*** Orch. Phil. de Londres, Bernard Haitink. Philips 6709.005 (5 d.). + *Intégrale des Poèmes symphoniques, Méphisto-Valse.*

** Orch. de Paris, Georg Solti. Decca 591.106. Enregistré en 1975. + *Méphisto-Valse, Tasso, Lamento e Trionfo.*

Le fait que le poème symphonique *Du Berceau jusqu'à la tombe* soit inclus dans l'intégrale, avec Haitink, confère à cette œuvre une plus-value qui n'a rien à voir avec la qualité intrinsèque de son interprétation. En effet, il s'agit du treizième et dernier morceau d'un long cheminement à travers le monde lisztien, et il constitue un aboutissement très prenant. Haitink a réussi au mieux la progression depuis la simple description de *Ce qu'on entend sur la montagne* jusqu'à cette conclusion, méditation quasi métaphysique, magnifiée par une interprétation profondément sensible.

Solti semble avoir été impressionné par l'origine picturale de ce morceau, dont le titre est celui d'un tableau de Michaël Zichy, qui en inspira la composition. Dans son interprétation, la recherche fouillée des éléments thématiques se fait aux dépens du côté impressionniste de l'œuvre. On comprend très clairement le tableau et les intentions de l'auteur, mais on ne le «sent» pas, et, s'agissant de Liszt, il faut bien considérer cela comme un défaut.

Duo-Sonate pour violon et piano. Epithalame pour violon et piano. Grand duo concertant pour violon et piano. Romance publiée pour violon et piano.

*** Jean-Jacques Kantorow (violon), Henri Barda (piano). Ario ARN 38.466. Enregistré en 1978.

Ce disque de musique de chambre se recommande par deux atouts majeurs : la rareté et la beauté. Rareté, car si l'œuvre pianistique de Liszt est amplement connue et jouée, ses œuvres de chambre le sont beaucoup moins. Grâce à de telles réalisations, l'histoire de la création chez Liszt s'éclaire de feux nouveaux, et il est passionnant d'étudier les rapports entre le piano et le violon. Pour la beauté, il suffit de dire que le jeu de Kantorow est pur, nerveux et fier, et qu'il se fond remarquablement bien avec celui d'Henry Barda, à la fois partenaire à part entière et accompagnateur discret.

Six Etudes d'après Paganini, pour piano : 1. Trémolo, 2. Octaves, 3. Campanella, 4. Arpeggio, 5. La Chasse, 6. Thème et Variations.

*** France Clidat (piano). IPG 7.205 (sup.). + *Etudes d'exécution transcendante n°s 4, 5, 8 et 12.*

Ce disque des *Six Etudes d'après Paganini* est extrait de l'intégrale du piano de Liszt enregistrée par France Clidat. Une entreprise, que celle de servir sans défaillance Liszt, lorsqu'il rencontre Paganini, mais la pianiste française la mène avec courage et réussit le pari. Ce disque contient la célèbre *Campanella*, monstre de virtuosité longtemps redouté par les passionnés du clavier.

Deux Etudes de concert pour piano : 1. Murmures de la forêt, 2. Ronde des lutins.

*** Claudio Arrau (piano). Philips 6500.043. + *Bénédiction de Dieu dans la solitude, Sonate en si mineur.*

Un disque sublime : Arrau y donne une leçon d'interprétation comme il ne s'en fait pas beaucoup, et de plus, la prise de son est remarquable. Toute la sérénité et la grandeur de la pensée lisztienne s'y trouvent exprimées avec un art consommé : les *Murmures de la forêt* laissent s'exprimer toute la poésie d'Arrau.

Douze Etudes d'exécution transcendante pour piano : 1. Preludio, 2. en la mineur, 3. Paysage, 4. Mazeppa, 5. Feux follets, 6. Vision, 7. Eroïca, 8. Wilde Jagd, 9. Ricordanza, 10. en fa mineur, 11. Harmonies du soir, 12. Chasse-neige.

❀*** Claudio Arrau (piano). Philips 6747.412 (2 d.). + *Caprices poétiques.*

❀*** Lazar Berman (piano). EMI VSM C 167-52.490/92 (3 d.) (étr.). + *Méphisto-Valse, Rapsodie espagnole, Rapsodie hongroise n° 3, Sonate en si mineur, Venezia e Napoli.*

*** György Cziffra (piano). EMI VSM C 061-12.853/54 (2 d.) (sup.). + *Rapsodie espagnole, Rapsodies hongroises n°s 14 et 15.*

Les *Etudes* sont la démonstration de la plus haute virtuosité du pianiste et de toutes les possibilités de son instrument. Seuls, les plus grands peuvent y mettre ce qu'il faut non seulement de technique, mais aussi de fantaisie, de générosité et de cantabile. Avec Arrau, les pages les plus épiques et les plus violentes n'atteignent pas le fond de l'expression, mais, en revanche, les moments d'une poésie plus sereine, comme *Ricordanza*, trouvent sous ses doigts une harmonie profondément raffinée. Dans les *Caprices poétiques* qui forment le complément, Arrau est absolument insurpassable.

Lazar Berman, avec les mêmes qualités pianistiques, se démarque complètement de l'articulation d'Arrau : dans les pages violentes, il trouve une ardeur puissante, quand Arrau restait en-deçà, mais dans les pages de poésie, il se montre moins musicien. Tout cela se situe cependant à un niveau où le mot critique n'est pas de mise : il ne reste qu'une question de goût...

Plus ancienne, mais longtemps inégalée, la version de Cziffra reste à mentionner dans les meilleures places, dans un coffret historique, un sommet des annales du microsillon : la caractéristique de son interprétation est un merveilleux sens de la plastique de cette musique.

Fantaisie hongroise pour piano et orchestre.

** Shura Cherkassky (piano), Orch. Phil. de Berlin, Herbert von Karajan. DG 138.692. + *Mazeppa, Rapsodies hongroises n°s 5 et 12.*

Un disque tout d'héroïsme et de souffle épique : la *Fantaisie hongroise* est constituée de brillantes variations sur des thèmes repris dans les *Rapsodies hongroises*, que l'on trouve ici dans une version orchestrale qui ne manque pas de panache (avec Karajan et la Philharmonie de Berlin, ce n'est guère étonnant !). Au piano, Shura Cherkassky ne reste pas en arrière de tout ce climat passionné.

Faust-Symphonie, pour ténor, chœur d'hommes et grand orchestre.

*** Lajos Kozma (t), Ch. et Orch. du Concertgebouw d'Amsterdam, Antal Doráti. Philips 6769.089 (2 d.). + *Berlioz : La Damnation de Faust (extraits), Wagner : Faust Ouverture.*

*** Kenneth Riegel (t), Ch. du Festival de Tanglewood, Orch. Symph. de Boston, Leonard Bernstein. DG 2707.100 (2 d.). + *Boïto : Mefistofele (prologue).*

** Werner Krenn (t), Ch. Pro Arte de Lausanne, Orch. de la Suisse Romande, Ernest Ansermet. Decca SET 370/71 (2 d.). + *Deux épisodes du Faust de Lenau.*

Doráti exploite la formidable matière orchestrale de la *Faust-Symphonie* sans rien céder en expressivité à Bernstein, son concurrent le plus direct. Il dégage toute la richesse thématique du premier portrait, *Faust*, s'appuyant sur une lecture précise autant que passionnée, en jouant sur les sonorités et les alliages de timbres donnant à ces images fantomatiques une extraordinaire force évocatrice. Le second portrait, *Marguerite*, est plus encore une totale réussite. Dans le dernier volet, *Méphisto*, l'engagement est total, tout en profondeur. Une splendide réalisation où la relative faiblesse du ténor ne parvient pas à diminuer notre enthousiasme.

Bernstein réussit un miracle, dans sa version récente, la seconde qu'il grave de cette œuvre, cinq ans après la première. Les personnages apparaissent sculptés en profondeur, tout vit et palpite avec la puissance d'un typhon. En complément, le Prologue du *Mefistofele* de Boïto, avec rien moins que Nicolaï Ghiaurov, splendide , Bernstein y est étincelant.

Ce n'est certes pas par son côté trop extérieur que pèche la version signée Ansermet. Le mouvement «Faust» est servi avec un dépouillement sublime, et, s'il manque une pointe de romantisme à «Marguerite», le final est un modèle de profondeur et de sobriété. Son soliste n'est pas un inconnu pour les amateurs de chant : on sait que le nom de Werner Krenn est synonyme de qualité et de musicalité.

Harmonies poétiques et religieuses : 1. Invocation, 2. Ave Maria, 3. Bénédiction de Dieu dans la solitude, 4. Pensée des morts, 5. Pater Noster, 6. Hymne de l'enfant à son réveil, 7. Funérailles, 8. Miserere, 9. Andante lagrimoso, 10. Cantique d'amour.

*** Aldo Ciccolini (piano). EMI VSM C 181-16.215/16 (2 d.). + *Ballades.*

Harmonies poétiques et religieuses, n°s 3 et 4 : Bénédiction de Dieu dans la solitude, Pensée des morts.

** Alfred Brendel (piano). Philips 9500.286. ⌧ 7300.565. + *Prélude et Fugue sur le nom de B.A.C.H., Variations sur «Weinen, Klagen Sorgen, Zagen».*

Harmonies poétiques et religieuses, n° 7 : Funérailles.

** Vladimir Horowitz (piano). EMI VSM C 061-00.100 (sup.). Mono. + *Sonate en si mineur. Schumann : Œuvres pour piano.*

A l'origine des *Harmonies poétiques*, la rencontre de Liszt avec la lecture de Lamartine : Liszt avait vingt-deux ans. Quinze ans plus tard, sa traduction musicale est achevée, avec des moments sublimes à côté de passages assez creux. De cet ensemble inégal, on peut imaginer deux styles d'interprétation : l'une dépouillée, l'autre romantique jusqu'au bout. C'est cette dernière que choisit Ciccolini, faisant chanter son piano dans le plus pur *bel canto*. Grâce au lyrisme et à la générosité de son jeu, il sauve de la niaiserie une pièce comme *l'Hymne de l'enfant à son réveil*, et construit une superbe *Invocation*. Pour des raisons de minutage, les Livres sont joués dans un ordre non logique, mais facile à rétablir (I, V, II, IV, III, VI, VII).

Les *Harmonies poétiques* n°s 3 et 4 (Bénédiction de Dieu dans la Solitude et *Pensée des Morts*) trouvent, sous les doigts de Brendel, une interprétation puissante : la première se déploie dans un large *cantabile*, tandis que l'autre revêt des couleurs très sombres, avec un phrasé impressionnant, presque déclamatoire. Tout est traduit avec évidence et force, avec ardeur et générosité.

En complément d'une *Sonate en si mineur* qui reste la version de référence, Horowitz, toujours aussi génial, a enregistré *Funérailles*, la 7e des *Harmonies poétiques et religieuses* ; un très beau fleuron dans un disque déjà sublime.

Légendes, pour piano : 1. Saint François d'Assise prêchant aux oiseaux, 2. Saint François de Paule marchant sur les flots.

*** Wilhelm Kempff (piano). DG 2530.560 (sup.). + *Années de pèlerinage (extraits).*

*** Aldo Ciccolini (piano). EMI VSM C 069-11. 664. ⌧ C 269-11.664. + *Consolations, Nocturnes.*

L'humaniste Kempff est insurpassable dans ces deux *Légendes*, où sa simplicité de ton est quasi idéale. Il signe là les deux plus belles versions du catalogue, en un acte de visionnaire et de poète oublieux de la réalité. Pour ces moments privilégiés, et aussi, pour les beaux extraits des *Années de pèlerinage*, un disque précieux.

Chez Ciccolini, même compliment, car ce pianiste refuse de donner dans le spectaculaire au détriment de la musique pure. Certains pianistes se font une obligation de donner aux flots sur lesquels marche le second Saint François, des aspects de tempête, Ciccolini gagne la partie en faisant délicieusement chanter les oiseaux chapitrés par le *Poverello*. Tout est ravissant d'humanité.

La Légende de Saint-Christophe. Tantum ergo. Pater Noster. Hymne à l'Enfant à son réveil. O Salutaris Hostia. Psaume 137. O heilige Nacht. Quasi cedrus.

*** Evá Andor et Margit Laszlo (s), Joszef Réti (t), György Melis (bar), Hedi Lubik (harpe), Peter Komlos (violon), György Miklos (piano), Ch. de femmes de Györ, Ch. de l'Ensemble Populaire d'Etat de Hongrie, Miklos Szabo. Hungaroton SLPX 11.381 (étr.).

Une révélation sur Liszt, compositeur de musique sacrée, encore peut-être plus qu'avec les Messes. Les procédés d'écriture sont d'une stupéfiante diversité, depuis les mélodies du plain-chant, la polyphonie médiévale puis palestrinienne, jusqu'au romantisme «tristanien» et à des procédés qui laissent entrevoir le Bartók des Quatuors à cordes. Le niveau de l'interprétation, pleine de la tradition hongroise, est des plus élevés.

La Légende de Sainte-Elisabeth, oratorio.

*** Evá Andor (s), Erzsébet Komlóssy (s), Kólos Kovacs (b), Joszef Gregor (b), Ch. d'enfants de la Radio Slovaque, Ch. et Orch. Phil. Slovaque de Bratislava, János Ferencsik. Hungaroton SLPX 11.650/52 (3 d.) (étr.).

La *Légende* est une œuvre passionnante, hésitant entre le drame lyrique et l'oratorio - ce qui ne se traduit pas pour autant par un déséquilibre, mais on sent Liszt prendre le chemin qui le mènera à la perfection de *Christus*. La musique en est d'une richesse exceptionnelle, et l'on voit que le grand maître du piano a écrit là des pages pour solistes et pour chœurs d'une rare perfection. Cette réalisation, née de la collaboration entre Hongrie et Slovaquie, est à la hauteur de l'œuvre. János Ferencsik a su communiquer à toute son équipe un sentiment hautement dramatique, avec un phrasé au lyrisme débordant. C'est une grande chance que l'unique version de ce grand oratorio soit d'emblée une référence techniquement et musicalement.

Lieder pour voix d'homme.

*** Dietrich Fischer-Dieskau (baryton), Daniel Barenboïm (piano). DG 2740.254 (4 d.).

Dans cette large anthologie des lieder de Liszt, Dietrich Fischer-Dieskau met sa renommée au service d'une cause qui réclame son éloquence et son talent, en commençant par une étude critique rigoureuse des textes. C'est presque une édition savante, en tout cas une référence, que nous propose l'illustre interprète. Fischer-Dieskau n'a jamais été aussi maître de ses moyens, et si la voix a perdu un peu de sa fraîcheur, l'intelligence artistique est à son faîte, dans cet art très sublimé qu'aucune afféterie ne vient plus entacher.

Lieder : Die Lorelei, Ne brany menya moy drug, Enfant, si j'étais roi, Es muss ein Wunderbares sein, Vergiftet sind meine Lieder, Kling leise mein Lied, Es war ein König in Thulé, Die drei Zigeuner.

❀*** Sylvia Sass (s), András Schiff (piano). Decca 390.322. Enregistré en 1980. *+ Bartók : Cinq Chants op.16.*

Sylvia Sass domine ces partitions avec une simplicité rayonnante, frémissante de passion, de lyrisme ou d'intensité dramatique. On admire ces notes pleines et rondes, lancées à pleine poitrine, et par-dessus tout cette intelligence à la fois du texte et de la mélodie qui rend Sylvia Sass à l'aise dans tous les aspects de ce répertoire. Une réussite exceptionnelle à laquelle on doit associer cet idéal complice qu'est András Schiff.

Lieder : Die Lorelei, S'il est un charmant gazon, Du bist wie eine Blume, Im Rhein, im schönen Strome, Uber allen Gipfel ist Ruh', Der du von dem Himmel bist, Eswar ein König in Thule, Freudvoll und Leidvoll, Die drei Zigeuner, Das Veilchen, Die Vätergruft, Die Fischerstochter.

** Janet Baker (ms), Geofrey Parsons (piano). EMI VSM ASD 3906. Enregistré en 1979 et 1980.

La science de Baker est telle, avec son riche timbre et ses résonances dramatiques, que l'on ne songe plus à lui reprocher une diction quelque peu embarrassée. Parsons assure un soutien efficace, avec un beau style personnel dans les introductions et les péroraisons pianistiques.

Trois Lieder : Die drei Zigeuner, Einst, Oh, quand je dors.

** Frederica von Stade (ms), Martin Katz (piano). CBS 76.728. Enregistré en 1978. *+ Airs et Mélodies de Dowland, Purcell, Debussy, Canteloube et Hall.*

Au cours d'un récital qui traverse les époques, Frederica von Stade a inscrit trois mélodies de Liszt où elle apparaît, tant sur le plan vocal que sur celui du style, dans son meilleur élément. Elle y est incomparable, et même si trois mélodies peuvent ne pas paraître justifier l'achat d'un disque, celles-ci sont vraiment le sommet de ce récital qui, par ailleurs, offre d'autres facettes du beau talent de cette mezzo.

Mazeppa, poème symphonique n° 6.

*** Orch. Phil. de Berlin, Herbert von Karajan. DG 2535.110. ⌧ 3335.110. *+ Les Préludes, Rapsodies hongroises n°s 2 et 4.*

*** Orch. Phil. de Londres, Bernard Haitink. Philips 6709.005 (5 d.). *+ Intégrale des Poèmes symphoniques, Méphisto-Valse.*

* Orch. Phil. de Monte-Carlo, Paul Paray. Festival FC 416. ⌧ FCK 4.016. *+ Les Préludes, Méphisto-Valse, Orphée.*

L'interprétation de *Mazeppa* par Karajan date de 1961. Malgré cette - très relative - ancienneté, elle reste parmi les meilleures, sinon la meilleure. Le célèbre chef s'y montre éblouissant, n'en «fait» ni trop, ni trop peu. La qualité sonore qu'il tire d'un orchestre irréprochable et la justesse de son style méritent tous les éloges. Sur le même disque, des *Préludes extrêmement brillants, et deux Rapsodies hongroises*; la n° 4 figurait sur le disque de 1961, tandis que la n° 2 est contemporaine de l'enregistrement des *Préludes* et date de 1968.

L'enregistrement signé Bernard Haitink ne peut pas vraiment être déclaré inférieur à celui de Karajan pour *Mazeppa*. On trouve chez le chef hollandais les mêmes qualités de fougue romantique. Dans ce cas, à valeur égale, le choix sera plus une question de tempérament, Karajan se montrant peut-être plus brillant. A moins que l'on ne se laisse tenter par le coffret de l'intégrale.

Il convient de citer pour mémoire l'interprétation de Paul Paray, mais déjà, lors de la sortie du disque, la version Karajan de *Mazeppa* coiffait largement celle du chef français, et malgré la verdeur dont il fait preuve, ce dernier reste en-deçà de la fougue des deux précédentes versions.

Méphisto-Valse, version pour orchestre.

*** Orch. Phil. de Londres, Bernard Haitink. Philips 6709.005 (5 d.). *+ Intégrale des Poèmes symphoniques.*

** Orch. de Paris, Georg Solti. Decca 591.106. Enregistré en 1975. *+ Tasso, Lamento e Trionfo, Du Berceau jusqu'à la tombe.*

** Orch. Phil. de Berlin, Herbert von Karajan. DG 2530.244. ⌧ 3300.259. *+ Berlioz : La Damnation de Faust (Ballet de Sylphes et Menuet de Follets). Dvořák : Scherzo capriccioso. Smetana : La Fiancée vendue (Polka, Furiant et Danse des comédiens). Weber : Invitation à la Valse.*

* Orch. Phil. de Londres, Willi Boskovsky. EMI VSM C 167-52.794/5 (2 d.). *+ Rapsodies hongroises nos 1 à 6, Marche de Rakóczy.*

* Orch. de l'Opéra de Monte-Carlo, Paul Paray. Festival FC 416. ⌧ FCK 4.016. *+ Mazzepa, Orphée, Les Préludes.*

Bernard Haitink fait figurer la *Mephisto-Valse* dans son coffret en tant que complément à l'intégrale des Poèmes symphoniques de Liszt. Malgré cette position isolée en face d'un ensemble fortement structuré, cette œuvre est loin de faire figure d'enfant pauvre de cet enregistrement : bien au contraire, elle en constitue un temps fort, car elle bénéficie d'une interprétation inspirée, bien dans le climat des grands Poèmes qu'elle complète. Beaucoup de sensibilité, de passion subtile recommandent cette version comme une référence.

Moins de foisonnement sous-jacent, contrebalancé par un grand souci de clarté : telles sont les caractéristiques de la version signée par Solti avec l'Orchestre de Paris. Si sa vision n'est pas à proprement parler «méphistophélique», on lui sait gré d'avoir su lui donner suffisamment d'énergie pour que l'on puisse y retrouver les accents du tempérament lisztien.

Chez Karajan, la *Mephisto-Valse* se trouve mêlée à un programme tout à fait hétéroclite, dont le dénominateur commun veut être la danse. Mais l'unité thématique n'entraîne pas automatiquement l'unité stylistique, et chaque morceau doit être apprécié séparément. La partie consacrée à Liszt est sans doute la meilleure, par son allure de farandole déchaînée.

Pour interpréter Liszt, Willi Boskovsky prend le parti de jouer jusqu'au bout la carte «viennoise» : cela ne signifie pas qu'il tombe dans l'erreur de style, mais qu'il donne à cette musique la séduction et l'ivresse rythmique des valses de Strauss. L'Orchestre londonien rivalise d'entrain avec le Philharmonica Hungarica qui partage le disque avec lui. Beaucoup de valse, mais peu de Méphisto.

Paray n'est guère à recommander, car il ne se montre pas ici le chef remarquable qu'il a été dans beaucoup d'enregistrements : sa version est plutôt lourde, et ne se sauve même pas par un éclat superficiel.

Méphisto-Valse, version pour piano.

*** Aldo Ciccolini (piano). EMI Trianon TRX 6126 (sup.). *+ Funérailles, Consolation, Ballades.*

*** Horacio Gutierrez (piano). EMI Electrola 063-03.463. Enregistré en 1979. + *Sonate en si mineur, Etude d'exécution transcendante n° 10, Sonnet de Pétrarque n° 104.*

*** Lazar Berman (piano). EMI VSM C 167-52.490/92 (3 d.) (étr.). + *Etudes d'exécution transcendante, Rapsodie espagnole, Rapsodie hongroise n° 3, Sonate en si mineur, Venezia e Napoli.*

La *Méphisto-Valse* est une œuvre assez courte qui, en général, ne constitue pas l'essentiel d'un disque, mais seulement un complément à des morceaux plus importants, ou bien encore l'une des pièces d'un récital varié. Il n'empêche que les pianistes y montrent leur savoir-faire et peuvent s'y distinguer. Ainsi, Aldo Ciccolini, dans un disque qui date d'une quinzaine d'années, mais qui contient une des meilleurs *Méphisto-Valse* qui se puissent faire. Ce disque est malheureusement supprimé, mais on ne peut se dispenser de le citer ici.

Beaucoup plus récent, et tout à fait disponible, est le disque signé par Horacio Gutierrez : sa pièce de résistance est la *Sonate en si mineur* (qui mérite, soit dit en passant, force éloges), mais sa *Méphisto-Valse* est vraiment prodigieuse, surtout le début, qui est du grand Bartók avant la lettre.

Si le coffret de Berman est à citer en dernier, ce n'est pas une question de jugement de valeur ; mais il peut paraître un peu démesuré de se procurer trois disques uniquement pour une très bonne *Méphisto-Valse.* Cependant, lorsque le coffret est signé Lazar Berman, le jeu en vaut bien la chandelle, et l'on ne regrettera pas de découvrir une merveilleuse forêt derrière un seul arbre.

Messe Hongroise pour le couronnement de François-Joseph.

*** Iren Szecsody (s), Magda Tiszay (c), Joszef Szimandy (t), András Farago (b), Ch. de Budapest, Orch. Symph. de l'Etat Hongrois, dir. János Ferencsik. DG 2543.802.

C'est là la plus populaire des Messes de Liszt, et qui a été voulue comme telle. Le compositeur en avait prévu une version avec des moyens plus réduits que ceux mis en œuvre pour le couronnement ; on y voit également le désir d'un musicien entré dans les ordres, et qui désire réformer la musique d'église de son époque. Il retourne pour cela aux traditions du folklore et du plain-chant, d'où il en résulte une œuvre somme toute assez actuelle. L'interprétation se situe exactement dans la perspective voulue par Liszt : elle ne cherche pas à raffiner sur les effets, mais respire la vigueur et l'enthousiasme. Elle se veut hongroise, et c'est ce qui en fait la grandeur et la beauté.

Messe Sexardique. Quatre Chants sacrés pour chœurs et orgue : Mihi autem adhaerere, Ave Maris Stella, Anima Christi sanctifica me, Ossa arida.

*** József Réti (t), Sándor Palcso (t), György Melis (bar), Joszef Gregor (b), Gábor Lehotka et Imre Kiss (orgue), Ch. de l'Armée Hongroise, István Kis. Hungaroton SLPX 11.447.

Pour bien comprendre ces pages, il convient de se souvenir que Liszt entra au Tiers-Ordre de Saint-François (et à cette occasion, il composa le *Mihi autem* que l'on trouve sur ce disque). Dans les deux dernières décennies de sa vie, il s'est beaucoup intéressé à la musique religieuse, lui consacrant des productions nombreuses dont certaines n'ont jamais été enregistrées. Liszt emploie un langage harmonique hautement personnel, parfaitement écrit pour les voix, avec juste ce qu'il faut de sentiment romantique. La réalisation hongroise mérite de grands éloges : les chœurs, dont le rôle est essentiel, sont superbes. Les solistes sont de très belles voix, mais leur style rappelle par trop le théâtre lyrique, et une interprétation plus «liturgique» serait certainement mieux dans l'esprit des œuvres. Un fort beau disque de musique sacrée et un aspect de Liszt à découvrir ou à approfondir.

Missa choralis.

** Margit Laszlo (s), Zsuzsa Barlay (c), Alfonz Bartha (t), Sándor Palcso (t), Zsolt Bande (bar), Tibor Nádas (b), Sándor Margittay (orgue), Ch. de Budapest, Miklos Forrai. Hungaroton SLPX 11.141.

Avec cette *Messe chorale,* Liszt a cherché à retrouver l'idéal de la polyphonie palestrinienne. Elle contient de grands et beaux moments, mais on sent que le compositeur n'est pas si à l'aise quand il laisse son invention musicale en liberté. On a quand même beaucoup de plaisir a écouter ces pages, surtout quand on les trouve interprétées comme elles le sont ici : c'est superbe, et encore renforcé par les perspectives d'une séduisante stéréophonie.

Missa Solemnis dite «de Gran».

** Veronika Kincses (s), Klara Takacs (c), György Korondi (t), Joszef Gregor (b), Sándor Margittay (orgue), Ch. et Orch. de la Radiotélévision Hongroise, János Ferencsik. Hungaroton SLPX 11.861. Enregistré en 1977.

Cette *Messe «de Gran»* est sans doute un peu théâtrale, mais elle ne mérite pas le mot dur de Berlioz : «la négation de l'art». Elle est profondément inspirée, et porte une prodigieuse invention musicale. La version qu'en donne Ferencsik, la deuxième qu'il ait gravée, est un peu trop sage, mais on en admirera l'intériorité, la splendeur jubilatoire et la incérité. Quelques défauts, comme un orchestre pas assez frémissant et un ténor au timbre ingrat, n'entament pas profondément le bienfait de cette réapparition.

Trois Nocturnes pour piano (Liebesträume, Rêves d'amour).

** Aldo Ciccolini (piano). EMI VSM C 069-11.664. ⌧ C 269-11.664. + *Consolations, Légendes.*

Un beau programme et une belle interprétation recommandent le disque où Aldo Ciccolini a gravé des œuvres dont le point commun est, comme le dit la préface de cette réalisation, leur aspect élégiaque. Les trois Nocturnes (ou *Rêves d'amour*) sont sans doute parmi les pièces les plus célèbres de Liszt. Est-ce pour les avoir maintes fois entendues que l'on est un peu choqué par une virtuosité qui vient déparer les émotions romantiques ? Il y a aussi un tempo qui se presse et se dérange un peu. Mais en définitive, il faut bien donner de la personnalité à des morceaux si souvent joués..

L'Œuvre pour piano intégrale.

** France Clidat (piano).
Vol. 1 : Véga 8.009/012 (4 d.) (sup.).
Vol. 2 : Véga 8.013/016 (4 d.) (sup.).
Vol. 3 : Véga 8.017/020 (4 d.) (sup.).
Vol. 4 : Véga 8.021/024 (4 d.) (sup.).
Vol. 5 : Véga 8.025/28 (4 d.) (sup.).
Vol. 6 : Véga 8.029/32 (4 d.) (sup.).

Bien qu'elle ait été supprimée des catalogues, on ne peut ignorer l'intégrale, monumentale entreprise menée à bien par France Clidat. Chacun des volumes de cette réalisation possède ses qualités intrinsèques, mais le niveau général est de haute volée. On comprend et accepte d'autant plus mal sa disparition. A quand le retour.

Dernières œuvres pour piano : Adieu, Bagatelle sans tonalité, Comète du malheur, Csardas 1, Csardas obstiné, Csardas macabre, En rêve, Insomnie, Question et réponse, Lugubre gondole (versions 1 et 2), Méphisto-Valses III et IV, Nuages gris, Prélude funèbre, Richard Wagner-Venezia, Sept portraits historiques hongrois, Valse oubliée n° 4.

*** Ernö Szegedi (piano). Hungaroton SLPX 11.976/77 (2 d.).

Ernö Szegedi présente ces œuvres de la fin de la vie de Liszt selon un ordre qui renforce l'impression de malaise et d'inquiétude qui s'en dégage, même lorsqu'elles sont séparées. Ici, plus d'effets de virtuosité, il ne reste que des questions angoissées, des visions diaboliques, un cheminement accablé, jusqu'au troublant *Adieu.* L'interprète se complaît à accentuer les inquiétants accents et semble vouloir faire parler dans son piano des voix de l'au-delà : il emploie un immense pouvoir de suggestion, utilisant parfois un jeu appuyé à l'extrême, et des tempos d'une étonnante lenteur. Tout cela peut irriter, quelquefois, comme d'ailleurs tout ce qui sort du commun, mais on ressent aussi un authentique frisson.

L'œuvre pour piano et orchestre : Concerto n° 1 en mi bémol majeur, Polonaise brillante d'après Weber op. 72, Concerto n° 2 en la majeur, Fantaisie sur des motifs des «Ruines d'Athènes», Fantaisie hongroise, Grande Fantaisie «Wanderer» d'après Schubert, Totentanz, Malédiction, Grande Fantaisie Symphonique sur des thèmes de «Lélio».

*** Michel Béroff (piano), Orch. du Gewandhaus de Leipzig, Kurt Masur. EMI VSM C 167-03.866/68. Enregistré en 1978 et 1979.

Béroff, avec sa technique peu ordinaire, ses phrasés étincelants de virtuosité et d'impérieux entrain, nous donne des deux Concertos une interprétation de très grande qualité. Parmi les nombreux inédits que nous présente ce coffret, citons tout particulièrement la *Grande Fantaisie «Wanderer»,* qui est presque aussi enthousiasmante que l'original de Schubert. Là encore, Béroff produit une très forte impression.

Œuvres de musique de chambre : Angélus, Prière aux anges gardiens pour orchestre à cordes, Gondole funèbre pour piano et violoncelle, Romance oubliée pour alto et piano, Epithalame, Elégie II pour violon et piano, Sur la tombe de Richard Wagner pour quatuor à cordes et harpe, Elégie I pour violoncelle, piano, harpe et harmonium.

*** Solistes de l'Orch. de Chambre Hongrois, Vilmos Tátraï. Hungaroton SLPX 11.798.

Voici ce que l'on peut appeler un disque «heureux», où tout est fait pour séduire. Le programme, qui recouvre en partie celui de Kantorow et Barda paru juste avant, mais centré uniquement sur le violon et le piano en duo ; la découverte de nouveaux aspects de Liszt, qui apparaît dans toute son étonnante diversité, surtout dans les recherches de timbres et les hardis mariages des instruments (notes frottées, pincées, soufflées par l'harmonium...). Une production originale et fascinante, due également et surtout à l'immense talent des Solistes de l'Orchestre de Chambre de Hongrie et à leur chef, Vilmos Tátraï.

Orgue : l'œuvre intégrale.

** Sándor Margittay, Endre Kovacs, Gábor Lehotká (orgue Walcker de la salle de concert du Conservatoire Franz Liszt à Budapest). Hungaroton SLPX 11.540/44 (5 d.) (G-B). Enregistré en 1974.

La seule «intégrale» de l'œuvre pour orgue de Liszt, qui permet de découvrir bon nombre de pièces peu connues, telle l'émouvante *Méditation sur la tombe de Richard Wagner*. Leur musicien national, célébré par trois interprètes qui inscrivent leur approche dans une totale identité de perspective. Une intégrale d'une grande unité stylistique, structurée par une architecture dont les lignes de force sont fermeté, élégance, et dans les grandes pièces une virtuosité qui confine à l'éblouissement, mais qui manque de cette intense flamme romantique qui souffle chez Darasse et Robilliard.

Orgue : les trois grandes Pièces : Fantaisie sur «Ad nos, ad salutarem undam», Prélude et Fugue sur B.A.C.H., Variations sur «Weinen, Klagen, Sorgen, Zagen».

*** Louis Robilliard (orgue Metzler du Grossmünster de Zurich). Arion 38.389. Enregistré en 1977.

** Xavier Darasse (orgue Cavaillé-Coll de St-Sernin de Toulouse). Erato 9154 (2 d.) (sup.). + *Pablo : Modulos VI. Darasse : Organum I.*

Louis Robilliard épanouit dans ces œuvres la prédilection qui est sienne pour l'orgue romantique. Contraste des mouvements, contraste des timbres et des intensités, élégance du rubato contribuent à donner à ces longues paraphrases une éloquence aux accents intensément romantiques.

Xavier Darasse donne à ces trois grandes pièces l'emphase dynamique et l'élan déclamatoire qu'elles exigent au-delà de la virtuosité transcendante. La beauté de l'orgue Cavaillé-Coll, la palette infinie de ses nuances et du pianissimo des fonds à la tempête de son grand chœur, exaltent la fièvre de ces pages d'un romantisme sans égal dans la littérature d'orgue. Si le couplage avec les œuvres d'aujourd'hui se justifie pour rendre un juste hommage à l'admirable organiste qu'était Xavier Darasse, il peut cependant dérouter l'amateur de Liszt : on ne peut que regretter la disparition du disque seul consacré à ces trois œuvres dans la même interprétation.

Orphée, poème symphonique n° 4.

*** Orch. Phil. de Londres, Bernard Haitink. Philips 6709.005 (5 d.). + *Intégrale des Poèmes symphoniques, Méphisto-Valse.*

* Orch. de l'Opéra de Monte-Carlo, Paul Paray. Festival FC 416. ⌧ FCK 4.016. + *Mazeppa, Méphisto-Valse, Les Préludes.*

Le poème *Orphée* ne constituait pas une première au disque dans l'intégrale Haitink des Poèmes symphoniques. Mais depuis lors, on trouve, avec cette interprétation remarquable, une référence qui n'a pas été détrônée, puisqu'il n'existe pas d'enregistrement plus récent de cette œuvre. De toute manière, il serait assez difficile d'égaler toute la tendresse intérieure si subtilement exprimée ici.

Le disque de Paul Paray tirait son principal intérêt de ce qu'il offrait la première version stéréophonique d'*Orphée* : toutes considérations techniques mises à part, sa verdeur la rendait bien supérieure à la vieille version mono. Mais il y a eu depuis Haitink, qui surclasse de loin cette version Paray, et, là encore, la technique d'enregistrement n'est pas l'unique raison de cette supériorité. Sur le même disque, des œuvres qui, même lors de sa sortie, existaient dans des versions préférables.

Paraphrases de concert sur des opéras de Verdi : Rigoletto, Ernani, Le Trouvère, Les Lombards, Aïda, Don Carlos, Simon Boccanegra.

*** Claudio Arrau (piano). Philips 6500.368.

Parmi toutes ces pages généreuses, bien inspirées et immédiatement séduisantes, on ne connaît guère que la *Paraphrase sur Rigoletto,* alors qu'elles brillent brillent toutes du même éclat. Claudio Arrau les joue avec un talent superbe, et son toucher légendaire trouve, ici, matière à la virtuosité autant qu'au raffinement.

Les Poèmes symphoniques : 1. Ce qu'on entend sur la montagne, 2. Tasso, Lamento e Trionfo, 3. Les Préludes, 4. Orphée, 5. Prométhée, 6. Mazeppa, 7. Bruits de fête, 8. Héroïde funèbre, 9. Hungaria, 10. Hamlet, 11. La Bataille des Huns, 12. Les Idéaux, 13. Du Berceau jusqu'à la tombe.

*** Orch. Phil. de Londres, Bernard Haitink. Philips 6709.005 (5 d.). + *Méphisto-Valse.*

Au moment de sa sortie, ce coffret présentait huit Poèmes symphoniques de Liszt jamais enregistrés jusque là : cette salutaire arrivée au catalogue constituait donc l'un de ses plus beaux mérites. Mais il faut également saluer une merveilleuse interprétation qui reste pour la plupart des pièces de cet ensemble, la référence à citer. Il ne convient pas de s'arrêter trop sur les célèbres *Préludes* qui, ici, le cèdent à de meilleures versions. Mais *Mazeppa*, la *Méphisto-Valse, Hungaria* sont des instants privilégiés de cette promenade romantique où Bernard Haitink se montre un guide à la fois passionnant et passionné.

Les Préludes, poème symphonique n° 3.

*** Orch. Phil. Tchèque, Karel Ančerl. Supraphon 200.140. + *Dvorak : Carnaval. Smetana : La Moldau. Tchaïkovski : Ouverture 1812.*

*** Orch. Phil. de Vienne, Wilhelm Furtwängler. EMI VSM FALP 362 (sup.). Mono. + *Wagner : Ouvertures de Tannhäuser et de Lohengrin.* Enregistré en 1954.

*** Orch. Radio-Symph. de Berlin, Ferenc Fricsay. DG 2538.039. ⌧ 3318.061. + *Mozart : 13e Sérénade (Petite Musique de nuit). Beethoven : Ouverture d'Egmont. Smetana : La Moldau.*

** Orch. Phil. de Londres, Georg Solti. Decca SXL 6.863 (G-B). Enregistré en 1977. + *Bruits de fête, Prométhée.*

** Orch. Phil. de Londres, Bernard Haitink. Philips 6500.580. + *Orphée, Tasso, Lamento e Trionfo.* Ou Philips 6709.005 (5 d.). + *Intégrale des Poèmes symphoniques, Méphisto-Valse.*

C'est indiscutablement le grand Karel Ančerl qui, à la tête de là Philharmonie Tchèque dont il fut le chef pendant dix-huit ans, nous donne la meilleure version des célébrissimes *Préludes* de Liszt. Il faut le signaler, et en première place, même si cette œuvre nécessite l'achat d'un coffret de huit disques, hommages à l'art de cette personnalité hors de pair.

A mettre également au tableau d'honneur, malgré son ancienneté et sa disparition des catalogues, le disque où Furtwängler dirige la Philharmonie de Vienne, avec son phrasé inimitable, sa respiration grandiose.

Le «concert Fricsay» où se trouvent les *Préludes*, voisinant avec du Mozart, du Beethoven et du Smetana, nous réserve de grands moments, grâce au talent du grand chef hongrois. Comme pour les autres pages, Liszt est ici admirablement servi : le Philharmonique de Berlin est dans une forme éblouissante, et la prise de son stéréophonique est telle que l'on se croirait vraiment à la meilleure place d'une salle de concert !

Les *Préludes* ont fait l'objet de tant de versions que l'on peut se montrer un peu réticent envers celle que nous propose plus récemment Georg Solti. Si un réel enthousiasme les marque, on déplore que, surtout vers la fin, une certaine grandiloquence vienne boursoufler le tout, qui se met à manquer singulièrement de nervosité et de mystère.

Extraits de l'intégrale Haitink avec trois autres Poèmes symphoniques, les *Préludes* tels que les a enregistrés le chef hollandais ne sont pas sa meilleure réussite. Alors que son intégrale se recommande par le souffle vraiment romantique qui l'anime, cette œuvre reste en-deçà de sa vraie expression, à cause d'une pudeur qui gomme ce qu'elle réclame d'exagération.

Prométhée «Audace, souffrance, endurance, salvation», poème symphonique n° 5.

*** Orch. Phil. de Londres, Bernard Haitink. Philips 6709.005 (5 d.). + *Intégrale des Poèmes symphoniques, Méphisto-Valse.*

** Orch. Phil. de Londres, Georg Solti. Decca SXL 6.863 (G-B). Enregistré en 1977. + *Bruits de fête, Les Préludes.*

Prométhée fait partie des chefs-d'œuvre que l'intégrale de Bernard Haitink a permis de découvrir. Et ce dans les meilleures conditions, grâce à une interprétation puissante et romantique, ne refusant jamais à cette musique la dose de passion qu'elle réclame. Un grand moment dans un coffret du plus haut intérêt.

Solti a inscrit *Prométhée* au programme de son second volet des Poèmes symphoniques de Liszt. Son interprétation souffre, au début, d'un léger manque d'homogénéité dans le pupitre des cordes. Mais la vision ne tarde pas à s'élargir et s'enlève avec force, révélant alors toute la puissance que Liszt a voulu donner à son héros. La version des *Préludes* qui se trouve dans ce même disque est un peu grandiloquente et manque de mystère.

Psaumes 13, 18, 23, 125, 129 pour soli, chœurs et orchestre.

*** József Rétii (t), Lászlo Jambor (bar), Anná Lelkes (harpe), Sándor Margittay (orgue), Ch. de Budapest, Ch. d'hommes de l'Armée Populaire Hongroise, Orch. d'Etat Hongrois, Miklos Forrai. Hungaroton SLPX 1.261.

L'écoute de ce disque réserve des moments de grande émotion : le superbe *De profundis* pour voix de baryton, chœur d'hommes et orchestre, est une page prophétique, expressive et poignante. Mais le sommet est atteint avec le *Psaume 13 «Jusqu'à quand, Seigneur»*, cri déchirant exprimé par le ténor solo, œuvre que Liszt avoue avoir composée «avec des larmes de sang». Cet enregistrement est parfait en tous points : aussi bien les solistes, les chœurs et l'orchestre que la prise de son, tout laisse une impression de grande beauté et de présence recueillie.

Rapsodie espagnole «Folies d'Espagne et Jota aragonesa» pour piano.

*** Lazar Berman (piano). EMI VSM C 167-52.490/92 (3 d.) (étr.). + *Etudes d'exécution transcendante, Méphisto-Valse, Sonate en si mineur, Venezia e Napoli.*

** György Cziffra (piano). EMI VSM C 061-12.853. + *Etudes d'exécution transcendante n°s 1 à 5, Rapsodies hongroises n°s 14 et 15.*

Le coffret de trois disques où se trouve incluse cette *Rapsodie espagnole* comporte des œuvres majeures, notamment une interprétation de référence de la *Sonate en si mineur.* Comparativement aux sommets atteints dans cette œuvre, Berman se montre moins souverain dans la *Rapsodie*, mais, en valeur absolue, c'est du très beau piano, une véritable pyrotechnie sonore. Il se montre enclin à la touche attendrie, mais sa supériorité est manifeste.

Dans le prodigieux coffret Cziffra, la *Rapsodie espagnole* semble un peu effacée à côté de l'intégrale des *Rapsodies hongroises* et des *Etudes d'exécution transcendante.* Mais c'est une interprétation qui peut plaire (ou déplaire), car elle est extrêmement personnelle. Pour l'œuvre isolée, il vaut mieux se référer à Lazar Berman.

Rapsodies hongroises n°s 4 à 6, 8, 12, 13 et 15.

❀*** Samson François (piano). EMI Trianon 33.138. Mono. Enregistré en 1953.

Quinze Rapsodies hongroises pour piano.

*** György Cziffra (piano). EMI VSM C 061-12.851 (nos 1 à 7). EMI VSM C 061-12.852 (nos 8 à 13). EMI VSM C 061-12.853 (nos 14 et 15). + *Etudes d'exécution transcendante nos 1 à 5, Rapsodie espagnole.*

Rapsodies hongroises nos 2, 6 et 15.

*** Vladimir Horowitz (piano). RCA VH 006 (sup.). Mono (origine 78 t.). + *1re Année de pèlerinage, Funérailles, 2e Sonnet de Pétrarque, Valse oubliée n° 1.*

Rapsodies hongroises n° 11 en la mineur, n° 10 en mi majeur, n° 8 en fa dièse mineur, n° 9 en mi bémol majeur, n° 13 en la mineur.

*** Claudio Arrau (piano). Telefunken 6.42627. Mono. Enregistré en 1951 et 1952.

Arrau, au tout début des années cinquante, nous fait parvenir au plus profond abîme de lumière et de vérité lisztienne. Une énergie presque unique dans la sobriété, dans la continuité insolente s'associe, s'épanouit dans un style dur, tranchant. Romantisme non du geste, des nuances, mais bien de l'éloquence, approche infiniment combattante, consciente et culturellement motivée, diction d'une loyauté quasi douloureuse. Un Liszt cinglant, sans fièvre, et cependant d'une rare pénétration expressive.

Rapsodie hongroise n° 11.

** Alfred Brendel (piano). Musidisc RC 880. + *Bagatelle sans tonalité, Sonate après une lecture de Dante, Sonate en si mineur.*

Rapsodies hongroises nos 11 et 14.

** Misha Dichter (piano). Philips 9500.401. Enregistré en 1977. + *Méphisto-Valse n° 1, La Lorelei, Funérailles, Message d'amour, Au bord d'une source.*

Malgré la présence de la version Horowitz, il est difficile de se dispenser de connaître, sinon de posséder l'excellent disque de Samson François. A la limite, le disque à se procurer si l'on ne désire pas l'intégrale, mais un très bon panorama des *Rapsodies hongroises.*

A leur apparition, les trois disques consacrés par Cziffra à deux sommets de la musique pianistique de Liszt (les Etudes d'exécution transcendante, et les *15 Rapsodies hongroises*), avec la *Rapsodie espagnole*, consacrèrent l'une des grandes sensations de l'histoire du microsillon. On assiste au numéro d'un bateleur prodigieux, autodidacte et génial. De tous points de vue, c'est le coffret à posséder, tant pour la fabuleuse vision lisztienne que pour la personnalité d'un «grand» du piano.

La RCA poursuit la «Vladimir Horowitz Collection» avec un disque Liszt à vous couper le souffle, et qui regroupe des prises de 1947, 1950 et 1953. De cette dernière date, la *Rapsodie n° 2* (revue par Horowitz !) et enregistrée en public à Carnegie Hall : elle seule justifierait l'achat, malgré les inconvénients d'une mono plutôt mauvaise et d'une prise de son pauvre en timbres.

Dans un programme qui se recommande par une bonne interprétation de la *Sonate en si mineur*, Alfred Brendel a inclus cette *Rapsodie hongroise n° 11*, qu'il joue d'une façon mordante et lumineuse. A écouter à l'occasion.

Dans un récital au programme très éclectique consacré à des pièces assez courtes de Liszt, Misha Dichter a inclus deux *Rapsodies hongroises* dans lesquelles il déploie toute la beauté de sa sonorité. A écouter avec plus d'attention : l'introduction de la *Rapsodie n° 11*, où le piano prend d'étonnants accents de cymbalum.

Requiem pour soli, chœurs d'hommes et orgue.

** Alfons Bartha et Sándor Palcso (t), Zsolt Bende (bar), Peter Kovacs (b), Ch. de l'Armée Populaire Hongroise, János Ferencsik. Hungaroton SLPX 1.267.

Pour exprimer ce chant d'espérance devant la réalité de la mort, Liszt a emprunté, sans rien fausser, ses ressources à la polyphonie ancienne telle que l'ont pratiquée Palestrina et Gesualdo. Mais son style demeure très personnel, plein d'une expression intense telle qu'on n'en trouve jamais chez les imitateurs de ces deux maîtres. Les artistes hongrois donnent de ces pages une interprétation de haute qualité. On pourrait leur reprocher un style quelque peu italianisant, alors que l'intériorité et la retenue sont bien plus de mise. Ces remarques ne sont pas assez graves - il s'en faut - pour hésiter un moment à faire connaissance avec un chef-d'œuvre de Liszt.

Soirées de Vienne pour piano, neuf Valses-caprices d'après les Valses de Schubert.

** Danielle Laval (piano). EMI VSM C 065-16.230 (sup.). Enregistré en 1976. + *Schubert : Sonate pour piano D. 850.*

Dans le disque de Danielle Laval, les *Valses-caprices* ne constituent pas l'essentiel consacré à la *Sonate D. 850* de Schubert (et qui, soit dit en passant, est parfaitement réussi). Ce délicat hommage de Liszt à Schubert est comme un dessert, savoureux et léger, élaboré avec beaucoup d'art sous les doigts d'une interprète attachante et sensible.

Sonate Après une lecture du Dante. Six chants polonais. Funérailles.

❀*** Claudio Arrau (piano). Philips 6514.273. Enregistré en 1982.

Avec Arrau, on découvre dans cette *Dante* une continuité énigmatique et rôdeuse, un travail de récurrence thématique, une progression implacable de la sonorité, enfin tout ce que d'habitude on ne voit pas dans ce chef-d'œuvre évasif. Le studio nous restitue ici l'engagement héroïque du concert, et y a ajouté, dans la captation de la sonorité, dans les constrastes d'une légèreté liquide d'elfe, dans le poids fabuleusement exact des silences et des ruptures, des précisions hallucinantes.

Sonate Après une lecture du Dante. Méphisto-Valse n° 1.

** Deszö Ranki (piano). Denon OX-7029. + *Sonate en si mineur.*

Le jeune pianiste Deszö Ranki grave ici un très intéressant programme Liszt, non pour l'originalité des œuvres qui y figurent, mais pour les qualités techniques et spirituelles qu'il y déploie. Chacun des trois morceaux retenus a connu auparavant une interprétation faisant encore référence, ne serait-ce que pour l'immense et terrible *Sonate en si mineur.* Mais, sans vouloir tirer un trait sur les générations antérieures de pianistes, il est indispensable de chercher aujourd'hui les génies de demain. En écoutant Ranki dans Liszt, on est frappé par l'alliance de la jeunesse et de la maturité, et l'on pressent que l'on réentendra son nom.

Sonate en si mineur pour piano.

❀*** Lazar Berman (piano). EMI VSM C 167-52.490/92 (3 d.) (étr.). + *Etudes d'exécution transcendante, Méphisto-Valse, Rapsodie espagnole, Rapsodie hongroise n° 3, Venezia e Napoli.*

❀*** Vladimir Horowitz (piano). RCA RL 12.548. ⌧ RK 12.548. Enregistré en 1977. + *Fauré : Impromptu n° 5, Nocturne n° 13.*

*** Martha Argerich (piano). DG 2530.193. Enregistré en 1972. + *Schumann : Sonate pour piano n° 2.*

*** Claudio Arrau (piano). Philips 6500.043. Enregistré en 1974. + *Bénédiction de Dieu dans la solitude, Etudes de concert.*

*** Michael Rudy (piano). Calliope CAL 1685. ⌧ CAL 4685. Enregistré en 1980. + *Gondole lugubre n°s 1 et 2, Bagatelle sans tonalité, Nuages gris, Am Grabe Richard Wagner, En rêve, Nocturne, Ave Maria, Czardas obstinée.*

** Alfred Brendel (piano). Musidisc RC 880. Enregistré en 1964. + *Bagatelle sans tonalité, Rapsodie hongroise n° 11, Sonate après une lecture de Dante.*

** Alfred Cortot (piano). EMI Da Capo C 047.01.504. Mono (origine 78 t.). Enregistré en 1929. + *Chopin : Sonate n° 3.*

** Vlado Perlemuter (piano). Nimbus 2125. Quadri. Enregistré en 1979. + *Beethoven : Variations «Eroïca».*

** Horacio Gutierrez (piano). EMI Electrola C 063-03.463. Enregistré en 1979. + *Au bord d'une source, Etude d'exécution transcendante n° 10, Sonnet de Pétrarque n° 104, Méphisto-Valse n° 1.*

** Deszö Ranki (piano). Denon OX-7029. + *Sonate après une lecture de Dante, Méphisto-Valse n° 1.*

La *Sonate en si mineur*, cette somme du savoir et du savoir-faire lisztien, constitue pour les pianistes une pierre de touche. Dans un album magnifique, Berman fait valoir d'emblée un jeu héroïque et aventureux, et impose une dimension épique qui n'exclut pas un certain panache : tout s'épanouit avec l'évidence d'une montée quasi spirituelle. Il semble qu'il se joue là un formidable combat à l'issue duquel les destinées du piano moderne se trouveront définitivement fixées. Une approche fondamentalement romantique : du très grand Liszt.

Horowitz avait enregistré en 1932 une *Sonate en si mineur* que nul n'avait pu égaler depuis. Quarante-cinq ans après, il nous en donne une vision renouvelée. Les progrès techniques apportent à ce disque une incontestable supériorité sonore : un piano coloré, une dynamique somptueuse. Mais le virtuose de 1932 s'est effacé derrière le musicien qui fait corps jusqu'au bout avec la musique de Liszt. Seul, le génie pouvait se permettre de telles outrances, un romantisme si poussé, pour exalter la vérité de l'œuvre : c'est le cas de Horowitz.

C'est un beau titre de gloire pour Martha Argerich que de venir se placer après de tels «monstres sacrés». Elle le mérite largement, par une interprétation de la *Sonate* qui est une performance de tout premier ordre. Dès les premières notes, nous nous sentons pris au piège, et dans l'impossibilité de se détacher de cette artiste fougueuse qui a empoigné la partition avec véhémence, tendresse et générosité. Et point de failles dans l'architecture d'une construction si étonnante : Argerich ne faiblit pas à un seul moment, nous laissant conquis et reconnaissants.

Claudio Arrau, artiste à la personnalité très affirmée, présente une version bien «à lui» : il n'y a pas lieu de parler ici de structure ou d'architecture, car il joue cette *Sonate* moins dans un esprit d'ensemble que dans le souci permanent de s'intégrer au sentiment du moment, quitte à changer de forme à chaque évolution du texte. C'est donc peut-être la version la plus intime et humaine, en tous cas la moins spectaculaire, tout empreinte de sérénité et de détachement, mais non exempte de générosité.

Michael Rudy a une palette sonore riche en couleurs, un toucher profond et subtil. Le *Quasi Adagio* est réellement *«dolcissimo con intimo sentimento»*, la façon d'égrener avec expression les croches qui précèdent l'*Allegro energico* et surtout le mystère qui se dégage du *Lento assai* conclusif est vraiment l'objet d'une étude de sonorités d'une rare émotion. Nous retrouvons également ces qualités dans les pièces de la dernière période de Liszt qui ornent la seconde face de ce disque.

A nouveau un autre climat, avec Alfred Brendel : chez lui, il faut admirer son dynamisme, sa virtuosité, la plénitude de sa sonorité, la chatoyante netteté des couleurs. Il n'aborde pas l'œuvre à la façon de Horowitz, par son côté étincelant et par ses sortilèges pianistiques, mais en fait ressortir le côté grave, sérieux et presque angoissé. Sur le plan technique, l'enregistrement n'a pas très bien supporté les années.

Alfred Cortot est l'un des rares exégètes à avoir compris en son temps le caractère foncièrement novateur de la *Sonate en si mineur*. Malheureusement, son enregistrement, qui date d'un demi-siècle, ne rend pas justice à la sonorité de ce grand pianiste, qu'on sait plus généreuse. La conception de Cortot rejette ce qu'il y aurait de trop brillant dans la virtuosité. Elle est essentiellement poétique et intériorisée. On regrette que la dynamique réduite de l'enregistrement affaiblisse ses intentions.

Vlado Perlemuter force l'attention. D'emblée, il a su trouver la noblesse du ton. Nous avons affaire ici à une version des plus classiques de la *Sonate*. Certains pourront parler de détachement et de froideur (en comparaison, par exemple, avec la *furia* d'une Argerich). Mais ce serait une erreur de jugement : au contraire, l'œuvre, resserrée dans les limites que lui impose l'interprète, prend une force monolithique tout à fait extraordinaire. La technique est magnifique de précision et de fidélité au texte. En complément, les *Variations «Eroïca»* de Beethoven souffrent, elles, de cet effacement, mais le disque est à thésauriser pour Liszt !

Pour rendre justice aux jeunes talents, il convient de citer ici la version toute récente d'Horacio Gutierrez. Certes, elle ne peut prétendre aux sommets entrevus avec les illustres pianistes de ce siècle. Mais on entrevoit un talent de maître à travers des traits d'une ravissante subtilité, et une puissance poétique qui envoûte l'oreille.

Les «jeunes loups» du clavier possèdent une technique d'acier, et il y a longtemps que les notes de Liszt ne leur font plus peur. Parmi eux, Deszö Ranki, qui se souvient de Cortot, et, loin de prendre l'œuvre à bras-le-corps, se donne de la latitude pour rêver. Le panache, l'emportement délibéré, Ranki ne les déchaîne qu'avec un rare sens de l'effet. Sa vision, si elle ne soulève pas le même enthousiasme que la plupart des précédentes, est à la fois juste et équilibrée, et évite toute faute de style. Le reste du programme est de la même qualité, et l'on est presque surpris de trouver un interprète à la fois si jeune et spirituellement si achevé.

Tasso, Lamento e Trionfo, poème symphonique n° 2.

*** Orch. Phil. de Londres, Bernard Haitink. Philips 6709.005 (5 d.). + *Intégrale des Poèmes symphoniques, Méphisto-Valse.*

** Orch. de Paris, Georg Solti. Decca 591.106. Enregistré en 1975. + *Méphisto-Valse, Du Berceau jusqu'à la tombe.*

** Orch. Phil. de Berlin, Herbert von Karajan. DG 2530.698. ⊠ 3300.698. + *Rapsodies hongroises nos 4 et 5.*

Créateur, sous l'influence de Berlioz, du Poème symphonique, Liszt donne un remarquable exemple de ce type d'œuvre à structure libre avec son *Tasso, Lamento e Trionfo*, histoire tourmentée de la vie du célèbre poète racontée par Goethe. A la tête d'un Philharmonique de Londres remarquablement concis et discipliné, Haitink trouve les accents profonds et romantiques, fait ressortir la turbulence interne qui anime ces pages passionnées. C'est incontestablement la version de référence, magnifieée par l'écrin qui forme autour d'elle l'intégrale inégalée des Poèmes symphoniques.

Solti et l'Orchestre de Paris forment une heureuse conjonction pour ce *Tasso* : les instrumentistes se montrent tous des artistes au timbre chaud, et la direction met l'accent sur la métamorphose des thèmes, avec une clarté qui conduit à travers l'ensemble orchestral sans jamais se perdre. C'est précisément cette clarté qui fera préférer la version Haitink à celle de Solti : en effet, trop de limpidité nuit à l'atmosphère latine et sombre qui doit régner sur ce type d'œuvre. C'est une vision plus intellectuelle que sensuelle.

Intellectuelle également est la version que Karajan dirige à la tête du Philharmonique de Berlin. Il prend son *Tasso* dans un mouvement nettement plus retenu que les deux enregistrements précédents. Ce parti pris restitue merveilleusement le climat de méditation intérieure, sensibilisé par les sonorités superbes de ses musiciens. Mais là encore, la fougue est absente, sans laquelle le tempérament lisztien est incomplètement rendu. En revanche, les Rapsodies sont fouettées avec une vigueur un rien populaire qui ravira ceux qui n'ont rien contre la version pour orchestre de cette œuvre.

Transcriptions : Fantaisie et Fugue en sol mineur et Prélude et Fugue BWV 513 de J.S. Bach.

*** Yura Guller (piano). Nimbus 2.106. Quadri. + *Albeniz, d'Aquin, Balbastre, Chopin, Couperin, Rameau, Scarlatti : œuvres pour clavecin et pour piano.*

C'est dans un disque magnifique consacré à l'art de Yura Guller que se trouvent deux très belles transcriptions de Bach par Liszt : musique de génie, servie par une interprète de génie, qui s'y montre inimitable. Tout en jouant du piano et en utilisant toutes les ressources expressives de l'instrument, elle réussit, par on ne sait quel miracle, à le faire chanter comme un orgue. Pour la petite histoire, rappelons que c'est avec la *Fantaisie et Fugue en sol mineur* que Yura Guller passa avec succès l'examen pour entrer dans les classes supérieures du Conservatoire, de même qu'une autre grande dame nommée... Clara Haskil.

Transcriptions : deux Mélodies de Chopin (Mes Joies, Souhaits d'une jeune fille).

** György Cziffra (piano). EMI VSM C 069-14.063. ⊠ C 269-14.063. + *Chopin : œuvres pour piano.*

Le plus souvent, les transcriptions dénaturent terriblement les originaux qui ne gagnent rien aux arrangements qu'on leur fait subir. Ici, c'est le contraire qui se produit, car les *Deux Chants polonais* de Chopin sont plutôt médiocres, tandis que leurs transcriptions par Liszt sont fort réussies. Le tout admirablement servi par un Cziffra en grande forme, spontané et conquérant. Un disque à apprécier pour son interprétation et pour la qualité de son programme.

Transcriptions : Quatorze Lieder de Schubert.

* Setrak (piano). EMI VSM C 065-14.408 (étr.).

Si, de nos jours, l'accès aux œuvres nous est devenu si facile grâce aux disques, radio, etc., il n'en a pas toujours été de même : ceci explique la vogue, presque la nécessité des transcriptions pour piano au XIXe siècle. Maintenant que nous connaissons si bien les originaux, ce récital Schubert transcrit par Liszt nous laisse désagréablement sur notre faim : l'interprète n'y est certes pour rien, car il met ici tout l'art et tout le goût souhaitable ; mais à l'impossible, nul n'est tenu. On aimera cependant réentendre ce pianiste dans un répertoire original.

Valse oubliée n° 1 pour piano.

*** Claudio Arrau (piano). Philips 5802.906. + *Années de pèlerinage, Ballade n° 2.*

*** Vladimir Horowitz (piano). RCA VH 006 (étr.). Mono (origine 78 t.). + *1re Année de pèlerinage, Rapsodies hongroises nos 2, 6 et 15, Sonnet de Pétrarque n° 2.*

Valses oubliées nos 1 et 2 pour piano.

** Sviatoslav Richter (piano). Philips 6768.219 (2 d.). + *Etudes d'exécution transcendante. Chopin, Moussorgsky, Schubert : œuvres pour piano.*

Si l'on désire posséder les quatre *Valses oubliées*, il faudra se reporter à l'intégrale de France Clidat, car elles n'existent sur les autres disques que séparément. La *n° 1* figure sur un disque récital de Claudio Arrau, disque remarquable, comme nous l'avons déjà signalé à propos des autres œuvres qui y figurent, notamment des pièces extraites de la seconde *Année de pèlerinage.* A écouter donc, aussi pour l'agréable complément de cette *Valse.*

Autre réalisation de tout premier plan que le disque Horowitz, qui, malgré son âge et sa monophonie, est un document à ne pas négliger. L'enregistrement de la *Valse n° 1* date de 1950. Mais la pièce maîtresse du disque est une *Rapsodie hongroise n° 2* de première force, enregistrée en public à Carnegie Hall : un grand moment !

Sviatoslav Richter est le plus généreux, en offrant deux des *Valses* (nos 1 et 2) sur un disque récital comprenant, comme autre œuvre de Liszt, les *Etudes d'exécution transcendante nos 5 et 11.* En outre, Chopin, Moussorgsky, Schubert : la part de Liszt n'est donc pas essentielle dans cet enregistrement, mais, pour être réduite, elle n'est pas moins belle. D'abord pour le piano de Richter, et, à l'occasion, pour Liszt, mais de tout manière, oui, sans conteste.

Via Crucis.

** Ch. des Troubadours et Ménestrels, Ch. d'enfants du Festival d'Aix-en-Provence, André Lynch. Chantal de Zeeuw (orgue). Pierre Vérany PV 8.292. ⌧ PV 18.292. Enregistré en 1982.

Ce *Chemin de la Croix* destiné à l'orgue et au chœur a cappella est une œuvre de haute maturité du compositeur. Austère, fascinante, d'un accès peut-être difficile dans sa densité d'une étonnante richesse, à laquelle les musiciens aixois rendent pleinement justice. En dépit de quelques imperfections, on trouvera ici une homogénéité des timbres, une justesse et une qualité sonore qui font un grand honneur au travail effectué par ces jeunes amateurs, qui possèdent en outre une vertu précieuse, la ferveur. Cette interprétation est animée d'un souffle, d'une spiritualité qui ne trompent pas, et l'organiste a le ton et le style exactement appropriés.

Locatelli, Pietro Antonio
(1690-1764)

Concerto pour violon en ré majeur/Op. 3 n° 1.

*** Jaap Schröder (violon). Concerto Amsterdam. Telefunken 6.41217. ⌧ 4.41217. Enregistré en 1966. + *Torelli : Concertos pour trompette. Vivaldi : Concerto pour 2 cors RV 539, pour flûte RV 442.*

L'interprétation de Jaap Schröder reste sans doute la meilleure jamais donnée d'un concerto de Locatelli. Virtuose impeccable, il allie l'intelligence du phrasé à la finesse de sonorité, tranchante comme un fil dans l'extrême aigu, où cette page redoutable s'aventure. Le largo central est un bijou de tendresse, ciselé et mis en valeur par le Concerto Amsterdam déjà attiré à cette époque (1966) par les instruments anciens, et sonnant, il est vrai, plus rond qu'aujourd'hui. Le couplage est excellent.

12 Concertos pour violon, avec 24 Capricci «l'Arte del Violino» (intégrale).

** Susanne Lautenbacher (violon), Orch. de Chambre de Mayence, Günther Kehr. Vox Box SVBX 540/541 (6 d.) (USA). Enregistré en 1961.

Le violon de Susanne Lautenbacher est juste assez virtuose pour oser s'attaquer aux terribles Caprices de Locatelli. Elle s'y lance pourtant crânement, avec une sonorité colorée, tranchante comme un rasoir, avec aussi beaucoup de musicalité. Un souffle romantique anime l'orchestre de Günther Kehr, à la pâte un peu épaisse peut-être, mais homogène. L'expression est spontanée et lyrique, les tempos vivants et le phrasé clair. Le meilleur enregistrement actuel de Locatelli.

Locke, Matthew
(1622-1677)

Chansons et pièces instrumentales.

** Patrizia Kwella (s), Nigel Rogers (t), London Cornett and Sackbut Ensemble, Colin Tilney (clavecin). EMI Reflexe C 069-46.404.

Un intéressant programme choisi dans l'œuvre de Locke, et qui montre l'attachement du compositeur à la tradition anglaise la plus stricte, ce qui l'amène parfois à un archaïsme savoureux. Mais c'est aux deux chanteurs, Patrizia Kwella et Nigel Rogers, que nous devons le plus beau de ce disque, tant ils poussent leur interprétation dans la voie de l'air de cour avec une élégance précieuse, qui ne tombe jamais dans la mièvrerie, où le chant sonne plein.

Musique de scène pour «La Tempête». Music for His Majesty's Sagbutts and Cornetts.

*** Judith Nelson, Emma Kirkby, Prudence Lloyd (s), Martyn Hill, Rogers Covey-Crump, Richard Morton, Alan Byers (t), David Thomas, Geoffrey Shaw (b), John York Skinner, Charles Brett (hc), Academy of Ancient Music, Christopher Hogwood. Oiseau Lyre 595.050.

Matthew Locke n'a été que l'impresario musical de cette présentation de *La Tempête* de Shakespeare à laquelle ont participé, à ses côtés, au moins quatre autres musiciens. Le résultat est un bel exemple de musique de cour qui demandait de grands soins pour être restituée avec une certaine vie. L'équipe réunie par Hogwood y a parfaitement réussi. Des chanteurs connaissant bien les pratiques de la musique baroque, un bel ensemble instrumental apportent leur concours à une entreprise à laquelle ils trouvent très évidemment du plaisir. Le résultat est agréable, harmonieux et, qui plus est, vivant, ce qui était peut-être le plus difficile à obtenir.

Loewe, Karl
(1796-1869)

15 Lieder sur des poèmes de Goethe.

** Dietrich Fischer-Dieskau (bar), Jörg Demus (piano). DG 2530.052 (RFA).

On trouve dans les Ballades de Loewe des formes très variées qui tantôt préfigurent Hugo Wolf, tantôt se rattachent aux racines populaires, ou à l'atmosphère sulfureuse chère aux Romantiques allemands. La plus remarquable qualité de cette série sur des textes de Goethe est l'ironie qui, mêlée à un art souvent facile, devient très efficace. Efficace aussi - et surtout - l'interprétation superbe de Fischer-Dieskau.

Lorca, Federico Garcia
(1899-1936)

Treize Chansons espagnoles.

*** Teresa Berganza (ms), Narciso Yepes (guitare). DG 2530.875. + *Falla : Sept Chansons populaires espagnoles.*

C'est en poète véritablement inspiré que Lorca a recueilli et harmonisé, en épurant parfois la ligne mélodique et rythmique, des chansons des XVIIIe et XIXe siècles. Il règne ici un instinct très sûr de l'accentuation : tout y est naturel, rien n'y paraît surajouté. L'interprétation de Teresa Berganza, claire et spontanée, efficacement soutenue par la guitare de Narciso Yepes, procure un plaisir raffiné. D'une qualité égale, les *Chansons* de Falla complètent très heureusement ce programme de musique populaire espagnole.

Douze Chansons espagnoles, version pour deux guitares.

** Paco De Lucia, Ricardo Modrigo (guitares). Philips 6599.856.

Les Chansons populaires harmonisées par Lorca, et enregistrées en version chant par Teresa Berganza, sont ici présentées dans une version pour deux guitares. L'esthétique est différente, mais le résultat est tout à fait réussi, d'autant plus que les deux solistes jouent d'une façon extrêmement claire et musicale : une bonne prise de son - facteur important dans un tri disque - permet d'apprécier au maximum cette musique directe et vivante.

Lübeck, Vincent
(1654-1740)

L'œuvre pour orgue intégrale.

❀*** Michel Chapuis (orgue Klapmeyer d'Altenbruch). Valois MB 827.

Fulgurance endiablée des traits de pédale, malice dans les agréments ajoutés, poésie dans les intermèdes sur les jeux doux avec le tremblant, prodigieux équilibre dans l'alternance des plans sonores ; le tout baigné jusqu'à l'ivresse d'un déluge de timbres baroques typiquement nord-allemands. L'un des plus beaux disques de Michel Chapuis.

Préludes et Fugue pour orgue en ré mineur, en mi majeur et en sol mineur.

*** Helmut Walcha (orgue A. Schnitger de Cappel). Archiv 2712.004 (4 d.) Enregistré en 1977. *+ Œuvres pour orgue de Boehm, Bruhns, Pachelbel, Scheidt, Sweelinck et Tunder.*

L'hommage de Walcha à l'un des plus éminents précurseurs de J.S. Bach, dans un magnifique coffret anthologique qui leur est consacré. Walcha, éminent précurseur de Chapuis, n'en a peut-être pas les audaces et le panache, et demeure plus réservé dans sa lecture. Mais quelle souveraine limpidité de ce jeu dans lequel toute articulation, tout parti de phrasé, sont les résultantes d'une parfaite intelligence du texte qui se veut analytique jusqu'à l'absolu.

Lully, Jean-Baptiste
(1632-1687)

Alceste, ou le Triomphe d'Alcide, tragédie lyrique.

** Felicity Palmer (Alceste), Bruce Brewer (Admète), Anne-Marie Rodde (Céphise), François Loup (Caron), Max van Egmond (Alcide), John Elwes (Lychas), Ensemble Vocal Raphaël Passaquet, Enfants de la Maîtrise Nationale, La Grande Ecurie et La Chambre du Roy, Jean-Claude Malgoire. CBS 79.301 (3 d.) (sup.).

Malgoire a fait un travail considérable pour nous restituer cet opéra admirable. Son interprétation fait preuve de vie, de sens rythmique, et ses recherches de couleurs instrumentales sont tout à fait dans l'esprit de Lully. Les instruments - anciens ou copies - sonnent juste ; leurs timbres et leur disposition sont mis en valeur par une magnifique prise de son, qui définit parfaitement les plans sonores. Il en va de même pour les solistes, dont les voix bénéficient d'une exacte mise en place par rapport à l'orchestre. La distribution est dominée par le couple Alceste-Admète et par la fraîcheur d'Anne-Marie Rodde. Une forte réserve au sujet des chœurs, plats et, peu compréhensibles alors que leur rôle est essentiel.

Armide.

* Rachel Yakar (Armide), Zeger Vandersteene (Renaud), Danièle Borst (Phénice), Suzanne Gari (Sidonie), Greta de Reyghere (la Sagesse, une Nymphe), Ulrich Cold (Hidraot), Martin Egel (Ubalde, Artémidore), Guy de Mey (le Chevalier danois, un amant), Ulrich Studer (Arontee, la Haine), Isabelle Poulenard (une Bergère), Ensemble Vocal et instrumental de la Chapelle Royale, Philippe Herreweghe. Erato STU 715. 302 (2 d.). Enregistré en 1983.

Cette intégrale d'*Armide*, en nous montrant l'absence de brillant de l'ouvrage, nous oblige à reconnaître la profondeur du fossé qui sépare notre sensibilité de celle des contemporains de Louis XIV. La perfection tant vantée de Lully est ici bien raide, et surtout manque de génie : cette suprême maîtrise des formes ne suffit pas à nous toucher.

Le Bourgeois Gentilhomme, comédie-ballet.

*** Rachel Yakar, Maria Friesenhausen, Dorothea Jungmann (s), Siegmund Nimsgern, Dirk Schortenmeier, Franz Müller-Heuser (bar), René Jacobs (hc), Klaus Heider, Michel Lecocq, Norbert Lohmann (t), Ch. d'enfants de Tölz, Orch. La Petite Bande, Gustav Leonhardt. Harmonia Mundi HMU 20.320/21 (2 d.).

Une réussite totale où Gustav Leonhardt fait preuve d'un goût et d'une science admirables, sans jamais tomber dans les excès de la reconstitution. La technique vocale, la composition de l'orchestre, les instruments anciens nous rendent une vision vraiment honnête de Lully. Tous les solistes sont parfaits, surtout Siegmund Nimsgern dans le rôle de Muphti, chanté par le compositeur, tandis que Molière jouait Monsieur Jourdain. A cela s'ajoute un texte de présentation riche en importants détails musicologiques.

Miserere mei Deus, motet pour solistes, deux chœurs et orchestre. Dies Irae.

*** Colette Alliot-Lugaz (s), Francine Bessac (s), Zeger Vandersteene (t), Roland Bufkens (t), Philippe Huttenlocher (bar), Ensemble A Cœur Joie de Valence, Orch. de Chambre Jean-François Paillard, Jean-François Paillard. Erato STU 70.940. ⌧ MCE 70.940.

On saura gré à Jean-François Paillard d'avoir su vêtir si somptueusement ces deux chefs-d'œuvre de Lully : il les a voulus grands, et l'ampleur de sa vision est renforcée par l'éclat de ses interprètes, en particulier Philippe Huttenlocher, dont le timbre chaud s'envole avec majesté. Les effets de masses vocales sont très bien exploités : grand chœur dans le *Miserere*, double chœur dans le *Dies Irae*.

Te Deum, pour cinq solistes, petit et grand chœurs et orchestre.

*** Jennifer Smith (s), Francine Bessac (s), Zeger Vandersteene (hc), Louis Devos (t), Philippe Huttenlocher (bar), Ensemble A Chœur Joie de Valence, Orch. Jean-François Paillard, Jean-François Paillard. Erato STU 70.927 ⌧ MCE 70.927.

Œuvre flamboyante, vraiment royale, qui balaie la vieille rhétorique et édifie, avec ses deux chœurs, ses violons, ses trompettes et ses timbales, des sonorités d'une étonnante majesté. Jean-François Paillard fait à nouveau résonner de pareils fastes et surtout communique à ses interprètes l'esprit rayonnant de cette musique. L'orchestre a un son éclatant, les chœurs et les solistes s'imposent par leur dynamisme et leur conviction : une découverte à ne pas manquer.

Lutoslawski, Witold
(né en 1913)

Concerto pour orchestre. Jeux Vénitiens. Musique Funèbre.

*** Orch. Phil. de Varsovie, Witold Rowicki. Philips 6500.628 (USA).

Concerto pour orchestre.

** Orch. Symph. de Chicago, Seiji Ozawa. EMI VSM ASD 2652 (sup). Angel 536.045 (USA). + *Janáček : Sinfonietta.*

Rowicki, dépassant la lettre, transcende ici l'esprit de cette musique au charme et à la puissance manifeste. Dédicataire de ce Concerto, le chef en offre une vision exaltée, couvant d'une passion exacerbée tant dans le soin méticuleux qu'il apporte à la couleur sonore qu'aux éclairages subtils dont il isole chaque plan. La prise de son a hélas ! quelque peu vieilli, ce qui n'est pas le cas pour les œuvres antérieures du même compositeur dans lesquelles Rowicki et le Philharmonique de Varsovie font merveille.

Ozawa donne ici un festival de sa palettre flamboyante. Sa vision est tout de même assez «froide», non pas sèche, mais passée aux rayons d'une radioscopie générale. Cela ne l'empêche pas de faire briller pour notre plaisir les mille feux de l'orchestre magnifique de Chicago. Les mêmes caractéristiques handicapent quelque peu la *Sinfonietta* de Janáček.

Concerto pour violoncelle et orchestre.

❁*** Mstislav Rostropovitch (violoncelle), Orchestre de Paris, Witold Lutoslawski. EMI VSM C 069-02.687. + *Dutilleux : Concerto pour violoncelle et orchestre.*

Cette partition est magistralement interprétée par un Rostropovitch inspiré, émouvant, imposant dans cette lutte inégale qui l'oppose à l'orchestre en son entier. Le soliste déploie une volonté tenace, une sensibilité jamais prise en défaut, un sens dramatique qui n'a d'égal que celui dont fait preuve ici le compositeur polonais. L'Orchestre de Paris s'enflamme, vibrant d'une intense exaltation. L'œuvre de Dutilleux dirigée par Baudo n'a rien à envier à la réussite de Lutoslawski.

Mala Suita. Die Strohkette. Cinq Danses-Préludes. Ouverture pour cordes. Trauermusik.

** Orch. Symph. de Berlin et de Hambourg, Arthur Grüber. CBS MOOT S 3461.232 (sup.). Candide 31.035 (USA).

Un panorama des premières pièces orchestrales du compositeur, qui, avec l'anthologie d'EMI, totalisent la quasi-totalité de sa production (sans oublier le *Quatuor*, disponible en disque séparé). On y découvre que la maturation créatrice de Lutoslawski a dû passer par les influences surmontées de Bartók (*Danses-Préludes)*, de Szymanovski, de Stravinsky, de Hindemith, de la musique sérielle, du folklore (*Ouverture pour cordes, Trauermusik, Mala Suite, Die Strohkette)*. Si Grüber n'est pas un chef des plus marquants, son travail ici est honnête ; quant à l'orchestre, il suit fidèlement son conducteur.

Œuvres pour orchestre : Première Symphonie, Concerto pour orchestre, Variations Symphoniques, Cinq Mélodies, Musique Funèbre, Postlude, Jeux Vénitiens, Trois Poèmes d'Henri Michaux, Deuxième Symphonie, Livre pour orchestre, Concerto pour violoncelle, Préludes et Fugues, Mi-Parti, Paroles Tissées.

❀*** Halina Lukomska (s), Louis Devos (t), Roman Jablonski (violoncelle), Ch. de la Radio Polonaise de Cracovie, Orch. de Chambre Polonais, Orch. Symph. National de la Radio Polonaise, Witold Lutoslawski. EMI VSM C 165-03.231/36 (6 d.). Quadri.

Hormis le Quatuor et quelques pages, dont les Postludes II et III et l'Ouverture pour cordes, nous voici en possession de la majorité des œuvres du compositeur. On peut donc suivre au fil des faces l'évolution qui mènera Lutoslawski jusqu'au monde sonore des micro-intervalles l'aléatoire contrôlé. Foisonnante de richesses, de complexité polyphonique, de timbres et d'harmonies raffinées, l'esthétique de ce créateur est ainsi dévoilée au travers d'un chatoiement impressionniste aux beautés toujours renouvelées. La musicalité, la finesse intelligente des musiciens font merveille, comme la direction précise et néanmoins enflammée d'un romantisme tout à fait justifié.

Paroles Tissées.

*** Peter Pears (t), London Sinfonietta, Witold Lutoslawski. Decca HEAD 3 (sup). *+ Berkeley : Quatre Sonnets de Ronsard. Bedford : Tentacles of the dark Nebula.*

L'orchestre se plie avec enthousiasme à la baguette du créateur polonais et se transforme en une bruissante forêt, au souffle ample abritant mille et une vies invisibles. Lutoslawski signe ici une page irisée de couleurs pastels. Quant au couplage et à la triple intervention de Peter Pears (souverain de tendresse, de dramatisme, de sensibilité, de nervosité aussi et de «punch»), il mérite la plus vive attention.

Quatuor à cordes.

** Quatuor LaSalle. DG 2530.735 (RFA). *+ Cage : Quatuor à cordes.*

Ce disque bénéficie d'un couplage fort intéressant. Les LaSalle sont comme à leur habitude d'une sonorité pleine, d'une précision proverbiale, d'une clarté dans le jeu et le phrasé qui ont établi leur réputation, avec cette cohésion, ce poli, ce «fini», ce «son» qui caractérisent les grands ensemble de musique de chambre, et qui leur appartiennent en propre. Seul reproche ici, un certain manque de chaleur (ou de conviction) parfois ; mais cela est très subjectif. Une œuvre à connaître, en tout cas : si le Quatuor de Cage est plus une curiosité, celui de Lutoslawski est un chef-d'œuvre.

M

Machaut, Guillaume de
(vers 1300-1377)

Anthologie. Ballade : Quant je sui. Chanson royale : Joie, plaisance. Complainte : Tel rit. Lais : Loyauté ; Le lay de la fontaine ; Je ne cesse ; Et ou porroit ; C'est elle ; Ce troi un ; Et qui de ceste ; Mais ceste trinité ; De la duis ; Et pour ce di que cil troy ; Pour ce te pri ; Mais de tel confort ; He ! fonteinne de concorde ; Pour laver et nettoier. Virelais : Comment ; Dame, à vous.

*** Studio der frühen Musik, Thomas Binkley. EMI Electrola «Reflexe» C 063-30.106.

Anthologie. Ballades : Honte, paour, douptance meffaire ; Quant Theseus, Hercules et Jazon ; De toute fleurs. Hoquet : Hoquet David. Motets : Dame, je suis cilz ; Fons, tocius ; Quant en moy. Rondeaux : Doulz viaire gracieus ; Comment peut on mieuss ses maus dire. Virelai : Moult sui de bonne heure née.

*** Studio der frühen Musik, Thomas Binkley. EMI Electrola «Reflexe» C 063-30.109.

Nous retrouvons ici la griffe du Studio der frühen Musik : une vie intense qui ne falsifie nullement le côté musicologique, mais y allie tout le charme d'une réalisation musicale parfaitement maîtrisée. La délicatesse, la légèreté, la force, l'expressivité des voix soulignent avec ferveur la phrase dans ses moindres contours. Et puis quelle présence dans cet enregistrement ! Une parfaite compréhension du répertoire choisi, le souci constant de le faire revivre dans sa plus pure tradition. Le soprano d'Andrea von Ramm ne gênera nullement ; son timbre plein, chaleureux, qui ne laisse pas percevoir la difficulté, s'allie miraculeusement avec celui du ténor.

Le second enregistrement présente les mêmes qualités techniques et musicales que son frère aîné. Toujours cette aisance vivante du Studio der frühen Musik qui va jusqu'à la perfection. On peut seulement regretter qu'avec cette facilité à modeler les mélodies par un timbre bien différencié, Thomas Binkley n'ait pas choisi d'enregistrer le *Hoquet David* dans sa version vocale. Disons pour conclure sur ces deux disques qu'ils présentent les chansons les plus connues et les plus intéressantes de Guillaume de Machaut.

L'art de Guillaume de Machaut : Mes esperis se combat, Hoquet David, Tuit mi penser, Plus dur que dyamant, Rose liz, Plus dur que dyamant, Tels rit au main qui au soir pleur, Ma fin est mon commencement, Douce dame tant com vivrai, Chanson roiale, Douce Dame jolie, Chanson roiale, Plourez Dame, Ce qui soutient moy, Dame à vous sans retollir, Sans cœur dolens, Dame de qui toute ma joie vient.

** Ensemble Ars Antiqua de Paris, Michel Sanvoisin. Arion ARN 38 252.

En prenant le parti de la monodie accompagnée, Michel Sanvoisin propose ici une bonne réalisation sur le plan musical et historique. Une façon plus douce à nos oreilles de 1980 d'aborder cette musique de l'*Ars Nova*, et qui ne la trahit pas. Dans une optique presque pédagogique, l'Ensemble Ars Antiqua de Paris a eu l'idée de montrer les diverses possibilités d'instrumentation d'une polyphonie du XIVe siècle, en enregistrant dans des couleurs différentes une même chanson. Il est dommage que la qualité vocale ne soit pas toujours à la hauteur du but envisagé.

L'art poétique et musical de Guillaume de Machaut : Motets, Ballades, Virelays, Le veoir dit, Le remède de fortune.

*** Ensemble Guillaume de Machaut de Paris. Adès COF 7.078 (3 d.).

Pour ceux qui veulent bien connaître l'œuvre de Machaut en un minimum de disques, voici une anthologie fondamentale. Tout d'abord par les œuvres qu'elle propose et la manière dont l'Ensemble Guillaume de Machaut de Paris les met en valeur. Un petit effectif requis par le genre de la chanson comme du motet, mis en alternance avec des adaptations instrumentales où la recherche des sonorités souligne la composition des pièces. Ce souci historique se double d'un amour de la musique qui rend cet enregistrement attachant et la musique de Machaut vivante et encore moderne à bien des égards. On pourrait sans doute un peu reprocher l'atmosphère folklorique, voulant parfois nous faire croire à une sorte de foire musicale. Un enregistrement capital quant à sa conception, son interprétation et son intérêt musical.

Ballades. Motets. Rondeaux. Virelais.

** Capella Lipsiensis, Dietrich Knothe. Philips 6580.026 (sup.).

Ce disque mérite de figurer ici pour la sobriété de son interprétation et la qualité de sa réalisation. Une lecture peut-être ancienne de cette musique de l'*Ars Nova*, mais qui reste très actuelle par sa beauté et son expressivité toute en intériorité. Alternance entre voix accompagnée et voix totalement *a capella* très heureuse, les hardiesses mélodiques de l'époque conservent toute leur fraîcheur.

Ballades et Virelais : Nesque on porroit, Je suis aussi, Très bonne et belle, Du petit po, Amours me faire desirer.

** Ensemble Ricercare de Zurich. Harmonia Mundi HM 592. Enregistré en 1969. *+ Landini, Dufay, Anonymes du XVe siècle.*

** Ensemble Ricercare de Zurich. Harmonia Mundi HMO 30.917 (sup.). Enregistré en 1969. *+ Messe Notre-Dame.*

L'Ensemble Ricercare de Zurich donne ici une belle réalisation instrumentale, qui cherche plutôt à calquer le mouvement vocal qu'à vouloir faire «instruments». On pourra regretter que toutes ces chansons abandonnent leur fonction première, qui est de porter un texte, mais l'écoute de cet enregistrement nous consolera rapidement de cette absence par la manière dont les divers timbres employés sculptent les replis polyphoniques des voix et modèlent les courbes de la mélodie. Soulignons que l'Ensemble Ricercare de Zurich est l'un des premiers groupes à avoir systématisé l'utilisation des instruments anciens dans cette musique. Sur le plan technique, une réalisation très présente et naturelle.

La même interprétation figure en un autre disque, couplé avec la Messe Notre-Dame. On regrettera la disparition de cet enregistrement, qui proposait un programme homogène, complètement consacré à Machaut.

Compositions profanes. Triple Ballade : Sans cuer. Amor doleur, Dame par vous. Ballade : Je suis trop bien. Motet profane : Qui es promesses, Ha ! Fortune (ténor : Et non est qui adjuvet). Rondeau : Puis qu'en oubli. Virelai : De tout sui si confortée. Ballade : Nesque on pourroit les estoilles nombrer. Triple Ballade : De triste cuer, Certes je di. Quant vrais amants. Virelai : Se je souspir. Complainte : Tel rit au main qui au soir pleure. Double Ballade : Quant Theseus, Ne quier veoir.

*** Pro Musica Antiqua, Safford Cape. Archiv 14.063 (sup.). Mono. *+ Messe Notre-Dame.*

L'âge de cet enregistrement ne nuit aucunement à la beauté d'une telle interprétation. En son temps, ce disque fut couronné par l'Académie Charles-Cros ; il le serait sans doute tout autant aujourd'hui. La vie anime Safford Cape et son ensemble, un feu sacré qui les force à convaincre de la qualité musicale du Moyen Age. Une réussite en son époque, et que l'on devrait remettre au catalogue.

Messe Notre-Dame.

❀*** Ensemble Vocal Guillaume Dufay, Les Saqueboutiers de Toulouse, Arsène Bedois. Erato STU 71.303. *+ Anonymes du XIVe siècle : Messe de Tournai.*

❀*** James Bowman, Tom Sutcliffe (hc), Cappella Antiqua de Munich, Konrad Ruhland. EMI Telefunken 641.125. *+ Motets.*

*** Deller Consort, Collegium Aureum, Ensemble Ricercare de Zurich, Alfred Deller. Harmonia Mundi HM 29.377. Enregistré en 1969. *+ Anonyme XIIIe siècle : Conductus. Pérotin : Gradude «Sederunt principes».*

*** Pro Musica Antiqua, Safford Cape. Archiv 14.063 (sup.). Mono. *+ Compositions profanes.*

** Friedrich Melzer, Ernst Haefliger (t), Jakob Stämpfli, Kurt Widmer (b), Membres de la Schola Cantorum Basiliensis, August Wenzinger. Archiv 2533.054. *+ Œuvres profanes.*

* Ensemble Polyphonique de l'ORTF, Charles Ravier. Inédits ORTF 995.010 (sup.). *+ Tinctoris : Magnificat.*

L'interprétation de l'Ensemble Vocal Guillaume Dufay se caractérise par sa rapidité et aussi par sa rigueur. Rigueur, assurément, par cet emploi des seuls instruments à vent pour l'accompagnement. Rigueur par la volonté de suivre les habitudes liturgiques toujours en vigueur, en respectant la notion et des versets et des repons par l'alternance tutti voix seules (*Credo*), tutti teneur accompagnée (*Kyrie*). Instruments et voix ne se mêlent peut-être pas toujours avec un égal bonheur ; mais il se dégage un climat de ferveur qui, s'exprimant dans une exécution de grande authenticité, confère à cette réalisation une place de premier rang.

Ruhland présente une Messe Notre-Dame très vivante par la dynamique musicale qui l'anime. Une interprétation qui permet de suivre le travail des voix et des rythmes, mettant bien en évidence la parfaite autonomie des parties les unes par rapport aux autres. Un ensemble choral bien homogène et dont la mise en place est parfaitement rigoureuse. Toutes les voix sont de très haute qualité. Une instrumentation un peu chargée et qui peut être discutée, mais qui se fond magnifiquement dans la texture générale. Un moment musical merveilleux, qui retrouve la solennité des offices et suit leurs exigences. De plus, le couplage ne laissera pas indifférent.

L'interprétation du Deller Consort a toujours fait autorité et continuera de le faire, un peu comme les enregistrements de Safford Cape. Tout d'abord pour sa rigueur musicologique et sa volonté presque pédagogique de faire découvrir les plus grandes œuvres de cette période. Cet enregistrement n'est sans doute pas la plus belle réalisation du Deller Consort ; elle représente tout de même un apport intéressant à l'idée que l'on peut se faire de l'œuvre. Très sobre, tant dans les couleurs vocales que dans les nuances, elle rend à l'œuvre sa fonction liturgique tout en en conservant l'aspect musical. C'est sans doute par son instrumentation qu'elle pourra décevoir les puristes. Mais tout cela passe, comme la mode, et le charme recueilli du Deller Consort subsistera.

Safford Cape a donné l'un des premiers enregistrements «modernes» de la *Messe Notre-Dame* de Guillaume de Machaut. Ce fut pour beaucoup une découverte (la réalisation de Jacques Chailley avec la Psallette Notre-Dame ayant pourtant déjà éveillé les esprits). Mais encore de nos jours un des meilleurs, par son souci historique, sa qualité vocale, la sobriété des moyens mis en œuvre, et la beauté artistique qui s'en dégage. Il reste incontestablement l'enregistrement de référence historique par excellence.

L'enregistrement de Wenzinger ne laissera de séduire les amateurs de belles voix pour la polyphonie médiévale. Chaque chanteur déploie ses talents à modeler le luxe architectural du rythme et de la mélodie ; l'équilibre des timbres est parfait. Il se dégage toutefois de cette version une lourdeur que nous pouvons regretter, malgré des tempos rapides qui peuvent nuire au caractère religieux de l'œuvre. L'aspect historique n'est pas mis à l'écart, au contraire, c'est avec un soin extrême, que cette Messe a été réalisée. Tout cela fait de ce disque quelque chose de beau, parfois même peut-être trop beau.

Maintenant disparue du catalogue, la version de Ravier mérite d'être mentionnée, tout d'abord parce que seule française, ensuite pour la qualité de la réalisation. Le chant prime ici, laissant aux instruments la mission de doubler les voix sans même qu'on le remarque. Il est cependant dommage que l'interprétation proprement dite ne soit pas toujours à la hauteur de l'effet recherché. Une vision à la fois un peu trop touffue et morcelée, ce qui confère à ce disque un aspect un peu trop rude et souvent trop mou.

Motets : Veni Creator Spiritus, O livoris feritas, Double Hoquet, Bone pastor qui pastores, Plange regni respublica.

❀*** James Bowman, Tom Sutcliffe (hc), Capella Antiqua de Munich, Konrad Ruhland. Telefunken 641.125. + *Messe Notre-Dame.*

Les grandes qualités de rigueur, de musicalité et de haute tenue vocale que l'on remarque dans l'interprétation de la Messe Notre-Dame par la Capella Antiqua, se retrouvent toutes dans ces Motets, dont le choix dénote la volonté de faire connaître le mieux possible en un disque la production de Guillaume de Machaut : les plus grands motets latins et une des pièces instrumentales en hoquet. Une recherche historique qui se fait en belle musique.

Mâche, François-Bernard
(né en 1935)

Kassandra, pour instruments et bande magnétique. Sopiana, pour flûte, piano et bande magnétique. Amorgos, pour instruments et bande magnétique.

** Pierre-Yves Arthaud (flûte), Jacqueline Mefano (piano), Ensemble du Nouvel Orch. Phil., Solistes de l'Ensemble 2e2m, Boris de Vinogradov. INA-GRM 9.107. Enregistré en 1981.

Avec *Kassandra* (1974), Mâche a composé une page extrêmement dense où le langage devient porteur d'émotion et d'humanité, d'éternité et de poésie : la superposition autant que la juxtaposition de texte en différentes langues se développant à mi-voix sur d'étonnantes sonorités orchestrales nées d'instruments moyenâgeux ou orientaux concourent à créer une magie sonore hors du temps autant que spatiale, où le timbre devient premier élément compositionnel et dès lors générateur de la seule musique.

Kemit, pour darbouka ou zarb solo. Korwar, pour clavecin et bande. Temes Nevinbur, pour deux pianos, percussion et bande. Canzone II, pour quintette de cuivres.

*** Elisabeth Chojnacka (clavecin), Jean-Pierre Drouet (percussion), Katia et Marielle Labèque (pianos), Quintette Ars Nova. Erato STU 70.860 (sup.).

Kemit est un solo improvisé de darbouka, dont la transcription est tout aussi fascinante que la virtuosité dont y fait preuve Jean-Pierre Drouet. *Korvar* et *Temes Nevinbur* font intervenir une bande magnétique, montage de sons naturels réalisé avec une sensibilité et un sens de la dynamique enthousiasmants : quant à la partie instrumentale, elle est emportée par une vie trépidante. Les musiciens, virtuoses à part entière, n'oublient jamais qu'ils jouent de la musique, rien que de la musique..

Danaé, pour douze voix solistes et percussion.

*** Ensemble des Solistes de l'ORTF, Jean-Pierre Drouet (percussion), Marcel Couraud. Inédits ORTF 995.013 (sup.). + *Malec : Dodécaméron.*

L'utilisation des clusters vocaux, du cri et autres possibilités d'émission vocale est ici tout à fait réussie. Techniquement traitées comme des instruments à cordes, les douze voix «habitent» véritablement la musique, baignant l'atmosphère d'une luminosité à la Turner. Seules, les percussions marquent par leur intervention la réalité de ce songe. L'inspiration poétique, la prouesse technique sont à souligner, tout comme la direction nette et efficace qui fait en outre merveille dans le chef-d'œuvre de Malec.

Solstice, pour orgue positif et clavecin.

** Elisabeth Chojnacka (clavecin), Jean-Louis Gil (orgue). Erato STU 71.266. + *Œuvres de Donatoni, Halffter, Marco, Xenakis , Ligeti, Constant.*

Cette musique à couleur répétitive nous envahit peu à peu de sa chaleur livide. L'orgue positif fait ici un mariage d'amour avec le clavecin. La sonorité inouïe de cet alliage de timbres fascinant et étrange, nous transporte ainsi en pleine aurore boréale. Un émerveillement de chaque seconde, que les maîtres d'œuvre nous distillent avec un plaisir non moins évident.

Maderna, Bruno
(1920-1973)

Aura, pour orchestre. Biogramma, pour grand orchestre (1972). Quadrivium, pour quatre percussionnistes et quatre groupes instrumentaux (1969).

** Orch. Symph. de la Radio d'Allemagne du Nord, Giuseppe Sinopoli. DG 2531.272.

Cet enregistrement, par le choix des œuvres, est représentatif de la dernière période créatrice de Maderna, où s'épanouit un talent fait de noblesse, de clarté, de vigueur et de poésie. Musique pointilliste ici, musique des sphères ailleurs, mais toujours humaine et ourlée de vérité profonde, d'engagement personnel dont l'interprétation de Giuseppe Sinopoli retrouve toute la véracité et la vie souterraine.

Concerto pour hautbois et orchestre de chambre.

*** Lothar Faber (hautbois), Solistes de l'Orch. Symph. de Rome, Bruno Maderna. RCA Victrola 940.045 (sup.). *+ Boulez : Sonate pour flûte et piano. Haubenstock-Ramati :Interpolations.*

Plainte méditative, mélancolique du hautbois soliste qui chante dans un silence agonisant et renaissant sans cesse : Lothar Faber, à qui l'œuvre est dédiée, est magistral de pudeur, de retenue, d'immatérialité, de poésie pure... Quant à Maderna, il est à son habitude excellent. Reste à déplorer que son catalogue discographique soit si pauvre : une pièce de guitare dans un récital de Narciso Yepes (*Y Despues ;* DG 2530.802), une pièce électro-acoustique réalisée par Pierre Henry (*Continuo ;* Philips 836.897)... En attendant que ce créateur ait enfin la place qu'il mérite, on peut toujours rêver.

Magnard, Albéric
(1865-1914)

Sonate pour piano et violoncelle.

* Marc Drobinsky (violoncelle), Alexander Rabinovitch (piano). Calliope CAL 1852. Enregistré en 1981. *+ Poulenc : Sonate pour violoncelle et piano.*

* Patrice d'Ollone (piano), James Lyon (violoncelle). Verseau M 10.042. *+ Bourrel : Sonate pour piano et violoncelle.*

Marc Drobinsky et Alexander Rabinovitch nous donnent une version très belle, très inspirée de cette œuvre tendue et violemment contrastée dans sa rythmique et ses effets de timbres, une version qui va loin dans la recherche stylistique, compositionnelle et polychromique.

La caractéristique de cette Sonate devrait être la fusion parfaite des deux instruments comme s'ils n'en formaient qu'un seul. Or il se passe ici le contraire, à savoir que le piano s'impose trop brutalement, abusant de la pédale et des masses d'accords, tandis que le violoncelle adopte un jeu extrêmement lyrique. Cette distorsion nuit beaucoup à l'ouvrage, ainsi d'ailleurs qu'à la Sonate de Bourrel présentée conjointement. Le programme était hardi, mais la réalisation n'est pas à la hauteur. C'est pourtant la seule œuvre de Magnard disponible au catalogue français dans le domaine de la musique de chambre.

Symphonie n° 3 en si bémol mineur.

*** Orch. de la Suisse Romande, Ernest Ansermet. Decca 592.167. Enregistré en 1968. *+ Lalo : Scherzo.*

Une grande page symphonique de la musique française, injustement oubliée de nos jours. Ernest Ansermet insuffle à la partition une merveilleuse jeunesse, une lumière de tous les instants et un grand raffinement des détails. C'est sans doute là l'un de ses plus beaux enregistrements, bénéficiant de surcroît d'une prise de son particulièrement réussie. Le *Scherzo* de Lalo, enlevé de façon enthousiasmante, constitue un complément fort bien venu.

Mahler, Gustav
(1860-1911)

Kindertotenlieder.

❀*** Kathleen Ferrier (ms), Orch. Phil. de Vienne, Bruno Walter. EMI VSM C 051-01.209. ⊠ C 251-01.209. Mono. Enregistré en 1949. + *Airs de Greene, Haendel, Mendelssohn, Purcell.* Ou Odyssey 3226.016 E (2 d.) (USA). + *Symphonie n° 5.* Ou Seraphim 60.203 (USA). + *Morceaux divers.*

** Janet Baker (ms), Orch. Hallé de Manchester, John Barbirolli. EMI VSM C 069-00.347. Enregistré en 1968. + *Lieder eines fahrenden Gesellen, Rückert Lied.*

** Dietrich Fischer-Dieskau (bar), Orch. Phil. de Berlin, Karl Boehm. DG 2726.066 (2 d.). Enregistré en 1963. + *Symphonie n° 7.*

Kathleen Ferrier a tellement marqué de sa personnalité les *Kindertotenlieder*, tant de mélomanes ont découvert l'ouvrage grâce à elle, qu'à chaque nouvelle version, on a peur d'être injuste avec tel ou telle nouveau (ou nouvelle) venu(e)... Mais non, on a bien ici la rencontre d'une interprète et d'une œuvre comme il s'en produit une fois tous les dix ou vingt ans. Et le fait que Walter, précisément, se soit trouvé au pupitre, n'est-il pas un second miracle à ajouter au premier ?

La beauté sonore de Janet Baker s'impose d'elle-même, mais elle nous émeut moins que Ferrier. Il n'empêche que son interprétation, depuis douze ans qu'elle existe, se soit maintenue à un tel niveau relatif, témoigne assez de ses qualités.

Fischer-Dieskau est le seul chanteur homme à avoir associé son nom à ce cycle, qu'il devrait bientôt (si ce n'est déjà fait) le réenregistrer. Sans doute préférera-t-on posséder, comme seconde version, la sienne à celle de Janet Baker : cela se comprendrait, car elle n'a rien à lui envier.

Das klagende Lied.

*** Evelyn Lear (s), Grace Hoffman (ms), Stuart Burrows (t), Ch. et Orch. Symph. de Londres, Pierre Boulez. CBS 77.233. (2 d.). Enregistré en 1970. + *Symphonie n° 10 (Adagio).*

** Heather Harper (s), Norma Procter (ms), Werner Hollweg (t), Ch. de la Radio Néerlandaise, Orch. Concertgebouw d'Amsterdam, Bernard Haitink. Philips 6500.587. Enregistré en 1974.

Boulez, le seul à avoir gravé la première partie de l'ouvrage enfin livrée au public à la fin des années 1960, souligne évidemment le côté moderne de l'œuvre, celui qui fit frémir les membres du jury du prix Beethoven, qui le rejetèrent en 1881.

Haitink s'en tient comme tous les autres chefs aux deux dernières parties, les seules publiées par Mahler, et a de ce «conte de fées» une conception plus romantique, fort bien venue d'ailleurs, d'autant que comme architecture globale, *Das klagende Lied* satisfait davantage en deux parties qu'en trois... Sans doute serait-il opportun de rééditer la version Wyn Morris, la plus belle jamais réalisée du *Klagende Lied* sous quelque forme que ce soit.

Das Lied von der Erde (Le Chant de la terre).

❀*** Kathleen Ferrier (ms), Julius Patzak (t), Orch. Phil. de Vienne, Bruno Walter. Decca 592.036. ⊠ 4-592.036. Mono. Enregistré en 1951.

*** Christa Ludwig (ms), Fritz Wunderlich (t), Orch. New Philharmonia, Otto Klemperer. EMI VSM C 069-00.065. ⊠ C 269-00.065. Enregistré en 1966.

*** Maureen Forrester (ms), Richard Lewis (t), Orch. Symph. de Chicago, Fritz Reiner. RCA GL 43.272. ⊠ GK 43.272. Enregistré en 1959.

On ne pourrait que répéter ici, à propos de la conjonction Ferrier-Walter dans *Das Lied von der Erde*, les remarques déjà faites pour les *Kindertotenlieder* : version dont jamais le temps ne ternira la splendeur, et qui vaut aussi par la présence de Julius Patzak, inégalable en particulier dans le premier volet, où sa voix «enrouée» fait merveille. Rappelons que cette version est la deuxième, et la plus extraordinaire, des trois réalisées par Walter de *Das Lied von der Erde.*

La version dirigée par Klemperer n'est pas

inférieure en soi à celle de Walter, et d'aucuns pourront même la préférer (pas seulement à cause des quatorze années qui les séparent, et qui font que l'enregistrement Walter n'est disponible qu'en mono, celui de Klemperer bénéficiant, au contraire, des «avantages» de la stéréo). Fritz Wunderlich, dont ce fut l'un des derniers disques, est admirable de vaillance, nul ne l'a surpassé dans cette œuvre, et au dernier volet, Christa Ludwig et Klemperer donnent un poids, une densité, une grandeur abrupte qu'on peut légitimement faire passer par-dessus tout.

Après viendrait très certainement le disque dirigé par Fritz Reiner (grand chef méconnu), récemment réédité. Il est significatif, d'une part qu'y réapparaisse le nom de Maureen Forrester, et d'autre part que des trois versions de *Das Lied von der Erde* retenues ici, la plus récente (Klemperer) ait déjà quinze ans d'âge... Signe des temps .

Lieder et chants de jeunesse.

*** Roland Hermann (bar), Geoffrey Parsons (piano). EMI Electrola C 065-02.579 (RFA). Enregistré en 1975.

*** Dietrich Fischer-Dieskau (bar), Leonard Bernstein (piano). Columbia M-30.942 (USA). Enregistré en 1974. + *Rückert Lieder.*

** Hanna Schaer (s), Christian Ivaldi (piano). Arion ARN 38.534. Enregistré en 1979.

Le disque de Roland Hermann, disponible en Allemagne, est le seul en l'état actuel du marché à retenir l'ensemble des quatorze lieder avec accompagnement de piano publiés par Schott en 1892 (on y trouve aussi *Revelge* et *Tamburg'sell*). L'interprétation est de qualité.

Les lieder gravés par Fischer-Dieskau ne se trouvent plus qu'à l'étranger : prestation extraordinaire, qu'il faut absolument connaître. Mais on annonce, par cet artiste, une intégrale des lieder de Mahler.

Le disque de Hanna Schaer est le seul officiellement disponible en France, mais il ne contient, contrairement à ce qu'annonce la pochette, que douze des quatorze lieder avec piano publiés en 1892.

Lieder eines fahrenden Gesellen.

*** Mildred Miller (ms), Orch. Symph. Columbia, Bruno Walter. CBS E 4 (4 d.). Enregistré en 1960. + *Symphonies n°s 5 et 9.* Ou Columbia MS-6488 (USA). *+ Brahms : Chant du destin, Rapsodie pour alto.*

*** Frederica von Stade (ms), Orch. Phil. de Londres, Andrew Davis. CBS 76.828. Enregistré en 1978. + *Extraits des Rückert et des Wunderhorn Lieder.*

Si la version Miller-Walter domine toutes les autres, c'est largement en raison de l'extraordinaire direction de Walter, que nul autre chef n'a égalée, du moins dans le deuxième lied - quel élan ! - et dans le troisième - quel tranchant ! Cela étant, l'expressionnisme déchiré de Mildred Miller rend également justice à ce juvénile chef-d'œuvre.

Frederica von Stade marque en revanche sa réalisation du sceau de l'innocence, ce qui ne signifie pas de sa part, bien au contraire une vision distanciée des événements. C'est une lecture désespérée et bouleversante, et qui rappelle, à quelque trente ans de distance, une version «historique» qu'on devrait bien rééditer, ou du moins diffuser à nouveau en France, celle de Heinrich Schlusnus.

Rückert Lieder.

*** Janet Baker (ms), Orch. Hallé de Manchester, John Barbirolli. EMI VSM C 163-01.997/98 (2 d.). ⌧ TC-SLS 785 (2 c.). Enregistré en 1968. + *Symphonie n° 5.*

** Christa Ludwig (ms), Orch. Phil de Berlin, Herbert von Karajan. DG 2707.082 (2 d.). Enregistré en 1975. + *Das Lied von der Erde.* Ou DG 2531.147. ⌧ 3301.147. + *Kindertotenlieder.*

Sur des textes du même poète, les *Rückert Lieder* relèvent de la même atmosphère générale que les *Kindertotenlieder*, mais avec parfois une insouciance et une ironie qui leur sont propres. La beauté sonore de la voix fait ici beaucoup, avec Janet Baker, pour unifier ce cycle qui n'en est pas vraiment un, et l'on parvient à l'occasion à une véritable grandeur panthéiste.

Davantage de tristesse automnale se dégage de la version de Christa Ludwig et de Herbert von Karajan. C'est très prenant mais elle occupe la quatrième face d'un album contenant pour le reste un *Lied von der Erde* qui n'est pas celui vers lequel on devrait se tourner en priorité.

Symphonie n° 1 en ré majeur, «Titan».

❀*** Orch. Symph. de Chicago, Carlo Maria Giulini. EMI VSM C 069-02.183. ⌧ C 269-02.183. Enregistré en 1971.

*** Orch. Symph. de Boston, Seiji Ozawa. DG 2530.993. ⌧ 3300.993. Enregistré en 1977.

*** Orch. Symph. Columbia, Bruno Walter. CBS 75.099. Enregistré en 1961. Ou CBS T 4 (4 d.). + *Symphonies n°s 2 et 4.*

Giulini, dont c'était le premier enregistrement mahlérien, s'y est affirmé d'emblée comme un des interprètes d'élite du compositeur. A la tête d'un orchestre somptueux, il donne à l'ouvrage toutes ses dimensions dramatiques et poétiques, en évitant la moindre faute de goût, le moindre effet trop appuyé, le moindre relâchement de tension. Tout au plus souhaiterait-on davantage de «réalisme» pour la musique de cabaret de la fin du troisième mouvement. Il n'empêche : cette version est certainement la meilleure des nombreuses parues dans les années 1970 ; et de toutes celles jamais réalisées, c'est peut-être la plus chargée d'émotion.

Ozawa bénéficie d'un enregistrement sensationnel. Avec lui est rendue toute justice à Mahler alchimiste sonore, et la performance technique est de celles dont on n'ose guère rêver.

L'interprétation de Bruno Walter et de l'Orchestre Symphonique Columbia, trouvable séparément ou en coffret, est citée en hommage à un chef dont il convient de posséder une version au moins de toutes les œuvres de Mahler qu'il a gravées. Son disque avec la Philharmonie de New York, actuellement absent des catalogues, reste cependant préférable (il date du début des années 50).

Symphonie n° 2 en ut mineur «Résurrection».

❀*** Kathleen Ferrier (c), Jo Vincent (s), Ch. et Orch. du Concertgebouw d'Amsterdam, Otto Klemperer. Decca 592.132 (2 d.). Mono. Enregistré en 1951.

*** Elisabeth Schwarzkopf (s), Hilde Rössl-Majdan (ms), Ch. et Orch. Philharmonia, Otto Klemperer. EMI VSM C 163-00.570171 (2 d.). Enregistré en 1961.

*** Emilia Cundari (s), Maureen Forrester (ms), Ch. et Orch. Phil. de New York, Bruno Walter. CBS 77.271 (2 d.). Enregistré en 1957. Ou CBS T 4 (4 d.). + *Symphonies n°s 1 et 4.*

** Ileana Cotrubas (s), Christa Ludwig (ms), Ch. Singverein de Vienne, Orch. Phil. de Vienne, Zubin Mehta. Decca 390.120 (2 d.). ⌧ 4-390.120 (2 c.). Enregistré en 1975.

La rencontre de deux des plus grands tenants de la tradition mahlérienne, Otto Klemperer et le Concertgebouw. Les tempos sont sensiblement plus rapides que ceux de la version de 1961, mais la conception est à peu près la même ; l'ensemble, cependant, captive et émeut d'une manière encore plus forte et plus directe, et l'inspiration de l'interprète semble au moins égale à celle du compositeur. On aurait peut-être souhaité que le chef ait accordé plus de liberté à son illustre soliste dans l'*Urlicht ;* mais le souffle qui déferle à chaque instant sur cette vision est tel que l'on ne s'étonne pas qu'il arrive à réveiller les morts dans le *Finale* !

La seconde version que Klemperer réalisa de cette œuvre fit sensation lors de son arrivée en France, à l'époque où l'étoile de Mahler commençait à briller sérieusement. Depuis, de multiples concurrents n'ont pas réussi à ternir son éclat. Elle reste unique par sa tension dramatique et par l'extraordinaire qualité des interprètes vocaux, solistes et chœurs.

Walter rejoint Klemperer sur les sommets : il faut absolument posséder l'une ou l'autre version, sinon les deux. Walter est incomparable dans les deuxième et troisième mouvements, dont il dégage mieux que quiconque, pour l'un l'atmosphère viennoise, et pour l'autre les côtés fantastiques. Klemperer et Walter furent tous deux disciples directs de Mahler, ce qui n'est pas pour rien dans leur position en flèche.

A la tête d'interprètes viennois, Zubin Mehta, l'un des rares «nouveaux» chefs actuels qui aient quelque chose à dire dans Mahler, offre une interprétation ample, généreuse, pensée, que ne devraient pas dédaigner les amateurs de très haute fidélité.

Symphonie n° 3 en ré mineur.

*** Hilde Rössl-Majdan (ms), Petits Chanteurs et Orch. du Konzertverein de Vienne, Charles Adler. Harmonia Mundi HMU 2469 (2 d.). Enregistré en 1956. Mono.

*** Norma Procter (ms), Ch. Ambrosien, Orch. Symph. de Londres, Jasha Horenstein. Unicorn RHS 302/03 (2 d.) (G-B). Enregistré en 1971.

*** Ortrun Wenkel (c), The Southend Boy's Choir, Ch. et Orch. Phil. de Londres, Klaus Tennstedt. EMI VSM C 167-03.835 6 (2 d.). Enregistré en 1979.

** Maureen Forrester (ms), Ch. et Orch. Phil. de Los Angeles, Zubin Mehta. Decca 390.119 (2 d.). ⌧ 4-390.119 (2 c.). Enregistré en 1978.

Presque tous les mélomanes français qui, à la fin des années cinquante, découvraient Mahler, ont abordé la 3e Symphonie par l'enregistrement d'Adler, d'abord importé d'Amérique, puis diffusé chez nous par une firme qui, heureusement, l'a maintenu à son catalogue jusqu'à aujourd'hui tout en le faisant passer en série économique. D'une grandeur élémentaire, poétique, viennoise (pas seulement à cause de l'extraordinaire prestation des Petits Chanteurs de Vienne), cette version, satisfaisante sur le plan sonore, demeure inégalée, et on imagine mal en être un jour privé.

La version de Jasha Horenstein, disponible pour le moment à l'étranger seulement (mais qu'on trouve importée), suit de près celle d'Adler. Moins exceptionnelle vocalement, c'est la plus rigoureuse, la plus excitante au niveau du travail orchestral, de toutes celles réalisées. Horenstein était un grand chef mahlérien, et cette 3e Symphonie n'en est heureusement pas le seul témoignage.

Klaus Tennstedt est ici l'homme exigé par la situation : cela éclate à l'évidence tout au long de cet enregistrement, de la marche éruptive qui rythme le retour de l'été à l'*adagio* conclusif, nourri de la spiritualité de *Parsifal*. Tension, urgence, rythmes rapides, formidable dynamique sonore caractérisent la lecture de Tennstedt. Ortrun Wenkel — une moins grande voix que Maureen Forrester — se fait sublime de divagation de l'âme, fouillant au plus profond du verbe et des notes.

Moins tendue, moins dynamique, la version Mehta est sans défauts majeurs ; ses sonorités et ses tempos apparaissent des plus convaincants. Parmi ses atouts, la présence de Maureen Forrester, une des rares authentiques contraltos actuelles.

Symphonie n° 4 en sol majeur.

❀*** Barbara Hendricks (s), Orch. Phil. d'Israël, Zubin Mehta. Decca 591.128. ⌧ 4-390.077. Enregistré en 1979.

*** Elisabeth Schwarzkopf(s), Orch. Philharmonia, Otto Klemperer. EMI VSM C 069-00.553. Enregistré en 1961.

*** Edith Mathis (s), Orch. Phil. de Berlin, Herbert von Karajan. DG 2531.205. ⌧ 3301.205. Enregistré en 1979.

** Desi Halban (s), Orch. Phil. de New York, Bruno Walter. CBS T 4 (4 d.). Mono (origine 78 t.). Enregistré en 1945. + *Symphonies nos 1 et 2*. Ou Odyssey 32160026 E (USA). Ou CBS 61.357/58 (2 d.) (G.B.). + *Symphonie n° 5*.

** Lucia Popp(s), Orch. Phil. de Londres, Klaus Tennstedt. EMI VSM C 069-43.397. Enregistré en 1982.

La 4e Symphonie voit une autre, et plus grande encore, réussite de Mehta. Non seulement le travail orchestral, mais sa restitution sonore, forcent l'admiration. Interprétation ample et avenante à la fois, ce dernier qualificatif convenant aussi à la prestation de Barbara Hendricks dans le finale. A signaler l'excellente qualité sonore de l'enregistrement «digital».

Klemperer marque de sa personnalité puissante la 4e Symphonie. Ses tempos très retenus, l'excellent usage qu'il fait de cet outil privilégié qu'est le Philharmonia conduisent à une atmosphère magique, irréelle et comme hors du temps. La voix d'Elisabeth Schwarzkopf apporte à cette impression une contribution efficace.

Avec Karajan, qui a sans doute signé là son meilleur enregistrement mahlérien, on réalise bien que la 4e Symphonie est une œuvre de chef et une œuvre de chanteuse. L'aspect «alchimie sonore» de l'ouvrage qui choqua tant ses premiers auditeurs, ressort à chaque instant, et il s'en dégage une tension donnant à réfléchir sur les ressorts trop souvent occultés de cette musique. Le timbre et les qualités vocales d'Edith Mathis reflètent fidèlement la vision de paradis proposée par Mahler, avec en outre des touches d'émotion assez rares. Mehta et Karajan sont difficiles à départager.

Avec, pour la partie vocale Desi Halban, dont la mère, Selma Kurz, chanteuse également, avait fait carrière avec Mahler, Bruno Walter propose une version à l'indicible charme viennois, et teintée de l'ironie qui, bien que partie intégrante de l'ouvrage, manque chez trop d'interprètes.

Avec Tennstedt, ce qui frappe, c'est non seulement la vivacité du tempo en soi, mais aussi la pureté de la conception, l'absence de tout détail arbitraire, de toute mièvrerie, de toute sentimentalité. Le caractère de chaque mouvement, l'articulation des séquences est toujours rendu avec autant de sensibilité que de force. Quant à la voix de Lucia Popp, c'est l'instrument idéal pour célébrer la vie céleste selon Mahler.

Symphonie n° 5 en ut dièse mineur.

❀*** Orch. Phil. Tchèque, Václav Neumann. Supraphon-Eurodisc 300.336 (4 d.). Enregistré en 1977. *+ Symphonie n° 7, Lieder divers.*

*** Orch. Gewandhaus de Leipzig, Václav Neumann. Philips 6703.016 (3 d.). Enregistré en 1967. *+ Symphonie n° 6.*

*** Orch. Phil. de Londres, Klaus Tennstedt. EMI VSM C 167-03.440/1 (2 d.). *+ Symphonie n° 10 (Adagio).*

** Orch. Phil. de Los Angeles, Zubin Mehta. Decca 390.388 (2 d.). Enregistré en 1977. *+ Symphonie n° 10 (Adagio).*

** Orch. Phil. de New York, Bruno Walter. CBS E 4 (4 d.). Mono (origine 78 t.). Enregistré en 1947. *+ Symphonie n° 9, Lieder eines fahrenden Gesellen.* Ou Odyssey 32260016 E (2 d.) (USA). Ou CBS 61.357/58 (2 d.) (G-B). *+ Symphonie n° 4.*

A dix ans de distance, Neumann a réalisé deux versions de la 5ᵉ Symphonie, avec deux orchestres différents - versions à l'aune desquelles toutes les autres doivent être mesurées. Virtuose, dynamique, moderne, Neumann reste l'interprète d'élection de cette partition survoltée : il faut l'avoir entendu dans cette musique. Son interprétation avec la Philharmonie Tchèque bénéficie d'une indéniable plus-value technique.

La première version de Neumann, avec le Gewandhaus de Leipzig, est de caractère très proche de la seconde. Un son un peu mat ne l'a pas empêchée, dès sa parution, de constituer une référence pour cette œuvre. En fin de compte, le couplage des deux réalisations - 6ᵉ ou 7ᵉ Symphonie - pourra se révéler déterminant dans le choix.

Tennstedt subjugue l'auditeur par la force et la grandeur imposante de sa construction. Une incontestable réussite que vient compléter l'*Adagio* de la dixième Symphonie.

Mehta parvient à donner un grand poids émotionnel et poétique aux moments d'immobilité fort nombreux dans cette œuvre, en particulier dans ses premiers mouvements (sans parler ici de l'*Adagietto* en tant que tel). Nouveau point à l'actif d'un chef qui, peu à peu, et avec probité, édifie une intégrale de grande qualité.

Des cinq Symphonies de Mahler gravées par Bruno Walter, la 5ᵉ est celle dont on parle le moins. C'est sans doute avec elle que Walter, toutes proportions gardées, avait le moins d'affinités. Faut-il pourtant préciser que son interprétation dépasse de cent coudées la plupart de celles qui lui ont succédé, en particulier ces derniers temps.

Symphonie n° 6 en la mineur.

*** Orch. Gewandhaus de Leipzig, Václav Neumann. Philips 6703.016 (3 d.). Enregistré en 1967. *+ Symphonie n° 5.*

*** Orch. Phil. de New York, Leonard Bernstein. CBS 77.218 (2 d.). Enregistré en 1967. *+ Lieder eines fahrenden Gesellen.*

*** Orchestre New Philharmonia, John Barbirolli. EMI Electrola C 161-01.285/86 (2 d. 3 faces).

** Orch. Phil. de Berlin, Herbert von Karajan. DG 2707.106 (2 d.). ⌧ 3370.026 (2 c.). Enregistré en 1977.

La version de Neumann présente, comme dans la 5ᵉ, un son un peu mat, mais ce n'est rien, tant l'interprétation est enthousiasmante. Monument tragique portant au tombeau la forme sonate et la tonalité, la 6ᵉ doit tendre inexorablement vers ses ultimes mesures, et éviter comme la peste l'anecdote, Neumann et son orchestre vous prennent à la gorge dès le motif rythmique initial, et ne vous lâchent plus. Par le fait même de respecter sans trop la solliciter la lettre de l'ouvrage, ils en restituent l'esprit mieux que quiconque.

On peut en dire presque autant de Bernstein, qui a signé ici le plus beau fleuron d'une intégrale globalement inégale. Assumant corps et âme les conflits purement musicaux de la 6e, il nous les fait partager de l'intérieur, en sachant éviter tout clinquant.

Barbirolli surprend par la lenteur de ses tempos, surtout dans le premier mouvement ; mais son discours dégage une si formidable puissance dramatique que toutes les réticences se dissipent. Il n'y a pas là l'âpreté de Neumann, mais une conception aussi héroïque, aussi généreusement épique, et surtout parfaitement assumée d'un bout à l'autre de cette gigantesque *Sixième*, force indéniablement l'admiration tout autant qu'elle captive l'attention.

La vision de Karajan est plus objective, distanciée. Le résultat est très beau, et cette interprétation prend place parmi les meilleures ; elle ne s'en situe pas moins après celles de Neumann et de Bernstein.

Symphonie n° 7 en si mineur.

*** Orch. Phil. Tchèque, Václav Neumann. Supraphon-Eurodisc 300.336 (4 d.). Enregistré en 1978. *+ Symphonie n° 5, Lieder divers.*

*** Orch. Phil. de Londres, Klaus Tennstedt. EMI VSM C 167-43008/9. Enregistré en 1981.

** Orch. New Philharmonia, Otto Klemperer. EMI VSM C 163-01.931/32 (2 d.). Enregistré en 1967.

De cette œuvre difficile et problématique, la version Neumann est venue bouleverser les données discographiques. Auparavant, on vantait Bernstein ou Solti, non sans raisons, mais non sans réserves. La 7e de Neumann est dans la lignée de ses 5e et 6e, de la 5e surtout : dynamique et implacable, mais haute et diverse en couleurs, et remarquablement architecturée. Même le finale apparaît d'un seul bloc et s'écoute sans reprendre haleine, et la façon dont est amené l'accord final est remarquable à elle seule.

La Septième par Tennstedt se caractérise par un équilibre entre expressivité et fidélité au texte, entre abandon et réserve, violence et tendresse, rigueur rythmique et souplesse de l'inflexion, sans jamais aucune outrance, ni dans le sens de la dérision, ni dans celui de l'émotion. Si la poésie n'était si insinuante, l'inquiétude si oppressante, la caricature si mordante, on serait tenté de parlé ici de classicisme.

La version Klemperer est une synthèse fascinante de modernité et d'esprit romantique. Les premier, deuxième et cinquième mouvements durent plusieurs minutes de plus que chez Neumann, et indéniablement, les parties vives du premier adoptent un tempo pour le moins inhabituel. Mais le côté fantastique de cette Symphonie est extraordinaire chez Klemperer, chef qui, ne l'oublions pas, était présent lors de la création de l'ouvrage à Prague en 1908.

Symphonie n° 8 en mi bémol majeur «des Mille».

❀*** Faye Robinson, Judith Blegen, Deborah Jasson (s), Florence Quivar, Lorna Myers (c), Kenneth Riegel (t), Benjamin Luxon (bar), Gwynne Howell (b), Orch. Symph. de Boston, Seiji Ozawa. Philips 6769.069 (2 d.). ⌧ 7654.069 (2 c.). Enregistré en 1981.

*** Gwyneth Annear (s), Erna Spoorenberg (s), Gwyneth Jones (s), Anna Reynolds (ms), Norma Procter (ms), John Mitchinson (t), Vladimir Ruzdjah (bar), Donald McIntyre (b), Ch. du Festival de Leeds, Orch. Symph. de Londres, Leonard Bernstein. CBS 77.234 (2 d.). Enregistré en 1966.

** Heather Harper (s), Lucia Popp (s), Arleen Auger (s), Yvonne Minton (ms), Helen Watts (ms), René Kollo (t), John Shirley-Quirk (bar), Martti Talvela (b), Ch. Opéra de Vienne, Orch. Symph. de Chicago, Georg Solti. Decca 390.122 (2 d.). ⌧ 4-390.122 (2 c.). Enregistré en 1972.

Ozawa, assisté d'un octuor de chanteurs particulièrement souple et homogène, signe la version de référence – et pour longtemps – de la gigantesque huitième Symphonie. Avec l'aisance que lui donne sa maîtrise de l'ouvrage, il y ajoute à sa lecture quelques traits spécifiquement modernes, tels que la précision aiguë des attaques, le souci amoureux du détail secondaire et les raffinements de matière dans les alliages des timbres.

Bernstein donne une interprétation parcourue de grands élans d'enthousiasme, de grandes envolées, avec des changements de tempo parfois surprenants, mais toujours d'une remarquable efficacité dramatique.

Solti se déchaîne lui aussi, ce qui ne l'empêche pas, au début de la seconde partie, d'obtenir d'extraordinaires pianissimos. Mais son enthousiasme est pourtant moins communicatif.

Symphonie n° 9 en ré majeur.

*** Orch. Symph. de Chicago, Carlo Maria Giulini. DG 2707.097 (2d.). ⊠ 3370.018 (2 c.). Enregistré en 1976.

*** Orch. New Philharmonia, Otto Klemperer. EMI VSM C 181-00.617/18 (2 d.). Enregistré en 1967.

*** Orch. Phil. de Vienne, Bruno Walter. EMI VSM C 151-53.824125 (2 d.). Mono (origine 78 t.). Enregistré en 1938. + *Symphonie n° 5 (Adagietto).*

*** Orch. Phil. de Berlin, Herbert von Karajan. DG 2707.125 (2 d.). ⊠ 3370.038 (2 c.).

Avant la parution de la sublime version de Giulini, on s'accordait pour placer au premier rang des enregistrements non dus à des grands chefs «historiques» celui de Karel Ančerl. Or, pour une raison inexplicable, il y manque, à un endroit crucial du premier mouvement, un coup de timbales à valeur hautement thématique : le motif de base du mouvement s'en trouve défiguré... Des disques de Giulini, que dire, sinon qu'ils sont de ceux qui marquent une génération, et auxquels on ne cessera de faire référence ?

On pourrait affirmer la même chose de la version Klemperer, dotée sans doute de moins d'unité interne, mais qui fait ressortir encore davantage la modernité de l'écriture instrumentale de Mahler, et débouche sur un *Adagio* prenant figure de véritable testament spirituel.

La première version Bruno Walter, réalisée à Vienne quelques semaines avant l'*Anschluss*, est chargée d'une émotion et animée d'une tension qu'on ne retrouve pas au même degré dans son enregistrement de 1961 avec l'Orchestre Symphonique Columbia. Un document irremplaçable. Il est à peu près impossible, pour la 9ᵉ, de départager Giulini, Klemperer et Walter I, et tout à fait concevable que les passionnés les possèdent tous les trois.

Si les précédents enregistrements mahlériens de Karajan n'avaient guère convaincu, celui-ci vient nous rappeler qu'aucun jugement ne peut être définitif. Passé outre quelques restrictions relatives aux habituels défauts du maître — contrastes excessifs de dynamique —, cette Neuvième est subjugante par la minutie de l'exécution proprement dite et par le climat expressif qui règne au cours de ces quatre mouvements.

Symphonie n° 10 en fa dièse majeur : Adagio.

*** Orch. Symph. de Londres, Pierre Boulez. CBS 77.233 (2 d.). Enregistré en 1970. + *Das klagende Lied.*

** Orch. Phil. de Los Angeles, Zubin Mehta. Decca 390.388 (2 d.). Enregistré en 1977. + *Symphonie n° 5.*

Symphonie n° 10 en fa dièse majeur : version intégrale reconstituée.

** Orch. de Bournemouth, Simon Rattle. EMI VSM SLS 5206 (2 d.). Enregistré en 1980.

** Orch. de Philadelphie, Eugene Ormandy. CBS 61.447 (G-B). Enregistré en 1965.

** Orch. New Philharmonia, Wyn Morris. Philips 6700.067 (2 d.). Enregistré en 1974.

Pour l'*Adagio*, seul mouvement achevé par Mahler, la version de Boulez s'impose par ses qualités propres - tension, clarté polyphonique - et par l'intérêt de son couplage, avec la seule gravure mondiale du *Klagende Lied* sous son aspect original en trois parties.

Mehta manifeste ici une sobriété exemplaire du style, un respect des éléments originaux du langage mahlérien, un dosage des plans sonores qui confèrent de grandes qualités à cette version, éblouissante démonstration d'orchestre où le chant intérieur ne perce peut-être pas aussi souvent qu'on le souhaiterait.

Simon Rattle impose son interprétation de la dixième Symphonie en même temps qu'il nous révèle sa sensibilité mahlérienne et son jugement d'artiste. Même si l'orchestre de Bournemouth ne peut rivaliser avec les grandes phalanges londoniennes ou américaines, ses musiciens sont galvanisés par le souffle, la conviction et la ferveur émue de ce tout jeune chef qui témoigne d'une maturité singulièrement précoce. Il s'agit bien entendu, dans cette réalisation récente, de la reconstitution définitive et remaniée de Deryck Cooke.

Pour la partition complète en cinq mouvements, mise au point par le musicologue anglais Deryck Cooke d'après les esquisses du compositeur, les versions discographiques existantes ne correspondent pas au même stade d'évolution de la reconstitution. La plus ancienne, dirigée par Ormandy, n'est plus officiellement disponible en France ; dans sa réédition anglaise, elle offre l'avantage de tenir sur un seul disque.

Comme Rattle, Wyn Morris présente sur Ormandy la supériorité de faire entendre le travail de Deryck Cooke dans son état définitif, avec l'orchestration remaniée. Malgré cela, malgré aussi une excellente prestation orchestrale, cette version est musicalement un peu moins convaincante.

Wunderhorn Lieder.

*** Maureen Forrester (ms), Heinz Rehfuss (bar), Orch. du Festival de Vienne, Felix Prohaska. Harmonia Mundi HM B 5.116. ☒ HM B 40-5.116. Enregistré en 1960.

** Jessye Norman (s), John Shirley-Quirk (bar), Orch. Concertgebouw d'Amsterdam, Bernard Haitink. Philips 9500.316. ☒ 7300.572. Enregistré en 1977.

** Elisabeth Schwarzkopf(s), Dietrich Fischer-Dieskau (bar), Orch. Symph. de Londres, George Szell. EMI VSM C 069-00.098. ☒ C 269-00.098.

La version Forrester-Rehfuss dirigée par Prohaska n'est plus officiellement disponible en France, mais on la trouve parfois importée. De toute façon, c'est la version à avoir, et toutes les autres, aussi prestigieux que puissent être leurs interprètes, pâlissent à ses côtés, avec elle seulement, on s'identifie vraiment aux textes et aux situations dépeintes ; on n'évolue jamais dans un salon, mais véritablement en plein air, on baigne dans le ton de ballade qui convient, dans un populaire d'apparence toute simple, en réalité sublimé par le plus extrême raffinement artistique.

Le disque dirigé par Bernard Haitink est beau, avec des chanteurs excellents dont l'éloge n'est plus à faire, mais même lui ne parviendra jamais à faire oublier le précédent. On retiendra surtout cet enregistrement pour la merveilleuse interprétation de Jessye Norman, voix de velours et d'or, au grave généreux et à l'aigre aérien.

Schwarzkopf et Fischer-Dieskau nous mènent aux antipodes de Forrester et Rehfuss. D'aucuns jugeront cette version trop élégante, voire hors sujet tant la recherche du raffinement y étouffe le naturel et la spontanéité .

Malec, Ivo
(né en 1925)

Sigma. Dodecameron. Lumina. Carillon choral. Vox, vocis. Recitativo. Vocatif.

** Orch. Nat. de France, Jean-Claude Pennetier. Solistes des Chœurs de l'ORTF, Marcel Couraud. Ensemble 2e2m, Ivo Malec. Nicole Robin, Marie-Thérèse Foix (s), Nicole Oxombre (ms), Ensemble Musique Vivante, Diégo Masson. INA-GRM 9105 (2 d.). Enregistré en 1979, 1980 et 1981.

Cette réalisation exemplaire retrace l'évolution d'un compositeur chez qui la recherche, l'aventure, l'appropriation des nouveaux moyens d'expression répondent toujours à une nécessité intérieure, aux constantes d'une poétique très personnelle. Les interprètes ici réunis nous offrent l'image la plus vivante et la plus fidèle de ces œuvres qui répondent si bien à notre sensibilité actuelle, de cet univers sonore dont l'unité, en dépit de la diversité des modes d'expression, est frappante.

Marais, Marin
(1728-1856)

Pièces à deux violes du Premier Livre : Suite en ré mineur, Suite en sol majeur, Chaconne en sol majeur.

*** Jordi Savall (basse de viole à sept cordes), Christophe Coin (basse de viole à sept cordes), Ton Koopman (clavecin), Hopkinson Smith (théorbe). Astrée AS 39. Enregistré en 1978.

Ce disque, consacré à des pièces pour viole de Marin Marais, est particulièrement émouvant : les pages enregistrées sont d'une beauté merveilleuse, qui oscille entre la sérénité et l'inquiétude créée par une harmonie, un accord... L'écriture raffinée et sensible de Marais réclame des interprètes une légèreté qui doit aller jusqu'au plus profond de l'émotion : une gageure ! Et pourtant, Jordi Savall et Christophe Coin, sur des instruments anciens d'une grande beauté, créent tout au long du disque un recueillement ininterrompu. Au-delà d'une technique diaphane, ils montrent une relation fascinante avec la sensibilité même du compositeur.

Sonate à la Marésienne.

*** Ensemble Musica Antiqua de Cologne, Reinhard Goebel. Archiv 2533.408. Enregistré en 1978. + *Sonnerie de Sainte-Geneviève-du-Mont. François Couperin : Sonate la Sultane. Rebel : Tombeau de Monsieur de Lully.*

La *Sonate à la Marésienne*, composée vers 1723, est une œuvre exceptionnelle, où la science le dispute à la fantaisie, surtout dans les deuxième et troisième mouvements. Cette page est une des plus intéressantes qui soient, et l'on ne peut que savoir gré à Reinhard Goebel, à la tête de son Ensemble de Cologne, de l'avoir insérée dans un programme à la fois riche et fort bien interprété : l'écoute de cette Sonate se rehausse du plaisir d'une découverte bien raffinée.

Sonnerie de Sainte-Geneviève-du-Mont de Paris.

*** Sigiswald Kuijken (violon et viole de gambe), Wieland Kuijken (viole de gambe), Gustav Leonhardt (clavecin). Deutsche Harmonia Mundi HM 20.346. Enregistré en 1970. + *Tombeau de Monsieur de Sainte-Colombe. D'Anglebert : Prélude en sol. Forqueray : Suite V en ut mineur.*

*** Ensemble Musica Antiqua de Cologne, Reinhard Goebel. Archiv 2533.408. Enregistré en 1978. + *Sonate à la Marésienne. François Couperin : Sonate la Sultane. Rebel : Tombeau de Monsieur de Lully.*

** Nikolaus Harnoncourt (viole de gambe, dessus de viole), Alice Harnoncourt (violon), Leopold Stastny (flûte), Herbert Tachezi (clavecin). Harmonia Mundi HMU 414. + *Suites n° 1 en ut majeur et n° 4 en ré majeur.*

C'est une pièce étonnante que cette *Sonnerie de Sainte-Geneviève*, qui pousse jusque dans son ultime limite le principe de la variation *ostinato*, et suscite la même émotion contenue que les grands dépouillements raciniens. Les œuvres de Marin Marais ne sont pas des œuvres de parade, mais le fruit d'une réflexion raffinée. Aussi le style particulier, les recherches sonores qui font la réputation des interprètes de ce disque sont-ils complètement dans la manière du compositeur : on trouve un univers expressif singulier, un envoûtement qui naît de la façon de libérer le son de la corde frottée. Le clavecin de Gustav Leonhardt ajoute son raffinement et sa sensibilité. Les pièces de Forqueray et d'Anglebert, en plus du *Tombeau de Monsieur de Sainte-Colombe* de Marais, composent un disque de grande classe, magnifiquement joué.

Tout, dans le disque réalisé par l'Ensemble Musica Antiqua de Cologne, concourt au plaisir : depuis la présentation d'une belle pochette et d'un texte très intéressant dû à Reinhard Goebel, jusqu'à la beauté des œuvres, en passant par une gravure exemplaire. Pour la *Sonnerie*, ces jeunes interprètes ont adopté un style très décanté, d'une merveilleuse linéarité, évitant toute outrance et toute déformation. Tout leur récital montre une sensibilité épurée, sans jamais être sèche, un frémissement sobre. Une démonstration de grand art !

Equilibre parfait des trois instruments dans la *Sonnerie*, où le violon d'Alice Harnoncourt est une merveille de finesse. Mais si la *Suite n° 1* est bien mise en valeur, Harnoncourt n'évite pas, dans la *Suite n° 4*, une sensation de monotie due à une volonté de sonorité très pure et très droite, sans aucun frémissement expressif ni aucune mouvance d'émission. Mais la réalisation est belle et vraiment digne du style bien connu d'Harnoncourt.

Suite n° 1 en ut majeur, pour flûte, dessus de viole et clavecin. Suite n° 4 en ré majeur, pour viole de gambe et clavecin.

* Nikolaus Harnoncourt (viole de gambe et dessus de viole), Alice Harnoncourt (violon), Leopold Stastny (flûte), Herbert Tachezi (clavicin). Harmonia Mundi HMU 414. + *Sonnerie de Sainte-Geneviève-du-Mont.*

La *Suite n° 1* est extraite d'un recueil de pièces en trio, formule Sonate en trio qui réunit flûte, dessus de viole et clavecin. Ici, chaque interprète est à louer : vivacité, contraste et finesses, tout est mis en œuvre pour une lecture vivante de cette musique ancienne. La *Suite n° 4* est écrite pour viole de gambe et clavecin ; mais l'interprétation en est ici gâchée par une prise de son malhabile, où le clavecin domine tandis que la viole est refoulée dans le lointain. Dans ces conditions, toutes les finesses de l'instrument disparaissent, et l'ensemble, compact et opaque, devient difficile à juger. Heureusement peut-on encore entendre que Nikolaus Harnoncourt est un grand violiste qui connaît parfaitement son instrument ; et en complément de programme, on écoutera une excellente *Sonnerie-de-Sainte-Geneviève-du-Mont*, modèle d'équilibre.

Suite d'un Goût étranger.

❀*** Jordi Savall (viole de gambe), Ton Koopman (clavecin), Hopkinson Smith (guitare et luth). Astrée AS 13. ⊠ CAS 13.

Avec cette *Suite d'un Goût étranger*, la fantaisie et l'imagination de Marin Marais atteignent leur point culminant. Et avec Jordi Savall, nous sommes transportés au-delà de la technique : sa maîtrise nous confond. La vivacité et la précision extrêmes de son archet sont fascinantes : il apporte au lyrisme une acuité de trait qui fait oublier que l'instrument est peu puissant. Le grand art de Savall est de porter la virtuosité à son plus haut point sans jamais tomber dans la vanité. Il existe une relation passionnante entre la musique et l'instrument, et l'interprète s'efface avec une modestie qui est le vrai génie. Il fait aussi rendre justice à l'art d'accompagnement à peu près unique de Ton Koopman et d'Hopkinson Smith.

Trois Suites du Second Livre : Les Folies d'Espagne, Les Voix humaines, Suite en si mineur.

*** Jordi Savall (viole de gambe), Anne Gallet (clavecin), Hopkinson Smith (théorbe). Astrée AS 4.

Les cinq Livres de pièces à une, deux ou trois violes sont un important document d'histoire de la musique. Dans ces pièces extraites du Second Livre, Marais se révèle contrapuntiste raffiné, alliant toujours virtuosité et musicalité. Ces œuvres s'écoutent avec un immense intérêt, et nous les trouvons ici remarquablement interprétées, par des musiciens rompus à la technique des instruments anciens. Le jeu de Jordi Savall est tout en subtilité, en nuances ; il fait vivre le son et lui confère cette intensité constamment fluctuante dont le secret réside dans l'infinie variété des coups d'archet. Un merveilleux violiste et un programme de toute beauté.

Marcello, Benedetto
(1686-1739)

Canzone e Cantate.

*** Ensemble Nuove Musiche : Henri Ledroit (hc), Michèle Ledroit (s), Noëlle Spieth (clavecin), David Simpson (violoncelle). FY 108. Enregistré en 1982.

Cette musique empreinte de pure beauté et de grandeur discrète trouve en Henri Ledroit un avocat exemplaire. Qualité du timbre (tirant plus sur l'alto que sur le *falsetto),* diction et sens du phrasé impeccables, il fait passer dans son chant un frémissement continu qui accorde toujours la touche poétique aux exigences de l'intelligence, privilégiant l'accent sensible, au long de ces mélodies chargées *d'affetto* et de tendresse. Un enregistrement superbe.

7 Psaumes pour soli, chœur et orchestre, tirés de «L'Estro Poetico-Armonico».

*** Ensemble Vocal et Orchestre de Chambre de Lausanne, Michel Corboz. Erato STU 70.845/46 (2 d.) (sup.). Enregistré en 1974.

Michel Corboz, rompu aux harmonies nobles et madrigalesques, sait protéger les Psaumes de Marcello des effets séduisants et vains. Il refuse le faste sonore et part en quête d'une beauté intérieure, d'une authentique spiritualité. Les voix sont parfaites, d'une diaphane beauté pour les solistes femmes, d'une profonde et sensible nostalgie pour Huttenlocher. La basse continue délicate, unissant au gré des Psaumes les claviers, les archets ou la harpe, colore sereinement l'ensemble. Une grande puissance d'émotion.

Psaume 50 tiré de «L'Estro Poetico-Armonico».

❀*** René Jacobs (hc), Guy de Mey (t), Kurt Widmer (b), Jaap Schröder, Sterling Jones (altos), Michael Jappe (violoncelle), Yasunori Imamura (théorbe), Rolf Junghanns (orgue). Deutsche Harmonia Mundi C 065-99.899. Enregistré en 1979.

Ce Psaume de la Pénitence par l'Ensemble de René Jacobs révèle une musique extraordinaire de richesse, d'audace, de surprises. Une violence bénéfique est faite à nos sens et à nos esprits par l'intensité des sentiments, traduite par des chromatismes hardis qui forcent l'attention. La cohésion des interprètes, le style choisi sont respectueux du dessin d'ensemble mais plus soucieux encore de ne pas nous faire perdre un instant de ce tissu sonore, si classique et inattendu à la fois.

5 Sinfonie a quattro pour cordes.

** I Solisti di Milano, Angelo Ephrikian, Ars Nova VST 61.174. ⌧ VN 55.442. (Italie).

L'Orchestre des Solistes de Milan est sans doute celui qui s'accorde le mieux avec la personnalité d'Ephrikian. Virtuose comme I Musici, mais sans lourdeur de pâte, lyrique comme I Solisti Veneti, mais plus vigoureux, il préfigure avec quinze ans d'avance les ensembles baroques sur instruments anciens par une finesse d'articulation et des phrasés limpides. Ces *Sinfonie* de Marcello trouvent avec lui une interprétation idéale, et bénéficient d'une prise de son transparente, qui n'a pas pris une ride.

4 Sonates pour clavecin.

** Hans Ludwig Hirsch (clavecin Dowd, d'après Blanchet). Jecklin Exempla 5001 (étr.). Enregistré en 1978.

Le clavecin Dowd de Hans Ludwig Hirsch est une splendeur : timbre ensoleillé, un rien acide, sans dureté, sans lourdeur ni sécheresse. Un régal dans le répertoire baroque vénitien de Benedetto Marcello, qui n'atteint pas à la fantaisie inégalable d'un Domenico Scarlatti, mais qui reste un des meilleurs témoignages du clavier italien au XVIIIe siècle. L'interprétation est impeccable.

Marchand, Louis
(1669-1732)

Pièces de clavecin (1702).

*** Blandine Verlet (clavecin Donzelague, 1716). Astrée AS 41. Enregistré en 1978.

Marchand tout feu tout flamme ! L'accord parfait de deux tempéraments : Blandine Verlet se fait complice de Marchand pour nous offrir un moment de grand clavecin. L'instrument superbe de Pierre Donzelague (Lyon) est une révélation et convient au mieux à ces pages rudes.

Premier et Troisième Livre d'orgue. Extraits des 2e, 4e et 5e Livres.

❁*** Marie-Claire Alain (orgue de Caudebec-en-Caux). Erato STU 70.949 (sup.). Enregistré en 1975.

*** André Isoir (orgue Isnard de Saint-Maximin-du-Var). Calliope 1909. Enregistré en 1972.

*** Michel Chapuis (orgue Clicquot de Souvigny). Harmonia Mundi HMU 532. ⌧ HM 40-532.

Quelques pièces inédites dans le large tour d'horizon de l'œuvre d'orgue de Marchand (extraits du 4e Livre). Marie-Claire Alain colore avec poésie des pièces injustement méprisées. Un jeu net, précis et nerveux.

Il fallait à une musique souvent curieuse et déconcertante un orgue hors du commun. L'orgue de Saint-Maximin est ici idéal pour donner toute son ampleur au grandiose Troisième Livre (Grand dialogue en ut). Fracas des anches, poésie des cornets, fond d'orgue somptueux... André Isoir très à l'aise dans une musique qu'il semble improviser à chaque exécution. On peut trouver ce disque en coffret avec les deux Messes de Couperin.

La version d'un chef de file. Il s'agit de la réédition (1976) d'un enregistrement plus ancien. Chapuis touche le superbe instrument de Souvigny, finalement assez peu joué. Un disque qui entre dans la série «Orgues Historiques» ; la pochette en est fort documentée.

Marco da Gagliano
(1582-1643)

La Dafne.

** Norma Lerer (Dafne, Vénus), Barbara Schlick (l'amour, une nymphe), Ine Kollecker (une nymphe), Nigel Rogers (Apollon, Ovide), Ian Partridge (Tirsis), Ch. Monteverdi et Camerata Academica de Hambourg, Jürgen Jürgens. Archiv 2533.348 (RFA).

Jürgen Jürgens donne de cet opéra contemporain de Monteverdi une interprétation très claire et lumineuse. De bons solistes ont malheureusement des occasions trop peu nombreuses de faire valoir leur talent, Gagliano accordant dans ses compositions une importance très grande au récitatif accompagné. Norma Lerer, Nigel Rogers et Ian Partridge ont pourtant quelques très beaux moments. Mais le meilleur de l'œuvre, et le plus vivant, se porte sur les chœurs, magnifiques de précision et d'allant. Une très belle prise de son aide à reconstituer ce qu'a pu être la représentation de cet opéra, contemporain un peu terne des grandes œuvres monteverdiennes.

Markevitch, Igor
(1912-1983)

Variations, Fugue et Envoi sur un thème de Haendel. Stefan le poète, impressions d'enfance pour piano.

** Kazuoki Fujii (piano). Pavane ADW 7.103. Enregistré en 1982.

Dans les Variations, Igor Markevitch rend une sorte d'hommage à la tradition pratiquée par Beethoven et Brahms, en même temps qu'il exprime toute l'originalité et la richesse de son tempérament de poète, un tempérament qui s'exprime encore mieux dans *Stefan le poète*, cet héritier des *Scènes d'enfants* et de *Children's corner*, et qui nous mène au plus profond d'un univers musical à la fois dense et transparent. Le pianiste japonais Kazuoki Fujii, choisi par le compositeur, traduit fidèlement l'élégance de cette musique raffinée et aristocratique.

Martin, Frank
(1890-1974)

Ballade pour alto, orchestre et percussion. Ballade pour flûte et piano, version pour flûte, orchestre à cordes et piano. Polyptyque, concerto pour violon et deux orchestres à cordes.

*** Yehudi Menuhin (alto), Orch. du Festival Menuhin, Michaël Dobson. Aurèle Nicolet (flûte), Werner Bärtschi (piano), Orch. de Chambre de Zurich, Edmond de Stoutz. EMI VSM C 069-02.688 (sup.).

Ce disque est un juste hommage au grand compositeur que fut Frank Martin, animé d'un tempérament méditatif, perfectionniste, mais dans un lyrisme capable de vraie puissance tragique. Les œuvres enregistrées ici portent la marque de ses dons, depuis le *Polyptyque* et la Ballade pour alto, à la beauté intemporelle, jusqu'à la Ballade pour flûte, à la fois épique et virtuose. Menuhin, à l'alto, transmet la plénitude et la splendeur de son talent à cette musique admirable. Si Michaël Dobson, au pupitre pour la Ballade, n'est pas à la hauteur d'Edmond de Stoutz, ce dernier, dédicataire de l'œuvre, se montre un chef particulièrement inspiré.

Jedermann ou le Jeu de la mort de l'homme riche, six monologues.

*** Dietrich Fischer-Dieskau (bar), Orch. Phil. de Berlin, Frank Martin. DG 2530.630 (RFA). + *Mahler : Lieder eines fahrenden Gesellen.*

Jedermann, ou *le Jeu de la Mort et de l'Homme riche*, est composé sur des textes de Hofmannsthal, et reprend le thème éternel de la foi salvatrice. Les six monologues sont évidemment interprétés avec la plus grande intelligence par Dietrich Fischer-Dieskau.

Œuvre intégrale pour piano : Huit Préludes, Esquisse, Clair de Lune, Fantaisie sur des rythmes flamenco, Guitare, Quatre pièces brèves, Etude rythmique.

** Nicole Wickihalder (piano). Accord 140.059. Enregistré en 1982.

La rigueur de l'écriture des *Huit Préludes*, conditionnée pour chacun d'entre eux par la résolution d'un problème particulier de la technique pianistique, de même que l'austère *Fantaisie sur des rythmes flamenco*, page au caractère plus abstrait et réfléchi qu'instinctif, trouvent en Nicole Wickihalder une interprète à la hauteur du propos, de grande tenue et au toucher large et profond et qui, au long de ces œuvres denses, ne sacrifie jamais à l'effet.

Petite Symphonie Concertante pour harpe, clavecin, piano et cordes.

*** Francis Grier et Philip Ledger (pianos), Osian Ellis (harpe), Simon Preston (clavecin), Academy of Saint-Martin-in-the-Fields, Neville Marriner. EMI VSM C 069-03.519. Enregistré en 1978. *+ Bloch : Concerto grosso pour cordes et piano.*

Le commanditaire de cette œuvre, composée en 1945, avait spécifié qu'elle devrait utiliser, outre l'ensemble des instruments à archet, les instruments à cordes pincées servant autrefois à réaliser le continuo. De l'alliance de leurs timbres naissent des couleurs subtiles, qui donnent à cette musique un charme rare et raffiné. Saluons donc son apparition au catalogue, dans l'interprétation parfaitement élégante de l'Academy dirigée par Neville Marriner.

Martinů, Bohuslav
(1890-1959)

Concertino pour trio et orchestre à cordes. Sinfonietta giocosa pour piano et orchestre.

** Josef Suk (violon), Josef Chuchro (violoncelle), Jan Panenká (piano), Orch. Phil. Tchèque, Václav Neumann, Zdeněk Košler. Supraphon 4 102.198. Enregistré en 1975 et 1977.

Composée dans des circonstances difficiles en automne 1940, la *Sinfonietta* est une partition idyllique, pleine de charme et d'insouciance, dont l'écriture néo-classique évoque irrésistiblement Bach. Le *Concertino*, écrit en douze jours, réclame, pour en rendre toute la vitalité, des exploits techniques du plus haut niveau. Nous ne sommes pas déçus sur ce point par les interprètes qui sont ici des «spécialistes» de Martinů, particulièrement Josef Suk et Václav Neumann et la Philharmonie Tchèque. Ce disque s'impose tant par ses qualités artistiques que pour une meilleure connaissance de Martinů.

Concertos pour violon et orchestre n° 1 et n° 2.

*** Josef Suk (violon), Orch. Phil. Tchèque, Václav Neumann. Supraphon 88.580.

Les deux Concertos proposés ici sont d'essence très différente. Le premier, découvert à Prague en 1973, est énergique et lyrique comme un ballet ; le second, ample et bondissant, ressemble à une rhapsodie et l'on y retrouve des thèmes folkloriques. L'interprétation de Josef Suk est à la hauteur de cette musique et se montre, comme elle, brillante, chaleureuse et romantique.

L'Epopée de Gilgamesh.

** Marcela Machotková (une femme), Jiří Zahradniček (le chasseur), Václav Ziték (Gilgamesh), Karel Průšá (le narrateur, le père du chasseur, l'esprit), Otokar Brousek (le récitant), Ch. Phil. Tchèque, Orch. Symph. de Prague, Jiří Belohvalek. Supraphon 1 12 1808.

Cette œuvre est née d'une rencontre entre Martinů et des tablettes cunéiformes, au British Museum. Le musicien se procura une traduction, et écrivit la fresque relatant les amours du roi babylonien pour le berger Enkidu. Ce n'est pas dans cette partition que s'exprime le plus le lyrisme de Martinů, et les chœurs, bien que puissants, manquent un peu d'intensité dramatique. Il est toutefois bon de voir figurer au catalogue une œuvre vocale de ce maître, et l'interprétation en est ici exemplaire.

Quatuor à cordes n° 4.

*** Quatuor Smetana. Supraphon 50 529. *+ Dvořák : Quatuor n° 9.*

Ce disque offre le double avantage d'une interprétation à la fois unique et d'une qualité rare : en effet, les Smetana sont les seuls à avoir gravé ce 4ᵉ Quatuor, et avec quel art admirable ! En couplage, excellent 9ᵉ Quatuor de Dvořák, qui n'était jusque-là disponible que dans l'intégrale du Quatuor de Prague. Prix intéressant.

Quatuors à cordes n° 4 et 6.

** Quatuor Panocha. Supraphon 1111 2.845. Enregistré en 1980 et 1981.

Sans atteindre le mordant de ses prédécesseurs - les Quatuors Smetana et Novak -, le Quatuor Panocha affiche aujourd'hui une liberté de jouer qui rejoint bien l'esprit du compositeur, dont ils nous font partager la joie et l'aisance d'écriture.

Quatuors à cordes n° 5 et n° 7 «Concerto da camera».

** Quatuor Panocha. Supraphon 2675. Enregistré en 1979.

Œuvre à la fois lyrique et dramatique, à la pulsation roussélienne irrésistible, le cinquième Quatuor a été composé en 1938 pour le fameux Quatuor Pro Arte ; le septième Quatuor est tout à la joie de Bohuslav Martinů reprenant ses espoirs au lendemain de la guerre qui l'avait longtemps éloigné de ses deux patries, la Bohême et la France. Les Panocha prennent la succession de la gravure historique des Vlach, sans toutefois égaler la beauté de timbre de celle plus récente des Talich.

La Passion Grecque, opéra.

** John Mitchinson (Manolios), Helen Field (Katerina), John Tomlinson (Grigoris), Solistes de l'Opéra National Gallois, Ch. Phil. Tchèque, Ch. d'enfants Pavel Kühn, Orch. Phil. d'Etat de Brno, Charles Mackerras. Supraphon 3611/12 (2 d.). Enregistré en 1981.

Voici la première gravure du dernier opéra achevé par Martinů avant sa mort prématurée. Le compositeur est resté insatisfait de cette œuvre, malgré son travail acharné sur le livret de Kazantsakis, texte à la grandeur tragique auquel il a tout sacrifié. Cependant, Martinů, librettiste, musicien et metteur en scène dépasse dans de nombreuses scènes Kazantsakis. De cette œuvre prophétique, nous retiendrons la puissance évocatrice inouïe et la lumineuse radiance de cette musique sobre et solennelle, extrêmement pure, dont Charles Mackerras se montre l'idéal traducteur.

Sonate n° 3 pour violon et piano. Cinq Madrigaux pour violon et piano.

** Yuriko Kuronima (violon), Alfred Holeček (piano). Supraphon 1-11-0.575.

Les sonates pour violon et piano de Martinů sont rarement jouées. La Troisième, que défendent ici une violoniste japonaise (Yuriko Kuronima) et un pianiste tchèque (Alfred Holeček), est incontestablement un chef-d'œuvre – rendu avec une grande conviction, car Yuriko Kuronima s'est longtemps frotté à l'école tchèque de violon.

Intégrale des Six Symphonies.

❀*** Orch. Symph. Tchèque, Václav Neumann. Supraphon 300.433 (4 d.). Quadri.

Ce coffret des six Symphonies de Martinů constitue un enrichissement incalculable de notre catalogue, et les trois premières sont pour nous une nouveauté absolue. On peut suivre l'évolution entre 1942 et 1953, dates qui enserrent leur composition. La Philharmonie Tchèque et Václav Neumann vivent cette musique, comme aucune formation au monde ne pourrait le faire. C'est à l'occasion de telles réalisations que le disque mérite le nom de véhicule de la culture.

Mascagni, Pietro
(1863-1945)

L'Ami Fritz, opéra.

*** Ferruccio Tagliavini (Fritz), Pia Tassinari (Suzel), Amalia Pini (Beppe), Saturno Meletti (David), Orch. et Ch. RAI de Turin, Pietro Mascagni. Musidisc MU311 (2 d.). Mono, origine 78 tours. Enregistré en 1941.

** Luciano Pavarotti (Fritz), Mirella Freni (Suzel), Laura Didier Gambardella (Beppe), Vicente Sardinero (David), Orch. et Ch. du Covent Garden, Gianandrea Gavazzeni. EMI VSM C 167-01.908/09 (2 d.). Enregistré en 1968.

Avec le compositeur au pupitre, le vieil enregistrement Cetra distribué par Musidisc constitue de toutes façons une manière de référence, et la direction de cet octogénaire est sensible et tendre, comme sa musique. En outre, l'interprétation de Fritz par Tagliavini, jeune, au sommet de son art, est un instant de très rare beau chant préservé par le disque : suavité du timbre, fragilité de la demi-teinte, coloris expressif, tout est là, avec l'interprétation chaude de Pia Tassinari et de bons partenaires. En outre, une excellente regravure, et assez économique.

Un autre bon enregistrement, moderne, avec un chef, Gavazzeni, grand spécialiste de cette musique : de quoi détruire le mythe d'un «vérisme, vulgaire, violent, où règne le cri». L'interprétation est dominée par Mirella Freni, aux sonorités chaudes, sentimentale, émouvante, dans un emploi qui la met bien en valeur et correspond à ses moyens. Pavarotti est bon, mais ne peut se mesurer à Tagliavini ni à Schipa (duo des cerises, 78 t., réédité chez EMI, Italie). Les autres sont assez ternes.

Cavalleria Rusticana, opéra.

*** Beniamino Gigli (Turiddú), Lina Bruna Rasa (Santuzza), Gino Bechi (Alfio), Giulietta Simionato (Mamma Lucia), Orch. et Ch. de la Scala de Milan, Pietro Mascagni. EMI 153-18.425/27 (3 d.) (sup.). Mono, origine 78 tours. Enregistré en 1940. + *Leoncavallo : Paillasse.*

*** Carlo Bergonzi (Turiddú), Fiorenza Cossotto (Santuzza), Gian Giacomo Guelfi (Alfio), Orch. et Ch. de la Scala de Milan, Herbert von Karajan. DG 2709.020 (3 d.). Enregistré en 1965. + *Leoncavallo : Paillasse.*

** Luciano Pavarotti (Turiddú), Julia Varady (Santuzza), Piero Cappuccilli (Alfio), Carmen Gonzalès (Lola), Orch. Nat. Phil. de Londres, Ch. London Voices, Gianandrea Gavazzeni. Decca 390.016 (3 d.). ⊠ 4-390.016 (3 c.). Enregistré en 1977. + *Leoncavallo : Paillasse.*

* Giuseppe di Stefano (Turiddú), Maria Callas (Santuzza), Rolando Panerai (Alfio), Orch. et Ch. de la Scala de Milan, Tullio Serafin. EMI VSM SLS 819 (3 d.). Mono. ⊠ TC-SLS 819 (2 c.). Enregistré en 1953. + *Leoncavallo : Paillasse.*

* Achille Braschi (Turiddú), Giulietta Simionato (Santuzza), Carlo Tagliabue (Alfio), Orch. et Ch. Cetra, Turin, Arturo Basile. Vogue 400.057 (2 d.). Mono. Enregistré en 1952.

L'auteur au pupitre, mais pour le cinquantenaire de la création, et des tempos qui nous paraissent bien lents ; mais nous savons qu'on chantait tout beaucoup plus lentement il y a un siècle (parce que les chanteurs le pouvaient). La finesse, le souci du détail restent, le son est bon pour l'époque, et Mascagani avalise toutes les «traditions» introduites dans l'œuvre. Gigli n'a plus l'âge vocal du rôle (le réécouter dans ses 78 tours anciens, anthologie EMI), mais il possède le rôle à fond ; Bechi est à son apogée, violent à souhait, excessif comme il se doit et Simionato est déjà là, mais l'élément principal est Bruna Rasa, une voix et un tempérament absolument uniques : à connaître à tout prix.

A y bien voir, la direction de Karajan ressemble fort à celle de l'auteur, lente et amoureuse, ou d'une violence contenue. Aucun de ces excès chers aux années 1930-1960 : le vrai texte, soutenu par un son idéal, somptueux, Bergonzi presque trop idéal de beau chant, Cossotto séduisante, un rien impassible, mais des partenaires plus quelconques.

Avec Gavazzeni, réalisation plus moderne. Le chef connaît bien son affaire, mais ne vise pas à la «relecture»; un Pavarotti, micro aidant, merveilleusement impliqué dans son rôle (dont le créateur chantait aussi *Les Puritains*), une bonne Lola, mais surtout une Julia Varady exceptionnelle d'intelligence, de style, d'émotion. Cappuccilli n'a guère la voix du rôle. Bon couplage.

La version dirigée par Serafin vaut pour la Callas seule, dont chaque inflexion est passée au crible du génie (la créatrice était aussi une Violetta bouleversante), et dont ce fut le dernier disque précédant la cure d'amaigrissement. Hormis la Sicilienne (chanté par un Sicilien !) le reste est sans intérêt, et très cher, compte tenu de l'âge du disque et de son couplage avec un médiocre *Paillasse.*

La version de Basile permet d'acquérir *Cavalleria* seule, à prix convenable, et avec enfin un trio homogène : Simionato (mezzo soprano, donc) somptueuse, royale, un ténor «vocal» à l'état pur, mais comme on en voudrait aujourd'hui, un baryton sachant bien chanter ; mais un chef compassé et quelques coupures traditionnelles.

Iris, opéra.

** Clara Petrella (Iris), Giuseppe di Stefano (Osaka), Boris Christoff (L'aveugle), Saturno Meletti (Kyoto), Orch. et Ch. de l'Opéra de Rome, Gianandrea Gavazzeni. Cetra LO 15 (4 d.). Mono. Enregistré sur le vif en 1956. + *Cavalleria Rusticana.*

Un ouvrage à connaître, impressionniste, écrit avant Pelléas. En attendant la commercialisation de la version Olivero, celle-ci fera découvrir l'œuvre avec une Petrella assez survoltée, un Christoff grandiose, bouleversant, un di Stefano avec encore de bons moments. Le couplage avec une *Cavalleria Rusticana* (Simionato et di Stefano), certes non négligeable alourdit bien sûr le prix.

Massenet, Jules
(1842-1912)

Cendrillon, conte de fées.

** Frederica von Stade (Cendrillon), Nicolaï Gedda (le Prince charmant), Jane Berbié (Madame de la Haltière), Jules Bastin (Pandolfe), Ruth Welting (la Fée), Teresa Cahill (Noémie), Elizabeth Bainbridge (Dorothée), Claude Méloni (le Roi), Ch. d'Opéra Ambrosien, Orch. Philharmonia, Julius Rudel. CBS 79.323 (3 d.). Enregistré en 1978.

Très bonne interprétation. La voix de Frederica von Stade, souple et fine, s'accorde idéalement à celle, superbe, de Jules Bastin. Gedda a peut-être trop insisté sur le côté fragile et geignard du Prince Charmant ; c'est dans le texte, soit, mais le rôle est destiné à un soprano travesti, et l'avoir confié à un ténor est sans doute une erreur. Ruth Welting prête à la bonne fée le soprano le plus aérien qu'on puisse imaginer, et si Jane Berbié déçoit légèrement, c'est qu'il lui faut se forcer pour jouer les mégères. Les rôles secondaires sont bien tenus, les chœurs excellents et l'orchestre, sous la direction experte de Julius Rudel, met en valeur le talent du symphoniste Massenet.

Le Cid, opéra.

* Placido Domingo (Rodrigue), Grace Bumbry (Chimène), Paul Plishka (Don Diègue), Eleanor Bergquist (l'Infante), Arnold Voketaitis (Don Gormas), Jake Gardner (le Roi), Ch. Byrne Camp, Orch. de l'Opéra de New York, Eve Queler. CBS 79.300 (3 d.). Enregistré en 1976.

Deux vedettes dominent cet enregistrement. Placido Domingo campe un Rodrigue héroïque à souhait, que l'on aimerait toutefois plus nuancé dans les scènes de douleur ou de tendresse. La tessiture un peu tendue du rôle dessert parfois Grace Bumbry dont la Chimène n'en est pas moins vibrante et passionnée. Signalons encore le Don Diègue au timbre noble et profond de Paul Plishka, et l'Infante peu convaincante d'Eleanor Bergquist. Quant aux seconds rôles, oublions bien vite leurs noms. La direction d'Eve Queler ne manque ni d'énergie, ni de style. Précision : version de concert, coupures parfois importantes.

Concerto pour piano et orchestre.

* Marylène Dosse (piano), Orch. de Westphalie, Siegfried Landau. Turnabout VOX TV 37.127 (G-B). Enregistré en 1979. + *Gounod : Fantaisie sur l'hymne national russe. Saint-Saëns : Africa.*

En l'absence d'un autre enregistrement, on choisira celui-ci dont l'élan et la ferveur ne masquent pas tout à fait un manque de mise au point regrettable. La prise de son imprécise n'arrange pas, à vrai dire, les choses. La direction brouillonne non plus. Importation facile.

Don Quichotte, comédie héroïque.

** Nicolaï Ghiaurov (Don Quichotte), Régine Crespin (Dulcinée), Gabriel Bacquier (Sancho), Orch. de la Suisse Romande, Kazinierz Kord. Decca 390.171 (3 d.). Enregistré en 1979.

Première mondiale parue récemment en Angleterre. Nicolaï Ghiaurov avait participé à la reprise de l'œuvre à l'Opéra de Paris, en 1974 : il reprend donc un rôle qui lui est familier ; son Don Quichotte est très bien chanté, assez sobre et sans trop d'accent. Régine Crespin fait de Dulcinée, «femme légère» du Moyen Age, un personnage un peu mélancolique ; dans une belle forme vocale, elle se montre à l'aise dans une partition de mezzo ; diction parfaite. Gabriel Bacquier marque le rôle de Sancho de sa personnalité, à la manière d'un Fugère, d'un Dufranne ou d'un Musy. Edition française souhaitée.

Esclarmonde, opéra romanesque.

*** Joan Sutherland (Esclarmonde), Giacomo Aragall (Roland), Huguette Tourangeau (Parséïs), Clifford Grant (Phorcas), Louis Quilico (l'Evêque de Blois), Robert Lloyd (Cléomer), Ryland Davies (Enéas), Ch. John Alldis, Orch. National Philharmonique Richard Bonynge. Decca SET 612/14 (3 d.) (G.B.). Enregistré en 1975.

Un feu d'artifice vocal : Joan Sutherland se joue avec aisance des difficultés accumulées dans le rôle d'Esclarmonde. On se demande qui, à l'heure actuelle, pourrait rivaliser avec elle dans l'emploi de grand soprano colorature. Sa voix, d'une cristalline limpidité, semble défier les pires épreuves. Giacomo Aragall lui donne une réplique chaleureuse et son timbre a la jeunesse et le charme qui conviennent au personnage de Roland. Les autres rôles sont fort bien tenus, bien qu'un peu effacés dans le sillage d'aussi prestigieux premiers sujets. Et compliments à Richard Bonynge pour sa direction d'orchestre.

Hérodiade, opéra : sélection.

* Rita Gorr (Hérodiade), Régine Crespin (Salomé), Albert Lance (Jean), Michel Dens (Hérode), Jacques Mars (Phanuel), Orch. de l'Opéra de Paris, Georges Prêtre. EMI VSM C 061-11.683 (sup.). Enregistré en 1963.

Distribution brillante, sans toutefois faire preuve de l'homogénéité indispensable. Régine Crespin domine nettement l'ensemble ; richesse du timbre, aigu ample et brillant, science du legato : une Salomé idéale. Albert Lance chante le rôle de Jean avec une aisance vocale généreuse, et Michel Dens campe un Hérode convaincant. Rita Gorr déçoit : belle voix, très belle même, mais technique imparfaite, articulation pâteuse et, parfois, stridence des aigus qui nuit à la musicalité. Quant au rôle de Phanuel, il s'agit indiscutablement d'une erreur de distribution. Belle sonorité de l'Orchestre de l'Opéra dirigé par Georges Prêtre, mais l'équilibre voix/orchestre ne semble pas toujours respecté.

Le Jongleur de Notre-Dame, miracle.

** Alain Vanzo (Jean), Jules Bastin (Frère Boniface), Marc Vento (le prieur), Ch. et Orch. National de l'Opéra de Monte-Carlo, Roger Boutry. EMI VSM C 167-16.275/76 (2 d.). Enregistré en 1978.

Mention «bien» pour Alain Vanzo : ses qualités sont connues et il n'a plus guère à prouver, mais en confondant simplicité et charme chez le pauvre jongleur, il nous prive de l'édition de référence souhaitée depuis tant d'années. C'est d'autant plus dommage que l'humble frère Boniface de Jules Bastin est d'une authenticité absolue et que les petits rôles - prieur et moines artistes - ne laissent rien à désirer. Bonne direction de Roger Boutry. Prise de son confuse dans les ensembles.

Manon, opéra-comique.

❀*** Ileana Cotrubas (Manon), Alfredo Kraus (Des Grieux), Gino Quilico (Lescaut), José van Dam (Comte des Grieux), Ch. et Orch. du Capitole de Toulouse, Michel Plasson. EMI VSM 1731.413 (3 d.). Enregistré en 1982.

*** Beverly Sills (Manon), Nicolaï Gedda (des Grieux), Gérard Souzay (Lescaut), Gabriel Bacquier (Comte des Grieux), Ch. d'Opéra Ambrosien, Orch. New Philharmonia, Julius Rudel. EMI VSM C 165-92.282/85 (4 d.) (USA). Enregistré en 1970.

* Victoria de Los Angeles (Manon), Henri Legay (des Grieux), Michel Dens (Lescaut), Jean Borthayre (Comte des Grieux), Ch. et Orch. de l'Opéra-Comique, Pierre Monteux. EMI VSM C 153-10.144/46 (3 d.). Mono. Enregistré en 1955.

* Janine Micheau (Manon), Libero de Luca (des Grieux), Roger Bourdin (Lescaut), Julien Giovannetti (Comte des Grieux), Ch. et Orch. de l'Opéra-Comique, Albert Wolff. IPG 115.371/73 (3 d.) (sup.) Mono. Enregistré en 1951.

Les mérites de l'enregistrement de Michel Plasson reviennent d'abord au chef lui-même. Sa direction est animée, contrastée, tendue, brillante ; elle respire librement et complètement, avec toujours, en arrière-plan, une inquiétude latente, discrètement tragique. Cotrubas campe une Manon insaisissable, extrêmement complexe, irrémmédiablement blessée «quelque part à l'âme», fatalement consciente. En Des Grieux, Alfredo Kraus lui donne une exemplaire réplique. Il enregistre le rôle un peu tard dans sa carrière, sa voix a perdu en souplesse, mais il reste la technique, l'élégance d'un timbre chaud et viril, et ce charme adolescent un peu suranné qui fait ici merveille.

L'enregistrement de Rudel rend enfin justice à l'œuvre la plus célèbre de Massenet. Beverly Sills s'identifie parfaitement à son personnage, Manon frivole et passionnée, au timbre idéal. Le Des Grieux de Nicolaï Gedda, le meilleur ténor «français» dans le répertoire d'opéra-comique depuis Georges Thill, ne manque ni de fougue, ni de tendresse. Gérard Souzay campe un Lescaut vrai, sans charge inutile, Gabriel Bacquier un Comte distingué, tous deux d'une belle ampleur vocale. Bons seconds rôles. Direction très vivante de Julius Rudel.

Deux points forts : la direction de Pierre Monteux, avec les Chœurs et l'Orchestre de l'Opéra-Comique dans un jour faste, et la Manon de Victoria de Los Angeles. Qualités du timbre, technique de chant exemplaire, ce grand soprano lyrique nous réserve des minutes inoubliables, même si nous souhaiterions plus d'émotion, de sincérité ou de spontanéité dans certaines pages. Michel Dens et Jean Borthayre sont deux belles voix de baryton, mais le Lescaut du premier est d'un conventionnel décevant, et le second n'est pas à sa place dans le rôle du Comte. Quant à Henri Legay, il nous avait habitués à mieux dans des rôles plus légers.

L'interprétation superbe de Janine Micheau domine l'enregistrement de Wolff, les autres rôles n'étant pas négligés, loin de là. Tout n'est pas parfait, certes, mais dans l'ensemble, chœurs, orchestre et direction compris, cette distribution n'est pas inférieure à celle des enregistrements mono postérieurs. Malheureusement, coupures nombreuses, et dialogues parlés remplacés par des textes de liaison lus par un récitant.

Mélodies : L'âme des fleurs, Les amoureuses sont des folles, Ce que disent les cloches, Elle s'en est allée, L'éventail, Je t'aime, Le sais-tu ?, La mélodie des baisers, On dit, Passionnément, Pensée d'automne, Le petit Jésus, Pitchounette, Printemps dernier, Roses d'octobre, Sérénade d'automne, Souhait, Souvenance, Les yeux clos.

** Huguette Tourangeau (ms), Richard Bonynge (piano). Decca SXL 6.765 (G.-B.). Enregistré en 1976.

Huguette Tourangeau affectionne ces bluettes, c'est évident, mais elle oublie parfois que la discrétion est la qualité première de la musique de salon.

Mélodies : A Colombine, Automne, Elégie, Fleuramye, Madrigal, Nuit d'Espagne, Oh ! si les fleurs avaient des yeux, Ouvre tes yeux bleus, Pensée d'automne, Poème d'avril, Roses d'octobre, Sérénade de Zanetto, Si tu veux, mignonne, Souvenir de Venise.

* Bruno Laplante (bar), Janine Lachance (piano), André Mignault (violoncelle). Calliope 1.830. Enregistré en 1975.

Interprétation un peu terne. On ne saurait tenir rigueur aux interprètes québécois d'avoir souligné plutôt qu'édulcoré le caractère suranné des Mélodies de Massenet, encore que Bruno Laplante abuse un peu du trémolo et aggrave ainsi un maniérisme qui, parfois, frise le ridicule.

La Navarraise, épisode lyrique.

*** Marilyn Horne (Anita), Placido Domingo (Araquil), Sherill Milnes (Garrido), Nicola Zaccaria (Remigio), Gabriel Bacquier (Bustamente), Ryland Davies (Ramon), Ch. d'Opéra Ambrosien, Orch. Symph. de Londres, Henry Lewis. RCA ARL1-1.114 (USA). Enregistré en 1975.

** Lucia Popp (Anita), Alain Vanzo (Araquil), Vicente Sardinero (Garrido), Gérard Souzay (Remigio), Claude Meloni (Bustamente), Michel Sénéchal (Ramon), Ch. d'Opéra Ambrosien, Orch. Symph. de Londres, Antonio de Almeida. CBS 76.403 (sup.). Enregistré en 1974.

Grandes qualités (ampleur vocale, musicalité, sens dramatique) et petits défauts (tendance à l'emphase, à une certaine vulgarité dans le «quasi parlando») de Marilyn Horne. Quoi qu'il en soit, la cantatrice américaine a la voix sombre du rôle-titre. Et elle participe à la grande surprise que nous vaut ce disque, à savoir que tous ces artistes, étrangers à l'exception de Gabriel Bacquier, prononcent le français fort distinctement, avec un minimum d'accent parfaitement tolérable. Henry Lewis, au pupitre, prouve qu'il a fort bien compris l'unique partition «vériste» de Massenet, délibérément construite sur une action brève et violente en deux actes.

Interprétation en majorité française. Lucia Popp (colorature) ne possède nullement la voix du rôle de la Navarraise, mais elle y fait montre de belles qualités vocales et dramatiques. L'Araquil d'Alain Vanzo est convaincant et les autres rôles fort bien tenus. La direction d'Antonio de Almeida restitue toute la palette chatoyante de la partition de Massenet.

Sapho, pièce lyrique.

* Renée Doria (Fanny Legrand), Ginès Sirera (Jean Gaussin), Gisèle Ory (Divonne), Adrien Legros (Césaire), Elya Waisman (Irène), Ch. Stéphane Caillat, Orch. Symph. de la Garde Républicaine, Roger Boutry. EMI VSM C 167-16.203/05 (3 d.). Enregistré en 1976 et 1977.

Après une longue absence, Renée Doria revient au disque dans le rôle de Fanny, écrit pour Emma Calvé. Une justesse d'expression, une diction et un phrasé impeccables, mis au service d'une voix qui, avec les années a peut-être perdu en facilité mais gagné en plénitude, nous valent une première discographique fort intéressante. Le timbre de Ginès Sirera n'est pas sans évoquer celui d'Alain Vanzo : la voix est jolie et ne manque pas de charme. Dans les autres rôles, seule Gisèle Ory remplit son contrat, et fort bien. Direction satisfaisante de Roger Boutry.

Scènes alsaciennes. Scènes dramatiques. Scènes de féerie. Scènes pittoresques. Don Quichotte : Deux interludes. La Vierge : Le dernier sommeil de la Vierge.

*** Orch. de l'Opéra de Monte-Carlo, John Eliot Gardiner. Erato STU 71.208 (2 d.). Enregistré en 1978.

Direction très française de John Eliot Gardiner. Le chef a parfaitement compris et exprimé le caractère de chacun de ces tableaux où le style personnel du compositeur se dégage peu à peu des influences subies, celles de Berlioz et de Bizet notamment. Massenet contient encore ses fougueux élans, sa sensualité reste de bonne compagnie, mais il possède déjà la grâce incomparable qui a fait sa gloire.

Scènes alsaciennes. Scènes pittoresques. Phèdre, ouverture.

** Orch. de l'Opéra de Paris, André Cluytens. Trianon TRI 33.203. Stéréo d'origine mono. Enregistré en 1955.

Seul disque qui réunisse les charmantes *Scènes alsaciennes* et *Scènes pittoresques.* Plus l'unique enregistrement disponible de *Phèdre.* Interprétation d'André Cluytens, couplage, série très économique : un disque précieux. Origine mono, édition stéréophonisée.

Thaïs, comédie lyrique.

** Beverly Sills (Thaïs), Sherill Milnes (Athanaël), Nicolaï Gedda (Nicias), Richard van Allan (Palémon), Patricia Kern (Albine), Ch. John Alldis, Orch. New Philharmonia, Lorin Maazel. EMI VSM C 167-02.799/801 (3 d.). Enregistré en 1976.

** Renée Doria (Thaïs), Robert Massard (Athanaël), Michel Sénéchal (Nicias), Gérard Serkoyan (Palémon), Janine Collard (Albine), Ch. et Orch. Jésus Etcheverry. Accord ACC 150.026 (3 d.). Enregistré en 1961.

Dans cet ouvrage plus que dans tout autre, la sensualité est la vertu (?) essentielle de la musique de Massenet. Lorin Maazel l'a parfaitement compris ; son orchestre a toute la souplesse et toute la chaleur désirables. Sherill Milnes prête à Athanaël sa belle voix sombre et sa maîtrise de la langue française ; il n'a pas plus d'accent que Nicolaï Gedda, et c'est tout dire. On ne saurait adresser le même compliment à Beverly Sills, dont le vibrato est proche du chevrotement. Cela dit, l'artiste américaine ne manque ni de qualités expressives, ni de sens dramatique. De la courtisane triomphante à la pénitente désincarnée, elle sait rendre sensible l'évolution de la pécheresse touchée par la grâce. Une curiosité : durant la «Méditation», le chef d'orchestre troque sa baguette pour le violon solo. Signalons que le duo Crobyle-Myrtale, au deuxième acte, redevient trio grâce aux vocalises de la Charmeuse dont le rôle est coupé à l'Opéra depuis 1916.

L'enregistrement dirigé par Etcheverry fut considéré, dès sa parution, comme une parfaite réussite technique et artistique des années soixante. Renée Doria est une Thaïs séduisante ; il y a, dans sa voix, une douceur et un charme qui s'allient à merveille à l'éclat lumineux du timbre. Robert Massard trouve en Athanaël un de ses meilleurs rôles enregistrés : sa voix a une ampleur et un mordant qui conviennent bien au personnage. Michel Sénéchal prête à Nicias la légèreté et l'aisance d'une voix souple et brillante. Très bonne direction de Jésus Etcheverry.

Thérèse, drame musical.

** Huguette Tourangeau (Thérèse), Ryland Davies (Armand), Louis

Quilico (André), Linden Singers, Orch. New Philharmonia, Richard Bonynge. Decca SET 572 (G-B). Enregistré en 1973.

Huguette Tourangeau est une Thérèse assez émouvante, mais elle abuse des sons de poitrine, ce qui a tendance à vieillir le personnage. Ryland Davies incarne le jeune Armand avec beaucoup de style et son timbre est très agréable. Quant à Louis Quilico, il confère beaucoup de noblesse et de poids au rôle assez conventionnel du mari patriote et généreux. Direction finement nuancée de Richard Bonynge.

Werther, drame lyrique.

❀*** Alfredo Kraus (Werther), Tatiana Troyanos (Charlotte), Christine Barbaux (Sophie), Matteo Manuguerra (Albert), Jules Bastin (le Bailli), Ch. d'enfants, Orch. Phil. de Londres, Michel Plasson. EMI VSM C 167-03.704/06 (3 d.). Enregistré en 1979.

*** Georges Thill (Werther), Ninon Vallin (Charlotte), Germaine Féraldy (Sophie), Marcel Roque (Albert), Armand Narçon (le Bailli), Ch. d'enfants de la Cantoria, Ch. et Orch. de l'Opéra-Comique, Elie Cohen. EMI VSM C 153-10.746/48 (3 d.). Mono (origine 78 t.). Enregistré en 1935.

** Albert Lance (Werther), Rita Gorr (Charlotte), Mady Mesplé (Sophie), Gabriel Bacquier (Albert), Julien Giovannetti (le Bailli), Maîtrise de l'ORTF, Orch. Symph., Jésus Etcheverry. Adès C OF 7.025 (3 d.). Enregistré en 1964.

* Placido Domingo (Werther), Elena Obraztsova (Charlotte), Arleen Auger (Sophie), Franz Grundheber (Albert), Kurt Moll (le Bailli), Chœurs d'enfants de Cologne, Orch. Symph. de la Radio de Cologne, Riccardo Chailly. DG 2709.091 (3 d.). ⌧ 3371.048 (3 c.). Enregistré en 1979.

La version dirigée par Plasson est une réussite collective à laquelle il convient d'associer tous les participants. Alfredo Kraus incarne bien le personnage de Werther : ce perdant, ce «mal parti» qui porte en lui toute la douleur de vivre. Et puis il nous donne une immense leçon de chant : prodigieux *legato*, art des nuances, des demi-teintes, respect de la ligne mélodique. Jusqu'à la résignation mélancolique du dernier acte, la passion est toujours contrôlée, l'élégance du style souveraine. Tatiana Troyanos possède la voix idéale du rôle de Charlotte, le timbre est chaleureux, se colore d'intonations diverses au gré de ce qui est dit, de la confidence à la passion, sans jamais détimbrer. L'«Air des lettres» est particulièrement émouvant. Christine Barbaux pondère un peu cet océan de passion dans ses deux airs, fort bien chantés. Le personnage d'Albert, souvent sacrifié, convient parfaitement à Matteo Manuguerra, et Jules Bastin campe un Bailli bonhomme et affable. Michel Plasson nous donne toute la musique, telle qu'il était sans doute possible de l'entendre jadis dans des représentations de qualité, et il y en avait. Jamais sentimental, il dirige le prélude du quatrième acte, véritable poème symphonique en réduction, souvent galvaudé, avec un tact et un goût très sûrs.

L'incomparable addition des voix exceptionnelles de Georges Thill et de Ninon Vallin, aux ravissantes demi-teintes, fait, bien sûr, tout le prix de cet enregistrement historique. Il y a plus, cependant : nous n'assistons pas seulement au numéro de deux stars du chant, nous sommes, au contraire, les spectateurs privilégiés d'une représentation d'une rare homogénéité. Parmi les comparses, il faut citer, bien entendu, la Sophie de Germaine Féraldy, juvénile et émouvante à souhait, mais des Chœurs d'enfants à l'Orchestre de l'Opéra-Comique, tous les protagonistes sont à l'unisson d'un style, d'un ton délicat et subtil. Rien ici qui pèse ou qui pose. On glisse, on n'appuie pas. Grâces en soient rendues au chef, Elie Cohen. Si l'orchestre n'a peut-être pas toujours l'ampleur attendue, les voix, en revanche, sonnent large et juste.

Le mérite de la belle réalisation de Jésus Etcheverry revient pour une bonne part à la direction qui a su rendre avec bonheur toute la tendresse, la résignation et la passion contenues dans la partition de Massenet. Et un quatuor de premier plan. Albert Lance : voix généreuse au timbre éclatant (un éclat qui nuit un peu à la vérité psychologique du personnage), à la sensibilité vraie. Rita Gorr : somptueux mezzo qui donne toute sa noblesse et sa déchirante humanité au personnage de Charlotte. Mady Mesplé prête sa jolie voix de colorature au rôle un peu sacrifié de Sophie (rôle qui a peu inspiré Massenet, il faut bien le dire). Gabriel Bacquier : ampleur vocale et style impeccable donnent à Albert sa véritable dimension. Et Julien Giovannetti, Bailli de bonne tradition. Au total, une réalisation homogène et d'une grande justesse d'expression.

Pour s'en tenir à des critères objectifs, il est bien fâcheux, lorsqu'on écoute Charlotte, d'avoir constamment l'impression d'entendre Azucena, voire Fricka. Question de timbre. Question de style. La voix d'Elena Obraztsova bouge, et, de temps à autre, bouge faux. Dommage, car Domingo est un Werther bouleversant, déployant une variété infinie de couleurs, d'intonations et de nuances. La Sophie d'Arleen Auger est d'une fraîcheur, d'une candeur toutes juvéniles, véritable rayon de soleil dans ce climat de passion et de drame. Franz Grundheber est un Albert quelque peu effacé, doté d'un accent assez gênant, et Kurt Moll un Bailli plein de noblesse et de bonhomie. Tour à tour d'un profond lyrisme (duo de l'acte 1) et d'une grande tension dramatique (acte 3), d'une élégance souveraine, la direction de Riccardo Chailly ne perd jamais le fil conducteur d'une œuvre qui rompt avec la tradition des opéras «à grands airs». Un *Werther* sans Charlotte, mais qui renferme des grandes beautés.

Maxwell Davies, Peter
(né en 1934)

Eight Songs for a mad King (Huit chants pour un roi fou).

** Julius Eastman (t), Ensemble «The Fires of London», Peter Maxwell Davies Unicorn UNS 261 (G.-B.).

Sur des textes de (ou ayant trait à) George III, le roi fou de l'Angleterre de la fin du XVIIIe siècle, une approche musicale extrêmement intense du monde de la démence. Musique, paroles, tout est éclaté en fragments dans lesquels se reconnaissent parfois l'angoisse ou le désespoir. Une interprétation exemplaire arrive à rendre accessible ce monde de cauchemar ; il y brille même parfois, par contraste, un éclair de charme. Le langage musical peut déconcerter ; mais les moyens employés sont simples et directs, l'intelligence du sujet est saisissante. On ne peut rester indifférent à cette descente dans les profondeurs.

Points and Dances from «Taverner». Deuxième Fantaisie sur le «In nomine» de John Taverner.

** Ensemble «The Fires of London», Peter Maxwell Davies. Orch. New Philharmonie, Charles Groves. Argo ZRG 712 (G.-B.).

Peter Maxwell Davies a été fasciné par la personnalité de John Taverner. Il lui a consacré un opéra d'où sont tirés les intermèdes orchestraux exécutés ici, et deux fantaisies construites sur des pièces d'inspiration liturgique. La polyphonie complexe du musicien de la Renaissance constitue une très bonne plate-forme aux constructions du musicien contemporain. L'interprétation traduit très fidèlement l'interpénétration de deux types d'approches très intellectuelles l'une comme l'autre ; l'acuité sonore, la précision des enchaînements rendent ces deux œuvres d'un abord assez facile malgré les recherches engagées par le compositeur qui soumet le matériau emprunté à son propre opéra à un jeu permanent de mutations rythmiques et thématiques.

Méfano, Paul
(né en 1937)

Madrigal, pour 3 voix de femmes et petit ensemble. Ondes, espaces mouvants. Eventails, pour flûte basse.

** Mady Mesplé, Irène Jarsky (s), Anne Bartelloni (ms), Claude Helffer (piano), Jacques Le Troquer (flûte), Ensemble 2E-2M, Paul Méfano. CBS 76.783. Enregistré en 1978.

Première apparition au catalogue non seulement de Méfano, mais aussi de l'Ensemble 2E-2M qu'il a créé et qui réunit des solistes de la plus haute qualité. Les trois œuvres proposées ici trouvent donc une interprétation idéale : les trois voix de femmes se marient pour donner à *Madrigal* toute sa grâce un peu molle ; *Ondes* est plus austère, et se base sur les timbres instrumentaux pour faire naître la poésie des sons ; dans *Eventails*, enfin, Jacques Le Troquer déploie une virtuosité stupéfiante pour tirer de sa flûte une véritable polyphonie.

Mendelssohn Bartholdy, Felix
(1809-1847)

Concertos pour piano et orchestre n° 1 en sol mineur op. 25 et n° 2 en ré mineur op. 40.

❀*** Rudolf Serkin (piano), Orch. de Philadelphie, Eugene Ormandy. CBS 75.303.

*** Krystin Merscher (piano Bösendorfer), Orch. du Mozarteum de Salzbourg, Leopold Hager. Eurodisc 913.276 (étr.). Quadri.

* Murray Perahia (piano), Orch. Academy of St. Martin-in-the-Fields, Neville Marriner. CBS 76.376.

Peu gâtés par le disque, ces Concertos ont tout de même trouvé leur interprète d'élection en la personne de Rudolf Serkin. Toute la vivacité, la légèreté instrumentale de Mendelssohn sont ici portées à leur degré ultime de perfection. Une vie extraordinaire se dégage de cette interprétation musclée où passe un souffle vivifiant. Eugene Ormandy l'accompagne avec un soin tout particulier et il y a une véritable osmose entre les deux musiciens.

Pianiste de dix-sept ans, Krystin Merscher n'est pas loin d'égaler la performance de Rudolf Serkin et la dépasse sur le plan de la technique pianistique, qui est d'un étonnant achèvement chez une si jeune musicienne. Interprétation bondissante, joyeuse, qui sait doucement glisser vers la mélancolie et vers l'introspection quand le texte le demande. L'accompagnement de Leopold Hager est un modèle de finesse et de poésie.

Interprétation tout en surface de Perahia, virevoltante, acérée à la limite de la sécheresse, d'une virtuosité trop extérieure. Neville Marriner confond fougue et vitesse, intensité et puissance sonore ; quant à Murray Perahia, tout jeune à l'époque de l'enregistrement, il se laisse entraîner par le démon de la vitesse, et son brio manque singulièrement d'intensité.

Concerto pour violon et orchestre n° 2 en mi mineur op. 64.

❀*** Yehudi Menuhin (violon), Orch. Phil. de Berlin, Wilhelm Furtwängler. EMI VSM C 051-03.612. Mono. Enregistré en 1952. + *Sonate pour violon et piano n° 2.*

❀*** Josef Suk (violon), Orch. Phil. Tchèque, Karel Ančerl. Supraphon 913.259. + *Bruch : Concerto pour violon n° 1.*

❀*** Jasha Heifetz (violon), Orch. Phil. de Londres, Thomas Beecham. EMI Da Capo C 053-01.365 (sup.). Mono (origine 78 t.). + *Mozart : Concerto pour violon n° 4.*

*** Zino Francescatti (violon), Orch. Symph. Columbia, George Szell. CBS 75.044. + *Bruch : Concerto pour violon n° 1.*

*** Kyung Wha Chung (violon), Orch. Symph. de Montréal, Charles Dutoit. Decca 591.276. Enregistré en 1981. + *Tchaïkovski : Concerto pour violon.*

*** Arthur Grumiaux (violon), Orch. New Philharmonia, Jan Krenz. Philips 6500.465 (sup.). + *Concerto pour violon n° 1.*

*** Pierre Amoyal (violon), Orch. Symph. de Bamberg, Theodor Guschlbauer. Erato STU 70.803. ⊠ MCE 70.803. + *Ouvertures Les Hébrides, La belle Mélusine.*

*** Yehudi Menuhin (violon), Orch. Symph. de Londres, Rafael Frühbeck de Burgos. EMI VSM C 069-02.266 (sup.). + *Concerto pour violon n° 1.*

Ce n'est pas par la beauté de la sonorité que Menuhin s'est imposé, mais avant tout par une présence déchirante, une humaine grandeur. Son enregistrement, réalisé au lendemain de la guerre, est un document émouvant, témoin de la rencontre musicale de deux des plus irremplaçables interprètes que le monde occidental ait connus.

Karel Ančerl était un grand parmi les grands, et ses enregistrements de concertos de violon réalisés avec Josef Suk s'imposent toujours comme des références. On se demande ce qu'il faut admirer le plus dans cet enregistrement : la cohésion orchestre-chef-soliste, la sonorité ample et chaleureuse de l'orchestre, la direction souple, vivante, charpentée du chef ou la plénitude du chant soliste.

Jasha Heifetz a enregistré plusieurs fois ce Concerto. Il faut impérativement choisir la première de ses versions, la plus ancienne, les autres n'étant que des caricatures où l'on voit cet extraordinaire violoniste sombrer dans le pire mauvais goût. En revanche, dans cet enregistrement d'origine 78 tours, Heifetz, à l'apogée de ses moyens, fait une démonstration éblouissante de son génie d'instrumentiste et de son talent d'interprète. On ne retrouvera pas ailleurs cette élégance supérieure, ce classicisme surmonté cher à Gide. Et puis, Thomas Beecham burine les rythmes et conduit son orchestre avec la plus grande simplicité, comme sur l'autre face pour un inoubliable 4e Concerto de Mozart.

On retrouvera dans l'enregistrement de Zino Francescatti tout ce qui a fait la gloire de l'immense violoniste français. Une sonorité naturellement émouvante, une simplicité et une tendresse qui en faisaient un interprète privilégié de Mozart. George Szell l'accompagne avec une intensité et une clarté bondissante qui vivifient un accompagnement d'orchestre mille fois entendu.

Merveilleusement épaulée par Charles Dutoit, Kyung Wha Chung déploie ici un art de femme-enfant direct et spontané, sensible et sans mièvrerie, fait de retenue et bannissant à la fois le tape-à-l'œil et les côtés bravaches, qui s'exprime dans un langage sonore très pur et très dépouillé, à travers un vibrato sensible et nuancé, avec une élégance naturelle et de bon aloi.

Grumiaux offre une sonorité de violon chaleureuse, onctueuse, d'où toute aspérité semble avoir été gommée, mise au service d'une interprétation très «rentrée», dans une optique de musique de chambre encore accentuée par l'accompagnement discret (sans être effacé) de Jan Krenz et du Philharmonia.

En signant l'un de ses premiers disques avec ce Concerto, Pierre Amoyal s'installait parmi les grands du violon. Son interprétation lumineuse, sans pathos, simple et directe, mise en valeur par l'une des plus belles sonorités de violon d'aujourd'hui et par un accompagnement d'orchestre vibrant, doit être considérée commme un modèle.

L'enregistrement plus récent de Menuhin, qui groupe les deux Concertos pour violon de Mendelssohn, s'impose par son unité, son caractère de musique de chambre parfaitement en situation ici. Menuhin et Frühbeck de Burgos s'entendent à la perfection pour faire ressortir le classicisme de ces deux œuvres.

Die erste Walpurgisnacht op. 60.

❀*** Annelies Burmeister (a), Eberhard Büchner (t), Siegfried Lorenz (bar), Siegfried Vogel (b), Ch. Radio de Leipzig, Orch. du Gewandhaus de Leipzig, Kurt Masur. EMI VSM C 065-02.487. Quadri. + *Infelice.*

Servie par une prise de son superlative, cette interprétation incandescente de l'un des chefs-d'œuvre de Mendelssohn s'impose au tout premier plan et renvoie dans l'oubli les trois autres enregistrements qui en ont été réalisés (Sebastian, Urania ; Waldmann, Telefunken/Decca ; Dohnányi, Decca). La direction de Masur met admirablement en valeur l'ambiance nocturne de la ballade de Goethe, les chœurs de Leipzig par leur unité, leur beauté inexprimable et leur souplesse renforcent cette impression ; quant aux solistes, ils sont parfaits. Un très grand disque.

Elijah, oratorio op. 70.

*** Gwyneth Jones (s), Janet Baker (a), Nicolaï Gedda (t), Dietrich Fischer-Dieskau (bar), Ch. et Orch. New Philharmonia, Rafael Frühbeck de Burgos. EMI VSM C 149-00.107109 (3 d.).

Fischer-Dieskau impose ici la stature à la fois métaphysique et humaine du personnage central par une interprétation d'une vigueur, d'une ampleur et d'une profondeur rares. Toute l'équipe réunie autour de Frühbeck de Burgos (même le chœur d'enfants) sert l'œuvre avec la splendeur que l'on est en droit d'attendre. Cette version surclasse aisément les enregistrements de Krips (mono), Sawallisch et Ormandy.

Lieder : Altdeutsche Lieder op. 57 n° 1, Andres Maienlied «Hexenfield» op. 8 n° 8, Auf Flügeln des Gesanges op. 34. n° 3, Bei der Wiege op. 47 n° 6, Erster Verlust op. 99 n° 1, Frage op. 9 n° 1, Frühlingslied op. 19a n° 1, Frühlingslied op. 34 n° 3, Frühlingslied op. 47 n° 3, Gruss op. 19a n° 5, Hirtenlied op. 57 n° 2, Im Herbst op. 9 n° 5, Jagdlied op. 84 n° 3, Minnelied op. 34 n° 1, Der Mond op. 86 n° 5, Neue Liebe op. 19a n° 4, Pagenlied op. posthume, Reiselied op. 34 n° 6, Schilflied op. 71 n° 4, Venezianisches Gondellied op. 57 n° 5, Wanderlied op. 57 n° 6, Winterlied op. 19 n° 3.

*** Peter Schreier (t), Walter Olbertz (piano). DG 2530.296 (sup.).

Mal servis par le disque, les lieder de Mendelssohn ont trouvé un interprète de prédilection avec Peter Schreier. Son timbre blanc, son intelligence des textes (qu'il ne détaille pas avec une insistance parfois un peu affectée comme Dietrich Fischer-Dieskau le fait souvent) mais dont il excelle à rendre l'ambiance, le placent parmi les grands interprètes du lied allemand de l'époque romantique.

Lieder : Auf Flügeln des Gesanges op. 34 n° 2, Der Blumenkranz op. posth., Der Blumenstrauss Es weisst und Rät es doch keiner, Fraze, Frühlingsglaube, Herbstlied, Hexenlied, Ich hör ein Vöglein, Im Grünen, Morgengrüss, Nachtlied, Neue Liebe, Reiselied, Scheidend, Die Sterne schau'ne in stiller Nacht.

*** Janet Baker (ms), Geoffroy Parsons (piano). EMI HMV ASD 4.070.

Nulle trace d'afféterie chez Dame Janet Baker, aucun parfum douceâtre, mais - sous le flot d'une mélodie toujours charmeuse - une ardeur parfois sauvage. Le timbre âpre, l'articulation franche et nerveuse de la cantatrice contribuent sans doute à violenter ce style plus classique que romantique malgré son époque : c'est l'art des grandes personnalités que de pousser ainsi en leurs limites certaines musique timides.

Motets pour voix de femmes : Veni, Domine, Laudate pueri. Pour le 2e dimanche après Pâques.

*** Ch. de femmes Zoltán Kodály de Budapest, Illona Andor. Hungaroton SLPX 11.862 (étr.). + *Schumann : Romances pour voix de femmes op. 69 et op. 91.*

L'interprétation du chœur de femmes Zoltán Kodály est très émouvante, aérienne et transparente dans les motets de Mendelssohn, et elle se fait très dépouillée de toute afféterie dans Schumann. Les textes et la musique sont rendus avec un sentiment très juste, un enthousiasme sincère.

Octuor pour cordes en mi bémol majeur op. 20.

*** Ensemble de Chambre de l'Academy of St. Martin-in-the-Fields. Philips 9500.616. + *Quintette en si bémol majeur op. 87.*

Cet enregistrement récent efface le souvenir de toute une armée de virtuoses (Heifetz, Piatigorski, etc.) qui s'était fait admirer dans une œuvre de chambre où la virtuosité collective doit prendre le pas sur le numéro d'estrade. Pas de risques avec l'Ensemble de Chambre de l'Academy of St. Martin-in-the-Fields, qui joue avec homogénéité, sens de l'élégance instrumentale et poésie fervente.

Œuvres pour orgue : intégrale.

❁*** Marie-Claire Alain (orgue Andersen de St-Benoît à Ringsted, Danemark). Erato STU 70.945/7 (3 d.) (sup.).

Dans ces pages, Mendelssohn réalise non seulement une liaison, mais encore une véritable synthèse entre les styles baroque, classique et romantique. Marie-Claire Alain, qui a signé un texte de présentation modèle de clarté et d'érudition bien comprises, joue toutes ces pages avec l'ardeur, la flamme qu'on lui connaît de longue date. Superbe.

Ouvertures : Les Hébrides (La grotte de Fingal) op. 26, Le Songe d'une nuit d'été op. 21.

*** Orch. Phil. de Berlin, Wilhelm Furtwängler. DG 2535.821 (étr.). Mono (origine 78 t.). Enregistré en 1929 et 1930. + *Weber : Le Freischütz (ouverture), Invitation à la valse.*

La féerie, la souplesse, la légèreté de Furtwängler rendent à merveille l'atmosphère fantastique et poétique de ces deux ouvertures célébrissimes. Le complément est d'un intérêt riche par les rapprochements qu'il provoque.

Paulus, oratorio op. 36.

*** Helen Donath (s), Hanna Schwarz (a), Werner Hollweg (t), Dietrich Fischer-Dieskau (b), Knabenchor Wuppertaler Kurrende, Ch. Städtischer Musikverein Düsseldorf, Orch. Symph. de Düsseldorf, Rafael Frühbeck de Burgos. EMI VSM C 157-30.701/3 (3 d.). Quadri.

Tant par la qualité des solistes que par celle des chœurs, tant par le souffle lyrique, large, majestueux et par la nervosité vibrante imposés par Frühbeck de Burgos, cette intégrale de *Paulus* s'impose sans partage au sein d'une discographie étonnamment pauvre en regard de tant de beautés, de tant de spiritualité.

Psaumes 42 «Wie der Hirsch schreit» op. 42, 95 «Kommt lasst uns anbeten» op. 46 n° 1, 115 «Nicht unsern Namen, Herr» op. 31.

❀*** Christiane Baumann, Joanna Silva (s), Pierre André Blaser (t), Ch. et Orch. de la Fondation Gulbenkian de Lisbonne, Michel Corboz. Erato STU 71.101. ⊠ MCE 71.101. Enregistré en 1977.

Corboz trouve d'emblée le ton juste, Christiane Baumann est émouvante, l'orchestre inspiré et le chœur fervent. Autant de qualités qui mettent admirablement en valeur des œuvres qui rayonnent d'une spiritualité authentique et d'une tendresse qui gagnent immédiatement l'auditeur.

Psaumes 98 «Singet dem Herrn ein neues Lied» op. 91, 115 «Nicht unsern Namen» op. 31.

❀*** Evelyn Brunner (s), Naoko Ihara (a), Alejandro Ramirez (t), Philippe Huttenlocher (bar), Ch. Symph. et Orch. de la Fondation Gulbenkian de Lisbonne, Michel Corboz. Erato STU 71.223. ⊠ MCE 71.223. Enregistré en 1978.

Une qualité d'interprétation comparable à celles des Psaumes 42 et 95. Chaque ligne, chaque envolée chante avec une noblesse et une intériorité émouvantes. On ne peut évidemment pas s'empêcher de penser à Bach ou à Haendel en écoutant ces prières ferventes, mais Mendelssohn n'imite pas ces grands maîtres, il respire simplement la même musique qu'eux. Et quelle musique !

Le Retour de l'étranger, intermède et féerie dramatique op. 89.

*** Dietrich Fischer-Dieskau (Kauz), Helen Donath (Lisbeth), Peter Schreier (Hermann), Hanna Schwarz (la mère), Beno Kusche (Schulz), Ch. et Orch. de la Radio Bavaroise, Heinz Wallberg. EMI VSM C 065-30.741 (étr.). Quadri.

On pouvait craindre que la distribution composée de stars n'écrasât une œuvre d'une grande simplicité. Il n'en est rien : les interprètes sont parfaits de tact et de simplicité, et le plaisir serait sans mélange si le livret était joint au disque. Hélas ! si vous n'êtes pas germanophone..

Romances sans paroles pour piano, intégrale.

*** Daniel Barenboïm (piano). DG 2740.104 (3 d.) (étr.).

Daniel Barenboïm s'impose par un refus de l'alanguissement et par une sorte de réserve aristocratique qui le préservent des outrances commises par certains (Gieseking en particulier).

Sonates pour violoncelle et piano n° 1 en si bémol majeur op. 45, n° 2 en ré majeur op. 58.

*** Frédéric Lodéon (violoncelle), Daria Hovora (piano). Erato STU 70.967. Enregistré en 1975.

Lodéon et Hovora nerveux, fougueux, souples, marquant bien les accents sans alourdir le texte et possédant une gamme étendue de sonorités et d'attaques, rendent à ces deux Sonates une tenue, un galbe, un équilibre que certains duos (Scano/Masi, Schuster/Balsam) ne leur avaient pas toujours donnés.

Sonates pour piano n° 1 en mi majeur op. 6 , n° 2 en sol mineur op. 105, n° 3 en si bémol majeur op. 106.

*** Christian Ivaldi (piano). Arion ARN 38.405. Enregistré en 1978.

On connaît Christian Ivaldi accompagnateur et chambriste, mais sait-on bien qu'il est l'un des meilleurs pianistes de sa génération ? Ce disque vient le prouver. Au-delà de qualités instrumentales évidentes, on trouve une grâce, une présence naturellement émouvantes. Ivaldi ne démontre pas, il ne se bat pas, mais il joue avec une simplicité et une humanité qui le placent dans la lignée de Reine Gianoli et de Clara Haskil. Hélas ! la prise de son sèche et courte ne l'avantage guère.

Sonate en la majeur «Sonate de Pâques».

** Eric Heidsieck (piano). Cassiopée 369.182. + *Schumann : Carnaval de Vienne.*

Retrouvée dans la bibliothèque d'un descendant de Mendelssohn, cette «Sonate de Pâques» fut presque aussitôt enregistrée par Eric Heidsieck. Belle interprétation, solidement charpentée et déclamée avec passion. Au revers, on trouvera un discutable *Carnaval de Vienne* de Schumann, qui voit Heidsieck perdre pied d'une façon incompréhensible.

Le Songe d'une nuit d'été, musique de scène d'après Shakespeare op. 61.

❀*** Heather Harper (s), Janet Baker (a), Ch. et Orch. Philharmonia, Otto Klemperer. EMI VSM C 059-00.521. ⌧ C 259-00.521.

*** Elisabeth Gale (s), Ann Murray (a), Ch. et Orch. Phil. de Londres, Raymond Leppard. Erato STU 71.090. ⌧ MCE 71.090.

Toute la féerie de la musique de scène de Mendelssohn se retrouve intacte dans cet enregistrement qui réunit un chef réputé lent et lourd, cérébral et froid et qui fait ici la démonstration d'une direction vive, légère, sachant insuffler à ses partenaires un esprit, une grâce de tous les instants. Quant aux deux solistes féminines, Heather Harper et Janet Baker au sommet de leur art, elles sont parfaites. Un très bel enregistrement stéréo parachève cette interprétation désormais historique du chef-d'œuvre de Mendelssohn.

Avec un peu moins d'intensité et de poésie, Raymond Leppard, secondé par des solistes vocaux dont le talent ne peut être réellement comparé à celui de ceux de la version de Klemperer, nous donne une jolie interprétation, tout en finesse, magnifiée par une prise de son claire et aérée.

Le Songe d'une nuit d'été, suite orchestrale.

❀*** Orch. Symph. de la Radio Bavaroise, Carl Schuricht. Festival FC 454. + *Ouvertures des Hébrides.*

On a peut-être un peu oublié que Carl Schuricht était l'un des plus grands chefs d'orchestre de sa génération. Par son absolue simplicité, sa rigueur naturelle, sa capacité à faire avancer le discours musical avec une évidence supérieure qui fait qu'à chaque instant on se dit «mais c'est ça» (et l'on n'imagine pas un instant que ce puisse être autre chose), il s'impose au sein d'une discographie vaste et souvent de qualité médiocre. Un disque à saluer.

Symphonies n° 1 en ut mineur op. 11, n° 2 «Cantate» op. 52, n° 3 en la mineur «Ecossaise» op. 56, n° 4 en la majeur «Italienne» op. 90, n° 5 en ré majeur «Réformation» op. 107.

❀*** Celestina Casapietra (s), Adele Stolte (s), Peter Schreier (t), Ch. de la Radio de Leipzig, Orch. du Gewandhaus de Leipzig, Kurt Masur. Eurodisc 85.757 (4 d.) (étr.).

** Edith Mathis (s), Liselotte Rebmann (s), Werner Hollweg (t), Ch. Opéra de Berlin, Orch. Phil. de Berlin, Herbert von Karajan. DG 2740.128 (4 d.).

Si dans un autre répertoire (Beethoven, Brahms, Schumann) Kurt Masur est souvent apparu prosaïque et assommant, il n'en va pas de même avec Mendelssohn, musicien avec lequel il a des affinités particulières et qu'il dirige avec une intériorité et un art confondants. Son intégrale des Symphonies s'impose au tout premier rang de la discographie. Il faut dire que tous les éléments pour faire un grand disque sont ici réunis. L'orchestre d'abord, l'un des plus beaux du monde ; les chœurs, ensuite, fervents, disciplinés, homogènes ; les solistes enfin, particulièrement inspirés et, par-dessus tout, une prise de son comme il nous en arrive souvent de la République Démocratique Allemande, aérienne, lumineuse et sachant créer une atmosphère chaude et intimiste.

Bien sûr, de prime abord, l'affiche du coffret DG est plus séduisante : Orchestre Philharmonique de Berlin, Karajan... Mais en fait, cette version, trop calculée, trop polie, où Karajan à son habitude cultive un peu trop l'amour du beau son, est d'une élégance qui pour être fidèle à l'image que l'on se fait de Mendelssohn n'en est pas moins décevante si on la compare à celle que Masur impose et à quelques enregistrements isolés, signés par Klemperer et Leppard ; de plus, la prise de son un peu trop «trafiquée» est de beaucoup moins naturelle que celle en provenance de la RDA.

Symphonie n° 4 en la majeur «Italienne» op. 90.

❀*** Orch. Phil. de Londres, Otto Klemperer. EMI VSM C 037-00.524 (étr.). + *Schumann : Symphonie n° 4.*

Klemperer a signé une version de référence de cette célébrissime Symphonie. La verve, l'alacrité rythmique du chef, son aptitude à faire chanter avec vigueur - mais également avec finesse - chaque phrase, chaque thème, demeurent irremplacées. A placer aux côtés de la version de Kurt Masur et dans le souvenir de celles de Koussevitzky et de Toscanini, hélas ! indisponibles aujourd'hui.

Symphonies n° 4 en la majeur «Italienne» op. 90 et n° 5 en ré majeur «Réformation» op. 107.

*** Orch. de Chambre Anglais, Raymond Leppard. Erato STU 71.064. Enregistré en 1976.

En confiant l'exécution de ses deux Symphonies à un chef d'orchestre «spécialiste» de la musique baroque et à un ensemble instrumental en formation réduite, Erato a signé un coup de maître. Tout d'un coup, l'orchestration déjà particulièrement fluide et légère de Mendelssohn gagne en luminosité et en grâce. Un enregistrement complémentaire qui nous présente une image inédite mais fidèle de l'auteur du *Songe.*

13 Symphonies pour cordes, intégrale.

** Orch. à cordes de Gewandhaus de Leipzig, Kurt Masur. Archiv 2722.006 (5 d.) (sup.). Enregistré en 1970.

* Orch. de Chambre Franz Liszt, Janos Rolla. Hungaroton SLPX 11.877/81 (5 d.) (étr.).

Ici encore, Masur s'impose avec peut-être un peu moins d'évidence que pour les Symphonies de maturité, mais il s'impose. Les cordes du Gewandhaus de Leipzig rayonnent d'une lumière indicible, et Masur anime le discours avec une souplesse et une économie de moyens dignes d'éloges. Hélas ! cet enregistrement est épuisé.

Rolla, plus vif, plus sanguin, ne bénéficie pas, tant s'en faut, de cordes comparables à celles de Leipzig ; leur sonorité un peu verte et râpeuse ne manque pas de charme, mais la comparaison est cruelle.

Trios pour piano, violon et violoncelle n° 1 en ré mineur op. 49, n° 2 en ut mineur op. 66.

** Anne Queffélec (piano), Pierre Amoyal (violon), Frédéric Lodéon (violoncelle). Erato STU 71.025. Enregistré en 1975.

* Trio Ravel. Arion ARN 31.976. Enregistré en 1975.

Si Pierre Amoyal et Frédéric Lodéon (ce dernier, surtout) avaient, au lieu de s'écouter jouer, suivi l'impeccable diction de leur partenaire Anne Queffélec, nous aurions eu là sans aucun doute la version moderne de ces deux Trios. Telle qu'elle est, avec ses excès (violoncelle trop vibrant, manquant de retenue ; violon trop appuyé), elle reste la plus recommandable des versions stéréophoniques.

Le Trio Ravel pèche par sa neutralité, son manque de carrure et sa légèreté excessive. Néanmoins, dans l'état actuel de la discographie, on peut se laisser tenter.

Trio pour piano, violon et violoncelle n° 1 en ré mineur op. 49.

❀*** Alfred Cortot (piano), Jacques Thibaud (violon), Pablo Casals (violoncelle) EMI Da Capo C 049-01.808. Mono (origine 78 t.). Enregistré en 1927. + *Schumann : Trio n° 1.*

** André Previn (piano), Kyung Wha Chung (violon), Paul Tortelier (violoncelle). EMI VSM C 065-03.667. + *Schumann : Trio n° 1.*

Il est des disques qui rendent muet devant leur perfection : celui du célèbre Trio Cortot-Thibaud-Casals en est un vivant exemple. Vivant, car il ne s'agit pas d'un document d'archives - passionnant, certes, mais entaché (et ce serait normal) de fautes stylistiques propres à l'époque ; non, c'est une interprétation actuelle, moderne. Le mérite en revient avant tout à Cortot, impeccable styliste qui donne le ton à chaque entrée. Ecoutez la façon dont il phrase l'*andante con moto* : c'est un des sommets de la musique enregistrée.

Aucun des trois protagonistes de la version Previn ne cherchant à briller à part, il naît de cette fusion, de cette même perception pleine de finesse, une délicieuse atmosphère, faite de beauté, de retenue, de profonde et riche musicalité. Le Trio de Mendelssohn a tout à y gagner et se trouve inondé d'un lyrisme rayonnant mais discret, toujours de bon aloi et loin des pâmoisons faciles que certains veulent y trouver.

Variations sérieuses pour piano en ré mineur op. 54.

*** Vladimir Horowitz (piano). RCA VH 013 (USA). Enregistré en 1947. Mono. + *Clementi : Sonate pour piano en si bémol majeur. Czerny : La Ricordanza. Mozart : Sonate en fa majeur K 332. Scarlatti : Sonate L 23. Schumann : Variations sur un thème de Clara Wieck.*

Tant que son éditeur ne nous aura pas rendu l'interprétation par Cortot des *Variations sérieuses*, nous devrons nous contenter de celle-ci. Vladimir Horowitz manque singulièrement de profondeur, et son jeu virtuose et un peu sec est loin d'atteindre la beauté ensorcelante de celui de Cortot, en partie à cause d'un toucher superbe dans la nuance *piano* mais dur dans le *forte*.

Mercadante, Saverio
(1795-1870)

Il Bravo, opéra

* William Johns (Il Bravo), Miwako Matsumoto (Violetta), Maria Parazzini (Teodora), Paolo Washington (Foscari), Antonio Savastano (Pisani), Ch. et Orch. de l'Opéra de Rome, Gabriele Ferro. Italia ITL 70.002 (4 d.). Enregistré sur le vif en 1976.

La jeune marque Italia a voulu mieux divulguer le nom de Mercadante - aux moindres frais, puisqu'il s'agit du spectacle de l'Opéra de Rome. Et en attendant de nous donner *Il Reggente* ou *Il Giuramento*, voici une première approche, bien que mollement dirigée ; les voix féminines sont belles, mais très incertaines, le ténor Johns chante sans art, et les autres tirent leur épingle d'un jeu courageux mais louable.

Messager, André
(1853-1929)

Les Deux Pigeons, ballet : extraits. Isoline, ballet : extraits.

** Orch. de Paris, Jean-Pierre Jacquillat. EMI VSM C 053-10.017. Enregistré en 1969. + *Hahn : Bal de Béatrice d'Este.*

Presque aussi réussis et naguère aussi populaires que les deux ballets de Delibes (*Coppelia et Sylvia*), les deux ballets de Messager méritent une intégrale qui n'a jamais été faite. Il faut se contenter des Suites de concert qui, heureusement, sont bonnes dans cette version qui est loin d'être la première en date.

Monsieur Beaucaire, opérette : extraits.

* Michel Dens (M. Beaucaire), René Lenoty (Philippe Molyneux), Gilbert Moryn (Duc de Winterset), Martha Angelici (Lady Mary Carlisle), Liliane Berton (Lady Lucy), Ch. Raymond Saint-Paul, Orch. Lamoureux, Jules Gressier. Pathé C 057-12.086.

Le catalogue Messager n'est pas si abondant qu'on puisse négliger cette unique sélection de *Monsieur Beaucaire*, d'ailleurs bien chantée. Mais le talent et le charme de Messager mériteraient davantage.

Véronique, opérette.

** Mady Mesplé (Véronique), Michel Dens (Florestan), Andréa Guiot (Agathe), Denise Benoît (Ermerance), Jean-Christophe Benoît (Coquenard), Michel Dunand (Loustot), Jacques Pruvost (Séraphin), Ch. René Duclos, Orch. Lamoureux, Jean-Claude Hartemann. Pathé C. 061.10.175/76 (2 d.). Enregistré en 1969.

* Geori Boué (Véronique), Roger Bourdin (Florestan), Geneviève Moizan (Agathe), Mary Marquet (Ermerance), Max de Rieux (Loustot), Marcel Carpentier (Coquenard), Robert Destain (Séraphin),

Ch. et Orch., Pierre Dervaux. Decca 115.194/95 (2 d.) (sup.).

Véronique, opérette : extraits.

* Martha Angelici (Véronique), Camille Maurane (Florestan), Nadine Renaux (Agathe), Freda Betti (Ermerance), Claude Devos (Loustot), Michel Roux (Coquenard), Aimé Doniat (Séraphin), Ch. Raymond Saint-Paul, Orch. Lamoureux, Jules Gressier. Pathé C 057-10.841.

La version relativement récente de Jean-Claude Hartemann ne laisse pas grand-chose à désirer. Elle bénéficie d'une distribution bien équilibrée, d'une direction allègre et d'une technique évidemment plus évoluée que l'enregistrement historique de Pierre Dervaux.

La version Dervaux conserve un indéniable intérêt. Le couple Boué-Bourdin était des mieux assortis et Mary Marquet, bien que ne chantant pas, campait une inoubliable Ermerance.

La sélection Gressier est d'une bonne qualité musicale. Peut-on en attendre davantage de morceaux choisis d'où toutes les scènes de comédie sont exclues ?

Messiaen, Olivier
(né en 1908)

Chants de Ciel et de Terre, 6 mélodies pour soprano et piano. Harawi, Chant d'Amour et de Mort pour grand soprano dramatique et piano. Trois mélodies pour soprano et piano. Poèmes pour Mi, pour soprano et piano ou orchestre.

** Michèle Command (s), Marie-Madeleine Petit (piano). Quadri. EMI VSM C 167-16.226/8 (3 d.). Enregistré en 1977.

Cette intégrale des Mélodies pour soprano et piano de Messiaen préserve l'unité d'une œuvre, permet d'en saisir, à travers l'évolution du temps, la permanence d'inspiration. Depuis le raffinement tout debussyste des Trois Mélodies, jusqu'au déchaînement sensuel et mystique d'*Harawi*, c'est le cheminement d'une personnalité. Le chant de Michèle Command a le bouquet et la richesse d'un grand cru ; au piano, Marie-Madeleine Petit domine sans effort le foisonnement de la matière sonore : un coffret passionnant.

Des canyons aux étoiles, pour piano solo, cor, xylorimba, glockenspiel et orchestre.

*** Yvonne Loriod (piano), Georges Barboteu (cor), Alain Jacquet (percussion), Ensemble Ars Nova, Marius Constant. Erato STU 70.974/5 (2 d.).

Grande première discographique pour cette œuvre grandiose, divisée en une suite de tableaux évoqués en riches couleurs orchestrales. La science des sonorités de Messiaen intègre avec le plus parfait naturel les timbres les plus insolites dans la texture instrumentale. Le piano d'Yvonne Loriod est, comme d'habitude, au-dessus de tout éloge, et il faut faire mention particulière du corniste Georges Barboteu, dont certains accents nostalgiques évoquent parfois *Tristan*. Le résultat est absolument fascinant de beauté.

Et exspecto resurectionem mortuorum, pour orchestre de bois, cuivres et percussions métalliques. Couleurs de la Cité Céleste, pour piano solo, cor, xylorimba, glockenspiel et orchestre.

*** Percussions de Strasbourg, Yvonne Loriod (piano), Orch. du Domaine Musical, Pierre Boulez. Erato STU 70.302.

Et exspecto est une œuvre pleine d'une grandeur simple, à l'orchestration claire. Les *Couleurs de la Cité Céleste* sont plus élaborées et se basent surtout sur les notions de chaleur et de coloration du son qui doit tourner incessamment dans une *aura* flamboyante. Ces intentions, telles que Messiaen les exprime sur la pochette du disque, sont admirablement servies par les interprètes sous la direction de Pierre Boulez. Deux très grandes premières.

Sept Haïkaï, esquisses japonaises pour piano, xylophone, marimba, deux clarinettes, trompette et petit orchestre. La Fauvette des jardins, pour piano.

*** Yvonne Loriod (piano), Ensemble Ars Nova, Marius Constant. Erato STU 70.796 (sup.).

Dans cette œuvre fascinante s'exprime le «coup de foudre» ressenti par Messiaen pour le Japon. Sans en copier l'imagerie, il en traduit l'esprit et l'esthétique musicale, subtile et colorée : les instruments sonnent à la japonaise, mais sans impression de tricherie, et le piano déroule des cadences scintillantes sous les doigts d'Yvonne Loriod. C'est elle aussi qui interprète - combien parfaitement - la *Fauvette des jardins*, musique pure malgré le prétexte descriptif, peut-être moins profonde que les *Haïkaï*. Ce disque est un grand moment, mais aussi un immense plaisir pour qui aime la chatoyance de Messiaen.

Fête des belles eaux.

** Sextuor Jeanne Loriod, Yvonne Loriod (piano), Jeanne Loriod (ondes Martenot). Adès 14.035. ⌧ C 12.019. + *Tessier : Hexade.*

Cet album commémore le cinquantième anniversaire de l'invention des ondes Martenot. *Fête des belles eaux* (1937) est un agréable divertissement qui marque la première rencontre d'Olivier Messiaen avec cet instrument qu'il emploiera plus tard afin de donner une «couleur» particulière à sa musique. La présente interprétation fait office de référence incontestable.

Méditations sur le Mystère de la Sainte-Trinité, pour orgue.

*** Olivier Messiaen (orgue). Erato STU 70.750/51 (2 d.).

Evénement que ce disque où Messiaen interprète lui-même une de ses œuvres majeures. Il explique son propos dans la brochure qu'il a rédigée : trouver un alphabet musical compréhensible au même titre que les lettres et les mots. La référence à Wagner et aux leit-motive peut paraître contestable dans la perspective de l'évolution musicale, mais l'œuvre est captivante. On ne peut juger de l'interprétation de l'auteur, mais on constate qu'il s'impose comme un grand organiste, tirant merveilleusement parti de son instrument, le Cavaillé-Coll de la Trinité à Paris. Une date dans l'histoire de la musique et de l'orgue contemporains.

Les Offrandes oubliées, méditation symphonique pour orchestre. L'Ascension, quatre méditations symphoniques pour orchestre. Hymne au Saint-Sacrement, pour orchestre.

** Orch. Phil. de l'ORTF, Marius Constant. Erato STU 70.673

Cette première discographique offre l'intérêt de dérouler devant nous des étapes de la démarche esthétique de Messiaen. Trois fresques profondément mystiques s'expriment différemment : les *Offrandes*, écrites à vingt-trois ans, encore timides dans la libération sonore, mais déjà d'une grande maturité ; les *Hymnes*, page orchestrale puissamment dramatique ; *l'Ascension*, méditation dans le monde des harmonies colorées. Marius Constant obtient du Philharmonique de l'ORTF une intensité lyrique qui anime ces trois œuvres de toutes leurs ressources romantiques.

Oiseaux exotiques, pour piano, petit orchestre à vents, xylophone, glockenspiel et percussion. Le Réveil des oiseaux, poème symphonique pour piano et orchestre. Catalogue d'oiseaux : la Bouscarle.

** Yvonne Loriod (piano), Orch. Phil. Tchèque, Václav Neumann. Supraphon 80.366.

C'est Olivier Messiaen lui-même qui a supervisé la réalisation artistique de ce disque. Bien qu'il ne soit pas des plus récents, l'interprétation d'Yvonne Loriod, ici splendidement accompagnée par l'Orchestre Philharmonique Tchèque, sous la baguette - impeccable - de Václav Neumann, reste celle qu'il faut préférer comme la plus sincère et la plus poétique.

L'Œuvre d'orgue de 1926 à 1951 : Apparition de l'Eglise éternelle, L'Ascension, Nativité du Seigneur, Le Banquet Céleste, Diptyque, Les corps glorieux, Messe de la Pentecôte, Livre d'orgue.

*** Olivier Messiaen (orgue Cavaillé-Coll de la Trinité à Paris). EMI VSM C 153.16.291/6 (6 d.). Mono. Enregistré en 1956.

*** Louis Thiry (orgue Metzler de la cathédrale de Genève). Calliope 192.530 (6 d.). Enregistré en 1972.

Messiaen par lui-même. Déjà anciens, ses enregistrements bénéficient d'une gravure et d'un pressage nouveaux ; le son en est resté monophonique. Pensées pour l'orgue de la Trinité à Paris, ces pièces y sonnent au plus authentique. Quant à Messiaen, il donne de son œuvre une image exacte de ce qu'il y a mis. Un coffret historique à tout point de vue, mais qui ne fige pas la discographie : la prise de son a fait des progrès depuis1956, et il n'est pas interdit de préférer d'autres instruments que celui de la Trinité.

«Un héros de la musique». Ainsi défini par Messiaen lui-même, Louis Thiry donne de l'œuvre d'orgue de Messiaen une vision dynamique, superbement colorée par l'orgue de la cathédrale de Genève. L'enregistrement bénéficie en outre d'une prise de son mettant parfaitement en relief l'«orchestration» parfois complexe de ces pièces. Une intégrale qui a du souffle. Mais, comme l'ancien enregistrement de Messiaen, intégrale partielle aujourd'hui puisque le compositeur a écrit depuis ces *Mystères de la Sainte Trinité* qu'il a lui-même enregistrés.

Trois petites Liturgies de la Présence divine, pour chœur de 18 voix de femmes, piano, onde Martenot et orchestre.

❀*** Yvonne Loriod (piano), Jeanne Loriod (onde Martenot), Ensemble vocal et Orch. de la RTF, Marcel Couraud. Erato STU 70.200.

Chef-d'œuvre âprement attaqué à son apparition, les *Trois petites Liturgies* sont ici défendues, victorieusement, par Marcel Couraud avec Yvonne et Jeanne Loriod comme solistes. La perfection instrumentale est insurpassable, mais les chœurs sont relégués à l'arrière-plan par la prise de son, au point de disparaître parfois. Pour cette raison, Messiaen préférait l'enregistrement réalisé dix ans auparavant, en mono, par les mêmes interprètes, mais la présente version stéréo l'emporte nettement par la clarté avec laquelle elle fait ressortir la complexité de l'écriture rythmique.

Intégrale des œuvres pour piano : Canteyodjaya, Le Catalogue d'oiseaux, La Dame de Shalott, Quatre Etudes de rythme, Fantaisie burlesque, La Fauvette des jardins, Pièce pour le tombeau de Paul Dukas, Huit Préludes, Rondeau, Vingt Regards sur l'Enfant Jésus.

*** Yvonne Loriod (piano). Erato OME 1 (8 d.) (sup.).

C'est un véritable monument que cette intégrale de l'œuvre pour piano de Messiaen. On ne pouvait rêver d'une interprète plus idéale qu'Yvonne Loriod, admirable tant par sa technique sans défaillance que par sa compréhension profonde des œuvres. Ce coffret offre, en plus de certaines œuvres déjà enregistrées, plusieurs pages inédites comme *La Dame de Shalott*, la *Pièce pour le Tombeau de Paul Dukas*, une *Fantaisie burlesque*, et un *Rondeau* écrit à l'âge de huit ans. Touche finale à l'unité parfaite de cette réalisation : le livret inclus est aussi l'œuvre de Messiaen.

Huit Préludes pour piano. Etudes de rythmes pour piano.

** Michel Béroff. EMI VSM C 069-16.229. Enregistré en 1978.

Ce disque réunit deux aspects complémentaires de l'œuvre de Messiaen : les *Préludes* révèlent le poète des sons et des couleurs, les *Etudes*, le novateur. Michel Béroff déploie un jeu instinctif et naturel ; il exalte la virtuosité et la couleur du piano avec une générosité tout à fait convaincante. La précision de sa technique n'exclut jamais la musicalité, et aucune de ces pages ne manque de vie et de chaleur sous prétexte qu'elle est «expérimentale». Béroff se montre un interprète incomparable de la musique de Messiaen.

Quatuor pour la fin du Temps, pour violon, clarinette, violoncelle et piano.

*** Régis Pasquier (violon), Jacques di Donato (clarinette), Alain Meunier (violoncelle), Claude Lavoix (piano). Arion ARN 38.453. Enregistré en 1978.

*** Jacques Pasquier (violon), André Vacellier (clarinette), Etienne Pasquier (violoncelle), Olivier Messiaen (piano). Musidisc RC 719.

Ce sont quatre prisonniers de guerre qui créèrent ce Quatuor, œuvre de l'un d'entre eux, Olivier Messiaen, dans un camp de Silésie en 1941. L'inspiration profonde qui l'anime trouve, dans l'interprétation où Régis Pasquier est au violon, un écho authentique qui, quarante ans après, fait encore frissonner.

La personnalité des exécutants, et principalement la présence d'Olivier Messiaen au piano, élève leur interprétation au niveau d'un inestimable document. Il paraît difficile de parler du Quatuor sans s'y référer.

Cinq Rechants, chœurs pour 12 voix mixtes a capella.

❀*** Solistes des Ch. de l'ORTF, Marcel Couraud. Erato STU 70.457 (sup.). + *Penderecki : Stabat Mater. Xenakis : Nuits.*

Ces *Cinq Rechants* forment le dernier volet d'un triptyque, avec *Harawi* et la *Turangalîla*. Musique souverainement savante et achevée, elle s'inspire de la Renaissance avec l'alternance de couplets et de refrains, ou rechants. Les Solistes des Chœurs de l'ORTF, dirigés par Couraud à l'initiative de qui l'œuvre fut écrite, se surpassent et dominent avec une aisance remarquable les énormes difficultés de la partition. Qualité aussi belle pour Xenakis et surtout pour Penderecki, où la masse chorale est maniée d'une façon vraiment bouleversante.

La Transfiguration de Notre Seigneur Jésus Christ.

❀*** Yvonne Loriod (piano), Wallace Mann (flûte), János Starker (violoncelle), Loren Kitt (clarinette), Ch. Symph. de Westminster, Orch. Symph. de Washington, Antal Doráti. Decca 593.035 (2 d.).

Une réalisation technique et musicale de tout premier ordre pour un chef-d'œuvre de Messiaen. Cette longue méditation est animée d'un bout à l'autre d'une foi profonde, qui maintient l'intérêt sans faiblir. Un excellent livret trilingue donne le texte latin et sa traduction, ainsi qu'une analyse détaillée de l'œuvre, permettant ainsi de s'attacher de plus près à son déroulement. De tous points de vue, on a là une image de la perfection, sans réserves.

Turangalîla-Symphonie, pour piano solo, onde Martenot et grand orchestre.

❀*** Yvonne Loriod (piano), Jeanne Loriod (onde Martenot), Orch. Symph. de Toronto, Seiji Ozawa. RCA ARL 2 1.143 (2 d.). + *Takemitsu : November steps.*

*** Yvonne Loriod (piano), Jeanne Loriod (onde Martenot), Orch. National de la RTF, Maurice Le Roux. IPG 279.031/4 (4 d.) (sup). Enregistré en 1926. + *Visions de l'Amen, Catalogue d'Oiseaux, Canteyodjaya.*

** Michel Béroff (piano), Jeanne Loriod (onde Martenot), Orch. Symph. de Londres, André Previn. EMI VSM C 167-02.974/5 (2 d.). Quadri. Enregistré en 1977.

L'énergie souveraine de Seiji Ozawa fait de sa version de *Turangalîla* la référence absolue. Il fait briller l'orchestre d'une rutilence digne des intentions de Messiaen, toujours tourné ver la lumière et la couleur. Les contrastes rythmiques sont accentués à l'extrême, tout en gardant un exceptionnel équilibre d'ensemble. La prise de son, d'une limpidité parfaite, valorise au mieux les sortilèges de la sonorité. Au-delà du plaisir, cette interprétation procure l'effet d'une *vraie* aventure esthétique.

Dans la version Le Roux, le coffret constitue un précieux document : la *Turangalîla* est la première édition et reste une version à connaître absolument, malgré la supériorité technique de celle plus récente d'Ozawa. Mais quant à l'interprétation pure, Le Roux, avec les mêmes solistes, n'a rien à lui envier. On trouvera en complément, outre le *Catalogue d'Oiseaux* et *Canteyodjaya*, la seule version existante des *Visions de l'Amen* : au piano, Yvonne Loriod et Olivier Messiaen, garantie idéale d'authenticité.

La version dirigée par Previn est une réussite. Sur le plan purement sonore, clarté et transparence des timbres sont parfaites. Précision rythmique, mise en valeur des éléments mélodiques, tout concourt à construire une interprétation lumineuse, quasiment impressionniste. Mais trop, peut-être, d'autant plus que le jeu de Michel Béroff perd, dans sa brillance fulgurante, la profondeur de celui d'Yvonne Loriod. Il est dommage que les côtés sombres et violents de l'œuvre s'éclaircissent souvent plus qu'il n'est souhaitable.

Vingt Regards sur l'Enfant Jésus, pour piano.

*** Michel Béroff. EMI VSM C 181-11.117/18 (2 d.).

Les élans fervents d'Olivier Messiaen revivent pleinement dans l'interprétation ardente de Michel Béroff. Ce jeune artiste allie une virtuosité éclatante à l'intelligence et à une grande vitalité de tempérament. Il en résulte une vision authentique et exaltée d'une fresque monumentale, dont on peut comprendre ici la spiritualité mystique.

Meyerbeer, Giacomo
(1791-1864)

Les Huguenots, opéra.

*** Joan Sutherland (Marguerite), Martina Arroyo (Valentine), Huguette Tourangeau (Urbain), Anastasios Vrenios (Raoul), Nikola Ghiuzelev (Marcel), Gabriel Bacquier (Saint-Bris), Ch. Ambrosien, Orch. Phil. de Londres, Richard Bonynge. Decca SET 460/3 (4 d.) (G-B).

Cette réalisation somptueuse restitue dans toute son ampleur ce grand opéra romantique : la distribution est éblouissante, réserve faite du ténor grec Anastasios Vrenios, dont la voix est plaisante mais un peu légère. Du côté des femmes, Sutherland chante une magnifique Marguerite, Arroyo prête à Valentine l'ampleur de sa voix chaude, et Tourangeau interprète le page avec virtuosité. Parmi les hommes, on remarque beaucoup le Saint-Bris de Bacquier, seul chanteur français de cet enregistrement. L'orchestre et les chœurs font merveille sous la baguette de Richard Bonynge, qui fait ressortir les plans sonores avec une belle variété.

Les Patineurs, musique de ballet.

** Orch. Phil. National, Richard Bonynge. Decca SXL 6.812 (G-B). + *Massenet : Ariane, Le Cid, musiques de ballet.*

Le ballet *Les Patineurs* résulte de l'arrangement pour la danse des extraits de deux opéras de Meyerbeer, *Le Prophète* et *l'Etoile du Nord.* Musique pittoresque, romantique, un peu surannée et facile. Avec le ballet du *Cid* de Massenet, chef-d'œuvre d'espagnolade, et *Ariane*, plus lyrique que chorégraphique, c'est un programme qui réjouira les amateurs de ballet, d'autant plus qu'il est dirigé avec toute la conviction qui s'impose par Bonynge, excellent ici dans ce genre.

Le Prophète, opéra.

** Marilyn Horne (Fidès), Renata Scotto (Berthe), James McCracken (Jean de Leyde), Jules Bastin (Comte d'Oberthal), Jerome Hines (Zacharie), Christian du Plessis (Mathisen), Jean Dupouy (Jonas), Ch. Ambrosien, Orch. Phil. Royal, Henry Lewis. CBS 79.400 (4 d.) (sup.). Enregistré en 1976.

Ce premier enregistrement mondial est parfaitement conforme aux intentions spectaculaires et grandioses de la musique de Meyerbeer. Marilyn Horne et Renata Scotto sont fascinantes, l'une par sa passion bouleversante, l'autre par sa sincérité et sa ferveur. Leur duo au 4e acte est un moment rare. L'interprète de Jean de Leyde touche par sa sensibilité et les nuances qu'il donne à son personnage : mais sa voix manque de la souplesse et de l'étendue requises, ce qui l'oblige à abuser quelque peu du *falsetto.* Les trois anabaptistes sont chantés avec le «fanatisme» voulu, et leur trio bouffe du 3e acte constitue l'une des pages les plus originales de la partition. La direction d'Henry Lewis brille par son style et sa coloration.

Migot, Georges
(1891-1976)

Le Livre des Danceries, pour flûte, violon et piano. Quatuor pour flûte, violon, violoncelle et piano.

*** Yanet Puech (flûte), Annie Jodry (violon), Alain Courmont (violoncelle), Françoise Petit (piano). Cybélie CY 661.

Le *Livre des Danceries* implique une sorte de nostalgie du passé, un passé que Georges Migot fait revivre avec les libertés harmoniques et rythmiques que le siècle a su retrouver. La leçon du Quatuor va plus loin encore ; le langage musical y est moins sensuel, mais dans son affranchissement des lois de la tonalité et dans sa pureté mélodique, ne tend nullement à l'abstraction. Ces deux œuvres ont trouvé ici les musiciens les plus qualifiés pour nous transmettre leur message à travers des interprétations exemplaires.

Musique pour orgue.

** Lucien Poirier (orgue Casavant de Notre-Dame des Sept Douleurs d'Edmundston, Canada). Les Amis de l'œuvre et de la pensée de Georges Migot GM 30.002.

L'œuvre pour orgue de Georges Migot est importante. Ceux qui ont dans l'oreille les raffinements et les splendeurs de l'œuvre de

Messiaen, les méditations délibérées d'un Jean Guillou, seront surpris, sans doute, par cette musique stricte, austère, exigeante. Lucien Poirier interprète six Pièces du Premier Livre d'Orgue, six pièces du second, trois Pièces pour une liturgie œcuménique, un Prélude nominé. Cette musique en lignes strictes délivre un pouvoir expressif décapant par sa sobriété, par l'ascèse qu'elle impose à l'auditeur.

Trio pour piano, violon et violoncelle.

** Marie-Claude Chevalier-Dumé (piano), Claude Bardon (violon), Alain Courmont (violoncelle). Harmonia Mundi HMU 458 (sup.). Enregistré en 1976.

Ce Trio avec piano est une vaste architecture dans laquelle les trois musiciens entreprennent ce que l'on pourrait appeler un «dialogue d'âme». Pour jouer cette musique à la fois dépouillée et très émue, il faut des interprètes convaincus, réceptifs à une pensée musicale empreinte d'originalité. Le Trio Courmont possède ces qualités. Comme le disait Georges Migot, le secret d'une œuvre c'est la conjugaison du verbe aimer.

Trio pour violon, alto et violoncelle.

*** Trio à cordes Albert Roussel : Eric Alberti (violon), Georges Schwartz (alto), Jean-Claude Dewaele (violoncelle). Cybélia CY 609. Enregistré en 1976. + *Roussel : Trio à cordes.*

Le trio à cordes est une forme musicale difficile à réussir. Celui de Georges Migot est un chef-d'œuvre, et le Trio Albert Roussel l'a bien compris, qui donne de cette partition une version transparente et ardente. Tous les sentiments s'y trouvent exprimés, climats mobiles comme autant d'aspects d'une méditation constamment en éveil. Et lorsque les trois cordes se retrouvent dans l'admirable choral qu'est la Prière, l'accord des instruments prend la force d'un symbole spirituel.

Milhaud, Darius
(1892-1974)

Le Bœuf sur le toit op. 58 a. La Création du monde, ballet pour 18 instruments solistes op. 81 a.

❀*** Orch. Symph. du Théâtre des Champs-Elysées, Darius Milhaud. Nonesuch 71.122 (USA). (ex Charlin SLC 17).

*** Orch. Nat. de France, Leonard Bernstein. EMI VSM C 069-02.945. ⌧ C 269-02.945. Quadri. Enregistré en 1976. + *Saudades do Brazil op. 67 nos 7, 8, 9, 11.*

Bien que Milhaud n'ait jamais eu une envergure exceptionnelle en tant que chef d'orchestre, voilà qu'il signe ici un des plus passionnants enregistrements de sa discographie. Ambiance de rêve fantomatique, parfum surrané de carte postale Sépia, frange de mystère, atmosphère inquiétante de forêt équatoriale suante d'humidité (*Création du monde*), naïveté d'image d'Epinal, joie de vivre exubérante avec ce rien d'amertume qui vient du «Sertao» brésilien, saine santé et le sang-de-la-danse-qui-coule-dans-les-veines (*Le Bœuf sur le toit*). Ajoutons à cela un enregistrement superbe bien que déjà ancien, servant admirablement le propos de l'œuvre.

Axé sur le rythme, le «swing», Bernstein est ici dans son élément. Entraînant fougueusement l'Orchestre National derrière lui, voici un Milhaud électrifié, tétanisé par une dynamique à vous laisser pantois. L'élan qu'il imprime à la partition est communicatif. Oh, bien sûr, Milhaud y perd un peu de son sérieux en flirtant ainsi à la limite parfois du «music-hall», mais rien n'est ici de mauvais goût. Quant à la démarche, elle se tient de bout en bout pour notre plus grand plaisir. Milhaud lui-même n'aurait sûrement pas désavoué une telle bouffée de vitamines, de joie de vivre-l'instant-pour-le-plaisir que Bernstein procure sans s'embarrasser de spéculations philosophico-métaphysiques... On s'amuse, on sourit, on bat la mesure sans arrière-pensée, et Milhaud, dans sa tombe, doit bien en faire tout autant.

La Cheminée du Roi René, suite en sept parties pour quintette à vents op. 205. Trois Symphonies pour petit orchestre : Le Printemps op. 43, Pastorale op. 49, Sérénade op. 71. Suite pour violon, clarinette et piano op. 157 b. Sonatine pour flûte et piano op. 76.

❀*** Ens. instr. Christian Lardé, Solistes de l'Orch. Nat. de l'ORTF. EMI VSM C 065-12.526 (sup.). Enregistré en 1973.

Un couplage intéressant à plus d'un titre, notamment par le rapprochement des trois *Symphonies pour petit orchestre* et de la *Cheminée du Roi René*, œuvres fourmillant d'inventions et d'idées et admirablement interprétées. Les musiciens s'attachent à rendre la pureté des plans sonores et la clarté des contrepoints enchevêtrés dans un tissu polyphonique extrêmement dense. Une lecture ensoleillée, alerte et ciselée en orfèvre.

Concerto n° 2 pour deux pianos et percussions op. 394. Scaramouche, suite pour deux pianos.

** Jacqueline Robin-Bonneau et Geneviève Joy (pianos), Jean-Claude Casadesus, Jean-Pierre Drouet, Diégo Masson et Jean-Claude François (percussions). Erato STU 70.224 (sup.). *+ Poulenc : Sonate pour deux pianos.*

Scaramouche, avec sa truculence, sa dynamique endiablée (se souvenant du Carnaval de Rio), sa virtuosité, est plus qu'un honorable cheval de bataille. Rendons hommage, donc, aux interprètes qui la servent par leur verve et leur brio, sans jamais se laisser emporter à oublier que la sonorité est au service de la musique et non l'inverse. Quant au Concerto pour deux pianos, il utilise la même formation que la *Sonate pour deux pianos* et percussions de Bartók. Les pianistes y font preuve de leur musicalité et de leur intelligence du texte. Il est nécessaire de préciser que les instrumentistes ont reçu les conseils du compositeur lui-même. Et l'osmose s'établit entre les percussions et les deux pianos. La mise en place (délicate) demandée par l'œuvre est parfaite, comme tirée au cordeau. Quelques mots encore pour souligner que la *Sonate* de Poulenc est un pur chef-d'œuvre autant par la qualité instrinsèque de la partition que par l'approche des instrumentistes.

Octuor à cordes (Quatuors n° 14 et 15).

*** Quatuors Bernède et Parrenin EMI VSM C 063-11631 (sup.).

L'*Octuor* de Darius Milhaud est une œuvre troublante, étonnante, un tour de force pour le moins réussi. Avoir conçu deux Quatuors (le 14e et le 15e) dans l'optique de les fondre dans un Octuor apparaît comme une gageure. Et cependant, bien que le 14e soit plus lyrique, plus intensément poétique que le 15e (se particularisant par un aspect plus âpre dans la dissonance, plus rythmique dans sa conception), nous sommes obligés de reconnaître la complémentarité organique des deux œuvres ainsi réunies. Le regretté Quatuor Bernède, dissous peu après l'enregistrement, est tout à fait à son aise dans le 14e Quatuor, tandis que le Quatuor Parrenin investit la truculence agressive du 15e Quatuor avec un plaisir non dissimulé. Le talent des instrumentistes n'étant plus à démontrer, disons simplement que dans le second mouvement, le Bernède impose un tempo bien plus lent que celui voulu par Milhaud lui-même. Parti pris tout à fait justifié par l'ampleur, la profondeur, la clarté polyphonique que prend, ainsi éclairée, la partition. La sonorité chaleureuse, vibrante, sensible, vigoureuse, l'intelligence du phrasé des deux Quatuors complices sont un véritable délice pour l'oreille tout autant que pour l'esprit.

Printemps op. 25 et 66, Scaramouche op. 165 b, Le Bal Martiniquais op. 249, Suite «Paris» op. 284.

❀*** Noël Lee, Christian Ivaldi, Jean-Philippe Collard, Michel Béroff (pianos). EMI VSM C 065-12.076. Enregistré en 1972.

Un quatuor de pianiste bien «orchestré»... qui redonne sa jeunesse à ces pièces tendres et enjouées. Ne nous y trompons pas, la technique y est périlleuse ! Mais tout l'art des pianistes est justement de nous la faire oublier.

Les Quatre Saisons : Concertino de printemps, pour violon et orchestre de chambre, Concertino d'été, pour alto solo et neuf instruments, Concertino d'automne, pour deux pianos et huit instruments, Concertino d'hiver, pour trombone et orchestre à cordes.

*** Ensemble de Solistes des Concerts Lamoureux, Darius Milhaud. Philips 6529.167.

Heureuse idée que d'avoir réuni ces concertinos composés en l'espace d'une vingtaine d'années (1934-1953) sous le titre *Les Quatre Saisons.* Une musique non descriptive, concise, raffinée, exaltant l'âme des saisons avec allégresse, lyrisme et poésie dans l'équilibre des combinaisons instrumentales insolites chères à Milhaud. Une interprétation idéale - et la seule - jamais enregistrée, sous la direction du compositeur.

Saudades do Brazil op. 67. Printemps, op. 25 et 66. Trois Rag-Caprices op. 78.

** William Bolcom (piano). Nonesuch 72.316.

C'est en tant qu'élève de Milhaud que Bolcom s'est mis ici au piano. Son propos est d'ailleurs aisément saisissable au travers de la noblesse du ton, de l'élégance du discours, de la clarté lumineuse (méditerranéenne), de l'élocution qu'il y emploie sans discontinuer au cours de ce récital. Evitant de s'encanailler (c'est parfois regrettable), le pianiste détourne l'écueil de la vulgarisation tout autant que celui de la vulgarité en gardant un bon ton (de bon aloi, d'ailleurs). Bien qu'un peu trop à quatre épingles, Bolcom nous laisse là un magnifique hommage à Milhaud.

Septuor à cordes op. 408. Aspen Serenade. Suite de Quatrains.

*** Sol. Instr., Darius Milhaud. Adès 15.503 (sup.).

Trois œuvres indispensables à qui désire connaître le Milhaud avant-gardiste pliant le hasard à sa volonté d'architecte, le Milhaud polymélodiste faisant fi des règles contrapunctiques. Le *Septuor*, la Suite de Quatrains sont significatifs à cet égard : dans cette dernière partition, par exemple, les sept instruments qui accompagnent la voix récitante expriment leur ligne mélodique (en prenant leur «entrée» sur une syllabe déterminée du texte) «sans se soucier d'une concordance exacte avec les mélodies des autres instruments». La musique de Milhaud acquiert ainsi une souplesse, un allant proche du sentiment improvisé. Préciser que les musiciens traduisent parfaitement l'esprit des œuvres ici interprétées est presque superflu, tant sont perceptibles leur joie de jouer, leur désir de communiquer la verve dynamique et la saine joie de vivre de ces pages ensoleillées.

Mompou, Federico
(né en 1893)

Combat del Somni. Cantar del Alma.

** Carmen Bustamante (s), Miguel Zanetti (piano). Ensayo ENY 810 (Espagne). *+ Guridi, Halffter, Toldra : Mélodies.*

Les *Cantar del Alma de St-Jean de la Croix* et le *Combat del Somni*, sur trois poèmes de José Janès, brûlent d'un lyrisme inspiré, s'exprimant dans un langage très raffiné. La voix de Carmen Bustamante est d'une musicalité irréprochable, avec la finesse de ses nuances et la perfection de son intonation. Miguel Zanetti l'accompagne merveilleusement. Les autres mélodies de Guridi, Halffter et Toldra composent un joli programme espagnol.

Intégrale de l'œuvre pour piano.

*** Federico Mompou (piano). Ensayo ENY 701/5 (5 d.) (Espagne).

Pages intenses, dépouillées, mais surtout intensément poétiques, interprétées par leur auteur, qui est en même temps un merveilleux pianiste. La délicatesse des coloris, la subtilité du dessin et du rythme font qu'on ne pourrait imaginer d'autre façon de jouer cette musique. À ce niveau, on ne peut plus parler d'interprétation, mais d'un passage direct entre l'esprit du compositeur et celui de l'auditeur, par l'intermédiaire d'une technique incomparable.

Montemezzi, Italo
(1875-1952)

L'Amour des trois rois, opéra.

** Clara Petrella (Fiora), Amadeo Berdini (Avito), Sesto Bruscantini (Archibaldo), Renato Capecchi (Manfredo), Orch. et Ch. de la RAI de Milan, Arturo Basile. Cetra LPS 3212 (2 d.). Stéréo (origine mono). Enregistré en 1950.

** Anna Moffo (Fiora), Placido Domingo (Avito), Cesare Siepi (Archibaldo), Pablo Elvira (Manfredo), Orch. Symph. de Londres, Ch. Ambrosien, Nello Santi. RCA RL 01.945 (2 d.) (USA). Enregistré en 1976.

Bruscantini campe un Archibaldo fanatique, digne d'un Pinza (confronté à l'édition privée, inapprochable, dirigée par l'auteur, avec Grace Moore, Pinza, Bonelli et Kullmann). Et le chef Basile, nerveux, mordant, détache avec netteté les contrastes de cette partition qui se voulait un *Tristan* italien : si

Petrella, assez vériste, a tous les moyens requis, Berdini est trop léger, trop gracieux pour le rôle, et Capecchi manque également de poids. Mais l'orchestre, au duo, est admirable.

Nello Santi donne la priorité à l'orchestre, mais s'écarte beaucoup de la direction de l'auteur, se montrant souvent emphatique, sans souci des contrastes de la partition. Siepi est plus contemplatif que l'implaccable vengeur requis, Moffo, un peu légère pour le rôle de Fiora en a la féminité ardente, le baryton est correct. Mais Domingo, d'une beauté sonore rare, est fougueux, passionné, doté d'une dimension métaphysique qui fait souhaiter son Tristan annoncé : un très grand Avito.

Monteverdi, Claudio
(1567-1643)

«Addio Florinda bella» : Madrigaux des Livres IV à IX.

Concerto Vocale. Harmonia Mundi HM 1.084. Enregistré en 1981.

La lecture au scalpel que donne le Concerto Vocale, non seulement ne gomme pas, mais exalte les humeurs sensibles et le poids d'émotion (l'*affetto)* des œuvres, et se révèle merveilleusement payante pour les pages des derniers livres, comme ce *«O mio bene»* du Livre IX, où le rêve éperdu des chanteurs est un admirable exemple de ré-interprétation à l'ancienne, traversée, du souffle de la vie.

Il Ballo delle Ingrate (Le bal des ingrates).

*** Deller Consort, Solistes instrumentaux, Alfred Deller. Amadeo AVRS 6069 (sup.).

*** Solistes, Ch. et Ensemble Glyndebourne Opera Group, Raymond Leppard. Philips 6799.006 (5 d.) (sup.). Enregistré en 1971. *+ Madrigaux des Livres VIII et IX et pièces diverses.*

** Solistes, Ensemble Vocal de Lausanne, Ensemble Baroque de Drottningholm, Michel Corboz. Erato STU 71.227 (3 d.). Enregistré en 1978. *+ Choix de Madrigaux des Livres VI, VII et VIII, et pièces diverses.*

La vieille version du Deller Consort est merveilleuse de raffinement, d'élan italien et d'acuité expressive, avec, en outre, un art du chant, un «détaché» dans la courbe *cantabile* et l'ornement virtuose qui forcent l'admiration. La déclamation d'Alfred Deller dans le rôle de Vénus n'a jamais été égalée. Un seul ennui : il y a près de vingt ans que cette version a disparu des catalogues !

Dans le cadre de l'intégrale du Livre VIII, l'approche précieuse, soignée dans ses moindres détails, de Raymond Leppard : un chef-d'œuvre de musicalité et de goût, mais qui nous ramène irrésistiblement sur les bords de la Tamise (ce que Deller, avec toute sa finesse de touche, savait parfaitement éviter). Pourtant, le chef ne confond jamais élégance et maniérisme, et la réalisation instrumentale (dans les danses de l'*entrata e ballo*) est superbe.

La version Corboz, incluse dans le volume 3 des «plus beaux madrigaux», propose une vision vivante, aiguë et nue, celle qui sauvegarde les intérêts de la danse (encore que Corboz ne force pas sa nature pour exalter les timbres de l'ensemble baroque de Drottningholm), sans oublier les exigences du style *récitatif* et du chant.

Le combat de Tancrède et Clorinde, cantate dramatique.

❀*** Laerte Malagutti (bar), Solistes et Instruments de la Società Cameristica de Lugano, Edwin Loehrer. Accord 150.003 (5 d.). Enregistré en 1963. *+ Madrigaux du Livre VIII, extraits des Livres VI et IX.*

❀*** Nigel Rogers (t), Musica Antiqua de Cologne, Reinhardt Goebel. Archiv 2533.460. Enregistré en 1980. *+ Lamento d'Ariane, Lamento d'Olimpia. Farina : Sonate «Desperata».*

** Zeger Vandersteene (bar), Solistes, Clemencic Consort, René Clemencic. Harmonia Mundi HMU 986. Enregistré en 1976. *+ Madrigaux du Livre VII.*

** Max van Egmond (bar), Solistes, Leonhardt Consort, Gustav Leonhardt. EMI Telefunken 6.41132. Enregistré en 1969. *+ Madrigaux des Livres VII et VIII.*

Présentée «en guise de passe-temps à la veillée pour la période de Carnaval», la géniale cantate dramatique a été fixée au disque de façon quasi définitive, dans les années soixante, par les solistes et instrumentistes de la Società Cameristica de Lugano, sous la direction d'Edwin Loehrer. Dramatisme intense des acteurs dominé par le récit saisissant de Malaguti : ce joyau du *stile rappresentativo* sonne ici dans toute sa plénitude et dans tout son mystère, en un combat de la nuit, de l'amour et de la mort, toujours recommencé.

La réalisation, ou plutôt la ré-interprétation radicale de la Musica Antiqua de Cologne, qui s'appuie sur un savoir et une intuition proprement infaillibles de la manière monteverdienne, est tout simplement admirable. Le discours avance, inexorable, tout en élans, accélérations et ruptures, générateur d'une émotion qui doit autant à la nature du son qu'à la portée des mots, qu'à leur charge de délire ou de douleur. Et surtout, il y a la performance du témoin récitant, Nigel Rogers, dont la récitation s'épanouit avec une merveilleuse liberté, revendiquant tous les modes du chant, et dont la virtuosité se joue de tous les ornements.

Comparée à celle de Loehrer, la version Clemencic a ses chauds partisans. Montée avec des soins d'orfèvre et d'évidentes préoccupations musicologiques, cette approche séduit certes par son dramatisme extrême et sa couleur. Le timbre du récitant, Zeger Vandersteene, est très expressif, et voix et instruments réussissent une transposition très vivante (les *pizzicati* des coups d'épées, le *tremolo* du galop des chevaux !) des passions évoquées par le texte. Mais trop souvent, au fil de l'action, Clemencic contraste ou nuance sans raison valable.

Malgré certains partis pris assez singuliers dans les tempos et les rythmes, la version Leonhardt semble plus cohérente, moins gratuite, d'une musicalité plus proche, en tout cas, des exigences tragiques et poétiques du modèle. Et le souci de symbolisme est plus manifeste aussi, au fil de la récitation de van Egmond, qui marie le sentiment nocturne au lyrisme.

Un concert spirituel.

*** Concerto vocale. Harmonia Mundi HM 1032/3 (2 d.). ⌧ 40-1032/3 (2 c.). Enregistré en 1979.

Un concert spirituel, mais surtout une démonstration magistrale de ce qu'étaient les modes de chant virtuose à l'époque de Monteverdi, maître de chapelle à St-Marc de Venise. On y trouve des pièces pour voix solo et des motets concertants. La réussite du Concerto Vocale, où chanteurs et instrumentistes sont unis par le même instinct de la musique, est irrésistible, et nous rendra difficile le retour aux approches traditionnelles et «romantisantes» que nous connaissons de cette musique. Le Concerto Vocale exalte le pouvoir du chant et du mot, faisant vibrer chaque note d'une émotion indicible.

Le Couronnement de Poppée, opéra.

❀*** Rachel Yakar (Poppée), Eric Tappy (Néron), Trudeliese Schmidt (Octavie), Paul Esswood (Othon), Matti Salminen (Sénèque), Janet Perry (Drusilla), Ensemble Monteverdi de l'Opéra de Zurich, Nikolaus Harnoncourt. Telefunken 6.35593 (3 d.). Enregistré en 1981.

❀*** Helen Donath (Poppée), Elisabeth Söderström (Néron), Cathy Berberian (Octavie), Paul Esswood (Othon), Giancarlo Luccardi (Sénèque), Rothraud Hansmann (Drusilla), Concentus Musicus de Vienne, Nikolaus Harnoncourt. EMI Telefunken 6.35247 (5 d.). Enregistré en 1972.

La seconde version enregistrée par Harnoncourt est la bande sonore du cycle Monteverdi mis en scène par Ponnelle à Zurich. Conséquence de cette optique théâtrale : la musique palpite d'une présence que la prise de son en studio ne fait naître que trop rarement. Harnoncourt impose une vitalité dévorante mariée à de merveilleux raffinements dans une perspective plus shakespearienne que jamais. L'orchestre va encore plus loin dans la volonté de stylisation, faisant du *Couronnement* un cas limite dans la radicalisation des principes de ré-interprétation à l'ancienne.

Dès son premier enregistrement, neuf ans avant le second, Harnoncourt pratique une ré-interprétation aux résonances shakespeariennes, qui rend vie à l'œuvre en revenant, bien sûr, aux origines, et qui en même temps l'actualise en nous rendant témoins et complices du drame, comme de la touche bouffe que développent, en contrepoint, les personnages marginaux du valet et de la demoiselle. Peut-être le chef autrichien va-t-il trop loin dans sa volonté de ressusciter les usages supposés du temps. Mais comment bouder notre bonheur devant l'activité intense de l'orchestre, ce frémissement rythmique et, sur le plan vocal, ce foisonnement, ce trop-plein de passion et d'émotion que mettent dans leur chant Helen Donath, Elisabeth Söderström, Cathy Berberian ou Paul Esswood.

Lagrime d'amante (Sestina).

*** Les Arts Florissants, William Christie. Harmonia Mundi HM 1.108. Enregistré en 1982. + *Il Ballo delle ingrate.*

*** Ch. Schütz de Londres, Roger Norrington. Argo ZRG 847 (G-B). Enregistré en 1976. + *Schütz : Cantiones Sacrae (extraits).*

*** Deller Consort, Alfred Deller. Amadeo 6292 (sup.). Enregistré en 1960.

William Christie, dans la ré-création incroyable de vérité et de douleur sublimée de la *Sestina,* se montre sans rival dans la conduite de la ligne de chant polyphonique, la travaillant et la façonnant comme une matière vivante, avec cette plasticité dans le modelé des phrasés et ce frémissement irremplaçable dans le rendu des mots. L'interprétation de ce chef-d'œuvre est d'une intensité exceptionnelle, chaque voix donnant le meilleur d'elle-même pour aller au-delà des notes, pour leur arracher leur trop-plein d'émotion. En complément, Christie donne une version suprêmement poétique du *Ballo delle ingrate,* qui, sans surclasser celle du Deller Consort, retiendra toute notre attention.

Les *Lagrime d'amante* ont été transcendées au disque par le superbe témoignage de Roger Norrington et du Schütz Choir. Loin de toute pose, l'italianisme des interprètes est convaincant, réussissant le mariage du style madrigalesque et du chant expressif, sans perdre de vue la dimension théâtrale, indispensable à ce mini-requiem profane. Et l'intuition des textes - dans la déploration comme le recueillement - est parfaite.

Moins affligée, moins «visuelle» aussi, mais tout aussi exacte d'esprit, la version du Deller Consort - qui impose une conception «soliste» de l'œuvre - vaut par le raffinement unique des voix. L'esprit du théâtre chanté y est moins évident qu'avec Norrington, mais si la douleur s'y fait moins descriptive, l'auditeur ne résiste pas à la poésie des sonorités, ni au trop-plein de musicalité de cette version.

Lamento d'Ariane, pour voix seule.

*** Cathy Berberian (s), Concentus Musicus de Vienne, Nikolaus Harnoncourt. EMI Telefunken 6.41930. Enregistré en 1975. + *Lettre amoureuse, Madrigaux des Livres VI et VII, extraits du Couronnement de Poppée.*

Cathy Berberian est Ariane comme Flagstad était Brünnhilde ou Schwarzkopf la Comtesse des *Noces.* Version idéale, habitée, et qui concilie la fureur dramatique, la folie du geste et du mot à un style monteverdien superbe. L'équilibre entre les exigences du chant et celles du verbe est exemplaire, et l'accompagnement satisfera les plus allergiques aux réalisations musicologiques actuelles.

Lamento d'Ariane, version polyphonique.

*** Ch. Monteverdi de Hambourg, Jürgen Jürgens. Archiv 2533.146. Enregistré en 1973. + *Madrigaux des Livres II, IV, V et VIII.*

La version polyphonique du *Lamento,* publiée dans le Livre VI, a connu plusieurs gravures, indiscutablement dominées par la vision du Chœur Monteverdi de Hambourg. Le raffinement de la mise en place contrapuntique va de pair ici avec un rare souci d'expressivité et d'urgence dramatique, avec une acuité d'accents, voire une cruauté dans le cri que Jürgen Jürgens situe de toute évidence dans une optique de théâtre musical. En fait, c'est le jeune opéra plutôt que le madrigal traditionnel qui tend le chant de cette version intense, où sous la perfection de chaque note passe le frémissement des choses de la vie et du génie de Monteverdi.

La Lettre amoureuse.

*** Cathy Berberian (s), Concentus Musicus de Vienne, Nikolaus Harnoncourt. EMI Telefunken 6.41930. Enregistré en 1975. + *Lamento d'Ariane, Madrigaux des Livres VI et VII, extraits du Couronnement de Poppée.*

** Bernard Kruysen (bar), Huguette Dreyfus (clavecin), Christian Lardé (flûte), Jean Lamy (viole de gambe). Valois-Résurgences MB 318. Enregistré en 1963. + *Pièces vocales diverses.*

** Hugues Cuénod (t), accompagnement instrumental. Boîte à Musique

BAM LD 082 (sup.). Mono. Enregistré en 1958. + *Pièces et Madrigaux pour voix seule.*

La célèbre *Lettre amoureuse*, à la fois exaltation érotique et vision sublimée du désir et de l'objet aimé, a été traduite de façon inouïe par la voix inspirée de Cathy Berberian, qui ré-invente ici tous les sentiments, tous les accents, délirants ou extasiés, que trouvent «ceux qui aiment et ne craignent pas de le dire». Un texte et un chant habités, une pièce de référence absolue.

Plus intérieure, plus prière pressante que requête éperdue, la belle et sobre approche de Bernard Kruysen ne sera pas oubliée des monteverdiens, surtout par les partisans d'un interprète masculin pour la *Lettre*, mais le tempo retenu pourra paraître à certains un brin trop lent.

Hugues Cuénod a donné une autre lecture mémorable de la *Lettre*, l'animant d'un tempo qui, lui aussi, pourra surpendre, mais en même temps, mettant à nu le mot dans le cri comme dans le murmure, et sondant les sentiments - l'humble adoration comme le désir impatient - avec une acuité, une précision d'accents et une modernité de ton qui semblent d'un interprète de la nouvelle génération.

Madrigaux et Airs profanes : Hor ch'el ciel e la terra, Lasciatemi morire, Zefiro torna, Ardo, Ohimè, dov'è il mio ben, Chiome d'oro, Il ballo dell'ingrate (in genere rappresentativo), Lamento della Ninfa, Ecco mormorar l'onde.

* Ensemble Vocal et instrumental, Nadia Boulanger. EMI-VSM C 051-43.429 : Mono. Enregistré en 1937.

Un témoignage précieux du temps où Mademoiselle Nadia Boulanger œuvrait à la résurrection de Monteverdi. Ces enregistrements - première mondiale, à l'époque - expriment une parfaite musicalité, un grand raffinement et une émotion qui sont autant d'actes d'amour marqués d'une approche rigoureuse des textes. Force est de reconnaître cependant que la musicologie a beaucoup progressé depuis.

Madrigaux : Livres III et IV.

** Ch. de l'Opéra de Glyndebourne, Raymond Leppard. Philips 6703.035 (3 d.) (sup.). Enregistré en 1974.

Ciselée avec des préciosités élisabéthaines, des demi-teintes et des *sfumatos* nimbant le mot d'une élégance qui n'exclut pas la flamme intérieure, la belle intégrale de Raymond Leppard est peut-être (à qui voudrait couper les cheveux en quatre !) d'un ton trop distingué pour la géniale latinité des œuvres, avare de cette ferveur presque mystique, dans le cri ou la douleur d'amour, qui est comme la signature de Monteverdi. Reste qu'avec ce maniaque du beau chant, l'interprétation brille de mille feux, ornée d'opulents madrigalismes et attentive à la touche poétique autant qu'à la musique.

Madrigaux : Livre VII.

** Solistes, Ch. et Ensemble instrumental de l'Opéra de Glyndebourne, Raymond Leppard. Philips 6747.416 (3 d.).

Une seule intégrale pour ce Livre VII qui privilégie, certes, le style concertant et l'art nouveau, mais sous la forme de la pièce en duo ou en trio, plutôt que du madrigal monodique. Celle dirigée par Raymond Leppard qui, une fois de plus, fait valoir ses qualités d'élégance, de musicalité frémissante mariée à un sens de la beauté plastique qui s'exerce parfois au détriment de l'acuité d'expression, de la flamme ou de la douleur amoureuse. Telle quelle, une intégrale à ne pas bouder si l'on a la chance de la trouver encore chez un disquaire. Mais il est permis de rêver de quelque chose de plus chaud et de plus italien.

Madrigaux : Livre VIII («Madrigaux guerriers et amoureux»).

❀*** Solistes, Società Cameristica de Lugano, Edwin Loehrer. Accord 150.003 (5 d.). + *Extraits des Livres VI et IX.*

*** Solistes, Ch. et Ensemble instrumental de l'Opéra de Glyndebourne, Raymond Leppard. Philips 6799.006 (5 d.) (sup.). Enregistré en 1971. + *Madrigaux du Livre IX et pièces diverses.*

La vieille (et exemplaire) intégrale de Loehrer, célèbre pour des pages d'anthologie comme le *Combattimento* allie le pouvoir du mot et du geste au génie du chant, à l'esprit de l'opéra naissant et du genre représentatif. Avec - autre atout d'importance - la race des interprètes, leur «italianité» congénitale en quelque sorte, qui rend irrésistible leur approche de *Vittorie si belle, Altri Canti d'amor* et toutes ces pages sur lesquelles souffle le combat des passions et de la «guerre d'amour» célébrée par Monteverdi au long de son *8e Livre*. Une seule petite réserve : un *Ballo dell'Ingrate* un peu en deçà des meilleurs, quant à l'expression.

L'album Leppard inspire les mêmes constatations favorables que les précédentes intégrales du musicien anglais, et aussi les mêmes petites réserves. Pourtant, le souci de couleur et de vie semble plus vif, avec une flamme amoureuse qui brûle les textes et les rythmes et rend compte de leur fièvre expressive, des mille rumeurs qui traversent ce glorieux aboutissement madrigalesque. Et l'émotion jaillit des grandes pages du recueil (complété par de nombreux emprunts aux Scherzi musicali de 1632 et au *9e Livre*) : *le Ballo dell' Ingrate, Le Combat de Tancrède* et aussi un *Hor ch'el cielo* pressant comme une prière.

Choix de Madrigaux : extraits des Livres III, IV, VI, VII et VIII.

*** Deller Consort, Alfred Deller, Huguette Dreyfus (clavecin), Collegium Aureum. Harmonia Mundi HMU 209.

Pour le timbre inimitable de Deller, et aussi pour la musicalité et la poésie (exemplaires) du groupe, pour sa sensibilité toujours aiguisée par le texte et ce frémissement de vie qui parcourt la musique dans le désir comme dans l'affliction. En fait, la perfection n'est jamais une fin en soi, mais une étape qui mène au cœur du mystère madrigalesque. Et l'intuition italienne est sauve, avec un sommet insurpassable : *Hor ch'el Cielo*, blessé, tendu par la douleur et agrandi aux dimensions d'une célébration mystique.

Choix de Madrigaux : extraits des Livres V, VI, VII et VIII.

*** Ch. Monteverdi de Hambourg, Jürgen Jürgens. EMI Telefunken 6.41182.

Parallèlement aux enregistrements Archiv du même ensemble, ce disque du Chœur Monteverdi offre une anthologie exemplaire, un bouquet d'interprétations superbes qui magnifient les deux grandes manières madrigalesques de Monteverdi, la polyphonique comme la concertante. Jamais peut-être le travail n'a été poussé si loin dans le rendu sonore, la discipline collective, la musicalité des voix. Et la juste expression est au rendez-vous, qui fait chanter *Qui rise, o Tirsi*, soulève *Altri Canti d'amor* d'une belliqueuse ardeur, tandis que la passion amoureuse-transposition du même sentiment guerrier - gonfle et déchire un *Hor ch'el cielo* aux portes du mystère, aux résonances d'éternité..

Choix de Madrigaux : «Madrigaux virtuoses». Extraits des Livres V, VI, VII, VIII et IX.

❀*** Nigel Rogers (hc), Ian Partridge (t), Christopher Keyte (b), Ch. Monteverdi de Hambourg, Jürgen Jürgens. Archiv 2533.087. Enregistré en 1971.

Mettant surtout en scène le Monteverdi génialement moderniste des derniers Livres, ce recueil est un modèle de retour aux sources, car la science et l'intelligence des exécutants s'y appuient sur une liberté métrique et une fièvre baroque dont il n'existe guère d'équivalents au disque, à l'heure actuelle. Il suffit, pour s'en convaincre, d'écouter le désir, extasié ou vibrant, et la guerre d'amour éperdue des *O mio bene*, ou le tourbillon de rythmes et de couleurs du *Ballo pour l'empereur Ferdinand*, balayé des traits ivres des flûtes à bec. Une apothéose du *genre représentatif* et du style concertant, grâce à des interprètes qui sont les dignes continuateurs des *virtuosi* du XIIIe siècle, avec leur sens du chant orné, leur religion du mot et du théâtre.

Choix de Madrigaux : extraits des Livres II, IV, V, VI et VIII.

*** Ch. Monteverdi de Hambourg, Jürgen Jürgens. Archiv 2533.146. Enregistré en 1973.

Aux gens pressés de notre temps, aux monteverdiens soucieux de glisser dans leur serviette un «digest» de leur musicien favori, cette superbe anthologie du Chœur de Hambourg s'impose par la qualité musicale des approches, la justesse du ton et, dans un petit chef-d'œuvre descriptif comme *Ecco mormorar l'onde*, la précision du travail polyphonique. Dramatique ou pastorale, se haussant de l'aveu élégiaque à l'hymne éperdu à la nature, l'expression madrigalesque est constamment transfigurée par l'exacte peinture du mot et le sentiment de l'instant. Un témoignage indispensable.

Choix de Madrigaux : extraits des Livres VI et IX.

*** Società Cameristica de Lugano, Edwin Loehrer. Accord 150.003 (5 d.). + *Livre VIII.*

Rayonnent ici un style et une expressivité qui n'ont pas pris une ride et, avec eux, une conviction, une intensité dans le bonheur ou la plainte d'amour qui mettent à nu le cœur et les nerfs de la musique, allégeant, ou plutôt «dégraissant» celle-ci de tout sentiment inutile. Et quel sens du phrasé madrigalesque, quelle intuition du mot égalant les meilleures approches actuelles, tandis que sur le plan sonore, le Chœur de Lugano a réussi mieux que tout autre le mariage de la beauté des timbres et d'une perfection formelle qui tient, bien entendu, aux origines germaniques de Loehrer.

Choix de Madrigaux : extraits des Livres VI, VII, VIII et IX. Pièces diverses pour voix seule.

*** Marjanne Kweksilber (s), René Jacobs (hc), Marius van Altena (t), Floris Rommerts (b), Gustav Leonhardt (clavecin et direction). RCA-Séon RL 30.390. Enregistré en 1979.

Gustav Leonhardt, confiant la basse continue et l'accompagnement au seul clavecin, plonge dans l'intimité de l'œuvre, revivifiant les structures de l'écriture, en révélant toutes les hardiesses, les richesses, les beautés. Les voix se trouvent magnifiées et peuvent se donner toutes à la souplesse des ornements tout en restant limpides et pures. Il se dégage de cette interprétation de haute tenue une puissance dramatique assez exceptionnelle.

Choix de Madrigaux et de pièces diverses pour voix seule.

*** Hugues Cuénod (t), accompagnement instrumental. Boîte à Musique LD 082 (sup.). Mono. Enregistré en 1958.

Choix de Madrigaux.

*** Ch. Heinrich Schütz, Roger Norrington. Argo ZRG 698 (G-B).

*** Sestetto Luca Marenzio. Archiv 198.021. Enregistré en 1958.

Choix de Madrigaux : «les plus beaux Madrigaux», vol. 2 et 3.

*** Solistes, Ensemble Vocal et Instrumental de Lausanne, Ensemble baroque de Drottningholm, Michel Corboz. Vol. 2 : Erato STU 70.907 (3 d.). Enregistré en 1975. Vol. 3 : Erato STU 71.227 (3 d.). Enregistré en 1978.

Pour l'édification de tous les Monteverdiens (et du jeune public plus particulièrement), une leçon géniale, donnée par cet élève de Nadia Boulanger qui se fit, avant tous les autres, l'apôtre du madrigaliste et de l'inventeur de l'Opéra. Le style est ici irréprochable, mais surtout l'expression flamboie, le chant brûle le mot, la quête amoureuse se fait éperdue (comme dans la célèbre *Lettre*) ou le tourment intense, au fil d'interprétations qui n'ont pas pris une ride en vingt ans ! Devant ce ton habité, les petites défaillances de la voix importent peu.

Dans le droit fil de la nouvelle école d'interprétation, voici sans doute ce que nos voisins anglais ont fait de mieux en matière d'hommage au VIIIe Livre et à la dernière manière madrigalesque de Monteverdi. Norrington ne cultive pas l'image musicale avec les raffinements de Leppard, mais le trait est en revanche plus vigoureux, le chant plus spontané et les accents d'une irrésistible jeunesse dans *Altri Canti di Marte*. Et dans les références au Livre V (*Questi Vaghi Concenti*) et à la *Selva Morale* (*O ciechi, ciechi*) le Chœur Schütz marie la même intuition du mot à une musicalité sans faille.

Parmi les versions anthologiques aujourd'hui disparues du catalogue, le très beau disque du Sestetto Marenzio mériterait de connaître une nouvelle carrière. Discipline et équilibre parfait des voix, musicalité à toute épreuve accordée à une justesse qui ne l'est pas moins ; et surtout l'atout irremplaçable du génie de la race, de la compréhension intime de la langue, de l'ardeur expressive d'un chant typiquement latin (la couleur et le soleil dont rayonnent les timbres naturellement beaux des chanteurs). Deux moments inoubliables ici : *Cruda Amarilli* et *O Mirtillo*, ces sommets de la rhétorique amoureuse du Livre V. Que le madrigal est donc fascinant quand il vit d'une telle flamme !

Face aux intégrales Leppard - que Philips ferait bien de redistribuer au plus tôt -, les deux larges *raccolte* (-comme on disait à l'époque de Monteverdi-) que Corboz a données, principalement des Livres 6, 7, 8 et 9, se dressent comme de dangereuses rivales, bien faites pour attirer les discophiles qui doivent compter avec leur budget, d'autant que le chef vaudois est peut-être supérieur au britannique, sinon en musicalité et en style, du moins pour la vie intérieure, l'émotion pure et la vocation dramatique (*Combat de Tancrède, Al' Lume delle Stelle, Hor ch'el Cielo e la Terra).*

Messe à quatre voix. (Missa a 4 voci e salmi da cappella).

*** Clemencic Consort, Deller Consort, Alfred Deller. Harmonia Mundi HMU 221. Enregistré en 1972. + *Pièces diverses de Bassano, Frescobaldi, Grandi, Palestrina.*

Le Deller Consort nous donne la version parfaite de cette Messe (qui appartient au recueil posthume de 1650), nous situant d'entrée dans le climat de recueillement voulu, de discours mystique qu'implique le caractère volontairement austère de l'œuvre. Il y a ici chez Monteverdi le souci de revenir, au soir de sa vie, aux sources polyphoniques qui ont illuminé sa jeunesse. Et l'approche idéale de Deller traduit bien ce souci, au fil d'un rêve liturgique, où rien ne pèse, n'accroche ni ne râpe, où tout est dit avec la ferveur du Moyen Âge.

Orfeo, favola in musica.

❀*** Lajos Kozma (Orfeo), Rothraud Hansmann (Eurydice, la Musique), Cathy Berberian (l'Espérance, la Messagère), Eiko Katanosaka (Proserpine, une Nymphe), Jacques Villisech (Pluton), Ch. de la Capella Antiqua de Munich, Concentus Musicus de Vienne, Nikolaus Harnoncourt. EMI Telefunken 6.35020 (3 d.). Enregistré en 1969.

❀*** Philippe Huttenlocher (Orfeo), Rachel Yakar (Eurydice), Trudeliese Schmidt (l'Espérance, la Musique), Glenys Linos (Proserpine, la Messagère), Werner Gröschel (Pluton), Ensemble Monteverdi de l'Opéra de Zurich, Nikolaus Harnoncourt. Telefunken 6.35591 (2 d.). Enregistré en 1981.

*** Nigel Rogers (Orfeo), Emilia Petrescu (Eurydice, la Musique), Anna Reynolds (Proserpine, une Nymphe), James Bowman (l'Espérance), Stafford Dean (Pluton), Ch. Monteverdi de Hambourg, Ensemble de vents de musique ancienne et Camerata Academica de Hambourg, Jürgen Jürgens. Archiv 2710.015 (3 d.). Enregistré en 1973.

** Eric Tappy (Orfeo), Magali Schwartz (Eurydice), Wally Staempfli (la Musique), Juliette Bise (Proserpine), Margrit Conrad (l'Espérance), Jakob Staempfli (Pluton), Ensemble Vocal et Instrumental de Lausanne, Michel Corboz. Erato STU 70.440/42 (3 d.). Enregistré en 1967.

Pour la première fois, dans l'*Orfeo*, les instruments sont investis d'un pouvoir dramatique qui leur fait jouer un véritable rôle d'acteur. Et précisément, cette fonction novatrice, Harnoncourt et son ensemble l'assument avec une évidence que les autres versions ne font qu'entrevoir. Pour la ferveur des accents, la couleur des sonorités, la virtuosité des rythmes (virant au vertige dans les danses du premier acte), un tel enregistrement est sans égal. Tout comme est éclatante sa supériorité dans le rendu de l'émotion, dans les contrastes expressifs, les changements subits d'éclairage et de climat par où la tragédie fait irruption et où Harnoncourt se montre irremplaçable (l'arrivée de la Messagère au second acte).

Dans l'*Orfeo* qui appartient au cycle de Monteverdi de Ponnelle et Harnoncourt, la tendance actuelle du chef autrichien à faire jouer l'orchestre plus mordant, plus coupant, plus laconique aussi, perce d'emblée. L'Orphée poignant de Huttenlocher, l'Eurydice secrète et intense de Rachel Yakar donnent le ton de cette version éprise avant tout de réalisme dans la douleur : c'est ici tout le tourbillon de la vie et son corollaire, la présence du drame et de la mort.

En comparaison, les disques de Jürgen Jürgens ont quelque chose d'un peu brutal (la rythmique de la *toccata* d'ouverture), même si le dynamisme conquérant des exécutants est générateur d'une ambiance de vie qui lui vaudra de chauds partisans. Certes, le sens du théâtre est au rendez-vous, et l'orchestre fait montre d'une belle technique. Mais tout cela sonne quand même trop appuyé et péremptoire, sans l'incomparable liberté métrique de la version Harnoncourt. Restent la dimension de la conception, le réalisme dramatique et la modernité des accents, avec la folle virtuosité de Nigel Rogers dans le rôle d'Orphée.

Il faut toujours saluer la version Corboz, si exigeante dans sa détermination et sa volonté de pureté. Distancé, sous l'angle de la reconstitution musicologique scrupuleuse, par Harnoncourt autant que par Jürgens, le chef lausannois a pour lui, outre un instinct poétique jamais en défaut, le sens du style monteverdien et un plateau de solistes où brille le ténor d'Eric Tappy, Orphée vibrant d'humanité, inoubliable de jeunesse.

Le retour d'Ulysse, opéra.

*** Werner Hollweg (Ulysse), Trudeliese Schmidt (Pénélope), Joszef Dene (Jupiter), Hans Franzen (Neptune), Renate Lenhardt (Junon), Philippe Huttenlocher (Eumée), Francisco Araiza (Télémaque), Ensemble Monteverdi de l'Opéra de Zurich, Nikolaus Harnoncourt. Telefunken 6.35592 (3 d.). Enregistré en 1981.

*** Svent Olof Eliasson (Ulysse, la Fragilité humaine), Norma Lerer (Pénélope), Ladislaus Anderko (Jupiter), Nikolaus Simkowsky (Neptune), Rothraud Hansmann (l'Amour), Margaret Baker-Genovesi (Junon, Melanto, la Fortune), Max van Egmond (Eumée), Karl Hansen (Télémaque), Concentus Musicus de Vienne, Nikolaus Harnoncourt. EMI Telefunken 6.35024 (4 d.). Enregistré en 1971.

*** Richard Stilwell (Ulysse), Frederica von Stade (Pénélope), Keith Lewis (Jupiter), Roger Brison (Neptune), Kate Flowers (l'Amour), Claire Powell (Junon), Richard Lewis (Eumée), Patrick Power (Télémaque), Ch. de Glyndebourne, Orch. Phil de Londres, Raymond Leppard. CBS 79.332 (3 d.). Enregistré en 1979.

La deuxième version de Harnoncourt est comme transfigurée par la dimension scénique, par les échos de la représentation sur le vif et par la présence presque physique des acteurs. L'orchestre tend à une stylisation – phrasés, dynamique, effets – parfaitement accordée aux rebondissements de cette œuvre à suspens et le jeu de la vie et de l'amour est au rendez-vous avec l'humour le plus débridé.

La première intégrale enregistrée par Harnoncourt proposait d'emblée une re-création idéale (et radicale), une approche emportée par le vent de la vie. Reconstitution musicale exemplaire, magnifiée par le juste style des interprètes vocaux, tous excellents, et par la qualité de l'accompagnement signé par le Concentus Musicus de Vienne et, bien entendu, réalisé sur instruments d'époque.

Leppard communique à la partition une unité sonore et dramatique indiscutable, particulièrement bien venue. Ses options s'écartent souvent sensiblement de celles de Harnoncourt, mais elles n'en sont pas moins défendables, et en tout cas fort bien défendues dans le cas présent où musiciens, choristes et solistes rivalisent dans la ferveur de leur engagement.

Selva morale e spirituale pour St-Marc de Venise.

*** Solistes, Ensemble Vocal et Instrumental de Lausanne, Michel Corboz. Erato MSM 1 (8 d.).

Même si depuis une dizaine d'années, d'importants progrès ont été accomplis par les interprètes, dans un plus grand souci de reconstitution musicologique, le monument élevé par Corboz à Monteverdi, maître de chapelle à Saint-Marc de Venise, demeure toujours aussi impressionnant dans l'élan de sa prière, dans la soif d'absolu qui illumine par exemple le fameux *Gloria à 7* de 1631, enlevé évidemment sur des rythmes moins provocants et une dynamique moins corrosive qu'avec les champions de la nouvelle approche baroque. Telle quelle, une cathédrale sonore où l'ivresse ne naît pas du mouvement, mais des visions de l'âme.

Selva morale e spirituale, extraits : Gloria, Laudate Dominum, Laudate Pueri, Messe à 4 voix a cappella.

❀*** Collegium Vocale de Gand, Musica Antiqua Amsterdam, Ton Koopman. EMI Telefunken 6.42163 (étr.). Enregistré en 1977.

Pour tous ceux qui hésiteraient à faire l'acquisition de l'intégrale Corboz, voici l'anthologie qui s'impose avant toute autre, sans doute le plus remarquable échantillon, jusque dans l'exécution de la *Messe à 4 voix*, du savoir-faire de la nouvelle école d'interprétation et du retour radical à la vérité des œuvres, comme aux habitudes des chapelles dans l'Italie du XVIIe siècle. Le spectaculaire *Gloria à 7* est ici un prodigieux moment d'émotion spirituelle, où l'ivresse mystique monte du délire des rythmes, du mouvement irrésistible de la phrase musicale. Et comme le chant du Collegium de Gand irradie, comme il déborde d'une ferveur contagieuse, la complicité d'un accompagnement instrumental d'époque aidant, avec ce que cela implique de parfaite maîtrise technique et de saine virtuosité.

Vêpres de la Vierge.

❀*** Paul Esswood (hc), Kevin Smith (hc), Ian Partridge (t), John Elwes (t), David Thomas (b), Christopher Keyte (b), Ensemble instrumental, Ch. de la Cathédrale de Ratisbonne, Hans Martin Schneidt. Archiv 2723.043 (3 d.). ⊠ 3376.010 (3 c.). Enregistré en 1975. *+ Missa in illo tempore.*

*** Jill Gomez (s), Felicity Palmer (s), James Bowan (hc), Robert Tear (t), Philip Langridge (t), John Shirley-Quirk (b), Michael Rippon (b), Ch. et Orch. Monteverdi, Ch. d'enfants de la Cathédrale de Salisbury, Jones Brass Ensemble, Munrow Recorder Consort, John Eliot Gardiner. Decca 593.040 (2 d.). Enregistré en 1974.

*** Solistes et Ch. Pro Cantione Antiqua de Londres, Solistes et Ch. de l'Escolonia et de la Capella Musica de Montserrat, Collegium Aureum, Ireneu Segarra. Harmonia Mundi HM 30.337/38 (2 d.). ⊠ HM 30.337/38 (2 c.). Enregistré en 1978.

*** Luciana Ticinelli-Fattori (s), Maria Grazia Ferracini-Malacarne (s), Magali Schwartz (s), Eric Tappy (t), Hugues Cuénod (t), Philippe Huttenlocher (bar), Enrico Fissore (b), François Loup (b), Solistes instrumentaux, Ensemble Vocal et Instrumental de Lausanne, Michel Corboz. Erato STU 70.325/27 (3 d.). Enregistré en 1966.

*** Rothraud Hansmann (s), Irmgaard Jacobeit (s), Nigel Rogers (hc), Bert van t'Hoff (t), Max van Egmond (bar), Jacques Villisech (b), Solistes, Petits Chanteurs de Vienne, Ch. Monteverdi de Hambourg, Concentus Musicus de Vienne, Jürgen Jürgens. EMI Telefunken 6.35045 (2 d.). Enregistré en 1966.

La version la plus accomplie, celle qui, semble-t-il, associe au plus juste le sens du sacré à la glorieuse dimension vénitienne - tout en tenant compte des usages exacts du temps (chorale masculine et authenticité des instruments d'époque) - est l'interprétation (avec les 2 *Magnificats*) des Petits Chanteurs de Ratisbonne, dirigés par Schneidt. Un climat de confiance et d'intimité mystique prévaut ici, sans d'ailleurs que lui soient sacrifiés la vie rythmique et l'éclat des sonorités (le mordant des cornets, dans la *Sonata sopra sancta Maria)*. Et le plateau de chantres est superbe dans les Motets solistes.

A l'opposé de Schneidt, il y a la puissance, la démesure, la dimension dramatique et aussi l'espèce de folie baroque de la version Gardiner. Vision quasi théâtrale qui court au spectaculaire sans trop s'embarrasser de scrupules musicologiques et du fameux retour aux sources (la chorale est mixte et les instruments le plus souvent modernes). Mais malgré ces entorses à la lettre de l'œuvre, Gardiner reste toujours fidèle à son esprit, privilégiant la vitalité des rythmes (le tourbillon ivre jusqu'au vertige de la Sonate !), la brillance des timbres et, avec elles, une jeunesse d'accents absolument irrésistible.

La version de l'Escolania de Montserrat reste la préférée de ceux qui pensent que le sentiment intérieur doit ici transcender tout, ou du moins l'emporter sur le dramatique, avec, en sus, une touche de mysticisme passionné qui ne détonne pas venant de compatriotes de Victoria. Mais outre sa ferveur intense, cette version s'autorise d'une réalisation musicologique exemplaire (chorale de garçons, respect de la notation d'église du temps), d'un retour aux sources sans cesse soulevé par le souffle de la vie.

Jürgen Jürgens a signé, avec la complicité du Concentus Musicus de Vienne, champions de la manière musicologique, une approche très séduisante des *Vêpres*, moins exaltée que celle de Gardiner, mais toujours juste de ton, de rythme et de son. Et quant au chant pur, il y a le mélodisme intense des épisodes solistes, où triomphent l'ornement et l'arabesque lyrique (le *Gloria Patri* du *Magnificat*, ineffable duo d'éternité).

On ne peut oublier la version toute de spiritualité vibrante et de recueillement aussi, de Corboz, ce pèlerin de l'absolu, qui a donné une interprétation qui reste toujours actuelle, un témoignage habité par la prière comme bien peu l'ont été après lui. Et tant pis si, après cela, les cornets ont par endroits des petits problèmes de justesse.

Vêpres de Noël. Trois motets : «Ab Aeterno Ordinata sum», «Salve Regina», «Audi Caelum».

* Julie Kennard, Elisabeth Harrison (s), Shirley Minty (c), Peter Hall (t), Edgar Fleet (t), David Wilson-Johnson (bar), Roderick Earle (b), Trinity Boys Choir, Ch. et Orch. de l'Accademia Monteverdiana, Denis Stevens. Nonesuch HB 73.032 (USA). Enregistré en 1979.

Les *Vêpres de Noël* n'ont rien à voir avec le célèbre recueil des *Vêpres de la Vierge.* Il s'agit d'une reconstitution imaginée par Denis Stevens à partir de la *Selva Morale* de 1640, mariant la puissance à l'apparat dans le meilleur style de la manière vénitienne. Le résultat s'éloigne de l'approche des ré-interprétations à l'ancienne, mais ne peut en aucun cas laisser l'auditeur indifférent tant la spiritualité qui s'en dégage est prenante.

Montsalvatge, Xavier
(né en 1912)

Canciones negras.

*** Teresa Berganza (ms), Felix Lavilla (piano). DG 2530.598 (RFA). + *Anchieta, Estève : Chansons. Granados : Tonadillas. Guridi : Canciones castellanas. de la Torre : Chant. Turina : Chansons.*

La voix de Teresa Berganza, chaude et souple, se prête admirablement bien à ces mélodies espagnoles : l'amour qu'elle porte à cette musique est parfaitement perceptible au travers de leur exécution enthousiaste et communicative. Et l'accompagnement de Felix Lavilla est remarquable. Une seule réserve : il existe un hiatus un peu gênant entre les œuvres des XIXe et XXe siècles, qui forment la majorité du programme, et les trois premières plages consacrées aux XVIe et XVIIe siècles : on ressent une dissonance. Mais cela demeure un détail...

Morales, Cristobal de
(vers 1500-1553)

Lamentations à quatre, cinq et six voix.

*** Ensemble «a sei voci». Le Chant du Monde LDX 78.680 (sup.).

Une interprétation désireuse de rendre le texte aussi présent que la musique, une intégrale qui redonne à cette œuvre sa dimension et qui nécessite donc une écoute fractionnée. Vie intense, ascétisme et conviction qui peuvent mener à la prière. L'Ensemble «a sei voci» a su trouver ici le ton le plus authentique pour cette composition assez difficile, mais d'une intense beauté.

Magnificat. Motets Andreas Christi, Pastores dicite quidnam vidistis ?, Emendemus in melius, Lamentabur Jacob, Jubilate Deo omnis terra.

❀*** Pro Cantione Antiqua de Londres, The Early Music Consort de Londres, Bruno Turner. Archiv 2533.321. Enregistré en 1975.

Une réalisation magnifique par l'homogénéité des voix, l'efficace mais discret accompagnement de celles-ci par les instruments. Il y a dans cette interprétation une recherche de pureté, de sobriété, et en même temps la volonté de rendre compte de la richesse inventive, que le Pro Cantione Antiqua fait monter jusqu'à la splendeur : plénitude dans le plus grand ascétisme. Les voix bien individualisées savent se fondre dans la masse d'un ensemble parfaitement homogène, où le dessin des lignes ressort avec la force expressive d'une utilisation rigoureuse mais habile des plans sonores.

Messe «Mille regretz». Motets. Pastores, dicite quidnam vidistis ?, Per tuam crucem, Salve Regina, Andreas Christi famulus, Christus resurgens.

* Les Madrigalistes de Prague, Miroslav Venhoda. Valois MB 834 (sup.). Enregistré en 1969.

Les Madrigalistes de Prague ne parviennent pas ici à détailler autant qu'il le faudrait la structure complexe de cette Messe. Il en résulte quelque chose de touffu, qui manque d'aération. L'enregistrement est bon, mais ne pallie pas certaines insuffisances vocales, en particulier dans les passages solistes. Il n'en reste pas moins que ce disque présente l'intérêt certain de révéler une œuvre importante par sa complexité et sa richesse inventive. Le même aspect touffu est à déplorer dans les Motets. Pourtant, la beauté du chœur, la pureté des voix sont plus sensibles ici que dans la Messe, donnant à cette réalisation le recueillement nécessaire.

Missa quaeramus cum pastoribus. Motet Exaltata est Sancta Dei Genitrix.

* Escolania et Capella Musica de Montserrat, Ars Musicae de Barcelone, Ireneu Segarra. Deutsche Harmonia Mundi HM 20.362/63 (2 d.) ⌧ 30.362/63 (2 c.). + *Cererols : Messes.*

Cet enregistrement présente une belle qualité vocale, dans les timbres, la distribution des voix dans l'espace, la souplesse et la rigueur de l'ensemble, mais il n'est pas sans défauts techniques qui peuvent altérer l'écoute : rupture d'atmosphère entre l'*incipit* grégorien et les pièces polyphoniques, certaines vibrations qui sont plus à imputer à l'enregistrement proprement dit qu'à l'interprétation. C'est le seul disque offrant cette Messe dont l'intérêt musical n'est pas moindre, et son interprétation, peut-être sans conviction, a le privilège de permettre la comparaison entre Morales et Cererols : riche d'enseignement. On remarquera les mêmes défauts techniques dans l'enregistrement du Motet que dans la Messe de l'autre face. Ici, le manque de relief paraîtra sans doute plus gênant, cependant l'œuvre emportera l'adhésion.

Morley, Thomas
(1557-1603)

The First Book of Ayres.

*** Nigel Rogers (t), Nikolaus Harnoncourt (viole de gambe), Eugen Dombois (luth). Telefunken 6.71127.

Ceci est le recueil complet publié du vivant de Morley. Ces dix-huit chansons représentent la quintessence d'une certaine forme de l'art musical élisabéthain. Nigel Rogers les interprète à la perfection, ne donnant jamais l'impression d'être devant un micro ni même dans une salle de concert. La simplicité de son expression, l'élégance de sa diction et de son phrasé, et surtout la suprême aisance avec laquelle il chante devant et pour nous sont rarement atteintes. Harnoncourt et Dombois lui apportent leur soutien avec la même absence de solennité. Tout se déroule comme dans une réunion amicale. On est si séduit qu'on en oublie d'admirer l'aspect technique de la performance.

Les Triomphes d'Oriane : ballets, madrigaux, pavanes et chants sacrés.

** Deller Consort, Alfred Deller ; Morley Consort, David Munrow. Harmonia Mundi HM 241.

Sous le titre *Triomphes d'Oriane*, Deller a réuni des œuvres de Morley appartenant aux genres les plus divers. Le résultat en est un disque fort agréable, mais qui ne permet guère de se faire une idée sur la personnalité du compositeur. Le Deller Consort est à son point de perfection habituel, dans cet état d'équilibre admirable entre le travail de solistes et le chant collectif. Le Morley Consort, chargé de la partie instrumentale du programme, donne une prestation remarquable, se jouant des difficultés des pavanes et gaillardes qui lui sont proposées, et se montrant par son aisance un partenaire digne de donner la réplique au Deller des meilleurs jours.

Mouret, Jean-Joseph
(1682-1738)

Suites de Symphonies : Fanfares pour trompettes, timbales, violons et hautbois en ré majeur. Symphonies pour violons, hautbois, et cors de chasse en fa majeur.

** Orch. de Chambre, Paul Kuentz. Archiv Produktion 198.333. + *Delalande : Symphonies pour les soupers du Roy.*

** Orch. de Chambre, Jean-François Paillard. Erato STU 70.069. ⌧ MCE 70.069. + *Lully : Amadis (Suite de Symphonies).*

Un programme intéressant et une bonne réalisation pour ce disque consacré à la musique «officielle» du Grand Siècle : tout en gardant à ces œuvres leur solennité originelle, Kuentz, grâce à un orchestre discret et maître de sa sonorité, a su lui garder un caractère aisé et naturel de musique de divertissement, écrite pour la chasse ou le souper.

Paillard a marqué sa réalisation d'une grande sensibilité ; il a cherché à rendre les savants mélanges sonores et la richesse mélodiques de ces pièces où Mouret a allié des instruments aussi divers que le violon, le cor, le hautbois, les timbales. La prise de son, de belle qualité, traduit exactement la direction attachée à communiquer à la musique la grâce et la puissance.

Moussorgski, Modeste
(1839-1881)

Anthologie orchestrale : Khovantchina (Prélude et introduction de l'Acte IV), Joshua, Salammbô, Scherzo en si bémol majeur, La destruction de Sennacherib, Une nuit sur le mont chauve, Oedipe à Athènes, La prise de Kars (Marche triomphale).

** Ch. et Orch. Symph. de Londres, Claudio Abbado. RCA RL 31.540. ⌧ RK 31.540. Enregistré en 1980.

Claudio Abbado nous restitue, à côté de l'orchestration originale de la *Nuit sur le mont chauve,* des œuvres inachevées que l'on avait fini par oublier dans les fonds de tiroirs du musicien russe : il faut les avoir écoutées pour se convaincre du génie dramatique de Moussorgski. Investissant ces pages de toute la force de sa conviction, Abbado innerve chaque respiration d'une intensité poétique et dramatique refusant l'effet facile.

Boris Godounov, opéra (version originale).

*** Martti Talvela (Boris), Nicolaï Gedda (le faux Dimitri), Bozena Kinasz (Marina), Leonard Mroz (Pimène), Andrzej Hiolsky (Rangoni et Chtchelkalov), Aage Haughland (Varlaam), Bohdan Paprocki (Chouiski), Halina Likomska (Xenia), Ch. et Orch. de la Radio Polonaise, Jerzy Semkov. EMI VSM C 165-02.870/73 (4 d.). Quadri. Enregistré en 1976.

Boris Godounov, opéra (version arrangée par Rimski-Korsakov).

*** Mark Reizen (Boris), Georgy Nelepp (le faux Dimitri), Maria Maksakova (Marina), Maxime Mikhaïlov (Pimène), V. Lubentsov (Varlaam), Nikander Khanaïev (Chouiski), Evguenia Verbitskaïa (la nourrice), Ivan Koslowski (l'innocent), Ch. et Orch. du Théâtre Bolchoï de Moscou, Nicolaï Golovanov. Mélodia M 10-37.403/10 (4 d.) (URSS). Mono. Enregistré en 1948.

** Nikola Ghiuzelev (Boris et Pimène), Dimiter Damianov (le faux Dimitri), Alexandrina Miltcheva (Marina), Peter Bakardjiev (Rangoni), Assen Tchavdarov (Varlaam), Liubomir Bodurov (Chouiski), Kiril Diulgherov (l'innocent), Ch. et Orch. de l'Opéra de Sofia, Assen Naïdenov. Harmonia Mundi HMU 144 (4 d.) (étr.). Enregistré en 1975.

* Nicolaï Ghiaurov (Boris), Ludovico Spiess (le faux Dimitri), Galina Vichnevskaïa (Marina), Zoltán Kélémen (Rangoni), Martti Talvela (Pimène), Anton Diakov (Varlaam), Alexei Maslennikov (Chouiski), Ch. de la Radio d'Etat de Sofia et de l'Opéra de Vienne, Orch. Phil. de Vienne, Herbert von Karajan. Decca SET 514/17 (4 d.) (G-B). ⌧ 4-390.019 (4 c.). Enregistré en 1970.

* Ivan Petrov (Boris), Vladimir Ivanovski (le faux Dimitri), Irina Arkhipova (Marina), Evgueny Kibkalo (Rangoni), Mark Rechetine (Pimène), Alexeï Guelava (Varlaam), Georg Choulpine (Chouiski), Ch. et Orch. du Théâtre Bolchoï de Moscou, Alexandre Melik-Pachaïev. Chant du Monde LDX 78.315/18 (4 d.). ⌧ K 218/20 (3 c.). Enregistré en 1960.

Boris Godounov. Extraits : scène du couronnement, deux scènes de l'acte II, 2e scène de l'acte IV (entière).

*** Feodor Chaliapine (Boris), Angelo Bada (le faux Dimitri), Margherita Carosio (Marina), Ch. et Orch. de Covent Garden, Vincenzo Bellezza. EMI HMV RLS 742 (3 d.) (G-B). Mono (origine 78 t.). Enregistré sur le vif en 1928. *+ Extraits de Faust, Mefistofele, La Bohème, Otello, Les Maîtres Chanteurs de Nuremberg.*

La version dirigée par Semkov est la seule disponible de l'opéra tel que Moussorgski l'acheva en 1872. Mais, contrairement à la publicité faite, on ne trouve pas «tout» ici, puisqu'y manque la version primitive (1869) de la scène du terem. C'est là un travail d'un grand sérieux, encore que Semkov ne retrouve guère, au studio, l'enthousiasme qu'il déploie à la scène. Il y impose néanmoins la sobriété et le dépouillement de la vraie partition à laquelle manquent peut-être des interprètes plus convaincus et plus différenciés : Talvela n'a ni le mordant, ni la tessiture souhaitée pour Boris, mais chante bien, Gedda est en excellente forme, Marina est bonne, Pimène superbe et Rangoni révèle un fantastique Hiolsky. Alors, passons sur Chouisky, Feodor, la Mamka et des chœurs seulement honnêtes...

La regravure effectuée en 1976 de l'enregistrement de Golovanov, d'une stupéfiante qualité, remplace l'ancienne version Bolchoï/Chant du Monde de 1949, strictement identique mais où l'excellent Pirogov remplaçait Reizen, inégalable par la splendeur du chant alliée à une puissante carrure dramatique. On peut discuter un Chouiski sexagénaire, mais Nelepp et Koslowski sont exceptionnels, les chœurs insurpassables, le chef parfait. On trouve ici la scène devant St-Basile, mais guère de Rangoni, et les coupures sont nombreuses.

Les Bulgares désiraient semble-t-il réaliser la version authentique de *Boris* : contraints d'utiliser la version Rimski «complète» et son harmonisation occidentale, ils ont gommé le clinquant habituellement escompté de l'œuvre. On y découvre l'aridité, l'intériorité voulue par Moussorgki, et au milieu d'excellents chœurs et de très bons chanteurs n'accaparant pas l'attention (superbe Marina), Ghiuzelev, Pimène discutable, campe enfin un Boris humain, jamais grandiloquent.

Karajan est terriblement séduisant, mais deux fois traître à l'œuvre qu'au-delà de Rimski il tire vers un sentimentalisme à la Tchaikovski, et dont il fait non une œuvre collective, mais un défilé de vedettes, souvent malheureuses : Vichnevskaïa, Spiess, Diakov, et même un Ghiaurov grandiloquent et peu concerné par son rôle. Demeurent Talvela et le rarissime Kélémen, des chœurs et un orchestre faisant resplendir chaque note, mais des notes qui doivent si peu à Moussorgski !

Très bonne version standard de Melik-Pachaïev, presque complète, avec une splendide Arkhipova, et d'excellents chanteurs bien dirigés, mais désespérément fonctionnarisés... On peut regretter les deux versions où Boris Christoff chante (hélas !) trois rôles : en 1952, en grande forme, avec l'excellent Dobrowen, version très mutilée ; et en 1962, un peu tard avec Cluytens, version «complète», mais assez hétérogène et trop élégante, voire terne.

Boris, c'est bien sûr Chaliapine ! Mieux encore que ses différents 78 tours des trois rôles, gravés de 1910 à 1931 et maintes fois reportés en 33 tours (VSM, Mélodia etc.), EMI a sauvé avec génie ce qui était récupérable des vingt faces gravées en direct en 1928, avec des chœurs et solistes chantant en italien à Londres. Mais la voix, la présence, l'humanité et même la dérisoire bouffonnerie tragique de ce grand Boris irremplaçable (qui parfois recourt au texte véritable de Moussorgski) vous coupent le souffle.

Khovantchina, drame populaire (réduction et orchestration de Rimski-Korsakov).

*** Mark Reizen (Dossifei), Sofia Prieobrajenskaïa (Marfa), B. Freidkov (Ivan Khovanski), I. Netchaïev (Andreï Khovanski), Vladimir Oulianov (Golitsine), I. Shachkov (Chakloviti), Ch. et Orch. du Théâtre Kirov de Leningrad, Boris Khaïkine. Mélodia 33 D 011.089/94 (3 d.) (URSS) (origine 78 t.). Enregistré en 1946.

*** Mark Reizen (Dossifei), Maria Maksakova (Marfa), Alexandre Krivtchenia (Ivan Khovanski), G. Bolchakov (Andreï Khovanski), Nikander Khanaïev (Golitsine), Alexeï Ivanov (Chakloviti), Ch. et Orch. du Théâtre Bolchoï de Moscou, Vassili Nebolssine. BWS 458 (3 d.). Mono. Enregistré sur le vif en 1951.

** Alexandre Ognivtsev (Dossifei), Irina Arkhipova (Marfa), Alexandre Krivtchenia (Ivan Khovanski), Vladislav Pyavko (Andreï Khovanski), Alexei Maslennikov (Golitsine), Netchpaïlo (Chakloviti), Ch. et Orch. du Théâtre Bolchoï de Moscou, Boris Khaïkine. Chant du Monde LDX 78.590/93 (4 d.). Enregistré en 1972.

La première version Khaïkine constitue une référence absolue, malgré un report en 33 tours commencé presque un demi-ton au-dessous et progressivement relevé, malgré les si beaux chœurs un peu sacrifiés. On y entend pourtant l'orchestre mieux qu'ailleurs, et Khaïkine, aidé par la splendide formation de Leningrad, est parfaitement rythmique, sauvage parfois, à la tête d'une équipe vocale de rêve où les moindres rôles sont tenus par une pléïade de Chaliapine ! Reizen est le plus splendide Dossifei qui soit, largement supérieur à Chaliapine lui-même, Prieobrajenskaïa inégalable en authentique contralto (utilisant hélas ! la version Rimski souvent haussée d'une tierce), mais Khovanski, Golitzine, Chakloviti et Kouzka sont dignes d'eux.

Nebolssine semble plus théâtral, plus vif, bien que moins précis. Suivant la version Rimski (45 minutes enlevées, harmonie et ligne de chant entièrement refaites), il rétablit cependant, entre autres, la scène du pasteur allemand, revient parfois à la ligne de chant originale, mais supprime le début du 3e acte et le rôle de Suzanne. Reizen est supérieur à lui-même, confronté au Khovanski sauvage de Krivtchenia, les autres rôles seulement corrects. Le 1er acte se ressent des grésillements des disques souples d'origine, mais l'ensemble est généreux, aux larges basses.

La version la plus récente présente le même chef qu'en 1946, et le même Khovansky qu'en 1951, tous deux bien vieillis, mais le son est beau, encore que l'orchestre soit éloigné. Excellent Golitsine, très bon Dossifei, fanatique, excellente Marfa de la somptueuse Arkhipova un peu courte dans le grave. Les autres adoptent une sorte de *Sprechgesang*, de *parlando* qui, mieux défendu, serait justifiable. Hélas ! toujours la version Rimski. On trouvera le véritable Prélude dans l'anthologie Svetlanov (Chant du Monde).

Mélodies : enregistrement intégral (63 mélodies).

*** Boris Christoff (b), Alexandre Labinsky et Gerald Moore (piano), Orch. National de la RTF, Georges Tzipine. EMI VSM FALP 489/92 (4 d.) (sup.). Mono. Enregistré en 1958.

Mélodies : Les Enfantines.

❀*** Boris Christoff (b), Alexandre Labinski (piano). EMI Références 1731471. Mono. Enregistré en 1958. *+ 13 Mélodies.*

*** Elisabeth Söderström (s), Vladimir Ashkenazy (piano). Decca 390.126. Enregistré en 1977. *+ Mélodies de Prokofiev et de Gretchaninov.*

** Alexandrina Miltcheva (ms), Svelta Protich (piano). Harmonia Mundi HM B 151. ⌧ HM B 40-151. Enregistré en 1979. *+ 8 Mélodies.*

Mélodies : Sans Soleil.

** Bernard Kruysen (bar), Noël Lee (piano). Valois MB 751. Enregistré en 1966. *+ Chants et Danses de la Mort, 2 Mélodies.*

** Evgueni Nesterenko (b), Vladimir Kraïniev (piano). Mélodia Chant du Monde 7.175 (étr.). Enregistré en 1977. *+ Chants de la Mort, Le Roi Saül, La Puce.*

Mélodies : Chants et Danses de la Mort.

*** Irina Arkhipova (ms), John Wustmann (piano). Mélodia Chant du Monde LDX 78.514 (étr.). Enregistré en 1972. *+ Rachmaninov : Mélodies.*

** Kim Borg (b), Orch. de Radio Prague, Aloïs Klima. Supraphon SU 50.390 (étr.). Enregistré en 1962. *+ 7 Mélodies.*

** Galina Vichnevskaïa (s), Mstislav Rostropovitch (piano). Philips 6555.048. ⌧ 7 333.048. Enregistré en 1961. *+ 6 Mélodies.*

L'intégrale de Boris Christoff est un monument dont l'absence au catalogue est une déplorable lacune. Christoff possède le génie du mot et brille davantage dans les miniatures - les *Enfantines, Le Séminariste, Savishna* - et dans les berceuses tragiques. Labinski est un bon partenaire, mais il fait déplorer que soient employées ici les versions apocryphes de Rimski-Korsakov, et pis encore, des orchestrations souvent très incongrues.

L'enregistrement des *Enfantines*, extrait de l'intégrale, représente un sommet difficilement égalable, où Christoff murmure et psalmodie d'une voix d'enfant inimitable. Le complément est fourni par d'autres chants évoquant l'enfance, et par une sorte de cycle de berceuses tragiques où Christoff est également bouleversant.

Söderström, bien soutenue par un excellent piano et une gravure moderne, a eu le courage de se démarquer de Christoff, et en chantant avec une voix «normale» et fort belle réussit également l'exploit, dans un lyrisme simple et sans artifice. Bon complément avec d'autres mélodies à caractère enfantin de Prokofiev et de Gretchaninov.

Le timbre doux et soyeux d'Alexandrina Miltcheva nous touche par son émotion contenue et son pathétisme sans grandiloquence, à l'image de ces musiques trop rarement enregistrées. Elle nous donne également une interprétation aussi vivante que variée des Mélodies diverses, achevant de faire de ce disque une réalisation de choix particulièrement bien venue dans une discographie bien mince.

Bernard Kruysen, spécialiste de la mélodie française, est admirable dans les *Sans Soleil*, ce cycle déjà «impressionniste» qui influença tant Debussy. La voix n'est ni riche, ni très belle, mais c'est précisément ce que requiert l'œuvre axée sur un morbide intérieur que traduisent parfaitement Kruysen et Noël Lee, autre debussyste chevronné. Mais le complément du disque convient beaucoup moins bien à leur expression.

Nesterenko est un excellent chanteur, accompagné d'un pianiste heureusement présent, et cette voix d'outre-tombe peut aussi convenir à cette musique désespérée qu'il rend avec une grande émotion. Le reste du disque est absolument exceptionnel. C'est ici la version originale qui est retenue. Bien que contraint à certaines transpositions, mais l'œuvre convient si bien à une voix de basse, et Chaliapine la fit sienne, Nesterenko est ici dans son monde de violence, de désespoir, où la raucité de sa voix fait merveille. La *Chanson de la puce* tient bien la confrontation avec Chaliapine (VSM).

Arkhipova fut sans doute la première à revenir à l'original de Moussorgski (ce que n'indique pas la pochette). Mais c'est là d'abord une interprétation remarquable de beauté vocale et de subtilité : déchirante dans les berceuses, grandiose et sauvage dans le *Chef d'armée*, le mezzo russe est secondé par un pianiste à sa taille. Très beau choix de mélodies de Rachmaninov en complément.

Le seul reproche à adresser à Kim Borg est d'avoir (comme Christoff) choisi une version orchestrale, et très douteuse de surcroît. La voix est constamment belle - trop, mêmemais riche de coloris infiniment variés. Les autres mélodies emploient soit d'invraisemblables «transcriptions» d'orchestre, soit, avec piano, une version Rimski et deux originaux (*Le Classique et Le Séminariste*), sans mention de cela sur le disque.

Vichnevskaïa était à l'apogée de ses moyens lorsqu'elle enregistra les *Chants et Danses de la Mort*, et ses célèbres effets de sons détimbrés ou traînés passent mieux ici que dans ses disques plus récents, la sensibilité approuvant ce que la raison récuse. Les versions utilisées sont parfois apocryphes ou curieusement aménagées à l'usage de la cantatrice, qui transpose plus bas la version mezzo des *Chants et danses*... Rostropovitch est un accompagnateur trop discret, trop schumannien. Malgré le choix douteux d'un orchestre, Markevitch est excellent dans les autres mélodies, bien choisies, et rendues de manière originale mais séduisante. C'est là, en outre, un disque économique.

Une Nuit sur le Mont chauve, tableau symphonique.

** Orch. Phil. de Londres, David Lloyd Jones. Philips 9500.468. ⌧ 7300.818. + *Tableaux d'une exposition (version orchestrée par Ravel).*

Le musicologue David Lloyd Jones a restitué très fidèlement la véritable version d'une œuvre dont on ne connaissait que l'invraisemblable paraphrase due à Rimsky-Korsakov. Un peu plus de chaleur eût été souhaitable, mais les couleurs volontairement sombres, voire ternes, de l'auteur sont parfaitement respectées. Le couplage est assez quelconque (interprétation des *Tableaux* par Edo de Waart).

L'Œuvre pour piano seul : 16 pièces, et Tableaux d'une exposition.

*** Michel Béroff (piano). EMI VSM C 167-14.033/34 (2 d.). Enregistré en 1975.

La tentative vaut pour son intérêt historique, quand bien même ces piécettes n'apportent guère à la gloire de l'auteur de *Boris*. Mais Béroff en donne une traduction parfaite qu'on taxerait à tort de froideur, récusant avec raison le romantisme de certaines exécutions anciennes (G. Bernard, par exemple). La gravure est soignée. Il ne manque ici que la Sonate à quatre mains. Les *Tableaux d'une exposition* qui figurent dans cette réalisation sont examinés avec les autres enregistrements de cette œuvre.

Tableaux d'une exposition, suite pour piano.

*** Alfred Brendel (piano). Turnabout TV 34.258 (G-B). Enregistré en 1955. + *Balakirev : Islamey. Stravinsky : Petrouchka.*

** Michael Rudy (piano). Calliope 1687. ⌧ 4.687. Enregistré en 1981. + *Rêverie, Une larme, Gopak.*

** Michel Béroff (piano). EMI VSM C 167-14.033 (2 d.). Enregistré en 1975. + *Intégrale de l'œuvre pour piano seul.*

* Vladimir Horowitz (piano). RCA VH 017 (étr.). Stéréo (origine mono). + *Brahms : Intermezzo op. 117 n° 2, Sonate pour violon et piano n° 3, Valse op. 39 n° 15.* Ou RCA LSC 32.078 (USA). + *Tableaux d'une exposition (version orchestrée par Ravel).*

* Bernard Ringeissen (piano). Adès COF 7.081/83 (3 d.). Enregistré en 1979. + *Œuvres du Groupe des Cinq.*

Alfred Brendel, qui était alors très jeune, n'avait cependant pas lié son nom à ceux de Schubert et de Mozart, il nous donne ici une traduction objective absolument fidèle (sauf le traditionnel crescendo de *Bydlo*), et en même temps habité, de sa fantastique personnalité : un toucher envoûtant, du très grand piano, un couplage exceptionnel, mais hélas ! un rhabillage sonore très déplorable.

Michael Rudy s'affirme comme pianiste soucieux de traduire le texte musical avec honnêteté, sans vouloir rien y ajouter qui appartiendrait plus à l'expression du peintre qu'à l'expression du musicien. Il feint d'ignorer les versions orchestrales, et joue merveilleusement des contrastes.

Béroff joue à merveille de son piano très français, et sa lecture est claire, nette, d'une très belle virtuosité, et assez objective, encore que certains *rubatos* (*Vecchio castello*, certaines *Promenades*) soient discutables. Il y manque sans doute le côté russe, un peu massif, en même temps qu'un engagement plus sincère tel qu'on le trouvait dans la version, hélas ! disparue, de Daniel Wayenberg.

Horowitz, dans un disque historique, a bouleversé l'écriture pianistique, et s'il a retranché ici et ajouté là, n'a jamais modifié l'harmonie ni la mélodie. Seulement, si nous avons ici du très grand piano, nous avons aussi toutes les fautes de goût et tous les contresens musicaux imaginables. Pour affamés de pianisme en soi. Au verso, la version orchestrale des *Tableaux*, sous la direction de Toscanini.

Ringeissen n'est peut-être pas un grand virtuose de l'instrument, pas davantage que ne l'était Moussorgski, mais il détaille ces tableautins avec une grande justesse et un grand respect de la partition, tel qu'on doit l'exiger aujourd'hui. Les autres faces du coffret, consacré à la musique de piano du Groupe des Cinq, justifient aussi l'intérêt du disque.

Tableaux d'une exposition (version transcrite pour orchestre par Maurice Ravel).

❀*** Orch. Symph. de Boston, Serge Koussevitzky. RCA 731.025 (sup.). Mono (origine 78 t.). + *Debussy : La Mer.*

*** Orch. Symph. NBC, Arturo Toscanini. RCA LSC 3.278 (USA). + *Tableaux d'une exposition (version piano).*

*** Orch. National de l'URSS, Evgueni Svetlanov. Mélodia Chant du Monde LDX 78.589 (étr.). + *Miniatures.*

** Orch. Phil. de Los Angeles, Zubin Mehta. Decca SXL 6.328 (G-B). Enregistré en 1967. + *Tableaux d'une exposition (version piano).*

** Orch. de la Société des Concerts du Conservatoire, André Cluytens. EMI Trianon 33.126. + *Khovantchina (Prélude). Glinka : Kamarinskaïa.*

* Orch. Phil. de Berlin, Herbert von Karajan. DG 139.010. ⊠ 3300.121. + *Ravel : Boléro.*

Koussevitzky, qui avait commandé l'orchestration à Ravel, en connaissait les moindres intentions, de même qu'il sentait exactement «son» Moussorgski. Non seulement son exécution est d'une fidélité méticuleuse aux moindres accents et notations, sans aucun de ces *rubatos* observés ailleurs, mais les couleurs sont inquiétantes (*Gnomus*), fascinantes, dans une vision souvent rapide (*Bydlo*), avec des accents qui sentent déjà Prokofiev (*Limoges*) et un fantastique *accelerando* final à vous couper le souffle. Avec un très bon report en 33 tours, c'est toujours la version par excellence.

Malgré l'âge du disque et les vicissitudes de la regravure, excessivement brillante, Toscanini réussit à n'être jamais trop rapide, et trouve l'exact sens de la *Promenade* séparant des tableaux «*visuels*», avec des oppositions de couleurs et de nuances stupéfiantes (*Limoges, Les deux juifs*, etc.). On lui reprocherait plutôt parfois un excès de romantisme et des *rubatos*, insolites de sa part. Au verso, la folle version pianistique des *Tableaux* par Vladimir Horowitz.

Svetlanov se réfère davantage à Moussorgski qu'à Ravel, ce qui peut être discuté. Sa lenteur initiale, un peu massive, surprend, mais elle lui permet de construire un ensemble assez fascinant, si l'on accepte une *Porte de Kiev* trop pompeusement étalée. L'objectivité et le réalisme de certains tableaux sont remarquablement rendus.

Mehta est l'un des rares chefs qui parviennent à maintenir un juste équilibre entre Moussorgski et Ravel. Tout est bien pesé, net et dans le juste tempo, mais manque un peu d'enthousiasme. A noter un niveau sonore assez faible, en raison de la durée des faces (couplage avec une version pianistique intéressante, mais trop romantique, par Vladimir Ashkenazy).

La version Cluytens, qui fut longtemps considérée comme référence, a mal vieilli. Certes, nous sommes ici très proches de la conception française, avec un orchestre aux sonorités étincelantes, mais l'incessant *vibrato* de certains musiciens - et notamment de la trompette - peut choquer, de même que certaines coquetteries d'accélérations et de ralentis. Une bonne approche, en série très économique.

Karajan ne laisse jamais indifférent, et il fait créditer son disque d'une excellente reproduction sonore et d'une mise en lumière de chaque détail. Seulement, cette langueur romantique et cette sentimentalité ne conviennent ni à Moussorgski ni à Ravel, et l'extrême lenteur des *Promenades* en fait un défilé d'invalides presque grotesque.

Mouton, Charles
(1626-après 1692)

Pièces de luth sur différents modes. 1er Livre : Pièces en la mineur. 2e Livre : Pièces en fa dièse majeur, Pièces en la majeur.

❀*** Hopkinson Smith (luth). Astrée AS 52. Enregistré en 1979.

Smith et Astrée signent un coup de maître avec un disque merveilleux, consacré hardiment à la musique quelque peu ésotérique d'un compositeur quasiment inconnu. L'interprétation et l'art y sont tellement superbes que tout, sans pour autant être «facile», devient clair et transparent. Une pochette détaillée et bien élaborée aidera à entrer dans le jeu de ces sonorités savantes et raffinées.

Mozart, Leopold
(1719-1787)

Cassation en sol majeur.

** Orch. Philharmonia, Herbert von Karajan. MFP 2 M 055-16.305. ☒ 2 M 255-16.305. + *Prokofiev : Pierre et le loup.*

Souvent attribuée à Haydn comme *Symphonie des jouets*, cette Cassation est une évocation (simpliste) de la maisonnée familiale avec des jouets musicaux d'enfants. Interprétation heureuse, série économique et couplage... juvénile avec *Pierre le loup*, sous une version où Robert Hirsch est le conteur.

Concerto pour trompette et orchestre en ré majeur.

** Maurice André (trompette), Orch. Phil. de Berlin, Herbert von Karajan. EMI VSM C 069-02.544. ☒ C 269-02.544. + *Concertos pour trompettte de Hummel, Telemann et Vivaldi.*

La première rencontre Maurice André et Karajan, pour ce disque consacré à des Concertos pour trompette allant de Vivaldi à Hummel. Tous réclamant la plus grande virtuosité, même si certains sont, sur le plan de la composition, d'un moindre intérêt. Grâce aux deux grands interprètes ici réunis, le résultat est particulièrement brillant et séduira tous les amateurs de cette musique claire et tonifiante.

Le Mariage paysan. Promenade musicale en traîneau. Sinfonia burlesca.

** Ensemble Eduard Melkus de Vienne. Archiv 2533.328.

Eduard Melkus et son célèbre ensemble viennois donne dans ces œuvres une impression de «musique vivante» immédiate et évidente. Sa personnalité musicale est magnifiée par l'emploi d'instruments anciens. Bien sûr, il ne s'agit pas là d'une musique de tout premier plan, mais ce sont d'aimables divertissements de circonstance. La *Sinfonia burlesca* est, des trois morceaux, le plus original, où l'on retrouve l'écho du génial fils de Leopold. D'agréables pages, bien interprétées.

Mozart, Wolfgang Amadeus
(1756-1791)

Adagio et Fugue pour cordes en ut mineur K. 546.

* Orch. New Philharmonia, Otto Klemperer. EMI VSM C 069-00.602. + *Ode Funèbre maçonnique, Ouvertures de l'Enlèvement au sérail, Les Noces de Figaro, Don Giovanni, La Flûte enchantée, Cosí fan tutte.*

Si dans les Ouvertures de Mozart on reste partagé entre l'admiration pour la lisibilité du tissu orchestral et la clarté de l'articulation et l'invitation devant le parti pris de raideur empesée là où l'on attend un jaillissement plus spontané et naturel (ouverture des *Noces*), en revanche, Klemperer donne à l'*Adagio et Fugue* et à l'*Ode funèbre* un climat d'une sereine hauteur.

Airs d'opéras : Don Juan («Batti, batti, o bel Masetto», «Vedrai carino», «Crudele ? Non mi dir»), Idoménée («Zeffirelli lusinghieri»), Les Noces de Figaro («Non so piú cosa son», «Dove sono», «Giunse alfin... Deh vieni, non tardar», «Porgi amor», «Voi che sapete»).

❀*** Elisabeth Schwarzkopf (s), Orch. Philharmonia, John Pritchard. EMI VSM C 051-43.222. Mono. Enregistré en 1952.

Airs d'opéras : Zaïde («Ruhe sanft, mein holdes Leben»), La finta Giardiniera («Crudeli, fermate... Ah! dal pianto»), La Clémence de Titus («S'altro che lagrime»), Cosí fan tutte («Per pietá, ben mio»), Le Roi pasteur («L'ameró, saró costante»), Lucio Silla («Pupille amate»), Idoménée («Se il padre perdei»), La Flûte enchantée («Ach! Ich fühl's»).

❀ *** Kiri Te Kanawa (s), Orch. Symph. de Londre, Colin Davis. Philips 6514.319.

Airs d'opéras : Cosí fan tutte («Come scoglio», «Per pietà, ben mio»), Les Noces de Figaro («Porgi amor», «Dove sono»). Airs de concert : «Bella mia fiamma» K. 528, «Ah se in ciel» K. 538.

*** Teresa Stich-Randall (s), Orch. de la Société des Concerts du Conservatoire, André Cluytens. EMI Trianon TRX 6.114 (sup.).

Airs d'opéras : Cosí fan tutte («Come scoglio», «Per pietà, ben mio, perdona»), Don Juan («Or sai chi l'onore», «Non mi dir, bell'idol mio»), La Flûte enchantée («Ach, ich fühl's»), Les Noces de Figaro («Porgi amor», «Dove sono»).

*** Teresa Stich-Randall (s), Orch. Phil. de Vienne, László Somogyi. Westminster WST 17.046 (USA).

Airs d'opéras : La Clémence de Titus («Parto, parto»), Cosí fan tutte («Temerari... Come scoglio», «E amore un ladroncello», «Ei parte... Per pietà»), Les Noces de Figaro («Non so più», «Voi, che sapete»). Airs de concert : «Ch'io mu scordi di te... Non temer» K. 505.

*** Teresa Berganza (s), Orch. Symph. de Londres, John Pritchard. Decca Ace of Diamonds SDD 176 (G-B).

Airs de concert pour soprano.

*** Kiri Te Kanawa, Edita Gruberova, Teresa Berganza, Krisztina Laki et Elfriede Höbarth (s), Orch. de Chambre de Vienne, György Fischer. Decca 591.232 (5 d.).

Le disque de Schwarzkopf n'a pas de prix. D'abord parce que c'est le pur miracle d'Elisabeth Schwarzkopf enregistrée au zénith de sa carrière dans les grands airs d'opéra de Mozart. Ensuite parce que le programme juxtapose, aux airs de Donna Anna et de la Comtesse qu'elle a fréquemment enregistrés, des rôles beaucoup plus inhabituels pour elle : Chérubin et Suzanne des *Noces*, Zerline de *Don Juan*, ainsi que celui d'Ilia d'*Idoménée*. Des tempos inhabituels parfois, mais d'un bout à l'autre un festival d'intelligence musicale.

Kiri Te Kanawa et Mozart ont maintenant

une longue histoire commune. Pas de surprise dans ces pages : on peut ergoter sur l'absence des trilles détachés dans l'air de Pamina, ou une saturation de l'aigu dans celui de Fiordiligi. Mais le rayonnement et le phrasé, la luminosité des couleurs et la chaleur du timbre qui ont fait la gloire de celle qui a repris le flambeau des Schwarzkopf, Stich-Randall et Jurinac, sont bien présents ici.

Teresa Stich-Randall a ses détracteurs inconditionnels et ses admirateurs tout aussi fanatiques. Trois disques d'airs d'opéras de Mozart seront autant de cas d'affrontement. Le premier, introuvable, sous la direction de Jouve, comporte une sublime interprétation de l'air de Pamina du deuxième acte de la *Flûte enchantée*, le second avec Cluytens est consacré aux airs des *Noces* et de *Cosí fan tutte*, complété par deux airs de concert.

Le troisième des disques de Stich-Randall, pour les airs des quatre grands opéras de Mozart sous la direction de Somogyi, existe en édition à prix très réduit aux États-Unis. Dans les trois cas, c'est un éblouissement, avec une voix d'une pureté de diamant, même si quelque chose de la «présence» de Teresa Stich-Randall fait toujours un peu défaut au disque, même si elle interprète davantage ces pages comme des airs de concert que comme les sommets des opéras auxquels elles appartiennent.

Il y a à peu près vingt ans, Teresa Berganza donnait un exceptionnel témoignage de son talent. Avec la précision de l'articulation, les qualités de vocalise, une parfaite homogénéité du registre, avec un timbre toujours superbe, voilà une éblouissante démonstration de chant mozartien, dans l'*Air K. 505* comme dans les extraits d'opéra qui constituent le reste du programme.

Le coffret dirigé par György Fischer comprend les trente-cinq airs pour soprano de Mozart : c'est une étonnante leçon de chant et de musique. Kiri Te Kanawa étonne par sa classe et son intelligence dans les récitatifs ; Berganza apparaît au sommet de son art. Eblouissante technicienne, Gruberova a saisi ce ton de confidence propre aux grandes interprétations mozartiennes. Krisztina Laki est une révélation et évoque par son style lumineux la grande génération viennoise. Seule, Elfriede Höbarth apporte une légère ombre à ce tableau. Bonne direction, «viennoise» et aérée, de György Fischer.

Apollo et Hyacinthus, comédie latine.

*** Anthony Rolfe-Johnson (Oebalus), Arleen Augér (Melia), Edith Mathis (Hyacinthus), Cornelia Wulkopf (Apollo), Hanna Schwarz (Zephyrus), Ch. de chambre de Salzbourg, Orch. du Mozarteum de Salzbourg, Leopold Hager. DG 2707.129 (2 d.). Enregistré en 1981.

Pas la moindre lassitude, pas la moindre baisse de tension, ce délicieux ouvrage en latin de 1767 fascine par la maîtrise de son inspiration. L'interprétation est parfaite : les timbres caractéristiques et de couleurs totalement différentes des quatre cantatrices rendent impossible la moindre confusion entre des personnages par ailleurs campés avec intelligence et sensibilité. Quant à Rolfe Johnson, il se révèle être le digne héritier de Peter Schreier.

Bastien et Bastienne, Singspiel K. 50.

* Edith Mathis (Bastienne), Claes H. Ahnsjö (Bastien), Walter Berry (Colas), Orch. du Mozarteum de Salzbourg, Leopold Hager. DG 2537.038.

* Brigitte Lindner (Bastienne), Adolf Dallapozza (Bastien), Kurt Moll (Colas), Orch. National de Bavière, Eberhard Schoener. EMI VSM C 065-30.231 (étr.). Quadri.

* Petits Chanteurs de Vienne, Orch. de Chambre de Vienne, Edouard Lindenberg. Trianon 33.202. Stéréo d'origine mono. Enregistré en 1958.

Leopold Hager est le premier chef à utiliser pour un enregistrement les récitatifs de la *Neue Mozart Ausgabe* qu'il a complétés luimême. Sur le plan musicologique, c'est donc actuellement la version de référence. Mais le jeu en vaut-il la chandelle ? Sans les coupes traditionnelles de cette partition très mince, avec une direction sage et sans mordant, les pages de *Bastien et Bastienne* paraissent longuettes, malgré un excellent trio de solistes dominé par une Edith Mathis sensible et musicale.

La version d'Eberhard Schoener témoigne des qualités inverses de celle de Hager. Il a pratiqué des coupures, utilisé, au lieu des récitatifs accompagnés au clavecin, un texte parlé nettement plus court, et sa direction est plus vivante et plus animée. En revanche, il dispose de chanteurs moins satisfaisants, et si Kurt Moll campe un savoureux Colas, le timbre très vert de Brigitte Lindner, toute jeune fille au moment de l'enregistrement, et la voix sans moelleux d'Adolf Dallapozza restent en-deçà des exigences pourtant modestes de leurs rôles.

La très ancienne version, sans prétention musicologique, dirigée dans un bon esprit mozartien par le chef français Edouard Lindenberg a un mérite : elle fait appel aux voix d'enfants des Petits Chanteurs de Vienne. Colas est un sorcier convaincant, Bastien très enfantin et très touchant, et le petit interprète de Bastienne excellent et d'une grande sensibilité. Beaucoup de fraîcheur dans ce disque charmant, où seule la technique porte le lourd poids des ans : déjà, en 1958, la prise de son très plate était cruelle pour l'orchestre, et la fausse stéréophonie n'arrange rien, au contraire.

La Betulia Liberata, action sacrée K. 118.

** Claes H. Ahnsjö (Ozia), Birgit Finnilä (Giuditta), Kari Lövaas (Amital), Siegfried Vogel (Achior), Kate Gamberucci (Cabri), Ursula Reinhardt-Kiss (Carmi), Ch. de la Radio de Berlin, Orch. de Chambre de Berlin, Vittorio Negri. Philips 6703.087 (3 d.). Enregistré en 1977.

** Peter Schreier (Ozia), Hanna Schwarz (Giuditta), Ileana Cotrubas (Amital), Walter Berry (Achior), Gabriele Fuchs (Cabri), Margarita Zimmermann (Carmi). Ch. de Chambre de Salzbourg, Orch. du Mozarteum de Salzbourg, Leopold Hager. DG 2709.086 (3 d.) (étr.). Enregistré en 1978.

Pour cette action sacrée composée par un gamin de quinze ans sur un texte de Metastase, Negri s'est entouré d'une bonne équipe de chanteurs. Equipe est bien le mot, car cette distribution vaut par son homogénéité plutôt que par l'éclat de sa virtuosité. Ozias est un rôle un peu exigeant pour les moyens vocaux du jeune Claes M. Ahnsjö, mais sa sensibilité, sa sincérité et sa musicalité sont irréprochables. Avec le timbre de Birgit Finnilä, le charme de Kari Lövaas, des rôles complémentaires bien tenus et une direction fervente et réfléchie de Vittorio Negri (l'Orchestre de Chambre de Berlin est remarquable), cette *Betulia Liberata* a une dimension humaine, et la musique, par moments, émeut.

Les chanteurs réunis autour de Leopold Hager ont des noms et une pointure supérieure à l'équipe de Negri. Au premier rang, il faut citer l'Aminta d'Ileana Cotrubas, au timbre très touchant, et une bonne Hanna Schwarz, mais Peter Schreier, plus virtuose et plus vaillant qu'Ahnsjö, chante plus qu'il n'a de souci d'incarner. La direction de Leopold Hager est souvent brillante, mais les chanteurs semblent au concert et l'unité dramatique n'apparaît pas aussi fortement qu'on le souhaiterait. La partition utilisée est celle de la *Mozart Ausgabe.*

La Clémence de Titus (La Clemenza di Tito), opera buffa K. 621.

***Stuart Burrows (Titus), Yvonne Minton (Sextus), Janet Baker (Vitellia), Lucia Popp (Servilia), Frederica von Stade (Annius), Robert Lloyd (Publius), Ch. et Orch. de Covent Garden, Colin Davis. Philips 6703.079 (3 d.). ⌧ 7699.038 (3 c.). Enregistré en 1976.

** Werner Krenn (Titus), Teresa Berganza (Sextus), Maria Casula (Vitellia), Lucia Popp (Servilia), Brigitte Fassbaender (Annius), Tugomir Franc (Publius), Ch. et Orch. de l'Opéra de Vienne, Istvan Kertesz. Decca 390.020 (3 d.). Enregistré en 1968.

** Stuart Burrows (Titus), Alicia Nafé (Sextus), Christiane Eda-Pierre (Vitellia), Christine Barbaux (Servilia), Daphné Evangelatos (Annius), Jules Bastin (Publius), Ch. et Orch. Symph. de l'Opéra de Bruxelles, Sylvain Cambreling. Opéra National de Bruxelles 8211.010 GM (3 d.). Enregistré en 1982.

** Peter Schreier (Titus), Teresa Berganza (Sextus), Julia Varady (Vitellia), Edith Mathis (Servilia), Marga Schiml (Annius), Theo Adam (Publius), Ch. de la Radio de Leipzig, Orch. de la Staatskapelle de Dresde, Karl Boehm. DG 2709.092 (3 d.). ⌧ 3371.049 (3 c.).

Le premier à utiliser le texte établi par la Nouvelle Edition Mozart, l'enregistrement réalisé en 1976 sous la direction de Colin Davis sort tout droit de représentations données à Covent Garden. On y gagne un naturel dans les enchaînements, une cohérence, un sentiment d'unité que l'on n'avait pas eus dans ceux qui l'avaient précédé. Une grande distribution, du très beau chant, la flamme de Janet Baker en Vitellia, le charme attachant de Frederica von Stade (au débit : une justesse qui n'est pas à l'abri de toute critique chez Janet Baker et surtout Yvonne Minton) et la qualité de la direction de Colin Davis rendent justice à ce chef-d'œuvre trop négligé de Mozart.

Il avait fallu attendre 1968 pour disposer d'un premier enregistrement raisonnablement complet de l'ultime opéra de Mozart, et les quelques coupures pratiquées, notamment dans le récitatif *secco* de Süssmayr, ne le défigurent pas. La distribution réunie autour d'István Kertesz était dominée par l'admirable musicalité de Berganza (Sesto), mais sauf avec Maria Casula, Vitellia vocalement imparfaite mais dramatiquement saisissante, on se sent ici souvent plus au concert ou au studio qu'à l'opéra.

La version Cambreling offre l'inappréciable avantage de nous restituer le *«live»*, avec les différences de plans sonores, et surtout avec les pauses, les soupirs indispensables dans une œuvre qui s'apparente à un cérémonial plus qu'à un drame réaliste. La distribution vocale est d'un haut niveau d'où se détachent tout particulièrement l'énergique Vitellia de Christiane Eda-Pierre et surtout le Sextus d'Alicia Nafé. La direction de Cambreling exalte le mystère mozartien et, dès l'ouverture conduite avec finesse et retenue, évite de tomber dans le genre pompeux si souvent réservé aux évocations de l'Antiquité.

Avec Karl Boehm, qui utilise lui aussi la Nouvelle Edition Mozart, l'interprétation est plus distante, plus XVIIIe siècle. On apprécie la qualité de la Staatskapelle de Dresde, le style mozartien du chef, la solidité de chanteurs qui ne sont pas les premiers venus. En revanche, il manque peut-être à cette belle et somptueuse lecture un rien de frémissement, d'imagination ou tout simplement de vie qu'on trouvait davantage avec Colin Davis.

Concerto pour basson et orchestre en si bémol majeur K. 191.

** Dietmar Zeman (basson), Orch. Phil. de Vienne, Karl Boehm. DG 2530.411. ⌧ 3300.383. + *Concerto pour clarinette K. 622.*

Zeman donne avec Boehm une interprétation très fidèle du Concerto pour basson, stricte même, et claire et objective. On peut préférer Allard (DG) ou donner un mince avantage à l'interprétation de l'Academy of St-Martin-in-the-Fields (Philips). Mais si l'on tient compte de l'équilibre d'une prise de son assez récente, ce disque, au demeurant bien couplé, a beaucoup d'atouts.

Concerto pour clarinette et orchestre en la majeur K. 622.

❀*** Jack Brymer (clarinette), Academy of St-Martin-in-the-Fields, Neville Marriner. Philips 6500.378. + *Andante pour flûte K. 315, Concerto pour basson K. 191.*

*** Jean Etienne (clarinette), Orch. de Chambre Hewitt, Maurice Hewitt. EMI VSM C 051-73.051. Mono. + *Quintette avec clarinette.*

** Alfred Prinz (clarinette), Orch. Phil. de Vienne, Karl Boehm. DG 2530.411. ⌧ 3300.383. + *Concerto pour basson.*

** Jack Brymer (clarinette), Royal Philharmonic Orch., Thomas Beecham. EMI VSM C 061-00.176. + *Concerto pour basson K. 191.*

Jack Brymer nous a laissé trois enregistrements du Concerto pour clarinette. Celui qu'il a réalisé avec Colin Davis et l'Orchestre Symphonique de Londres pour Philips est excellent, le plus récent avec Neville Marriner peut-être encore plus. La sérénité, la plénitude du sentiment et le lyrisme du soliste contrastent avec la finesse et le mordant de l'Orchestre de l'Academy.

On peut espérer voir rééditer un jour la version enregistrée à l'aube du microsillon par Jean Etienne et l'Orchestre de Chambre Hewitt. Certes, l'ensemble formé autour de l'excellent Maurice Hewitt n'a pas l'homogénéité ni la perfection de ses concurrents, mais Jean Etienne donne une éblouissante démonstration de l'école française de clarinette, avec un timbre d'une merveilleuse limpidité et une articulation superbe.

Avec Alfred Prinz et Karl Boehm, nous nous trouvons dans un climat de stricte objectivité, par la volonté du chef sans doute, avec un équilibre parfait entre le soliste et l'orchestre et une simplicité toute classique. Le soliste, peut-être moins brillant que Brymer dans les mouvements rapides, est remarquable dans l'*adagio*.

Le contraste est total avec l'enregistrement de Jack Brymer et Thomas Beecham à la tête du Royal Philharmonic Orchestra. Les couleurs sont chaleureuses et l'interprétation s'inscrit dans une vision à la fois très romantique et très mystérieuse, mais certains choix surprennent, comme le tempo assez lent du mouvement initial.

Quatre Concertos pour cor et orchestre : n° 1 en ré majeur K. 412, n° 2 en mi bémol majeur K. 417, n° 3 en mi bémol majeur K. 447, n° 4 en mi bémol majeur K. 495.

*** Dennis Brain (cor), Orch. Philharmonia, Herbert von Karajan. EMI VSM C 051-00414. Mono. Enregistré en 1953.

** Barry Tuckwell (cor), Academy of St-Martin-in-the-Fields, Neville Marriner. EMI VSM C 069-02.225. ⌧ C 269-02.225. + *Rondo pour cor et orchestre K. 371.*

** Alan Civil (cor), Academy of St-Martin-in-the-Fields, Neville Marriner. Philips 6500.325. ⌧ 7300.199. + *Rondo pour cor et orchestre K. 371.*

* Hermann Baumann (cor naturel), Concentus Musicus de Vienne, Nikolaus Harnoncourt. Telefunken 6.41272.

L'enregistrement de Dennis Brain est ancien, puisqu'il date de 1954 ou 1955. Et pourtant, l'extraordinaire aisance avec laquelle le corniste britannique se meut dans l'univers de Mozart, le naturel de son style n'ont guère d'équivalents. Herbert von Karajan, bien meilleur ici que plus tard dans les mêmes œuvres avec le Philharmonique de Berlin, l'accompagne de manière très vivante.

Barry Tuckwell joue ces Concertos en virtuose éblouissant, particulièrement spectaculaire dans les mouvements rapides, mais d'une grande poésie dans les mouvements lents ; l'Orchestre de St-Martin-in-the-Fields dirigé par Marriner le soutient avec souplesse et transparence. Cette intégrale des Concertos pour cor comporte en outre à la fois un fragment de Concerto en mi K. 494 et le Rondo concertant K. 371.

Alan Civil a enregistré trois fois les quatre Concertos pour cor, avec Klemperer d'abord, avec Kempe ensuite, avec Marriner enfin. En prime, avec ce dernier, il a inclus le Rondo concertant et inachevé K. 371 dont il a complété lui-même la partie orchestrale. C'est peut-être, avec le même orchestre et le même chef que Barry Tuckwell et à peu de temps d'intervalle, l'interprétation la plus élégante, la plus parfaite techniquement aussi du catalogue, mais cela au détriment de la spontanéité.

Hermann Baumann utilise un instrument fabriqué peu après la mort de Mozart. C'est un ancien cor naturel (au lieu du cor chromatique moderne à pistons) et la couleur en est chaude et ronde. Les instruments qui l'entourent sont tous, eux aussi, des instruments anciens : c'est donc l'occasion d'entendre pour la première fois ces Concertos dans des conditions proches de celles où Mozart aurait pu les entendre lui-même. Techniquement, Baumann se tire avec bonheur des pièges redoutables du cor naturel, et l'on découvre des rapports de timbres savoureux avec, dans les mouvements lents, une douceur veloutée et un climat détendu, et dans les mouvements vifs, une vitalité très pittoresque.

Concertos pour flûte et orchestre n° 1 en sol majeur K. 313 «Dejean», n° 2 en ré majeur K. 314. Andante pour flûte et orchestre K. 315. Rondo pour flûte et orchestre K. 373. Concerto pour flûte et harpe en ut majeur K. 299.

** Frans Vester (flûte traversière), E. Witsenburg (harpe), Ensemble Mozart d'Amsterdam, Frans Brüggen. Philips Séon 6775.004 (2 d.) (sup.).

En deux disques, l'éditeur propose toute la musique concertante écrite par Mozart pour flûte et orchestre. Frans Brüggen dirige un ensemble composé d'instruments anciens. On croit redécouvrir ces œuvres avec des couleurs et des sonorités nouvelles, moins moelleuses et moins brillantes que lorsqu'il s'agit d'instruments modernes, mais où les instruments anciens mettent en relief le climat de musique de chambre que recherche Brüggen.

Concertos pour flûte et orchestre n° 1 en sol majeur K. 313 «Dejean», n° 2 en ré majeur K. 314. Andante pour flûte et orchestre K. 315.

** Jean-Pierre Rampal (flûte), Orch. Symph. de Vienne, Theodor Guschlbauer. Erato STU 70.330. ⌧ MCE 70.330. Enregistré en 1966.

* András Adorjan (flûte), Orch. de Chambre Jean-François Paillard, Jean-François Paillard. Erato MUS 19.027. ⌧ MCE 19.027.

Depuis longtemps déjà, Rampal et Guschlbauer ont fixé la barre de référence très haut pour ces trois œuvres. Le flûtiste y fait une éblouissante démonstration d'intelligence et de sensibilité musicales, passant de la robuste gaîté à la tendresse et à une sereine gravité, et Guschlbauer lui donne une réplique chaleureuse et pleine de verve. Jean-Pierre Rampal récidivera en 1977, mais avec l'Orchestre de Jérusalem dirigé par Isaac Stern, dont le moins qu'on puisse dire est qu'il n'est pas au niveau du soliste.

Un joli disque avec le jeune flûtiste Adorjan, même s'il ne fait pas oublier chez le même éditeur la version gravée quelque dix ans plus tôt par Rampal et Guschlbauer. Elle a l'atout d'une prise de son meilleure, et d'un jeune soliste pétri de qualités, de virtuosité et de poésie avec un accompagnement orchestral très sage et équilibré.

Concerto pour flûte, harpe et orchestre en ut majeur K. 299.

** Jean-Pierre Rampal (flûte), Lily Laskine (harpe), Orch. de Chambre Jean-François Paillard, Jean-François Paillard. Erato EFM 28.011. ⌧ MCE 28.011. + *Concerto pour clarinette.*

** Claude Monteux (flûte), Osian Ellis (harpe), Academy of St-Martin-in-the-Fields, Neville Marriner. Philips 6747.377 (4 d.). + *Concerto pour vent et orchestre, Symphonie concertante K. 297b.*

L'interprétation des solistes et des musiciens français Rampal-Laskine-Paillard a su trouver d'emblée le ton juste d'une élégance facile et raffinée qui convient parfaitement à cette page de style galant. Le public a su reconnaître ces qualités en faisant de cet enregistrement l'un des «best-sellers» du disque. Malheureusement, le Concerto pour clarinette inscrit au verso ne se classe pas parmi les meilleures interprétations de cette page exigeante.

La musicalité de Claude Monteux, l'expressivité des interprètes dans le mouvement lent recommandent cette interprétation du Concerto pour flûte et harpe, encore que l'équilibre des instruments et de l'orchestre ne soit pas parfaitement réalisé. Malheureusement, cette version n'est disponible que dans un coffret des Concertos pour instruments à vent et orchestre de Mozart généralement de haut niveau, mais pas toujours (Concerto pour hautbois). On peut préférer, si on peut le trouver, le couplage avec la Sinfonia concertante K. 297b proposé par Philips sur le marché britannique (Philips 6500.380).

Concertos pour piano et orchestre : intégrale.

** Daniel Barenboïm (piano), Orch. de Chambre Anglais, Daniel Barenboïm. EMI VSM C 165-52.249/60 (12 d.) (*sauf nos 7 et 10*). + *Rondo pour piano et orchestre n° 1.*

* Ingrid Haebler (piano), avec Ludwig Hoffmann et Sas Bunge (piano), Capella Academica de Vienne, Orch. Symph. de Londres, Alceo Galliera, Witold Rowicki, Colin Davis. Philips 6747.375. (13 d.).

* Gezá Andá (piano), Camerata Academica du Mozarteum de Salzbourg, Gezá Andá. DG 2720.030 (12 d.) (*sauf nos 7 et 10*).

Si l'on souhaite pour la commodité disposer en bloc de l'intégrale des Concertos de Mozart par le même interprète, la collection proposée par Barenboïm, à la fois pianiste et chef, a sans doute les meilleurs mérites, en attendant peut-être que l'intégrale Perahia soit achevée. Avec Barenboïm, le sentiment de la vie et d'une spontanéité apparente est presque toujours perceptible ; l'orchestre est chaleureux et souple, et la prise de son généralement réussie. Le coffret de douze disques ne comporte ni le Concerto n° 10 pour deux pianos ni le Concerto n° 7 pour trois pianos.

Plusieurs chefs, Colin Davis, Alceo Galliera et Witold Rowicki, se partagent la tâche d'accompagner Ingrid Haebler dans son intégrale. Pour les quatre premiers Concertos, elle utilise une copie de forte-piano du XVIIIe siècle et a pour partenaire la Capella Academica d'Edouard Melkus, ce qui est judicieux, C'est le «plus intégral» des trois ensembles en présence, puisqu'il comporte les deux Rondos et les Concertos pour deux et trois pianos. La spontanéité et la verve ne sont pas les caractéristiques majeures de cette interprétation que marquent en revanche un équilibre et une musicalité de très bon aloi.

Comme Daniel Barenboïm, Gezá Andá dirige son orchestre du clavier. Réalisée pendant toute la décennie 1960, cette intégrale se caractérise par une conception très mesurée et maîtrisée. Les Concertos pour deux et trois pianos et les Rondos n'ont pas été inclus.

Concertos pour piano et orchestre nos 9, 12, 13, 14, 17, 18, 19, 20, 22, 23, 24, 25, 27.

** Alfred Brendel (piano), Academy of St-Martin-in-the-Fields, Neville Marriner. Philips 6768.096 (8 d.). + *Rondos de concert K. 382 et K. 386.*

Treize Concertos, et presque tous les plus grands à l'exception du 21ᵉ et du 26ᵉ. Alfred Brendel s'y montre généralement chaleureux, réfléchi, scrupuleux. C'est un architecte qui a au préalable pensé et repensé ses plans sonores, ses progressions, ses enchaînements. Parfois, cette réflexion s'exerce au détriment d'une apparente spontanéité que l'on attend aussi dans ces œuvres. Marriner l'accompagne à la tête d'une merveilleuse Academy of St-Martin-in-the-Fields, mordante et incisive comme il convient, mais parfois aussi avec un brin de froideur et de sécheresse. Le prix réduit auquel ce coffret est proposé le rend d'autant plus séduisant.

Concertos pour piano et orchestre nᵒˢ 9, 11, 14, 20, 21, 24.

** Murray Perahia (piano), Orch. de Chambre Anglais, Murray Perahia. CBS 79.317 (3 d.).

Un coffret de trois disques, disponible en tant que tel ou en disques séparés, présente les premiers enregistrements de l'intégrale des Concertos pour piano et orchestre de Mozart par Perahia à la fois soliste et chef. On trouve par ailleurs ces six Concertos vendus séparément, et dans la plupart des cas il s'agit d'interprétations qui se situent vers les sommets de la discographie comparée : il y a là une élégance sans préciosité, un charme sans fadeur, un allant et une vigueur sans brutalité avec ce rien d'«agressivité» et de mordant qui est la marque des interprétations modernes de Mozart. La participation orchestrale est d'une parfaite justesse, à la fois brillante et chaleureuse.

Concertos pour piano et orchestre n° 1 en fa majeur K. 37, n° 2 en si bémol majeur K. 39, n° 3 en ré majeur K. 40, n° 4 en sol majeur K. 41.

** Ingrid Haebler (piano), Capella Academica de Vienne, Eduard Melkus. Philips 6500.773 (étr.).

Ces œuvrettes d'un gamin de douze ans sont exécutées avec un matériel sonore proche de ce que connaissait Mozart. Le piano a été reconstruit par Neupert d'après les instruments de Stein que Mozart préférait, et les instruments de l'orchestre sont d'époque ou des copies. Le style des interprètes Eduard Melkus et Ingrid Haebler est irréprochable.

Concertos pour piano et orchestre n° 5 en ré majeur K. 175, n° 9 en mi bémol majeur K. 271.

** Daniel Barenboïm (piano), Orch. de Chambre Anglais, Daniel Barenboïm. EMI VSM C 069-01.964.

Une très jolie interprétation de cette page qui n'est pas du plus grand Mozart, jouée avec beaucoup de fraîcheur et de vitalité. L'équilibre entre le piano et l'orchestre est excellent. Le Concerto n° 9 manque parfois (mouvement final) de jaillissement.

Concerto pour piano et orchestre n° 9 en mi bémol majeur K. 271.

*** Clara Haskil (piano), Orch. Radio-Symph. de Stuttgart, Carl Schuricht. IPG 7.618 (sup.). Mono. Enregistré en 1952. + *Concerto pour piano n° 19.*

** Murray Perahia (piano), Orch. de Chambre Anglais, Murray Perahia. CBS 76.584. ⌧ 40-76.584. + *Concerto pour piano n° 21.*

** Alfred Brendel (piano), I Solisti de Zagreb, Antonio Janigro. Vanguard HM 30 SD (étr.). + *Concerto pour piano n° 14.*

Une bande de la Radiodiffusion de Stuttgart a préservé un enregistrement sur le vif de ce Concerto par Clara Haskil et Carl Schuricht. Tous deux avaient la même conception très pure et épanouie de Mozart, et leur entente nous vaut une version du Concerto n° 9 de bout en bout enthousiasmante. Il se dégage de cette interprétation une exceptionnelle «urgence». Ce disque, complété par une autre version de référence (celle du Concerto n° 19) est très généreux : 30 et 28 minutes par face.

Murray Perahia n'est pas seulement un virtuose. Sa conception de Mozart est dense, elle est vivante et marquée de ce rien d'agressivité et de mordant qui caractérise beaucoup d'interprétations de Mozart aujourd'hui. Il se dégage de cette lecture un romantisme juvénile et pourtant mesuré. Le Concerto n° 21, au revers de ce disque, malgré ses qualités, reste un peu en-deçà de quelques interprétations légendaires. L'équilibre avec l'orchestre est excellent.

Le style de Brendel, lorsqu'il avait enregistré ce Concerto pour la première fois, était moins réfléchi, plus «naturellement» mozartien que dix ans plus tard. La rondeur du toucher du pianiste est préservée par l'enregistrement, et il se dégage de cette interprétation un climat de musique de chambre très heureux, comme dans le Concerto n° 14 au revers.

Concerto pour piano et orchestre n° 11 en fa majeur K. 413.

** Murray Perahia (piano), Orch. de Chambre Anglais, Murray Perahia. CBS 76.651. + *Concerto pour piano n° 20.*

** Rudolf Serkin (piano), Orch. du Festival de Marlboro, Alexander Schneider. CBS 76.166 (étr.). + *Concerto pour piano n° 12.*

Le Concerto n° 11 est interprété par Murray Perahia avec un allant juvénile et une énergie qui accentuent un peu les angles, notamment dans l'*allegro* initial, tandis que dans le *larghetto*, pris très lentement, l'interprète crée un climat d'intimité expressive et poétique. La prise de son est malheureusement assez confuse.

Rudolf Serkin interprète ces deux Concertos avec une fougue que lui envieraient la plupart de ses concurrents plus jeunes. Vivant, vigoureux et humain : une conception chaleureuse et roborative de Mozart.

Concerto pour piano et orchestre n° 12 en fa majeur K. 414.

*** Murray Perahia (piano), Orch. de Chambre Anglais, Murray Perahia. CBS 76.731. ⊠ 40-76.731. Enregistré en 1979. + *Concerto pour piano n° 27.*

*** Lili Kraus (piano), Orch. Symph. de Boston, Pierre Monteux. RCA 43.276. ⊠ GK 43.276. Mono. Enregistré en 1953. + *Concerto pour piano n° 18.*

** Daniel Barenboïm (piano), Orch. de Chambre Anglais, Daniel Barenboïm. EMI VSM C 069-02.427. + *Concerto pour piano n° 19.*

* Jörg Demus (pianoforte), Collegium Aureum. Deutsche Harmonia Mundi C 065-99.767. + *Concerto pour piano n° 27.*

Le 12ᵉ Concerto de Mozart, dans son apparente facilité, semble pour beaucoup d'interprètes (et non des moindres) insaisissable, et ils passent fréquemment à côté de l'esprit de la partition. Murray Perahia en donne une version remarquable en tout point, par le naturel du jeu, une élégance sans préciosité, la justesse des tempos. Très bel accompagnement souple, brillant et coloré de l'Orchestre de Chambre Anglais, et prise de son de bonne qualité, notamment en ce qui concerne le timbre du piano.

La réédition du vieil enregistrement du 12ᵉ Concerto offre le témoignage exceptionnel de Lili Kraus accompagnée par Pierre Monteux. Avec Lili Kraus, l'invention mélodique du Concerto en *la* apparaît pleine de surprises et de contrastes, et la participation de Monteux est d'une pertinence et d'une justesse de ton exemplaires.

Avec Barenboïm, l'*allegro* initial et l'*allegretto* final sont pris dans des tempos assez vifs, et le climat se charge d'accents passionnés. L'accompagnement, chaleureux, bénéficie de la couleur des instrumentistes de l'Orchestre de Chambre Anglais, et la prise de son est réussie.

On peut aimer les Concertos de Mozart joués sur instruments anciens : Demus utilise un beau pianoforte de 1785 et son style est irréprochable. On demeure plus réservé sur l'accompagnement rèche et médiocrement phrasé du Collegium Aureum.

Concerto pour piano et orchestre n° 13 en ut majeur K. 415.

*** Clara Haskil (piano), Festival Strings de Lucerne, Rudolf Baumgartner. DG 2535.115 (étr.). Enregistré en 1960. + *Sonate n° 2, Variations K. 265.*

** Maria-João Pirès (piano), Orch. de Chambre de la Fondation Gulbenkian de Lisbonne, Theodor Guschlbauer. Erato STU 70.887 (sup.). ⊠ MCE 70.887. + *Concerto pour piano n° 26.*

Deux atouts maîtres pour le disque de Clara Haskil : l'interprétation des 12 Variations «Ah, vous dirai-je, maman» au revers, sans doute la plus convaincante du catalogue, et le charme et le phrasé de la pianiste dans le Concerto, enregistré en 1960. Qualité sonore moyenne.

Maria-João Pirès est respectueuse de la lettre comme de l'esprit du Concerto en *ut*. Son interprétation de Mozart, lumineuse et respirant une joie simple, rattache l'œuvre, comme il convient, au XVIIIe siècle. Peut-être l'accompagnement chaleureux de l'orchestre dirigé par Guschlbauer est-il un rien trop fourni et présent par rapport à la conception de la pianiste ; peut-être aussi la prise de son a-t-elle un peu trop renforcé l'harmonie et les timbales. Bonne interprétation du Concerto «du Couronnement» au revers.

Concerto pour piano et orchestre n° 14 en mi bémol majeur K. 449.

*** Murray Perahia (piano), Orch. de Chambre Anglais, Murray Perahia. CBS 76.481. + *Concerto pour piano n° 24.*

** Rudolf Serkin (piano), Orch. Symph. Columbia, Alexander Schneider. CBS 60.275. Enregistré en 1962. + *Concerto pour piano n° 17.*

Perahia aborde le Concerto n° 14 avec dynamisme et une certaine pétulance. L'*andantino*, très chantant, est le meilleur moment d'une interprétation pleine de fraîcheur et même d'une certaine verdeur qui peut agacer certaines dents...

Deux enregistrements du 14e Concerto par Rudolf Serkin nous ont été laissés. Le plus ancien a été réalisé sous la direction de son beau-père Adolphe Busch en 1934, le second avec l'Orchestre Symphonique Columbia dirigé par Alexander Schneider. Dans l'un et l'autre, à un quart de siècle d'intervalle, Serkin apporte son admirable clarté. Le premier de ces disques est difficile à trouver, à moins de s'adresser à des disquaires spécialisés aux Etats-Unis. Le second est très recommandable, malgré un accompagnement assez quelconque.

Concerto pour piano et orchestre n° 15 en si bémol majeur K. 450.

** Arturo Benedetti-Michelangeli (piano), Orch. Pomeriggi Musicali de Milan, Ettore Gracis. EMI VSM C 053-00.656. + *Bach : Partita BWV 1004. Brahms : Variations sur un thème de Paganini.*

** Robert Casadesus (piano), Orch. de Cleveland, George Szell. CBS 61.348 (étr.). + *Concerto pour piano n° 17.*

Michelangeli donne dans le Concerto n° 15 un des trop rares exemples discographiques de son talent. Le jeu est sobre, viril et tout à la fois d'une merveilleuse transparence. La perfection du phrasé, la hauteur de conception dans l'*adagio* souffrent malheureusement du handicap d'une prise de son extrêmement médiocre, que n'explique pas la date de l'enregistrement (vers 1954 ou 1955) et qui n'arrange pas les affaires d'un orchestre très quelconque.

Casadesus et Szell : ils donnent au 15e Concerto - le pianiste surtout - une grandeur et un dramatisme que l'œuvre n'appelle pas avec évidence ; mais il y a quelque chose d'extrêmement tonique dans leur interprétation.

Concerto pour piano et orchestre n° 17 en sol majeur K. 453.

** Alfred Brendel, Orch. de l'Opéra de Vienne, Paul Angerer. Turnabout 34.080 (étr.). + *Concerto pour piano n° 19.*

** Alfred Brendel (piano), Academy of St-Martin-in-the-Fields, Neville Marriner. Philips 6500.140. ⊠ 7300.819. + *Concerto pour piano n° 12.*

Alfred Brendel joue le 17e Concerto avec fraîcheur et naturel. Il y a avec Paul Angerer une complicité qui inscrit l'œuvre dans le climat de la musique de chambre, d'autant plus que l'orchestre est très peu fourni, à vrai dire presque insuffisant.

Moins de naturel, mais plus de poids, de gravité et toujours un merveilleux toucher dans l'enregistrement du Concerto en *sol* réalisé au début des années soixante-dix par Alfred Brendel, accompagné cette fois par Marriner. Très supérieur au précédent sur le plan de la qualité sonore, bénéficiant d'un très bon rapport entre l'instrument soliste et l'orchestre, il sera préféré par tous ceux que l'âge des prises de son de Fischer et de Brenbel avec Angerer rebuterait.

Concerto pour piano et orchestre n° 18 en si bémol majeur K. 456.

*** Lili Kraus (piano), Orch. Symph. de Boston, Pierre Monteux. RCA 43.276. ⊠ GK 43.276. Mono. Enregistré en 1953. + *Concerto pour piano n° 12.*

Le 18ᵉ Concerto de Mozart, moins souvent enregistré que d'autres, est aussi relativement moins bien servi. Il nous a été rendu en 1980 dans une version enregistrée un quart de siècle plus tôt et à tous égards superbe. Lili Kraus imaginative, inspirée, un Pierre Monteux éblouissant de vitalité rythmique et d'une scrupuleuse justesse de ton en donnent une interprétation d'une profondeur sensible et d'une merveilleuse plénitude. Malgré l'âge de la prise de son (d'ailleurs bonne pour l'époque), malgré la mono, et avec le bénéfice d'une juvénile exécution du 12ᵉ Concerto, cette version l'emporte sur toutes les autres plus récentes, au premier rang desquelles on mettra toutefois Barenboïm et Brendel.

Concerto pour piano et orchestre n° 19 en fa majeur K. 459.

*** Clara Haskil (piano), Orch. Radio-Symph. de Stuttgart, Carl Schuricht. IPG 7.618 (sup.). Mono. Enregistré en 1956. + *Concerto pour piano n° 9.*

** Maurizio Pollini (piano), Orch. Phil. de Vienne, Karl Boehm. DG 2530.716. ⌧ 3300.716. + *Concerto pour piano n° 23.*

** Daniel Barenboïm (piano), Orch. de Chambre Anglais, Daniel Barenboïm. EMI VSM C 069-02.427. + *Concerto pour piano n° 12.*

Des trois enregistrements par Clara Haskil que nous connaissons, l'un en 1950 avec l'Orchestre Symphonique de Winterthur sous la direction de Swoboda (Westminster), l'autre en 1957 avec le Philharmonique de Berlin dirigé par Ferenc Fricsay (DG), celui-ci est le second. Il s'agit d'une bande radio qui date de 1956 et dont la qualité technique est très honorable. Clara Haskil et Schuricht vont droit à l'essentiel avec une franchise de ton et une plénitude confondantes.

Pollini est retenu, maîtrisé, d'une absolue pureté de lignes. Face à ce soliste en retrait, Boehm joue en chef d'opéra avec une vitalité flamboyante. De ce fait, la version du 19ᵉ Concerto que proposent les deux monstres sacrés bouscule un peu le rapport traditionnel entre soliste et chef. Par la qualité des détails, la splendeur sonore du piano et de l'orchestre et celle de la prise de son, ce disque dispose d'atouts considérables.

La version de Barenboïm séduit moins par l'unité de la conception que par son charme et l'apparente spontanéité du jeu du pianiste. Le second mouvement, sensible et très expressif, émeut.

Concerto pour piano et orchestre n° 20 en ré mineur K. 466.

*** Clara Haskil (piano), Orch. Symph. de Vienne, Bernhard Paumgartner. Philips A-00.315 (sup.). Mono. Enregistré en 1956. + *Concerto pour piano n° 23.*

*** Artur Schnabel (piano), Orch. Philharmonia, Walter Süsskind. EMI VSM «Références» C 051-43.166. Mono. + *Concerto n° 24.*

** Clara Haskil (piano), Orch. Lamoureux, Igor Markevitch. Philips 6500.265. Enregistré en 1960. + *Concerto pour piano n° 24.*

** Murray Perahia (piano), Orch. de Chambre Anglais, Murray Perahia. CBS 76.651. + *Concerto pour piano n° 11.*

** Edwin Fischer (piano), Orch. Phil. de Londres, Edwin Fischer. EMI VSM C 061-01.408 (sup.). Mono (origine 78 t.). Enregistré en 1933. + *Concerto pour piano n° 25.*

** Alfred Brendel (piano), Academy of St-Martin-in-the-Fields, Neville Marriner. Philips 6500.533. ⌧ 7300.339. + *Concerto pour piano n° 24.*

* Bruno Walter (piano), Orch. Phil. de Vienne, Bruno Walter. EMI Da Capo C 147-50.178/80 (3 d.) (sup.). + *3 Danses allemandes, Ouvertures de la Finta Giardiniera, des Noces de Figaro et de la Clémence de Titus, Petite Musique de Nuit, Symphonies nᵒˢ 38, 39 et 41.*

Accompagné en 1956 par Bernhard Paumgartner, Clara Haskil joue sur le ton d'une sublime confidence. Les tempos sont parfaits, le rapport entre l'Orchestre Symphonique de Vienne et le piano idéal, et on oublie vite l'âge de la prise de son.

A la faveur de leur réédition, Schnabel et Süsskind viennent se placer très haut dans la discographie du vingtième Concerto. Enfin, ce thème qui ouvre l'œuvre prend son sens sous la baguette de Süsskind, et plus tard sous les doigts de Schnabel : une fuite angoissée et aveugle. Toute l'œuvre reste sur ce ton, ce qui en traduit indéniablement le contenu le plus profond.

En 1960, Clara Haskil récidive. La communion avec le jeu (qui n'est pas exempt de quelques duretés) de l'orchestre dirigé par Igor Markevitch n'est pas aussi totale, du moins dans l'*Allegro* initial, mais il se dégage une très grande émotion de la Romance et le Finale est lumineux.

Avec Murray Perahia, le 20ᵉ Concerto reçoit une traduction «moderne» ; avec un jeu du pianiste parfois abrupt, mordant et contrasté, on ne s'étonne pas de ne pas retrouver dans l'*Allegro* l'intensité tragique de certaines versions d'il y a vingt ou trente ans, où l'on ne craignait pas de jouer Mozart dans un esprit plus romantique. La Romance est jouée avec simplicité. Le *Rondo* s'éclaire peu à peu et débouche sur l'expression lumineuse de la joie. La prise de son, contrairement au jeu des interprètes, manque de précision et de clarté.

Edwin Fischer, en 1933, c'est déjà une manière de référence malgré un *Rondo* final un peu rapide où l'orchestre est bousculé. Mais l'*Allegro* est d'une extraordinaire beauté. Si l'on ne craint pas une technique d'enregistrement qui date d'un demi-siècle, ce disque est, musicalement, un trésor.

Brendel et Marriner semblent avoir choisi deux registres différents : le chef dirige avec précision (encore que l'exécution de l'orchestre souffre d'un tempo trop rapide dans le Finale), finesse et légèreté, tandis que Brendel est très réfléchi. Le piano est trop présent dans la Romance. L'impression générale est que l'interprétation, si elle est de qualité, manque de mystère.

Bruno Walter jouant et dirigeant un Concerto de Mozart, c'est une rareté. L'interprétation, sans être à la hauteur de l'attente, est marquée, dès le début de l'*Allegro*, par la profondeur des accents et de la couleur de l'orchestre. L'instabilité du tempo, la légèreté du timbre du piano et la prise de son ne permettent d'indiquer cet enregistrement qu'à titre de document et pour les collectionneurs.

Concerto pour piano et orchestre n° 21 en ut majeur K. 467.

❀*** Dinu Lipatti (piano), Orch. du Festival de Lucerne, Herbert von Karajan. EMI VSM C 051-03.713. ⌧ C 251-03.713. Mono. Enregistré en 1949. + *Schumann : Concerto pour piano.*

*** Daniel Barenboïm (piano), Orch. de Chambre Anglais, Daniel Barenboïm. EMI VSM C 069-01.864. + *Concerto pour piano n° 27.*

** Gezá Andá (piano), Orch. Symph. de Vienne, Gezá Andá. Eurodisc 86.947. Quadri. + *Concerto pour piano n° 20.*

* Vladimir Ashkenazy (piano), Orch. Philharmonia, Vladimir Ashkenazy. Decca 591.109. ⌧ 4-390.127. + *Concerto pour piano n° 17.*

* Murray Perahia (piano), Orch. de Chambre Anglais, Murray Perahia. CBS 76.584. ⌧ 40-76.584. + *Concerto pour piano n° 9.*

* Alexis Weissenberg (piano), Orch. Symph. de Vienne, Carlo Maria Giulini. EMI VSM C 069-16.289. ⌧ C 269-16.289. Quadri. + *Concerto pour piano n° 9.*

L'enregistrement de Lipatti et Karajan avait été réalisé en concert. Malgré les conditions techniques défavorables, ce disque est devenu un très grand classique. Le premier mouvement est pris dans un tempo vif, et le dernier beaucoup plus vif que d'habitude. L'Andante est miraculeux de tendresse et de poésie. L'Orchestre du Festival de Lucerne, assez héroïque dans le premier mouvement, est parfaitement équilibré avec le piano. Dinu Lipatti, simple et lumineux, privilégie le souffle, les grandes lignes, et il nous fait pénétrer au cœur du mystère mozartien.

Avec Barenboïm, on trouve d'emblée un parfait climat de musique de chambre. A l'admirable qualité sonore de l'Orchestre de Chambre Anglais, avec ses excellents vents, correspond le toucher chaud et vivant du pianiste. L'équilibre entre les partenaires est parfait, malgré des tempos très lents, parfois étirés à l'extrême (*Andante*).

Gezá Andá mourut peu de temps après avoir enregistré ce Concerto pour la seconde fois. La qualité sonore du disque, avec la prise de son quadraphonique, souligne la présence d'un orchestre important par ses dimensions. Le mouvement lent, d'un discours très pur, est joué dans un climat assez grandiose. Le finale, un peu sage, souffre peut-être de l'absence d'un chef au pupitre, mais c'est, de bout en bout, du très beau piano.

Ashkenazy dirige l'Orchestre Philharmonia du piano. L'orchestre a moins de transparence, et il joue résolument dans un climat très romantique, très XIXᵉ siècle. C'est presque à Beethoven que l'on pense dans une version qui, pianiste en tête, peut électriser (cadence Ashkenazy).

Murray Perahia a de la fraîcheur et de la verve, mais il tend à presser son premier mouvement, et si l'*Andante* est d'une simplicité très poétique, il reste en retrait de ses meilleures réussites.

Face à Giulini qui dispose d'un orchestre nombreux et utilise dans l'*Allegro maestoso* un tempo très retenu, soulignant l'héroïsme de ce premier mouvement, Weissenberg joue avec sensibilité et une certaine recherche. Conception des artistes ? Option des ingénieurs du son ? Le déséquilibre entre la puissance de l'orchestre et la finesse du piano minimise le rôle de ce dernier.

Concerto pour piano et orchestre n° 22 en mi bémol majeur K. 482.

*** Murray Perahia (piano), Orch. de Chambre Anglais, Murray Perahia. CBS 76.966. ⌧ 40-76.966. Enregistré en 1980. + *Concerto pour piano n° 8.*

** Alfred Brendel (piano), Academy of St-Martin-in-the-Fields, Neville Marriner. Philips 9500.145. ⌧ 7300.521. + *Rondos K. 382 et K. 386.*

** Vladimir Ashkenazy (piano), Orch. Philharmonia, Vladimir Ashkenazy. Decca 591.223. Enregistré en 1978. + *Rondo pour piano et orchestre K. 382.*

Perahia, pianiste et maître d'œuvre, signe la grande version qu'on attendait du 22ᵉ Concerto. Un chant invisible conduit d'un bout à l'autre son interprétation, un chant d'une splendeur de son, d'une pureté de ligne incomparables. Seule avant lui, Lili Kraus avait osé et trouvé ce naturel de théâtre, ce rien d'affecté dans la nervosité qui animent le plus délicat, le plus périlleux de tous les concertos de Mozart.

Alfred Brendel avait enregistré le 22ᵉ Concerto avec Angerer et la réussite était considérable. L'enregistrement réalisé quelques années plus tard avec l'Orchestre de St-Martin-in-the-Fields est presque aussi réussi musicalement, et comme la prise de son est incomparablement supérieure et que le complément de programme est plus généreux (seul le *Rondo* n° 1 K. 382 figurait dans la première version), on recommandera plutôt cette dernière version. Du premier *Allegro* se dégage un sentiment de grandeur et d'espace, et un lyrisme très sensible dans l'*Andante* chanté à pleine gorge. L'équilibre entre le pianiste et l'orchestre est excellent.

Avec Ashkenazy, les voix sont plus grandes que dans la version Perahia ; tout soupçon de confidence est écarté. C'est au théâtre que nous sommes, dans une extraordinaire effusion sonore. Le finale est incomparablement animé, d'un primesaut jamais entendu. Le piano est charnu et sensible, d'une volubilité gracieuse et mâle.

Concerto pour piano et orchestre n° 23 en la majeur K. 488.

** Maurizio Pollini (piano), Orch. Phil. de Vienne, Karl Boehm. DG 2530.716. ⌧ 3300.716. + *Concerto pour piano n° 19.*

** Alfred Brendel (piano), Academy of St-Martin-in-the-Fields, Neville Marriner. Philips 6500.283. ⌧ 7300. 227. + *Concerto pour piano n° 19.*

** Vladimir Ashkenazy (piano), Orchestre Philharmonia, Vladimir Ashkenazy. Decca 591.184. + *Concerto pour piano n° 27.*

** Clara Haskil (piano), Orch. Symph. de Vienne, Paul Sacher. Philips 6570.393. ⌧ 7310.393. Stéréo (origine mono). Enregistré en 1955. + *Concerto pour piano n° 9.*

Comme dans le 19ᵉ Concerto qui figure au revers, Pollini et Boehm jouent dans deux registres différents, le premier d'une pudeur et d'une pureté absolue, le second avec un orchestre qui sonne comme au théâtre. Le résultat, pour surprenant qu'il soit, peut convaincre, d'autant que la prise de son est à la hauteur du timbre somptueux des musiciens.

Avec Marriner et Brendel, c'est un 23ᵉ Concerto que certains trouveront trop pensé, presque cérébral. Alfred Brendel orne dans l'*Adagio* les grands écarts, comme il en a d'ailleurs le droit, mais peut-être est-ce la raison pour laquelle l'émotion est moins sensible ici que dans certaines autres versions. Excellente qualité sonore.

La réussite d'Ashkenazy, pianiste et aussi chef d'un grand orchestre, est incontestable. Avec lui, nous cédons à cette intimité toute mozartienne qui mène parfois au sublime, à la grâce ineffable, au bonheur léger. On regrettera cependant la dureté de la prise de son.

Clara Haskil avait enregistré le Concerto n° 23 en 1955. Malheureusement, Philips avait jugé utile en 1974 de stéréophoniser artificiellement la bande monophonique d'origine et le résultat, catastrophique, brouillait la prise de son initiale. C'est d'autant plus regrettable que Clara Haskil irradie de lumière les mouvements extrêmes et de tendresse l'*Adagio* central.

Concerto pour piano et orchestre n° 24 en ut mineur K. 491.

*** Murray Perahia (piano), Orch. de Chambre Anglais, Murray Perahia. CBS 76.481. + *Concerto pour piano n° 14.*

*** Clara Haskil (piano), Orch. Lamoureux, Igor Markevitch. Philips 6500.265. + *Concerto pour piano n° 20.*

** Vladimir Ashkenazy (piano), Orch. Philharmonia, Vladimir Ashkenazy. Decca 591.025. ⌧ 4-390.267. Enregistré en 1979. + *Concerto pour piano n° 19.*

Murray Perahia excelle dans le *Larghetto* du Concerto en *ut*, dont il exprime le charme troublant et la langueur. Les mouvements rapides sont abordés avec une fougue juvénile et un joli toucher, sensible et précis, et l'entente avec l'Orchestre de Chambre Anglais est parfaite. Perahia ne pénètre pourtant pas tout à fait au cœur de cette œuvre comme un Fischer ou une Haskil. La prise de son n'est pas excellente et réduit les écarts de dynamique.

Il faut à Clara Haskil surmonter le double handicap d'une prise de son pas très fine et d'un accompagnement un peu raide. Elle fait oublier l'un et l'autre par une interprétation d'une justesse, d'une simplicité et d'une «évidence» absolues.

Vladimir Ashkenazy a gardé, à travers le poids léger, exact, de ses notes perlées, une sorte de secret qu'il est le seul à détenir. De son clavier, il organise les timbres accusés, sensibles et substantiels d'un grand orchestre, en leur communiquant le fondu sonore et la respiration libre qu'on ne peut exprimer que d'un clavier conducteur. Il en résulte une délicatesse de son et un équilibre absolument uniques.

Concerto pour piano et orchestre n° 25 en ut majeur K. 503.

❀*** Murray Perahia (piano), Orch. de Chambre Anglais, Murray Perahia. CBS 37.267. ⌧ 40-37.267. Enregistré en 1981. + *Concerto pour piano n° 5.*

*** Alfred Brendel (piano), Vienna Pro Musica, Paul Angerer. Turnabout TV 34.129 (étr.). + *Concerto pour piano n° 27.*

** Daniel Barenboïm (piano), Orch. de Chambre Anglais, Daniel Barenboïm. EMI VSM C 069-02.546. + *Concerto pour piano n° 8.*

** Alfred Brendel (piano), Academy of St-Martin-in-the-Fields, Neville Marriner. Philips 6769.010 (2 d.). + *Arias K. 490 et K. 505, Idomeneo (Ouverture), Symphonie n° 40.*

* Alicia de Larrocha (piano), Orch. Phil. de Londres, Georg Solti. Decca 591.200. Enregistré en 1977. + *Concerto pour piano n° 27.*

Avec Perahia, la concertation instrumentale est si raffinée, et si spontanée pourtant en apparence, les timbres se répondent avec un si grand bonheur, qu'il arrive qu'on croie qu'il joue de l'orchestre en même temps qu'il joue du piano. On ne saurait mieux que lui réussir ce 25ᵉ Concerto.

Brendel signe ici l'un des témoignage les plus remarquables de son talent mozartien. Stupéfiant de naturel de bout en bout, avec un toucher d'une rondeur et d'un moelleux exceptionnels, il phrase, il chante, il respire. L'*Andante*, joué par un poète inspiré sur un ton de confidence, sans trace de sentimentalisme aucune, émeut profondément. L'accompagnement est «quantitativement» insuffisant, mais cela n'empêche pas que l'on retienne son souffle en écoutant ce disque miraculeux.

Barenboïm avait enregistré le 25ᵉ Concerto avec Klemperer au pupitre. Sa version ultérieure pour EMI, où il assume le double rôle de soliste et de chef, est supérieure à ce premier essai. L'héroïsme du premier mouvement ne lui échappe pas et l'*Andante* est sensible et pudique. Mais l'*Allegretto* final reste quelque peu extérieur. Excellent équilibre du piano et de l'orchestre. La qualité sonore de l'enregistrement restitue fidèlement la beauté des timbres.

L'enregistrement en direct, au cours d'un gala de bienfaisance à Strasbourg, convient à Brendel, plus vivant ou plutôt plus spontané qu'il ne l'est généralement actuellement (voir par exemple ses enregistrements en studio des 20e et 24e Concertos avec le même orchestre et le même chef). Il est loin pourtant d'émouvoir comme dans son ancienne version avec Paul Angerer. Bel accompagnement de Neville Marriner.

Les affinités de Solti avec le monde mozartien, et plus particulièrement avec l'esprit de sa musique de chambre ou pour petits ensembles ne sont pas évidentes ; mais l'*Allegro maestoso* initial du Concerto en *ut* est, avec lui, un vrai *maestoso* au climat très dramatique. Le piano est ici, comme il convient, très enveloppé dans le tissu éclatant de l'orchestre. L'*Andante* raide, linéaire, marmoréen est suivi d'un *Rondo* final que met en valeur la fluidité du toucher d'Alicia de Larrocha. Au revers, une exécution sans tendresse ni mystère du Concerto n° 27 K. 595. Au crédit de ce couplage, la générosité de l'éditeur : chaque face dure 33 minutes.

Concerto n° 26 pour piano et orchestre en ré majeur «du Couronnement» K. 537.

** Daniel Barenboïm (piano), Orch. de Chambre Anglais, Daniel Barenboïm. EMI VSM C 069-02.545. + *Concerto pour piano n° 6.*

Barenboïm fait ressortir la parenté entre ce 26e Concerto et le mouvement romantique naissant. Il joue les deux volets extrêmes de l'œuvre avec une fantaisie très libre. L'Orchestre de Chambre Anglais participe à cette espèce de fête sonore.

Concerto pour piano et orchestre n° 27 en si bémol majeur K. 595.

*** Daniel Barenboïm (piano), Orch. de Chambre Anglais, Daniel Barenboïm. EMI VSM C 069-01.864. + *Concerto pour piano n° 21.*

** Ingrid Haebler (piano), Orch. Symph. de Londres, Alceo Galliera. Philips 802.728 (sup.). + *Concerto pour piano n° 20.*

** Clara Haskil (piano), Orch. de l'Etat de Bavière, Ferenc Fricsay. DG 18.383 (sup.). + *Concerto pour piano n° 19.*

** Vladimir Ashkenazy (piano), Orchestre Philharmonia, Vladimir Ashkenazy. Decca 591.184. + *Concerto pour piano n° 23.*

** Alfred Brendel (piano), Orch. de l'Opéra de Vienne, Paul Angerer. Turnabout 34.129 (étr.). + *Concerto pour piano n° 25.*

* Alfred Brendel (piano), Academy of st. Martin-in-the-Fields, Neville Marriner. Philips 6500.948. ✉ 7300.383. + *Concerto pour piano n° 18.*

La beauté de l'orchestre, le dynamisme de l'ensemble, l'intuition du pianiste situent dès l'*Allegro* l'interprétation de Barenboïm avec l'Orchestre de Chambre Anglais aux plus hauts niveaux de réussite. Le *Larghetto*, pris dans un tempo retenu, respire, l'articulation est idéale. Seule le Finale, lui aussi retenu, manque un peu d'allant.

Haebler signe une très belle version chargée d'émotion et de sensibilité, et le dialogue avec l'orchestre dirigé par Alceo Galliera s'inscrit constamment dans un climat de grandeur d'où l'emphase est exclue. D'un bout à l'autre, l'équilibre est parfait.

Clara Haskil n'est pas soutenue comme il conviendrait par ses accompagnateurs et l'introduction orchestrale révèle tout de suite les limites de l'Orchestre de l'Etat de Bavière. C'est d'autant plus dommage que le jeu de la pianiste est remarquable de simplicité et de naturel, tout particulièrement dans le *Larghetto.* (C'était celui de ses disques que Clara Haskil préférait, avec son enregistrement des *Bunte Blätter* de Schumann).

Ashkenazy, au piano, mais aussi à la tête de l'Orchestre Philharmonia, sait donner au vingt-septième Concerto toute son ampleur et toute sa puissance ; la grande formation s'accommode très bien, du reste, de l'ascétisme de l'orchestration. Mais Ashkenazy sait aussi nous porter au plus profond de Mozart, nous faisant accéder à cette intimité qui atteint parfois au sublime. Une très grande version desservie malheureusement par une prise de son mate et presque confuse par moments.

Brendel, avant d'enregistrer en direct pour la télévision le Concerto n° 27 sous la direction de Neville Marriner, avait déjà gravé l'œuvre une première fois. La sonorité du piano était superbe, mais l'orchestre ne lui donnait qu'un soutien très médiocre, notamment dans l'*Allegro* initial. Le phrasé du pianiste, son lyrisme et son style méritaient mieux.

Avec Marriner, le soutien orchestral est de qualité, mais le pianiste ne retrouve pas l'état de grâce.

Concerto pour trois pianos et orchestre n° 7 en fa majeur K. 242. Concerto n° 10 pour deux pianos et orchestre en mi bémol majeur K. 365.

* Vladimir Ashkenazy, Daniel Barenboïm, Fou Ts'ong (pianos), Orch. de Chambre Anglais, Daniel Barenboïm. Decca 591.208.

Le disque de Barenboïm complète, chez Decca, l'intégrale des Concertos pour piano enregistrée pour EMI... L'unité de style entre les trois pianistes laisse parfois à désirer et certains tempos (le mouvement lent du Concerto pour deux pianos pris très lentement et mollement) sont discutables. La parfaite contribution de l'Orchestre de Chambre Anglais, le juste dosage entre les pianos et l'orchestre et les qualités techniques de la prise de son permettent néanmoins de recommander ce disque.

Concerto pour deux pianos et orchestre n° 10 en mi bémol majeur K. 365.

*** Alfred Brendel, Walter Klien (pianos), Orch. de l'Opéra de Vienne, Paul Angerer. Turnabout KTVC 34.064 (étr.). *+ Fugue et Sonate pour deux pianos.*

Avec Brendel et Klien, c'est le Mozart le plus lumineux qui soit : la musique respire merveilleusement, naturelle, jouée avec autant de spontanéité joyeuse que de tendresse et de gravité, qualités que l'on retrouve dans la Fugue et la Sonate pour deux pianos qui complète le disque. Les deux instruments se répondent parfaitement. Mais la participation orchestrale est peu présente. La qualité sonore est très bonne pour l'époque, du moins en ce qui concerne la restitution des timbres du piano.

Concertos pour violon et orchestre n° 1 à 7. Rondos pour violon n°s 1 et 2. Adagio pour violon et orchestre K. 261. Concertone. Symphonies concertantes n°s 1 à 3.

** Josef Suk (violon), Libor Hlavaček (2e violon), Orch. de Chambre de Prague, Josef Suk. Eurodisc 85.962 (5 d.) (étr.).

En cinq disques, voici une intégrale particulièrement... intégrale puisqu'elle ajoute aux Concertos 1 à 5 de Mozart le Concerto inachevé en mi bémol K. 268 et le Concerto K. 271a, mais pas le Concerto «Adélaïde» dont la paternité a depuis été revendiquée par Marius Casadesus. Rien de spectaculaire avec Suk et ses musiciens. C'est de la vraie musique de chambre, dans une perspective sonore extrêmement juste où l'équilibre entre le soliste et l'orchestre est bien réalisé. Rien ici n'est «hors échelle» comme, dans ces pages, avec certains monstres sacrés de l'archet ; les mouvements lents sont méditatifs, les mouvements rapides robustes et vivants et la musicalité constante.

Concertos pour violon et orchestre n°s 1 à 5. Rondos pour violon n°s 1 et 2. Adagio pour violon et orchestre K. 261. Concertone. Symphonie concertante K. 364.

* David Oïstrakh (violon), Igor Oïstrakh (2e violon), Orch. Philharmonique de Berlin, David Oïstrakh. EMI VSM C 165-02.323/6 (4 d.).

L'intégrale d'Oïstrakh souffre de ce que le soliste s'est mis en tête de diriger lui-même l'orchestre. Tous les détails de l'orchestration sont en quelque sorte gommés ; et comme les tempos sont lents, l'accompagnement paraît d'autant plus lourd et amorphe. Mais il y a la sonorité splendide de l'archet du soliste... Cette intégrale s'adresse donc d'abord aux seuls admirateurs du violoniste. La Symphonie concertante qui complète ce coffret, avec David à l'alto et Igor au violon, est un peu plus satisfaisante sur le plan de l'équilibre, si la lecture n'en déborde pas d'imagination.

Concerto pour violon et orchestre n° 3 en sol majeur K. 216.

* Jacques Thibaud (violon), Orch. Lamoureux, Paul Paray. Turnabout Vox TV 4257 (étr.). Mono (origine 78 t.). *+ Chausson : Poème pour violon et orchestre.*

Il varie son tempo sans vergogne, les scrupules techniques ne l'étouffent pas toujours ; et pourtant quelle élégance, quel *cantabile*, quel charme caressant dans l'interprétation de Jacques Thibaud, quelle grâce insolente ! La cadence est étonnante. Très bonne qualité sonore pour l'âge de ce document, avec au revers une merveilleuse interprétation du *Poème* de Chausson, dirigée par Eugène Bigot. Ce disque, en provenance des Etats-Unis, se trouve assez facilement chez les disquaires spécialisés.

Concertos pour violon et orchestre n° 3 en sol majeur K. 216 et n° 4 en ré majeur K. 218.

** Iona Brown (violon), Academy of Saint-Martin-in-the-Fields, Iona Brown. Argo 396.187. Enregistré en 1979.

Iona Brown, avec un jeu à la fois nerveux et placide, chaud et réservé, opposant avec beaucoup de maîtrise des sonorités très étudiées, donne de ces Concertos une interprétation pleine d'élégance et de beauté, de retenue, de charme et de sensibilité.

Concertos pour violon et orchestre n° 3 en sol majeur K. 216 et n° 5 en la majeur K. 219.

*** Itzhak Perlman (violon), Orch. Phil. de Vienne, James Levine. DG 2532.080. Enregistré en 1983.

** Pinchas Zukerman (violon), Orchestre de Chambre de St-Paul, Pinchas Zukerman. CBS D 37.290. Enregistré en 1982.

* Anne-Sophie Mutter (violon), Orch. Phil. de Berlin, Herbert von Karajan. DG 2531.049. ⌧ 3301.049. Enregistré en 1978.

Dans ces deux Concertos, Perlman atteint au sublime. Quant à l'Orchestre Philharmonique de Vienne, sous la direction de Levine, il se montre totalement concerné, véritable complice dans ce récital où la noblesse le dispute à la retenue, l'élégance à la ferveur, la tendresse à la douceur.

Zukerman prend le Troisième Concerto dans un tempo très juste. Le style est très fin, éloquent quoique sobre, toujours distingué ; archet royal qui, dans l'*Adagio*, atteint à une sérénité, à une méditation d'une extrême délicatesse, pénétrée de retenue, de pudeur, de tendresse aussi. Zukerman se montre aussi généreux dans le Cinquième Concerto, incisif sans brutalité, même s'il pousse certaines notes (fin du second mouvement, développement du troisième).

Anne-Sophie Mutter avait quatorze ans lorsqu'elle a enregistré ce disque en 1978. Mais voici plus qu'une curiosité de jeune prodige : le phrasé est vigoureux, les accents affirmés avec une approche plus «romantique» qu'il n'est coutume aujourd'hui. C'est très remarquable. Karajan étire exagérément les phrases, avec des tempos très lents. L'orchestre, somptueux mais trop fourni, paraît hors de proportion avec l'esprit de ces partitions. Mais certains peuvent aimer..

Concertos pour violon et orchestre n° 4 en ré majeur K. 218 et n° 5 en la majeur K. 219.

** Jasha Heifetz (violon), Orch. New Symphony de Londres, Malcolm Sargent (pour le n° 4), Chef et Orch. non identifiés pour le n° 5. RCA LSB 4063 (USA). Mono.

On ne joue plus aujourd'hui Mozart comme le faisait Heifetz. Pourtant ce disque, malgré l'âge de sa prise de son (au demeurant fort bonne pour l'époque) et malgré la mono, est tout à fait étonnant par l'énergie, la vitalité, l'éclatante pureté de l'archet du soliste. Heifetz semble avoir le sens inné de la respiration ; c'est au contraire l'auditeur qui peut avoir le souffle coupé, dans le Finale du K. 219 avec ses turqueries, par exemple..

Così fan tutte, opera buffa K. 588.

❀*** Elisabeth Schwarzkopf (Fiordiligi), Christa Ludwig (Dorabella), Hanny Steffek (Despina), Alfredo Kraus (Ferrando), Giuseppe Taddei (Guglielmo), Walter Berry (Alfonso), Orch. Philharmonia, Karl Boehm. EMI VSM C 167-01.1824 (3 d.). ⌧ TC-SLS 5.028 (2 c.). Enregistré en 1962.

❀*** Elisabeth Schwarzkopf (Fiordiligi), Nan Merriman (Dorabella), Leopold Simoneau (Ferrando), Rolando Panerai (Guglielmo), Lisa Otto (Despina), Sesto Bruscantini (Don Alfonso), Orch. Philharmonia, Herbert von Karajan. EMI VSM C 163-01.748/50 (3 d.). Mono. Enregistré en 1954.

❀*** Iña Souez (Fiordiligi), Luise Helletsgruber (Dorabella), Irene Eisinger (Despina), Heddle Nash (Ferrando), Willi Domgraf-Fassbaender (Guglielmo), John Brownlee (Alfonso), Orch. du Festival de Glyndebourne, Fritz Busch. EMI VSM C 151-43.216/18 (3 d.). Mono (origine 78 t.). Enregistré en 1935.

❀*** Lisa della Casa (Fiordiligi), Christa Ludwig (Dorabella), Emmy Loose (Despina), Anton Dermota (Ferrando), Erich Kunz (Guglielmo), Paul Schoeffler (Alfonso), Orch. Phil. de Vienne, Karl Boehm. Decca 592.128 (3 d.). Mono. Enregistré en 1955.

*** Montserrat Caballé (Fiordiligi), Janet Baker (Dorabella), Ileana Cotrubas (Despina), Nicolaï Gedda (Ferrando), Vladimiro Ganzarolli (Guglielmo), Richard van Allan (Alfonso), Orch. de Covent Garden, Colin Davis. Philips 6707.025 (4 d.). ⊠ 7699.055 (2 c.). Enregistré en 1975.

** Margaret Price (Fiordiligi), Yvonne Minton (Dorabella), Lucia Popp (Despina), Luigi Alva (Ferrando), Geraint Evans (Guglielmo), Hans Sotin (Alfonso), Orch. New Philharmonia, Otto Klemperer. EMI VSM C 165-02.249/52 (4 d.). Enregistré en 1972.

** Irmgard Seefried (Fiordiligi), Nan Merriman (Dorabella), Erika Köth (Despina), Ernst Haefliger (Ferrando), Herman Prey (Guglielmo), Dietrich Fischer-Dieskau (Alfonso), Orch. Phil. de Berlin, Eugen Jochum. DG 2728.010 (3 d.) (sup.). Enregistré en 1963.

* Kiri Te Kanawa (Fiordiligi), Frederica von Stade (Dorabella), Teresa Stratas (Despina), David Rendall (Ferrando), Philippe Huttenlocher (Guglielmo), Jules Bastin (Alfonso), Orch. Phil. de Strasbourg, Alain Lombard. Erato STU 71.110 (3 d.). Enregistré en 1977.

* Pilar Lorengar (Fiordiligi), Teresa Berganza (Dorabella), Jane Berbié (Despina), Ryland Davies (Ferrando), Tom Krause (Guglielmo), Gabriel Bacquier (Alfonso), Orch. Phil. de Londres, Georg Solti. Decca 390.021 (4 d.). Enregistré en 1974.

* Gundula Janowitz (Fiordiligi), Brigitte Fassbaender (Dorabella), Reri Grist (Despina), Peter Schreier (Ferrando), Hermann Prey (Guglielmo), Rolando Panerai (Alfonso), Orch. Phil. de Vienne, Karl Boehm. DG 2709.059 (3 d.). ⊠ 3371.019 (3 c.). Enregistré en 1976.

* Teresa Stich-Randall (Fiordiligi), Ira Malaniuk (Dorabella), Graziella Sciutti (Despina), Waldemar Kmentt (Ferrando), Walter Berry (Guglielmo), Dezsö Ernster (Alfonso), Orch. Symph. de Vienne, Rudolf Moralt. Philips 3.005 (3 d.) (sup). Mono. Enregistré en 1956.

Boehm a enregistré *Cosí fan tutte* par trois fois, et par trois fois ce fut un événement discographique. Pour beaucoup, la deuxième de ses versions, en 1962, est la plus réussie. A son actif, des chanteurs exceptionnels non seulement par la voix mais aussi le tempérament, avec au premier plan Elisabeth Schwarzkopf et Christa Ludwig qui ont, l'une et l'autre (la seconde surtout), encore approfondi leur interprétation. Autre atout, l'un des trop rares témoignages mozartiens du ténor espagnol Alfredo Kraus en Ferrando. Hanny Steffek, hélas ! reste une Despine de convention : à cette exception près, la vérité des incarnations des interprètes, la vitalité et la cohérence dramatique de la direction de Boehm, la vie qui se dégage de l'ensemble et une qualité sonore satisfaisante constituent un ensemble sans faille de qualités maîtresses.

En 1955 paraissaient deux versions de *Cosí* qui ont laissé leur marque dans les mémoires : la première des trois versions de Boehm et celle de Karajan. Cette dernière, enregistrée en 1954, légère, vivante et raffinée, dispose d'une distribution à peu près idéale et très homogène avec deux sœurs parfaites, Elisabeth Schwarzkopf et Nan Merriman, et un Ferrando de légende, Léopold Simoneau, tendre et juvénile : ce n'est pas seulement de l'excellent théâtre, c'est aussi la vie avec des personnages auxquels on croit et on s'intéresse, avec aussi un Philharmonia subtil et incisif. Un des miracles des grandes années viennoises de l'après-guerre.

Comme avec *Don Giovanni*, le premier enregistrement de *Cosí fan tutte*, réalisé au Festival de Glyndebourne en 1935, fut un coup de maître ; et de cela, Fritz Busch est le premier responsable. D'un coup, *Cosí* est débarrassé de ses afféteries, de ses minauderies d'interprètes qui trop souvent ne saisissent ni dans la situation, ni dans la musique la gravité du propos mozartien. Il y a dans la Fiordiligi d'Iña Souez un quelque chose d'héroïque et de désespéré qui sera rarement approché. Tous les interprètes, à défaut d'être vocalement inégalables (il faut tout de même citer Brownlee et Eisinger), sont en revanche d'une vérité saisissante. Fritz Busch, avec acuité, donne à son *Cosí* une cohérence et une unité sans défaut.

Avec Boehm en 1955, c'était déjà une grande version de l'école viennoise à son apogée. A son débit, de petites coupures qui ne sont plus admissibles dans les enregistrements aujourd'hui. Emmy Loose, Despina fine et délicieuse, et un trio masculin de première grandeur constituent avec Lisa della Casa, plus au concert qu'occupée à incarner un personnage de chair et de sang, et Christa Ludwig, dont l'interprétation mûrira par la suite, mais toutes deux parfaites musiciennes, l'une des affiches les plus homogènes qui soient ; la direction de Boehm, outre son style, a d'évidentes qualités dramatiques.

Colin Davis a réalisé le meilleur enregistrement récent, c'est-à-dire depuis celui de Boehm en 1962, de *Cosí fan tutte*. Et cela met cruellement en relief la distance qui sépare les chanteurs et l'esprit mozartien des années cinquante et du début des années soixante de la période qui a suivi jusqu'à nos jours. Pourtant, Colin Davis a additionné les noms les plus prestigieux de la scène lyrique en 1977. Un trio de femmes plein de couleurs et de contrastes (même si la Fiordiligi de Caballé reste une étrangeté), avec une excellente Despina (Cotrubas), un très somptueux Ferrando (Gedda) et la direction souple et musicale de Colin Davis : ce *Cosí* n'est pas le plus subtil du catalogue, mais l'un des plus spectaculaires et des plus vivants.

Klemperer tient la gageure de transformer du théâtre en musique pure. Aucune passion chez Margaret Price, mais la splendeur instrumentale de la voix, des ensembles qui ont la beauté de quatuors ou de sextuors à cordes, un orchestre éblouissant. Cela ne fait pas une version de référence de *Cosí* : il manque ici une dimension dramatique, ou simplement humaine, à ce concert parfois aux limites de l'ennui, parfois simplement sublime.

Avec Jochum, le sentiment est mêlé. La jolie couleur de l'enregistrement et de la pâte orchestrale n'empêche pas de constater que Jochum manque de vivacité et peut-être d'imagination. Irmgard Seefried éprouve des difficultés (nous sommes en 1963, et pour elle, c'est un peu tard), notamment dans ses airs de bravoure, mais dramatiquement et musicalement sa Fiordiligi existe et elle émeut. Dietrich Fischer-Dieskau est un Alfonso vocalement somptueux mais discutable. Avec Haefliger et Prey, c'est néanmoins l'un des meilleurs trios masculins de toutes les versions discographiques de *Cosí fan tutte.*

Le *Cosí* de Lombard a le visage jeune. La jeunesse de Kiri Te Kanawa, Fiordiligi de rêve en 1977, voix somptueuse, souple dans toutes les nuances, éblouissante dans la virtuosité et la bravoure. Celle de Frederica von Stade, toute de finesse, d'intelligence, radieuse Dorabella. Jeunesse aussi avec David Rendall et Philippe Huttenlocher, interprètes l'un et l'autre soucieux de musicalité. Vocalement, la seule grande réserve concerne Teresa Stratas, qui incarne une Despina de caricature. Lombard privilégie les aspects nostalgiques et poétiques de la partition, et si l'orchestre ne brille pas de tous les feux de certains de ses concurrents, son soutien est très satisfaisant. Il y a beaucoup de qualités dans cet enregistrement, qui pêche surtout par un certain manque de caractère théâtral.

Deux atouts avec Solti, dont la distribution est familière aux habitués de la Salle Garnier à Paris : la Dorabella de Teresa Berganza, dont c'est l'un des grands rôles depuis plus de vingt ans et le Don Alfonso de Bacquier, mais Pilar Lorengar ne résout pas les problèmes que lui pose le rôle de Fiordiligi. L'orchestre est éclatant ; trop sérieux, trop raide aussi, pour cette œuvre dont la gravité n'exclut pas la finesse et la grâce.

Le troisième enregistrement de *Cosí fan tutte* sous la direction de Karl Boehm diffère des précédents en ce qu'il a été réalisé sur le vif et en présence du public au cours du Festival de Salzbourg de 1974. Il vaut par le contraste des timbres des deux sœurs, Gundula Janowitz et Brigitte Fassbaender, par l'homogénéité de la distribution, par la vitalité dramatique de l'ensemble. C'est assez pour que cet enregistrement soit très recommandable, pas assez pour qu'il fasse oublier les deux précédentes versions de Boehm.

L'enregistrement ancien de Rudolf Moralt (1955) devrait rester aux oubliettes : Waldemar Kmentt et Walter Berry en font trop, et tout, y compris la direction de Rudolf Moralt, est épais et caricatural. Mais il y a la radieuse Graziella Sciutti, dont Despina fut le plus grand rôle. Il y a aussi Teresa Stich-Randal, lumineuse Fiordiligi. Ni l'une ni l'autre n'ont réenregistré ces rôles (il existe toutefois une prise de son en public de Graziella Sciutti avec Cantelli) : par elles, et par elles seules, cette version viennoise mérite de survivre.

Six Danses allemandes K. 509. Six Danses allemandes K. 600. Douze Danses allemandes K. 586. Trois Danses allemandes K. 606.

* Orch. de Chambre Jean-François Paillard, Jean-François Paillard. Erato STU 71.287. ⌧ MCE 71.287. Enregistré en 1979.

Sans prétention musicologique ni préoccupation stylistique particulières, Paillard donne de ces quatre séries de Danses écrites par Mozart sur la fin de sa vie une interprétation très soignée, mais aussi vivante, solennelle et sans lourdeur, aidé par un orchestre à la fois coloré et transparent.

Danses et Marches pour orchestre.

** Vienna Mozart Ensemble, Willi Boskovsky. Decca D121 D10 (10 d.) (G-B).

De 1965 à 1967 avait paru l'intégrale des Danses et Marches de Mozart, en dix disques qui ne sont actuellement disponibles qu'au catalogue anglais. On a pu trouver l'essentiel de cette intégrale - quantitativement (les trois quarts de l'ensemble) et qualitativement - dans un coffret de cinq disques seulement mis sur le marché français il y a quelques années et (provisoirement ?) indisponible. Il y a beaucoup de finesse et de légèreté dans l'interprétation de Willi Boskovsky. C'est très «viennois»..

Le Directeur de théâtre Der Sauschpiel-direktor), Singspiel K. 486.

** Kurt Moll (Buff), Peter Schreier (Vogelsang), Reri Grist (Herz), Arleen Augér (Melle Silberklang), Orch. d'Etat de Dresde, Karl Boehm. DG 2709.051 (3 d.). ⌧ 3371.013 (3 c.). + *L'Enlèvement au Sérail.*

** Clifford Grant (Buff), Anthony Rolfe-Johnson (Vogelsang), Ruth Welting (Herz), Ileana Cotrubas (Melle Silberklang), Orch. Symph. de Londres, Colin Davis. Philips 9500.011. + *Lo Sposo deluso.* Ou Philips 6747.388 (8 d.). + *La Finta giardiniera, La Finta semplice, Idomeneo, Les Petits Riens, Lo Sposo deluso, Thamos.*

Beaucoup de charme dans l'interprétation, très viennoise, de Karl Boehm et de ses interprètes. Le texte allemand de la comédie bouffe a été supprimé et l'on n'a conservé que les cinq morceaux musicaux. Les airs de bravoure des deux dames et le trio de la dispute ne manquent pas de verve, et cette interprétation soigneusement musicale ne verse jamais, de la part du chef comme de celle des chanteurs, dans une caricature trop commune et qui dénaturerait la musique. Les cinq airs du *Directeur de théâtre* sont logés sur la sixième face d'un coffret de trois disques où ils complètent l'enregistrement de l'*Enlèvement au Sérail* sous la direction du même chef.

Sur une seule face également, Colin Davis a enregistré toute la musique de la comédie en omettant les textes parlés. Pour ses divas cocottantes et vaniteuses, Madame Cœur et Mademoiselle Timbre d'argent, il a choisi deux sopranos aux voix jeunes et fraîches. Ce que son interprétation perd en comique, elle le gagne en musicalité, et c'est bien l'essentiel.

Divertissements nos 1 à 17.

** Chamber Ens. New Philomusica, Anthony Rolfe Johnson. Vox SVBX 5.104/05/06 (9 d.) (étr.).

Des interprétations expressives et scrupuleuses par des interprètes américains qui font oublier leur virtuosité : il y a chez eux plus de charme et de rondeur que de souci de briller, et le choix d'un enregistrement par des «solistes» plutôt que par des effectifs de chambre est tout à fait convaincant. La prise de son, assez dure, ne favorise toutefois pas les musiciens et particulièrement les cordes.

Don Juan (Don Giovanni, ossia il dissoluto punito), dramma giocoso K. 527.

❀*** Eberhard Waechter (Don Giovanni), Giuseppe Taddei (Leporello), Luigi Alva (Don Ottavio), Gottlob Frick (le Commandeur), Piero Cappuccilli (Masetto), Joan Sutherland (Donna Anna), Elisabeth Schwarzkopf (Donna Elvira), Graziella Sciutti (Zerlina), Orch. Philharmonia, Carlo Maria Giulini. EMI VSM C 165-00.504/07 (4 d.). ⌧ C 295-00.504/07 (4 c.). Enregistré en 1959.

❀*** John Brownlee (Don Giovanni), Salvatore Baccaloni (Leporello), Koloman von Pataky (Don Ottavio), David Franklin (le Commandeur), Roy Henderson (Masetto), Iña Souez (Donna Anna), Luise

Helletsgruber (Donna Elvira), Audray Mildmay (Zerlina), Orch. du Festival de Glyndebourne, Fritz Busch. EMI VSM C 151-43.057/59 (3 d.). Mono (origine 78 t.). Enregistré en 1936.

*** Cesare Siepi (Don Giovanni), Otto Edelmann (Leporello), Anton Dermota (Don Ottavio), Raffaele Arie (le Commandeur), Walter Berry (Masetto), Elisabeth Grümmer (Donna Anna), Elisabeth Schwarzkopf (Donna Elvira), Erna Berger (Zerlina), Orch. Phil. de Vienne, Wilhelm Furtwängler. BWS 003 (3 d.). Mono. Enregistré en 1953.

*** Cesare Siepi (Don Giovanni), Fernando Corena (Leporello), Anton Dermota (Don Ottavio), Kurt Boehme (le Commandeur), Walter Berry (Masetto), Suzanne Danco (Donna Anna), Lisa della Casa (Donna Elvira), Hilde Gueden (Zerlina), Orch. Phil. de Vienne, Josef Krips. Decca 592.129 (3 d.). Mono. Enregistré en 1955.

** Antonio Campo (Don Giovanni), Marcello Cortis (Leporello), Nicolaï Gedda (Don Ottavio), Raffaele Arie (le Commandeur), André Véssières (Masetto), Teresa Stich-Randall (Donna Anna), Suzanne Danco (Donna Elvira), Anna Moffo (Zerlina), Orch. des Concerts du Conservatoire, Hans Rosbaud. EMI Trianon 33.311/13 (3 d.). Mono. Enregistré en 1956.

** Ingvar Wixell (Don Giovanni), Vladimiro Ganzarolli (Leporello), Stuart Burrows (Don Ottavio), Luigi Roni (le Commandeur), Richard van Allan (Masetto), Martina Arroyo (Donna Anna), Kiri Te Kanawa (Donna Elvira), Mirella Freni (Zerlina), Orch. de Covent Garden, Colin Davis. Philips 6707.022 (4 d.). Enregistré en 1974.

** Bernd Weikl (Don Giovanni), Gabriel Bacquier (Leporello), Stuart Burrows (Don Ottavio), Kurt Moll (le Commandeur), Alfred Sramek (Masetto), Margaret Price (Donna Anna), Sylvia Sass (Donna Elvira), Lucia Popp (Zerline), Orch. Phil. de Londres, Georg Solti. Decca 390.024 (4 d.).

** Dietrich Fischer-Dieskau (Don Giovanni), Karl Christian Kohn (Leporello), Ernst Haefliger (Don Ottavio), Walther Kreppel (le Commandeur), Ivan Sardi (Masetto), Sena Jurinac (Donna Anna), Maria Stader (Donna Elvira), Irmgard Seefried (Zerlina), Orch. RIAS Berlin, Ferenc Fricsay. DG 2728.003 (3 d.). Enregistré en 1959.

* Sherill Milnes (Don Giovanni), Walter Berry (Leporello), Peter Schreier (Don Ottavio), John Macurdy (le Commandeur), Dale Düsing (Masetto), Anna Tomova-Sintow (Donna Anna), Teresa Zylis-Gara (Donna Elvira), Edith Mathis (Zerlina), Orch. Phil. de Vienne, Karl Boehm. DG 2709.085 (3 d.). ⌧ 3371.042 (3 c.). Enregistré en 1977.

* Nicolaï Ghiaurov (Don Giovanni), Walter Berry (Leporello), Nicolaï Gedda (Don Ottavio), Franz Crass (le Commandeur), Pietro Montarsolo (Masetto), Claire Watson (Donna Anna), Christa Ludwig (Donna Elvira), Mirella Freni (Zerlina), Orch. New Philharmonia, Otto Klemperer. EMI Angel SAN 172/75 (4 d.) (sup.). Enregistré en 1966.

* Ezio Pinza (Don Giovanni), Virgilio Lazzari (Leporello), Dino Borgioli (Don Ottavio), Herbert Alsen (le Commandeur), K. Ettl (Masetto), Elisabeth Rethberg (Donna Anna), Luise Helletsgrüber (Donna Elvira), M. Bokor (Zerlina), Orch. Phil. de Vienne, Bruno Walter. BWS. Mono (origine 78 t.). Enregistré en 1937.

* Gabriel Bacquier (Don Giovanni), Donald Gramm (Leporello), Werner Krenn (Don Ottavio), Clifford Grant (le Commandeur), Leonardo

Monreale (Masetto), Joan Sutherland (Donna Anna), Pilar Lorengar (Donna Elvira), Marilyn Horne (Zerlina), Orch. de Chambre Anglais, Richard Bonynge. Decca SET 412/15 (4 d.) (G-B). Enregistré en 1969.

* Ruggero Raimondi (Don Giovanni), José van Dam (Leporello), Kenneth Riegel (Don Ottavio), John Macurdy (le Commandeur), Malcolm King (Masetto), Edda Moser (Donna Anna), Kiri Te Kanawa (Donna Elvira), Teresa Berganza (Zerlina), Orch. de l'Opéra de Paris, Lorin Maazel. CBS 79.321 (3 d.). ⊠ 40-79.321 (3 c.). Enregistré en 1979.

* Dietrich Fischer-Dieskau (Don Giovanni), Ezio Flagello (Leporello), Peter Schreier (Don Ottavio), Martti Talvela (le Commandeur), Alfredo Mariotti (Masetto), Birgit Nilsson (Donna Anna), Martina Arroyo (Donna Elvira), Reri Grist (Zerlina), Orch. Opéra de Prague, Karl Boehm. DG 2740.205 (4 d.). ⊠ 3371.014 (3 c.). Enregistré en 1967.

* Tito Gobbi (Don Giovanni), Erich Kunz (Leporello), Anton Dermota (Don Ottavio), Josef Greindl (le Commandeur), Alfred Poell (Masetto), Ljuba Welitsch (Donna Anna), Elisabeth Schwarzkopf (Donna Elvira), Irmgard Seefried (Zerlina), Orch. Phil. de Vienne, Wilhelm Furtwängler. Olympic Records 9109/4. Mono. Enregistré en 1950.

La direction de Giulini, brûlante, tendue, vivante, mène l'action avec un sens exceptionnel de la progression dramatique. Pour chaque personnage, l'intensification passionnée du sentiment va de pair avec le souci de caractérisation, donnant aux personnages leur «vérité», unique, inimitable : une Elisabeth Schwarzkopf, Elvire brûlée, poussée aux limites d'elle-même et de sa voix, une jeune Joan Sutherland, voix virtuose et somptueuse et, pour une fois, crédible, un lumineux Luigi Alva en Ottavio sont les étoiles d'une équipe remarquable et sans faille (Sciutti, idéale Zerlina ; Taddei, miroir en creux de Waechter ; Cappuccilli, Masetto de luxe). L'excellent Waechter n'a pas la dimension écrasante d'un Pinza ni d'un Siepi ; le personnage de Don Juan ici ne réduit pas les autres au rang de simples comparses. L'unité du drame ressort parfaitement ; les récitatifs sont en mouvement, l'Orchestre Philharmonia joue d'un bout à l'autre un rôle essentiel, et Carlo Maria Giulini signe ici la plus humaine, la plus émouvante, la plus complexe, la plus achevée des versions de *Don Giovanni.*

Le premier enregistrement commercial de *Don Giovanni,* en 1936, au tout nouveau Festival de Glyndebourne, fut d'emblée un miracle : à certains égards, des quelque trente enregistrements intégraux de *Don Giovanni* disponibles à un moment ou à un autre, aucun ne l'a dépassé. Quelques interprètes exceptionnels - Baccaloni, Leporello gouailleur ; Koloman von Pataky, vibrant de sincérité ; Ottavio en état de grâce ; Iña Souez, Donna Anna de flamme et de sang -, mais surtout une équipe extraordinairement homogène, une atmosphère, un climat idéal où s'équilibrent le mouvement dramatique et la pure musique, le jaillissement poétique et les résonances profondes. Les récitatifs sont accompagnés au piano. La prise de son est remarquable pour l'époque.

Une prise de son sur le vif lors d'une représentation du Festival de Salzbourg en 1953 a fixé la dimension exceptionnelle que Furtwängler donnait à Don Giovanni. Avec des tempos très larges, voire d'une sublime lenteur, un souffle profond, ce n'est plus un *«dramma giocoso»,* mais un *«dramma metafisico»* aux résonances profondes et mystérieuses. Avec Cesare Siepi, le plus grand Don Giovanni de sa génération (et qui réenregistrera le rôle en 1955, avec Krips, et en 1960 avec Leinsdorf), Schwarzkopf en Elvire, Dermota en Ottavio, Raffaele Arie en Commandeur, nous avons quelques interprétations légendaires, et pourtant le principal protagoniste reste le Philharmonique de Vienne. La prise de son n'est pas exemplaire, mais le disque reste audible malgré un report sur disque bien quelconque.

Avec Josef Krips, nous disposons d'une grande distribution féminine de l'école viennoise de chant à son apogée, avec un trio de dames souveraines de musicalité : Lisa della Casa, Hilde Gueden et Suzanne Danco. Fernando Corena, dans une conception plutôt bouffe du personnage de Leporello, et Cesare Siepi, timbre à la fois moelleux et éclatant, superbe d'aisance et de grandeur, tiennent le haut du pavé : c'est la perfection, dans une optique de *Don Giovanni* dont nous nous éloignons aujourd'hui. Le Don Giovanni de Cesare Siepi demeure néanmoins une des interprétations de référence du rôle. Avec Josef Krips, nous restons, sauf dans la scène finale, plus au concert que sur une scène d'opéra : plutôt que théâtre, cette version est une grande leçon de musique pure. A son prix, en trois disques seulement et avec une bonne qualité sonore pour 1955, elle dispose d'atouts majeurs.

Aix 1956 : voici un *Don Giovanni* qui s'adresse d'abord aux amoureux du Festival à la recherche de leurs souvenirs de la brève époque du miracle aixois. Ils y retrouvent d'abord Hans Rosbaud, merveilleux mozartien, malgré un Orchestre de la Société du Conservatoire assez pâle. Il y a aussi une jeune Teresa Stich-Randall dans le plus grand de ses rôles (peut-être pas dans le plus grand de ses soirs à Aix, mais tout de même Anna d'un exceptionnel rayonnement). Un jeune Gedda plein d'ardeur, une jeune Moffo (délicieuse Zerlina) et l'un des Commandeurs à la stature la plus grandiose et la plus tragique, Raffaele Arie. Il y a aussi, malgré le piano des récitatifs, malgré les défauts d'une réalisation inégale, une émotion profonde et un souffle mozartien qui animent et colorent ce *Don Giovanni*, imparfait certes, mais terriblement attachant.

Une distribution vocalement remarquable, avec Kiri Te Kanawa que l'on découvrait en Elvire, une Mirella Freni, Zerline musicale et délicieuse, la superbe leçon de chant de Stuart Burrows en Ottavio (mais on a connu plus émouvant...) et un Ganzarolli (Leporello) nerveux. Vocalement, c'est bien, la distribution est homogène, mais en revanche, la caractérisation est peu fouillée : de bonnes exécutions plus que de grandes incarnations. Au pupitre, Colin Davis a le sens du détail et de la vie, mais moins, ici, celui de l'architecture et du dessin profond du drame. Peut-être cela explique-t-il que ce *Don Giovanni* soigné et sans graves faiblesses, et en outre bien enregistré, frappe moins l'imagination que d'autres, plus imparfaits.

Dès l'Ouverture, le *Don Giovanni* de Solti s'annonce noir et brutal. Bernd Weikl appartient à la lignée des Don Giovanni reîtres plus qu'à celle des grands seigneurs. Avec Bacquier, Leporello pleutre et bouffon, il y a de la couleur, mais l'interprète «en fait» beaucoup et on sent que l'on est au théâtre... La Donna Anna de Margaret Price, sublime au moins par une voix crémeuse et pulpeuse et par la conduite du chant (la caractérisation est plus sommaire) contraste avec une Donna Elvira à laquelle Sylvia Sass tente, sans en avoir les moyens vocaux, de donner une dimension passionnée. Lucia Popp, Stuart Burrows, Kurt Moll chantent bien, voire très bien. La partition utilisée est scrupuleusement complète (version de Prague, ajouts de Vienne) et l'orchestre éclatant, dense, inflexible, mené d'une main de fer, devient avec Solti le protagoniste essentiel du drame. Il manque ici pourtant un frémissement plus humain pour donner vie à une conception plus théâtrale que tragique et passionnée.

L'ancienne version de Ferenc Fricsay a conservé des attraits, même si, par la prise de son, elle évoque davantage le studio d'enregistrement que la scène. Pourtant, Fricsay a le sens du théâtre, et certains de ses interprètes ont un souci extrême de caractérisation. On retient surtout l'Anna de Sena Jurinac, même à la limite de ses possibilités vocales, et surtout la rencontre du premier Don Giovanni de Dietrich Fischer-Dieskau et de la Zerline de Seefried - celui-là excessif dans sa caractérisation mais voix de rêve, celle-ci bouleversante de féminité. Le duo *La ci darem la mano* est resté un moment d'anthologie. Pour cette rencontre, pour l'esprit mozartien de Fricsay et en tenant compte de son prix réduit, cet enregistrement discuté, et à certains égards discutable, reste très attachant.

Don Giovanni pris sur le vif au Festival de Salzbourg : on devrait avoir avant tout le sentiment du mouvement et de la vie dramatique. Ce n'est pourtant pas exactement le cas, et en partie à cause de la conception, musicale mais parfois un peu raide, de Karl Boehm. La distribution est d'un bon niveau, même si Peter Schreier ennuie en Ottavio, même si Sherill Milnes incarne un Don Giovanni auquel manque l'angoisse et l'ambiguïté. Avec la douleureuse Anna Tomova-Sintow et grâce à l'équilibre de la conception de Karl Boehm, voici tout de même une solide version moderne de *Don Giovanni*.

Don Giovanni par Klemperer : on n'est pas surpris de tempos souvent caractéristiques de la manière du chef, c'est-à-dire très lents (mais pas uniformément), ce qui ne va pas sans poser quelques problèmes aux chanteurs. C'est un *Don Giovanni* grandiose, mais aussi figé et raidi et privé de spontanéité. Un atout et un défaut majeurs à l'interprétation de Klemperer : celui-ci a un sens exceptionnel de l'espace orchestral ; il semble n'avoir le souci ni de l'espace psychologique, ni du mouvement. L'affiche masculine, très belle, est dominée par le Don Giovanni de Ghiaurov (grand timbre, mais moyenne incarnation), mais Christa Ludwig est étonnamment distribuée en Donna Elvira, Claire Watson pas à sa place en Donna Anna et les chanteurs s'épuisent parfois aux tempos qu'impose Klemperer ; mais pour la conception sérieuse et grave du chef, cette version mérite tout de même d'être connue.

Le *Don Giovanni* de Bruno Walter à la tête du Philharmonique de Vienne, gonflé de vie, de charme et de rêve, est en même temps quintessence de poésie. Ezio Pinza domine cet enregistrement vocalement et dramatiquement. C'est en grand seigneur qu'il subjugue et conquiert. On retient aussi dans la distribution les noms de ses deux victimes, Elisabeth Rethberg et Luise Helletsgrüber.

La prise de son, réalisée au cours d'une représentation du Festival de Salzbourg en 1937, est hélas ! très médiocre, comme le sera celle réalisée un peu plus tard, en 1942, lors d'une représentation de *Don Giovanni* au Met sous la direction du même chef, toujours avec Pinza et un Alexander Kipnis incompréhensiblement égaré dans le rôle de Leporello.

Un *Don Giovanni* baroque, avec une profusion d'ornementation vocale, et des dames (Sutherland en Anna et Horne, curieusement, en Zerline) qui se pâment et tentent de nous faire pâmer en faisant assaut d'agilité vocale. Du côté des hommes, le Don Giovanni de Bacquier, très «gentilhomme français XVIIIe siècle» et avec toute l'intelligence musicale du chanteur, domine des partenaires honorables mais un peu pâles. L'orchestre, léger (c'est une qualité) mais aussi sans poids (c'est un défaut), met en relief les voix plus qu'il n'est l'élément moteur du drame. La conception de Bonynge, discutable, a le mérite d'exister ; elle passionnera par le parti pris affiché d'un «retour aux sources» ou elle exaspérera. Le texte choisi par Bonynge est complet et juxtapose tous les ajouts de Vienne à la partition de Prague, sans rien retrancher.

Il y a au moins un motif d'écouter le *Don Giovanni* dirigé par Maazel : on y retrouve l'écho sonore du beau film de Losey. Echo sonore et non bande sonore, puisque Losey a simplement utilisé l'enregistrement des airs et des ensembles (mais pas celui des récitatifs effectué au tournage), réalisé préalablement par Maazel. Avec Raimondi et van Dam, le valet n'est plus le contraire du maître mais son double, voix jeunes, sans lourdeur, timbres proches. Kiri Te Kanawa rappelle qu'elle a été la plus remarquable Elvire des années soixante-dix et Berganza, Zerline inattendue, fait une éblouissante démonstration de chant mozartien et d'intelligence musicale. Edda Moser, en revanche, souffre dans ses airs. Hélas ! Il y a la direction inexpressive de Maazel, qui survole la partition en chef pressé. Bon livret d'accompagnement (72 pages), illustré de photos du film.

De très grands noms autour de Karl Boehm, cela peut faire une grande distribution, mais cela ne fait pas nécessairement un grand *Don Giovanni*. Fischer-Dieskau était plus jeune et charmeur avec Fricsay ; Martina Arroyo et Birgit Nilsson sont de très grandes dames qui oublient d'émouvoir, elles ne sont jamais Elvire ni Anna. Un superbe Commandeur, Martti Talvela, une direction très musicale, les couleurs de l'orchestre de Prague sont les principaux atouts de ce très sérieux *dramma giocoso*.

La représentation de *Don Giovanni* du 27 juillet 1950 au Festival de Salzbourg sous la direction de Wilhelm Furtwängler est assez différente de celle qui, trois ans plus tard, devait également faire l'objet d'une prise de son sous la direction du même chef. Tito Gobbi, inattendu dans le rôle, campe un Don Giovanni autoritaire, brutal et insolent, mais ni séducteur ni ambigu. C'est dommage : avec l'Anna frémissante de Ljuba Welitsch, avec Irmgard Seefried, Zerline fragile et déchirante, avec Erich Kunz, avec Elisabeth Schwarzkopf et Anton Dermota qu'on retrouvera, eux, en 1953, la distribution est royale. Pourtant plus rapide, plus vivant (mais avec des décalages fréquents), ce *Don Giovanni* n'a ni la grandeur, ni la profondeur de celui de 1953. Le son varie du médiocre à l'exécrable. L'orchestre est maigre et cru, la voix des chanteurs se perd au gré de leurs déplacements sur la scène, et un détestable report sur disques : voilà hélas ! qui destine ce disque uniquement aux collectionneurs de documents.

L'enlèvement au sérail (Die Entführung aus dem Serail), Singspiel K. 384.

*** Christiane Eda-Pierre (Constance), Norma Burrowes (Blondchen), Stuart Burrows (Belmonte), Robert Tear (Pedrillo), Robert Lloyd (Osmin), Orch. de l'Academy of St.-Martin-in-the-Fields, Colin Davis. Philips 6769.026 (3 d.). ✉ 7699.111 (3 c.). Enregistré en 1979.

** Anneliese Rothenberger (Constance), Lucia Popp (Blondchen), Nicolaï Gedda (Belmonte), Gerhard Unger (Pedrillo), Gottlob Frick (Osmin), Ch. de l'Opéra de Vienne, Orch. Phil. de Vienne, Josef Krips. EMI VSM C 197-00.070/71 (2 d.). Enregistré en 1971.

** Wilma Lipp (Constance), Emmy Loose (Blondchen), Walther Ludwig (Belmonte), Peter Klein (Pedrillo), Endre Koreh (Osmin), Orch. Phil. de Vienne, Josef Krips. Decca 115.306/07 (2 d.) (G-B). Enregistré en 1949.

** Loïs Marshall (Constance), Ilse Hollweg (Blondchen), Leopold Simoneau (Belmonte), Gerhard Unger (Pedrillo), Gottlob Frick (Osmin), Ch. de la Beecham Choral Society, Orch. Phil. Royal, Thomas Beecham. EMI VSM C 167-01.541/42 (2 d.). Enregistré en 1957.

** Arleen Augér (Constance), Reri Grist (Blondchen), Peter Schreier (Belmonte), Harald Neukirch (Pedrillo), Kurt Moll (Osmin), Orch. d'Etat de Dresde, Karl Boehm. DG 2709.051 (3 d.). ⌧ 3371.013 (3 c.). Enregistré en 1974. + *Le Directeur de théâtre.*

* Erika Köth (Constance), Lotte Schadle (Blondchen), Fritz Wunderlich (Belmonte), Friedrich Lenz (Pedrillo), Kurt Boehme (Osmin), Orch. de l'Opéra de Munich, Eugen Jochum. DG 2726.051 (2 d.) (étr.). Enregistré en 1966.

Si l'*Enlèvement au Sérail* n'a pas bénéficié d'une discographie exceptionnelle, il en existe cependant plusieurs belles versions dominées par la plus récente, due à Colin Davis. Il règne ici un pur esprit mozartien, grâce à la direction, d'un style parfait. Burrows nuance très joliment son chant, Eda-Pierre incarne une Constance intense et d'une très belle agilité vocale, malgré un peu de lourdeur dans le grave. Expression, variété et vitalité sont les traits marquants de cette version, judicieusement complétée, en dernière face, par quatre airs et un duo inédits, destinés - ou ayant pu l'être - par Mozart à l'*Enlèvement* (quatre de ces cinq numéros ont été achevés et instrumentés par Erik Smith).

La seconde version de Josef Krips, en 1971, vaut par un trio masculin remarquable : Nicolaï Gedda, Belmonte un peu plus dramatique que Simoneau ; Gerhard Unger, Pedrillo plein de vitalité ; et Gottlob Frick, Osmin haut en couleur. Les femmes sont moins éclatantes, mais la merveilleuse clarté et la légèreté transparente de la direction de l'orchestre n'ont pas été égalées.

Josef Krips avait enregistré une première fois l'*Enlèvement au Sérail* en 1949, à l'aube du microsillon. Malgré un excellent Walther Ludwig, la distribution viennoise n'était que moyennement convaincante, mais l'orchestre est d'une superbe finesse.

Un Belmonte sans égal, merveilleusement lyrique et avec un art suprême de la vocalise, Leopold Simoneau, et un formidable Osmin, Gottlob Frick, meilleur ici que plus tard avec Krips, une bonne Constance : l'*Enlèvement au Sérail* de Beecham en 1957 demeure un témoignage étonnant. Etonnant encore plus par la force, la couleur et ce sens de la liberté qui justifie les «libertés» prises par le chef britannique et fait naître un charme et une magie que la prise de son, malgré son âge, a su restituer.

Il y a beaucoup de chaleur dans l'enregistrement de Boehm. Cela tient d'abord aux qualités de la prise de son. Kurt Moll campe un Osmin sans excès de bouffonnerie et capable, pour une fois, de faire face vocalement aux exigences musicales de ses deux airs redoutables : sans doute le meilleur Osmin du catalogue. Arleen Augér a la voix fraîche et tendre, Peter Schreier chante avec scrupule et musicalité le rôle de Belmonte et Boehm, qui n'a pas toujours la légèreté du trait, témoigne en revanche d'un sens très sûr du déroulement dramatique. Les dialogues sont dits par des comédiens sans qu'on se rende vraiment compte de la substitution. L'enregistrement occupe cinq faces de disques.

La version dirigée par Eugen Jochum pourrait être passée sous silence, encore que, à l'exception de la Constance d'Erika Köth dont la voix perçante est totalement inadéquate pour les exigences du rôle, elle forme un ensemble tout à fait honorable. Mais il y a Fritz Wunderlich, qui a trop peu laissé de témoignages de son art pour qu'on n'écoute pas son superbe Belmonte avec une émotion redoublée.

La Finta giardiniera (Die Gärtnerin aus Liebe), opera buffa K. 196.

** Ezio di Cesare (Podesta), Julia Conwell (Sandrina), Thomas Moser (Belfiore), Lilian Sukis (Arminda), Brigitte Fassbaender (Don Ramiro), Jutta-Renate Ihloff (Serpetta), Barry McDaniel (Nardo), Orch. du Mozarteum de Salzbourg, Leopold Hager. DG 2740.234 (4 d.).

* Helen Donath (Sandrina), Gerhardt Unger (Podesta), Werner Hollweg (Belfiore), Jessye Norman (Arminda), Tatiana Troyanos (Ramiro), Ileana Cotrubas (Serpetta), Hermann Prey (Nardo), Orch. de la Norddeutsche Rundfunk, Hans Schmidt-Isserstedt. Philips 6703.039 (3 d.) (sup.).

Hager nous donne la version originale, en italien, de *la Finta Giardiniera,* reconstituée d'après un manuscrit récemment retrouvé. L'œuvre, qui penchait jusqu'alors vers le Singspiel, se rapproche maintenant des *Noces de Figaro.* La présente distribution ne comporte aucune vedette de premier plan à l'exception de Fassbaender, mais se signale par sa parfaite homogénéité, par sa constante musicalité. Nous tenons ici la meilleure version de l'ouvrage.

Philips a choisi d'enregistrer sous la direction de Hans Schmidt-Isserstedt *La Finta giardiniera* en allemand, et les récitatifs chantés ont été remplacés par de courts dialogues parlés. C'est dommage, même si la musique des récitatifs n'était pas du Mozart le plus personnel, mais la réserve n'est pas telle qu'elle doive faire bouder un enregistrement dont le texte tient compte de révisions et d'additions apportées par Mozart, dix et vingt ans après la création. Distribution dans l'ensemble très satisfaisante (même si Jessye Norman n'est pas ici dans son rôle le plus indiscutable) et surtout direction vivante, précise et d'un style irréprochable de Hans Schmidt-Isserstedt.

La Flûte enchantée (Die Zauberflöte), Singspiel K. 620.

❀*** Gottlob Frick (Sarastro), Nicolaï Gedda (Tamino), Lucia Popp (la Reine de la Nuit), Gundula Janowitz (Pamina), Walter Berry (Papageno), Ruth-Margaret Pütz (Papagena), Franz Crass (l'orateur), Gerhard Unger (Monostatos), Orch. Phil. de Londres, Otto Klemperer. EMI VSM C 165-00.031/33 (3 d.). ⊠ C 295-00.031/33 (3 c.). Enregistré en 1964.

❀*** Wilhelm Streinz (Sarastro), Helge Roswaenge (Tamino), Erna Berger (la Reine de la Nuit), Tiana Lemnitz (Pamina), Gerhard Hüsch (Papageno), Irma Beilke (Papagena), Walter Grossman (l'orateur), Heinrich Tessmer (Monostatos), Orch. Phil. de Berlin, Thomas Beecham. Turnabout Vox TV 4111-13 (3 d.) (étr.). Mono (origine 78 t.). Enregistré en 1937.

*** Ludwig Weber (Sarastro), Anton Dermota (Tamino), Wilma Lipp (la Reine de la Nuit), Irmgard Seefried (Pamina), Erich Kunz (Papageno), Emmy Loose (Papagena), George London (l'orateur), Peter Klein (Monostatos), Orch. Phil. de Vienne, Herbert von Karajan. EMI VSM C 163-01.663/65 (3 d.). Mono. Enregistré en 1950.

** Martti Talvela (Sarastro), Stuart Burrows (Tamino), Cristina Deutekom (la Reine de la Nuit), Pilar Lorengar (Pamina), Hermann Prey (Papageno), Renata Holm (Papagena), Dietrich Fischer-Dieskau (l'orateur), Gerhard Stolze (Monostatos), Orch. Phil. de Vienne, Georg Solti. Decca 390.027 (3 d.). ⊠ 4.390.027 (3 c.). Enregistré en 1969.

** Kurt Boehme (Sarastro), Leopold Simoneau (Tamino), Wilma Lipp (la Reine de la Nuit), Hilde Gueden (Pamina), Walter Berry (Papageno), Emmy Loose (Papagena), Paul Schoeffler (l'orateur), August Jaresch (Monostatos), Orch. Phil. de Vienne, Karl Boehm. Decca 592.131 (3 d.). Enregistré en 1956.

** Kurt Moll (Sarastro), Peter Hofmann (Tamino), Edita Gruberová (la Reine de la Nuit), Kiri Te Kanawa (Pamina), Philippe Huttenlocher (Papageno), Kathleen Battle (Papagena), José van Dam (l'orateur), Norbert Orth (Monostatos), Orch. Phil. de Strasbourg, Alain Lombard. Barclay 960.012/14 (3 d.) (sup.). Enregistré en 1978.

** Roland Bracht (Sarastro), Siegfried Jerusalem (Tamino), Edita Gruberova (La Reine de la Nuit), Lucia Popp (Pamina), Wolfgang Brendel (Papageno), Brigitte Lindner (Papagena), Norman Bailey (l'orateur), Heinz Zednik (Monostatos), Ch. et Orch. Symph. de la Radio Bavaroise, Bernard Haitink. EMI VSM C 165-43.110/12 (3 d.).

* Josef Greindl (Sarastro), Ernst Haefliger (Tamino), Rita Streich (la Reine de la Nuit), Maria Stader (Pamina), Dietrich Fischer-Dieskau (Papageno), Lisa Otto (Papagena), Kim Borg (l'orateur), Martin Vantin (Monostatos), Orch. RIAS de Berlin, Ferenc Fricsay. DG 2728.009 (3 d.). Enregistré en 1958.

* Franz Crass (Sarastro), Fritz Wunderlich (Tamino), Roberta Peters (la Reine de la Nuit), Evelyn Lear (Pamina), Dietrich Fischer-Dieskau (Papageno), Lisa Otto (Papagena), Hans Hotter (l'orateur), Friedrich Lenz (Monostatos), Orch. Phil. de Berlin, Karl Boehm. DG 2709.017 (3 d.). ⌧ 3371.002 (3 c.). Enregistré en 1965.

* Josef Greindl (Sarastro), Walther Ludwig (Tamino), Wilma Lipp (la Reine de la Nuit), Irmgard Seefried (Pamina), Karl Schmitt-Walter (Papageno), E. Oravez (Papagena), Paul Schoeffler (l'orateur), Peter Klein (Monostatos), Orch. Phil. de Vienne, Wilhelm Furtwängler. IGI 337 (3 d.). Mono. Enregistré en 1949.

* Martti Talvela (Sarastro), Eric Tappy (Tamino), Zdislavat Donat (La Reine de la Nuit), Ileana Cotrubas (Pamina), Christian Boesch (Papageno), Elisabeth Kales (Papagena), José van Dam (l'orateur), Ch. de l'Opéra de Vienne, Orch. Phil. de Vienne, James Levine. RCA RL 03.728 (4 d.). Enregistré en 1980.

* Alexander Kipnis (Sarastro), Helge Roswaenge (Tamino), Julie Osvath (la Reine de la Nuit), Jarmila Novotna (Pamina), Willi Domgraf-Fassbaender (Papageno), Dora Komarek (Papagena), Alfred Jerger (l'orateur), William Wernigk (Monostatos), Orch. Phil. de Vienne, Arturo Toscanini. Cetra LO 44 (3 d.). Mono (origine 78 t.). Enregistré en 1937.

De tous les opéras de Mozart, la *Flûte enchantée* était celui qui paraissait devoir le mieux convenir à Klemperer. Certes, à l'écoute de son enregistrement, on peut se poser quelques questions : ce Mozart n'a-t-il pas trop d'accents beethoveniens ? Cette lenteur ne l'amène-t-elle pas à exagérer les effets ? Klemperer ne voit-il pas «trop grand» ou «trop large» ? Mais le chef donne à la *Flûte*, et dès l'Ouverture, un étonnant climat de solennité, de grandeur contemplative et de mystère ; on admire de bout en bout la qualité de l'orchestre, extraordinairement fouillé, et celle des voix. Avec une curiosité : un luxueux et incomparable trio de Dames de la Nuit, avec Schwarzkopf, Ludwig et Höffgen ! Nicolaï Gedda et Gundula Janowitz forment l'un des meilleurs couples Tamino-Pamina qu'on puisse rêver, et «*Ach, ich fühl's*» est un moment de pure grâce. Lucia Popp en Reine de la Nuit ajoute à la qualité de la vocalise un quelque chose de glacé et d'inquiétant qui donne sa vraie dimension au rôle. Le texte dialogué n'a pas été enregistré, selon la volonté expresse du chef.

La Flûte enchantée, c'est le domaine par excellence du rêve, du fantastique, mais aussi du bouleversant mystère mozartien. Avec Beecham, dès l'Ouverture, la *Flûte enchantée* devient une miraculeuse aventure. Peu importe, dès lors, que la prise de son porte son âge - elle est tout de même remarquable pour l'époque, mais les pressages sont très variables et on se méfiera de ceux qui ont été réalisés en Amérique, généralement peu fiables. Tiana Lemnitz est (avec Seefried et Janowitz plus tard) la Pamina idéale. La Reine de la Nuit d'Erna Berger, le merveilleux Papageno de Hüsch, l'héroïsme du Tamino de Helge Roswaenge contribuent à créer un climat miraculeux qui depuis plus de quarante ans n'a été ni dépassé ni égalé. Les textes parlés ont été omis.

Le premier enregistrement intégral de la *Flûte enchantée* à l'ère du microsillon fut celui que Herbert von Karajan réalisa en 1950 et qui a bénéficié en 1975 d'une nouvelle gravure. Avec le Philharmonique de Vienne et une distribution autrichienne de nationalité ou d'adoption, ce fut une superbe réussite de la grande époque viennoise. Etait-ce la justesse de la direction de Karajan et le climat du soutien orchestral ? Le charme d'Emmy Loose ? L'intelligence et la verve d'Erich Kunz ? La démonstration de virtuosité de Wilma Lipp, toutefois bien froide ? Le rayonnement du Tamino d'Anton Dermota, pourtant à un stade avancé de sa carrière ? Ou la tendresse d'Irmgard Seefried, Pamina inégalée ? Toujours est-il que ce premier enregistrement de la *Flûte* reste depuis plus de trente ans l'un des plus attachants du catalogue. Les dialogues sont omis.

La version dirigée par Georg Solti passe aux yeux de beaucoup pour la meilleure qui ait été réalisée avec le bénéfice de la haute fidélité. Le son, en effet est, superbe et l'accompagnement orchestral du Philharmonique de Vienne admirablement fouillé et précis, mais aussi bien glacé dans sa perfection. Les rôles principaux sont honorablement tenus, surtout du côté masculin, car Pilar Lorengar, très femme, n'a pas le rayonnement des grandes Pamina, et Cristina Deutekom n'est pas à l'aise dans ses vocalises. Il reste surtout Hermann Prey, bien en situation dans sa robustesse paysanne et sa simplicité, Stuart Burrows bien chantant, et Talvela majestueux ; un bon point : les trois jeunes garçons sont chantés effectivement par des enfants, et Dietrich Fischer-Dieskau est le ... *Sprecher* (l'orateur). Le texte est intégral, y compris les dialogues, le livret d'accompagnement avec reproductions de Kokoschka, très beau.

Boehm avait signé en 1956 un premier enregistrement de la *Flûte enchantée*. Il conserve encore beaucoup d'attraits, surtout au prix réduit auquel il est généralement proposé, avec Leopold Simoneau, l'un des Tamino les plus tendres et les plus délicatement lyriques, l'excellent Walter Berry, dont Papageno était l'un des grands rôles - il le réenregistrera d'ailleurs avec Klemperer et Sawallisch. Les principaux rôles féminins sont également bienvenus, avec la délicieuse Papagena d'Emmy Loose et Wilma Lipp qui fut, après la guerre, la grande Reine de la Nuit des scènes autrichiennes. Les dialogues sont omis.

Seul chef français a avoir enregistré la *Flûte enchantée*, Alain Lombard a réuni l'une des meilleures distributions possibles en 1978. Kiri Te Kanawa a beaucoup des qualités de timbre et de technique qui firent de Seefried (plus spontanée et naturelle) et de Janowitz les meilleures Pamina de l'après-guerre, Edita Gruberová est une Reine de la Nuit d'une superbe facilité vocale, Philippe Huttenlocher un Papageno tout d'intelligence et Peter Hoffman un Tamino rayonnant de jeunesse. La réalisation technique, hélas ! n'est pas du niveau de l'interprétation, notamment l'équilibre entre les voix et l'orchestre d'une part, et la «mise en scène» sonore d'autre part.

La version Haitink fait entendre un savant équilibre entre la leçon philosophique de l'œuvre et la palpitation anxieuse des personnages. Jamais déchirés, selon l'éthique mozartienne, jusqu'au désespoir absolu, ceux-ci frissonnent sans répit d'un sentiment de fragilité où ils puisent leurs forces. Lucia Popp est la meilleure des Pamina récentes ; Siegfried Jerusalem est un Tamino plus héroïque que charnel. La voix facile, le timbre dramatique d'Edita Gruberova servent les fureurs de la Reine de la Nuit. Roland Bracht est un Sarastro un peu pâle, et le Papageno de Wolfgang Brendel est beaucoup plus chanteur que comédien.

Fricsay dispose d'une autre équipe de grands chanteurs mozartiens des années cinquante. Le texte parlé a été conservé, mais abrégé, ce qui, au disque, est sans doute la meilleure solution. Rita Streich est une Reine de la Nuit virtuose et musicale, Maria Stader une Pamina pure mais un peu froide, et Ernst Haefliger, merveilleux Evangéliste ailleurs, semble en transférer à Tamino quelque chose de la spiritualité. A prix réduit, cette version a de quoi retenir l'attention, bien que la participation de l'Orchestre Radiosymphonique de Berlin soit assez pâle.

Boehm en 1965 dispose d'une distribution masculine de rêve, dominée par le timbre lumineux et le lyrisme de Fritz Wunderlich, peut-être inégalé dans le rôle de Tamino. Dietrich Fischer-Dieskau «en fait» beaucoup, mais Papageno n'a jamais eu timbre si somptueux. Du côté des femmes, c'est autre chose, et si l'on oubliera vite la Pamina d'Evelyn Lear, Roberta Peters éprouve et nous fait éprouver des moments difficiles dans le registre le plus haut. La direction de Boehm, musicale et mesurée, est un atout de cette version tantôt superbe, tantôt irritante. Le texte parlé est rétabli, avec quelques coupures.

Un enregistrement sur le vif réalisé le 27 juillet 1949 a conservé le témoignage de la conception avec laquelle Furtwängler abordait la *Flûte enchantée*. Dès l'Ouverture, prise très lentement et avec des accents très profonds, il crée un climat qu'on peut trouver démesurément romantique et grandiose, et parfois une fièvre qu'il communique à ses chanteurs. Ces derniers sont bons - on les retrouvera presque tous, à part le Tamino de Walter Ludwig, dans les enregistrements réalisés les années suivantes dans de bonnes conditions techniques, par Karajan, Boehm et Fricsay. Les aléas du direct, la prise de son variable, le découpage absurde (il faut tourner la face du premier disque au milieu du premier air de la Reine de la Nuit), l'usinage désinvolte de certains exemplaires ne permettent, hélas ! de recommander cet unique témoignage qu'aux seuls collectionneurs.

James Levine tire l'œuvre vers le théâtre beaucoup plus que vers la liturgie maçonnique. Sa *Flûte*, pour la première fois au disque, comporte la quasi-intégralité des dialogues parlés. La cohésion de l'équipe ici réunie fait toute sa force. Talvela et van Dam, ainsi que la Reine de la Nuit de Zdislavat Donat, s'imposent aisément. Mais Ileana Cotrubas (Pamina) semble à la limite de ses moyens, et Eric Tappy (Tamino) apparaît lourd dans le premier acte.

Un opéra de Mozart enregistré par Toscanini au Festival de Salzbourg, c'est déjà une curiosité. Malheureusement, la prise de son semble avoir été réalisée à côté du timbalier ! De très grands noms ont été réunis, notamment ceux de Novotna, Roswaenge, Domgraf-Fassbaender et Kipnis. Ces deux derniers ne réenregistreront pas leurs rôles, et pour eux, comme pour la direction de Toscanini, cette version présente, malgré sa qualité sonore précaire et ses défauts, la valeur d'un document lui aussi pour collectionneurs.

Idoménée (Idomeneo re di Creta), opera seria K. 366.

❀***Werner Hollweg (Idomeneo), Trudeliese Schmidt (Idamante), Rachel Yakar (Ilia), Felicity Palmer (Elettra), Kurt Equiluz (Arbace), Rober Tear (Grand Prêtre), Ch. et Orch. de l'Opéra de Zurich, Nikolaus Harnoncourt. Telefunken 6.35547 (4 d.). ⊠ 4.35547 (4 c.). Enregistré en 1980.

*** Wieslaw Ochman (Idomeneo), Peter Schreier (Idamante), Edith Mathis (Ilia), Julia Varady (Elettra), Hermann Winkler (Arbace), Eberhard Büchner (Grand Prêtre), Ch. de la Radio de Leipzig, Orch. d'Etat de Dresde, Karl Boehm. DG 2711.023 (4 d.). Enregistré en 1978.

Harnoncourt abordant pour la première fois un opéra de Mozart, et choisissant le plus tendre, le plus lyrique, c'est un événement de taille. Et pour la réussite, elle est complète. L'intelligence d'Harnoncourt, c'est d'avoir compté moins sur les voix que sur la direction d'orchestre, la pulsion lyrique qu'il imprime à l'œuvre. Un *Idomeneo* moins extatique que ceux de Glyndebourne (Busch, Pritchard), mais d'une merveilleuse fièvre intérieure, animé de bout en bout d'une vie intense et d'une force dramatique bouleversante. Les chanteurs sont tous excellents, la palme revenant cependant à Werner Hollweg, poignant Idomeneo.

Karl Boehm a réalisé avec cet *Idomeneo* l'un de ses tout meilleurs enregistrements lyriques mozartiens. Plus que nulle part ailleurs, il fait ici preuve de son talent d'ensemblier, le démontrant par une mise en place irréprochable, proche de l'idéal. Sa direction souple et précise restitue les moindres nuances de la partition. Les solistes, parmi lesquels il faut distinguer l'Ilia d'Edith Mathis, s'unissent entièrement à ce succès.

Lucio Silla, opera seria K. 135.

** Arleen Augér (Giunia), Peter Schreier (Lucio Silla), Julia Varady (Cecilio), Edith Mathis (Lucio Silla), Helen Donath (Celia), Werner Krenn (Aufidio), Ch. et Orch. du Mozarteum de Salzbourg, Leopold Hager. DG 2740.183 (4 d.).

Une œuvre qui contient sans doute trop de récitatifs assez insipides, mais aussi des airs et des duos superbes. L'orchestre, lui, brille par sa souplesse, une couleur, une richesse d'invention qui font mieux que préfigurer les chefs-d'œuvre de la maturité. La présente réalisation est globalement de grande qualité.

Messe n° 4 en ut mineur K. 139 (47b) «Waisenhausmesse».

* Gundula Janowitz (s), Frederica von Stade (c), Wieslaw Ochman (t), Kurt Moll (b), Ch. de l'Opéra de Vienne, Orch. Phil. de Vienne, Claudio Abbado. DG 2530.777. ⊠ 3300.777.

Quatre très grands noms de la scène lyrique pour cette œuvre modeste d'un enfant de douze ans. Heureusement, chacun s'emploie à faire de la musique et non des numéros d'opéra ; la direction d'Abbado est ferme, vigoureuse, précise et souple, et l'équilibre sonore parfaitement réalisé tant par les interprètes que par les ingénieurs du son.

Messe en ut majeur K. 317 «du Couronnement». Vêpres solennelles pour un Confesseur en ut majeur K. 339.

* Teresa Stich-Randall (s), Bianca-Maria Casoni (c), Pietro Bottazzo (t), Georg Littasy (b), Ch. du Conservatoire de Sarrebrück, Orch. de Chambre de la Sarre, Karl Ristenpart. Musidisc RC 722. Ou Festival CFC 60.018 (4 d.). *+ Hommage à Teresa Stich-Randall : œuvres de Bach, Haendel, Mozart, Schubert.*

Cet enregistrement eut son heure de gloire. Pourtant, avec le recul du temps, on doit admettre que trois des solistes sont assez quelconques et que malgré les qualités de la direction de Karl Ristenpart, on est loin de la perfection que nous attendons d'un disque. Mais les proportions sont justes, Teresa Stich-Randall est à son zénith, et comme le disque est très bon marché, il méritait d'être recommandé.

Messe en ut majeur K. 317 «du Couronnement».

** Anna Tomowa-Sintow (s), Agnès Baltsa (c), Peter Schreier (t), José van Dam (b), Ch. du Singverein de Vienne, Orch. Phil. de Berlin, Herbert von Karajan. DG 2530.704. ⌧ 3300.704. + *Bruckner : Te Deum.*

Avec Karajan, la Messe «du Couronnement» prend des allures grandioses : les effectifs choraux et orchestraux sont très importants, l'affiche des solistes prestigieuse et la lecture du chef spectaculaire et très lyrique. Avec une prise de son récente et un couplage inédit, certains préféreront ce disque à la version beaucoup plus «modeste» de Karl Ristenpart. Il ne fait en tout cas pas double emploi, tant les perspectives sont différentes.

Messe en ut mineur K. 427 «Grand-Messe solennelle».

*** Ileana Cotrubas (s), Kiri Te Kanawa (s), Werner Krenn (t), Hans Sotin (b), Ch. John Alldis, Orch. New Philharmonia, Raymond Leppard. EMI VSM C 069-02.471. ⌧ C 269-02.471.

*** Barbara Hendricks (s), Janet Perry (a), Peter Schreier (t), Benjamin Luxon (b), Ch. du Wiener Singverein, Orch. Phil. de Berlin, Herbert von Karajan. DG 2532.028. ⌧ 3302.028.

* Margaret Marshall (s), Felicity Palmer (s), Anthony Rolfe-Johnson (t), Gwynne Howell (b), Ch. et Academy of St-Martin-in-the-Fields, Neville Marriner. Philips 9500.680. ⌧ 7300.775.

* Maria Stader (s), Hertha Töpper (ms), Ernst Haefliger (t), Ivan Sardi (b), Ch. de la cathédrale Ste-Hedwige de Berlin, Orch. Phil. de Berlin, Ferenc Fricsay. DG 138.124.

Avec Raymond Leppard, les timbres sont restitués dans leur couleur et leur perspective justes. Un très bon quatuor vocal avec deux sopranos à la voix pure et d'une exquise souplesse, des chœurs remarquables, une exécution sans lourdeur qui met pleinement en relief la dimension spirituelle de l'œuvre : ce disque, dont la prise de son est très bonne, demeure depuis sa parution en France en 1975 au sommet de la discographie.

Karajan, à nouveau, manifeste son dédain pour tout rajeunissement des traditions interprétatives : grand orchestre, formation chorale imposante, mais aussi phrasés et articulations issus du monde brucknérien. Cette conception est imposée avec une force de persuasion peu commune, et ce que nous perdons en intimité, nous le gagnons en intériorisation. Les exécutants, à commencer par Barbara Hendricks, la principale soliste, se sont totalement imprégnés de cette conception, faisant de cette interprétation une version sans doute marginale, mais qu'on ne peut qu'admirer.

La direction de Neville Marriner suscite l'admiration : la cohésion des interprètes, la netteté et la précision de l'exécution, la qualité d'un style exempt de bavure. Peut-être suscite-t-elle trop exclusivement l'admiration et souhaiterait-on ici un peu plus d'humanité et de tendresse. Le quatuor de solistes n'est pas spectaculaire, mais musicalement honorable. Cependant, quand ils interviennent, la musique de Mozart semble dépourvue de tout «poids» et de sa densité.

Fricsay ne recherche pas la grandeur : ses chœurs manquent de corps, et l'orchestre, en avant des chœurs, est trop présent ; mais les tempos sont justes, avec une grande liberté rythmique, et la voix de Maria Stader est l'atout de cette version toute de lumière et de transparence. Si l'orchestre manque de légèreté, le quatuor de solistes est d'ailleurs l'un des plus homogènes de la discographie.

Motet K. 165 «Exsultate, Jubilate».

*** Teresa Stich-Randall (s), Orch. de Chambre de la Sarre, Karl Ristenpart. Festival CFC 60.018 «Hommage à Teresa Stich-Randall» (4 d.). + *Bach, Haendel, Schubert : Musique religieuse.*

*** Elisabeth Schwarzkopf (s), Orch. Philharmonia, Walter Süsskind. Seraphim 60013 (USA). Mono. Enregistré en 1948. + *J.S. Bach : Cantate BWV 51.*

* Judith Blegen (s), Mostly Mozart Orchestra, Pinchas Zukerman. CBS 76.814. + *Airs de concert.*

* Erna Berger (s), Michael Raucheisen (piano). BASF 10 22317/5 (sup.). Enregistré en 1944. + *Haendel, Schubert, Brahms, Wolf, Debussy, Strauss : Lieder.*

Enregistré alors qu'elle était au sommet de ses moyens vocaux, le Motet «*Exsultate Jubilate*» trouve en Teresa Stich-Randall une interprète d'exception. La technique vocale si particulière de la cantatrice américaine, sa façon de former le son, de l'articuler et de le projeter qu'ont ses admirateurs inconditionnels, en exaspèrent d'autres. Ici, c'est éblouissant, comme l'est la qualité d'un timbre somptueux, et si l'*Andante* manque de naturel, l'*Alleluia* final est une fête. Proposé en disque séparé ou en coffret économique, avec notamment une étonnante interprétation de la Cantate n° 51 de Bach, et enregistré dans une très jolie perspective sonore.

A certains égards, la conception d'Elisabeth Schwarzkopf se situe aux antipodes de celle de Stich-Randall. Avec un phrasé admirable, elle donne une priorité à l'émotion sur l'éclat virtuose et, de l'*Andante*, intériorisé et par ailleurs très bien soutenu par Walter Süsskind, se dégage une profonde tendresse. Au revers, une interprétation remarquable de la Cantate n° 57 de Bach.

Judith Blegen donne de l'*Exsultate Jubilate* une exécution fine, sensible, avec une jolie voix pure. Il manque seulement ici, comme dans les airs de concert qui complètent le disque, ce quelque chose qui transforme une très bonne exécution en un moment exceptionnel.

La voix d'Erna Berger est légère - ici, l'*Exsultate Jubilate* est chanté par un véritable soprano coloratura. Elle chante l'*Andante* de manière expressive et dramatisée et les vocalises de l'*Alleluia* comme un rossignol. Aucun sentiment religieux. L'accompagnement au piano la pénalise lourdement.

Mitridate, re di Ponto, opera seria K. 87.

* Werner Hollweg (Mitridate), Arleen Augér (Aspasia), Edita Gruberová (Sifare), Agnès Baltsa (Farnace), Ileana Cotrubas (Ismene), David Kübler (Marzio), Christine Weidinger (Arbate), Orch. du Mozarteum de Salzbourg, Leopold Hager. DG 2711.021 (4 d.).

Cet enregistrement est en quelque sorte un rejet tardif de la résurrection de *Mitridate* à Salzbourg lors de la semaine musicale de janvier 1970, pour le 200e anniversaire de l'œuvre. Comme à l'occasion de cette reprise, la direction a été confiée à Leopold Hager et la distribution comporte les grands noms habituels à la scène salzbourgeoise depuis la deuxième moitié des années soixante-dix : un chant solide plutôt que miraculeux, mais Cotrubas y est émouvante, Gruberová et Augér (deux Reines de la Nuit) agiles, Baltsa musicale et Hollweg un Mitridate crédible.

Musique liturgique : Litaniae Lauretanae K. 195, Kyrie K. 341, Alma Dei Creatoris K. 277, Regina Coeli K. 276, Sancta Mater Dei K. 273, Litaniae de Venerabili Sacramento K. 243, Misericordias Domini K. 222, Venite Populi K. 260.

* Sol. et Ch. de la Radio de Leipzig, Orch. Symph. de la Radio de Leipzig, Herbert Kegel. Philips 6768.018 (2 d.). Enregistré en 1978.

Aucun grand nom parmi les solistes, mais de bons spécialistes de ce type de répertoire. Certains timbres sont parfois à la limite de l'ingrat. Les chœurs, en revanche, sont non seulement solides, mais se signalent par une souplesse et une précision d'ensemble également remarquables. Une réalisation honorable et correctement enregistrée de ces pages inégales mais parfois superbes, notamment le *Kyrie K. 341*, peu accessible au disque par ailleurs.

Les Noces de Figaro (Le Nozze di Figaro), opera buffa K. 492.

❁*** Dietrich Fischer-Dieskau (le Comte), Hermann Prey (Figaro), Gundula Janowitz (la Comtesse), Edith Mathis (Suzanne), Tatiana Troyanos (Chérubin), Orch. de l'Opéra de Berlin, Karl Boehm. DG 2711.007 (4 d.). ✉ 3371.005 (3 c.). Enregistré en 1968.

❁*** George London (le Comte), Erich Kunz (Figaro), Elisabeth Schwarzkopf (la Comtesse), Irmgard Seefried (Suzanne), Sena Jurinac (Chérubin), Orch. Phil. de Vienne, Herbert von Karajan. EMI VSM C 163-01.751/53 (3 d.). Mono. Enregistré en 1950.

❁*** Alfred Poell (le Comte), Cesare Siepi (Figaro), Lisa della Casa (la Comtesse), Hilde Gueden (Suzanne), Suzanne Danco (Chérubin), Orch. Phil. de Vienne, Erich Kleiber. Decca 592.130 (3 d.). Enregistré en 1959.

*** Eberhard Waechter (le Comte), Giuseppe Taddei (Figaro), Elisabeth Schwarzkopf (la Comtesse),

Anna Moffo (Suzanne), Fiorenza Cossotto (Chérubin), Orch. Philharmonia, Carlo Maria Giulini. EMI VSM C 165-00.514/17 (4 d.). Enregistré en 1959.

*** Tom Krause (le Comte), José van Dam (Figaro), Anna Tomova-Sintow (la Comtesse), Ileana Cotrubas (Suzanne), Frederica von Stade (Chérubin), Orch. Phil. de Vienne, Herbert von Karajan. Decca 390.026 (4 d.).

** Roy Henderson (le Comte), Willi Domgraf-Fassbaender (Figaro), Aulikki Rautawaara (la Comtesse), Audrey Mildmay (Suzanne), Luise Helletsgruber (Chérubin), Orch. du Festival de Glyndebourne, Fritz Busch. Turnabout TV 4114/16 (3 d.) (étr.). Enregistré en 1935.

** Heinz Rehfuss (le Comte), Rolando Paneraï (Figaro), Teresa Stich-Randall (la Comtesse), Rita Streich (Suzanne), Pilar Lorengar (Chérubin), Orch. de la Société des Concerts du Conservatoire, Hans Rosbaud. Trianon C 127-16.312/14 (3 d.). Enregistré en 1955.

** Ingvar Wixell (le Comte), Vladimiro Ganzarolli (Figaro), Jessye Norman (la Comtesse), Mirella Freni (Suzanne), Yvonne Minton (Chérubin), Orch. de la BBC, Colin Davis. Philips 6707.014 (4 d.). Enregistré en 1972.

* Dietrich Fischer-Dieskau (le Comte), Renato Capecchi (Figaro), Maria Stader (la Comtesse), Irmgard Seefried (Suzanne), Hertha Töpper (Chérubin), Orch. Radio Berlin, Ferenc Fricsay. DG 2728.004 (3 d.). Enregistré en 1961.

* Paul Schoeffler (le Comte), Walter Berry (Figaro), Sena Jurinac (la Comtesse), Rita Streich (Suzanne), Christa Ludwig (Chérubin), Orch. Phil. de Vienne, Karl Boehm. Decca 357/59 (3 d.) (sup.). Enregistré en 1958.

* Franco Calabrese (le Comte), Sesto Bruscantini (Figaro), Sena Jurinac (la Comtesse), Graziella Sciutti (Suzanne), Risë Stevens (Chérubin), Orch. du Festival de Glyndebourne, Vittorio Gui. MFP 2 M 155-43. 124/26 (3 d.). Mono.

* Gabriel Bacquier (le Comte), Geraint Evans (Figaro), Elisabeth Söderström (la Comtesse), Reri Grist (Suzanne), Teresa Berganza (Chérubin), Orch. New Philharmonia, Otto Klemperer. EMI VSM C 191-02.134/37 (4 d.) (étr.). Enregistré en 1971.

Boehm, en 1968, enregistre, dix ans après la première, une nouvelle version des *Noces*. Si elle ne fait pas oublier certaines versions antérieures, elle n'a sans doute pas été dépassée depuis. Avec le bénéfice de la technique d'enregistrement, elle dispose de pouvoirs de séduction incontestables. Gundula Janowitz est une Comtesse au timbre exceptionnel, Tatiana Troyanos peut-être le meilleur Chérubin au disque, Edith Mathis une charmante Suzanne, et Dietrich Fischer-Dieskau et Herman Prey ont une étonnante présence. S'ajoutent le style, la rigueur (parfois un rien raide) et l'esprit très XVIIIe siècle dans lequel Boehm dirige (mais l'orchestre est un peu sec), et le choix d'un texte très complet qui inclut les airs de Marcelline et de Basile du 4e acte.

La première version des *Noces*, à l'aube du microsillon, sous la direction de Karajan fut une exceptionnelle conjonction d'interprètes habités par la grâce. Hélas ! les récitatifs ont été omis, et on ne s'en console pas : avec les récitatifs, cet enregistrement constituerait une référence absolue. C'est d'abord le miracle de la rencontre entre la Comtesse d'Elisabeth Schwarzkopf et la Suzanne d'Irmgard Seefried, dans ces rôles les plus vraies, les plus inoubliables que la mémoire nous restitue, toutes de finesse, d'intelligence psychologique, de musicalité. George London et Erich Kunz, timbres admirablement contrastés, ont autant d'autorité et de maîtrise que de finesse et de pénétration. Avec ces quatre chanteurs, avec Sena Jurinac (Chérubin), comme avec Karajan, rapide et incisif, toute l'interprétation est marquée d'une tradition viennoise d'interprétation à son apogée en même temps qu'elle en constitue le chant du cygne. Ce miracle, seulement approché à nouveau en 1955 avec Kleiber et en 1956 avec Boehm, n'a pas été renouvelé. En 1954, un enregistrement des *Noces* dirigé par Karajan était capté sur la scène de la Scala avec le même trio

Schwarzkopf-Seefried-Jurinac, cette fois avec les fameux récitatifs mais une technique sonore déficiente.

En 1959, Erich Kleiber proposait la première sérieuse alternative à la version légendaire (mais privée de ses récitatifs) de Karajan, et il est premier responsable de cette réussite avec une direction idéale aux tempos très justes. Cesare Siepi, éclaboussant d'aisance, est l'un des très grands Figaro de l'histoire. Avec Lisa della Casa, Comtesse qui approche de la perfection sans toutefois toute la complexité de Schwarzkopf, Hilde Gueden et Suzanne Danco, c'est un nouveau triomphe de l'esprit viennois, à peine moins parfait qu'avec Karajan de 1949. Cette version est en revanche très complète, et comprend les airs de Marcelline et de Basile du 4e acte.

La version des *Noces* de Giulini avait déçu en 1961 : était-ce parce qu'après son fabuleux *Don Giovanni* on en attendait trop ? Elle paraît en tout cas, avec le recul du temps, une remarquable réussite. Schwarzkopf est égale à elle-même, Cossotto avait alors la voix pour chanter Chérubin et le goût pour chanter Mozart. Moffo, délicieuse Suzanne, ne laissait pas prévoir ce que serait le catastrophique gâchis de ses dons. La distribution masculine manque un peu de caractère, mais reste mieux qu'honorable.

On attendait Karajan lorsqu'il réenregistra les *Noces*, trente ans après sa légendaire version de 1949. Cette fois, les récitatifs sont là, mais hélas ! ce sont les miraculeux chanteurs d'alors qui font défaut. Et pourtant, l'équipe réunie autour de lui est remarquable. Si l'on passe sur le Comte de Tom Krause, qui n'a jamais été ici que bon, ce qui n'est pas suffisant, et sans dimensions psychologique ou musicale particulière, on apprécie la Comtesse de chair et de sang d'Anna Tomova-Sintow qui donne une dimension dramatique à son rôle et le Figaro de José van Dam. La voix fraîche et juvénile de Cotrubas contraste heureusement avec celle de la Comtesse, et les seconds rôles sont excellemment tenus - Bartholo (Jules Bastin), Barberine (Christine Barbaux) et Zoltán Kélémen (Antonio) en tête. Mais l'essentiel est ailleurs. Il est dans la somptuosité d'un orchestre omniprésent et d'une merveilleuse couleur. La mariée est-elle trop belle ? Le souci de beauté sonore tout autant qu'un certain manque de présence des voix (options de Karajan à la prise de son ?) empêchent cette version de nous accrocher ou de nous émouvoir comme le même chef l'avait fait trente ans auparavant.

La première gravure des *Noces* date de 1935, et elle demeure techniquement audible. Elle a fixé l'interprétation que Fritz Busch en donna lors du Festival de Glyndebourne, à la tête d'une disbribution meilleure par son ensemble que par les individualités, assez inégales, qui la composent. Avec au premier rang une Comtesse, Aulikki Ratawaara, et un Figaro, Willi Domgraf-Fassbaender, en tous points remarquables. Il y a surtout une magie dont on ne sait trop si elle naît d'un style d'exécution de Mozart aujourd'hui révolu ou de la direction infiniment vivante de Fritz Busch. Les récitatifs sont omis.

Avec Rosbaud, les récitatifs sont accompagnés au piano, l'orchestre pâlot, la prise de son sans grand relief. Voilà pour le passif. Mais il y a la Suzanne fine mouche et voix de nacre de Rita Streich, Heinz Rehfuss et Rolando Panerai, et surtout la Comtesse de Teresa Stich-Randall, timbre de lumière et de diamant auquel l'enregistrement ne rend pas sa pleine justice. Avec le style et le mordant de Rosbaud, c'est assez pour que naisse l'émotion à l'écoute de ces disques imparfaits.

Les *Noces*, premier des enregistrements d'opéra de Colin Davis, n'est pas sa plus totale réussite. Mais il dispose d'une remarquable Suzanne avec Freni, d'un très bon Chérubin (Yvonne Minton) et d'une Comtesse d'une somptueuse beauté vocale. Les hommes restent en-deçà de ce niveau, mais la direction très vivante, très «opératique» de Colin Davis donne à cette version des *Noces* une cohérence convaincante.

Ferenc Fricsay laisse sur des sentiments mêlés mais jamais indifférents. Parce que le Comte de Dietrich Fischer-Dieskau surprend : voix somptueuse, caractérisation autoritaire, parfois brutale. Parce que Stader, timbre lumineux et rayonnant, oublie parfois qu'elle est à l'opéra, se croit dans la nef d'une église. Parce que Seefried, toujours sublime, est moins spontanée que douze ans plus tôt avec Karajan et qu'elle a l'âme d'une Comtesse. Et pourtant, discutable, discutée, cette distribution réserve des moments très rares.

Les *Noces* de Boehm en 1958, avec celles de Karajan et de Kleiber, c'est encore Vienne. Sena Jurinac, Christa Ludwig et Rita Streich forment un parfait trio féminin. Aucun des protagonistes masculins n'est exceptionnel. Berry a été plus convaincant en d'autres circonstances, Paul Schoeffler aussi. On se réjouirait pourtant de réunir à Vienne, aujourd'hui, une équipe de cette qualité...

En 1955, vingt ans après Busch, Vittorio Gui nous ramène à Glyndebourne. Version très italienne, qui accentue l'aspect de comédie des *Nozze* où le Figaro de Sesto Bruscantini (qui avait enregistré en 1951 le rôle du Comte avec Previtali) et la Suzanne de Graziella Sciutti forment un couple vivant, psychologiquement crédible, et qui tire toutes les ficelles de l'œuvre. Sena Jurinac troquait les ardeurs de Chérubin contre les nostalgies de la Comtesse : voix somptueuse, style superbe, elle s'affirmera néanmoins davantage l'année suivante avec Boehm.

A l'écoute de Klemperer, certains crieront au contre-sens. Sans doute les tempos sont-ils souvent indéfendablement lents. Indéfendablement, non parce que l'on s'y ennuie, encore que l'esprit de la comédie ait des ailes de plomb, mais parce que les chanteurs s'en trouvent souvent gênés. Pourtant, pour la précision subtile des contrepoints orchestraux au chant des interprètes, pour un certain dramatisme romantique de la direction de Klemperer, pour une distribution qui a de grands mérites, Bacquier en tête, et de grands noms (Margaret Price en Barberine, Kiri Te Kanawa en paysanne), on peut ne pas rester indifférent à ces *Noces* solennelles.

L'Œuvre pour deux pianos et piano à quatre mains. Volume 1 : Sonate pour deux pianos K. 448, Larghetto et allegro pour deux pianos (1781), Sonate pour piano à quatre mains K. 497. Volume 2 : Sonate pour piano à quatre mains K. 521, Andante et Variations pour piano à quatre mains K. 501, Sonate pour piano à quatre mains K. 381 (123a), Fugue pour deux pianos K. 426. Volume 3 : Sonate pour piano à quatre mains K. 19d, Fugue pour piano à quatre mains K. 401, Sonate pour piano à quatre mains K. 357 (497a) et 358 (186c), Fantaisies pour piano à quatre mains K. 594 et 608.

** Bracha Eden et Alexander Tamir (pianos). Decca SDD 548/50 (3 d.) (G-B). Enregistré en 1977 et 1978.

Il y a une telle unité musicale et technique entre Bracha Eden et Alexander Tamir qu'on croirait entendre un seul interprète doté de quatre mains et vingt doigts. Chez l'un comme chez l'autre, c'est la même précision d'attaque, la même sonorité chaleureuse et veloutée. Les mouvements lents sont d'un lyrisme méditatif, expressif et naturel. Le finale de la Sonate K. 448 n'est pas assez *allegro*, pas du tout *spirito* et trop sage, mais le finale de la Sonate K. 521 est flamboyant.

L'Œuvre pour piano à quatre mains : Sonate en ut majeur K. 521, Fantaisie n° 2 en fa mineur pour orgue mécanique K. 608, Sonate en si bémol majeur K. 358, Andante et Variations en sol majeur K. 501, Fantaisie pour orgue mécanique n° 1 en fa mineur K. 594, Sonate en ré majeur K. 381, Sonate en ut majeur K. 19d, Sonate en fa majeur K. 497, Fugue en sol mineur K. 401, Sonate en sol majeur K. 357.

* Christian Ivaldi, Noël Lee (piano Bösendorfer). Arion ARN 336.021 (3 d.). Enregistré en 1979.

Noël Lee et Christian Ivaldi abordent Mozart avec sérieux, une grande franchise de ton et, dans les mouvements lents, une gravité sereine. On peut regretter qu'ils négligent de faire les reprises, on peut trouver un excès de réverbération à la prise de son ; mais leur interprétation sans mièvrerie ni afféterie, leur équilibre, leur musicalité et le choix d'un excellent Bösendorfer permettent de recommander cette belle intégrale.

Pièces pour piano : Sonates n° 10 en ut majeur K. 330 et n° 11 en la majeur «Alla turca» K. 331, Fantaisies K. 396 et K. 575, Andantino K. 236, Allemande et Courante K. 399, Menuet K. 355, Gigue K. 574, Rondo K. 511.

* Jörg Demus (hammerflügel Walter). Harmonia Mundi C 151-99.651/2 (2 d.). Enregistré en 1964.

L'intérêt du disque de Jörg Demus est qu'il utilise un hammerflügel d'Anton Walter, facteur de piano viennois célèbre et qui avait fourni à Mozart son propre piano. On ne peut pas dire que l'instrumentiste y gagne en possibilités expressives tant la sonorité est limitée, mais la musique de Mozart retrouve ses proportions d'origine et Jörg Demus la sert avec scrupule et subtilité. La prise de son, réalisée le 6 mai 1964 lors d'un concert au Château de Versailles, est très soignée, ainsi que la gravure.

Pièces pour piano : Fantaisie et Fugue en ut majeur K. 394, Marche Funèbre del Signor Contrapunto K. 453a, Adagio en si mineur K. 450, Menuet en ré majeur K. 355, Petite Gigue en sol majeur K. 574, Fantaisie en ré mineur K. 397, Rondo en la mineur K. 511, Variations sur «Ah, vous dirai-je maman» K. 265.

*** Paul Badura-Skoda (pianoforte Schantz). Astrée AS 40. ⌧ CAS 40.

Paul Badura-Skoda utilise un pianoforte Schantz datant des dernières années de la vie de Mozart et excellemment conservé. On redécouvre (ou on découvre), face aux interprétations sur les grands Steinway de concert, auxquels nous sommes habitués, des rapports nouveaux de timbres et de transparences. Le plaisir n'est pas seulement pour le musicologue, car Badura-Skoda exploite au mieux les possibilités de son instrument avec rigueur mais aussi enthousiasme, et les mouvements vifs sont particulièrement savoureux. La prise de son est excellente.

Quatuors à cordes n°s 1 à 23.

** Quartetto Italiano. Philips 6747.382 (15 d.). + *Adagio et Fugue, Divertissement K. 563, Duos pour violon et alto, Quintettes n°s 1 à 6, Symphonies salzbourgeoises, Transcriptions.*

** Quatuor Amadeus. N°s 1 à 13 : DG 2740.165 (4 d.). + *Symphonies salzbourgeoises.* N°s 14 à 23 : DG 2720.055 (5 d.).

La publication de l'intégrale des Quatuors à cordes par les Italiens a été saluée comme un événement lors de sa parution échelonnée entre 1967 et 1973. Les Italiens ont, à un degré exceptionnel, le sens d'un lyrisme spontané, naturel et irrésistible. C'est un art du phrasé très vocal allié à la beauté de la couleur instrumentale. Peut-être seulement leur arrive-t-il parfois de privilégier l'expressivité au détriment de la rigueur rythmique, comme dans le mouvement lent du Quatuor n° 21. La prise de son, bien que réalisée à des époques différentes, est chaleureuse.

L'interprétation du Quatuor Amadeus dans Mozart suscite souvent des controverses. Elle est assez inégale (le Quatuor n° 21, par exemple) et il arrive que le premier violon Norbert Brainin s'attache trop au détail et que le souffle manque à certaines lectures. Il arrive aussi qu'ils soient confondants de subtilité, de nuances, d'intériorité. La vie de l'âme, le sens de la communication sont des dominantes de ces interprétations, parfois aussi une certaine austérité, un ascétisme et une extraordinaire tension intérieure.

Les six Quatuors à cordes dédiés à Haydn : n° 14 en sol majeur K. 387, n° 15 en ré mineur K. 421, n° 16 en mi bémol majeur K. 428, n° 17 en si bémol majeur «la Chasse» K. 458, n° 18 en la majeur K. 464, n° 19 en ut majeur «Dissonances» K. 465.

*** Quatuor Esterházy. Oiseau-Lyre 395.069 (3 d.). Enregistré en 1982.

Les instruments anciens des musiciens du Quatuor Esterházy, qu'emmène Jaap Schröder, renouvellent largement notre perception de ces Quatuors dont ils soulignent mieux que nulle autre formation la modernité. Recherchant l'intensité expressive dans un jeu vivement contrasté, les Esterházy donnent aux Quatuors dédiés à Haydn une acuité et une rugosité exceptionnelles, ceci toujours avec le sousci de retrouver l'esprit stylistique du XVIIIe siècle.

Quatuor n° 21 en ré majeur K. 575.

*** Quatuor Weller. Decca SDD 330 (G-B). + *Quatuor n° 23.*

** Quatuor Eder. Hungaroton SLPX 12.128. Enregistré en 1982. + *Quatuor n° 22.*

** Quatuor Alban Berg. Telefunken 6.41999. ⌧ 4.41999. + *Quatuor n° 20.*

** Quatuor de Budapest. Philips A-01233 (sup.). Mono. + *Quatuor n° 20.*

Enregistré en 1966 par Weller et des instrumentistes de l'Orchestre Philharmonique de Vienne, le 21e Quatuor bénéficie d'un lyrisme spontané, d'une élégance et d'un esprit que l'on qualifie volontiers de viennois. L'*Andante* est joué la main sur le cœur mais sans faute de goût, le Menuet, d'une légèreté miraculeuse, a du charme et de la tendresse et le trio est un rêve.

Les Eder, dont on aime la technique d'archet extrêmement poussée, «libérée», qui permet de centrer l'attention sur le climat esthétique comme sur la beauté de l'écriture mozartienne, nous proposent une grande leçon, faite de constante musicalité, se situant au plus haut niveau de compréhension et de traduction. La fluidité du discours, parfaitement nuancé dans sa dynamique sonore comme dans ses variations rythmiques subtilement dosées, restitue toute la jeunesse frémissante et la beauté transparente de ce Quatuor.

Avec le Quatuor Alban Berg, le premier mouvement, un peu raide, déçoit légèrement. Peut-être faut-il habituer l'oreille à une prise de son très précise et sans réverbération, mais si le Quatuor Alban Berg met en évidence l'aspect rythmique de Mozart, il équilibre parfaitement rythmique et lyrisme, et les perspectives sont toujours très justes.

Le Quatuor de Budapest, très brillant dans le premier mouvement, privilégie une apparente objectivité. C'est une interprétation virtuose dans le meilleur sens du terme, d'un très grand sérieux et la beauté sonore des instrumentistes est bien captée malgré l'âge de la prise de son qui date du début des années cinquante et de la mono.

Quatuors à cordes «dédiés au Roi de Prusse» : n° 21 en ré majeur K. 575, n° 22 en si bémol majeur K. 589, n° 23 en fa majeur K. 590.

* Quatuor Juilliard. CBS 79.204 (2 d.). + *Quatuor n° 20.*

Les Juilliard ont une approche très sérieuse, très professionnelle et maîtrisée. C'est une interprétation de grande tradition, plus démonstration que véritable re-création. La prise de son, conformément au goût du public outre-Atlantique, est très proche des instruments qu'elle ne flatte pas.

Quatuor à cordes n° 22 en si bémol majeur K. 589.

** Quatuor Eder. Hungaroton SLPX 12.128. Enregistré en 1982. + *Quatuor n° 21.*

* Quatuor Budapest. Philips A-01234 (sup.). Mono. + *Quatuor n° 23.*

Les Eder, tout comme dans le *Quatuor n° 21,* nous proposent une grande leçon de musicalité. La beauté du discours mozartien, parfaitement nuancé dans sa dynamique sonore, est ici pleinement restituée.

Bien qu'en mono, la gravure du Quatuor de Budapest de la grande époque, au début des années cinquante, n'a guère été égalée. La perfection musicale et instrumentale, le classicisme et la beauté sonore servent ici une grandeur, une ampleur et une tension exceptionnelles.

Les quatre Quatuors pour flûte et cordes : n° 1 en ré majeur K. 285, n° 2 en sol majeur K. 285 a, n° 3 en ut majeur K. 285 b, n° 4 en la majeur K. 298.

*** Barthold Kuijken (flûte), Sigiswald Kuijken (violon), Lucy van Dael (alto), Wieland Kuijken (violoncelle). Accent ACC 8-225. Enregistré en 1982.

* János Szebényi (flûte), András Kiss (violon), Lászlo Barsony (alto), Karoly Botvay (violoncelle). Hungaroton SLPX 12.183.

Il y a une magie sonore dans la version Kuijken, magie qui ne tient pas seulement à la flûte, à la portée de sa présence, mais découle aussi de cette âpreté si expressive, si profondément vécue par Sigiswald Kuijken au violon baroque et Wieland Kuijken au violoncelle. Les accents, parfois, peuvent paraître outrés à première écoute et le ton général d'une gravité par trop austère, mais il faut aller au-delà de ces premières impressions.

János Szebényi domine la version hongroise par une plénitude de phrasé, une éloquence et un sens du dialogue toujours sentis et soutenus. Grâce à lui, grâce à la teneur de son jeu, on finit par oublier ce qu'il y a d'un peu étriqué dans l'exécution des cordes, et par oublier la médiocrité sonore de l'enregistrement.

Quatuors pour piano et cordes n° 1 en sol mineur K. 478, et n° 2 en mi bémol majeur K. 493.

** Arthur Rubinstein (piano), Membres du Quatuor Guarnieri. RCA RL 12.676.

* Deszö Ranki (piano), Membres du Quatuor Eder. Telefunken 6.42523.

Le disque du Quatuor Guarnieri a été enregistré à New York en 1971, alors que Rubinstein avait 84 ans. L'interprétation, avec des tempos très retenus, comme suspendue hors du temps, tend vers une gravité sereine. Cette conception bénéficie d'une exécution d'une remarquale qualité technique et l'équilibre entre le pianiste et les cordes avec une prise de son ample et réverbérée est excellent. Il ne faut pas s'attendre avec Rubinstein à des préoccupations particulières d'exactitude historique, mais la musique émeut ici plus profondément qu'il n'est coutume avec ces Quatuors.

Les tempos choisis par Deszö Ranki sont plus rapides, le climat plus objectif. On retrouve des choix qui correspondent mieux à la nouvelle tradition d'interprétation de Mozart. Pourtant, la musique n'y trouve pas tout à fait son compte et elle perd en densité ce qu'elle gagne en vivacité. Prise de son satisfaisante.

Quintette pour clarinette et cordes en la majeur K. 581.

*** Quatuor Tálich, Bohuslav Zahradnik (clarinette). Calliope CAL 1628. ⌧ CAL 4628. Enregistré en 1980. + *Quatuor à cordes n° 3 en sol majeur K. 370.*

** Jack Brymer (clarinette), Quatuor Allegri. Philips 6747.383 (4 d.). + *Adagio pour Glassharmonica, Plaisanterie musicale, Quatuor avec flûte, Quatuor avec hautbois, Quintette avec cor, Quintette avec piano, Trio avec clarinette.*

** Quatuor Eder, Kalman Berkès (clarinette). Telefunken 6.42524. + *Weber : Quintette pour clarinette et cordes en si bémol majeur op. 34.*

** Jean Etienne (clarinette), Quatuor Végh. EMI VSM C 051-73.051. Mono. + *Concerto pour clarinette.*

* Karl Leister (clarinette), Solistes de l'Orch. Phil. de Berlin. DG 2733.013 (3 d.). + *Quatuor avec flûte, Quatuor avec hautbois, Quintette avec cor, Quintette avec piano, hautbois, clarinette, cor et basson, Sonate pour basson et violoncelle.*

* Gervase de Peyer (clarinette), Quatuor Amadeus. DG 2530.720. + *Quatuor avec hautbois.*

Le Quatuor Tálich et Bohuslav Zahradnik illuminent le Quintette avec clarinette. Un *allegro* tendre, pudique, où les tourments arrivent en vague et se retirent, un *larghetto* de rêve où perce la voix anxieuse de la clarinette, un menuet équilibré et, couronnant l'édifice, le difficile finale où chaque variation s'inscrit dans le processus logique qui mène à la coda, éclairée de sa sérénité et de sa lumière maçonnique. La référence.

Jack Brymer impose des tempos retenus, trop sans doute pour le Finale, mais la chaleur de l'interprétation et la qualité des cordes qui l'entourent rendent cette version très séduisante malgré le couplage avec un Trio moins réussi.

Les cordes du Quatuor Eder sont d'une homogénéité rare, d'une souplesse et d'un fondu magnifique ; tout est nuance et architecture sublimée par la poésie, et l'on admire les éloquents dialogues qui donnent au tissu musical sa véritable vie intérieure, sa souplesse comme son étendue temporelle et spatiale. La sonorité ample et pleine de Kalman Berkès s'insère à ravir dans ce jeu de sons filés et soufflés. Un superbe enregistrement auquel il manque cependant l'aspect structuré que l'on rencontrerait dans celui des Tálich.

Etienne et Végh avaient signé une version de référence du Quintette dans les premières années du microsillon. La luminosité du timbre du clarinettiste français, sa superbe articulation mériteraient bien une réédition malgré l'âge de la gravure.

Karl Leister joue en musicien autant qu'en clarinettiste et se fond parfaitement avec les musiciens qui l'entourent. C'est une version équilibrée. Le couplage, avec une bonne interprétation du Quatuor avec hautbois par Lothar Koch, constitue un atout.

Gervase de Peyer est chaleureux et le Quatuor Amadeus subtil et vivant. L'interprétation est empreinte de poésie et de tendresse, mais certains trouveront que Peyer «pousse» un peu le son, ce qui s'accorde mal avec la finesse et la transparence des Amadeus. La prise de son privilégie les deux violons et l'instrument à vent est situé trop en avant. C'est vrai aussi pour le Quatuor avec hautbois (également interprété par Lothar Koch) qui figure au verso.

Quintettes à cordes : n° 1 en si bémol majeur K. 174, n° 2 en ut mineur K. 406, n° 3 en ut majeur K. 515, n° 4 en sol mineur K. 516, n° 5 en ré majeur K. 539, n° 6 en mi bémol majeur K. 614.

*** Quatuor Amadeus, Cecil Aronowitz. DG 2740.122 (3 d.).

* Quatuor Bulgare, Nikolaï Sidarov. Harmonia Mundi 146/48 (3 d.). Enregistré en 1975 et 1976.

Cecil Aronowitz et les Amadeus, tantôt transparents jusqu'à l'apesanteur, tantôt âpres avec des contrastes vigoureux : leur interprétation superbement construite est aussi la plus austère, la plus visionnaire et parfois d'une beauté intense et désespérée.

Avec les Bulgares, la splendeur sonore frappe d'emblée ; leur conception tend vers la noblesse et la grandeur plus que l'intériorité : l'édifice est somptueux. Est-il suffisamment «habité» ?

Quintettes à cordes n° 3 en ut majeur K. 515 et n° 4 en sol mineur K. 516.

*** Quatuor Esterházy, Win Ten Have (alto). Oiseau-Lyre 595.092.

On pourra être surpris de prime abord par l'accord des instruments anciens, par le tempérament adopté - légèrement inégal -, qui ressort d'autant plus crûment que les cinq musiciens recourent très peu au vibrato. Il en résulte une interprétation parfois âpre, souvent austère, mais d'une finesse rarement atteinte. Tout ce qu'il y a de douloureux, d'enfoui, de tragique dans la musique de Mozart, ressort ici avec une acuité particulière. Rarement ces œuvres ont été exécutées avec autant d'humilité, de simplicité et de dépouillement expressif.

Récitatif et air : «Ch'io mi scordi di te... Non temer, amato ben» K. 505. Récitatif et air : «Non più, tunto ascoltai... Non temer, amato ben», K. 490.

** Jessye Norman (s), Academy of St. Martin-in-the-Fields, Neville Marriner. Philips 6769.010 (2 d.). Enregistré en public en 1978. + *Symphonie n° 40, Ouverture d'Idomeneo, Concerto pour piano n° 25.*

Enregistré sur le vif au Palais de la Musique et des Congrès de Strasbourg au cours d'un gala de bienfaisance de l'UNESCO, ce récital bénéficie des caractéristiques des concerts en public. La voix ample, le timbre crémeux, la musicalité sans faille avec quelques superbes pianissimos, une certaine générosité servent ces deux grandes pages. Dommage seulement que Jessye Norman n'articule pas le texte italien à des fins aussi expressives que Teresa Berganza, dont l'enregistrement de l'*Aria K. 505* demeure une référence inégalée.

Requiem en ré mineur K. 626.

❀*** Irmgard Seefried (s), Jennie Tourel (c), Leopold Simoneau (t), William Warfield (b), Ch. Westminster, Orch. Phil. de New York, Bruno Walter. CBS 60.020. ⊠ 40-60.020. Enregistré en 1956.

*** Helen Donath (s), Christa Ludwig (c), Robert Tear (t), Robert Lloyd (b), Ch. et Orch. Philharmonia, Carlo Maria Giulini. EMI VSM C 069-03.431. ⊠ C 269-03.431. Enregistré en 1978.

** Werner Pech (s), Hans Breitschopf (s), Walther Ludwig (t), Harald Pröglhöf (b), Petits Chanteurs de Vienne, Vienna Hofmusikkapelle, Josef Krips. Decca ECS 715 (G-B). Mono. Enregistré en 1950.

** Teresa Stich-Randall (s), Ira Malaniuk (c), Waldemar Kmentt (t), Kurt Boehme (b), Ch. de l'Opéra de Vienne, Orch. Symph. de Vienne, Karl Boehm. Fontana 700.072. Enregistré en 1958.

** Anna Tomova-Sintow (s), Agnès Baltsa (c), Werner Krenn (t), José van Dam (b), Ch. du Singverein de Vienne, Orch. Phil. de Berlin, Herbert von Karajan. DG 2530.705. ⊠ 300.705. Enregistré en 1976.

** Rachel Yakar (s), Ortrun Wenkel (a), Kurt Equiluz (t), Robert Holl (b), Ch. de l'Opéra de Vienne, Concentus Musicus de Vienne, Nikolaus Harnoncourt. Telefunken 6.42756.

* Sheila Armstrong (s), Janet Baker (c), Nicolaï Gedda (t), Dietrich Fischer-Dieskau (b), Ch. John Alldis, Orch. de Chambre Anglais, Daniel Barenboïm. EMI VSM C 069-02.246. ⊠ C 269-02.246. Enregistré en 1972.

* Ileana Cotrubas (s), Helen Watts (c), Robert Tear (t), John Shirley-Quirk (b), Ch. et Academy of St-Martin-in-the-Fields, Neville Marriner. Argo 396.128. ⊠ 4-396.128.

* Magda Laszlo (s), Hilde Rössl-Majdan (c), Petr Munteanu (t), Richard Standen (b), Ch. et Orch. de l'Opéra de Vienne, Hermann Scherchen. Ducretet 320-C.000 (sup.). Mono.

L'interprétation du *Requiem* par Bruno Walter, enregistrée en 1956 pour la firme CBS, est un classique. Elle est baignée d'humanité, irradiée de lumière, frémissante de vie intérieure. Irmgard Seefried y est bouleversante et Leopold Simoneau (timbre, phrasé, lyrisme) rappelle qu'il est sans doute le meilleur ténor mozartien de l'après-guerre. La ferveur de cette interprétation ne suffit pas hélas ! à faire oublier que la technique d'enregistrement date d'un quart de siècle.

Enregistré en décembre 1978 avec des forces chorales nombreuses et un orchestre important, le *Requiem* d'après Giulini apparaît comme le résultat d'un prodigieux travail de mise au point. Cette réalisation est chargée d'une émotion et d'une intensité maximales, où tout est mis en valeur, la moindre intention du texte comme la plus petite appogiature. Jamais quatuor de solistes n'a dû travailler davantage pour se fondre dans la conception du chef. Si les solistes apparaissent ainsi en quelque sorte «dépersonnalisés», les chœurs absolument splendides du Philharmonia prennent en revanche un relief saisissant. C'est à travers eux que s'exprime une humanité chaleureuse, vibrante, une émotion passionnée. La conception très italienne de Giulini, dramatique et contrastée, avec un sens aigu du phrasé et de la ligne mélodique, peut ne pas plaire à tous les mélomanes.

C'est en 1950 que Josef Krips a enregistré une version du *Requiem* qui est restée l'une des plus émouvantes du catalogue. Le choix des Petits Chanteurs de Vienne, tant pour les chœurs que pour les soli, lui donne une couleur particulière, toute baignée de lumière. La rigueur du style, la spiritualité de l'interprétation, l'atmosphère fervente placent cet enregistrement à part malgré la médiocrité de la prise de son. Un atout : son prix, très bas, si on le trouve à l'étranger, car il ne figure actuellement pas au catalogue français.

La première version de Karl Boehm en 1958 (la seconde suivra sous étiquette DG, sans égaler tout à fait la précédente, sauf sur le plan de la qualité sonore), souvent très lente, est grande sans être théâtrale. Elle est servie par des chœurs de grande qualité et le timbre de Teresa Stich-Randall. Si la prise de son ne bénéficie pas de la technique moderne, le prix auquel ce disque est offert le rend particulièrement séduisant.

Avec Karajan, dans son deuxième enregistrement (un premier chez le même éditeur, assez mou et confus, avait été réalisé en 1962), les tempos sont rapides, les chœurs et l'orchestre massifs et somptueux. Plastiquement, c'est l'une des versions les plus achevées du *Requiem*. Si l'on tient à la qualité sonore et si on ne donne pas la priorité à un climat plus intime et à une échelle plus réduite (Marriner, Barenboïm), ce disque est une bonne alternative à celui de Giulini.

Le Concentus Musicus de Vienne, étoffé, est d'une présence discrète qu'aucun manque de justesse ne vient malencontreusement lever. L'équilibre général, légèrement en faveur des chœurs, semble répondre à une volonté d'intelligibilité optimale, qui est l'un des points forts de cette version. Il y aurait plus de réserves à faire du côté des solistes : Kurt Equiluz, d'ordinaire excellent, n'est pas au meilleur de sa forme ; Robert Holl a une belle voix de basse, mais son style n'est pas toujours du meilleur goût ; quant à Rachel Yakar, sa voix est agréable et son style très musical, mais sa diction laisse à désirer.

Barenboïm a choisi un chœur de petite dimension, mais de très grande qualité. Il dispose d'un quatuor de solistes remarquables (encore que la participation de Dietrich Fischer-Dieskau puisse susciter des avis contradictoires), et Nicolaï Gedda y donne un témoignage de son superbe phrasé. La très grande clarté de la prise de son sert les intentions du chef. L'interprétation, inégale, est musicale à défaut d'être constamment habitée.

Marriner emploie un orchestre de chambre et une chorale de petite dimension, et l'on trouve ici une perspective sonore sans doute historiquement plus juste que dans les exécutions avec 200 ou 300 musiciens. L'interprétation, très scrupuleuse et proche de la note écrite, est d'une grande clarté, avec des accents marqués mais aussi un certain manque de «poids», et le *Lachrymosa*, sommet de l'œuvre, joué extérieurement, ennuie. Les chœurs, d'une très jolie transparence, souffrent cependant de quelques défauts de justesse. Bon quatuor de solistes, encore que le baryton de Shirley-Quirk soit trop clair pour sa partie. Prise de son à peine moyenne pour un enregistrement si récent (partition : révision de Franz Beyer).

Scherchen avait, du *Requiem*, une conception remarquablement contrastée avec, dans certains passages choraux, une carrure et un sens de l'espace étonnants (*Dies Irae*, *Rex Confutatis*). Le ténor Petr Munteanu est remarquable tant par son timbre que par l'expressivité et l'intensité de son interprétation. La prise de son trahit son âge.

Le Roi pasteur (Il Re pastore), fête théâtrale K. 208.

* Edith Mathis (Aminta), Arleen Augér (Elisa), Sonia Ghazarian (Tamiri), Werner Krenn (Agenor), Peter Schreier (Alexandre), Orch. du Mozarteum de Salzbourg, Leopold Hager. DG 2709.093 (3 d.).

* Reri Grist (Aminta), Lucia Popp (Elisa), Arlene Saunders (Tamiri), Nicola Monti (Agenore), Luigi Alva (Alessandro), Orch. de Naples, Denis Vaughan. RCA PVL 29.086 (2 d.) (étr.).

Avec Leopold Hager, nous disposons du plus récent des enregistrements intégraux du *Roi Pasteur*, et dans l'ensemble il est satisfaisant ; la voix de Peter Schreier n'a pas toute la souplesse italienne qui conviendrait à la partie d'Alexandre, mais la distribution vocale est homogène, le Mozarteum de Salzbourg sonne merveilleusement sous la direction assez vivante de Leopold Hager. Il sonnerait mieux encore si la prise de son n'était assez plate.

La première des rares intégrales du *Roi Pasteur* fixées par le disque (elle a été disponible dès 1968) était due à Denis Vaughan : sa version disposait de bons chanteurs, notamment le ténor péruvien Luigi Alva, vocalement souple et brillant, remarquable Alexandre. Une ornementation des airs élaborés, des cadences brillantes, un prix réduit et une prise de son qui ne manque pas de relief sont autant d'atouts d'un enregistrement que l'on peut situer à un niveau de qualité égal au précédent.

Sérénade n° 10 en si bémol majeur pour 13 instruments à vent K. 361 «Gran Partita».

*** Sol. de l'Orch. Phil. de Vienne, Wilhelm Furtwängler. EMI Da Capo C 047-01.244 (étr.). Mono. Enregistré en 1947.

*** Ensemble d'instruments à vents, Jean-François Paillard. Erato STU 71.335. ⌧ MCE 71.335. Enregistré en 1980.

Avec Furtwängler, la Sérénade pour 13 instruments à vent annonce clairement Beethoven. Le lyrisme est soutenu et une tension poignante se dégage de cette interprétation de treize instrumentistes en état de communion avec leur chef. La technique d'enregistrement est bonne pour son âge et l'on oublie vite le léger bruit de fond.

Jean-François Paillard et son équipe font une éclatante démonstration de la qualité des bois français. Les couleurs instrumentales sont dosées avec un soin extrême, les phrasés sont méticuleux, les attaques parfaites dans leur élégance. Si l'on met à part Furtwängler, qui souligne l'aspect pré-beethovénien de la partition, la version signée par Jean-François Paillard et ses amis se place au niveau des meilleures.

Sérénades pour 8 instruments à vent : n° 11 en mi bémol majeur, n° 12 en ut mineur K. 388.

** Daniel Bourgue (cor), Alain Denis (hautbois), Claude Desurmont (clarinette), Pierre Boulanger (clarinette), Michel Garcin-Marrou (cor), Robert Jassin (cor), Amaury Wallez (basson). Chant du Monde LDX 78.601.

Ces deux Sérénades sont un admirable faire-valoir pour l'école des vents française. Les tempos, moins vifs que dans la version historique d'une autre équipe française autour de J.P. Rampal vingt ans plus tôt, sont constamment justes et le phrasé de Daniel Bourgue (pour ne citer que lui) incomparable. Les timbres et les couleurs des instruments sont une véritable fête sonore, d'autant plus que la prise de son est magnifique de clarté et de vérité.

Sérénade n° 13 en sol majeur «Petite Musique de nuit» K. 525. Divertimento n° 1. Plaisanterie musicale.

** Orch. de Chambre de Stuttgart, Karl Münchinger. Decca ECS 686 (G-B).

La Petite Musique de nuit, le 1er Divertissement et *Une Plaisanterie musicale* par Karl Munchinger et l'Orchestre de Chambre de Stuttgart, c'est un grand classique et sans doute l'une des plus fortes ventes depuis la mise sur le marché de ce disque au début des années cinquante. Musicalement, ces interprétations n'ont pas été égalées, et la clarté et la finesse de la prise de son, excellente pour l'époque, leur conservent la jeunesse. Vendu en série économique, ce disque n'en a que plus de prix.

Sonates pour piano n° 1 en ut majeur K. 279, n° 2 en fa majeur K. 280, n° 3 en si bémol majeur K. 281, n° 4 en mi bémol majeur K. 282, n° 5 en sol majeur K. 283, n° 6 en ré majeur K. 284, n° 7 en ut majeur K. 309, n° 9 en ré majeur K. 311. Allegros pour piano n° 2 en si bémol majeur K. 400 et n° 3 en sol mineur K. 312.

** Paul Badura-Skoda (piano-forte). Eurodisc 300.349 (3 d.). Enregistré en 1979 et 1980.

Le jeu de Badura-Skoda est parfaitement et magnifiquement explicite : c'est celui d'un musicien qui partage un itinéraire de composition plus que celui d'un interprète. Il y a certes quelques crispations, mais le phrasé est remarquablement maîtrisé et la lecture se rend libre des contraintes de notre XXe siècle par des ornements supplémentaires, et laisse vivre une œuvre qui porte déjà en elle les intensités et les hardiesses expressives du Mozart de la maturité.

Sonates pour piano n° 2 en la majeur K. 280, n° 3 en si bémol majeur K. 281, n° 9 en ré majeur K. 311, n° 10 en ut majeur K. 331.

** Krystian Zimerman (piano). DG 2531.052. ⊠ 3301.052.

Le lauréat du 9ᵉ Concours de Varsovie 1975 ne s'abandonne guère, mais la précision d'un toucher à la fois clair et sensible, la simplicité du jeu, un goût très sûr et très sobre traduisent un Mozart au visage pudique et sensible.

Sonate pour piano n° 8 en la mineur K. 310.

✿*** Dinu Lipatti (piano). EMI VSM C 051-01.963. ⊠ C 251-01.963. Mono. + *Bach : Partita n° 1, Préludes de Choral BWV 639 et 659, «Jésus que ma joie demeure», Sicilienne de la Sonate n° 2 pour flûte et clavecin.*

Lipatti jouant la 8ᵉ Sonate, c'est l'un des enregistrements les plus célèbres de l'histoire du disque. Jamais le mouvement lent n'a été chargé d'autant d'émotion qu'avec le jeu tout de pudeur de Dinu Lipatti. La réédition récente de cette Sonate (la deuxième face consacrée à Bach a les mêmes mérites) dans la collection Références lui vaut d'être de plus proposée à un prix très attrayant.

Sonates pour piano n° 11 en la majeur «Alla turca» K. 331 et n° 13 en si bémol majeur K. 333.

** Friedrich Gulda (piano). Amadeo 6514.224. Enregistré en 1976.

Avec Gulda, tout est raffinements, intelligence, grâce, mais jamais rubans ou coquetteries. Simplicité, noblesse. Gulda suit scrupuleusement la partition, mais nous, nous ne la gardons pas longtemps en main : la sonorité capte, fascinante, et nous suivons Gulda dans la salutaire promenade à laquelle il nous invite.

Sonate pour piano n° 12 en fa majeur K. 332, Variations sur «Ah, vous dirai-je maman» K. 265, Rondo pour piano K. 511, Sonate pour piano n° 16 en si bémol majeur K. 570.

** Tamás Vesmas (piano). Studio-france ARS 70.003. Enregistré en 1979.

Ce disque, le premier du jeune pianiste roumain, montre une évidente affinité avec le monde de Mozart. Tamás Vesmas aborde ces pages avec beaucoup de fraîcheur et de délicatesse, une sensibilité qui n'est pas de la sensiblerie et une invention constante. Le toucher est rond et chaleureux. Un disque très convaincant.

Sonates pour violon et piano, intégrale.

*** Václav Snitil (violon), Ján Panenká (piano). Supraphon 1111 3.411/18 (8 d.). Enregistré en 1974 et 1975.

** Willi Boskovsky (violon), Lili Kraus (piano). EMI VSM C 151-73.111/14 et 73.115/18 (2 x 4 d.). Mono. Enregistré en 1954 et 1955.

La prestation des deux musiciens tchèques est magnifique. Cet enregistrement est exceptionnel. Par sa gradation, sa chaleur ou sa retenue, sa souplesse rythmique, la beauté plastique, la vivacité de ses coloris, il nous restitue en pleine vérité et poésie ces pages chacunes si différenciées. A juste raison les interprètes ont voulu se garder de toute sentimentalité outrancière, ils ont refusé de tirer Mozart vers le romantisme naissant, le montrant pleinement homme du XVIIIᵉ siècle.

Boskovsky et Kraus : un classique du disque, certes, mais une conception de Mozart qui appartient à une autre époque, nous faisant apparaître les sonates comme des œuvres sociables et agréables, glissant discrètement vers le XIXᵉ siècle.

Sonates pour violon et piano n° 25 en sol majeur K. 301, n° 26 en mi bémol majeur K. 302, n° 29 en la majeur K. 305, n° 35 en sol majeur K. 379, n° 36 en mi bémol majeur K. 380.

✿*** Petr Messiereur (violon), Stanislav Bogunia (piano). Calliope 166.465. Enregistré en 1983.

L'étroite connivence que l'on perçoit entre les deux interprètes est pour beaucoup dans la réussite de cet enregistrement. Ce que l'on admire le plus dans cette version ? L'alacrité du discours, son côté «viennois» grâce à quoi, du coup, la texture musicale paraît refléter avec une vérité confondante le style comme le tempérament nerveux et vif-argent de Mozart. Nous sommes constamment dans une atmosphère d'exigente pureté, de beauté galbée, de sentiment épuré à l'extrême.

Le Songe de Scipion (Il sogno di Scipione), action dramatique K. 126.

* Peter Schreier (Scipio), Lucia Popp (Costanza), Edita Gruberová (Fortuna), Claes H. Ahnsjö (Publio), Thomas Moser (Emilio), Edith Mathis (Licenza), Orch. de Chambre de Salzbourg, Orch. du Mozarteum de Salzbourg, Leopold Hager. DG 2709.098 (3 d.). Enregistré en 1979.

Apparemment jamais joué du temps de Mozart, *Il sogno di Scipione* a été crée avec 209 ans de retard, le 20 janvier 1979, pour l'ouverture de la semaine Mozart de Salzbourg, et ces disques ont été enregistrés dans les quatre journées qui précédaient. Leopold Hager suit bien entendu le texte de la nouvelle édition Mozart. Comme Mozart a écrit à peu de temps d'intervalle deux versions de l'Air d'hommage, Hager les enregistre l'une et l'autre. Musicalement, l'équipe réunie est solide et représentative des plateaux salzbourgeois actuels. Peter Schreier est un Scipion sans imagination et en forme vocale incertaine, Edita Gruberová une Dame Fortune qui a de l'abattage, Lucia Popp est musicale, sage et froide comme il convient à Dame Constance, et Edith Mathis éblouissante dans l'air final. Elle seule rappelle ici les grands chanteurs mozartiens de jadis et de naguère.

Lo Sposo deluso (Le mari déçu), opera buffa K. 430.

** Anthony Rolfe-Johnson (Don Asdrubale), Felicity Palmer (Eugenia), Clifford Grant (Bocconio), Ileana Cotrubas (Bettina), Robert Tear (Pulcherio), Orch. Symph. de Londres, Colin Davis. Philips 6747.388 (8 d.). *+ La Finta giardiniera, La Finta semplice, Idomeneo, Les Petits Riens, Der Schauspieldirektor, Thamos.*

Sur une face de disque, cet opéra bouffe, ou du moins les fragments pour le 1er acte que Mozart avait achevés, bénéficient d'une interprétation très vivante de l'épique essentiellement britannique réunie autour de Colin Davis. C'est du théâtre et, dans sa brièveté, du meilleur, avec des chanteurs de bonne qualité et qui, Robert Tear en tête, ont le sens de la comédie.

Les 41 Symphonies : Intégrale.

* Orch. Phil. de Berlin, Karl Boehm. DG 2740.109 (8 d.). DG 2740.110 (7 d.). ⌧ 3378.066 (6 c.).

Cette intégrale est un classique. Boehm y témoigne de son art du phrasé, d'un sens évident de la mise en scène théâtrale dans l'opposition des motifs ; en revanche, ce Mozart là ne sourit guère, et l'éloquence paraît parfois un peu grandiloquente. Le sérieux et la discipline de l'Orchestre Philharmonique de Berlin et la somptuosité des timbres contribuent à la réussite d'une entreprise très honorable si elle reste parfois à la surface du mystère mozartien.

Symphonies de jeunesse nos 1 à 22 et nos 42 à 47c.

** Academy of St-Martin-in-the-Fields, Neville Marriner. Philips 6769.054 (8 d.). Ou Philips 6747.374 (16 d.). *+ Symphonies nos 21 à 41 (par Josef Krips).*

Entreprise en complément des enregistrements des Symphonies 21 à 41 réalisées par Josef Krips pour le même éditeur, l'intégrale des Symphonies de jeunesse (soit, en fait, une trentaine d'œuvres) est une remarquable réussite. Clarté, précision, finesse du trait vont avec un mordant sans sécheresse. Les instrumentistes, en formation légère comme il convient, sont excellents et la prise de son réussie. Marriner fait ici de la musique avant toute chose. Sans doute ne cherche-t-il pas au-delà des notes de ces partitions souvent minces une profondeur qu'elles ne recèlent pas, mais saurait-on lui en faire grief.

Symphonies nos 21 à 41.

*** Orch. du Concertgebouw d'Amsterdam, Josef Krips. Philips 6747.374 (16 d.). *+ Symphonies de jeunesse (par Neville Marriner).*

Josef Krips avait réenregistré les Symphonies 21 à 41 dans les toutes dernières années de sa vie. Malgré la maladie qui le minait, il laisse dans ces ultimes gravures un témoignage intact de son incomparable talent d'interprète mozartien, même s'il ne renouvelle pas toujours absolument le miracle de grâce de certains de ses enregistrements antérieurs.

La qualité du style, bien entendu, mais aussi un élan, une ardeur, une robustesse allègre et sans lourdeur, un équilibre sans fièvre ni nervosité sont les principales caractéristiques de cette demi-intégrale qui bénéficie par ailleurs des couleurs du Concertgebouw et d'une prise de son de qualité.

Symphonies : n° 29 en la majeur K. 201, n° 31 en ré majeur «Parisienne» K. 297, n° 34 en ut majeur K. 338, n° 35 en ré majeur «Haffner» K. 385, n° 36 en ut majeur «Linz» K. 425, n° 38 en ré majeur «Prague» K. 504, n° 39 en mi bémol majeur K. 543, n° 40 en sol mineur K. 550, n° 41 en ut majeur «Jupiter» K. 551.

** Orch. Phil. de Londres, Thomas Beecham. EMI HMV SH 201/05 (5 d.) (G-B). Mono (origine 78 t.). Enregistré entre 1934 et 1940. *+ Ouvertures, Concerto pour piano n° 12.*

Ces neuf Symphonies enregistrées par Thomas Beecham sont disponibles à l'étranger sous diverses présentations et en couplages parfois différents. La Symphonie n° 41 a été enregistrée en 1934, les autres entre 1937 et 1940. Le coffret «World Records» est complété par deux Ouvertures et une interprétation du Concerto K. 414 pour piano avec Louis Kentner pour soliste. On ne s'étonnera pas que la prise de son trahisse son âge ni que, par les effectifs comme par la conception, nous soyons en plein climat romantique. Parfois décevantes, parfois excessives, souffrant parfois aussi d'un manque de précision d'exécution, mais aussi imaginatives et chaleureuses, les interprétations de Beecham exercent dans leurs meilleurs moments la fascination de celles de Bruno Walter.

Symphonies : n° 32 en sol majeur «Ouverture Italienne» K. 318, n° 35 en ré majeur «Haffner» K. 385, n° 36 en ut majeur «Linz» K. 425, n° 38 en ré majeur «Prague» K. 504, n° 39 en mi bémol majeur K. 543, n° 40 en sol mineur K. 550, n° 41 en ut majeur «Jupiter» K. 551.

* Orch. Phil. de Berlin, Herbert von Karajan. DG 2740.189 (3 d.). ⊠ 3371.038 (3 c.). Enregistré en 1978.

Les «Haffner», «Linz», «Prague» et les trois dernières Symphonies de Mozart par Karajan, particulièrement dans leur enregistrement de 1978, c'est un festival de sonorités chaudes et veloutées. Il y a là une recherche de la beauté plastique pour la beauté plastique qui fait que l'on passe à côté de l'essentiel de ces œuvres. Les effectifs imposants de la Philharmonie de Berlin, tout autant que les contrastes très accentués, inscrivent cette exécution dans la lignée des interprétations post-romantiques de Mozart. Et pourtant, on ne peut qu'être subjugué par tant de perfection sonore.

Symphonies : n° 35 en ré majeur «Haffner» K. 385, n° 36 en ut majeur «Linz» K. 425, n° 38 en ré majeur «Prague» K. 504, n° 39 en mi bémol majeur K. 543, n° 40 en sol mineur K. 550, n° 41 en ut majeur «Jupiter» K. 551.

*** Orch. Symph. Columbia, Bruno Walter. CBS A3 (3 d.).

* Orch. de Chambre Anglais, Daniel Barenboïm. EMI VSM C 167-52.527/29 (3 d.).

* Orch. Phil. de Berlin, Herbert von Karajan. EMI VSM C 165-02.145/48 (4 d.) (étr.). *+ 1 disque d'extraits de séances de répétitions.*

Les dernières Symphonies de Mozart sont empreintes d'une sereine gravité, d'une chaleur rayonnante et d'une flexibilité idéale : ce qui frappe immédiatement dans les enregistrements de Bruno Walter, c'est la justesse des tempos, du climat, du phrasé, du discours. Ce Mozart chante, il respire, il émeut. A noter que les répétitions de la Symphonie «Linz» ont donné lieu a un passionnant enregistrement, disponible séparément (mais difficilement) en importation des Etats-Unis. On trouve également des gravures plus anciennes de ces Symphonies avec la Philharmonie de New York qui sont sans doute encore supérieures à celles réalisées par l'Orchestre de la CBS.

Enregistrées de 1966 à 1970, les six dernières Symphonies de Mozart par Daniel Barenboïm représentent un essai à la fois sympathique et un peu inachevé. Ces versions valent par une fraîcheur d'approche et leur climat vivant, mais aussi un peu superficiel. Elles s'adressent particulièrement à ceux qui souhaitent écouter ces œuvres par un véritable orchestre de chambre, et l'Orchestre de Chambre Anglais est excellent.

Karajan avait enregistré vers 1970 les six Symphonies de Mozart, toujours avec la Philharmonie de Berlin, mais pour EMI. On y trouve les caractéristiques de la version réalisée dix ans plus tard pour Philips, le goût des sonorités, des courbes, du fini. Musicalement, on préférera pourtant la plus récente de ces entreprises, mais le coffret EMI, qu'on ne trouve actuellement qu'en importation, est souvent complété par un disque d'extraits de répétitions (à vérifier au moment de l'achat) et d'un prix réduit.

Symphonie n° 25 en sol mineur K. 183.

** Academy of St-Martin-in-the-Fields, Neville Marriner. Argo ZRG 706 (G-B). + *Symphonie n° 29.*

Des couleurs fines, des timbres savoureux, des articulations souples et déliées, des enchaînements et des progressions sans faille : la Symphonie en *la* dirigée par Marriner est un modèle de style ; on trouve difficilement, en France, ce disque normalement disponible sur le marché britannique.

Symphonie n° 29 en la majeur K. 201.

** Academy of St-Martin-in-the-Fields, Neville Marriner. Argo ZRG 706 (G-B). + *Symphonie n° 25.*

Marriner fait preuve ici des mêmes qualités que dans la Symphonie en sol mineur qui figure au revers. La manière est incisive et légère, les dimensions de l'Orchestre de St-Martin-in-the-Fields idéales.

Symphonie n° 33 en si bémol majeur K. 319.

*** Orch. du Concertgebouw d'Amsterdam, Nikolaus Harnoncourt. Telefunken 6.41817. + *Symphonie n° 31.*

Harnoncourt, ici, est totalement convaincant. Sa Symphonie n° 33 nous mène à une émotion profonde, authentique, venue de l'intérieur. La musique a toute son intensité, toute son ampleur sans céder à la tentation de la théâtralité. C'est qu'Harnoncourt a su ici se débarrasser de son impétuosité un peu abrupte, de son goût pour les effets et les contrastes qui avaient rendus perplexes dans la Symphonie Prague, défauts dont souffre encore la Symphonie n° 31 inscrite au verso.

Symphonies n° 34 en ut majeur K. 338 et n° 35 en ré majeur K. 385 «Haffner».

*** Orch. du Concertgebouw d'Amsterdam, Nikolaus Harnoncourt. Telefunken 6.42703. ⌧ 4.42703.

La rencontre de Harnoncourt et du Concertgebouw dépasse de très loin l'anecdote, puisqu'elle nous vaut un disque du plus haut intérêt. La lisibilité du chef viennois fait ici merveille : l'extrême clarté de son analyse rationnelle et la compréhension pénétrante qu'il a de l'univers de Mozart produisent dans ces œuvres un étonnant résultat, d'une intensité dramatique surprenante, où l'orchestre mozartien apparaît encore plus chantant que jamais.

Symphonie n° 36 en ut majeur «Linz» K. 425.

*** Orch. de l'Opéra de Paris, Carl Schuricht. Festival FC 420. ⌧ FCK 4.020. + *Symphonie n° 40.*

A côté de l'interprétation historique de Bruno Walter (sans doute la meilleure musicalement), ou récente de Krips ou Boehm, il faut faire une place à un enregistrement réalisé en 1961 par Carl Schuricht à la tête de l'Orchestre de l'Opéra de Paris. L'interprétation est fine et équilibrée malgré un début un peu rapide dans la Symphonie n° 36, et la prise de son a des qualités analogues malgré son âge. Avec un couplage heureux (une bonne lecture de la 40ᵉ) et un prix exceptionnellement avantageux, ce disque dispose de solides atouts.

Symphonie n° 38 en ré majeur «Prague» K. 504.

*** Orch. de Chambre Anglais, Benjamin Britten. Decca SXL 6.539 (G-B). + *Schubert : Symphonie n° 8.*

Il «se passe quelque chose» dans ce disque où Britten dirige l'Orchestre de Chambre Anglais dans la Symphonie n° 38 dite «Prague». Britten va droit à l'essentiel, trouve d'emblée le ton juste et ne le perd jamais. Il dégage, sans sentimentalisme, la sensibilité et l'émotion en même temps que la force de cette grande partition.

Symphonie n° 40 en sol mineur K. 550.

** Orch. de Chambre Anglais, Benjamin Britten. Decca SXL 6.372 (G-B). + *Sérénade n° 6.*

* Orch. Symph. de Londres, Colin Davis. Philips 6570.389. ⊠ 7310.389. + *Symphonie n° 41.*

* Academy of St-Martin-in-the-Fiedls, Neville Marriner. Philips 6769.010 (2 d.). + *Airs de Concert K. 490 et 505, Concerto pour piano n° 25, Idomeneo : Ouverture.*

* Academy of St-Martin-in-the-Fields, Neville Marriner. Philips 9500.655. ⊠ 7300.758. + *Symphonie n° 35.*

Britten est vivant, il est sensible, à la limite d'une fièvre qui l'entraîne à quelques excès de *rubatos.* L'*Andante* est joué avec toutes ses reprises, ce qui lui restitue son importance dans l'économie de la Symphonie en *sol* mineur. Il se dégage de l'interprétation de Britten une tendresse et une émotion qui donnent un prix exceptionnel à cet enregistrement. La prise de son est réussie.

L'approche de Colin Davis est directe, franche de ton et d'allure et sans artifices : ce n'est pas la plus spectaculaire des versions de la 40e Symphonie, mais l'une des plus chaleureuses.

Enregistrée sur le vif lors d'un concert de gala à Strasbourg en 1978, l'interprétation de Marriner est vivante, fine et nerveuse ; techniquement, la prise de son est satisfaisante et la présence du public semble donner à ce document une «urgence» supplémentaire par rapport au studio.

Les mêmes interprètes avaient déjà gravé sept ans plus tôt la 40e Symphonie. L'esprit était sensiblement le même, et pourtant la comparaison est impossible. D'abord parce qu'ici, il s'agit d'une prise de son en studio. Ensuite parce que Marriner a suivi le texte de la version originale de la 40e Symphonie, sans hautbois ni trompettes. Il ne manque guère dans cette lecture très vivante, comme d'ailleurs dans l'enregistrement ultérieur de Marriner, qu'une certaine tendresse pour que nous soyons comblés.

Symphonie n° 41 en ut majeur «Jupiter» K. 551.

*** Orch. Phil. de Vienne, Bruno Walter. EMI Da Capo C 147-50.178/80 (3 d.) (étr.). Mono (origine 78 t.). Enregistré en 1938. + *Concerto pour piano n° 20, Symphonie n° 38, Sérénade n° 13, Ouvertures (La Clémence de Titus, La Finta Giardiniera), Trois Danses allemandes, Symphonie n° 39 et Ouverture des Noces de Figaro.*

** Orch. Symph. Columbia, Bruno Walter. CBS 75.005. + *Symphonie n° 35.*

** Orch. du Concertgebouw d'Amsterdam, Josef Krips. Philips 6500.429. + *Symphonie n° 35.*

** Orch. Philharmonia, Otto Klemperer. EMI VSM C 059-01.847. ⊠ C 259-01.847. + *Symphonie n° 40.*

** Orch. du Concertgebouw d'Amsterdam, Nikolaus Harnoncourt. Telefunken 6.42846.

* Orch. de Cleveland, George Szell. CBS 61.909. ⊠ 40-61.909. + *Symphonie n° 40.*

En 1938, à la veille de l'*Anschluss*, Bruno Walter enregistre la Symphonie n° 41 avec le Symphonique de Vienne. Son interprétation, fixée au départ sur 78 tours et repiquée depuis sur 33 tours, diffère quelque peu de celle qu'il réalisera plus tard, à l'époque du microsillon, avec l'Orchestre de la Columbia. La plénitude, la communion avec l'orchestre sont ici à leur plus haut point, et c'est un portrait de Mozart lumineux, débarrassé de toute afféterie et de toute convention galante que nous brosse Bruno Walter.

Dans la version américaine, en microsillon stéréophonique, de Bruno Walter (avec l'Orchestre Columbia), les tempos des premier et quatrième mouvements sont un peu plus vifs. On retrouve ici l'entente miraculeuse du chef avec ses musiciens. Dans les deux cas, c'est la même radieuse liberté, l'expressivité du chant, le naturel, la tendresse, et il s'en dégage un climat d'une intense poésie.

Krips propose une sorte de référence du style d'orchestre mozartien, avec des tempos idéaux. Tout chante librement avec simplicité et naturel ; la polyphonie est parfaitement mise en valeur sans porter atteinte au déroulement des lignes. L'*Allegretto*, très lumineux, est particulièrement réussi. Belle qualité technique de l'enregistrement.

L'*Allegro vivace* de Klemperer est lent, grandiose ; tout, dans cette version, est merveilleusement en place. On croit entendre la partition pour la première fois, tant elle révèle de détails sans que le chef sacrifie à la conception d'ensemble. Le Finale est aussi d'une parfaite clarté, et la volonté de grandeur de Klemperer, excessive dans certaines de ses interprétations mozartiennes, convient parfaitement au caractère de la Symphonie en *ut*.

Harnoncourt n'omet aucune des reprises, ce qui explique la durée inhabituelle de sa «Jupiter». Il se montre très brillant et démonstratif, faisant apparaître le fonctionnement de l'œuvre et sa dynamique interne de façon éblouissante. Tout est dit du premier coup, avec une autorité, une lucidité et une acuité sans pareilles. Aucune version ne paraît aller aussi loin dans l'analyse, aucune ne fait ressortir le jeu polyphonique avec une palette de couleurs plus riche, plus différenciée, plus voulue. Mais à vouloir être trop clair, Harnoncourt en reste au premier degré de l'œuvre. L'intelligence la plus pénétrante et la vitalité la plus irrésistible ne sauraient cependant remplacer la poésie, l'irrationnel, le féerique.

Szell donne une traduction précise et incisive de la Symphonie «Jupiter», ainsi que de la 40e qui figure au verso. L'exécution est très soignée, à la limite parfois d'une certaine sécheresse.

Symphonies concertantes : n° 1 pour hautbois, clarinette, basson, cor et orchestre en mi bémol majeur K. 297b, n° 2 pour violon, alto et orchestre en mi bémol majeur K. 364, n° 3 pour violon, alto, violoncelle et orchestre en la majeur K. Anh 104.

* Josef Suk (violon), Josef Kodousek (alto), Orch. de Chambre de Prague, Josef Suk. Eurodisc 85.962 (5 d.) (étr.). + *Adagio pour violon, Concertone K. 190, Intégrale des Concertos pour violon, Rondos pour violon.*

L'unité de jeu entre les deux solistes, Josef Suk et Josef Kodousek, et l'Orchestre de chambre est la première des qualités de l'enregistrement qu'ils ont réalisé pour Eurodisc dans le cadre d'une gravure de l'intégrale de l'œuvre pour violon et orchestre. Il y a ici une modestie du propos qui tranche avec les excès auxquels les grands solistes nous ont habitués et une perspective sonore très juste servie par la finesse de la prise de son.

Symphonies concertantes : n° 1 pour hautbois, clarinette, basson, cor et orchestre en mi bémol majeur K. 297b, et n° 2 pour violon, alto et orchestre en mi bémol majeur K. 364.

** Karl Steins (hautbois), Karl Leister (clarinette), Gunther Piesk (basson), Gerd Seifert (cor), Orch. Phil. de Berlin, Karl Boehm. DG 139.156.

Karl Boehm avait réalisé cet enregistrement des deux Symphonies concertantes au début des années soixante. L'interprétation haute en couleur avec, notamment du côté des vents, quelques remarquables contributions (comme celle de Leister) constituait alors une réussite. Malgré son âge, ce disque demeure d'autant plus attrayant qu'il est proposé en série économique.

Symphonie concertante n° 1 pour hautbois, clarinette, basson, cor et orchestre en mi bémol majeur K. 297b.

** Walter Lehmayer (hautbois), Peter Schmidl (clarinette), Gunther Högner (basson), Fritz Faltl (cor), Orch. Phil. de Vienne, Karl Boehm. DG 2530.715. ⌧ 3300.715. + *Concerto pour flûte et harpe.*

* Neil Black (hautbois), Jack Brymer (clarinette), Michael Chapman (basson), Alan Civil (cor), Academy of St-Martin-in-the-Fields, Neville Marriner. Philips 6747.377 (4 d.). + *Concerto pour basson, Concerto pour clarinette, Concertos pour flûte, Concerto pour flûte et harpe, Rondo pour cor.*

Une dizaine d'années après sa remarquable réussite avec les instrumentistes de la Philharmonie de Berlin, Boehm récidivait dans une optique assez différente. Il y a des interprétations plus mordantes et des approches plus virtuoses de la Symphonie concertante K. 297b que celle qu'il a réalisée avec l'Orchestre Philharmonique de Vienne. En revanche, la phalange viennoise donne à la partition des couleurs d'une extrême finesse. Le Concerto pour flûte et harpe, au revers, bénéficie d'une conception semblable.

Marriner projette une lumière très vive sur la Symphonie concertante K. 297b dont tous les détails sont mis en relief. Les solistes sont excellents, tout particulièrement le corniste Alain Civil, très haut en couleur. On reste pourtant à la surface de cette musique un peu dépourvue ici de ses mystères.

Thamos, Roi d'Egypte, drame héroïque K. 345.

* Charlotte Lehmann (s), Rose Scheible (ms), Oly Pfatt (t), Bruce Abel(b), Ensemble Vocal de Heilbronn, Orch. de Chambre de Wurtemberg, Jörg Faerber. Vox 36.041 (étr.). Enregistré en 1976.

Il faut de la gravité, de la majesté, de la grandeur pour aborder cette musique de scène pour un drame héroïque allemand écrite par un Mozart alors âgé de dix-sept ans. Ces qualités, on les trouve dans l'interprétation réfléchie et musicale de Jörg Faerber et de ses chanteurs, enregistrée en 1976 à Stuttgart pour la radio, même s'il manque à la basse Bruce Abel un peu de stature, même si certains passages pourraient avoir un plus grand relief. Cette partition rare mérite d'être connue.

Variations pour piano sur une chanson hollandaise K. 24, sur «Guillaume de Nassau» K. 25, en fa mineur K. 54, sur un menuet de Fischer K. 179, sur «Mio caro Adone» K. 180, sur «Lison dormait» K. 264, sur «Ah, vous dirai-je maman» K. 265, en la majeur sur «Come un agnello» K. 460, sur «les mariages samnites» K. 352, sur «La belle Françoise» K. 353, sur «Je suis Lindor» K. 354, sur «salve tu Domine» K. 398, sur «Unser dummer Pöbel meint» K. 455, sur un allegretto K. 500, sur un menuet de Duport K. 573, sur «Ein Weib ist ein herrliches Ding» K. 613.

* Bruno Canino (piano). Ricordi RCL 27.010 (K. 25, 353, 455). Ricordi RCL 27.011 (K. 265, 460, 613). Ricordi RCL 27.015 (K. 24, 179, 352, 573). Ricordi RCL 27.016 (K. 180, 264, 500, 354) (Italie).

En importation d'Italie, ces quatre disques vendus séparément constituent une très honorable entreprise qui se signale par la très belle technique et surtout la sonorité à la fois limpide et charnue du pianiste. Il y a, en revanche, dans la conception un aspect sage et un peu scolaire, et dans les célèbres Variations de «Ah, vous dirai-je maman», nous restons loin d'un Vesmas, pour ne pas parler de Haskil.

Zaïde ou le Sérail, Singspiel K. 344.

* Edith Mathis (Zaïde), Peter Schreier (Gomatz), Ingvar Wixell (Allazim), Werner Hollweg (Soliman), Reiner Süss (Osmin), Orch. Staatskapelle de Berlin, Bernhard Klee. Philips 6700.097 (2 d.).

Si *Zaïde* annonce la réussite de l'*Enlèvement au Sérail*, il aura fallu attendre jusqu'en 1977 pour que nous disposions d'un bon enregistrement pour le faire connaître. Bon, ou du moins honnête : les chanteurs, parmi lesquels on relève de grands noms, à défaut d'être éblouissants, ont tous une solidité de bons «routiers» spécialistes de Mozart ; en revanche, le chef, Bernard Klee, a été mieux à son affaire dans d'autres partitions qu'ici.

Mudarra, Alonso
(1510-1580)

Anthologie de la Vihuela : 23 pièces.

** Patrick Caudi (guitare). Accord 140.051. Enregistré en 1981.

En enregistrant cette anthologie de l'œuvre d'Alonso Mudarra, Patrick Caudi, orfèvre en la matière, attire l'attention sur une œuvre musicale d'une grande richesse. Ce qui frappe, c'est la beauté expressive d'un langage qui, tout en s'appuyant sur les modèles de son temps, se renouvelle et dégage un parfum expressif dont les raffinements conviennent à la maîtrise instrumentale de l'interprète qui trouve dans l'ascèse de ces pièces un climat fort proche de sa sensibilité faite de réserve et d'intensité.

Muffat Georg
(1653-1704)

Apparatus musico-organisticus : Toccatas II, III, VII, IX, X, XII.

** René Saorgin. (orgue de Malaucène). Harmonia Mundi HMU 966. Enregistré en 1973.

René Saorgin traite avec une vie jubilatoire cette musique intensément marquée par l'esprit des «goûts réunis», évocatrice tour à tour de Frescobaldi, de Pachelbel et de Grigny. L'orgue italianisant de Malaucène privilégie sans doute ce que ces étonnantes

Toccatas contiennent de souriante latinité, mais cette sève ensoleillée est une fête pour l'oreille.

Apparatus musico-organisticus : Toccatas I, VI, VIII, IX, XI, Passacaille en sol mineur.

*** François Delor (orgue de Morzine). Erato EDO 225 (sup.). Enregistré en 1971.

François Delor aborde les six Toccatas les plus essentielles de l'*Apparatus musico-organisticus* dans un style où se trouve profondément respecté le côté composite de leur écriture. Cette approche musicologique est aussi le substrat d'une interprétation merveilleusement racée, celle d'un organiste que sa culture guide avec un goût très sûr à la rencontre des différentes esthétiques de l'Europe musicale du XVIIe siècle.

Florilegium secundum.

*** The Academy of Ancient Music, Christopher Hogwood. Oiseau-Lyre 595.074. Enregistré en 1982.

Georg Muffat impose ici des qualités d'imagination qui font plus penser à Purcell ou Marc-Antoine Charpentier qu'à Lully dont il a pourtant suivi la trace. Christopher Hogwood, suivant à la lettre les recommandations précises que l'auteur a données aux exécutants sur la manière de jouer « à la française », réussit un superbe travail de recréation dans l'esprit du temps. L'exceptionnelle qualité des instrumentistes de l'Academy of Ancient Music rend à ces pages leurs couleurs fraîches et leur frémissement.

Sonates en sol majeur et en sol mineur. Suites «Nobilis Juventus» et «Laeta poesis».

** La Petite Bande, Sigiswald Kuijken. Harmonia Mundi HM 20.383. ⌧ HM 30.383.

La Petite Bande et Sigiswald Kuijken se montrent les interprètes légers mais consistants, transparents et toujours précis de l'écriture riche et extrêmement variée de l'univers baroque de Georg Muffat. Ils en restituent par ailleurs chaque style - français ou italien - avec une science exacte et une profonde sensibilité poétique.

Musiques Liturgiques des Eglises Orientales

ANTHOLOGIES

Liturgies de l'Orient. Office de l'exaltation de la Sainte-Croix : Hirmi du Canon. Grande liturgie orthodoxe slave : Kedrov : Notre Père. Tchesnokov : Spassi, Boja lioudi tvoia. Rite arménien : Mayr Yev Gouys. Hymne. Amen Hair Sourp. Rite byzantin-grec : Grande litanie. Rite chaldéen : Yaldath l'Alaha Bthoulta. Bchemma Obaba Oubrona. Rite maronite : Ertafa. Rite syrien : Taw nimar.

*** Chœur des moines bénédictins de l'abbaye de Chevetogne, Dom Grégoire Bainbridge ; Chœurs bulgares «Svetoslav Obretenov», Georgi Robev ; Iris Bulbulian (s), Francine Janin (s), Mario Haniotis (b), Ensemble Vocal Trajan Popesco. Harmonia Mundi HM 520.

L'Eglise orientale chantée à travers la diversité de ses rites. Par des hymnes et des prières magnifiques, des peuples exaltent une même foi dans la différence de leurs langues, de leur sensibilité, de leurs modes d'expression. Une anthologie qui est aussi un symbole d'unité. (Par suite d'une erreur dans le texte de la pochette, le rite maronite a été attribué à trois pièces en réalité arméniennes).

LITURGIE ARMÉNIENNE

Arménie. Chants liturgiques du Moyen Age. Je me mets à genoux devant toi. Aie pitié de moi. Après avoir mangé. Bénissons le Seigneur. C'est le Dieu même. Accepte ma prière. Andzink nvirealk. Il m'est étrange. Une foule splendide. Havoun, Havoun. Voix suprême. Mère de Dieu. O grand mystère. Amen, le Père est saint.

*** Chœurs d'hommes, Emma Dzadourian. Ocora OCR 66. Mono.

Le chant liturgique arménien à ses origines : mélopée au mouvement lent, solennel, ou cantilène ornée et mélismatique, au large ambitus, où l'expression de la foi se donne libre cours. Des solistes, à la voix souple et déliée, et un chœur à l'unisson sur une basse en bourdon se partagent l'exécution. Un beau témoignage.

Chants liturgiques arméniens pour le Carême et Pâques.

*** Communauté arménienne mekhitariste de Venise. Philips 6586.025.

Dans une petite île proche de Venise, une communauté de moines arméniens, gardienne de la tradition, pratique le chant liturgique sous sa forme la plus authentique, telle qu'elle s'est transmise, à peine modifiée, depuis le Moyen-Age. Mêmes chœurs syllabiques à l'unisson, mais la cantilène (soutenue par l'ison, sorte de bourdon grave) s'est enrichie, au contact de l'Orient, dans ses inflexions, ses intervalles et ses ornements. Et le style a perdu de sa liberté originelle. Les voix, qui assument une technique exigeante, ont cependant l'âpreté de celles du Proche-Orient. (Texte d'introduction en anglais).

LITURGIE COPTE

Anthologie de la musique africaine. La musique de l'Ethiopie, vol.1. Musique de l'Eglise copte éthiopienne. Liturgie de Noël.

*** Clergé et communauté des fidèles de l'église de Bahta à Addis-Abeba. Musicaphon BM 30 L 2.304. Mono. Enregistré en 1965.

Après les événements politiques qui bouleversèrent l'Ethiopie, quel sera l'avenir de son Eglise copte, devenue symbole révolu d'une certaine forme de pouvoir et de privilège ? Ce disque risque d'être alors beaucoup plus qu'un document : un précieux témoignage (malheureusement partiel) de ce que furent des cérémonies liturgiques qui rassemblaient des milliers de fidèles chantant et dansant durant des heures. L'essentiel nous en est donné ici : une très ancienne musique chrétienne - reflet de celle des débuts de notre ère - dont l'archaïsme plonge ses racines dans les traditions égyptienne, juive, africaine noire. Sur le plan technique, cette réalisation présente à la fois les qualités (authenticité, spontanéité) et les défauts (différences entre les niveaux sonores) de tout enregistrement pris sur le vif.

LITURGIE MARONITE

Musique de l'Eglise syrienne orthodoxe. Messe du 1er mode (extraits). Hymne de Saint Ephrem. Gnez. Takhshifto.

*** Chœur des moines de Deyruzafaran en Turquie orientale. Philips 6586.014.

Un beau témoignage de la vitalité d'une des plus anciennes traditions du christianisme, encore présente de nos jours dans quelques communautés du Proche-Orient. Des influences arabe et juive, une ornementation sobre, caractérisent principalement ces chants liturgiques monodiques dont les textes sont écrits en syriaque, langue dérivée de l'araméen. Les deux pièces isolées, interprétées par des solistes aux voix splendides, représentent le sommet de ce disque, pour la qualité de leur inspiration et leur caractère de longue méditation. (Texte de présentation en anglais).

LITURGIES ORTHODOXES

Monodie sacrée bulgare. Liturgies du XIVe siècle. Anonymes : Herouvimska pessen. Tebe poem. Dostoino est. Angel vopiaché. Koukouzel : Aniksantar. Vladikou i svechtenonatchalnika. Téri-rem. Riletz : Dostoino est. Rilski : Voskressenija den. Valassii : Radouissija vsetchistaja.

*** Ensemble vocal «Ivan Koukouzel-Angueloglasni», Tania Christova. Harmonia Mundi HM 123.

Ces cantiques magnifiques et imposants qui nous replongent dans le Moyen Age de la Bulgarie, sont caractéristiques, par leur style «non byzantin», de la «nouvelle naissance» du chant orthodoxe. Toujours fondés sur une longue tenue grave - l'ison -, ils sont remarquables par leur facture qui balance entre la monophonie et la polyphonie, passant sans rupture, et parfois avec audace, de l'une à l'autre, jusqu'à donner l'impression d'être à deux, voire à trois parties. Tout aussi remarquable est l'interprétation où s'équilibrent la puissance des voix, la concentration intense et l'humanité du sentiment.

Grande liturgie orthodoxe bulgare. Bakhmetev : Blagoobrazny Yossif. Bortnianski : Kondak. Christov : Vo tsarstvij tvoem. Herouvimska. Iako da tsara. Gretchaninov : Blajeny iaje izbral. Kompaneïski : Herouvimska pessen. Milost myra. Tebe poem. Nikolov : Dostoine est.

*** Chœurs mixtes de la Radio Télévision bulgare, Mikhail Milkov. Harmonia Mundi HM 122.

C'est plus exactement un récital de chants liturgiques : œuvres de compositeurs de la fin du XIXe et du début du XXe siècle, qui se sont inspirés de vieilles mélodies d'origine bulgare. Par la majesté de leurs intonations et de leurs mélismes, par leur beauté rayonnante et persuasive, ces polyphonies illustrent de manière exemplaire la continuité d'une tradition qui remonte au Moyen Age. Le haut niveau de qualité de l'exécution et de la prise de son achève de faire de ce disque une belle réalisation.

Grèce. Liturgies anciennes orthodoxes. Chants sacrés de la tradition byzantine. Liturgie de Saint Jean Chrysostome : Doxologie. Mon âme loue le Seigneur. Que le Christ soit loué. Vous qui êtes baptisés au nom du Christ. Hymne des Chérubins. Liturgie de Saint Basile : Saint, Saint est le Seigneur. Nous te louons, Seigneur. Hymne des louanges à la Vierge. Les grands moments de la musique byzantine : Anonyme : Trois hymnes de la Semaine Sainte. Bereketos : Dieu est grand. Koukouzelis : D'en haut les Prophètes. Lampadarios : Dieu est avec nous. Panaretos : Antanelis to pnevma afton. Exapostelis to pnevma sou. Protopsaltis : Seigneur, j'ai crié. Je t'aimerai, Seigneur.

❀*** Ensemble vocal Theodore Vassilikos. Ocora 558.545/46 (2 d.). Enregistré en 1979.

La véritable beauté et la simplicité de Liturgies célèbres, dans une interprétation inspirée autant que rigoureuse. La découverte également de chefs-d'œuvre de l'hymnographie, dont les audaces harmoniques, modales et rythmiques sont étonnantes : notamment, une façon de traiter la mélodie scandée par fragmentation en courtes périodes séparées de silences, qui donne un caractère suspendu ou haletant à l'ensemble du discours. Une réalisation aussi accomplie nous rendra désormais exigeants à l'égard d'autres disques à venir de musique byzantine.

Grèce. Chants sacrés de la tradition byzantine, vol. 1. Anonyme : Ne détourne pas ton visage. Lorsque le Seigneur allait souffrir. Bereketos : Le fruit de ton ventre. Pierre le Péloponnésien : Seigneur, j'ai crié. Theodore de Phocée : Anixantaria. Theodore Prigos : Hymne des Chérubins. Raidestinos : Ils ôtèrent mes vêtements.

*** Chantre Theodore Vassilikos et son ensemble vocal. Ocora 558.521. ☒ 4-558.521. Enregistré en 1977.

Grèce. Chants sacrés de la tradition byzantine, vol. 2. Anonyme : O, mon âme. Hartofilax : Roi des Cieux et Gloria. Kladas : Kinonikon. Lampadarios : Quand la pécheresse. En te voyant sur ta croix. Pierre le Péloponnésien : Mon âme glorifie le Seigneur. Sainte Vierge, mère de Dieu. Toi, saint Jean Baptiste. Saints Apôtres, priez pour nous. Nous nous mettons sous ta miséricorde. Tu protèges tout le monde. Mon âme loue le Seigneur.

*** Chantre Theodore Vassilikos et son ensemble vocal. Ocora 558.530. Enregistré en 1977.

Une anthologie de la «vraie» musique sacrée orthodoxe grecque, chantée avec rigueur, sensibilité et talent. Un choix d'œuvres relevant de la tradition ou de la musique vivante, qui est aussi un inventaire des richesses mélodiques et rythmiques d'une monodie héritière de l'Orient et de Constantinople. Une forme unique : un chantre vocalise sur un bourdon variable tenu par des voix graves. Mais une grande variété de nuances dans l'expression, née de l'accord exigeant entre la musique et le texte. Une approche profondément humaine du sentiment religieux, et, derrière l'élégance et la retenue de la mélodie, toute la densité de l'émotion.

Le même esprit, associé à un art infaillible et complet, préside à la réalisation du deuxième volume. Découverte de nouveaux chefs-d'œuvre de l'hymnographie byzantine, lieux où se construisent, se renouvellent et s'expriment - à partir d'une forme immuable, sorte d'armature - les nuances inépuisables de la pensée et du sentiment religieux. Comme le premier, ce disque est une référence.

Chants liturgiques byzantins de Grèce. Anonyme : Psaume de la Semaine Sainte. Berekemos : Le fruit de tes entrailles. Gheorgios le Crétois : Nous te louons, ô Dieu. Kladas : Maintenant les forces du ciel. Pierre le Péloponnésien : Mon esprit veille. Alleluia. Voici l'époux céleste. O combien de bienfaits. Protopsaltès : Seigneur j'ai crié. Ta passion qui fait courber le front. Raidestinos : Ils enlevèrent mes vêtements.

** Chantre Theodore Vassilikos et son ensemble vocal. Arion ARN 33.485. Enregistré en 1978.

Un choix de pièces du XVIIIe siècle interprétées par un Chantre au «talent de dentellière de la voix» et son ensemble vocal justement célèbres pour leur art sensible et complet, leur respect scrupuleux mais inspiré de la tradition. Une réserve néanmoins, qui porte sur le programme : pourquoi plusieurs «doublons» (avec le premier volume de l'anthologie Ocora), alors que l'hymnographie byzantine est si abondante ? En revanche, signalons le très bon texte de présentation, à la fois synthétique et documenté.

Musique byzantine. Anonyme : La dernière fête après la Résurrection. Bereketis : Quel Dieu est aussi grand que notre Dieu. Lampadarios : Par un signe divin. Vierge resplendissante. O Roi du Ciel, Consolateur. Kyrie Eleison. Protopsaltis : A toi qui donne naissance à la lumière. Non à la déchéance.

*** Protopsaltis Lycourges Angelopoulos, membres du Chœur byzantin de l'église de l'Assomption à Athènes. CBS 82.045.

Cette bonne introduction à la musique grecque orthodoxe de tradition byzantine - étayée par un texte de présentation très complet - propose un éventail de chants monodiques à travers leurs différents genres et la diversité de leurs ressources expressives. L'extrême souplesse vocale et la liberté de style du soliste donnent une grande vie au phrasé mélodique, sans en altérer la pureté ni l'unité. Dénonçons la durée abusivement courte de la seconde face (16 minutes), qui abrège ce beau programme de la valeur de deux chants.

Pâques au Mont Athos. Vol. 1: La célébration de la nuit pascale.

*** Abbé Alexios et les moines du couvent Xenophontos au Mont Athos. Archiv 2533.413. Enregistré en 1978.

Un événement dans l'histoire de ce haut-lieu du monachisme orthodoxe, qui offre encore l'image d'un monde préservant farouchement une identité intacte depuis plus d'un millénaire. Une ouverture, une incursion seulement tolérées, le temps de nous offrir ce témoignage intense et lumineux, éclat d'une vie particulièrement ascétique et jalouse de son isolement. La célébration - maintenant partagée - de l'Orthros de Pâques (les matines et laudes des rites occidentaux), à la musique riche et profonde, chantée dans la plus pure tradition byzantine par des voix éclatantes. L'enregistrement effectué en direct restitue l'image sonore originale dans sa splendeur et sa diversité. Très bon texte d'introduction.

La divine liturgie de saint Jean Chrysostome. Rite byzantin-slavon.

** Ivan Petrov (b), Chorale Sofia, Dimitre Rouskov. Harmonia Mundi 641. ⌧ 40-641.

Cette très belle réalisation, qui nous fait découvrir un répertoire musical inconnu, emporterait notre totale adhésion n'était un texte d'introduction insuffisant qui laisse sans réponses nombre de questions essentielles et ne fait guère avancer notre connaissance d'une musique liturgique déjà assez complexe. Cela dit, laissons-nous porter par l'écoute de ces récitatifs graves, nobles et puissants, qui laissent soudain place à des chœurs sombres et joyeux, éclatants ou retenus, enthousiastes ou méditatifs.

Roumanie. Le monastère de Putna. Liturgie des catéchumènes.

* Moines du monastère de Putna. Ocora 558.505. Enregistré en 1974.

Une bonne restitution de l'ambiance d'une messe aux accents byzantins, officiée dans le plus vieux et le plus important monastère de Moldavie. Mais la notice, surtout consacrée à l'histoire et à l'architecture de cet édifice religieux, ne réserve que quelques lignes insignifiantes et anecdotiques à la musique liturgique elle-même.

Liturgie de saint Jean Chrysostome. Messe dans le rite roumain et grec.

** Chorale, Trajan Popesco. SM 30.685.

Une messe chantée telle que les Grecs ou les Roumains peuvent l'entendre dans leurs églises, c'est-à-dire basée sur l'alternance dés prières brèves, seulement récitées, du célébrant avec les interventions polyphoniques d'un chœur mixte. Ces dernières forment donc la seule matière musicale de la liturgie : harmonisations d'anciennes mélodies liturgiques et compositions originales d'inspiration byzantine ou de style occidentalisant (non exempt de mauvais goût parfois). Belle exécution où se concertent ampleur sonore et recueillement.

Chants liturgiques russes. Chants monastiques : Psaume de la Création. Psaume, forme antiphonée. Psaume 141 avec strophes. Dogmatic. Hymne du soir. Prokimen. Prière. Salutation angélique. Influence occidentale : Bortnianski : Je vois ton palais. Concerto de Noël. Lvov : Louange à la Sainte Vierge. Communion du Jeudi Saint. Retour à la tradition : Balakirev : L'ange clama à Marie. Ippelitev-Ivanov : Psaume 134. Kedrov père : Magnificat. Notre Père.

*** Quatuor Kedrov. SM 30-329.

Voici l'heureuse conjonction d'un programme de haute qualité et d'une interprétation exceptionnelle. Le Quatuor Kedrov chante l'histoire de la musique sacrée russe, présentée en un raccourci que jalonnent trois grandes périodes. Des chants liturgiques, dont l'exécution est habituellement confiée à des masses chorales plus ou moins importantes, sont ici les révélateurs d'un art accompli. Mais ces seules quatre voix nous offrent davantage : une ferveur plus ramassée, et la qualité d'une puissance sonore qui puise son énergie dans la force de leur foi.

Chœurs monastiques orthodoxes russes, vol. 1. Tropaire à Saint-Serge de Radonège. Vêpres : Psaume du lucernaire et hymne vespérale au Christ ressuscité. Theotokion du dimanche. Prokimenon du dimanche soir. Stichère automèle à la Mère de Dieu. Matines : Magnificat. Il est digne en vérité. Exapostilaire du dimanche. Grand Carême : Psaume de l'exil avec Alleluia. Que ma prière s'élève. Semaine Sainte : Hymne à l'Epoux. Matines de la Passion : Antienne. Hymne avant l'Evangile. Prokimenon de la Passion. Stichères de Laudes. Samedi Saint : Tropaire de Joseph d'Arimathis. Tropaires de la Résurrection. Strophes de la 1e et de la 9e ode du Canon. Prokimenon de la Résurrection. Nuit de Pâques : Chant de la procession pascale. Annonce de la Résurrection à la Sainte Vierge. Prokimenon de Pâques.

*** Diacre Mikhail Storogenko (b), Chorale de l'église Saint-Serge à Paris, Nicolas Ossorguine. Edici 41.040 (sup.).

Chœurs monastiques orthodoxes russes, vol. 2. Période de Noël : Deux hymnes de la pré-fête de Noël. Dieu est avec nous. Stichère des Vêpres de Noël. Tropaire de Noël. Polyeleos (matines). Période prépascale : Hymne du dimanche du fils prodigue. Pâques : Akathiste à la Vierge. Début des matines pascales. Canon pascal. Exapostilaire de Pâques. Tropaire à saint Jean Chrysostome. Les laudes. Trois stichères de Pâques.

*** Chorale de l'église Saint-Serge à Paris, Nicolas Ossorguine. Edici 41.060 (sup.).

Cette belle et rigoureuse anthologie est consacrée à la plus ancienne forme de musique religieuse orthodoxe russe, mais aussi à la moins connue des amateurs qui préfèrent en général les grandes compositions polyphoniques plus immédiatement accessibles des siècles postérieurs. Chants canoniques harmonisés et compositions libres ont été choisis dans les offices liturgiques des plus grandes fêtes. Ils sont exécutés dans le pur style monastique traditionnel, par des voix uniquement masculines dont une remarquable prise de son restitue l'ampleur et la somptuosité. Une restriction, pourtant : un texte d'introduction pas assez explicatif et l'absence d'un glossaire des termes grecs.

Le deuxième volet de cette entreprise audacieuse continue d'explorer, à travers d'autres fêtes marquantes du calendrier liturgique, les richesses des chants monastiques. La simplicité sans austérité des formes est mise en valeur par la présence remarquable des voix, leur souplesse et l'acte de foi qui les anime.

Vêpres monastiques russes.

❀*** Chœurs des moines bénédictins de l'abbaye de Chevetogne, Philippe Baer. Schwann AMS 2.564.

Tout est splendide dans cet enregistrement intégral des Vêpres qui nous plonge au cœur de la vraie tradition monastique : la finesse du carillon initial, l'enchaînement des récitatifs et des psalmodies aux harmonies profondes, chantées sous des formes diverses et dans un débit très rapide, les voix bien timbrées, l'atmosphère de vitalité et de recueillement mêlés. Sans oublier la prise de son, remarquablement présente. Une plaquette, rédigée en allemand, reproduit dans leur ordonnance les textes de l'office.

Chants de la liturgie slavone. Office de l'Exaltation de la Sainte-Croix : Hirmi du Canon. Grand Carême et Nuit de Pâques : Les Béatitudes. Grand Prokeimenon. Notre Père. Tropaire de saint Jean Chrysostome. Hymne acathiste. Kontakion du Grand Canon. Stichère du Vendredi Saint. Grande Entrée du Samedi Saint.

*** Chœur des moines bénédictins de l'abbaye de Chevetogne, Dom Grégoire Bainbridge. Harmonia Mundi 567. ✉ 40-567.

Un programme de très beaux chants : anciennes mélodies et psalmodies, extraites de grands offices liturgiques, simplement harmonisées ou mises en polyphonies ultérieurement. Leur exécution par un chœur connu pour la beauté de ses voix, son homogénéité, sa plasticité et l'intensité du recueillement qui l'habite. Mais au-delà de ces remarques, s'impose surtout l'évidence d'un accord étroit, exceptionnel, entre une musique et ses interprètes.

Grand Requiem orthodoxe. Cantiques à la Sainte Vierge. Traditionnels : Cantique de la tradition serbe. Légende de la Sainte-Mère. Cantique de la tradition de Valaam. Chant de l'Assomption. Ave Maria. Cantique de la Nativité. Rimski-Korsakov : Chœur de «Kitege». Tourtchaninov : Chant de l'Annonciation.

*** Archidiacre Basile Konochenko (b), Chœurs russes de Feodor Potorjinski. Trianon 33.168.

La «Pannykhide», l'Office des Morts, est l'une des plus sublimes de toutes les musiques liturgiques. Elle est aussi le témoignage le plus ancien de la tradition monastique orthodoxe russe. Une exécution flexible et d'un style très pur modèle la suite de psalmodies en autant de larges respirations sans cesse recommencées, portées par un souffle qui ne faiblit jamais. Nous demeurons dans l'esprit de la tradition - originelle ou retrouvée - avec les cantiques à la Vierge, pièces d'inspiration populaire, dont une interprétation émouvante dégage la fraîcheur et la simplicité. Nous regrettons seulement que les textes des chants de l'Office ne figurent pas, même sous forme d'extraits, au dos de la pochette. Série économique oblige !

Requiem orthodoxe russe. Hymnes à la Sainte Vierge. Requiem : Trisagion. Grande Litanie. Alleluia. Tropaire des Défunts. Canon «Accordez, Seigneur, le repos». Imnos «L'océan de notre vie». Kondakion «En compagnie de vos saints». Notre Père. Tropaire «En compagnie des justes». Litanie des Défunts. Mémoire éternelle. Hymne : Anonymes : Réjouissez-vous, Fiancée. Chant de l'Assomption (motif de Kiev). Arkhangelski : Implorons la Mère de Dieu. Guérison de nos maux. Les portes de la miséricorde. Nous n'avons d'autre recours. Bortnianski : Il est digne. La voix des Archanges. Lvov : Là-haut, les prophètes.

*** Diacre Mikhail Storogenko (b), Chœur de la cathédrale orthodoxe russe de Paris, Piotr Vassilievitch Spassky. EMI VSM C 053-92.123 (sup.).

Une exécution sensible et rigoureuse de toute la partie chorale de l'Office des Morts. La sérénité qui imprègne l'ensemble de cette cérémonie transparaît également à travers les Hymnes à la Vierge. Ces œuvres de trois des plus illustres compositeurs du XVIIIe siècle sont parmi les plus inspirées.

Chants liturgiques orthodoxes. Vêpres et Matines. Vêpres : Psaume 103. Grande Collecte. Psaume 1. Psaume lucernaire. Theotokion. Hymne (Kastalski). Prokimenon (Kastalski). Stichère. Cantique de saint Siméon. Tropaire (Arkhangelski). Bénédiction (Tchesnokov). Matines : Polyeleos (Tchesnokov). Anti-

phones. Prokimenon. Hymne (Arkhangelski). Canon (Lvowski). Magnificat. Exapostilaire. Grande doxologie. Polykronion (Tchesnokov).

*** Chœurs russes de Feodor Potorjinski. SM 30-649.

Les extraits essentiels du Grand Office nocturne, dont une très belle réalisation restitue, dans sa vérité, l'atmosphère de pénitence et d'espérance. Liturgie d'une remarquable unité, qui utilise pourtant des chants d'époques (dont certaines fort anciennes) de genres et de styles différents. Un temps fort dans l'ensemble des musiques liturgiques.

Musique sacrée de Russie (du XVIe au XVIIIe siècle). Anonyme XVIIe s. : Chant des Chérubins. Berezovski : Concert sur le psaume 70. Bortnianski : Concert n° 24 sur le psaume 120. Kalachnikov : Chant des Chérubins. Krestianine : Stichira. Tsar Fedor : Hymne à la Sainte Vierge.

** Chœurs de la République de Russie, Alexandre Yourlov. Chant du Monde LDX 78.422.

La première face de ce disque est particulièrement intéressante, car elle nous fait découvrir des œuvres d'une période moins connue - les XVIe et XVIIe siècles. Ce sont, notamment, deux mélopées écrites dans le style du chant monastique, chantées à l'unisson, et de caractère majestueux ; c'est aussi une belle polyphonie anonyme à trois voix, encore dépourvue d'influence occidentale. Notons une certaine compression dans les passages à forte dynamique de certains grands chœurs du siècle suivant.

Anthologie de la musique religieuse orthodoxe russe, vol. 1. Arkhangelski : Je pense au jour. Bortnianski : Psaume 26. Degtiarov : Louez le nom du Seigneur. Lvov : Tu vois ma peine. Lvovski : Kyrie Eleison. Pantchenko : Les Béatitudes. Tchesnokov : Protectrice zélée. Vedel : Psaume 136.

*** Chœur de la cathédrale orthodoxe russe de Paris, Eugène Evetz. Edici 004.102.

L'ouverture aux musiques occidentales et l'Ecole de Saint Pétersbourg. Si les influences italiennes et allemandes ont fortement modifié le style du chant liturgique, elles n'ont pour autant jamais absorbé ni étouffé l'«éternel russe». La beauté épanouie de chacun des chœurs présentés ici en est l'éclairante démonstration.

Anthologie de la musique religieuse orthodoxe russe, vol. 2. Anonyme : Le bon larron. Arkhangelski : Louez le nom du Seigneur. Gardner : Graduels des 3e et 4e tons. Kastalsky : Nunc dimittis. Dieu est avec nous. Douce lumière. Ouvre-nous la porte de la miséricorde. Nikolski : Douce lumière. Rimski-Korsakov : Pater noster. Smolenski : Cantique de Pâques. Solomine : Il est digne en vérité de te glorifier. Stepanov : Nunc dimittis.

*** Chœur de la cathédrale orthodoxe russe de Paris, Eugène Evetz. Edici 004.103.

Le retour aux sources et l'Ecole de Moscou. Les œuvres choisies illustrent parfaitement cette nouvelle direction qui, à la fin du siècle dernier, réaffirme l'originalité russe et rejette les influences étrangères : remise en valeur de la mélodie canonique revivifiée sous une forme polyphonique, utilisation des modes, simplification de l'harmonie, dépouillement dans l'expression de la foi.

Chants liturgiques orthodoxes. Bortnianski : En ce jour que le Seigneur a fait. Gardner : La Croix exaltée invite toute la création. Kastalski : La Vierge en ce jour met au monde l'Éternel. Kompaneyski : L'Ange clama à la Pleine de Grâce. Ivanov : Notre Père. Lipaiev : Credo. Lvov : Se tenant devant la Croix. Miasnikov : Mon âme bénit le Seigneur. Nikolski : Le Fils sans commencement et coéternel. Sokolov : Maintenant Seigneur, tu laisses ton serviteur s'en aller en paix. Tchesnokov : Dieu est avec nous. Yaitchkov : Il est digne en vérité de te célébrer.

** Nicolaï Gedda (t), Chœur de la cathédrale orthodoxe russe de Paris, Eugène Evetz. Philips 6504.130. ⊠ 7302.053.

Un concert d'œuvres des principaux compositeurs qui eurent un rôle déterminant dans l'évolution de la musique sacrée russe. Chacune des pièces est représentative de l'une ou l'autre des deux grandes écoles : Saint Pétersbourg et Moscou. La participation de Nicolaï Gedda surprendra les puristes, car il n'est pas coutume d'utiliser un soliste ténor dans les liturgies orthodoxes russes. Mais son interprétation est si chaleureuse sans être trop théâtrale, que nous acceptons cette entorse à la tradition. Une prise de son malheureusement assez plate altère sérieusement les richesses harmoniques des chœurs.

Liturgie orthodoxe slavone. Tchesnokov : Sacrifice vespéral. Zinoviev : Nous te chantons. Kotchetov : Béni est l'homme. Christov : Priez le nom du Seigneur. Diniev : Le bon larron. Stroumski : La grande glorification. Lioubinov : Béni est l'homme. Christov : Nunc dimittis. Bortnianski : De nombreuses années.

* Boris Christoff (b), Chœurs de la cathédrale St-Alexandre Nievski de Sofia, Angel Konstantinov. EMI VSM C 069-60.552. Enregistré en 1977.

Le titre prête à confusion. Ce disque propose en réalité une suite d'œuvres polyphoniques de compositeurs russes et bulgares qui n'obéit à aucun ordre logique pouvant se rapporter à un service liturgique particulier. Chaque pièce bénéficie d'une brève analyse, mais rien n'est dit sur les auteurs qui se situent dans une période allant du XVIII° siècle à nos jours. L'exécution, grandiose, réalisée dans le style dit «cathédral» et proche de l'esthétique du théâtre lyrique, donne beaucoup (trop) d'importance aux interventions - même superbes - de Boris Christoff, au détriment des chœurs qui passent complètement à l'arrière-plan. Déséquilibre encore aggravé par une réverbération excessive qui noie les parties vocales dans un flou sonore et retire à l'ensemble relief et ampleur.

Grande liturgie orthodoxe slave, vol. 1. Arkhangelski : Beatus qui attendit. Christov : Magna ektenia. In regno tuo. Hymnus Heruvimicus. Te cantamus. Dignum est. Gretchaninov : Credo. Gloria... Unigenite fili. Kedrov : Pater noster. Tchesnokov : Salve Deus, populum tuum.

*** Chœur bulgare «Svetoslav Obretenov», Georgi Robev. Harmonia Mundi 101. ⌧ 40-101.

Grande liturgie orthodoxe slave, vol. 2. Arkhangelski : Commitiga mala. Bortnianski : Dignum est. Gloria in excelsis Deo. Christov : Laudate nomen Domini. Lomakin : Te cantamus. Lubimov : Beatus vir. Lvovski : Hymnus heruvimicus. Vedel : Poenitentiae.

*** Chœurs d'hommes de la Radio Télévision bulgare, Mikhail Milkov. Harmonia Mundi 105. ⌧ 40-105.

Grande liturgie orthodoxe slave, vol. 3. Anonyme : Venit Joseph ab Arimathia. Arkhangelski : Atrocem diem sentio. Beatus vir. Christov : Te cantamus. In regno tuo. Chant des Chérubins. Degtiarev : Viderunt praeclara. Gretchaninov : Nuno dimittis. Manolov : Dignum est. Tchesnokov : Laudate nomen Domini.

** Chorale Sofia, Dimitre Rouskov. Harmonia Mundi 137. ⌧ 40-137.

Les principaux moments de la liturgie ancienne bulgare ont inspiré des œuvres polyphoniques remarquables pour leur richesse d'inspiration et leur beauté contemplative. C'est un choix de quelques-unes d'entre elles que nous entendons ici, dans l'ordre normal d'un office. L'interprétation est magnifique : conjonction de voix solistes et chorales splendides, d'une parfaite mise en place et d'une authentique émotion religieuse. Une ombre pourtant à cette belle réalisation : un excès de réverbération altère les timbres et la définition des parties polyphoniques. Une coupure dans le texte de présentation fausse le commentaire concernant les œuvres de Kedrov et d'Arkhangelski (n°s 7 et 8).

Le titre de cette collection est trompeur. Il s'agit plus précisément d'une anthologie consacrée à des pièces polyphoniques inspirées de cantilènes et de récitatifs empruntés à différents offices. Choix très heureux qui réunit des œuvres de grande qualité et fait apparaître la diversité des styles et des moyens d'expression, le jeu des influences, et les différents courants esthétiques qui ont traversé l'histoire de la musique orthodoxe slave. L'exécution, par des chœurs d'hommes uniquement, est remarquable.

Un même souci de qualité se retrouve dans le choix des pièces du troisième volume - pièces les plus représentatives sur les plans esthétique et historique - dans une interprétation également confiée à une chorale formée de voix masculines exclusivement, selon l'ancienne tradition monastique. Mais la beauté de l'ensemble est compromise par une réverbération excessive.

Grande liturgie orthodoxe serbe. Binicki : Otche nach. Histic : Sviati Boja. Marinkovic : Tsariou nebesni. Mokranjac : Nest sviat. Tebe Boga hvalim. Se sviatimi oupokoï. Tajcevic : Vospoïte emou.

* Chœurs mixtes de la Radio Télévision bulgare, Mikhail Milkov. Harmonia Mundi 128.

Le titre ne correspond pas au véritable programme, qui nous offre un choix d'œuvres de compositeurs serbes des XIXe et XXe siècles, riches harmonisations d'anciennes mélodies liturgiques. Il est regrettable qu'une réalisation proposant des œuvres peu connues et magnifiques, dans une interprétation de grande qualité, soit gâchée par un parti erroné de prise de son : une réverbération exagérée envahit et supprime les silences, brouille les parties entre elles, crée des interférences harmoniques, bref, transforme en magma ces belles architectures chorales.

Liturgies ukrainienne et russe des XVIe et XVIIe siècles. Anonymes : Dostoïno est. Ijé herouvimi. Mnogoletstvovanié. Radouissia. Snatchale dnes pooutrourano. Pekalitzki : Herouvimska. Titov : Rojdestvenskii stih. Zlatokovannouiou.

** Chœurs «Svetoslav Obretenov», Georgi Robev. Harmonia Mundi HM 127.

«Musiques sacrées ukrainienne et russe du XVIe au XVIIIe siècle» serait un titre plus exact pour ce disque davantage destiné aux spécialistes de l'histoire de la musique religieuse slave. Les autres seront un peu perdus dans la reconnaissance des différents styles originels et guère éclairés par un texte d'introduction trop dense. Ils ne sauront rien ni sur le contenu ni sur la destination des textes chantés. Il leur reste - mais c'est là sans doute le principal - l'audition de polyphonies claires et pleines, à l'ampleur et aux contrastes presque «haendéliens» chez les Russes, à l'écriture plus originale chez les Ukrainiens qui utilisent des procédés linéaires, des dissonances, et des rythmes d'inspiration folklorique.

N

Nicolaï, Otto
(1810-1849)

Les Joyeuses Commères de Windsor, opéra-comique.

*** Kurt Moll (Falstaff), Edith Mathis (Frau Fluth), Hanna Schwarz (Frau Reich), Helen Donath (Anna Reich), Peter Schreier (Fenton), Siegfried Vogel (Reich), Bernd Weikl (Fluth), Karl-Ernst Mercker (Spärlich), Claude Dormoy (Dr Cajus), Ch. Opéra de Berlin-Est, Staatskapelle de Berlin, Bernhard Klee. DG 2740.159 (3 d.) (RFA).

** Karl Ridderbusch (Falstaff), Helen Donath (Frau Fluth), Trudeliese Schmidt (Frau Reich), Lilian Sukis (Anna Reich), Claes Ahnsjö (Fenton), Alexander Malta (Reich), Wolfgang Brendel (Fluth), Heinz Zednik (Spärlich), Alfred Sramek (Dr Cajus), Ch. Radio Bavaroise, Orch. Symph. de Bavière, Rafael Kubelik. Decca D 8.601/03 (3 d.) (G-B). Enregistré en 1977.

Nicolaï et son librettiste ont adopté la formule du *Spieloper*, où récitatifs chantés voisinent avec le dialogue parlé. Ce dernier n'est pas intégral dans le présent enregistrement, mais réduit à quelques interventions d'un récitant. La musique est remarquablement servie par les interprètes, aussi bien vedettes confirmées, dont la distribution n'est pas avare, que seconds rôles, tous fort bien tenus. Chœurs et orchestre admirables également. Une réalisation privilégiée.

Légèrement moins convaincantes sont les *Commères* de Kubelik, mais quand même de grande qualité : une distribution sans faille, aucun reproche pour l'accompagnement ni la direction. Mais du point de vue pratique, une présentation qui laisse à désirer : le résumé est en anglais, ainsi que la traduction du livret où les noms sont rétablis comme dans la comédie de Shakespeare. Hélas ! pour le Français curieux de comprendre.

Nielsen, Carl
(1865-1931)

Concerto pour flûte et orchestre.

** Jean-Pierre Rampal (flûte), Orch. Symph. de Seeland, John Frandsen. Erato STU 71.273. Enregistré en 1978. *+ Norby : «Illuminations», Capriccio pour flûte et orchestre.*

Superbement interprétée par J.-P. Rampal, cette page est l'une des rares manifestations discographiques d'un auteur important au Danemark. Une musique pas révolutionnaire, mais bien agréable ; une musique à rêver. L'intérêt de ce disque est accru par sa seconde face, avec les *Illuminations* d'Erik Norby, une œuvre jouée par son dédicataire, témoignage d'une écriture traditionnelle mais contemporaine. Une flûte étincelante.

Maskarade, opéra-comique.

*** Ib Hansen (Jeronimus), Gurli Plesner (Magdelone), Tonny Landy (Leander), Mogens Schmidt Johansen (Henrik), Ch. et Orch. Nat. de Radio-Danemark, John Frandsen. Unicorn RHS 350/52.

Le second ouvrage lyrique de Nielsen (1906) est une charmante comédie tirée par Vilhelm Andersen d'une pièce de Holberg, non dépourvue de similitudes avec le *Mariage de Figaro.* Une musique étincelante, une action enlevée, tout désigne l'œuvre - surtout à notre époque - pour une carrière internationale. La distribution réunie pour cette unique gravure commercialisée est au-dessus de tout éloge, même si l'on n'y compte aucune vedette. A noter que l'Ouverture s'exécute - et s'enregistre - souvent isolément, ou associée à trois autres pièces sous forme d'une très divertissante Suite.

Saul et David, opéra.

❀*** Boris Christoff (Saül), Willy Hartmann (Jonathan), Elisabeth Söderström (Michal), Alexander Young (David), Ch. John Alldis, Ch. et Orch. Nat. de Radio-Danemark, Jasha Horenstein. Unicorn RHS 343/45.

La composition de ce vaste drame occupa Nielsen durant quatre années au tournant du siècle. Représenté en 1902, l'ouvrage demeure le plus ambitieux de son auteur et peut-être de son pays. Chaque reprise en est un événement ; et celle qui fit l'objet de cette unique gravure demeure à bien des égards historique, non seulement par son plateau « royal », mais parce qu'il s'agit d'un des tout derniers témoignages de la direction de Jasha Horenstein, le plus grand interprète de Carl Nielsen sur le plan international. C'est dire le prix d'un tel album.

Les 6 Symphonies.

*** Orch. Nat. de Radio-Danemark, Herbert Blomstedt. EMI SLS 5027 (8 d.) (G-B) *+ 3 Concertos, Andante lamentoso, Folk Melody, Helios Ouverture, Ouverture rapsodique, Pan et Syrinx, Rapsodie symphonique, Saga-Droem.*

*** Orch. Symph. de Londres, Ole Schmidt. Unicorn-Kanchana KPM 7001 à 7006. Enregistré en 1974 (6 d. séparés).

Carl Nielsen, c'est avant tout les six *Symphonies :* cycle de même importance et de même signification que celui de son contemporain exact Jean Sibelius, auquel en réalité tout l'oppose dans sa substance. Le Danois éclate de joie de vivre, de dynamisme, de tonicité bienfaisante, cherchant à traduire l'homme dans ses rapports avec la Nature et avec la Société. Chacune des symphonies représente un volet essentiel de ce grand dessein. L'album de Blomstedt offre cet ensemble indissociable avec tous les moyens stylistiques appropriés, et présente en outre, non seulement les Concertos, mais toutes les pièces symphoniques indépendantes, au nombre d'une demi-douzaine, qui jalonnent aussi la carrière de Nielsen, depuis la *Rapsodie* de jeunesse jusqu'à l'*Ouverture* de 1927 (« Voyage-fantaisie aux îles Féroé »), en passant par les très étonnants poèmes que sont *Saga-Droem* et *Pan et Syrinx.*

Le cycle d'Ole Schmidt, enregistré en 1974, à peu près en même temps que celui de Blomstedt, est l'illustration de la priorité de l'Angleterre dans la « promotion » de Nielsen, dont les premiers pas remontent à l'après-guerre. Si le chef demeure danois, l'orchestre est ici l'un des meilleurs qu'offre le Royaume-Uni ; et la supervision du biographe de Nielsen, Robert Simpson, ajoute une garantie d'authenticité supplémentaire. Une très grande réussite, qui séduira surtout par le parti pris de retenue temporelle qui ancre la musique de Nielsen dans un sentiment de paix que le compositeur n'eût certes pas désavoué.

Symphonie n° 3 op. 27 « Espansiva ».

** Orch. Royal de Danemark, Leonard Bernstein. Columbia MS 6769 (USA) ou CBS 72-369 (Europe). Enregistré en 1965.

** Orch. Symph. de la Radio Danoise, Yuri Ahronovitch. Unicorn KP 8.006. Enregistré en 1981.

Leonard Bernstein fut le premier à inscrire l'*« Espansiva »* aux catalogues internationaux, après que John Frandsen et Erik Tuxen l'eussent révélée. Il en offrait une conception très héroïque, un peu à la limite du texte.

La santé roborante et l'optimisme communicatif de cette page, alimentés par une science de l'orchestre qui n'a rien à envier aux maîtres les plus fêtés, trouve en Yuri Ahronovitch un fulgurant interprète.

Symphonie n° 4 op. 29 « L'Inextinguible ».

❀*** Orch. Nat. de Radio-Danemark, Launy Groendahl. Odéon MOAK 6 (Danemark). Enregistré en 1951.

** Orch. Phil. de Berlin, Herbert von Karajan. DG 2532.029. ⊠ 3302.029.

Impossibles à dissocier, l'*« Inextinguible »* et la Cinquième représentent le diptyque fondamental de Carl Nielsen et le sommet de la symphonie scandinave. Tandis que l'une (1916) est une affirmation d'espoir au sein de la tourmente, l'autre (1922) se retourne sur les affres de la dévastation avant de s'élancer résolument vers le renouveau, par son gigantesque finale fugué. La Quatrième est peut-être celle des deux qui a remporté les suffrages les plus universels : elle est en tous cas la plus enregistrée de la série, mais jamais on n'entendra rien de comparable à sa révélation par Launy Groendahl, contemporain et ami du compositeur, qui la fit notamment triompher à Londres dès 1951.

En abordant le chef-d'œuvre de Nielsen, Karajan lui apporte probablement le sceau de la consécration ; mais on n'attendra pas de lui la même conviction que des interprètes nationaux. Ce disque n'est pas moins une éblouissante démonstration de virtuosité orchestrale, à connaître pour telle.

Symphonie n° 5 op. 50. Saga-Droem, poème symphonique op. 39.

❀*** Orch. New Philharmonia, Jasha Horenstein. Unicorn RHS 300. Enregistré en 1966.

Encore une interprétation de légende. Horenstein était l'assistant de Furtwängler à Francfort lorsque ce dernier y révéla la Cinquième dès 1927. En la gravant lui-même quarante ans plus tard, il se souvint certainement de cette soirée et du choc qu'elle put laisser en lui, puisqu'il consacra depuis cette date tout son talent à l'illustration du maître danois. Ce disque est donc plus qu'une exécution musicale, c'est un document humain de premier ordre.

Nigg, Serge
(né en 1924)

Jérôme Bosch-Symphonie. Le Chant du Dépossédé, pour pour baryton, récitant et orchestre, d'après des notes poétiques de Mallarmé.

*** Orch. National de l'ORTF, Dimitri Chorafas. Alain Aupie (bar), Pierre Rousseau (récitant), Orch. Phil. de Radio France, Marc Soustrot. Chant du Monde LDX 78 690. Enregistré en 1972 et 1978.

S'inspirant du célèbre triptyque du *Jardin des délices,* la Symphonie n'a rien d'une musique descriptive : en effet, Serge Nigg, humaniste ardent, n'interroge l'œuvre que pour en fouiller les profondeurs, et non pour l'anecdote. *Le Chant du Dépossédé* traduit la douleur d'un père qui vient de perdre son jeune fils. L'émotion y est spiritualisée, tout en conservant une profonde qualité émotionnelle. Les deux œuvres sont parfaitement servies par les formations et les chefs respectifs qui les interprètent ici : ardeur et gravité d'une part, de l'autre, clarté et sensibilité.

Nono, Luigi
(né en 1924)

Canti di vita e amore. Per Bastiana. Ommagio a Vedova.

*** Slavka Taskova (s), Loren Driscoll (t), Orch. Symph. de la Radiodiffusion Sarroise et Orch. Radio Symph. de Berlin, Michael Gielen. Wergo WER 60.067 (RFA).

Avec *Canti di vita e amore,* voici une œuvre maîtresse de Nono. Slava Taskova, soprano préférée du compositeur, y est émouvante de grandeur candide, de pureté innocente, tout à fait remarquable en outre dans le volet central (*Djamila Boupacha*) où sa voix a capella s'élève du fond des âges, intemporelle dans sa virginité toujours renouvelée. Une voix dont les racines semblent être attachées à chaque fibre de son corps, investie d'une aura de sensualité qui tisse autour de vous des liens invisibles... *Per Bastiana* se réfère à un oratorio chinois réalisé après la Révolution et dont la veine mélodique (qui lui est empruntée) est ici travaillée à la manière d'un puzzle innervant toute la partition dans sa matière compositionnelle. Cette œuvre réussit l'osmose difficile de l'orchestre et de la bande magnétique, celle-ci se fondant dans le Tout, désormais indissociable élément de l'orchestration... Gielen, assurant la direction, est étonnant, monolithique de puissance et d'intensité.

Como una ola de fuerza y luz, pour soprano, piano, orchestre et bande. Y entonces comprendio, pour six voix de femmes, chœurs et bande.

*** Slavska Taskova (s), Maurizio Pollini (piano), Orch. Symph. de la Radio Bavaroise, Claudio Abbado. Liliana Poli, Gabriella Ravazzi, Mary Lindsay (s) Miriam Acevedo, Kadigia Bove, Elena Vicini (voix), Ch. de la RAI, bande réalisée au studio de phonologie de la RAI, sous la direction du compositeur. DG 2530 436.

Como una ola de fuerza y luz est une œuvre de longue haleine tout à fait caractéristique des dons dramatiques et lyriques du compositeur. Unifiée organiquement par la bande qui joue le rôle de fil d'Ariane, la partition est à la fois tendre et violente, rythmique et mélodique, et si le piano percussif n'a point un rôle extrêmement développé, il est sans nul doute possible d'une efficacité dramatique redoutable. L'équipe Taskova-Pollini-Abbado est ici irremplaçable. *Y entonces comprendio* se rapproche dans sa conception dialectique du dyptique *Un volto e del mare/Non consumio Marx*, dont Nono utilise d'ailleurs des fragments. Une œuvre et des interprètes qui nous mènent dans les sphères toujours concomittantes chez le compositeur de la violence et de l'amour.

Sofferte onde serene, pour piano et bande. A floresta e jovem e cheja de vida, pour soprano, voix, clarinette, plaque de cuivre et bande.

❀*** Maurizio Pollini (piano), Liliana Poli (s), Kadigia Bove, Elena Vicini, Berto Troni (voix), William O. Smith (clarinette), Bruno Canino (direction). DG 2531 004.

A floresta e jovem e cheja de vida comporte des incandescences de grande beauté mais aussi de «longs» instants de mortel ennui. Quant à l'efficacité du texte, on peut se poser des questions ; puisqu'il est quasi incompréhensible de par son traitement en «désarticulation». Et voici *Sofferte onde serene*, une émeraude inestimable que taille pour nous un Pollini doublement superbe... Un Pollini magique dont le philtre nous plonge dans un climat angoissant aux clairs-obscurs étouffants, tout en préservant l'aérienne mélancolie de cette œuvre qu'il révèle dans son irréelle beauté. Narcisse inspiré, Pollini face à Pollini offre ici un très grand moment de musique, et le temps s'étire dans ces miroirs d'un rêve diffracté.

O

Obrecht, Jacob
(1450-1505)

Missa fortuna desperata.

** Clemencic Consort, René Clemencic. Harmonia Mundi HM 998. Enregistré en 1977.

L'interprétation du Clemencic Consort maintient cette Messe dans sa fonction première, ne recherchant donc jamais l'effet musical mais l'efficacité liturgique. Cette œuvre très complexe dans son écriture trouve ici toute sa grandeur : solennité des voix nombreuses, d'une orchestration présente sans être envahissante, magnificence des canons en tutti ou en soli. La qualité du Clemencic Consort trouve son aboutissement.

Missa super Maria Zart.

* Les Madrigalistes de Prague, Miroslav Venhoda. Supraphon 1-12-0.464 (étr.).

La plénitude, la brillance des Madrigalistes de Prague trouvent ici à déployer toutes leurs richesses sans affecter l'aspect méditatif de l'œuvre. Les voix sont distinctes, faisant bien ressortir l'architecture vocale, mais elles respectent l'homogénéité du chœur. Souplesse, raffinement, maîtrise des nuances et des tempos, précision de l'exécution, font regretter les défauts techniques difficiles à masquer.

Ockeghem, Johannes
(vers 1430-1495)

5 Chansons : Petite Camusette, Ma bouche rit, et ma pensée pleure, Ma maîtresse et ma plus grande amye, Fors seulement, L'autre d'antan.

*** Pro Musica Antiqua, Safford Cape. Archiv 14.069 (sup). Mono. *+ Dunstable : 6 Motets.*

Un disque depuis longtemps disparu du catalogue, mais qui reste toujours irremplaçable par le répertoire qu'il aborde et la qualité musicale et historique qu'il représente. Un enregistrement qui doit toujours faire référence et constitue maintenant un trésor. Les débuts de la musique ancienne auront donc été singulièrement brillants, et la vogue que celle-ci connaît actuellement n'aurait sans doute jamais existé sans le travail considérable de Safford Cape et du Pro Musica Antiqua. Ne pas hésiter à «prendre» à la rencontre d'un tel disque.

Déploration sur la mort de Binchois. Messe «Cuiusvis Toni». Musique au Palais de Jacques Cœur.

** Ensemble vocal français «Da Camera», Daniel Meier. Arion ARN 38.396. Enregistré en 1976. *+ Œuvres de Pérotin, Dufay, Adam de la Halle, Hayne van Ghizeghem.*

Le seul enregistrement disponible de l'œuvre la plus théorique de Johannes Ockeghem, celle qui montre le mieux la qualité inventive et habile du compositeur. Non seulement une gageure technique, mais une belle réalisation musicale où se trouvent brillance et mysticisme, deux qualités traduites dans la structure même de l'œuvre. L'interprétation qu'en donne l'ensemble vocal français «Da Camera» souligne avec sensibilité et musicalité cet aspect un peu abstrait de la Messe. Sans accéder à la qualité du Studio der frühen Musik ou du Pro Cantione Antiqua, il nous donne ici une bonne version insistant plus sur la mélodie que sur le rythme. Cet enregistrement a d'autre part l'intérêt majeur de présenter sur un même disque un aperçu complet de la polyphonie sacrée et profane.

Missa «Ecce Ancilla Domini» (Voici la servante du Seigneur). Intermerata Dei Mater, Motet à cinq voix.

*** Pro Cantione Antiqua de Londres, Collegium Aureum, Ensemble de Vents de Musique Ancienne de Hambourg, Bruno Turner. Harmonia Mundi HM 20.324.

Le Pro Cantione Antiqua de Londres met toute sa rigueur historique, sa modestie vocale des grands chœurs monastiques au service du grand Ockeghem. Cette Messe témoigne de l'art polyphonique du maître, mais également de son esprit mystique et symbolique. La réalisation de Bruno Turner a tout ce qu'il faut pour rendre avec fidélité cette œuvre austère, où la beauté mélodique et la sobriété concourent à affirmer une spiritualité authentique.

Les Motets à la Vierge : Salve Regina I, Intermerata Dei Mater, Gaude Maria Virgo, Alma redemptoris Mater, Ave Maria, Salve Regina II. Motet instrumental : Ut heremita solus.

*** Les Madrigalistes de Prague, Miroslav Venhoda. Valois-Résurgences MB 340. Enregistré en 1967 - 1968.

Ces Motets révèlent un compositeur moins recueilli que celui des Messes, plus tourné vers la musique que l'on pourrait dire ornementale. Par leur belle réalisation, les Madrigalistes de Prague ne donnent pas dans le style manécanterie de chapitre. Ce chœur mixte, dont les sopranos féminins se fondent bien dans l'ensemble viril, rend la présence religieuse très vive. L'austérité de leur interprétation s'adapte parfaitement à l'écriture sans défaillance, aux évolutions serrées, très mélodieuses. Quelque chose de séduisant et de fervent. Intéressant, car unique version.

L'œuvre profane intégrale.

*** Medieval Ensemble de Londres, Peter and Timothy Davies. Oiseau-Lyre 395.083 (3d.).

Les douze musiciens et chanteurs de l'Ensemble Médiéval de Londres n'ont pas cherché dans la riche écriture, parfois austère, de Ockeghem, le souci d'expression lyrique des musiciens transalpins ; ils ont su faire jaillir l'originalité, la richesse et la vie de cette musique où la variété, l'accent porté sur les mots-clés se coulent à l'intérieur d'un tissu polyphonique très strict. Dans une reconstitution très authentique, ces jeunes musiciens de quatre siècles nous parlent aujourd'hui comme jadis.

Requiem ou Missa pro defunctis «Messe des Défunts».

❀*** Clemencic Consort, René Clemencic. Harmonia Mundi HM 999. Enregistré en 1975.

*** Pro Cantione Antiqua de Londres, Ensemble des Vents de Musique Ancienne de Hambourg, Bruno Turner. Archiv 2533.145. Enregistré en 1973. *+ Josquin des Prez : Déploration sur la mort de Jehan Ockeghem.*

Avec l'interprétation du Clemencic Consort, nous n'écoutons pas un disque, nous assistons à un office. Alliant, selon leur coutume, les soucis historiques et musicaux, ils pallient les lacunes du manuscrit par la mélodie grégorienne, restituant ainsi à ce *Requiem* son esprit fonctionnel. Alors prend vie une très belle musique, où la rigueur encore toute médiévale se trouve confrontée aux richesses nouvelles de l'harmonie et à la recherche de sonorités chorales. Ici, l'interprétation est quasi miraculeuse ; dans un parfait ensemble, des voix de qualité savent se fondre dans la masse des tutti. La réalisation instrumentale aide encore à dégager le caractère sobre et solennel de toute la musique religieuse de Ockeghem. René Clemencic fait avant tout une musique liturgique de cette Messe, la faisant précéder de l'Antienne 4 et du Psaume 129 habituellement chantés aux Vêpres de l'Office des Morts. C'est sans doute ce choix qui a permis une réussite aussi complète.

Bruno Turner envisage cette œuvre tout à fait différemment. Il veut avant tout rendre hommage à l'art considérable de Johannes Ockeghem. Son interprétation, presque plus parfaite techniquement que celle du Clemencic Consort, n'en reste pas moins repliée sur elle-même. Elle ne prend pas parti quant à la destination primitive de l'œuvre ; elle souligne simplement sa sobriété, son recueillement, le sens profond de sa mélodie et de l'harmonie dont elle témoigne. Une grande pureté des voix, une grande sûreté dans leur évolution. Mais l'histoire prime sur la musique, qui par son seul pouvoir suggérera souffrance, émotion. Le couplage avec la *Déploration sur la mort de Johan Ockeghem* insiste sur cette volonté de rendre hommage à l'un des plus grands polyphonistes.

Offenbach, Jacques
(1819-1880)

Ba-ta-clan, opérette.

** Huguette Boulangeot (Fé-an-nich-ton), Raymond Amade (Ké-ki-ka-ko), Rémy Corazza (Fé-ni-han), René Terrasson (Ko-ko-ri-ko), Jean Desailly (récitant), Ch. Philippe Caillard, Orch. Jean-François Paillard, Marcel Couraud. Erato DUE 20.240 (2 d.). + *les Bavards.*

Cette «chinoiserie musicale» caractéristique de la première manière d'Offenbach est enlevée par Marcel Couraud avec le brio qui convient. La parodie de l'opéra italien est irrésistible, grâce à une bonne distribution, dominée par le regretté Raymond Amade, incomparable dans son imitation de trompette. Un seul défaut : le commentaire de Jean Desailly, d'une ironie pesante, qui n'est pas dans le ton d'une intrigue volontairement loufoque.

Les Bavards, opérette.

* Huguette Boulangeot (Inès), Lina Dachary (Béatrix), Aimé Doniat (Roland), René Terrasson (Sarmiento), Jean-Christophe Benoît (Cristobal) Joseph Peyron (Torribio), Jacques Pruvost (barbier), René Lenoty (marchand), Robert Destain (bottier), Pierre Saugey (muletier), Ch. et Orch. Lyrique de l'ORTF, Marcel Couraud. Erato DUE 20.240 (2 d.). + *Ba-ta-clan.*

Ce serait bon si Lina Dachary (Béatrix) donnait aussi peu que ce soit l'impression d'être une insupportable bavarde. Ce n'est pas du tout le cas, et l'extraordinaire bagout de son partenaire Aimé Doniat ne trouve pas de réplique. L'intrigue exige deux bavards, et il n'y en a qu'un.

La Belle Hélène, opéra bouffe.

** Jane Rhodes (Hélène), Rémy Corazza (Pâris), Jacques Martin (Ménélas), Jules Bastin (Agamemnon), Michel Trempont (Calchas), Renée Auphan (Oreste), Gérard Friedmann (Achille), Paul Guigue (Ajax Ier), Jacques Trigeau (Ajax 2ᵉ), Christine Barbaux (Bacchis), Ch. Opéra du Rhin, Orch. Phil. de Strasbourg, Alain Lombard. Barclay 90201/02 (2 d.). Enregistré en 1978.

* Danielle Millet (Hélène), Charles Burles (Pâris), Jean Christophe Benoît (Ménélas), Michel Dens (Agamemnon), Luis Masson (Calchas), Bernadette Antoine (Oreste), Bernard Sinclair (Achille), Michel Hamel (Ajax Ier), Paul Guigue (Ajax 2ᵉ), Sylvia Paule (Bacchis), Ch. René-Duclos, Orch. Lamoureux, Jean-Pierre Marty. EMI Pathé C 193-11.194/95 (2 d.). Enregistré en 1971.

La Belle Hélène, opéra bouffe : extraits.

* Jane Rhodes (Hélène), Bernard Plantey (Pâris), Jean Giraudeau (Ménélas), Jacques Doucet (Agamemnon), Bernard Demigny (Calchas), Andrine Forli (Oreste), Michel Hamel (Achille), Robert Andreozzi (Ajax Ier), Jean-Paul Vauquelin (Ajax 2ᵉ), Orch. et Ch., Manuel Rosenthal. Philips 6747.183 (2 d.). + *La Vie parisienne (extraits).*

On ne saurait imaginer une Belle Hélène plus convaincante que Jane Rhodes. Couleur et ampleur vocales, expression, sensualité, humour, tout y est. Elle est magnifiquement entourée dans la version d'Alain Lombard qui, de surcroît, dispose d'un orchestre et de chœurs excellents. Même Jacques Martin, abusivement mis en vedette par l'éditeur, joue avec talent son rôle de Ménélas sans tirer la couverture à lui. D'où vient que ce beau travail d'équipe, rodé par une série de représentations à Strasbourg, manque finalement de cette qualité essentielle qu'est la gaîté ? Sans doute des coupures, indispensables quand on veut faire tenir trois actes en deux disques. Ce sont évidemment les scènes parlées qui en font les frais et, parmi celles-ci, les répliques les plus saugrenues, donc les plus drôles.

La version de Jean-Pierre Marty ne manque pas de qualités, et dispose d'un très bon Pâris en la personne de Charles Burles. Malheureusement, Danielle Millet n'est pas une Belle Hélène.

On retrouve avec plaisir Jane Rhodes dans la sélection déjà ancienne dirigée par Manuel Rosenthal, spécialiste d'Offenbach. Mais si Jean Giraudeau est un Ménélas de grande classe, le baryton léger Bernard Plantey n'est guère à son aise dans l'aigu du rôle de Pâris.

Les Contes d'Hoffmann, opéra comique.

** Placido Domingo (Hoffmann), Joan Sutherland (Olympia, Giulietta, Antonia), Gabriel Bacquier (Lindorf, Coppelius, Dappertutto, Docteur Miracle), Ch. et Orch. Suisse Romande, Richard Bonynge. Decca SET 545/47 (3 d.) (G-B). Enregistré en 1973.

** Nicolaï Gedda (Hoffmann), Gianna d'Angelo (Olympia), Elisabeth Schwarzkopf (Giulietta), Victoria de Los Angeles (Antonia), Nikola Ghiuzelev (Lindorf), George London (Coppelius, Docteur Miracle), Ernest Blanc (Dappertutto), Jean-Pierre Laffage (Schlemil), Robert Geay (Crespel), Jacques Loreau (Andrès, Cochenille, Frantz, Pitichinaccio), Janine Collard (2e voix de la Barcarolle), Ch. René-Duclos, Orch. de la Société des Concerts du Conservatoire, André Cluytens. EMI VSM C 167-12.866/68 (3 d.). Enregistré en 1964.

Les Contes d'Hoffmann, opéra-comique : extraits.

** Albert Lance (Hoffmann), Mady Mesplé (Olympia), Suzanne Sarroca (Giulietta), Andréa Guiot (Antonia), Gérard Serkoyan (Lindorf), Julien Giovannetti (Coppelius), Robert Massard (Dappertutto), Gabriel Bacquier (Docteur Miracle), Jean Giraudeau (Frantz), Francine Arrauzau (2e voix de la Barcarolle), Ch. et Orch., Jésus Etcheverry. Adès ⌧ C 8.002. Enregistré en 1965.

* Raoul Jobin (Hoffmann), Renée Doria (Olympia), Vina Bovy (Giulietta), Geori Boué (Antonia), Louis Musy (Lindorf), André Pernet (Coppelius), Charles Soix (Dappertutto), Roger Bourdin (Docteur Miracle), Ch. et Orch. de l'Opéra-Comique, André Cluytens. EMI Trianon 33.135. Stéréo d'origine mono.

Chacun sait que Lindorf, Coppelius, Dappertutto et Miracle sont autant d'incarnations du diable, et Olympia, Giulietta et Antonia trois incarnations de l'idéal féminin d'Hoffmann. Un seul baryton-basse et un seul soprano devraient donc logiquement, à deux, assumer les septs rôles. Pour des raisons de tessiture et... de fatigue, c'est rarement le cas à la scène, surtout en ce qui concerne les personnages féminins. Quant au disque, la version Bonynge est la seule qui joue le jeu. Gabriel Bacquier et Joan Sutherland pouvaient se le permettre, à ce détail près que la grande cantatrice australienne et la langue française ne font pas très bon ménage.

Avec l'intégrale Cluytens de 1965, nous avons droit non pas à un accent étranger, mais à plusieurs, parfois insupportables, souvent imperceptibles. Cela dit, quelle superbe affiche !

Il est regrettable que la sélection dirigée par Jésus Etcheverry ne soit pas une intégrale. C'était sans doute la meilleure distribution française qu'on pût réunir à l'époque.

Celle de la sélection Cluytens, plus inégale, présente au moins un intérêt historique : elle réunit les éléments d'une bonne représentation à l'Opéra-Comique à la fin des années quarante.

La Fille du Tambour-major, opérette : extraits.

* Liliane Chatel (Stella), Michel Dens (Robert), Nadine Sautereau (Claudine), Rémy Corazza (Griolet), Suzanne Lafaye (la Duchesse), Thierry Peyron (le Duc), Dominique Tir-

mont (Monthabor), Jacques Pruvost (Bambini), Ch. René-Duclos, Orch. Société des Concerts du Conservatoire, Félix Nuvolone. EMI Pathé C 057-12.192. ⊠ C 263-12.192. Enregistré en 1967.

On peut se contenter de la sélection plus récente réalisée sous la direction de Nuvolone avec des interprètes non moins valables, un orchestre et des chœurs nettement supérieurs.

La Gaîté parisienne, ballet.

*** Orch. Opéra de Monte-Carlo, Manuel Rosenthal. + *Ouverture de La Fille du Tambour-major.* EMI VSM C 069-02.808. ⊠ C 269-02.808. Quadri. Enregistré en 1976.

** Orch. Phil. de Berlin, Herbert von Karajan. DG 2530.199. ⊠ 3300.215. Enregistré en 1972. + *Gounod : Faust (ballet).*

A près de quarante ans de distance, Manuel Rosenthal retrouve l'Opéra de Monte-Carlo et son orchestre (qui n'est évidemment plus le même) pour diriger le ballet qu'il composa à la demande de Léonide Massine sur des thèmes d'Offenbach. L'âge n'ayant nullement entamé son enthousiasme, son interprétation est sans rivale quant à l'authenticité.

Herbert von Karajan n'est pas particulièrement doué pour la musique de ballet. Mais celle-ci est assez «viennoise» pour l'inspirer, et l'Orchestre Philharmonique de Berlin est tout de même l'un des premiers orchestres du monde .

La Grande-Duchesse de Gerolstein, opéra bouffe.

** Régine Crespin (La Grande-Duchesse), Alain Vanzo (Fritz), Charles Burles (Prince Paul), Claude Méloni (Baron Puck), Robert Massard (Général Boum), François Loup (Baron Grog), Mady Mesplé (Wanda), Orch. et Ch. du Capitole de Toulouse, Michel Plasson. CBS 79.207 (2 d.). Enregistré en 1978.

La Grande-Duchesse de Gerolstein, opéra bouffe : extraits.

* Eliane Lublin (la Grande-Duchesse), Raymond Amade (Fritz), Guy Godin (Prince Paul), Christos Grigoriou (Baron Puck), Jean-Christophe Benoît (Général Boum), Charles Duclos (Puck), Orch. Conservatoire, Jean-Pierre Marty. EMI Pathé C. 057-11.659. ⊠ C. 263-11.659.

Hortense Schneider, dont la voix était certainement moins généreuse, semble s'être réincarnée en Régine Crespin, Grande-Duchesse idéale à tous points de vue. Je n'en dirai pas autant du «Fritz» d'Alain Vanzo, qui n'est pas du tout fait pour jouer les comiques et ralentit fâcheusement le récit de la bataille ; Charles Burles (qui interprète le Prince Paul) eût été bien meilleur dans ce rôle. Mais le reste de la distribution, y compris Massard en Général Boum, est irréprochable, ainsi que l'orchestre et les chœurs du Capitole de Toulouse conduits avec brio par Michel Plasson.

Grosse erreur de distribution, en revanche, dans la sélection de Jean-Pierre Marty : Eliane Lublin est tout ce qu'on veut, sauf une Grande-Duchesse. Mais Jean-Pierre Marty nous offre en exclusivité le cocasse trio des rémouleurs, qui, on se demande pourquoi, ne figure pas dans l'édition courante de la partition et fut déniché par Reynaldo Hahn qui se donna la peine de l'orchestrer.

Orphée aux Enfers, opéra bouffe.

*** Michel Sénéchal (Orphée), Mady Mesplé (Euridyce), Jane Rhodes (l'Opinion publique), Charles Burles (Aristée-Pluton), Bruce Brewer (John Styx), André Mallabrera (Mercure), Michèle Pena (Diane), Michèle Command (Vénus) Jane Berbié (Cupidon), Danièle Castaing (Junon), Michel Trempont (Jupiter), Jean-Philippe Lafont (Mars), Petits Chanteurs à la Croix Potencée, Orch. et Ch. du Capitole de Toulouse, Michel Plasson. EMI VSM C. 167-16.341/43 (3 d.). Enregistré en 1978.

Orphée aux Enfers, opéra bouffe : extraits.

Orphée aux Enfers, opéra bouffe : extraits.

* Claude Devos (Orphée), Claudine Collart (Euridyce), Freda Betti (l'Opinion publique), Aimé Doniat (Aristée-Pluton, Mercure), Liliane Berton (Diane), Deva Dassy (Vénus, Junon), Andrée Grandjean (Cupidon), Michel Roux (Jupiter), Ch. Raymond Saint-Paul, Orch. Lamoureux, Jules Gressier. EMI Pathé C 057-12.108. Stéréo d'origine mono. Enregistré en 1953.

Encore une réussite à peu près parfaite à l'actif de Michel Plasson et du Capitole de Toulouse, avec le concours d'une distribution de premier ordre. Une seule petite déception : Bruce Brewer, authentique Anglo-Saxon, est beaucoup moins drôle en John Styx qu'un Français qui fait semblant. Michel Sénéchal (Orphée) est sensationnel. Ajoutons que la version choisie est celle de 1874, revue et augmentée pour la reprise à la Gaîté-Lyrique sous forme d'«opéra-féerie».

La sélection déjà ancienne de Jules Gressier fait évidemment pâle figure auprès de cette production prestigieuse, mais n'en est pas moins fort honorable. Elle mérite d'être acquise, ne serait-ce que pour le remarquable Jupiter de Michel Roux.

Ouvertures : La Belle Hélène, La Fille du Tambour-major, Orphée aux enfers, La Grande-Duchesse de Gerolstein, La Périchole, Les deux aveugles, Barbebleue, La Vie Parisienne.

*** Orch. Philharmonia, Neville Marriner. Philips 6514.098. ⌧ 7337.098.

Neville Marriner fait ici un travail du plus haut niveau. Sans jamais cesser d'être musicien, il dose les ingrédients pour relever le tout avec la maîtrise d'un grand chef, et ces pages que l'on entend si souvent abîmées délivrent leurs richesses, exaltant les couleurs de leur orchestration.

La Périchole, opéra bouffe.

*** Régine Crespin (la Périchole), Alain Vanzo (Piquillo), Jules Bastin (le Vice-Roi), Gérard Friedmann (Panatellas), Jacques Trigeau (Don Pedro), Sol. et Ch. Opéra du Rhin, Orch. Phil. de Strasbourg, Alain Lombard. Erato STU 70.994/95 (2 d.). Enregistré en 1977.

** Suzanne Lafaye (la Périchole), Raymond Amade (Piquillo), Louis Noguéra (le Vice-Roi), Jean-Christophe Benoît (Panatellas), Pierre Germain (Don Pedro), Ch. René-Duclos, Orch. Lamoureux, Igor Markevitch. EMI Columbia FCX 786/87 (2 d.). (sup.). Stéréo d'origine mono.

La Périchole, opéra bouffe : extraits.

** Suzanne Lafaye (la Périchole), Raymond Amade (Piquillo), Louis Noguéra (le Vice-Roi), Ch. René-Duclos, Orch. Lamoureux, Igor Markevitch. EMI Pathé C 057-10. 352. ⌧ C 263-10.352. Stéréo d'origine mono.

Encore un rôle illustré par Hortense Schneider où excelle Régine Crespin. Alain Vanzo, lui aussi, apporte à Piquillo plus de voix qu'il n'en faut, mais reste dans le ton de cet opéra bouffe assez particulier dont certains passages frisent la tragédie. Et Jules Bastin donne toute sa dimension au personnage du vice-roi. Les solistes, les chœurs et l'orchestre de l'Opéra du Rhin font le reste, sous la direction d'un chef qui ne se contente pas d'à-peu-près.

On citerait en exemple la brillante direction musicale d'Igor Markevitch s'il n'avait obligé Suzanne Lafaye à dire, plutôt que chanter, le fameux air de la lettre. Sa version de *la Périchole* n'en est pas moins excellente, et le texte de liaison dit par Catherine Langeais, remplaçant une partie des scènes de comédie, est un modèle du genre.

De cette intégrale aujourd'hui épuisée, on peut encore apprécier une sélection qui figure au catalogue sous trois présentations différentes. Elle fait regretter ce qui manque.

La Vie Parisienne, opéra bouffe.

** Régine Crespin (Métella), Mady Mesplé (Gabrielle), Luis Masson (Baron de Gondremarck), Christiane Chateau (Baronne de Gondremarck), Michel Sénéchal (Raoul de Gardefeu), Eliane Lublin (Pauline), Michel Trempont (Bobinet), Jean-Christophe Benoît (Frick, le Brésilien, Prosper), Michel Jarry (Urbain), Ch. et Orch. du Capitole de Toulouse, Michel Plasson. EMI VSM C 165-14.123/24 (2 d.) ⌧ C.

295.14.123/24 (2 c.). Enregistré en 1976.

La Vie Parisienne, opéra bouffe : extraits.

** Suzy Delair (Métella), Simone Valère (Gabrielle), Pierre Bertin (Baron de Gondremarck), Madeleine Renaud (Baronne de Gondremarck), Jean Desailly (Raoul de Gardefeu), Jean-Christophe Benoît (Fritz, le Brésilien, Prosper), Jean-Pierre Granval (Bobinet), Jean Parédès (Urbain), Orch. Symph., Raymond Girard. Festival FC 463.

* Andrée Gabriel (Métella), Renée Doria (Gabrielle), Julien Giovannetti (Baron de Gondremarck), Andréa Guiot (Baronne de Gondremarck), Robert Lilty (Raoul de Gardefeu), Christiane Harbell (Pauline), Pierre Gianotti (Bobinet), Dario Moréno (le Brésilien), Lucien Huberty (Frick), Maurice Faure (Prosper), Jean Parédès (Urbain), Grand Orch. et Ch. René Alix, Marcel Cariven. Philips 6747. 183 (2 d.). *+ La Belle Hélène.*

Une fois de plus, Régine Crespin domine une distribution somptueuse sur le plan vocal et orchestral, et très satisfaisante sur le plan dramatique. A son exemple, Michel Sénéchal, Mady Mesplé, Eliane Lublin, Michel Trempont et Jean-Christophe Benoît savent plier leurs voix d'opéra aux exigences de la comédie et se montrent aussi bons acteurs que chanteurs. S'agissant d'un opéra bouffe de circonstance écrit pour la troupe de vaudeville du Palais-Royal dont la seule prétention était d'amuser, c'est très important.

En 1958, la compagnie Renaud-Barrault fit courir tout Paris au Théâtre du Palais-Royal en remontant *la Vie parisienne* sur les lieux de sa création. Sauf Jean-Christophe Benoît qui ne faisait pas partie de l'équipe, la distribution de l'enregistrement est la même et ne trahit pas cette œuvre destinée à des comédiens. Deux vrais chanteurs tout de même, outre Benoît, dans le lot : Suzy Delair et Pierre Bertin, incomparable Baron de Gondremarck.

Avec la sélection dirigée par Marcel Cariven, c'est tout le contraire : les voix d'opéra dominent et se prennent beaucoup trop au sérieux. Venus l'un du music-hall, l'autre du boulevard, Dario Moreno et Jean Parédès sont à peu près seuls dans le ton. Mais on peut préférer cette sélection à celle de Jules Gressier, pourtant plus homogène.

Ohana, Maurice
(né en 1914)

Llanto por Ignacio Sanchez Mejias, pour récitant, baryton, chœur et orchestre, sur un poème de Federico Garcia Lorca.

*** José Luis Gomez (récitant), Michel Jarry (bar), Ensemble Ars Nova, Theodor Guschlbauer. Erato STU 71.136. Enregistré en 1978.

** Mauricio Molho (récitant), Bernard Cottret (bar), Orch. des Cento Soli, Ataulfo Argenta. Musidisc RC 697. Enregistré en 1958.

Guschlbauer donne une version exemplaire de ce chef-d'œuvre. L'Ensemble Ars Nova y fait merveille, et Michel Jarry gagne en nuances ce qu'il perd en présence immédiate. Une lecture splendide de cette œuvre où l'ombre et la lumière créent des formes acérées comme des lames.

Vingt ans plus tôt, le Club Français du Disque confiait à la voix de Bernard Cottret et à la direction racée d'Ataulfo Argenta la réalisation de ce *Llanto*. On a pu parler alors, et à juste titre, d'événement discographique. Cet enregistrement, repris aujourd'hui en série économique, a malheureusement mal vieilli techniquement.

Messe. Lys de Madrigaux.

** Isabel Garcisanz (s), Hanna Schaer (ms), Martine Chedeville, Claude Giroux, Nicole Robin (s), Ens. Instrumental, Chœurs de Radio France, Guy Reibel. Erato STU 71.482. Enregistré en 1981.

Lys de Madrigaux, pour vingt-quatre voix de femmes, percussion, cithare, piano et orgue, réalise une synthèse des différentes formes d'incantation qui sont autant d'explorations des virtualités expressives de la voix. La Messe, dont l'écriture chorale est conçue pour permettre la participation des fidèles, affecte une apparence plus « primitive ». Les solistes, les chœurs de Radio France et les instrumentistes que dirige Guy Reibel offrent une version claire et équilibrée de la Messe, pour laquelle on souhaiterait un peu plus de chaleur. En revanche, la précision des rythmes, l'exquise justesse et la conduite raffinée des voix éclairent *Lys de Madrigaux* de la manière la plus merveilleuse.

«Si le jour paraît», sept pièces pour guitare à dix cordes. Trois Graphiques pour guitare et orchestre.

** Alberto Ponce (guitare), Orch. Phil. du Prado, Daniel Chabrun. Arion 31.935. Enregistré en 1974.

Ce merveilleux instrument qu'est la guitare suscite à notre époque un grand engouement. Ohana lui a dédié des pages décisives. Pour leur donner une âme, il fallait un interprète de haut niveau comme Alberto Ponce, sous ses doigts, la virtuosité n'est pas un jeu d'estrade. Il donne une âme, un climat à ces pièces à la fois tranchantes de matière et sensibles. Les *Trois Graphiques* pour guitare et orchestre, de facture contemporaine du *Llanto*, sous les doigts de Ponce et la direction de Daniel Chabrun, ont les plus subtils dégradés de l'eau-forte.

Trois Contes de l'honorable fleur.

** Michiko Hiramaya (s), Ensemble de solistes, Daniel Chabrun. Philips 6504.157 (sup.). Enregistré en 1979.

L'auteur du *Syllabaire pour Phèdre* réserve toujours des surprises, car sa démarche créatrice échappe aux classifications. S'agit-il ici d'un pastiche de la musique japonaise ? Certes non, mais il y a un texte nimbé d'exotisme, et surtout la prestation éblouissante de Michiko Hiramaya, dont l'art traduit tous les raffinements de l'émotion. Daniel Chabrun, dont la connaissance de la musique d'Ohana est parfaite, crée autour de la voix les vibrations, les délicats reflets qui naissent d'un discours musical ambigu et séduisant.

Orff, Carl
(1895-1982)

Carmina Burana.

❁*** Gundula Janowitz (s), Gerhard Stolze (t), Dietrich Fischer-Dieskau (bar), Ch. et Orch. Opéra de Berlin, Eugen Jochum. DG 139.362. ⌧ 3300.153.

*** Jutta Vulpius (s), Hans Joachim Rotzsch (t), Kurt Hübental (bar), Maîtrise, Ch. et Orch. Symph. de la Radio de Leipzig, Herbert Kegel. DG 2538.325 ⌧ 3318.051.

** Judith Blegen (s), Kenneth Riegel (t), Peter Binder (bar), Ch. et Orch. de Cleveland, Michael Tilson-Thomas. CBS 76.372 ⌧ 40-76.372.

** Sheila Armstrong (s), Gerald English (t), Thomas Allen (bar), Grammar School Boys Choir, Ch. et Orch. Symph. de Londres, André Previn. EMI VSM C 059-02.631. ⌧ C 259-02.631.

* Lucia Popp (s), John van Kesteren (t), Hermann Prey (bar), Ch. d'enfants de Tölz, Ch. et Orch. de la Radiodiffusion Bavaroise, Kurt Eichhorn. Eurodisc 86.827. Quadri ⌧ 914.038.

Seconde version enregistrée par Eugen Jochum, quinze ans après la première, voici la référence absolue tant sur le plan vocal et choral qu'instrumental. Tout y est : la poésie interne, la bouffonnerie, l'humour, la trivialité picaresque, la jovialité vinesque, la truculence, la verve satirique, sardonique même parfois, la violence des cris de révolte et la tendresse mélancolique font de chaque instant de ce disque un bonheur rare de perception, d'équilibre et d'intuition inspirée.

Kegel met en valeur une rythmique inexorable, ample et souple, une poétique plus qu'une poésie, une trivialité rabelaisienne, une violence brute, tranchante, de forces concentrées dans les cris de contestation révoltée, une homogénéité parfaite des qualités expressives du trio vocal, des chœurs et de l'orchestre. Cependant, Janowitz, Stolze, Fischer-Dieskau et Jochum restent toujours inégalés.

Tilson-Thomas se tourne vers une approche magique dont la puissance élémentaire est celle de la matière brute en pleine transformation. Ce qui n'empêche nullement le chef d'orchestre de s'aventurer jusqu'aux portes de l'impressionnisme. Quant à l'unité organique de l'œuvre, elle est rendue évidente grâce à une vision d'ensemble maîtrisée englobant l'équilibre des parties soli et tutti, la densité des timbres, des masses rythmiques et des fluidités mélodiques. Judith Blegen est remarquable de souffle, d'aigus ensoleillés ; hélas ! certains graves laissent à désirer. Le ténor Kenneth Riegel est pour sa part le moins bon élément vocal de l'ensemble. Il n'en demeure pas moins que ce disque est indéniablement attachant.

Previn, tout comme Tilson-Thomas, apporte un sang neuf à la partition en la revitalisant dans ses nuances et ses contrastes. Gommant quelque peu l'exubérance des chœurs et certains aspects viscéraux de la percussion, Prévin adopte des temps plutôt lents, privilégiant comme Kegel la poétique au travers d'une attention soutenue de la transparence de la matière instrumentale. Reste que la truculence, la sensualité teintée d'érotisme et de grivoiserie paillarde sont bien pâles !

Eichhorn est un fervent orffien, mais cela ne suffit pas pour faire mouche à chaque fois. Cette version est ici redevable, surtout, à Lucia Popp (dont c'est le deuxième enregistrement), à Hermann Prey et aux chœurs puissants de poésie contenue, de hargne, d'ivresse, d'exubérance, de mélancolie méditative. Mais Kurt Eichhorn enfonce le clou sans grande délicatesse.

Catulli Carmina.

*** Ute Mai (s), Eberhard Büchner (t), Ch. et Orch. de la Radio de Leipzig, Herbert Heger. Philips 6500.815 (G-B, RFA).

** Arleen Augér (s), Wieslaw Ochman (t), Ch. et Orch. Opéra de Berlin, Eugen Jochum. DG 2530.074.

Ascétique, cette œuvre dépouillée des couleurs chatoyantes des *Burana* est plus difficile d'accès. Ce qui ne veut pas dire pour autant qu'elle soit moins «forte», moins expressive. Ici, quatre pianos ponctuent l'action, soutenant les deux chœurs. Mai et Buchner sont parfaits de poésie, de sensualité, de drôlerie, de rugosité, de violence.

Jochum axe son interprétation sur la clarté, la luminosité, la transparence épurée jusqu'à la stylisation. Aidé en cela, il faut le préciser, par des chœurs au velouté chaleureux et aux accents sachant se faire rudes, âpres. Une ancienne version de Simic nous rendait admiratifs. Surtout pour les chœurs, Smetácek, lui, nous offrait une superbe réussite vocale tout en tirant l'œuvre vers l'oratorio, conception qu'il nous faisait accepter d'une éclatante manière. Pour ceux qui désirent s'en convaincre, cette version existe encore en Allemagne.

De Temporum Fine Comedia.

❀*** Anna Tomova-Sintow (s), Christa Ludwig (m), Peter Schreier (t), Josef Greindl (b), Ch. de la Radio de Cologne, Ch. d'enfants de Tölz, Orch. Radio Symphonique de Cologne, Herbert von Karajan. DG 2530 432 (sup.).

Reprenant la distribution de la création au festival de Salzbourg de 1973, cet enregistrement bénéficie de la collaboration étroite de Karajan et de Carl Orff. Karajan soulève d'irrésistibles forces premières, apocalyptiques, au centre de cet univers de fin du monde basculant dans le cosmos, se perdant dans la matière. Magistral.

Die Kluge.

*** Lucia Popp (s), Manfred Schmidt, Ferry Gruber (s), Thomas Stewart, Claudio Nicolaï, Heinz Friedrich (bar), Gottlob Frick, Richard Kogel, Kurt Boehme (b), Orch. de la Radio Bavaroise, Kurt Eichhorn. Ariola-Eurodisc XG 80.485 (2 d.) (RFA).

La direction de Kurt Eichhorn est parfaite de justesse, d'ironie satirique, de bouffonnerie grave, de joie de vivre et de profondeur de pensée. Lucia Popp, en grande forme, un plateau de ténors, barytons et basses au-dessus de tout soupçon, couronnent de lauriers cette œuvre nécessaire à la discographie idéale de Orff.

Der Mond.

** John van Kesteren (t), Heinz Friedrich (bar), Richard Kegel (bar), Ferry Gruber (t), Raimund Grumbach (bar), Beno Kusche (b), Franz Grass (b), Ch. d'enfants, Ch. et Orch. de la Radio Bavaroise, Kurt Eichhorn. Ariola-Eurodisc 80.963 (2 d.) (RFA.).

D'un réalisme naïf et d'un expressionnisme digne de Fritz Lang, *Der Mond* oscille entre le *Wozzeck* de Berg et un certain langage dramatique propre à Penderecki. Le plateau de cet enregistrement est très homogène et d'une qualité bien plus qu'honnête. Quant à la direction de Kurt Eichhorn, elle se distingue par sa finesse et son intelligence.

Ortiz Toledano, Diego
(vers 1500-1565)

Doulce mémoire, Recercadas II y IV sobre canto llano, Romanesca, Passamezzo moderno, Ruggiero, O felici occhimiei.

** Ensemble Ricercare de Zurich, Michel Piguet, Jordi Savall. EMI « Réflexe » C 063-30.116. *+ Œuvres de Cabezon, Flechta le Vieux, Narvaez, de la Torre, Valderrabano et anonymes.*

Avec Cabezon, Ortiz se taille la part du lion en ce disque-récital consacré à la musique espagnole du XVIe siècle, le « Siècle d'Or ». On y trouve un choix de pièces instrumentales en forme de variations sur des chansons espagnoles ou italiennes, des danses et des thèmes grégoriens. La réalisation qui en est proposée par l'Ensemble Ricercare est heureusement variée et d'une solide tenue musicologique. C'est ainsi tout un aspect de la musique ancienne qui est découvert sous un jour des plus agréables. On devra préférer cette réalisation à l'album plus récent exclusivement consacré à Ortiz par l'Atrium Musicae de Madrid. Plus complet, mais monotone et d'une authenticité très douteuse, il rend un bien mauvais service à la cause de ces pages encore trop peu connues.

P

Pachelbel, Johann
(1653-1706)

Œuvres pour orgue : Chaconne en fa mineur, Choral «O Lamm Gottes unschuldig».

❀*** Helmut Walcha (orgue A. Schnitger de Cappel). Archiv 2712.004 (4 d.). Enregistré en 1977. *+ Œuvres de Boehm, Bruhns, Buxtehude, Lübeck, Scheidt, Sweelinck, Tunder.*

Œuvres pour orgue : Toccata en mi mineur, Fantaisie en sol mineur, Partita Christus, der ist mein Leben, Fugues en ré mineur et en ré majeur, Ricercare en fa dièse mineur, Chaconnes en ré mineur et en fa mineur, Aria Sebaldina, Ricercare en ut mineur, Arietta, Magnificat du second ton, Magnificat Mariae, Magnificat octavi toni, Magnificat sexti toni. Chorals : Nun lob, meine Seele, den Herren ; Nun komm der Heiden Heiland ; Vom Himmel hoch ; Allein Gott in der Höh ; Da Jesus an dem Kreuze stund ; Christ lag in Todesbanden ; Ach Gott, vom Himmel sieh darein ; Es woll uns Gott genädig sein ; Wenn wir in höchsten Nöten sein ; Was mein Gott will, das g'scheh allzeit ; Wir glauben all an einen Gott ; Komm, Gott, Schöpfer, Heiliger Geist.

*** Albert Bolliger (orgues Riepp d'Ottobeuren). Telefunken 6.35489 (3 d.).

Œuvres pour orgue : Toccata en mi mineur, Ricercare en ut mineur, Chaconne en fa mineur, Aria Sebaldina. Chorals : Da Jesus an dem Kreuze stund ; Christus der ist mein Leben ; Von Himmel hoch da komme ich her ; Wir glauben all an einen Gott ; Wie schön leuchtet der Morgenstern ; Vater unser im Himmelreich ; O Lamm Gottes unschuldig.

** Bernard Lagacé (orgue de Saint-Bonaventure-de-Rosemont à Montréal). Arion ARN 31.973. Enregistré en 1975.

Le dernier exploit du grand Walcha : nous intéresser sans défaillance avec les «précurseurs» de Bach, et parmi eux Pachelbel, qui n'est pas que «l'auteur du célèbre Canon». Quatre disques, composés comme autant de récitals, où se côtoient les «maîtres» de Bach et pour lesquels Walcha, dans un jeu plein de jeunesse et d'allant, dépense des trésors d'imagination. Quant à l'orgue, c'est une merveille. Un coffret déjà historique. Technique d'enregistrement excellente.

Une vaste anthologie qui a des allures d'intégrale, puisque se retrouve, sur trois disques, l'essentiel de l'œuvre pour orgue de Pachelbel. C'est une initiative heureuse depuis la disparition de l'intégrale de Marie-Claire Alain, d'autant plus que pour la première fois, on entend au disque, tels qu'ils sont, les merveilleux instruments Riepp d'Ottobeuren. Albert Bolliger, adaptant son jeu à l'acoustique très généreuse de l'abbatiale, sert idéalement et les œuvres et les orgues. La prise de son est, en outre, fort belle.

Un récital qui constitue une excellente introduction à l'univers sonore d'un auteur méconnu. Bernard Lagacé restitue avec goût, poésie et ce qu'il faut de liberté, les formes que Bach portera à leur perfection. Il joue un orgue moderne, construit dans l'esprit que réclament ces œuvres baroques, et, de plus, bien enregistré. Une bonne anthologie.

Paër, Ferdinando
(1771-1839)

Concerto pour orgue et orchestre en ré majeur.

** Luigi Fernando Tagliavini (orgue), Orch. de Chambre de Milan, Tito Gotti. Erato STU 70.290 (sup.). + *Œuvres de Mayr et Valeri.*

Ne serait-ce que pour se souvenir qu'on écrivit aussi de la musique instrumentale au temps de Beethoven, on regrette la suppression de cette belle version, bien couplée, où le trémolo de l'orgue, dans l'*Andante*, semble parodier le *vibrato* du hautbois, quitte à évoquer l'orgue de cinéma. Mais un beau style, et une jolie œuvre sans prétention.

Leonora ou l'amour conjugal, opéra.

*** Urszula Koszut (Leonora), Edita Gruberova (Marzellina), Siegfried Jerusalem (Florestano), Norbert Orth (Pizzarro), Giorgio Tadeo (Rocco), Wolfgang Brendel (Giacchino), Orch. Symph. de Bavière, Peter Maag. Decca D 130 D 3 (3 d.) (G-B). Enregistré en 1978.

Un ouvrage que Beethoven connut pour terminer son propre *Fidelio*, sur le même sujet ; mais Peter Maag a bien résisté à la tentation de trop dramatiser, et a su laisser à l'œuvre sa virtuosité italienne : Edita Gruberova y est éblouissante d'une redoutable virtuosté, mais Urszula Koszut butte un peu sur l'aigu (là où Clarice Carlson avait été remarquable lors de la reprise, avec Maag). Excellent Brendel dans un second rôle, mais Jerusalem est plus vulnérable.

Le maître de chapelle, intermezzo bouffe.

* Mady Mesplé (Célénie), Jean-Christophe Benoît (Barnabé), Isabel Garcisanz (Gertrude), Michel Sénéchal (Benetto), Orch. de Chambre de l'ORTF, Ch. Stéphane Caillat, Jean Paul Kreder. Inédits ORTF 995.004 (sup.). Enregistré en 1970.

Il s'agit de la version française du seul premier acte de l'œuvre italienne (Dresde, 1802), dont l'air d'entrée de Barnabé fut longtemps un best-seller. J.-C. Benoît en est un très médiocre interprète, à la voix pâle et molle, mais l'orchestre sonne bien, Sénéchal est impeccable et d'une parfaite intelligibilité, et malgré sa voix très discutable, Mady Mesplé affirme une virtuosité encore exceptionnelle.

Paganini, Nicolo
(1782-1840)

Cantabile pour piano et violon en ré majeur op. 17. Neuf Caprices. Introduction et Variations sur la corde de sol. Mouvement perpétuel op. 11. Concerto n° 2 «La Campanella».

*** Igor Oïstrakh (violon), Nathalia Zertsalova (piano). Mélodia Chant du Monde C 10-04.841 (étr.).

Le grand Igor Oïstrakh dans ses œuvres : un programme fait pour éblouir. On pourrait reprocher à ce disque son côté «beaucoup de bruit pour rien», mais nombreux sont ceux qui aimeront céder au vertige de cette pyrotechnie sonore, et ne pas bouder leur plaisir devant cette brillante démonstration.

24 Caprices pour violon seul, op. 1.

*** Itzhak Perlman (violon). EMI VSM C 069-02.264. ⌧ C 269-02.264.

*** Gérard Poulet (violon). Déesse DEE 168. Enregistré en 1978.

*** Salvatore Accardo (violon). DG 2707.107. Enregistré en 1978 (2 d.). + *Introduction et Variations sur un thème de Paesiello, Duo Merveille, Sonate pour violon seul en ut majeur, Introduction et variations sur «God save the King» op. 9.*

L'interprétation de Perlman est - de loin - la toute première, car le violoniste se montre ici éblouissant de virtuosité ; il jongle avec l'archet pour notre plaisir, mais aussi, semble-t-il, pour le sien propre. Dépassant la virtuosité, nous le découvrons rayonnant et généreusement lyrique : il crée une atmosphère qui captive l'oreille, en restituant l'attirant magnétisme qui se dégage de cette musique... diabolique.

Gérard Poulet se lance à corps perdu dans ces *Caprices*, et l'on est vite émerveillé par ses dons : chaque pièce a été étudiée pour en faire ressortir la personnalité d'écriture. La main gauche, dans les passages de pure virtuosité, est d'une franchise et d'une agilité exemplaire, mais encore plus fascinant est l'archet, lyrique, chaleureux, libre et précis. A mettre à côté des plus grands.

Une très grande interprétation pour sa diversité : Accardo passe de la furie à la tendresse, toujours dans l'envoûtement d'une sonorité superbe, d'une élégance raffinée. Son jeu va très loin sur le plan de la chaleur humaine, parvenant à faire complètement oublier la virtuosité et la technique. Un enregistrement à préférer si l'on s'intéresse aux pièces enregistrées sur le second disque, et jouées avec autant de talent.

Concertos pour violon et orchestre nos 1 à 6.

** Salvatore Accardo (violon), Orch. Phil. de Londres, Charles Dutoit. DG 3378.067 (5 d.).

Cette intégrale des Concertos de Paganini par Salvatore Accardo est plutôt inégale, tant il est difficile d'offrir la meilleure version pour chacune de ces œuvres. Le jeu du soliste suit fidèlement la juxtaposition à surprise de l'écriture, et semble complice de la jonglerie et des clins d'œil. Dans les nos 1 et 2, il insuffle un lyrisme spirituel qui enfle un peu la pensée de Paganini. Le n° 6 est rendu avec beaucoup de chic, de chaleur et de persuasion. L'accompagnement de Charles Dutoit, à la tête du Philharmonique de Londres, est honnête. On pourra préférer des versions séparées des Concertos les plus connus.

Concerto pour violon et orchestre n° 1 en ré majeur, op. 6.

*** Itzhak Perlman (violon), Orch. Phil. Royal, Lawrence Foster. EMI VSM C 069-02.235. ⌧ C 263-02.235. + *Sarasate : Fantaisie de Concert sur des thèmes de Carmen.*

*** Yehudi Menuhin (violon), Orch. Phil. Royal, Alberto Erede. EMI VSM C 069-00.194. ⌧ C 269-00.194. + *Concerto n° 2 pour violon «La Campanella».*

** Salvatore Accardo (violon), Orch. Phil. de Londres, Charles Dutoit. DG 2530.714. + *Le Streghe «Danse des sorcières».*

Le premier disque important réalisé par Perlman : un coup de maître. Avec son jeu à la fois éblouissant et superbement phrasé, ce jeune artiste se hisse au niveau des plus grands, et, en de nombreux cas, les dépasse. Il fait ici merveille dans cette musique où il faut donner beaucoup de soi-même. On appréciera le couplage qui compose un programme plus varié, avec les *Variations sur un thème de Carmen de Sarasate*, une pochade, mais jouée avec un chic parfait.

Mêmes qualités de virtuosité et de distinction lyrique dans l'interprétation de Menuhin, qui sait conférer aux ornements de cette musique beaucoup de richesse et d'élégance. Son tempérament s'exprime mieux dans le Second Concerto, notamment dans le dernier mouvement où il allie précision et légèreté d'une façon étonnante. Le commentaire orchestral d'Alberto Erede apporte à l'aristocratie du soliste une nuance lumineuse. Un disque très convaincant.

L'enregistrement Accardo est extrait de l'intégrale : le jeu se veut très artistique et cherche à élever la pensée de Paganini par un surcroît d'expression. En complément de programme, de diaboliques *Variations* sur un thème de Süssmayr, l'élève de Mozart : agréable entrée au catalogue de cette *Danse des sorcières.*

Concerto n° 3 en mi majeur. Sonate pour alto et orcheste en ut mineur.

** Salvatore Accardo (violon), Bruno Asciolla (alto), Orch. Phil. de Londres, Charles Dutoit. DG 2530.629.

Le Concerto n° 3 est extrait de l'enregistrement intégral effectué par Salvatore Accordo. Mais l'intérêt est ici rehaussé par le couplage avec la Sonate pour alto et orchestre - Paganini jouait aussi de l'alto -, interprétée par Bruno Asciolla, l'un des grands altistes du moment.

Concerto pour violon et orchestre n° 4 en ré mineur. Sonate « Napoléon ». I Palpiti.

** Salvatore Accardo (violon), Orch. Phil. de Londres, Charles Dutoit. DG 2531.261 (3 d.).

Des six Concertos de Paganini gravés par Accardo, seul le n° 4 manquait en version séparée : celui-ci est extrait de l'intégrale, mais la présente réalisation voit son intérêt rehaussé par le couplage avec des œuvres rares, tant au disque qu'au concert.

Concerto n° 5 en la mineur. Maestosa Sonata sentimale, pour violon et orchestre.

** Salvatore Accardo (violon), Orch. Phil. de Londres, Charles Dutoit. DG 2530.961. ⌧ 3300.961. Enregistré en 1975 et 1977.

Le Concerto n° 5 est extrait de l'intégrale enregistrée par Salvatore Accardo, avec, en complément de programme, le *Maestosa Sonata sentimentale*. Le résultat est un disque brillant, mais l'accumulation de ces effets qui ne cherchent qu'à séduire de façon, il faut bien le dire assez superficielle, peut lasser, malgré tout le talent du soliste.

Œuvres pour violon et guitare : Cantabile pour violon et piano en ré majeur op. 17 ; Dix-huit Centone di Sonate op. 18 ; Grande Sonate en ut majeur ; Sonatine n° 6.

** Itzhak Perlman (violon), John Williams (guitare). CBS 76.525. + *Giuliani : Sonate pour violon et guitare.*

Un très agréable divertissement qui rappelle que Paganini fut également un grand guitariste. Visiblement, le duo Perlman/Williams prend beaucoup de plaisir à interpréter ces œuvres sans grande arrière-pensée, et notre propre plaisir n'en est qu'augmenté. A toute sorte de musique, rien ne vaut d'excellents artistes.

Quatuors avec guitare n°s 10 à 13. Quatuors pour violon, alto, guitare et violoncelle.

*** Quartetto Paganini. Dynamic DS 4.017/18. Enregistré en 1983.

Une musique vivante et bien écrite, pimpante, baignée de lumière et de joie. Le tissu harmonique demeure assez mince et les trois autres instruments doivent en vouloir quelque peu au premier violon de se tailler la part du lion : en fait, ils sont là pour lui servir de faire valoir. Dans ce rôle de boutefeu, le premier violon du Quatuor Paganini, Bruno Pignato, s'impose par l'aisance de sa technique tout comme le galbe superbe qu'il sait donner au chant. Avec lui, avec ses trois comparses, le Génois revit dans toute sa magnificence.

Quatuors avec guitare n°s 14 et 15.

** Thomas Füry (violon), Luigi Alberto Bianchi (alto), François Guye (violoncelle), Dagoberto Linhares (guitare). Dynamic DS 4.016. Enregistré en 1981.

Ces œuvres peu connues, autant que leur interprétation, suscitent l'adhésion. Les instrumentistes ici réunis ont tout ce que requièrent pareilles œuvres : lumière, aisance violonistique, chaleur, embrasement même, ainsi qu'une bonne pointe d'*italianità*, indispensable pour révéler le vrai caractère des partitions et sans laquelle ces dernières pourraient paraître un peu minces.

60 Variations sur l'air génois « Barucaba ».

*** Salvatore Accardo (violon). Dynamic DS 4.001.

Salvatore Accardo, sur le violon même de Paganini, est ici l'auteur d'une éclatante résurrection : celle des 60 variations « *Barucaba* » qui, à un degré moins poussé que les *Caprices*, sont une sorte de pari fabuleux, de résumé de toutes les difficultés techniques du violon, aussi varié que périlleux. Accardo, en familier du répertoire paganinien, s'en tire fort bien.

Paisiello, Giovanni
(1740-1816)

Le Barbier de Séville (opéra-bouffe).

*** Nicola Monti (Almaviva), Rolando Panerai (Figaro), Graziella Sciutti (Rosine), Renato Capecchi (Bartolo), Mario Petri (Basile), I Virtuosi di Roma, Renato Fasano. Ricordi AOCL 216001 (Italie). Enregistré en 1961.

Injustement éclipsé par celui de Rossini, le *Barbier* de Paisiello est une œuvre malicieuse, colorée, enlevée, tourbillonnante de joie. L'interprétation de Fasano est transparente, trépidante, frémissante. Et quels chanteurs ! Monti enflammé et incroyablement souple, Sciutti sublime, Panerai irrésistible et Capecchi d'une puissante intensité d'expression. Aucune réserve n'est à faire. La gravure reste belle. Nous sommes ici parfaitement comblés.

Palestrina, Giovanni Pierluigi da
(1526-1594)

Le Cantique des Cantiques.

*** Cantores in Ecclesia, Michael Howard. Oiseau Lyre SOL 338-9 (2 d.) (G-B).

Une œuvre fondamentale dans l'ensemble des compositions de Palestrina ; un enregistrement qui en donne une lecture très juste, tout imprégnée de la symbolique du texte comme de la musique. L'ambiguïté de l'inspiration est maintenue, mais le caractère angélique des pièces polyphoniques du XVIᵉ siècle est ici parfaitement respecté. Aucun effet dans l'interprétation, qui se veut vivante et expressive, allant jusqu'à mettre en scène ce monument biblique. Une pochette très bien faite donne toutes les explications nécessaires à la compréhension de cette œuvre symbolique.

Le Cantique des Cantiques. Quinque salutationes in Passione Domini.

** Societá Cameristica di Lugano, Edwin Loehrer. Accord ACC 140.031. Enregistré en 1980.

On peut regretter que cet album ne nous apporte qu'une sélection seulement de quelques motets du *Cantique des Cantiques*, ce qui nuit à l'effet de dynamique dramatique recherché par Palestrina; mais l'interprétation est d'une telle beauté qu'on ne peut que saluer ce recueil de morceaux choisis. La Societá Cameristica di Lugano n'a pas craint de souligner la richesse du contrepoint de Palestrina, ni d'ôter, par la chaleur du son, la sécheresse de certaines de ces pièces, qui prenaient parfois l'allure d'une démonstration intellectuelle. Pour parler de la Passion, le ton devient plus grave et n'est pas sans évoquer l'expressionnisme de Victoria.

Les Impropères du Vendredi Saint. Quatre Motets : Ave regina coelorum, Adoramus te, Christe, Pueri Hebraeorum, Jesu Rex admirabilis.

** Chœur Concinite de Louvain, Karel Aerts. Arion 38.423. Enregistré en 1976.

Une interprétation de grande qualité, respectant le caractère très sobre de l'œuvre : simplicité, recherche de la plénitude et des inflexions grégoriennes, récitation lente et signifiante. La qualité des voix d'enfants passe la moyenne, et la rigueur de leur travail les hausse au niveau des meilleurs interprétations. Il y a pourtant une systématisation de la dynamique qui peut nuire au renouvellement mélodique, et qui crée une certaine monotonie masquant la recherche musicale de cet ensemble. Le même aspect systématique des nuances se retrouve dans les Motets, mais la qualité du Concinite de Louvain fait plus admirer la beauté des lignes mélodiques que ces détails d'interprétation.

Madrigaux : Il tempo vola, Se fra quest'erb'e fiore, Ahi che quest'occhi miei, Vestiva i colli, Il dolce sonno, Da cosi dotta mansei, Io son ferito. Ricercari : Da cosi dotta mansei, Vestiva i colli, Ahi che quest'occhi miei, Io son ferito, Se fra quest'erb'e fiore, Ricercar del IV tono, Ricercar del VI tono, Ricercar del VIII tono.

*** Ch. et Maîtrise de la cathédrale de Ratisbonne, Hans Schrems, Ensemble Musica Antiqua, René Clemencic. Archiv 198.434 (sup.). Enregistré en 1967.

En complément du disque consacré à la musique religieuse de Palestrina par Hans Schrems, celui-ci témoigne de l'inspiration profane du maître. La qualité musicale en est également bonne : un magnifique ensemble vocal où la pureté des voix rend le jeu fourmillant des voix les unes sur les autres dans la clarté et l'homogénéité. Des nuances discrètes mais efficaces contribuent à donner cette joie, cet allant qui habitent ce disque. La recherche des sonorités instrumentales insiste sur les divers styles : chanson jouée aux instruments, pièce instrumentale à part entière. Une réussite par l'équilibre, la sûreté, la souplesse, le sens musical qui l'animent.

Messe «Aeterna Christi munera». Oratio Jeremiae Prophetae. Motets : Sicut cervus, Super flumina Babylonis, O bone Jesu.

❀*** Pro Cantione Antiqua de Londres, Bruno Turner. Archiv 2533.322. Enregistré en 1974.

Messe «Aeterna Christi munera». Motets : Tu es Petrus, Hodie Christus natus est, Tribulationes, Peccavimus, Magnificat, Sicut cervus, Exultate Deo.

*** Chorale Philippe Caillard, Philippe Caillard. Erato 9502 (sup.). Enregistré en 1969.

L'ensemble Pro Cantione Antiqua donne de ces œuvres une version transcendante par la délicatesse, la pureté des timbres, le dépouillement des inflexions mélodiques et dynamiques. Ce groupe très restreint en nombre parvient à créer un climat tout à fait exceptionnel, où calme et tension tissent une sublime musique. La rigoureuse homogénéité de ton entre grégorien et polyphonie supprime la disparité, renforçant encore l'impression de plénitude.

La version de Caillard, avec sa diction particulièrement soignée sans être martelée, donne toute la dimension liturgique de ces œuvres. La rondeur des enchaînements, la souplesse et la sûreté des volutes mélodiques, la pureté des timbres permettent l'enchevêtrement si caractéristique de cette polyphonie, comme si les phrases mélodiques ne pouvaient jamais se résoudre à s'éteindre. Lumière, éclat, jaillissement, mais aussi recueillement, solennité. Quelque chose de jubilant.

Messe à six voix «Ave Maria».

** Ch. du King's College de Cambridge, Philip Ledger. EMI VSM C 067-43.029. Enregistré en 1982.

Au cours de cette messe, Palestrina réintroduit à plusieurs reprises des passages en grégorien, comme pour nous faire mieux sentir la différence qui existe entre ce vieux style austère et l'alacrité rythmique de son style à lui. Toutes les voix des sopranos du King's College atteignent ici à un degré prodigieux d'intensité. Plus que de la ferveur, c'est de l'extase.

Messe «Dum complerentur». Motets : Tu es Petrus, Assumpta est Maria, Ave Regina coelorum, Hodie Christus natus est, Dum complerentur.

*** Maîtrise et Ch. de la cathédrale de Ratisbonne, Hans Schrems. Archiv 198.383 (sup.). Enregistré en 1966.

Une très belle interprétation, qui respecte le ton désincarné de la composition. La splendeur et la parfaite justesse des voix, l'équilibre des pupitres, le raffinement des nuances toujours parfaitement dosées donnent à la Messe une lumière, une clarté de structure très attachantes. Interprétation très fine et très dépouillée des Motets. La qualité vocale de ces chœurs ne peut laisser indifférent, et la justesse d'interprétation de leur chef les mène aux plus hauts degrés de la perfection : clarté des parties, homogénéité, rigueur, raffinement, tout ce qu'il faut pour rendre la lumière de ces compositions.

Missa Papae Marcelli (Messe du Pape Marcel). Motets : Laudate Dominum, Terra tremuit, Ascendit Deus, Incipit oratorio Jeremiae, Illumina oculos meos, Ego sum parvis vivus, Pueri Haebraeorum, Jubilate Deo.

❀*** Maîtrise et Ch. de la cathédrale de Ratisbonne, Theobald Schrems. Archiv 198.182. Enregistré en 1961.

Missa Pape Marcelli, Missa Brevis.

** Ch. du King's College de Cambridge, David Willcocks. EMI VSM HQS 1237 (sup.).

Grande beauté du chœur dans sa pâte, son travail extrêmement soigné et précis : les sonorités de l'ensemble de Ratisbonne sont riches, mais jamais violentes, les timbres nets, pleins, jeunes sans aucune aigreur. La ligne mélodique évolue avec rondeur et justesse, le texte se comprend sans effort, rendant à ces pages leur valeur liturgique. L'interprétation des Motets fait ressortir le raffinement, la joie, la profonde conviction de cette polyphonie presque luxuriante, où musicalité, splendeur et jaillissement ne contrarient pas le recueillement.

Avec Cambridge, une grande maîtrise, encore, mais sans commune mesure avec la réalisation de Ratisbonne. Plénitude, beauté des timbres, pureté des inflexions mélodiques et dynamiques créent une atmosphère très ouverte, assez brillante, où l'on peut regretter une certaine absence de sentiment religieux. De belles lectures très musicales.

Penderecki, Krzystof
(né en 1933)

Canticum Canticorum Salomonis. Threnos. Lorsque Jacob s'éveilla. De Natura Sonoris I.

❀*** Chœur Phil. de Cracovie, Orch. Symph. National de la Radio Polonaise, Krzystof Penderecki. EMI VSM C 065-02.484. Quadri.

Avec son *Canticum Canticorum*, Penderecki abandonne son style habituel pour travailler au «microscope» ces seize voix auxquelles se joignent un petit orchestre de percussions. Le Chœur Philharmonique de Cracovie irradie cette page d'une tension intérieure, d'une énergie «survoltée». Plus classique d'inspiration, *Lorsque Jacob s'éveilla* laisse percer au travers de ces miniatures finement ciselées une grande puissance dramatique. Et puis voici *Threni* (de douze ans antérieur à Jacob) pour 52 cordes : expressionniste, en rupture radicale avec le sérialisme des débuts, cette œuvre nourrit sa pâte sonore en nappes de nuages, et cela d'une manière si simple que l'on ne peut que s'émerveiller de la complexité du résultat où la musique est omniprésente... Les instrumentistes, une fois encore, font preuve de la parfaite maturité et de la complète adéquation de pensée avec leur chef-compositeur. En outre, une merveilleuse prise de son privilégie notre contact auditif avec ces masses de sons.

Capriccio pour violon et orchestre. De Natura Sonoris I.

** Paul Zukovski (violon), Orch. Phil. de Buffalo, Lukas Foss. Nonesuch 32.818 (étr.). + *Xenakis : Akrata, Pithoprakta.*

Quand l'interprétation est de qualité, quand le couplage détient un indéniable intérêt esthétique, quand, de plus, il permet à nos oreilles étonnées de faire des rapprochements pleins d'enseignements, on ne peut que saluer l'initiative d'un tel disque. Entre les deux œuvres de Penderecki et celles de Xenakis, on s'aperçoit alors de ce que le premier doit aux acquisitions et découvertes du second ; on s'aperçoit aussi que l'expressivité, le dramatisme du créateur polonais sont profondément structurés par une logique interne. Le fait même que ces deux œuvres ne soient pas du grand Penderecki nous le démontre bien.

Les Diables de Loudun, opéra.

❀*** Tatiana Troyanos (Jeanne), Andrzej Hiolski (Grandier), Bernard Ladysz (Barré), Ch. et Orch. de l'Opéra de Hambourg, Marek Janowski. Philips 6700.042 (2 d.).

Version de la création (à Hambourg, précisément), cet enregistrement est enthousiasmant. Troyanos y est somptueuse ; révélant un tempérament exceptionnel de tragédienne, elle passe avec un égal bonheur et une égale justesse de ton du lyrisme à l'hystérie. Hiolski, en Grandier, est cynique à souhait, totalement crédible dans son évolution psychologique qui le mènera à l'héroïsme du martyre. Ladysz, quant à lui, interprète un inquisiteur Barré terrifiant de cruauté, inexorable dans son machiavélique désir maniaque de mener Grandier au bûcher. Aucun petit rôle n'est bâclé, et chaque interprète défend son personnage avec un brio, une virtuosité, une intelligence et un sens théâtral peu communs. Quant au jeune chef d'orchestre Janowski, il dirige le tout avec une lucidité et un sens du dramatique jamais pris en défaut. L'orchestre suit admirablement sa baguette inspirée au travers du labyrinthe complexe et dense de la partition.

Dies Irae, oratorio. Polymorphia. De Natura Sonoris.

** Stefania Woytowicz (s), Wieslaw Ochman (t), Bernard Ladysz (b), Ch. et Orch. Phil. de Cracovie, Henryk Czyz. Philips 5839.701.

Ce *Dies Irae*, dédié à la mémoire des victimes d'Auschwitz, violent, âpre, se tourne vers la notion d'oratorio chère à Honegger. Pourtant, rien ici dans le langage ne permet de penser que Penderecki suit la mode «rétro» ! Son tempérament puissamment dramatique, se souvenant de la *Passion selon Saint-Luc*, se sert de *clusters* au voix (traitées comme les cordes) et de vocalises fusant de ces sables mouvants sonores. *Polymorphia*, pour 48 cordes, se range dans la lignée d'*Anaklasis* tout en portant encore plus loin les conséquences de ses propres recherches. Recherches intégrées au grand orchestre avec *De Natura Sonoris*, une œuvre brillante, originale et séduisante... Le chœur, l'orchestre et les solistes nous offrent une étincelante explosion de superbe faconde et de sobriété mêlées.

Fonogrammi. Concerto pour violoncelle et orchestre. De Natura Sonoris II. Kanon. Capriccio pour violon et orchestre. Emanations pour deux orchestres à cordes. Partita pour clavecin et orchestre.

*** Siegfried Palm (violoncelle), Wanda Wilkomirska (violon), Felicja Blumenthal (clavecin), Orch. Symph. de la Radio Polonaise, Krzystof Penderecki. EMI Electrola C 193-02.386/7 (2 d.) (sup.).

De l'une de ses premières pièces, en notation traditionnelle, à la *Partita* de 1972, voici un éventail des plus passionnants de l'œuvre de ce créateur. On y perçoit ainsi l'évolution qui conduira Krzystof Penderecki du sérialisme à la notion d'écriture graphique, en passant par l'utilisation ingénieuse de la bande magnétique (ne faisant point appel aux sons électroniques) comme contrepoint aléatoire, et aboutissant à un concept de virtuosité auquel curieusement ni Ligeti, ni Berio n'ont échappé. Précisons tout de même que nous ne disposons ici que d'un des aspects esthétiques du compositeur : manquent à l'appel : des œuvres de sa production religieuse et vocale qui permettraient ainsi d'établir une synthèse «auditive» du langage foncièrement original de Krzystof Penderecki. Mais l'impression d'ensemble de ce coffret est néanmoins fort séduisante... L'interprétation, excellente, de cet enregistrement permet de saluer comme il se doit l'apparition au pupitre de chef du compositeur, ainsi que d'applaudir sans réserve le talent de ce fabuleux violoncelliste qu'est Siegfried Palm, sans oublier bien entendu la violoniste Wanda Wilkomirska (créatrice du *Capriccio*) prenant l'œuvre à bras le corps dans une lutte sans merci.

Kosmogonia pour soprano, ténor, basse, chœur mixte et orchestre. De Natura Sonoris II. Anaklasis. Fluorescences.

*** Stefania Woytowicz (s), Kazimierz Pustelak (t), Bernard Ladysz (b), Ch. et Orch. de la Philharmonie Nationale de Varsovie, Andrzej Markowski. Philips 6500.683 (sup.).

«Familier» de Penderecki pour l'avoir fort souvent (et fort bien) dirigé, Markowski pénètre la matière de *Kosmogonia* en la soulevant au rythme de sa propre genèse. *Anaklasis* et *Fluorescences* sont, quant à elles, deux partitions parmi les plus abouties du compositeur : y règnent l'efficacité fondée sur la non-déperdition d'énergie, l'économie en tant que sinonyme de plénitude. La richesse d'invention, la qualité «narrative» de ces pages n'ont d'égal que le talent et la musicalité des interprètes. Complément de choix, *De Natura Sonoris II* est un petit joyau où l'équilibre et la concision œuvrent en faveur du riche dépouillement de cette partition ramassée sur elle-même.

Magnificat.

** Peter Lagger (b), Solistes et voix de garçons du Ch. Phil. de Cracovie, Ch. de Radio-Cracovie, Orch. Symph. National de la Radio Polonaise, Krzystof Penderecki. EMI VSM C 065-02.483. Quadri.

Penderecki serait-il plus «conservateur» dans sa musique vocale ? Si les volumes et les masses sont utilisés ici en peinture tachiste, les audaces de langage sonnent dans ce *Magnificat* comme celles d'un Romantique ; et les instrumentistes y croient... Précisons que ceux-ci, ayant joué presque tout Penderecki, sont en pays de connaissance : d'où leur osmose, leur perfection stylistique, et ce je-ne-sais-quoi qui dépasse la note écrite pour atteindre l'émotion. La prise de son ne mérite qu'éloges.

Passio et Mors Domini nostri Jesu Christi secundum Lucam (Passion selon Saint-Luc).

*** Stefania Woytowicz (s), Andrzej Hiolski (bar), Bernard Ladysz (b), Leszk Herdegen (récitant), Ch. et Orch. Phil. de Cracovie, Henryk Czyz. Philips C 2007 (2 d.).

Première partition religieuse importante (quant à sa longueur) de Penderecki, la *Passion selon Saint Luc* trouve néanmoins ses racines dans une œuvre antérieure, son *Stabat Mater*. Réussite éclatante, synthétisant à la fois un langage hérité du Grégorien, du dernier Stravinsky et de Bach, la *Passion* est aussi un glossaire des principales caractéristiques stylistiques du compositeur polonais. L'orchestre y est fascinant, grouillant de micro-organismes se heurtant, s'entremêlant dans un chaos onirique puissamment évocateur. Ainsi en est-il tout spécialement des chœurs, enflammés de violence, de haine, de cruauté cauchemardesque. L'interprétation est de toute beauté, les chœurs et les solistes sont remarquables à tout point de vue. Quant à Henryk Czyz, il dirige ces pages avec une foi communicative exaltée, traçant à grands traits un tableau digne en tous points de Jérôme Bosch. Un dernier mot pour saluer la réussite dramatique du récitant, surpassant ainsi R.J. Batsch, qui est le seul élément «discutable» de la version concurrente parue chez Harmonia Mundi, d'ailleurs retirée du catalogue.

Quatuor à cordes.

** Quatuor LaSalle. DG 137.001 (RFA). *+ Mayuzumi : Prélude pour quatuor à cordes. Lutoslawski : Quatuor à cordes.*

Le premier Quatuor de Penderecki, datant de 1960 (donc de la même année qu'*Anaklasis*), explore des grappes de sons diffuses tout en renonçant au déterminisme de la hauteur, des intervalles, et par là même à l'harmonie. Ce thrène en miniature est ici transcendé par le Quatuor LaSalle, dont l'efficacité, nourrie d'un feu glacé, porte la partition à un raffinement aérien que la qualité mélodique de ces mouvances sonores acèrent d'autant plus qu'elles mettent l'accent sur la palette des nuances de ces instrumentistes. Superbement réalisé, le second enregistrement du Quatuor (aléatoire) de Lutoslawski est ici rendu avec finesse. Quant à Mayuzumi, il semble égaré dans ce disque magnifique où les concessions n'ont point lieu.

Sinfonie. Anaklasis.

❀*** Orch. Symph. de Londres, Krzystof Penderecki. EMI VSM C 065-02. 452.

Page de jeunesse (1960) s'attardant sur le concept son/bruit, *Anaklasis* contient dans son écriture les principales caractéristiques stylistiques du compositeur. Ainsi en est-il de son emploi si particulier des *clusters*, de sa ponctuation dynamique mélangeant subtilement les percussions à ses nuages statiques de sons, le tout sombrement dramatique avec ses intensités, ses contrastes, sa simplicité apparente. Treize ans plus tard, Penderecki retourne à ses premières amours et nous donne une partition «Anaklasique». Ce couplage est donc des plus intéressants. En outre, deux versions d'*Anaklasis* ne peuvent que nous réjouir et permettre de saisir les constantes formelles et «formantes» de son langage graphique. L'interprétation est superbe de sobriété, de profondeur, de transparence.

Utrenja.

❀*** Delfina Ambroziak (s), Stefania Woytowicz (s), Kazimierz Pustelak (t), Krystyna Szczepanska (m), Wlodzimierz Denysenko (b), Bernard Ladysz (b), Boris Carmeli (b), Peter Lagger (b), Ch. des Pionniers, Ch. et Orch. Symp. de la Philharmonie Nationale de Varsovie, Andrzej Markowski. Philips 6700.065 (2 d.).

Œuvre baroque, d'une force primaire dévastatrice, d'une richesse inventive proliférante, *Utrenja* est sans aucun doute l'une des plus belles réussites dans le domaine de la musique religieuse de notre XXe siècle, dépassant par sa puissance persuasive la Passion selon Saint-Luc du même compositeur. Cette partition s'impose donc d'évidence, tant sur le plan dramatique que sur celui de l'écriture. Il suffit pour s'en convaincre de se pencher sur l'utilisation qu'y fait Penderecki de la liturgie orthodoxe, du plain-chant sérialisé, ou bien d'analyser le travail d'écriture orchestrale, chorale, ou de s'arrêter sur les trouvailles parsemant l'instrumentation. Les interprètes rendent pleinement justice à cette fresque somptueuse, aux lumières contrastées, au rayonnement solaire.

Pepusch, John Christopher
(1667-1752)

The Beggar's Opera (L'opéra des gueux).

* Elsie Morison (Polly), John Cameron (Macheath), Monica Sinclair (Lucy), Ian Wallace (Lockit), Owen Brannigan (Peachum), Alexander Young (Filch), Ch. et Orch. Pro Arte, Malcolm Sargent. Seraphim SIB 6023 (2 d.) (USA).

Les rôles parlés sont tenus par des acteurs de l'Old Vic, les rôles chantés par des vétérans de l'opéra anglais, et l'orchestre est dirigé par Malcolm Sargent : toutes les conditions sont remplies pour que cette version du *Beggar's Opera* soit fidèle à la tradition. Elle n'y manque pas, et nous nous trouvons en présence de l'équivalent d'une bonne représentation théâtrale. Certains jeux de scène, certaines allusions nous échappent, mais l'ensemble est bien plaisant et peut encore provoquer un grand sourire de plaisir.

Pergolèse, Gian-Battista
(1710-1736)

La Serva Padrona (intermezzo-bouffe).

❀*** Sesto Bruscantini (Uberto), Renata Scotto (Serpina), I Virtuosi di Roma, Renato Fasano. Ricordi OCL 16033 (Italie). Enregistré en 1960.

*** Leonardo Monreale (Uberto), Mariella Adani (Serpina), Orchestre des Pomerigi Musicali, Ettore Gracis. Musidisc RC 640.

Scotto, Bruscantini, Fasano : la réunion de ces trois artistes laisse espérer une interprétation exceptionnelle. Et en effet, cette réalisation s'approche de la perfection. Renata Scotto est sans doute la meilleure Serpina jamais entendue ; malicieuse bien sûr, mais aussi intelligente et excellente actrice. Bruscantini donne, lui aussi, une belle leçon de comédie. Et quelles voix ! Nous retrouvons par surcroît I Virtuosi di Roma à leur grande époque ; attentifs, souples et nerveux à la fois dans leurs accompagnements. Une référence.

Gracis, en bon Napolitain, a su trouver le ton pétillant attaché au caractère de l'œuvre. Mariella Adani est coquine, simple, très à l'aise, tout à fait en situation. Sa voix n'est pas grande, mais claire, affirmée, un peu ironique, même. Leonardo Monreale n'est pas un bouffon vulgaire, mais humain, un peu pitoyable et très attachant. Agile et bien timbré, mais peu puissant, il colle bien au rôle. Un régal de naturel, desservi hélas ! par une prise de son un peu sourde.

Stabat Mater.

*** Sebastian Hennig (s), René Jacobs (hc), Ens. Instrumental, René Jacobs. Harmonia Mundi HM 1.119. Enregistré en 1983.

*** Lucia Valentini-Terrani (c), Ileana Cotrubas (s), I Solisti Veneti, Claudio Scimone. Erato STU 71.179 ⊠ MCE 71.179. Enregistré en 1978. *+ Salve Regina.*

*** Teresa Berganza (c), Mirella Freni (s), Solistes de l'Orchestre Scarlatti de Naples, Ettore Gracis. Archiv 2533.114. Enregistré en 1972.

* Kathleen Ferrier (c), Joan Taylor (s), Nottingham Oriana Choir, Boyd Neel String Orchestra, Roy Henderson. Decca 390.130. Mono. Enregistré en 1946.

Cette version ne peut se comparer à nulle autre. Un petit ensemble instrumental y accompagne une voix d'enfant et une voix de haute-contre. Ce qui est perdu en solennité pompeuse, en grandes étendues sonores, en ferveurs puissantes, est gagné en délicatesse expressive, en décantation sentimentale, en raffinement vocal. Aucune autre version n'avait atteint jusqu'à présent cette transparence des vocalises, cette légèreté du timbre. Tout scintille ici, le charme pétillant des opéras napolitains, l'austérité recueillie des implorations à la Vierge et la fraîcheur candide de la jeunesse, tout comme les lueurs sombres et bouleversantes dont est baigné çà et là ce *Stabat*.

Claudio Scimone a bien compris l'ambiguité du chef-d'œuvre de Pergolèse. Une humilité recueillie éclaire ce *Stabat* ; pourtant, certains versets se teintent d'une verve toute napolitaine. Comment, dès lors, combiner ces deux aspects sans tomber dans les excès théâtraux ou une sévérité que la tendresse de Pergolèse ne peut admettre ? En choisissant deux solistes d'expression différente. Terrani est dramatique et somptueuse, puissante dans le grave, presque inhumaine et sans faiblesse. Et il émane de Cotrubas une rare puissance émotionnelle ; sa voix refuse le brillant, l'éclat, et nous comble par de tendres nuances expressives. L'orchestre fait un lien subtil : tour à tour lyrique, dramatique, tendre ou léger, il rend crédible cette union impossible entre le profane et le sacré. Un disque rare.

L'enregistrement de Gracis s'impose par l'unité de style, tenant au tempérament dramatique des interprètes. Freni et Berganza sont des divas resplendissantes, brillantes, possédant le sens latin de la déploration. Leur perfection dans les moindres ornements est l'expression sublime de l'art du beau chant, dont l'orchestre, simple et élégant, n'est qu'un faire-valoir. Par sa conception homogène, cette version est un exemple.

Kathleen Ferrier fut un modèle de contralto pergolésien. Sa voix unique et surhumaine convenait à la perfection à ce *Stabat*, dont l'ambiguité ne peut servir que des chanteurs d'exception. Les trois airs qui lui sont confiés dans cet arrangement innommable le montrent d'évidence. Pour elle, il faut acquérir ce disque en oubliant les chœurs poussifs, la soprano aigrelette et le chef qui se tiennent imprudemment à ses côtés. Pergolèse tel qu'on rêve qu'il soit chanté.

Peri, Jacopo
(1561-1633)

Eurydice, opéra.

*** Nerina Santini (Eurydice), Elena Barcis (Daphné), Adèle Bonnay (la Tragédie, Vénus et Proserpine), Rodolfo Farolfi (Orfeo), Franco Ghitti (Tirsi et Aminta), Gastone Sarti (Arcetro), Federico Davia (Plutone), Ch. Polyphonique de Milan, Solisti di Milano, Angelo Ephrikian. Harmonia Mundi HM 2.478 (sup.). Enregistré en 1962.

Premier enregistrement de l'*Eurydice* de Peri, ouvrage donné pour le mariage de Henri IV et de Marie de Médicis, ce disque a l'immense intérêt de nous restituer ce qui peut être considéré comme l'un des tout premiers opéras. L'influence de l'oratorio et de la musique liturgique s'y fait sentir, dans l'expression particulièrement poignante de la douleur. Les chœurs, presque tous composés par Giulio Caccini, sont d'une grande beauté et ici très bien rendus. La distribution dans son ensemble est de qualité, et l'on remarque surtout les voix d'Elena Barcis (Daphné) et de Rodolfo Farolfi (Orfeo).

Pérotin le Grand
(vers 1180-1236)

Organa «Viderunt omnes» et «Sederunt principes».

*** Deller Consort, Collegium Aureum, Alfred Deller. Deutsche Harmonia Mundi 29.377. + *Machaut : Messe Notre-Dame. Anonyme : Conductus.*

*** The Early Music Consort de Londres, David Munrow. Archiv 2723.045 (3 d.) (sup.). + *Léonin : Alleluya Pascha nostrum, Viderunt omnes, Gaude Maria Virgo, Locus iste. Ars Antiqua : Pièces des manuscrits de Bamberg et de Montpellier, et de Philippe de Vitry. Adam de la Halle : Chansons. Ars Nova : Motets du Roman de Fauvel. Machaut : Motets, Hoquetus David.*

Apparu sous diverses étiquettes, l'enregistrement d'Alfred Deller n'a pas cessé d'être disponible dans différents couplages. Le dernier en date, avec la Messe de Machaut, fait regretter le précédent, plus homogène, avec des pièces contemporaines de l'*Ars Antiqua.* Le Deller Consort a toutes les qualités pour recréer l'atmosphère conquérante de cette musique poignante dans sa sobriété. Voix naturelles, souples, ensemble homogène aux qualités musicales très sérieuses. Historiquement, l'une des meilleures réalisations qui aient jamais été faites.

L'ensemble de Munrow a enregistré une très bonne interprétation de ces deux *Organa*, alliant le caractère primitif à une recherche musicale qui laisse apparaître le travail des rythmes, l'indépendance des voix mélodiques, et recrée l'homogénéité de ces pièces pouvant sembler difficiles à l'écoute. Une réalisation quasi parfaite, parce qu'elle parvient à être toujours musicale et à ne jamais ennuyer. Le coffret de trois disques où elle se trouve insérée constitue un passionnant document sur le développement de notre musique polyphonique.

Organum «Sederunt principes».

*** Pro Musica Antiqua, Safford Cape. Archiv 14.068 (sup.). Mono. + *Léonin : Judae et Jerusalem. Anonymes : Chansons et Motets du XIIIe siècle.*

C'est avec émotion que l'on découvre les premiers pas de la musique polyphonique dans toute son authenticité. Dépouillement, austérité, mais glorification presque jubilatoire : le Pro Musica Antiqua excelle à le montrer. Un enregistrement qui a marqué en son époque par sa qualité exceptionnelle, et qui continue de le faire.

Pfitzner, Hans
(1869-1949)

Lieder pour baryton et orchestre op. 12, op. 18, op. 4 n° 2, op. 37, op. 15 n°ˢ 2 et 3. Récit de Dietrich, extrait de Der arme Heinrich.

*** Dietrich Fischer-Dieskau (bar), Orch. Symph. de la Radio Bavaroise, Wolfgang Sawallisch. EMI Electrola C 065-45.616.

Ce disque magnifique vient rappeler utilement la valeur de ce contemporain de Richard Strauss qu'est Pfitzner. Le récital est remarquablement composé, offrant un large éventail d'expression. Fischer-Dieskau déploie tout son génie du lied, et donne à chaque poème sa vraie dimension. C'est un bain de constante poésie, prolongée par les accents de l'orchestre, haut en couleurs, admirablement dirigé par Sawallisch. On ne pourra que regretter l'absence de traduction - la seule ombre à une réussite quasi parfaite.

Palestrina, légende musicale en trois actes.

❀*** Nicolaï Gedda (Palestrina), Dietrich Fischer-Dieskau (Carlo Borromeo), Karl Ridderbusch (le Pape Pie IV, le cardinal Madruscht), Hermann Prey (le comte Luna), Adalbert Kraus (Théophile, évêque d'Imola), Franz Mazura (Avosmediano, évêque de Cadix), Gerd Nienstedt (Ercole Severolus), Helen Donath (Ighino), Brigitte Fassbaender (Silla), Solistes, Ch. de garçons de Tölz, Ch. et Orch. de la Radio Bavaroise, Rafael Kubelik. DG 2711.013 (4 d.) (RFA).

Cet opéra est une œuvre immense et austère, qui ne comporte pas moins de vingt-cinq rôles principaux, tous masculins, les femmes chantant des rôles travestis. L'argument, sans doute assez éloigné de la vérité historique, raconte comment Palestrina sauva la musique polyphonique de l'anathème du Concile de Trente en composant la *Messe du Pape Marcel.* C'est une musique personnelle et originale, qu'il est difficile de rattacher à une école ; libérée des influences post-wagnériennes, elle paraît assez attardée par rapport à l'écriture de Richard Strauss, mais constitue une grande réussite dans son style archaïsant. La distribution, une pléïade de «monstres sacrés», garantit une interprétation prodigieuse, où l'on remarque Fischer-Dieskau et Nicolaï Gedda, vraiment sublimes. Une date dans la discographie lyrique.

Pierné, Gabriel
(1863-1937)

Concertstück pour harpe et orchestre en sol majeur op. 39.

** Lily Laskine (harpe), Orch. National de l'ORTF, Jean Martinon. Erato STU 9.120 (3 d.). + *Bochsa, Boïeldieu, Haendel, Jolivet, Reinecke : Concertos pour harpe. Debussy : Danses pour harpe. Gossec : Symphonie concertante.*

Une nouvelle fois, Lily Laskine se montre une artiste incomparable dans le *Concertstück* pour harpe et orchestre de Gabriel Pierné, comme dans les autres œuvres de ce coffret consacré à son instrument et à son art consommé.

Cydalise et le Chèvre-pied, ballet. Ramuntcho, ouverture sur des thèmes populaires basques.

*** Orch. de l'Opéra de Paris, Jean-Baptiste Mari. EMI VSM C 069-14.140.

Après la suppression malheureuse de la belle version de Jean Martinon, il faut apprécier l'apparition de l'enregistrement par Jean-Baptiste Mari de ces deux œuvres d'une écriture charmante et délicate. *Cydalise* possède toutes la grâce de la tradition debussyste, et *Ramuntcho* brille par de riches couleurs orchestrales. L'Orchestre de l'Opéra, en pleine forme, bondit avec entrain sous la baguette d'un chef qui a su présenter la musique de Pierné dans ce qu'elle a de plus séduisant.

Images, ballet, op. 49. Viennoise, ballet op. 49 bis. Paysages franciscains, op. 43. Cathédrales, extrait : n° 1 Prélude.

*** Orch. Phil. des Pays de la Loire, Pierre Dervaux. EMI VSM C 069-16.302. Enregistré en 1978.

Pierre Dervaux donne une interprétation tout à fait exemplaire de ces trois pièces, reflets de l'esprit à la fois gai et profond de Gabriel Pierné. Si le ballet *Images,* privé de son élément visuel et décoratif, paraît un peu trop léger, malgré la saveur de ses mélodies et de ses rythmes, les *Paysages franciscains* révèlent une pensée extrêmement dense dans des formes libres. Un disque qui - enfin - sort des sentiers battus pour notre plus grand plaisir, et où s'expriment la réelle beauté d'une musique comprise avec gût et sensibilité.

Introduction et Variations sur une ronde populaire.

** Quatuor de saxophones Deffayet. EMI VSM C 069-14.187. Quadri. Enregistré en 1976. + *Desenclos : Quatuor pour saxophones. Rivier : Grave et presto. Schmitt : Quatuor pour saxophones op. 102.*

Les œuvres pour quatuor de saxophones sont rares, et parfois peu convaincantes. Mais ici, le programme s'impose par sa qualité. Le morceau de Pierné est plein d'humour et de verve, mis en relief par le jeu flexible, précis, et aussi charnu et poétique du Quatuor Deffayet. Les autres pièces lui fournissent également l'occasion de montrer son grand talent, et c'est avec plaisir que l'on découvre une musique vraiment intéressante.

Pignolet de Monteclair, Michel
(1667-1737)

Cantate n° 3, La Badine. Cantate n° 4, Pan et sirinx. 4e Concert pour hautbois, clavecin et basse de viole, extraits : Chaconne. «Les Ondes».

*** Judith Nelson (s), Jacques Vandeville (hautbois), William Christie (clavecin), Ariane Maurette (basse de viole). Arion 38.421. Enregistré en 1977.

Avec ces deux Cantates subtilement écrites, on oublie le pédagogue et théoricien qu'était Monteclair, pour se délecter des étonnantes trouvailles expressives et de la préciosité parfois pleine de tendresse qui s'y épanchent. Sans doute l'une des meilleures spécialistes de ce style précieux, Judith Nelson rend avec un art irréprochable ces deux joyaux, même si de temps à autre son émission vocale semble un peu pincée. Dans cet unique album consacré au compositeur, on appréciera aussi le hautboïste Jacques Vandeville, moins spécialiste, mais tout à fait dans l'esprit de cette musique en ce qu'il imite les inflexions de la voix. Bonne prise de son.

Planquette, Robert
(1848-1903)

Les cloches de Corneville, opéra-comique.

** Mady Mesplé (Germaine), Christiane Stutzmann (Serpolette), Bernard Sinclair (Henri de Corneville), Charles Burles (Grenicheux), Jean Giraudeau (le Bailli), Jean Christophe Benoît (Père Gaspard, le tabellion), Ch. de l'Opéra, Orch. de l'Opéra-Comique, Jean Doussard. EMI Pathé C 162.12.775/76 (2d.). Enregistré en 1971.

Contrairement à ce que l'on croit généralement, le chef-d'œuvre de Planquette n'est pas une opérette, mais un opéra-comique. C'est bien ainsi que l'ont conçu Jean Doussard et ses interprètes. Très classique, sans fantaisie excessive, la version Doussard peut être considérée comme définitive.

Rip, opérette : extraits.

* Michel Dens (Rip), Claude Devos (Jack), Julien Giovannetti (Derrick), Jean Christophe Benoît (Ishabod), Pierre Germain (Nick Vedder), Liliane Berton (Nelly-Lowena), Monique Linval (Kate), Janette Vivalda (Jacinthe), Ch. Raymond Saint-Paul, Orch. Concerts Colonne, Jules Gressier. EMI Pathé C 057-12.899.

Une sélection honnête, sans plus. Mais il n'y a pas le choix. L'œuvre mérite une intégrale qui reste à faire.

Ponchielli, Amilcare
(1834-1886)

Gioconda (La), opéra.

*** Maria Callas (Gioconda), Fedora Barbieri (Laura), Gianni Poggi (Enzo), Paolo Silveri (Barnaba), Giulio Neri (Alvise), Maria Amadini (L'aveugle), Orch. et Ch. de la RAI de Turin, Antonino Votto. Cetra LPS 3241 (3 d.). Mono. Enregistré en 1952.

LPS 3241 (3 d.). Mono. Enregistré en 1952.

** Renata Tebaldi (Gioconda), Marilyn Horne (Laura), Carlo Bergonzi (Enzo), Robert Merril (Barnaba), Nikolal Ghiuzelev (Alvise), Oralia Dominguez (L'aveugle), Orch. et Ch. de l'Académie Ste-Cécile de Rome, Lamberto Gardelli. Decca SET 364/66 (3 d.) (sup.). Enregistré en 1967.

** Giannina Arangi Lombardi (Gioconda), Ebe Stignani (Laura), Alessandro Granda (Enzo), Gaetano Viviani (Barnaba), Corrado Zambelli (Alvise), Orch. et Ch. de la Scala de Milan, Lorenzo Molajoli. EMI 153-01.643/45 (3 d.) (Italie). Mono, origine 78 t. Enregistré en 1931.

Maria Callas dans le rôle de ses débuts à Vérone, captée cinq ans plus tard, au sommet de sa puissance vocale, avec une intensité dramatique inouïe, qui vous arrache les larmes dès son entrée, dans son «*Suicidio*» et dans un fantastique duo avec Barbieri, elle aussi survoltée, et souveraine en ce rôle de femme jalouse. Bonne participation du baryton et de la basse, mais un ténor inexistant. La version stéréo de Callas (EMI, 1959) est presque aussi éclatante pour elle, le ténor à peine meilleur, et le restant de la distribution très inférieur.

La belle gravure stéréo de Decca vaut d'abord pour la splendide interprétation de Bergonzi - le seul grand ténor de cette discographie -, encore qu'un peu guindé, entouré d'une Tebaldi en son déclin, peu agressive, d'une Marilyn Horne «de luxe», dans un rôle de tigresse assez extérieur à sa nature. Les autres demeurent discutables, mais l'ensemble se révèle préférable à la précédente version Decca (1957, excitante pour certains noms, mais très mal gravée), et à celle de chez RCA, 1958.

L'enrégistrement dirigé par Molajoli représente une très bonne référence de ce qui était alors quotidien à la Scala : Arangi Lombardi exceptionnelle de beauté vocale et d'intensité, une Stignani, jeune, chantant bien mais assez neutre, et trois interprètes masculins sachant chanter comme peu aujourd'hui, malgré leurs timbres un peu ingrats. Mais l'interprète de Gioconda y est la seule rivale de Callas.

Poulenc, Francis
(1899-1963)

Anthologie : Adagietto-Rondo pour piano, extrait des Biches ; Improvisations, Nocturnes, Mouvements perpétuels pour piano ; Airs chantés, Le Bestiaire.

*** Suzanne Peignot (s), Claire Croiza (m), Lucienne Tragin (s), Francis Poulenc (piano). EMI VSM C 047-12.538 (sup.). Mono. (origine 78 t.). Enregistré de 1928 à 1943. + *Debussy : Ariettes oubliées, L'échelonnement des haies, La vierge Erigone (du Martyre de Saint-Sébastien).*

Poulenc était-il le merveilleux pianiste que l'histoire veut bien nous laisser croire ? Assurément, cette assertion n'est nullement exagérée, comme le prouve ce disque. Que Poulenc soit face-à-face avec son piano, ou en présence de complices, jamais les qualificatifs employés pour sa musique ne se sont révélés plus justifiés que sous ses doigts. Plus qu'un document historique.

Aubade, concerto chorégraphique pour piano et dix-huit instruments. Sonate pour clarinette et piano. Sonate pour hautbois et piano.

** Jacques Février (piano), André Boutard (clarinette), Pierre Pierlot (hautbois), Orch. des Concerts Lamoureux, Serge Baudo. Chant du Monde LDX 78.320.

Nonobstant Richter, qui donnait d'*Aubade* une interprétation enfiévrée, Février reste un peu la référence «historique». Accompagné ici dans un style très «français», cette œuvre passe la rampe sans déchaîner pour autant l'enthousiasme, ce qui n'est pas le cas pour les Sonates, où Pierlot et Boutard font merveille de fondu et de symbiose avec le maître au piano. L'élégance et l'émotion du discours font pendant ici à une cohérence esthétique qu'il faut souligner.

Les Biches, ballet avec chant : Suite d'orchestre.

** Orch. Société des concerts du Conservatoire, Georges Prêtre. EMI VSM C 065-12.091. Enregistré en 1961. + *Dutilleux : Le Loup. Milhaud : La Création du monde.*

L'une des pages les plus souvent jouées de Poulenc, dans une belle exécution supervisée par le compositeur. Trois grands ballets français, un disque délectable.

Les Biches, ballet avec chant (suite d'orchestre). Bucolique (extrait de l'hommage à Marguerite Long). Pastourelle (extrait de l'éventail de Jeanne). Matelote provençale (extrait de la Guirlande de Campra).

** Orchestre Philharmonia, Ambrosian Singers, Georges Prêtre . EMI VSM C 069-73.050. ✉ C 269-73.050. Enregistré en 1980.

Vingt ans plutôt, Prêtre avait déjà enregistré la Suite d'orchestre des *Biches.* Son interprétation récente a peu changé : à peine décèlera-t-on un peu plus de détachement, d'indifférence (de fausse indifférence) dans le célèbre *adagietto.* Les autres pièces - inédites pour la plupart - que l'on trouvera gravées sur ce disque achèvent d'en établir l'intérêt.

Concert champêtre, Concerto pour orgue.

** Robert Veyron-Lacroix (clavecin), Marie-Claire Alain (orgue), Orch. National de l'ORTF, Jean Martinon. Erato STU 70 637.

Le *Concert Champêtre* est servi dans ce disque par un Veyron-Lacroix incisif, très XVIIIe siècle dans sa retenue de «bon ton», accentuant à plaisir la fraîcheur et la légèreté insouciante de la partition. Marie-Claire Alain se révèle imposante et magistrale dans le Concerto pour orgue, peut-être même avec quelque lourdeur (l'orgue y serait-il pour quelque chose ?). Quant à Martinon, il dirige le tout d'une baguette tendre et rêveuse, les cordes sonnent chaleureusement et l'orchestre déploie son ramage de sonorités multicolores.

Dialogues des Carmélites, opéra.

❀*** Denise Duval (Blanche), Denise Scharley (la Prieure), Régine Crespin (la nouvelle Prieure) Rita Gorr (Sœur Marie), Liliane Berton (Sœur Constance), Xavier Depraz (le Marquis), Paul Finel (le Chevalier), Ch. et Orch. de l'Opéra de Paris, Pierre Dervaux. EMI VSM C 163-12.801/03 (3 d.).

Rien de très novateur, dans cette partition, mais là n'est plus le problème chez ce créateur dont le langage convient parfaitement à son propos. C'est ce qu'ont admirablement bien compris les interprètes, sobres, crédibles, qui en font juste assez sans jamais alourdir leur rôle de fioritures superficielles. Denise Duval, Rita Gorr, Régine Crespin, entre autres créatrices de ces pages en 1957 avec la complicité de Cluytens, se retrouvent ici sous la baguette sensible de Pierre Dervaux. Celui-ci conduit avec bonheur un Orchestre de l'Opéra de Paris, fluide, limpide, lumineux, animé d'une flamme intérieure qui laisse percer par flux et reflux successifs toutes les couleurs prismatiques des émotions humaines. Un très beau disque, pour une très belle œuvre.

Figure Humaine, cantate sur poèmes de guerre clandestins de Paul Eluard. Messe en sol majeur, 4 Petites Prières de Saint-François d'Assise.

*** Ch. et solistes de l'Académie d'Upsala et de Kfum, Dan Olof Stenlend. Erato STU 70924.

Composée durant l'occupation allemande, la Cantate pour double chœur mixte a capella est une œuvre dépouillée, dénudée presque dans son émotion lyrique, simple et touchante... Une œuvre qui «sonne» vrai, d'autant plus splendide qu'elle est servie par des chœurs suédois exceptionnels. Seule critique, leur diction française est parfois peu claire. La *Messe,* quant à elle, illustre l'aspect «sacré», «religieux» de Poulenc. C'est un irrésistible appel vers l'Esprit, fait de fraîcheur, de limpidité, d'ingénuité même, parfois. Réservées aux voix d'hommes, les *4 Petites Prières* sont autant de pages où la sensualité de la chair est bannie, mais non point celle de la musique, qui, bien qu'austère, est ici aussi un acte d'amour.

Gloria.

*** Judith Blegen (s), Ch. de Westminster, Orch. Phil. de New York, Leonard Bernstein. CBS 76.670. + *Stravinsky : Symphonie de Psaumes.*

Voici une œuvre rendue à sa fraîcheur grâce à la magnifique voix de Judith Blegen et à la qualité des chœurs de Westminster. Le soprano surclasse ici sans difficulté la prestation de Carteri, gâchant par ailleurs l'interprétation qu'en donnait par dessous Prêtre. Quant à Leonard Bernstein, il dirige avec une maîtrise qui fait plaisir à entendre... Pour sa part, le Stravinsky du maître est d'un seul bloc, à l'emporte-pièce. Mais quel souffle de vie !

Les Mamelles de Tirésias.

*** Denise Duval (Thérèse-Tirésias), Jean Giraudeau (le Mari), Ch. et Orch. de l'Opéra-Comique, André Cluytens. EMI VSM C 061-12.510. Mono. Enregistré en 1954.

Dans la pure tradition française d'un classicisme repensé, voici le «drame-surréaliste», cocasse, bouffon, d'Apollinaire vu par Poulenc ! Les interprètes sont aussi fous (ou sages ?) que leur rôle respectif le leur permet, avec, en plus, cette qualité que possèdent les comédiens nous forçant à entrer de plain-pied dans leur délire onirique... Objectif atteint. Quant à Cluytens, il manifeste son plaisir, éructant ou ciselant sa partition selon l'action, le sourire au bord des lèvres, l'oeil malicieux, et le timbre provocateur... Un sain vent de folie douce souffle de cet enregistrement.

Mélodies, enregistrement intégral.

*** Elly Ameling (s), Gérard Souzay (bar), Nicolaï Gedda (t), Michel Sénéchal (t), William Parker (bar), Dalton Baldwin (piano). EMI VSM C 165-16.231/35 (5 d.). Quadri.

Tout d'abord, un immense bravo à Dalton Baldwin ! Ce merveilleux pianiste rend ses lettres de noblesse à la fonction d'accompagnateur trop souvent confiné au rôle de répétiteur. Faisant éclater son instrument en sonorités aux multiples facettes, en nuances qui propagent, diffusent, anticipent, portent plus loin l'expression contenue dans le chant. Quant aux chanteurs (est-ce un défaut imputable à l'essence même des mélodies de Poulenc ?), ils s'effacent derrière une interprétation à fleur de lèvres, ayant plus à voir avec la confidence chuchotée qu'avec l'art lyrique. Mais ne boudons point notre plaisir : il est immense.

Mélodies : Calligrammes, La Fraîcheur et le Feu, Le travail du peintre, Chansons villageoises.

** Gérard Souzay (bar), Dalton Baldwin (piano). Philips 802.705 (sup.).

De ces quatre cycles, la plus incontestable réussite est assurément celui dénommé *La Fraîcheur et le Feu.* Que Souzay ait connu à la fois Poulenc et Bernac, cela se sent dans la finesse toute ciselée de son interprétation, sensible, profondément humaine et si intelligemment pensée. Que Souzay-Baldwin ne remplacent point l'association Bernac-Poulenc cela est vrai aussi. Ce qui n'empêche que ce disque mérite des éloges particuliers, tant sur le plan de l'aisance que sur celui de l'équilibre qui le caractérise.

Mélodies : Trois Chansons de Garcia Lorca, Les Fiançailles pour rire.

*** Geneviève Touraine (s), Francis Poulenc (piano). BAM LD 5744 (sup.). Mono. + *Satie : Anthologie.*

Poulenc rencontrant Satie devant un piano : un délice à nul autre pareil, un enchantement de chaque seconde, une merveille de verve et d'humour. Et puis, voici Poulenc s'acoquinant avec la sœur de Gérard Souzay, Geneviève Touraine, afin de nous distiller quelques airs à sa façon. De quoi se lécher les babines.

Musique de chambre, enregistrement intégral : Capriccio pour deux pianos, Elégie pour cor et piano, Elégie pour deux pianos, L'Embarquement pour Cythère (pour deux pianos), Sextuor pour piano, flûte, hautbois, clarinette, basson et cor, Sonate pour clarinette et basson, Sonate pour clarinette et piano, Sonate pour deux clarinettes, Sonate pour cor, trombone et trompette, Sonate pour flûte et piano, Sonate pour hautbois et piano, Sonate pour piano à quatre mains, Sonate pour deux pianos, Sonate pour violon et piano, Sonate pour violoncelle et piano, Trio pour piano, hautbois et basson.

❁*** Jacques Février et Gabriel Tacchino (piano), Alan Civil (cor), Michel Portal et Maurice Gabaye (clarinette), Amaury Wallez et Gérard Faisandier (basson), John Wilbraham (trompette), John Iveson (trombone), Michel Debost (flûte), Maurice Bourgue et Robert Casier (hautbois), Yehudi Menuhin (violon), Pierre Fournier (violoncelle). EMI VSM C 165-12.519/22 (4 d.).

Cet enregistrement a été tout entier placé sous la direction artistique de Jacques Février, chambriste éminent et dépositaire privilégié de la «manière» de Poulenc. Autour de lui, les meilleurs interprètes que l'on puisse rêver traduisent cet art inimitable qui cache sous son élégance une profondeur que l'on ne soupçonne pas toujours. Les musiciens rendent merveilleusement justice à ces deux aspects, respectant la pudeur du musicien français avec le ton le plus juste. Dans tous les cas, des versions de référence. Sinon le meilleur de Poulenc, du moins ses plus secrètes confidences.

Oeuvres chorales : Litanies à la Vierge noire de Rocamadour, Quatre Motets pour un temps de pénitence, Quatre Motets pour le temps de Noël, Laudes à Saint-Antoine de Padoue, Ave verum corpus, Salve Regina, Exultate Deo.

** Groupe Vocal de France, John Alldis, Marie-Claire Alain (orgue). EMI VSM C 069-73.030. ⊠ C 269-73.030. Enregistré en 1981.

Oeuvres chorales : Figure humaine, Quatre Motets pour le temps de Noël, Salve Regina, Quatre Petites Prières de Saint-François d'Assise.

** Ensemble Vocal de Provence, Hélène Guy. Pierre Vérany PV 2811. Enregistré en 1980.

John Alldis met en évidence la ferveur et le goût, la sensibilité à vif et la retenue, la sensualité harmonique et la sobriété qui veulent, chez Poulenc, que l'art soit caché par l'art même : comment ne pas y reconnaître les éléments les plus purs du style de l'auteur des *Dialogues des Carmélites* ? Un choeur plus nombreux marquerait sans doute davantage les contrastes, les oppositions, mais ici la transparence des lignes est incomparable.

L'Ensemble Vocal de Provence nous apporte l'accent même de la musique de Poulenc, musique qui recherche moins l'éclat que la vérité intérieure, musique qui se modèle sur les mots et emprunte leur lumière. Aux plus rares qualités de justesse, de *legato,* de clarté dans la prononciation et de dosage de nuances, l'ensemble que dirige Hélène Guy ajoute une ferveur dans laquelle entrent autant d'enthousiasme que d'humilité.

Œuvres pour piano. Vol. 1 : Quinze improvisations, Suite en ut, Mélancolie, Humoresque, Trois pièces (Pastorale, Hymne, Toccata). Vol. 2 : Française, Les Soirées de Nazelles, Villageoises, Thème varié, Intermezzos 1 à 3, Pièce brève, Valse-Improvisation. Vol. 3 : Suite française, Trois Novelettes, Pastourelle, Valse en ut majeur, Trois Mouvements perpétuels, Huit Nocturnes, Presto en mi bémol majeur.

*** Gabriel Tacchino (piano). Vol. 1 : EMI VSM C 069-73.070. ⊠ C 269-73.070. Vol. 2 : EMI VSM C 069-73.101. ⊠ C 269.73.101. Vol. 3 : EMI VSM C 069-73.134. ⊠ C 269-73.134. Enregistré de 1966 à 1982.

Poulenc était un grand virtuose du piano, doublé d'un poète plein d'humour et de fantaisie. Gabriel Tacchino est à l'évidence l'un et l'autre : les disques qu'il a signés ici sont assez représentatifs des diverses manières de Poulenc au piano. Cette musique lui est complètement familière : il en sait l'esprit, il en possède le style. Alliant rigueur et liberté, il réussit, sans rompre le fil du tempo - auquel Poulenc tenait expressément - à donner l'apparence de l'improvisation.

L'oeuvre pour piano.

** Bernard Ringeissen (piano). Adès COF 7090 (3 d.). Enregistré en 1981.

Un bon nombre de ces 83 pièces ou recueils est ici enregistré pour la première fois. Le piano de Poulenc ne manque pas de pages inspirées et on y découvre toujours la patte, la griffe d'un musicien chez qui le naturel n'est jamais masqué. Bernard Ringeissen joue Poulenc avec la précision et la rigueur rythmique que réclamait le compositeur. Mais ce n'est pas là la seule vertu d'un interprète qui est très fidèle à l'esprit de la musique de Poulenc tant par son élégance naturelle, son chic et son brio que par sa pudeur.

Stabat Mater. 4 Motets pour un temps de pénitence.

*** Régine Crespin (s), Ch. René-

Duclos, Orch. Société des Concerts du Conservatoire, Georges Prêtre. EMI VSM C 069-12.052. ✉ C 269-12.052.

Réalisé peu après la mort du compositeur, ce disque mérite l'attention par le fait même que Poulenc a collaboré à son projet. Quant aux interprètes, ils y sont rien moins que convaincants. Une très belle gravure en tous points réussie.

La Voix humaine, tragédie lyrique.

❀*** Denise Duval (Elle), Orch. de l'Opéra-Comique, Georges Prêtre. EMI VSM C 069-12.052. ✉ C 269-12.052.

Le célèbre monologue de Jean Cocteau a trouvé en Denise Duval son interprète idéale, totalement identifiée au bouleversant personnage qu'elle créa à la scène, sous la direction de Prêtre. Beaucoup plus qu'un enregistrement de référence, une réalisation parfaite pour un grand moment d'émotion.

Praetorius, Michael
(1571-1621)

Danses de Terpsichore.

❀*** Early Music Consort, David Munrow. EMI VSM C 069-06.588 (étr.). + *Motets.*

*** Praetorius Consort, Christopher Ball. Arion ARN 38.316. + *Holborne : Airs de cour. Lambranzi : Danses.*

** La Grande Ecurie et la Chambre du Roy, Florilegium Musicum de Paris, Jean-Claude Malgoire. CBS 76.183. ✉ 40-76.183. + *Pièces de Gervaise, Dutertre, Schein, Ballard, Paumann, Susato, Höffelholtz, Anonymes du XVIe siècle.*

* Groupe d'Instruments Anciens de Paris, Roger Cotte. Arion 30 A 070. ✉ ARN 40-30.070. + *Danses du Moyen-Age au XVIIIe siècle.*

La qualité exceptionnelle du Early Music Consort s'exerce une nouvelle fois pleinement dans ce répertoire. Il se dégage de cet enregistrement la vie sans excitation, un sens aigu de la mélodie, une recherche du divertissement, la perfection des rythmes. Les instruments sonnent avec plénitude, brillance, sans jamais être criards. La connaissance profonde de l'esprit du XVIe siècle allemand, matérialisée dans une interprétation sans aucun maniérisme, présente le grand intérêt de grouper sur un même disque inspirations profane et religieuse.

Enregistrement très vif de Christopher Ball, où l'envie de danser prime sur la mélodie. Art des compositions sonores, allégresse, une certaine raideur parfois, mais toujours cette jovialité des réjouissances renaissantes. Les instruments sont plus présents que dans l'enregistrement de Malgoire.

Dans son enregistrement, Malgoire ne fait qu'une très brève incursion dans le monde de Praetorius. Il choisit une interprétation résolument historique, au détriment d'une certaine vie. Richesse de sonorités, cependant, mais tout cela n'est guère attachant.

Pour ceux qui aiment les flûtes : l'intérêt du disque de Roger Cotte est plutôt musicologique, puisqu'il reconstitue le Consort sous sa forme la plus authentique. Quelques incertitudes d'exécution et une gravure vieillie font de cet enregistrement un objet d'étude plutôt qu'une réalisation musicale.

Motets.

❀*** Early Music Consort, Ch. de la cathédrale St-Alban, David Munrow. EMI VSM C 069-05.688 (étr.). + *Danses de Terpsichore.*

Voici très bien illustré le nouveau style profondément allemand, mais où pénètre largement le madrigal italien. De belles voix d'hommes, perfection de l'exécution, splendeur sonore de l'interprétation - aucune incertitude. Dommage que les voix d'enfants manifestent quelques faiblesses ; mais c'est de loin le meilleur enregistrement actuellement disponible de l'œuvre de Praetorius.

Prokofiev, Serge
(1891-1953)

Ala et Lolli (Suite scythe), op. 20.

*** Orch. Symph. de Chicago, Claudio Abbado. DG 2530.967. ⊠ 3300.967. Enregistré en 1977. + *Lieutenant Kijé.*

*** Orch. National de l'URSS, Constantin Ivanov. Mélodia C 0835 (étr.). Enregistré en 1966. + *Stravinsky : Le Chant du rossignol.*

** Orch. Phil. de Londres, Walter Weller. Decca SXL 6.852 (G-B). Enregistré en 1977. + *Symphonie n° 3.*

Même dans ses partitions les plus dissonnantes, les plus «rugueuses», l'écriture de Prokofiev reste profondément tonale, ne provoquant pas cette tension qui fait reconnaître, en quelques secondes d'audition, les œuvres de Berg. Diaghilev avait demandé à Prokofiev un autre «*Sacre*». Le musicien s'en acquitta en allant, semble-t-il, au-delà des désirs du commanditaire, puisque le ballet ne fut jamais monté - Prokofiev en tira une suite en quatre parties à la rythmique plus immédiatement barbare, même, que celle du *Sacre*. Utilisant un orchestre gigantesque, l'œuvre n'a besoin d'aucune sollicitation pour atteindre à sa pulsation primitive. En bon interprète du *Sacre*, Abbado opère une mise en place extrêmement stricte, évitant tout excès de contraste. Sous sa baguette, on peut ainsi suivre la réalisation de chaque agrégat sonore, apprécier ce feu d'artifice de couleur de timbres et cette puissance « barbare» qui habitaient le jeune Prokofiev en 1915. On peut regretter l'engagement interprétatif que des chefs comme Doráti, Scherchen, Markevitch... ne craignaient pas de prendre. La réalisation d'Abbado peut paraître trop policée, trop sage, pour rendre cette fresque aussi brutale que colorée. Au dos de ce disque, nous disposons, en revanche, de la meilleure gravure moderne de la suite symphonique tirée du film de Feinzimmer, le *Lieutenant Kijé*, vingt ans plus tard. Un Prokofiev assagi et qui va droit à l'essentiel, mettant en scène ce parfait sujet du tsar que fut ce lieutenant imaginaire, l'égal du *Háry János* hongrois.

Avec Constantin Ivanov, on retrouve la rudesse de l'écriture du Prokofiev «enfant terrible». Les cuivres du National de l'URSS sonnent la charge sans le moindre ménagement, donnant ainsi à la *Danse des esprits noirs* comme au *Tempestoso* final leur vigueur primitive. La prise de son russe, burinée et bien contrasté, va dans le même sens que le style du chef. Le verso du disque, consacré au *Chant du rossignol*, est de la même veine.

Walter Weller tente d'obtenir du London Philharmonic la même perfection de mise en place qu'Abbado. Sa direction, plus appuyée, rappelle celle d'André Previn. Remarquablement enregistrée, cette interprétation ravira les amateurs de contrastes vigoureux propres à rendre au premier Prokofiev son impact immédiat. Gravée dans le cadre de l'unique intégrale moderne des Symphonies de Prokofiev, cette version s'impose aux mélomanes désireux de disposer de la prise de son la plus réussie et de la gravure la plus dynamique. Cette vision de Walter Weller est à rapprocher de disques plus anciens signés d'Erich Leinsdorf (RCA, 1966), Leonard Bernstein (couplée avec la 6ᵉ Symphonie de Chostakovitch, CBS, 1967). Les mélomanes chevronnés pourront tenter de découvrir l'unique enregistrement du créateur de la suite, Koussevitzky, au style inimitable (SID 711 mono, couplée avec l'*Ile des Morts* de Rachmaninov).

Alexandre Newsky, cantate op. 78.

*** Larissa Avdeeva (ms), Ch. de la République de Russie, Orch. National de l'URSS, Evgueni Svetlanov. Chant du Monde LDX 78.389. ⊠ K 58. Enregistré en 1965.

*** Vera Soukupová (c), Ch. et Orch. Phil. Tchèque, Karel Ančerl. Supraphon 27.874. ⊠ 401.746. Enregistré en 1960.

** Elena Obraztsová (ms), Ch. et Orch. Symph. de Londres, Claudio Abbado. DG 2531.202. Enregistré en 1978.

** Anna Reynolds (ms), Ch. et Orch. Symph. de Londres, André Previn. EMI VSM C 069-02.255. Enregistré en 1971.

Eisenstein disait «la musique de Prokofiev est étonnamment plastique, elle n'est jamais une illustration ; elle montre d'une façon étonnante la marche des événements, leur structure dynamique dans laquelle se concrétisent l'émotion et le sens des événements». Il reste que le truchement permanent de cette fresque où l'histoire rejoint l'épopée est le chœur. Ce fait essentiel assure la suprématie à la gravure d'Evgueni Svetlanov, qui dispose du Chœur de la République de Russie à son apogée, alors que son créateur, Alexandre Iourlov, en avait fait un outil d'une étonnante puissance. La direction brutalement expressive de Svetlanov, le timbre envoûtant du mezzo Larissa Avdeeva font que cette interprétation, déjà ancienne, n'a jamais été approchée. Fresque burinée et cinglante, elle a cette plastique, ce motorisme intérieur qui la font se dérouler dans l'évidence, aussi bien dans le martèlement sourd d'un peuple en marche que dans le lyrisme direct du finale.

La vision magistrale de Karel Ančerl s'appuie sur la splendeur du Chœur Philharmonique Tchèque. Telle un chant mahlérien, ayant pour elle l'authenticité ethnique originelle, cette Cantate se déroule dans le dramatisme grandiose, humain, imposé par le chef tchèque. Moins brutal que Svetlanov dans les contrastes, Ančerl ménage des crescendos à la force irrésistible, évoquant ainsi la victoire d'un peuple qui prend un goût de sang lorsque s'élève le chant funèbre presque stylisé voulu par Vera Soukupová. Récemment rééditée, cette version d'Ančerl demeure une référence.

Avec Abbado, on retrouve le classicisme grandiose qu'autorise la pureté plastique de cette partition. Magnifiquement enregistrée, cette vision, sans le moindre clin d'œil, n'a que deux points critiquables : la diction du chœur et la prestation certes profondément russe, mais moins chargée d'irrésistible émotion qu'avec Larissa Avdeeva, de la cantatrice Elena Obraztsová.

André Previn s'est signalé, depuis une dizaine d'années, comme un interprète attentif du meilleur Prokofiev, grandes symphonies, partitions intégrales des ballets... et *Alexandre Newsky*. Sa vision est à la fois spectaculaire et construite en force, dans la lignée de Svetlanov. Mais, comme avec Abbado, chœur et mezzo ne peuvent atteindre à la même inspiration profonde que leurs collègues russes ou tchèques. Certains instants, enfin, manquent de quelque tendresse, de ce lyrisme pur qui fait reconnaître la plume de Prokofiev après quelques secondes d'audition. Cette gravure excellente sur le plan technique est comparable aux autres enregistrements non slaves réalisés par des chefs de la qualité de Fritz Reiner ou de Thomas Schippers.

L'Amour des trois Oranges : suite symphonique op. 33a.

*** Orch. de la Radio de Moscou, Guennadi Rojdestvenski. Mélodia Chant du Monde 2.147 (étr.). Enregistré en 1969. *+ Sept, ils sont sept, Quatre portraits et épilogue.*

** Orch. de Philadelphie, Eugene Ormandy. CBS 75.185. Enregistré en 1961. *+ Lieutenant Kijé, Symphonie n° 1.*

Guennadi Rojdestvenski est, depuis quinze ans, l'interprète le plus authentique de la musique de Prokofiev. Que ce soit dans des partitions populaires comme la suite d'orchestre tirée de l'opéra l'*Amour des trois Oranges*, ou des partitions qu'il est le seul à diriger de par le monde, comme la suite d'orchestre, en cinq épisodes, tirée du *Joueur*, ou l'une des cantates les plus étranges par sa modernité, écrite par Prokofiev à l'automne 1917. Ce dernier voulait que l'*Amour des trois Oranges* soit «une apologie du rire». Avec Rojdestvenski, elle est à la fois irrésistible sur le plan de la verve rythmique, élégiaque lors de l'épisode du Prince et de la Princesse. De même, le grand chef soviétique donne esprit et vie aux *Quatre portraits et épilogue*, qui ne sont en rien une simple adaptation des thèmes de l'opéra, mais une synthèse aussi subtile que cocasse des quatre caractères des personnages de Dostoïevski, Alexis, la grand'mère, le Général et Pauline. Une anthologie unique des années 1915-17 de la musique de Prokofiev.

Depuis bientôt vingt ans, l'anthologie dirigée par un Eugene Ormandy au mieux de sa forme a réuni la perfection successivement tendre et primesautière de la *Symphonie classique* à l'immense éclat de rire que doit être la suite de l'*Amour des trois Oranges*, alors que la suite tirée de la musique du film *le Lieutenant Kijé* appelle virtuosité, couleurs franches et impeccable mise en place. Dans ce difficile équilibre entre l'humour, la virtuosité et un sens de la fresque classique comme de la couleur, se retrouve le style d'Ormandy, certes pas avec la même évidence qu'à l'écoute de Rojdestvenski, mais avec cet art de la parfaite mise en place qui fait que ce chef s'affirme comme un fort convenable interprète de Prokofiev.

Cendrillon, ballet, op. 87.

*** Orch. Symph. de la Radio de l'URSS, Guennadi Rojdestvenski. EMI HMV SXDW 3026 (3 d.) (G-B). Enregistré en 1967.

Seul, jusqu'ici, l'interprète privilégié de la musique de Prokofiev qu'est Guennadi Rojdestvenski a enregistré l'intégrale des cinquante numéros que comporte la partition originale du ballet. Musique qui se veut simple, claire, elle est surtout admirablement écrite pour la danse, dans la tradition des ballets de Tchaïkovski. Même si, par instants, Prokofiev se laisse aller à quelques moments de sentimentalité (comme parfois son illustre prédécesseur), Rojdestvenski les anime de telle manière qu'ils s'insèrent, sans césure, dans le déroulement du spectacle. *La Leçon de danse, Le Galop*... atteignent à une vivacité, un humour dignes des partitions du *Lieutenant Kijé* ou de l'*Amour des trois oranges*. De ce fait, cette immense musique-spectacle (car l'œuvre est faite pour faire participer l'auditeur ou le spectateur) ne présente pas la moindre faille dans l'invention rythmique et mélodique. La réalisation orchestrale russe reste fort bien venue, même si les cuivres moscovites n'ont pas cette sonorité chaleureuse ou goguenarde qu'utilisait Prokofiev. Les mélomanes opiniâtres peuvent importer d'Angleterre une excellente gravure de cette intégrale.

Chant de joie, cantate pour chœur et orchestre, op. 85. Ballade de l'enfant inconnu, pour soprano, ténor, chœur et orchestre, op. 93. Sept, ils sont sept, cantate pour ténor, chœur et orchestre, op. 30.

*** Iouri Elnikov (t), Nina Poliakova (s), Vladimir Makhov (t), Ch. et Orch. de la Radio de l'URSS, Guennadi Rojdestvenski, Evgueni Svetlanov. Mélodia Chant du Monde LDX 78.474 (étr.). Enregistré en 1969-70.

Sept, ils sont sept, cantate sur une prière chaldéenne «pour chasser les démons, sculptée en écriture cunéiforme sur les murs d'un temple assyrien» (mise en vers par Balmont) reste une des œuvres les plus réussies de Prokofiev, par la richesse de l'écriture comme par celle de l'invention. Rojdestvenski en donne une vision tour à tour farouche, puis apaisée. Un regret, le manque relatif de perspective sonore de l'enregistrement. Ce même chef sauve de la banalité l'*Hymne à Staline*, devenu *Chant de joie* (*Zdravista*)... depuis le XXe Congrès. Evgueni Svetlanov n'a pas le même mal avec la *Ballade de l'enfant inconnu*, au lyrisme simple et efficace, et dont les solistes et le chœur atteignent à ce sens du grandiose que Prokofiev avait mis au point dans *Alexandre Newsky*. De fait, un disque unique, indispensable à la connaissance de Prokofiev.

Chout le bouffon, ballet, op. 21 : suite d'orchestre op. 21b.

*** Orch. Symph. de la Radio de Moscou, Guennadi Rojdestvenski. Mélodia-Angel 40.017 (USA). Enregistré en 1964. + *Le Pas d'acier.*

Chout le bouffon, extraits : n°ˢ 1, 2, 3, 6, 8 à 12.

** Orch. Symph. de Londres, Claudio Abbado. Decca SXL 6826 ou JB 56 (G-B). Enregistré en 1966. + *Roméo et Juliette (extraits).*

Partition essentielle du Prokofiev-première manière, *Chout* n'est plus officiellement disponible au catalogue français, mais le disque de référence de Rojdestvenski est encore disponible aux Etats-Unis. Pour ceux qui ont entendu le chef russe diriger *le Bouffon* avec son orchestre actuel, le BBC Symphony, on peut également regretter qu'une version avec récitant ne soit pas disponible, car texte et musique forment le plus beau cocktail du lyrisme facétieux et de la tendresse primitive du meilleur Prokofiev, jaillissement mélodique, trouvailles instrumentales (en particulier dans l'utilisation du saxo-ténor et du cornet), détails cocasses, alternances de poursuites, de scènes mouvementées et d'instants (rares) de calme font que cette partition forme une énorme farce dont la finesse vient de sa structure musicale.

Le disque d'extraits réalisé par Abbado reste fort beau sur le plan sonore. Le chef italien, qui inaugurait alors sa carrière discographique, assimile peut-être trop le Prokofiev du *Bouffon* à celui de *Roméo et Juliette* et surtout de sa *3ᵉ Symphonie* (qu'il enregistre à la même époque). Admirable dans les scènes à grand spectacle et le fameux *andante* du *Bouffon déguisé en femme*, il n'a pas le même sens du comique éclatant que son collègue soviétique, capable de s'abstraire de tout lyrisme vrai.

Concertos pour piano et orchestre n° 1 en ré bémol majeur op. 10, n° 2 en sol mineur op. 16, n° 3 en ut majeur op. 26, n° 4 en si majeur op. 53 «pour la main gauche», n° 5 en sol mineur op. 55.

*** Vladimir Ashkenazy (piano), Orch. Symph. de Londres, André Previn. Decca 15BB 218/20 (3 d.) (G-B). Enregistré en 1970 à 1974. + *Symphonie n° 1, Automne, Ouverture sur des thèmes juifs.*

*** Michel Béroff (piano), Orch. du Gewandhaus de Leipzig, Kurt Masur. EMI VSM C 069-02.795 (n°ˢ 1, 4 et 5) et EMI VSM C 069-02.764 (n°ˢ 2 et 3). Enregistré de 1971 à 1973.

Concertos pour piano n°s 1 et 2.

*** Sviatoslav Richter (piano), Orch. Symph. de Prague (1) ; Dagmar Baloghova (piano), Orch. Phil. Tchèque, Karel Ančerl (2). Eurodisc 913.163 (étr.). Enregistré en 1954 et 1962. + *Symphonie concertante.*

Concerto pour piano n° 1.

*** Andreï Gawrilov (piano), Orch. Symph. de Londres, Simon Rattle. VSM ASD 3571 ou Electrola C 063-03.259 (RFA). Enregistré en 1977. + *Ravel : Concerto pour la main gauche, Pavane. Prokofiev : Roméo et Juliette (extraits).*

Concerto pour piano n° 3.

*** Martha Argerich (piano), Orch. Phil. de Berlin, Claudio Abbado. DG 139.349. Enregistré en 1967. + *Ravel : Concerto en sol.*

*** Julius Katchen (piano), Orch. Symph. de Londres, Istvan Kertesz. Decca SXL 6.411 (G-B). Enregistré en 1965. + *Ravel : Concerto en sol.*

* Serge Prokofiev (piano), Orch. Symph. de Londres, Piero Coppola. Electrola C 053-03.037 (étr.). Mono (origine 78 t.). Enregistré en 1932. + *Contes, Gavotte, Pièces, Sonate n° 4, Visions fugitives (extraits).*

Concerto pour piano n° 5.

** Sviatoslav Richter (piano), Orch. Symph. de la Philharmonie Nationale de Varsovie, Witold Rowicki. DG 2538.073 (sup.) ou 2548.109 (G-B). Enregistré en 1958. + *Sonate n° 8, Visions fugitives op. 22, n°s 3, 6, 9.*

L'intégrale réalisée par Vladimir Ashkenazy reste la référence. S'il fait caractériser son style, on peut affirmer que son sens des contrastes, son jeu, formé au contact d'œuvres de Mozart, Beethoven... et Rachmaninov, ont tout ce qu'il faut pour faire la synthèse des qualités qu'on reconnaissait au pianiste qu'était Prokofiev. Il sait subtilement doser violence et lyrisme soudain, *rubato* perlé, puis *toccata* nette et douce. André Previn, chef extraverti et excellent technicien, ne s'embarrasse pas de fioritures et «appuie» les divers «accents» qu'appelle la lecture de ces partitions fortement contrastées. On peut rêver lecture plus subtile, mais l'efficacité de Previn vient à point nommé relayer certaines joliesses virtuoses dans lesquelles Ashkenazy se laisse parfois aller dans le raffinement des deux œuvres tapageuses que sont les deux premiers Concertos. C'est d'ailleurs dans ces partitions que le jeu, plus uniformément brillant, mais sans nuances inutiles, de Michel Béroff, s'impose avec le plus d'évidence, si nous devons le confronter sur l'ensemble de ces cinq Concertos. Si la réalisation de l'*Ouverture sur des thèmes juifs* s'affirme comme un complément particulièrement positif, les séduisantes *Esquisses automnales pour petit orchestre op. 8* de 1910, de même que la célèbre *Symphonie classique* ne trouvent pas en Ashkenazy, passé du clavier à la baguette, un interprète capable de se mesurer aux professionnels que sont Rojdestvenski, Fricsay ou Celibidache.

Désormais disponible en deux disques séparés au minutage particulièrement généreux, après l'avoir été en un coffret de trois disques, l'intégrale signée du jeune pianiste français Michel Béroff demeure une alternative parfaitement défendable. Ne disposant pas encore du «métier» d'un Ashkenazy, Béroff joue franchement le jeu virtuose que proposent les cinq partitions. L'accompagnement de Masur, plus strict et classique que celui de Previn, ne permet pas toujours à Béroff de disposer de la variété d'accents indispensable au phrasé des deux œuvres célèbres que sont les 3e et 5e Concertos. Pour les trois autres, Béroff se hisse avec aisance et brillant au premier rang. La perspective sonore est moins fouillée que dans l'enregistrement britannique, mais l'équilibre global - comme toujours à Leipzig - est fort bien conservé.

Eurodisc a fait reparaître en avril 1978 un hommage à Karel Ančerl, accompagnant Richter dans le 1er Concerto, Baloghova dans le 2e et notre violoncelliste André Navarra dans la Symphonie concertante op. 125. Si Sviatoslav Richter s'impose facilement à côté d'Ashkenazy et de Béroff dans l'*Opus 10*, Baloghova doit s'incliner devant eux, même si l'accompagnement d'Ančerl est le plus subtilement slave, bénéficiant d'une excellente prise de son et de la sonorité, splendide en 1962, de la Philharmonie Tchèque. La générosité en minutage comme l'excellent niveau d'interprétation de cette réédition en font néanmoins un choix économique de référence.

Dans la jeune génération des pianistes soviétiques, Andreï Gawrilov s'est imposé comme l'un des plus doués, à côté d'un Sokolov. Fort bien accompagné par l'actuel directeur du National d'Écosse, Simon Rattle, il nous démontre ses qualités de jeune lion dans l'*Opus 10*. Plus discutable du fait de l'enregistrement et de l'accompagnement, le *Concerto pour la main gauche* de Ravel ne lui permet pas d'atteindre à la même évidence artistique que dans le programme Prokofiev.

Pendant un demi-siècle, le Concerto op. 26 de Prokofiev a servi de cheval de bataille à tous les pianistes voulant prouver que la musique du XXe siècle n'avait pas de secret pour eux. Ainsi, Samson François, Julius Katchen et bien d'autres ont fréquemment donné en concert et enregistré ce 3e Concerto aussi spectaculaire que conquérant. Sous les doigts de Martha Argerich, cette œuvre ne cache plus sa filiation lisztienne, son romantisme tour à tour aguicheur et attendri, tandis que l'accompagnement de Claudio Abbado met en valeur la magnificence d'un soutien orchestral d'une rare efficacité. La discipline, enfin, de la Philharmonie de Berlin, permet d'opposer l'impression d'improvisation et d'inspiration permanente que donne la soliste, et la puissance de l'orchestre qui la soutient, chaleureux et sans aspérité, presque brahmsien. Le *Concerto en sol* de Ravel figurant au verso est de la même classe.

Rendons hommage à l'un des plus grands pianistes de l'après-guerre, l'Américain Julius Katchen, brusquement disparu en 1966. Il a eu le temps d'enregistrer, par deux fois, l'*Opus 26*, la première avec Ansermet (Decca ACL 161, mono), la dernière avec Kertesz, couplée avec une excellente interprétation du *Concerto en sol* de Ravel. Dans ce dernier enregistrement, son jeu reste comme le témoignage d'un style aussi incisif qu'exempt de tout romantisme immédiatement apparent. Disposant d'un toucher d'une précision et d'une variété confondantes, Katchen demeure ainsi présent dans un des concertos qu'il a le plus fréquemment joués au cours de sa trop courte carrière. Prise de son et pressage de référence.

Le disque du compositeur, enregistré en 1932, est une véritable démonstration de style du grand pianiste que fut Prokofiev. On aimerait disposer d'un programme de même qualité et de même éclectisme sous les doigts d'un pianiste contemporain ! Malheureusement, l'œuvre de piano seul de Prokofiev brille par son absence dans les catalogues actuels, et il n'est que la bien pâle et ancienne intégrale de György Sándor (Vox-Box 5408/9, 1956, USA) pour disposer de toute cette myriade de pièces aussi malicieuses que parfois tendrement émues que sont les *Contes de la Vieille Grand-Mère op. 31*, la *Suggestion diabolique*, quatrième des *Quatre Pièces op. 4*, l'*Etude* extraite des *6 Pièces op. 52*, *Paysage et Sonatine pastorale*, venant des *Trois pièces* de l'*Opus 59*, la *Gavotte* de l'*Opus 32* comme celle de l'*Opus 25*. La gravure «illustre» proposée par Electrola est magnifiquement repiquée et s'impose ainsi comme un témoignage heureusement indélébile.

A l'aube de la stéréophonie, Sviatoslav Richter avait enregistré une spectaculaire vision de l'*Opus 55*, couplée au 20e Concerto de Mozart. En 1974, Polydor réédita cette magnifique leçon de style en complétant le disque par la 8e Sonate et trois des 20 *Visions fugitives*. Dans ce programme, ce disque, économique, demeure une référence.

Concertos pour violon et orchestre n° 1 en ré majeur op. 19 et n° 2 en sol mineur op. 63.

❀*** David Oïstrakh (violon), Orch. Symph. de Londres, Lovro von Matacic (n° 1) ; Orch. Philharmonia de Londres, Alceo Galliera (n° 2). EMI VSM SLS 5004 (5 d.) (étr.). Mono. Enregistré en 1954 et 1958. *+ Beethoven, Brahms, Bruch, Sibelius : Concertos pour violon. Taneiev : Suite de concert.*

*** Itzhak Perlman (violon), Orch. Symph. de la BBC, Guennadi Rojdestvenski. EMI VSM C 069-43.006. ⊠ C 269-43.006. Enregistré en 1980.

*** Isaac Stern (violon), Orch. Phil. de New York, Zubin Mehta. CBS D 37.802. Enregistré en 1982.

*** Kyung Wha-Chung (violon), Orch. Symph. de Londres, André Previn. Decca SXL 6773 (G-B). Enregistré en 1976.

** Pierre Amoyal (violon), Orch. Phil. de Strasbourg, Alain Lombard. Erato STU 70.866. Enregistré en 1974.

On a peine à croire qu'aucun éditeur ne se soit encore donné la peine d'offrir, en un seul disque, ce diptyque génial sous l'archet de son plus grand interprète pendant vingt ans, David Oïstrakh. Qui veut acquérir ces interprétations de référence devra se procurer un coffret, d'ailleurs somptueux, de cinq disques comportant d'autres références laissées par le grand violoniste russe. Son style, empreint à la fois de noblesse et d'une vivacité, d'une intensité imprévisibles, a fait évoluer l'image de ces deux Concertos, de la virtuosité aérienne, diabolique que leur donnait un Heifetz, à ce classicisme rayonnant que seul Oïstrakh a assumé avec cette perfection. L'accompagnement de Lovro von Matacic, comme celui d'Alceo Galliera, sont d'excellente facture, et nous «consolent» de l'absence des mêmes œuvres, avec le même soliste, mais accompagnés par Kondrachine (Mélodia).

Perlman subjugue par son étonnante facilité à changer de peau, par une définition des climats très fouillés, toujours exacte, et par la beauté et la délicatesse, l'infinie variété de son jeu. Fantasque et allègrement sarcastique, le *Scherzo* du Premier Concerto ne laisse, avec lui, jamais prise à la virtuosité gratuite ; et que dire du lyrisme irrésistible du *Moderato* final ? Quant au sublime *Andante* du Second Concerto, la sonorité fragile, chaude et translucide de Perlam lui donne le visage même de la poésie la plus mélancolique et la plus tendre. Une indéniable réussite, à laquelle Rojdestvenski prend sa juste part.

Avec Stern, qui enregistre ici ces deux Concertos pour la troisième fois, le rayonnement est immédiat, la diction d'un total naturel, tant la respiration du discours mélodique semble aller de soi sous son archet tour à tour chaleureux et enjôleur, puis impérieux et martial.

Le lyrisme effusif, lyrique, de l'*andantino* du 1er Concerto permet de mesurer la classe de la jeune violoniste Kyung Wha Chung. Son archet est d'une précision confondante, tandis que sa sonorité, pure et riche, vient quelque peu idéaliser les accents, parfois rudes, de l'*opus 19* et s'épanouir dans le 2e Concerto, vision épurée du lyrisme impulsif du Prokofiev de *Roméo*. Même si cette jeune violoniste ne peut prétendre à l'ampleur et aux contrastes du jeu d'un Oïstrakh ou d'un Stern, elle doit à la direction extravertie d'André Previn, ne craignant pas de faire sonner le London Symphony, d'offrir la meilleure version moderne de ce diptyque.

Avec Amoyal, le jeune disciple français de Jasha Heifetz, on retrouve le souci de stylisation qu'avait si bien illustré ce maître. Doué d'une sonorité à la fois chaleureuse et somptueusement lyrique, Amoyal cherche moins à convaincre qu'à séduire. Comme, au pupitre, Alain Lombard, tout comme André Previn, ne s'embarrasse pas de subtilités pour faire sonner l'orchestre de Prokofiev, le couple soliste/chef se complète fort bien pour donner à ces œuvres leurs paradoxales qualités : légèreté et noblesse de la mélodie, puissance et rudesse des contrastes dans les mouvements vifs.

Concerto pour violon et orchestre n° 1 en ré majeur op. 19.

*** Josef Szigeti (violon), Orch. Phil. de Londres, Thomas Beecham. VSM HLM 7016 (G-B). Ou Electrola C 047-01.375 (RFA). Mono (origine 78 t.). Enregistré en 1935. + *Mendelssohn : Concerto pour violon. Bartók : Portrait.*

Parmi les nombreuses gravures historiques laissées par les grands monstres sacrés du violon, il faut avoir entendu Josef Szigeti, à sa pleine période de maturité (1930-45), s'emparer du Concerto en *ré* majeur. Accompagné avec autant de légèreté que d'humour par le célèbre Sir Thomas, sa vision prend encore plus de poids, couplée avec l'*Opus 64* de Mendelssohn. Fort bien regravée par Electrola, cette version est disponible en import.

Concerto pour violoncelle et orchestre en mi mineur op. 58.

*** János Starker (violoncelle), Orch. Philharmonia, Walter Süsskind. EMI Angel 35.418 (USA). Mono. Enregistré en 1955. + *Milhaud : Concerto pour violoncelle n° 1.*

*** Christine Walewska (violoncelle), Orch. de l'Opéra National de Monte-Carlo, Eliahu Inbal. Philips 6500.518 (étr.) Enregistré en 1973. + *Khatchaturian : Concerto pour violoncelle.*

La reprise de ce Concerto en *mi* mineur op. 58 par Prokofiev pour en réaliser une *Symphonie concertante* pour violoncelle et orchestre, terminée en 1952, quelques mois avant la disparition du compositeur, a longtemps fait considérer la première rédaction comme une œuvre mineure, si ce n'est peu réussie. De fait, seuls des problèmes d'édition font que cet *Opus 125* est plus fréquemment joué au concert que *l'Opus 58*. Désormais, les deux rédactions sont facilement accessibles en Occident. Il suffit d'écouter la première gravure microsillon de l'œuvre originelle pour s'apercevoir qu'elle a bénéficié du même soin que le Concerto pour violon contemporain, à la carrière plus triomphale. Janós Starker se joue des incroyables difficultés que renferme l'*Allegro giusto*, tandis que l'on doit à l'excellent Walter Süsskind la réussite, fort rare, de la partie d'orchestre de la *Reminiscenza* finale. Le couplage avec le 1er Concerto de Milhaud, écrit à la même époque, est mieux qu'une bonne idée. Ce programme fait d'un tel disque une gravure précieuse dont l'importation s'impose.

Avec la jeune violoncelliste Christine Walewska, l'œuvre laisse entrevoir des réminiscences du fantasque straussien et se voit doter d'un élan parodique savoureux, de couleurs légères, enfin d'une rythmique ni simpliste, ni insistante. A ce jeu de purification n'est pas étranger l'excellente lecture du jeune chef israélien Eliahu Inbal, qui obtient la meilleure participation du National de Monte-Carlo. Le style, naturellement chaleureux à la slave, de Walewska suffit à animer le folklorisme facile du Concerto de Khatchaturian sans qu'Inbal ait besoin de faire preuve de l'insistance de ses collègues soviétiques dans la même œuvre. Aujourd'hui supprimée du catalogue français, cette excellente gravure, techniquement fort réussie, est disponible tant en Grande-Bretagne qu'en Allemagne Fédérale.

L'Enfant prodigue, suite de ballet.

** Orch. Phil. Tchèque, Oskar Danon. Supraphon 2.638. Enregistré en 1979. *+ Hindemith : Symphonie « Mathis le peintre ».*

L'Enfant prodigue est magnifiquement servi par l'Orchestre Philharmonique Tchèque, qui, sous la direction d'Ančerl, a donné des enregistrements de référence d'autres œuvres de Prokofiev. Danon s'impose ici par sa brillance, son éclat parfaitement en accord avec la vitalité rythmique et la riche couleur de cette partition. La Symphonie « Mathis le peintre », qui complète ce disque, n'est malheureusement pas de la même veine.

La Fleur de Pierre, ballet op. 118 : extraits.

*** Orch. du Théâtre Bolchoï, Guennadi Rojdestvenski. Mélodia C 01-643 (USA). Ou Mélodia-Angel SR 40.066 (USA). Enregistré en 1966.

On doit encore à Guennadi Rojdestvenski le premier enregistrement intégral des 46 numéros de ce ballet. Editée en 1971 par Chant du Monde (78.438/40), cette intégrale n'est plus disponible dans les pays occidentaux. Il n'est que le disque d'extraits disponible sur le marché américain et dirigé par Rojdestvenski, pour se faire une idée exacte du style du dernier Prokofiev, jouant entre le lyrisme direct, hérité de *Roméo*, le style grandiose, utilisé, à la même époque, dans un oratorio comme la *Garde de la Paix*, et un sens de la nature qui semble tout d'un coup le prendre, au terme d'une vie créatrice sans exemple. Jouant au jeu des «portraits» (comme dans *le Joueur*), Prokofiev était très fier du thème majestueux et ample personnifiant la Reine de la Montagne de cuivre, que venait compléter un second thème, lyrique et généreux, dont le frémissement s'identifie à la bonté de cette reine, thème confié d'abord à la petite harmonie, puis aux cordes. La *Fleur de Pierre* reste l'une des partitions les plus mal connues du dernier Prokofiev ; son absence des catalogues n'est pas admissible. Demandons à Rojdestvenski d'en enregistrer une nouvelle intégrale avec un orchestre d'outre-Manche.

Ivan le Terrible, oratorio pour mezzo, récitant, chœur et orchestre, tiré de la musique de film, op. 116.

*** Valentina Levko (ms), Anatole Mokrenko (bar), Alexandre Estrin (récitant), Ch. de Moscou, Orch. Symph. de l'URSS, Abraham Stassevitch. Mélodia Chant du Monde C 01.321 (2 d.) (étr.). Enregistré en 1969.

*** Irina Arkhipova (ms), Anatole Mokrenko (bar), Boris Morgounov (récitant), Ch. Ambrosien, Orch. Philharmonia de Londres, Riccardo Muti. EMI VSM C 167-02.966/67 (2 d.). Quadri. Enregistré en 1977. *+ Sinfonietta op. 48.*

Ivan le Terrible : extraits.

*** Valentina Levko (ms), Anatole Mokrenko (bar), Alexandre Estrin (récitant), Ch. de Moscou, Orch. Symph. de l'URSS, Abraham Stassevitch. Chant du Monde LDX 78.390. Enregistré en 1969.

On doit à Abraham Stassevitch la rédaction de l'oratorio tiré de la musique du film que Prokofiev avait écrite pour qu'Eisenstein la mette en images. Les vingt numéros reconstitués de cette musique par Stassevitch ne forment pas l'œuvre de choc qu'est *Alexandre Newski*. Dans une telle suite de climats, le rôle du chœur est fondamental, même si deux solistes et un récitant interviennent pour l'équilibre de la narration. La gravure dirigée par Stassevitch reste une référence depuis dix ans, autant par la qualité des solistes que, surtout, du chœur. Tour à tour grondant ou suppliant, ce dernier est la vie même, donnant une dimension de fresque d'éternité à cet oratorio au dramatisme pénétrant. L'enregistrement est bien réalisé.

Riccardo Muti démontre qu'il a le souffle épique capable d'animer pareille partition. Un écueil : le Ambrosian Chorus, Chœur Ambrosien, certes vaillant et discipliné, ne peut rivaliser avec les formations moscovites. Même s'il remplace l'ampleur et les contrastes par la finesse, on doit, par ailleurs, reprocher à Muti un certain manque de rigueur dans les premiers tableaux. Cette impression disparaît dès que Muti a entendu la voix d'Irina Arkhipova qui l'incite à placer les derniers tableaux sous le signe des grandes scènes moussorgskiennes. En prime, l'unique gravure de la *Sinfonietta* op. 48 de 1929. La prise de son, enfin, bien étalée en profondeur, n'a pas la dynamique de la gravure soviétique. De fait, un choix de style : Stassevitch pour les amateurs de ballet et de grandes fresques contrastées, Muti pour les amateurs d'opéras.

Un disque d'extraits a été tiré de l'enregistrement intégral d'Abraham Stassevitch. Pour retrouver la puissance vocatrice de la musique dans le film d'Eisenstein, on pourra se contenter de cette anthologie présentant les principaux temps forts de la partition. Interprétation de référence et réalisation technique de très bonne qualité.

Le Joueur, opéra op. 24.

*** Vladimir Makhov (Alexis), Nina Poliakova (Pauline), Anna Mathiushina (Blanche), Guennadi Troïtski (le Général), Sol., Ch. et Orch. de la Radio de l'URSS, Guennadi Rojdestvenski. Mélodia-CBS M3 34.579 (3 d.) (USA). Enregistré en 1975.

Prokofiev termina l'orchestration de son premier opéra, *Le Joueur*, dès 1916. Il dut attendre 1929 pour le voir créer au Théâtre de la Monnaie de Bruxelles dans une version sensiblement retravaillée. Ayant voulu réaliser un spectacle «souple, actif et touchant», Prokofiev avait peut-être trouvé, en langue russe, l'équivalent de l'«opéra en conversation» qu'un Richard Strauss imposa dans *Capriccio*. On attendait, depuis un demi-siècle, un enregistrement exhaustif de cette œuvre renouvelant un genre que les nationalistes russes avaient figé dans une certaine tradition. En 1975, Guennadi Rojdestvenski a réussi cette résurrection posthume. Un regret : qu'il n'ait jamais été importé en France. Avec cette souplesse voulue par le compositeur dans la direction, et quatre voix fortement typées pour Alexis, Pauline, Blanche et le Général. Cette conversation selon Dostoïevsky a trouvé sa réalisation de référence.

Première œuvres pour piano : Sonate op. 1, Allegretto en la mineur, Scherzo en ré majeur, Quatre pièces op. 3, Quatre pièces op. 4, Quatre Etudes op. 2

❀*** Abdel Rahman El Bacha (piano). Forlane UM 3.527. Enregistré en 1982.

Abdel Rahman El Bacha signe avec ces pièces de jeunesse de Prokofiev son premier enregistrement - qui, d'emblée, s'impose comme une totale réussite. Il donne à ces œuvres de l'impétuosité et de l'éclat, sans concéder à une virtuosité gratuite au détriment de la musicalité. Ces pages, qui témoignent de l'écriture abrupte et de l'énergie, du mordant et du style impérieux, sarcastique, parfois, du jeune Prokofiev, de son modernisme surtout, trouvent ici un interprète exemplaire.

Œuvres pour piano : Visions fugitives op. 22, Prélude en ut majeur op. 12 n° 7, Sonate n° 2 en ré mineur op. 14, Roméo et Juliette op. 75 (extraits).

*** Michael Rudy (piano). EMI VSM C 065-16.219. Enregistré en 1977 et 1978.

Tout au long de ce récital Prokofiev, le jeu de Michael Rudy, tout en finesses contrastées, tient du plus grand piano. Son adresse diabolique nous vaut une Sonate n° 2 radieuse, vigoureusement jeune, ardente et brillante, mais d'une brillance qui est loin d'être gratuité d'estrade. Quant aux *Visions fugitives*, rendues difficiles par leur diversité de ton, d'éclairage et d'ambiance, nous en trouvons avec Rudy une interprétation qui porte l'accent sur un certain ascétisme vivifiant qui nous donne un piano magique, féérique, aux nuances infinitésimales, souvent à la limite du rêve éveillé, de l'éternité arrachée au silence béant.

Dix Pièces pour piano op. 97 et Six Pièces pour piano op. 102, tirées du ballet Cendrillon.

*** Alexeï Nassedkine (piano). Mélodia Chant du Monde CM 03.951 (étr.). Enregistré en 1971.

Il n'y a que du bien à dire de la lecture, par Alexeï Nassedkine, des deux petites Suites tirées par Prokofiev, pour son propre usage de pianiste, des Suites d'orchestre du ballet *Cendrillon.* L'enregistrement est fort bien réalisé, le clavier sonne avec clarté et un timbre parfaitement acceptable. Bien que ne suivant aucun ordre logique par rapport à l'argument du ballet original, ces deux Suites alternent avec art pas de danses, moments d'excitation (querelle), épisodes lyriques (Rêve n° 9) ou grands mouvements à la puissance symphonique (scène au carillon). Du magnifique piano.

Pierre et le loup, conte symphonique pour enfant, op. 67.

*** Gérard Philipe (récitant), Orch. Symph. de l'Etat de l'URSS, Guennadi Rojdestvenski. Chant du Monde LDX 78.187. ⌧ K 64. Enregistré en 1954.

*** Madeleine Renaud (récitante), Orch. National de l'ORTF, Lorin Maazel. DG 2538.054. ⌧ 3335.123. Enregistré en 1960. *+ Britten : Variations sur un thème de Purcell.*

** Jean Richard (récitant), Orch. Phil. de Vienne, Karl Boehm. DG 2530.640. ⌧ 3300.640. Enregistré en 1975-76. *+ Saint-Saëns : Carnaval des animaux.*

Depuis vingt ans, la bande son réalisée par Gérard Philipe sur la musique dirigée par Rojdestvenski fait le bonheur des enfants comme l'admiration des parents. Malgré la relative matité de l'enregistrement, ce document reste une référence musicale et théâtrale.

On connaît les affinités qui lient Maazel à l'œuvre de Ravel. Il semble que sa lecture de *Pierre et le loup* soit empreinte de la même spontanéité que lorsqu'il dirige *l'Enfant et les Sortilèges.* Enfin, notre Orchestre National avait tenu à montrer l'excellence de la technique individuelle de ses divers solistes. Sur le plan éducatif, le couplage avec les fameuses Variations sur un thème de Purcell de Britten, formant, par le texte, un *Guide pour un jeune auditeur,* peut s'imposer pour l'enseignement musical. Dire que Madeleine Renaud a «sa» manière d'aborder les textes est une évidence. Bien que réalisé il y a vingt ans, cet enregistrement, en réédition fort économique, allie présentation et gravure d'excellente facture.

La gravure stéréo réalisée par Karl Boehm dispose de la magnificence des timbres des solistes de la Philharmonie de Vienne. La bande son, montée sur cette magnifique réalisation musicale, sans atteindre à l'évidence réussie par Gérard Philipe, semble (après de nombreux tests) fort bien convenir aux principaux clients, c'est-à-dire aux enfants tous admirateurs de Jean Richard. Restent les couplages, qui pourront faire préférer le disque de Maazel.

Quatuors à cordes n° 1 en si mineur op. 50 et n° 2 en fa majeur «sur des thèmes des Balkhar-Kabardines» op. 92.

*** Quatuor Novak. Philips 6500.103 (sup.). Enregistré en 1967.

** Quatuor de Paris. Chant du Monde LDX 78.540 (sup.). Enregistré en 1973.

Quatuor à cordes n° 1.

*** Quatuor Smetana. Supraphon 50.420. (étr.). Enregistré en 1961. *+ Chostakovitch : Quatuor n° 3 op. 73.*

Quatuor à cordes n° 2.

*** Quatuor de Prague. Supraphon 1 11 0698 (étr.). Enregistré en 1967. *+ Tchaïkovski : Quatuor n° 1.*

Il est curieux de devoir conseiller une gravure remontant à 1967, due à un ensemble tchèque disloqué par les événements d'août 1968, pour garantir à ces deux œuvres, fort dissemblables sur le plan du style, une interprétation qui atteigne à la splendeur recueillie dans l'*andante* final de l'*Opus 50.* Les interprètes s'identifient tout autant au folklorisme quelque peu simpliste du *fa* majeur que Prokofiev avait habilement su utiliser dans une partition de musique pure, où quelques tentatives de polytonalité, quelques accents bartokiens suffisent à le situer au XXe siècle. Honneur soit rendu au Quatuor Novak, emmené par Antonin Novak avec Pandula au 2e violon. Philips avait réussi une fort belle perspective sonore.

L'édition réalisée par le Quatuor de Paris emmené par Luben Yordanoff propose une vision plus lyrique et moins abrupte que celle des Quatuors tchèques, Smetana et Prague ; elle rejoint les sensibilités modernes du dernier Bartók dans l'*Opus 92,* mais se refuse à épaissir le trait dans l'*Opus 50* qui demeure, néanmoins, un des rares hommages de Prokofiev au maître qu'était Beethoven.

Contrastée, beethovénienne même, est la lecture de l'*Opus 50* par les Smetana, couplée avec une magistrale interprétation du 3e de Chostakovitch. Toujours accessible à l'étranger, cette interprétation demeure une référence, accessible avec un peu de peine... mais fort économique.

C'est dans le même esprit que le Quatuor de la ville de Prague, emmené par Bretišlav Novotný, aborde l'*Opus 92*, lui donnant éclat et contrastes. Il ne reste qu'à demander la réédition de cette interprétation, avec celle du 1er Quatuor par les Smetana, en un seul disque pour disposer d'une référence.

Quintette pour hautbois, clarinette, violon, alto et contrebasse en sol mineur op. 39.

*** Ensemble Melos de Londres. Oiseau-Lyre SOL 267 (G-B). Enregistré en 1963. + *Chostakovitch : Quintette avec piano.*

** Membres de l'Octuor Phil. de Berlin. DG 139.309 (RFA). Enregistré en 1967. + *Hindemith : Octuor.*

Comportant, tel un ballet primitif, six épisodes, ce Quintette devrait se trouver au répertoire des nombreux instrumentistes à vent, toujours friands de musique de chambre originale. Successivement nostalgique ou joyeuse, cette musique distille également un petit parfum oriental, propre à séduire les amateurs de contes. La version, déjà ancienne, des membres du Melos de Londres, reste néanmoins la plus séduisante, tant sur le plan instrumental que sur celui de la prise de son. Le couplage, par ailleurs, permet de disposer d'une excellente lecture du Quintette pour piano et cordes de Chostakovitch.

Les fanatiques pourront tenter de trouver l'édition qu'en signa Rojdestvenski... au piano, avec des amis solistes de son orchestre de chambre de Léningrad (Eurodisc 73.583, 1968, RFA). En cas d'indisponibilité, ils pourront se consoler avec la lecture très stricte des instrumentistes de l'Octuor Philharmonique de Berlin, se refusant à toute truculence et qui abordent cet *Opus 39* comme s'il s'agissait d'une œuvre de Schoenberg ou de Hindemith. Pour ceux qui veulent disséquer cette étonnante partition, cette lecture est d'une mise en place impeccable. L'œuvre de Hindemith, au verso, est défendue avec la même perfection.

Roméo et Juliette, ballet op. 64.

*** Orch. de Cleveland, Lorin Maazel. Decca SXL 6.620/22 (3 d.) (G-B). Enregistré en 1972.

** Orch. du Théâtre Bolchoï de Moscou, Algis Juraitis. Chant du Monde LDX 78.737/39 (3 d.). Enregistré en 1981.

** Orch. Symph. de Londres, André Previn. EMI VSM C 167-02. 447/49 (3 d.) (étr.). Enregistré en 1972.

L'enregistrement de *Roméo* par Rojdestvenski, original en monophonie, n'est plus disponible et peut être remplacé par les deux éditions modernes, signées l'une de Lorin Maazel, l'autre d'André Previn. Pour animer une œuvre ne comportant pas moins de 52 numéros en 150 minutes, il faut que le chef soit un metteur en scène inné, sachant gommer les quelques banalités ou répétitions et mettre en lumière la progression dramatique, très shakespearienne, que voulait conserver Prokofiev. Lorin Maazel a presque totalement réussi ce portrait-robot, tant les couleurs du Cleveland Orchestra et sa connaissance de la musique de Tchaïkovski lui permettent de donner tout leur lyrisme aux nombreux épisodes tendres ou intimes. Il n'est que quelques scènes de rues, batailles ou danses rapides où l'on regrette la patte plus agressive, plus nette d'un Rojdestvenski ou d'un Karel Ančerl. Cependant, comme sur le plan de l'enregistrement, elle est admirablement «prise», cette intégrale s'impose aujourd'hui.

Juraitis offre une lecture à la carrure rythmique accentuée, avec un souci du détail dynamique et orchestral qui tend à ramener *Roméo et Juliette* vers la première période de Prokofiev. Cette version très étudiée, nerveuse et puissante, un peu anguleuse parfois, possède l'avantage d'éviter toute banalisation, défaut courant des chefs soviétiques.

Avec André Previn, les qualités ne sont pas de même origine. Technicien accompli, Previn n'a aucune peine à obtenir du London Symphony une mise en place impressionnante dans les scènes spectaculaires, la prise de son ayant même tendance à en «rajouter» sur le plan des contrastes et de la dramatisation. Dans les scènes lyriques, sa battue n'évite pas quelques lourdeurs ou insistances superflues ; mais Previn est doué d'un sens du rythme (n'est-il pas d'ailleurs un excellent pianiste de jazz ?) qui fait que la partition avance avec bonheur.

Roméo et Juliette, Suites symphoniques op. 64 bis et 64 ter : extraits.

⊛*** Orch. Phil. Tchèque, Karel Ančerl. Supraphon 25.340. Enregistré en 1960.

*** Orch. Phil. de New York, Dimitri Mitropoulos. CBS 60.279. Enregistré en 1957.

** Orch. Symph. de Londres, Claudio Abbado. Decca JB 56 (G-B). Enregistré en 1966. + *Chout le bouffon (extraits).*

Depuis vingt ans, le disque d'extraits, signé de Ančerl, reste une référence que chaque réédition ne fait que confirmer. Dramatique, humaine, profondément slave, sa lecture vous prend par la main, puis vous fait participer peu à peu à cette histoire d'amour qui a trouvé là l'une de ses plus belles parures musicales. L'Orchestre Philharmonique Tchèque de l'époque était une phalange virtuose ; et la prise de son, fortement réverbérée comme l'est naturellement la salle Smetana de Prague, concourt à donner à la «rumeur» orchestrale ses sortilèges bénéfiques.

Mitropoulos aborde *Roméo et Juliette* avec un sens aigu de la progression dramatique. Il dynamise les masses orchestrales par sa naturelle intuition de la pulsation rythmique, et leur donne un poids, une densité, des couleurs instrumentales au relief étonnant. Vision plus violente et plus angoissée que celle d'Ančerl, dont le lyrisme puissant et expressif force l'admiration.

Avec Abbado, on retrouve ce sens de la mise en scène qui fait des neuf extraits choisis un mini-opéra sans paroles aux violences et tendresses exquises. Il a gommé quelque peu les aspérités et les contrastes violents du ballet, déjà par le choix des extraits retenus, mais également par sa façon de faire respirer ces derniers, devenus une suite de duos et airs où solistes de l'orchestre et tutti se répondent. Couplée à l'unique suite d'extraits de *Chout*, cette version vient d'être regravée en série économique en Grande-Bretagne.

Sonates pour piano : n° 1 en fa mineur op. 1, n° 2 en ré mineur op. 14, n° 3 en la mineur «d'après de vieux cahiers» op. 28, n° 4 en ut mineur op. 29, n° 5 en ut majeur op. 38, n° 6 en la majeur op. 82, n° 7 en si bémol majeur op. 83, n° 8 en si bémol majeur op. 84, n° 9 en ut majeur op. 103.

Sonates n°s 1 et 4.

** Iván Klanský (piano). Supraphon 1 11 2169 (étr.). Enregistré en 1977. + *Chopin : Sonate n° 2.*

Sonate n° 2.

** Michael Rudy (piano). EMI VSM C 065-16.219. Enregistré en 1977 et 1978. + *Visions fugitives op. 22, Prélude op. 12 n° 7, Roméo et Juliette op. 75 n°s 4 et 6.*

Sonates n°s 2 et 9.

*** Nicolaï Petrov (piano). Mélodia-Chant du Monde CM 03.491 (étr.). Enregistré en 1972.

Sonates n°s 2 et 6.

*** Jiři Hlinká (piano). Supraphon 50.861 (étr.). Enregistré en 1967.

Sonates n°s 3, 6 et 7.

** Michel Béroff (piano). EMI VSM C 069-73.000. Enregistré en 1978.

Sonates n°s 3 et 8.

*** Nicolaï Petrov (piano). Mélodia Chant du Monde CM 3.499 (étr.). Enregistré en 1973.

Sonate n° 5.

*** Pavel Stepán (piano). Supraphon 50.697 (étr.). Enregistré en 1964. + *Visions fugitives op. 22.*

Sonates n° 6.

*** Ivo Pogorelich (piano). DG 2532.093. + *Ravel : Gaspard de la nuit.*

Sonate n° 7.

*** Vladimir Horowitz (piano). RCA VH 014 (USA). Mono (origine 78 tours). Enregistré en 1945. + *Scriabine : Préludes op. 11/5, op. 22/1, Etudes op. 8/7, op. 42/5. Barber : Sonate op. 26.*

Sonate n° 7.

*** Maurizio Pollini (piano). DG 2530.225. ⌧ 3300.458. Enregistré en 1971. *+ Stravinsky : Petrouchka.*

Sonates n°s 7 et 8.

*** Vladimir Ashkenazy (piano). Decca SXL 6346 (G-B). Enregistré en 1967. *+ Roméo et Juliette n°s 5 à 10.*

Sonates n°s 7 et 9.

** Sviatoslav Richter (piano). Mélodia Chant du Monde LDX 78.538 (étr.). Enregistré en 1959.

Sonate n° 8.

❀*** Emil Guilels (piano). Eurodisc 913.223. Quadri. Enregistré en 1974. *+ Visions fugitives op. 22.*

** Sviatoslav Richter (piano). DG 2548.109 (G-B). Enregistré en 1962. *+ Concerto pour piano n° 5, Trois Visions fugitives op. 22.*

** Lazar Berman (piano). DG 2530.678 (sup.). Enregistré en 1975. *+ Rachmaninov : Six Moments musicaux op. 16.*

Iván Klanský, élève de František Rauch, né en 1948, a su trouver dans ces pièces d'un Prokofiev de dix-huit ans, l'influence de Chopin comme celle de Scriabine, sans trop noyer sous les effets pianistiques le lyrisme de l'*andante assai* de l'*Opus 29*, commencé, comme l'*Opus 1*, en 1908. Le verso du disque est fort convenable.

Le jeu de Michael Rudy, tout en finesses contrastées, nous apparaît d'une hardiesse diabolique. La Sonate n° 2 en sort radieuse, vigoureusement jeune, ardente et brillante, mais d'une brillance qui est loin d'être gratuité d'estrade. Dans les *Visions fugitives*, Michael Rudy, en axant son interprétation sur un certain ascétisme vivifiant, nous donne un piano magique, féerique, irisé de nuances infinitésimales.

Nous devons à l'excellent pianiste russe Nicolaï Petrov le début de ce qui devait être une intégrale. Deux disques sont parus, qui s'imposent par leur qualité instrumentale. Dans la Sonate n° 1, Petrov se montre plus rigoureux que Lazar Berman, sans retrouver toutefois le lyrisme naturel qu'y mettait un autre pianiste trop peu connu, le Tchèque Jiři Hlinká.

Jiři Hlinká donne la seule version vraiment exhaustive de la première «Sonate de guerre» qu'est l'*Opus 82*, commencée en 1939 et dont l'âpreté, la beauté sans fard, n'ont guère concouru à sa gloire. Hlinká en traduit toute la hardiesse, la splendeur blessée qui fait de cette page l'une des plus belles des neuf Sonates laissées par le pianiste-compositeur.

Michel Béroff est assurément ici dans son élément : ce coup de griffe à la fois souple et acéré, nerveux mais exempt de brutalité comble notre attente. Et c'est aussi par la précision rythmique et par le dosage savant des nuances que Michel Béroff nous tient en haleine. Nous sommes aux antipodes du romantisme, et c'est par une sorte de mécanique rigoureuse, implacable, que Prokofiev agit sur l'auditeur.

On retrouve dans le second disque de Nicolaï Petrov les très belles qualités pianistiques manifestées dans le précédent. Dans la 8e Sonate, on pourra cependant préférer la puissance beethovénienne de Guilels.

Il est bien dommage que nous ne disposions pas d'un enregistrement de la première mondiale de la création de la 5e Sonate par Prokofiev lui-même, le 24 mars 1924 au Théâtre des Champs-Elysées. Car rares sont les pianistes qui se soient penchés sur les raffinements de cette Sonate «parisienne». Nous devons encore à un excellent pianiste tchèque l'unique gravure exhaustive de cette œuvre qui vaut mieux que le mépris dont on l'entoure depuis plus d'un demi-siècle. Ecoutons donc Pável Stepán, qui complète son récital par une bonne traduction des *Visions fugitives* dans leur intégralité.

Avec Pogorelich, aucune question ne se pose : c'est l'évidence même de la vérité stylistique, de l'accord profond entre le tempérament du compositeur et celui de l'interprète. Cette articulation fantastique et ces doigts d'acier, ce rythme impeccable, cette verdeur, cette douceur inespérée, cette humeur changeante, cette insouciance et cette légèreté sont, dans cette exécution d'une beauté transcendante, l'expression même du génie de Prokofiev.

Il est inutile d'insister sur l'étonnante lecture que fit Vladimir Horowitz de l'*Opus 83* en 1945, lors de la création aux Etats-Unis de cette Sonate «de guerre», tout auréolée de son Prix Staline. Jamais ce jeu de tension et de détente, propre au discours de Prokofiev, n'avait atteint cette inquiétante perfection. Le Finale, *precipitato*, trouve sous les doigts de Horowitz une impression de tourbillon irrésistible qui fait que cet enregistrement de 1945 demeure un événement historique. La regravure de 1975 nous octroie quelques compléments scriabiniens de première importance.

Dans une tout autre approche qu'Horowitz, Maurizio Pollini sert l'*Opus 83* de toute la rigueur et la virtuosité dont il était capable en 1971. Semblable lecture ne subjugue non pas tant par la qualité instrumentale (pourtant peu ordinaire), mais par l'extraordinaire tension, proche d'un Richter, que Pollini y entretient d'un bout à l'autre, réservant les points culminants aux métamorphoses des toccatas schumaniennes, au lyrisme presque féerique de l'*andante caloroso*, de facture impeccablement classique, alors qu'éclate, par instants, l'irrésistible brutalité des deux *inquietos* successifs. Un disque d'exception, complété par une très belle interprétation des trois pièces de *Petrouchka* transcrites pour piano.

Dans un style moins strict que Pollini, directement issu du phrasé demandé par Chopin et Liszt, Vladimir Ashkenazy allie les qualités de virtuosité de ses collègues soviétiques (que ce soit Richter ou Guilels) tout en retrouvant spontanément ce *rubato* qui prouve que dans leurs brusques violences, ces œuvres de Prokofiev ne peuvent cacher leur romantisme profond. Ce qu'une telle approche peut faire perdre en puissance, en contrastes, en souci de la forme, Ashkenazy le compense par la beauté de toucher, la variété d'attaque. Son style plaira aux nombreux mélomanes pouvant être rebutés par la rudesse des lectures de Richter ou de Guilels.

Il y a maintenant plus de vingt ans que Sviatoslav Richter a donné l'édition de référence de deux Sonates les plus connues de Prokofiev. Dépouillée, parfaitement articulée, nimbée d'une poésie parfois désabusée, d'une netteté de mise en place draconienne dans les épisodes rapides, sa lecture, très narcissique, s'impose telle une gravure signée Horowitz. Relativement sèche, la prise de son permet néanmoins de ne rien perdre d'un discours à l'étonnante continuité spirituelle.

La vision construite par Emil Guilels de la 8e Sonate demeure un des sommets absolus de la bien maigre discographie de ces œuvres. Tel un monument à la rigueur et à la sensibilité beethovénienne, ce vaste poème formé de deux *andante* suivis d'un *vivace* est comme une suite de flammes sombres qui viennent finir de s'éteindre dans l'*andantino* final. Vient une *Toccata* qui balaie, en un feu d'artifice virtuose, les miasmes des vingt-cinq minutes précédentes. A ce programme grandiose, Guilels donne l'élan, la puissance, l'éclat et la rigueur de construction. En complément, Guilels fait des extraits des *Visions fugitives* huit petits diables ensorcelants et moqueurs. Prise de son de démonstration.

Polydor avait réédité, en un excellent programme économique, l'autre approche possible de ce bloc pianistique qu'est l'*Opus 84*. Encore plus dépouillé, troquant la flamboyance d'un Guilels pour une rigueur propre au dernier Scriabine, Richter imposait son style personnel sur cette œuvre magistrale. Malgré une prise de son donnant une image orchestrale un peu inconsistante, la version jointe du 5e Concerto est d'excellente facture, ainsi que les quelques *Visions* qui la complètent.

L'écoute successive de Guilels, Richter et Berman dans l'*Opus 84* fait que ce dernier apparaît comme subitement bavard, n'arrivant pas à souder les divers épisodes contraires de cette œuvre aussi séduisante que violente par instants. Réécoutée isolément, on ne peut qu'apprécier l'art du pianiste, plus à l'aise dans le motorisme des passages virtuoses que dans l'ascèse des *andantes*. Il suffit d'écouter les *Moments musicaux* de Rachmaninov, qui complètent ce disque, pour affirmer que Lazar Berman est l'interprète naturel des œuvres russes de la fin du XIXe siècle.

Sonate pour violon seul en ré majeur op. 115.

** Ulf Hoelscher (violon). EMI Electrola C 063-28.980 (RFA). Enregistré en 1973. *+ Bartók : Sonate pour violon seul. Paganini : Variations Paisiello.*

Cette Sonate, faite pour être jouée à l'unisson par une classe complète de violon du Conservatoire de Moscou, ne demeure au répertoire des grands violonistes que comme exercice, fort bien écrit d'ailleurs, issu des mânes de J.S. Bach. Ulf Hoelscher, admirable interprète de la Sonate de Bartók, se joue littéralement des embûches des variations paganiniennes.

Sonates pour violon et piano n° 1 en fa mineur op. 80 et n° 2 en ré majeur op. 94b.

*** Itzhak Perlman (violon), Vladimir Ashkenazy (piano). RCA LSC 3118 (G-B). Enregistré en 1969.

** Victor Tretiakhov (violon), Mikhaïl Jerochine (piano). Eurodisc 28.754 (RFA). Enregistré en 1976.

Sonate pour violon et piano n° 1.

*** Gidon Kremer (violon), O. Meisenberg (piano). Mélodia C 10-06.135 (étr.). Ou Eurodisc XC 27.428 K (RFA). Enregistré en 1975. + *Sonate pour deux violons solos.*

Le duo, aujourd'hui mondialement connu, formé de Vladimir Ashkenazy et d'Itzhak Perlman, reste sans concurrence, bien que plus de dix ans se soient écoulés depuis leur enregistrement. Si, parfois, Ashkenazy écrase quelque peu son partenaire, la cohésion stylistique des deux compères est telle que la splendeur héroïque de l'*Opus 80* atteint enfin à sa véritable incandescence. Le lyrisme plus classique, moins emporté de la Sonate en ré majeur, permet à d'autres équipes de s'inscrire au bien maigre palmarès discographique.

Dans une vision dominée par le violoniste, tant pour la conduite stylistique que de la recherche interprétative, le récent disque de Victor Tetriakhov, accompagné par Mikhaïl Jerochine propose un autre équilibre, plus évident pour la Sonate en ré que pour la Sonate en fa.

On ne peut que souhaiter l'importation du disque réalisé par le violoniste letton Gidon Kremer avec Maisenberg au piano et Tatania Gridenko, sa partenaire habituelle, au second violon. Dans ce seul *Opus 80,* on voit que ce jeune violoniste virtuose s'est déjà forgé un style adapté au phrasé du dernier Prokofiev. Même si le pianiste n'atteint pas à l'incandescence ni à l'instantanéité d'accents qu'on peut désirer, cette lecture est d'un lyrisme envoûtant et d'une pureté de style peu ordinaire. Ce disque offre enfin la meilleure lecture de l'étonnante *Sonate op. 115* de 1947.

Sonate pour violon et piano n° 2 en ré majeur op. 94b : version originale pour flûte et piano op. 94.

** James Galway (flûte), Martha Argerich (piano). RCA LRL1 5095 (USA). Enregistré en 1975.

Il ne faut pas oublier que la Sonate en *ré* majeur est originellement écrite pour flûte et piano. Les gravures de référence dues à Jean-Pierre Rampal (accompagné soit par Holeček, soit par Veyron-Lacroix) étant indisponibles, on peut sans hésiter se laisser prendre au charme de la lecture qu'en ont faite James Galway et Martha Argerich. Le complément peut paraître saugrenu, mais la Sonate de Franck a suffisamment de splendeur lyrique pour devoir se satisfaire du phrasé d'un flûtiste. Reste que Martha Argerich donne une assise pianistique aussi profonde que naturellement chantante.

Sonate pour violoncelle et piano en ut majeur op. 119.

*** Mstislav Rostropovitch (violoncelle), Sviatoslav Richter (piano). Mélodia Chant du Monde LDX 78.388 (étr.). Enregistré en 1963. + *Chostakovitch : Sonate pour violoncelle et piano.*

*** Igor Gavrish (violoncelle), Liubov Timofeieva (piano). Mélodia C 10-08.677 (étr.). Enregistré en 1976. + *Khatchaturian : Sonate pour violoncelle.*

On pourrait croire que les seuls noms de Rostropovitch et de Richter suffiraient à garantir à la Sonate pour violoncelle une traduction définitive. Sur le plan du style, on ne peut que s'incliner devant cette alliance entre la rigueur du pianiste et les élans mélodiques, les envolées lyriques du violoncelle. On dispose ainsi d'une des visions possibles, peut-être trop sévère, d'une des rares Sonates du XXe siècle dédiées au violoncelle. Ceux qui ont écouté Navarra, Piatigorsky ou Christine Walewska dans cette même Sonate en *ut* savent que son romantisme peut facilement se marier à la rigueur de construction d'origine beethovénienne que voulait y imposer son auteur. Mais cette rigueur n'est pas l'apanage du seul pianiste.

Le disque de référence du duo Rostropovitch/Richter peut prétendre avoir un fils spirituel où les deux protagonistes joueraient successivement le rôle du poète et de son accompagnateur. A titre d'exemple, le jeune duo soviétique Igor Gavrich-Liubov Timofeieva le démontre avec ardeur et rigueur. Disponible depuis peu en Allemagne, cet enregistrement propose une des rares gravures de la Sonate de Khatchaturian.

Symphonies n° 1 en ré majeur op. 21 «classique», n° 2 en ré mineur op. 40, n° 3 en ut majeur op. 44, n° 4 en ut majeur op. 47, n° 5 en si bémol majeur op. 100, n° 6 en mi bémol mineur op. 111, n° 7 en ut dièse mineur op. 131.

*** Orch. Phil. de Londres, Walter Weller. Symphonies n°s 1 et 7 : Decca SXL 6.702 (G-B). Symphonie n° 2 : Decca SXL 6.945 (G-B). + *L'Amour des trois Oranges.* Symphonie n° 3 : Decca SXL 6.852 (G-B). + *Suite Scythe.* Symphonie n° 4 : Decca SXL 6.908 (G-B). + *Ouverture russe.* Symphonie n° 5 : Decca SXL 6.787 (G-B). Symphonie n° 6 : Decca SXL 6.777 (G-B). Enregistré de 1974 à 1977.

** Orch. National de l'ORTF, Jean Martinon. Vox Box 5123 (3 d.) (USA). Enregistré en 1969-70. + *Ouverture sur des thèmes juifs, Ouverture russe.*

Symphonies n°s 1 et 2.

*** Orch. Symph. de la Radio de l'URSS, Guennadi Rojdestvenski. Chant du Monde LDX 78.404. Enregistré en 1962-64.

Symphonies n°s 1 et 3.

*** Orch. Symph. de Londres, Claudio Abbado. Decca SXL 6.469 (G-B). Enregistré en 1969.

Symphonie n° 1.

❀*** Orch. de la NBC, Arturo Toscanini. RCA AT 122 (étr.). Mono. Enregistré en 1945. + *Kodály : Suite de Háry János. Sibelius : Finlandia.*

Symphonie n° 5.

❀*** Orch. Symph. de Boston, Serge Koussevitzky. RCA AVM1-2021. (USA). Mono. Enregistré en 1945. + *Roméo et Juliette : Suite n° 2.*

** Orch. de Cleveland, Lorin Maazel. Decca SXL 6.875 (G-B). Enregistré en 1977.

Symphonies n°s 1 et 7.

*** Orch. Phil. Tchèque, Zdeněk Košler. Supraphon 1 10 2457 (étr.). Enregistré en 1977.

Le style volontiers appuyé de Weller convient particulièrement aux œuvres des années 1924-30, symphonies volontiers expérimentales dont il faut «pousser» la réalisation à leur plein achèvement. Très à son aise dans le répertoire slave de la fin du XIXe siècle, wagnérien de tempérament, Weller donne une allure impressionnante à la Symphonie en ré mineur, à la 3e, où se trouve résumé le dramatisme de l'*Ange de Feu*, enfin à la 4e, qu'il dirige dans sa dernière rédaction de 1947, op. 112. Mais son style se fait trop insistant dans le triptyque final, qui demande l'expérience de chefs comme Koussevitzky, Toscanini ou Rojdestvenski. La célèbre 5e voit son *scherzo* perdre de son ton badin et spirituel, tandis que son finale, *allegro giocoso*, atteint une tension wagnérienne qui peut étonner ceux qui voyaient dans cette conclusion l'ouverture vers la liberté et une certaine gaieté. Ce ton, intense et volontiers solennel, convient mieux à la 6e Symphonie, au *largo* lyrique et mystérieux. Le dernier disque (en fait, le premier enregistré chronologiquement) offre une Symphonie «classique» assez ordinaire, couplée à une 7e offrant, pour la première fois, les vingt mesures finales qui justifient le dramatisme sous-jacent au style voulu par le chef tout au long de l'œuvre. Longtemps considérée comme la partition la plus faible de cette somme symphonique, elle apparaît dans sa simplicité héroïque, son lyrisme poignant, par instants, sous la baguette de Weller. Prise de son de grande classe et pressage de référence. Les divers compléments aux Symphonies 2, 3 et 4 sont les bienvenus, tant il est rare d'en entendre une gravure récente et de par la qualité intrinsèque de leur exécution.

L'intégrale réalisée par Jean Martinon alors qu'il était le directeur de l'Orchestre National de l'ORTF, n'a jamais été diffusée en France, alors qu'elle est disponible depuis huit ans aux USA (Vox-Box 5123), en RFA (Vox VXDS 108) aussi bien qu'en Grande-Bretagne. Dans ce pays, elle est disponible en disques séparés, en pressages d'excellente qualité (Decca d'origine), et au coût le plus économique pour des mélomanes français. Sur le plan strict de l'interprétation, même si notre Orchestre National n'a pas la discipline d'ensemble du London Philharmonic, harmonie et percussion ont de fort belles interventions. Martinon aime cette musique et lui donne une évidence esthétique supérieure à celle de Weller, en particulier dans les Symphonies extrêmes (1, 7). La prise de son, sans avoir la somptuosité de celle de Weller, est fort correcte sur le plan de l'équilibre des différents plans sonores. De fait, une intégrale économique qui peut pallier à la disparition (momentanée) de la référence russe signée de Rojdestvenski.

Alors que le disque nous a légué quelque 44 versions de la Symphonie «classique», les interprétations de référence de Fricsay, Markevitch, Celibidache ou Koussevitzky ont disparu du catalogue français. On trouvera cependant avec Rojdestvenski une pulsation irrésistiblement entretenue dans cette 1re Symphonie, au sein d'un programme homogène puisque celle-ci est couplée avec la sauvage 2e.

Claudio Abbado donne une lecture à la splendeur plus romantique que classique de la 1re Symphonie. Dans la 3e, inscrite au verso, il peut épancher sa générosité et son art oratoire de chef d'opéra.

Arturo Toscanini trace de la Symphonie «classique» une épure virtuose, dessinée à la pointe sèche. Programme inattendu.

Il y a vingt ans, la 5e Symphonie disposait d'une discographie digne de son objet. Aujourd'hui, nous ne pouvons que nous incliner devant le génie de son premier interprète américain, Serge Koussevitzky, qui l'enregistra au lendemain de sa première audition à Boston. Jamais l'*allegro marcato* n'a atteint cette alacrité, ce rebond naturel où l'humour le dispute au grandiose. De même, le lyrisme inquiet de l'adagio vous pénètre, tandis que le *giocoso* de l'allegro final a cette plénitude qui fait que l'espoir renaît dans cette grandiloquence slave à laquelle on se met à croire en pensant plus à Borodine qu'à Beethoven. Ce disque de Koussevitzky reste la référence de toute une époque, celle où Prokofiev figurait parmi les compositeurs à la mode grâce à des interprètes qui lui gardaient tout son génie.

Lorin Maazel s'est mesuré à l'immense 5e Symphonie à la tête d'un des orchestres ayant l'une des plus belles sonorités, le Cleveland Orchestra. Sa lecture est spectaculaire, faisant de cet *Opus 100* une fête sonore plus proche du lyrisme de *Roméo*, de fantaisie dansante que de la rigueur d'une construction symphonique classique où défilent l'*andante* épique rappelant Borodine, l'*allegro marcato* plus dansant que subtilement teinté d'humour, un *adagio* dont l'inquiétude a du mal à sourdre, un finale virtuose, enfin, où l'Orchestre de Cleveland peut donner toute sa mesure. De fait, la meilleure gravure moderne d'une œuvre bien mal servie depuis dix ans.

L'actuel chef de la Philharmonie Slovaque vient de débuter une intégrale des Symphonies de Prokofiev à la tête de la Philharmonie Tchèque. Son premier disque s'impose par sa finesse dans la Première, son sens de la déclamation dramatique dans la Septième. La prise de son, ample et réverbérée, concourt encore à marquer la démarche d'une lecture d'une fort belle envolée. Zdenék Košler s'affirme ainsi comme le concurrent oriental du style développé par Weller, mais ce dernier n'a pas le sens de la respiration naturelle du discours orchestral du dernier Prokofiev, comme le démontre Košler. L'unique intégrale nouvelle, qu'il faudra suivre lors de sa parution en Occident.

Symphonie concertante pour violoncelle et orchestre en mi mineur op. 125.

*** Mstislav Rostropovitch (violoncelle), Orch. Phil. Royal de Londres, Malcolm Sargent. EMI VSM C 069-01.641. Enregistré en 1959.

*** André Navarra (violoncelle), Orch. Phil. Tchèque, Karel Ančerl. Eurodisc 913.162 (2 d.) (étr.). Enregistré en 1964. + *Concertos pour piano nos 1 et 2.*

C'est essentiellement à un jeune violoncelliste de vingt-deux ans, un certain Mstislav Rostropovitch, que l'on doit la rédaction par Prokofiev de la *Symphonie concertante* en mi mineur op. 125. Partant du Concerto op. 58 de 1935, Prokofiev retouche profondément l'orchestration, tandis que Rostropovitch propose de nombreuses simplifications dans la partie soliste, désormais capable, telle une rapsodie slave à la grammaire brahmsienne, de dialoguer avec un grand orchestre. Rostropovitch a enregistré cette œuvre au moins par trois fois. Les hasards de l'édition ne nous font pas disposer de la version idéale qu'aurait été la rencontre de Rostropovitch avec Rojdestvenski. La meilleure reste celle faite à Londres en 1959 et récemment rééditée par EMI.

La rencontre entre le style extraverti, l'intensité dont est capable l'un de nos plus grands violoncellistes, André Navarra, et l'humanité rayonnante d'un Karel Ančerl fait que leur lecture de cette œuvre réalisée à Prague reste une référence. La prise de son donne à l'orchestre une place de choix, intégrant le soliste devenu ainsi le violoncelle principal d'une symphonie slave à l'irrésistible énergie. Un complément de choix à la réédition conjointe des deux premiers Concertos pour piano.

Puccini, Giacomo
(1858-1924)

Anthologie vocale : extraits de Turandot, Manon Lescaut, Madame Butterfly, La Bohème, Suor Angelica, Gianni Schicchi.

❀*** Maria Callas, Orch. Philharmonia, Tullio Serafin. EMI VSM C 061-00.417. ✉ C 261-00.417. Mono. Enregistré en 1954.

Anthologie vocale : extraits de Turandot, Manon Lescaut, Madame Butterfly, La Bohème, Gianni Schicchi, La Tosca, Le Villi, La Rondine.

** Montserrat Caballé, Orch. Symph. de Londres, Charles Mackerras. EMI VSM ASD 2632 (étr.). Enregistré en 1970.

Maria Callas a gravé cette anthologie lors de son meilleur équilibre vocal interprétatif (l'année de *Norma*, et peu après *Le Turc en Italie*). Elle y est constamment très supérieure aux autres témoignages pucciniens de ses gravures intégrales : la variété infinie de ses couleurs vocales, le raffinement, le fini de ses interprétations font de la mort de Manon Lescaut, de celle de Butterfly, des airs de Liù ou de Suor Angelica des sommets difficilement égalables.

Sans l'indifférente lourdeur du chef, la Caballé eût laissé là l'un de ses meilleurs disques pour la beauté de la voix, la maîtrise de la ligne vocale (premier air de Liù), le charme et la spontanéité de pages peu connues (*La Rondine, Le Villi*). L'inspiration manque parfois, et l'intonation est souvent basse, mais bien des amateurs de belles voix ne s'en offusqueront qu'à demi.

La Bohème, opéra.

*** Mirella Freni (Mimi), Elizabeth Harwood (Musetta), Luciano Pavarotti (Rodolfo), Rolando Panerai (Marcello), Gianni Maffeo (Schaunard), Nicolaï Ghiaurov (Colline), Michel Sénéchal (Benoît, Alcindoro), Orch. Phil. de Berlin, Ch. de l'Opéra de Berlin, Herbert von Karajan. Decca 390.032 (2 d.). ⌧ 4-390.032 (2 c.). Enregistré en 1973.

*** Licia Albanese (Mimi), Anna Mc Knight (Musetta), Jan Peerce (Rodolfo), Francesco Valentino (Marcello), George Cehanovsky (Schaunard), Nicolaï Moscona (Colline), Salvatore Baccaloni (Benoît, Alcindoro), Orch. Symph. et Ch. NBC, Arturo Toscanini. RCA AT 203 (2 d.). (étr.). Mono (origine 78 t.). Enregistré en 1946 en public.

** Renata Tebaldi (Mimi), Gianna d'Angelo (Musetta), Carlo Bergonzi (Rodolfo), Ettore Bastianini (Marcello), Renato Cesari (Schaunard), Cesare Siepi (Colline), Orch. et Ch. Académie Ste-Cécile de Rome, Tullio Serafin. Decca 592.122 (2 d.). Enregistré en 1959.

* Montserrat Caballé (Mimi), Judith Blegen (Musetta), Placido Domingo (Rodolfo), Sherill Milnes (Marcello), Vicente Sardinero (Schaunard), Ruggero Raimondi (Colline), Orch. Phil. de Londres, Ch. John Alldis, Georg Solti. RCA ARL 20.371 (2 d.). ⌧ RK 00371 (2 c.). Enregistré en 1974.

* Victoria de Los Angeles (Mimi), Lucine Amara (Musetta), Jussi Björling (Rodolfo), Robert Merrill (Marcello), John Reardon (Schaunard), Giorgio Tozzi (Colline), Orch. et Ch. RCA Victor, Ch. d'enfants Columbus, Thomas Beecham. EMI VSM SLS 896 (2 d.). Enregistré en 1956.

Karajan ne se pose guère en gardien des indications de Puccini, mais sa conception est cohérente, renforcée par une solide expérience théâtrale auprès des mêmes interprètes. Tout est ici tendre, nuancé, transparent, doucement passionné et parfois pathétique. Mirella Freni, au sommet de sa forme, «est» Mimi comme nulle autre, Pavarotti rayonne de belles notes et d'émotion simple. Les autres rôles semblent un peu inégaux : Sénéchal est truculent, mais Elisabeth Harwood parfois discutable. La technique d'enregistrement est somptueuse.

Toscanini représente l'autre versant de cette discographie : créateur de l'œuvre cinquante ans plus tôt, il en fait ressortir avec génie le plus infime détail, avec une présence rythmique électrisante, et une vérité théâtrale hallucinante. Il semble toutefois ignorer le sens de la respiration du chant, et dénie tout romantisme à l'œuvre, conduisant une solide équipe sachant parfaitement chanter, mais aux voix parfois ingrates. A cette référence, on ajoutera avec intérêt celle du Rodolfo de Benjamino Gigli, un monument de beau chant, dans une version d'origine 78 t. (1938, HMV), bien distribuée, bien enregistrée, mais assez médiocrement dirigée par Umberto Berrettoni.

La distribution guidée par Tullio Serafin régalera toujours les passionnés de très belles voix : une Tebaldi encore royale, et beaucoup mieux entourée qu'en 1951 (Decca, mono) par un Bergonzi, idéal, et de non moins somptueux Siepi et Bastianini.

Georg Solti allie la «grande manière» à une saine rigueur, et dans une belle ambiance sonore conduit quelques vedettes un peu hâtivement rassemblées ; mais on ne peut résister à la chaleur communicative de Domingo, au panache de Sherill Milnes, malgré leurs nombreux écarts d'intonation. Et la Caballé, incomparable dans la douceur et le raffinement, chante constamment bas pour peu qu'elle se laisse emporter par les grandes effusions lyriques.

Parmi les classiques, Sir Thomas Beecham conserve toujours de nombreux adeptes, malgré une direction bien peu entraînante. Mais la distribution est homogène (et préférable à celle qui entoure la Mimi «hors concours» d'une Callas grande-dame chez EMI), avec au premier plan un Björling enthousiaste, jeune, et une Victoria de Los Angelès au charme délicat.

La Fanciulla del West (La fille du Far West), opéra.

*** Carol Neblett (Minnie), Placido Domingo (Dick Johnson), Sherill Milnes (Jack Rance), Orch. et Ch. du Covent Garden, Zubin Mehta. DG 2709.078 (3 d.).

*** Eleanor Steber (Minnie), Mario del Monaco (Dick Johnson), Gian Giacomo Guelfi (Jack Rance), Orch. et Ch. du Mai Musical Florentin, Dimitri Mitropoulos. Cetra LO 64 (3 d.). Mono. Enregistré sur le vif en 1954.

La Fanciulla del West : extraits.

** Magda Olivero (Minnie), Gastone Limarilli (Dick Johnson), Anselmo Colzani (Jack Rance), Orch. et Ch. de Turin, Fernando Previtali. BWS 082. Mono. Enregistré sur le vif en 1966.

Une excellente prise de son, l'autorité de la direction, une bonne équipe de seconds rôles contribuent activement au succès de cette édition où brille le chant large et bien contrôlé de Carol Neblett ; un Sheriff plus distingué qu'à l'accoutumée, et un Domingo qui, s'il ne dispose pas des moyens de Caruso, le créateur du rôle, renouvelle la conception de ce rôle de cow-boy repenti, ajoutent à cette réussite.

Dimitri Mitropoulos, passionné, vif mais précis, dirige comme nul autre une version qui, avec un son correct, bénéficie de l'ambiance du direct. Del Monaco y est beaucoup plus attachant que dans l'édition commerciale habituelle (Decca, 1958), et son entrée véritablement électrisante. Si Guelfi campe un Sheriff traditionnel, Eleonor Steber, cette Américaine trop peu connue en Occident, tient l'ouvrage à bout de bras d'une voix riche, ample, passionnée mais toujours exacte.

Essentiellement centrée sur Magda Olivero, cette sélection dont le son orchestral est assez modeste et où les partenaires figurent de parfaits faire-valoir, nous restitue une des interprétations majeures du rôle de Minnie par une Italienne, visant plus à l'efficacité, la sensibilité et l'intelligence du rôle qu'à la recherche d'opulence sonore. La voix, bouleversante, sonne admirablement, et l'aigu, d'une facilité déconcertante, a la vigueur de l'airain.

Gianni Schicchi, opéra.

** Tito Gobbi (Gianni Schicchi), Victoria de Los Angeles (Lauretta), Carlo del Monte (Rinuccio), Orch. de l'Opéra de Rome, Gabriele Santini. EMI VSM SLS 5.066 (3 d.) (étr.). + *Il Tabarro, Suor Angelica.* Enregistré en 1958.

** Tito Gobbi (Gianni Schicchi), Ileana Cotrubas (Lauretta), Placido Domingo (Rinuccio), Orch. Symph. de Londres, Lorin Maazel. CBS 76.563. ou CBS 79.312 (3 d.). + *Il Tabarro, Suor Angelica.* Enregistré en 1977.

* Italo Tajo (Gianni Schicchi), Licia Albanese (Lauretta), Giuseppe di Stefano (Rinuccio), Cloe Elmo (Zita), Orch. du Metropolitan Opera, Giuseppe Antonicelli. Cetra LO 65. Mono. Enregistré sur le vif en 1949.

Tito Gobbi encore en pleine possession de ses moyens, débordant d'humour et de présence, donne tout son prix à cette version un peu ancienne, rehaussée du charme légèrement maniéré du grand soprano espagnol, malgré un entourage discret, et un chef plus lyrique que spirituel. On peut regretter que les deux autres volets de ce *Triptyque* EMI ne soient guère du même niveau d'interprétation.

C'est au contraire l'état vocal désastreux de Gobbi qui compromet la très bonne version Maazel, où les nombreux autres emplois sont souvent excellemment tenus, sous une baguette qui sait aussi se faire lyrique au bon moment, le tout bénéficiant d'une remarquable prise de son.

La représentation du 12 mars 1949 au Metropolitan Opera de New York accuse certes son âge et les aléas du direct, mais elle témoigne d'une vie incomparable. Le mozartien Italo Tajo accentue la caricature, cependant que le jeune di Stefano y dispense cette voix fraîche et superbe qu'il ne conservera guère longtemps. La «moralité» parlée est dite en anglais.

Madame Butterfly, opéra.

*** Renata Scotto (Cio Cio San), Placido Domingo (Pinkerton), Ingvar Wixell (Sharpless), Gillian Knight (Suzuki), Orch. Philharmonia, Ch. John Alldis, Lorin Maazel. CBS 79.313 (3 d.). Enregistré en 1978.

** Mirella Freni (Cio Cio San), Luciano Pavarotti (Pinkerton), Robert Kerns (Sharpless), Christa Ludwig (Suzuki), Michel Sénéchal (Goro), Orch. Phil. et Ch. de l'Opéra de Vienne, Herbert von Karajan. Decca 390.033 (3 d.). ⊠ 4-390.033 (3 c.). Enregistré en 1974.

* Victoria de Los Angeles (Cio Cio San), Giuseppe di Stefano (Pinkerton), Tito Gobbi (Sharpless), Anna Maria Canali (Suzuki), Orch. et Ch. de l'Opéra de Rome, Gianandrea Gavazzeni. EMI C 153-01.587/89 (3 d.) (Italie). Mono. Enregistré en 1954.

* Renata Tebaldi (Cio Cio San), Carlo Bergonzi (Pinkerton), Enzo Sordello (Sharpless), Fiorenza Cossotto (Suzuki), Orch. et Ch. de l'Académie Ste-Cécile de Rome, Tullio Serafin. Decca 592.123 (3 d.). Enregistré en 1958.

Bénéficiant d'un son fabuleux de richesse, Maazel a su maintenir l'œuvre loin de tout excès de sentimentalisme ou de naturalisme superflu, et sa précision rythmique est bienvenue dans les deux premiers préludes. Domingo est justement chaleureux dans un rôle sans problème pour lui, et Renata Scotto, digne héritière de Toti Dal Monte (HMV, 1939), mais plus sobre, dispose d'un clavier aux couleurs infinies, débouchant sur une émotion bouleversante.

Karajan réussit avec ostentation ce qu'il désire et emporte l'adhésion enthousiaste ou provoque l'irritation totale : ses tempos lents, sa langueur exacerbée, son volume orchestral excessif plongent l'œuvre (et surtout le duo d'amour) dans le climat du *Tristan* wagnérien : on en oublie que Mirella Freni et Pavarotti sont là, chantant seulement très, très bien. En 1955 (EMI, stéréo d'origine mono), Karajan avait déjà imposé cette grande tendresse avec une Callas souvent «géniale» en soi, mais un Gedda sensiblement incolore.

Parmi tant de versions demeurées entre les intentions et la réussite, celle de Gavazzeni mériterait une meilleure diffusion chez nous. Sans ré-écrire l'œuvre, comme Karajan, il dirige avec fermeté une Victoria de Los Angeles un rien maniérée mais attachante (et chantant mieux que dans sa seconde version EMI, avec Björling), un Gobbi justement distribué, et un di Stefano encore infiniment charmeur, primesautier : on eût aimé l'entendre auprès de la véhémente Petrella (Cetra, 1954).

Une version standard, celle de Tullio Serafin conserve ses adeptes malgré sa réverbération sonore excessive. La Tebaldi y étale de somptueux épanchements, moins toutefois que dans sa gravure de 1951 (avec l'excellent Campora), et Bergonzi y est la perfection du chant incarnée : on souhaite néanmoins voir reparaître la version de 1966 (EMI), où il se montre plus chaleureux auprès d'une Scotto mieux que prometteuse, sous la baguette légèrement indifférente de Barbirolli.

Manon Lescaut, opéra.

** Licia Albanese (Manon), Jussi Björling (Des Grieux), Robert Merrill (Lescaut), Franco Calabrese (Geronte), Orch. et Ch. de l'Opéra de Rome, Jonel Perlea. RCA Victrola MCV 544 (2 d.) (sup.). Mono. Enregistré en 1954.

** Montserrat Caballé (Manon), Placido Domingo (Des Grieux), Vicente Sardinero (Lescaut), Noël Mangin (Geronte), Orch. New Philharmonia, Ch. Ambrosien, Bruno Bartoletti. EMI VSM C 165-02.269/70 (2 d.). Enregistré en 1972.

Grâce a Jussi Björling, impeccable de style et plus chaleureux qu'à l'ordinaire, grâce à Licia Albanese, une Manon à la fois tragique et frêle malgré l'âge, avec de bons rôles secondaires et une direction honnête, cette version - à prix modique - demeure classique, et peut faire oublier la version Columbia de 1930 malgré Maria Zamboni, celle de Cetra, malgré une Clara Petrella survoltée, et même le couple Tebaldi-del Monaco (Decca, 1954), assez malheureux en la circonstance.

Montserrat Caballé et Domingo font tout le prix de l'unique version enregistrée en stéréo. Sans doute doit-on d'abord réentendre ce que furent les Des Grieux de Caruso et Gigli (anthologie RCA et EMI), celui de Pertile, prêter l'oreille à la belle direction de Serafin (auprès du couple Callas-di Stefano, enregistré quelques années trop tard), et regretter l'absence discographique de l'idéale Magda Olivero. Mais, malgré une direction assez lente et de médiocres seconds rôles, on retiendra la passion mesurée de Domingo et l'exquise leçon de chant du soprano espagnol.

Messa di Gloria.

** William Johns (t), Philippe Huttenlocher (b), Ch. et Orch. de la Fondation Gulbenkian de Lisbonne, Michel Corboz. Erato STU 70.890. ⌧ MCE 70.890. Enregistré en 1974.

Michel Corboz, dans cette œuvre quasi contemporaine du *Requiem* de Verdi, mais plus proche du *Stabat* de Rossini, a trouvé le ton juste de la sobriété expressive, et son romantisme sait être sincère sans effets extérieurs. Les chœurs manifestent un grand recueillement, et les solistes tiennent bien leur place, sans ostentation.

Suor Angelica, opéra.

*** Renata Scotto (Sœur Angélique), Marilyn Horne (la Princesse), Orch. New Philharmonia, Ch. Ambrosien, Lorin Maazel. CBS 76.570. ou CBS 79.312 (3 d.). + *Il Tabarro, Gianni Schicchi*. Enregistré en 1977.

** Renata Tebaldi (Sœur Angélique), Giulietta Simionato (la Princesse), Orch. et Ch. du Mai Musical Florentin, Lamberto Gardelli. Decca SET 236/38 (3 d.) (G-B). + *Il Tabarro, Gianni Schicchi*. Enregistré en 1962.

* Rosanna Carteri (Sœur Angélique), Miti Truccato-Pace (la Princesse), Orch. et Ch. de la RAI de Milan, Fernando Previtali. Cetra 50.030. Mono. Enregistré en 1951.

L'opposition entre la fraîcheur, la fragilité de Renata Scotto et l'autorité, la morgue de l'inexorable princesse campée par Marilyn Horne, aux accents presque masculins, donne la palme à cette version. Très bien entourée (Ileana Cotrubas ne dédaigne pas un rôle infime), Renata Scotto, plus charnelle et moins fragile que Magda Olivero (récital Cetra) donne une grande leçon de *legato* dans la tradition du vieux chant italien.

Dans la version Gardelli, c'est au contraire l'inégalable somptuosité de deux voix presque identiques - Tebaldi soprano grave, et Giulietta Simionato, mezzo aigu - qui ravira les amateurs de chant, encore que les larmes puissent naître de la pure émotion vocale. Il est dommage que le lourd Gianni Schicchi de Corena compromette irrémédiablement un *Triptyque* si prometteur.

L'émotion sans artifice d'une Rosanna Carteri de vingt ans donne encore tout son prix à l'ancienne version Cetra, homogène sinon éclatante. Des deux autres volets du *Triptyque*, on ne retiendra toutefois que le Gianni Schicchi de Taddei, le meilleur de la discographie, mais bien mal entouré.

Il Tabarro (La Houppelande), opéra.

*** Ingvar Wixell (Michel), Placido Domingo (Luigi), Renata Scotto (Giorgetta), Orch. New Philharmonia, Ch. Ambrosien, Lorin Maazel. CBS 76.641 ou CBS 79.312 (3 d.). + *Suor Angelica, Gianni Schicchi*. Enregistré en 1977.

** Sherill Milnes (Michel), Placido Domingo (Luigi), Leontyne Price (Giorgetta), Orch. New Philharmonia, Ch. John Alldis, Erich Leinsdorf. RCA LMDS 3220 (USA). Enregistré en 1971.

** Robert Merrill (Michel), Mario del Monaco (Luigi), Renata Tebaldi (Giorgetta), Orch. et Ch. du Mai Musical Florentin, Lamberto Gardelli. Decca SET 236/38 (3 d.) (G-B). + *Suor Angelica, Gianni Schicchi. Enregistré en 1962.*

La remarquable prise de son, la possibilité d'acquérir les trois volets du *Triptyque* font pencher la balance vers la version Maazel, presque trop bien, trop sagement chantée ; le baryton Wixell a signé là son meilleur disque, Domingo brûle d'une superbe sincérité, et Renata Scotto sait être bouleversante, admirablement servie par l'enregistrement.

Leinsdorf joue davantage le jeu du vérisme, avec plus de fougue que de souci du détail, situant l'ensemble sur un égal niveau de réussite, avec déjà un Domingo très engagé, un Sherill Milnes de grand format, et une Leontyne Price d'une véhémente sensualité.

Gardelli, dès les premières pages, se souvient de l'admiration de Puccini pour Debussy et nous plonge dans un climat d'un séduisant impressionnisme, avec bruits de sirènes en climat sonore. Merrill est lyrique et déchiré (offrant en outre l'autre air écrit par Puccini), del Monaco survolté, cependant que la Tebaldi nous comble de riches sonorités.

Tosca, opéra.

❀*** Maria Callas (Tosca), Giuseppe di Stefano (Cavaradossi), Tito Gobbi (Scarpia), Orch. et Ch. de la Scala de Milan, Victor de Sabata. EMI VSM C 163-00.410/11 (2 d.). ⌧ C 293-00.410/11 (2 c.). Mono. Enregistré en 1953.

*** Renata Scotto (Tosca), Placido Domingo (Cavaradossi), Renato Bruson (Scarpia). Ch. Ambrosian, Orch. Philharmonia, James Levine. EMI VSM C 167-03.955/6 (2 d.). Enregistré en 1980.

*** Leontyne Price (Tosca), Placido Domingo (Cavaradossi), Sherrill Milnes (Scarpia), Orch. New Philharmonia, Ch. John Alldis, Zubin Mehta. RCA ARL 20.105 (2 d.). Enregistré en 1973.

** Magda Olivero (Tosca), Eugenio Fernandi (Cavaradossi), Scipio Columbo (Scarpia), Orch. et Ch. de la RAI de Milan, Emilio Tieri. BWS 514 (2 d.). Mono. Enregistré sur le vif en 1957.

** Leontyne Price (Tosca), Giuseppe di Stefano (Cavaradossi), Giuseppe Taddei (Scarpia), Orch. Phil. de Vienne, Ch. de l'Opéra de Vienne, Herbert von Karajan. Decca 390.035 (2 d.). ⌧ 4-390.035 (2 c.). Enregistré en 1962.

* Montserrat Caballé (Tosca), José Carreras (Cavaradossi), Ingvar Wixell (Scarpia), Orch. et Ch. de Covent Garden, Colin Davis. Philips 6700.108 (2 d.). ⌧ 7699.034. Enregistré en 1976.

Sabata, en 1953, a sans doute laissé la version définitive de l'œuvre, nette et incisive, y dressant des portraits d'une précision hallucinante mais sans exclure le lyrisme (sortie de Tosca à la fin du 1er acte) ou la poésie (fin du 2e acte, éveil de Rome au 3e). Maria Callas y disposait d'un éventail quasi infini de sentiments et de couleurs vocales, attentive à chaque mot, chaque geste vocal ou dramatique. Les aigus assez durs de ses partenaires ne nous privent ni de la tendresse charmeuse de di Stefano, ni de la présence et du cynisme du Scarpia de Gobbi, qui, à l'instar de la Callas, ne renouvellera guère son exploit de 1965 auprès du superbe Bergonzi, sous la baguette très neutre de Prêtre (EMI).

Fidèle à lui-même, Levine s'intéresse plus aux contrastes qu'au suivi de l'œuvre, aux effets qu'aux nuances. Le tempérament et la volonté de Renata Scotto lui inspirent une Floria Tosca violente, souvent pathétique, parfois bouleversante. Domingo remplit l'espace sonore, confondant d'aisance et de puissance retenue, fascinant de simplicité dramatique. Bruson, par son art du chant souverain, par sa voix superbe et surtout par son jeu sobre et efficace, est tous les Scarpia et Scarpia-même.

Secondé par une remarquable prise de son, Mehta allie l'exactitude d'un Sabata et la sensualité de Karajan, avec une Leontyne Price compensant en intensité son élasticité vocale d'antan, et un Scarpia généreux de Milnes. Sachant communiquer au disque la chaleur spontanée de son interprétation très racée, Domingo s'affirme bien comme le meilleur Cavaradossi de son époque.

Le son des studios de la RAI est parfait, et nous offre une Olivero à la veille de s'affirmer comme la grande Tosca des années à venir, très différente de celle de Maria Callas, plus humaine, plus torturée, moins versatile (parce que hors de la scène ?), mais également attentive au moindre mot. Le très jeune Fernandi est simplement le Cavaradossi le plus stimulant, le plus éclatant qui soit, avec un bon Scarpia et un remarquable chef digne de Sabata, et prématurément disparu peu après.

Karajan affirme une conception située aux antipodes de celle de Sabata : tout y est abandon languide et voluptueux, dès les trois accords du début, mais mené d'une façon réfléchie, et réussie en soi. Taddei campe un bon Scarpia, plus chantant que théâtral

Leontyne Price recherche plus la sensualité que les oppositions de couleurs, et di Stefano n'est plus en mesure de rappeler sa réussite passée : que Karajan n'a-t-il disposé de l'étonnant Björling (RCA, 1956, disponible en Italie), triomphateur de la version Leinsdorf !

Même en studio, Colin Davis dispose de tous les bruitages du théâtre ; sa direction, très linéaire, accuse une lenteur voulue, aux contours estompés. Wixell y est un Scarpia transparent, la Caballé témoigne d'admirables sons filés dans le medium, et, comme elle, Carreras brille surtout dans le registre central : malgré la très médiocre direction de de Fabritiis (EMI, 1939, disponible en Italie), il faut réentendre la splendeur vocale de Gigli, et la Tosca «pré-callassienne» de Maria Caniglia, pour mesurer les implications vocales de l'opéra.

Turandot, opéra.

*** Birgit Nilsson (Turandot), Franco Corelli (Calaf), Renata Scotto (Liù), Bonaldo Giaiotti (Timur), Orch. et Ch. de l'Opéra de Rome, Francesco Molinari Pradelli. EMI VSM SLS 921 (3 d.). Enregistré en 1965.

** Joan Sutherland (Turandot), Luciano Pavarotti (Calaf), Montserrat Caballé (Liù), Nicolai Ghiaurov (Timur), Orch. Phil. de Londres, Ch. John Alldis, Zubin Mehta. Decca 390.036 (3 d.). ⌧ 4-390.036 (3 c.). Enregistré en 1973.

** Gina Cigna (Turandot), Francesco Merli (Calaf), Magda Olivero (Liù), Luciano Neroni (Timur), Orch. et Ch. RAI de Turin, Franco Ghione. Cetra LPO 2028 (3 d.). Mono (origine 78 t.). Enregistré en 1938.

* Inge Borkh (Turandot), Mario del Monaco (Calaf), Renata Tebaldi (Liù), Nicola Zaccaria (Timur), Orch. et Ch. de l'Académie Ste-Cécile de Rome, Alberto Erede. Decca 592.124 (3 d.). Stéréo d'origine mono. Enregistré en 1953.

La version Nilsson-Corelli demeure un classique du genre, grâce à ses deux protagonistes coutumiers de leurs rôles à la scène, Corelli éclatant de virilité, Nilsson impériale, au sommet de ses moyens, supérieure à sa précédente incarnation (avec un Björling bien chantant, mais une gravure très imparfaite, RCA, sup.). La Liù de belle qualité de Renata Scotto, la direction équilibrée de Molinari Pradelli ajoutent à cette réussite.

Joan Sutherland et Pavarotti n'avaient guère chanté l'œuvre, mais, dans cette optique discographique conçue à la perfection, confèrent à leurs emplois une dimension humaine très attachante et un chant sans faille ; nous sommes sans doute aux antipodes de la superbe inhumanité de Birgit Nilsson, mais nous savons ici Turandot déjà vaincue. Malgré quelques intonations imprécises, la Caballé déploie une séduisante ligne de chant, et Mehta, le meilleur chef de cette discographie, oppose avec brio la brutalité initiale à la troublante poésie de l'hymne à la lune, ou à l'éveil de Pékin.

Le ténor Merli et Gina Cigna, presque contemporains de la création de l'œuvre, ont laissé une version de référence, malgré la discrétion de l'orchestre : lui d'un héroïsme triomphant, elle d'une voix glorieuse, trop pour l'enregistrement d'alors. Mais nous tenons avec la jeune Magda Olivero une Liù absolument inégalée, et le meilleur trio des ministres qui soit.

Certains demeureront fidèles à la première version Decca, caractéristique des années 1950, grâce à l'héroïsme communicatif de del Monaco, la «sauvagerie primitive» d'Inge Borkh et le lyrisme, pas toujours très exact, de la Tebaldi ; car on ne trouve guère cette unité de conception dans la version réunie, trop tard, autour de Maria Callas (VSM), qu'il faut entendre chanter incomparablement Turandot et Liù dans son anthologie puccinienne.

Purcell, Henry
(1659-1695)

Anthems : «O solitude» et autres.

❀*** Deller Consort, Christopher Hirons et Roderic Skeaping (violons baroques), Stuart Deeks (alto baroque), Ian Gammie (violone), Jane Ryan (basse de viole), Robert Elliott (orgue), chœur Deller, Alfred Deller. Harmonia Mundi 247. ⌧ HM 40-247. Enregistré en 1977.

Avec des effectifs plus nombreux qu'à son habitude, Alfred Deller donne une interprétation somptueuse d'un certain nombre d'hymnes d'inspiration religieuse, sans pourtant jamais se départir de la discrétion raffinée qu'il apporte à l'interprétation de Purcell. Les moyens employés lui permettent de jouer sur les coloris sonores et de faire ressortir toute l'émotion de textes empruntés à la bible ou à des poètes religieux ses contemporains. A cette dernière catégorie appartient le *«O solitude»* qui, à lui seul, justifierait, si c'était nécessaire, l'existence de ce disque.

Anthems pour chœur, solistes et cordes.

*** Lynton Atkinson (soprano enfant), Paul Esswood (a), Ian Partrige et Anthony Dawson (t), Stafford Dean (b), Ch. de St. John's College Cambridge, George Guest. Argo ZRG 831 (G-B). Enregistré en 1975.

Une très belle sélection d'hymnes chantées dans la plus pure tradition des grandes chorales britanniques. L'accompagnement orchestral (cordes seulement) manque un peu de brillant et donne l'impression d'être quelque peu mécanique. Le chant, en revanche, est de tout premier ordre, qu'il s'agisse des chœurs, admirables de précision, ou des solistes, parmi lesquels il faut remarquer tout particulièrement Paul Esswood et Ian Partridge.

Anthems pour soli, chœurs, cordes et orgue.

*** Deller Consort et ensemble instrumental, Alfred Deller. Harmonie Mundi 233.

Les hymnes enregistrées sur ce disque appartiennent toutes à la catégorie du «verse anthem», qui fait alterner solistes et chœur et s'accompagne d'une riche ornementation orchestrale, rappelant le motet versaillais. Les membres du Deller Consort sont d'admirables solistes ; malgré leur faible nombre, ils arrivent à donner une réelle consistance aux parties confiées au chœur. Deller a réussi à maintenir, avec une petite formation orchestrale, un équilibre parfait. Ce que cette option nous fait perdre en splendeur, nous le retrouvons en finesse et en intelligence du texte. Point n'est besoin de grands effectifs pour faire une musique qui sonne grand.

Anthems pour la chapelle royale.

*** Roger Parker (soprano enfant), Charles Brett (hc), Robert Tear et Wilfred Brown (t), Christophe Keyte et Christophe Bevan (bar), Inia te Wiata (b), Ch. de St John's College Cambridge, Academy of St-Martin-in-the-Fields, George Guest. Argo ZRG 5444 (G-B).

Cet enregistrement doit à la présence des musiciens de l'Academy of St-Martin-in-the-Fields un brillant et une vivacité exceptionnels. Un programme particulièrement bien composé nous permet de nous familiariser avec les divers aspects du talent de Purcell compositeur de musique religieuse, depuis les grandes pièces de bravoure destinées à la Cour royale jusqu'à des morceaux d'émotion beaucoup plus intense et plus contenue. Une remarquable équipe de solistes se fond très bien avec les chœurs d'étudiants de St John's College.

Ayres pour solistes, flûtes à bec et continuo : «Awake, awake, yé dead» et autres.

** David Munrow et Richard Lee (flûtes à bec) Robert Elliott (clavecin), Desmond Dupré (viole de gambe), Deller Consort, Alfred Deller. Harmonia Mundi 214.

Une anthologie d'airs purcelliens appartenant à toutes les époques de la vie du compositeur et à tous les genres qu'il a pratiqués. Le Deller Consort a, de ce type de musique, une connaissance intime et la compréhension, fruit de nombreux concerts. On oublie, devant le charme de l'interprétation, ce que peut avoir de quelque peu déroutant le manque de cohésion du programme. Une façon de faire connaissance avec un grand auteur trop peu connu en France.

Chansons de tavernes et de chapelles.

*** Catherine Mackintosh et Monica Hugget (violons baroques), Jane Ryan (viole de gambe), Robert Elliott (orgue et clavecin), Deller Consort, Alfred Deller. Harmonia Mundi 242. Enregistré en 1976.

Chapelles et tavernes ont chacune droit à une face de ce disque. Si les premières nous apportent le plaisir habituel que nous pouvons prendre à la sensibilité et au sens de l'émotion qui caractérisent Purcell, les secondes sont riches en surprises : la vivacité et une gaieté auxquelles nous ne sommes guère accoutumés se déploient avec fantaisie, admirablement servies par un Deller Consort aux effectifs élargis (huit chanteurs au lieu des trois à cinq que l'on rencontre habituellement).

Didon et Enée, opéra.

❀*** Tatiana Troyanos (Didon), Felicity Palmer (Belinda), Richard Stilwell (Enée), Ch. et Orch. de Chambre Anglais, Raymond Leppard. Erato STU 71.091. ✉ MCE 71.091.

*** Tatiana Troyanos (Didon), Sheila Armstrong (Belinda), Barry McDaniel (Enée), Chœur Monteverdi de Hambourg, Orch. de chambre de la NDR, Charles Mackerras. Archiv 198.424. Enregistré en 1967.

*** Kirsten Flagstad (Didon), Elisabeth Schwarzkopf (Belinda), Thomas Hermsley (Enée), Mermaid Singers et Orch., Geraint Jones. EMI USM C 051-03.613. Mono. Enregistré en 1951.

*** Janet Baker (Didon), Norma Burrowes (Belinda), Peter Pears (Enée), St Antony Singers, Orch. de Chambre Anglais, Anthony Lewis. Oiseau LYRE 60047 (G-B).

** D'Anna Fortunato (Didon), Nancy Armstrong (Belinda), Mark Baker (Enée), The Boston Camerata, dir. Joel Cohen. Harmonia Mundi HM 10.067.

La seule œuvre de Purcell que l'on puisse réellement appeler un opéra (les autres ne sont que des musiques de scène). Leppard nous en donne une version qui allie l'authenticité la plus jalouse et un grand dynamisme tragique. La perfection de l'exécution instrumentale sous-tend une recherche dramatique qui donne au personnage de Didon un étonnant relief. Tatiana Troyanos, qui avait déjà enregistré le rôle, s'y montre une grande tragédienne. Felecity Palmer lui donne admirablement la réplique.

Enregistrant l'œuvre avec des instruments anciens, Mackerras réussit à lui redonner la dynamique d'un enregistrement pris sur le vif, tout en s'efforçant de restituer l'ornementation et les caractéristiques d'une représentation contemporaine de Purcell. Cette recherche d'illusionisme est particulièrement savoureuse. Si l'on peut trouver le continuo un peu terne, on ne peut qu'être séduit par le charme des chœurs et des personnages secondaires, parmi lesquels on retrouve les noms de Paul Esswood et Nigel Rogers.

Celui de Geraint Jones est le premier en date des enregistrements de *Didon et Enée.* S'il ne bénéficie pas de l'apport des travaux de musicologie qui ont permis la réalisation des versions ultérieures, il brille par l'extraordinaire interprétation de Flagstad qui fait de Didon une proche parente des grandes héroïnes wagnériennes. A ses côtés, Schwarzkopf est rayonnante de lumière. Un enregistrement où Purcell n'aurait peut-être pas reconnu son enfant, mais qui parle directement à la sensibilité des hommes de notre temps.

La Didon de Janet Baker est un modèle du genre. Radieuse, fragile, grandiose, elle est, de bout en bout, profondément émouvante. Thurston Dart assure le continuo avec une sensibilité qui mérite d'être remarquée. L'orchestre, sous la direction d'Anthony Lewis, souligne la simplicité de la musique purcellienne et fait ressortir l'émotion sans aucun gonflement ni artifice. Tant du côté des chanteurs que du côté des instrumentistes, tout est dit sans insister, mais ne s'en entend que mieux.

La version de Joel Cohen est loin d'avoir les splendeurs que l'on peut trouver dans d'autres interprétations. Le grand mérite du chef est de s'être souvenu des circonstances dans lesquelles a été créée l'œuvre de Purcell. Elle a commencé par être chantée dans un pensionnat de jeunes filles avant d'aborder la scène d'un opéra. Il n'est donc pas mauvais qu'on nous en rappelle le côté simple, non apprêté, masque ou divertissement plutôt qu'opéra. Le plus grand soin a été apporté au rapport entre l'orchestre (manié à l'ancienne) et les voix. Le mouvement est vif sans manquer de dignité. Cette *Didon* un peu amaigrie mérite plus que du respect.

Dioclesian, masque.

*** Honor Sheppard et Sally Le Sage (s), Alfred Deller (hc), Max Worthley et Philip Todd (t), Maurice Bevan (bar), Chœur et Orch. du Concentus Musicus de Vienne, Nikolaus Harnoncourt, Alfred Deller. Vanguard HM 13 SD (G-B).

La collaboration de Deller et d'Harnoncourt donne sur ce disque de curieux résultats. Une certaine qualité de vigueur rythmique marquée par l'orchestre oblige les chanteurs du Deller Consort à sortir quelque peu de la perfection un peu précieuse qui caractérise leurs exécutions. L'œuvre y prend un éclat des plus séduisants, même si les chanteurs donnent parfois l'impression d'être entraînés hors de leurs habitudes. C'est au contraire, dans les passages instrumentaux que l'on pourrait reprocher aux musiciens du

Concentus Musicus d'avoir emprunté une démarche un peu trop sage.

Don Quichotte, musique de scène.

** Judith Nelson et Emma Kirkby (s), James Bowman (hc), Martyn Hill (t), David Thomas (b), The Academy of Ancient Music, Christopher Hogwood. Oiseau Lyre 595.053.

Le texte du *Don Quichotte* de D'Urfey semble avoir médiocrement inspiré Purcell, dont la musique est ici moins spontanée que dans d'autres œuvres pour le théâtre. Ce défaut est compensé par une interprétation qui n'est pas loin de la perfection. L'orchestre, qui joue sur des instruments anciens, tous les solistes, parmi lesquels il serait vain de vouloir faire un choix, donnent de cette œuvre secondaire une traduction qui est un plaisir de tous les instants. Un exemple d'interprétation de musique ancienne claire et aérée où rien ne se perd, où rien de superflu n'est ajouté.

Elégies : «'Tis nature's voice» et autres.

*** René Jacobs (hc), Wieland Kuijken (viole de gambe), Konrad Junghänel (théorbe). Accent 7802. Enregistré en 1978.

Une volonté d'authenticité domine cet enregistrement. Qu'il s'agisse du choix des instruments formant le continuo ou de l'interprétation de René Jacobs, nous nous trouvons de façon évidente devant la recherche du maximun d'intensité émotionnelle compatible avec l'emploi, sans réserve aucune, des techniques musicales de la fin du XVIIe siècle. Le résultat dépasse parfois celui qu'obtenait Deller avec des moyens plus conventionnels. Mais le succès est complet ; nous sommes totalement dépaysés et transportés dans un univers auquel ni notre oreille, ni notre sensibilité ne sont entièrement habituées.

The Fairy Queen (la Reine des fées), masque.

*** Deller Consort, Ch. et Orch. du Festival de Stour, Alfred Deller. Harmonia Mundi 231 (3 d.).

*** Eiddwen Harry, Jennifer Smith, Judith Nelson, Elisabeth Priday (s), Timothy Penrose, Ashley Stafford (hc), Wynford Evans, Martyn Hill (t), Stephen Varcoe, David Thomas (b), Monteverdi Choir, English Baroque Soloists, John Eliot Gardiner. Archiv 2742.001 (3 d.). Enregistré en 1981.

Adaptation musicale, sous forme de semi-opéra, du *Songe d'une Nuit d'été, The Fairy Queen* offre toutes les possibilités de développement d'un climat de magie et d'enchantement. Nul mieux que Deller ne pouvait rendre la poésie immatérielle de Purcell. Il est, dans cet enregistrement, admirablement aidé par les membres de son Consort, en particulier par Christine Clerke. Quelques passages bouffes viennent donner un relief supplémentaire à une interprétation pleine de fête.

Par rapport à la version Deller, celle de Gardiner se caractérise par un déplacement de l'accent poétique vers le dramatique. La dimension théâtrale est évidente chez Gardiner, qui, avec la complicité d'un orchestre et des choeurs magnifiquement préparés, impose l'univers shakespearien dans sa globalité à la façon d'un film, en insistant certes sur le cadre féerique et les humeurs changeantes de l'oeuvre, mais en privilégiant plus encore la vie dramatique qui, malgré la trahison d'un livret médiocre, investit le chant de la première à la dernière note.

Fantaisies pour violes.

*** Ulsamer Collegium. Archiv 2533.366. Enregistré en 1977.

Ces quinze pièces pour un ensemble de violes représentent un pas décisif dans l'histoire de la musique de chambre vers le quatuor à cordes de l'époque classique. Leur caractère d'intimité est marqué par une interprétation qui utilise toutes les techniques de l'époque purcellienne pour créer un univers sonore complexe, qui est encore celui de la polyphonie anglaise de l'ère Tudor, mais annonce toute l'évolution du XVIIIe siècle. Les musiciens de l'Ulsamer Collegium ont réussi le tour de force de faire oublier certains archaïsmes inséparables de l'instrument qu'ils emploient pour nous mettre de plain-pied dans le monde sonore clair et complexe à la fois de Purcell.

The Indian Queen.

*** Rosemary Hardy, Gillian Fisher, Dinah Harris, Jennifer Smith (s), Ashley Stafford (hc), Martyn Hill, John Elwes (t), Stephen Varcoe (bar), David Thomas (b), Monteverdi Choir, English Baroque Soloists, John Eliot Gardiner. Erato STU 71.275. ⌧ MCE 71.275. Enregistré en 1979.

Une *Indian Queen* revitalisée, tonifiante, jeune, pleine d'allégresse, voici qui nous change des interprétations habituelles où la coutume est de faire ressortir tout ce que Purcell a d'élégant, de langoureux, de mélancolique dans sa distinction. Cette image conventionnelle du grand musicien n'est que partiellement vraie (ou fausse); il était bon de nous le rappeler. Gardiner rend à son opéra les vertus d'un spectacle de divertissement, ce qui l'amène à changer bien des choses aux interprétations traditionnelles. En particulier, il modifie, au profit de l'orchestre, la balance des forces entre voix et instruments. Ses chanteurs sont bons, mais ce n'est plus sur eux que pèse le plus lourd de l'interprétation : l'orchestre redevient le meneur du jeu et nous entraîne dans une admirable histoire pleine de poésie et de fantaisie.

The Indian Queen. Le Masque de Timon d'Athènes.

*** Honor Sheppard et Jean Knibbs (s), Alfred et Mark Deller (hc), Paul Elliott et Malcolm Knowles (t), Maurice Bevan (bar), Chœur Deller, Ensemble instrumental et the King's Music, Catherine Mackintosh, Alfred Deller. Harmonia Mundi 243 (2 d.).

Le climat d'invraisemblance romanesque qui règne dans le livret de *The Indian Queen* convient à merveille au goût capricieux de Purcell. Aussi Alfred Deller nous offre-t-il, sans logique apparente, autre que celle de la fantaisie du compositeur, un mélange d'airs angéliques et de sombres passages mélodramatiques, d'airs de trompette et de danses aux rythmes curieusement complexes. Toujours à l'aise avec Purcell, le chef est ici tout particulièrement à la fête. L'excellente équipe qu'il dirige tourbillonne, nous amuse, nous émeut. Un kaléidoscope de musique de génie servie par des techniciens hors de pair. Pour l'auditeur, une surprise heureuse et continuelle.

King Arthur.

❁*** Elsie Morison Heather Harper, Mary Thomas (s), John Whitworth (hc), David Galliver, Wilfred Brown (t), John Cameron (bar), Hervey Alan, Trevor Anthony (b), St-Antony Singers, Orch. Philomusica de Londres, Antony Lewis. Oiseau Lyre SOL 60008/9 (2 d.). (G-B).

*** Honor Sheppard, Jean Knibbs, Rosemary Hardy (s), Alfred et Mark Deller (hc), Paul Elliott, Leigh Nixon (t), Maurice Bevan (bar), Nigel Beavan (b), Ensemble instrumental et the King's Music, Roderick Skeaping, Alfred Deller. Harmonia Mundi 252/3 (2 d.). ⌧ HM 40-252/53 (2 c.). Enregistré en 1978.

Rarement livret eut moins de sens que celui de Dryden pour *King Arthur*. Rarement aussi en écrivit-on de plus apte à stimuler l'imagination d'un musicien. Aussi la partition de Purcell est-elle tout en contrastes, allant du plus émouvant au plus comique. Anthony Lewis sert à merveille cette fantaisie déchaînée. Une équipe de chanteurs très homogène semble prendre plaisir à ces contrastes permanents et met au service de l'œuvre une grande vitalité. Il semble que tous se soient donné le mot pour faire ressortir le côté éclatant de l'œuvre, quitte à ne pas trop chercher à lui donner une cohésion qui n'était certes pas dans les préoccupations du compositeur. Ils ont magnifiquement réussi à créer le plus éblouissant des divertissements.

On sent dans l'interprétation de Deller un souci d'éliminer de la partition de Purcell tout ce qui pourrait paraître faute de goût ou incohérence trop visible. Malgré les extrêmes qualités de l'ensemble qu'il dirige, cela contribue à refroidir le climat de son interprétation, qui manque d'instinct vital. Tout est parfaitement beau ; rien n'est touché de l'indispensable grain de folie. A vouloir trop bien faire, il est resté en-deçà d'une œuvre qui demandait plus de vitalité que d'élégance.

Music for a while.

❁*** Alfred Deller (hc), Wieland Kuijken (basse de viole), William Christie (clavecin), Roderick Skeaping (violon baroque). Harmonia Mundi 249. ⌧ HM 40-249. Enregistré en 1979.

Rarement Alfred Deller a-t-il été aussi admirable que dans ce disque réalisé quelques semaines seulement avant sa mort. La voix n'a certes plus la fraîcheur des premiers enregistrements, mais la science du phrasé, le contrôle des moindres inflexions ont atteint un total degré de perfection. Il s'y joint une compréhension des moindres intentions de Purcell que Deller a servi, mieux que quiconque, tout au long de sa carrière. L'accompagnement, réalisé sur des instruments anciens, est aussi parfait, donnant rythme et souffle à d'admirables chansons d'inspiration très romanesque. Le tout dégage un charme très exceptionnel.

Musique funèbre pour la reine Mary.

*** Felicity Lott (s), Charles Brett, John Williams (hc), Theo Allen (b), Chœur et Orch. Monteverdi, John-Eliot Gardiner. Erato STU 70911. ⌧ MCE 70.911. + *Ode «Come ye sons of art».*

*** Timothy Byram-Wigfield et Peter Castle (s), Michael Cockerham (a), Robert Chilcott, Andrew King (t), Jonathan Robarts, Nicholas Hayes, Gareth Morell (b), Chœur de King's College de Cambridge, Academy of St-Martin-in the-Fields, Philip Ledger. EMI VSM C 069-02.825. ⌧ C 269-02.825. Enregistré en 1975. + *Antiennes à couplets.*

John-Eliot Gardiner donne de la musique funèbre une version très impressionnante de simplicité et de dépouillement. Ces qualités font ressortir toute la capacité d'émotion qui est comprise dans ce poème funéraire, qui en devient plus une méditation personnelle qu'une pompe funèbre. De très brillants solistes, se détachant nettement sur le chœur, accusent encore par leur sobriété le caractère individuel de l'œuvre. Couplé avec une des plus intéressantes des nombreuses odes que Purcell ait écrites pour la reine Mary.

L'orchestre de Philip Ledger accuse, tout au contraire, le côté solennel des obsèques royales. Il crée, dès les premières mesures, un climat de grande tension. Des solistes peu connus - les sopranos et l'alto sont des enfants - se fondent dans les chœurs, conformément à ce qui était dans la tradition du chant ecclésiastique au moment de la composition de l'œuvre. Le tout donne une impression de forte densité sur un tempo un peu uniforme. Couplé avec d'autres œuvres de Purcell qui se situent dans la même atmosphère de piété solennelle et quelque peu officielle.

Musique sacrée à la cour d'Angleterre.

*** James Bowman (hc), Nigel Rogers (t), Max van Egmond (b), Chœurs du King's College de Cambridge, David Willcocks, Leonhardt Consort, Gustav Leonhardt. Telefunken 441123 (étr.). Enregistré en 1969.

L'alliance des chœurs d'un collège de Cambridge, porteurs d'une longue tradition en matière de chant anglican, et d'un ensemble continental très spécialisé dans l'exécution de la musique baroque donne un résultat excellent. Voix jeunes et instruments anciens se complètent pour donner une interprétation pleine de gloire et de vigueur. Cette incursion, même partielle, d'étrangers dans un domaine où les interprètes anglais semblaient se réserver un monopole est une parfaite réussite qui nous donne un nouvel éclairage sur la musique de Purcell.

Musiques de scène pour Bonduca, Circe, Sir Anthony Love.

*** Judith Nelson, Elisabeth Lane, Prudence Lloyd (s), James Bowman (hc), Martyn Hill, Paul Elliott, Alan Byers, Peter Bamber (t), Christopher Keyte (b), Chœur Taverner, The Academy of Ancient Music, Christopher Hogwood. Oiseau-Lyre 595.052.

L'intégralité des intermèdes musicaux composés par Purcell pour une comédie et deux drames fantastiques. Le souci de fidélité de Christopher Hogwood et de son ensemble, qui travaille sur des instruments baroques, est grand. Les morceaux orchestraux sont fort plaisants, mais ne valent pas les intermèdes chantés. L'inspiration du compositeur a été particulièrement heureuse dans le domaine de la féerie, ce qui nous vaut d'admirables fragments où se distinguent tout particulièrement Judith Nelson, James Bowman et Martyn Hill. Le seul regret que l'on puisse avoir est l'inégalité des textes proposés à Purcell, qui a été visiblement moins inspiré par le *Sir Anthony Love* et son côté comicosentimental.

Musiques de scène, airs d'opéras et chants sacrés.

** Deller Consort, Carolyn et Jonathan Sparey (violon), Desmond Dupré (viole de gambe), Robert Elliott (clavecin), Alfred Deller. Harmonia Mundi 218.

Un disque essentiellement centré sur les musiques de scène de Purcell. Il donne l'occasion d'entendre chanter, par de bons spécialistes, des pièces généralement oubliées. Il s'y ajoute deux forts beaux morceaux de musique sacrée, et une petite pièce de musique de chambre datant des vingt ans du maître. Le tout fait une excellente anthologie de pages que l'on n'a jamais l'occasion d'entendre.

Musique de scène (Volume 5) : The double Dealers, The Richemond Heiress, The rival Sisters, Henry the Second, Tyrannic love.

** Judith Nelson et Emma Kirkby (s), Martyn Hill (t), David Thomas (b), The Academy of Ancient Music, Christopher Hogwood. Oiseau-Lyre 595.055.

La musique de scène demande, pour conserver de l'intérêt après trois cents ans, que les textes illustrés musicalement aient une valeur propre, ou que, sur des drames médiocres, un musicien puisse écrire une partition d'une certaine envergure. Autrement, on risque fort de tomber dans le domaine du recueil de morceaux choisis, sans unité particulièrement affirmée. C'est un peu ce qui est arrivé à cet enregistrement. L'intérêt est sauvé par une interprétation exceptionnelle. On sent que l'équipe qu'anime Hogwood s'est totalement identifiée à cette musique purcellienne éparse au hasard des occasions. Nous avons du coup l'illusion d'entendre la voix du compositeur lui-même. Un tel niveau de transparence entre auteur et interprètes est chose rare et qui mérite qu'on la souligne.

Ode pour l'anniversaire de la reine Mary «Come ye sons of art».

❀*** Margaret Ritchie (s), Alfred Deller, John Witworth (hc), Bruce Boyce (bar), St Anthony Singers, Ruggero Gerlin (cl), Orch. de l'Oiseau Lyre, Anthony Lewis. Oiseau Lyre OL-LD 91 (sup.). 25 cm Mono.

*** Felicity Lott (s), Charles Brett, John Williams (hc), Theo Allen (b), Chœur et Orch. Monteverdi, John Eliot Gardiner. Erato STU 70911. ⌧ MCE 70.911. + *Musique funèbre pour la reine Mary.*

** Norma Burrowes (s), James Bowman, Charles Brett (hc), Robert Lloyd (b), Early Music Consort de Londres, David Munrow. EMI VSM C 069 06032. Quadri. Enregistré en 1975. + *«Love's goddess sure».*

La version dirigée par Anthony Lewis ne figure plus à aucun catalogue. Il faut toutefois la mentionner car on a rarement obtenu une telle qualité d'interprétation. Toute la spontanéité d'une musique de fête s'y retrouve avec une délicatesse qui était, avant tout, l'apport d'Alfred Deller. Le duo de haute-contres qu'il chante avec John Whitworth a rarement été égalé. C'est une merveille de sensibilité, de charme et d'intelligence, qu'il faudrait pouvoir réentendre aujourd'hui.

John Eliot Gardiner garde à cette Ode toute sa légèreté aérienne. Tout au plus pourrait-on lui reprocher l'absence d'une certaine joie communicative, marquée dans l'œuvre qu'il interprète par l'éclat des trompettes. Son travail nous charme plus qu'il ne nous transporte ; il y manque un certain enthousiasme et de la spontanéité. Mais les chœurs et l'orchestre sont magnifiques, et Felicity Lott mérite une admiration sans réserve aucune.

La version de David Munrow a l'avantage d'avoir couplé deux des Odes composées par Purcell à l'occasion de l'anniversaire de la reine Mary. Le disque y gagne une homogénéité certaine. Malheureusement, la direction d'ensemble n'est pas toujours à la hauteur des remarquables performances des solistes. Pour tout dire, on se trouve étrangement confronté à des pièces qui sont redevenues des pièces de circonstance, avec tout ce que cela peut comporter de conventionnel.

Ode pour l'anniversaire de la Reine Mary « Now does the glorious day ». Ode pour l'école de Maidwell « Celestial Music ».

** Patricia Clark (s), Tom Sutcliffe (hc), Edgar Fleet (t), John Frost (bar), Roger Stalman (b), Ch. de l'Accademia Monteverdiana, Orch. de Chambre Anglais, Denis Stevens. Schwann VMS 3531F.

Les cantates cérémoniales profanes de Purcell comptent parmi ses œuvres les plus réussies. Pourtant, on ne les joue presque jamais, et les deux Odes que nous fait entendre Denis Stevens suffiraient à nous faire regretter cet état de choses. Nous y découvrons une musique au son noble, à la tournure quelque peu solennelle, mais qui reste animée d'une splendide vitalité. Avec de telles pièces, on comprend que l'ère haendélienne avait commencé en Angleterre bien avant l'arrivée dans ce pays du musicien saxon. L'interprétation est large, aérée ; elle fait leur place aux solistes qui sont excellents dans un style très traditionnel. Une plongée dans l'Angleterre des fêtes et des honneurs, où les choses semblent à leur place de toute éternité.

Ode à Sainte Cécile «Hail ! Bright Cecilia» (1692).

*** Simon Woolf (s), Paul Esswood, Roland Tatnell (hc), Alexander Young (t), Michael Rippon, John Shirley Quirk (b), Tiffin Choir, Ambrosian Singers, Orch. de Chambre Anglais, Charles Mackerras. Archiv 2533 042. Enregistré en 1969.

** April Cantelo (s), Alfred Deller, Peter Salmon (hc), Wilfred Brown (t), Maurice Bevan (bar), John Frost (b), Ambrosian Singers, Kalmar Orch. de chambre, Michael Tippett. Harmonia Mundi HM 5.110. ⊠ HM 40-5.110.

Utilisation des seules voix masculines, instruments anciens, Mackerras a fait tout ce qui était en son pouvoir pour donner un style d'époque à son enregistrement. Il réussit admirablement à rendre toute la gaieté et la spontanéité de cette Ode, la plus célèbre de toutes celles que Purcell a écrites pour la fête de la Sainte-Cécile. La voix du jeune soprano Simon Woolf est admirable, et sa science très supérieure à ce que l'on peut généralement attendre d'une voix de tout jeune garçon. Les chœurs sont pleins de vigueur ; il s'agit bien là d'une musique de fête.

La version que dirige Michael Tippett est déja ancienne et porte malheureusement les traces de son âge. Elle a pourtant bien des choses qui la rendent digne d'être recommandée : la direction très vigoureuse de Tippett, la voix d'April Cantelo et surtout la performance d'Alfred Deller dont c'était une des premières apparitions au disque. Toute la science et la sensibilité que nous lui avons connues au long de sa carrière étaient déjà là, soutenues par une voix d'une fraîcheur inégalable.

Ode à Sainte Cécile «Welcome to all the pleasures» (1683).

*** Deller Consort, Orch. de chambre du Festival de Stour, Alfred Deller. Harmonia Mundi 222. + *Ode pour l'anniversaire de la reine Mary.*

La grande *Ode à Sainte Cécile* fait trop souvent oublier les autres pièces que Purcell a composées dans les mêmes circonstances. C'est d'autant plus regrettable qu'il s'agit d'œuvres dont le caractère se veut ouvert et gai ; le tempérament mélancolique du musicien ne s'y fait qu'occasionnellement sentir. Le Deller Consort se montre dans ces morceaux de circonstance aussi à l'aise que dans les pièces plus graves qu'il interprète généralement. L'orchestre est parfois un peu mécanique, mais le jeu contrasté des solistes et du petit chœur que constitue le Consort est d'une finesse et d'un raffinement éblouissants.

Oeuvres liturgiques chorales.

❀*** Ch. de la cathédrale Christ Church d'Oxford, English Concert, Trevor Pinnock, Simon Preston. Archiv 2723.076 (3 d.). Enregistré en 1980.

Une anthologie fort riche, qui présente les différents aspects de la musique composée par Purcell pour la liturgie anglicane. Un bon nombre de pièces inédites nous permettent de suivre la prodigieuse richesse qui va du simple choeur *a capella* jusqu'aux grandes hymnes accompagnées à l'orchestre consacrées à la Chapelle Royale. Les choeurs de Christ Church sont rompus à une tradition chorale qu'ils pratiquent quotidiennement depuis plus de quatre siècles. Simon Preston et Trevor Pinnock font ressortir le mélange de splendeur et de simplicité qui caractérise le chant purcellien avec un sens très grand du phrasé et du rythme baroque. Personne, à ce jour, n'avait aussi bien traduit la clarté et la vie intérieure de l'univers de Purcell.

Sonates à trois nos I à XII

*** Neville Marriner, Peter Gibbs (violons), Desmond Dupré (basse de viole), Thurston Dart (orgue), Thurston Dart. BAM LD 038/9 (2 d.). Mono. (sup.).

L'absence au catalogue d'une intégrale des *Sonates à trois* de Purcell est inexplicable et impardonnable. Ce sont des œuvres majeures dans le développement de la musique de chambre de l'ère baroque. L'interprétation qu'en donne, sur ce disque très ancien, Thurston Dart, accompagné d'excellents solistes, est à la fois solide et brillante. On a, certes, fait depuis des progrès dans la connaissance des techniques de l'art du violon baroque, mais les interprètes de cette version donnent une lecture d'une grande clarté qui n'exclut pas une fougue et une fantaisie de haute qualité. Ils suivent à merveille les lignes complexes des «humeurs» du musicien.

Les 8 Suites pour clavecin.

*** Kenneth Gilbert (clavecin Vaudry de 1681). Argo ZK 56 (G-B). Enregistré en 1978.

** Colin Tilney (épinette anonyme de 1705). Archiv 2533.415. Enregistré en 1978.

* Laurence Boulay (clavecin et virginal). Erato STU 71162 (sup.). Enregistré en 1977 + *Diverses pièces de «The Musick's Handmaid».*

Kenneth Gilbert a placé toute son interprétation des Suites pour clavecin sous le signe du chant. Des phrases souvent complexes de Purcell, il réussit, avec un bonheur exceptionnel, à dégager de grandes phrases mélodiques qui rejoignent toutes les habitudes du compositeur en matière de musique pour la voix. On y trouve le même mélange de sentimentalité et de simplicité. Le tout est d'une limpidité sans aucune redondance. Tout ce qui doit être dit est dit sans fausse hâte, avec une grande rigueur d'esprit. Le texte ne semble jamais sollicité pour des effets de virtuosité. Une version qui devrait servir de modèle à tous ceux qui veulent approcher Purcell.

Colin Tilney se pose beaucoup plus en virtuose. Adoptant des tempos généralement plus rapides, il semble plus intéressé par ce qui se passe sur le clavier que par ce qui a pu se passer dans la tête et le cœur de Purcell. Il en résulte une interprétation brillante, mais qui nous touche peu, et dont on ne voit pas apparaître le dessin général. C'est par facettes successives qu'il nous atteint. Nous sommes parfois éblouis par la facilité avec laquelle Colin Tilney traduit une musique complexe, mais, cependant, il lui manque de savoir nous entraîner dans le monde de la poésie.

La version de Laurence Boulay a l'avantage de nous donner à entendre un certain nombre de pièces isolées, plus ou moins connues mais pour lesquelles nous ne disposons plus d'aucun enregistrement. C'est par ailleurs une excellente idée que d'avoir utilisé pour son récital deux instruments aux sonorités différentes. Mais la lecture de Purcell reste très sage et ne va pas loin, ni dans le domaine de la poésie, ni dans celui de la virtuosité. Une belle version, très sage et très propre, mais qui reste cependant assez impersonnelle.

Te Deum et Jubilate en ré majeur. In guilty night. Funeral sentences.

*** Deller Consort, Chœur et Orch. du Festival de Stour, Alfred Deller. Harmonia Mundi 207 (sup.).

Musiques officielles pour les pompes militaires et les triomphes, le *Te Deum* et le *Jubilate* de Purcell ont régné sur les fêtes anglaises jusqu'à l'arrivée de Haendel. L'interprétation qu'en donne le Deller Consort ne manque pas de panache. On aurait pu souhaiter un peu plus d'emphase et une allure martiale, mais la délicatesse, dont Deller ne se départit jamais, colore ces pages et leur confère un charme presque bourgeois. Les deux pièces qui complètent le disque sont beaucoup plus appropriées au talent et à la discrétion de leurs interprètes.

Te Deum. Ode Yorkshire Feast.

* Mary Beverley, Birgit Grenat (s), Charles Brett, Paul Esswood (hc), Ian Partridge (t), Michael George, David Thomas (b), Ch. de l'église Saint-Mary de Warwick, la Grande Ecurie et la Chambre du Roy, Jean-Claude Malgoire. Enregistré en 1979. CBS 76.925.

Jean-Claude Malgoire fait un effort intéressant pour restituer dans cette musique les sonorités d'origine. Le résultat justifie entièrement son propos, encore que les éléments orchestraux fassent ici pâle figure à côté des éléments vocaux. Dans ce domaine, il est servi à merveille. Les chœurs d'enfants sont parfaits de spontanéité et de fraîcheur. Parmi les solistes, les deux hautes-contre, un dans chacun des morceaux, sont aussi parfaits que possible dans des styles de chant très différents.

The Tempest, musique de scène.

* Jennifer Smith, Rosemary Hardy (s), Carol Hall (ms), John Elwes (t), Stephen Varcoe (bar), David Thomas, Roderick Earle (b), Ch. et Orch. Monteverdi, John Eliot Gardiner. Erato STU 71274. ⌧ MCE 71.274. Enregistré en 1979.

La musique de scène composée par Purcell pour *La Tempête* de Shakespeare est une de ses entreprises les plus hardies dans ce domaine. John Eliot Gardiner en donne une version agréable et claire. Orchestre et chœur marquent beaucoup de charme dans une musique où le comique alterne avec la féerie dramatique. L'interprétation est malheureusement gâtée par les faiblesses de certains des solistes, dont la qualité vocale est très insuffisante pour le rôle et dont l'intelligence du texte est restée très en surface. La seconde moitié de l'œuvre, le *Masque de Neptune*, vient heureusement compenser les insuffisances criantes manifestées dans la première partie.

R

Rabaud, Henri
(1873-1949)

Divertissement sur des Chansons russes op. 2. La Procession nocturne, poème symphonique d'après Nicolas Lenau op. 6. Danses extraites de Mârouf, Savetier du Caire. Eglogue, poème virgilien pour orchestre op. 7.

*** Orch. Phil. des Pays de la Loire, Pierre Dervaux. EMI VSM 2 C 069-16.303. Enregistré en 1978.

Ce disque vient heureusement remédier, dans le catalogue, à la quasi-solitude de l'intégrale de *Mârouf*. La *Procession* apporte la part du rêve, dans un romantisme pudiquement voilé. Le *Poème virgilien*, composé à la Villa Médicis, encore timide, baigne dans une lumière méridionale. Les *Chansons russes* présentent un troisième aspect, celui de l'humour et du divertissement. *Mârouf*, apogée de la carrière de Rabaud, opère la synthèse en un art subtil et achevé. Pierre Dervaux s'attache avec conviction à nous faire aimer cette musique et y arrive grâce à la finesse, au goût et à la poésie de son interprétation.

Mârouf, Savetier du Caire, opéra.

** Anne-Marie Blanzat (la Princesse Saamcheddine), Dany Barraud (Fattoumah, la Calamiteuse), Michel Lecocq (Mârouf), Frantz Petri (Le Sultan de Khaïtan), François Loup (le Vizir), Etienne Arnaud (Ali), Xavier Tamalet (le Pâtissier), Mario Marchisio (le Fellah), Ch. et Orch. de l'Opéra de Nantes, Jésus Etcheverry. IPG 7.476/78 (3 d.) (sup.). Enregistré en 1975.

A plus d'un titre, ce disque constitue un événement : premier enregistrement mondial de *Mârouf*, et belle démonstration de chant français. La partition de Rabaud est avant tout originale, chatoyante ; l'orchestration lumineuse prend toute sa valeur grâce à la direction de Jésus Etcheverry, habile à rendre les mille nuances. La distribution a l'immense mérite de son homogénéité, due à la seule présence de chanteurs français qui s'adaptent mieux que personne au style de l'œuvre. Tous possèdent une diction impeccable. Lecocq et Blanzat forment un couple idéal de charme et de naturel, et les autres rôles sont tenus avec talent. Une mention aussi pour l'excellence des chœurs.

La Procession nocturne.

❀*** Orch. Phil. de Monte-Carlo, Armin Jordan + *Chausson : Poème. Lekeu : Fantaisie symphonique sur deux airs populaires angevins, Adagio pour quatuor d'orchestre op. 3.*

Armin Jordan déroule ce magnifique poème symphonique avec un geste large, une solennité religieuse sans ostentation ni boursouflure, nous introduisant dans un climat d'humanité profonde et douloureuse.

Rachmaninov, Serge
(1873-1943)

Capriccio sur des thèmes tziganes. Aleko, suite d'orchestre.

** Orch. Symph. d'URSS, Evgueni Svetlanov. Mélodia Chant du Monde CM 04.195 (étr.).

Œuvres d'un intérêt secondaire, auxquelles Svetlanov imprime un souffle lyrico-dramatique tout à fait extraordinaire. Hélas ! il n'est pas très bien servi par une prise de son qui accuse son âge.

Les Carillons op. 35.
3 Chants populaires russes op. 41.

*** Mikhail Dovenman (t), Elisabeth Choumskaia (s), Alexei Bolchakov (bar), Ch. de la République de Russie, Orch. Phil. de Moscou, Kyril Kondrachine. Chant du Monde 78.545. Enregistré en 1973.

Les Carillons figurent parmi les œuvres chères au compositeur. Nous sommes loin ici des langueurs qu'on a pu injustement lui reprocher. Œuvre puissante, *les Carillons* se présentent comme un grand Poème pour orchestre avec chœurs et solistes, que Rachmaninov songea un moment inscrire à son catalogue comme troisième Symphonie. Kondrachine en signe là une version de référence par la qualité des interprètes, malgré un certain écrasement de la dynamique.

Le Chevalier avare, opéra.

** B. Dobrine (le baron), P. Kouznetsov (Albert), A. Ousmanov (l'usurier), A. Yakovenko (le duc), I. Boudrine (le valet), Orch. Symph. d'URSS, Guennadi Rojdestvenski. Mélodia Chant du Monde CM 02.683 (2 d.) (étr.). Enregistré en 1974. *+ Tchaïkovski : Capriccio italien op. 45.*

Cette réalisation russe rend pleinement justice à une œuvre trop peu connue de Rachmaninov, qui a la particularité d'être un opéra sans rôle féminin et sans chœur. La distribution fait appel à des chanteurs peu connus mais aux voix magnifiques. Guennadi Rojdestvenski dirige un orchestre un peu massif, mais avec une conviction communicative.

Les 4 Concertos pour piano, intégrale.

❀*** Raphaël Orozco (piano), Orch. Phil. Royal, Edo de Waart. Philips 6747.397 (3 d.). Enregistré en 1973 et 1974. *+ Rapsodie.*

*** Vladimir Ashkenazy (piano), Orch. Symph. de Londres, André Previn. Decca SXLF 6565 (3 d.) (G-B). Enregistré en 1972. *+ Rapsodie.*

** Serge Rachmaninov (piano), Orch. de Philadelphie, Eugène Ormandy, Leopold Stokowski (n° 2). RCA MB 25.091 R 1 à 3 (USA). Mono (origine 78 t.). Enregistré en 1929, 1940, 1941. *+ Rapsodie.*

** Tamás Vásáry, Orch. Symph. de Londres, Yuri Ahronovitch. DG 2709.073 (3 d.). Enregistré en 1976 et 1977. *+ Rapsodie.*

Raphaël Orozco est parvenu à s'imposer par la fougue et le lyrisme d'un jeu qui unit à la fois la rigueur et l'expression. La cohésion entre le piano et l'orchestre concourt à la réussite de l'ensemble. Très belle prise de son. Chaque disque est disponible séparément.

Ashkenazy nous fait partager son admiration pour Rachmaninov, dont il est un dévoué défenseur. Son jeu a un caractère russe marqué, mais qui, hélas ! n'est pas soutenu par la direction un peu alanguie de Previn.

L'enregistrement des quatre Concertos par le compositeur constitue un document historique à la fois sur le plan de la volonté du compositeur et sur les qualités du pianiste. On ne peut pour autant considérer ce précieux album comme une référence - au sens où il surpasse tout ce qui s'est fait depuis - en raison des libertés que prend Rachmaninov-pianiste par rapport à Rachmaninov-compositeur, notamment sur le plan des tempos et des rubatos. Mais il faut l'avoir écouté...

Contrairement à la version Ashkenazy, Yuri Ahronovitch, avec la même formation, présente l'attrait d'un orchestre qui ne se limite pas à l'accompagnement, quoique moins fouillé dans les détails. Tamás Vásáry n'atteint pas à la présence d'Orozco ou d'Ashkenazy.

Concerto n° 1 en fa dièse mineur op. 1.

*** Byron Janis (piano), Orch. Phil. de Moscou, Kyril Kondrachine. Philips 6768.226 (2 d.). Enregistré en 1963. + *Concertos n°s 2 et 3.* Ou Philips 6511.015. + *Concerto n° 2.* Ou Philips 6513.013. + *Prokofiev : Concerto n° 3.*

Byron Janis a enregistré d'une manière très brillante les trois premiers Concertos. C'est à l'*Opus 1* qu'il donne tout son brio, son éclat. Le jeu est incisif, sans concession au sentimentalisme, et Kondrachine l'accompagne magnifiquement. Une version à un prix économique tout à fait remarquable.

Concerto n° 2 en ut mineur op. 18. 6 Préludes pour piano.

❀*** Sviatoslav Richter (piano), Orch. Phil. de Varsovie, Witold Wislocki. DG 138.076. Enregistré en 1969.

En marge des versions d'Orozco et d'Ashkenazy, voici le disque de référence du célébrissime Concerto n° 2. Richter marque la partition de sa personnalité puissante et subtile. Il fait ressortir de nombreux détails du texte pianistique. Le soliste est fort bien suivi par le chef dans ses intentions. En plus, Six Préludes extraordinaires.

Concerto n° 3 en ré mineur op. 30.

*** Vladimir Horowitz (piano), Orch. Symph. RCA, Albert Coates. RCA VH 004 (USA). Mono (origine 78 t.). Enregistré en 1930. + *Haydn : Sonate n° 62.*

Horowitz a enregistré ici un document remarquable, où il allie la rigueur à une virtuosité foudroyante. Il devait réaliser deux autres versions par la suite, avec Fritz Reiner puis avec Eugène Ormandy, pas tout à fait aussi convaincantes. C'est malheureusement un repiquage 78 tours qui a ses rides. Orozco-de Waert ont signé la version de référence.

Concerto n° 4 en sol mineur op. 40.

*** Arturo Benedetti-Michelangeli (piano), Orch. Philharmonia, Ettore Gracis. EMI VSM C 053-00.140. + *Ravel : Concerto en sol.*

Ce fut pratiquement le disque qui révéla Arturo Benedetti-Michelangeli : jeu pudique, concentré, d'une facture quasi classique, qui convient bien à ce Concerto d'un style plus moderne que les précédents. En complément, on trouve une version de référence du Concerto en sol de Ravel. Une découverte à faire en série économique.

Danses symphoniques op. 45.

*** Orch. Symph. de l'URSS, Evgueni Svetlanov. Mélodia Chant du Monde 78.546 (étr.).

Evgueni Svetlanov considère ces trois Danses comme un des chefs-d'œuvre de Rachmaninov. Il n'a osé les enregistrer, a-t-il déclaré, que lorsqu'il s'est senti lui-même en possession de l'expérience humaine et artistique propre à exprimer toute la richesse de la partition. Un enregistrement de référence.

Etudes-Tableaux op. 33 et 39.

❀*** François-Joël Thiollier (piano). RCA RL 37.294 (9 d.). Enregistré en 1979. + *Intégrale de l'œuvre pour piano.*

Etudes-Tableaux op. 39.

*** Vladimir Ashkenazy (piano). Decca SXL 6604 (G-B). Enregistré en 1973. + *Variations sur un thème de Corelli op. 42.*

C'est sans doute avec les *Etudes-Tableaux* que Rachmaninov révèle le mieux sa grande maîtrise du clavier en tant que compositeur et en tant que pianiste. Œuvres essentielles, bien préférables aux Préludes, où François-Joël Thiollier s'affirme d'une manière à la fois éclatante et expressive. Le meilleur disque de son intégrale, déjà excellente.

Vladimir Ashkenazy s'en est tenu à l'*Opus 39.* Il s'impose par l'ampleur de son jeu, la puissance dramatique des contrastes et des couleurs, la maîtrise technique. Couplage intéressant.

Francesca da Rimini, opéra en 1 acte.

*** Maklava Kasrachvili (Francesca), Evgueni Nesterenko (Lanciotto), Vladimir Atlantov (Paolo), Michael Maslov (Virgile), Alexander Laptev (Dante), Ch. et Orch. du Théâtre du Bolchoï de Moscou, Marc Ermler. Mélodia Chant du Monde 6745/46

(2 d.) (étr.). + *Rimski-Korsakov : Le Voiévode, suite d'orchestre.*

Cet unique enregistrement de ce chef-d'œuvre, supérieur à *Aleko* et au *Chevalier Avare*, trouve ici une traduction idéale tant sur le plan vocal qu'orchestral. Evgueni Nesterenko campe magnifiquement le rôle de Lanciotto, évoquant l'ombre du grand Chaliapine pour lequel le rôle fut écrit. Il est entouré par une distribution excellente et soutenu par un chœur et un orchestre remarquablement dirigés par Marc Ermler.

L'Ile des morts op. 29.

*** Orch. Symph. d'URSS, Evgueni Svetlanov. Mélodia Chant du Monde C 01.351 (étr.). + *Scriabine : Poème de l'extase.*

Une des plus belles œuvres orchestrales de Rachmaninov, inspirée par le tableau de Arnold Böcklin. Svetlanov restitue magnifiquement l'atmosphère impressionniste de l'œuvre. Couplage intéressant.

Liturgie de Saint-Jean-Chrysostome op. 31.

*** Emilia Maximova (s), Veselina Zorova (a), Vaasil Stoytsov (t), Yordan Vidov (t), Ivan Petrov (b), Ch. de la Radio Bulgare de Sofia, Mikhil Milkov. EMI VSM C 167-03.260/1 (2 d.). Quadri. Enregistré en 1977.

Premier enregistrement intégral de cette *Liturgie* écrite cinq années avant les *Vêpres* de 1915. Une œuvre dans la grande tradition des chants religieux orthodoxes, mais aussi une grande symphonie chorale d'une intense émotion. Une interprétation de grande qualité, amplifiée par l'acoustique de la cathédrale Alexandre Nevsky de Sofia.

Mélodies : Ne t'en va pas op. 4 n° 1, Le matin op. 4 n° 2, Chanson géorgienne op. 4 n° 4, O mon champ bien aimé op. 4 n° 5, La femme du soldat op. 8 n° 4, Un rêve op. 8 n° 5, De tous tu es aimée op. 14 n° 6, Le destin op. 21 n° 1, Un fragment d'Alfred de Musset op. 21 n° 6, Tout est si beau op. 21 n° 7, Dieu m'a ravi mes biens op. 26 n° 2, Le Christ renaît op. 26 n° 6, De grâce, épargne-moi op. 26 n° 8, L'ombre est triste op. 26 n° 12, Je la vis s'arrêter op. 26 n° 13, Tout passe op. 26 n° 15.

** Boris Christoff (b), Alexandre Labinski (piano). EMI VSM FALP 569 (sup.). Enregistré en 1960.

Mélodies : Chanson géorgienne op. 4 n° 4, O mon champ bien aimé op. 4 n° 5, Tout est si beau op. 21 n° 7, Dans mon jardin la nuit op. 38 n° 1, A elle op. 38 n° 2, Marguerites op. 38 n° 3, Le joueur de flûte bigarré op. 38 n° 4, Rêves op. 38 n° 5, A-oo (l'enquête) op. 38 n° 6, La muse op. 34 n° 1, La tempête op. 34 n° 3, Le poème op. 34 n° 9, Ce jour d'extase op. 34 n° 10, Quelle abondance d'ivresse op. 34 n° 12, Dissonance op. 34 n° 13, Vocalise op. 34 n° 14.

** Elisabeth Söderström (s), Vladimir Ashkenazy (piano). Decca SXL 6.718 (G-B). Enregistré en 1975.

Mélodies : Chanson géorgienne op. 4 n° 4, Les eaux du printemps op. 14 n° 11, La nuit est pénétrée de tristesse op. 26 n° 12, Musique op. 34 n° 8, Vocalise op. 34 n° 14.

** Galina Vichnievskaïa (s), Mstislav Rostropovitch (piano). DG 2530.725. Enregistré en 1976. + *Glinka : Mélodies.*

Le disque de Boris Christoff fut le premier à nous faire découvrir la valeur des Mélodies de Rachmaninov ; il propose ici, parmi les 83 écrites par le compositeur, une sélection remarquable. Boris Christoff apporte l'accent authentiquement russe à ces Mélodies et une voix idéale pour en traduire la beauté et la poésie. Ce disque supprimé mériterait une édition économique.

Sans doute peut-on préférer dans ces Mélodies une voix d'homme. Elisabeth Söderström vient pourtant prouver qu'une voix de femme accentue peut-être encore plus le lyrisme de ces pages. Elle est en outre la seule à donner l'*Opus 38* dans son intégralité. L'accompagnement de Vladimir Ashkenazy contribue à la réussite de ce disque.

Les quelques Mélodies retenues par Galina Vichnievskaïa constituent une excellente introduction à une partie de l'œuvre de Rachmaninov trop peu connue. Le couplage présente quelques Mélodies également fort peu souvent entendues de Glinka. Rostropovitch se révèle aussi excellent pianiste que violoncelliste.

L'œuvre pour piano intégrale : Etudes-Tableaux op. 33 et 39, Moments musicaux op. 16, Nocturnes, pièces de concert et œuvres diverses, Pièces op. 1, op. 3 et op. 10, Préludes op. 23 et op. 32, Sonates, Transcriptions (intégrale), Variations sur un thème de Chopin op. 22, Variations sur un thème de Corelli op. 42.

*** François-Joël Thiollier (piano). RCA RL 37.294 (9 d.). Enregistré de 1977 à 1979.

François-Joël Thiollier a réussi à montrer, par la qualité de cette intégrale, que Rachmaninov ne devait pas seulement être réduit à un Concerto ou à un Prélude. Il faut absolument découvrir les *Etudes-Tableaux* ou la deuxième Sonate, ainsi que bien des pages méconnues parmi les *Moments musicaux*, les Pièces op. 10, les Variations et les transcriptions ; certaines sont gravées ici pour la première fois. Emil Guilels considère François-Joël Thiollier comme «le seul pianiste occidental qui comprenne l'âme de la musique russe et sache en imprégner son jeu jusqu'au plus profond». Une très belle - et courageuse - entreprise qui, de plus, présente l'avantage d'être disponible en disques séparés. On peut seulement émettre quelques réserves sur la qualité du piano utilisé dans les premiers disques. Les choses s'arrangent par la suite.

6 Pièces op. 11 pour deux pianos. Suite n° 1 «Fantasia» op. 5. Prélude en ut dièse mineur op. 3 n° 2.

** Bracha Eden, Alexander Tamir (pianos). Decca SXL 6618 (sup.). Enregistré en 1973.

Disque tout particulièrement intéressant, dans la mesure où il nous propose l'unique version des six Pièces op. 11 primitivement conçues pour piano à quatre mains et jouées ici à deux pianos, à rapprocher des sept Pièces op. 10 écrites elles aussi vers 1894. En complément, on trouve l'admirable Fantaisie op. 5 et l'arrangement réalisé par Rachmaninov lui-même pour deux pianos du fameux Prélude en ut dièse mineur.

24 Préludes op. 3, 23 et 32.

*** Vladimir Ashkenazy (piano). Decca 591.131 (2 d.). Enregistré en 1976.

*** François-Joël Thiollier (piano). RCA RL 37.294 (9 d.). Enregistré en 1978. + *Intégrale de l'œuvre pour piano.*

Préludes op. 3 n° 2, op. 23 n°s 1, 2, 4, op. 32 n°s 10 et 12.

** Lazar Berman (piano). DG 2531.276. ⌧ 3301.276. Enregistré en 1980. + *Variations sur un thème de Corelli.*

Préludes op. 23 n°s 1, 2, 4, 5, 7 et 8, op. 32 n°s 1, 2, 6, 7, 9, 10 et 12.

*** Sviatoslav Richter (piano). Chant du Monde LDX 78.539. Enregistré en 1973.

On peut relever certaines faiblesses dans ces 24 Préludes, d'une inspiration assurément inégale mais parfois très réussie. Vladimir Ashkenazy est le seul à nous intéresser de bout en bout par la qualité de son jeu, sobre et pourtant plaçant bien ces Préludes dans le souvenir de ceux de Frédéric Chopin. Une belle réalisation, malgré une prise de son «pâteuse», sans grand relief.

François-Joël Thiollier, une fois encore, s'impose par la qualité de son interprétation très visionnaire, éloquente et sensible. Son intégrale répartit chaque opus sur un disque séparé, mais on trouvera, hélas ! le célébrissime Prélude en ut dièse mineur op. 3 n° 2 normalement inséré avec les autres pièces de l'*Opus 3* dans un troisième disque (avec l'*Opus 10* : RCA RL 37.141).

Lazar Berman restitue avec éloquence, virtuosité et pénétration la large palette de l'art de Rachmaninov. Il en traduit les moindres nuances, opposant à une force athlétique son toucher sensible. De même, il sait trouver le juste ton, à la frontière du romantisme et du raffinement d'esprit décoratif.

Sviatoslav Richter a eu la sagesse de se limiter à une sélection des Préludes. Son interprétation est exceptionnelle, et la meilleure comparée aux versions intégrales. Hélas ! elle souffre d'une prise de son déplorable qui pourra renvoyer certains discophiles à une sélection encore plus restreinte mais beaucoup mieux captée (Préludes n°s 3, 5, 6, 8, 12 et 13), accompagnant la version de référence du Concerto n° 2, toujours par Richter.

Rapsodie sur un thème de Paganini op. 43.

*** Daniel Wayenberg, Orch. Philharmonia, Christoph von Dohnanyi. Ducretet 503 (sup.). Enregistré en 1966. + *Strauss : Burlesque op. 11.*

** Jean-Philippe Collard (piano), Orch. du Capitole de Toulouse, Michel Plasson. EMI VSM 2 C 167-16.208 (3 d.). Quadri. Enregistré en 1978. + *Concertos.*

Le disque de Wayenberg est tout à fait remarquable et rend pleine justice à l'œuvre et à un pianiste trop rarement représenté au catalogue : il y a le brio, un lyrisme très pudique, et l'entente soliste-chef est parfaite. En complément, une excellente version du difficile *Burlesque* de Richard Strauss. Voilà qui mériterait une réédition bon marché, car de plus l'enregistrement n'a pas vieilli.

Avec la *Rapsodie*, Jean-Philippe Collard signe sans aucun doute le meilleur moment de son intégrale : interprétation brillante, fougueuse même, avec un caractère improvisé très dans l'esprit de la rapsodie. L'éditeur devrait songer à extraire ce disque de l'intégrale.

Sonate pour piano n° 2.

❀*** Vladimir Horowitz (piano). CBS 75.940. Enregistré en 1972. + *Prélude en sol dièse mineur op. 32, Moment musical en si mineur op. 16, Etudes-Tableaux op. 33 n°s 2 et 3 et op. 39 n° 9.*

*** Vladimir Ashkenazy (piano). Decca 591.272. Enregistré en 1981. + *Etudes-Tableaux op. 33.*

** François-Joël Thiollier (piano). RCA RL 37.294 (9 d.). Enregistré en 1979. + *Intégrale de l'œuvre pour piano.*

** Jean-Philippe Collard (piano). EMI VSM C 069-12.896. Enregistré en 1976. + *Variations sur un thème de Corelli.*

Horowitz, ami de Rachmaninov, interprète, avec le consentement de l'auteur, sa propre version de la Sonate n° 2. En présence du public, il donne à l'œuvre un climat extraordinaire, d'une intensité foudroyante, et démontre une fois encore une virtuosité sans égale. Un programme de premier choix par un interprète de génie.

Dans cette redoutable Sonate, Ashkenazy est le seul pianiste à retrouver l'intensité dramatique et le lyrisme d'Horowitz. Le caractère visionnaire de son jeu, son aisance technique tout à fait extraordinaire autant que la profondeur de son interprétation réellement inspirée font de la vision d'Ashkenazy une performance impressionnante. Les *Etudes-Tableaux op. 33* complètent heureusement ce très grand disque.

Il revient à François-Joël Thiollier le mérite de nous présenter en un disque les deux Sonates de Rachmaninov dans leur version originale. Outre l'intérêt du couplage, ce disque s'impose par la qualité de l'interprétation où passent, à la fois, l'angoisse, la passion, la présence sensible du compositeur et du pianiste.

Jean-Philippe Collard affiche un classicisme plus serein, malgré des qualités évidentes sur le plan de la maîtrise technique de cette difficile Sonate. Il a également retenu la version primitive de 1913.

Sonate pour violoncelle et piano.

*** Fedor Luzanov (violoncelle), Evgueni Svetlanov (piano). Mélodia Chant du Monde C 04.617 (étr.). Enregistré en 1977.

** Paul Tortelier (violoncelle), Aldo Ciccolini (piano). EMI VSM CVB 2.148. Enregistré en 1968. + *Chopin : Sonate pour violoncelle et piano.*

La Sonate pour violoncelle est contemporaine du fameux deuxième Concerto, et l'affinité entre les deux œuvres est évidente. Louzanov, premier violoncelliste de l'Orchestre Symphonique de l'URSS, communie au jeu pianistique de Svetlanov avec la ferveur d'un musicien face à celui qui a l'habitude de le diriger.

Tortelier et Ciccolini n'atteignent pas le lyrisme de la version russe, mais le couplage est intéressant et la prise de son d'une meilleure qualité.

Suite n° 1 «Fantasia» op. 5. Suite n° 2 op. 17 pour deux pianos.

*** Katia et Marielle Labèque (pianos). Erato MUS 19.040. ⊠ MCE 19.040. Enregistré en 1972.

Deux œuvres remarquables par la densité de la polyphonie, l'intensité de l'expression, l'équilibre des parties et des plans sonores. Katia et Marielle Labèque évitent toute faute de goût et marquent ces deux Suites par l'aisance d'un jeu parfaitement en place et virtuose.

Les 3 Symphonies.

❀*** Orch. Symph. d'URSS, Evgueni Svetlanov. VSM Melodya 2 C 065-90.289/91 (3 d.) (sup.). Enregistré en 1967.

** Orch. de la Suisse Romande, Walter Weller (n° 1). Orch. Phil. de Londres, Walter Weller (n° 2 et 3). Decca D 901/3 (3 d.) (G-B). Enregistré de 1972 à 1974. *+ Le Rocher.*

** Orch. Phil. de Rotterdam, Edo de Waart. Philips 6768.148 (4 d.). Enregistré en 1977, 1978 et 1979. *+ L'Ile des morts, le Rocher.*

Le caractère idiomatique de l'interprétation donne tout son sens au lyrisme pathétique de ces œuvres. Svetlanov est le seul à faire oublier les longueurs de participations boudées par le public français. Il est dommage que l'éditeur n'ait pas cru bon de publier ce coffret en disques séparés. Il a préféré le retirer simplement du catalogue. C'est dommage, car nous tenons là trois versions de référence.

La version occidentale de Weller s'impose par son honnêteté. La pudeur de l'interprétation entraîne à un certain classicisme propre à mettre ces Symphonies à la portée des mélomanes français. La prise de son est très claire. Coffret, hélas ! disponible seulement en Grande-Bretagne.

La réalisation hollandaise n'est pas toujours du plus pur style, particulièrement dans la première Symphonie. Edo de Waart défend pourtant ces œuvres avec conviction, faisant admirablement sonner l'orchestre (3e Symphonie). Trois disques séparés fort bien enregistrés.

Symphonie n° 1.

** Orch. Symph. de Saint-Louis, Leonard Slatkin. Vox 36.048 (étr.). Enregistré en 1976.

En marge de Evgueni Svetlanov, indisponible, Leonard Slatkin signe une excellente version de cette première Symphonie. Une interprétation à la fois sensible et raffinée, qui évite le pathos langoureux. Une découverte à faire.

Symphonie n° 2.

*** Orch. du Concertgebouw d'Amsterdam, Vladimir Ashkenazy. Decca 591.270. Enregistré en 1981.

Aussi à son aise dans la musique orchestrale de Rachmaninov que dans ses œuvres pour piano, Ashkenazy fait chanter cette Symphonie en lui restituant tout son caractère idiomatique. Ses origines russes lui permettent d'éviter tout pathos facile au profit d'une interprétation visionnaire et pourtant parfaitement rigoureuse, construite. Ajoutons que la sonorité du Concertgebouw n'est pas un mince allié.

Trio n° 2 en ré mineur op. 9 «Elégiaque».

*** Evgueni Svetlanov (piano), Leonid Kogan (violon), Fedor Louzanov (violoncelle). Mélodia Chant du Monde C 04.575 (étr.).

L'œuvre est dédiée «à la mémoire d'un grand artiste», peu de temps après la mort de Tchaïkovsky. Les variations du mouvement central sont particulièrement réussies. Cet unique enregistrement s'impose par la qualité des interprètes, où les instrumentistes à cordes se trouvent admirablement soutenus, voire dirigés, par l'éminent Svetlanov, qui se révèle ici comme un excellent pianiste.

Variations sur un thème de Corelli op. 42.

*** François-Joël Thiollier (piano). RCA RL 37.294 (9 d.). Enregistré en 1977. *+ Intégrale de l'œuvre pour piano.*

** Vladimir Ashkenazy (piano). Decca SXL 6604 (G-B). Enregistré en 1973. *+ Etudes-Tableaux op. 39.*

** Jean-Philippe Collard (piano). EMI VSM C 069-12.896. Enregistré en 1976. *+ Sonate n° 2.*

François-Joël Thiollier sert magnifiquement cette dernière page de Rachmaninov pour le piano seul. De variation en variation, il construit son interprétation et parvient à donner une unité à l'ensemble. Le couplage nous permet de découvrir l'unique enregistrement des Variations sur un thème de Chopin.

Ashkenazy ne parvient pas à trouver l'unité de ce recueil, mais dans un climat plus romantique donne à chaque Variation une autonomie plus affirmée. Du très beau piano.

Collard est le seul à rappeler l'origine classique du thème et du genre de la variation. Il y a ici une pudeur du jeu qui convient fort bien à la dernière œuvre de Rachmaninov.

Les Vêpres op. 37.

❀*** Clora Korkan (ms), Constantin Ognevoi (b), Ch. National d'URSS, Alexandre Svechnikov. Chant du Monde 78.552/3 (2 d.). ⌧ K 237 (1 c. double). Enregistré en 1973.

Remarquable interprétation dans le plus pur style de ce chef-d'œuvre qui marque l'attachement du compositeur à la vieille tradition russe du chant religieux *a capella*. Les voix sont superbes et se fondent magnifiquement dans la polyphonie.

Raison, André
(?-1719)

Premier livre d'orgue : messe du premier ton, messe du deuxième ton.

** Charles-Léon Koelhoeffer (orgue Silbermann de l'abbatiale de Marmoutier). Arion ARN 38.597. Enregistré en 1980.

L'interprète de ce disque définit la musique de Raison comme «galante» et «ayant pour but de flatter l'oreille», mais aussi comme «grandiose». C'est beaucoup plus cette dernière qualification qu'on retient, servie ici par une exécution d'une probité exemplaire : sens du tempo juste, maîtrise du jeu favorisant la concentration et la spiritualité, et précision dans la registration.

Rameau, Jean-Philippe
(1683-1764)

Les Boréades, tragédie lyrique.

❀*** Jennifer Smith (Alphise), Anne-Marie Rodde (Semire), Philip Langridge (Abaris), John Aler (Calisis), Jean-Philippe Lafont (Borée), Gilles Cachemaille (Borilée), Monteverdi Choir, English Baroque Soloists, John-Eliot Gardiner. Erato STU 715.343 (3 d.). Enregistré en 1982.

Œuvre ultime de Rameau, qui résume tout son art et en affirme la modernité, *Les Boréades* ont été ressuscitées au Festival d'Aix-en-Provence en 1982. Cette réalisation est le fidèle reflet des représentations, accordant la terminologie du temps et le souci du retour aux sources aux humeurs d'un public contemporain. Malgré l'absence de la dimension visuelle du spectacle, la magie d'un chant plus que jamais attentif aux pouvoirs du mot opère totalement, avec la verve aventureuse d'un orchestre imprévisible à souhait et ce petit grain de bizarrerie que les musiciens font si bien passer. Les solistes vocaux sont tous à la hauteur de la situation et font valoir un style exemplaire dans la conduite et l'ornementation à la française de la ligne mélodique, le principal artisan de cette réussite fastueuse restant Gardiner lui-même, soucieux des voix comme de l'orchestre et littéralement habité par le bonheur baroque de la musique.

Deux Cantates à une voix avec symphonie : Le Berger fidèle, Orphée.

* Colette Herzog (s), I Solisti Veneti, Claudio Scimone. Erato STU 71.214. Enregistré en 1978. *+ Hippolyte et Aricie : Air du Rossignol.*

Les Cantates profanes, œuvres de jeunesse de Rameau, ne comptent pas parmi ses productions les plus remarquables, mais il est bon que nous connaissions ce genre si prisé au XVIIIe siècle. Les deux pièces enregistrées ici sont d'intérêt inégal : alors qu'*Orphée* reste conventionnel, *Le Berger fidèle* contient les germes de l'art futur du compositeur. Colette Herzog les chante avec beaucoup d'intelligence : elle en rend les moindres intentions et ses ornementations sont toujours parfaites. Mais on regrette que l'orchestre, bien trop sonore pour l'élégance à la française, sonne à la Vivaldi.

Castor et Pollux, tragédie lyrique.

❀*** Zeger Vandersteene (Castor), Gérard Souzay (Pollux), Jeanette Scovotti (Minerve), Norma Lerer (Phébé), Jacques Villisech (Jupiter), Ch. de Chambre de Stockholm, Concentus Musicus de Vienne, Nikolaus Harnoncourt. Telefunken 6.35048 (4 d.).

*** Peter Jeffes (Castor), Philippe Huttenlocher (Pollux), Jennifer Smith (Télaïre), Cynthia Buchan (Phébé), Lawrence Wallington (Jupiter), Ch. et Orch. Baroque du Festival Anglais Bach, Charles Farncombe. Erato NUM 750.323 (3 d.). Enregistré en 1982.

La réalisation d'Harnoncourt est tout à fait remarquable, notamment du côté de l'orchestre et des chœurs, qui font un travail exemplaire. Les sonorités des instruments anciens contribuent à recréer l'élégance et la netteté qui rendent si prenante l'écriture de Rameau.

Farncombe, contrairement à Harnoncourt qui avait choisi la version originale de 1737, opté pour la révision de 1754, très différente. Mis à part l'excellent Huttenlocher, la distribution est ici exclusivement anglaise, ce qui ne va pas sans inconvénients, étant donné le style de Rameau, où la clarté de la diction est aussi importante que l'art du chant. Un point noir : la Phébé de Cynthia Buchan. Cela dit, la gravure de Farncombe fait à peu près jeu égal avec celle d'Harnoncourt, pour des mérites et des défauts différents, mais présente l'immense avantage de nous offrir une version plus courte, plus nerveuse et plus légère de ce chef-d'œuvre.

Dardanus, opéra.

* Christiane Eda-Pierre (Vénus), Frederica von Stade (Iphise), Georges Gautier (Dardanus), Michaël Devlin (Anténor), Roger Soyer (Teucer), José van Dam (Isménor), Ch. et Orch. de l'Opéra National de Paris, Raymond Leppard. Erato STU 71.416 (2 d.). Enregistré en 1980.

La lecture d'une brillante distribution, sous la baguette d'un chef aussi réputé, pourrait faire espérer des prodiges. Hélas ! ce *Dardanus* de Rameau n'a pas de chance puisque après avoir subi un échec au Palais Garnier, il fait l'objet d'une intégrale ratée. Car c'est bien un ratage que ce coffret, où l'on reconnaît à peine Rameau dans cette musique lourde, sans grâce et maltraitée. Les chanteurs font ce qu'ils peuvent, mais ils semblent tous à côté de ce qu'ils chantent.

Dardanus, extraits.

*** Brigitte Bellamy (Iphise), Jean-Claude Orliac (Dardanus), Grégory Reinhardt (Anténor), La Grande Ecurie et La Chambre du Roy, Jean-Claude Malgoire. CBS 76.965. Enregistré en 1980.

Par un heureux choix dans l'infinité de trésors que renferme la riche partition de *Dardanus,* Malgoire a composé un disque bien équilibré, où aux pièces instrumentales et de danse s'ajoutent des airs, tous admirablement chantés par les trois solistes. Etant donné la peu satisfaisante intégrale gravée par Leppard, il vaut encore mieux se rabattre sur ces extraits, brefs, mais d'un style et d'un goût irréprochables.

Dardanus (suite d'orchestre).

❀*** English Baroque Soloists, John Eliot Gardiner. Erato NUM 75.040. Enregistré en 1982.

Gardiner, qui semble diriger Rameau comme d'instinct, maintient cette rare unité qui trouve sa naissance dans le changement perpétuel. La qualité de son travail est double : d'avoir saisi l'importance essentielle d'une rythmique très précise et sans cesse en modification, ce qui l'amène à soigner particulièrement chacune de ses attaques - elles sont nombreuses dans une suite de ballet -, mais aussi d'avoir obtenu de son ensemble un tel équilibre et une telle spontanéité.

Six Concerts en sextuor.

*** Orch. de Chambre de Caen, Jean-Pierre Dautel. Calliope Cal 1.838. ⌧ 4.838. Enregistré en 1980.

** Orch. de Chambre Jean-François Paillard. Erato STU 70.125 (sup.).

Transcrites du clavecin, ces pièces demandent à l'orchestre qui les joue la restitution de l'esprit mordant, caractéristique de l'instrument initial. Dans la présente interprétation, c'est précisément ce qu'il faut louer : la finesse délicate de l'articulation n'a d'égale que la précision des sonorités et la netteté des lignes mélodiques. Par la qualité du style, cette version des Concerts en sextuor est certainement la meilleure enregistrée jusqu'ici.

L'interprétation de Paillard et de son orchestre restitue à ces *Concerts en sextuor* toute l'élégance et la grâce française de la musique de Rameau. Cette légèreté, ce raffinement de grande classe font incontestablement de ce disque un élément indispensable à la connaissance de Rameau.

Hippolyte et Aricie, tragédie lyrique.

*** Ian Caley (Hippolyte), Arleen Auger (Aricie), Carolyn Watkinson (Phèdre), Edda Moser (La Grande-Prêtresse de Diane), Anne-Marie Rodde (L'Amour), Ulrik Cold (Thésée), Max van Egmont (Pluton, Jupiter), Solistes, Ch. de l'English Bach Festival, La Grande Ecurie et La Chambre du Roy, Jean-Claude Malgoire. CBS 79.314 (3 d.).

Malgoire a su adapter l'interprétation à l'aspect de tragédie lyrique de l'œuvre : de son équipe de chanteurs - très homogène -, il obtient l'intensité dramatique nécessaire au récitatif-arioso qui fait l'essentiel du discours musical. L'orchestre déploie la souplesse et la variété qui doivent soutenir le chant, avec la précision de la phrase fragmentée de Rameau. Une réussite de très grande classe.

Les Indes galantes : airs et danses transcrits pour le clavecin par le compositeur.

** Kenneth Gilbert (clavecin). Harmonia Mundi HM 1028. ⊠ HM 40-1.028. Enregistré en 1979.

Première édition des transcriptions de Rameau, ce disque en présente environ les deux tiers. Ces pages sont plus repensées en fonction du clavecin que transcrites, car elles sont modifiées, allégées : le travail montre un fin connaisseur de l'instrument. L'interprétation de Kenneth Gilbert, fortement charpentée, est vivante, lucide, dominant parfaitement les difficultés techniques, malgré quelques ornements hésitants qui rompent parfois la fluidité du jeu. Le clavecin - un magnifique Donzelague - est idéal pour la musique de Rameau.

Les Indes Galantes, ballet héroïque.

** Gerda Hartmann (3 rôles), Philippe Huttenlocher (5 rôles), Jennifer Smith (4 rôles), Louis Devos (3 rôles), John Elwes (2 rôles), Ensemble Vocal «A Cœur Joie» de Valence, Orch. de Chambre Jean-François Paillard. Erato STU 70.850/53 (4 d.).

* Anne-Marie Rodde (2 rôles), Christian Tréguier (3 rôles), Rachel Yakar, Pierre-Yves Le Maigat, Sonia Nigoghossian (2 rôles), Bruce Brewer (4 rôles), Jean-Christophe Benoît, Janine Micheau, Ensemble Vocal Raphaël Passaquet, La Grande Ecurie et La Chambre du Roy, Jean-Claude Malgoire. CBS 77.365 (3 d.).

La version Paillard est très bien servie sur le plan du chant : les solistes sont excellents, et parmi les hommes on remarque surtout Philippe Huttenlocher et John Elwes. Louis Devos se montre d'une virtuosité modérée, et son ornementation correspond au style de Rameau. Les chœurs «A Cœur Joie» de Valence sont corrects, et la prise de son, naturelle, ne donne pas l'impression que les chanteurs sont sous votre nez. Mais les instruments modernes, des tempos plus lents, plus systématiques, enlèvent le côté vivace et pittoresque, pour insister sur l'aspect «grand opéra héroïque».

Beaucoup d'atouts, balancés par des faiblesses, caractérisent la version de Malgoire. Les femmes sont irréprochables, et surtout Janine Micheau, qui possède toute la sûreté du «métier» ; excepté Bruce Brewer (dont la technique parfaite se laisse parfois aller à orner un peut trop), les hommes manquent soit de style, soit de voix. Les instruments anciens apportent une odeur d'époque qui peut plaire, mais une petite formation semble insuffisante pour rendre certaines scènes spectaculaires, comme la tempête ou le tremblement de terre ; cela se défend historiquement... La prise de son est claire, mais les interventions chorales sont incompréhensibles et le plus souvent complètement noyées.

Motets à grand choeur, soli et orchestre : «In convertendo», «Quam dilecta», «Laboravi».

*** Suzanne Gari et Lieve Monbliu (s), Henri Ledroit (hc), Guy de Mey (t), Stephen Varcoe (bar), Peter Kooy (b), Ch. et Ens. Instrumental de la Chapelle Royale, Philippe Herreweghe. Harmonia Mundi HM 1078. ⊠ HM 40-1078. Enregistré en 1982.

Ces trois chefs-d'œuvre, comparables aux Cantates de Bach, sortent triomphalement de l'oubli sous la direction de Philippe Herreweghe : phosphorence spirituelle, éloquence et incandescence stylistique sont le fait d'un ensemble et de solistes rompus à l'exécution de la musique française classique au point de laisser libre cours à une émotion contagieuse.

Naïs, opéra pour la paix.

** Linda Russel (s), Jennifer Smith (1ere bergère), Anne Mackay (2e bergère), Brian Parsons (Asterian), Ian Caley (Neptune), Ian Caddy (Telenus), Richard Jackson (Tirésie), Anthony Ramsone (Palémon), John Tomlinson (Pluton), Ch. et Orch. de l'English Bach Festival, Nicolas McGegan. Erato STU 71.439. Enregistré en 1980.

Cette pastorale héroïque souscrit à tous les lieux communs du genre, et tout l'intérêt vient de la musique de Rameau. Le compositeur se montre ici en constant renouvellement, que ce soit dans les airs ou les danses purement orchestrales. Avec des interprètes parfaitement à l'aise dans ce genre d'ouvrage et le style qui leur convient, l'équipe réunie par Nicolas McGegan renouvelle le petit miracle de *la Princesse de Navarre*. La poésie de cette délicate partition de Rameau nous est absolument restituée.

L'Œuvre pour clavecin. Intégrale.

❀*** Scott Ross (clavecin). Stil 2107 S 75 (4 d.). Enregistré en 1975.

*** Marcelle Meyer (piano). EMI VSM C 151-10 493/4 (2 d.). Mono. Enregistré en 1953.

*** Kenneth Gilbert (clavecin). Archiv 2710.020 (3 d.).

** Trevor Pinnock (clavecin). CRD 1.010/20/30 (3 d.). Enregistré en 1975.

Scott Ross aime Rameau, et cela se sent tout au long de son admirable intégrale : il s'applique à en rendre la connaissance intime qu'il a acquise, en sculptant la mélodie et en retrouvant toutes ses harmonies secrètes. Dans un souci d'authenticité, il recherche un style d'ornementation où il cultive les notes inégales dans le but avoué de donner à la musique un côté plus sensible et dansant. La réalisation technique ne laisse rien à désirer, depuis la présentation soignée du coffret jusqu'à l'excellente prise de son, limpide et claire, mettant en valeur le clavecin, très bel instrument anonyme à deux claviers de 61 notes.

Quelle aubaine que l'intégrale sous les doigts de Marcelle Meyer ! Son jeu est si subtil, si perlé, que la querelle clavecin/piano perd ici sa raison d'être. Il faudrait tout détailler, tout citer pour rendre compte de l'émotion et de la poésie qui se dégagent de ces deux heures de musique. Qu'il suffise de dire que Marcelle Meyer, en grande artiste, peut tout exprimer avec la force vraie qui émane d'une perception sûre de l'essentiel.

Kenneth Gilbert a lui aussi compris la personnalité du compositeur, homme de réflexion profonde, sensible sans sensiblerie fade. On sent la maîtrise de l'artiste qui s'extériorise avec beaucoup de retenue. Il faut également mentionner les instruments de cette réussite : trois des plus beaux clavecins de notre musée du Conservatoire (J.-C. Goujon, Hemsch et Dumont-Taskin), accordés - paradoxalement - selon J.J. Rousseau : petite trahison qui n'altère en rien la perfection de cette réalisation.

Il faut écouter avec le plus grand soin l'interprétation de Trevor Pinnock. Il projette sur la musique de Rameau une atmosphère secrète et délicate, tout en musicalité intérieure. Une jeunesse enthousiasmante et libre, négligeant la rigidité froide des tempos, se répand à travers les pièces qu'elle dépouille d'une majesté trop lourde. Le phrasé est toujours subtil, jamais renforcé d'effets appuyés. Pinnock joue sur instruments modernes, copies d'anciens, mais dont l'accord au tempérament inégal sonne avec beaucoup de charme.

Les Paladins, comédie lyrique : extraits.

* Anne-Marie Rodde (s), Henry Farge (hc), Jean-Christophe Benoît (bar), La Grande Ecurie et La Chambre du Roy, Jean-Claude Malgoire. CBS 76.065 (sup.).

Trois actes du genre comique, où l'on remarque surtout d'admirables récitatifs et chœurs. En général, les parties vocales ne sont pas des sommets de l'art de Rameau, mais les symphonies sont tout à fait réussies. Les deux airs et deux duos présents ici font regretter de ne pas entendre plus leurs interprètes, tant ils chantent bien. L'orchestre de Jean-Claude Malgoire montre ses qualités : souci de la couleur instrumentale, mise en valeur des détails, aisance rythmique, sens du phrasé. Une jolie réalisation, qui fait souhaiter une intégrale dans le même goût.

Pièces de clavecin en concert.

** Gustav Leonhardt (clavecin), Frans Brüggen (flûte), Sigiswald Kuijken (violon), Wieland Kuijken (viole de gambe). Telefunken 6.41133.

Les amateurs d'instruments anciens seront comblés par cette version des *Pièces de clavecin en concert*, où Rameau a laissé libre le choix des deux compagnons du clavecin. Ici, il s'agit de la flûte traversière du XVIIIe siècle, du violon baroque et de la viole de gambe. On regrette que la sonorité douce et musicale de la flûte soit trop effacée, mais les deux instruments à cordes, dont jouent Sigiswald et Wieland Kuijken, sont des merveilles de style et d'authenticité. Au clavecin, Leonhardt se montre très savant, trop peut-être, car son jeu donne une impression de froideur et d'austérité qui s'accorde mal avec la sensibilité de Rameau.

Platée, comédie-ballet.

** Michel Sénéchal (Platée), Nicolaï Gedda (Thespis), Huc Santana (Jupiter), Janine Micheau (la Folie), Christiane Castelli (Junon), Nadine Sautereau (Thalie), Ch. du Festival d'Aix-en-Provence, Orch. de la Société des Concerts du Conservatoire, Hans Rosbaud. EMI VSM C 165-12.503/4 (2 d.). Mono.

Cet enregistrement, bien que monophonique et assez ancien, est le seul existant pour *Platée*, cet aimable divertissement à la musique ravissante. Pour cette raison, mais surtout pour la qualité du plateau et de la direction de Hans Rosbaud, c'est un document des plus intéressants, reflet des représentations du Festival d'Aix de 1956, qui remportèrent un succès considérable.

La Princesse de Navarre, intermède musical.

*** Solistes vocaux, Ch. et Orch. de l'English Bach Festival, Nicolas McGegan. Erato STU 71.283. ⊠ MCE 71.283. Enregistré en 1979.

Voilà un des plus charmants disques de Rameau qu'il puisse être donné d'entendre. Le texte ne vole pas très haut, bien que le librettiste se soit nommé M. de Voltaire, mais sa fantaisie légère convient au divertissement pour un mariage princier. L'interprétation est délicieuse de joie et de raffinement : tout passe dans une grâce lumineuse qui baigne chanteurs et musiciens.

Pygmalion.

*** La Petite Bande, Gustav Leonhardt. Deutsche Harmonia Mundi HM 20.386. ⊠ HM 30.386. Enregistré en 1980.

Parmi les œuvres mineures de Rameau, *Pygmalion* est l'une des plus réussies. L'aspect visuel, qui est la face essentielle de l'impact dramatique des passages chantés, fait forcément défaut au disque, manque que les chanteurs ici réunis ne parviennent pas à nous faire oublier. Les nombreuses séquences instrumentales, elles, sont magnifiques. Le style est magistral de bout en bout. Ampleur, finesse, véhémence noble : on a rarement l'occasion d'entendre du Rameau joué avec autant d'allure.

Suites pour clavecin en mi mineur et en ré majeur.

❀*** Thérèse Dussaut (piano). FY 086. Enregistré en 1979.

Le principal - et grand mérite - de Thérèse Dussaut est de ne jamais chercher de comparaison avec le clavecin, mais d'imposer le piano et son esthétique. Elle délaisse les effets descriptifs et imitatifs pour s'attacher à la musique pure, à l'instant sonore privilégié. Le jeu est fin, perlé, léger mais intense et profond sous les couleurs du badinage. C'est une tout autre vision de Rameau, neuve et imprévisible, loin du traditionnel XVIIIe siècle, précieux et maniéré.

Zaïs, ballet héroïque.

*** John Elwes (Zaïs), Marjanne Kweksilber (Zélidie), Max von Egmond (Oromasès), David Thomas (Cindor), Mieke van der Sluis (une Sylphide et la Grande-Prêtresse de l'Amour), Jane Marsch (l'Amour), René Jacobs (un Sylphe), Collegium Vocale de Gand, La Petite Bande, Gustav Leonhardt. Stil 1010 577 22 10 (4 d.). Enregistré en 1979.

On sait les problèmes que pose l'interprétation de la musique de Rameau : dans l'excellent livret joint au disque, Gustav Leonhardt s'explique sur ses options, et son exécution magistrale emporte l'adhésion. Les instruments anciens procurent une sonorité d'une vérité ensorcelante ; les chanteurs sont parfaits dans le style, l'ornementation, la pureté. On sent, par-dessus une étonnante maîtrise de ce répertoire, une sûreté dans la conception et la direction qui fait de cette réalisation une très belle réussite.

Zéphire, ou les Nymphes de Diane, acte de ballet.

** Philip Langridge (Zéphire), Michèle Pena (Cloris), Isabel Garcisanz (Diane), Maîtrise Gabriel Fauré, Ch. Elisabeth Brasseur, Ensemble Instrumental de France, Jean-Pierre Wallez. IPG 7.465 (sup.). Quadri.

C'est un vrai plaisir que de redécouvrir cette charmante bergerie, grâce au Festival d'Albi 1976 et à Jean-Pierre Wallez. Une certaine tension dans la direction, la sonorité un peu scolaire des chœurs se font oublier au profit de l'entrain des interprètes. Les interventions purement orchestrales, avec les danses délicatement ciselées, sont particulièrement attachantes et touchent à l'aspect le plus convaincant de Rameau.

Ravel, Maurice
(1875-1937)

INTEGRALES ET ANTHOLOGIES

Grande anthologie. Œuvre pour piano intégrale, Alborada del gracioso (orch.), Boléro, les deux Concertos pour piano et orchestre, Daphnis et Chloé (2e Suite), Ma Mère L'Oye (orch.), Mélodies (Chansons madécasses, Don Quichotte à Dulcinée, Epigrammes de Clément Marot, Histoires naturelles, Deux mélodies hébraïques, Cinq mélodies populaires grecques, Shéhérazade), Pavane pour une infante défunte (orch.), Pièce en forme de Habanera, Quatuor à cordes, Rapsodie espagnole, Sonate pour violon et piano, Le Tombeau de Couperin (orch.), Trio pour piano, violon et violoncelle, La Valse, Valses nobles et sentimentales (orch.).

** Werner Haas (piano), Dalton Baldwin (piano), István Hajdu (piano), Arthur Grumiaux (violon), Maxence Larrieu (flûte), Pierre Degenne (violoncelle), Janine Micheau (s), Gérard Souzay (bar), Quartetto Italiano, Beaux-Arts Trio; Orch. Symph. de Detroit, Paul Paray; Orch. de l'Opéra de Monte-Carlo, Alceo Galliera; Orch. Lamoureux, Manuel Rosenthal, Jean Fournet, Maurice Ravel. Philips 6747.178 (8 d.). 7 disques stéréo et 1 disque mono (origine 78 t.).

On sera curieux d'entendre Ravel diriger son *Boléro* (ce n'est d'ailleurs pas, loin de là, la meilleure version de l'ouvrage). Les admirateurs de Janine Micheau se réjouiront de la retrouver dans *Shéhérazade*, ceux de Gérard Souzay dans *Don Quichotte à Dulcinée.* L'interprétation du *Trio* par le Beaux-Arts Trio est de premier ordre. Plus qu'estimable est l'intégrale pour piano de Werner Haas, mais elle est moins «personnelle» que celles de Perlemuter, de Samson François et de Février. Quant aux pages orchestrales, les versions proposées ici ne peuvent rivaliser avec les versions exemplaires signées de Boulez, de Monteux ou de Munch. C'est aux chapitres de la musique de chambre et des mélodies que cette anthologie est la plus intéressante.

Intégrale de la musique de chambre: Berceuse sur le nom de Fauré, Introduction et allegro pour harpe, flûte, clarinette et quatuor à cordes, Quatuor à cordes, Sonate pour violon et piano, Sonate pour violon et violoncelle, Trio pour piano, violon et violoncelle.

*** Melos Ensemble, Quatuor Parrenin, Gérard Jarry (violon), Georges Pludermacher (piano), Michel Tournus (violoncelle). EMI VSM C 181-14.128/29 (2 d.).

** Ensemble Marie-Claire Jamet, Quatuor Debussy, Streich Duo de Hanovre, Trio Carracilly. Avec Theodore Paraskivesco (piano) Jacques Herbillon (bar). Calliope 1.821/23 (3 d.) (sup.). Enregistré en 1972 et 1973. + *Chansons madécasses, Ma Mère l'Oye, Tzigane.*

A l'intégrale éditée par EMI-VSM, il ne manque, pour être complète, qu'une page mineure, la *Berceuse sur le nom de Fauré.* Mais ce léger manque est racheté par la qualité des interprétations, qu'il s'agisse du *Quatuor* par le Quatuor Parrenin, du *Trio* par

Pludermacher-Jarry-Tournus ou, par les mêmes interprètes, des deux *Sonates*. Le Melos Ensemble propose une excellente version de l'*Introduction et Allegro*. Et cette édition, recommandable sur le plan technique, figure, il faut le signaler, dans une série économique.

L'intégrale éditée par Calliope est, en revanche, plus que complète, puisqu'elle s'annexe les *Chansons madécasses*, *Ma Mère l'Oye* et même *Tzigane*, rapsodie de concert dont on ne peut pas dire qu'elle se rattache à la musique de chambre. Son niveau est très bon. Deux interprétations sont remarquables : celle du *Quatuor* par le Quatuor Debussy, celle de l'*Introduction et Allegro* par l'Ensemble Marie-Claire Jamet. Toutefois, la précédente intégrale, en deux disques seulement, apparaît plus significative et comporte, rappelons-le, une version exemplaire du *Quatuor*. A ajouter à l'actif de la réalisation de Calliope une excellente prise de son.

Intégrale de l'œuvre pour orchestre : Boléro, Daphnis et Chloé, Fanfare pour «l'Eventail de Jeanne», Ma Mère l'Oye, Menuet antique, Miroirs (Alborada del gracioso, Une barque sur l'océan), Pavane pour une infante défunte, Rapsodie espagnole, Shéhérazade (Ouverture de féerie), Le Tombeau de Couperin, La Valse, Valses nobles et sentimentales.

❀*** Camarata Singers, Orch. de Cleveland, Orch. Phil. de New York, Pierre Boulez. CBS 79.404 (4 d.). Enregistré de 1972 à 1975.

** Orch. Symph. de Boston, Seiji Ozawa. DG 2740.120 (4 d.). Enregistré en 1975.

L'intégrale de l'œuvre pour orchestre signée de Pierre Boulez est la seule complète puisqu'elle comprend *Shéhérazade* et la *Fanfare pour l'éventail de Jeanne* (l'une et l'autre absentes du coffret de Seiji Ozawa, la seconde, de l'intégrale de Jean Martinon). De plus, elle offre *Daphnis et Chloé* ainsi que *Ma Mère l'Oye*, non dans les Suites d'orchestre, mais dans les partitions pour ballet. Mais il faut aussi souligner que pour les œuvres majeures (*Rapsodie espagnole*, *Daphnis et Chloé*, *La Valse*), Pierre Boulez se place en tête de la discographie, et que les délicats équilibres sonores des *Valses nobles et sentimentales* et de *Ma Mère l'Oye* trouvent en lui un interprète d'une merveilleuse subtilité. D'une précision miraculeuse, la direction de Pierre Boulez agit sur la musique de Ravel comme un révélateur : l'exactitude conduit à l'expression la plus vraie, la plus profonde.

La prise de son est généralement meilleure avec l'Orchestre de Cleveland, les enregistrements de l'Orchestre Philharmonique de New York étant parfois affectés d'une certaine sécheresse.

Seiji Ozawa et l'Orchestre de Boston, sans doute les mieux enregistrés, nous entraînent dans une croisière de luxe, à la découverte de l'archipel Ravel. L'oreille est comblée. Est-ce suffisant ?

Anthologie de l'œuvre pour orchestre : Ma Mère l'Oye, Valses nobles et sentimentales, Le Tombeau de Couperin, Menuet Antique, Alborada del Gracioso, Une Barque sur l'Océan, Pavane pour une infante défunte.

*** Orch. de la Société des Concerts du Conservatoire, André Cluytens. EMI VSM C 181-53.450/1 (2 d.). Enregistré en 1962.

Il est bon de rappeler à l'oreille des discophiles ces deux disques que Cluytens a consacrés à l'œuvre orchestrale de Ravel. Si d'autres, très bons aussi, sont venus depuis, ce chef reste encore idéal dans l'interprétation de la musique française. En outre, ce coffret est proposé pour le prix d'un seul disque, ce qui est somme toute un excellent rapport qualité-prix.

Intégrale de l'œuvre pour piano : A la manière de Borodine, A la manière de Chabrier, Gaspard de la Nuit, Jeux d'eau, Menuet antique, Menuet sur le nom de Haydn, Miroirs, Pavane pour une infante défunte, Prélude, Sonatine, Le Tombeau de Couperin, Valses nobles et sentimentales.

❀*** Vlado Perlemuter (piano). Nimbus 2101, 2102, 2103 (3 d.). Quadri. Enregistré en 1977.

*** Samson François (piano). EMI VSM C 165-52.281/84 (4 d.). *+ Ma Mère l'Oye, Concerto en sol, Concerto pour la main gauche.*

** Jacques Février (piano). Adès COF 7.041 (4 d.). Enregistré en 1970. *+ Frontispice, Sites auriculaires.*

L'intégrale réalisée en 1977 par Vlado Perlemuter (c'est la seconde qu'il a signée) est le fruit d'une longue fréquentation avec l'œuvre de Ravel qu'il avait étudiée sous la direction du compositeur. Ces interprétations, d'une exactitude absolue, nous restituent ce que le texte, aussi précis qu'il soit chez Ravel, ne pouvait inclure : un ton, un accent, un esprit. La superbe sonorité du pianiste, la sensibilité de l'artiste complètent l'enseignement de Ravel. C'est là du très grand piano et une leçon de style.

Intuitif, et le plus souvent avec bonheur, Samson François apporte à l'interprétation de la musique de Ravel une couleur très personnelle. Son intégrale est complétée par *Ma Mère l'Oye* (avec le concours de Pierre Barbizet) et par le *Concerto en sol* et le *Concerto pour la main gauche..*

Jacques Février était un familier de Ravel. Son intégrale, moins personnelle que celle de Samson François, moins accomplie que celle de Vlado Perlemuter, est subtile, sensible, élégante. Elle est complétée par les *Sites auriculaires* (*Habanera, Entre-cloches*) et par *Frontispice*, joués avec le concours de Gabriel Tacchino.

Intégrale de l'œuvre pour piano, pour deux pianos et à quatre mains.

** Jean-Philippe Collard (piano), avec Michel Béroff pour les œuvres à quatre mains ou deux pianos, et Katia Labèque pour la 5ᵉ main de Frontispice. EMI VSM C 167-73.025/7 (3 d.). Enregistré en 1977, 1979, 1980.

Ce coffret offre plus d'un avantage. Tout d'abord, celui d'être une véritable intégrale, puisqu'il comporte le piano à quatre mains et les deux pianos. On y trouve aussi la première gravure en France de la *Sérénade grotesque*, qui préfigure l'*Alborada*. Collard ne s'est pas laissé intimider par ses illustres prédécesseurs, mais, n'écoutant que son propre tempérament, il atteint, dans ses meilleurs moments, une rare perfection. Même si parfois il ne maîtrise pas suffisamment sa propre fougue, il reste toujours en étroite symbiose avec le lyrisme tendre qui caractérise la musique de Ravel.

Intégrale de l'œuvre pour deux pianos et piano à quatre mains : Shéhérazade (Ouverture de féerie), La Valse, Ma Mère l'Oye, Frontispice, Sites auriculaires, Habanera, Entre-cloches.

*** Maria Tipo, Alessandro Specchi (piano). Ricordi 27.030. Enregistré en 1978.

Le duo Tipo-Specchi, remarquable par son homogénéité et la vie qu'il donne à ses interprétations, a eu la bonne idée de rassembler tout ce que Ravel a composé pour quatre mains ou deux pianos. On y retrouve cette page aussi étonnante que brève, *Frontispice*, écrite en 1919. La *Valse* est bondissante, *Ma Mère l'Oye* subtile et délicate.

ŒUVRES SÉPARÉES

Boléro.

❀*** Orch. Symph. de Londres, Pierre Monteux. Philips 6500.226. ✉ 18.152. *+ Ma Mère l'Oye, La Valse.*

*** Orch. de Paris, Charles Munch. EMI VSM C 069-10.239. ✉ C 269-10.239. Enregistré en 1968. *+ Daphnis et Chloé, Pavane pour une infante défunte, Rapsodie espagnole.*

*** Orch. Phil. de Berlin, Herbert von Karajan. DG 139.010. ✉ 3300.121. Enregistré en 1966. *+ Moussorgski : Tableaux d'une exposition.*

** Orch. Symph. de Chicago, Georg Solti. Decca 591.096. ✉ 4-390.102. Enregistré en 1977. *+ Debussy : La Mer, Prélude à l'après-midi d'un faune.*

** Orch. Symph. de Boston, Seiji Ozawa. DG 2530.475. ✉ 3300.459. Enregistré en 1974. *+ Rapsodie espagnole, La Valse.*

Première qualité de Pierre Monteux, la précision indispensable pour la mise au point du mécanisme d'horlogerie qui provoque l'explosion à retardement du *Boléro*. Deuxième qualité, le modelé sans lequel la musique n'aurait pas le charme qui envoûte et retient. Enfin, une progression magistralement conduite. Cette version, la plus poétique et la mieux équilibrée, est encore rehaussée par le couplage avec deux interprétations, également exemplaires, de *Ma Mère l'Oye* et de *La Valse*.

Charles Munch, moins stable en ce qui concerne les tempos, moins retenu en ce qui concerne la dynamique, fait oublier le «mécanisme d'horlogerie», mais conduit le crescendo avec cet instinct, quasi infaillible chez lui, de la nuance expressive.

Herbert von Karajan adopte un tempo plus lent que ceux de Monteux et de Munch, et le maintient jusqu'au bout. A la rigueur rythmique s'ajoute le dosage parfait des nuances. C'est là le *Boléro* le plus discipliné, et la qualité des solistes est remarquable.

Avec Georg Solti, l'étude pour orchestre qu'est aussi le *Boléro* de Ravel prend la figure d'une magistrale démonstration de virtuosité. L'enregistrement est exemplaire. L'oreille est comblée.

Seiji Ozawa maintient rigoureusement un tempo raisonnable. Sa progression est très contrôlée, mais il joue aussi le jeu de la couleur et met en valeur, à cet effet, l'Orchestre de Boston et ses excellents solistes.

Concerto pour piano et orchestre en sol majeur.

❀*** Vlado Perlemuter (piano), Orch. des Concerts Colonne, Jasha Horenstein. Musidisc 889. + *Concerto pour la main gauche.*

*** Anne Queffélec (piano), Orch. Phil. de Strasbourg, Alain Lombard. Erato 70.928. ⌧ MCE 70.928. Enregistré en 1975. + *Concerto pour la main gauche.*

*** Samson François (piano), Orch. de la Société des Concerts du Conservatoire, André Cluytens. EMI VSM C 069-10.867. ⌧ C 269-10.867. Enregistré en 1959. + *Concerto pour la main gauche.*

*** Martha Argerich (piano), Orch. Phil. de Berlin, Claudio Abbado. DG 139.349. Enregistré en 1967. + *Prokofiev : Concerto n° 3.*

*** Marguerite Long (piano), Orch. de la Société des Concerts du Conservatoire, Georges Tzipine. EMI VSM C 061-12.063 (sup.). Mono. Enregistré en 1952. + *Fauré : Ballade.*

** Marguerite Long (piano), Orch. Symph. anonyme, Maurice Ravel. EMI VSM C 051-16.349. Mono (origine 78 t.). Enregistré en 1932. + *Milhaud : Concerto n° 1.*

L'interprétation de Vlado Perlemuter est exemplaire. A aucun moment elle ne recherche l'effet. Elle ne retient que l'essentiel, et, jouant le jeu de la musique pure, dévoile pourtant les aspects sensibles de l'œuvre. L'accompagnement de Jasha Horenstein seconde efficacement le jeu du soliste.

Chez Queffélec, ce qui frappe d'abord, c'est la continuité mélodique. L'*adagio* est ému, le *presto final*, raffiné. C'est là une très belle version à la réussite de laquelle contribue Alain Lombard.

Samson François s'octroie une liberté qui peut ou séduire ou irriter, mais l'élan du *Presto* fait taire toutes les objections. Eh oui, n'oublions pas que le *Concerto en sol* est couplé avec le *Concerto pour la main gauche* où Samson François est inégalable.

Martha Argerich affiche des libertés qu'autorisent son jeu brillant et ses humeurs capricieuses. On peut aimer ses effusions et ses impertinences. On peut aussi regretter certains excès. Mais l'accord sera unanime en ce qui concerne l'excellente participation de Claudio Abbado.

Avec Marguerite Long, on revient aux sources. L'enregistrement qu'elle a réalisé en 1952 est évidemment supérieur sur le plan de la reproduction sonore à celui de 1932, et Georges Tzipine est meilleur chef d'orchestre que Maurice Ravel...

Le véritable retour aux sources, c'est l'enregistrement en 1932, avec Ravel au pupitre, qui nous le procure. Marguerite Long venait de créer le *Concerto en sol* et déjà le maîtrisait avec cette intelligence, cette clarté, cette élégance qui caractérisent son jeu.

Concerto pour piano et orchestre en ré majeur, «pour la main gauche».

❀*** Samson François (piano), Orch. de la Société des Concerts du Conservatoire, André Cluytens. EMI VSM C 069-10.867. ⌧ C 269-10.867. Enregistré en 1959. + *Concerto en sol.*

*** Vlado Perlemuter (piano), Orch. des Concerts Colonne, Jasha Horenstein. Musidisc 889. + *Concerto en sol.*

*** Aldo Ciccolini (piano), Orch. de Paris, Jean Martinon. EMI VSM C 069-02.733. ⌧ C 269-02.733. + *Concerto en sol, Tzigane.*

*** Alfred Cortot (piano), Orch. de la Société des Concerts du Conservatoire, Charles Munch.. EMI VSM

COL H 98 (sup.). Mono (origine 78 t.). Enregistré en 1939. + *Saint-Saëns : Concerto n° 4.*

Inspiré, fulgurant, Samson François ne fut jamais plus grand, peut-être, que dans le *Concerto pour la main gauche* de Ravel dont le romantisme avoué, l'improvisation apparente et le climat onirique s'accordaient à son propre tempérament. C'est donc là un précieux témoignage de son art en même temps qu'une version jusqu'ici insurpassée du chef-d'œuvre de Ravel. L'orchestre est dirigé par Cluytens, excellent ravélien, dont la part dans la réussite de ce disque n'est nullement négligeable.

S'il n'y avait eu Samson François, on pourrait tenir pour exemplaire l'interprétation de Vlado Perlemuter, interprétation solide, sensible, colorée, qui rend justice au caractère et aux dimensions de l'œuvre, et bien secondée par Jasha Horenstein, à la tête de l'Orchestre des Concerts Colonne.

La justesse stylistique d'Aldo Ciccolini et de Jean Martinon s'accorde heureusement. C'est là une version non pas exceptionnelle, mais de haut niveau. Le couplage avec le *Concerto en sol* et *Tzigane* (l'œuvre concertante de Ravel) est non seulement logique mais généreux.

L'exceptionnel, on le retrouvera lorsque sera rééditée la gravure disparue aujourd'hui qui réunit, avec l'Orchestre de la Société du Conservatoire, Alfred Cortot et Charles Munch, l'un et l'autre dans leurs meilleurs jours. Le romantisme du *Concerto en ré*, s'il convenait à Samson François, leur convenait aussi.

Daphnis et Chloé, ballet intégral.

❀*** Ch. de l'Opéra de Covent Garden, Orch. Symph. de Londres, Pierre Monteux. Decca 592.027. ⊠ 4-592.027. Enregistré en 1959.

❀*** Camerata Singers, Orch. Phil. de New York, Pierre Boulez. CBS 76.425. Enregistré en 1974.

*** Ch. et Orch. Symph. de Montréal, Charles Dutoit. Decca 591.138. ⊠ 4-390.345. Enregistré en 1980.

*** Ch. et Orch. de Cleveland, Lorin Maazel. Decca SXL 6.703 (G-B). Enregistré en 1974.

C'est Pierre Monteux qui, le 8 juin 1912, dirigea pour la première fois *Daphnis et Chloé*. Le disque qu'il a signé, à la tête de l'Orchestre Symphonique de Londres, est un document irremplaçable, mais c'est beaucoup mieux qu'une pièce d'archives. On ne peut, en effet, concevoir une interprétation qui soit stylistiquement plus juste, plus claire, mieux équilibrée, plus vivante que celle-ci. L'optique du ballet est recréée, sans que cette «animation» nuise le moins du monde à la dimension symphonique de l'ouvrage. Les chœurs de l'Opéra de Covent Garden sont parfaitement intégrés, dans une perspective sonore des plus heureuses.

Avec Pierre Boulez, l'Orchestre Philharmonique de New York et des chœurs plus «présents» que dans la version précédente, on se trouve dans une tout autre perspective sonore. Aucun détail n'échappe. L'orchestre de Ravel brille de tous ses feux. Mais la conduite générale de l'ouvrage, moins inspirée par l'argument du ballet que par la logique de la Symphonie, dégage les lignes de force, et fait surgir le lyrisme qu'une lecture aussi analytique aurait pu refréner si elle n'avait été le fait d'un musicien aussi complet que Boulez.

Pierre Monteux nous offre l'interprétation la plus rayonnante, la plus vivante, la plus achevée ; Pierre Boulez renouvelle notre vision de *Daphnis et Chloé*. A côté de ces deux versions très personnalisées, l'enregistrement de Lorin Maazel tient une place plus qu'honorable. C'est là une version dont la fraîcheur est séduisante, le lyrisme naturel, et la perspective sonore heureuse.

Le *Daphnis et Chloé* de Dutoit est exemplaire, tant par le raffinement des sonorités, l'équilibre entre le chœur et l'orchestre, que par l'ampleur de l'interprétation, une ampleur lyrique qui n'exclut ni la légèreté ni la transparence, une relative modération dans les mouvements, une respiration toujours large contribuant à l'aération du paysage sonore.

Daphnis et Chloé, Suites d'orchestre n°s 1 et 2.

** Orch. Symph. de Boston, Seiji Ozawa. DG 2740.120 (4 d.). Enregistré en 1975. + *Intégrale de l'œuvre pour orchestre.*

Daphnis et Chloé, suite d'orchestre n° 2.

❀*** Orch. de Paris, Charles Munch. EMI VSM C 069-10.239. ⊠ C 269-10.239. Enregistré en 1959. + *Boléro, Pavane pour une infante défunte, Rapsodie espagnole.*

*** Orch. Symph. de Boston, Claudio Abbado. DG 2530.038. Enregistré en 1970. + *Pavane pour une infante défunte. Debussy : Nocturnes.*

*** Orch. Symph. NBC, Arturo Toscanini. RCA VL 42.950 (3 d.). Mono. Enregistré en 1949. + *Bizet : Carmen (suite n° 1). Debussy : La Mer, Ibéria. Dukas : L'Apprenti sorcier. Franck : Psyché. Saint-Saëns : Danse macabre, Symphonie n° 3.*

Les Suites symphoniques n°s 1 et 2 (auxquelles on peut légitimement préférer la partition intégrale) trouvent sous la baguette de Seiji Ozawa une traduction somptueuse, rutilante, un peu «extérieure».

En écoutant la Suite n° 2 interprétée par Charles Munch, on se souvient que c'était un de ses grands succès au concert, et l'on retrouve ici le frémissement mystérieux du *Lever du Jour*, l'enchantement de la *Pantomime* et l'ivresse dionysiaque de la *Danse générale.*

Vivante, sensuelle, l'interprétation de Claudio Abbado, à la tête de l'Orchestre symphonique de Boston, pourra être comparée, puisqu'il s'agit du même orchestre, à celle de Seiji Ozawa. Elle n'est pas moins brillante, mais beaucoup plus significative pour la seule 2e Suite, évidemment.

L'enregistrement mono d'Arturo Toscanini est caractéristique de sa manière : vivacité, clarté, rigueur. C'est une version particulièrement lumineuse de la 2e Suite de *Daphnis et Chloé.*

L'Enfant et les sortilèges.

❀*** Françoise Ogéas (s), Janine Collard (ms), Jeanne Berbié (ms), Sylvaine Gilma (s), Colette Herzog (s), Michel Sénéchal (t), Camille Maurane (bar), Heinz Rehfuss (b), Ch. et Maîtrise de l'ORTF, Orch. National de l'ORTF, Lorin Maazel. DG 138.675. Enregistré en 1960.

** Flore Wend (s), Geneviève Touraine (ms), Suzanne Danco (ms), Hugues Cuénod (t), Pierre Mollet (bar), Lucien Lovano (b), Ch. de Genève, Orch. de la Suisse Romande, Ernest Ansermet. Decca 593.016 (2 d.). Enregistré en 1955. + *L'Heure espagnole.*

Avec l'enregistrement de l'*Enfant et les sortilèges*, Lorin Maazel a signé l'une de ses meilleures réalisations phonographiques. Le climat de féerie enfantine est parfaitement rendu. L'orchestre est transparent, les tempos sont naturels, la distribution vocale est remarquable. Tous les interprètes, parfaitement choisis, s'intègrent à la poétique de l'ouvrage. Donc, une interprétation homogène où l'intelligence et la sensibilité de Lorin Maazel servent admirablement le chef-d'œuvre de Ravel.

La version d'Ernest Ansermet est moins homogène, moins poétique aussi. Mais bien qu'elle ne soit pas disponible en France aujourd'hui, il convient d'en rappeler l'existence notamment pour la participation de Flore Wend (l'enfant), de Suzanne Danco (la Princesse) et de Hugues Cuénod (la Théière, le Petit Vieillard, la Reinette).

Gaspard de la Nuit.

❀*** Martha Argerich (piano). DG 2530.540. Enregistré en 1975. + *Sonatine, Valses nobles et sentimentales.*

❀*** Samson François (piano). EMI VSM C 165-52.281/84 (4 d.). + *Intégrale de l'œuvre pour piano.*

*** Vlado Perlemuter (piano). Nimbus 2.101. Quadri. Enregistré en 1977. + *Jeux d'eau, Menuet antique, Pavane pour une infante défunte.*

*** Walter Gieseking (piano). EMI VSM C 151-43.093/94 (2 d.). Stéréo (origine mono). + *Intégrale de l'œuvre pour piano.*

*** Ivo Pogorelich (piano). DG 2532.093. + *Prokofiev : Sonate n° 6.*

** Pascal Devoyon (piano). Erato STU 71.385. Enregistré en 1980. + *Sonatine, Jeux d'eau, Pavane pour une infante défunte.*

Imagination et virtuosité se déploient chez Martha Argerich pour colorer ces pages dont les fantasmagories sont empruntées aux poèmes en prose d'Aloysius Bertrand. Son jeu flamboyant et raffiné est rendu, avec tous ses prestiges, par un enregistrement d'une fidélité exemplaire.

Un peu moins virtuose, plus simple, avec

un romantisme plus intérieur et des couleurs moins flamboyantes, Samson François se situe au même niveau, la technique d'enregistrement favorisant toutefois Martha Argerich.

Ce qu'il y a d'admirable chez Vlado Perlemuter, c'est la fidélité au texte de Ravel, dont les nuances, les accents sont scrupuleusement respectés ; et il va sans dire que cette fidélité est payante.

Walter Gieseking, magicien des sonorités, s'impose davantage dans *Ondine* que dans les autres pièces. Mais on ne peut nier que ce soit du très grand piano, et il faut signaler l'intérêt de cette édition économique.

Ivo Pogorelich bouleverse, en toute conscience et volonté, les idées reçues. On peut reprocher à son *Gaspard* des mouvements trop modérés et un luxe de nuances dynamiques et de couleurs qui, a priori, ne s'imposaient pas. Mais jamais les sonorités d'*Ondine* n'ont été plus cristallines, jamais *Gibet* ne fut plus inquiétant, jamais *Scarbo* n'apparut autant qu'ici comme la pièce de haute virtuosité qui avait été une des ambitions de Ravel.

Il faut saluer le premier enregistrement de Pascal Devoyon comme une réussite d'autant plus belle qu'avec Ravel il n'a guère choisi la facilité. Outre une sonorité limpide et fluide, ce jeune artiste possède à fond le style ravélien. Si un monument comme *Gaspard de la nuit* nous laisse un peu sur notre faim, malgré d'évidentes qualités, le reste du programme est irréprochable. L'expérience venant, on peut tout attendre de ce remarquable talent.

L'Heure espagnole, comédie musicale.

❀*** Jane Berbié (Concepcion), Michel Sénéchal (Gonzalve), Jean Giraudeau (Torquemada), Gabriel Bacquier (Ramiro), José van Dam (Don Inigo Gomez), Orch. National de l'ORTF, Lorin Maazel. DG 138.970. Enregistré en 1965.

** Suzanne Danco (Concepcion), Paul Derenne (Gonzalve), Michel Hamel (Torquemada), Heinz Rehfuss (Ramiro), André Vessières (Don Inigo Gomez), Orch. de la Suisse Romande, Ernest Ansermet. Decca 593.016 (2 d.). Mono. Enregistré en 1954. *+ L'Enfant et les sortilèges.*

** Denise Duval (Concepcion), Jean Giraudeau (Gonzalve), René Hérent (Torquemada), Jean Vieuille (Ramiro), Charles Clavensy (Don Inigo Gomez), Orch. du Théâtre National de l'Opéra-Comique, André Cluytens. EMI Columbia FCX 172 (sup.). Mono. Enregistré en 1953.

Une merveille de goût, telle apparaît la version de l'*Heure espagnole* signée de Lorin Maazel. Dans cet ouvrage, dont les effets sont si heureusement calculés que la moindre exagération ferait basculer du côté du vaudeville ce qui est en fait une comédie poétique où la musique conserve tous ses droits, la direction précise, légère, animée de Maazel fait merveille et les chanteurs groupés autour de lui servent avec la même élégance le discours ironique et tendre de Ravel.

Publiée en édition économique, la version d'Ernest Ansermet, avec Suzanne Danco et André Vessières, est un peu moins légère, un peu moins brillante, les mécanismes d'horlogerie sont remontés d'une main sûre et l'esprit ravélien n'y fait pas défaut.

C'est pour Denise Duval surtout, inoubliable Concepcion, qu'il faut rappeler la version dirigée par André Cluytens, disparue des catalogues et qu'on souhaiterait y retrouver.

Introduction et Allegro pour harpe, avec accompagnement de quatuor à cordes, flûte et clarinette.

*** Lily Laskine (harpe), Quatuor Via Nova, Alain Marion (flûte), Jacques Lancelot (clarinette). Erato 70.798 (sup.). Enregistré en 1974. *+ Caplet : Conte fantastique. Ibert : Trio. Pierné : Variations libres.*

Lily Laskine est la vedette d'un disque dédié à la harpe dans la musique de chambre du XXe siècle. La participation de la prestigieuse interprète apporte à cette version de l'*Introduction et Allegro* un relief, une vitalité qui sont, pour une œuvre de cette nature (l'une des plus «heureuses» de Ravel), particulièrement appréciables.

Jeux d'eau.

❀*** Vlado Perlemuter (piano). Nimbus 2.101. Quadri. Enregistré en 1977. *+ Gaspard de la Nuit, Menuet antique, Pavane pour une infante défunte.*

*** Walter Gieseking (piano). EMI VSM C 151-43.093/94 (2 d.). Stéréo (origine mono). + *Intégrale de l'œuvre pour piano.*

Dans cette pièce de grande virtuosité dont l'impressionnisme, de l'aveu même de Ravel, s'appuie sur une structure classique, il importe moins d'éblouir que de trouver un équilibre et de faire ressortir un chant intérieur. C'est ce que réalise Vlado Perlemuter, dont le jeu profond donne aux *Jeux d'eau* leur véritable signification.

L'impressionnisme des *Jeux d'eau* trouve chez Walter Gieseking une admirable traduction qui, à sa manière, transcende le texte et captive par la beauté des sonorités.

Ma Mère l'Oye, cinq pièces enfantines pour piano à quatre mains.

*** Samson François, Pierre Barbizet (piano). EMI VSM C 165-52.281/84 (4 d.). + *Intégrale de l'œuvre pour piano et pour piano et orchestre.*

*** Yvonne Lefébure, Gersende de Sabran (piano). FY 018. Enregistré en 1975. + *Jeux d'eau, Le Tombeau de Couperin, Valses nobles et sentimentales.*

*** Maria Tipo, Alessandro Specchi (piano). Ricordi 27.030. Enregistré en 1978. + *Intégrale de l'œuvre pour deux pianos et pour piano à quatre mains.*

Ma Mère l'Oye, ballet pour orchestre.

❀*** Orch. Phil. de New York, Pierre Boulez. CBS 76.306. Enregistré en 1974. + *La Valse, Menuet antique.*

❀*** Orch. Symph. de Londres, Pierre Monteux. Philips 6500.226. ⌧ 18.152. + *La Valse, Boléro.*

Avec Samson François et Pierre Barbizet, la simplicité du ton et le dosage savant des sonorités conduisent, à parts égales, à une interprétation qui est spontanément fidèle à l'esprit comme à la lettre de ces cinq pièces enfantines.

Yvonne Lefébure et Gersende de Sabran raffinent sur les couleurs. C'est une interprétation précieuse, aux deux sens du terme, qui ne manque pas de charme, même si les artifices en sont quelque peu apparents.

La version de Maria Tipo et Alessandro Specchi se recommande par ses qualités propres (précision, délicatesse, subtilité), mais aussi par le couplage puisque ce disque rassemble toutes les œuvres de Ravel pour piano à quatre mains et deux pianos.

A la simple orchestration des Cinq pièces enfantines, il faut préférer la version intégrale du ballet qui comporte en plus (et ce plus est du meilleur Ravel) un *Prélude*, une *Danse du rouet* et quatre *Interludes.* Pierre Boulez dirige avec une précision merveilleuse ces pages dont la poésie repose sur les délicats équilibres sonores d'une orchestration littéralement féerique.

Moins analytique, plus émue peut-être, la version de Pierre Monteux rejoint par d'autres voies la poésie de Ravel et l'on ne peut, devant ces deux versions également réussies, que renoncer à les départager.

Mélodies : Chansons madécasses, Don Quichotte à Dulcinée, Histoires naturelles, Mélodies hébraïques.

*** Gérard Souzay (bar), Maxence Larrieu (flûte), Pierre Degenne (violoncelle), Dalton Baldwin (piano). Philips 6747.178 (8 d.). + *Grande anthologie.*

Mélodies : Don Quichotte à Dulcinée, Un grand sommeil noir, Histoires naturelles, Mélodies hébraïques, Mélodies populaires grecques, Rêves, Ronsard à son âme, Sainte.

*** Bernard Kruysen (bar), Noël Lee (piano). Astrée AS 66. Enregistré en 1973.

Mélodies : Histoires naturelles, Mélodies hébraïques.

❀*** Pierre Bernac (bar), Francis Poulenc (piano). EMI Columbia FCX 141 (sup.). Mono.

Mélodies : Trois Poèmes de Stéphane Mallarmé, Shéhérazade.

❀*** Suzanne Danco (s), Orch. de la Suisse Romande, Ernest Ansermet. Decca LXT 5.031 (G-B). Mono.

Mélodies : Shéhérazade, pour chant et orchestre.

❁*** Régine Crespin (s), Orch. de la Suisse Romande, Ernest Ansermet. Decca 592.038. ✉ 4-592.038. Enregistré en 1963. + *Berlioz : Nuits d'été.*

*** Jessye Norman (s), Orch. Symph. de Londres, Colin Davis. Philips 9500.783. + *Berlioz : Nuits d'été.*

Dans un couplage moins homogène, Régine Crespin apporte à *Shéhérazade* les séductions de sa voix et l'intelligence de son style. Et Ansermet, de nouveau, éclaire avec cette netteté qui est ici une vertu l'orchestre de Ravel.

Jessye Norman est Shéhérazade même dans sa fonction de conteuse. Son interprétation nous fait entrer dans sa vision : chantant les yeux bien ouverts, avec une souveraine objectivité picturale, elle nous promène dans un très beau voyage. L'orchestre de Davis la soutient magnifiquement, notamment dans *Asie,* où il déferle comme une lame de fond. En couplage, de superbes *Nuits d'été* de Berlioz.

Mélodies : Shéhérazade, Le réveil de la mariée, Tout gai !, extrait des Cinq Mélodies populaires grecques, Deux mélodies hébraïques (Kaddish, l'Enigme éternelle), Chansons Madécasses.

** Frederica von Stade (s), Orch. Symph. de Boston, Seiji Ozawa. Anthony Dywer (flûte), Jules Eskind (violoncelle), Martin Katz (piano). CBS 36.665. Enregistré en 1980.

Frederica von Stade a gravé une *Shéhérazade* que les inflexions parfois un peu molles de sa voix rendent très personnelle. Si la diction en pâtit, et fait regretter l'élocution parfaite de Crespin, l'expression est chargée d'un rêve émouvant. On appréciera le fait que ce disque soit entièrement consacré à Ravel, d'autant que la chanteuse nous comble dans les *Mélodies grecques* et *hébraïques.* Quant à la partie orchestrale, il est difficile de faire mieux qu'Ozawa.

Mélodies : Histoires Naturelles.

** Régine Crespin (s), Philippe Entremont (piano). CBS 76.967. Enregistré en 1979. + *Satie : Mélodies.*

Crespin signe ici une belle réussite, car les *Histoires Naturelles* demandent à leurs interprètes un tour de force : doser avec une haute précision et un goût infaillible l'humour et la poésie. Tout en admirant l'art de la chanteuse, on se prend à regretter qu'elle n'ait pas enregistré ces mélodies au moment où sa voix avait encore plus de charme. En couplage, des Mélodies d'Erik Satie interprétées avec beaucoup de chic.

Il est regrettable de ne pas disposer, en disque séparé, des *Chansons Madécasses* et de *Don Quichotte à Dulcinée,* où le timbre sensuel de Gérard Souzay, avec cette expression à la fois ardente et pure qui caractérise le grand chanteur français, trouve son meilleur emploi. On voudrait moins sérieuses les *Histoires naturelles* ; mais on peut toutefois préférer à son contraire cet excès de gravité.

L'anthologie que proposent Bernard Kruysen et Noël Lee est très bien composée : le très connu et le moins connu voisinent. La voix est belle, émue, le style pur, la diction excellente. Le piano de Noël Lee est tout en finesse.

Introuvable aujourd'hui, le disque de Pierre Bernac et de Francis Poulenc offre des versions exemplaires des *Histoires naturelles* et des *Mélodies hébraïques.* L'association d'un chant d'une rare pureté, d'une diction d'une rare intelligence et du piano de Francis Poulenc a produit cette pièce de collection qu'il serait urgent de remettre en circulation.

Autre pièce de collection, également retirée du catalogue français, les *Trois poèmes de Mallarmé* et *Shéhérazade* par Suzanne Danco et l'Orchestre de la Suisse Romande, sous la direction d'Ansermet. Chant merveilleusement conduit, intelligence des textes et perfection des accompagnements, auxquels Ansermet donne tous ses soins, telles sont les qualités exceptionnelles, assurément, d'un enregistrement dont la réédition s'impose.

Miroirs, pour piano : Noctuelles, Oiseaux tristes, Une barque sur l'océan, Alborada del gracioso, La Vallée des cloches.

❁*** Vlado Perlemuter (piano). Nimbus 2.102. Quadri. Enregistré en 1977. + *Menuet sur le nom de Haydn, Sonatine.*

*** Walter Gieseking (piano). EMI VSM C 151-43.093/94 (2 d.). Stéréo (origine mono). + *Intégrale de l'œuvre pour piano.*

Miroirs, version pour orchestre : Une barque sur l'océan, Alborada del gracioso.

❁*** Orch. Phil. de New York, Pierre Boulez. CBS 79.404 (4 d.). + *Intégrale de la musique pour orchestre.*

Miroirs, version pour orchestre : Alborada del gracioso.

*** Orch. National de France, Leonard Bernstein. CBS 76.513. ⊠ 40-76.513. Enregistré en 1978. + *Boléro, La Valse.*

Chez Vlado Perlemuter, l'exactitude, la précision vont de pair avec la beauté de la sonorité et le dosage raffiné des nuances. Il se dégage de cette interprétation un charme poétique qui correspond à l'essence même de l'inspiration ravélienne. Les *Miroirs* sont couplés avec la *Sonatine* et le *Menuet sur le nom de Haydn.*

Walter Gieseking, dont le raffinement est particulièrement étonnant dans les *Oiseaux tristes,* met en valeur, avec son admirable palette sonore, l'impressionnisme des *Miroirs.*

Les deux pièces orchestrées par Ravel (*Une barque sur l'océan, Alborada del gracioso*) trouvent sous la baguette de Pierre Boulez, à la tête de l'Orchestre Philharmonique de New York pour la première, de l'Orchestre de Cleveland pour la seconde, des interprétations qui placent l'écriture fluide et nerveuse de Ravel dans une lumière très révélatrice.

Leonard Bernstein, à la tête de l'Orchestre National de France, souligne (qui lui donnerait tort ?) la violence tragique, presque convulsive, de l'*Alborada del gracioso.*

Pavane pour une infante défunte, version orchestrée.

❀*** Orch. de Paris, Charles Munch. EMI VSM C 069-10.239. ⊠ C 269-10.239. Enregistré en 1968. + *Boléro, Daphnis et Chloé (2e Suite), Rapsodie espagnole.*

*** Orch. de Cleveland, Pierre Boulez. CBS 75.975. Enregistré en 1974. + *Alborada del gracioso, Daphnis et Chloé (2e Suite), Rapsodie espagnole.*

*** Orch. Symph. de Boston, Claudio Abbado. DG 2530.038. Enregistré en 1970. + *Daphnis et Chloé (2e Suite). Debussy : Nocturnes.*

Pavane pour une infante défunte, version piano.

❀*** Vlado Perlemuter (piano). Nimbus 2.101. Quadri. Enregistré en 1977. + *Gaspard de la Nuit, Jeux d'eau, Menuet antique.*

*** Jacques Février (piano). Adès COF 7.041 (4 d.). + *Intégrale de l'œuvre pour piano.*

Avec Charles Munch, l'élégance va de pair avec l'émotion, et c'est pourquoi cette interprétation d'une œuvre plus complexe qu'il ne paraît de prime abord peut être considérée comme exemplaire.

Sensible et raffinée, l'interprétation de Pierre Boulez est d'une exactitude absolue en ce qui concerne le tempo, les nuances, les accents ; aussi est-il bien difficile de choisir entre cette version et celle de Munch. Chez Charles Munch, toutefois, le couplage est plus généreux.

Très légèrement en deçà des versions Munch et Boulez, l'enregistrement de Claudio Abbado est très séduisant et la qualité de la reproduction sonore est remarquable. Mais le couplage Debussy-Ravel, aussi «classique» qu'il soit, satisfait moins qu'un disque entièrement consacré à l'auteur de la *Pavane pour une infante défunte.*

Au piano, Vlado Perlemuter recherche un climat de raffinement qu'une sonorité «aristocratique» et les plus délicates nuances établissent d'emblée. Il conserve jusqu'au bout une grande pudeur dans l'expression.

Où Vlado Perlemuter se montre coloriste, c'est par l'élégance du dessin, par la pureté des lignes que Jacques Février, à son tour, nous séduit.

Quatuor à cordes.

*** Quatuor Parrenin. EMI VSM C 181-14.128/29 (2 d.). + *Intégrale de la musique de chambre.*

*** Quatuor LaSalle. DG 2530.235. + *Debussy : Quatuor.*

** Quatuor Capet. EMI VSM C 051-16.419. Mono (origine 78 t.). Enregistré en 1928. + *Debussy : Quatuor.*

Le Quatuor Parrenin s'impose par la finesse et la pureté stylistique de son interprétation. Le couplage (intégrale de la musique de chambre en deux disques publiés en série économique) contribue à l'attrait de cette version.

Le Quatuor LaSalle, avec un peu moins de finesse que le Quatuor Parrenin, mais avec des qualités stylistiques comparables, nous donne une interprétation dont la fidélité à la lettre et à l'esprit du Quatuor de Ravel sont exemplaires.

Il faut tenir compte de la date de l'enregistrement du Quatuor Capet (1928), dont le report est excellent. Mais cela posé, on est en présence d'une interprétation qui se caractérise par sa virtuosité, par la chaleur de son coloris, et qui, à part certains *glissandi*, n'a pas vieilli.

Rapsodie espagnole : Prélude à la nuit, Malaguena, Habanera, Feria.

❀*** Orch. de Cleveland, Pierre Boulez. CBS 75.975. Enregistré en 1972. + *Alborada del gracioso, Daphnis et Chloé (2e Suite), Pavane pour une infante défunte.*

*** Orch. de Paris, Charles Munch. EMI VSM C 069-10.239. ⌧ C 269-10.239. Enregistré en 1968. + *Boléro, Daphnis et Chloé (2e Suite), Pavane pour une infante défunte.*

** Orch. Symph. de Boston, Seiji Ozawa. DG 2530.475. ⌧ 3300.459. Enregistré en 1974. + *Boléro, La Valse.*

** Orch. de la Société des Concerts du Conservatoire, André Cluytens. EMI VSM C 181-14.004/05 (2 d.). + *Boléro, Daphnis et Chloé (intégral), La Valse.*

Pierre Boulez raffine, si l'on peut dire, sur le raffinement orchestral de la *Rapsodie espagnole*, et ce qu'il obtient de l'Orchestre de Cleveland est non seulement stupéfiant, mais envoûtant. L'alchimie des timbres est ici l'élément premier. S'y ajoutent précision rythmique et netteté du dessin mélodique. De la somme des détails enchaînés avec une rare cohérence surgit l'image nouvelle d'une œuvre que l'on croyait pourtant connaître.

La vision de Charles Munch est, on le sait, celle d'un poète. Son approche est plus globale que celle de Pierre Boulez, mais son intuition lui fait découvrir la couleur qui touche, qui surprend, et l'œuvre s'anime en profondeur.

Amoureux de la couleur, Seiji Ozawa recherche le brillant et l'obtient sans peine de l'excellent Orchestre de Boston, mais son interprétation, séduisante au possible, reste superficielle.

Rééditée en série économique, la version d'André Cluytens se distingue par son fini, son équilibre, son élégance.

Sonatine pour piano.

❀*** Vlado Perlemuter (piano). Nimbus 2.102. Quadri. Enregistré en 1977. + *Menuet sur le nom de Haydn, Miroirs.*

*** Jacques Février (piano). Adès COF 7.041 (4 d.). + *Intégrale de l'œuvre pour piano.*

*** Martha Argerich (piano). DG 2530.540. Enregistré en 1975. + *Gaspard de la Nuit, Valses nobles et sentimentales.*

*** Walter Gieseking (piano). EMI VSM C 151-43.093/94 (2 d.). Stéréo (origine mono). + *Intégrale de l'œuvre pour piano.*

Emotion, souplesse et charme, vérité des accents, exacte dimension de l'œuvre : tout cela est inclus dans l'interprétation de Vlado Perlemuter, une interprétation qui a bénéficié des conseils du compositeur et qui peut assurément être proposée comme un modèle. En outre, la technique d'enregistrement et d'usinage est remarquable.

Mais comme la vérité de l'interprétation n'est pas une vérité figée, on peut également se laisser convaincre par le jeu racé et nerveux de Jacques Février qui, à sa manière, n'en est pas moins fidèle à l'esprit de Ravel.

Avec Martha Argerich, la liberté reprend ses droits. Et c'est là du très beau piano, subtil autant que généreux. Le couplage (*Gaspard de la Nuit, Valses nobles et sentimentales*) promet d'autres bonheurs.

Walter Gieseking nous propose, à côté des *Miroirs* où il excelle, une ravissante *Sonatine* dont le *Menuet*, avec ses sonorités raffinées, est particulièrement remarquable.

Le Tombeau de Couperin, six pièces pour piano : Prélude, Fugue, Forlane, Rigaudon, Menuet, Toccata.

❀*** Vlado Perlemuter (piano). Nimbus 2.103. Quadri. Enregistré en 1977. + *A la manière de, Prélude, Valses nobles et sentimentales.*

*** Yvonne Lefébure (piano). FY 018. Enregistré en 1975. + *Jeux d'eau, Ma Mère l'Oye, Valses nobles et sentimentales.*

*** Eric Heidsieck (piano). Cassiopée 369.204. Enregistré en 1976. + *La Valse.*

Le Tombeau de Couperin, version pour orchestre.

*** Orch. de Chambre de Lausanne, Armin Jordan. Erato STU 71.126. ✉ MCE 71.126. Enregistré en 1977. + *Don Quichotte à Dulcinée, Ma Mère l'Oye, Pavane pour une infante défunte.*

Ici, il ne s'agit plus, comme dans *Gaspard de la Nuit*, de virtuosité et d'imagination, encore que la première y soit formellement requise, mais d'abord de goût, de *style*, Vlado Perlemuter nous donne précisément une admirable leçon de style. Tout est rigoureusement en place, les tempos sont exacts, le ton, les couleurs sont justes.

Yvonne Lefébure est, elle aussi, une pianiste pour qui le style n'est pas un vain mot. Sur le plan de l'exactitude et de la finesse, elle rejoint Vlado Perlemuter, en faveur de qui une sonorité plus généreuse, une approche plus sensible fait pencher, mais très légèrement, la balance.

La clarté, l'élégance du jeu d'Eric Heidsieck trouvent, dans le *Tombeau de Couperin*, l'emploi le plus heureux. C'est une très bonne version que celle-là, mais le couplage avec *La Valse* pour deux pianos (duo Eric et Tania Heidsieck) peut étonner.

On peut enfin considérer comme légitime la volonté manifestée par Armin Jordan de replacer *Le Tombeau de Couperin* dans une perspective intimiste. Son interprétation à la tête de l'Orchestre de Chambre de Lausanne apparaît comme un modèle de goût et de mesure.

Trio pour piano, violon et violoncelle.

❀*** Beaux-Arts Trio. Philips 9500.720. + *Sonate pour violon et piano, Tzigane.*

*** Georges Pludermacher (piano), Gérard Jarry (violon), Michel Tournus (violoncelle). EMI VSM C 181-14.128/29 (2 d.). + *Intégrale de la musique de chambre.*

*** Jacques Rouvier (piano), Jean-Jacques Kantorow (violon), Philippe Muller (violoncelle). Erato 70.861. Enregistré en 1974. + *Sonate pour violon et violoncelle.*

L'interprétation du Beaux-Arts Trio, aussi subtile que parfaitement équilibrée, met en valeur tout ce qu'il y a de concerté dans cette œuvre qui réconcilie le piano et les cordes avec une maîtrise souveraine.

Le trio Pludermacher-Jarry-Tournus, à peine moins homogène que le Beaux-Arts Trio, propose une version plus détendue, plus naturelle peut-être, mais n'atteignant pas tout à fait la même perfection.

Avec le trio Rouvier-Kantorow-Muller, c'est encore le naturel qui triomphe, et cette version, la plus expressive, ne manque pas de séduction. Le couplage avec la *Sonate pour violon et violoncelle* (dans une excellente interprétation) pourrait être aussi un élément d'appréciation favorable.

Trio pour piano, violon, violoncelle. Sonate pour violon et piano. Sonate posthume pour violon et piano.

*** Augustin Dumay (violon), Frédéric Lodéon (violoncelle), Jean-Philippe Collard (piano). EMI VSM C 069-73.024. Enregistré en 1978 et 1980.

Parmi bon nombre de bonnes versions du *Trio*, Collard-Dumay-Lodéon penchent du côté de la liberté, de la souplesse, de l'émerveillement. On reste touché par l'intensité de leur vision fougueuse. Mais la révélation de cet enregistrement est la *Sonate posthume*, datée de 1897, publiée en 1975 et gravée ici pour la première fois. Cette œuvre raffinée en un mouvement trouve ici une interprétation merveilleuse de poésie et de liberté.

Tzigane, rapsodie pour violon et orchestre (ou piano).

❀*** Itzhak Perlman (violon), Orch. de Paris, Jean Martinon. EMI VSM C 069-02.635. ✉ C 269-02.635. Enregistré en 1975. + *Chausson : Poème. Saint-Saëns : Introduction et Rondo Capricioso, Havanaise.*

Accompagné par l'Orchestre de Paris que dirige Jean Martinon, Itzhak Perlman, avec cette virtuosité qui cache l'art par l'art même, donne l'illusion d'une improvisation jaillissante, naturelle. On ne peut mieux jouer *Tzigane*, qui n'est pas l'œuvre la mieux inspirée de Maurice Ravel mais certainement la plus difficile à bien jouer. Il faut signaler que cette version est également incluse dans l'intégrale de l'œuvre pour orchestre signée de Jean Martinon.

La Valse, poème chorégraphique pour orchestre.

❁*** Orch. Phil. de New York, Pierre Boulez. CBS 76.306. Enregistré en 1974. + *Ma Mère l'Oye, Menuet antique.*

❁*** Orch. Symph. de Londres, Pierre Monteux. Philips 6500.226. ⊠ 18.152. + *Boléro, Ma Mère l'Oye.*

❁*** Orch. Symph. de Boston, Charles Munch. RCA GL 43.711. ⊠ GK 43.711. + *Boléro, Pavane pour une infante défunte.*

*** Orch. National de France, Leonard Bernstein. CBS 76.513. ⊠ 40-76.513. Enregistré en 1978. + *Boléro, Alborada del gracioso.*

La Valse, version pour piano à quatre mains.

*** Maria Tipo, Alessandro Specchi (piano). Ricordi 27.030. Enregistré en 1978. + *Intégrale de l'œuvre pour deux pianos et pour piano à quatre mains.*

Pierre Boulez révèle, sans le solliciter, le caractère dramatique du poème chorégraphique de Ravel. Cette interprétation, fantastiquement exacte, donne, par sa fidélité même au texte, l'impression de la spontanéité. Les contraires s'équilibrent ; on y trouve en effet autant de tension et d'ardeur que de précision, autant de souplesse que de sûreté rythmique. La prise de son a beaucoup de relief.

Avec Pierre Monteux, et une prise de son plus globale, le climat change. Le côté fantomatique, envoûtant, est plus sensible que chez Pierre Boulez. Le dosage et le mélange des couleurs relèvent ici du très grand art. Interprétation moins tendue, moins «dramatique» que la précédente, mais d'une beauté absolue, d'ordre musical et poétique.

La version de Charles Munch, caractérisée par son tempo rapide, sa liberté, ses «vertiges», est plus instinctive. On sait que l'instinct (auquel correspond souvent une intuition géniale) est le propre de ce chef, et l'on regrette que son interprétation de la *Valse* ne soit pas actuellement disponible.

A la tête de l'Orchestre National de France, Leonard Bernstein conduit *La Valse* avec sa fougue habituelle, mais aussi avec une intensité dramatique qui, par d'autres voies, rejoint la conception de Pierre Boulez. Souplesse enjôleuse, pulsations violentes, abîme qui s'ouvre sous les pas des danseurs : tout est exprimé avec force, sûreté, intelligence.

La version pour deux pianos, moins attrayante que la version orchestrale, moins significative aussi (on sait l'importance du timbre dans la musique de Ravel), n'est pas facile à défendre. Mais le duo Maria Tipo-Alessandro Specchi lui donne toute la vivacité, toute la souplesse, tout le rebond souhaitables.

Valses nobles et sentimentales, pour piano.

❁*** Martha Argerich (piano). DG 2530.540. Enregistré en 1975. + *Gaspard de la Nuit, Sonatine.*

*** Vlado Perlemuter (piano). Nimbus 2.103. Quadri. Enregistré en 1977. + *A la manière de, Le Tombeau de Couperin.*

*** Yvonne Lefébure (piano). FY 018. Enregistré en 1975. + *Jeux d'eau, Ma Mère l'Oye, Le Tombeau de Couperin.*

Valses nobles et sentimentales, pour orchestre.

❁*** Orch. Phil. de New York, Pierre Boulez. CBS 76.212. Enregistré en 1972. + *Miroirs, Le Tombeau de Couperin.*

Martha Argerich restitue aux *Valses nobles et sentimentales* tout le relief et la délicatesse que promettait une écriture particulièrement subtile. Ici, la dextérité ne fait qu'un avec l'imagination et la virtuosité se mue en poésie. Le couplage avec *Gaspard de la Nuit*, autre réussite, est pour ce disque un atout supplémentaire.

C'est une version plus sage que celle de Vlado Perlemuter, mais ce piano raffiné, qu'on dirait gourmand d'harmonies rares et de nuances délicates, offre à l'oreille des plaisirs de haute qualité. Les *Valses* sont couplées avec les deux *A la manière de*, le *Prélude* et le *Tombeau de Couperin*.

La science et le goût d'Yvonne Lefébure font merveille ici. Sa version, plus dépouillée que les deux précédentes, se caractérise par sa netteté et son intelligence en même temps que par la vivacité du coloris pianistique.

Quant à la version orchestrale des *Valses nobles et sentimentales*, pour laquelle il est si difficile de trouver l'équilibre satisfaisant, Pierre Boulez la dirige avec une telle précision que ses contrastes, ses feintes, ses éclats deviennent extraordinairement expressifs. Et c'est ainsi qu'une interprétation qui visa d'abord à l'exactitude devient le véritable révélateur d'une œuvre.

Rebel, Jean-Ferry
(1661-1747)

Les Eléments.

** The Academy of Ancient Music, Christopher Hogwood. Oiseau-Lyre 595.026. + *Destouches : Les Eléments.*

En décrivant le chaos dans sa symphonie-ballet *les Eléments,* Rebel sacrifie à l'engouement pour la musique descriptive qui caractérise son siècle. Mais il fait à cette occasion preuve d'un modernisme étonnant : merveilleux orchestrateur, il prend non seulement le parti de dépeindre la confusion originelle par des effets de timbre audacieux autant qu'étranges, mais décide aussi de porter cette confusion jusque dans l'harmonie. Nous sommes en présence d'un essai poétique dans lequel la recherche purement musicale ne laisse que rarement le pas à la simple représentation imagée. L'interprétation, quant à elle, reste «au-dessus de tout soupçon».

Reger, Max
(1873-1916)

Concerto pour piano et orchestre en fa mineur op. 114.

❁*** Rudolf Serkin (piano), Orch. de Philadelphie, Eugène Ormandy. Columbia MS 6235 (USA) ou CBS 61711 (Europe).

Avec le *Concerto en fa mineur,* Reger a donné en 1910 une pièce d'esprit symphonique dans le droit-fil des Concertos de Brahms. A ce jour, il n'en a existé que deux gravures microsillon. La première, en mono, était due à Erik Then-Bergh, accompagné par Hans Rosbaud et l'Orchestre de Südwestfunk (Electrola E 80439). Brillante, mais de conception très massive (la prise de son n'y était peut-être pas pour rien), on lui préférera - d'autant qu'elle demeure seule disponible - la réalisation stéréo, superbe et inspirée, du grand vétéran qu'est Rudolf Serkin, qui créa l'œuvre aux Etats-Unis en 1945.

Fantaisie et fugue sur B.A.C.H. pour orgue op. 46.

*** Gertrud Mersiovsky (orgue Walcker de St-Pierre de Brême). Deutsche Harmonia Mundi 065-99.729 (étr.). + *Brahms : Prélude et Fugue en sol mineur. Mendelssohn : Sonate en ré mineur op. 65 n° 6.*

Ce disque a le mérite de nous faire connaître la *Fantaisie sur B.A.C.H.*, et donc d'étendre la discographie, hélas ! pauvre de Max Reger. C'est l'une de ses œuvres les plus importantes, une chevauchée pour orgue parcourue d'un souffle de feu. L'orgue Walcker de St-Pierre de Brême sonne bien pour ces pages qui réclament des *tutti* fulgurants. Sur l'autre face, un Brahms exemplaire, trop rarement joué, et un Mendelssohn qui, peut-être, manque un peu de fermeté. Une réalisation d'un triple intérêt : le programme, l'interprète et l'instrument.

Introduction, passacaille et fugue op. 96. Variations sur un thème de Beethoven op. 86 pour deux pianos.

*** Alfons et Aloys Kontarsky (pianos). Da Camera Magna SM 93109.

Les deux grandes compositions originales de Reger pour deux pianos sont réunies ici dans l'interprétation superbe d'un duo dont la réputation a largement franchi les frontières. Ce sont deux œuvres profondes, austères, audacieuses, par moments pathétiques, qui illustrent pleinement la personnalité de Reger et son exigence de classicisme dans la forme. A noter qu'il existe également une version orchestrale de l'*Opus 86,* enregistrée en Allemagne chez Colosseum, par Erich Kloss et l'orchestre de Nuremberg.

Pièces pour orgue : Ode à la Tristesse (Trauerode) op. 145 n° 1, Variations et Fugue sur un thème original en fa dièse mineur, op. 73.

*** Louis Robillard (orgue Cavaillé-Coll de St-François-de-Sales de Lyon). Arion ARN 38.310. + *Schœnberg : Variations pour orgue.*

Les *Variations sur un thème original*, écrites en 1903, sont d'une remarquable audace pour l'époque. Le couplage lui oppose intelligemment des *Variations* de Schœnbreg (qui tenait Reger en grande estime), où l'écriture se réfère sans cesse au style tonal traditionnel. Louis Robillard se joue merveilleusement des grandes difficultés de cette musique, et interprète idéalement ces deux monuments du répertoire de l'orgue moderne. Peut-être pourra-t-on reprocher au Cavaillé-Coll de St-François-de-Sales à Lyon de manquer de clarté dans la registration.

Quintette pour clarinette et cordes op. 146.

❀*** Rudolf Gall (clarinette), Quatuor Keller. Da Camera 92724. Enregistré en 1961.

Relativement favorisé par le disque, le chef-d'œuvre instrumental de Reger a connu au moins quatre gravures microsillon. Aucune n'a surpassé la toute première, aujourd'hui reprise dans l'intégrale Da Camera, mais qui, enregistrée en 1961 en Italie, parut d'abord dans ce pays sous étiquette Dynamic. Le soliste, qui se suicida quelques mois à peine après avoir réalisé ce disque qui demeure son unique témoignage, était l'égal des plus grands, un artiste d'une rare sensibilité et doué, à son instrument, d'une sonorité à la fois moelleuse et éclatante qui fait merveille dans ce Quintette, d'autant qu'il trouva dans le Quator munichois des partenaires à sa mesure.

Trois Romances pour violon et orchestre. Suite pour violon et orchestre op. 103.

** Hans Maile (violon), Orch. Radio-Symphonique de Berlin, Uros Lajovic. Schwann VMS 1.607. Enregistré en 1981.

Il faut saluer cette redécouverte de deux partitions en apparence mineures de Max Reger, mais qui vont enfin, par leur charme, leur finesse, leur abondance mélodique et la qualité de l'interprétation, décaper en profondeur la fausse réputation du maître allemand, bien ancrée chez nous, d'être un auteur intimidant et indigeste.

Sérénades pour flûte, violon et alto op. 77 a et op. 141 a.

*** Peter-Lukas Graf (flûte), Sandor Végh (violon), Rainer Moog (alto). Clavès D 8104. Enregistré en 1980.

Une des plus heureuses initiations à l'art de Reger que ces deux Sérénades - un titre qui doit se comprendre ici comme dérivant de l'adjectif « serein », et qui illustre le côté apaisant qui fit conférer au compositeur un doctorat honoris causa par une Faculté de... médecine ! Et une performance resplendissante, dominée, bien qu'avec un parfait respect de ses partenaires, par celui qui fut le chef d'un Quatuor mondialement célèbre.

Suites pour violoncelle seul op. 131 n°s 1 à 3. Caprice en la mineur et Petite Romance en ré majeur tirés de l'op. 79.

** Rama Jucker (violoncelle), Gérard Wyss (piano). Accord 140.013. Enregistré en 1979.

Ce précieux disque illustre la filiation de Reger par rapport à Bach, nul compositeur après le grand Cantor n'ayant mieux su tirer d'un instrument soliste des sonorités d'une semblable plénitude. Une très belle performance, qui révèle un violoncelliste de premier ordre.

Reibel, Guy
(né en 1936)

Variations en Etoile. Deux Etudes aux Modulations. Suites pour Edgar Poe.

❀*** Jean-Pierre Drouet (percussions), Laurent Terzieff (récitant). INA 9.103 RE. Enregistré en 1966, 1973 et 1974.

Les *Variations* (de 1966) et la *Suite* (de 1974) présentent un intérêt capital : la science architecturale de leur composition. La première marie les sons transformés du piano à une improvisation des percussions. La *Suite* magnifie le romantisme désespéré de trois poèmes de Poe. L'abord de cette musique puissamment riche est ouvert par un livret concis, tandis qu'un prix très intéressant incite encore à l'acquisition d'un excellent disque contemporain.

Reimann, Aribert
(né en 1936)

Lear, opéra.

*** Dietrich Fischer-Dieskau (Lear), Helga Dernesch (Goneril), Colette Lorand (Regan), Julia Varady (Cordelia), Karl Helm (le roi de France), Hans Wilbrink (Albany), Georg Paskuda (Cornouailles), Richard Helm (Kent), Hans Günter Nöcker (Gloucester), David Knutson (Edgar), Werner Götz (Edmund), Rolf Boysen (le fou), Ch. et Orch. de l'Opéra d'Etat de Bavière, Gerd Albrecht. DG 2709.089 (3 d.). Enregistré en 1978.

L'une des œuvres lyriques majeures de ces vingt dernières années, suggérée par Fischer-Dieskau et commandée par l'Opéra de Munich à l'un des compositeurs les plus doués de sa génération. Enregistrée en direct dans la distribution de la création, et avec un remarquable résultat technique, cette réalisation est totalement convaincante : Fischer-Dieskau y fait une inoubliable composition lyrique et dramatique, Julia Varady y est une bouleversante Cordelia et le contre-ténor David Knutson incarne un Edgar fantomatique, parmi des partenaires tous aussi excellents. Quant à l'exécution orchestrale, elle est d'une qualité au-dessus de tout éloge.

Six Poèmes de Sylvia Plath pour soprano et piano. Nachtstück I et II pour baryton et piano.

** Catherine Gayer (soprano), Barry McDaniel (baryton), Aribert Reimann (piano). Wergo WER 60.097. Enregistré de 1973 à 1981.

Dans *Nachtstück I,* Reimann mêle une ponctuation pianistique très sérielle à une ligne mélodique très proche des lieder de Wolf. Dans les *Poèmes de Sylvia Plath,* chant et musique dialoguent en un subtil contrepoint qui ne renie pas les leçons du *Sprechgesang* de Schoenberg. *Nachtstück II,* enfin, nous reporte irrésistiblement aux sources romantiques de l'art du lied. Ni facilité, ni pastiche : tout simplement une façon d'ingérer l'acquis musical pour mieux le dépasser. Catherine Gayer et Barry McDaniel, accompagnés au piano par le compositeur, sont les parfaits interprètes de ces pages.

Respighi, Ottorino
(1879-1936)

Danses et airs antiques pour le luth, trois Suites d'orchestre.

*** Philharmonia Hungarica, Antal Doráti. Philips 6538.010 (sup.).

** Orch. Phil. de Londres, Jesus Lopez-Coboz. CBS SXL 6846. Enregistré en 1978.

** Orch. Symph. de Boston, Seiji Ozawa. DG 2530.891. ⌧ 3300.891.

Ces trois Suites témoignent du goût de Respighi pour les pièces anciennes des XVIIe et XVIIIe siècles, ainsi que de sa science musicologique et orchestrale. Les deux premières réclament un orchestre complet, la troisième n'utilise que les cordes. Doráti en est le meilleur interprète : ses plans sonores sont fouillés, et un effectif allégé rend bien l'esprit de ces pièces pour luth. Ses tempos plutôt retenus évoquent l'atmosphère de la musique ancienne sans rechercher l'effet virtuose.

Pour des raisons différentes, Lopez-Coboz signe une version aussi satisfaisante que celle de Doráti. Alors que ce dernier restituait l'esprit de ces pièces par un débordement d'impétuosité, Lopez-Coboz en accentue le charme lyrique et le raffinement. L'expression a la sensibilité d'œuvres pour luth, mais le caractère chorégraphique est moins évident.

Ozawa, au contraire, interprète une œuvre de Respighi, laissant de côté l'hommage à la musique ancienne : il joue de la virtuosité orchestrale, avec une formation un peu lourde. Mais les solistes de l'Orchestre de Boston ont une merveilleuse maîtrise de leur instrument, et leur chef leur communique un dynamisme très convaincant.

Les Pins de Rome. Les Fontaines de Rome. Fêtes romaines.

*** Orch. Symph. de Boston, Seiji Ozawa. DG 2350.890. ⌧ 3300.890.

Les Pins de Rome. Les Fontaines de Rome.

** Orch. Phil. de Berlin, Herbert von Karajan. DG 2531.055. ⌧ 3301.055. Enregistré en 1978.

Somptueuse version de la trilogie romaine que celle proposée par Ozawa. Il galvanise les musiciens de l'Orchestre Symphonique de Boston, pour brosser une fresque extrêmement homogène. Dans l'extraordinaire conclusion de l'*Epiphanie*, il devient tout à fait épique. Les interventions des solistes sont remarquables. La conception d'Ozawa s'impose par son unité de vue, et le disque par la qualité musicale et par la logique de son programme : une belle réussite.

Karajan propose deux volets de la trilogie, et sa réussite nous fait espérer le complément des *Fêtes*. Son interprétation transcende les partitions par le raffinement apporté dans les détails orchestraux, les plans sonores, les nuances. Il s'attache à traduire le caractère impressionniste de ces pages, plaçant Respighi entre Richard Strauss et Debussy. Karajan a pour lui une somptuosité sonore unique, et un orchestre qui répond à ses moindres intentions.

Rimski Korsakov, Nikolaï
(1844-1908)

Anthologie orchestrale : Sadko, Le Vol du bourdon, Dubinoushka, Ouverture de la grande Pâque russe, La Nuit de mai (ouverture), La Nuit de Noël (suite).

*** Orch. de la Suisse Romande, Ernest Ansermet. Decca AOD SDD 281 (G-B). Enregistré en 1958.

Anthologie orchestrale : Ouvertures de Sadko, de La Nuit de Mai, de la Fiancée du tsar et de La Pskovitaine.

** Orch. du Théâtre Bolchoï de Moscou, Evgueni Svetlanov. Mélodia Chant du Monde LFX 78.433 (étr.). *+ Borodine : Le Prince Igor (ouverture). Glinka : Russlan et Ludmilla (Ouverture). Moussorgski : La Khovantchina (Prélude).*

Un coup d'œil très intelligent sur l'œuvre d'orchestre de Rimski-Korsakov, parfait complément de *Shéhérazade*, allant du connu (très bonne *Pâque russe*, enthousiaste) au chef-d'œuvre trop oublié (*Sadko*, embryon du futur opéra), avec la ferveur d'un Ansermet qui se refuse au clinquant et chante avec sérénité parfois un rien appliqué. Perspective sonore typique de la stéréophonie naissante, aux belles basses, aux violons quelque peu étouffés.

Bel enregistrement de Svetlanov, très clair, et surtout un chef alors très convaincu et convaincant, faisant de l'ouverture de *la Nuit de mai* un inoubliable chef-d'œuvre de légèreté, de charme, de finesse. Excellent complément, notamment avec la version originale du Prélude de *Khovantchina*, instrumenté par Chostakovitch.

Antar, suite symphonique op. 9.

** Orch. National de l'URSS, Evgueni Svetlanov. Chant du Monde LDX 78.678. Enregistré en 1969.

** Orch. de la Suisse Romande, Ernest Ansermet. Decca LXT 2982 (sup.). Mono. *+ Glazounov : Stenka Razine.*

** Orch. Symph. de Londres, Hermann Scherchen. Pye PVC 16.002 (sup.). Mono. *+ Ouverture de la grande Pâque russe.*

Le disque de Svetlanov, superbement enregistré et usiné, surclasse la bonne version Ivanov, et la pochette précise enfin les aléas et cheminements des trois rédactions de l'œuvre. La mise en place est rigoureuse, et tout orientalisme de bazar est banni par le chef : mais pourquoi faut-il que l'avocat manque singulièrement de chaleur ?

Ansermet choisit de défendre la superbe version d'extrême jeunesse de Rimski-Korsakov, et il le fait avec conviction, faisant sonner admirablement le quatuor de son orchestre, dans une vision assez sensuelle de ce conte arabe : une réédition qui s'imposait.

Scherchen avait, comme à son habitude, imposé sa griffe personnelle à l'œuvre, lui donnant une puissance très suggestive, peut-être discutable, mais très convaincante. A ne pas négliger non plus, la vision de Maurice Abravanel (Vanguard C 10.060).

Cappriccio espagnol, fantaisie op. 34.

*** Orch. du Théâtre des Champs-Elysées, Laszlö Somogyi. Charlin SLC 1 (sup.). *+ Œuvres de Balakirev, Moussorgski, Cui et Borodine.*

*** Orch. National de l'URSS, Evgueni Svetlanov. Chant du Monde LDX 78.604. ⌧ K 178. *+ Borodine : Le Prince Igor (Danses polovtsiennes). Tchaïkovski : Ouverture 1812.*

*** Orch. Symph. de Londres, Igor Markevitch. Philips 6539.010. + *Shéhérazade.*

** Orch. de Paris, Guennadi Rojdestvenski. EMI VSM C 069-02.317. ⊠ C 269-02.317. + *Ouverture de la grande Pâque russe. Borodine : Le Prince Igor (Danses polovtsiennes). Moussorgski : Une Nuit sur le mont Chauve.*

La légendaire prise de son signée Charlin, un brillant ensemble de solistes français sont les atouts indispensables de cette étincelante fantaisie du grand orchestrateur russe. Les tempos sont parfaitement justes, sans aucun clin d'œil, ni facile espagnolade, et le couplage très séduisant. On souhaite retrouver rapidement ce disque au catalogue.

Svetlanov rend à César ce qui est à César, et à la Russie ce qui lui appartient, justifiant par l'impeccable précision de sa baguette et le dosage des solistes des tempos et une conception qui n'est pas celle du Rimski de notre imagerie. Une autre référence d'authenticité, un couplage discutable, mais une prise de son fascinante qui plaide largement en faveur de l'interprétation.

Malgré son âge, la version Markevitch vaut aussi par une excellente restitution sonore (notamment la manière dont sonne la corde de sol des violons dans l'aigu), et Markevitch dénote d'une extrême élégance, très... française. En version économique, et avec un couplage idéal.

Rojdestvenski a, pour lui, d'excellents solistes et une belle prise de son, mais ses tempos initiaux ne sont guère très affirmés, et le premier *Andante* se traîne quelque peu. La fin est, en revanche, très brillamment enlevée. A stigmatiser un invraisemblable texte de pochette. Couplage intéressant.

Le Coq d'or, opéra.

** Alexeï Koroliev (le tsar Dodon), Klara Kadinskaïa (la reine de Chemakha), Guennadi Pitchaïev (l'astrologue), Nina Poliakova (le coq d'or), Ch. et Orch. de la Radio de l'URSS, Alexeï Kovalev et Evgueni Akoulov. Mélodia Chant du Monde C 0.377 (3 d.) (étr.). Enregistré en 1964.

L'excellence de l'orchestre et des chœurs ne semble pas souffrir d'une direction bicéphale. La distribution est dominée par l'extraordinaire ténor-haute contre Pitchaïev, au suraigu étincelant. Poliakova est excellente, mais la voix de la Reine de Chemakha est affectée de vibrato large typique des voix slaves féminines. De solides organes chez les «clefs de fa», plutôt que de très belles voix.

La Fiancée du tsar, opéra.

** Irina Arkhipova (Lioubacha), Galina Vichnievskaïa (Marfa), Vladimir Atlantov (Lykov), Evgueni Nesterenko (Sobakine), Vladimir Valaïtis (Griaznoï), Ch. et Orch. du Théâtre Bolchoï de Moscou, Fouat Mansourov. Mélodia Chant du Monde LDX 78.641/43 (3 d.) (étr.). Enregistré en 1972.

La Fiancée du tsar, extraits : Intermezzo, Scène avec Bomiely, Scène et air de Lioubacha.

*** Elena Obraztsova (Lioubacha), Orch. du Théâtre Bolchoï de Moscou, Mark Ermler. Mélodia Chant du Monde LDX 78.594 (étr.). + *Tchaïkovski : La Dame de pique (extraits).*

C'est un bel enregistrement que celui dirigé par Mansourov, d'un son aéré, et axé sur de très belles voix au chant éclatant, mais un peu avares de nuances. Le baryton Valaïtis est brillant, Arkhipova superbe, presque trop retenue, et Vichnievskaïa a encore de beaux accents. Mais tous, solistes, orchestre et chœurs (ici omniprésents) semblent quelque peu bridés, et le chef ne déborde guère d'enthousiasme.

La jeune Obraztsova donne au rôle de Lioubacha une dimension particulière, à la fois sensuelle, passionnée, mais aussi sorcière. La voix est d'une richesse inouïe, la direction de Ermler exemplaire et le complément (deux rôles de la *Dame de Pique*) particulièrement bien venu.

Kastcheï l'immortel, opéra.

** P. Pantriaguine (Kastcheï), Pavel Lissitsian (Ivan), V. Gradova (la princesse), A. Klyechtchova (Kastchevna), Ch. et Orch. de la Radio Soviétique, Samuel Samossoud. Mélodia D 032.117/20 (2 d.) (URSS). Mono. Enregistré en 1948.

C'est essentiellement l'œuvre qu'il faut découvrir, une œuvre écrite avant Pelléas, ou du moins avant que Rimski-Korsakov n'ait pu connaître l'œuvre. L'orchestre chante admirablement, et le baryton Lissitsian est encore en grande forme ; le ténor est d'une «présence» assez saisissante, mais la voix aigre du soprano est peu supportable.

La légende de la ville invisible de Kitège, opéra.

** N. Rojdestvienskaïa (Fevronia), Ivan Petrov (Prince Youri), Vladimir Ivanovsky (Vsevolod), D. Tarkhov (Kutierma), Ch. et Orch. de la Radio de Moscou, Vassili Nebolssine. Mélodia D 06.489/96 (4 d.). (URSS). Enregistré en 1960.

On souhaiterait une édition française, avec livret, pour mieux pénétrer ce drame de mysticisme un peu lent. Le ténor Ivanovsky a encore de superbes accents dramatiques, Petrov chante bien mais manque un peu de ferveur. Nebolssine dirige avec sérieux, mais il manque surtout ici une héroïne à la voix plus variée, capable de soutenir de part en part cette longue œuvre, réplique russe de *Parsifal.*

Mlada, opéra-ballet.

** Alexei Korolev (Mstivoï), Tatiana Tougarinova (Voïslava), Vladimir Makhov (Iaromir), N. Koulaguina (Moriena), A. Bolshakov (le devin), Ch. et Orch. de la Radio de l'URSS, Evgueni Svetlanov. Mélodia 33C-0.323/30 (4 d.) (URSS). Enregistré en 1966.

Svetlanov, les chœurs, l'orchestre et le preneur de son sont les véritables vedettes de cette gravure d'un opéra-ballet où les voix n'occupent pas le rôle primordial : le début du 3e acte est «fantastique» dans les deux sens du terme, et un ténor franchement inacceptable ne suffit pas à gâcher l'ensemble, d'autant que Korolev et les autres chanteurs sont d'un très honnête niveau.

Mozart et Salieri, opéra.

*** Mark Reizen (Salieri), Ivan Kozlowski (Mozart), Ch. et Orch. du Théâtre Bolchoï de Moscou, Samuel Samossoud. Mélodia ND 0.588/89 (URSS). Mono.

*** Alexandre Pirogov (Salieri), Serguei Lemeshev (Mozart), Ch. et Orch. du Théâtre Musical de Moscou, Samuel Samossoud. Mélodia 33 M 10 38.555/56 (URSS).

* Pavel Gerdjikov (Salieri), Avram Andreev (Mozart), Ch. Svetoslav Obretonov, Orch. Symph. de la Radio Bulgare, Stoyan Angelov. Harmonia Mundi HM 145. ⊠ HM 40-145. Enregistré en 1976.

Mozart et Salieri, extraits : Scène 1 (début et fin), scène 2 (conclusion).

*** Feodor Chaliapine (Salieri), Orch. Symph. de Londres, Albert Coates. EMI HMV RLS 710 (2 d.) (sup.). Mono (origine 78 t.). Enregistré sur le vif en 1927. *+ Airs du Tombeau d'Askold, du Démon, de Mefistofele, de Boris Godounov, de Don Quichotte, Chansons, etc.*

On ne peut rêver de contraste plus saisissant qu'entre le rêveur Kozlowsky, Mozart frêle et lyrique brisé par la vie, et le Salieri de Reizen, presque trop impérial, trop riche de timbre, mais capable de se plier à toutes les exigences du *parlando* souhaitées ici. Excellente restitution sonore.

Le seul reproche à adresser à la basse Pirogov est de chanter trop bien, trop lié, dans un rôle de déclamation. Lameshev, avec sa belle voix de ténor, campe un Mozart plus viril que Kozlowsky, également bien chantant, et la direction de Samossoud, les effets de lointain du chœur sont parfaitement rendus. Résumé en russe, mais pas de texte complet.

La version des Bulgares a cet avantage de se trouver plus aisément que les disques d'importation russes. Mais il manque évidemment à cette version bien chantée un livret complet sans lequel l'œuvre demeure hermétique à une large vulgarisation. Elle fait néanmoins oublier la version de Leibowitz, très mal rééditée (réverbération insolente) par Olympic Records.

Indispensable témoignage du créateur de l'œuvre, Chaliapine, capté sur le vif trente ans plus tard. On pardonnera tous les défauts de technique sonore, et la brièveté de ces extraits pour l'époustouflante démonstration de celui qui savait chanter en parlant avec la voix la plus exceptionnelle du monde.

La Nuit de mai, opéra.

❀*** Alexeï Krivtchenia (le maire), Konstantin Lisovsky (Levko), Loudmila Sapeguina (Anna), Anna Matioushina (la belle-sœur), Ch. et Orch. Symph. de la Radio de Moscou, Vladimir Fedoseïev. DG 2740.151 (3 d.) (sup.). Enregistré en 1971.

*** Sergueï Krasovsky (le maire), Sergueï Lemeshev (Levko), Evguenia Vertbitzkaïa (la belle-sœur), Ch. et Orch. du Théâtre Bolchoï de Moscou, Vassili Nebolssine. Mélodia D 05.404/09 (3 d.) (URSS). Mono. Enregistré en 1952.

Un ténor fascinant de générosité vocale, une prise de son riche et fouillée sont les mérites principaux de l'enregistrement de Fedoseïev, dirigé et chanté sans complexe excessif, mais avec un beau rayonnement et un singulier dynamisme.

Si la prise de son de la version Nebolssine ne peut rendre pleine justice à l'orchestre rimskien, le ténor Lemeshev donne mieux le ton de la sincérité, de la beauté vocale, de l'émotion profonde qui émanent de ce très bel enregistrement, bien dirigé, moins heureux du côté des interprètes féminines.

La grande Pâque russe, ouverture op. 36.

*** Orch. de la Société des Concerts du Conservatoire, André Cluytens. EMI VSM C 053-10.600. + *Le Vol du bourdon. Borodine : Le Prince Igor (Danses polovtsiennes), Dans les steppes de l'Asie centrale. Moussorgski : Une Nuit sur le mont Chauve.*

*** Orch. de la Suisse Romande, Ernest Ansermet. Decca SDD 281 (G-B). + *Anthologie orchestrale Rimski-Korsakov.*

** Orch. de Paris, Guennadi Rojdestvenski. EMI VSM C 069-02.317. ⊠ C 269-02.317. + *Cappriccio espagnol. Borodine : Le Prince Igor (Danses polovtsiennes). Moussorgski : Une Nuit sur le mont Chauve.*

Cluytens donne de cette page si bien orchestrée une lecture très séduisante, soutenu par un bon orchestre et un admirable violon solo, et par une prise de son bien étalée. Tout cela chante, cependant que le rythme est impeccablement maintenu. Une vision très française, sans doute, mais très convaincante.

Ansermet impose une lecture très lyrique, recueillie mais très chaude, et la complicité avec son orchestre fait merveille. C'est là une excellente référence (avec un couplage remarquable) à opposer à la vision grandiose et mystique de Scherchen, aujourd'hui, hélas ! introuvable.

Rojdestvenski connaît sans aucun doute la signification des chants lithurgiques de son pays, et sa vision est très contenue, soutenue par les belles sonorités des bois et des cuivres, à défaut de violons tristes et ternes. A moins que le chef ne leur ait communiqué ce manque de chaleur qui surprend un peu.

La Pskovitaine, opéra.

*** Alexandre Pirogov (Ivan le Terrible), Gueorguy Nelepp (Toutcha), E. Choumilova (Olga), N. Sokolova (Stepanida), N. Chtchégolkov (Tokmakov), A. Peregoudov (Matouta), Ch. et Orch. du Théâtre Bolchoï de Moscou, S. Sakharov. Mélodia D 019.333/38 (3 d.) (URSS). Mono. Enregistré en 1947.

Dans cet opéra de jeunesse où les chœurs sont primordiaux, Sakharov conduit avec un vrai sens du théâtre la troupe de Moscou, large, sonore et remarquablement restituée pour l'époque. La basse Pirogov a sans doute laissé là son meilleur témoignage, et l'on regrette la brièveté relative du rôle. Excellent Nelepp auprès de partenaires féminines de bonne tenue.

Romances et mélodies : Dans le silence de la nuit, Prisonnier de la rose, Le rossignol, L'ouest s'éteint dans le lointain, Les nuages chargés de grêle, Plus sonore que le chant de l'alouette, Ce n'est que le vent, Octave, La nymphe.

** Galina Vichnievskaïa (s), Mstislav Rostropovitch (piano). EMI VSM C 069-03.504. Enregistré en 1978. + *Prokofiev : Chansons populaires russes op. 104.*

Un beau récital où Galina Vichnievskaïa est particulièrement à son aise, chantant l'âme populaire de la patrie russe avec cette finesse d'expression et cette acuité dans l'émotion qui n'appartiennent qu'aux plus grandes. Sans doute, la voix accuse ici et là une fatigue très passagère, mais dans l'ensemble l'artiste conduit son chant avec un savoir-faire et une connaissance de ses moyens qui font penser à Schwarzkopf.

Sadko, opéra.

*** Gueorguy Nelepp (Sadko), Mark Reizen (l'hôte varègue), Ivan Kozlowsky (l'hôte hindou), Pavel Lisitsian (l'hôte vénitien), Elisaveta Antonova (Nejata), Vera Davidova (Lioubova), Elisaveta Choumskaïa (Volkhova), Ch. et Orch. du Théâtre Bolchoï de Moscou, Nikolaï Golovanov. Mélodia ND 01.480/87 (4 d.) (URSS). Ou Chant du Monde LDX 8100 (sup.). Mono. Enregistré en 1952.

Une somptueuse réalisation, qui, en outre, n'avoue guère son âge sur le plan sonore. Golovanov donne un ton ample, jamais emphatique à cette épopée qui rassemble ici la «vieille garde» toujours éblouissante de l'ancienne école russe : Nelepp, vaillant et généreux, de bonnes voix féminines (notamment Davidova), et dans les trois célèbres chants des marchands l'inoubliable baryton Lisitsian, Reizen, royal, et plus encore Kozlowsky, dont le chant hindou est un modèle difficilement égalable.

Shéhérazade, suite symphonique op. 35.

*** Orch. Symph. de Londres, Igor Markevitch. Philips 6539.010. + *Cappriccio espagnol.*

*** Orch. de Philadelphie, Riccardo Muti. EMI VSM C 069-43.270. ⌧ 269-43.270. Enregistré en 1982.

** Orch. Symph. de l'URSS, Evgueni Svetlanov. Chant du Monde LDX 78.462. ⌧ K 197. Enregistré en 1969.

** Orch. de la Suisse Romande, Ernest Ansermet. Decca SDD 496 (G-B). Enregistré en 1960. + *Borodine : Le Prince Igor (Danses polovtsiennes).*

** Orch. de l'Opéra d'Etat de Vienne, Hermann Scherchen. Westminster 8.121 (USA). Enregistré en 1961.

Markevitch avait d'avance surclassé tous ses successeurs plus au moins amoureux des belles sonorités des orchestres occidentaux (Ozawa, Rostropovitch, Mehta, etc.). Il combine ici à l'envi la sensualité méditerranéenne et l'exotisme asiatique de cette œuvre si peu russe. La direction est en même temps rythmique et chaleureuse, les solistes excellents, et, atouts supplémentaires, la gravure est parfaite et le prix très bas.

Avec Muti, on ne s'ennuie pas une seconde. Sa vitalité impétueuse galvanise autant l'orchestre que l'auditeur, tout en sachant ménager la part du rêve, et en fouillant l'orchestre afin de dégager les multiples contrepoints qui constituent tout l'intérêt tant musical que symbolique de la partition.

C'est ici le Svetlanov sérieux qui nous traduit scrupuleusement les moindres indications d'une partition dont il semble un peu las (mais il fera moins bien dix ans plus tard, à Londres). Il est sans doute desservi par un son trop sophistiqué et moelleux, et par un violon solo impossible, mais le troisième volet ne manque pas de sensualité, ni le finale de nervosité et de brio. L'orchestre est en lui-même mieux qu'excellent.

Ansermet se soucie peu d'être russe, oriental ou arabe, mais cisèle avec amour, et un rien de nonchalance, une partition qu'il aime et veut faire aimer. Aucun clinquant, heureusement, jamais de clin d'œil au public, mais un strict respect du texte dans une ambiance sonore peut-être trop moelleuse, trop globale. Mais une référence sans une ride.

Scherchen enthousiasmera ceux qui restent réfractaires aux versions de Markevitch et de ses successeurs. Il «surprend» plus d'une fois (comme, plus tard, Bernstein), mais donne une lecture attachante de sa vision sacrale, celle d'un affrontement, et aussi de la terrible lutte de Shéhérazade pour gagner un pari et sauver sa vie en retardant l'issue des contes.

Le Tzar Saltan, opéra.

** Ivan Petrov (Saltan), Evguenia Smolenskaïa (Militrissa), Evguenia Verbitskaïa (Barbaricha), Vladimir Ivanovsky (Gvidon), Andrei Ivanov (le messager), G. Oleïnitchenko (la tzarevna), Ch. et Orch. du Théâtre Bolchoï de Moscou, Vassili Nebolssine. Mélodia 33 D 032.909/14 (3 d.) (étr.). Enregistré en 1959.

Nebolssine dirige avec conviction et raffinement une partition (connue par le fameux *Vol du Bourdon* et par le *Cortège*) très riche d'orchestre. Celui-ci fait merveille, ainsi que des chœurs excellents, mais un peu lointains. Le rôle de Petrov est trop bref, mais très bien défendu ; et Smolenskaïa signe une de ses meilleures prestation, au sein d'un ensemble honnête mais peu excitant.

Snegourotchka (La fille des neiges), opéra.

** Irina Arkhipova (Lel, la Fée Printemps), Valentina Sokolik (Snegourotchka), Anton Grigoriev (Tzar Berendeï), Lidya Zakharenko (Houpava), Alexandre Vedernikov (le bonhomme Hiver), Ch. et Orch. de la Radio de l'URSS, Vladimir Fedosseiev. Mélodia Chant du Monde LDX 78.645/48 (4 d.) (étr.).

** Larissa Avdeieva (Lel), Veronika Borisenko (la Fée Printemps), Vera Firsova (Snegourotchka), Ivan Kozlowsky (Tzar Berendeï), Galina Viechnievskaïa (Koupava), Alexeï Krivtchenia (le bonhomme Hiver), Ch. et Orch. du Théâtre Bolchoï de Moscou, Evgueni Svetlanov. Mélodia D 01.901/8 (4 d.) (URSS).

Grâce à la superbe Arkhipova, qui cumule les deux rôles principaux et fut longtemps un Lel idéal, l'enregistrement de Fedosseiev, bien usiné, honnêtement dirigé, bien documenté, rachète les graves faiblesses de la basse Vedernikov et du soprano Zakharenko. La titulaire du rôle est une très heureuse révélation.

Ce sont les deux sopranos - Vichnievskaïa encore en très bonne voix, et la très remarquable vocaliste Vera Firsova - qui enlèvent la palme dans la version Svetlanov, avec le vétéran Koslowsky, idéal dans ce rôle de vieux sage. Le chef, très attentif, n'a peut-être pas la poésie souhaitable ni le sens du merveilleux, mais l'ensemble est, grâce à son homogénéité, mieux qu'honnête.

Vera Cheloga, prologue de la Pskovitaine.

** V. Panova (Vera), E. Gribova (Nadejda), M. Lievina (la nourrice), V. Gabriouchov (Cheloga), Orch. du Théâtre Bolchoï de Moscou, S. Sakharov. Mélodia ND 01.823-4 (URSS). Mono. Enregistré en 1947.

Même si l'interprétation vocale n'y est pas inoubliable, ce disque est le complément indispensable du plus grand chef-d'œuvre de l'auteur, *Ivan le Terrible* (ou *la Pskovitaine*), écrit dix ans auparavant.

Roberday, François

(1624-vers 1672)

Fugues et Caprices pour orgue.

*** Michel Chapuis (orgue Jullien de la collégiale de Roquemaure). Astrée AS 14. Enregistré en 1977.

Fugues et Caprices pour orgue n°s 1 et 3. Fugues pour orgue n°s 10 et 12.

*** André Isoir (orgue Koenig d'Angers). Calliope 1903. Enregistré en 1973. + *Panorama de l'orgue français au XVIIe siècle (œuvres de Racquet, du Mont, de Bourges, de la Barre).*

Les retrouvailles chaleureuses de Michel Chapuis avec un compositeur dont il partage pleinement les secrets... quinze ans après la révélation de cette musique par le même interprète à l'Isle-sur-la-Sorgue. Ici, l'extraordinaire instrument de Roquemaure, monument historique unique en son genre, servi par une très belle prise de son. Une version sobre, mais chaleureuse. La seule intégrale.

André Isoir a sélectionné quatre pages de Roberday. Il réussit à faire oublier le côté sévère et abstrait de ces œuvres par une interprétation vivante et personnelle, où se greffe une liberté ornementale dont il a le secret. L'orgue de Koenig est poétique à souhait. Une face qui achève un florilège en trois disques de pièces bien choisies sur l'orgue aux XVIe et XVIIe siècles.

Robillard, Louis

(né en 1939)

Quatre Improvisations.

** Louis Robillard (orgue). Arion ARN 38.671. Enregistré en 1980 et 1981.

L'improvisation s'identifie à une création instantanée où s'épanche l'imaginaire du musicien. Chacune des quatre Improvisations que nous propose Louis Robillard mène à un but précis, par un itinéraire parfois compliqué, mais où la maîtrise de celui qui nous conduit demeure permanente. Cette musique fait découvrir des paysages proprement oniriques. Plus émotionnelle que rationnelle, elle peut ne pas plaire à des esprits trop captifs de leurs conventions ; jamais, en tout cas, elle ne laissera indifférent.

Rodrigo, Joaquin
(né en 1902)

Concierto de Aranjuez, pour guitare et orchestre.

❀*** Julian Bream (guitare), Orch. Monteverdi, John Eliot Gardiner. RCA FRLI 7.176. + *Villa-Lobos : Concerto pour guitare et orchestre.*

*** John Williams, Orch. de Chambre Anglais, Daniel Barenboïm. CBS 76.369. ⊠ 40-76.369. + *Villa-Lobos : Concerto pour guitare et orchestre.*

** Pepe Romero (guitare), Academy of St-Martin-in-the-Fields, Neville Marriner. Philips 9500.563. ⊠ 7300.705. Enregistré en 1979. + *Concierto andaluz, pour quatre guitares et orchestre.*

* Alirio Diaz (guitare), Orch. National d'Espagne, Rafaël Frühbeck de Burgos. EMI VSM C 059-00.366. ⊠ C 259-00.366. + *Giuliani : Concerto pour guitare, cordes et timbales.*

Julian Bream, sensible et mesuré, nous offre une interprétation profonde et réfléchie. Il nous impose son évidente identité à l'idiome profond de cette musique, prenant soin de chaque détail, dans un jeu plein de finesse. Une vision idéale, baignée d'une rare poésie. L'orchestre y respecte fidèlement les choix interprétatifs du soliste, dans un accompagnement de belle facture. Un couplage judicieux nous permet de découvrir une œuvre peu connue, mais d'un grand intérêt et magnifiquement restituée. Bonne qualité sonore.

Ce qui nous ravit chez John Williams, c'est la parfaite communion entre chef et soliste, l'indiscutable cohésion de l'orchestre. Le soliste, souverain techniquement, est plein d'ardeur, de fièvre, et atteint souvent une réelle poésie, mais s'il demeure toujours près de la musique, peut-être s'éloigne-t-il un peu trop de l'Espagne profonde. Daniel Barenboïm pare son orchestre des plus belles couleurs, apporte à l'ensemble le grand raffinement de son accompagnement lyrique et poétique. Beau complément, bien interprété. Technique tout à fait moyenne.

Pepe Romero se fait, ici, populaire, s'abreuve à une Espagne frémissante, sensible et immédiate, l'Espagne éternelle et quotidienne que l'on croise dans la rue. Cela dans un jeu naturel, coloré et virtuose de la plus haute tenue. Le *Concierto andaluz*, écrit sur des thèmes populaires, l'a été à la demande du Quatuor Romero. Un quatuor remarquable, ici, dans une homogénéité qui n'ignore pas pour autant l'individualité de chacun. Accompagnement superlatif et stimulant de l'ensemble anglais conduit par Marriner. Excellente réalisation sonore.

La technique subtile, la virtuosité maîtrisée d'Alirio Diaz font, ici, leurs preuves. Plus à l'aise dans les mouvements extrêmes, le soliste se montre quelque peu distant dans l'*adagio*, s'écartant un peu trop de l'essence même du *Cante jondo*, ce genre dont découle le morceau. Une interprétation de valeur, malgré un certain manque de cohésion de l'orchestre. En complément, la musique brillante et charmante de Giuliani dans une exécution de tout premier plan pour ce disque d'une bonne qualité technique. Pour Alirio Diaz.

Concierto de Estio, pour violon et orchestre. Musica para un jardin, suite pour orchestre. Zarabanda lejana y villancico, pour orchestre.

* Leon Ara (violon), Orch. Symph. Espagnol, Antonio Ros Marbá. Eurodisc 85.459 (sup.).

Quelques pages fort peu connues qui méritaient plus que leur passage éclair au catalogue, ne serait-ce que pour nous familiariser avec un Rodrigo sans guitare, profondément espagnol mais tout aussi universel. Un raffinement des sonorités, des couleurs, des envolées rythmiques dignes de ses maîtres Paul Dukas et Maurice Emmanuel. Leon Ara et Antonio Ros Marbá donnent de ces œuvres une interprétation fidèle et sensible, affirmant avec naturel leur subtilité d'écriture. Réalisation technique très satisfaisante.

Concierto galante, pour violoncelle et orchestre.

** Pedro Corostola (violoncelle), Orch. Phil. d'Espagne, Rafaël Frühbeck de Burgos. Decca 7.110 (sup.). + *R. Halffter : Concerto pour violon et orchestre.*

De la même veine néo-classique que le reste de l'œuvre de Rodrigo, ce *Concierto galante* met en valeur la belle sonorité du violoncelle. Pedro Corostola s'y montre chaleureux et précis, accompagné par Rafaël Frühbeck de Burgos pour qui la musique espagnole n'a plus de secret. Plus austère, le *Concerto pour violon* de Rodolfo Halffter nous apporte un complément heureux à ce bref aperçu sur l'Espagne musicale de notre temps. Une honnête réalisation technique vient parfaire l'intérêt d'un disque qui nous sort des sentiers battus du jardin hispanique.

Concierto madrigal, pour deux guitares et orchestre. Fantasia para un gentilhombre, pour guitare et orchestre.

*** Angel et Pepe Romero (guitares), Pepe Romero (guitare), Academy of St-Martin-in-the-Fields, Neville Marriner. Philips 9500.045. Enregistré en 1975.

Les deux œuvres réunies dans le présent enregistrement s'apparentent par leur commune référence à l'époque baroque. Dans le *Concierto madrigal*, Angel et Pepe Romero excellent à rendre le moindre détail expressif de l'auteur, dans un duo parfait d'aisance et de synchronisme, et Pepe, rendu à sa solitude, nous offre une vision de la *Fantaisie pour un gentilhomme*, élégante et poétique. Neville Marriner et ses musiciens d'exception leur donnent une réplique chaleureuse. Une réalisation technique de tout premier plan vient parachever cette belle réussite.

Concerto-Sérénade, pour harpe et orchestre.

** Nicanor Zabaleta (harpe), Orch. Radio Symph. de Berlin, Ernst Märzendorfer. DG 138.118. + *Boieldieu : Concerto pour harpe.*

Dans ce concerto spécialement écrit pour Nicanor Zabaleta, l'auteur se montre inventif à souhait dans un discours à l'indéniable richesse mélodique et harmonique. Des interventions instrumentales peu communes, une certaine malice, la fraîcheur de thèmes populaires ajoutent encore au charme simple de cette œuvre d'une écriture accomplie. En couplage, la musique fine et élégante du Concerto de Boieldieu. Un disque dont l'ancienneté n'empêche pas la bonne qualité sonore, et où un prestigieux soliste nous offre la démonstration de son style brillant.

Fantasia para un gentilhombre, pour guitare et orchestre.

*** Andrés Segovia (guitare), Orch. Symph. Air, Enrique Jorda. MCA 202.975. + *Ponce : Concierto del Sur.*

Si l'œuvre fut composée à la mémoire de Gaspar Sanz, elle est dédiée à Andrés Segovia, qui est sans doute pour la guitare ce que représente Alfred Cortot pour les pianistes : la Musique incarnée. Voici donc une version de référence s'il en est. Un enregistrement qui ne peut être que garantie d'authenticité quant aux intentions de l'auteur, quant au caractère de l'œuvre. Une leçon de guitare par son plus grand maître. La plus haute technique unie à la tradition la plus pure, à la musicalité la plus immédiate. En complément, le beau concerto de Manuel Ponce, compositeur mexicain de la même veine que Rodrigo.

Sones en la Giralda. Fantasia sevillana, pour harpe et orchestre.

* Catherine Michel (harpe), Orch. de l'Opéra de Monte-Carlo, Antonio de Almeida. Philips 6500.812. ⌧ 7300.366 (sup.) + *Castelnuovo-Tedesco : Concertino pour harpe et orchestre de chambre. Villa-Lobos : Concerto pour harpe et orchestre.*

Une œuvre poétique et légère dans une optique impressionniste. Catherine Michel y montre une technique sans problème, une grande musicalité servie par une sonorité égale et délicate. La réunion avec deux autres compositions intéressantes, plaisantes, mais peu fréquentées, ajoute au charme de cet enregistrement, d'une excellente qualité sonore par ailleurs.

Rossini, Gioacchino
(1792-1868)

Anthologie vocale. «Chefs-d'œuvre inconnus» : airs et extraits de La Dame du lac, Othello, Stabat Mater («Inflammatus»), Armide, Tancrède, Le Siège de Corinthe.

*** Montserrat Caballé (s), Ch. et Orch. d'Opéra de la RCA italienne, Carlo Felice Cillario. RCA 644.514 (sup.). Enregistré en 1968.

Anthologie vocale. Airs et extraits du Barbier de Séville, de Cendrillon, L'Italienne à Alger.

** Conchita Supervia (s), Orch. anonyme, A. Albergoni. Odéon ORX 128 (sup.). Mono d'origine 78 t. Enregistré en 1927 et 1928.

Anthologie vocale. Airs et extraits du Barbier de Séville, de L'Italienne à Alger, Stabat Mater («Fac ut porteam»), Sémiramis («Bel raggio»), Cendrillon (finale).

** Teresa Berganza (m), Orch. Symph. de Londres, Alexander Gibson. Decca SDD 224 (sup.). Enregistré en 1959.

Montserrat Caballé au faîte de sa suprématie vocale : que ne l'a-t-on aussitôt conviée à graver des «intégrales» de ces opéras ! Certes, dans *Armide*, nous sommes loin de Maria Callas, car l'expression n'égale pas ici la virtuosité. Mais le finale de *la Donna del Lago* est étincelant, la prière de Pamira du *Siège de Corinthe* sublime, le récitatif précédant «Di tanti palpiti» royal, et l'air du Saule de Desdémone décourage d'avance qui que ce soit, car l'émotion y égale la splendeur du son.

Les amateurs de 78 tours, auxquels il faut d'abord conseiller les anthologies Vedette (Italie) ou Heritage (G-B) pour goûter les voix masculines d'antan, souhaiteront la réédition de cette anthologie (naguère publiée par Odéon avec un invraisemblable texte d'accompagnement !) fixant l'art de cette fantasque espagnole, au soprano grave, aux inflexions presque réalistes, mais dont l'impeccable vocalisation et surtout une *vis comica* absolument inégalée ont laissé un souvenir unique.

Teresa Berganza, presque à l'orée de sa carrière, a laissé ce merveilleux témoignage de ce que fut naguère la pureté, la beauté, la facilité de son chant, alors plus proche du soprano (qu'elle incarne, dans *Sémiramis*), un tantinet appliqué, mais profondément émouvant de par son timbre charnel. On peut regretter que Decca n'ait pas regroupé en album les très nombreuses interventions rossiniennes de Marylin Horne, l'incomparable spécialiste des vingt dernières années.

Armida, opéra.

** Maria Callas (Armida), Francesco Albanese (Rinaldo), Mario Filippeschi (Gernando,Ubaldo), Alessandro Ziliani (Goffredo), Antonio Salvarezza (Eustasio), Gianni Raimondi (Carlo), Orch. et Ch. du Mai Musical Florentin, Tullio Serafin. Cetra LO 39 (2 d.). Mono. Enregistré sur le vif en 1952.

Essentiellement pour et par Maria Callas, à l'apogée de ses moyens vocaux, et qui donne la plus étourdissante leçon de chant rossinien captée par le disque. Malgré les bruits divers, l'annonce du régisseur, et cinq ténors aux bonnes voix, mais inaptes au chant rossinien. Mais la Callas, digne héritière de Colbran, impavide sur près de trois octaves (du *sol* au *mi*), inoubliable dans l'air «*D'amore il dolce impero*».

L'Assedio di Corinta (Le Siège de Corinthe), opéra. Version italienne.

** Beverly Sills (Pamira), Shirley Verrett (Neoclès), Justino Diaz (Mahomet II), Harry Theyard (Cleomène), Robert Lloyd (Omar), Ch. Ambrosien, Orch. Symph. de Londres, Thomas Schippers. EMI VSM C 167-02.571/3 (3 d.). Enregistré en 1974.

Il s'agit là d'un mélange opéré par Thomas Schippers, brillant et précis, entre le *Maometto* italien et son adaption française, *le Siège de Corinthe*, retraduit en italien, pour une reprise à la Scala, en 1969, avec Beverly Sills, ici à peine moins brillante, éclatante dans la virtuosité, un peu avare d'expression (inférieure à la Caballé, anthologie RCA), et Shirley Verrett, trop idéalement féminine pour un rôle travesti, et très inférieure à la Horne. Interprètes masculins discrets.

L'Assedio di Corinta (Le Siège de Corinthe), extraits : «Avanziam... Non temer (acte III). Prière de Pamira.

❀*** Marylin Horne (m), Ch. Ambrosien, Orch. Phil. Royal, Henry Lewis. London Records OS 26.305 (G-B). Enregistré en 1970. + *La Donna del lago (2 airs).*

C'est là *le* disque de Rossini à connaître à tout prix, où le contralto américain, avec un excellent orchestre et un son exemplaire, donne la plus grande leçon de virtuosité et de haute voltige vocale qui fût, mais celles aussi du plus parfait *Legato* et d'un grand style. Le complément est le bien venu (scène du soprano et air du contralto), puisque *La Donna del lago*, le chef-d'œuvre absolu de Rossini, n'est disponible qu'en édition privée (avec la Caballé et Pietro Bottazzo).

Il Barbiere di Siviglia, opéra bouffe.

*** Hermann Prey (Figaro), Teresa Berganza (Rosine), Luigi Alva (Almaviva), Paolo Montarsolo (Basile), Enzo Dara (Bartolo), Orch. Symph. de Londres, Ch. Ambrosien, Claudio Abbado. DG 2709.041 (3 d.). ⊠ 3371.003 (3 c.) Enregistré en 1972.

*** Tito Gobbi (Figaro), Maria Callas (Rosine) Luigi Alva (Almaviva), Nicola Zaccaria (Basile), Fritz Ollendorf (Bartolo), Orch. Philharmonia, Alceo Galliera. EMI VSM C 167-00. 467/69 (3 d.). Enregistré en 1957.

** Riccardo Stracciari (Figaro), Mercedès Capsir (Rosine), Dino Borgioli (Almaviva), Vincenzo Bettoni (Basile), Salvatore Baccaloni (Bartolo), Orch. et Ch. de la Scala de Milan, Lorenzo Molajoli. EMI VSM 153-00.697/98 (2 d.) (étr.). Mono (origine 78 t.). Enregistré en 1929.

* Robert Merrill (Figaro), Roberta Peters (Rosine), Cesare Valletti (Almaviva), Giorgio Tozzi (Basile), Fernando Corena (Bartolo), Orch. et Ch. du Metropolitan Opera de New York, Erich Leinsdorf. RCA MCV 543 (3 d.) (USA). Enregistré en 1959.

* Giuseppe Taddei (Figaro), Giulietta Simionato (Rosine), Luigi Infantino (Almaviva), Antonio Cassinelli (Basile), Carlo Badioli (Bartolo), Orch. et Ch. de la RAI de Milan, Fernando Previtali. Cetra LPS 3211 (3 d.) ou Vogue DP 39 (2 d.). Stéréo d'origine mono. Enregistré en 1950.

Abbado est fidèle à la lettre (à d'infimes coupures près) au véritable manuscrit remis à jour par Zedda, et la gravure est parfaite ; mais on pourrait préférer à ce sérieux plus de verve et des tempos plus vifs. Berganza est vocalement parfaite, charmeuse, mais un rien appliquée. Remarquable Bartolo de Dara, air de la Calomnie dans le ton original aigu, grâce à Montarsolo, très «visuel», mais un Almaviva plutôt éteint ; et Hermann Prey frise constamment la vulgarité.

Une équipe presque idéale, donnant à l'ensemble sa *vis comica*, avec la Rosine grand-style et meneuse de jeu de Callas, combinant au mieux les deux versions du rôle, et un Gobbi très en verve. Si on ne retrouve pas au studio tout l'aspect *spumante* que des enregistrements (malheureusement privés) des mêmes protagonistes nous ont conservé, si par ailleurs le micro accuse les duretés de Gobbi, c'est là néanmoins une version mémorable.

Stracciari, à près de soixante ans, et malgré d'inévitables accidents, demeure le très grand Figaro, inégalé au disque, et ses récitatifs (accompagnés au piano !) sont étourdissants. La direction est alerte, Almaviva excellent sinon précieux. Baccaloni campe un Bartolo inoubliable (à noter qu'il chante une scène apocryphe), et l'espagnole Mercedès Capsir y est une Rosine aiguë très virtuose. A ce témoignage indispensable, on peut joindre une version de 1919 (Rubini R.S.303) pour l'interprétation exceptionnelle de Fernando de Lucia dans Almaviva.

On peut être séduit par la version américaine de Leinsdorf, malgré l'insuffisance des basses. Mais Valletti y campe le meilleur Almaviva de la discographie moderne, et, le premier, rétablit l'air final. Merrill est un solide Figaro, et Roberta Peters une vocaliste sans reproche. On peut aussi préférer l'extraordinaire témoignage enregistré au «Met» en 1950 (Cetra L.O.3), avec, autour d'une Lily Pons discutable, le très jeune Di Stefano, excitant, Baccaloni et Valdengo.

La regravure 1980 de l'enregistrement Previtali, ancien Cetra distribué par Vogue, donnera tout son prix à cette première version qui rendit Rosine à un mezzo-soprano, ici une Simionato à beaucoup de points de vue souveraine, auprès de Taddei, le meilleur Figaro du microsillon, bien entourés, bien dirigés, avec, il est vrai, les coupures d'époque et une virtuosité assez discrète. L'actuelle gravure Vogue est incomplète et médiocre.

La Cambiale di Matrimonio, opéra bouffe.

** Renata Scotto (Fanny), Nicola Monti (Edoardo), Renato Capecchi (Slook), Rolando Panerai (Mill), Mario Petri (Norton), Collegium Musicum Italicum, Renato Fasano. Everest OS S446 (2 d.) (USA). Enregistré en 1960.

Un bon témoignage de l'œuvre qui rendit Rossini célèbre à dix-huit ans, sans qu'il ait eu besoin des stars de l'époque. Celles-ci forment ici une équipe homogène, bien rompue à l'élégance et à la diction rossinienne. La jeune Renata Scotto y fait montre de charme et d'une grande netteté, mais on écoutera par ailleurs avec intérêt le grand style de Joan Sutherland dans l'air principal (Decca Set 247-8). L'orchestre est un peu effacé.

Cantate Giovanna d'Arco.

*** Marilyn Horne (ms), Martin Katz (piano). CBS D 37.296. + *Mélodies.*

La Cantate *Giovanna d'Aro* est un morceau aux amples proportions, qui exige une extraordinaire virtuosité et où Marilyn Horne déploie tout son art de vocaliste accomplie. Les sept mélodies qui composent le reste de ce récital témoignent de l'extrême versatilité du génie de leur auteur et permettent à leur interprète de montrer son savoir technique autant que son esprit et son charme.

La Cenerentola (Cendrillon), opéra bouffe.

** Teresa Berganza (Cenerentola), Paolo Montarsolo (Don Magnifico), Luigi Alva (Ramiro), Renato Capecchi (Dandini), Ugo Trama (Alidoro), Orch. Symph. de Londres, Claudio Abbado. DG 2709.039 (3 d.). Enregistré en 1971.

** Giulietta Simionato (Cenerentola), Cristanio Dalamangas (Don Magnifico), Cesare Valletti (Ramiro), Saturno Meletti (Dandini), Vito Susca (Alidoro), Orch. et Chœur de la RAI de Turin, Mario Rossi. Cetra LPS 3208 (2 d.). Mono. Enregistré en 1950.

Abbado respecte scrupuleusement une partition émondée des traditions et ajouts, y opère encore quelques coupures, bénéficie d'une remarquable gravure, et excelle dans les pages poétiques et tendres, mieux que dans la verve et la légèreté. De même, Teresa Berganza, admirable d'émotion, domine la terrifiante virtuosité mieux que la Simionato, mais elle n'a ni sa royauté vocale, ni la force de persuasion d'une Supervia (anthologie Odeon). Montarsolo fait passer au disque sa dimension théâtrale, et sa diction d'une parfaite netteté. Capecchi lui est quelque peu inférieur, et Luigi Alva succombe sous les coloratures du rôle.

Giulietta Simionato fut une des héroïnes du retour à un véritable Rossini en 1950, et on lui pardonne quelques trilles et gruppettos imprécis, tant son chant est beau, expressif et racé. Les coupures imposées par Mario Rossi - un chef souvent plus vif qu'Abbado - sont regrettables, d'autant qu'en pâtit surtout Cesare Valletti, le meilleur ténor rossinien de l'après-guerre, ici digne successeur de Schipa. La regravure stéréophonique n'est pas très heureuse.

Le Comte Ory, opéra-comique.

** Juan Oncina (Comte Ory), Sari Parabas (Adèle), Michel Roux (Raimbaud), Ian Wallace (Le Précepteur), Cora Canne Meyer (Isolier), Monica Sinclair (Ragonde), Orch. et Ch. du Festival de Glyndebourne, Vittorio Gui. EMI VSM C 053-00.625/6 (2 d.) (sup.). Enregistré en 1956.

Cette exécution, témoin des représentations données aussi à Paris, vaut d'abord par la finesse, le goût et l'équilibre de la direction du grand Vittorio Gui, par le netteté des ensembles, et le comique de bon goût imposé à chacun. Les performances individuelles sont plus modestes, mais la virtuosité de Sari Parabas est irréprochable, et le ténor Oncina manie avec charme un suraigu en voix de fausset. Le trio final est d'une admirable poésie et d'une belle homogénéité.

Demetrio e Polibio, opera seria.

* Cecilia Valdenassi (Lisinga), Benedetta Pecchioli (Siveno), Giandomenico Bisi (Demetrio), Aldo Bramante (Polibio), Orch. Opera Barga, Ch. «Guido Monaco», Bruno Rigac-

ci. Bongiovanni GB 2001/2 (2 d.) (Italie). Enregistré sur le vif en 1979.

Une curiosité à signaler au discophile, puisque cette œuvre, raboutée presque à l'insu de son auteur, témoigne de la stupéfiante précocité d'un Rossini de quatorze à seize ans, connaissant son Mozart et son Haydn à fond. Le son de ce disque «live» est excellent, la direction fine et claire, l'ouverture remarquable, et si le ténor trébuche devant les notes aiguës, les interprètes féminines vocalisent avec un très grand style.

Elisabetta, Regina d'Inghilterra, opéra.

* Montserrat Caballé (Elisabeth), José Carreras (Leicester), Ugo Benelli (Norfolk), Valérie Masterson (Matilde), Neil Jenkins (Guglielmo), Orch. Symph. de Londres, Ch. Ambrosien, Gianfranco Masini. Philips 6703 067 (3 d.). Enregistré en 1975.

Pour réussir totalement, il eût fallu un chef plus engagé et non un bon accompagnateur, et une Caballé mieux remise de sa méforme physique : la vélocité demeure stupéfiante et les sons *piano* superbes, mais l'ensemble paraît un rien laborieux, sans l'inspiration d'un Gencer (édition privée). Le ténor Benelli domine aisément tous les traquenards semés par Rossini, et sur lesquels butte encore Carreras, dont la voix est néanmoins plus belle. Débuts prometteurs au disque de Valérie Masterson.

Guillaume Tell, opéra. Version originale en français.

* Gabriel Bacquier (Guillaume Tell), Nicolaï Gedda (Arnold), Montserrat Caballé (Mathilde), Louis Hendricks (Gessler), Charles Burles (Le Pêcheur), Mady Mesplé (Jemmy), Orch. Phil. Royal, Ch. Ambrosien, Lamberto Gardelli. EMI VSM C 165-02.403/07 (5 d.). Enregistré en 1973.

Guillaume Tell, opéra. Version italienne.

** Giuseppe Taddei (Guillaume Tell), Mario Filiopeschi (Arnold), Rosanna Carteri (Mathilde), Fernando Corena (Gessler), Antonio Pirino (Le Pêcheur), Graziella Sciutti (Jemmy), Orch. et Ch. de la RAI de Turin, Mario Rossi. Cetra LPS 3232 (3 d.). Mono. Enregistré en 1952.

La version en cinq disques de Gardelli est, en tout état de cause, la seule qui permette de connaître en son intégralité, et en langue originale, ce «monument» qui ne fut même jamais joué entièrement. Mais, hormis la splendide prestation de la Caballé, de bons chœurs et l'Hedwige de Jocelyne Taillon, il faut déplorer que Gedda ait gravé le rôle un peu tard, car il nuance peu et force inutilement, des rôles secondaires aux accents regrettables, et le choix de l'interprète principal qui, n'ayant jamais chanté le rôle à la scène, n'en possède guère le style ni les moyens. La direction, fine et musicale, manque également de la grandeur épique souhaitable.

La version italienne, malgré de très larges coupures, encore que sans gravité pour l'action, offre une meilleure vision de ce que fut l'œuvre, grâce aux prestations sensibles de Rosanna Carteri et Graziella Sciutti, mais surtout à l'interprétation éloquente et noble de Giuseppe Taddei, à la direction large, un rien pompeuse, de Mario Rossi. Le ténor Filiopeschi fait valoir de généreux aigus, mais demeure très en deçà du rôle.

L'Italiana in Algieri (L'Italienne à Alger), opéra bouffe.

*** Marilyn Horne (Isabella), Ernesto Palacio (Lindoro), Samuel Ramey (Mustafà), Domenico Trimarchi (Taddeo), Kathleen Battle (Elvira), Nicola Zaccaria (Haly), Ch. de Prague, I Solisti Veneti, Claudio Scimone. Erato STU 71.394 (3 d.). Enregistré en 1980.

** Giulietta Simionato (Isabella), Cesare Valletti (Lindoro), Mario Petri (Mustafà), Marcello Cortis (Taddeo), Graziella Sciutti (Elvira), Ezio Campi (Haly), Orch. et Ch. de la Scala de Milan, Carlo Maria Giulini. EMI VSM RLS 747 (2 d.) (Italie). Mono. Enregistré en 1954.

* Teresa Berganza (Isabella), Luigi Alva (Lindoro), Fernando Corena (Mustafà), Rolando Panerai (Taddeo), Giuliana Tavelaccini (Elvira), Paolo Montarsolo (Haly), Orch. et Ch. du Mai Musical Florentin, Silvio Varviso. Decca SET 262/64 (3 d.). Enregistré en 1963.

* Lucia Valentini-Terrani (Isabella), Ugo Benelli (Lindoro), Sesto Bruscantini (Mustafà), Enzo Dara (Tad-

deo), Norma Palacios-Rossi (Elvira), Alfredo Mariotti (Haly), Orch. de la Staatskapelle, Ch. de l'Opéra de Dresde, Gary Bertini. Acanta JB 22.308 (3d). Enregistré en 1976.

Claudio Scimone utilise la version la plus fidèle à la volonté primitive du compositeur : l'orchestration est rétablie dans sa composition première, dans sa rythmique et dans l'équilibre du tissu instrumental des voix. Les Solisti Veneti animent avec légèreté et précision cette partition et la distribution est en tout point remarquable. Marilyn Horne, cependant, la domine de façon éblouissante et apparaît comme l'incarnation même de la prima donna belcantiste.

La version déjà ancienne de Giulini demeure une bonne approche de l'œuvre, malgré ses graves coupures (trois airs entiers et divers raccourcis opérés çà et là) : la rigueur rythmique du chef débouche sur le plus étincelant premier finale qui soit ; Giulietta Simionato est bien le *Deus ex machina* de l'intrigue, et Valletti, dans ce qui lui reste de son rôle, est excellent. Mais la discographie de l'œuvre demeure «dominée» par l'absence de ses trois meilleures protagonistes récents : Marylin Horne, Paolo Montarsolo et Pietro Bottazzo.

Varviso dirige avec respect et finesse une version quasi complète (les récitatifs sont parfois raccourcis), mais ce respect n'est pas exempt de monotonie ; au studio, Teresa Berganza est parfaite de précision, de musicalité, de beauté vocale, mais il lui manque la verve d'une Supervia, d'une Horne. Alva transpose et n'évite pas les écueils de son rôle, et Corena est d'une lourdeur quasi insupportable.

L'enregistrement de Bertini, qui fut le point de départ d'une version télévisée, disposait d'interprètes presque idéaux, mais l'ensemble, trop visiblement bâclé, en compromet la réussite. Lucia Valentini n'en demeure pas moins époustouflante de somptuosité dans le grave et de brio dans les vocalises, Dara est un parfait chanteur, et Bruscantini très correct. Le ténor glisse sur les vocalises, et le chef n'a guère l'implacable régularité de tempo qu'il eût fallu ici.

Petite Messe Solennelle.

*** Renata Scotto (s), Alfredo Kraus (t), Fiorenza Cossotto (m), Ivo Vinco (b), Franco Verganti et Gianluigi Franz (pianos), Luigi Benedetti (harmonium), Ch. polyphonique de Milan, Giulio Bertola. Orizzonte OCL 16046/47 (2d.) (Italie). Enregistré en 1960.

** Hanneke Bork (s), Serge Maurer (t), Margaret Lensky (m), James Loomis (b), Luciano Sgrizzi et Georges Bernard (pianos), Bruno Canino (harmonium), Ch. de la Societá Cameristica de Lugano, Edwin Loehrer. Erato 9217 (3 d.) (sup.). Enregistré en 1968. *+ 2 Sonates, Variations pour clarinette, Sérénade.*

La version milanaise publiée par Ricordi il y a vingt ans n'a pas pris une ride : Bertola et ses quatre solistes étaient à l'aube de leurs carrières déjà flairés par l'éditeur, et tout simplement magnifiques de beau chant, d'intelligence du phrasé, de juste sensibilité, dans un climat naturellement axé sur la splendeur du grand chant rossinien d'opéra.

Avec Loehrer et un Luciano Sgrizzi grand spécialiste du Rossini dernière manière, nous tenons une exécution d'une belle homogénéité, sobre et volontiers recueillie, ce qui ne signifie pas que les chanteurs déméritent, car tous (avec une légère réserve pour la basse) usent avec une saine technique de leur voix. Le couplage est simplement superbe.

Moïse et Pharaon, opéra. Version italienne.

** Nicola Rossi-Lemeni (Moïse), Caterina Mancini (Anaï), Mario Filippeschi (Aménophis), Giuseppe Taddei (Pharaon), Lucia Danieli (Marie), Agostino Lazzari (Eliezer), Bruna Rizzoli (Sinaïde), Plinio Clabassi (Osiride), Orch. et Ch. du San Carlo de Naples, Tullio Serafin. Philips 5670.001/03 (3 d.) (sup.). Mono. Enregistré en 1957.

Il s'agit de la traduction italienne (légèrement abrégée) du *Moïse* français, lui-même issu du premier *Moïse* italien, et considérablement allongé et modifié. Tullio Serafin, alors quasi octogénaire, dresse une grande fresque sonore, avec d'admirables chœurs et plus de solennité que de pénétration. Les grands ensembles sont admirables au détriment des performances individuelles, exceptions faites du bon Pharaon de Taddei et de l'impressionnante Caterina Mancini.

Œuvres pour piano seul : Tarentelle pur sang, Prélude prétentieux, Memento Homo, Assez de Memento : Dansons, Petit caprice style Offenbach, Une caresse à ma femme, Mon prélude hygiénique du matin, Ouf ! les petits pois, L'innocence italienne et la candeur française.

*** Luciano Sgrizzi (piano). Nonesuch H 71.163 (USA).

Luciano Sgrizzi, pianiste, apporte ici son expérience de claveciniste et de spécialiste du XVIIIe siècle italien : pas de langueur superflue, une impeccable précision et beaucoup de tendresse ou d'humour (souvenons-nous que Satie, grâce à son maître, a connu ces inédits qu'il a pastichés). Une sélection bien faite, trop courte, et que l'on attend avec impatience de retrouver au catalogue français.

Œuvres vocales : Toast pour le Nouvel An, I Gondolieri, La passeggiata, Les amants de Séville, La notte del santo natale, Chœur funèbre pour Meyerbeer, La chanson du Bébé, L'amour à Pékin, Musique anodine.

** Solistes et Ch. de la Società Cameristica de Lugano, Edwin Loehrer, Luciano Sgrizzi (piano). Nonesuch H 71.089 (USA).

Du solo au quatuor ou au chœur, voilà une bonne sélection, à défaut des *Soirées musicales* (et sans cet apocryphe *Duo des chats* !), et Jean-Christophe Benoît est inénarrable dans la *Chanson du Bébé.* Même si certains autres solistes laissent à désirer, il y a d'abord l'humour, le bon goût, et une joie qui est traduite aussi bien dans la musique que le texte : ces interprètes savent qu'Offenbach n'était pas loin.

Otello, opéra.

** José Carreras (Otello), Frederica von Stade (Desdemona), Salvatore Fisichella (Rodrigo), Gianfranco Pastine (Jago), Nucci Condo (Emilia), Samuel Ramey (Elmiro), Orch. Philharmonia, Ch. Ambrosien, Jesùs Lopez Cobos. Philips 6769.023 (3 d.). ⌧ 7699.110 (3 c.). Enregistré en 1979.

Superbe affrontement de ténors entre Carreras, très à l'aise dans ce rôle grave et vocalisant bien, Fisichella, qui réalise de fracassants débuts discographiques avec son suraigu étincelant, et Pastine, très correct. Belle sensibilité et chant impeccable de la part de Frederica von Stade, à laquelle manque la dimension d'une prima donna rossinienne (voir la Caballé dans son anthologie RCA). La direction, et surtout une réverbération excessive confèrent à l'ensemble une emphase superflue.

Ouvertures d'opéras : Le Barbier de Séville, Cendrillon, Guillaume Tell, La Pie voleuse, Sémiramis, Il Signor Bruschino.

❀*** Orch. Symph. NBC, Arturo Toscanini. RCA GM 43.556. ⌧ GK 43.556. Mono (origine 78 t.).

Ouvertures d'opéras : Le Barbier de Séville, Cendrillon, L'Italienne à Alger, La Pie voleuse, Le Siège de Corinthe, Il Signor Bruschino.

*** Orch. Symph. de Londres, Claudio Abbado. DG 2530.559. ⌧ 3300.497.

Ouvertures d'opéras : Le Barbier de Séville, Cendrillon, L'Echelle de soie, Guillaume Tell, L'Italienne à Alger, La Pie voleuse, Sémiramis, Il Signor Bruschino, Tancrède.

** Orch. Philharmonia, Carlo Maria Giulini. EMI VSM C 181-52.567/68 (2d.) + *Verdi : ouvertures et préludes.*

Ouvertures d'opéras : Guillaume Tell, Il Signor Bruschino, Le Voyage à Reims, L'Echelle de soie, La Pie voleuse, Le Turc en Italie, L'Italienne à Alger.

** Orch. National Phil., Riccardo Chailly. Decca 591.176. ⌧ 4-390.378. Enregistré en 1981.

Ouvertures d'opéras : Le Barbier de Séville, Guillaume Tell, L'Echelle de soie, Le Siège de Corinthe, Sémiramis, Le Voyage à Reims.

** Orch. Philharmonia, Riccardo Muti. EMI VSM C 069-03.811. ⌧ C 269-03.811. Enregistré en 1978, 1979 et 1980.

Ouvertures d'opéras : Le Barbier de Séville, Cendrillon, L'Echelle de soie, Guillaume Tell, L'Italienne à Alger, La Pie voleuse.

** Orch. National de l'ORTF, Igor Markevitch. EMI Trianon 33.125. Stéréo d'origine mono.

S'il témoigna de peu de compréhension du chant et de l'opéra rossinien en général, Toscanini savait ce que signifient rythme et tempo, qui sont les deux pôles de ces Ouvertures. Le son est légendairement sec, les vents parfois grinçants, mais quel esprit, quelle conduite des crescendos (avec une étonnante dynamique), quel enthousiasme ! Notons qu'il manque quelques Ouvertures, dont celle de *L'Italienne*, probablement en raison d'un couac importun du hautbois...

La qualité de la prise de son, le respect de la partition, un certains *spumante* qu'Abbado ne possède pas toujours dans ses enregistrements intégraux font pencher la balance pour cette intelligente sélection où, enfin, l'on ne trouve pas *Guillaume Tell*, mais le merveilleux *Siège de Corinthe* et le spirituel *Bruschino*, avec ses effets de musique concrète avant la lettre.

Classique, propre, mesuré, amoureux de belles sonorités, Giulini, avec un excellent orchestre, offre un choix traditionnel, mais de qualité, pour une première approche de ces pages célèbres.

Avec Riccardo Chailly, la joie de vivre éclate à chaque mesure de ces pages. Le mérite de son enregistrement des Ouvertures est de nous rendre une fougue et une jeunesse, un certain aspect «folle journée» sans pour autant sacrifier l'élégance et une impeccable précision.

Muti est éclatant. Son exécution très soignée, très vivante et très italienne s'appuie sur une conception résolument grand orchestre, et sur ce point elle s'inscrit dans la tradition des grands concerts symphoniques plutôt qu'elle ne cherche à renouveler le genre, comme le faisait un Claudio Scimone dans son enregistrement de *L'Italienne à Alger*.

Bien regravée, l'anthologie d'ouvertures de Markevitch nous restitue à prix modique le chef au temps de sa splendeur, au rythme implacable, nerveux, tout en finesse, dirigeant un des grands orchestres français dont les «vents» (et surtout les bois) font merveille dans toutes ces pages de haute virtuosité que leur a dédiées le malicieux Rossini.

La Pie voleuse (La Gazza ladra) opéra.

*** Rosetta Pizzo (Ninetta), Pietro Bottazzo (Giannetto), Alberto Rinaldi (le podestá), Nucci Condo (Lucia), Helga Müller (Pippo), Ch. Ambrosien, Orch. Phil. Royal, Alberto Zedda. Italia ITL 70.056 (4 d.). Enregistré en 1978.

Un événement de premier ordre : Zedda, musicologue, ayant déterré le manuscrit réel et dirigeant - avec quelle conviction ! - à merveille un bel orchestre, faisant découvrir tout autre chose que ce que dirigeait le bruyant Toscanini ! Au palmarès, l'exceptionnel mezzo léger de Helga Müller, fascinante, Bottazzo, le seul ténor rossinien des vingt dernières années enfin révélé, Rosetta Pizzo, musicienne plus que belle voix, Rinaldi, honnête vocaliste. Le reste est faible, mais la direction emporte tout, et la plaquette est une somme de musicologie.

La Pierre de touche (La pietra del paragone), opéra.

*** Beverley Wolff (Clarice), John Reardon (Asdrubale), José Carreras (Giocondo), Andrew Foldi (Macrobio), Clarion Concerts Orch. et Ch., Newell Jenkins. Ricordi Orizzonte OCL 16.061/63 (3 d.) (Italie). Ou Vanguard 71.183/85 (3 d.) (USA). Enregistré en 1972/1973.

Ni Carreras, ni Newell Jenkins n'étaient encore très célèbres lorsqu'ils réalisèrent ce disque aux Etats-Unis pour Vanguard (dont l'édition, mieux documentée, est préférable à celle de Ricordi) de cette œuvre du jeune Rossini, revenue à l'honneur ces temps-ci. Musicologue et chef, Jenkins excelle, avec un très bel orchestre, et le mezzo colorature Beverley Wolff fut alors une étonnante révélation, au sein d'un ensemble assez homogène, plein de vie et respectueux du style rossinien.

Semiramide, opéra.

*** John Sutherland (Semiramide), Marilyn Horne (Arsace), Joseph Rouleau (Assur), John Serge (Idreno), Orch. Symph. de Londres, Ch. Ambrosien, Richard Bonynge. Decca SET 317/19 (3 d.) (G-B). Enregistré en 1966.

Cette première exhumation discographique d'un opera seria de Rossini demeure une des meilleures réussite du genre pour la virtuosité à toute épreuve des deux cantatrices. On reprochera à peine à Joan Sutherland un léger manque de rondeur dans le grave (il faut entendre la Callas dans l'air «*Bel raggio*»). La Horne est éblouissante, l'accompagnement assez neutre, et les partenaires masculins tirent leur épingle du jeu, mais sans le brio nécessaire.

Il Signor Bruschino, opéra bouffe.

* Renata Capecchi (Gaudenzio), Elda Ribetti (Sofia), Luigi Pontiggia (Florville), Carmelo Maugeri (Bruschino-père), Carlo Rossi (Bruschino-fils), Ivo Vinco (Filiberto), Orch. de Chambre de Milan, Ennio Gerelli. Turnabout TV 34158 (étr.). Enregistré en 1954.

Cette «farce» où se trouve déjà tout Rossini est bien servie par l'orchestre, premier protagoniste, bien mis en valeur, et mené avec esprit. Mis à part Capecchi, et à la rigueur le soprano, les chanteurs sont plutôt médiocres.

Les 6 Sonates à quatre ; n° 1 en sol majeur, n° 2 en la mineur, n° 3 en ut majeur, n° 4 en si bémol majeur, n° 5 en mi bémol majeur, n° 6 en ré majeur. Version pour orchestre à cordes.

*** Solistes de Zagreb, Antonio Janigro. Sonates n°s 1 à 4 : Amadeo AVRS 6046 (sup). ou Vanguard SRV 260 SD (USA). Mono. Enregistré en 1958. Sonates n°s 5 et 6 : Amadeo AVRS 6083 (sup.) ou Vanguard SRV 261 SD (USA). Mono. Enregistré en 1958. + *Œuvres de Albinoni, Boccherini, Corelli, Haydn, Paradies.*

* I Solisti Veneti, Claudio Scimone. Erato DUE 20.250 (2 d.). Enregistré en 1967 et 1968. + *Sérénade pour petit ensemble, Variations pour clarinette et petit ensemble.*

Il faudrait remettre les disques de Janigro sur le marché français, d'autant que la concurrence est rare. Malgré un effectif un peu large (13 instruments), Janigro conserve l'intimité de la musique de chambre et, surtout, tient impeccablement le tempo et le rythme, si souverains dans ces œuvres écrites à douze ans, mais il sait également faire chanter les courts andante. Pas de tape-à-l'oeil, une grande virtuosité, un bon équilibre : un classique.

Avec un son très sophistiqué, les neuf instrumentistes de Scimone paraissent trente, et les pizzicati de la contre basse acquièrent une étonnante somptuosité ! Nous sommes, malgré tout, loin du gigantisme symphonique de Karajan, mais Scimone étire, presse varie les tempos avec sa fantaisie coutumière, cependant que ses violons renâclent devant les cascades de triples croches. Rossini est souvent trahi, mais il y a là un charme indéniable. Notons le couplage éventuel des Sonates 5 et 6 avec la Messe et deux joyaux pour vents.

Sonates à quatre n°s 1, 4 et 5, transcription pour quatuor à vent. Variations en fa majeur.

** Jean-Pierre Rampal (flûte), Jacques Lancelot (clarinette), Gilbert Coursier (cor), Paul Hongne (basson). Erato STU 8084 (sup.). Enregistré en 1963.

On peut souhaiter retrouver la sélection classique menée bon train par Jean-Pierre Rampal, une interprétation plus axée sur la verve et le brio rossiniens, et dans laquelle brillent les plus grands noms de la grande école française des vents.

Sonates à quatre, version originale pour deux violons, violoncelle et contrebasse.

❀*** Salvatore Accardo (violon), Sylvie Gazeau (violon), Alain Meunier (violoncelle), Franco Petracchi (contrebasse). Philips 6769.024 (2 d.). Enregistré en 1979. + *Duetto pour violon et contrebasse, Un mot à Paganini, Une larme.*

Retour tant souhaité d'une version originale pour quatre solistes, aisément disponible au catalogue et servie par quatre solistes aux sonorités riches (et sans doute aux instruments de prix). La virtuosité est aisée, désinvolte, mais jamais ostentatoire, et l'émotion est évidente (*andantino* du n° 4, introduction du n° 6, etc.). La présence sonore de la contrebasse est un peu excessive au sein d'une excellente prise de son. Les trois pièces complémentaires sont parfaites.

Stabat Mater.

*** Katia Ricciarelli (s), Lucia Valentini-Terrani (c), Dalmacio Gonzales (t), Ruggero Raimondi (b), Ch. et Orch. Philharmonia, Carlo-Maria Giulini. DG 2532.046. ⌧ 3302.046.

*** Luciano Pavarotti (t), Pilar Lorengar (s), Yvonne Minton (m), Hans Sotin (b), Ch. et Orch. Symph. de Londres, Istvan Kertesz. Decca SXL 6534 (G-B). Enregistré en 1970.

Giulini donne de ce *Stabat Mater* une lecture beaucoup plus intériorisée que celles auxquelles nous sommes habitués, en atténuant le côté bondissant du rythme, en gommant le caractère très rossinien de cette partition. Le quatuor de solistes, même si le ténor Dalmacio Gonzalez apparaît en retrait, touche au sublime précisément parce qu'il chante en quatuor.

Eclipsant toutes les versions antérieures, souvent disparates d'accents et de styles, ce trop rare disque laissé par Istvan Kertesz impose sa suprématie par la chaude sonorité de l'orchestre, l'ampleur des chœurs et une véritable ferveur gommant tout effet douteux. L'introduction (*«Stabat»*) vaudrait à elle seule ; mais plus encore que Sotin, encore un rien vert, Pavarotti brille dans un *«Cujus animam»* digne de rivaliser les versions fameuses de Björling ou Caruso.

Tancrède, opéra.

*** Fiorenza Cossotto (Tancrède), Lella Cuberli (Amenaïde), Werner Hollweg (Argirio), Helga Müller (Isaura), Nikola Ghiuzelev (Orbazzano), Cappella Coloniensis, Ch. de la WDR, Gabriel Ferro. Italia ITL 70.070 (3 d.) (Italie). Enregistré en 1978.

* Patricia Paine (Tancrède), Anna Francis (Amenaïde), Kieth Lewis (Argirio), Elisabeth Stokes (Isaura), Tom Mac Donnel (Orbazzano), Orch. Centre de l'Action Musicale de l'Ouest, Ch. London Voices, John Perras. Arion ARN 338.010 (3 d.). Enregistré en 1976.

Une remarquable entreprise, très documentée (commentaires anglais et italien, mais livret italien seul), un monument de restitution fidèle à l'esprit et à la lettre. Ferro est ici bien plus heureux qu'il ne l'est habituellement en public, et la seule tache est l'interprétation de la Cossotto, très étrangère à ce style. Très remarquables confirmations des talents nouveaux de Cuberli et de Müller, honnête prestation du ténor Hollweg. C'est ici le finale tragique, stupéfiant de nouveauté, qui est utilisé, pour conclure ce premier grand chef-d'œuvre tragique de Rossini.

Perras avait obtenu en avant-première le manuscrit rétabli par Philipp Gossett, exception faite du finale tragique, remplacé ici par le très faible *happy-end* original. La direction est propre, avare de contrastes, mais il manque ici le sens de la colorature rossinienne, et les interprètes se limitent à une évidente bonne volonté : pour connaître le rôle de Tancrède, il faut évidemment entendre Marilyn Horne ; mais ses interprétations ne sont connues que dans des éditions privées.

Il Turco in Italia (Le Turc en Italie), opéra bouffe.

** Maria Callas (Fiorilla), Nicola Rossi-Lemeni (Selim), Nicolaï Gedda (Don Narciso), Mariano Stabile (Prosdocimo), Franco Calabrese (Don Geronio), Orch. et Ch. de la Scala de Milan, Gianandrea Gavazzeni. EMI VSM C 163-03.456/57 (3 d.). Mono. Enregistré en 1954.

Maria Callas dans l'un de ses trop rares emplois comiques, pétulante d'esprit, déployant en outre une impeccable virtuosité et une grande fraîcheur dans un rôle léger et aigu. Gedda s'y montre heureux dans cet emploi inhabituel. De nombreuses coupures, mais un chef qui rend tout son humour à cette pochade trop peu connue.

Rousseau, Jean-Jacques
(1712-1778)

Le Devin du village, intermède.

** Danièle Borst (s), Louis Devos (t), Philippe Huttenlocher (b), Ch. Collège Voltaire, Collegium Academicum de Genève, Henri Dunand. CBS 76.716 (sup.). Enregistré en 1978.

Plus qu'un document historique sur cet ouvrage né de la Querelle des Bouffons, cet enregistrement constitue en fait un excellent témoignage à la mémoire de Rousseau compositeur, les interprètes s'acquittant plus qu'honorablement de leur tâche. Bonne technique en général, sauf pour la prise de son des voix.

Roussel, Albert
(1869-1937)

Bacchus et Ariane, ballet op. 43 : Suites n° 1 et n° 2.

*** Orch. Nat. de l'ORTF, Jean Martinon. Erato MUS 19.048. Enregistré en 1968.

Le disque de Martinon est le seul disque actuellement disponible regroupant les deux Suites de *Bacchus et Ariane,* et celui aux atouts les plus certains : une direction d'orchestre fervente, pleine, par laquelle tous les thèmes chantent dans de somptueuses courbes instrumentales.

Bacchus et Ariane, ballet op. 43 : Suite n° 2.

*** Orch. de Paris, Serge Baudo. EMI VSM C 063-10.812 (sup.). Enregistré en 1969. + *Psaume 80.*

** Orch. Lamoureux, Igor Markevitch. DG 2543.807. + *Milhaud : Le Carnaval d'Aix. Satie : Parade.*

** Orch. du Conservatoire, André Cluytens. EMI VSM C 181-52.293/94 (2 d.). + *Le Festin de l'araignée, Sinfonietta, Symphonies n°s 3 et 4.*

On ne peut trouver de meilleure interprétation que celle de Serge Baudo pour la 2e Suite de *Bacchus et Ariane.* Avec lui, les thèmes chantent avec plénitude dans un bel élan lyrique. Et grâce à la musicalité de l'Orchestre de Paris, l'œuvre s'éclaire de magnifiques courbes instrumentales, tout témoigne d'une profonde ferveur. Cette intensité se complète par la présence en couplage de l'émouvant Psaume 80.

Markevitch sert avec un goût très sûr l'œuvre de Roussel : l'attrait de ce disque est renforcé par une lumineuse interprétation de la *Mer* de Debussy et des *Deux danses pour harpe et orchestre.*

Version intéressante de Cluytens, mais non la meilleure. Cependant, ce coffret de deux disques regroupant l'essentiel de la musique symphonique de Roussel contient le seul enregistrement de la *Sinfonietta,* ce qui le recommande aux connaisseurs.

Concerto pour piano et orchestre en ut mineur, op. 36.

** Claude Hellfer (piano), Orch. des Cento Soli, Serge Baudo. Musidisc RC 721. + *Le Festin de l'Araignée.*

Le Concerto en ut majeur est une œuvre qui souffre de son manque d'homogénéité, d'une inégalité dans l'inspiration d'ensemble. Son *adagio* est un beau moment de lyrisme, mais il est encadré par deux mouvements qui s'essoufflent et donnent même une certaine impression de raideur. Le rôle du piano est assez ingrat, pour ne pas dire effacé. L'interprétation de Claude Helffer est bonne, et très bien soutenue par la direction de Serge Baudo.

Evocations, op. 15.

*** Maria Mrazová (contralto), Zdeňek Svehla (ténor), Jindrich Jindrák (baryton), Ch. et Orch. Phil. Tchèque, Zdeňek Košler. . Supraphon 1112 2454. Enregistré en 1978.

Créée en 1912, cette partition majeure de Roussel aura attendu 1978 pour voir sa première gravure. Ce triptyque lui fut inspiré au retour d'un voyage en Inde, mais il est volontairement plus évocateur que descriptif. C'est ce qu'a bien saisi Košler, dont l'interprétation évite le pittoresque pour viser l'émotion et le mystère d'un climat presque debussyste.

Le Festin de l'araignée, ballet-pantomime, op. 17.

*** Orch. National de l'ORTF, Jean Martinon. Erato STU 70.650 (sup.). Enregistré en 1971. + *Petite Suite.*

Le Festin de l'araignée : fragments symphoniques.

*** Orch. Cento Soli, Serge Baudo. Musidisc RC 721. + *Concerto pour piano en ut mineur.*

** Orch. du Conservatoire de Paris, André Cluytens. EMI VSM C 181-52.293/4. (2 d.). + *Bacchus et Ariane (2ᵉ Suite), Sinfonietta, Symphonies nᵒˢ 3 et 4.*

Grâce au disque de Martinon, nous possédons une intégrale du *Festin* en tous points remarquable. Jean Martinon a su recréer le lyrisme, l'humour, l'exquise intellectualité de ces pages. Il montre toujours une grande intériorité, où il prouve combien il ressent humainement cette musique. Ces qualités sont renforcées par l'excellente prestation de l'Orchestre de l'ORTF, qui met en valeur la brillante orchestration. La présence en couplage de la seule version disponible de la *Petite Suite* ajoute encore à l'importance de cette réalisation pour la connaissance de Roussel.

Bonne version de Baudo, à écouter et à retenir bien qu'elle soit dépassée par celle de Martinon qui est intégrale. On apprécie le couplage, une très satisfaisante interprétation du *Concerto pour piano en ut mineur* par Claude Helffer.

Cluytens est un grand interprète d'Albert Roussel, et on le retrouve avec joie dans un programme nourri, et fort intéressant au point de vue du prix.

L'œuvre pour piano intégrale.

*** Alain Raës (piano). SOL 8/9 (2 d.). Enregistré en 1979.

Cette intégrale se compose de vingt-quatre pièces dont la plus longue n'atteint pas sept minutes. Un kaléidoscope où se déchiffrent les facettes de l'écriture de Roussel, tour à tour âpre, audacieuse ou obsessionnelle. La réalisation d'Alain Raës comble heureusement le vide laissé par la disparition de l'intégrale de Jean Boguet : son approche, plus intimiste, toujours soucieuse des intentions du compositeur, est admirablement cohérente et finie.

Padmâvatî, opéra.

*** Marilyn Horne (Padmâvatî), Nicolaï Gedda (Ratan-Sen), José van Dam (Alaouddin), Jane Berbié (Nakamti), Charles Burles (le brahmane), Orfeon Donastiarra, Orch. du Capitole de Toulouse, Michel Plasson. EMI VSM 1731.773 (2 d.). Enregistré en 1982 et 1983.

Comme *Ariane et Barbe-Bleue* de Dukas, *Padmâvatî*, l'un des chefs d'œuvre de l'opéra français au XXᵉ siècle, a dû attendre 1983 pour voir paraître son premier enregistrement. Une superbe distribution assure à cette réalisation le tenue stylistique que l'œuvre réclamait. Nicolaï Gedda et José van Dam sont irréprochables, même si l'on eût souhaité plus d'emportement dans la bouche du sultan Alaouddin. Marilyn Horne apporte les plus grands moments d'émotion, dans la scène des adieux de Padmâvatî. Et Michel Plasson conduit les chœurs et l'orchestre avec chaleur et générosité.

Psaume 80, pour ténor, chœur et orchestre, op. 37.

*** John Mitchinson (t), Ch. Stéphane Caillat, Orch. de Paris, Serge Baudo. EMI VSM 063-10.812 (sup.). + *Bacchus et Ariane (2ᵉ suite).*

Cette première gravure du *Psaume 80* rend justice à une œuvre que bien peu ont eu la chance d'entendre depuis sa création il y a une quarantaine d'années. Le texte biblique a inspiré à Roussel des mélodies nostalgiques et d'une émouvante beauté, qui s'élèvent au milieu d'un flamboiement harmonique. Aux mélismes des phrases chantées par le chœur en succèdent d'autres déclamés par un ténor solo - ici John Mitchinson, qui montre une belle aisance. Une grande et somptueuse unité, remarquablement servie par Serge Baudo.

Symphonies n° 3 en sol mineur op. 42, et n° 4 en la majeur op. 53.

❀*** Orch. Lamoureux, Charles Munch. Erato MUS 19.004. ⌧ MCE 19.004. Enregistré en 1965.

** Orch. du Conservatoire, André Cluytens. EMI VSM C 181-52.293/4 (2 d.). + *Bacchus et Ariane (2ᵉ Suite), Le Festin de l'araignée, Sinfonietta.*

Les Symphonies 3 et 4 d'Albert Roussel sont deux œuvres maîtresses de la musique française du XXᵉ siècle, et l'interprétation de Charles Munch en constitue une version de référence. Ces pièces, à la fois musclées et lyriques, dynamiques et graves, ne se laissent pas saisir facilement. Elles réclament en outre des chefs de premier plan car l'écriture de Roussel est exigeante dans sa redoutable efficacité. Munch se montre parfois ambigu, mais son dynamisme personnel, son sens de la couleur font merveille pour signer la réussite.

André Cluytens possède lui aussi la capacité de dominer une belle formation orchestrale pour l'entraîner au-delà des notes. Il est la puissance même, mais avec tranquillité, adoptant une vision forte et large, mesurée par une vaste respiration. Superbe, mais moins convaincant que Munch. A signaler la réédition intelligente de ces interprétations en un excellent programme Roussel.

Trio à cordes.

** Trio à Cordes Albert Roussel. Cybélia CY 609. Enregistré en 1979. *+ Migot : Trio à cordes.*

Le Trio, dernière œuvre d'Albert Roussel, résume son art. Autour d'un *adagio*, grave et méditatif, s'élancent deux mouvements, l'un volontaire, l'autre lumineux et dansant. Le Trio de Georges Migot est un chef-d'œuvre frémissant, plein d'éternité. Le Trio Albert Roussel interprète ces pages avec un bel élan intérieur : on le sent particulièrement familier dans l'œuvre dont il porte le nom, où il nous offre un beau moment de musique et de simplicité expressive.

Trio pour flûte, alto et violoncelle, op. 40. Sérénade pour flûte, violon, alto, violoncelle et harpe, op. 30. Impromptu pour harpe, op. 21.

*** Christian Lardé (flûte), Marie-Claire Jamet (harpe), Colette Lequien (alto), Pierre Degenne (violoncelle). Harmonia Mundi HM 735.

Le Quintette Marie-Claire Jamet apporte à ce joyau de la musique de chambre contemporaine qu'est la Sérénade une remarquable interprétation : les timbres s'équilibrent et se fondent, mais chaque instrument conserve sa personnalité. Marie-Claire Jamet montre une virtuosité gracieuse et sensible dans l'*Impromptu pour harpe*. Le Trio est joué avec une discipline qui n'exclut pas la chaleur et la musicalité. Trois œuvres de premier plan servies par d'excellents artistes.

S

Saint-Saëns, Camille
(1835-1921)

Africa, cadence improvisée pour.

* Camille Saint-Saëns (piano). International Piano Archives IPA 117 (USA). Mono. Enregistré en 1904. *+ Beethoven-Busoni : Ecossaises. Brahms : Danse Hongroise n° 1, Valses op. 39 n° 2 et n° 15. Chopin : Nocturnes op. 15 n° 1 et op. 55 n° 1, Scherzo n° 2 op. 31 (abrégé), Valse op. 64 n° 1. Debussy : Pelléas et Mélisande (extraits : Acte III, «Mes longs cheveux»). Grieg : Sonate op. 7 (extraits : Finale). Liszt : La Campanella, Rhapsodies Hongroises n°s 2 et 15, abrégées. Rachmaninov : Prélude op. 23 n° 5. Schumann-Tausig : Le Contrebandier. Tchaïkovski : Trepak op. 72 n° 18.*

En 1904, Camille Saint-Saëns gravait cette cadence improvisée dans la cire d'un cylindre. Fabuleux pianiste formé à l'école de Stamaty, il ne trahit pas la légende. Crépitant comme une boîte à musique, son jeu d'une égalité furieuse, d'une élégance revêche à l'émotion, est un exemple pour tous ses interprètes d'aujourd'hui. Sur le même disque, on entendra la Danse Hongroise n° 1 de Johannes Brahms, annoncée et jouée par son auteur. Un document historique. Les plus grands soins ont été apportés à la restauration des documents originaux, mais la qualité sonore reste évidemment très précaire.

Le Carnaval des animaux, grande fantaisie zoologique.

*** Trio à Cordes Français, Michel Béroff, Jean-Philippe Collard (pianos), ensemble de solistes. EMI VSM C 069-14.148. ⌧ C 269-14.148. Quadri. Enregistré en 1977. *+ Septuor.*

** Philippe Entremont, Gaby Casadesus (pianos), ensemble de solistes. CBS 76.735. ⌧ 40 - 76.735. Enregistré en 1978. *+ Variations sur un thème de Beethoven, Polonaise pour deux pianos.*

Débarrassé du grand attirail symphonique, le *Carnaval des animaux* retrouve une subtilité, une clarté d'articulation que l'on ne soupçonnait pas toujours. Les interprètes réunis autour de Michel Béroff et Jean-Philippe Collard jouent le jeu ; beaucoup de bonne humeur, de simplicité, de chaleur communicative prouvent, s'il en était encore besoin, que l'on doit jouer Saint-Saëns sans craindre de l'interpréter. Prise de son un peu confuse et clinquante.

Ce qui frappe à l'audition de l'interprétation des solistes réunis autour de Gaby Casadesus et Philippe Entremont, c'est la remarquable clarté de la prise de son qui respecte à merveille l'équilibre de ce chef-d'œuvre. A la seconde audition, on remarquera un sérieux et une raideur excessifs ; un peu comme si les interprètes n'avaient pas réussi à surmonter toutes les difficultés d'un texte virtuose. A-t-on beaucoup répété avant les séances d'enregistrement ?

Concerto pour piano n° 1 en ré majeur op. 17, n° 2 en sol mineur op. 22, n° 3 en mi bémol majeur op. 29, n° 4 en ut mineur op. 44, n° 5 en fa majeur op. 103.

*** Pascal Rogé (piano), Orch. Phil. Royal, Orch. Philharmonia, Orch. Symph. de Londres, Charles Dutoit. Decca 591.179 (3 d.). ⌧ 4-390.381 (3 c.). Enregistré de 1978 à 1980. + *La Jeunesse d'Hercule, poème symphonique op. 50.*

Le Saint-Saëns de Pascal Rogé vaut par un jeu qui reste clair, nuancé, élégant avec la volonté de refuser les excès, de privilégier les demi-teintes. Il cherche à s'engager, prenant les mouvements vifs dans un tempo généralement enlevé, il sait chanter avec une grâce faite de sobriété et de rondeur presque sensuelle. Rogé l'emporte aisément devant Ciccolini, globalement plus superficiel, et Entremont, qui se veut plus sec. Seul Duchâble, dans les deuxième et quatrième Concertos, se montre supérieur.

Concerto pour piano et orchestre n° 2 en sol mineur op. 22.

❀*** Emil Guilels (piano), Orch. Société des Concerts du Conservatoire, André Cluytens. EMI VSM 25.033 (sup.)

** Arthur Rubinstein (piano), Orch. de Philadelphie, Eugène Ormandy. RCA FRL1 7.279. ⌧ FRK1 7.279. + *Grieg : Concerto en la mineur.*

Dans l'un de ses premiers disques réalisés en Occident, Emil Guilels s'imposait comme l'un des grands pianistes de sa génération. Vingt-cinq ans plus tard, son interprétation, hélas ! inaccessible, de ce Concerto élégantissime garde toujours la même séduction, le même impact. Guilels y est d'une superficialité sublimée.

Arthur Rubinstein a toujours joué ce Concerto. Le brio, l'humour, les clins d'œil du prince des pianistes ne sont peut-être pas les qualités que réclament l'exécution de cette œuvre que l'on doit jouer avec un détaché de claveciniste, mais quelle mise en œuvre digitale !

Concertos pour piano et orchestre n° 2 en sol mineur op. 22 et n° 4 en ut mineur op. 44.

❀*** François-René Duchâble (piano), Orch. Phil. de Strasbourg, Alain Lombard. Erato STU 71.450. ⌧ MCE 71.450. Enregistré en 1981.

Duchâble, se donnant à Saint-Saëns tout entier, et non du bout des doigts, nous révèle, avec une chaleur et une sensibilité merveilleuses, la dimension vraie et la puissance émotive de ces œuvres souvent injustement dédaignées. Le tout avec des coups de tempête qu'avive le tempo, nerveux, tendu, enivrant. Le soliste lutte avec des éléments déchaînés, se déchaîne lui-même et fait de son instrument un orchestre rivalisant d'ardeur avec un Philharmonique de Strasbourg en pleine forme et un Lombard tout pénétré des mêmes sentiments, de la même fougue visionnaire.

Concerto pour piano et orchestre n° 4 en ut mineur op. 44.

❀*** Alfred Cortot (piano), Orch. anonyme, Charles Munch. EMI VSM COHL 98 (sup.). Enregistré en 1935. + *Ravel : Concerto pour la main gauche.*

*** Robert Casadesus (piano), Orch. Phil. de New York, Leonard Bernstein. CBS 61.712 (RFA, NL). + *Fauré : Ballade.*

Alfred Cortot était bien, contrairement à une opinion trop répandue, un pianiste à la virtuosité transcendante : personne n'a peut-être jamais aussi bien joué du piano que lui. Son interprétation va ici à contre-courant de la tradition. Passionné, ardent, frémissant, il imprime à ce pendant de la Symphonie pour orgue une tension et une poésie insoupçonnées. Charles Munch l'accompagne en toute complicité. Qu'ajouter de plus, sinon que, au-delà de l'interprétation proprement dite, il s'agit sans doute de l'un des plus grands disques de piano qui soient !

Robert Casadesus ne réinvente pas ce Concerto comme le fait Cortot, mais il le joue avec cette élégance supérieure qu'on lui connaît, avec aussi une profondeur et une simplicité qui trouvent un écho dans la direction fougueuse de Leonard Bernstein.

Concerto pour violon et orchestre n° 2 en ut majeur op. 58. Concerto n° 4 pour violon et orchestre n° 4 en sol majeur «Inachevé». Caprice pour violon et orchestre en ré majeur d'après l'Etude en forme de valse op. 52 n° 6.

** Ivry Gitlis (violon), Orch. Opéra de Monte-Carlo, Edouard van Remoortel. Philips 6504.055.

Avec sa sonorité un peu rauque mais d'une chaleur communicative, Ivry Gitlis transfigure ces Concertos à la virtuosité un peu vaine. A aucun moment l'attention ne retombe. L'accompagnement de van Remoortel n'est pas tout à fait à la hauteur du discours du soliste - ou plutôt l'orchestre, d'un moelleux assommant.

Concerto pour violon et orchestre n° 3 en si mineur op. 61.

*** Zino Francescatti (violon), Orch. Phil. de New York, Dimitri Mitropoulos. CBS 75.151. + *Paganini : Concerto pour violon n° 1.*

** Pierre Amoyal (violon), Orch. New Philharmonia, Vernon Hendley. Erato STU 70.985. ⌧ MCE 70.985. Enregistré en 1976. + *Havanaise, Introduction et Rondo Capriccioso.*

Même s'il est aujourd'hui un peu oublié, et la faute en revient à son éditeur qui ne maintient pas ses enregistrements au catalogue (on se demande bien pourquoi), Zino Francescatti est l'un des plus grands violonistes de l'après-guerre. Son interprétation, littéralement ensorcelante, d'une chaleur communicative, se signale aussi par l'accompagnement d'orchestre, puisqu'il s'agit du Philharmonique de New York dirigé par Dimitri Mitropoulos, autre oublié.

Pierre Amoyal n'a pas encore l'*aura* de son glorieux aîné, mais son style, son jeu d'une beauté souveraine, servi par une prise de son claire et aérée, ainsi qu'une direction d'orchestre attentive à chacune de ses inflexions placent son interprétation au sommet de la discographie.

Concerto pour violoncelle et orchestre n° 1 en la mineur op. 33. Concerto pour violoncelle et orchestre n° 2 en ré mineur op. 119.

❀*** Christine Walewska (violoncelle), Orch. Opéra de Monte-Carlo, Eliahu Inbal. Philips 6500.459. + *Allegro Appassionato, Suite pour violoncelle et orchestre.*

Christine Walewska s'imposait il y a quelques années avec cet enregistrement qui regroupe l'intégrale des œuvres concertantes pour violoncelle de Saint-Saëns. Tout est parfait dans ce disque, tempos, phrasés, conception, et même l'orchestre, sans doute subjugué par la soliste, sort de sa somnolence habituelle. A l'écoute, on est immédiatement ébloui par la sonorité indescriptible de ce violoncelle de Bergonzi.

Concerto pour violoncelle et orchestre n° 1 en la mineur op. 33.

** János Starker (violoncelle), Orch. Symph. de Londres, Antal Doráti. Philips 6702.015 (2 d.) (sup.). + *Carnaval des animaux, Concerto pour piano n° 4 (extrait : Finale), Concerto pour violon n° 4, Danse macabre, Havanaise, Introduction et Rondo Capriccioso, Samson et Dalila (extrait : Bacchanale), Toccata pour piano.*

** André Navarra (violoncelle), Orch. Concerts Lamoureux, Charles Munch. Erato EF 28.018. MCE 28.018. + *Lalo : Concerto pour violoncelle.*

* Mstislav Rostropovitch (violoncelle), Orch. Phil. de Londres, Carlo Maria Giulini. EMI VSM C 069-02.964. ⌧ C 269-02.964. Quadri. Enregistré en 1977. + *Dvořák : Concerto pour violoncelle.*

Pour qui ne voudrait que le premier Concerto, on ne peut que recommander cette version de János Starker. Virtuose à l'impeccable diction, il s'impose ici, même s'il ne fait pas oublier Walewska, par la clarté et l'élégance de son discours.

André Navarra et Charles Munch ne manquent pas de panache, de puissance expressive, ils manquent seulement d'un peu d'élégance pour pleinement convaincre.

Mstislav Rostropovitch a enregistré plusieurs fois ce Concerto. Cette version, la dernière parue, bénéficie de l'accompagnement de Carlo-Maria Giulini. Hélas ! Rostropovitch n'a pas toujours un très beau son, et quelques coquetteries de diction viennent grever une interprétation par ailleurs marquée par d'admirables moments.

Danse macabre, poème symphonique op. 40. La Jeunesse d'Hercule, poème symphonique op. 50. Phaéton, poème symphonique op. 39. Le Rouet d'Omphale, poème symphonique op.31.

** Orch. Philharmonia, Charles Dutoit. Decca 591.191. ⌧ 4-390.394. Enregistré en 1980. + *Marche héroïque op. 34.*

Une musique qui sonne haut et clair sous la baguette de Charles Dutoit. *La Jeunesse d'Hercule,* noble valse-hésitation entre le vice et la vertu, trouve ici une interprétation très lyrique ; quant à la *Danse macabre,* il n'y manque pas un squelette dans cette version britannique ! En complément des quatre poèmes symphoniques, une non moins bonne version de la *Marche héroïque,* qui eut son heure de gloire.

* Orch. de Paris, Pierre Dervaux. EMI VSM C 069-12.045. ⌧ C 269-12.045.

Belles interprétations, claires et poétiques, de Louis Fourestier à la tête d'un orchestre honorable. Prix modéré et couplage généreux.

Pierre Dervaux, mieux enregistré et disposant d'un orchestre supérieur, ne retrouve pas tout à fait la fluidité et la clarté de son aîné. Le disque, inscrit en catégorie artistique, coûte près de trois fois plus cher que le disque Trianon et dure moins longtemps. Seul avantage, la stéréo.

Danse macabre, poème symphonique op. 40.

*** Orch. Symph. NBC, Arturo Toscanini. RCA VL 42.950 (3 d.). Mono. Enregistré en 1952. + *Symphonie avec orgue. Bizet : Carmen, extrait : 2e suite. Debussy : Iberia, La Mer. Dukas : L'Apprenti sorcier. Franck : Psyché. Ravel : Daphnis et Chloé, 2e suite.*

*** Orch. Symph. de Detroit, Paul Paray. Philips 6511.031. ⌧ 7301.002. + *Carnaval des animaux, Havanaise, Introduction et Rondo Capriccioso, Marche Héroïque, Samson et Dalila, (extrait : Bacchanale), Suite Algérienne (extrait : Marche militaire française).*

* Orch. National de l'ORTF, Jean Martinon. Erato STU 70.631. + *Le Rouet d'Omphale, Symphonie avec orgue.*

Précis, rugueux, Toscanini s'enflamme et mène son orchestre tambour battant dans les ténèbres très carton-pâte de Saint-Saëns. Prise de son mono d'une clarté et d'une définition en situation, pour rendre avec réalisme les cliquetis inquiétants des squelettes.

Paul Paray dirige avec une précision et une économie de moyens admirables. Interprétation plus fondue, moins «grand guignol» que celle de Toscanini, mais tout aussi efficace à rendre l'atmosphère fuligineuse du poème symphonique.

On ne peut rien reprocher à Jean Martinon : tout est supérieurement bien fait, mais inexplicablement, on n'y croit pas autant qu'avec Toscanini ni Paray. Est-ce le fait d'une prise de son trop ouatée ? Sans doute.

Six Etudes pour piano op. 52. Six Etudes pour piano op. 111.

*** François-René Duchâble (piano). EMI VSM C 069-16.423. Enregistré en 1979. + *Valse mignonne op. 104, Valse gaie op. 135, Allegro appassionato, Mazurka op. 66.*

François-René Duchâble, dans ces pièces toujours conduites d'une main sûre, où la pureté de la forme et de l'écriture tient en laisse l'émotion sans pour autant l'affadir, a compris la nécessité d'aborder ce répertoire d'une façon très spécifique. A cette fin, il le situe entre deux tendances, l'une romantique, l'autre nerveuse et impérieuse. Suivant le modèle du compositeur lui-même, il reste fidèle à la virtuosité discursive, à l'émotion qui s'exprime clairement, sans pathos ; et sans cesse il nous intéresse, sollicite notre adhésion par l'intelligence, la tendresse, l'humour et la perfection de sa technique.

Havanaise pour violon et orchestre op. 83. Introduction et Rondo Capriccioso pour violon et orchestre op. 28.

*** Ithzak Perlman (violon), Orch. de Paris, Jean Martinon. EMI VSM C 069-01.635. ⌧ C 269-02.635. + *Chausson : Poème pour violon. Ravel : Tzigane.*

*** Pierre Amoyal (violon), Orch. New Philharmonia, Vernon Handley. Erato STU 70.985. ⌧ MCE

70.985. Enregistré en 1976. + *Concerto pour violon n° 3.*

*** Arthur Grumiaux (violon), Orch. Concerts Lamoureux, Manuel Rosenthal. Philips 5835.184. + *Lalo : Symphonie espagnole.*

Perlman joue simple, droit, sans fioriture, sans vaine démonstration de virtuosité, et Martinon l'accompagne avec un soin et une attention qui tiennent du miracle. Le reste du programme est intelligemment conçu et bénéficie de la même qualité d'interprétation.

Amoyal joue lui aussi simple et droit, avec une sonorité peut-être un peu plus belle, en tout cas plus ronde, que celle de Perlman. Il n'y a rien à dire de l'accompagnement de Vernon Handley, si ce n'est qu'il est efficace et discret.

Grumiaux, ou le triomphe du style. Une sonorité devenue légendaire, une chaleur et une simplicité réconfortantes, voilà quelques-unes des qualités de ce violoniste belge. Rosenthal lui donne un accompagnement d'orchestre à sa mesure. La prise de son, datant d'une quinzaine d'années, est la plus réussie des trois en présence.

Samson et Dalila, opéra.

*** José Luccioni (Samson), Hélène Bouvier (Dalila), Paul Cabanel (le Grand Prête), Charles Cambon (Abimelech), Henri Médus (le vieillard hébreu), Ch. et Orch. Opéra de Paris, Louis Fourestier. EMI VSM C 153-10.617/9 (3 d.). Mono (origine 78 t.). Enregistré en 1946.

*** Placido Domingo (Samson), Elena Obraztsova (Dalila), Renato Bruson (le Grand Prêtre), Pierre Thau (Abimelech), Robert Lloyd (le vieillard hébreu), Ch. et Orch. de Paris, Daniel Barenboïm. DG 2709.095 (3 d.). ⌧ 3371.050 (3 c.). Enregistré en 1978.

** Jon Vickers (Samson), Rita Gorr (Dalila), Ernest Blanc (le Grand Prêtre), Anton Diakov (Abimelech, le vieillard hébreu), Ch. René-Duclos, Orch. Opéra de Paris, Georges Prêtre. EMI VSM C 167-12.837/9 (3 d.).

* James King (Samson), Christa Ludwig (Dalila), Bernd Weikl (le Grand Prêtre), Richard Kogel (Abimelech), Alexander Malta (le vieillard hébreu), Ch. Radio Bavaroise, Orch. Radio Munich, Giuseppe Patané. Eurodisc 86.977 (3 d.). Quadri. Enregistré en 1973.

Un Samson un peu fruste et à la voix dure, une Dalila sublime qui, contrairement à toutes ses rivales au disque, poitrine peu, un Grand Prêtre impressionnant, un orchestre malheureusement trop effacé, et par-dessus tout, une diction parfaite qui fait que l'on n'a jamais besoin du livret pour comprendre ce qui se dit, chaque syllabe étant prononcée avec une clarté confondante.

Un Samson à la dimension humaine, une Dalila vulgaire et parfaitement incompréhensible, un Grand Prêtre impressionnant, et enfin une direction d'orchestre d'une subtilité étonnante mettent cette interprétation au même niveau que la version Fourestier, et pour des qualités exactement contraires. La réalisation technique est évidemment très supérieure à celle des disques 78 tours de la version Fourestier.

Un Samson poignant, à la voix ingrate et à la prononciation approximative, une Dalila superbe de vérité psychologique mais à la voix un peu dure, un Grand Prêtre inquiétant à souhait donneraient à cette version valeur de référence, mais la direction d'orchestre, d'une lourdeur effrayante, en empêche.

Un Samson un peu trop joli, sans grande caractérisation, une Dalila suave et dont la voix bouge dangereusement, un Grand Prêtre sans grande caractérisation ne peuvent être rachetés par une direction d'orchestre élégante, qui sait éviter les pièges de l'exotisme de pacotille.

Septuor pour trompette, deux violons, alto, violoncelle, contrebasse et piano en mi bémol majeur op. 65.

** Maurice André (trompette), Trio à Cordes Français, Jean-Philippe Collard (piano) et Solistes. EMI VSM C 069-14.148. ⌧ C 269-14.148. Quadri.

Dans la version de Maurice André, on retrouve la perfection de l'interprétation précédente, mais on chercherait en vain son humour : tout est sérieux, droit, le piano de Jean-Philippe Collard n'est pas aussi étincelant et ne mène pas le discours comme il le devrait.

Sonate pour basson et piano op. 168. Sonate pour clarinette et piano op. 167. Sonate pour hautbois et piano op. 166.

*** Maurice Allard (basson), Maurice Gabaye (clarinette), Maurice Bourgue (hautbois), Annie d'Arco (piano). Calliope CAL 1817/9 (3 d.). Enregistré en 1976. + *Cavatine pour trombone, Romance pour cor, Sonates nos 1 et 2 pour violon et piano, Sonates nos 1 et 2 pour violoncelle et piano.*

L'Ecole française de vents montre une fois de plus sa supériorité. Que faut-il admirer ici ? La luminosité de l'émission, la clarté de l'articulation, ou la chaleur d'un discours qui voit Saint-Saëns renouer avec les clavecinistes ? Annie d'Arco est parfaite, son accompagnement est un modèle de discrétion. La prise de son, d'une clarté aérienne, met admirablement bien en valeur le jeu de nos instrumentistes. Ils le méritent.

Sonate pour violon et piano n° 1 op. 75. Sonate pour violon et piano n° 2 op. 102. Sonate pour violoncelle et piano n° 1 op. 32. Sonate pour violoncelle et piano n° 2 op. 123.

** Michel Benedetto (violon), André Navarra (violoncelle), Annie d'Arco (piano). Calliope CAL 1817/9 (3 d.). Enregistré en 1973. + *Cavatine pour trombone, Romance pour cor, Sonate pour basson et piano, Sonate pour clarinette et piano, Sonate pour hautbois et piano.*

Michel Benedetto n'a pas l'ampleur, la beauté de son des plus grands, mais il détaille bien un discours souvent inutilement alambiqué. André Navarra a toujours ce son rauque et chaud qui transfigure ces Sonates et leur donne une couleur romantique nullement déplacée. Quant à Annie d'Arco, elle apporte un soutien efficace par sa netteté rythmique et sa discrétion aux deux solistes.

Les 5 Symphonies.

** Orch. National de France, Jean Martinon, Bernard Gavoty (orgue). EMI VSM C 167-12.585/7 (3 d.). Enregistré en 1975.

Une interprétation sage et mesurée, un orchestre assez mal capté, avec une dynamique un peu trop comprimée. Cela dit, Jean Martinon met bien en valeur le classicisme de ces Symphonies, dont certaines n'ont été éditées qu'en 1974. L'architecture est bien dégagée, les lignes sont nettes, mais il manque un peu de flamme et d'engagement pour que nous soyons convaincus.

Symphonie n° 3 avec orgue en ut mineur op. 78.

❀*** Marcel Dupré (orgue), Orch. Symph. de Detroit, Paul Paray. Philips 6570.806. ⊠ 7310.806.

*** Marie-Claire Alain (orgue), Orch. National de l'ORTF, Jean Martinon. Erato STU 70.631. + *Danse macabre ; Le Rouet d'Omphale.*

** Peter Hurford (orgue), Orch. Symph. de Montréal, Charles Dutoit. Decca 591.289. Enregistré en 1982.

** Gaston Litaize (orgue), Orch. Symph. de Chicago, Daniel Barenboïm. DG 2530.619. ⊠ 3300.619. Enregistré en 1975.

Avec Dutoit, nous trouvons une certaine sagesse ; les tempos sont vifs, les crêtes raisonnablement acérées et, pour tout dire, le style plus sobre que souvent ailleurs. Cette veine réfléchie, tendre, dominée, rappelle Paul Paray ou Jean Martinon, cela sans paraître pour autant timide, apprêté ou emprunté : le Finale, grandiose et large de ton, donne en effet toute sa puissance à ce superbe édifice, en nous invitant à admirer l'audace de l'architecte et la somptueuse palette du peintre.

La version de Paray demeure inégalée pour sa logique, sa grandeur et son élan irrésistible. On pourra trouver que l'orchestre n'a pas une sonorité toujours très belle (loin de là !) et que ses premiers violons sont parfois à la limite de la justesse ; mais Paul Paray le galvanise et l'entraîne avec un brio et une évidence qui laissent loin derrière ces broutilles. Quant à l'orgue, il est tenu par Marcel Dupré qui en joue avec la discrétion qui est de mise ici. Historique.

Avec Martinon, clarté des lignes, ampleur de la conception, rigoureuse mise en place, tout y est, ou presque ; il ne manque que l'élan de Paul Paray et de ses musiciens américains. L'orgue est tenu par Marie-Claire Alain avec effacement, et c'est tant mieux, puisqu'il ne doit être qu'une couleur parmi d'autres.

Tout serait parfait dans l'enregistrement de Barenboïm si l'orgue, enregistré à Chartres pendant que l'orchestre l'était à Chicago, ne transformait pas cette Symphonie avec orgue en concerto pour orgue et orchestre. Dommage, en effet, car on a ici la grandeur, le souffle, la perfection de la mise en place, la beauté de l'orchestre et de la prise de son. Ne pourrait-on remixer la bande.

Trio pour piano, violon et violoncelle en fa majeur op. 18.

*** Emile Guilels (piano), Leonid Kogan (violon), Mstislav Rostropovitch (violoncelle). Mélodia. Chant du Monde CM 03.949 (étr.). + *Mozart : Trio pour piano, violon et violoncelle KV 254.*

** Groupe Instrumental de Paris. EMI VSM C 065-12.075 (sup.). + *Quatuor pour piano et trio à cordes op. 41.*

Virtuosité aérienne, clarté des plans sonores, finesse d'expression, tout concourt dans la version Guilels à épurer, à alléger un discours étrangement schumannien.

L'intérêt du disque du Groupe Instrumental de Paris tient avant tout à son programme. Celui-ci réunit deux œuvres de musique de chambre de Saint-Saëns dans une interprétation alerte, qui va droit au but et qui en étonnera plus d'un par sa subtilité et sa franchise de ton.

Salieri, Antonio
(1750-1825)

2 Concertos pour piano et orchestre, en si bémol majeur et en ut majeur.

** Aldo Ciccolini (piano), I Solisti Veneti, Claudio Scimone. Italia ITL 70.028.

Ciccolini cherche dans ces Concertos la vérité d'expression, exempte de toute facilité, qui caractérise la musique de Salieri. Sans pathos romantique, sans lyrisme dégoulinant, son jeu sobre mais virtuose trouve d'instinct le ton juste. Même souci chez Scimone, que l'on sent attentif, discret, retenu. Les deux interprètes sont à l'écoute l'un de l'autre. Ils se comprennent, découvrent ensemble des jardins cachés qu'ils visitent pudiquement, sans rien déranger.

Sammartini, Giovanni Battista
(1698-1775)

6 Symphonies pour cordes, n°s 1, 3, 6, 13, 16, 19.

** Camden Chamber Orchestra, John Lubbock. Oryx 1705 (USA/RFA). Enregistré en 1970.

Découvrir Sammartini par Lubbock, c'est la joie des tempos alertes et bondissants, le plaisir simple de la danse. Le danger de la mièvrerie galante est heureusement évité. Les nuances sont sobres, les contrastes mesurés, les articulations claires. Tout cela manque peut-être un peu de chaleur pour atteindre la perfection. Mais peut-être ne peut-on pas demander à un Anglais de chanter à l'italienne.

5 Symphonies pour cordes, n°s 7, 15, 30, 50, 73.

*** Orch. de l'Angelicum de Milan, Newell Jenkins. Nonesuch H 71162 (USA). Enregistré en 1973.

Newell Jenkins, musicien et musicologue spécialiste de Sammartini, aime ces Symphonies sur lesquelles il s'est longuement penché. Cela se sent. Tout est en place dans cette interprétation splendide où le chant éperdu des archets, le choix bienvenu des tempos et la réalisation classique de la basse continue ne laissent place à aucune critique. Composées de 1720 à 1760, ces Symphonies nous offrent un éventail de l'évolution stylistique chez Sammartini.

Sarasate, Pablo de
(1844-1908)

Airs bohémiens op. 20.

❀*** Itzhak Perlman (violon), Orch. Symph. de Pittsburgh, André Previn. EMI VSM C 069-02.938. Quadri. Enregistré en 1977. + *Goldmark : Concerto pour violon.*

Un véritable héroïsme de virtuosité, avec Perlman qui, tout en jouant à fond le jeu de l'âme tzigane, l'épure de tout effet d'estrade et l'exalte avec conviction. En couplage, une merveille : le Concerto en la mineur de Karl Goldmark, brillant, chaleureux, d'un style parfait. L'orchestre est élevé par André Previn bien au-dessus du rôle du faire-valoir. Au total, un disque de violon absolument exemplaire.

Huit danses espagnoles pour violon et piano. Navarraise pour deux violons op. 33.

** Alfredo Campoli, Belinda Bunt (violon), Daphne Ibbott (piano). Oiseau-Lyre DSLO 22 (G-B).

Ce disque est aussi beau sur le plan artistique que parfaitement réalisé. La présence du violoniste, aujourd'hui septuagénaire, Alfredo Campoli, le rend particulièrement intéressant : en effet, cet artiste semble être resté dans la tradition directe de Sarasate, conservant ce style chaleureux et capiteux, et au besoin, ne négligeant pas quelques glissandos pour émouvoir plus sûrement. Un Sarasate servi avec beaucoup de charme.

Satie, Erik
(1866-1925)

Anthologie «Monsieur Erik Satie» : En habit de cheval, La mort de Socrate, Parade, Trois petites pièces montées, Avant-dernières pensées, Embryons desséchés, Gnossienne n° 1, Gymnopédie n° 1, Trois Morceaux en forme de poire, Pièces froides (extraits), Sarabande n° 1.

*** Denise Monteil (s), Orch. National de l'ORTF, Manuel Rosenthal, Georges Auric et Jacques Février (piano). Textes de Satie dits par Pierre Bertin. Adès 19.011 (2 d. + 1 d. 17 cm).

Anthologie : Trois petites pièces montées, Le piège de Méduse, Embryons desséchés, Les Pantins dansent, La Belle excentrique, Entracte cinématographique, Parade.

** Ensemble Die Reihe, Friedrich Cerha. Orch. de Radio-Luxembourg, Louis de Froment. Candide-Vox CE 31.018 (étr.). Enregistré en 1970.

L'album intitulé «Monsieur Erik Satie» est une excellente introduction à l'œuvre du Maître d'Arcueil. Les différents aspects de cette œuvre, y compris la littérature (grâce à Pierre Bertin), sont mis en lumière. On trouve ici les meilleures interprétations de *Parade* et des *Trois petites pièces montées.* La rencontre de Georges Auric et de Jacques Février dans les *Morceaux en forme de poire* est un rare document, et l'on ne peut qu'admirer l'intelligence, la finesse de Jacques Février dans les œuvres pour piano, en regrettant qu'il ne s'agisse là que d'une anthologie, car une intégrale par ce même interprète eût été la bienvenue.

Louis de Froment (dirigeant *Parade*) et Friedrich Cerha (pour les autres œuvres) proposent une anthologie de la musique pour orchestre d'Erik Satie, dont le mérite est de réunir à des pages très connues comme *La Belle excentrique*, les danses du *Piège de Méduse* (dans l'instrumentation originale) et l'*Entracte* écrit pour accompagner le film de René Clair projeté entre les deux parties de *Relâche*. Friedrich Cerha donne beaucoup de vie et de relief à ses interprétations. On souhaiterait que cet enregistrement soit diffusé en France.

Anthologies d'œuvres pour piano : Gymnopédie n° 1, Sarabande n° 2, Gnossienne n° 3, Prélude de la Porte héroïque du ciel, Fête donnée par des Chevaliers normands en l'honneur d'une jeune demoiselle, Avant-dernières pensées, Descriptions automatiques, Croquis et agaceries d'un gros bonhomme en bois (n^{os}1 et 2).

❁*** Francis Poulenc (piano). BAM LD 023 (sup.). Mono. 25 cm.

Anthologie d'œuvres pour piano : Gymnopédies n°s 1, 2, 3, Nocturnes n°s 1, 2, 3, Gnossiennes n°s 1, 2, 3, Avant-dernières pensées, Je te veux, Prélude de la porte héroïque du ciel, Les trois valses distinguées du précieux dégoûté, Poudre d'or.

*** France Clidat (piano). Forlane UM 3514. Enregistré en 1979.

Anthologie d'œuvres pour piano : Avant-dernières pensées, Embryons desséchés, Trois Gnossiennes et deux nouvelles Gnossiennes, Trois Gymnopédies, Sarabandes nos 1 et 3, Nocturne n° 1, Sonatine bureaucratique, Les trois valses distinguées du précieux dégoûté.

*** Daniel Varsano (piano). CBS 61.874. ⌧ 40-61.874. Enregistré en 1979.

Francis Poulenc joue la musique de piano de Satie avec le poids d'une sonorité généreuse, la gravité d'une compréhension en profondeur, le relief, les couleurs, les contrastes que lui suggèrent sa vision d'artiste. Un accident technique nous a privés d'*Españana*, 3e pièce des *Croquis et Agaceries*. Mais ces interprétations des *Descriptions automatiques* et des *Avant-dernières pensées*, modèles d'humour poétique, nous dédommagent. Cet enregistrement, réédité, puis à nouveau disparu, est un «classique» dont l'absence actuelle au catalogue français est incompréhensible. A quand sa diffusion régulière en France, dans la réédition moderne que mérite cet enregistrement à proprement parler historique ?

Après s'être illustrée par une remarquable intégrale du piano de Liszt, France Clidat prouve qu'elle n'est pas qu'une virtuose en jouant Satie avec un style et un naturel irréprochables. Les pièces humoristiques sont d'un goût parfait, les autres brillent par une discrétion et une sensibilité qui font de cette pianiste l'une des meilleures interprètes du Maître d'Arcueil.

L'anthologie de Daniel Varsano est bien composée, et ses interprétations ont beaucoup de délicatesse et de fraîcheur. L'esprit critique d'Erik Satie (la parodie de la grande musique) trouve en lui un complice averti.

Cinéma (Entracte de Relâche). Sonnerie pour éveiller le roi des singes. Musique d'ameublement. Vexations.

* Pierre Thibaud, Bernard Jeannoutot (trompettes), Michel Dalberto (piano), Ensemble Ars Nova, Marius Constant. Erato STU 71.336. Enregistré en 1980.

Etant donné que *Cinéma*, pièce de résistance de cet enregistrement, se trouvera entouré du reste de l'œuvre (le ballet *Relâche*) dans d'excellentes versions, et que les autres morceaux proposés ici ne sont que poussières de quelques mesures dont la répétition remplit à bon compte toute une face, on conseillera au discophile d'éviter les frais d'un humour satien poussé un peu trop loin.

Trois Gymnopédies (version originale pour piano).

*** Jean-Joël Barbier (piano). BAM 5.093. + *Intégrale de l'œuvre pour piano.*

*** Aldo Ciccolini (piano). EMI VSM C 069-10.780. ⌧ C 269-10.780. + *Intégrale de l'œuvre pour piano, vol. 1.*

** Daniel Varsano (piano). CBS 61.874. ⌧ 40-61.874. + *Anthologie d'œuvres pour piano.*

Trois Gymnopédies (version orchestrée : nos 1 et 3 par Claude Debussy, n° 2 par Roland-Manuel).

** Orch. de l'Opéra de Covent Garden, John Lanchbery. EMI VSM C 069-03.500. Enregistré en 1978. + *Préludes posthumes, Trois Gnossiennes, Trois Morceaux en forme de poire, Jack in the box.*

Gymnopédies nos 1 et 3 (version orchestrée par Claude Debussy).

** Orch. Phil. Royal, Philippe Entremont. CBS 75.915. + *Parade, Relâche.*

C'est une conception grave, émue, que celle de Jean-Joël Barbier. Il ne recherche pas le charme, mais la profondeur, la pureté.

Il y a plus de charme chez Aldo Ciccolini. Moins de profondeur aussi. Mais une grâce qui n'exclut pas la pureté.

Avec une sonorité raffinée, dans un sentiment de délicate mélancolie, Daniel Varsano met en valeur les harmonies subtiles qui faisaient de Satie, en 1888, un musicien d'avant-garde.

Le mérite de John Lanchbery est de proposer les *Trois Gymnopédies* dans les orchestrations de Claude Debussy et de Roland-Manuel, toutes trois d'une incomparable séduction.

Dans une conception moins hédoniste, il y a plus d'émotion chez Philippe Entremont à qui l'on doit, d'autre part (dans ce même enregistrement), une excellente version de *Relâche*, œuvre située exactement à l'autre pôle de la vie et de l'œuvre de Satie. Mais ici ne figurent que les *Gymnopédies* (nos 1 et 3) orchestrées par Claude Debussy.

Intégrale de l'œuvre pour orchestre : Gymnopédies nos 1 et 3 (orchestrées par Claude Debussy), Le Fils des Etoiles (orchestré par Roland-Manuel), Deux Préludes posthumes et une Gnossienne (orchestrés par Francis Poulenc), Jack in the Box (orchestré par Darius Milhaud), Trois Morceaux en forme de poire (orchestrés par Roger Désormière), En habit de cheval, Cinq grimaces pour un songe d'une nuit d'été, Parade, La Belle excentrique, Les Aventures de Mercure, Relâche.

** Orch. Symph. de l'Utah, Maurice Abravanel. Vanguard Cardinal VCS 10.037/38 (2 d.) (USA). Enregistré en 1968.

Cette «intégrale» de l'œuvre pour orchestre d'Erik Satie n'est pas complète. Manquent, en effet, les *Petites pièces montées* et *Entracte*. Mais elle inclut *Le Fils des étoiles*, dans l'orchestration de Roland-Manuel, et les *Cinq grimaces pour un songe d'une nuit d'été* dont il n'existe pas, à notre connaissance, d'autres enregistrements. Cela justifierait sa distribution en France, compte tenu de la qualité des interprétations qui se révèlent, sinon exceptionnelles, du moins d'un niveau très acceptable, et fidèles, dans l'ensemble, à l'esprit de la musique d'Erik Satie. Technique sonore moyenne.

Intégrale de l'œuvre pour piano : Quatre Ogives, trois Sarabandes, Trois Gymnopédies, Six Gnossiennes, Trois Préludes du Fils des Etoiles, Sonneries de la Rose + Croix, Prélude d'Eginhard, Fête donnée par des Chevaliers normands en l'honneur d'une jeune demoiselle, Prélude du Nazaréen, Prélude de la Porte héroïque du Ciel, Pièces froides, Petite Ouverture à danser, Je te veux, Poudre d'or, Le Piccadilly, Trois morceaux en forme de poire (4 mains), Passacaille, Songe creux, Prélude en tapisserie, Aperçus désagréables (4 mains), En habit de cheval (4 mains), Nouvelles pièces froides, Deux rêveries nocturnes, Préludes flasques (pour un chien), Véritables préludes flasques (pour un chien), Descriptions automatiques, Embryons desséchés, Croquis et agaceries d'un gros bonhomme en bois, les trois Valses distinguées du précieux dégoûté, Chapitres tournés en tous sens, Vieux sequins et vieilles cuirasses, Menus propos enfantins, Enfantillages pittoresques. Peccadilles importunes, Heures séculaires et instantanées, Sports et divertissements, Avant-dernières pensées, Sonatine bureaucratique, Cinq Nocturnes, Premier Menuet, La Belle excentrique (4 mains).

*** Jean-Joël Barbier (piano). Avec Jean Wiener pour les pièces à quatre mains. BAM CALB 64/68 (5 d.). Ou BAM 5093, 5111, 5762, 5779, 5844 (5 d. séparés). Enregistré de 1965 à 1971.

Intégrale de l'œuvre pour piano. Vol. 1. : Trois Gymnopédies, Heures séculaires et instantanées, Les trois Valses distinguées du précieux dégoûté, Avant-dernières pensées, Trois Gnossiennes, Trois morceaux en forme de poire (4 mains), Croquis et agaceries d'un gros bonhomme en bois. Vol. 2 : La Belle excentrique (4 mains), Descriptions automatiques, Véritables préludes flasques (pour un chien), Vieux sequins et vieilles cuirasses, En habit de cheval (4 mains), Sports et divertissements, Chapitres tournés en tous sens, Aperçus désagréables (4 mains). Vol. 3 : Embryons desséchés, Trois Sarabandes, Préludes flasques (pour un chien), Rêverie, Les pantins dansent, Passacaille, Le piège de Méduse, Menus propos enfantins, Enfantillages pittoresques, Peccadilles importunes, Pièces froides, Prélude en tapisserie. Vol. 4 : Le Fils des étoiles, Trois nouvelles Gnossiennes, Nouvelles pièces froides, Petite ouverture à danser, Quatre préludes, Première pensée et Sonneries de la Rose Croix, Deux rêveries nocturnes. Vol. 5 : Jack in the box, Six pièces de la période 1906-1913, Prélude de la porte heroïque du Ciel, Musiques intimes et secrètes, Carnet d'esquisses et de croquis, Premier menuet, Nocturnes nos 4 et 5. Vol. 6 : Danses gothiques, Douze petits chorals, Quatre Ogives, Pages mystiques (Prière, Vexa-

tions, Harmonies), Poudre d'or, Sonatine bureaucratique, Trois petites pièces montées (4 mains).

*** Aldo Ciccolini (piano). Vol. 1 : EMI VSM C 069-10.780. ⌧ C 269-10.780. Vol. 2 : EMI VSM C 069-11.314. ⌧ C 269-11.314. Vol. 3 : EMI VSM C 069-11.315. ⌧ C 269-11.315. Vol. 4 : EMI VSM C 069-11.004. ⌧ C 269-11.004. Vol. 5 : EMI VSM C 069-11.023. Vol. 6 : EMI VSM C 069-11.024. Enregistré de 1967 à 1971.

Jean-Joël Barbier n'a pas enregistré une intégrale complète. Ses omissions sont volontaires, car il n'a retenu, parmi les inédits d'Erik Satie exhumés par Robert Caby, que les pages qui lui ont paru «achevées». Dans la même optique, il a exclu de cette intégrale certaines pages (*Danses gothiques*) publiées peu de temps après la mort du compositeur. Les pièces à quatre mains sont enregistrées avec le concours de Jean Wiener, qui fut l'ami d'Erik Satie. Jean-Joël Barbier met en valeur les harmonies rares, raffine sur la sonorité et fait ressortir la beauté de la ligne mélodique. Il joue Satie plutôt gravement et dans les pièces «humoristiques», moins nombreuses en réalité qu'on ne serait tenté de le croire, il pratique un humour d'essence poétique qui fait apparaître «une sorte de théâtre intérieur». D'une remarquable tenue, cette intégrale est probablement aussi la meilleure introduction à l'œuvre, à l'esprit et à la poétique du Maître d'Arcueil.

Aldo Ciccolini a voulu «complète» l'intégrale de l'œuvre de piano de Satie, répartie sur six disques (au lieu de cinq chez Barbier). Il joue les pièces à quatre mains en usant du procédé du «rerecording». Ses interprétations se caractérisent par le brillant, la vivacité, la souplesse rythmique. Aldo Ciccolini apparaît particulièrement à son avantage dans les pièces qui sollicitent la virtuosité (*Sports et divertissements*). Moins heureux dans certaines pages «contemplatives» (*Prélude de la porte héroïque du Ciel*), son approche de la musique de Satie ne manque pas, toutefois, de profondeur, ainsi qu'en témoigne l'interprétation des *Nocturnes*. Choisir entre Barbier et Ciccolini est affaire de goût personnel. Le premier est davantage «poète», le second plus «pianiste». Toutefois, si Ciccolini est le plus complet en ce qui concerne le programme, Barbier est celui qui est allé le plus loin quant à l'assimilation de l'univers poétique d'Erik Satie. Les six disques de cette édition intégrale sont régulièrement disponibles, et il est plaisant de noter que le 1er Volume, avec les *Gymnopédies*, a conquis la popularité auprès des mélomanes.

Mélodies : Daphénéo, La Statue de bronze, Le Chapelier, Ludions.

*** Hugues Cuénod (t), Geoffrey Parsons (piano). Nimbus 2112. Quadri. Enregistré en 1977. + *Mélodies de Chabrier, Caplet, Honegger, Menasce.*

Mélodies : Daphénéo, La Statue de bronze, Le Chapelier, Je te veux.

*** Jessye Norman (s), Dalton Baldwin (piano). Philips 9500.356. Enregistré en 1977. + *Mélodies de Duparc, Ravel, Poulenc.*

Mélodies : Daphénéo, La Statue de bronze, Le Chapelier.

*** Jane Bathori (s), Darius Milhaud (piano). EMI VSM 50.030 (sup.). Mono (origine 78 t.). + *Mélodies de Debussy, Milhaud, Ravel.*

Mélodies : Chanson, Chanson médiévale, Les fleurs, Daphénéo, Le Chapelier, La Diva de l'Empire, Les Anges, Elégie, Sylvie.

** Mady Mesplé (s), Aldo Ciccolini (piano). EMI VSM C 069-12.804. Enregistré en 1974. + *Geneviève de Brabant, Messe des pauvres.*

Mélodies : Ludions, Trois poèmes d'amour, Quatre petites mélodies, Tendrement.

** Mady Mesplé (s), Gabriel Bacquier (bar), Nicolaï Gedda (t), Aldo Ciccolini (piano). EMI VSM C 069-10.749. ⌧ C 269-10.749. Enregistré en 1970. + *Le Piège de Méduse, Choses vues à droite et à gauche, Les Pantins dansent.*

Mélodies : Le Chapelier, Tendrement, Daphénéo, L'Omnibus automobile, La Statue de bronze, Je te veux, Chanson du chat, La Diva de L'Empire.

** Régine Crespin (s), Philippe Entremont (piano). CBS 76.967. Enregistré en 1979.

Une voix souple, d'une fraîcheur inaltérable, une musicalité raffinée, une diction parfaite (celle d'un comédien accompli), tels sont les atouts dont Hugues Cuénod, admirablement accompagné par Geoffrey Parsons, dispose pour nous offrir un modèle d'interprétation satiste.

La grande voix de Jessye Norman prête son prestige aux mélodies de Satie. Le style est excellent, la diction impeccable, Dalton Baldwin est le merveilleux accompagnateur que l'on sait.

Publié dans la collection des «Voix Illustres», le repiquage des disques 78 tours de Jane Bathori est beaucoup plus qu'un document. La grande cantatrice française avait créé les trois mélodies enregistrées ici, et l'on retrouve la franchise, la netteté qui caractérisaient ses interprétations. Au piano, Darius Milhaud : la finesse même. On aimerait que ce disque soit à nouveau disponible.

Mady Mesplé (*Ludions*), Gabriel Bacquier (*Poèmes d'amour*), Nicolaï Gedda (*Tendrement, Quatre petites mélodies*) chantent Satie. Mady Mesplé, avec esprit. Gabriel Bacquier, avec une sobriété surprenante. Nicolaï Gedda, avec le raffinement qu'on lui connaît, mais aussi un peu d'affectation.

Mady Mesplé et Aldo Ciccolini s'aventurent en des chemins peu frayés, nous faisant découvrir des mélodies de jeunesse d'Erik Satie. On leur en est reconnaissant. Et les interprétations servent fort bien ces œuvres qui méritaient de sortir de l'oubli.

On ne peut qu'admirer le style et le «chic» de Crespin, même si son Satie ne paraît pas assez simple dans certaines pièces. *L'Omnibus*, inédit, est fort drôle. Philippe Entremont s'acquitte merveilleusement de son rôle d'accompagnateur, ne cherchant jamais à briller pour son compte. L'autre moitié de ce disque est consacrée aux *Histoires Naturelles* de Ravel, que ces deux interprètes donnent dans une version de grande classe.

Mercure, poses plastiques en trois tableaux

** Orch. de Paris, Pierre Dervaux. EMI VSM C 069-11.677. Enregistré en 1977. + *Socrate.*

Mercure, ballet qui réunit des inconciliables (la mythologie et le music-hall), n'est pas parodique à la manière d'Offenbach, mais «scandaleux» à la manière de Picasso. Pierre Dervaux dirige avec la franchise et la vivacité souhaitables. Toutefois, le couplage avec un *Socrate* dialogué qui est un contre-sens esthétique dessert quelque peu cet enregistrement.

Messe des pauvres.

*** Ch. René-Duclos, Jean Laforge, Gaston Litaize (orgue). EMI VSM C 069-12.804. Enregistré en 1974. + *Geneviève de Brabant, Mélodies.*

L'unique version disponible en France de la *Messe des pauvres* est couplée avec *Geneviève de Brabant* et des Mélodies de la période montmartroise de Satie, ce qui est tout à fait logique. De plus, c'est une version irréprochable tant pour le style de l'interprétation, qui revêt la simplicité requise, que pour l'équilibre sonore entre l'orgue et le chœur.

Trois Morceaux en forme de poire, pour piano à quatre mains.

❀*** Francis Poulenc, Jacques Février (piano). Musidisc RC 717. + *Aperçus désagréables, La belle excentrique, En habit de cheval.*

*** Jean-Joël Barbier, Jean Wiener (piano). BAM LD 5.111. Enregistré en 1969 + *La belle excentrique, Nouvelles gnossiennes, Nouvelles pièces froides.*

** Aldo Ciccolini (piano). EMI VSM C 069-10.780. ⊠ C 269-10.780. + *Intégrale de l'œuvre pour piano, vol. 1 : 3 Gymnopédies, Heures séculaires et instantanées, Valses distinguées, Avant-dernières pensées, Croquis et agaceries, 3 Nocturnes.*

Francis Poulenc et Jacques Février jouent les *Morceaux en forme de poire* avec autant de verve que de finesse, autant de respect du texte que de fidélité à l'esprit de Satie. Leurs sonorités s'équilibrent et se complètent avec un rare bonheur. Cette version exemplaire se recommande également par son couplage avec les autres œuvres de Satie pour piano à quatre mains et par le fait qu'elle est publiée en édition économique.

Jean-Joël Barbier et Jean Wiener ont un peu moins de verve que Poulenc et Février, mais leur fidélité au texte et à l'esprit nous vaut une version poétique et sensible des *Morceaux en forme de poire*. Le couplage est un peu moins homogène.

Aldo Ciccolini use du procédé du «rerecording». La solution est en soi contestable : le piano à quatre mains appartient en effet au domaine de la «musique de chambre» et suppose deux partenaires dont les personnalités se complètent. Ici, le résultat est impeccable, mais un peu froid. Et le couplage est encore moins homogène que dans l'enregistrement de Barbier-Wiener.

Parade, ballet réaliste en un tableau, sur un thème de Jean Cocteau.

❀*** Orch. National de l'ORTF, Manuel Rosenthal. Adès 19.011 (2 d.). + *«Monsieur Erik Satie» : Trois petites pièces montées, En habit de cheval, Trois morceaux en forme de poire, Socrate (extrait), 1re Gymnopédie, 1re Sarabande, 1re Gnossienne, Pièces froides (extraits), Embryons desséchés, Croquis et agaceries d'un gros bonhomme en bois, Avant-dernières pensées.*

*** Orch. Société des Concerts du Conservatoire, Louis Auriacombe. EMI VSM C 069-10.440. ⌧ C 269-10.440. Enregistré en 1967. + *Gymnopédies nos 1 et 3, Relâche.*

*** Orch. Phil. Royal, Philippe Entremont. CBS 75.915. + *Gymnopédies nos 1 et 3, Relâche.*

** Orch. Philharmonia, Igor Markevitch. EMI Columbia FCX 357/59 (3 d.) (sup.). Mono. + *«Hommage à Diaghilev» : œuvres chorégraphiques de Weber, Debussy, Ravel, Tchaïkovski, Chopin, Scarlatti, Falla, Prokofiev, Liadov, Stravinski.*

Incluse dans l'anthologie en deux disques qui s'intitule «Monsieur Erik Satie», la version de *Parade* réalisée par Manuel Rosenthal est, à tous égards, exemplaire. Une véritable grandeur, sans emphase, une approche sensible et poétique, une construction rigoureuse, sans raideur, telles en sont les caractéristiques. Ajoutons que cette version, très bien enregistrée, est la seule qui comporte tous les bruitages qui doivent accompagner la musique du ballet.

La version de Louis Auriacombe a moins de relief que celle de Manuel Rosenthal, mais elle est aussi bien construite, réalisant l'assemblage des éléments qui la composent avec toute la rigueur que réclame une esthétique qui s'apparente à celle de la peinture cubiste. Et c'est aussi une version expressive et poétique.

Dans un couplage identique (*Relâche, Gymnopédies*), Philippe Entremont, à l'inverse d'Auriacombe, est plus heureux avec *Relâche*, œuvre d'une tout autre esthétique, qu'avec *Parade* dont la construction, chez lui, n'est pas tout à fait aussi rigoureuse que chez Rosenthal et chez Auriacombe.

Dans le cadre d'un «Hommage à Diaghilev», le premier enregistrement de *Parade* est dû à Igor Markevitch qui a dirigé l'œuvre de Satie avec la rigueur et le goût qu'on lui connaît. Cette gravure mono mériterait d'être rééditée.

Relâche, ballet instantanéiste en deux parties.

*** Orch. Phil. Royal, Philippe Entremont. CBS 75.915. + *Gymnopédies nos 1 et 3, Parade.*

** Orch. Société des Concerts du Conservatoire, Louis Auriacombe. EMI VSM C 069-10.440. ⌧ C 269-10.440. Enregistré en 1967. + *Gymnopédies nos 1 et 3, Parade.*

Relâche, ballet instantanéiste sur un scénario de Francis Picabia, demande une interprétation très souple, décontractée, dans l'esprit du music-hall. C'est ainsi que, pour sa part, semble l'envisager Philippe Entremont à qui l'on ne peut que donner raison. Mais il est dommage de n'avoir pas gravé ici l'intégrale de *Relâche*, incluant la musique que Satie avait composée pour l'*Entracte* cinématographique de René Clair.

La version de Louis Auriacombe, claire, équilibrée, respectueuse du texte, passe légèrement à côté de son esprit qui est à la fois tendre et gouailleur. Le couplage est le même que celui du disque de Philippe Entremont : *Parade* et deux *Gymnopédies*.

Socrate, drame symphonique en trois parties sur des dialogues de Platon traduits par Victor Cousin. Version pour voix et piano.

❀*** Hugues Cuénod (t), Geoffrey Parsons (piano). Nimbus 2104. Quadri. Enregistré en 1977.

Socrate, version pour voix et orchestre.

*** Anne Laloë (s), Orch. anonyme, Henri Sauguet. Cepedic 601 (sup.).

Jane Bathori, qui fut la première interprète de *Socrate* (on regrette qu'elle ne l'ait pas enregistré), disait : «Il faut (le) chanter comme en lisant, sans pathétique et sans monotonie». Ce que demandait Jane Bathori, Hugues Cuénod l'a réalisé. Sa diction est parfaite. Les tempos adoptés lui permettent d'animer le texte. Refusant le pathétique, il a atteint dans *La mort de Socrate* la plus haute émotion. Au piano, Geoffrey Parsons est aussi sobre qu'efficace, C'est là la plus pure, la plus belle version qui nous ait été jusqu'ici proposée d'un chef-d'œuvre dont la simplicité n'est qu'apparente.

La voix d'Anne Laloë est moins souple que celle de Hugues Cuénod. Et sa diction est un peu moins parfaite. Mais, caractérisée elle aussi par la pureté de l'émotion, cette version, où l'orchestre est dirigé par Henri Sauguet, est irréprochable sur le plan stylistique. Et naturellement, l'accompagnement orchestral est préférable au piano seul, ce qui justifierait la réédition de cet enregistrement devenu introuvable.

Sports et divertissements.

*** Aldo Ciccolini (piano). EMI VSM C 069-11.314. ⌧ C 269-11. 314. + *Intégrale de l'œuvre pour piano, vol. 2 : La belle excentrique, Descriptions automatiques, Véritables préludes flasques, Vieux sequins et vieilles cuirasses, En habit de cheval, Chapitres tournés en tous sens, Aperçus désagréables.*

*** Jean Joël Barbier (piano). BAM LD 5.093. ⌧ C 5.093. Enregistré en 1965. + *Airs à faire fuir, Le Fils des étoiles, 3 Gnossiennes, 3 Gymnopédies, Ogives, Sonneries de la Rose + Croix.*

Sports et Divertissements est le plus important recueil pour piano d'Erik Satie (21 petites pièces), et c'est aussi son recueil le plus «pianistique», en ce sens qu'exceptionnellement il réclame une certaine virtuosité. Le jeu brillant et raffiné d'Aldo Ciccolini met en valeur les détails de ces petites pièces que l'on a comparées à des ivoires japonais.

Moins virtuose que Ciccolini, poussant moins loin la recherche du détail, Jean-Joël Barbier s'attache à dévoiler le sens poétique des *Sports et Divertissements* et y réussit fort bien.

Sauguet, Henri
(né en 1901)

Les Forains, ballet. Concerto n° 1 pour piano et orchestre en la mineur.

*** Orch. Lamoureux, Henri Sauguet. Vasso Devetzi (piano), Orch. Symph. de la Radio d'URSS, Guennadi Rojdestvenski. Chant du Monde LDX 78.300.

La présence de Sauguet au pupitre garantit l'authenticité de cette interprétation sensible des *Forains*, d'autant plus émouvante que l'expression en est simple et dépouillée ; mais elle devient vive et spirituelle dans les passages plus détendus. C'est un document de premier ordre, avec un couplage intelligent, qui présente une très bonne version du Concerto n° 1, enregistré à Moscou. La pianiste brille par son goût musical autant que par sa virtuosité, et l'Orchestre de la Radio de l'URSS l'accompagne avec bonheur. A Paris comme à Moscou, la prise de son est de bonne qualité.

Les Forains, ballet. Tableaux de Paris, suite pour orchestre.

** Orch. du Capitole de Toulouse, Michel Plasson. EMI VSM C 069-16.220. Quadri. Enregistré en 1977.

Plasson donne des *Forains* une version où l'on retrouve le tact, la finesse de Sauguet, mais son charme - incontestable - ne peut surpasser l'interprétation si émouvante du compositeur. Il est passionnant de découvrir pour la première fois les *Tableaux de Paris*, flânerie musicale à travers la capitale. De même que Sauguet a su s'élever au-dessus de la simple illustration sonore, Plasson préfère l'atmosphère à la description en recherchant une couleur et une poésie tout intérieures.

Scarlatti, Alessandro
(1660-1725)

Cantate pastorale «Oh di Betlemme».

*** Janet Baker (ms), Orch. de Chambre Anglais, Raymond Leppard.

EMI-Electrola C 063-02.058 (étr.). + *D. Scarlatti : Salve Regina ; Monteverdi : Lamento d'Ariana, extrait du Couronnement de Poppée.*

Janet Baker s'abandonne, dans ce disque admirable, à une superbe puissance d'expression. Son humanité frémissante touche le chœur et transporte sur les hautes cimes. Sa musicalité sans faille est mise en valeur par la remarquable prestation de Raymond Leppard, qui apporte dans les nuances un raffinement extrême, et par les souples récitatifs d'une basse continue variée, alternant le sombre violoncelle et l'orgue solennel. Monteverdi et Domenico Scarlati nous comblent pareillement. Une merveille !

6 Concertos grossos.

*** I Musici. Philips 9500.603. ⌧ 7300.725. Enregistré en 1978.

La fierté justifiée des Musici est de former un authentique quatuor à cordes ; hypertrophié, certes, mais d'une cohésion exceptionnelle. On ne peut, par conséquent, souhaiter de meilleurs interprètes pour ces œuvres exigeantes, où les mouvements fugués demandent un phrasé irréprochable, mettant en valeur chacune des parties. Tour à tour violents, graves, caressants ou joyeux, I Musici donnent la magistrale leçon d'une lecture analytique, fouillée dans le moindre détail.

Les 8 Madrigaux (intégrale).

** Chœur Monteverdi de Hambourg, Jürgen Jürgens. Archiv 2533.300 (RFA). Enregistré en 1974.

Jürgens, grand spécialiste des musiques anciennes, est l'interprète rêvé de ces madrigaux, bijoux de la tradition polyphonique. Stylistiquement, c'est la perfection, résultat d'une présentation musicologique exemplaire. Les voix sont presque blanches, sans vibrato emphatique. La prononciation est soignée, les nuances exceptionnellement travaillées, au détriment peut-être d'une certaine spontanéité chaleureuse. Une vision ascétique de ces polyphonies sévères.

Messe «Santa Cecilia».

*** Elisabeth Harwood (s), Wendy Eathorne (s), Margaret Cable (c), Wynfard Evans (t), Christopher Keyte (b), Ch. de St. John's College de Cambridge, The Wren Orch., George Guest. Argo 596.014. Enregistré en 1978.

Dans cette messe pour jour de fête, on admire par-dessus tout la qualité et la pureté du style que manifeste toute l'équipe réunie autour de George Guest. L'orchestre est nerveux sans jamais incommoder les chanteurs, les chœurs sont parfaitement en place, les solistes abordent avec aisance les exercices d'agilité que l'on exige d'eux. Tout est parfaitement réglé dans un accord intime des voix et des instruments.

La Passion selon St-Jean.

*** René Jacobs (l'Evangéliste), Kurt Widmer (le Christ), Graham Pushea (Pilate) , Les Madrigalistes de Bâle , Ensemble à cordes de la Schola Cantorum Basiliensis. Deutsche Harmonia Mundi 1C 069-99.927 T. Enregistré en 1981.

*** Ensemble Musica Polyphonica, soliste et direction Louis Devos (t). Arion 38.290. Enregistré en 1974.

René Jacobs rend la partie de l'Evangéliste au registre d'alto, comme Scarlatti le prévoyait, et accentue ainsi le constraste de timbre entre la voix du Christ (basse) et le narrateur. Les paroles des juifs, des grands prêtres et des soldats sont chantées par le chœur, selon la tradition. Aucune faute de réalisation, donc. Et quel bel ensemble instrumental ! Sans doute l'interprétation de référence.

Dans cette version de Louis Devos, on ne sait ce qu'il faut le plus admirer : sa direction laisse percer l'émotion sous la retenue, les cordes pudiques sont poignantes, intenses, tout comme la réalisation superbe de la basse partagée entre l'orgue et le clavecin. Ténor au timbre lumineux et transparent, Devos soutient une tension dramatique sans faille. On n'est qu'a peine gêné par les rares interventions, moins prenantes, de la basse chantante qui joue le Christ. Une interprétation sans éclat factice.

San Filippo Neri (oratorio).

** Petre Munteanu (San Filippo), Annamaria Rota (la Foi), Biancamaria Casoni (l'Espérance), Bruna Rizzoli (la Charité), Orch de l'Angelicum de Milan, Franco Caracciolo. Ars Nova VST 6128 (Italie).

L'oratorio *San Filippo Neri*, un des meilleurs de Scarlatti, obéit à des sollicitations d'ordre moral et à des convictions esthétiques remarquables, avec une profonde caractérisation du Saint tourmenté par le doute et par la peine, campé avec force par Munteanu, et une simplicité constante dans l'expression des vertus clairement identifiées. La Charité, Bruna Rizzoli, rayonne. Casani et Rota restent un peu en retrait. L'orchestre de Caracciolo met habilement en relief les sentiments divers qui agitent le chant des solistes. Une réussite.

12 Sinfonie de Concerto Grosso.

** I Musici. Philips 6769.066 (2 d.). Enregistré en 1980.

I Musici se penchent sur les *Sinfonie* en formation élargie : les cordes, plus les vents se combinant au gré des œuvres. Dans les fugues, menées avec une précision à la Münchinger, leur prestation est carrée, solide, avec cependant quelques sourires s'épanouisssant dans les épisodes de concertino. Les vents sont remarquables.

Stabat Mater.

** Mirella Freni (s), Teresa Berganza (ms), Orch. de Chambre Paul Kuentz, Charles Mackerras. Archiv 2533.324. Enregistré en 1975.

Après leur réussite dans le *Stabat* de Pergolese, Freni et Berganza nous proposent celui de Scarlatti. Le miracle ne se renouvelle pas, mais elles n'y sont pour rien : leurs voix dramatiques restent en demi-teinte avec une science exemplaire, même si leur vibrato naturel et leurs trilles nous rappellent parfois l'opéra. La déception vient d'un orchestre sans personnalité, qui s'exprime sans raffinement de nuances, sans esprit. Cette faiblesse n'a toutefois que peu d'importance en regard de la splendeur des voix qui font honneur à l'œuvre.

Il Trionfo dell'onore, opéra.

** Amalia Pini (Leonora), Amadeo Berdini (Riccardo), Rosanna Zerbini (Doriala), Sante Messina (Flaminio), Ornella Rovero (Cornelia), Afro Poli (Rodimarte), Eugenia Zareska (Rosina), Mario Boriello (Erminio), Orch. de la RAI, Carlo-Maria Giulini. Fonit Cetra LPO 2073 (2 d.) Mono.

Giulini a su découvrir, dans les années 50, les beautés de cet opéra incroyablement moderne par la vérité expressive des airs et des récits, qui annoncent parfois Mozart. La phalange vocale est de qualité. Pini, au timbre moelleux rappelant un peu Finnilä, Rovero, malicieux et coloré, poli, rond et bien timbré, sans oublier Messina et Zareska, tellement cocasses. Seuls Berdini, instable et ingrat dans l'aigu, et Zerbini, d'une couleur désagréable, déçoivent. La direction pourrait aussi être un peu enlevée. Le résultat ne manque pourtant pas d'allure. Une réédition s'impose.

Scarlatti, Domenico
(1695-1757)

12 Sonates K. 33, 39, 54, 96, 146, 162, 198, 466, 474, 481, 491, 525.

❁*** Vladimir Horowitz (piano). CBS 75.274.

6 Sonates K. 6, 8, 9, 10, 11, 13, 28.

❁*** Alicia de Larrocha (piano). Decca 390.327. Enregistré en 1979. *+ Soler : Sonates pour clavier.*

14 Sonates K. 3, 52, 183, 184, 191, 192, 193, 208, 209, 227, 238, 239, 252, 253.

*** Gustav Leonhardt (clavecin Martin Skowroneck, d'après J.D. Duelcken, 1745). RCA Séon RL 30.334. Enregistré en 1978.

10 Sonates K. 30, 64, 181, 183, 206, 380, 429, 492.

*** Ruggero Gerlin (clavecin moderne). Musidisc RC 720.

15 Sonates K. 52, 215, 216, 263, 264, 308, 309, 490, 491, 492.

** Gustav Leonhardt (clavecin Martin Skowroneck, d'après J.D. Duelcken, 1745). Deutsche Harmonia Mundi 065-99.615. Enregistré en 1969.

12 Sonates K. 2,5,6,7,9,10,11,16,17,18, 20,29.

** Ton Koopman (clavecin Kroesbergen, d'après Stephanini). Philips 9502.034 (étr.).

30 Sonates K. 1 à 30.

** Scott Ross (clavecin Batt d'après Baffo). Telefunken 6.35487 EK (2 d.). Enregistré en 1977.

15 Sonates K. 115, 124, 132, 133, 208, 209, 215, 216, 238, 239, 481, 490, 491, 492, 513.

** Blandine Verlet (clavecin Hemsch, 1754). Philips 6504.119.

50 Sonates K. 124, 125, 137, 138, 144, 146, 147, 150, 151, 162, 163, 172, 173, 185 à 190, 192, 193, 196, 197, 202, 219, 220, 240, 241, 265, 281, 282, 285, 286, 351, 364, 365, 398, 399, 404, 405, 412, 413, 445, 446, 509, 510, 516, 517, 526, 527.

*** Luciano Sgrizzi (clavecin H. Hemsch, 1755). Erato 9.202 (3 d.). Enregistré en 1979.

13 Sonates pour clavecin K. 124, 99, 201, 87, 46, 95, 204a, 490, 491, 492, 520, 521, 513.

** Trevor Pinnock (clavecin Clayson et Garrett, d'après J.D. Duelcken). CRD 1068. Enregistré en 1980.

S'il est un enregistrement qui fait l'unanimité, c'est bien celui de Horowitz. La pénétration très poussée du pianiste dans l'univers scarlattien s'exprime par un génie digital et interprétatif, qui allie puissance, violence, nerveuse pureté, servant les plus belles Sonates, amoureusement choisies en fonction de l'instrument. «Scarlatti parle aux hommes, pas à Dieu», se plaît à dire Horowitz. C'est infiniment vrai quand ses doigts courent sur le clavier. Un disque impérieux et saisissant.

Alicia de Larrocha, par la simplicité et le naturel de son jeu, par sa virtuosité intériorisée, nous enchante. Quel phrasé, dans les pages expressives ! Dans les pages virtuoses, les notes bondissent, prestes, légères. La technique digitale éblouissante renonce à sa propre finalité pour laisser place à la poésie. Le couplage logique avec les sonates savoureuses du Padre Soler est un régal.

Avec Gustav Leonhardt, c'est un torrent de vie, de nervosité, de joie bondissante qui déferle, comme si «dix mille diables manipulaient l'instrument». Leonhardt se fait l'écho des fêtes nocturnes. Les guitares et les *coplas* sont là, proches, les rythmes se téléscopent, le graphe musical vit et respire. C'est du grand art !

Signé par Ruggero Gerlin il y a plusieurs décennies, ce disque reste un des plus formidables hommages jamais rendus à Scarlatti. Le choix des Sonates est idéal. Le brillant ne fascine pas Gerlin, qui dédaigne les tempos fulgurants, les registres contrastés, la virtuosité aguicheuse. Mais quelle tendresse, quelle poésie ! Que de musique naissant sous ses doigts ! L'instrument n'est pas plaisant, et la prise de son reste grossière. Mais l'interprétation est divine.

Leonhardt refuse avec génie l'avertissement de Scarlatti : «Montrez plus d'humilité que d'esprit critique, et alors s'épanouira votre délectation». Il est inhumain : la précision mathématique de son jeu est presque cruelle. Grâce à une technique fulgurante, il dissèque le matériau, le martyrise, jusqu'à anéantir le contenu musical. Et pourtant, quelle délectation ! Ce n'est sans doute plus Scarlatti, mais un monde déchirant, éminemment expressif et moderne. La prise de son rapprochée, presque glacée, ne fait qu'accentuer le mystère. Démoniaque !

Koopman a fait un choix de Sonates parmi les plus beaux *Essercizi per gravicembalo.* Sa conception est magnifique. D'une simplicité enchanteresse, souple, élégante, mais conservant ce bouillonnement dynamique si séduisant chez Scarlatti, par une certaine fermeté de toucher. Une prise de son trop réverbérée trahit, hélas ! les timbres du clavecin Kroesbergen. L'art de Koopman fait vite oublier ces imperfections techniques.

Scott Ross est le seul claveciniste à offrir l'intégrale des 30 *Essercizi per gravicembalo* de 1738-39. Cette cohésion est un atout, de même que le choix d'une réplique de clavecin vénitien signé Antonio Basso. L'approche de Scott Ross est dépouillée, un peu sévère parfois, avec un toucher à la limite de la dureté. Mais le discours est riche, et l'intérêt reste soutenu tout au long des 30 Sonates.

Comme le dit Blandine Verlet : «Scarlatti n'est pas celui qu'on joue, mais celui avec lequel on joue, on chante, on danse». Son interprétation en est le reflet. Extravertie, mordante, pleine d'humour, à la recherche de timbres rares et de couleurs sensuelles, elle s'amuse et nous fait partager sa joie. Nous sommes complices. Cela manque parfois un peu d'intériorité, mais Dieu que ce clavecin est lumineux ! Un Scarlatti enflammé.

Sgrizzi a ébauché l'enregistrement intégral des 555 Sonates par ce volume, le plus réussi jusqu'à maintenant. A l'actif de son interprétation, une atmosphère détendue, paisible, une simplicité totale acquise après un cheminement de toute une vie auprès de Scarlatti. La sonorité pure, légère, chatoyante du superbe clavecin Hemsch comble nos espérances. Des auditions répétées laissent pourtant apparaître une uniformité de ton et une certaine pâleur expressive, qui marquent les limites de cette approche, plus séduisante que profonde.

Trevor Pinnock aborde Scarlatti sans emphase, avec naturel, sobriété. Il adopte des tempos rapides qui coulent, limpides, maîtrisés par un touché perlé d'un excellent style. On aimerait çà et là plus de tendresse, d'humour même, mais la lecture est exemplaire. Une prise de son assez dure crispe un peu l'écoute de l'instrument anglais étincelant joué par Pinnock.

Scelsi, Giacinto
(né en 1905)

Quattro Pezzi. Pranam II. Okanagon. Kya.

** Jean-Claude Brion (clarinette), Ensemble 2e2m, Luca Pfaff. FY 103. Enregistré en 1981.

Chez Scelsi, point de transcendantalisme à la Stockhausen, mais le simple constat d'une faillite (celle du sérialisme). Un constat qui l'a mené à porter son attention sur le son «en-soi» et ses potentialités d'interprétation. Dans ses *Quatre pièces sur une seule note* (1959), il démontre avec éclat la validité de sa démarche. Vingt-cinq musiciens brodent ainsi avec d'infinies variations sur un seul ton, découvrant alors sa complexité d'expression latente. Une musique raffinée, une musique-méditation qui développe jusqu'à l'incantation.

Schaeffer, Pierre
(né en 1910)

Parole : Etude pathétique. Masquerage. Les paroles gelées. Toute la lyre ou Vestiges d'Orphée. Musique : Etudes aux allures. Etudes aux objets, aux sons animés 1 et 2 (a : transcription de Denis Dufour).

* Bandes originales et (a) Trio GRM Plus. INA-GRM 9.106. Enregistré de 1948 à 1982.

Avec ce disque-vestige qui fleure bon la poussière d'un studio-musée des années cinquante, nous nous trouvons reportés aux premiers vagissements de la musique concrète. On peut sourire de tant de littérature sur des bobineaux qui peuvent aujourd'hui sembler bien naïfs : mais ils nous impressionnent encore sans doute parce qu'ils sont porteurs d'espoirs pour toute une génération désireuse de renouveler sonorités et langages.

Symphonie pour un homme seul.

*** Réalisation sonore Pierre Henry. Philips 6510.012. *+ Henry : Concerto des ambiguïtés.*

«L'homme seul devait trouver sa symphonie en lui-même, non pas seulement en concevant abstraitement la musique, mais en étant son propre instrument. (...). Il crie, il siffle, il marche, il frappe du poing, il rit, il gémit. Son cœur bat, son souffle s'accélère, il prononce des mots, lance des appels et d'autres appels lui répondent.» Un primitif de la musique concrète... en collaboration avec Pierre Henry pour la réalisation sonore. Les douze mouvements de cette œuvre ont été dansés par Béjart.

Scheidt, Samuel
(1587-1654)

Motets «In dulci jubilo», «Puer natus in Bethlehem», «Hosanna Filio David», «Sic Deus dilexit», «Tulerunt Dominum meum», «Cum ergo, fleret».

** Chorale «Audite Nova» de Paris, Ensemble de cuivres Ars Nova, Jean Sourisse. Erato STU 71.196. Enregistré en 1978. *+ Schein : Œuvres chorales.*

Une interprétation qui, sans s'embarrasser de références musicologiques (instruments modernes), fait passer une vie et un rayonnement certains dans ces pages pleines de grandeur. Convaincant et «habité». Une seconde face consacrée à Schein, avec notamment le *Psaume 116.*

Tabulatura nova, IIIe partie.

** Bernard Lagacé (orgue de la collégiale St-Martin de Colmar). Calliope 174.750 (4 d.). Enregistré en 1980.

On peut considérer Scheidt comme le véritable fondateur de l'école d'orgue allemande du Nord. Sa *Tabulatura nova* date de 1624 : c'est donc une œuvre méridienne dans sa vie, à la fois de réflexion et d'expansion. Bernard Lagacé s'impose et fait merveille dans cette résurrection d'importance. Ce qui eût pu devenir simplement didactique ou sévère prend avec lui, grâce à sa propre émotion devant l'œuvre, une valeur d'exemple. Grâce surtout à sa propre fantaisie, qui sait varier les registrations, assouplir les rythmes et retrouver la modernité de ce langage à la charnière de deux âges.

Variations sur «Jesus Christus, unser Heiland» et sur «Warum betrübst du dich...»

❀*** Helmut Walcha (orgue Schnitger de Cappel). Archiv 2712.004 (4 d.). Enregistré en 1977. + *Œuvres de Boehm, Bruhns, Buxtehude, Lübeck, Pachelbel, Sweelinck, Tunder.*

Dans le récital d'adieu d'un organiste qui, à soixante-dix ans, fait preuve d'une juvénile vigueur, Walcha donne une dernière et magistrale leçon de style et montre, en s'en allant, le chemin de la nouveauté et de l'inspiration. Pour cela, il revient sur les lieux de ses premiers exploits, à l'orgue Schnitger de Cappel : superbe. La face cachée du grand Walcha : les racines de son art nourries aux sources mêmes de Bach.

Schmitt, Florent

(1870-1958)

Psaume 47, pour soprano, chœur mixte, orgue et orchestre op. 38. La Tragédie de Salomé, drame chorégraphique op. 50.

*** Andréa Guiot (s), Gaston Litaize (orgue), Ch. et Orch. National de l'ORTF, Jean Martinon. EMI VSM C 069-12.166.

Le *Psaume XLVII* est une œuvre géniale, originale, exactement de son temps et profondément émouvante. Jean Martinon en donne une interprétation bouleversante, utilisant à fond toute l'étendue de la dynamique et de la rythmique. La prise de son, ample et contrastée, sert parfaitement ses intentions. Les chœurs semblent vouloir se surpasser. L'autre face, consacrée à la *Tragédie de Salomé*, est légèrement moins convaincante, mais reste une très belle version. Un grand disque de musique française.

Quintette pour piano et cordes op. 51. Ombres op. 64.

*** Werner Bärtschi (piano), Quatuor de Berne. Accord 150.028 (2 d.).

Tout au long de son admirable *Quintette op. 51,* Florent Schmitt nous immerge dans un lyrisme un peu sauvage qui témoigne d'une personnalité forte et originale dont le pianiste Werner Bärtschi et le Quatuor de Berne donnent toute la mesure. Avec les *Ombres* pour piano, le climat s'éloigne parfois sensiblement de celui du *Quintette,* notamment dans la première des trois pièces, inspirée par un extrait des *Chants de Maldoror.*

Trio à cordes op. 105.

** Trio à cordes Albert Roussel. Cybélia CY 702.

Le Trio Albert Roussel a surmonté les difficultés de cette partition, de telle sorte qu'il les fait oublier au bénéfice du contenu émotionnel et poétique. Les sonorités sont belles, bien équilibrées, fondues dans la couleur de l'ensemble, une couleur généralement chaleureuse, rayonnante, celle qu'appelait l'œuvre de Florent Schmitt.

Schnittke, Alfred

(né en 1934)

Concerto n° 3 pour violon et orchestre de chambre.

** Gidon Kremer (violon), Karl Leister (clarinette), Aloys Kontarski (piano), Ensemble de Chambre de la Philharmonie de Berlin, Waldemar Nelson. Eurodisc 201.234. Enregistré en 1979. + *Stravinski : Pastorale, Suite de l'Histoire du soldat. Stockhausen : Signes du zodiaque.*

Schnittke composa ce concerto à la demande d'Oleg Kagan : il voulut utiliser les effectifs nécessaires pour le Concerto pour piano d'Hindemith et le Concerto de Chambre de Berg, avec lesquels son œuvre fut créée. Les bois y occupent donc une place prépondérante. Le compositeur y a conjugué une grande variété de «sphères sonores» (de la liturgie orthodoxe au romantisme allemand), d'où un climat très particulier. L'interprétation de Kremer s'attache précisément à faire ressortir le lyrisme et la poésie de ces «sphères».

Quintette pour piano et cordes (1972/6). Prélude à la mémoire de Dimitri Chostakovitch, pour violon et bande magnétique. «Moz-art» pour deux violons.

*** Gidon Kremer (violon), Tatiana Grindenko (violon), Iouri Bachmet (alto), Karine Gueorguian (violoncelle), Iouri Smirnov (piano). Chant du Monde LDX 78.675. Enregistré en 1977.

Schnittke est l'un des rares compositeurs soviétiques actuels ayant réussi à percer tout en échappant à l'académie moscovite. Ce disque donnera une idée variée de son style. Le Quintette est un vaste poème en cinq mouvements. Il y règne une atmosphère funèbre qui l'apparente au Prélude, tandis que *Moz-art* est une facétie savante et sensible. L'interprétation de ces œuvres est ici impeccable, tant sur le plan de la musicalité que sur celui de la perfection instrumentale.

Schoenberg, Arnold
(1874-1951)

Concerto pour piano et orchestre op. 42. Concerto pour violon et orchestre op. 36.

*** Glenn Gould (piano), Israël Baker (violon), Orch. Symph. de Columbia, Robert Craft. CBS S 75.642 (sup.).

*** Alfred Brendel (piano), Zvi Zeltin (violon), Orch. Symph. de la Radio Bavaroise, Rafael Kubelik. DG 2543.801.

Le couplage de ce disque a le mérite de réunir les deux seuls Concertos de Schoenberg. Non content de rendre au piano concertant sa transparence lumineuse, Gould le transcende jusqu'à l'incandescence, lui confère toute sa substance expressive, cachée auparavant sous les notes et la technique. Quant à Baker, s'il nous offre une partie soliste «forte en thème», on peut regretter qu'il ne viole pas davantage la partition. A trop respecter cette œuvre, celle-ci finit par lui échapper. Remarquable interprétation de Robert Craft et de l'Orchestre Columbia, dont l'intelligence, la sensibilité et la musicalité sont ici criantes d'évidence.

Brendel investit chacun de ses nerfs et transcende le texte par une approche réfléchie qui tourne le Concerto pour piano vers l'esthétique brahmsienne, tout en accentuant ce qui fait l'originalité formelle de la partition. La musicalité du pianiste jaillit ici en tous sens, faisant éclater le timbre et l'instrument qu'il conduit jusqu'à ses limites. L'orchestre de Kubelik, présent, sensible, sonne miraculeusement clair et intime, avec cette sensibilité d'écorché vif qui sied si bien à Schoenberg. Mais le Concerto pour violon est bien décevant. Les tempos y sont plutôt lents par rapport à ceux que désirait le compositeur, et il semble que Zeitlin se rétracte, s'accroche du bout de l'archet au texte (fort périlleux) comme s'il avait peur d'affronter l'œuvre en face. Dommage que la version d'Hyman Bress soit indisponible en France.

Erwartung op. 17, monodrame en un acte.

*** Anja Silja (s), Orch. Phil. de Vienne, Christoph von Dohnanyi. Decca 591.057. ⌧ 4-390.344. Enregistré en 1981. *+ 6 Lieder pour chant et orchestre op. 8.*

Anja Silja traduit ces états successifs qui vont de l'angoisse et de la frayeur au cri désespéré, au paroxysme de la douleur et à l'hallucination pour, graduellement, s'épuiser comme si la musique agissait par une sorte d'exorcisme, absolument comme si elle était possédée par cette œuvre d'un lyrisme exaspéré, mais toujours en parfaite et rigoureuse musicienne. Sous la direction de Christoph von Dohnanyi, la Philharmonie de Vienne observe la même rigueur qui éclaire l'œuvre de Schoenberg jusque dans ses moindres détails.

Gurrelieder, pour soli, chœurs et orchestre.

❀*** Jessye Norman (s), Tatiana Troyanos (ms), James McCracken (t), Kim Scown (t), David Arnold (b), Werner Klemperer (récitant), Ch. du Festival de Tanglewood, Orch. Symph. de Boston, Seiji Ozawa. Philips 6769.038 (2 d.). ✉ 7699.124 (2 c.).

*** Marita Napier (s), Yvonne Minton (ms), Jess Thomas (t), Kenneth Bowen (t), Sigmund Nimsgern (b), Gunther Reich (récitant), Ch. et Orch. Symph. de la BBC, Pierre Boulez. CBS 78.264 (2 d.).

Avec sa version des *Gurrelieder*, Ozawa s'impose incontestablement. Ravel et Debussy n'ont plus place ici dans cette introspection épique et bouleversante. Ozawa regarde sa partition de haut, mais la travaille à même la matière, en tirant toute la force potentielle. Le registre de nuances, d'émotions de Jessye Norman semble infini, avec cette qualité supplémentaire qui colore son chant d'une éclatante tension de vie intérieure. McCracken est inégal, mais campe un Roi Waldemar vibrant de musicalité sensible. Quant aux chœurs et à l'orchestre, ils animent leurs parties de la même électricité de «choc» que la baguette qui les dirigent. Enregistrement public, d'une remarquable prise de son.

Boulez a été le premier à enregistrer les *Gurrelieder* en studio (on se souvient de la magnifique version de Kubelik, souffrant néanmoins d'une prise de son sur le vif peu réussie). Dans cette superbe interprétation, Schoenberg sonne pour la première fois avec une transparence, une aération, un souffle vaste et généreux. On pense même à Debussy dans cette analyse synthétique, cette transcription raffinée du gigantisme post-romantique. Pour leur part, les solistes pratiquent une esthétique wagnérienne qui peut surprendre en pareil contexte, même si certaines harmonies relèvent directement de *Tristan*. A cela près, Thomas et Napier sont magnifiques de puissance, d'expression et de dramatisme. Orchestre et chœurs excellents.

Le Livre des Jardins suspendus, quinze Lieder op. 15. Huit Lieder op. 6.

** Irène Jarsky (s), Martine Joste (piano). Valois MB 1.430 (sup.).

* Erika Sziklay (s), Jenö Jandö (piano). Hungaroton SLPX 12.040.

Dans la version enregistrée par Valois, le piano est trop éloigné, et c'est dommage, car Martine Joste signe une très belle prestation. Quant à la soprano, elle semble être passée à côté de la signification de l'*Opus 15* en se distanciant de l'action littéraire contenue dans ces textes qui mènent notre «jeune garçon» de l'innocence des neiges d'antan à la dévorante passion charnelle. Le timbre de Jarsky est cependant très pur, d'une joliesse rêveuse, comme «hors du temps». Comme la vieille version de Colette Herzog n'est pas plus satisfaisante et que l'on nous offre ici les *Huit lieder op. 6*, il paraît justifié de donner caution à cette version imparfaite, certes, mais bien utile.

En l'absence d'une version vraiment digne de ces deux cycles mystérieux et troublants, ce n'est malheureusement pas la prestation d'Erika Sziklay qui peut nous combler. Sa voix, trop légère et mal assise, manque totalement de l'ampleur et du caractère indispensables pour le climat un peu délirant de cette musique. Seul, le piano de Jandö apporte un reflet de ce que nous désirerions entendre.

Moïse et Aaron, opéra.

❀*** Günther Reich (récitant), Louis Devos (Aaron), Eva Csapo (une jeune fille), Roger Lucas (un jeune homme nu), Ladislav Illavsky (l'Ephraïmite), Werner Mann (un prêtre), Ch. et Orch. Symph. de la Radio Autrichienne, Six Petits Chanteurs de Vienne, Michael Gielen. Philips 6700.084 (2 d.) (étr.).

*** Günther Reich (récitant), Richard Cassilly (Aaron), Felicity Palmer (une jeune fille), John Winfield (un jeune homme nu), Roland Hermann (l'Ephraïmite), Richard Angas (un prêtre), Ch. et Orch. Symph. de la BBC, Pierre Boulez. CBS 79.201 (2 d.).

La version de Gielen apparaît indiscutablement comme une référence. La mise en place de l'orchestre, des voix polyphoniques, des plans espacés est superbe. Cette clarté aiguë, résultant d'une analyse attentive, ne peut d'ailleurs surprendre de la part d'un héritier de l'Ecole des trois Viennois comme l'est Michael Gielen. *Moïse et Aaron* s'éclaire de mille et un détails dont la densité exacerbée de la version (en concert) de Rosbaud nous avait privés. Reich est Moïse : sa stature est imposante de noble grandeur, de violence dictatoriale, et sa voix fait résonner en nous l'homme Moïse, faillible, charnel. Devos incarne Aaron avec un don d'acteur dramatique assez exceptionnel, qui compense le manque de justesse parfois perceptible dans sa partie. Quant aux chœurs, ils sont dignes des plus vifs éloges.

La version de Pierre Boulez possède, comme celle de Gielen, une très grande force dramatique et musicale, mais elle souffre de menues imperfections. La prise de son, trop éloignée, jette quelque imprécision sur les chœurs de foule, captés de façon un peu acide. Boulez se laisse entraîner à dramatiser la musique, perdant par là un peu de sa rigueur légendaire ; Günther Reich lui apporte, comme dans la version Gielen, son imposante stature. On pourra également élever une minime restriction sur la prononciation allemande des chanteurs anglais, mais cet enregistrement possède d'évidentes qualités et une grande force.

La Nuit transfigurée pour sextuor à cordes op. 4 : version pour orchestre à cordes.

❀*** Orch. Phil. de Berlin, Herbert von Karajan. DG 2711.014 (4 d.). + *Pelléas et Mélisande op. 5, Variations pour orchestre op. 31. Webern : Cinq Pièces pour cordes, Six Pièces pour orchestre, Passacaille, Symphonie op. 21. Berg : Trois Pièces pour orchestre op. 6. Trois mouvements de la Suite lyrique.*

❀*** Orch. Phil. de New York, Pierre Boulez. CBS 76.305. + *Berg : Suite lyrique.*

*** Orch. du Gewandhaus de Leipzig, George Sebastian. EMI VSM C 065-28.958 (sup.). + *Mahler : Adagio de la 10e Symphonie.*

** Orch. Phil. Tchèque, Václav Neumann. Supraphon 4101.955. + *Mahler : Agagio de la 10e Symphonie.*

L'interprétation de Karajan se trouve au milieu du magnifique coffret qu'il a consacré à la Nouvelle Ecole de Vienne. Cette réalisation est passionnante, en ce qu'on y voit le grand chef d'opéra, le grand interprète de la musique romantique jouer ces œuvres avec un naturel total, comme s'il dirigeait Richard Strauss. Il n'existe pas pour lui de rupture entre une musique d'avant et une musique d'après la «césure» du sérialisme, et les musiciens berlinois sont tout autant à l'aise ici que dans Beethoven ou Brahms. La *Nuit transfigurée* fait briller leurs cordes à la souplesse féline et à la sonorité d'une rondeur enjôleuse. De *Pelléas et Mélisande*, on entend une interprétation flamboyante, tonique et dramatique. Quant aux *Variations op. 31*, ce ne sont plus ici quelque manifeste de la nouvelle musique, mais un chef-d'œuvre de toute la musique, à part entière et sans arrière-pensée. La difficulté technique de l'exécution y est transcendée par une émotion portée à ébullition dans tous les pupitres de l'orchestre, et Karajan est ici plus que jamais impérial et charmeur.

Pierre Boulez apporte à la *Nuit transfigurée* son intelligence subtile et acérée, précise et tendue qui donne tant de prix à ses interprétations de la musique des trois Viennois. L'œuvre est ici débarrassée de toutes ses scories post-romantiques et brille comme un pur cristal. Transfigurée, elle l'est bien par une sensualité violente, une pulsation vitale toujours maîtrisées par un esprit souverain. La *Suite lyrique* de Berg, inscrite au verso, reçoit elle aussi une version de référence. Avec ces deux œuvres parmi les plus directement accessibles, cet enregistrement est à recommander en tout premier plan.

La version de Sebastian fit longtemps autorité. On y est emporté par un souffle brûlant, une tension exacerbée, dans une fresque quasi épique. Cette interprétation a la puissance d'un volcan en éruption. L'*Adagio* de la 10e Symphonie de Mahler qui complète le disque tranche malheureusement par son manque d'inspiration.

Václav Neumann fait preuve de timidité en face de cette partition luxuriante, mais c'est pour en dégager la transparence diaphane de l'écriture. On pourra lui préférer la flamme brûlante de Karajan, la tension exacerbée de feu glacé de Boulez ou encore la vision fantasmagorique de Mitropoulos (disponible aux Etats-Unis). Mais l'*Adagio* de la 10e Symphonie de Mahler est admirable.

Œuvres pour ensemble de chambre : la Nuit transfigurée op. 4 (version pour sextuor), Symphonie de chambre n° 1 op. 9, Pierrot lunaire op. 21, Herzgewächse op. 20, Nachtwandler, Stelldichein, Trois petites Pièces op. posthume, Lied der Waldtaube, Die eiserne Brigade, Weihnachtsmusik, Sérénade op. 24, Quintette à vent op. 26, Der Wunsch des Liebhabers op. 27, Der neue Klassizismus op. 28, Suite pour Septuor op. 29, Ode à Napoléon op. 41, Fantaisie pour violon et piano op. 47.

*** Mary Thomas (s), June Barton (s), Anna Reynolds (ms), Gerald English (t), John Shirley-Quirk (bar), Ch. et Ensemble Instrumental du London Sinfonietta, David Atherton. Decca SXL K 66.604 (5 d.) (USA).

Ce coffret est des plus précieux, autant pour ses interprétations de toute beauté que pour le couplage des plus intéressants. Il faut souligner ici la plastique expressionniste de Mary Thomas (*Pierrot lunaire*), qui se hisse d'une manière différente à la hauteur de la version de Sziklay, la réussite dramatique complète de Gerald English (*Ode à Napoléon*), celle pleine de justesse de ton de John Shirley-Quirk (*Sérénade op. 24*). Quant aux instrumentistes, ils illuminent la *Fantaisie* (piano et violon) d'irisations aux reflets lumineux et la *Suite op. 29* d'une clarté méditerranéenne. Atherton, pour sa part, inocule à ses musiciens une transparence, une intensité qui font bonheur à entendre dans la *Nuit transfigurée*, dans la *Symphonie op. 9* - et dans le *Pierrot*, bien entendu. Reste quelques pages de moindre intérêt, comme la *Musique de Noël*, *Die eiserne Brigade* (pièce satiro-humoristique), les trois *Pièces op. posthume.* Un coffret rien moins que passionnant.

Pelléas et Mélisande, poème symphonique op. 5.

*** Orch. Phil. de Berlin, Herbert von Karajan. DG 2530.485.

*** Orch. Symph. de l'URSS, Guennadi Rojdestvenski. Chant du Monde CM 041.163/64 (sup.).

La version de Karajan est tirée de son magnifique album consacré à la Nouvelle Ecole de Vienne (et commenté ici avec la *Nuit transfigurée*). Interprétation flamboyante, tonique et dramatique, qui fait incontestablement référence en la matière.

Rojdestvenski et son orchestre évitent tous les écueils, de celui qui consisterait à se perdre dans une rapsodie qui n'en finit pas à celui qui mènerait cette œuvre à l'intoxication orchestrale. Version titanesque, plus rapide que celle de Karajan, rayonnante de lyrisme. Un envoûtement malheureusement entaché d'une prise de son confuse.

L'Œuvre pour piano intégrale : Trois Pièces op. 11, Six petites Pièces op. 19, Cinq Pièces op. 23, Suite op. 25, Deux Pièces op. 33a et 33b.

❀*** Glenn Gould (piano). CBS 75.675 (USA).

❀*** Maurizio Pollini (piano). DG 2530.531.

** Claude Helffer (piano). Harmonia Mundi HMU 752.

** Jean-Rodolphe Kars (piano). EMI VSM C 065-12.278 (sup.)

Gould, au terme de ses manipulations électroacoustiques, publie ici un enregistrement merveilleux. Magnifique toucher, sensuel et sobre à la fois, compréhension intime des œuvres dans leur matière, leur son et leurs résonances, analyse lumineuse des structures. Du grand piano et une lecture souveraine.

Pollini apporte à ses interprétations des musiques du XXe siècle un tempérament et une sensibilité qui sont les mêmes que dans les autres œuvres de son répertoire. Il ne s'agit pas ici d'analyse, mais bien d'interprétation, lyrique, inspirée, ensorcelante.

Claude Helffer, pionnier en la matière, a su trouver un juste équilibre entre la mise en valeur des audaces d'écriture et l'expressionnisme post-romantique.

Kars, benjamin de la discographie, a axé son interprétation sur la filiation beethovénienne de ces pièces. Il situe Schoenberg dans la descendance directe des grands européens du piano romantique - c'est ainsi que les *Pièces op. 23* prennent ici un ton lisztien plein de fougue. Grands élans, éloquences, éclats, même, c'est une conception en tout cas très convaincante.

Cinq Pièces pour orchestre op. 16. Variations pour orchestre op. 31. Musique pour un film imaginaire op. 34. Un Survivant de Varsovie op. 46.

** Günther Reich (récitant), Orch. Symph. de la BBC, Pierre Boulez. CBS 76.577.

Détails passés au microscope de l'analyse, attention exacerbée de tous les paramètres sonores, travail méticuleux de mise en place, telles sont les caractéristiques de Boulez. Cependant, pour ce qui est des *Variations pour orchestre*, cette version se heurte à la réussite de Karajan auprès de laquelle le présent enregistrement paraît quelque peu froid. Le couplage est un exemple parfait de la démarche sérielle boulézienne. Dans le *Survivant de Varsovie*, Günther Reich est éblouissant de vérité dramatique.

Le Pierrot lunaire, mélodrame pour récitant et cinq instruments, op. 21.

❀*** Erika Sziklay (s), Orch. de Chambre de Budapest, András Mihály. Hungaroton SLPX 11.385. + *Webern : Deux Lieder op. 8, Cinq Canons op. 16. Boulez : Deux Improvisations sur Mallarmé.*

*** Yvonne Minton (s), Pinchas Zukerman (violon et alto), Lynn Harrel (violoncelle), Michel Debost (flûte et piccolo), Anthony Pay (clarinette et clarinette basse), Daniel Barenboïm (piano), Pierre Boulez. CBS 76.720. ⊠ 40-76.720.

** Marie-Claude Vallin (s), Studio 111 de Strasbourg, Detlef Kieffer. L'Apostrophe AS 375.117 (sup.). + *Ravel : Trois Poèmes de Mallarmé. Debussy : La Plus que lente.*

Erika Sziklay possède cette voix chaude, au timbre légèrement teinté d'acidité, qui convient parfaitement à Schoenberg. De plus, son intelligence du texte est admirable ; preuve n'en serait que son *Sprechgesang*, synthèse parfaite entre le parlé et le chanté, sa technique époustouflante de précision, de justesse, de perfection d'émission vocale. Bref, c'est l'interprète idéale, avec ce je-ne-sais-quoi qui porte l'interprétation à l'incandescence. Le couplage est passionnant, et les œuvres de Webern et de Boulez bénéficient elles aussi d'interprétations idéales.

Avec Minton et Boulez, c'est un *Pierrot lunaire* lyrique, précis dans les hauteurs comme dans le rythme et les nuances, qui ne procède plus de la déclamation chantée de cabaret berlinois mais revêt toutes les caractéristiques d'une exécution musicale scrupuleuse. Il manque ici cette fascinante touche de délire expressionniste qui faisait tout le prix de la version d'Erika Sziklay ; mais il règne, en revanche, une articulation désincarnée proprement hallucinante, d'une grande puissance onirique.

Sans doute encouragée par le témoignage historique laissé par Schoenberg dirigeant sa propre partition, Marie-Claude Vallin prend bien des libertés vis-à-vis du texte. Mais elle rend l'esprit à la lettre et fait vivre son personnage avec une foi convaincante. Solistes et chef sont très proches de ses phrasés, de ses nuances, apportant un soin particulier à la transparence du texte ; d'où se crée un climat d'ensemble très homogène.

Cinq Quatuors à cordes : n° 1 en ré majeur op. 7, n° 2 avec soprano en fa dièse mineur op. 10, n° 3 op. 30, n° 4 op. 37, n° 5 en ré majeur.

❀*** Benita Valente (s), Quatuor Juilliard. CBS 79.304 (3 d.).

Robert Mann, premier violon du Quatuor Juilliard, a travaillé ces œuvres, avec la formation qu'il animait alors, sous l'autorité de Schoenberg lui-même. C'est dire à quel point il possède l'intelligence du texte - prodigieuse -, le ton juste de ces cinq partitions. Rigueur et respect absolu de toutes les nuances de rythme, de nuances, d'attaques, de phrasés concourent à donner de ces pages une exécution exacte quant à la lettre, mais aussi d'une parfaite adéquation de climat.

Sérénade pour sept instruments et voix de basse op. 24. Lied der Waldtaube. Ode à Napoléon Bonaparte op. 41 pour récitant. Quatuor à cordes et piano.

** John Shirley-Quirck et David Wilson-Johnson (bar), Ensemble Inter Contemporain, Pierre Boulez. CBS 74.025 (étr.). Enregistré en 1981.

La conception de Pierre Boulez a passablement évolué depuis son précédent enregistrement de la *Sérénade op. 24* (Adès). Il se montre beaucoup plus lyrique et insiste sur la beauté du son et la richesse des combinaisons instrumentales. L'*Ode à Napoléon,* en revanche, n'égale pas l'extraordinaire performance qu'avait été la version Atherton, servie par un Gerald English plus mordant que ne l'est ici David Wilson-Johnson.

Suite pour trois clarinettes. Trio à cordes et piano op. 29. Fantaisie pour violon et piano op. 47.

* Joseph Silverstein (violon), Gilbert Kalish (piano), Boston Symphony Chamber Players. DG 2531.277. Enregistré en 1980.

La *Suite*, séduisante par l'étonnant rôle qu'y jouent les clarinettes, se veut d'accès facile et enjoué malgré la complexité du contrepoint qui parcourt ses quatre mouvements. Son aspect «danses d'agrément» remarquablement stylisées, réclame des interprètes une souple fantaisie. Or, les Boston Players conçoivent l'œuvre avec une précision si étudiée, qu'elle en entrave la spontanéité. On regrette la délicieuse version, malheureusement supprimée, du London Sinfonietta. L'austère *Fantaisie* est ici jouée à la perfection : violon et piano ne font plus qu'un.

Trio pour violon, alto et violoncelle op. 45.

*** Trio à cordes de Los Angeles. Telefunken 6.42615. + *J. Haydn : Trios pour violon, alto et violoncelle op. 53 nos 1, 2 et 3.*

Œuvre de 1946, écrite au sortir d'une très grave maladie, ce Trio est une page magnifiquement équilibrée et expressive, toute frissonnante d'angoisse : sans doute l'un des chefs-d'œuvre de Schoenberg, et l'un des plus beaux fleurons de la littérature pour trio. La version du Trio de Los Angeles fait preuve d'une admirable subtilité, et toutes ses nuances, même dans le brio un peu théâtral, restent d'une merveilleuse justesse de ton. Comblant avec un rare bonheur une lacune du catalogue, ce disque s'impose avec la clarté d'une évidence.

Variations sur un récitatif op. 40. Sonate pour orgue.

*** Martin Haselböck (orgue), Ernst Kovacic (violon). Musica Viva MV 501090 (2 d.). Enregistré en 1978 et 1980. + *Krenek : Orga-Nostro op. 212. Suite «Les quatre vents». Sonate op. 92. Opus 231 pour violon et orgue.*

Bien que peu attiré par l'orgue, Schoenberg écrivit ces Variations en 1941 à la demande de la New Yorker Gray Company. Cette page, à la fois grandiose et austère, spontanée, mais quelque peu scholastique, culmine avec une fugue où l'on distingue le motif bien connu de B.A.C.H. Pris au jeu, le compositeur a amplement développé les variations au gré d'une savante fantaisie. En revanche, la Sonate, de la même date, reste terne et comme inhabitée. L'interprétation est ici absolument exemplaire. Et l'on ne saurait trop recommander de découvrir la splendeur de quatre chefs-d'œuvre de Ernst Krenek, musicien né en 1900, dont le génie mérite une meilleure connaissance.

Schubert, Franz
(1797-1828)

Adagio et Rondo concertant pour violon, alto et violoncelle. Trios pour cordes n° 1 (inachevé) et n° 2.

** Trio Euterpe, Danielle Laval (piano). Arion ARN 38.478. Enregistré en 1977.

On a écrit que le trio à cordes n'avait pas plus inspiré Schubert que Beethoven. S'il est vrai que seul Mozart a su, dans une œuvre sublime, se montrer l'égal de lui-même (par rapport à ses Quatuors et Quintettes), le Trio D. 581 possède une valeur certaine. Les musiciens du Trio Euterpe «y croient», et ils ont raison.

Alfonso et Estrella, opéra D. 732.

*** Peter Schreier (Alfonso), Edith Mathis (Estrella), Dietrich Fischer-Dieskau (Troila), Hermann Prey (Moregato), Theo Adam (Adolfo), Ch. de la Radiodiffusion de Berlin, Staatskapelle de Berlin, Otmar Suitner. EMI VSM C 167-30.816/18 (3 d.). Quadri. Enregistré en 1978.

Schubert considérait cette œuvre comme la plus réussie de celles qu'il avait écrites pour la scène. C'est pourtant vingt-six ans après sa mort qu'elle fut représentée, grâce à l'infatigable Franz Liszt. Un plateau royal, de très grands chanteurs, pour une œuvre qui n'est que charmante.

Anthologie : Trio n° 4 pour piano, violon et violoncelle en mi bémol majeur D. 929, Quatuors à cordes nos 8, 14 et 15, Fantaisie pour violon et piano D. 934.

❁*** Rudolf Serkin (piano), Adolf Busch (violon), Hermann Busch (violoncelle). EMI HMV WRC SHB 53 (3 d.). Mono (origine 78 t.). Enregistré en 1931, 1935, 1936 et 1938.

La famille Busch a marqué la vie musicale de l'Allemagne des années trente. Tandis que Fritz Busch menait une carrière de chef d'orchestre, Adolf, violoniste, et Hermann, violoncelliste, fondaient un Quatuor qui allait porter son empreinte sur les œuvres de Beethoven, Schubert et Brahms. Gendre d'Adolf

Busch, Rudolf Serkin, par l'apport de son génie, permit à ces musiciens d'exception de jouer les Trios et les Sonates de ces mêmes compositeurs. Selon le principe de l'anthologie, que l'on refuse ou que l'on accepte, quatre chefs-d'œuvre sont ici réunis : les deux derniers Quatuors, la Fantaisie pour violon et piano et le second Trio. Depuis quarante ans, le style et la technique instrumentale ont subi d'importantes mutations, et selon certains, «on ne joue plus comme cela». A bien des égards, c'est dommage, tant le phrasé est évident, tant Schubert est présent.

Anthologie pianistique : Allegretto en ut mineur, 16 Danses allemandes D.783, 12 Danses allemandes D.790, Ecossaises D. 781, Impromptus op. 90 (D.899), op. 142 (D.935) et op. posthume (D.946), Fantaisie «Wanderer», Moments musicaux, Mélodie hongroise, Sonates nos 14 à 21.

*** Alfred Brendel (piano). Philips 6747.175 (8 d.). Enregistré de 1972 à 1975.

Tout comme les lieder, l'œuvre pianistique de Schubert forme un univers musical unique et multiple à la fois, dont il est difficile à l'interprète de traduire la secrète vérité. Brendel a enregistré sur plusieurs années les disques réunis dans ce coffret, avec son style fait d'une étonnante sûreté technique et d'une recherche perpétuelle de la sonorité. Cette interprétation est lisztienne, en ce qu'elle magnifie l'aspect purement pianistique - et il fut longtemps méconnu - de l'œuvre pour le piano de Schubert. Huit Sonates sont associées à des pièces qui ne sont modestes qu'en apparence, car essentielles pour la compréhension du monde de Schubert. Ces disques sont tous disponibles séparément, et seront repris à la fin de l'examen critique des sonates.

Les Conjurés (Die Verschworenen), Singspiel D. 787.

*** Edda Moser (Ludmila), Gabrick Fuchs (Hélène), Elke Schary (Isella), Kurt Moll (le Comte Héribert), Orch. de la Radio de Munich, Heinz Wallberg. EMI VSM C 065-30.743 (étr.). Quadri. Enregistré en 1977.

Une intrigue originale, une musique foisonnante, d'une invention permanente, et une distribution excellente. Ces ingrédients dispensent un plaisir certain. Les inédits au disque révèlent parfois de petits joyaux : celui-ci en est un.

Danses pour piano (intégrale) : Valses, Laendler, Ecossaises, Menuets, Cotillons, Galops.

* Raimondo Campisi (piano). Ricordi 5710.003 (4 d.) et 5710.006 (5 d.). Enregistré en 1974.

Déjà contestable en soi, le principe de l'intégrale l'est encore plus pour ce type d'œuvres, et l'audition «à la suite» en devient indigeste, ce qui est un comble. Cela dit, l'interprétation est agréable et intelligente, mais l'intérêt reste documentaire. L'absence des disques de Badura-Skoda (Westminster, sup.) et Demus (DG, sup.) est bien déplorable.

La Faction de quatre ans (Die vierjährigen Posten), Singspiel D. 190.

** Peter Schreier (Duval), Helen Donath (Kätchen), Dietrich Fischer-Dieskau (Walther), Ch. de la Radio Bavaroise, Orch. de Radio Munich, Heinz Wallberg. EMI VSM C 065-30.742 (étr.). Quadri. Enregistré en 1977.

Les aventures d'un jeune soldat français déserteur, amoureux de la fille d'un fermier allemand. Cette pochade est, elle aussi, interprétée avec un immense talent par des artistes, spécialistes à leurs heures de l'opérette allemande, ce qui est en l'occurrence fort utile.

Fantaisie pour violon et piano. Trio pour piano, violon et violoncelle n° 2. Quintette pour piano et cordes «La Truite». Quartettsatz pour quatuor à cordes. Le Voyage d'hiver. Douze Lieder pour voix de femme. Symphonie n° 8. Symphonie n° 3.

❀*** Rudolf Serkin (piano), Adolf Busch (violon), Hermann Busch (violoncelle), Quatuor Pro Arte, Arthur Schnabel (piano), Quatuor de Budapest, Gerhard Hüsch (bar), Hans Udo Müller (piano), Elisabeth Schwarzkopf (s), Edwin Fischer (piano), Orch. Phil. de Vienne, Karl Boehm, Orch. Phil. de Munich. Oswald Kabasta. EMI VSM 1C 137-53.032/6 (5 d.). Mono (4 disques d'origine 78 t.). Enregistré de 1931 à 1952.

Pour commémorer le 150e anniversaire de la mort de Schubert, l'éditeur a regroupé toutes les interprétations de son catalogue qui ont fait, ou feront date. Malgré les aléas inhérents au principe de l'anthologie, cet album s'impose autant pour les œuvres proposées que pour les lectures qui en sont données, par des artistes qui, à une époque où ce n'était guère à la mode, jouaient et enregistraient Schubert. Le ton schubertien, si difficile à trouver, est omniprésent, tant chez Hüsch, pour un *Voyage d'hiver* qui sut émouvoir Thomas Mann, que chez Schwarzkopf, Adolf Busch ou Arthur Schnabel.

Fantaisie pour violon et piano.

❀*** Adolf Busch (violon), Rudolf Serkin (piano). EMI VSM C 051-03.309. ⌧ C 251-03.309. Mono (origine 78 t.). Enregistré en 1931 et 1935. + *Trio op. 100.*

Edition séparée, extraite du coffret anthologique. Un grand moment de l'histoire du disque, un grand moment de musique pure.

Fantaisie «Wanderer».

❀*** Maurizio Pollini (piano). DG 2530.473. ⌧ 3300.504. Enregistré en 1975. + *Sonate n° 16.*

*** Edwin Fischer (piano). EMI VSM C 061-01.333 (sup.). Mono (origine 78 t.). Enregistré en 1934. + *Moments musicaux.*

*** Paul Badura-Skoda (hammerflügel). Astrée AS 53. Enregistré en 1981. + *Allegro en ut mineur D. 915, Six moments musicaux D. 780.*

*** Sviatoslav Richter (piano). EMI VSM C 069-00.299 (étr.) . Enregistré en 1963. + *Sonate n° 13.*

*** Alfred Brendel (piano). Philips 6500.285. ⌧ 7300.396. Enregistré en 1972. + *Sonate n° 21.*

Pianiste d'exception, grand technicien autant que musicien ; Pollini restitue magnifiquement la plus virtuose des œuvres pour piano de Schubert (caractéristique qui lui valut une transcription avec orchestre de Liszt). Cette page somptueuse est jouée ici comme il se doit, c'est-à-dire d'un seul jet, d'un seul souffle.

Toutes les qualités du cœur, mais aussi une main gauche d'acier : Fischer est inégalé dans le mouvement lent, sur le thème du Voyageur, centre de l'ouvrage. Au verso, les *Moments musicaux* sont d'une égale importance.

Paul Badura-Skoda confirme l'intime appréhension qu'il a de l'univers de Schubert. Sa *Wanderer* suscite l'adhésion par sa respiration naturelle ; on ne peut concevoir accents plus évidents, nuances plus nécessaires. Justifié par la musicologie, l'emploi du hammerflügel l'est également pour des raisons musicales : la qualité de cet instrument, la plénitude de sa sonorité, la richesse de son coloris permettent de répondre d'un tel choix.

Chaque disque de Richter possède une histoire. Enregistrée au beau milieu de la nuit, cette «prise» avait été précédée de plusieurs autres, avant que le ton ne soit trouvé. A noter que Richter joue la version primitive, non retouchée, de la *Wanderer*. Cette vision colossale est l'intérêt majeur de cet enregistrement, car la «petite» *Sonate en la* a totalement échappé au fantasque artiste russe.

Avec Brendel, l'œuvre se déplace du côté de Liszt et de Hummel, c'est-à-dire d'un piano brillant et flatteur. Ce n'est pas un contresens, loin de là, car les traits de virtuosité abondent, et Brendel en est l'interprète infaillible.

Les Frères Jumeaux (Die Zwillingsbrüder), Singspiel D. 647.

*** Dietrich Fischer-Dieskau (les frères Spiess), Kurt Moll (le juge), Helen Donath (Lieschen), Nicolaï Gedda (Anton), Ch. et Orch. de l'Opéra de Munich, Wolfgang Sawallisch. EMI VSM C 065-28.833 (étr.). Quadri. Enregistré en 1976.

Une distribution encore plus prestigieuse que pour les autres ouvrages lyriques de Schubert, un «abattage» irrésistible chez tous les interprètes. Un plaisir au premier degré, mais un grand plaisir.

Grand Duo, Fantaisie pour violon et piano.

*** David Oïstrakh (violon), Frida Bauer (piano). Mélodia Chant du Monde CM 01.925 (étr.). Enregistré en 1973.

Le prestigieux Oïstrakh, à la sonorité royale, au service de Schubert. Deux œuvres d'importance pour le mouvement lent de la Sonate D. 574 (baptisée «Duo» par Diabelli), et la totalité de la Fantaisie. La technique d'archet, le style déplacent un peu ces œuvres vers l'Europe Centrale. Ce n'est ni fondamentalement faux, ni désagréable à entendre, loin de là.

Impromptus op. 90 et op. 142.

❀*** Arthur Schnabel (piano). EMI VSM C 051-01.339. Mono. Enregistré en 1950.

❀*** Edwin Fischer (piano). EMI VSM C 061-01.230 (sup.). Mono (origine 78 t.). Enregistré en 1938.

*** Alfred Brendel (piano). Musidisc RC 873. Mono. Enregistré en 1956.

*** Alfred Brendel (piano). Philips 9500.357. ⌧ 7300.587. Enregistré en 1975.

*** Lily Kraus (piano). Vanguard C 10.031 (USA). Enregistré en 1960.

** Daniel Barenboïm (piano). DG 2530.986. ⌧ 3300.986. Enregistré en 1977.

L'enregistrement de Schnabel, réalisé à la fin de sa carrière, fait partie, comme d'ailleurs celui de Fischer, de ces disques éternels. Il ne s'agit pas de vénération mythique (ou mystique), mais bien de la vérité, de l'une des vérités musicales d'une œuvre.

Le schubertien éclairé peut tenter d'analyser ou d'expliquer pourquoi, à ses yeux, le disque de Schnabel l'importerait sur celui de Fischer, ou réciproquement... s'il n'a rien de mieux à faire. Par exemple, d'écouter et de réécouter ces deux disques. Car ce qui semblera vrai une fois sera immanquablement démenti la fois suivante.

Brendel «première manière», en édition super-économique. Interprétation jaillissante et spontanée. Cette musique est encore plus émouvante lorsqu'elle donne le sentiment, comme ici, de naître sous les doigts de l'artiste.

Proposés initialement avec d'autres pages, voici regroupés les deux recueils dans la troisième interprétation de Brendel. Moins naturel que lors de l'enregistrement qui précède, Brendel cherche sans cesse, et trouve souvent.

Disponible uniquement aux Etats-Unis, la version de Lily Kraus illustre parfaitement les qualités du style viennois, tout à fait en situation chez Schubert comme chez Mozart, dont la pianiste est une interprète d'élection : légèreté du phrasé, élégance et charme.

La poésie, la justesse du ton, jamais «sentimental», des *andante* des Concertos pour piano de Mozart que Barenboïm chef d'orchestre et soliste a su traduire de façon si convaincante, pouvaient laisser espérer une réussite totale dans Schubert. Il n'échappe pas, cependant, à un certain maniérisme.

Impromptus op. 90 nos 2 et 3.

❀*** Dinu Lipatti (piano). EMI VSM C 051-01.696. Mono. Enregistré en 1950. + *Brahms : Valses. Liszt : Sonnet 104 de Pétrarque. Ravel : Alborada del gracioso. Scarlatti : Sonates. Enesco : 3e Sonate.*

Quel dommage que Lipatti n'ait pu avoir le temps d'enregistrer la totalité des Impromptus ! Car tout est dit, avec une retenue, une absence d'effets, et une pureté de chant admirables.

Impromptus op. 90 nos 2 et 4 et op. 142 nos 2 et 4.

** Vladimir Horowitz (piano). CBS 76.175. Enregistré en 1974. + *Beethoven : Sonate n° 14 «Clair de lune».*

Horowitz, dans un programme impossible, tient la gageure de dire quelque chose. Certaines «attitudes» (*rubato* plus proche de Chopin), mais un grand art du piano, même si Schubert perd un peu au change.

Impromptus op. 142.

*** Rudolf Serkin (piano). CBS 60.282. Enregistré en 1979.

Avec Serkin, le son est incandescent, étonnamment intense sur la totalité du spectre dynamique, accentué encore par la netteté des attaques presque surexposées, au sens photographique du terme. Une modernité absolue dans la lisibilité du jeu, dans le respect fanatique de la moindre indication de la partition, en même temps qu'un sens du chant incomparable caractérisent cette version hautement personnelle.

Trois Impromptus op. posthume D. 946.

*** Alfred Brendel (piano). Philips 6500.928. Enregistré en 1975. + *Impromptus op. 142.*

*** Wilhelm Kempff (piano). DG 2530.090 (sup.). Enregistré en 1971. *+ Allegretto en ut mineur, 13 Variations sur un thème d'Hüttenbrenner, Impromptu en la majeur.*

Pour acquérir la version impériale de Brendel, il est indispensable de ne pas acheter l'édition en un disque des *Impromptus* op. 90 et 142, sous peine d'un «doublon». Brendel va au tréfonds des choses.

Kempff, au soir de sa carrière, dans le Schubert qui lui vient du cœur. Une prise de son ingrate, mais quarante minutes de bonheur. Malheureusement supprimé.

Lazarus, ou la fête de la Résurrection D. 689.

*** Sheila Armstrong (Maria), Ruth Welting (Jemina), Jocelyne Chamonin (Martha), Anthony Rolfe-Johnson (Lazarus), Martyn Hill (Nathanël), Martin Egel (Simon), Ch. de Radio-France, Nouvel Orch. Phil., Theodor Guschlbauer. Erato STU 71.443 (2 d.). ⌧ MCE 71.442 (2 c.). Enregistré en 1981. *+ Messe en sol D.167.*

Immense chant de la nuit inachevé, la cantate *Lazarus* est assurément un des chefs-d'œuvre absolus de Schubert. L'écriture mélodramatique, fusionnant récitatif et air, s'affranchit de toutes les contraintes opératiques de l'époque, et annonce directement *le Paradis et la Péri* de Schumann et *Lohengrin* de Wagner. Theodor Guschlbauer privilégie avec raison le dépouillement, les tonalités de camaïeu, insistant sur l'entrelacs tour à tour austère et profondément lumineux de la trame orchestrale. Les chœurs sont homogènes et les voix solistes presque toutes parfaitement nuancées. Une réalisation du plus haut intérêt et de la plus grande qualité.

Lieder pour voix d'homme : intégrale.

❀*** Dietrich Fischer-Dieskau (bar), Gerald Moore (piano). Vol. 1 : DG 2720.006 (12 d.). Enregistré en 1970. Vol. 2 : DG 2720.022 (13 d.). Enregistré en 1970. Les Trois Cycles (La belle Meunière, Le Voyage d'hiver, Le chant du cygne) : DG 2720.059 (4 d.). ⌧ 3371.029 (3 c.). Enregistré en 1970.

Un monument, et non des moindres, de l'histoire du disque. Cette édition intégrale des lieder écrits pour voix d'homme deviendra, une vie durant, le fidèle compagnon du schubertien fervent. Lorsqu'il a été effectué, cet enregistrement a bénéficié de l'expérience acquise par les deux artistes au cours de leurs carrières respectives et de leur pratique commune de cette musique, qu'ils avaient interprétée tous deux maintes fois au disque et pour d'innombrables concerts. Il convient de mentionner, pour qui serait effrayé par l'achat de vingt-neuf disques, un choix (hors cycles) en six disques (DG 2740.187), et deux disques séparés (DG 2530.306 et DG 2530.229), qui contiennent la «fine fleur» de cette somme.

Lieder pour voix de femme : anthologie de 50 lieder.

** Gundula Janowitz (s), Irwin Gage (piano). DG 2713.012 (5 d.). Enregistré en 1977.

Ce coffret se veut le pendant de la somme de Fischer-Dieskau. Las ! la voix de Janowitz, aussi belle soit-elle - et elle l'est assurément -, ne suffit pas, à elle seule, à traduire complètement tout le sens et la portée des lieder de Schubert, qui sont autant de drames ou de comédies en réduction. Il manque à cet ensemble une touche supplémentaire de puissance évocatrice.

Cycles de Lieder : La Belle Meunière, Le Voyage de l'hiver, Le Chant du cygne.

*** Dietrich Fischer-Dieskau (bar), Gerald Moore (piano). EMI VSM C 127-01.764/66 (3 d.). Mono. Enregistré de 1951 à 1958.

Fischer-Dieskau dans la première décennie de son exceptionnelle carrière. La voix est, bien entendu, plus jeune. Le ton est plus direct, plus immédiat. Mais l'art du chant (conduite de la voix, maîtrise de l'émission, sens des nuances), unique dès cette époque, n'a subi par la suite, et jusqu'à aujourd'hui, aucune altération, ce qui est tout simplement sans exemple. Le grand baryton a réenregistré ces cycles pour le même éditeur en 1962, dans une interprétation plus maniériste, à la limite, parfois, de la préciosité, tant est poussée l'interprétation donnée à chaque mot. Après un *Voyage d'hiver* accompagné par Jörg Demus (DG 2707.028), Fischer-Dieskau retrouvait Gerald Moore pour une troisième gravure des trois cycles, beaucoup plus dépouillée, épurée, où l'on atteint à la chair nue de l'émotion. Cet enregistrement constitue l'un des trois coffrets de l'édition intégrale des lieder pour voix d'hommes publiée par DG.

Cycles de Lieder : Le Voyage d'hiver, Le Chant du cygne.

*** Hans Hotter (b), Gerald Moore (piano). EMI VSM C 147-01.274/75 (2 d.). Mono.

Cet univers est si riche, et les voix humaines si différentes, que même les trois époques de Fischer-Dieskau ne parviennent pas, à elles seules, à en épuiser toute la richesse. Témoin, cette version (dans laquelle l'on retrouve Gerald Moore). La couleur de la voix de baryton-basse dépeint un voyageur plus âgé, donc encore plus las. Ce timbre, plus corsé, est conduit avec une maîtrise souveraine et l'émotion qui se dégage de cette vision plus décantée est poignante.

Cycle de Lieder : Le Voyage d'hiver.

*** Gerhard Hüsch (bar), Hans Udo Müller (piano). EMI VSM C 137-53.032/36 (5 d.). Mono (origine 78 t.). Enregistré en 1933. + *Fantaisie pour violon et piano, Trio n° 2, Quintette «la Truite», Quartettsatz, Douze lieder, Symphonies n°s 3 et 8.*

*** Theo Adam (b), Rudolf Dunckel (piano). Eurodisc 300.023 (2 d.). Enregistré en 1974. + *6 lieder extraits du Chant du cygne.*

*** Ernst Haefliger (t), Jörg Ewald Dähler (hammerflügel). Claves D 8.008/9 (2 d.). ✉ MC 8.008/09 (2 c.). Enregistré en 1980.

Nouvelle apparition de cet album, ce qui atteste de son importance. Voici un autre *Voyage*, admirable, par la grâce d'un timbre encore différent, plus «blanc» d'apparence. La retenue de l'expression ajoute un surcroît d'évidence à une musique sublime de bout en bout.

Face à Hotter, Theo Adam nous mène à d'autres sommets, par une voix dont la chaleur, la puissance retenue mais d'autant plus manifeste, la coloration ombrée suggèrent un désespoir olympien, à la mesure d'un destin douloureux. Ce wagnérien n'oublie pas qu'il a habité le Walhalla : c'est un dieu blessé qui chante sa souffrance avec une intensité digne et bouleversante. Il faut entendre comment cette voix immense se plie aux douceurs et aux subtilités du lied, et avec quel style...

Haefliger – ténor comme l'était Schubert lui-même – nous laisse découvrir un homme jeune encore, errant, le visage hagard, déjà habité par la fièvre, parfois au bord du délire : halluciné, ce voyageur ne craint pas, à certains moments, de hacher les mots comme s'ils lui montaient nécessairement à l'esprit, malgré lui, comme si leur effrayante réalité le dépassait, rendant l'auditeur incapable de préciser si le ténor chante encore ou parle désormais. Jörg Ewald Dähler peint ce désarroi avec la même intensité, et le hammerflügel répond parfaitement aux intentions du chanteur.

Cycle de Lieder : Le Chant du cygne.

** Hermann Prey (bar), Leonard Hokanson (piano. DG 2531.325. Enregistré en 1978.

Cet enregistrement réalisé en public se caractérise par une certaine urgence de l'interprétation. Hermann Prey offre une expression immédiate, franche, plus romantique qu'intellectuelle. La voix accuse certaines failles, parfois voilée, un peu trop mate, un peu trop monochrome ; mais la maîtrise technique est souveraine et l'interprétation est superbe de sobriété et de conduite.

Seize Lieder : Abendbilder D. 650, Am Fenster D. 878, Auf der Bruck D. 853, Auf der Donau D. 553, Aus «Heliopolis» II D. 754, Fischerweise D. 881, Des Fräuleins Liebeslauschen D 698, Im Frühling D. 882, Des Sängers Habe D. 832, Der Schiffer D. 536, Die Sterne D. 176, Der Strom D. 565, Totengräbers Heimwehe D. 842, Der Wanderer D. 649, Wehmut D. 772, Das Zügenglöcklein D. 871.

❀*** Dietrich Fischer-Dieskau (bar), Sviatoslav Richter (piano). DG 2530.988. Enregistré en 1978.

Chaque rencontre de Fischer-Dieskau et Richter constitue un événement - certains enregistrements de lieder de Wolf le prouvent. Ce disque en porte également témoignage. De par le programme, tout d'abord, qui ne comporte pas de lieder célèbres, exception faite du *Wanderer*. Ensuite, par l'union de deux musiciens hors du commun, certes, mais qui savent s'effacer devant la musique. L'un des plus beaux disques jamais dédiés au lied schubertien.

Quinze Lieder : Auf dem Wasser zu singen D. 774, Du bist die Ruh D. 776, Der Erlkönig D. 328, Die Forelle D. 550, Heidenröslein D. 257, Der Jüngling an der Quelle D. 300, Lachen und Weinen D. 777, Das Lied im Grünen D. 917, Litanei auf das Fest aller Seelen D. 343, Sei mir gegrüsst D. 741, Seligkeit D. 433, Ständchen D. 513, Ständchen D. 889, Der Tod und das Mädchen D. 531, Der Wanderer D. 493.

❀*** Dietrich Fischer-Dieskau (bar), Gerald Moore (piano). EMI VSM C 059-43.138. ⌧ C 259-43.138. Enregistré en 1958 et 1965.

Par l'un des tandems les plus connus, quelques-uns des lieder les plus connus de Schubert. En 1958 et en 1965, Fischer-Dieskau avait la voix un peu plus souple et surtout l'intonation moins étudiée, et donc plus naturelle. C'est très exactement ce qu'il fallait à ces œuvres. Du *Roi des Aulnes* à la *Sérénade*, l'anthologie par laquelle commencer toute initiation à l'univers du lied schubertien, avec celle, parallèle, de Schwarzkopf.

Douze Lieder : An die Musik D. 547, Auf dem Wasser zu singen D. 774, Ganymed D. 544, Gesang an Sylvia D. 891, Gretchen am Spinnrade D. 118, Im Frühling D. 882, Die junge Nonne D. 828, Lied im Grünen D. 917, Memnon D. 541, Der Musensohn D. 764, Nachtviolen D. 752, Wehmut D. 772.

❀*** Elisabeth Schwarzkopf (s), Edwin Fischer (piano). EMI VSM C 137-53.032/36 (5 d.). Mono. Enregistré en 1952. + *Fantaisie pour violon et piano, Trio n° 2, Quintette «La Truite», Quartettsatz, Le Voyage d'hiver, Symphonies n°s 3 et 8.* Ou EMI VSM C 051-00.404. ⌧ C 251-00.404. Mono.

Enregistré en 1952, ce disque n'a pas quitté depuis le catalogue. A l'heure actuelle, il n'est plus disponible en France que dans le coffret déjà signalé, mais on peut le trouver en édition isolée à l'étranger et en importation. Le simple renom des deux interprètes n'aurait pas suffi à expliquer pareille pérennité. Mais il y a, pour ce recueil des pages les plus célèbres, le charme, le timbre de la voix de Schwarzkopf, son art à recréer chaque fois le climat exact. La musicalité, l'attention, le phrasé de l'accompagnement de Fischer font, si l'on ose dire, le reste.

Quatre Lieder : Du bist die Ruh' D. 776, Du liebst mich nicht D. 756, Die junge Nonne D. 828, Der Tod und das Mädchen D. 531 (La jeune fille et la mort).

❀*** Kathleen Ferrier (c), Bruno Walter (piano). Decca 390.159 (2 d.). Mono. Enregistré en 1949. + *Rosamunde. Brahms, Schumann, Ferguson, Wordsworth : Lieder et Mélodies. Rubbra : Psaumes.*

Quatre lieder seulement, mais justement célèbres, chantés par une voix miraculeuse, incomparable. Au piano, Bruno Walter. Un programme hétéroclite en apparence, mais avec des lieder de Brahms et de Schumann de la même veine, c'est-à-dire unique. De plus, un enregistrement capté sur le vif, pendant un concert.

Neuf Lieder : An die Musik D. 547, Die bist die Ruh' D. 776, Ellens Gesang III (Ave Maria) D. 839, Die Forelle (La Truite) D. 550, Frühlingsglaube D. 686, Heidenröslein D. 257, Lachen und Weinen D. 777, Nacht und Träume D. 827, Rastlose Liebe D. 138.

*** Teresa Stich-Randall (s), Jacqueline Robin-Bonneau (piano). Musidisc RC 746. Enregistré en 1959. + *Mozart : Sept Lieder.*

Teresa Stich-Randall compte, elle aussi, au nombre des rares élues de ce répertoire. Il y eut également Elisabeth Schumann, Lotte Lehmann et Elisabeth Grümmer, mais leurs enregistrements ne sont guère accessibles. Neuf lieder de Schubert sont complétés par Mozart, autre compositeur d'élection d'une cantatrice qui n'a pas la place qu'elle mérite, l'une des toutes premières.

Dix-huit Lieder : Prometheus D.674, Wie Ulfru fischt D.525, Fahrt zum Hades D.526, Der zürnende Barde D.785, Sehnsucht D.636, Totengräberlied D.44, Selige Welt D.743, Grenzen der Menschheit D.716, Aus Heliopolis II D.754, Der Sieg D.805, Gruppe aus dem Tartarus D.583, Das Abendrot D.627, Dithyrambe D.801, Auf der Donau D.553, Der Schiffer D.536, Der Strom D.565, An den Tod D.518, Der Tod und das Mädchen D.531.

** Kurt Moll (basse), Cord Garben (piano). Orfeo S 021.821 A.

Malgré une voix qui tend à s'appauvrir dans l'aigu, un phrasé manquant parfois d'un peu d'homogénéité, jamais, depuis Dietrich Fischer-Dieskau ou Theo Adam, voix grave masculine n'avait sondé avec autant de puissance les gouffres du pèlerin solitaire. On découvre dans ces pages un Schubert révolté, avec des accents beethovéniens si fragiles qu'ils vont vite s'éteindre. C'est bien en tout cas ce que suggère l'art dépouillé de Kurt Moll.

Seize Lieder : Fischerweise D. 881, Ganymed D. 544, Gretchen D. 564, Gretchen am Spinnrade D. 118, Im Frühling D. 882, Der Jüngling und der Tod (Le jeune homme et la mort) D. 545, Der König in Thule D. 367, Liebhaber in allen Gestalten D. 558, Lied im Grünen D. 917, Schäfers Klagelied, D. 121, Seligkeit D. 433, Szene aus Goethes «Faust» D. 126, Der Tod und das Mädchen (La jeune fille et la mort) D. 531, Der Wanderer an den Mond D. 870, Wandrers Nachtlied I D. 224, Wiederschein D. 339.

** Irmgard Seefried (s), Erik Werba (piano). Musidisc-Festival FC 483. Enregistré en 1964.

Cette anthologie a, malheureusement, été enregistrée un peu trop tard. La voix d'Irmgard Seefried ne possédait plus tout à fait la luminosité, l'éclat miraculeux d'antan, mais les disques nombreux, réalisés à la grande époque, ne sont hélas ! plus disponibles. Cela étant, cette interprétation prend, de nos jours, des résonances de paradis perdu, de par la diction souveraine et la spontanéité de l'expression.

Messes n° 2 en sol majeur D. 167 et n° 3 en si bémol majeur D. 324.

* Ch. et Sol. Bulgares de Sofia, Vassil Kazandjiev. Harmonia Mundi HMU 111. Enregistré en 1973.

Ecrites à huit mois d'intervalle, ces deux Messes sont d'un esprit radicalement différent, pastoral pour la première, plus théâtral pour la seconde. Assez guindée et massive. L'interprétation ne rend guère compte de ces différences. Le travail choral de l'ensemble de Sofia est, quant à lui, irréprochable.

Messe n° 4 en ut majeur D. 452.

* Phylis Bryn-Johnson (s), Jean de Gaetani (c), Anthony Rolfe-Johnson (t), Malcom King (b), Ch. et Orch. London Sinfonietta, David Atherton. Argo 396.195. + *Menuet et finale D. 72, Petite musique funèbre D. 79, Chant des esprits sur les eaux D. 704.*

Cette Messe met, comme chez Mozart, le soprano en vedette ; les quatre voix solistes sont fraîches, homogènes, et la direction d'une irréprochable discrétion. Le *Menuet* et la *Petite musique funèbre* surprennent par l'étrangeté de leurs couleurs : la sonorité est féerique, l'exécution excellente. Les interprètes anglais entraînent les couplets du *Chant des esprits* vers le rêve, à l'inverse de la version ancienne due au chœur d'hommes du RIAS, qui avait créé une atmosphère dramatique et quasi beethovénienne.

Messes n° 5 en la bémol D. 678 et n° 6 en mi bémol majeur D. 950.

*** Helen Donath (s), Ingeborg Springer (c), Peter Schreier (t), Theo Adam (b), Hans Joachim Rotzsch (b), Ch. de la Radio de Leipzig, Orch. de la Staatskapelle de Dresde, Wolfgang Sawallisch. Philips 6768.324 (2 d.). Enregistré en 1972.

Deux chefs-d'œuvre. Lyrique pour le premier où Schubert se révèle un génial orchestrateur ; d'une extraordinaire recherche d'écriture pour le second. La direction constamment inspirée de Sawallisch, qui sait rester sobre chez un musicien qui l'exige, les solistes, desquels il faut dégager le soprano très pur d'Helen Donath, les chœurs, l'orchestre enfin, tout concourt à la réussite.

«Messe allemande» D. 872.

*** Ch. de la cathédrale Ste-Hedwige, Orch. Symph. de Berlin, Karl Forster. EMI VSM C 063-28.425. Enregistré en 1960.

Ecrite pour le chœur, sans solistes, et n'utilisant de l'orchestre que les vents et les timbales (pour le *Gloria*), cette partition comporte huit numéros très brefs, d'où son apparente sévérité. La célèbre phalange de Ste-Hedwige fait montre de tout son art des nuances et d'une exceptionnelle franchise d'attaque.

Moments musicaux.

❀*** Rudolf Serkin (piano). CBS (sup.). Mono. Enregistré en 1956. + *Sonate n° 15 «Reliquie».*

*** Edwin Fischer (piano). EMI VSM C 061-01.333 (sup.). Mono. Enregistré en 1950. + *Fantaisie «Wanderer».*

*** Yves Nat (piano). EMI VSM C 051-73.033. Mono. Enregistré en 1953. + *Schumann : Carnaval de Vienne.*

*** Emil Guilels (piano). EMI VSM C 063-90.121 (étr.). Enregistré en 1968. + *Schumann : Nachtstücke.*

** Alfred Brendel (piano). Philips 6500.418. Enregistré en 1972. + *Sonate n° 14.*

** Daniel Baremboïm (piano). DG 2530.996. ⊠ 3300.996. Enregistré en 1977. + *Valses nobles, 2 Scherzos.*

La réédition du disque de Serkin est nécessaire et d'ailleurs moins problématique que celle du disque de Badura-Skoda (Westminster), qui proposait les *Valses nobles* en complément. Serkin le poète, Serkin le musicien. Inaltérable.

Au revers d'une Fantaisie «Wanderer» monumentale, Fischer distille, cisèle ces œuvres que leur titre dépeint parfaitement. Historique, mais actuel. Vingt minutes que l'on souhaiterait, naïvement, voir durer une heure.

Ces *Moments musicaux* constituent le seul enregistrement de studio d'Yves Nat qui ne soit plus disponible. L'éditeur se doit de nous rendre cette interprétation empreinte de tendresse, magnifiquement captée pour son époque. La face cachée, secrète, de l'art de Nat, connu surtout pour ses enregistrements beethovéniens emportés et ses interprétations schumanniennes fiévreuses.

Ces six pièces, mouvements d'humeur autant que *Moments musicaux*, trouvent en Guilels un interprète d'exception. Il sait veiller à leur délicate structure rythmique et à la subtilité de leur ligne mélodique. Un disque qui vaut également pour son couplage.

Nouveau couplage, nouvelle alternative avec Brendel. Et rien ne sera résolu, une fois rappelé que les grandes œuvres autorisent (et demandent) divers éclairages. Les modulations, les inflexions rythmiques sont exprimées avec évidence.

Autre programme encore que celui de Barenboïm : la force inventive des Valses, associée à la nostalgie de l'*Allegretto*. Une grande délicatesse, un toucher splendide.

Octuor pour cordes et vents en fa majeur D. 803.

❀*** Ensemble de la Philharmonie de Vienne. Decca SDD 230 (G-B). Enregistré en 1957.

❀*** Academy of St-Martin-in-the-Fields. Philips 9500.400. ⊠ 7300.613. Enregistré en 1978.

*** Nouvel Ensemble de la Philharmonie de Vienne. Decca SDD 508 (G-B). Enregistré en 1978.

Le premier disque viennois a constitué, dans le monde entier et pendant vingt ans, la référence pour cette œuvre, par la qualité des instrumentistes, le fondu des timbres réunis par Schubert, une étonnante souplesse rythmique, et la vision d'ensemble.

C'est avec l'enregistrement récent de l'Academy of St-Martin-in-the-Fields qu'est venue la contestation. Il est fort difficile de trancher, tant les musiciens anglais semblent faire jeu égal sur le plan de la technique instrumentale et celui, capital, de la cohésion, qui évite l'impression d'entendre huit solistes, en lieu et place d'un octuor, d'un orchestre petit format.

Vingt ans après leurs aînés, la fine fleur de la Philharmonie de Vienne : une égale perfection instrumentale, mais le charme est moins opérant que celui du disque réalisé par les Wiener Philharmoniker première manière.

Œuvres pour piano à quatre mains, vol. 1 : Fantaisie en fa mineur, Andantino varié, 3 Marches militaires, Duo en la mineur, Sonate en ut majeur «Grand Duo», Variations sur un thème original, 6 Polonaises.

*** Anne Quéffelec, Imogen Cooper (piano). Erato STU 71.044 (3 d.). Enregistré en 1978.

On déplorera le retrait des catalogues des enregistrements de Schnabel père et fils, et du duo Badura-Skoda/Demus (par deux fois, chez Westminster et DG), pour en rappeler l'existence aux «chineurs» impénitents de disques d'occasion. Deux jeunes artistes jouent ces pages dans le climat de complicité qui leur convient, pages où très souvent s'exprime le plus grand Schubert. L'autre mérite de cette édition est d'avoir révélé des pièces ignorées jusqu'alors.

Œuvres pour piano à quatre mains, vol. 1 : Allegro en la mineur, Divertissement en mi mineur, Fantaisie en fa mineur, 4 Laendler, Ouverture en fa majeur, Sonate en ut majeur «Grand Duo», Variations sur un thème original. Vol. 2 : Danse allemande D.618 n° 1, Divertissement à la hongroise, Grande Marche D.819 n° 5, Grande Marche héroïque pour le sacre du tsar Nicolas Ier, Introduction et Variations sur un thème original, Marche militaire D.733 nos 1, 2, Marches caractéristiques, Rondo en ré majeur, Rondo en la majeur, Variations sur un chant français.

*** Noël Lee, Christian Ivaldi (piano). Vol. 1 : Arion 336.011 (3 d.). Enregistré en 1976. Vol. 2 : Arion 336.015 (3 d.). Enregistré en 1977.

Dans cette nouvelle «intégrale» en voie d'édification, les deux pianistes jettent un éclairage plus latin sur ces pages, et par moment une lumière ravélienne. Démarche absolument légitime, d'autant plus que Ravel lui-même ne se départait pas de ces œuvres qu'il affectionnait entre toutes. Une poésie fraîche et comme innée anime toutes ces œuvres que les artistes ont travaillées sous les conseils d'Alfred Brendel.

Œuvres pour piano à quatre mains : Fantaisie en fa mineur, Grand Duo.

❀*** Alfred Brendel, Evelyne Crochet (piano). Turnabout TV 34.144 (G-B). Enregistré en 1964.

Brendel, alors qu'il n'était pas, et de loin, la grande vedette qu'il est aujourd'hui. S'il réenregistre ces pages un prochain jour, il n'est pas certain qu'il le fasse avec autant de tact, de goût, et d'élégance. Disponible seulement en importation.

L'œuvre religieuse intégrale, vol. 1 : 6 Antiphones pour le dimanche des Rameaux D.696, Kyrie en ré mineur D.31, en si bémol majeur D.45, en ré mineur D.49, Messe allemande et «prière au Seigneur» D.872, Messes en fa majeur D.105 et en si bémol majeur D.324, Offertoire en bémol majeur D.963, Salve Regina en fa majeur D.379 et en si bémol majeur D.386, Stabat Mater en sol mineur D.175, Tantum ergo en ré majeur D.750 et mi bémol majeur D.962.

*** Lucia Popp et Helen Donath (s), Brigitte Fassbaender (a), Adolf Dallapozza (t), Peter Schreier (t), Dietrich Fischer-Dieskau (b), Manfred Clement (hautbois), Elmar Schloter (orgue), Ch. et Orch., Symphonique de la Radiodiffusion Bavaroise, Wolfgang Sawallisch. EMI Electrola C 157-43.300/02 (3d.).

Parmi les nombreux fragments et pièces brèves destinés à l'office que comporte ce versant de l'œuvre de Shubert, se trouvent quelques authentiques chefs-d'œuvre, comme la *Messe allemande en fa majeur* qui domine incontestablement ce coffret. La réussite de cet album est exemplaire : la cohésion, l'esprit, le style qui habitent l'interprétation de Wolfgang Sawallisch et l'équipe qu'il a réunie ne sont pas chose apprises, mais procèdent de la grande tradition romantique austro-allemande. Le climat qui règne ici semble venu directement du temps de Schubert et tout – perfection technique, beauté des voix et des sonorités, justesse de l'interprétation – appelle la louange.

L'œuvre religieuse intégrale, vol. 2 : Messe en mi bémol D.950, Messe en ut D.452, Messe en sol D.167, Magnificat D.486, Auguste jam coelestium D.488, Tantum ergo D. 460 et D.461, Graduel D. 184, Kyrie D.66, Salve Regina D. 106, Offertoire «Tres sunt» D.181, Tantum ergo D.739.

*** Helen Donath, Lucia Popp et Erika Rüggeberg (s), Brigitte Fassbaender et Juliana Falk (a), Peter Schreier, Francisco Araiza, Adolf Dallapozza et Albert Gassner (t), Dietrich Fischer-Dieskau et Peter Lika (b), Ch. et Orch. de la Radiodiffusion Bavaroise, Wolfgang Sawallisch. EMI HMV C 157-43. 303/05 (3 d.).

L'intérêt des œuvres ici réunies est assez variable, à l'exception de la *Messe en mi bémol,* où le musicien, parvenu à la maturité et à la maîtrise de son art, s'implique tout entier. On n'en part pas moins à une découverte passionnante, sous la conduite du meilleur des guides en la matière, Wolfgang

Sawallisch. Si tout n'est pas parfait chez les solistes – un peu de fatigue chez Helen Donath ou de grandiloquence chez Fischer-Dieskau –, ce ne sont là que très menues réserves pour une réalisation d'ensemble de très haute tenue et d'un style irréprochable.

Œuvres religieuses : Magnificat pour soli, chœur et orchestre en ut majeur D. 486, Offertoire pour ténor, chœur et orchestre en si bémol majeur D. 963, Stabat Mater pour soli, chœur et orchestre en fa mineur D. 383.

*** Sheila Armstrong (s), Hanna Schaer (c), Alejandro Ramirez (t), Philippe Huttenlocher (bar), Ensemble Vocal de Lausanne, Orch. de Chambre de Lausanne, Michel Corboz. Erato STU 71.262. ⌧ MCE 71.262. Enregistré en 1978.

Ce disque regroupe trois œuvres longtemps demeurées inédites. Elle sont servies avec une grande discrétion dans l'émotion par le chef, les chœurs et les solistes.

L'œuvre vocale profane à plusieurs voix.

❀*** Hildegard Behrens (s), Brigitte Fassbaender (ms), Peter Schreier (t), Dietrich Fischer-Dieskau (bar), Capella Bavariae, Ch. et Orch. de la Radio Bavaroise, direction et piano Wolfgang Sawallisch. EMI VSM C 157-43.130/34 (5 d.).

Ces cinq disques nous font découvrir tout un nouveau pan de la création schubertienne : pas moins de 88 pièces allant de la plus brève des miniatures à la grande ballade, et chaque fois concentrant en une puissante vision sonore tout un paysage intérieur d'une prodigieuse poésie. L'univers intime de Schubert, si largement exploité par les lieder, trouve ici une expression différente, plus collective. L'interprétation de ces œuvres est tout simplement idéale.

Quatuors à cordes, intégrale.

*** Quatuor Melos. DG 2740.123 (7 d.). Enregistré en 1975.

De jeunes instrumentistes, un éclairage d'une grande acuité, tout aussi pénétrant dans les premières œuvres d'un musicien spontané et qui se cherche, que dans les trois derniers Quatuors du compositeur accompli. La prise de son, très sèche, accentue cette approche pensée et fouillée dans le détail.

Quatuors à cordes n° 8 en si bémol majeur D. 112 et n° 10 en mi bémol majeur D. 87.

* Quatuor Amadeus. DG 2531.336. ⌧ 3301.336.

Les Amadeus réparent ici les lacunes et les erreurs de la discographie et rétablissent les faits. Ils ont ce sens de la structure qui, par-delà tout débat sur leur peu d'attirance pour les épanchements, transfigure les hésitations et les longueurs de Schubert débutant.

Quatuors n° 8, n° 14 «La jeune fille et la mort» et n° 15.

❀*** Quatuor Busch. EMI VSM SHB 53 (3 d.). Mono (origine 78 t.). Enregistré en 1936 et 1938. + *Trio n° 4, Fantaisie pour violon et piano.*

Il convient de revenir sur cet album, présenté en anthologie, pour souligner l'importance des documents schubertiens du Quatuor Busch. Les deux derniers Quatuors ont trouvé sous ces archets des interprétations définitives, par la qualité instrumentale et la tension qui s'en dégagent. L'éclairage allemand de ces pages, dont la contrepartie viennoise est représentée par les enregistrements, difficiles d'accès, du Wiener Konzerthaus Quartet (Westminster, Japon).

Quatuor n° 9 et n° 13.

❀*** Quatuor Berg. Telefunken 6.41882. ⌧ 4.41882. Enregistré en 1974.

Une nouvelle interprétation viennoise, où la tension interne des œuvres est moins directe, moins apparente. En revanche, c'est la beauté des timbres et la pureté de la ligne mélodique qui se trouvent privilégiées.

Quatuors n°s 10 et 12 à 15.

** Quartetto Italiano. Quatuors n°s 10 et 13 : Philips 9500.078. Enregistré en 1976. Quatuors n°s 12 et 14 «La jeune fille et la mort» : Philips 5835.397. Enregistré en 1972. Quatuor n° 15 : Philips 9500.409. Enregistré en 1977.

La splendeur sonore que recherchent et qu'obtiennent les musiciens italiens, et que souligne une prise de son très ample, convient mieux au 13ᵉ Quatuor qu'aux deux derniers. Cela dit, cette vision d'une étonnante beauté formelle est défendue avec beaucoup de maestria.

Quatuors n° 10 et n° 14 «La jeune fille et la mort».

** Quatuor de la Philharmonie de Vienne. Decca SDD 254 (G-B). Enregistré en 1963.

Mené par le violon solo de la Philharmonie de Vienne, cet ensemble ne réalisa que quelques disques. Il en émane un charme auquel on ne résiste que difficilement, à condition que ces interprétations «tombent bien», c'est-à-dire lorsque l'humeur de l'auditeur se prête à une lecture qui suggère plutôt qu'elle n'affirme, nostalgique plutôt que douloureuse.

Quatuors n° 13, n° 14 «La jeune fille et la mort» et n° 15.

❀*** Quatuor de Budapest. CBS Y 333.320 (3 d.) (USA) Mono. Enregistré en 1953.

*** Quatuor Amadeus. DG 2733.008 (3 d.). Enregistré en 1960 et 1961.

Où le Quatuor de Budapest de la haute époque fait preuve d'une maîtrise absolue. La prise de son, d'un soin et d'un raffinement exceptionnels pour la date d'enregistrement, rend parfaitement justice aux splendides instruments de la Fondation Whittall, joués par de tels musiciens. A cela s'ajoutent une cohésion parfaite, et un style qui n'exclut pas l'élégance. Un élément fondamental de la discographie schubertienne, accessible en import.

Avant que l'intensification, salutaire, de l'importation et des rééditions ne se manifeste sur le marché français, ces enregistrements ont longtemps été les seules versions de qualité mises à la disposition du public. Ils ont conservé toute leur actualité. Le premier violon ne possède pas une qualité de timbre comparable à celle de «leaders» d'autres formations, cependant un souffle indéniable passe.

Quatuor n° 14 «La jeune fille et la mort».

❀*** Quatuor Busch. EMI VSM C 051-03.856. ⌧ C 251-03.856. Mono (origine 78 t.). Enregistré en 1936. *+ Quatuor n° 8.*

*** Quatuor Juilliard. CBS 76.827.

*** Quatuor Amadeus. DG 2532.071. *+ Quartettsatz.*

*** Quatuor de Prague. Denon PCM OX 7009. Enregistré en 1976. *+ Tchaïkovski : Andante Cantabile.*

*** Quatuor Smetana. Denon PCM OX 7151. Enregistré en 1978. *+ Finale du Quatuor D. 87.*

Edition séparée d'une interprétation essentielle, déjà évoquée puisqu'il s'agit là de l'un des enregistrements inclus dans l'anthologie historique publiée par le même éditeur.

Les Juilliard, unis comme quatre indissociables atomes d'un même métal, ont tablé sur «l'extrême». Hargne extrême et fluctuations limites du tempo dans l'*allegro ;* déroutante lecture introspective dans le second mouvement ; puis un incomparable *scherzo* passant du pas lourd du paysan à celui du rêveur ; enfin un finale qui avance avec une volonté, un pouvoir quasi fascinants. Deux mouvements d'enthousiasme, deux mouvements d'interrogations.

Les Amadeus troisième version font preuve d'une force féroce et fascinante. Plus que force, leur vision est cri, appel au secours, destin impitoyable, lutte où, face au sourire suave de la mort, se cambre la voix de l'arc de la vie. Et il n'y a plus les imperfections techniques notées dans la version II. En complément, un *Quartettsatz* terriblement angoissé.

Les musiciens praguois traduisent le côté tendu, glacé, sans pathos de bas étage, qui n'aurait que peu de chose à voir avec Schubert. Une unité de ton admirable de bout en bout, servie par une exceptionnelle qualité d'enregistrement, de gravure et de pressage.

Un autre ensemble d'Europe Centrale nous livre une conception symphonique, axée sur le jeu des timbres et des sonorités. A quoi il faut ajouter les mérites du «direct», l'enregistrement ayant été effectué au cours d'un concert.

Quatuor à cordes n° 15 en sol majeur D. 887.

*** Quatuor Juilliard. CBS 76.908. Enregistré en 1979.

Les Juilliard apparaissent diserts et discrets, précis et empiriques, austères et euphoriques, polyphoniques et linéaires. Les oppositions sont réconciliées, les antinomies pacifiées.

Quatuors vocaux.

** Elly Ameling (s), Janet Baker (c), Peter Schreier (t), Dietrich Fischer-Dieskau (bar), Gerald Moore (piano). DG 2530.409. Enregistré en 1973.

Il s'agit de la réduction à quatre voix de pages écrites pour chœur. La complicité et le talent des interprètes forcent la conviction.

Quintette pour deux violons, alto et deux violoncelles en ut majeur.

❀*** Quatuor Weller, Dietfried Gurtler (2ᵉ violoncelle). Decca SDD 376 (G-B). Enregistré en 1970. + *Quartettsatz.*

❀*** Quatuor Juilliard, Bernard Greenhouse (2ᵉ violoncelle). CBS 76.268. Enregistré en 1974.

*** Quatuor de Budapest, Benar Heifetz (2ᵉ violoncelle). CBS MS 6536 (USA). Enregistré en 1960.

** Sándor Végh, Sándor Zoldy (violons), Georges Janzer (alto), Pablo Casals, Paul Szabo (violoncelles). Philips 6500.153. Enregistré en 1962.

** Quatuor de la Philharmonie de Vienne, Richard Harand (2ᵉ violoncelle). Decca 593.001 (2 d.). Enregistré en 1963. + *Quintette «La Truite».*

** Quatuor Melos, Mstislav Rostropovitch (1ᵉʳ violoncelle). DG 2530.980. ⌧ 3300.980. Enregistré en 1977.

Témoignage d'une autre formation issue de la Philharmonie de Vienne, en activité avant que le premier violon, Walter Weller, n'entame une carrière de chef d'orchestre. Une subtilité de nuances et de couleurs inouïe, toute la rigueur, mais aussi la poésie nécessaire, au service de l'un des dix chefs-d'œuvre de la musique.

Les membres du Quatuor Juilliard, à l'exception du premier violon, véritable maître d'œuvre, ont changé au fil des années, mais l'approche est restée constante, que l'on qualifierait d'intellectuelle, n'était la connotation péjorative du terme. Aucune formation n'ira aussi loin. Une écoute d'où l'on sort éprouvé, mais comblé.

Les Budapest prouvent que la virtuosité (et elle est ici confondante) n'est pas synonyme d'extériorité. L'équilibre parfait de cette version rapproche Schubert des grands classiques.

Les membres du Quatuor Végh, en compagnie d'un second violoncelliste de luxe : la balance sonore penche un peu trop de ce fait, du côté du registre grave, mais l'émotion est omniprésente, tant chaque note, chaque mesure semblent arrachées au silence.

Avec les Viennois de la Philharmonie, un climat voisin par l'esprit de celui de la version Weller, et qui vise la séduction. C'est précisément l'un des signes distinctifs, mais non le seul, de la mélodie schubertienne.

C'est la seconde fois que Rostropovitch enregistre cette œuvre, lui prêtant son tempérament et sa sonorité magique. Le Quatuor Melos veut renouveler l'approche du Quintette en ut, mais ne réédite pas totalement sa réussite des Quatuors, par une sorte de refus de choisir entre deux pôles, entre la séduction et la violence désespérée.

Quintette pour piano et cordes «La Truite».

❀*** Rudolf Serkin (piano), Jaime Laredo (violon), Philipp Naegele (alto), Leslie Parnas (violoncelle), Julius Levine (contre basse). CBS 75.640. Enregistré en 1967.

❀*** Arthur Schnabel (piano), Quatuor Pro Arte. EMI VSM C 137-53.032/36 (5 d.). Mono (origine 78 t.). Enregistré en 1935. + *Lieder, Le Voyage d'hiver, Symphonies nᵒˢ 3 et 8.*

❀*** Dennis Matthews (piano), Wiener Konzerthaus. Vanguard SRV 151SD (G-B). Enregistré en 1959.

*** Mcieslav Horzovski (piano), Quatuor de Budapest. CBS MS 6473 (sup.). Enregistré en 1960. + *Beethoven : Quintette pour piano et cordes.*

** Wolfgang Sawallisch (piano), Quatuor Endrés. Eurodisc 25.567. Quadri. Enregistré en 1979.

* Emil Guilels (piano), Quatuor Amadeus. DG 2530.646. ⌧ 3300.646. Enregistré en 1975.

L'enregistrement mené par Serkin a profité du Festival de Marlboro, au cours duquel des artistes de haut niveau mettent en commun leur talent, leur amour de la musique. Il y a dans cette version un perpétuel rebondissement et toute la spontanéité du génie de Schubert. L'esprit «musique de chambre» dans ce qu'il a d'irremplaçable.

Le «repiquage» bien réalisé de la version Schnabel fait amèrement regretter que l'illustre pianiste, schubertien d'élection, n'ait enregistré ni les Trios, ni la Fantaisie pour piano et violon. L'humeur (et l'humour) d'une œuvre agreste, au charme infaillible.

Le Wiener Konzerthaus, dont on souhaite voir rééditer les enregistrements des Quatuors, dans ses œuvres, c'est-à-dire les plus hautes. Tempos retenus, comme pour prolonger le plaisir, mais sans alanguissement de mauvais aloi, beauté des timbres et du phrasé. Le pianiste n'est pas une «star» du clavier, mais sa complicité avec le quatuor est totale. Disponible en importation.

Un autre pianiste méconnu, Horzovski, avec les Budapest. Plus posée que la version Serkin. De grands seigneurs.

Le chef prestigieux qu'est Sawallisch retourne, de temps à autre - et avec bonheur -, au piano. Il a réalisé ce disque avec le premier ensemble à avoir enregistré une intégrale des Quatuors de Schubert, à l'aube du microsillon. Une robustesse ravigorante. Pour un Schubert quelque peu rustaud.

Dans la même veine, une interprétation qui sourit moins encore avec Guilels et les Amadeus, ce qui ici est aux frontières du contresens. En revanche, la cohésion, la vigueur du ton ne manquent pas d'allure.

Rosamunde, musique de scène intégrale.

*** Margit Neubauer (ms), Ch. Ambrosien, Orch. Philharmonia, Theodor Guschlbauer. Erato STU 71.322. ⌧ MCE 71.322. Enregistré en 1979.

Rosamunde : Ouverture.

*** Orch. Phil. de Berlin, Wilhelm Furtwängler. DG 2535.804 (étr.). Mono. Enregistré en 1953. + *Symphonie «Inachevée». Gluck : Ouverture d'Alceste.*

Rosamunde : Ouverture, Entr'acte n° 3, Ballet n° 2.

*** Orch. Phil. de Vienne, Wilhelm Furtwängler. EMI VSM C 051-03.614. Mono. Enregistré en 1951. + *Symphonie «Inachevée».*

Sur un livret très bas-bleu de Helmina von Chézy (qui n'avait pas mieux loti Weber avec celui d'*Euryanthe*), Schubert a composé une musique de scène de première importance, en dépit de son échec public. Avec style et éloquence, Guschlbauer peint les neuf tableaux de la partition, aidé par les excellents musiciens du Philharmonia et une superbe prise de son.

Furtwängler plaçait très haut cette partition dont il enregistra à plusieurs reprises des extraits. Dans l'Ouverture, la science des transitions du grand chef d'orchestre fait merveille. En complément, une «Inachevée» dont on reparlera plus loin, et l'Ouverture d'*Alceste* de Gluck.

Une sélection plus large, par le même Furtwängler, avec un orchestre différent et plus «schubertien» par la souplesse des cordes, à nouveau couplée avec l'«Inachevée». Une illustration de la dernière manière de Wilhelm Furtwängler, moins tragique, plus apaisée.

Schubertiade : pièces pour piano, lieder.

** Elly Ameling (soprano), Jörg Demus (piano), Hans Deinzer (clarinette). Harmonia Mundi HM 696. ⌧ HM 30.696. Enregistré en 1970.

Bonne illustration de ces soirées qui n'en finissaient pas, au cours desquelles Schubert donnait la primeur de ses œuvres à des amis qui étaient tout pour lui. Interprétation juste et sensible de Demus et Ameling.

Sonates pour piano : n° 1 en mi majeur D.157, n° 2 en ut majeur D.279/346, n° 3 en mi majeur D.459, n° 3a en mi mineur D.994, n° 4 en la mineur D.537, n° 5 en la bémol majeur D.557, n° 6 en mi mineur D.566/506, n° 6a en ré bémol majeur D.567, n° 7 en mi bémol majeur D.568, n° 8 en ré majeur et fa dièse mineur D.571/570, n° 9 en si bémol ma-

jeur D.575, n° 10 en ut majeur D.613/612, n° 11 en fa mineur D.625/505, n° 12 en ut dièse mineur D.655, n° 13 en la majeur D.664, n° 14 en la mineur D.784, n° 15 en ut majeur «Reliquie» D.840, n° 16 en la mineur D.845, n° 17 en ré majeur D.850, n° 18 en sol majeur «Fantasia» D.894, n° 19 en ut mineur D.958, n° 20 en la majeur D.959, n° 21 en si bémol majeur D.960.

*** Paul Badura-Skoda (piano). RCA SCH 1 (13 d.) (sup.). Enregistré en 1970.

*** Wilhelm Kempff (piano). DG 2740.132 (9 d.). Enregistré en 1970.

Tant en France qu'à l'étranger, la discographie des Sonates de Schubert, telle qu'elle se manifeste à la lecture des catalogues, est d'une indigne pauvreté, les disques publiés étant rapidement supprimés faute de succès commercial. Nous sommes ainsi privés des enregistrements devenus introuvables de Friedrich Wührer (le premier à avoir réalisé une intégrale), Edouard Erdmann, Hans Richter-Haaser, Serkin, Solomon ou Badura-Skoda. Le discophile averti guettera donc ces disques chez les spécialistes de l'occasion, ou attendra leur éventuelle réédition, ce qui n'est pas moins problématique. Elève de Fischer, formé au style viennois, Badura-Skoda a pris la relève des aînés, après la Seconde Guerre mondiale, pour jouer et défendre la musique de Schubert. Il en est l'un des meilleurs interprètes actuels, par un dosage savant entre la poésie et la rigueur. Les deux seuls disques encore disponibles à l'étranger sont traités ci-après. Précisons que cette quasi-intégrale exclut les «Sonates» n°s 3a, 6a et 12.

L'album de Kempff constitue une intégrale à quelques pages près, pages plutôt que Sonates, car on sait la place que tient chez Schubert la double notion d'inachèvement et de reprise. Traité à la légère par une partie de la critique, ce Schubert, ici et là inexact pianistiquement ou absent, renferme cependant des trésors d'invention poétique, que de multiples auditions ne suffisent pas à épuiser. Malheureusement, il faut prendre ou laisser, puisque rien n'est disponible isolément en France. Les œuvres manquantes sont les n°s 3a, 6a, 8, 10, 12 et 15.

Sonates pour piano n°s 14 à 21.

*** Alfred Brendel (piano). N° 14 : Philips 6500.418. + *Moments musicaux.* N°s 15 et 18 : Philips 6500.416. N° 16 : Philips 6500.929. + *Ecossaises, Mélodie hongroise.* N° 17 : Philips 6500.763. + *Danses allemandes.* N° 19 : Philips 6500.415. + *Impromptus.* N° 20 : Philips 6500/284. + *Laendler.* N° 21 : Philips 6500.285. ⌧ 7300.396. + *Fantaisie «Wanderer».*

Nous indiquons ici les références détaillées de chacun des enregistrements des Sonates par Alfred Brendel, disques regroupés sous l'anthologie pianistique mentionnée en tête de cette rubrique. Rappelons que Brendel n'est pas seul détenteur de la vérité schubertienne. Mais son travail, fruit d'une longue méditation sur cette œuvre, s'impose par son approche particulière. On serait tenté de la qualifier de moderne, si l'on entend par là une interrogation du texte et une remise en cause des moyens purement pianistiques de l'exprimer. Il serait tout aussi simpliste et léger d'ignorer ces enregistrements que de ne connaître qu'eux.

Sonates pour piano n°s 5, 14, 17 et 20.

*** Paul Badura-Skoda (piano). N°s 5 et 17 : RCA VICS 1574 (G-B). Enregistré en 1970. N°s 14 et 20 : RCA AGL 1 2707 (USA). Enregistré en 1970.

Les deux vestiges de l'intégrale mentionnée plus haut. Trois des plus inspirées des Sonates de Schubert, et qui ne sont pas à mettre entre toutes les mains de pianiste. Ces enregistrements peuvent être obtenus chez les disquaires pratiquant l'importation.

Sonates pour piano n°s 5, 18 et 20.

*** Radu Lupu (piano). N°s 5 et 20 : Decca SXL 6771 (G-B). Enregistré en 1977. N° 18 : Decca SXL 6741 (G-B). Enregistré en 1976. + *2 Scherzos.*

Le jeune pianiste roumain Radu Lupu mène une carrière prudente, jalonnée par des enregistrements dont chacun, jusqu'à ce jour, porte la marque de qui a quelque chose à dire et le dit. La beauté du son et du toucher font merveille. Lupu est en outre un des éléments majeurs d'une relève qu'il y a peu on désespérait de voir poindre.

Sonate pour piano n° 13 en la majeur D. 664. Quatre Impromptus D. 899 (op. 90).

❀*** Claudio Arrau (piano). Philips 9500.641. ✉ 7300.806.

Claudio Arrau, dès les premières mesures de l'*allegro moderato* de la Sonate, impose son style. On est frappé par la plénitude de la sonorité, par le modelé du chant, par la retenue du mouvement. Ce ton d'une extraordinaire gravité et ce style dépouillé nous conduisent au cœur de la musique de Schubert. De même dans les quatre *Impromptus,* c'est en alliant le naturel à la grandeur qu'Arrau rejoint ici Schnabel et Fischer, et c'est en faisant une constante référence au lied qu'il nous apporte la vérité pianistique de Schubert.

Sonate pour piano n° 14.

*** Sviatoslav Richter (piano). Chant du Monde LDX 78.726/27 (2 d.). + *Sonates n°s 9, 11, 13.*

Avec Richter, le poids du son, la brièveté péremptoire des contrastes dynamiques d'une témérité inouïe, les liaisons divinatoires, la surhumaine énergie qui sous-tend ce seul mouvement – *l'Allegro giusto* – d'une nudité et d'une pauvreté apparente extrêmes, obtiennent une puissance virtuelle de la charge harmonique. Dans ce contexte grandiose, la prouesse de Richter est de donner un premier mouvement à lui seul quadripartite comme une pleine sonate, traversé d'un *Scherzo* fulgurant. Et la gigantesque libération harmonique qui se produit dans l'*Andante* n'est pas moins stupéfiante. Un absolu chef-d'œuvre est rendu à sa pleine stature.

Sonates pour piano n°s 15, 19 et 21.

** Sviatoslav Richter (piano). Mélodia Chant du Monde LDX 7.943 (3 d.) (étr.). Enregistré en 1959 et 1971. + *Laendler, Allegretto en ut mineur.*

L'école russe du piano s'est confrontée à Schubert avec des fortunes diverses. Le meilleur (op. 143 par Guilels, RCA, sup. - Sonate en si bémol par Sofronitzky, URSS, non importé) est ici la Sonate en ut mineur (n° 19), profonde, inspirée, et jouée sur un instrument idéal. Mais aussi le pire, cette Sonate en si bémol, avec un premier mouvement d'une lenteur désespérante, et au cours de laquelle l'auditeur se demande constamment ce que Richter va, et veut faire ?

Sonates pour piano n°s 15 et 17.

*** Michel Dalberto (piano). Erato STU 71.309. Enregistré en 1979.

Un jeune artiste français est venu se joindre aux plus grands. Et son enregistrement force l'admiration, par une rare économie de moyens et un phrasé plein de naturel.

Sonate pour piano n° 16.

❀*** Maurizio Pollini (piano). DG 2530.473. ✉ 3300.504. Enregistré en 1975. + *Fantaisie «Wanderer».*

Pour chacune de ses interprétations de Beethoven, Chopin, Schumann ou Schubert, Pollini repense le texte. Il sait à merveille traduire ce sentiment typiquement viennois, à mi-chemin du sourire et des larmes, avec une pureté de chant limpide, et une main gauche royale. Disque signalé par ailleurs pour son «complément».

Sonates pour piano n°s 15 et 21.

** Daniel Barenboïm (piano). DG 2530.995. ✉ 3300.995. Enregistré en 1977.

Un toucher splendide, une lecture directe, au premier degré. Dans la Sonate n° 21, il manque un peu les horizons de cette ultime méditation que dévoilent, chacun à leur manière, Haskil, Serkin ou Schnabel.

Sonates pour piano n°s 17 et 18.

** Vladimir Ashkenazy (piano). N° 17 : Decca SXL 6739 (G-B). Enregistré en 1977. + *Laendler.* N° 18 : Decca SXL 6602 (G-B). Enregistré en 1972.

Autre exemple de l'école russe : la vision d'Ashkenazy est intéressante en ce qu'elle ne laisse pas indifférent. On peut placer ces interprétations au plus haut niveau pour la beauté des timbres et des sonorités, pour la fidélité au texte ; ou, au contraire, trouver cela ennuyeux et prosaïque. La critique s'est divisée autour de cette ligne de partage. Une approche très «pianistique».

Sonates pour piano n°s 17, 20 et 21.

❀*** Arthur Schnabel (piano). EMI Da Capo C 147-01.557/58 (2 d.).

Mono (origine 78 t.). Enregistré en 1937 et 1939.

La référence. C'est un véritable drame que Schnabel n'ait enregistré que trois seulement des Sonates de Schubert. Aucune sollicitation abusive du texte, mais une maîtrise sereine et souveraine laisse l'auditeur tirer ses propres conclusions, et cette musique où l'humeur et le ton changent du tout au tout d'une mesure à l'autre, parler d'elle-même. Schubert adulte et puissant.

Sonate pour piano n° 19 en ut mineur D. 958.

*** Claudio Arrau (piano). Philips 9500.775. ⌧ 7300.836. + *Allegretto en ut mineur D. 915.*

Dans une œuvre qui est au-delà de tout piano, Arrau s'impose en artiste qui est, lui aussi, au-delà de tout art. Il ne met pas de fard à cette ingrate Sonate, il en avoue le caractère gauche avec une droiture inflexible et une sorte d'humilité fanatique. Comme Schubert, il ne fait que s'installer au clavier-écritoire, et écrit. Décourageante littéralité de l'exercice pour une terrible vérité – celle de Schubert.

*** Radu Lupu (piano). Decca 591.291. Enregistré en 1981. + *Moments musicaux D. 780.*

Radu Lupu donne une lecture hardie, et même téméraire de cette Sonate, œuvre ingrate qui se refuse à tout traitement gracieux. Il a trouvé un ton résolu et allant, sans sévérité rugueuse mais sans sentimentalité non plus, qui fait de cet enregistrement une grande réussite, complétée par des *Moments musicaux* où sa sonorité toute de sensibilité triomphe.

Sonate pour piano n° 20.

❀*** Rudolf Serkin (piano). CBS MS 6849 (USA). Enregistré en 1967.

*** Lily Kraus (piano). Festival FC 458. Enregistré en 1959. + *Danses allemandes.*

Serkin dans ses hautes œuvres, tel qu'on le retrouvera, incomparable interprète de la musique de chambre de Schubert. Cet enregistrement n'est actuellement disponible qu'aux Etats-Unis, et c'est bien dommage, car la vision de cet artiste, «qui ressemble à un astronome et joue comme un ange», est d'une ineffable poésie. Le mouvement lent, notamment, est d'une beauté telle qu'il fait oublier, le temps de sa durée, qu'une autre forme d'art puisse exister.

Un tempérament hors du commun. Certains partis pris de Lily Kraus peuvent agacer parfois (changements de tempos, une certaine afféterie), mais cela est fait avec un tel style, une telle élégance, que la résistance est vaine. Les pièces qui figurent en complément de programme ont un atout supplémentaire.

Sonate pour piano n° 21.

❀*** Rudolf Serkin (piano). CBS 79.216 (2 d.). Enregistré sur le vif en 1978. + *Beethoven : Sonate «les Adieux». Haydn : Sonate n° 49. Mozart : Rondo K.511.*

❀*** Clara Haskil (piano). Philips 6747.055 (9 d.). + *«L'art de Clara Haskil» : œuvres de Beethoven, Chopin, de Falla, Mozart, Ravel, Scarlatti, Schumann.*

❀*** Claudio Arrau (piano). Philips 9500.028. ⌧ 7300.928.

*** Rudolf Serkin (piano). CBS 76.501. Enregistré en 1976.

Le plus récent enregistrement de Serkin a été pris sur le vif à Carnegie Hall, au cours d'un programme classique, admirable de bout en bout. Serkin empoigne l'œuvre et la scrute en profondeur. On passera bien évidemment sur le petit défaut du grand artiste, celui de chanter en même temps qu'il joue (privilège qu'il partage avec Pablo Casals et Glenn Gould...).

Un autre enregistrement incontestable de l'œuvre, aux côtés de ceux de Serkin et de Schnabel. Sur une même ligne qu'eux, mais d'un esprit différent, Haskil traduit toute la fantaisie (la folie ?) d'un musicien dont le drame fut de n'être ni un Romantique, ni un Classique. Il faut, à l'heure actuelle, acquérir un coffret de neuf disques pour accéder à cette interprétation, mais les huit autres renferment d'autres merveilles.

L'engagement d'Arrau est furieux, beethovénien. Jamais les textures n'ont été ainsi mises à nu, et vibrantes. Ce sont les profondeurs qui chantent. Tout le reste n'est que mélodie. De cette intransigeante décision, Arrau est récompensé par la majesté dépouillée, mais grandiose, et symphonique, de péroraisons apocalyptiques dont l'intensité

fait paraître tout orchestre bavard. Arrau rejoint Serkin avec, outre la même rigueur passionnée, l'incandescence exceptionnelle d'un son chauffé à blanc.
La première version de Serkin a été réalisée en studio. Profonde, elle ne livre ses secrets que parcimonieusement, et il lui manque peut-être un peu de la spontanéité qui fait la suprématie de l'enregistrement en concert. Mais que de beauté là encore, principalement dans la rêverie et la poésie immatérielle...

Sonate pour arpeggione (version violoncelle) et piano.

** Mstislav Rostropovitch (violoncelle), Benjamin Britten (piano). Decca SXL 6426 (G-B). Enregistré en 1970. + *Bridge : Sonate pour violoncelle et piano.*

Œuvre de circonstance, cette Sonate fut écrite pour promouvoir les qualités d'un instrument frère du violoncelle (par la forme) et de la guitare (par le nombre des cordes), mis au point par un luthier viennois. Jouée de nos jours sur un violoncelle, cette œuvre possède un charme, un caractère improvisé, magistralement traduits par deux très grands artistes.

Sonate pour arpeggione (version alto) et piano.

** Bruno Giuranna (alto), Shuku Iwasaki (piano). Denon PCM OX 7154. Enregistré en 1978. + *Vieuxtemps : Sonate op. 36.*

La beauté de son du grand altiste italien, magnifiquement enregistré, est l'un des atouts d'un disque qui permet d'entendre un admirable instrument, au répertoire bien mince, dont jouait Schubert.

Trois Sonatines, Grand Duo, Rondo brillant, Fantaisie pour violon et piano.

* Wolfgang Schneiderhan (violon), Walter Klien (piano). DG 2734.004 (4 d.). Enregistré en 1963. + *Trios et Variations pour flûte et piano.*

La totalité de ce que Schubert a écrit pour violon et piano. L'esprit y est, mais la sonorité de Schneiderhan est peu flatteuse et la portée des œuvres quelque peu restreinte.

Symphonies n° 1 en ré majeur, n° 2 en si bémol majeur, n° 3 en ré majeur, n° 4 «Tragique» en ut mineur, n° 5 en si bémol majeur, n° 6 en ut majeur, n° 8 «Inachevée» en si mineur, n° 9 «la Grande» en ut majeur.

** Orch. Phil. de Berlin, Herbert von Karajan. EMI VSM C 165-03.285/89 (5 d.). Quadri. Enregistré en 1978.

Pour qui souhaite acquérir «Tout Schubert» comme on achète «Tout Balzac». Curieusement, ce sont les premières Symphonies qui réussissent le mieux à Karajan, grâce à un phrasé d'une grande souplesse et un art consommé des nuances rythmiques et dynamiques. Mais l'«Inachevée» et la Grande Symphonie en *ut* souffrent quelque peu d'une recherche par trop évidente.

Symphonie n° 3.

*** Orch. Phil. de Munich, Oswald Kabasta. EMI VSM C 137-53.032/36 (5 d.). Mono (origine 78 t.). Enregistré en 1940. + *Anthologie : Lieder, Quatuor n° 12, Quintette «La Truite», Sonatine pour violon et piano n° 6, Symphonie «Inachevée», Trio pour piano et cordes n° 1, Le Voyage d'hiver.*

Où l'on revient une nouvelle fois sur ce coffret anthologique, pour mettre en valeur les mérites d'une direction d'orchestre sidérante au sens fort du terme, due à un chef oublié. Le finale, pris dans un tempo infernal, mais d'une maîtrise totale, est confondant.

Symphonies n° 3 et n° 5.

❀*** Orch. Royal Phil. de Londres, Thomas Beecham. EMI VSM SXLP 30.204. Enregistré en 1959.

*** Orch. Phil. d'Israël, Zubin Mehta. Decca SXL 6.799 (G-B). Enregistré en 1977.

Le disque, célèbre, de Beecham est d'une invention, d'un dynamisne, pour tout dire d'une saveur, incomparables.
Moins de complicité et d'enthousiasme chez Mehta que dans la version Beecham ; mais on y trouvera en revanche le souci du détail parfaitement intégré à la conception

d'ensemble. Mehta sait faire chanter comme il convient les magnifiques cordes de la Philharmonie d'Israël.

Symphonies n° 4 «Tragique» et n° 8 «Inachevée».

*** Orch. Symph. de Chicago, Carlo Maria Giulini. DG 2531.047. ⌧ 3301.047. Enregistré en 1977.

*** Orch. Staatskapelle de Dresde, Wolfgang Sawallisch. Philips 6539.015. Enregistré en 1967.

La transparence de la polyphonie, la beauté du phrasé, la rigueur de pensée de Giulini font le prix de son disque.

Souvent considéré comme «un bon chef d'orchestre», sans plus, Sawallisch n'en a pas moins laissé de Wagner, Schumann, Mendelssohn et Schubert des enregistrements lumineux. Grâce à un orchestre dont les qualités de son conviennent particulièrement à l'instrumentation schubertienne, grâce à une intelligence souveraine du texte, Sawallisch est l'auteur d'une intégrale, malheureusement supprimée, mais de toute première importance.

Symphonie n° 5.

*** Orch. Symph. NBC, Arturo Toscanini. RCA AT 123 (G-B). Mono. Enregistré en 1953. *+ Mendelssohn : Symphonie n° 5.*

Un résumé des particularités de l'art de Toscanini : respect absolu du texte, tempo infaillible, et, par dessus tout, la qualité du chant, indispensable à Schubert.

Symphonies n° 5 et n° 8 «Inachevée».

❀*** Orch. Philharmonia, Otto Klemperer. EMI VSM C 069-00.579. Enregistré en 1965.

*** Orch. Symph. Columbia et Orch. Phil. de New York, Bruno Walter. CBS 60.034. ⌧ 40-60.034. Enregistré en 1962.

*** Orch. Symph. de Chicago, Fritz Reiner. RCA CCV 5001 (G-B). Enregistré en 1962.

Ce couplage, souvent proposé, n'arrange guère l'établissement d'une discographie critique des Symphonies de Schubert. Il serait cependant injustifiable d'omettre ces enregistrements. Avec Klemperer, l'autorité, mais aussi, dans la Cinquième une respiration et une légèreté qui surprendront les tenants des idées reçues (Klemperer chef imposant et massif). Son interprétation de l'«Inachevée» est l'une de celles qui dominent la discographie.

Le contraste souvent relevé entre Klemperer et Walter à propos de leurs enregistrements mahlériens, et que résumait Klemperer en disant qu'ils se trouvaient chacun sur le versant opposé d'une même montagne, se retrouve ici. Walter privilégie le lyrisme, le chant de Schubert.

Reiner est un artiste qui n'a pas la place qu'il mérite. Son art rigoureux, axé sur la dynamique des œuvres, fait pourtant merveille aussi bien lorsqu'il s'est exercé sur les compositeurs de l'époque classique allemande que sur les œuvres de son compatriote et ami Béla Bartók. Ce Schubert-là ne sourit guère ; mais en est-il besoin .

Symphonie n° 6.

** Orch. Phil. de Berlin, Karl Boehm. DG 2530.422. Enregistré en 1971. *+ Rosamunde : Ouverture, Entr'actes 1, 2 et 3, Ballets 1 et 2.*

Seule version disponible en édition séparée de la Symphonie n° 6. On retrouve ici le parfait ordonnancement des plans sonores, la superbe sonorité de la Philharmonie de Berlin. Mais on ne peut que regretter à nouveau l'absence d'une certaine fantaisie recréatrice.

Symphonie n° 7 (fragment du premier mouvement). Symphonie n° 8, version intégrale avec Scherzo complété par Florian Hollard et Entr'acte n° 1 de Rosamunde.

* Orch. de Radio Luxembourg, Florian Hollard. Contrepoint 524.012. Enregistré en 1979.

Ce disque est un document musicologique important. Il présente un fragment instrumenté du premier mouvement de la Symphonie en mi majeur, et une proposition convaincante d'achèvement pour la Huitième. Le réalisateur de ces reconstitutions défend lui-même ses options, avec un sens patent de la respiration schubertienne.

Symphonie n° 8 en si mineur «Inachevée» D. 759.

❀*** Orch. Phil. de Vienne, Carl Schuricht. Decca 117.225 (G-B).

❀*** Orch. du Concertgebouw d'Amsterdam, Eugen Jochum. Philips A-00604-R (sup.). + *Beethoven : Symphonie n° 5.*

❀*** Orch. Phil. de Berlin, Wilhelm Furtwängler. DG 2535.804 (étr.). Mono. Enregistré en 1952. + *Rosamunde : Ouverture. Glück : Alceste (Ouverture).* Ou DG 2721.202 (10 d.). Mono. + *Beethoven, Brahms, Bruckner, Furtwängler, Haydn, Mozart, Schubert, Schumann, R. Strauss, Wagner.*

❀*** Orch. Phil. de Vienne, Wilhelm Furtwängler. EMI VSM C 051-03.614. Mono. Enregistré en 1950. + *Rosamunde.*

*** Orch. Symph. de Chicago, Carlo Maria Giulini. DG 2531.047. ✉ 3301.047. Enregistré en 1978. + *Symphonie n° 4.*

*** Orch. de la Staatskapelle de Dresde, Wolfgang Sawallisch. Philips 6539.015. + *Symphonie n° 4.*

*** Orch. Phil. de Vienne, Karl Münchinger. Decca Eclipse 761 (G-B). + *Symphonie n° 2.*

*** Orch. Phil. de Berlin, Karl Boehm. DG 139.162. + *Symphonie n° 5.*

*** Orch. Philharmonia, Otto Klemperer. EMI VSM C 069-00.579. + *Symphonie n° 5.*

** Orch. Symph. de la NBC, Arturo Toscanini. RCA VL 46.003. Mono. Enregistré en 1950. + *Mozart : Symphonie n° 40.*

** Orch. du Festival de Marlboro, Pablo Casals. CBS MS 7.262 (USA). Enregistré en 1964. + *Mozart : Symphonie n° 40.*

Avec son «Inachevée» Schuricht donne un disque inspiré. C'est sans nul doute une interprétation de référence, avec un petit quelque chose en plus qui la met au-dessus des autres - combien nombreuses - excellentes versions de cette œuvre tant et tant gravée. Intérieure, vécue du dedans, la *n° 8*, selon Schuricht, est sans doute le plus beau voyage au bout du rêve schubertien, avec ce qu'il faut d'ampleur dans le lyrisme, le seul à nous offrir toutes les clefs de cette œuvre qui ne s'explique que par ces deux mots de Schubert : «Amour... Douleur». Et l'Orchestre Philharmonique de Vienne a-t-il jamais aussi bien joué ?

La disparition des catalogues de l'enregistrement de Jochum est à coup sûr une lacune et une perte que l'éditeur devrait réparer au plus vite. Car il s'agissait là d'une version aussi exceptionnelle que celle de Schunicht, et c'était un remarquable témoignage de ferveur. On y sentait tout une vie intérieure qui allait sereinement jusqu'à l'extase de l'*andante con moto.*

Wilhelm Furtwängler a enregistré deux fois l'*«Inachevée»*. Des deux versions, on pourra préférer, question d'atmosphère, celle où il est à la tête de la Philharmonie de Berlin, car il s'agit là d'un enregistrement réalisé en direct lors d'un concert public, et l'on sait que «Furt» réagissait très favorablement à ces conditions. Il en résulte une présence particulièrement électrisante. Un sentiment d'angoisse étreint l'auditeur dès les premières mesures, pour ne plus le lâcher. L'«Inachevée» dans sa dimension tragique.

Avec la Philharmonie de Vienne, on retrouve bien entendu les mêmes qualités de base qui font les mérites de la version berlinoise : Furtwängler y montre un sens de la grandeur et du lyrisme qui n'appartenait qu'à lui, avec, pour l'intensité de la vie intérieure, une dimension quasi faustienne, dans une violence ici moins abrupte. Pour le servir, un orchestre merveilleux.

La vision de Carlo Maria Giulini est vraiment saisissante : à l'instar des versions historiques que nous ont laissées les plus grands chefs, on voit apparaître ici le côté fantastique de l'œuvre. Elle est habitée par le même climat que le célèbre lied pré-expressionniste *Der Doppelgänger.* Pour cela, c'est un disque exceptionnel qu'il faut avoir écouté pour bien connaître l'«Inachevée».

La version dirigée par Sawallisch est sans doute la plus régulière, celle qui se montre le plus attentive à toutes les composantes de la partition. Le dramatisme prométhéen, le mystère de l'instant, la violence du souvenir, tout a été étudié et tout est rendu. Peut-être pourrait-on souhaiter un *andante* plus poétique, plus détaché des contingences, jusqu'à devenir cette marche suspendue entre ciel et terre qu'en faisait Schuricht. Mais telle qu'elle est, cette interprétation ranime sans cesse l'intérêt de cette Symphonie, sans parti pris ni complaisance.

Irréprochable styliste, Münchinger trouve d'emblée la route du romantisme le plus pur, du ton le plus schubertien. Comme bien peu avant elle, cette version ne cesse d'être hantée par le mystère. Expressive avec juste ce qu'il faut d'accents prophétiques et personnels, elle culmine avec le grand *crescendo* tragique du *moderato*. Et quel instinct poétique, avec un *andante* irréel à plaisir, que l'on croirait illuminé d'une lune peinte par Caspar David Friedrich.

Le second enregistrement de l'«Inachevée» par Boehm est incontestablement plus réussi que le premier. Sans doute n'atteint-il pas les plus hauts sommets, mais c'est une version qui possède des atouts déterminants pour retenir l'attention. Tout d'abord, la qualité du Philharmonique de Berlin, qui chante à merveille. Les sources de Schubert selon Boehm restent incontestablement classiques, mais le mystère apparaît ici dès le murmure des violons dans l'introduction. S'il manque à cette lecture un peu de dépassement dans le rêve, l'*andante* s'écoule en un tendre voyage mystique, tout intérieur et éternellement recommencé comme celui du *Wanderer*.

Romantisme de haut vol, ruines à la Walter Scott, émotions singulières : tel apparaît Klemperer. L'introduction brûle d'une sombre flamme, et cet éclairage oppressant de *burg* hanté ne se dément pas tout au long du premier mouvement. Ce dramatisme n'est pas de mise partout, et l'*andante* y perd de son caractère séraphique, dans un climat d'inquiétude qui n'est pas indispensable. Mais il reste une vision monumentale, sur laquelle pèse le poids du regard posé par Klemperer.

Contraste immense, saisissant, avec Toscanini : Schubert sort des Enfers pour revêtir un habit lumineux et transparent. Plus de pathos, mais rien qu'un chant infini, qui semble seul préoccuper le maestro. Au revers, une «Italienne» de Mendelssohn qui, avec un tel chef, aurait mauvaise grâce à ne pas être solaire et éclatante.

Inaccessible en France, le disque de Casals fait partie d'une série réalisée au cours du festival de la Musique et de l'Amitié de Marlboro. Comme pour les *Brandebourgeois*, les six dernières Symphonies de Mozart ou la Septième de Beethoven de la même origine, Casals s'y révèle un étonnant chef d'orchestre, n'hésitant pas à soutenir de la voix ses musiciens. Une pulsion constante emporte l'adhésion.

Symphonie n° 9 en ut majeur «La Grande» D. 944.

❀*** Orch. Phil. de Berlin, Wilhelm Furtwängler. DG 2535.808 (étr.). Mono. Enregistré en 1951. Ou DG 2721.202 (10 d.). Mono. + *Beethoven, Brahms, Bruckner, Furtwängler, Haydn, Mozart, Schubert, Schumann, R. Strauss, Wagner*. Ou DG 2740.260 (6 d.). Mono. + *Beethoven, Bruckner, Haydn, Mozart, Schubert, Schumann, R. Strauss, Wagner*.

*** Orch. de Cleveland, George Szell. EMI VSM C 063-02.094 (sup.).

*** Orch. Symph. de Londres, Josef Krips. Decca 592.047. ⌧ 4-592.047. Enregistré en 1959.

*** Orch. de la Staatskapelle de Dresde, Karl Boehm. DG 2531.352. ⌧ 3301.352. Enregistré en 1979.

*** Orch. Symph. de la Süddeutsche Rundfunk de Stuttgart, Carl Schuricht. Festival FC 427. ⌧ FCK 4.027.

*** Orch. Symph. Columbia, Bruno Walter. CBS 75.020. Enregistré en 1962.

*** Klassische Philharmonia de Stuttgart, Karl Münchinger. Decca 7.052 (G-B).

** Orch. Philharmonia, Otto Klemperer. EMI VSM C059-00.527. ⌧ C 259-00.527. Enregistré en 1961.

Grande, cette Symphonie l'est aussi parce que Furtwängler en fait un véritable monument. Il est difficile de rêver une intensité dramatique plus véhémente que celle qui émane de ce disque. Aussi est-ce celui à acquérir, et même par ceux qui jugent Furtwängler comme un «chef lent» : ils seront surpris par le tempo d'un finale enlevé fort rapidement. Toute cette interprétation montre une grande éloquence et un phrasé inimitable.

Szell a donné de cette Symphonie l'une de ses meilleures réalisations discographiques. Superbe version, d'un goût parfait, d'une éloquente grandeur, d'une articulation rythmique impérative. On pourra seulement regretter que le chef n'accorde pas plus souvent un sourire, une détente qui eussent laissé les beautés de cette œuvre géniale s'épanouir plus librement. Mais que c'est grand !

Krips montre ici une volonté de laisser s'exprimer la musique sans jamais forcer le texte : il se dégage de sa vision une spontanéité où l'on voit bien les affinités de ce chef avec le lyrisme schubertien. Dans les deux derniers mouvements, Krips trouve une expression divinement aérienne, et le trio du *scherzo* est délectable. Toute cette interprétation représente la tradition viennoise dans ce qu'elle a de plus raffiné.

Boehm, dans son dernier enregistrement de l'œuvre, représente l'aboutissement d'une patiente recherche où se sont illustrés tous les grands chefs de l'après-guerre, à commencer par lui-même. Sa Neuvième possède toutes les conquêtes significatives des grandes versions aînées, mais compte sur elles un avantage décisif, la Staatskapelle de Dresde, orchestre de solistes qui réalise des inflexions que le jeu de main gauche du chef ne peut que suggérer. Tout cela rend bien compte de la permanence des éléments de musique de chambre que renferme ce monument : la dualité symphonie-musique de chambre qui est ainsi soulignée fait l'originalité de cet enregistrement.

Schuricht, qui a donné de l'«Inachevée» une interprétation de référence quasi absolue, ne déçoit pas non plus avec la n° 9. Toute sa science de la direction et toute sa sensibilité à l'expression schubertienne font merveille. Un point noir, cependant, en ce qu'il ne dispose pas de l'instrument qui lui permettrait de faire passer entièrement ses intentions. L'orchestre, en effet, tout en étant d'honorable niveau, ne peut se comparer aux illustres phalanges sans lesquelles les plus grands chefs peuvent moins.

Conception toute viennoise que celle de Bruno Walter. Il s'en dégage une incomparable poésie, et sa vision fait étonnamment contraste avec celle d'autres chefs qui bâtissent de cette Symphonie un édifice imposant. Walter, lui, exprime toute la bonhomie, toute la nostalgie aussi, de cette musique, mais sans jamais tomber dans le sentimentalisme.

Münchinger fait preuve dans son interprétation d'une souplesse qui n'est pas toujours présente dans sa direction. C'est sans doute cela qui fait le charme et le mérite de sa *n° 9*, qui se revêt des charmes d'une musique pastorale. Il est en cela assez semblable à Walter, car sa conception privilégie les aspects brillants et ensoleillés, semblant oublier que cette Symphonie est surnommée «La Grande».

Ce surnom n'a pas été oublié par un chef de la carrure de Klemperer, et sa vision grandiose de l'*«Inachevée»* appelait une suite non moins puissante. Ici, pierre après pierre, cet architecte-musicien construit un édifice majestueux. C'est une baguette préremptoire qui mène les musiciens du Philharmonia merveilleusement disciplinés. C'est très beau, mais cela manque un peu de la poésie spontanée qui tempère les plus grandes versions.

Trios pour piano, violon et violoncelle n° 2 «Notturno» et n° 3 op. 99. 2

*** Trio Suk. Supraphon 28.376. Enregistré en 1965.

Une version poétique, magnifiée par l'intégrité, la musicalité et la beauté de son des musiciens tchèques.

Trios pour piano, violon et violoncelle n° 3 op. 99 et n° 4 op. 100.

*** Isaac Stern (violon), Leonard Rose (violoncelle), Eugène Istomin (piano). CBS 76.077 et 75.858. ⊠ 40-76.077 et 40-75.858. Enregistré en 1966 et 1967.

* Arthur Rubinstein (piano), Henryk Szeryng (violon), Pierre Fournier (violoncelle). RCA ARL 20.731 (2 d.). Enregistré en 1974.

Pour la sonorité splendide de Stern, pour la communion des trois interprètes et le phrasé d'ensemble. Indiscutablement, l'enregistrement le plus convaincant de ces œuvres, réalisé depuis vingt ans.

Trois grandes vedettes, aussi talentueuses et prestigieuses soient-elles, ne parviennent pas nécessairement à traduire le climat d'une œuvre, surtout lorsqu'il s'agit du ton schubertien, si particulier. L'auditeur est séduit par la beauté instrumentale, mais reste à la surface des choses. Rubinstein, pour sa part, ne renouvelle pas la performance extraordinaire, réalisée en 1941, pour le premier des deux grands Trios, en compagnie de Jasha Heifetz et Emmanuel Feuermann (RCA, USA).

Trio n° 3 pour violon, violoncelle et piano op. 99.

❀*** Jacques Thibaud (violon), Pablo Casals (violoncelle), Alfred Cortot (piano). EMI VSM C 047-01.148. Mono (origine 78 t.). + *Haydn : Trio n° 39.*

A nouveau trois immenses artistes, dotés chacun d'une forte personnalité, mais le miracle s'est produit, facilité par un long et fréquent apprentissage commun, par la fougue et le lyrisme de Casals, par la magie du toucher de Cortot. Historique au plein sens du terme.

Trio pour piano, violon et violoncelle n° 4 op. 100.

❀*** Rudolf Serkin (piano), Adolf Busch (violon), Hermann Busch (violoncelle). EMI VSM C 051-03.309. ✉ C 251-03.309. Mono (origine 78 t.). Enregistré en 1935. *+ Fantaisie pour piano et violon.*

** Jean-Philippe Collard (piano), Augustin Dumay (violon), Frédéric Lodéon (violoncelle). EMI VSM C 069-73.067. Enregistré en 1982.

Historique également, comme le précédent enregistrement, et d'une égale importance. A ranger côte à côte, dans la discothèque de l'honnête homme, même si les moyens utilisés et l'approche des musiciens sont radicalement différents. Casals et les artistes français donnent une magnifique démonstration de «grand art» ; le Trio Busch atteint à l'art tout court.

On prendra un vif plaisir à la rencontre des trois jeunes mousquetaires français. Avec la brièveté dense et serrée du premier mouvement, Schubert perd quelques-unes de ses couleurs de crépuscule, mais trouve une verve alerte, décapée, qui introduit à un mouvement lent moins chantant que d'habitude, allusif, secret, un rien essoufflé. De bout en bout de l'immense construction, on se réjouit de voir des décisions collectives aussi fermement prises, acceptées et tenues.

Schumann, Robert
(1810-1856)

Album pour la jeunesse op. 68.

*** Karl Engel (piano Steinway). Valois MB 1.424/25 (2 d.) (sup.). *+ Sonates pour la jeunesse.*

** Peter Frankl (piano). Vox Box 41.160 (3 d.) (sup). *+ Etudes symphoniques, Toccata, Arabesque, Carnaval, Carnaval de Vienne, Blumenstück.*

* Alexis Weissenberg (piano Steinway). EMI VSM C 069-12.578.

L'*Album pour la jeunesse* n'est pas comme on le pense souvent une œuvre «facile». Pleine de reflets, de pressentiments, d'états futurs, elle se développe sur le triple plan musical - retour au piano de Schumann, intentionnel cadeau de Noël à ses enfants, esthétique - avec l'invitation au rêve, mais aussi la perception d'un monde subconscient et l'appréhension d'un futur angoissant. Voilà ce qu'a parfaitement compris et exprimé Karl Engel, pour qui la jeunesse n'est nullement insouciante et ignorante, mais déjà avertie des rudesses de l'existence. Il garde avec une mesure et une discrétion louables l'émotion grandissante qui s'empare de ces pages - et où nous retrouvons toute la bonté, la poésie et le troublant frémissement intérieur de Schumann.

Parmi les œuvres regroupées dans le premier coffret de son intégrale, l'*Album pour la jeunesse* est sans doute une des plus grandes et exquises réussites de Peter Frankl. Tout ici est enchanteur. Dites avec simplicité, émotion contenue, ces petites pièces n'atteignent peut-être pas à la superbe et poignante vision futuriste de Karl Engel - ce n'est pas exactement le propos de Frankl, qui en reste davantage au vert paradis des amours enfantines. Mais en nous laissant percevoir, çà et là, ce que la vie peut receler de dramatique et d'effrayant à l'horizon. Le piano sonne clair et dans un espace équilibré et suffisamment large.

Pris par Weissenberg dans un mouvement rapide (qui permet de graver ses soixante-neuf minutes et vingt secondes sur seulement deux faces), l'*Album pour la jeunesse* apparaît ici assez mince et parfois même superficiel. En fait, la volonté affichée par l'interprète de ne pas donner prise à la sensibilité ou à un romantisme affadi, jointe à un manque de tendresse et d'effusion, révèle autant que la personnalité de Weissenberg tout un côté de la sensibilité moderne, volontiers objective. On peut aimer - ou refuser, au nom d'une certaine conception romantique de Schumann... De toute évidence, les enfants auxquels s'adresse Weissenberg sont moins lecteurs du *Général Dourakine* que des aventures de Lucky Luke ou d'un quelconque Superstar. Autre temps, autres mœurs. Autres perceptions..

Bunte Blätter, 14 pièces pour piano.

*** Jean Martin (piano Steinway). Arion ARN 31.906. *+ Gesänge der Frühe.*

*** Karl Engel (piano Steinway). Valois-Résurgences MB 374. + *Nachtstücke.*

*** Sviatoslav Richter (piano). Mélodia Chant du Monde LDX 78.558 (étr.). + *Brahms : Trois Pièces op. 118.*

Bunte Blätter, extraits.

❀*** Clara Haskil (piano). Philips 6768.286 (2 d.). + *Concerto pour piano, Scènes de la forêt, Scènes d'enfants, Variations Abegg.*

Le jeu de Jean Martin est grave, pénétré de poésie ; des frémissements intérieurs confèrent à sa vision une auréole très romantique en même temps que dominée superbement. Dans ce vaste filon où passent les phantasmes oniriques de Schumann - et plus encore dans les *Gesänge der Frühe*, ultime composition vraiment consciente du musicien - il apparaît visionnaire et profondément lyrique. Ce disque se recommande chaudement.

Dans l'intégrale de Karl Engel, les *Bunte Blätter* constituent sans doute un très haut niveau d'exécution et d'interprétation. Comme toujours, Karl Engel se montre attentif aux moindres inflexions du texte, aux moindres méandres de la pensée du compositeur qu'il ressuscite en grand schumannien. De tout ce qui peut se faire en ce domaine, c'est là peut-être, avec Jean Martin et Clara Haskil, ce qui reste le plus perdurable.

Sviatoslav Richter, plutôt que de disséquer chaque pièce comme le font de nombreux pianistes, cherche à mettre en exergue l'unité profonde de l'opus tout entier, à recréer une intériorité de tous les instants à travers des tempos plutôt lents, des nuances *pianissimo* accusées, mais aussi un jeu contrasté où la tendresse semble vouloir dominer. La richesse polyphonique du tissu musical est scrutée avec attention, de même que la tension dynamique de l'ensemble. Une fort attachante version, très poétique, qui entraîne bien loin sur les chemins du rêve schumannien.

Même si elle se borne à ne donner que les huits premières pièces, Clara Haskil reste peut-être la plus pure, la plus émouvante des interprètes. Plus que Reine Gianoli - dont c'était là un des sommets de l'intégrale -, plus que tous ses confrères masculins, elle nous porte au degré suprême de l'indicible. Et son disque, que complètent les *Scènes de la forêt*, les *Scènes d'enfants* ainsi que les *Variations Abegg*, demeure inimitable, inimité et l'indispensable fleuron de toute discothèque.

Carnaval, scènes mignonnes sur 4 notes, pour piano op. 9.

❀*** Serge Rachmaninov (piano). RCA (sup.).

❀*** Inger Södergren (piano Bösendorfer). Calliope 1.650. ⊠ 4.650. + *Scènes d'enfants.*

❀*** Arthur Rubinstein (piano). RCA LSC 2.669 (USA). + *Fantaisie op. 12.*

*** Arturo Benedetti-Michelangeli (piano). DG 2536.415. Stéréo d'origine mono. Enregistré en 1957. + *Carnaval de Vienne op. 26.*

** Peter Frankl (piano). Vox Turnabout TV 37.093/95 (3 d.). (étr.). + *Etudes symphoniques, Toccata, Canon à Auxis, Arabesque, Carnaval de Vienne, Feuilles d'album, Album pour la jeunesse.*

** Karl Engel (piano). Valois-Résurgences MB 361. + *Allegro op. 8, Papillons.*

* Claudio Arrau (piano). Philips 5802.746. ⊠ 7300.821. + *Arabesque, Humoresque.*

Avec Rachmaninov, le *Carnaval* de Schumann prend non pas une ampleur, mais une couleur prodigieuse. On ne peut que louer l'originalité du jeu, même si des réserves s'imposent. On admire le côté visionnaire, même si certaines pièces accusent légèrement un goût «rétro» très 1925. Mais la liberté intérieure, une superbe aisance, des accents frénétiques mais maîtrisés disent le sens de l'expression du rythme, du phrasé qu'avait le grand pianiste-compositeur qui fait décoller de terre la partition. Une re-création fulgurante.

Inger Södergren privilégie le mouvement et les passions qui animent les personnages du Carnaval. Cette interprétation très personnelle, en dehors de toute tradition, transfigure une partition que l'on ne joue plus guère au concert. On gagne en profondeur, en justesse psychologique, en ampleur ce que l'on perd en attrait immédiat. Une prise de son claire et lumineuse d'un superbe Bösendorfer parachève ce disque exemplaire.

Chez Michelangeli, on ne peut qu'admirer l'effet poétique d'une virtuosité qui entraîne dans son tourbillon, mais toujours avec la plus grande clarté, les figures imaginaires qui sont pour Schumann le langage chiffré de son univers secret. Admirer, également, son sens de l'expression par la sonorité.

Rubinstein fait pénétrer au cœur même de la partition. Quel artiste ! Et qul tempérament ! De plain-pied dans l'univers tourbillonnant du *Carnaval*, qui chante, virevolte, rêve, trépigne, vit et vibre en symbiose parfaite avec la partition dont il fait rayonner le texte d'un grand éclat musical - superbe et triomphant.

En abordant le *Carnaval*, Peter Frankl sait très vite créer un climat très schumannien. Un climat où il excelle et où, visiblement, il se sent à l'aise. Le jeu pianistique entre dans la note, dans le piano et s'y abandonne, corps et âme - jusqu'à laisser entendre, parfois, le pied sur la pédale. Ce que l'on aime, ici, c'est l'intelligence de la mise en page, en place, c'est le climat accusé, le lyrisme, la respiration subtile - et, brochant sur le tout, une unité de toucher, de style et de conception supérieure.

Karl Engel s'impose par ses oppositions rythmiques, ses visions fantasmagoriques, sa tendresse rêveuse ; sans doute, chez lui, la spontanéité est-elle un peu maîtrisée, donnant même l'impression parfois que l'intellect ici l'emporterait sur la sensibilité. L'envol cependant reste beau et l'on s'incline devant tant de richesse intérieure servie par un piano superbe et un pianisme conquérant.

Avec Claudio Arrau, on est constamment en butte avec soi-même et avec lui. C'est l'empire du «oui, mais...». Le toucher est en effet superbe, mais froid ; classique, mais avec des abandons quelque peu solliciteurs ; sans bavure, certes, mais également sans les envolées lyriques d'un Rachmaninov ou d'un Rubinstein. Le spectacle est techniquement au point, infaillible. On reste admiratif, mais le cœur ne suit guère..

Carnaval de Vienne pour piano op. 26.

*** Karl Engel (piano Steinway). Valois MB 919. + *Arabesque, Fantasiestücke.*

*** Sviatoslav Richter (piano). EMI VSM C 181-01.727/28 (2 d.). + *Papillons, Sonate n° 2, Fantaisie en ut.*

** Arturo Benedetti-Michelangeli (piano). DG 2536.415. Stéréo d'origine mono. Enregistré en 1957. + *Carnaval op. 9.*

** Peter Frankl (piano). Musidisc RC 875. + *Arabesque, Scènes de la forêt, Variations Abegg.*

Comme dans le *Carnaval* tout court, Karl Engel atteint aux plus hauts sommets dans ce nouveau *Carnaval, de Vienne* cette fois. Il s'apparente d'ailleurs par maints côtés à la superbe traduction de Richter. Nous y trouvons comme toujours, et pour notre plus grand plaisir, une finesse de sensibilité, de perception de chaque page qui porte la partition tout entière à son plus haut niveau de beauté. Piano superbe.

Avec Richter, on atteint presque continuement au suprême de l'interprétation. Même si, çà et là, on peut éprouver quelque gêne devant certains tempos adoptés. Mais le style reste grandiose, majestueux, et ces «deux disques pour le prix d'un» ont de quoi séduire bien des mélomanes. Et le complément est plus que tentant...

Michelangeli, moins emporté que Richter, donne du *Carnaval de Vienne* une vision qui s'impose par sa clarté du dessin et par la richesse de la sonorité. Mais pourquoi, diable ! a-t-on artificiellement stéréophonisé cet enregistrement de la BBC qui eût mieux sonné en mono véritable ?

La réussite de Peter Frankl dans le *Carnaval de Vienne* n'est peut-être pas à l'égal de son «autre» *Carnaval*. Mais cela reste du très beau piano, et l'on retrouve ici, comme dans le reste de son intégrale, une ferveur communicative, servie par une sensibilité extrême, une finesse de perception remarquable. Le jeu pianistique en soi est lui aussi superbe et concourt à la réussite globale de l'ouvrage.

Chants de l'aube op. 133.

*** Hélène Boschi (piano). Fy 106. Enregistré en 1982. + *Fantasiestücke op. 111, Trois Romances op. 94, Fantasiestücke op. 73* (*piano*).

Les *Chants de l'aube* sont ici joués avec une merveilleuse clarté qui n'en fait que mieux ressortir l'étrangeté, l'instabilité. Fidèle aux leçons d'Alfred Cortot, Hélène Boschi trouve l'expression et la vie dans les différenciations des timbres et des plans sonores, et non pas dans une agitation factice. Les pièces pour clarinette qui complètent cet enregistrement nous valent un disque rare, un disque remarquable par son unité et son intériorité.

Concerto pour piano et orchestre en la mineur op. 54.

❀*** Dinu Lipatti (piano), Orch. Philharmonia, Herbert von Karajan. EMI Da Capo C 047-00.770. Mono. + *Grieg : Concerto pour piano.* Ou EMI NSM C 051-03.713.

⌧ C 251-03.713. Mono. + *Mozart : Concerto pour piano n° 21.*

❀*** Clara Haskil (piano), Orch. Phil. de La Haye, Wilhem van Otterloo. Fontana 700.066.

*** Martha Argerich (piano), Orch. Symph. National de Washington, Mstislav Rostropovitch. DG 2531.042. ⌧ 3301.042. + *Chopin : Concerto pour piano n° 2.*

*** Rudolf Serkin (piano), Orch. de Philadelphie, Eugene Ormandy. CBS 61.921 (étr.). + *Introduction et Allegro concert, Konzertstück op. 92.*

*** Yves Nat (piano), Orch. Symphonia, Eugène Bigot. EMI VSM C 153-10.960/64 (5 d.). Mono. + *L'œuvre pour piano (anthologie).*

*** Alfred Cortot (piano), Orch. Phil. de Londres, Landon Ronald. EMI VSM C 153-03.490/92 (3 d.). Mono. + *L'œuvre pour piano (anthologie).*

** Malcolm Frager (piano), Orch. Phil. de Hambourg, Marc Andreae. BASF 20-217.175 (sup.).

** Lili Kraus (piano), Orch. de l'Opéra de Vienne, Victor Desarzens. Festival FC 428. ⌧ FCK 4.028. + *Weber : Konzertstück.*

** Gezá Andá (piano), Orch. Phil. de Berlin, Rafael Kubelik. DG 138.888. ⌧ 3300.120. + *Grieg : Concerto pour piano.*

** Arthur Rubinstein (piano), Orch. Symph. de Chicago, Carlo Maria Giulini. RCA 651.002 (sup.). + *Novelettes 1 et 2.*

En dépit d'une prise de son un peu vieillie, certes, Dinu Lipatti demeure inimitable et, à ce jour, inimité. Pour maints schumanniens, c'est bien *la* version du Concerto, car avec lui, le compositeur apparaît dans son *aura* la plus géniale, dans sa vérité classique nimbée de romantisme. Toute la finesse, la bonté, la délicatesse du musicien sont là enfermées, comme en un écrin d'où s'échappe le grand cri d'amour pour Clara. Le mariage piano/orchestre est de bout en bout heureux et Karajan apporte la caution de son propre génie, conjonction miraculeuse qui fait de ce disque une des pierres de base de toute discothèque.

Avec Clara Haskil, on atteint à la vraie tendresse de Schumann. On ne se lasse pas d'entendre ces grandes gerbes d'amour qui montent du piano : confidence d'un cœur qui ne craint point d'avouer ses sentiments, avec une grâce, une pudeur confondantes. Une longue méditation qui dépasse la musique et débouche sur l'humain le plus profond, voilà le message de ce disque exemplaire.

Dans l'œuvre de Schumann, Martha Argerich atteint à la volupté suprême. C'est le feu, la passion déchaînée ; c'est l'enthousiasme de la jeunesse, le lyrisme échevelé, le romantisme le plus fou, le plus fidèle aussi, à la fois à l'esprit et à la forme de l'œuvre. Il faut entendre cette version bouleversante où Rostropovitch donne la réplique sur le même ton - ce qui confère à l'ensemble une unité rarement atteinte.

Un toucher superbe, une traduction altière : voilà ce qu'apporte la version de Serkin. La confidence débouche ici sur un souffle épique et chaque détail, admirablement mis en valeur, s'insère dans une vision plus large et généreuse que le pianiste amplifie, conforte et rend plus intense. Rigueur classique et tempérament romantique se fondent alors en une admirable synthèse. De plus, ce disque groupe les trois pages de Schumann pour piano et orchestre : c'est dire que nous tenons là le couplage idéal.

Yves Nat, c'est le ressourcement miraculeux de Schumann, la réincarnation du grand Romantique en un homme de notre siècle qui sut s'identifier à lui. De là cette ferveur dans l'interprétation des œuvres, mais aussi ce feu qui dévore les notes - et ce côté dominateur de l'esprit, qui sous-tend l'architecture en *«classique-romantique»*. Bien sûr, la technique ne répond guère à l'attente du mélomane d'aujourd'hui. Mais au-delà, quelle leçon, et quel document ! Et quel miracle de simplicité comprise !

De même, la version Cortot bouillonne, fébrile et orgueilleuse, altière et sage, romantique et classique. Dans cette vision grandiose où les contraires se trouvent réunis et unifiés par un langage de feu, on trouvera une traduction fidèle, superbe de l'œuvre, servie par un jeu expressif, mais un orchestre assez lointain. Mais on admire comme un beau tableau d'autrefois, avec une nostalgie pour ce qui n'est plus.

Malcolm Frager est le seul interprète à avoir gravé le Concerto dans sa première version de Fantaisie. C'est dire l'importance de son disque, que tout schumannien devra posséder. Car, en plus de l'intérêt, il est magnifique de présence, de lyrisme, soutenu admirablement par Marc Andreae et l'Orchestre Philharmonique de Hambourg.

Sans atteindre au niveau exceptionnel de Clara Haskil, la grande pianiste Lili Kraus nous laisse une version splendide du Concerto. Ici se marient l'ampleur de la conception, la beauté des timbres, la richesse et la variété des sentiments, la profondeur de l'inspiration. Au service total de l'œuvre, admirablement encadrée et soutenue par l'effectif orchestral, ce disque mérite une attention soignée. Et son complément est tout aussi réussi !

Avec Gezá Andá, on ne perd pas une nuance de la vie souterraine de l'œuvre ; la nature germanique reprend ses droits et le couple force-tendresse se dresse au premier plan. La perception de l'œuvre est à la fois grandiose et sublime, intime et quotidienne, comme le Journal de Schumann lui-même. Et, là encore, quel toucher, quel orchestre et quel chef merveilleux !

Dans sa quête très classique, d'un dépouillement continuel, Rubinstein passe un peu à côté de l'œuvre. Brillant, impatient, nerveux, il parvient malgré tout à la sobriété mais donne à son interprétation un aspect un peu sec qui finalement nuit à la grandeur. Mais, en revanche, quelle diction, nette, précise, juste ! Quelle expression pleinement, profondément musicale, que souligne Giulini dans une direction d'orchestre fastueuse, bien à la mesure du soliste..

Concerto pour violon et orchestre, en ré mineur.

*** Ulf Hoelscher (violon), Staatskapelle de Dresde, Marek Janowski. EMI VSM C 063-03.647. + *Mendelssohn : Concerto en mi.*

** Henryk Szeryng (violon), Orch. Symph. de Londres, Antal Doráti. Philips 5838.417 (sup.). + *Mendelssohn : Concerto en mi.*

Dans ce Concerto assez méconnu, finalement, Ulf Hoelscher aborde la partition avec une certaine candeur, une volonté délibérée de n'en point faire trop. Et cela profite à la partition, car il en naît une œuvre curieusement plus profonde qu'il n'y paraît à première vue, en même temps qu'extrêmement dynamique. Quant au lyrisme, il se déploie superbement dans le mouvement lent, tout entier baigné de lumière à la fois sereine et sombre - ce qui fait naître chez l'auditeur une émotion de bon aloi. L'orchestre confirme là encore son exceptionnelle valeur, se fondant avec intelligence au jeu du soliste.

Prince du violon, Szeryng sait, dans le Concerto de Schumann, gommer tout ce qu'il peut y avoir d'apprêté, de surveillé, de «longueurs», même, en recréant une unité souterraine qui fait merveille. Ce disque, aujourd'hui supprimé du catalogue, est à rechercher pour sa plénitude, sa beauté et sa réussite totale, puisque Antal Doráti s'y fait le traducteur sensible et l'efficace partenaire à la tête d'un Orchestre Symphonique de Londres en pleine forme.

Concerto pour violoncelle et orchestre en la mineur op. 129.

*** André Navarra (violoncelle), Orch. Phil. Tchèque, Karel Ančerl. Supraphon SU 50.521 (étr.). + *Bloch : Schelomo.*

*** Mstislav Rostropovitch (violoncelle), Orch. Phil. de Leningrad, Guennadi Rojdestvenski. DG 2535.112. ⌧ 3335.112. + *Tchaïkovski : Variations rococo.*

*** Mstislav Rostropovitch (violoncelle), Orch. National de France, Leonard Bernstein. EMI VSM C 069-02.841. ⌧ C 269-02.841. Quadri. + *Bloch : Schelomo.*

** Christine Walevska (violoncelle), Orch. de l'Opéra de Monte Carlo, Eliahu Inbal. Philips 6500.160. + *Bloch : Schelomo. Bruch : Kol Nidrei.*

** Paul Tortelier (violoncelle), Orch. Phil. Royal, Yan-Pascal Tortelier. EMI VSM C 069-07.047. Enregistré en 1978. + *Boëllmann : Variations symphoniques pour violoncelle et orchestre.*

André Navarra restera sans doute avec Pierre Fournier l'un des plus grands interprètes du Concerto de Schumann. Ici, la liberté et la fantaisie s'allient au classicisme le plus évolué, le plus épuré. Mais toujours règnent l'équilibre, la vigueur, la poésie et une indéniable tendresse. La partition orchestrale est dirigée de main de maître par Karl Ančerl, dont c'est là une des plus belles interprétations.

Rostropovitch a signé au moins deux versions du Concerto de Schumann. Dans celle avec le Philharmonique de Leningrad, la prise de son a naturellement vieilli : un peu loin, l'orchestre sonne légèrement voilé. Mais le soliste est prestigieux et, dans le mouvement central, atteint au sublime. C'est un jalon dans la carrière de Rostropovitch.

Avec l'Orchestre National de France dirigé par Bernstein, Rostropovitch retrouve son admirable poésie des années soixante. Musicalement, on perçoit cependant une évolution dans le sens d'une plus grande concentration, vers un dépouillement plus accentué, mais dans la relation avec l'orchestre, une dimension plus «tragédiste» se déployant dans un tempo à peine plus élargi. L'enthousiasme a peut-être un peu diminué (?) ; la verve, en revanche, demeure semblable, tout comme la poésie de l'*andante*, sublime et décantée, lyrique à souhait.

Eliahu Inbal donnant la réplique à l'archet vigoureux de Christine Walevska : en voilà assez pour signer un bon disque. Et de fait, ce disque est excellent. Certes, l'Orchestre de l'Opéra de Monte-Carlo n'est ni l'ONF ni le Philharmonique Tchèque, mais nous tenons là, par le programme, par la sûreté du propos, par la classe indéniable de la soliste, une version mieux que bonne, une version chaleureuse, intelligente, sensible, très fine de perception schumannienne, d'expression intime et de lyrisme romantique.

Paul Tortelier fait songer à Christine Walevska : ils ont la même passion de l'expression à grands traits, de la communication, de l'abandon de la structure chaque fois que le «poète parle». On sent Tortelier absolument libre de son propos, on sent que sa parole et son geste sont le reflet de sa pensée.

Davidsbündlertänze op. 6.

❀*** Alfred Cortot (piano). EMI VSM C 153-03.490/92 (3 d.). Mono (origine 78 t.). + *Carnaval, Concerto pour piano, Etudes symphoniques, Kreisleriana, Papillons, Scènes d'enfants.*

*** Karl Engel (piano Steinway). Valois MB 1.416. + *Intermezzi.*

*** Gezá Andá (piano). DG 2535.145 (étr.). + *Kreisleriana.*

** Claudio Arrau (piano Steinway). Philips 6768.084 (9 d.). + *Anthologie piano : Arabesque, Blumenstück, Carnaval, Carnaval de Vienne, Etudes symphoniques, Fantaisie, Fantasiestücke, Humoresque, Kreisleriana, Nachtstücke, Novelettes, Papillons, Romances, Scènes de la forêt, Scènes d'enfants, Sonates n°s 1 et 2, Variations Abegg.* Ou Philips 6570.807. ✉ 7310.807. + *Fantasiestücke op. 111.*

** Reine Gianoli (piano Steinway). Adès COF 7.051 (6 d.) (sup.). + *Intégrale piano, vol. 1 : Album pour la jeunesse, Albumblätter, Carnaval de Vienne, Fantaisie, Nachtstücke, Pièces en forme de fughettes, Scherzo, 3e Sonate, Variations sur un thème original.*

** Catherine Collard (piano Steinway). Erato STU 70.814 (sup.). + *Fantaisie.*

** Alexis Weissenberg (piano Steinway). EMI VSM C 069-16.210. Quadri. + *Humoresque, L'Oiseau-prophète, Rêverie.*

La version de Cortot est superbe de panache, de couleur, de vivacité d'esprit, d'intelligence et de sensibilité. On rêve devant la mobilité permanente de ces *Danses des Compagnons de David*, devant leur rythmique sans cesse en résurgences, devant leur plastique électrisante. Qui, après les avoir entendues, pourrait encore parler d'un Cortot douceâtre et alangui ? Il faut entendre ce disque qui montre bien que limiter Cortot à Chopin est un non-sens flagrant et une injustice criante.

Dans les *Compagnons de David*, Karl Engel a reconnu une pléïade d'artistes. Et il en prend la tête. Sa vision est fracassante, superbe d'orgueil, de frénésie, de volonté mais aussi de fine compréhension. Style allemand et romantique, qui incarne Schumann au second degré et nous restitue la partition dans toute sa subtilité rythmique et graphique.

On regrette vivement que le disque de Gezá Andá soit aujourd'hui retiré du catalogue. Devant pareille maîtrise - à la fois pianistique et stylistique -, devant semblable compréhension de l'œuvre de Schumann, on s'incline. Car nous tenons là une des plus éclatantes réussites en ce domaine.

Si, parfois, Claudio Arrau se montre un peu froid et réservé, il aborde ici la partition avec une volonté supérieure de domination. Son jeu est remarquable de lisibilité, et l'on se sent pris, peu à peu, par la fulgurance du trait, l'ampleur de la conception, la beauté du geste pianistique. Est-ce encore un peu froid ? Plutôt reflet d'un tempérament latin assez étranger aux brumes germaniques. Oui, version réservée. Mais bien belle cependant !

Les *Davidsbündlertänze* sont, dans l'intégrale de Reine Gianoli, un des hauts moments (avec les *Papillons*, l'*Humoresque*, les *Bunte Blätter* ou les *Waldszenen*). Ici, comme dans tout ce qu'elle abordait, Reine Gianoli a voulu retrouver la voix même de Schumann, sa poétique, son indicible lumière. Un élan généreux marque sa vision et la délicatesse de la sensibilité de l'interprète apporte une *aura* supplémentaire à ces pages si difficiles d'accès et de traduction. Beaux accents. Malheureusement, une technique d'enregistrement déficiente.

En signant ses *Davidsbündlertänze*, Catherine Collard démontre une sincérité dans l'élan comme une délicatesse de toucher exemplaire. Rigueur de l'interprétation, sûreté du trait qui ne triche jamais avec la partition et ses difficultés, même dans les plus délicats passages (*cf.* la terrifiante main gauche dans le 3ᵉ volet !). Tout cela confère à cette version une belle valeur que porte à sa plus haute dimension le revers du disque : une *Fantaisie op. 17* proprement éblouissante.

Moins que sur la couleur à laquelle se réfèrent de nombreux pianistes tels que Cortot ou certains de ses disciples, Alexis Weissenberg fait peser son interprétation sur les flux et reflux de la partition, sur sa rythmique intérieure, ses élans, ses variations de dynamique. C'est évidemment très intéressant. Mais ce n'est quand même qu'une partie du miroir. Ici, toutefois, l'accent est mis sur la continuité interne de l'œuvre, sur son énergie contenue et son *aura* poétique. L'approche vaut d'être entendue.

Duos vocaux op. 29 n° 1, op. 33, op. 34 nᵒˢ 1 à 4, op. 37 n° 7 et n° 12, op. 43 nᵒˢ 1 à 3, op. 74 nᵒˢ 2 à 4, op. 78 nᵒˢ 1 à 4, op. 79 nᵒˢ 10, 16, 19, 21, op. 101 nᵒˢ 3 et 7, op. 138 nᵒˢ 4 et 9. Sommerruh, sans numéro d'opus.

*** Julia Varady (s), Peter Schreier (t), Dietrich Fischer-Dieskau (bar), Christoph Eschenbach (piano). DG 2531.204.

Ce disque nous fait découvrir un Schumann peu connu, à la fois intime et passionné, savant et populaire. On est impressionné par l'extraordinaire entente qui règne entre les artistes qui ont participé à ce récital. Tout comme Fischer-Dieskau, Peter Schreier et Julia Varady savent recréer cette atmosphère onirique si personnelle au musicien, avec une noblesse et un goût exemplaires. Christoph Eschenbach est tout aussi remarquable : son jeu s'associe à l'expression vocale avec une semblable pudeur, une même sensibilité, une même délicatesse.

Etudes symphoniques en forme de variations pour piano op. 13.

*** Yves Nat (piano Erard). EMI VSM C 153-10.960/64 (5 d.). Mono. Enregistré en 1953. + *Anthologie piano : Arabesque, Concerto pour piano et orchestre, Fantaisie, Fantasiestücke, Humoresque, Kreisleriana, Novelettes, Papillons, Romances, Scènes d'enfants, Toccata.*

*** Alfred Cortot (piano). EMI VSM C 153-03.490/92 (3 d.). Mono (origine 78 t.). + *Carnaval, Concerto pour piano, Davidsbündlertänze, Kreisleriana, Papillons, Scènes d'enfants, Variations posthumes.*

** Karl Engel (piano Steinway). Valois MB 1.415. + *Impromptu, Variations posthumes.*

** Youri Boukoff (piano Steinway). Philips 641.102 (sup.). + *Fantaisie op. 17.*

** Sviatoslav Richter (piano). Chant du Monde LDX 78.557. + *Variations posthumes. Beethoven : Sonate n° 27.*

** Murray Perahia (piano Steinway). CBS 76.635. + *Papillons, Variations posthumes.*

** Jörg Demus (piano Erard 1842). Harmonia Mundi HM 687 (sup.). + *Fantaisie op. 17.*

Yves Nat se croyait, dit-on, être une réincarnation de Schumann. A écouter ses *Etudes symphoniques*, on est bien près de le croire. Même si la technique reste aujourd'hui assez lointaine, l'empoignade est telle qu'on se sent happé, pris, conquis. C'est grandiose et sublime à la fois. C'est le style large des conquérants et la vision clairvoyante des hommes capables de voir loin et large. C'est tout simplement admirable.

Admirable tout autant, la version de Cortot ; mais pour des raisons autres. Ici domine la grandeur épique, le geste romantique portée à sa puissance paroxystique. On reste ébloui par ce déferlement de puissance, ce constant ressourcement du thème qui va et vient, se métamorphose en une complexité croissante que l'interprète rend pour nous lisible autant que subtile. Là encore, on atteint aux sommets.

La version de Karl Engel est peut-être la seule grande version «moderne» que nous possédions. Entendons par là : une version étudiée, restituée par une homme jeune au cours de la dernière décennie. Ce qui fait la valeur de ce disque, c'est bien son extrême acuité, la perception intime de Schumann qu'il révèle ; mais aussi un sens de l'architecture interne, de la rythmique sous-jacente et de la mélodie romantique assez étonnant. Ce disque est un des plus réussis de l'intégrale de Karl Engel.

La réalisation de Youri Boukoff est d'un grand musicien. Force dans l'architecture, les grands plans sonores. Mais aussi intuition et perception aiguës du pianisme schumannien et de son univers. Le complément (*Fantaisie op. 17*), lui aussi remarquable, fait de ce disque un objet de collection.

Richter allie la poésie des cimes à l'efficacité gestuelle. Tout avec lui devient mesuré, ardemment médité, sérieusement abordé. Un peu trop, peut-être. On peut préférer les élans fougueux d'un Nat ou d'un Cortot, l'empoignade exemplaire d'un Karl Engel. Ici, la retenue de l'esprit reste un peu trop marquée sur l'envol de la fantaisie. Mais c'est quand même bien beau !

En l'espace de quelques années, Perahia s'est hissé aux tout premiers rangs. Son premier disque consacré à Schumann s'est imposé immédiatement. Il a, ici, préféré ne pas inclure les *Variations posthumes* à l'intérieur des *Etudes*, laissant ainsi à chaque page sa véritable portée. Sonorités pulpeuses, beaux *legatos*, subtils détachés, bannissant les effets trop carrés ou cherchant à souligner les parentés stylistiques, sa version propose un romantisme épuré, et partant convaincant. Un maître disque qui consacre Perahia et le hisse au niveau des grands espoirs.

L'enregistrement de Jörg Demus ne détrône sans doute pas les versions de Nat ou Cortot. Mais l'interprète marque sa volonté de structurer l'œuvre dès le départ ; la conception est large, dominatrice, et ce qui vaut mieux encore peut-être, pénétrée d'une remarquable sensibilité schumannienne. Le grand intérêt de ce disque reste cependant ailleurs à nos yeux : de sonner, admirablement d'ailleurs, sur un piano Erard de 1842, donc contemporain du compositeur et presque de l'œuvre elle-même. C'est donc une résurrection musicologique exceptionnelle, doublée d'une remarquable interprétation.

Etudes symphoniques op. 13. Fantasiestücke op. 12.

*** François-René Duchâble (piano). Erato NUM 75.046. Enregistré en 1982.

Duchâble, dans ce disque, marque un progrès décisif par cet alliage nouveau, assez magistral déjà, entre la grande forme, appréhendée, reconstruite, communiquée, et cette légitime liberté de colorer, de faire sonner, d'accentuer ce qui est le propre de l'interprétation. Les *Études* laissent voir une exécution infaillible, mais ce sont les *Fantasiestücke* qui laissent apparaître le plus explicitement la naturelle *Fantaisie* du son musical chez Duchâble, à la fois matériau qu'on remodèle et humeur, idées, ou images, qui remodèlent.

Fantaisie pour piano en ut majeur op. 17.

❀*** Maurizio Pollini (piano Steinway). DG 2530.379. ⌧ 3300.449. + *Sonate n° 1.*

*** Yves Nat (piano Erard). EMI VSM C 153-10.960/64 (5 d.). Mono. Enregistré en 1953. + *Anthologie piano : Arabesque, Concerto pour piano et orchestre, Etudes symphoniques, Fantasiestücke, Humoresque, Kreisleriana, Novelettes, Papillons, Romances, Scènes d'enfants, Toccata.*

*** Gezá Andá (piano). DG 138.868 (sup.). + *Etudes symphoniques.*

*** Arthur Rubinstein (piano). RCA RL 13.427. Enregistré en 1965. + *Novelettes n°s 1 et 2 op. 21.*

*** Youri Boukoff (piano Steinway). Philips 641.102 (sup.). + *Etudes symphoniques.*

*** Catherine Collard (piano Steinway). Erato STU 70.814 (sup.). + *Davidsbündlertänze.*

*** Karl Engel (piano Steinway). Valois MB 918. + *Blumenstück, Romances.*

*** Martha Argerich (piano Steinway). CBS 76.713. + *Fantasiestücke op. 12.*

** Reine Gianoli (piano Steinway). Adès COF 7.051 (6 d.) (sup.). + *Intégrale piano : Album pour la jeunesse, Albumblätter, Carnaval de Vienne, Davidsbündlertänze, Nachtstücke, Pièces en forme de fughettes, Scherzo, 3ᵉ Sonate, Variations sur un thème original.*

** Sviatoslav Richter (piano). EMI VSM C 181-01.727/28 (2 d.). + *Carnaval de Vienne, Papillons, Sonate n° 2.*

** Jörg Demus (piano Erard 1842). Harmonia Mundi HM 687 (sup.). + *Etudes symphoniques.*

Pollini signe de la *Fantaisie* une interprétation exceptionnelle, nous aidant à pénétrer avec lui dans ce monde surtensionné où la passion est omniprésente et toute-puissante. Malgré une once de réserve intellectuelle - mais qui permet de mieux «comprendre» l'agencement architectonique de l'ouvrage -, on reste subjugué de bout en bout par l'admirable phrasé, la délicatesse du doigté, la recherche constante de la vérité intérieure de l'œuvre qui, ainsi, revit, palpite, délire et nous enflamme avec elle.

Dans la *Fantaisie*, Yves Nat atteint au sublime. Sa compréhension du mystère et de la passion schumannienne lui permet de révéler l'ouvrage dans toute sa plénitude, et d'en faire à la fois un vaste poème et une brûlante lettre d'amour. Quelle leçon, de piano et de subtilité pianistique !

La *Fantaisie* sous les doigts de Gezá Andá atteint à une densité extrême, une violence rare, une plénitude exemplaire. C'est bien en langage de feu que s'exprime ce rhapsode inspiré, retrouvant avec une fulgurance prophétique l'émoi même du compositeur.

En 1965, Rubinstein était dans la pleine forme de son art – il nous le prouve ici amplement. Son jeu clair, dominant à la fois la technique et la partition, lui permet de restituer cette dernière sans afféterie, avec une sorte de sublimation exemplaire. Il cherche à dégager l'œuvre de son aspect autobiographique pour en faire une page beaucoup plus dégagée du temps – éternelle, classique. Non qu'elle soit dépourvue de toute fougue romantique, bien au contraire, mais la passion a été passée au crible de la raison.

Avec Youri Boukoff, la pâte musicale est pétrie à pleines mains ; le visage de la *Fantaisie* est taillé au burin, l'âme de Schumann, psychanalysée avec force. C'est un torrent et une lave en fusion, que sait régir une salvatrice faculté d'organisation. Ici, classicisme de forme et lyrisme d'expression se trouvent mêlés.

Toute jeune, Catherine Collard s'est attaquée à la *Fantaisie*. La réussite souriant aux audacieux, nous avons là une interprétation directe, sensuelle, bouleversante de spontanéité, habitée de l'intérieur, et pour tout dire superbe d'élan, de générosité et de vérité.

Dans son approche de la *Fantaisie*, Karl Engel renouvelle ce que l'on a si souvent trouvé en lui : un architecte doublé d'un poète. Sa «construction» est logique, fascinante, le revêtement sonore qu'il en donne admirable de puissance, d'emportement, de lyrisme et d'ardeur passionnée. C'est bien ce que voulait Schumann et qui nous séduit si fort encore aujourd'hui.

Il n'est pas sûr que la *Fantaisie* de Martha Argerich soit la meilleure de toutes. Ce qui reste indéniable, c'est bien son côté envoûtant. Tour à tour réservée, lointaine (*Im Legendenton*), énergique ou souple (*Mässig*), l'œuvre apparaît peut-être plus réfléchie que vécue, davantage débarrassée de ses affres romantiques qu'en maints autres enregistrements. Mais comment résister à cet emportement, à ce flot bousculant tout, jusqu'à vous faire perdre pied ?

Reine Gianoli, dans la *Fantaisie*, révèle bien sa vraie personnalité : du feu sous un aspect presque froid, une énergie et une forme exceptionnelles sous l'apparence de la fragilité. Elle révèle aussi son affinité pour l'œuvre de Schumann, sentie et ressentie profondément, et traduite ici en un langage d'une noblesse extrême.

Dans un style un peu lourd, Richter aborde l'œuvre de Schumann. Non sans poésie ni lyrisme. Mais la volonté de trop souligner certains détails enlève de la vigueur à l'ensemble et gomme quelque peu l'envol général. Belle et noble conception, cependant.

Complétant de fort bonnes *Etudes symphoniques*, la *Fantaisie* de Jörg Demus retrouve le style d'improvisation si cher au compositeur tout en structurant fortement l'ouvrage, partagé entre le lyrisme d'Eusébius et la fièvre de Florestan. Etonnante matière en fusion révélée de main de maître sur un instrument presque contemporain de l'œuvre, un superbe piano Erard de 1842 dont la sonorité, insolite pour nos oreilles habituées aux grands pianos modernes, concourt pour une large part à l'extrême intérêt de ce disque.

Fantasiestücke pour piano op. 12.

❀*** Arthur Rubinstein (piano Steinway). RCA RL 12.397 (G-B). + *Beethoven : Sonate pour piano n° 18.*

֍*** Karl Engel (piano Steinway). Valois MB 919. + *Arabesque, Carnaval de Vienne.*

*** Martha Argerich (piano Steinway). CBS 76.713. + *Fantaisie.*

*** Yves Nat (piano Erard). EMI VSM 153-10.960/64 (5 d.). Mono. + *Anthologie piano : Arabesque, Concerto pour piano et orchestre, Etudes symphoniques, Fantaisie, Humoresque, Kreisleriana, Novelettes, Papillons, Romances, Scènes d'enfants, Toccata.*

** Murray Perahia (piano Steinway). CBS 76.202 (étr.). + *Davidsbündlertänze.*

** Claudio Arrau (piano Steinway). Philips 6768.084 (9 d.). + *Anthologie piano : Arabesque, Blumenstück, Carnaval, Carnaval de Vienne, Davidsbündlertänze, Etudes symphoniques, Fantaisie, Fantasiestücke op. 111, Humoresque, Kreisleriana, Nachtstücke, Novelettes, Papillons, Romances, Scènes de la forêt, Scènes d'enfants, Sonates n°s 1 et 2, Variations Abegg.* Ou Philips 6500.423. + *Scènes de la forêt.*

La seconde version de Rubinstein, réalisée en 1976, s'élève bien au-dessus de la précédente, vieille de quinze ans environ. A quatre-vingt-dix ans, le grand pianiste reste un grand pianiste, auquel l'âge confère paradoxalement un supplément de jeunesse, d'âme et de cœur. Economie de moyens, pureté de style, discrétion exemplaire parent le romantisme de Schumann d'une sobriété à la fois limpide et mystérieuse. Ce sont les contraires réconciliés. Ce que seul peut et sait faire un grand artiste comme Rubinstein. Quelle leçon !

La vision de Karl Engel s'accorde magnifiquement à celle de Schumann dans ces «pièces de fantaisie» où l'improvisation rejoint le rêve, où le trouble nocturne se délecte amoureusement de fantasmagories et de «*Gemütlichkeit*». Venant après les anciennes versions de Rubinstein ou d'Annie d'Arco, Engel éclipsait subitement ses prédécesseurs. Il s'impose encore aujourd'hui, malgré certaines rééditions de références (Nat) ou réenregistrement (Rubinstein).

La structure des œuvres s'efface un peu avec Martha Argerich au profit d'une exceptionnelle qualité musicale et chromatique. Les sonorités deviennent gamelans (*Des Abends*), les lignes s'entrecroisent en un feu purificateur (*Aufschwung*) où la brume descend sur le temple qui fut (*In der Nacht*), où la pensée se fait éther (*Fabel*). Avec ses échappées de lumière, ses plages de clarté, les *Fantasiestücke* perdent dès lors en maléfices ce qu'elles gagnent en spiritualité. Mais on reste subjugué.

Dans les *Fantasiestücke* enregistrées en 1956, Yves Nat révèle une fois de plus sa vraie nature schumannienne. Il y a tout dans ces quelques pages, depuis la fantaisie et la nuit obscure jusqu'aux élans vers la lumière et l'appel du grand large. Il y a surtout un interprète qui vibre à l'unisson du musicien poète - ce qui donne tant de prix à cette éblouissante et merveilleuse interprétation.

Dans ces *Fantasiestücke*, Murray Perahia n'a pas donné le meilleur de lui-même. Mais il faut mentionner ce premier disque d'un artiste qui, depuis, a conquis la renommée à pas de géant. Dans la trajectoire de ce pianiste, c'est le jalon de base. A écouter pour lui, donc, plus que pour Schumann.

Dans ces rêves parvenus à l'état de musique que sont les pièces de l'*Opus 12*, Claudio Arrau parvient à une extraordinaire plénitude de sonorités, d'une beauté marmoréenne. Et pourtant, comme le marbre, ses *Fantasiestücke* sont froides. La réserve y est sans doute trop grande. C'est un style qui a ses défenseurs, et nous indiquons ce disque pour eux. Il semble pourtant que Schumann ait été bien plus sensuel et plus fou.

Genoveva op. 81, opéra.

*** Edda Moser (s), Dietrich Fischer-Dieskau (bar), Peter Schreier (t), Gisela Schroeter (m), Siegfried Lorenz (b), Siegfried Vogel (b), Ch. de la Radio de Berlin, Orch. du Gewandhaus de Leipzig, Karl Masur. EMI VSM C 167-02.914/16 (3 d.). Quadri. Enregistré en 1976.

Il aura fallu attendre 1976 pour que cet unique opéra de Schumann soit enregistré. Par bonheur, cette première est sans doute bien meilleure que d'anciens l'ont décrite. S'il est exact que Schumann ne se soit guère senti à l'aise dans ce domaine du lyrisme scénique, la partition, en revanche, fourmille de trouvailles ou de simples scènes que Kurt Masur a fort bien su traduire. Quant aux interprètes, ils réussissent la gageure de donner une crédibilité à un texte qui n'est pas toujours exemplaire, de conférer une vérité humaine aux personnages. Ainsi de Fischer-Dieskau, qui prête au personnage de Siegfried une vaillance exempte de forfanterie ; de Peter Schreier incarnant le difficile personnage de Golo ou d'Edda Moser qui devient bouleversante dans le rôle de Genoveva. Le Gewandhaus de Leipzig, parfaitement à l'aise dans le tissu orchestral de l'œuvre, concourt à donner toute sa plénitude à l'opéra et, ainsi, à réparer l'incroyable injustice dont cette œuvre était jusqu'alors victime.

Gesänge der Frühe (Chants de l'aube), cinq pièces pour piano op. 133.

*** Jean Martin (piano Steinway). Arion 31.906. + *Bunte Blätter.*

*** Karl Engel (piano Steinway). Valois-Résurgences MB 368. + *Fantasiestücke op. 111, Fughettes, Marches.*

Un enregistrement bouleversant, celui de Jean Martin, le premier à avoir enregistré ces œuvres de Schumann - ultime tracé conscient de sa plume. Aujourd'hui devenu à portée de main, ou de portefeuille. Aujourd'hui comme hier fabuleusement «prenant», car pénétrant au tréfonds même de la partition dont il exprime toute la douloureuse beauté. Un disque à posséder pour son lyrisme passionné, sa puissance émotive, son exceptionnelle concentration humaine.

Paru peu après le disque de Jean Martin, celui de Karl Engel adopte le ton de la confidence grave, du lyrisme retenu ; il parvient parfois à la limite de la musique et du silence grâce à un jeu d'une rare élégance et d'une admirable plastique qui donne à la pensée une densité d'émotion totalement communicative et conquérante. Une magistrale leçon de technique pianistique sublimée par une interprétation de haut lignage et une compréhension de Schumann d'une rare acuité.

Humoresque pour piano op. 20.

*** Karl Engel (piano Steinway). Valois CMB 27 (sup.). + *Intégrale piano, vol. 4 : Albumblätter, Bunte Blätter, Six Etudes de concert op. 10, Six Etudes op. 3, Quatre Fugues, Vier Klavierstücke, Nachtstücke, Scènes de la forêt, Toccata, Variations posthumes.*

*** Yves Nat (piano Erard). EMI VSM 153-10.960/64 (5 d.). Mono. + *Anthologie piano : Arabesque, Concerto pour piano et orchestre, Etudes symphoniques, Fantaisie, Fantasiestücke, Kreisleriana, Novelettes, Papillons, Romances, Scènes d'enfants, Toccata.*

** Claudio Arrau (piano Steinway). Philips 6768.084 (9 d.). + *Anthologie piano : Arabesque, Blumenstück, Carnaval de Vienne, Davidsbündlertänze, Etudes symphoniques, Fantaisie, Fantasiestücke op. 12, Fantasiestücke op. 111, Kreisleriana, Nachtstücke, Novelettes, Papillons, Romances, Scènes de la forêt, Scènes d'enfants, Sonates n°s 1 et 2, Variations Abegg.*

** Alexis Weissenberg (piano Steinway). EMI VSM C 069-16.210. Quadri. + *Davidsbündlertänze, L'Oiseau-prophète, Rêverie.*

Difficile à traduire musicalement, l'*Humoresque* de Schumann est un chef-d'œuvre de la multiplicité, un lieu de métamorphoses incessantes, un feu d'artifices de la joie et de la souffrance. Tant de contraires rassemblés en quelques pages expliquent la retenue de nombreux artistes devant pareil monument. Karl Engel, qui en pénètre les moindres secrets, nous la livre dans toute sa véritable splendeur, à coups de ressac, à la fois inquiétante et bizarre. Du romantisme schumannien à l'état le plus pur, le mieux «assumé».

La passion qu'Yves Nat mettait dans l'*Humoresque* ne fait pas oublier pour autant son extrême attention devant la complexité du tissu musical. Ici, nous baignons dans une atmosphère de crise larvée, éclatée, sublimée. C'est la compréhension exceptionnelle au service de l'auditeur. Et du musicien poète.

On retrouve chez Claudio Arrau un sublime toucher pianistique, une exceptionnelle lisibilité de l'œuvre. Mais, aussi, une indéniable froideur qui fait passer l'architecture intellectuelle bien avant les élans du cœur. Très beau, mais en deçà du romantisme débridé de Schumann dans cette pièce où se trouve enracinées «la nationalité allemande et l'exaltation du rêve et de l'humour», comme il l'écrivait lui-même.

Alexis Weissenberg a cherché à renouveler l'approche qu'on peut avoir de l'*Humoresque*. Plus que sensible aux couleurs - de la partition ou de l'âme -, il se montre attentif aux composantes mêmes de l'écriture : rythmes, mélodies, accords. Analyse un peu spectrale, un peu structuraliste, recomposée pour redonner à l'ensemble son unité. La recherche est intéressante. Pas forcément convaincante.

Konzertstück pour piano et orchestre op. 92.

✿*** Rudolf Serkin (piano), Orch. de Philadelphie, Eugene Ormandy. CBS 61.921 (étr.). + *Concerto pour piano, Introduction et Allegro op. 134.*

*** Malcolm Frager (piano), Orch. Phil. de Hambourg, Marc Andreae. BASF 20-217.175 (sup.). + *Concerto pour piano dans sa version première.*

** Roger Boutry (piano), Orch. de Chambre de la Sarre, Karl Ristenpart. Musidisc RC 661. + *Konzertstück pour 4 cors.*

* Michael Ponti (piano), Orch. de Radio-Luxembourg, Louis de Froment. Turnabout TV 34.537 (étr.). + *Ouverture, Scherzo et Finale op. 52, Introduction et Allegro op. 134.*

En regroupant le Concerto pour piano, l'*Opus 92* et l'*Opus 134*, CBS a réuni toutes les œuvres pour piano et orchestre de Schumann. La prestation de Rudolf Serkin est remarquable, et l'on ne saurait trop recommander ce disque exceptionnel à tous points de vue : qualité de l'interprétation du soliste (sensible, généreuse, lumineuse, intelligente), de l'orchestre et du chef (extrêmement «complémentaires» du soliste) de la prise de son, enfin, claire et d'une lisibilité exemplaire.

La version de Malcolm Frager est généreuse : vivante, pleine de panache, comme le soutien orchestral de Marc Andreae. On signalera ce disque pour son indispensable complément : le Concerto pour piano dans la seule restitution existante de version «fantaisie». Un disque de classe, et de collection.

Le grand avantage de l'enregistrement Musidisc fut d'être longtemps le seul à présenter à la fois l'*Opus 92* et l'*Opus 86* (*Konzertstück* pour quatre cors). Passé en série économique, il reste très recommandable, car Roger Boutry s'y montre plein de qualités, à l'égal de l'Orchestre de Chambre de la Sarre que dirigea longtemps Karl Ristenpart. Un émouvant document.

Michael Ponti - à qui l'on doit la restitution de nombreuses partitions bien méconnues aujourd'hui (et très souvent injustement) - a gravé pour Turnabout/Vox un disque précieux, bon marché et très utile par son programme. Si l'Orchestre de Radio-Luxembourg ne vaut pas le Philharmonique de Philadelphie, l'ensemble reste fort honorable et mérite l'attention du discophile.

Konzertstück pour 4 cors et orchestre en fa majeur op. 86.

** Norbert Hauptmann, Manfred Klier, Christoph Kohler, Gerd Seifert (cors), Orch. Phil. de Berlin, Klaus Tennstedt. EMI VSM C 069-03.487. Enregistré en 1978. + *Symphonie n° 3.*

** Sol., Orch. de Chambre de la Sarre, Karl Ristenpart. Musidisc RC 661. + *Konzertstück pour piano op. 92.*

** Sol., Orch. du Gewandhaus de Leipzig, Franz Konwitschny. Philips 836.939 (sup.). + *Ouverture, Scherzo et Finale op. 52.*

L'enregistrement de Tennstedt se caractérise par le tempo très vif des mouvements extrêmes qui pousse les solistes berlinois à la limite de leurs moyens, ce qui les entraîne à cuivrer un peu trop pour assurer leur notes. Mais la romance centrale est magnifique, évoquant par sa sobriété le climat d'une page de musique de chambre. Dans la symphonie «Rhénane» inscrite au verso, c'est aussi le mouvement lent que Tennstedt réussit le mieux.

Pour qui posséderait déjà certaines œuvres symphoniques de Schumann, le disque de Ristenpart est un complément rêvé, peu onéreux, et de qualité. On y sent l'amour de la musique et de Schumann porté à son plus haut degré. La technique a sans doute un peu vieilli. Mais pas cette vigueur de style et cette spontanéité extrêmement communicative.

Pendant longtemps, le disque de Konwitschny a dominé le marché. Il avait pour lui une bonne prise de son, un complément heureux (l'*Opus 52*), la tradition schumannienne du Gewandhaus de Leipzig. Toutes ces qualités demeurent, même après la version évidemment plus réussie, sur le plan technique notamment, de Barenboïm.

Kreisleriana, fantaisie pour piano, op. 16.

✿*** Vladimir Horowitz (piano Steinway). CBS 75.841. + *Variations sur un thème de Clara Wieck.*

❀*** Alfred Cortot (piano). EMI VSM 153-03.490/92 (3 d.). Mono (origine 78 t.). + *Carnaval, Concerto pour piano, Davidsbündlertänze, Etudes symphoniques, Papillons, Scènes d'enfants, Variations posthumes.*

❀*** Alfred Brendel (piano). Philips 9500.964. ✉ 7300.964. Enregistré en 1980. + *Scènes d'enfants op. 15.*

*** Yves Nat (piano Erard). EMI VSM 153-10.960/64 (5 d.). Mono. + *Anthologie piano : Arabesque, Concerto pour piano et orchestre, Etudes symphoniques, Fantaisie, Fantasiestücke, Humoresque, Novelettes, Papillons, Romances, Scènes d'enfants, Toccata.*

*** Karl Engel (piano Steinway). Valois-Résurgences MB 367. + *Scènes d'enfants.*

** Gezá Andá (piano). DG 2535.145 (étr.). + *Davidsbündlertänze.*

* Claudio Arrau (piano Steinway). Philips 6768.084 (9 d.). + *Anthologie piano : Arabesque, Blumenstück, Carnaval, Carnaval de Vienne, Davidsbündlertänze, Etudes symphoniques, Fantaisie, Fantasiestücke, Humoresque, Nachtstücke, Novelettes, Papillons, Romances, Scènes de la forêt, Scènes d'enfants, Sonate n° 1 et Sonate n° 2, Variations Abegg.*

* Arthur Rubinstein (piano Steinway). RCA 645.112 (sup.). + *Arabesque, L'Oiseau-prophète.*

Prodigieux Horowitz ! Son disque est un enchantement de tous les instants : ses *Kreisleriana*, emportées par une fantaisie à la fois libre et contenue, une distinction jamais démentie vous donnent le frisson. Tout le romantisme de Schumann se trouve là, enfermé, traqué, traduit, sublimé, avec ses élans, ses nostalgies, ses désirs enfiévrés. Avec son indicible poésie, également. Un disque proprement exceptionnel.

La réussite d'Alfred Cortot, dans les *Kreisleriana*, se situe au même niveau que celle de Vladimir Horowitz. L'un et l'autre sont fascinants, uniques, exceptionnels, sur tous les plans. Dans ce délire organisé, cette hallucination fatale, Cortot se révèle un étonnant traducteur de Schumann. Il faut absolument connaître cette version.

Brendel est ici splendide d'authenticité, d'ingéniosité, de liberté. Vision de métaphysicien de la culture et d'alchimiste scrupuleux du son, son interprétation épure avec une intensité incandescente l'imagination elle-même, jusqu'au transcendantal. C'est peut-être là le plus grand disque signé par Brendel, à quoi ne sont pas étrangères les étonnantes *Scènes d'enfants* inscrites au verso, avec leur déploiement, dans sa naïveté adulte, de l'imaginaire schumannien, dépassant de très haut la suite de tableautins.

Les *Kreisleriana* de Nat sont demeurées longtemps légendaires. Il a fallu la résurrection de Cortot ou l'approche éblouissante de Horowitz pour les faires (très légèrement) reculer dans la hiérarchie. Disons que, là encore, et en dépit des modes ou des préférences personnelles, nous sommes devant une traduction exemplaire, par son lyrisme, son emportement et cette perception exceptionnelle que Nat avait de la musique de Robert Schumann.

Pour prodigieuse qu'elle soit, la réalisation de Karl Engel ne saurait se comparer aux versions historiques (à tous les sens du terme !) de Cortot ou Horowitz. La vision reste ici un peu plus sage et la volonté de traduire l'essence architectonique de l'œuvre bride un peu la fantaisie de l'interprète. Est-il besoin de dire cependant qu'on se trouve ici en face d'une très belle interprétation, qui est un des sommets de l'intégrale ?

Fougueux mais intimement réservé, débordant de lyrisme mais volontairement organisateur de l'espace sonore et de la partition, toujours égal à lui-même, c'est-à-dire excellent et pénétré de poésie, tel apparaît Gezá Andá, dont on regrettera aujourd'hui amèrement la disparition du catalogue. Quel souffle ! Et quelle modestie de l'interprète en face du compositeur ! Dès lors... quelle leçon pour beaucoup !

Chez Arrau, et dès l'entrée, le souffle retenu, bridé, laisse la raison serrer les rêves. Nous ne parvenons pas à être empoignés, saisis, bouleversés, presque violés comme avec Horowitz ou Cortot. C'est Ingres et non Delacroix qui nous est offert. Affaire de «correspondances» intimes. Mais Schumann nous semble ici bien froid !

Autant Rubinstein peut être fulgurant dans le *Carnaval op. 9*, autant apparaît-il ici décevant. Lourdeur de style, mouvements agogiques trop prononcés, dandysme affecté, tout cela diminue sensiblement l'intérêt pour cette interprétation trop superficielle et qui ne retient aucune des hallucinations schumanniennes.

Les Lieder pour voix d'homme.

❀*** Dietrich Fischer-Dieskau (bar), Christoph Eschenbach (piano). Vol. 1 : DG 2530.543 (3 d.) (sup). Vol. 2 : DG 2740.185 (3 d.). Vol. 3 : DG 2740.167 (3 d.).

Les Lieder de 1840.

*** Bernard Kruysen (bar), Danièle Galland (s), Noël Lee (piano). Valois CMB 17 (6 d.) (sup.).

On a parfois reproché à Fischer-Dieskau un excès de subtilité menant presque à la préciosité. Rien de tel dans cette intégrale, mûrie longuement, avec des pianistes comme Baldwin ou, ici, Eschenbach, et qui apparaît bien comme l'aboutissement d'une réflexion sur l'œuvre, le style, la pensée de Schumann. Timbre exceptionnel, intelligence exceptionnelle également de la poésie et de la musique, servies à la fois par une longue carrière dans le lied et une pratique de l'opéra. Les moindres inflexions du texte - littéraire ou musical - se trouvent alors mises en valeur, leur donnant une plénitude rarement atteinte et que soulignent la beauté du timbre, la flexibilité de la voix, la sensibilité du chanteur. Certains ont beau faire la fine bouche, parfois : atteindre à de tels sommets constitue une réussite aussi rare qu'exemplaire. Rare, puisque personne n'a osé entreprendre un aussi vaste édifice. Exemplaire, puisque ce monument n'a pas jusqu'à ce jour été dépassé.

L'admirable version de Bernard Kruysen est la seule entreprise à pouvoir se comparer à celle de Fischer-Dieskau. Conçue dans un autre esprit, elle s'impose par de multiples qualités. La complémentarité des interprètes, comme dans l'autre intégrale, est également exemplaire, et seules des conceptions personnelles quant à la traduction musicale ou à l'expression lyrique ou préférences quant à la nature du timbre vocal peuvent influencer le choix. Dire en effet que Kruysen est légèrement inférieur à Fischer-Dieskau ressortit plus du domaine de l'indicible que du mesurable.

Lieder und Gesänge op. 29, 55, 59 et 141.

** Kammerchor de Stuggart, Frieder Bernius. EMI Electrola C 065-45.617.

L'enregistrement de ces pages chorales comble un trou béant du catalogue international. Aucune exaltation, aucun déchirement dans ces morceaux, mais plutôt un détachement grave de la pensée qui laisse pressentir, mieux qu'ailleurs, le destin du compositeur. Voilà un disque essentiel à l'univers de Schumann ; on regrettera cependant l'absence de toute traduction française de ces poèmes.

Lieder. L'Amour et la Vie d'une femme (Frauenliebe und Leben) op. 42.

❀*** Kathleen Ferrier (c), John Newmark (piano). Decca 592.103. Mono. *+ Volksliedchen, Widmung. Schubert : 4 lieder. Wolf : 4 lieder.*

Un disque bouleversant, unique, comme tout ce que nous a laissé l'incomparable Kathleen Ferrier. Le fait qu'il soit en monophonie ne change rien à l'affaire, d'autant que l'enregistrement, comme savaient en faire les Anglais dans les années cinquante, est d'excellente qualité. A posséder absolument, de même que pour les autres lieder qui complètent le disque dans sa présentation actuellement disponible en Grande-Bretagne. Cette interprétation a également été disponible en France dans un disque fameux, couplée avec une non moins mémorable version des *Quatre Chants sérieux* de Brahms. Signalons qu'il existe aussi l'extraordinaire témoignage de Kathleen Ferrier en concert, moins parfait mais plus spontané et plus émouvant encore, dans un enregistrement pris sur le vif et récemment retrouvé en archives. La cantatrice y est accompagnée au piano, de façon insolite et passionnante, par son mentor, Bruno Walter. Couplage avec des lieder de Schubert et de Brahms, et des mélodies anglaises moins intéressantes, que d'ailleurs Bruno Walter n'accompagne pas (Decca 6BB 197/98).

Lieder. L'Amour et la Vie d'une femme op. 42. 53 Lieder pour voix de femme extraits de «Myrthen» op. 25, «Drei Gesänge» op. 31, 83 et 95, «Vier Gesänge» op. 142, «Sechs Gesänge» op. 89 et 107, «Sieben lieder» op. 104, cinq « Heitere Gesänge» op. 125, douze poèmes du «Liebesfrühling» op. 37, «Lieder und Gesänge» op. 51, 77, 96 et 98a, Romances et Ballades op. 49 et 64, «Minnespiel» op. 101, Libre de lieder espagnol op. 138 et de l'Album de lieder pour la jeunesse op. 79.

*** Edith Mathis (s), Christoph Eschenbach (piano). DG 2740.266 (3 d.). Enregistré en 1981 et 1982.

Depuis Lotte Lehmann, on n'a pas entendu lecture de *L'Amour et la Vie d'une femme* plus directe, et qui porte mieux. Edith Mathis est probement musicienne, scrupuleuse dans l'énonciation des mots, immédiate dans l'expression des sentiments simples. Quant à Christoph Eschenbach, il s'impose par ses qualités (un toucher, un souffle, un modelé comme vocal, un legato, une palette : tout ce qu'il faut pour inspirer le chant !) qui font de lui un grand accompagnateur.

Lieder. L'Amour et la Vie d'une femme op. 42. Liederkreis op. 39.

*** Birgit Finnilä (ms), Rudolf Jansen (piano). Erato STU 71.155. Enregistré en 1977.

On peut sans hésiter placer l'interprétation de Birgit Finnilä au tout premier rang pour ces cycles merveilleux. La cantatrice possède au plus haut point l'intelligence du texte, une sensibilité à la fois chaste et sensuelle, une expression poétique, la seule qui puisse faire passer les émouvantes confidences de ces lieder. La chaleur d'une voix au timbre frémissant est l'idéal pour chanter les huit poèmes de l'*Opus 42*.

Lieder : Mignon op. 79 n° 29, Der Nussbaum op. 25 n° 3, Jemand op. 25 n° 4, Leid der Suleika op. 25 n° 9, Die Hochländer-Witwe op. 25 n° 10, Zwei Lieder der Braut op. 25 n°s 11 et 12, Rätsel op. 25 n° 16, Zwei venetianische Lieder op. 25 n°s 17 et 18, Hauptmanns Weib op. 25 n° 19, Weit, weit op. 25 n° 20, Die Lotosblume op. 25 n° 7, Drei Gedichte der Königin Maria Stuart op. 135, Ständchen op. 36 n° 2, Verratene Liebe op. 40 n° 5, Der Sandmann op. 79 n° 13, Stille Tränen op. 35 n° 10, Abends am Strand op. 45 n° 3, Die Kartenlegerin op. 31 n° 2.

** Sarah Walker (ms), Roger Vignoles (piano). CRD 1.101.

La composition originale de ce récital et la voix de Sarah Walker, mezzo soprano britannique dont le timbre mûr et austère évoque celui de Janet Baker, font un succès. Rarement jeune cantatrice n'a fait montre d'une telle maîtrise, aussi bien dans l'articulation que dans le phrasé ou l'intelligence de la conception. Le pianiste semble un peu en retrait face à cette personnalité.

Lieder : Schneeglöcken op. 79 n° 26, Erstes Grün op. 35 n° 4, Er ist op. 79 n° 23, Die Sennin op. 90 n° 4, Sehnsucht nach der Waldesgegend op. 35 n° 5, Die letzten Blumen sterben op. 104 n° 6, Widmung op. 25 n° 1, Lied der Suleika op. 25 n° 9, Aufträge op. 77 n° 5, Sehnsucht op. 51 n° 1, Frage op. 35 n° 9, Mein schöner Stern op. 101 n° 4, Die Lotosblume op. 25 n° 9, Die Blume der Ergebung op. 82 n° 2, Röselein op. 89 n° 6, Mein Garten op. 77 n° 2, Meine Rose op. 90 n° 2, Jasminenstrauch op. 27 n° 4, Schmetterling op. 79 n° 2, Der Nussbaum op. 25 n° 3, Marienwürmchen op. 79 n° 13, Käuzlein op. 79 n° 10, Waldesgespräch op. 39 n° 3, Lorelei op. 53 n° 2, Die Meerfee op. 125 n° 1, Der Sandmann op. 19 n° 12, Die Kartenlegerin op. 31 n° 2.

*** Elly Ameling (s), Jörg Demus (hammerflügel 1841). Harmonia Mundi HM 065-99.631 (2 d.). + *Pièces pour piano.*

Deux disques, quatre chapitres, chaque face étant consacrée à un thème différent : saisons, amour et nostalgie, contes, devins et fées. Les pièces pour piano seul et les lieder alternent. Tout cela forme un récital séduisant et original, une formule qui fait passer une heure et demie de musique comme un clin d'œil : c'est là le signe d'une évidente réussite. Le hammerflügel de 1841 confère une indiscutable authenticité à tout l'ensemble, et l'on ne se lasse pas d'écouter la voix jeune, fraîche et harmonieuse d'Elly Ameling.

Musique de chambre intégrale.

*** Jean Hubeau (piano), Jean Mouillère (violon), Frédéric Lodéon (violoncelle), Gérard Caussé (alto), Walter Boeykens (clarinette), Pierre Pierlot (hautbois), Pierre del Vescovo (cor), Daria Hovora (piano), Quatuor Via Nova. Erato STU 71.252 (7 d.) (sup.). Enregistré en 1978 et 1979.

Un superbe album schumannien que celui-là, une intégrale intense, homogène et multiple en même temps, brûlant, à chaque mesure ou presque, du juste feu de l'intuition. C'est tout au long de ces sept disques qu'il faudrait s'arrêter et commenter admirativement, tant l'esprit s'unit à la lettre, tant la ferveur et l'amour soulèvent la musique jusque dans les pièces brèves qui relèvent parfois de l'anecdote et qu'anime ce petit souffle fantasque et irrationnel qui est toujours le signe de la présence de Schumann.

Novelettes pour piano op. 21.

*** Karl Engel (piano Steinway). Valois MB 917 (sup.). + *Variations Abegg.*

** Yvonne Loriod (piano). Véga C 30 S 170 (sup.).

Avec l'enregistrement de Karl Engel, nous tenons «la» version des *Novelettes*, partition difficile à traduire et pour cela même très peu souvent abordée. La qualité du toucher permet, ici, de différencier les effets plus nuancés, passant du rythmique imposant, obsédant, aux plus aériens *pianissimos*. Toute une gamme de couleurs, de nuances de sentiments se trouvent ainsi explorés : Karl Engel a su évoquer le monde à la fois spontané et torturé de Schumann avec une scrupuleuse et amoureuse sincérité. Il en naît un disque superbe.

La version d'Yvonne Loriod domina longtemps le marché, à la fois par son unité, puis, lorsque d'autres interprètes s'y essayèrent, par ses qualités intrinsèques. En abordant les *Novelettes*, Yvonne Loriod se rappelait jouer plus souvent Messiaen : nous avons là un disque plus clinique que sensible, plus volontairement décrypteur du langage schumannien que de la fantaisie romantique du poète-musicien. A étudier et entendre pour cette approche très intéressante, sortant et voulant sortir des sentiers battus, mais pas forcément convaincants.

L'Œuvre pour piano, intégrale.

*** Karl Engel (piano Steinway). Valois CMB 24 (4 d.) (sup.), CMB 25 (4 d.), CMB 26 (4 d.) (sup.), CMB 27 (4 d.) (sup.).

*** Peter Frankl (piano). Vox Box 5.468 (3 d.), 5.469 (3 d.), 5.470 (3 d.), 5.471 (3 d.) (étr.).

** Reine Gianoli (piano Steinway). Adès COF 7.051 (6 d.) (sup.), COF 7.057 (6 d.) (sup.), COF 7.063 (6 d.) (sup.).

L'Œuvre pour piano. Anthologie : Arabesque, Concerto pour piano, Etudes symphoniques, Fantaisie, Fantasiestücke, Humoresque, Kreisleriana, Novelettes, Papillons, Romances, Scènes d'enfants, Toccata.

*** Yves Nat (piano Erard). EMI VSM C 153-10.960/64 (5 d.). Mono.

L'Œuvre pour piano. Anthologie : Carnaval, Concerto pour piano, Etudes symphoniques, Davidsbündlertänze, Fantasiestücke op. 12 (extrait : Au soir), Kreisleriana, L'Oiseau-prophète, Papillons, Scènes d'enfants.

*** Alfred Cortot (piano). EMI VSM C 153-03.490/92. Mono (origine 78 t.). Enregistré de 1927 à 1948.

L'Œuvre pour piano. Anthologie : Arabesque, Blumenstück, Carnaval, Carnaval de Vienne, Davidsbündlertänze, Etudes symphoniques, Fantaisie, Fantasiestücke op. 12, Fantasiestücke op. 111, Humoresque, Kreisleriana, Nachtstücke, Novelettes, Papillons, Romances, Scènes de la forêt, Scènes d'enfants, Sonates nos 1 et 2, Variations Abegg.

** Claudio Arrau (piano Steinway). Philips 6768.084 (9 d.).

L'intégrale de Karl Engel reste sans doute, à ce jour, ce qui *globalement* a été fait de mieux. Ce qui frappe en effet, dans cet immense monument, c'est bien la constante adéquation entre l'interprète et une musique dont il se fait le révélateur perspicace aussi bien que sensible. La pénétration que Karl Engel apporte à la musique de Schumann suppose évidemment un long commerce avec le compositeur, avec ses œuvres. Il en naît une vision éclatante de poésie, de profondeur, typiquement schumannienne en ce qu'elle sait admirablement traduire, au-delà d'un classicisme latent assumé sans contrainte, toute la fantaisie - au sens germanique du terme - et toutes les fantasmagories de Schumann. Mais aussi sa recherche parfois bourgeoise d'un univers chaud et calme, tout ouaté de «Gemütlichkeit». Il est bien évident que dans ce massif sonore certaines pièces peuvent être surpassées par d'autres interprètes en des versions discographiques isolées. Mais cela n'enlèvera rien à l'extraordinaire beauté d'un ensemble que sert un fort bon Steinway.

L'intégrale de Peter Frankl n'a pas été «intégralement» commercialisée en France. On pourra le regretter, car, outre qu'elle peut s'acquérir pour un prix modique (les fameux Vox Box américains), elle recèle de très hauts moments et démontre sans embages les qualités de pianiste de Frankl : onctuosité du toucher, propension à une rêverie romantique débarrassée de tout effet facile, *aura* de poésie entourant les moindres petites pièces. Ce qui compte, pour Frankl comme pour Engel, c'est en effet la recherche et la traduction d'un climat typiquement schumannien, chantant, aéré, mais passionné, pétri de tendresse, tourné vers le moi intérieur. Une intensité à la fois grave et légère qui dénote une belle «présence» du pianiste derrière chaque page, chaque note. La prise de son est généreuse, bien équilibrée et fort «lisible» (elle dégage bien les plans sonores dans les grandes pages «construites»).

L'interprétation de Schumann par Reine Gianoli est captivante, même si parfois elle pourra sembler quelque peu déroutante à certains schumanniens. Toutefois, on ne peut résister à autant de sensibilité (féminine), de lyrisme modelé, contrôlé, soutenu, à une profondeur certaine dans le regard qui cherche à prendre en chaque partition son secret et son cœur. Gorgée de spontanéité, de franchise, de tempérament, cette interprétation vise dès lors peut-être plus à capter la beauté de l'instant qu'à se perdre en des ivresses philosophiques. Elles ne cherche pas à remettre tout l'acquis en question, non par manque de densité ou de sérieux, mais parce que Reine Gianoli refuse de se laisser piéger par la facilité et entend rester maîtresse de ses émotions - et de celles de l'auditeur. Avec elle, c'est le contraire du tapage, le rejet de la sensibilité facile, du cœur en écharpe. Mais plus - et mieux - peut-être ? - une hautaine conception de la confidence. La qualité technique est malheureusement très médiocre.

Heureusement réédités en monophonie, les disques d'Yves Nat n'ont rien perdu de leur valeur intrinsèque. Bien au contraire ! On reste bouleversé en écoutant ces messages que nous adresse d'outre-tombe l'un des plus grands pianistes assurément de notre siècle. Ce qui frappe le plus, c'est l'absence d'effet, le refus du panache, de se servir de Schumann à des fins personnelles, exact reflet d'une homme qui déclarait : «il faut s'oublier totalement afin que la musique se ressouvienne». Voici donc le témoignage d'un homme, d'un interprète de très haut lignage au seul service de son art et du musicien qu'il honore et dont il avait percé, comme peu, la plus secrète vérité.

Le coffret d'œuvres de Schumann interprétées par Cortot regroupe des enregistrements effectués essentiellement de 1928 à 1937. Autrement dit, alors que le grand pianiste était dans sa période la plus éclatante. Coffret doublement précieux, donc, puisque d'une part il démontre que certains «accrocs» constatés chez Cortot en fin de carrière sont bien dus à la fatigue autant qu'à l'âge et aux soucis ; d'autre part, que celui qu'un trop large public cantonne au seul domaine de Chopin était, en fait, un schumannien hors pair sachant décrypter les méandres du Concerto, rendre la mobilité flamboyante des *Davidsbündlertänze* ou la grandeur épique des *Etudes symphoniques*. Ajoutons, du point de vue technique, que le report de ces vieux 78 tours est proprement étonnant.

On a pu dire des enregistrements beethoveniens de Claudio Arrau qu'il y avait ceux réalisés avant et après lui. On serait tenté d'appliquer la même formule à ses interprétations de Schumann. Voilà un piano superbe, où la lisibilité est extrême, où le plaisir n'est jamais émoussé ni oblitéré par la moindre faute de goût. Voilà un jeu qui approche de la perfection, technique et stylistique. Et pourtant, maints schumanniens ne trouveront guère leur compte dans ce discours remarquablement éloquent, où l'excès de sensibilité a été tenu en laisse par une raison que l'on pourra trouver un peu trop raisonnante. Il y a là une question de tempérament, sans doute, et le soleil éclaire plus les partitions que ne les embuent les brumes germaniques. Encore une fois, c'est admirable en tous points. Mais un peu froid d'aspect et de teneur. Est-ce alors bien Schumann ?

Papillons pour piano op. 2.

❀*** Alfred Cortot (piano). EMI VSM C 153-03.490/92 (3 d.). Mono (origine 78 t.). + *Carnaval, Concerto pour piano, Davidsbündlertänze, Etudes symphoniques, Kreisleriana, Scènes d'enfants, Variations posthumes.*

*** Karl Engel (piano Steinway). Valois-Résurgences MB 361. + *Allegro, Carnaval.*

*** Yves Nat (piano Erard). EMI VSM 153-10.960/64 (5 d.). Mono. + *Anthologie piano* : *Arabesque, Concerto pour piano, Etudes symphoniques, Fantaisie, Fantasie-*

stücke, Humoresque, Kreisleriana, Novelettes, Romances, Scènes d'enfants, Toccata.

*** Reine Gianoli (piano Steinway). Adès COF 7.057 (6 d.) (sup.). + *Intégrale piano, vol. 2 : Canon sur «An Alexis», Carnaval, Chants de l'aube, 6 Etudes, Etudes symphoniques, 4 Fugues, Humoresque, 12 Impromptus, Novelettes, Fantasiestücke, 1re Sonate, 3e Sonate pour la jeunesse, Toccata, Variations Abegg, Variations op. posthume.*

*** Catherine Collard (piano Bösendorfer). Erato STU 71.145. + *Arabesque, Romances, Sonate n° 2.*

*** Murray Perahia (piano Steinway). CBS 76.635. + *Etudes symphoniques, Variations posthumes.*

*** Sviatoslav Richter (piano). EMI VSM C 181-01.727/28 (2 d.). + *Carnaval de Vienne, Fantaisie, Sonate n° 2.*

Hallucinante, fantasmagorique, la version Cortot ! On n'a peut-être jamais fait sonner de cette manière les douze coups de minuit. Il faut connaître cette version qui nous a heureusement été restituée en 1979 (dans la version VSM, plutôt que dans une autre version Da Capo moins réussie sur le plan sonore). Quelle poésie, quels maléfices et quelle richesse harmonique nous sont ici révélés !

Karl Engel atteint à un niveau de poésie et de finesse psychologique exceptionnel. Plus enfoncé dans la matière sonore qu'un Cziffra ou un Richter, plus germanique aussi qu'un Cortot, Engel offre ici une synthèse brillante très remarquable, une indiscutable authenticité schumannienne que seuls peuvent traduire avec autant de subtilité un long commerce avec l'œuvre et une riche sensibilité. A écouter impérativement.

Les *Papillons* de Schumann par Yves Nat «sonnent» comme un conte de fées, de gnomes et d'elfes, échappés des plus profondes forêts germaniques. Toutes les variations de la lumière sont ici enfermées, et l'on admire tant de tact mis au service d'une si exceptionnelle re-création. Du meilleur Nat !

De la grande intégrale de Reine Gianoli, les *Papillons* se détachent et s'inscrivent à une toute première place. La grande pianiste y montre sa fine, son exquise sensibilité, sa pudeur, mais aussi ce sens si schumannien qu'elle avait d'être tour à tour, sinon à la fois, Florestan et Eusébius. Une merveilleuse randonnée dans l'univers du musicien.

Un des meilleurs enregistrements de Catherine Collard consacrés à Schumann. Parfaitement à l'aise dans la si difficile rythmique du compositeur, l'interprète domine le romantisme du musicien, qu'elle pénètre et révèle avec une sensibilité très féminine en même temps que très logique. Engagement total, qui donne une éclatante vérité à l'œuvre et une poésie de tous les instants.

Une extrême délicatesse, un brin de fantaisie, un romantisme pleinement assumé, un art pétri de sensibilité, de distinction, de tact, voilà ce qu'apporte Murray Perahia en son quatrième disque qui le consacre grand maître. Car cet enregistrement (complété par une exceptionnelle version des *Etudes symphoniques*) reste d'une étonnante souplesse et d'une très sûre poésie.

Sviatoslav Richter aborde les *Papillons* en grand artiste ; il sait y enfermer un univers magique que son toucher porte à un haut niveau. Sans doute l'imagination se montre-t-elle moins folle au logis que chez Cortot ou Karl Engel, moins spontanée que chez Catherine Collard. Mais l'ensemble demeure très beau, même s'il ne nous fait pas oublier les grands «ténors» et «révélateurs» d'une partition toute en nuances.

Le Paradis et la Péri op. 50, oratorio.

❀*** Edda Moser (s), Regina Marheinecke (s), Brigitte Fassbaender (ms), Nicolaï Gedda (t), Alva Tripp (t), Günter Wesel (bar), Ch. et Orch. de Düsseldorf, Henryk Csyz. EMI VSM C 193-30.187/88 (2 d.) (étr.). Quadri.

Dans une qualité de prise et restitution sonores exceptionnelles - la prise de son est magnifique, naturelle, respectueuse des moindres demi-teintes, le pressage excellent -, cette première et unique version du *Paradis et la Péri* se révèle tout simplement remarquable. Œuvre très peu connue, mais splendide et trop injustement délaissée, cet enregistrement grandiose répare une injustice flagrante. Une partition de Schumann à connaître absolument.

Le Pèlerinage de la rose op. 112, oratorio.

*** Helen Donath (s), Karin Lövass (s), Julia Hamari (c), Theo Almeyer (t), Bruno Pola (b), Hans Sotin (b), Ch. de l'Association Musicale de Düsseldorf, Rafael Frühbeck de

Burgos. EMI VSM C 193-28.842/43 (2 d.) (étr.). Quadri. + *Romances et Ballades pour chœur mixte.*

Tout un côté de Schumann et de la vie musicale allemande du XIXᵉ siècle bien méconnu jusqu'ici est mis en pleine lumière avec ce disque : d'une part, la propension du musicien pour certains aspects purement «familiaux et bourgeois» de l'existence, gentiment sentimental ou énonçant un catéchisme assez élémentaire ; d'autre part, le complément des Ballades et Romances pour chœur mixte, si caractéristiques de ces nombreuses «*Liedertafel*» et «*Musikvereine*» où se pressaient toujours avec plaisir les gens du temps pour chanter ensemble, et qui suscitèrent tant de pages de Schubert à Brahms, et de Bruckner. Cet enregistrement est donc à connaître pour trois raisons au moins : par sa beauté intrinsèque d'abord, par ce qu'il nous révèle de Schumann ensuite, par ce qu'il nous apporte enfin sur la vie musicale et l'esthétique allemande en ce milieu du XIXᵉ siècle.

Quatuors à cordes op. 41 : nº 1 en la mineur, nº 2 en fa mineur, nº 3 en la mineur.

❀*** Quartetto Italiano. Philips 6703.029 (3 d.). + *Brahms : Quatuors à cordes.*

*** Quatuor Parrenin. EMI Columbia CCA 1.083 et CVB 2.149 (sup.). + *Quatuor avec piano op. 47.*

*** Quatuor de Berne. Accord ACC 150.037 (2 d.). Enregistré en 1982.

** Quatuor Bulgare. Harmonia Mundi HMU 2464 (2 d.) (sup.).

* Quatuor Drolc. DG 139.143/44 (2 d.) (sup.). + *Quintette op. 44.*

* Quatuor Kohon. Vox Box SVBX 542 (3 d.) (étr.). + *Brahms : Quatuors à cordes.*

* Quatuor Juilliard. CBS 77.320 (3 d.) (sup.). + *Quatuor avec piano op. 47, Quintette op. 44.*

Le Quartetto Italiano est aujourd'hui le seul à avoir vraiment ressuscité dans leur pleine vérité les trois Quatuors à cordes de Schumann. Version remarquable, qui fait bien la synthèse entre l'ombre de Beethoven et les extraordinaires échappées schumanniennes, d'un lyrisme brûlant, entre la perfection instrumentale et un sentiment de liberté cachant l'obsession ou le chant d'amour incomparable. Ici, Schumann apparaît tout à la fois fantastique et lyrique, débridé et classique, volontaire et emporté. La perfection de la technique instrumentale est dépassée au profit de la seule musique, de la seule authenticité de style.

Le Quatuor Parrenin, pour être extrêmement convaincant, n'atteint sans doute pas aux envolées superbes du Quartetto Italiano. Il ne retrouve pas non plus avec autant d'acuité la sonorité lumineuse, la transparence architectonique des partitions. Mais l'élan reste généreux, la vision ample et profondément romantique, avec ses virevoltes de songes et de caresses, sa vigueur et sa maîtrise du style. Tout semble respirer spontanément, vivre directement, naître sans efforts. C'est une réalisation splendide.

Le Quatuor de Berne fait saisir ces œuvres à l'exécution délicate à travers un jeu nerveux, une mise en place rigoureuse que vient vivifier un indispensable grain de folie, dans une approche constamment sûre, renouvelée, appropriée à chaque partition. Le plus beau compliment que l'on puisse faire aux instrumentistes bernois est de saluer leur interprétation comme typiquement schumannienne.

Le Quatuor Bulgare est sans aucun doute plus grave que les Italiano ou Parrenin. Sa volonté d'architecturer les œuvres de l'intérieur les bride un peu dans l'expression spontanée du lyrisme. Avec eux, l'accent est peut-être davantage mis sur l'ombre portée par Beethoven et ressentie presque peureusement par le musicien plutôt que sur son romantisme écartelé entre la rigueur classique et la fantasmagorie nocturne. Il n'empêche que cette version de haut lignage conserve de très sérieux atouts, et que sa présentation en pochette de «deux disques pour le prix d'un» accroît encore son intérêt.

Avec le Quatuor Drolc, on reste à un degré légèrement inférieur de compréhension et de restitution. Ici semble prédominer un souci de la forme, porté par un élan volontariste et par là même légèrement bridé. La sonorité toutefois reste assez belle.

La version du Quatuor Kohon s'est longtemps imposée, car seule à proposer l'ensemble des Quatuors de Schumann (et de Brahms, en complément) à un «prix budget». Elle date aujourd'hui, surtout sur le plan technique. La conception reste toutefois assez belle, même si la réalisation ne rejoint pas toujours les aspirations affichées.

Les Juilliard, en abordant Schumann, se montrent extrêmement scolaires - sauf dans le 3ᵉ Quatuor, où leur verve se décide enfin à prendre quelque essor. Superficialité, manque de fièvre et d'imagination sont hélas ! les caractères marquants de cette intégrale.

Quatuor pour piano et cordes en mi bémol majeur op. 47.

❀*** Pierre Barbizet (piano), Quatuor Parrenin. EMI VSM CVB 2.149 (sup.). + *Quatuor à cordes n° 3.*

* Glenn Gould (piano), Quatuor Juilliard. CBS 75.820. ⌧ 40-75.820. + *Quintette pour piano.*

La version du Quatuor Parrenin avec Barbizet, supprimée du catalogue, reste, à ce jour, la meilleure interprétation de cette œuvre difficile, magnifique et - on ne sait pourquoi - scandaleusement délaissée. Schumann, et les interprètes après lui, y montrent une fièvre inquiète, une ivresse très romantique, mais aussi un style concertant et virtuose qui reste éminemment personnel. Les Parrenin et Pierre Barbizet ont été les seuls à rendre justice à ce Quatuor.

La version Gould-Quatuor Juilliard est extrêmement décevante par sa monotonie, sa technique parfaite mais scolaire ne débouchant à aucun moment sur de vastes horizons, mais piétinant dans la sécheresse et l'académisme. Quant au pianiste, c'est peu dire qu'il soit totalement étranger à l'œuvre.

Quintette pour piano et cordes en mi bémol majeur op. 44.

❀*** Rudolf Serkin (piano), Quatuor de Budapest. CBS SET 2.008 (2 d.). (sup.). + *Brahms : Quatuors.*

*** Arthur Rubinstein (piano), Quatuor Guarneri. RCA 644.547 (G-B).

*** Pavel Stepán (piano), Quatuor Smetana. EMI VSM CVB 2.200 (sup.). + *Schubert : Quatuor n° 10.*

** Christoph Eschenbach (piano), Quatuor Drolc. DG 139.144 (sup.). + *Quatuor à cordes n° 3.*

** Jean-Bernard Pommier (piano), Quatuor Bernède. EMI VSM C 061-10.687 (sup.). + *Brahms : Variations sur un thème de Schumann.*

* Leonard Bernstein (piano), Quatuor Juilliard. CBS 75.820. ⌧ 40-75.820. + *Quatuor avec piano.*

Déjà reconnu un des tout premiers dans les œuvres pour piano et orchestre de Schumann, Rudolf Serkin signe sans doute la plus belle traduction sonore qui soit du Quintette en compagnie des Budapest. Ici, devant la beauté des sonorités, l'élégance de la pensée, le raffinement du style, la pénétration exemplaire du romantisme schumannien, l'ordonnance interne de l'œuvre, enfin, on ne peut que s'incliner et crier très haut son admiration.

Il en va presque de même avec Rubinstein et le Quatuor Guarneri. Là encore, le pianiste impose sa griffe, sa marque et même le jeu. Version de soliste concertant, donc, mais éclatante démonstration.

Avec Stepán et les Smetana, la fusion entre le quatuor et le soliste s'opère au niveau le plus élevé. Ce n'est plus, ici, un concerto en miniature que nous écoutons, mais une irrésistible, une étonnante voix à cinq timbres qui se compénètrent mystérieusement. Le style et l'effet sont superbes.

La version Eschenbach-Quatuor Drolc est trop jolie peut-être pour être vraiment belle. Ici, le piano reste un peu gracile et les cordes un peu à la surface des notes. Sans doute, l'ensemble s'impose par une éclatante jeunesse, une vie superbe, une élégance de tous les instants. On eût aimé un peu plus de profondeur et un romantisme moins sage...

On fera un peu à Pommier et aux Bernède le même regret qu'à Eschenbach-Drolc. D'une trop grande limpidité de pensée et de structure pour être vraiment schumannienne, leur version penche plus vers le classicisme de Beethoven que vers la magie sonore et mystérieuse de Schumann. C'est très joli, mais assez peu profond.

Quant aux Juilliard et à Bernstein, ils arrivent dans cette course bons derniers. Superficiels et laissant la poésie intime de ce Quintette se perdre dans un classicisme de pacotille, ils apparaissent neutres, ternes et pour tout dire ennuyeux. Le contraire même de Schumann.

Requiem pour chœur et orchestre op. 148. Requiem pour Mignon, pour solistes, chœur et orchestre op. 98B.

*** Evá Andor (s), Krystÿna Szokefalvi (s), Zsuzza Barlay (ms), Livia Budaï (ct), György Korondi (t), Jozsef Gregor (b), Ch. de Budapest, Orch. Symph. de l'Etat Hongrois, Miklos Forrai. Hungaroton SLPX 11.809.

Œuvre exemplaire très peu connue, le *Requiem pour Mignon* montre bien la vision qu'avait Schumann de l'enfance, à la fois pure et, par là même, initiatique. A tel point qu'on a pu y voir un prolongement choral des *Kinderszenen*. Le *Requiem op. 148* est d'une tout autre encre : hautement inspiré, profondément ressenti et «habité» par l'angoisse d'un musicien conscient de la folie qui le cerne. Œuvres d'insigne beauté, inoubliables et chargées de pressentiment. Il faut connaître ces pages - et surtout le *Requiem* - qui sont autant d'étapes vers la fin dramatique du compositeur. Leurs défenseurs sont ici pleins de feu et de compréhension. Et leur enregistrement est unique.

Scènes de Faust pour soli, chœur et orchestre.

❀*** Dietrich Fischer-Dieskau (Faust, Dr Marianus), Edith Mathis (Marguerite), Nicolaï Gedda (Ariel, Pater Ecstaticus), Walker Berry (Mephisto) Ch. de la Société de musique de Düsseldorf, Orch. Symph. de Düsseldorf, Bernhard Klee . EMI VSM C 165-46.435/36 (3 d.).

*** Elisabeth Harwood (s), Peter Pears (t), Dietrich Fischer-Dieskau (bar), John Shirley-Quirk (b), Jennifer Vyvyan (s), Felicity Palmer (s), Orch. de Chambre Anglais, Benjamin Britten. Decca SET 567/68 (2 d.) (G-B).

Les chœurs, très supérieurs à ceux de la version Britten, sont absolument idiomatiques, intervenants, souverains, massifs ou déliés. Gedda, même vieilli, est exceptionnel, et hausse cet album au niveau du mémorable ; Fischer-Dieskau a décanté son art depuis la première version. La direction de Bernhard Klee s'impose par sa simplicité, sa spiritualité et parfois sa verve, qualités qui rendent toute justice à cette musique imaginative et visionnaire.

Comme tous les artistes romantiques, de Goethe à Nerval, son superbe traducteur, de Liszt à Berlioz, de Delacroix à Lenau, Schumann s'est senti attiré, fasciné par la figure de Faust. La version (unique à ce jour) qu'en a su donner Benjamin Britten est tout simplement fabuleuse et se passe de commentaires. Car tout, ici, a été fait pour réaliser d'emblée un enregistrement de référence : solistes de classe internationale et d'une qualité d'inspiration exceptionnelle, orchestre et chœur de la plus haute tenue, enfin prise de son et restitution de qualités exceptionnelles. Ce premier enregistrement mondial d'un des chefs-d'œuvre de Schumann - et du XIXe siècle - n'est pas près d'être dépassé.

Scènes de la forêt pour piano op. 82.

❀*** Clara Haskil (piano). Philips 6768.286 (2d.). + *Bunte Blätter, Concerto pour piano, Scènes d'enfants, Variations Abegg.*

*** Karl Engel (piano Steinway). Valois CMB 27 (sup.). + *Intégrale piano, vol. 4 : Albumblätter, Bunte Blätter, Six Etudes de concert, Six Etudes op. 3, Quatre Fugues, Humoresque, Klavierstücke, Nachtstücke, Toccata, Variations posthumes.*

*** Reine Gianoli (piano Steinway). Adès COF 7.063 (6 d.) (sup.). + *Intégrale piano, vol. 3 : Allegro, Arabesque, Blumenstück, Bunte Blätter, 6 Etudes de concert, Fantasiestücke, Intermezzi, Kreisleriana, Marches, Presto, Romances, Scènes d'enfants, Scherzo, Gigue, Romance, Fughette, 2e Sonate, 1re et 2e Sonate pour la jeunesse.*

** Wilhelm Backhaus (piano). DECCA SDD 201 (G-B). + *Concerto pour piano.*

** Peter Frankl (piano). Musidisc RC 875. + *Arabesque, Carnaval de Vienne, Variations Abegg.*

* Wilhelm Kempff (piano). DG 2531.297. + *Arabesque, Romances op. 28, Scènes d'enfants.*

Le disque de Clara Haskil reste irremplaçable. Nul interprète n'a su comme elle recréer autant de mystère avec autant de simplicité. Inimitable dans son style, sa pureté, sa poésie. Tout commentaire supplémentaire serait inutile. On reste muet devant la perfection.

Karl Engel a réussi avec ses *Waldszenen* une remarquable peinture de l'âme de Schumann. On y trouve, avec une acuité confondante, la tendresse et le mystère, la peur et la vaillance, le simple et le complexe. Servi par un jeu superbe, une prise de son très onctueuse, ce disque est un des hauts moments de l'intégrale Engel.

Dans les *Waldszenen*, Reine Gianoli atteint, elle aussi, à de merveilleux moments. Cette partition est d'ailleurs une de ses plus grandes réussites - avec le *Carnaval*, les *Papillons*, l'*Humoresque* et les *Bunte Blätter.*

C'est qu'elle s'y sent à l'aise et que son romantisme personnel s'abreuve avec délices à cette musique de ténèbres et de mystère qu'est la partition de Schumann. Le jeu est d'une extrême délicatesse et d'une beauté exemplaire.

Il manque peut-être un peu de spontanéité à Wilhelm Backhaus dans les *Waldszenen*. Mais la vision est large, profonde, le style constamment noble et la technique dominatrice. C'est évidemment un grand disque que tout admirateur de Backhaus cherchera à posséder.

Peter Frankl a su voir beaucoup de choses dans la forêt magique de Schumann. Et il nous les rend avec une ferveur communicative, un don de conteur, un toucher onctueux, tour à tour merveilleusement limpide ou sombre à souhait. Une âme de poète se tapit en son cœur. Et il sait nous en restituer la confidence.

Point de mauvaise rencontre à redouter dans les *Waldszenen* de Kempff. La forêt est presque aseptisée : les arbres n'ont guère de branches préhensives, les ronces n'égratignent pas et la clairière est tapissée d'herbes douces. L'*Oiseau-prophète* lui-même ne prophétise que la pureté d'un azur limpide - ou d'un Eden transfigurant. Cela reste très beau plastiquement. Mais combien Clara Haskil mettait plus de choses en une seule note.

Scènes d'enfants pour piano op. 15.

❀*** Clara Haskil (piano). Philips 6768.286 (2 d.). + *Bunte Blätter, Concerto pour piano, Scènes de la forêt, Variations Abegg.*

❀*** Karl Engel (piano Steinway). Valois-Résurgences MB 367. + *Kreisleriana.*

❀*** Alfred Cortot (piano). EMI VSM C 153-03.490/92 (3 d.). Mono (origine 78 t.). + *Carnaval, Concerto pour piano, Davidsbündlertänze, Etudes symphoniques, Kreisleriana, Papillons, Variations posthumes.*

*** Yves Nat (piano Erard). EMI VSM 153-10.960/64 (5 d.). Mono. + *Anthologie piano : Arabesque, Concerto pour piano, Etudes symphoniques, Fantaisie, Fantasiestücke, Humoresque, Kreisleriana, Novelettes, Papillons, Romances, Toccata.*

** Reine Gianoli (piano Steinway). Adès COF 7.063 (6 d.) (sup.). + *Intégrale piano, vol. 3 : Allegro, Arabesque, Blumenstück, Bunte Blätter, 6 Etudes de concert, Fantasiestücke, Intermezzi, Kreisleriana, Marches, Presto, Romance, Scènes de la forêt, Scherzo, Gigue, Romance, Fughette, 2e Sonate, 1re et 2e Sonate pour la jeunesse.*

** Inger Södergren (piano Bösendorfer). Calliope 1.650. ⌧ 4.650. + *Carnaval.*

Les *Scènes d'enfants* par Clara Haskil, c'est la poésie à l'état pur, l'innocence sainte, la beauté parfaite. Avec un soupçon de drame qu'une oreille attentive saura découvrir. C'est au total une interprétation sublime, qu'il faut absolument posséder et qui n'a jamais été détrônée.

Karl Engel sait être, lui aussi, merveilleusement poète. Mais ici, évidemment, les accents sont plus mâles, plus soutenus et plus soulignés. On reste rêveur devant tant de puissance alliée à tant de finesse, et la retenue lyrique paradoxalement donne un supplément de beauté. Version à la fois extrêmement sensible, intelligente et délicatement romantique.

Peu d'interprètes - en dehors d'Yves Nat, de Karl Engel et, plus encore, de Clara Haskil - ont réussi ce miracle que nous offre Cortot : d'être à la fois candide, simple, mais aussi pleinement conscient de tout ce que recèle l'univers onirique de Schumann. Voilà pourquoi ses *Kinderszenen* sont si merveilleuses : conte de fée s'appuyant sur du réel ; vision de poète, de musicien et traduction envoûtante d'un pianiste hors pair.

La traduction d'Yves Nat est évidemment exemplaire : peu savent comme lui être à la fois savant et simple, tourmenté et placide, nerveux et flegmatique. Peu savent se montrer aussi continuement poète, parler aussi généreusement un langage plein de mystère et de lumière. C'est là encore une haute traduction de la pensée de Schumann.

Reine Gianoli abordait les *Kinderszenen* avec une sorte de pudeur, de frémissement intérieur qui prolongeaient à l'âge mûr ses rêves d'enfants. Voilà pourquoi, avec une infinie délicatesse de cœur et de toucher, elle nous a laissé une traduction inoubliable de cette partition devant laquelle elle déposait toute sa ferveur de grande artiste.

On a peut-être un peu trop vanté, dès la seconde face de sa sortie, le disque de Södergren. Mais outre un superbe *Carnaval*, il faut citer quand même la seconde face de cet enregistrement, car elle dénote une extrême délicatesse, une exquise sensibilité et consacre, dès sa première réalisation, un nom à retenir.

Sonates pour piano n° 1 en fa dièse majeur op. 11, n° 2 en sol mineur op. 22, n° 2a Presto (finale) pour la Sonate n° 2, n° 3 en fa mineur «Concert sans orchestre» op. 14.

*** Karl Engel (piano Steinway). Valois CMB 26 (4 d.) (sup.). Ou Valois MB 1.422 et MB 1.423.

** Reine Gianoli (piano Steinway). Adès 9.051/52/53 (sup.).

En ce qui concerne les intégrales, la version de Karl Engel demeure indiscutablement la plus réussie. Le grand artiste a su recréer à l'intérieur même de la forme sonate le monde imaginaire de Schumann, faisant ainsi de ces œuvres des poèmes lyriques autant que des constructions rationnelles.

Dans cette reconstitution logique d'un cadre où se vient couler un langage de feu, Reine Gianoli n'atteint certainement pas aux mêmes sommets que Karl Engel. La vision s'égare un peu au fil des œuvres, perdant ainsi cette fermeté architectonique à laquelle Schumann tenait tant et pour laquelle il s'était donné tant de mal.

Sonate pour piano n° 1 en fa dièse majeur op. 11.

❀*** Maurizio Pollini (piano Steinway). DG 2530.379. ⊠ 3300.449. + *Fantaisie.*

*** Claudio Arrau (piano Steinway). Philips 802.793 (sup.). + *Fantasiestücke op. 111.*

Cette œuvre, que Clara appelait «ma Sonate», traduit les plus secrètes pensées du génie romantique de Schumann, en un langage de feu. Dans l'interprétation exceptionnelle qu'il en donne, Pollini nous aide à pénétrer ce monde d'immense passion : servi par une technique de grande classe, il fait tout passer en une vision inspirée de poète, frémissante de vie et de sensibilité. Cette Sonate en sort grandie, et majestueuse plus qu'en aucune autre gravure : sans conteste, Pollini bouscule toute la hiérarchie et vient sans peine s'inscrire en première place.

L'interprétation de Claudio Arrau ne peut être taxée d'«inférieure» par rapport à la précédente : elle est seulement différente. Moins profondémmemt inspirée, mais la comparaison se situe à un niveau tel que l'échelle des valeurs ne signifie plus grand-chose. Arrau garde pour lui un toucher exceptionnel et une plastique prestigieuse qui font les grandes interprétations : et c'est le cas.

Sonate pour piano n° 2 en sol mineur op. 22.

*** Sviatoslav Richter (piano). EMI VSM C 181-01.727/28 (2 d.). + *Carnaval, Fantaisie, Papillons.*

** Brigitte Engerer (piano). Chant du Monde LDX 78.696. Enregistré en 1979. + *Variations sur le nom d'Abegg op. 1, Scènes d'enfants op. 15, Bunte Blätter op. 99 (extraits n°s 1, 2 et 3).*

** Catherine Collard (piano Bösendorfer). Erato 71.145. + *Arabesque, Papillons, Romances.*

* Wilhelm Kempff (piano). DG 2530.348. + *Scènes d'enfants.*

Pour de multiples raisons, Sviatoslav Richter se propulse sans peine au premier rang des interprètes de cette seconde Sonate. D'abord et surtout, pour son superbe talent dont il n'est plus besoin de faire ici le détail : c'est, en un mot, du très grand art. En outre, il s'agit là d'une offre propre à réjouir les discophiles, puisque, pour le prix d'un disque, ils en auront deux où leur sont offertes d'autres richesses du catalogue schumannien par le même interprète.

Perfectionnée à la célèbre et efficace école russe de Stanislas Neuhaus, Brigitte Engerer possède un style totalement mûr et une technique impressionnante, qui sert une expression ample et directe. Globalement, ce disque est beaucoup plus que prometteur ; c'est déjà une grande réussite, même si on peut reconnaître que - ici et là - les *Scènes d'enfants* n'atteignent pas encore à la profondeur extatique d'une Clara Haskil, évidemment.

Dans un disque au programme périlleux, car il juxtapose des œuvres aux climats très divers, Catherine Collard réussit à rendre pleinement chacune des intentions du compositeur, aidé par son jeu d'une étonnante beauté plastique. Dans sa Sonate n° 2, il ne faut pas s'attendre à un romantisme échevelé et batailleur : elle préfère l'introspection et la réflexion, mais sans que cela soit une distenciation par rapport à la musique : elle s'engage à fond dans cette voie discrète, et c'est pour cela que son interprétation est attachante et convaincante.

La lecture d'un aussi grand artiste que Wilhelm Kempff aurait pu être décisive et de tout premier plan, mais il faut reconnaître qu'elle est plutôt décevante. Dans un esprit dénué de toute fièvre, il aborde la Sonate avec une froide placidité, avec une méticulosité hors propos qui oublie complètement l'indication même de Schumann : «aussi arraché que possible». Tout est trop sculpté et fignolé, et même les mouvements lents, plastiquement beaux, sont terriblement froids. On ne découvre aucune folie, et, ce qui ne peut se pardonner, aucun romantisme, au vrai sens du terme, c'est-à-dire aucune passion, dans ces pages.

Sonate pour piano n° 3 en fa mineur op. 14.

*** Vladimir Horowitz (piano Steinway). RCA RL 11.766 (étr.). + *Scriabine : 5e Sonate.*

** Jean-Philippe Collard (piano Steinway). EMI VSM C 069-12.523. + *Impromptus.*

Tout d'abord, on est saisi par la prodigieuse virtuosité. Ensuite, une fois passé le flot pathétique et quasi symphonique du premier mouvement, Horowitz s'installe dans l'œuvre avec une sûreté expressive où il affirme sa maîtrise. Il y met tout le sentiment unissant Schumann à sa fiancée Clara avec une profonde intensité. Horowitz signe évidemment une version très personnelle, mais de grande race, où l'on peut se laisser persuader par une éloquence brûlante.

Attentif à l'aspect ambigu d'une partition que les passions voudraient faire éclater hors des cadres traditionnels, Jean-Philippe Collard développe un jeu délicat et sensible, où se lit le tourment intérieur de la ligne mélodique. Ce qui caractérise avant tout son interprétation est une grande finesse de toucher, une délicatesse de tous les instants, qui donnent au romantisme schumannien une conception sobre, dépouillée, ennemi du pathos. Et, au fond, une grande unité de sentiment.

Sonates pour violon et piano n° 1 en la mineur op. 105, n° 2 en ré mineur op. 121.

*** Raphaël Oleg (violon), Yves Rault (piano). Harmonia Mundi HM 489.

** Clara Bonaldi (violon), Sylvaine Billier (piano). Harmonia Mundi HM 568. ⌧ HM 40-568.

Venant après quelques enregistrements très décevants (ceux de Barbizet-Ferras ou de Rigutto-Wallez), le disque de Rault-Oleg apporte fraîcheur et soulagement. Enfin, un Schumann qui sonne «juste» - à la fois stylistiquement et techniquement : variété dans les approches, lyrisme généreux quoique dominé, jeux complémentaires qui traduisent à merveille les mille facettes de ces pages kaléidoscopiques. La réussite est extrême, servie par une prise de son très bien faite et un excellent équilibre violon piano.

Longtemps seul au catalogue, le disque de Sylvaine Billier et Clara Bonaldi, reparu en 1978 dans une collection économique («Musique d'abord»), mérite de demeurer effectivement au catalogue. Cette version, toute nimbée de discrétion, d'élégance, mais aussi de passion courant sous une architecture solidement maîtrisée, continuera encore longtemps à retenir les suffrages des discophiles.

Symphonies n° 1 en si bémol majeur «Le Printemps» op. 38, n° 2 en ut majeur op. 61, n° 3 en mi bémol majeur «Rhénane» op. 97, n° 4 en ré mineur op. 120.

*** Orch. de la Staatskapelle de Dresde, Wolfgang Sawallisch. EMI VSM C 149-02.418/20 (3 d.). + *Manfred et Ouverture Scherzo Finale.*

*** Orch. Phil. de Berlin, Rafael Kubelik. DG 2709.034 (3 d.) (sup.). + *Ouvertures de Genoveva et de Manfred.*

** Orch. Phil. de Berlin, Herbert von Karajan. DG 2709.036 (3 d.). + *Ouverture, Scherzo et Finale.*

** Orch. Phil. de Vienne, Georg Solti. Decca 7.064/66 (3 d.) (sup.). + *Ouverture, Scherzo et Finale, Jules César.*

** Orch. Symph. de Chicago, Daniel Barenboïm. Symphonies nos 1 et 4 : DG 2530.660. Symphonie n° 2 : DG 2530.939. + *Konzertstück.* Symphonie n° 3 : DG 2530.940. + *Ouverture de Manfred.*

De toutes les intégrales parues jusqu'ici, celle de Sawallisch reste la plus homogène, la plus dynamique, la plus réussie et par là même la plus convaincante. Pas de pages mortes ou simplement languissantes dans ce monument où l'Orchestre de Dresde s'affirme un des meilleurs du monde. La réussite est exemplaire, de finesse, de subtilité, de générosité. A retenir avec soin.

A la tête du Philharmonique de Berlin, Kubelik nous a laissé une intégrale très vivante (qui contraste curieusement avec celle, réalisée en 1979 à la tête de l'Orchestre de la Radio Bavaroise et qui, elle, est d'une décevante platitude). Il est dommage que ce coffret ait été retiré de la circulation ; son exemple demeure d'actualité.

Karajan + Berlin + une prise de son remarquable = intégrale superbe. On connaît la rondeur des cordes du Philharmonique que Karajan travaille en pleine pâte. Mais il faut saluer aussi, par la vision interne, vivante, intérieure du chef, qui sculpte les partitions, en dégage toute la substantifique moelle dans un envol d'aigle. Superbe. Avec en plus une remarquable traduction de l'Opus 52.

La version de Solti est beaucoup moins homogène que les précédentes. Avec elle commence la série des intégrales péchant soit globalement, soit par une réussite moindre dans l'une quelconque des Symphonies : ici, la Première. Mais, en revanche, Solti est le seul à avoir gravé l'ouverture - quasi inconnue - de Jules César.

On attendait beaucoup de Barenboïm. La déception fut à l'égale de l'attente. Ici, la Troisième pâlit d'une langueur incommode, tandis que l'Orchestre de Chicago se montre nettement en dessous de sa réputation. Bien des réserves quant aux tempi, aux attaques, aux rythmes eux-mêmes doivent être faites. En revanche, remarquable Konzertstück en complément.

Symphonie n° 1 en si bémol majeur «Le Printemps» op. 38.

*** Orch. Phil. de Vienne, Wilhelm Furtwängler. Decca 592.110. Mono. + *Ouverture de Coriolan.*

La Symphonie n° 1 «Le Printemps» n'est pas des mieux servies au disque dans les interprétations séparées. Les meilleures se retrouvent dans les intégrales gravées par Sawallisch, Karajan ou Kubelik. Il convient cependant de citer l'interprétation de référence : celle par Furtwängler, non disponible en France, mais existant couramment en Grande-Bretagne, en série économique. Si l'on peut se la procurer, on appréciera tout l'art de la direction et le tempérament hors classe de ce grand chef. Citons aussi une version Klemperer éditée chez EMI Angel aux USA, et une très bonne version Eurodisc par Kurt Masur dirigeant l'Orchestre du Gewandhaus de Leipzig.

Symphonie n° 2 en ut majeur op. 61.

*** Orch. Phil. de Vienne, Zubin Mehta. Decca 591.186. ⌧ 4-390.395. Enregistré en 1980. + *Genoveva, ouverture op. 81.*

** Orch. Philharmonia, Riccardo Muti. EMI VSM C 069-03.406. Quadri. + *Ouverture de Hermann et Dorothée.*

* Orch. Symph. de Bamberg, Dietrich Fischer-Dieskau. Acanta DC 227.049.

Zubin Mehta vient réduire à néant le jugement qui voulait que Schumann ne sache pas orchestrer. Sa Deuxième sonne à pleine volée, dense, charnue. Grâce à une Philharmonie de Vienne en pleine forme, Mehta nous révèle des traits d'orchestre fabuleux. D'un bout à l'autre, sans la moindre faille, sans la moindre baisse de tension, nous sommes saisis par la rigueur du dessin rythmique, le lyrisme de la mélodie schumannienne, la couleur éclatante de la palette sonore.

Dès le *Sostenuto assai* de la Symphonie n° 2 dirigée par Muti, on remarque un allégement des violons et de la petite harmonie au détriment des cuivres et des cordes intermédiaires. On pourrait croire que l'œuvre s'en trouverait déséquilibrée : au contraire, on assiste à un spectaculaire rajeunissement. Muti s'attache à une lecture scrupuleuse de la partition suivant exactement les nuances et les rythmes. Le *Scherzo* est très réussi par sa dynamique. Le couplage avec une pièce rare comme l'*Ouverture d'Hermann et Dorothée* est intéressant et bénéficie de la même direction jeune et enlevée.

Si, au cours du présent ouvrage, nous avons souvent loué bien haut les mérites du grand baryton qu'est Fischer-Dieskau, nous serons maintenant impartiaux pour déclarer que la baguette ne lui sied guère, ici en tout cas. Sa version de la deuxième de Schumann n'est à recommander à aucun titre, à peine celui de la curiosité. Qu'il lui suffise d'avoir un répertoire lyrique immense dans lequel il brille à tous coups, mais cette expérience n'ajoute rien à sa gloire.

Symphonie n° 3 en mi bémol majeur «Rhénane» op. 97.

❀*** Orch. Symph. de Stuttgart, Carl Schuricht. Festival FC 459. Enregistré en 1960.

*** Orch. Symph. de Los Angeles, Carlo-Maria Giulini. DG 2532.040. ✉ 3302.040. + *Manfred, ouverture op. 115.*

*** Orch. New Philharmonia, Eliahu Inbal. Philips 6570.152 (USA). + *Symphonie «Zwickau».*

La «Rhénane» de Schuricht est complétée par un superbe *Manfred.* Elle est reparue dans une nouvelle gravure dont le prix reste particulièrement modique. En revanche, les qualités musicales ne le sont pas : noblesse de la conception d'ensemble, vigueur des tempos, admirable modelé orchestral font de ce disque la référence malgré son ancienneté. Schuricht reste égal à lui-même, et donne là une éclatante leçon d'interprétation.

Giulini, dès les premières notes, surprend par le rythme extrêmement contenu, se déployant avec une grandeur attentive, une ampleur majestueuse. Cette interprétation, d'une constante beauté, d'un intérêt soutenu de bout en bout, s'impose par sa vie intérieure, son lyrisme puissant, par sa beauté plastique. Une superbe ouverture de *Manfred* complète ce disque.

L'interprétation dirigée par Inbal n'est pas décevante du tout. Elle est, au contraire, très personnalisée, pleine de rigueur et aussi de fantaisie, et tous les détails, après avoir été scrupuleusement fouillés, sont superbement rendus. Il met une constante application à faire chanter un merveilleux pupitre de cordes. Cette version dégage une beauté plastique qui devrait charmer tous les mélomanes.

Symphonie n° 4 en ré mineur op. 120.

❀*** Orch. Phil. de Berlin, Wilhelm Furtwängler. DG 2535.805 (étr.). Mono. + *Ouverture de Manfred. Weber : Ouverture d'Euryanthe.* Ou DG 2721.202 (10 d.). Mono. + *Beethoven, Brahms, Bruckner, Furtwängler, Haydn, Mozart, Schubert, R. Strauss, Wagner.* Ou DG 2740.260 (6 d.). Mono. + *Beethoven, Bruckner, Haydn, Mozart, Schubert, R. Strauss, Wagner.*

** Orch. New Philharmonia, Riccardo Muti. EMI VSM C 069-03.721. Quadri. + *Symphonie n° 1.*

Encore une très précieuse réédition Furtwängler d'un enregistrement effectué en 1953. De cette Symphonie n° 4, il déclarait : «Nous avons le temps, cette œuvre ne vaut absolument rien si on la joue à la va-vite». A l'écoute, l'on s'aperçoit combien il a raison. Sur ce même disque, on trouvera l'*Ouverture de Manfred* enregistrée en 1954, et l'*Ouverture* de l'*Euryanthe* de Weber, enregistrée à la même date à l'Opéra de Paris, mais toujours avec le Philharmonique de Berlin. Un des plus grands disques de Furtwängler, et peut-être même de l'histoire.

Riccardo Muti donne avec sa version de la *n° 4* un très beau disque. Peu à peu la partition s'enfle et, sur un frisson délicieux, débouche en pleine pâte sonore, avec des éclairages juvéniles où la distinction du phrasé ressort dans une chaude atmosphère. En couplage, une merveilleuse Symphonie «Italienne», plus enlevée que celle de Klemperer.

Trios pour piano, violon et violoncelle : n° 1 en ré mineur op. 63, n° 2 en fa majeur op. 80, n° 3 en sol mineur op. 110.

*** Beaux-Arts Trio. Philips 6700.051 (2 d.). + *Clara Schumann : Trio op. 17.*

** Trio Ravel. Trio n° 1 : Arion ARN 31.968. + *Adagio et Allegro, Romances op. 94.* Trio n° 2 : Arion ARN 31.967. + *Sonate pour violon et piano n° 3.* Trio n° 3 : Arion ARN 31.969. + *Fantasiestücke op. 88.*

Trio pour piano, violon et violoncelle n° 1 en ré mineur op. 63.

** Alfred Cortot (piano), Jacques Thibaud (violon), Pablo Casals (violoncelle). EMI Da Capo C 049-01.808. Mono (origine 78 t.). + *Mendelssohn : Trio avec piano n° 1.*

La légère suprématie du Beaux-Arts Trio tient à l'acuité un peu plus profonde de la quête, à l'expression peut-être un peu plus fine. Elle a aussi pour elle de ne compter que deux disques et d'être complétée par un intéressant Trio de Clara Schumann.

La jeunesse du Trio Ravel fait merveille, avec ses élans lyriques, son jaillissement mélodique, ses remous d'angoisse, sa virtuosité ménagée, son intensité poétique. Le coffret est complété par des œuvres généralement peu jouées.

Dans ce brelan d'œuvres chaotiques, que peu de formations ont bien servies, une place doit être faite à la version historique du trio Cortot-Thibaud-Casals dans le premier Trio, version bien ancienne mais que l'éditeur a fort heureusement réinscrit à son catalogue.

Schütz, Heinrich
(1585-1672)

Cantiones Sacrae à quatre voix SWV 53 à 93 (1625).

*** Kreuzchor de Dresde, Rudolf Mauersberger. Telefunken 6550.009 (3 d.) (étr.). Enregistré en 1964.

Cantiones Sacrae. Extraits : Cantiones SWV 56 à 60.

** Chœur Schütz de Londres, Schütz Consort, Roger Norrington. Argo ZRG 847 (G-B). Enregistré en 1975. + *Monteverdi : Lagrime d'amante.*

Ce chef-d'œuvre du «madrigal spirituel» allemand, où Schütz revient à la grande tradition du motet illustrée par Lassus et Lechner, trouve ici une traduction quasi parfaite, dans une interprétation qui accorde la lettre à l'esprit, l'exact ton liturgique à une expression frémissante. Aussi bien, cette intuition des œuvres ne surprendra pas de la part d'exécutants qui sont, à Dresde, les continuateurs directs d'un style de chant choral remontant à Schütz lui-même.

Une vision fragmentaire des *Cantiones*, mais ciselée avec des soins d'orfèvre et une recherche de la couleur sonore qui joue peut-être au détriment du sentiment, de l'émotion religieuse. Mais le chant du Schütz Choir a bien du charme, et le génie du compositeur opère, même si Norrington tire un peu la musique vers les raffinements de l'école élisabéthaine.

Geistliche Chormusik (Musique chorale spirituelle) : 29 Motets SWV 369-397 (1648).

❀*** Kreuzchor de Dresde, Rudolf Mauersberger. EMI Columbia C 91.345/47 (3 d.) (sup.). Enregistré en 1961.

Une version définitive de la *Musique chorale spirituelle* et un monument de la discographie schützienne, qu'il serait indispensable de rééditer au plus tôt. Nous retrouvons pour ces 29 motets l'admirable chorale du Kreuzchor, une maîtrise de garçons qui en agrandit la portée communautaire à une dimension universelle. Nourrie des malheurs et du cortège de ruines de la Guerre de Trente Ans, la méditation du compositeur devient acte de foi visionnaire, tableau annonciateur de la fin des temps (*Sehet an den Feigenbaum, Du Schalksknecht...*).

Histoire de la Nativité (Oratorio de Noël) SWV 435 (1664).

❀*** Hans Joachim Rotzsch (l'Evangéliste), Solistes, Westfälische Kantorei, Ens. d'instruments anciens, Wilhelm Ehmann. Cantate 650.201 (sup.). Enregistré en 1960.

*** Ian Partridge (l'Evangéliste), Solistes, Ch. Schütz de Londres, Roger Norrington. Argo ZRG 671 (G-B). Enregistré en 1972.

La plus populaire des partitions du musicien saxon. Un chef-d'œuvre dont la discographie, d'un très haut niveau, reste dominée par la version de Wilhelm Ehmann. Absent depuis longtemps du catalogue, cet enregistrement reste un témoignage merveilleusement fidèle à l'esprit de la musique, un adorable moment de détente et de bonheur pour chanter la joie de Noël. Couleur et poésie sont au rendez-vous, avec la magie des instruments anciens, tout au long d'une interprétation qui jette sur l'événement (et sur l'œuvre) le regard ébloui de l'enfance.

Assez près d'Ehmann, Norrington a signé une très belle version de cet *Oratorio de Noël*, certainement son meilleur disque consacré à Schütz. C'est là une approche très présente, très festive, et qui plaît pour ses fraîches sonorités et sa jeunesse. Et pour les mystiques, le souci de symbolisme n'est pas absent de cette vision séduisante, comme dans le *Concert des Anges* qui plane, féerique et suspendu entre ciel et terre.

Histoire de la Résurrection (Oratorio de Pâques) SWV 50 (1623).

*** Solistes, Norddeutschersingkreis, Ens. instrumental, Gottfried Wolters. Archiv 198.022 (sup.). Enregistré en 1958.

*** Solistes, Ensemble Musica Polyphonica, Louis Devos. Erato STU 71.390. ⌧ MCE 71.390. Enregistré en 1980.

** Solistes, Ch. Schütz de Londres, Ens. instrumental, Roger Norrington. Argo ZRG 637 (sup.). Enregistré en 1972. + *Magnificat allemand.*

La version historique demeure celle que grava jadis Archiv, avec l'évangéliste idéalement liturgique de Helmut Krebs, alors à l'apogée de ses moyens. Un grand disque, le seul à rendre compte de toutes les dimensions et les exigences de l'œuvre, de la méditation spirituelle, surtout sensible dans le grégorien ré-inventé de la récitation de l'évangéliste, comme de l'expressivité de la modernité d'un chant libre, discernable, par exemple, dans l'extraordinaire duo des disciples d'Emmäus, jaillissant comme un *arioso* de Monteverdi.

Le premier trait qui caractérise cette approche, c'est l'intériorité. Louis Devos ne s'intéresse qu'à la vie spirituelle, qu'au regard de l'âme qui éclaire ici le cheminement d'une musique à la fois austère et brûlante de ferveur, une musique dont le ton extraordinairement habile ne peut manquer de frapper un auditeur moderne. Cette flamme intérieure habite autant l'Evangéliste (Kurt Widmer) et les solistes que l'accompagnement du quatuor de violes et du continuo d'orgue.

La belle réalisation de Norrington semble trop humaine, sans doute parce qu'elle appuie plus sur le drame que sur la prière. Mais Peter Pears est un vibrant Evangéliste et Norrington donne à l'oratorio une coloration très prenante (et quasi théâtrale) d'action sacrée, même si ce choix s'exerce aux dépens du rayonnement religieux.

Kleine geistliche Konzerte (Petits Concerts spirituels) : 1re et 2e parties SWV 282-337 (1636 et 1639).

❁*** Solistes, Westfälische Kantorei, Ens. instrumental, Wilhelm Ehmann. Bärenreiter-Musicaphon BM 30 SL 1311/16 (6 d.) (sup.). Enregistré en 1961.

Encore une gravure historique dont on souhaite la réédition rapide, car il s'agit là d'un témoignage absolument nécessaire à qui veut entrer dans l'œuvre de Schütz. La toile de fond des *Petits Concerts* reste celle de la guerre et de la souffrance, mais Ehmann et ses solistes (dont le merveilleux ténor Höfflin) savent faire écho, comme nul ne l'a fait après eux, à la sublime compassion de la musique et nous parler avant tout de réconfort, de consolation. Finalement, c'est la petite flamme de l'espérance qui prévaut au long d'un recueil où le compositeur se souvient encore des années heureuses et retrouve parfois l'élan qui animait les *Symphonies Sacrées* de 1629. Un sommet d'émotion religieuse, mais aussi un modèle de style et de musicalité.

Kleine geistliche Konzerte (Petits Concerts spirituels) : extraits. Symphonie sacrae : extraits.

*** Concerto Vocale. Harmonia Mundi HM 1.097. Enregistré en 1982.

L'approche du Concerto Vocale est structurée de bout en bout par les données d'une authentique recréation musicologique. Les interprètes tissent ici un rêve mystique fascinant, mais en imposant toujours à leur vision ce recul qui ressuscite les œuvres en les rendant à leur époque, en situant phrasés, rythmes et dynamique dans un environnement sonore à l'ancienne.

Kleine geistliche Konzerte (Petits Concerts spirituels) : extraits (SWV 287, 291, 296, 308, 320, 325).

*** Solistes, Kreuzchor de Dresde, Rudolf Mauersberger. Archiv 198408. Enregistré en 1966.

Bien que fragmentaire, la plus belle, la plus authentique introduction - à qui ne voudrait acheter qu'un disque - aux *Petits Concerts* et à l'univers spirituel de Schütz. Le style concertant triomphe ici pour déplorer les misères et angoisses nées de la guerre, mais aussi pour chanter - comme dans l'extraordinaire duo *Meister, wir haben die ganze Nacht gearbeitet* - l'indéfectible confiance en la miséricorde divine. Et jamais, sans doute, Peter Schreier n'a été plus bouleversant que dans ce répertoire de l'âme. Un tel disque nous rend plus cruelle encore l'absence de tant d'autres pages...

Magnificat allemand SWV 494 (1671).

*** Kreuzchor de Dresde, Rudolf Mauersberger. Archiv 198369 (sup.). Enregistré en 1965. + *Psaumes de David (extraits).*

*** Ch. Schütz de Londres, Roger Norrington. Argo ZRG 637 (sup.) Enregistré en 1970. + *Histoire de la Résurrection.*

Le chant du cygne de Schütz. La ferveur du vieux maître revient une dernière fois à la technique du double chœur et au style unanimiste de l'assemblée luthérienne. De ce point de vue, la version de référence reste le disque (disparu aujourd'hui, hélas !) du Kreuzchor, qui concilie l'élan et l'intériorité de la prière à la lucidité, à l'objectivité décantée de la vieillesse.

En comparaison, la conviction de Norrington a quelque chose d'extérieur, pour ne pas dire de profane, qui ne correspond pas aux certitudes de la musique, à la sérénité géniale de cet ultime chef-d'œuvre. Reste, sur le plan sonore, une approche vivante et toujours soucieuse de l'effet stéréophonique, à défaut du raffinement extrême de la vision du Kreuzchor.

Magnificat latin SWV 468.

*** Solistes, Spandauer Kantorei, Ens. instrumental, Helmut Rilling. Vox 1430 (sup.). Enregistré en 1961. + *Monteverdi : Magnificat à 6 voix.*

*** Solistes, Westfälische Kantorei, Ens. instrumental, Wilhelm Ehmann. Cantate 640233 (sup.). Enregistré en 1958. + *Psaumes de David, extraits.*

La brève mais splendide liturgie du *Magnificat latin* manque actuellement à notre catalogue. Raison de plus pour qu'on nous rende au plus tôt la vibrante version, à la lumière très italienne, qu'en grava autrefois le jeune chef de chœurs Rilling, avec l'excellent ensemble de la Spandauer Kantorei.

Moins coloré, moins dynamique, moins contrasté, mais en revanche plus religieux que le disque de Rilling, l'enregistrement d'Ehmann mériterait également une prompte réédition chez nous, car il rend tout autant compte de la qualité exceptionnelle de la musique (le plus bel exemple, chez Schütz, de style vénitien, avec les *Psaumes de David*, pratiquement contemporains). En outre, Ehmann est plus attentif à la musicologie que son rival, sous l'angle de la réalisation instrumentale.

Passion selon Saint Jean SWV 481 (vers 1666).

*** Solistes, Westfälische Kantorei, Wilhelm Ehmann. Cantate 640.222 (sup.). Enregistré en 1960.

Cette œuvre a connu jadis une réalisation à son image, une interprétation répondant pleinement à sa dimension visionnaire, à sa spiritualité brûlante, à sa dévorante soif d'absolu : celle de la Westfäliche Kantorei, sublime comme à l'accoutumée, sous la direction de Wilhelm Ehmann. Est-il besoin d'ajouter que l'on souhaite au plus tôt sa rediffusion chez nous ?

Passion selon Saint Luc SWV 480 (vers 1653).

*** Solistes, Kreuzchor de Dresde, Rudolf Mauersberger. Archiv 198.371 (sup.). Enregistré en 1966.

*** Solistes, Collegium Cantorum de Zurich, Max Meili. Amadeo AVRS 6205 (sup). Enregistré en 1962.

Pourquoi Archiv a-t-il retiré du catalogue l'enregistrement du Kreuzchor, qui reste un modèle d'adéquation liturgique et de tension intérieure ? Il est permis de rêver à un évangéliste moins immatériel que Peter Schreier et à des polyphonies plus contrastées. Mais cette disparition est inexplicable.

Egalement retirée des listes, la version du Collegium Cantorum de Zurich vaut pour le timbre hautement expressif de l'évangéliste Max Meili et la dramatisation extrême des chœurs de foule. Une approche à la fois humaine et accessible, tourmentée et imprévue, d'un chef-d'œuvre qui n'est austère qu'en apparence. Mais, comme pour les *Sept Paroles* par les mêmes interprètes, quel éditeur pourra nous rendre aujourd'hui ce document ?

Passion selon Saint Matthieu SWV 479 (vers 1666).

*** Solistes (dont Dietrich Fischer-Dieskau), Ch. Hugo Distler, Klaus Fischer-Dieskau. Archiv 198.174 (sup.). Enregistré en 1959.

Autre monument de la discographie schützienne, autre réédition qui s'impose. Dietrich Fischer-Dieskau tient ici le rôle - assez inhabituel pour lui, étant donné la tessiture - de l'évangéliste, tandis que son frère Klaus conduit avec conviction la remarquable Chorale Hugo-Distler. Une fresque à la fois dramatique et liturgique, et, en même temps une admirable leçon de sobriété expressive, où

Fischer-Dieskau s'identifie une fois de plus exemplairement à la musique.

Psaumes de David SWV 22-47 (1619).

*** Regensburger Domspatzen, Hamburger Bläserkreis, Ulsamer Collegium, Hans Martin Schneidt. Archiv 2722.007 (3 d.). Enregistré en 1972.

Psaumes de David, extraits : Jauchzet dem Herren, Lobet dem Herren meine Seele.

*** Solistes, Ch. Günther Ardnt, Ens. instrumental, Güther Ardnt. Telefunken SAWT 9414 (sup.). Enregistré en 1962. *+ Cantiones sacrae (extraits), Psautier de Becker, Geistliche Chormusik, Symphoniae sacrae III, 12 Chants spirituels.*

Ces *Psaumes de David,* qui, ivres de jeunesse et de lumière italienne, transposent génialement l'enseignement reçu de Giovanni Gabrieli, ont trouvé ici une intégrale à la mesure de la musique, un témoignage enthousiaste et habité. Les splendeurs du double et triple chœur n'excluent pas chez les Petits Chanteurs de Ratisbonne, supérieurement préparés, un souci évident de prière et d'intériorité. Indispensable à qui veut découvrir le maître de chapelle Schütz dans la puissance et la gloire de son style vénitien, et aussi dans sa vibrante spiritualité.

Face à l'intégrale de Schneidt, il faut mentionner le disque anthologique de Günther Ardnt pour son interprétation proprement miraculeuse de *Jauchzet dem Herren* - qui compte parmi les pages les plus spectaculaires du recueil de 1619 - et qui marie la plus juste ferveur à un appétit de musique, à une jubilation du chant absolument irrésistibles. Le coup au cœur de la révélation schützienne, tel un trait de feu.

Requiem (Musikalische Exequien) SWV 279-281 (1636).

** Ensemble vocal Nigel Rogers, Hans-Martin Linde. EMI VSM C 065-03.828. *+ Psaume 116.*

** Solistes, Westfälische Kantorei, Ens. instrumental, Wilhelm Ehmann. Cantate 650205 (sup.). Enregistré en 1959.

* Solistes, Ch. Heinrich Schütz de Heilbronn, Ens. instrumental, Fritz Werner. Erato STE 50235 (sup.). Enregistré en 1965. *+ Symphonia sacrae I, Petit Concert spirituel.*

Hans-Martin Linde se révèle être parfaitement au fait du style requis par cette musique de l'âme, hostile à tout vedettariat. Cette version égale, quand elle ne la surpasse pas, l'ancienne version Ehmann. Voix et instruments se fondent exemplairement ici pour donner toute sa dimension religieuse à un chef-d'œuvre qui n'est pas sans présenter, par-delà les époques et les écoles, une certaine parenté de ton avec le *Requiem Allemand* de Brahms.

Ce service funèbre, malgré les premières angoisses nées de la guerre de Trente Ans, reste nourri des fastes et de la couleur de la manière vénitienne. Le grand mérite de la Westfälische Kantorei est de faire passer cette gloire italienne en même temps que le souffle et les certitudes de la prière luthérienne. Et la magie des instruments d'époque opère ici, comme dans un enregistrement plus récent.

Probe réalisation de Fritz Werner, fervente et toujours musicale dans une optique assez traditionnelle. On serait heureux de disposer au moins de cette version !...

Les Sept Paroles du Christ en croix SWV 478 (vers 1645)

❁*** Solistes, Kreuzchor de Dresde, Ens. instrumental, Rudolf Mauersberger. Archiv 198.408. Enregistré en 1965. *+ Petits Concerts spirituels (extraits).*

*** Solistes, Collegium Cantorum de Zurich, Ens. instrumental, Max Meili. Amadeo AVRS 6282 (sup.). Enregistré en 1961. *+ Symphonies sacrées II et III.*

Servi par un plateau vocal tout exceptionnel (Schreier, Adam, etc.), voici avec Dresde l'un des fleurons de la discographie schützienne, une interprétation à la spiritualité intense. Et comme le voulait le compositeur, le regretté Mauersberger marie le côté novateur et italien de l'ouvrage à un souci d'intériorité typiquement germanique. Un disque inspiré, une véritable montée vers l'ineffable.

Moins parfait, moins sublime que Mauersberger, Max Meili a gravé autrefois avec le Collegium de Zurich une version des *Sept Paroles* qu'il faudrait sauver de l'oubli, ne serait-ce que pour la caractérisation vocale des interprètes, et plus particulièrement de Max Meili, dans le rôle de Jésus. Et tant pis si cet émouvant itinéraire spirituel est moins ciselé que le précédent, si les cuivres ont quelques petits défauts de justesse.

Symphoniae sacrae I SWV 257-276, extraits : In te Domine, Venite ad me, Anima mea liquefacta est, Adjuro vos, O quam tu pulchra es, Veni de Libano, Fili mi Absalon, Jubilate Deo.

*** Marget Reuter-Edzart (s), Kurt Hubert (t), Wilfried Jochims (t), Wilhelm Pommerien (b), Ens. intrumental, Helmut Rilling. Bärenreiter-Musicaphon BM 30 SL 1323 (sup.). Enregistré en 1960.

Sous la direction fervente de Helmut Rilling, une jeune équipe de solistes motivés anime au mieux ces pages vibrantes, qui vivent intensément du genie dramatique italien, de la monodie expressive alliée au style concertant. Un joyau, avec des morceaux d'anthologie comme *Venite ad me*, prière ou plutôt invitation pressante comme une litanie, et l'extraordinaire monologue pour basse qu'est *Fili mi Absalon*, sans doute l'une des plus émouvantes plaintes funèbres de toute l'histoire de la musique. Retrouvera-t-on un jour pareil document au catalogue ? Il est permis de rêver...

Symphoniae sacrae I SWV 257-276, extraits : Buccinate, Jubilate Deo, In Te Domine, Domine labia aperies, Fili mi Absalon, Attendite popule meus, Benedicam Dominum, Exquisivi Dominum.

*** Musikalische Compagney : Jan Kobow (s), Harry Geraerts et Manfred Cordes (t), Harry van der Kamp (b), Holger Eichhorn (cornetto, saqueboute, flûte à bec), Kenyi Tamayia (trompette ou clarino), Jyrki Lavaste (sacqueboute), Bernhardt Junghänel (dulcian, flûte à bec), Klaus Eichhorn (orgue positif). Arion ARN 38.604. Enregistré en 1981.

Cette réalisation, qui use scrupuleusement des données les plus récentes de la musicologie, nous propose un retour aux sources s'appuyant sur ce que l'un des interprètes (Holger Eichhorn) appelle la «pratique musicale historique». Dans cet esprit, la Musikalische Compagney insiste sur le rôle des instruments à vent. Autre souci : mettre l'accen sur l'effet représentatif emprunté à Monteverdi et à l'Italie, et qui supplée au visuel pa le «signe» ou symbole sonore.

Symphoniae sacrae II SWV 341-36 (1647), extraits : Singet dem Herren Der Herr ist mein Licht, Lobet den Herren, Freuet euch des Herren, Ich werd nicht sterben, Ich danke dir Herr, Herzlich lieb hab ich dich o Herr, Mein Seele erhebt den Herren.

*** Elisabeth Speiser (s), Mauree Lehane (m), Hans Joachim Rotzsc (t), Kurt Huber (t), Wilhelm Pommerien (b), Ens. instrumental, Helmut Rilling. Bärenreiter-Musicaphon BMSL 1324 (sup.). Enregistr en 1960.

Avec ce choix de *Symphoniae sacrae I* nous retrouvons, à quelques noms prè l'équipe réunie par Rilling pour le premie recueil. Interprétation frémissante, habité et, par moments, flamboyante, cédant à u véritable délire expressionniste, à un volonté de réalisme tout à fait exceptionnell pour l'époque (les rafales en *tremolos* de violons dans *Freuet euch des Herren*!) e rehaussée d'une réalisation instrumental superbe. Mais là aussi, à quand la rééditio de ce chef-d'œuvre ?

Symphoniae sacrae III SWV 398-41 (1650), extraits : Machet die Tore weit Ich bin die Auferstehung, Komm Heiliger Geist.

*** Kreuzchor de Dresde, Ens. instrumental de la Staatskapelle d Dresde, Rudolf Mauersberger. DC 139165 (sup.). Enregistré en 196 *+ Psaumes de David (extraits).*

Admirablement traduites par les merveilleuses voix du Kreuzchor, voici trois des plu belles pages de *Symphoniae sacrae III*, qu reviennent à une profession de foi plus communautaire. Mais la puissance, la grandeur e le sens d'un certain décorum vénitien demeurent ici, par le fait des interprètes, et particulièrement dans le monumental *Mache di Tore weit* que le chœur de Dresde dresse ver le ciel comme une cathédrale sonore. U dernier détail : naturellement, ce disque est lui aussi, retiré depuis longtemps du commerce.

Scriabine, Alexandre
(1872-1915)

L'Acte préalable, spectacle total (inachevé) : premier mouvement, reconstitution d'Alexandre Nemtine.

*** A. Lioubimov (piano), I. Orlova (orgue), Chorale Académique Russe Yourlov, Orch. Académique de la Philharmonie de Moscou, Kyril Kondrachine. Mélodia Chant du Monde CM 04.259 (étr.). Enregistré en 1974.

Seul enregistrement disponible de *l'Acte préalable*, laissé inachevé par Scriabine à sa mort en 1915 et complété en 1970/72 par Alexandre Nemtine. Interprétation remarquable par sa précision, sa transparence et sa fougue. La prise de son ample et aérée rend justice à l'orchestration très fournie de Nemtine.

Fantaisie pour piano et orchestre en la mineur, d'après une Fantaisie pour deux pianos.

* Igor Joukov (piano), Orch. Symph. Radio URSS, Guennadi Rojdestvenski. Mélodia Chant du Monde LDX 78.569 (étr.). + *Rimski-Korsakov : Concerto pour piano. Tchaïkovski : Allegro pour piano et orchestre à cordes ; Concerto pour piano n° 3.*

Ce disque vaut surtout par son programme rare, qui réunit des pages rarement exécutées de trois grands compositeurs russes. Igor Joukov joue, avec toute la subtilité qu'on lui connaît par ailleurs, la Fantaisie de Scriabine. Il est très bien accompagné par Guennadi Rojdestvenski, mais la prise de son manque de clarté dans les plans sonores.

Poème de l'extase op. 54.

*** Orch. Symph. URSS, Evgueni Svetlanov. Mélodia. Chant du Monde C 01.351 (étr.). + *Rachmaninov : L'Ile des Morts.*

Evgueni Svetlanov burine les rythmes, aère la partition tout en s'investissant dans ce fleuve de musique. L'antithèse d'Abbado. Prise de son très claire.

Poèmes pour piano, intégrale.

** Haakon Austbö (piano). Saravah SHL 1094. Enregistré en 1982.

Austbö possède la technique hors pair qu'exigent ces pièces dont il sait exprimer toute la fougue et tout l'élan intérieur. Il met en valeur leur dynamique interne et fait accéder l'auditeur à l'émotion fulgurante et supérieure qui s'en dégage. Ces poèmes, qui sont autant la célébration d'un climat spirituel que l'illustration de la quête mystique de Scriabine, trouvent en Austbö (autant qu'en Rudy, qui en a gravé certains) un interprète parfaitement dans le ton et dans l'esprit qui conviennent.

Prométhée ou le Poème du Feu, poème symphonique pour piano et orchestre. Concerto pour piano et orchestre.

** Vladimir Ashkenazy (piano), Orch. Symph. de Londres, Ch. Ambrosien, Lorin Maazel. Decca SXL 6527 (G-B).

De belles versions, qui pèchent par une volonté trop évidente de décantation et de retenue, mais qui sont d'une mise en place parfaite et d'une beauté sonore renversante.

Sonates pour piano : n° 1 en fa mineur op. 6, n° 2 en sol dièse mineur op. 19 «Sonate Fantaisie», n° 3 en fa dièse mineur op. 23, n° 4 en fa dièse majeur op. 30, n° 5 en fa dièse majeur op. 53, n° 6 op. 62, n° 7 op. 64 «La Messe blanche», n° 8 op. 66, n° 9 op. 68 «La Messe noire», n° 10 op. 70.

*** Igor Joukov (piano Bechstein). Mélodia Chant du Monde CM 03.063/075/215 (3 d.) (étr.). + *Fantaisie en si mineur op. 28.*

** Evelyne Dubourg (piano). Tudor Sonates n°s 1, 7 et 9 : TUD 75.002 (2 d.). Quadri. + *Préludes op. 11.* Sonates n°s 2 à 6, 8 et 10 : TUD 75.005 (2 d.). Quadri.

Sans atteindre tout à fait aux exceptionnelles réussites de Vladimir Sofronitzky, Igor Joukov rend à merveille l'atmosphère de ces Sonates. Armé d'une technique pianistique réellement transcendante, il réussit à recréer ce monde sonore envoûtant avec une subtilité et une imagination confondantes.

Evelyne Dubourg a une palette de sonorité qui rappelle une peu celle de son maître Alfred Cortot. Elle ne recrée pas le graphe musical avec autant d'imagination et de puissance expressive que Joukov, mais elle s'impose par une qualité de *cantando* assez exceptionnelle.

Sonates nos 2, 7 et 10. Danses pour piano op. 73 n° 1 «Guirlandes», n° 2 «Flammes sombres». Quatre pièces op. 56. Deux Poèmes op. 32.

** Vladimir Ashkenazy (piano). Decca SXL 6868 (G-B).

Si ce n'était cette prise de son glauque et détimbrée, ce disque s'imposerait sans réserve. Vladimir Ashkenazy est à placer au même niveau que Igor Joukov ; la qualité de toucher légendaire du pianiste islandais, sa technique fulgurante et sa puissance expressive collent à la musique de Scriabine.

Sonates nos 3, 4, 5 et 9.

** Vladimir Ashkenazy (piano). Decca 591.222.

Ce disque appelle, hélas ! les mêmes sérieuses réserves que celui centré sur les Sonates 2, 7 et 10 par le même interprète. La sonorité de cet excellent musicien est dénaturée par une technique d'enregistrement indigne de son talent.

Sonates nos 2 et 9. Etudes op. 8 nos 2, 4 et 9, op. 42 nos 2, 3 et 4. Fantaisie en si mineur op. 28. Pièces op. 52 nos 2 et 3, op. 56 nos 2 et 3.

** Ekaterina Novitskaïa (piano). Mélodia CM 03.533 (étr.).

Ekaterina Novitskaïa est un peu la Teresa Careno d'aujourd'hui. Des doigts d'acier, un tempérament de feu mis au service d'une vision un peu folle, à laquelle il manque parfois un peu de raffinement (Fantaisie op. 28).

Sonates nos 3 et 9. Etudes op. 8 n° 11. Flammes sombres op. 73 n° 2. Guirlandes op. 73 n° 1. Vers la flamme op. 72.

❀*** Vladimir Sofronitzki (piano). Eurodisc (3 d.) (RFA). + *Chopin : Ballade n° 3, Etudes op. 10 nos 3 et 4, Impromptu n° 3, Mazurka op. 50 n° 3, Nocturnes op. 27 nos 1 et 2, Valses op. 70 nos 2 et 3. Schumann : Kreisleriana, Variations sur un thème de Clara Wieck op. 14.*

Vladimir Sofronitzki, gendre de Scriabine, est aussi son plus grand interprète. En Union Soviétique, il a réalisé un grand nombre d'enregistrements qui pour la plupart n'ont jamais été publiés en Occident et aucun en France. On peut se procurer celui-ci en Allemagne de l'Ouest et chez les disquaires spécialisés dans l'importation. Pour situer ce pianiste, disons qu'il est le Cortot russe : il en a le toucher doux et impalpable, la sonorité ample et moelleuse sans aucune dureté quelle que soit la puissance du jeu, la diction fluide mais un peu tarabiscotée (dans Scriabine, c'est une nécessité) et la présence écrasante. Si le hasard de vos voyages vous conduit dans les pays de l'Est, achetez tous les disques que ce musicien a consacrés à Scriabine, les oreilles fermées : vous ne serez pas déçu, tant s'en faut.

Sonate n° 4. Concerto pour piano et orchestre en fa dièse mineur op. 20. Enigme op. 52 n° 2. Etudes op. 8 n° 2 et op. 42 n° 5. Fragilité op. 51 n° 1. Nocturne op. 9 n° 2.

*** Stanislas Neuhaus (piano), Orch. Symph. de l'URSS, Victor Dubrovski. Mélodia Chant du Monde CM 03.033 (étr.).

Stanislas Neuhaus, par une totale liberté de diction, par un toucher d'un galbe et d'un modelé exemplaires, chemine sans faille des pièces de jeunesse d'un mélodisme raffiné au mysticisme de la maturité.

Sonate n° 5.

*** Vladimir Horowitz (piano). RCA RL 11.766 (sup.). Enregistré en 1974. + *Schumann : Sonate pour piano n° 3.*

Vladimir Horowitz est d'une puissance incantatoire et d'une violence irrépressibles. Enregistré en public, il est présent de la première à la dernière note, dans la barbarie du *vertiginoso con furia* comme dans le délire de l'*estatico* final. Hélas ! son piano est d'une dureté effrayante et l'enregistrement favorise trop le grave de l'instrument.

Sonate n° 5. Etudes op. 8 nos 9 et 12, op. 42 n° 3, op. 65 n° 3. Pièces op. 2 n° 1, op. 57 nos 1 et 2. Poèmes op. 32 nos 1 et 2. Vers la flamme op. 72.

* Martha Deyanova (piano). Harmonia Mundi HM 132.

Interprétation un peu trop sage de Martha Deyanova, dont c'était le premier disque publié en France. La jeune pianiste manque encore de la mobilité, de l'instantanéité que réclament ces œuvres où tout, ou presque, reste à faire. Néanmoins, le prix économique et le programme varié de ce disque peuvent en faire une excellente introduction à l'univers de Scriabine.

Sonates n°s 6 à 10. Etudes op. 65. Poèmes op. 63, 69 et 71. Préludes op. 67 et 74. Danses op. 73. Vers la flamme, op. 72.

***Michael Rudy (piano). Calliope CAL 169.192 (2 d.). Enregistré en 1981.

Dans cette musique qui regorge d'accords, d'ivresse chromatique parfois à la limite de l'endurance, Michael Rudy fait preuve d'une technique pianistique exceptionnelle, d'un sens inné et formidable de la vélocité la plus dévorante comme des attaques les plus nettes et les mieux contrôlées. Rudy a su capturer l'émotion quasi torride de Scriabine, et il y ajoute toute son intelligence et sa beauté de son, son sens des contrastes dans les tempos et la clarté de son articulation.

Sonate n° 10. Etudes op. 8 n°s 2, 8, 10 et 11. Feuillet d'album op. 45 n° 1. Poèmes op. 69 n°s 1 et 2. Vers la flamme op. 72.

*** Vladimir Horowitz (piano). CBS 76.072.

Quelques brutalités, quelques inégalités aussi, mais Vladimir Horowitz résout avec bonheur toutes les difficultés que renferment ces partitions, et notamment la 10e Sonate qui atteint bien ici la clarté solaire que Scriabine a voulu lui donner.

Les trois Symphonies : n° 1 en mi majeur avec chœurs op. 26, n° 2 en ut mineur op. 29, n° 3 en ut mineur op. 43.

** Larissa Avdéeva (ms), Anton Grigoriev (t), Ch. Académique de la République de Russie, Orch. Symph. de l'URSS, Evgueni Svetlanov. Mélodia Chant du Monde C 0529, C 0567 et CM 02.225 (3 d.) (étr.).

Evgueni Svetlanov gomme toutes les longueurs, les outrances et les maladresses de ces trois Symphonies, sans pour autant banaliser un discours d'une vigueur et d'une originalité évidentes. La prise de son ample et réverbérée manque un peu de finesse et de définition.

Senfl, Ludwig
(vers 1486- vers 1542)

Chansons allemandes : Das Geläut zu Speyer, Es wollt' ein Frau zum Weine gahn, Ich armes Käuzlein kleine, Fortuna, Nasci, pati, mori, Es taget vor dem Walde, Patiencia muss ich han.

** Capella Antiqua de Munich, Konrad Ruhland. BASF 29 21.192 4 (2 d.) (sup.). + *Anthologie de la Cour bavaroise à l'époque de Roland de Lassus.*

Une interprétation très vivante, qui convient au ton de ces chansons allemandes dont l'inspiration reste très proche des petits faits quotidiens. De belles voix, qui ont le sens de la représentation, sans jamais tomber dans l'exagération. Une lecture qui dénote un souci constant de se mettre dans l'esprit du texte interprété. Ce disque présente d'autre part l'intérêt de regrouper tous les musiciens d'une même époque et d'un même lieu.

Carmen in ré, Bicinia, Maien, must hab ich g'habt, Zuer musica, Xas wird es doch des Wunders noch, Ich schell' mein Horn (3), Carmen Ich weiss nit, was er ihr verheiss, Carmen in la, Unsäglich Schmerz, Lamentatio carmen, Will niemand singen, Die Brünlein, die da fliessen, Ach Elsein, lieles Elsein (2), Es taget vor dem Walde, Wann ich des Morgens früh aufsteh', Ich armes Maidlein, S'io non venni, non importa, Mein Fleiss und Müeh, Tan dernak, Mit Lust tät ich ausreiten, Ach Gott, wenn soll ich klagen, Ich armer Mann, Ich stuend an einem Morgen.

*** Ricercare de Zurich, Michel Piguet. EMI VSM C 063-30.104.

Par leur bonne qualité vocale et la haute tenue historique, les interprètes de l'ensemble Ricercare de Zurich accèdent ici à une excellente réalisation, tant musicale que technique. La composition instrumentale est un peu lourde, mais convient à cette musique déjà très allemande ; les timbres des divers instruments conservent tout leur éclat, soulignant ainsi le travail des différentes parties. Très intéressant, cette volonté de montrer une même œuvre sous des aspects vocaux ou instrumentaux, et l'apparition de la musique purement instrumentale.

Séverac, Déodat de
(1873-1921)

Cerdaña : En tartane, Les fêtes, Ménétriers et glaneuses, Les muletiers devant le Christ de Livia, Le retour des muletiers. Baigneuses au soleil.

❀*** Jean-Joël Barbier (piano Steinway). BAM LD 6013 (sup.).

** Francis Michaud (piano). Ventadorn VS 3L 95. Enregistré en 1982.

Jean-Joël Barbier est l'interprète d'élection de la musique de Déodat de Séverac. Il excelle à en rendre l'atmosphère poétique, la saveur harmonique et la vie simple et tranquille qui s'y épanouissent au travers d'une écriture tout en transparences emmêlées. A défaut d'avoir connu beaucoup d'enregistrements, ce cycle en a connu un, et c'est celui-ci, qui est une éclatante réussite.

Francis Michaud, adoptant des tempos presque toujours plus lents que ceux d'Aldo Ciccoloni, prend tout le temps de faire savourer le parfum, la couleur et le charme de ces pages. Il n'a sans doute pas les moyens techniques de Ciccolini, plus à l'aise dans le staccato des *Fêtes,* par exemple, mais il rappelle la réussite de Jean-Noël Barbier retrouvant la poésie et l'ensoleillement de cette musique. Son jeu est tendre et plus «terroir», si l'on peut dire. Il y a dans son interprétation quelque chose de vrai, d'authentique.

Cerdaña, extrait : Le retour des muletiers.

*** Magda Tagliaferro (piano). Erato EFM 8063 (sup). *+ Chabrier : Idylle, Scherzo-Valse. Debussy : Pour le piano, Arabesques n°s 1 et 2, L'Isle joyeuse. Hahn : Le rossignol enivré. Saint-Saëns : Etude en forme de valse.*

Toute l'intensité, la nervosité, le relief du jeu de Magda Tagliaferro se retrouvent intacts dans ce disque consacré à la musique française de piano. Mais au-delà de ces qualités instrumentales, il y a l'émotion, la lumière et la présence de cette magnifique artiste délaissée par le disque. Hélas ! mille fois hélas ! cet enregistrement aussi est introuvable.

En Languedoc, suite pour piano : Vers le mas en fête, Sur l'étang le soir, A cheval dans la prairie, Coin de cimetière au printemps, Le jour de la foire au mas. En vacances, petites pièces romantiques pour piano : Invocation à Schumann, Les caresses de grand-maman, Les petites voisines en visite, Toto déguisé en suisse d'église, Mimi se déguise en marquise, Rondo dans le parc, où l'on entend une vieille boîte à musique, Valse romantique.

*** Aldo Ciccolini (piano). EMI VSM C 167-16.377/79 (3 d.). *+ Intégrale piano.*

Belle interprétation fluide et poétique de ces deux cahiers. Aldo Ciccolini, grand défenseur de la musique française de piano, joue avec la plus absolue simplicité cette musique du terroir que l'on se désole de ne pas voir plus souvent enregistrée.

L'œuvre de piano : En Languedoc, En vacances (recueils 1 et 2), Cerdaña, Sous les lauriers roses, Baigneuses au soleil, Pipperment-get, Stances à Madame de Pompadour, Le soldat de plomb, Les naïades et le faune indiscret, Le chant de la terre.

*** Aldo Ciccolini (piano). EMI VSM C 167-16377/79 (3 d.). Enregistré de 1968 à 1978.

Lorsqu'on admire Aldo Ciccolini, on imagine aisément l'accord qui existe entre la sensibilité de l'interprète et l'art d'un musicien dont la collecte esthétique va du chant de folklore à des reflets debussystes, des couleurs ibériques ou des allusions ravéliennes ; ces thèmes, ces climats conviennent naturellement à Ciccolini qui joue avec simplicité et élévation poétique cette musique trop rarement enregistrée.

Œuvres pour orgue : Petite Suite scholastique en fa majeur (Prélude ou Entrée, Méditation ou Offertoire, Prière-Choral ou Elévation, Cantilène mélancolique ou Communion, Fanfare fuguée ou Sortie), Suite en mi mineur (Versets d'orgue pour les Vêpres d'un confesseur non pontife).

** Pierre Guillot (orgue de l'église St-François-de-Sales à Lyon), Ensemble Vocal et Instrumental de Lyon. Erato STU 71.224. Enregistré en 1978.

Pierre Guillot sait parfaitement retrouver la mesure, la discrétion, la distinction de Séverac, mais aussi sa verve et sa malice. Ses registrations, sans être trop recherchées, donnent un aspect pittoresque en même temps que pondéré à l'écriture de l'auteur de *En Cerdagne.* Dans les *Versets pour les Vêpres d'un confesseur non pontife,* l'alternance de l'orgue et du grégorien, chanté par cinq membres de l'Ensemble Vocal de Lyon, donne à ces pages une allure à la fois très décorative et pénétrée de ferveur.

Sheppard, John
(vers 1520-vers 1563)

Messe «Cantate», Repons «Spiritus sanctus».

* The Clerkes of Oxenford, David Wulstan. Calliope 1621.

Un auteur inconnu nous est révélé. En écoutant cette musique, on ne peut qu'approuver cette initiative. Nous ne connaîtrons jamais assez les œuvres du XVIe siècle anglais. Le style des Clerkes leur est particulier, ils ne craignent pas les dessins fortement marqués, ni les effets de masse. Il leur arrive d'avoir facilement des tempos un peu rapides, mais ils mettent dans leurs interprétations un feu et une générosité qui peuvent faire oublier bien de légères erreurs de détail.

Sibelius, Jean
(1865-1957)

Le Barde, poème symphonique op. 64.

*** Orch. Phil. de Londres, Thomas Beecham. WRC SG 133 (sup.). Mono (origine 78 t.). Enregistré en 1938. + *Symphonie n° 4, In Memoriam op. 59, Le Retour de Lemminkainen.*

Malgré son âge, cette version reste indispensable, voire la seule nécessaire. *Le Barde* est une œuvre brève (six minutes), mais lourde de contenu : nul comme Beecham n'en a saisi le message. Or, même sur le plan purement sonore, on entend ici des détails qui ailleurs passent inaperçus.

Chevauchée nocturne et lever de soleil, poème symphonique op. 55.

* Orch. de la Suisse Romande, Horst Stein. Decca SXL 6542 (G-B). + *En Saga, La Fille de Pohjola, Finlandia.*

Comme tous ses confrères, Horst Stein ne prend pas la chevauchée assez rapidement, assez dynamiquement : elle manque donc de tension. Un seul chef a jusqu'ici parfaitement réussi cette page, Eugen Jochum, avec l'Orchestre Symphonique de la Radio Bavaroise, dans un enregistrement mono de 1957 que DG devrait rééditer.

Concerto pour violon et orchestre en ré mineur op. 47.

*** Jasha Heifetz (violon), Orch. Phil. de Londres, Thomas Beecham. EMI Da Capo C 053-01.619 (étr.). Mono (origine 78 t.). Enregistré en 1935. + *En Saga, Andante festivo.*

*** Salvatore Accardo (violon), Orch. Symph. de Londres, Colin Davis. Philips 9500.675. ⌧ 7300.770. + *6 Humoresques pour violon et orchestre.*

*** David Oïstrakh (violon), Orch. Symph. de la Radio de l'URSS, Guennadi Rojdestvenski. Chant du Monde LDX 78.649. + *Humoresques.*

La version Heifetz-Beecham de 1935 est la première en date de ce Concerto ; l'un et l'autre devaient le regraver, mais séparément. Sur le triple plan de la virtuosité, de la musicalité et de l'accord entre le soliste et le chef, on n'a jamais fait mieux.

Salvatore Accardo et Colin Davis signent l'enregistrement moderne de ce concerto que tout le monde attendait et désespérait d'avoir un jour. Accardo triomphe des embûches de la partition : merveilleux technicien, son aisance lui permet de porter toute son attention sur l'expression. Souple, parfaitement phrasée, c'est une interprétation sans surcharge, sans emphase et qui se garde bien de «romantiser». Colin Davis est tout autant le héros de cet enregistrement qu'il dirige comme un vaste poème symphonique avec violon principal, et non comme un concerto romantique traditionnel.

Oïstrakh a gravé l'ouvrage trois fois, avec comme autres chefs Sixten Ehrling et Eugene Ormandy. Sa virtuosité (ici et dans les deux *Humoresques* qui terminent la seconde face) est phénoménale, mais complètement transcendée, uniquement au service de la substance musicale. En Guennadi Rojdestvenski, dont ce n'est pas non plus la seule version de ce Concerto, il a trouvé un partenaire tout à fait digne de lui, ce qui n'est pas peu dire.

En Saga, poème symphonique op. 9.

*** Orch. Phil. de Londres, Thomas Beecham. EMI Da Capo C 053-01.619 (étr.). Mono (origine 78 t.). Enregistré en 1938. + *Concerto pour violon, Andante festivo.*

La version Beecham apparaît au revers de son interprétation légendaire du Concerto avec Heifetz, et, en soi, compte évidemment parmi les plus réussies. Précisons qu'en fin de face, avec l'*Andante festivo*, se trouve l'unique témoignage ayant subsisté de Sibelius chef d'orchestre. Le compositeur réalisa cet enregistrement en janvier 1939, comme salut de la Finlande à l'Exposition Universelle de New York.

La Fille de Pohjola, fantaisie symphonique op. 49.

*** Orch. Symph. de Bournemouth, Paavo Berglund. EMI ASD 3155 (G-B). Enregistré en 1975. + *Luonnotar, Symphonie n° 6.*

*** Orch. de la Suisse Romande, Horst Stein. Decca SXL 6542 (G-B). + *En Saga, Chevauchée, Finlandia.*

Le disque de Paavo Berglund se place en tête de la discographie - bien restreinte - de cette œuvre, davantage, d'ailleurs, par l'intérêt de son couplage avec la meilleure version de *Luonnotar* que par l'interprétation, fort belle cependant, de *la Fille de Pohjola.*

Horst Stein est à placer ici au même rang que Berglund, si même il ne le dépasse, mais le couplage du disque est moins exceptionnel. Il est dommage qu'aucun de ces deux enregistrements ne soit actuellement disponible en France.

Finlandia, tableau symphonique op. 26.

** Orch. Symph. de Bournemouth, Paavo Berglund. EMI VSM C 053-01.619 (étr.). + *Karelia, Kuolema, Légendes, Valse triste.*

Si l'on tient absolument à *Finlandia*, pourquoi ne pas aller chercher ce disque de Paavo Berglund, au programme attrayant et varié...

Kullervo, symphonie op. 7.

** Raili Kostia (c), Usko Viitanen (bar), Ch. et Orch. Symph. de Bournemouth, Paavo Berglund. EMI HMV SLS 807 (2 d.). (G-B). + *Le cygne blanc.*

Unique (et excellente) version mondiale de cette œuvre de jeunesse, qui, après avoir apporté à Sibelius la consécration dans son pays en 1892-1893, ne devrait être réentendue qu'après sa mort, en 1958.

Suite de Lemminkainen op. 22 : Lemminkainen et les jeunes filles de l'île, Le cygne de Tuonela, Lemminkainen à Tuonela, Le retour de Lemminkainen.

*** Orch. de Philadelphie, Eugene Ormandy. EMI VSM C 069-03.468. Enregistré en 1978.

La version Ormandy pose le moins de problèmes : sous la direction d'un spécialiste, et avec un orchestre dont on ne peut s'empêcher d'admirer la virtuosité, elle présente la *Suite* avec ses quatre volets dans l'ordre voulu par Sibelius, et le plus satisfaisant musicalement (avec le célèbre *Cygne de Tuonela* en deuxième position).

Luonnotar, poème pour soprano et orchestre op. 70.

*** Taru Valjakka (s), Orch. Symph. de Bournemouth, Paavo Berglund. EMI ASD 3155 (G-B). Enregistré en 1975. + *Symphonie n° 6, La Fille de Pohjola.*

Encore une partition essentielle dans une interprétation de premier plan. A elle seule (et pour *La Fille de Pohjola*), elle justifie l'acquisition de ce disque, même si la 6e Symphonie ne vaut pas celles de Karajan ni surtout de Rojdestvenski.

Mélodies.

*** Kirsten Flagstad (s), Orch. Symph. de Londres, Øivin Fjelstad. Decca ECS 623. (G-B). Enregistré en 1957.

La grande Kirsten Flagstad a signé ici le seul disque entièrement consacré à des mélodies avec orchestre de Sibelius (toutes les orchestrations ne sont d'ailleurs pas de lui). Les trois faces Decca de Tom Krause, avec accompagnement de piano, ont malheureusement disparu.

Les Océanides, poème symphonique op. 73.

*** Orch. Phil. Royal, Thomas Beecham. EMI VSM SXLP 30.197 (étr.). Mono. Enregistré en 1955. + *Pelléas et Mélisande, Tapiola.*

Beecham, qui réalisa cet enregistrement à la demande expresse du compositeur, laisse loin derrière lui tous ses concurrents. Il faut, pour vraiment connaître cette partition, l'avoir entendue sous sa direction. Ampleur, alchimie orchestrale, atmosphère marine, tout y est - cela sans parler du thème d'instruments à vent au sommet d'intensité, toujours plus ou moins escamoté dans les autres versions.

Pelléas et Mélisande, musique de scène op. 46.

*** Orch. Suisse Romande, Horst Stein. Decca SXL 6912 (G-B). Enregsitré en 1978. + *La Tempête.*

*** Orch. Phil. de Leningrad, Guennadi Rojdestvenski. Mélodia Chant du Monde C 01.257 (étr.). + *Balthazar, Romance, Valse triste.*

*** Orch. Phil. Royal, Thomas Beecham. EMI VSM SXLP 30.197 (étr.). Mono. Enregistré en 1955. + *Les Océanides, Tapiola.*

La discographie de *Pelléas et Mélisande* n'est pas simple. Les trois meilleures versions en présence sont bien proches les unes des autres, et les couplages joueront un rôle décisif dans le choix des discophiles. Stein offre, lui, la meilleure version de la 1re Suite - mais d'elle seulement - de *La Tempête.*

Avec Rojdestvenski, *Pelléas et Mélisande* est associé à la seule version mondiale de *Balthazar.* C'est très vraisemblablement vers cette réalisation que devront se tourner les amateurs soucieux d'éviter les «doublons».

Beecham fait respirer ici un climat poétique unique... Mais il n'a enregistré que huit des neuf morceaux de la partition. *Les Océanides* et *Tapiola,* qui complètent son disque, sont également gravés, dans la même interprétation, avec la Symphonie n° 7.

Quatuor à cordes en ré mineur «voces intimae» op. 56.

*** Quatuor de Budapest. WRC SH 285 (G-B). Mono (origine 78 t.). Enregistré en 1933. + *Œuvres pour piano et violon.*

*** Quatuor Claremont. Nonesuch 71.140 (USA). + *Elgar : Quatuor.*

L'œuvre est relativement (et à tort) peu enregistrée, mais ce n'est pas la seule raison de la primauté de la version de 1933 du Quatuor de Budapest. Musicalement, on n'a jamais fait mieux, le tempo pour chacun des cinq mouvements est celui qui convient (le deuxième est en général pris trop lentement, et le dernier aussi). *Voces intimae* est ici sans conteste une architecture globale cohérente.

L'interprétation du Quatuor Claremont se situe dans le même esprit, mais reste en seconde position.

Le roi Christian II, musique de scène op. 27.

** Orch. National Ecossais, Alexander Gibson. EMI CFP 40.273 (G-B). + *Le Barde, Bolero, Karelia.*

Gibson présente la suite complète, et dans la meilleure interprétation actuellement disponible.

Scènes historiques I op. 25 et II op. 66.

** Orch. National Ecossais, Alexander Gibson. RCA RL 25.051 (G-B).

Enregistré en 1977. + *Rakastava, Valse lyrique.*

Pages secondaires quoique non dénuées d'intérêt, ne serait-ce que parce qu'elles prouvent (une fois n'est pas coutume) que «qui peut le plus, peut le moins».

Les sept Symphonies. Rakastava, pour cordes.

*** Orch. Symph. de la Radio-Télévision de l'URSS, Guennadi Rojdestvenski. Chant du Monde C 10-05.637, CM 01.821, C 10-05.639, 3.189 et C 10-05.643 (5 d.) (étr.). Enregistré en 1969 à 1974.

Les Symphonies ont fait l'objet d'une dizaine d'intégrales. Les deux disponibles en France sont celles de Colin Davis, avec l'Orchestre Symphonique de Boston, et celle de Guennadi Rojdestvenski. En tant qu'intégrale, cette dernière est de loin préférable. On la trouve chez nous en disques séparés seulement, la 3ᵉ Symphonie étant couplée avec la 5ᵉ et la 6ᵉ avec la 7ᵉ, le disque offrant la 4ᵉ étant complété avec *Rakastava*. En Angleterre, elle est également disponible en disques séparés , mais la 3ᵉ est couplée avec la 7ᵉ et la 5ᵉ avec la 6ᵉ. Un coffret les réunissant existe en Allemagne (Eurodisc 88.624).

Symphonie nº 1 en mi mineur op. 39.

*** Orch. Symph. de Boston, Colin Davis. Philips 6709.011 (5 d.). Enregistré en 1977. + *Intégrale des Symphonies, Le Cygne de Tuonela, Finlandia, Tapiola.*

*** Orch. Symph. de la Radio-Télévision de l'URSS, Guennadi Rojdestvenski. Mélodia Chant du Monde C 10-05.637 (étr.). Enregistré en 1973.

On ne saurait départager Davis et Rojdestvenski, qui dominent tous deux la discographie. La version de Davis est sans doute plus solidement architecturée, moins fin de siècle, et comporte en supplément *Finlandia*.

Rojdestvenski donne à l'œuvre un côté sauvage que l'on pourra être tenté de préférer.

Symphonie nº 2 en ré majeur op. 43.

*** Orch. Phil. de Berlin, Herbert von Karajan. EMI VSM C 069-43.040. Enregistré en 1980.

*** Orch. Symph. de Boston, Colin Davis. Philips 6709.011 (5 d.). Enregistré en 1977. + *Intégrale des symphonies, Le Cygne de Tuonela, Finlandia, Tapiola.*

*** Orch. Symph. de la Radio-Télévision de l'URSS, Guennadi Rojdestvenski. Mélodia Chant du Monde CM 01.821 (étr.). Enregistré en 1969.

Karajan, renouvelant sa réussite de vingt ans auparavant, traduit superbement les différents plans sonores de la partition, dans toute la cohésion nécessaire. Mieux que Davis ou Bernstein, il fait ressortir les accents encore romantiques de cette Symphonie composée en 1901.

Là encore, Davis apparaît plus civilisé. Mais avec lui, les ultimes mesures de l'ouvrage atteignent une grandeur épique que personne n'avait retrouvée depuis la version historique de Koussevitzky (1951).

On peut néanmoins conserver une légère mais nette préférence pour la version Rojdestvenski, plus rude, plus proche de l'esprit de Sibelius.

Symphonie nº 3 en ut majeur op. 52.

*** Orch. Symph. de la Radio-Télévision de l'URSS, Guennadi Rojdestvenski. Mélodia Chant du Monde C 10-05.639 (étr.). Enregistré en 1973 + *Symphonie nº 5.*

** Orch. Symph. de Radio Helsinki Okko Kamu. DG 2530.426 (sup.) Enregistré en 1973. + *En Saga.*

Il n'y a pas à hésiter : la version Rojdestvenski est de loin la meilleure jamais réalisé de cette œuvre : lui seul, en particulier, réussi à donner une irrésistible impulsio rythmique - le *Sacre* n'est pas loin ! - au ultimes mesures du finale.

La bonne version Kamu, plus sage, n'es pas sans rappeler, notamment par la poési que dégage le deuxième mouvement, l'enre gistrement historique de Robert Kajanus (dé but des années trente).

Symphonie nº 4 en la mineur op. 63.

*** Orch. Phil. de Londres, Thoma Beecham. WRC SH 133 (G-B). Mo no (origine 78 t.). Enregistré e

1937. + *Le Barde, In memoriam, Le Retour de Limminkainen.*

*** Orch. Philharmonia, Vladimir Ashkenazy. Decca 591.059. ✉ 4-390.337. Enregistré en 1980. + *Luonnotar, Finlandia.*

La version Beecham, fort bien regravée en une face mono à partir de disques 78 tours, n'a jamais été surpassée, ni même égalée. Il faut absolument la connaître, d'autant qu'on trouve au revers la meilleure version, et de loin, de cet autre chef-d'œuvre qu'est *Le Barde.*

La réussite d'Ashkenazy est ici immense : il a tout compris de cette œuvre qui s'articule essentiellement sur le non-dit, les «parcours imaginaires» du discours, les ruptures, les incises, les chocs de timbres, la surprise, l'ambiguïté et le silence. L'autre révélation importante de ce disque est *Luonnotar,* un des chefs-d'œuvre absolus du compositeur Jean Sibelius : la voix d'Elisabeth Söderström y chante la naissance de l'univers, et l'orchestre, éminemment expressif et poétique, trace un grand art dynamique, un envoûtant sillage, génial dans sa discrétion ; tout concourt ici - œuvre et interprètes - à la fascination.

Symphonie n° 5 en mi bémol majeur op. 82.

*** Orch. Symph. de Boston, Colin Davis. Philips 6709.011 (5 d.). Enregistré en 1977. + *Intégrale des Symphonies, Le Cygne de Tuonela, Finlandia, Tapiola.*

*** Orch. Symph. de la Radio-Télévision de l'URSS, Guennadi Rojdestvenski. Mélodia Chant du Monde C 10-05.639 (étr.). Enregistré en 1973. + *Symphonie n° 3.*

*** Orch. Philharmonia, Vladimir Ashkenazy. Decca 591.206. Enregistré en 1980. + *En Saga.*

Cette Symphonie est, avec la 7ᵉ, le plus beau fleuron de l'intégrale de Colin Davis, qui rend toute justice à sa puissance beethovénienne.

Il faudra connaître également Rojdestvenski, surtout à cause de l'exceptionnelle 3ᵉ gravée au revers, mais en raison aussi de ses qualités propres : la transition vers l'épisode *scherzo* du premier mouvement est exceptionnelle.

Ashkenazy, sans craindre les contrastes accusés, privilégie avec ampleur et lyrisme l'étagement des plans et des registres instrumentaux. Cette version précise et admirable se hisse sans peine au niveau de Davis et de Rojdestvenski.

Symphonie n° 6 en ré mineur (dans le mode dorien) op. 104.

*** Orch. Symph. de la Radio-Télévision de l'URSS, Guennadi Rojdestvenski. Mélodia Chant du Monde C 10-05.643 (étr.). Enregistré en 1973. + *Symphonie n° 7.*

** Orch. Phil. de Berlin, Herbert von Karajan. DG 139.032 (sup.). + *Symphonie n° 7.*

Comme pour la 3ᵉ, Guennadi Rojdestvenski se place ici en tête, et de loin ; dommage que ces deux Symphonies ne soient pas réunies sur le même disque ! La 6ᵉ Symphonie est une œuvre calme d'apparence, mais parcourue de terrifiants orages intérieurs. Il suffit, pour s'en rendre compte, d'écouter cette version.

Belle réussite également de Karajan, sans doute à cause des aspects «musique française» de la partition... Mais à quand l'indispensable réédition de la version Beecham de 1947, que Sibelius lui-même considérait comme le meilleur enregistrement jamais réalisé d'une de ses Symphonies ?

Symphonie n° 7 en ut majeur op. 105.

*** Orch. Symph. de Boston, Colin Davis. Philips 6709.011 (5 d.). Enregistré en 1977. + *Intégrale des Symphonies, Le Cygne de Tuonela, Finlandia, Tapiola.*

*** Orch. Philharmonia, Vladimir Ashkenazy. Decca 591.324. + *Tapiola.*

*** Orch. Symph. de la Radio-Télévision de l'URSS, Guennadi Rojdestvenski. Mélodia Chant du Monde C 10-05.643 (étr.). Enregistré en 1974. + *Symphonie n° 6.*

*** Orch. Phil. Royal, Thomas Beecham. EMI HMV 30.290. (G-B). Mono. Enregistré en 1955. + *Les Océanides, Tapiola.*

Davis confère à cette œuvre difficile à mettre en place une grandeur abrupte et un dynamisme des plus convaincants.

La conception d'Ashkenazy est équilibrée, plutôt lente et lyrique - on pourrait la souhaiter plus tendue par endroits (exposition notamment), mais c'est là une observation mineure. Dans *Tapiola,* Ashkenazy égale aisément les principales réalisations concurrentes.

Rojdestvenski, de façon surprenante, cultive ici davantage les demi-teintes. Mais son approche est tout aussi plausible.

Beecham commence discrètement, mais atteint peu à peu une indicible grandeur, avec dans le dernier sommet des sonorités d'orchestre à nulle autre pareilles.

Tapiola, poème symphonique op. 112.

*** Orch. Phil. Royal, Thomas Beecham. EMI HMV SXLP 30.197 (G-B). + *Pelléas et Mélisande, Les Océanides. Ou EMI HMV SXLP 30.290 (G-B). + Les Océanides, Symphonie n° 7.* Mono. Enregistré en 1955.

*** Orch. Symph. de Boston, Colin Davis. Philips 6709.011 (5 d.). Enregistré en 1977. + *Intégrale des Symphonies, Le Cygne de Tuonela, Finlandia.*

Une fois encore, Thomas Beecham domine la discographie. L'aspect «musique française» de l'ouvrage est ici souligné comme jamais, et on entend mieux que partout ailleurs une foule de détails orchestraux. Mais les chatoiements sonores n'empêchent pas cette interprétation d'être la plus dynamique, la plus terrifiante de toutes.

Colin Davis prend garde, lui aussi, de s'appesantir, et s'il ne coupe pas le souffle comme celui de Beecham, son *Tapiola* reste d'une haute tenue. Il complète l'enregistrement d'une 4e Symphonie au troisième mouvement étrangement étiré en longueur, mais qui, dans l'ensemble, suit de peu les meilleures versions.

La Tempête, musique de scène op. 109.

*** Orch. de la Suisse Romande, Horst Stein. Decca SXL 6912 (G-B). Enregistré en 1978. + *Pelléas et Mélisande.*

** Orch. Phil. de Liverpool, Charles Groves. EMI HMV ASD 2.961 (G-B). + *In Memoriam.*

Horst Stein n'a malheureusement enregistré que le Prélude et la Première Suite, mais pour ces pages, son interprétation est nettement la meilleure disponible. Pour le Prélude, en particulier, il est le seul à avoir renouvelé la réussite déjà ancienne de Václav Smetáček.

Charles Groves n'atteint pas le même degré de poésie et de mystère que Horst Stein, mais il offre en revanche la partition complète de cette musique de scène.

Skalkottas, Nikos
(1904-1949)

Octuor : Huit variations sur un thème populaire grec ; Quatuor à cordes n° 3.

** Melos Ensemble, Quatuor Darlington, Marcelle Gazelle (piano), Robert Masters (pianos), Derek Simpson (violoncelle). Argo ZRG 75[illegible] (G-B).

Une très belle introduction à l'œuvre d'un Grec, quasiment inconnu en France. L'interprétation de ces quelques pièces, d'abord difficile, d'un disciple de Schoenberg, est remarquable de clarté, de limpidité et d'un classicisme qui fait ressortir sans emphase toute l'émotion d'une musique où le goût de la mélodie s'accommode de complexes recherches de forme.

Smetana, Bedřich
(1824-1884)

Le Baiser, opéra.

*** Solistes, Ch. et Orch. du Théâtre National de Prague, Zdeněk Chalabala. Pinnacle Heritage HC[illegible] 8006/07 (2 d.) (G-B). Enregistré en 1956.

Pour ceux qui voudraient connaître l'opéra le plus profondément lyrique du maître tchèque, il faut aller à Londres pour acquérir l'excellente regravure de l'unique enregistrement jamais réalisé, celui de Zdeněk Chalabala.

Les Brandebourgeois en Bohême, opéra.

*** Karel Kalas (Volfram), Jiri Joran (Oldrich), Ivo Zídek (Junos), Zdeňek Otava (Varneman), Milada Subrtová (Ludise), Miloslavá Fidlerova (Vicenká), Vera Soukupová (Decana), Ch. et Orch. du Théâtre National de Prague, Jan Hus Tichý. Supraphon SU 50.541 (3 d.). Enregistré en 1963.

Cette unique version du premier opéra écrit par Smetana avait été réalisée pour le centenaire de la première, le 5 janvier 1866 au Théâtre Provisoire de Prague. La richesse de la partition suffit à gommer les influences visibles (celles de Weber comme de Verdi) et on relève même une prémonition de la scène de la forge du *Siegfried* de Wagner. Bien que le sujet épico-héroïque entraîne à une certaine surenchère permanente entre les scènes successives, la partition reste proche, par la spontanéité comme par la verve populaire, de la *Fiancée vendue* à venir. La réalisation tchèque est d'une rare homogénéité et vaut autant par la splendeur du contexte chœur-orchestre que par le plateau vocal, d'où se détachent le ténor Ivo Zídek et le mezzo-soprano Vera Soukupová (qui chante aussi, et avec quel style, Mahler et Wagner).

Le Camp de Wallenstein, poème symphonique op. 14.

❀*** Orch. Phil. Tchèque, Karel Sejna. Supraphon 10.341 (étr.). Mono. Enregistré en 1954. + *Haakon Jarl, Richard III.*

*** Orch. Phil. Tchèque, Václav Neumann. Supraphon 27.972. Enregistré en 1972. + *Haakon Jarl, Richard III.*

** Orch. de la Radio Bavaroise, Rafael Kubelik. DG 2543.814. Enregistré en 1972. + *Haakon Jarl, Richard III, Le Carnaval de Prague.*

Le deuxième poème symphonique «suédois» de Smetana est moins lisztien que ses deux frères. La poésie qui se dégage de cette «fantaisie» véritable mise en scène pour la pièce de Schiller vient tempérer l'éclat de l'orchestration, fertile en cuivres. L'enregistrement monophonique et ancien de Karel Sejna est le meilleur, mais indisponible en France.

La version de Václav Neumann à la tête de la Philharmonie Tchèque est extrêmement colorée, et s'anime d'un rythme bien marqué, caractéristique de ce chef : l'orchestre, dans sa large déclamation, prend des couleurs très vives.

Rafael Kubelik, qui a enregistré cette œuvre par trois fois (Philharmonique Tchèque en 1946, Minneapolis en 1958, Radio Bavaroise en 1972), est plus à son affaire que dans les deux poèmes adjacents. Danse des soldats, sermon du moine, polka, scène nocturne... se succèdent sans césure, pour s'achever sur ce rythme de marche que Smetana utilisera dans toutes les œuvres solennelles. L'atmosphère que Kubelik donne à sa vision est plus fine et poétique que celle de Neumann, elle, très spectaculaire.

Le Carnaval de Prague, introduction et polonaise.

*** Orch. de la Radio Bavaroise, Rafael Kubelik. DG 2543.814. Enregistré en 1972. + *Richard III, Le Camp de Wallenstein, Haakon Jarl.*

*** Orch. Phil. Tchèque, Václav Tálich. Panton 11 0241 (étr.). Mono. Enregistré sur le vif en 1953. + *Dvořák : La Sorcière de Midi. Wagner : Prélude de Tristan et Isolde.*

Œuvre inachevée, décevante pour les auditeurs qui s'attendraient à découvrir un Smetana chantre d'une musique nationale tchèque toute nouvelle, capable de s'imposer entre Wagner et Brahms. Ces deux courtes pièces n'ont aucune ambition, si ce n'est d'être les deux premiers volets d'un nouveau cycle symphonique que la mort empêcha de poursuivre. Il existe de cette œuvre deux versions, toutes deux disponibles à l'étranger seulement. Kubelik a choisi le ton de la simplicité et de la bonhomie : il préfère garder à cette musique son caractère naturel et folklorique, sans chercher un autre ton que le populaire.

Tálich, en revanche, impose un style grandiose et contrasté, qui métamorphose ce trop court *Carnaval.*

La Chanson tchèque, pour chœur mixte et orchestre.

*** Ch. Phil. Tchèque, Orch. Symph. de Prague, Zdeněk Košler. Supraphon 1 12 1437. Enregistré en 1972. + *Dvořák : Les Héritiers de la Montagne Blanche. Foester : Mai, op. 159.*

Les fanatiques de l'art de Váčlav Tálich pourront tenter de se procurer le 45 tours issu des 78 tours réalisés en 1949 de cette cantate (Supraphon SUK 30.065). En cas d'insuccès, ils pourront se rabattre sur l'interprétation de Zdeněk Košler, à la fois ample et dramatique, et qui bénéficie du fameux Chœur Philharmonique Tchèque préparé par son chef, Josef Veselka. «La chanson tchèque émeut le cœur, tantôt elle coule, tantôt elle tonne, tantôt elle abonde de délices, tantôt elle se revêt de chagrin ou gazouille joyeusement...». Quel meilleur résumé de cette œuvre simple et authentique.

Dalibór, opéra.

*** Vilém Přibyl (Dalibór), Nadežda Kniplová (Milada), Jíndrich Jindrák (Vladislav), Antonin Svorč (Budivoj), Jaroslav Horaček (Benes), Ch. et Orch. du Théâtre National de Prague, Jaroslav Krombholc. Supraphon 50.971/73 (3 d.). Enregistré en 1967.

Ce premier opéra vraiment tchèque de Smetana n'a jamais été enregistré que deux fois et par le même chef, en 1955 (Supraphon 10220/2), puis pour le centenaire de l'œuvre, dont la création remonte au 16 mai 1868. Avec les prestiges, cette fois, de la stéréophonie, le bouillant Jaroslav Krombholc anime cet opéra profondément romantique (tous les mythes «classiques» s'y retrouvent : femme libératrice, vengeresse s'éprenant de sa victime, force de l'amitié, liberté ciment des peuples, union contre l'oppression...) et tchèque. Sur ce point, l'importance du rôle de Milada, ainsi que celle du violon solo suffisent à montrer que nous sommes en Bohême. Si l'on peut prétendre que de jeunes ténors, tel Dvorský, peuvent donner plus de vaillance au rôle de Dalibór, le chevalier, comparé à Přibyl (1967) ou Zidek (1955), on ne peut rêver plus implacable et ensorcelante Milada, car Nadeždá Kniplová réussit une composition digne de ce qu'elle fit dans la Kostelnická de *Jenufá*. Une version, donc, de référence, du fait de la qualité du contexte chœur-orchestre et de l'homogénéité vocale du plateau.

Les deux Veuves, opéra.

** Nada Sormova (Karolina), Marcela Machotková (Anežka), Jiri Zahradníček (Ladislav), Jaroslav Horacek (Mumlal), Zdeňek Svehla (Tonik), Daniela Sounová (Lidunka), Ch. et Orch. du Théâtre National de Prague, Frantisek Jilek. Supraphon 1 12 2041/3 (3 d.). Enregistré en 1975.

Le présent enregistrement, réalisé pour célébrer le centenaire de la création de l'œuvre (Prague, 27 mars 1874), est venu prendre le relais de la référence qu'était l'enregistrement réalisé par Jaroslav Krombholc en 1956 (Supraphon 10283/5). Jilék joue d'une baguette plus calme que son aîné. Un seul regret : le manque de panache des «deux veuves». La sentimentale *Anežka,* campée par Marcela Machotková, et surtout la rusée et séduisante *Karolina,* chantée par Nada Sormova, restent loin des séductions troublantes de ce *remake* pétillant de *Cosi fan tutte* auxquelles peut prétendre cet opéra plus brillant que réellement comique. Tout est ici rassemblé pour réaliser l'un des meilleurs spectacles d'opéra-comique qu'il soit possible de produire : beauté du chant, ambiance de danses authentiques, splendeur de la trame chorale et orchestrale. Smetana ne trace pas à gros traits. Cette délicieuse histoire d'amour avance avec autant d'élégance que de brio. Les rôles masculins (garde-chasse, Ladislav...) bénéficient d'une plus grande qualité de contraste et de jeu. En attendant que des Elisabeth Schwarzkopf et des Frederica von Stade tchèques se révèlent, le présent enregistrement suffit à démontrer que les *Deux Veuves* forment l'un des plus délicieux spectacles de la fin du XIVe siècle, à égalité avec la *Fiancée vendue*, pourtant beaucoup plus connue.

Deux Duos pour violon et piano «du sol natal».

*** Josef Suk (violon), Jan Panenká (piano). Supraphon 50.464 (étr.). Enregistré en 1963. + *Schubert : Sonatines pour violon et piano n°s 1 et 3, Sonate pour violon et piano.*

** Sergiú Luca (violon), Paul Schoenfield (piano). Nonesuch H 71.35[illegible] (étr.). Enregistré en 1976. + *Dvořák : Quatre Pièces romantiques op. 77. Janáček : Sonate pour violon et piano.*

Ce magnifique diptyque est comme un résumé discret des plus belles pages de *M. Vlast* (Ma Patrie). La version de référence de Josef Suk et Jan Panenká n'est plus disponible en France, mais peut être commandée à Londres, où elle vient d'être rééditée par Rediffusion. Suk fait de ces deux pages un splendide poème où la pureté de style va d pair avec une ampleur profondément romantique, que Panenká prolonge au clavier avec pudeur et poésie.

Le duo Luca-Schoenfield dispose également de fort belles qualités : lyrisme nerveux, sonorité lumineuse, sens inné du rythme... mais leur récital tchèque s'impose plus dans le «modernisme» jaillissant de Janáček que dans le romantisme plus détendu des deux «pères» de la musique nationale bohême, Smetana et Dvořák.

La Fiancée vendue, opéra-comique.

*** Drahomira Tikalová (Marenka), Ivo Zídek (Jenik), Eduard Haken (Kečal), Oldrich Kovar (Vašek), Ch. et Orch. du Théâtre National de Prague, Zdeněk Chalabala. Supraphon 50.397/99 (3 d.) (étr.). Enregistré en 1960.

La *Fiancée vendue* est la seule œuvre scénique de Smetana qui se soit fait connaître (et apprécier) dans l'Europe entière. Il existe des traductions authentiques du livret aussi en allemand, en français et même en anglais. Malgré cela, il n'existe qu'une seule version non tchèque, celle réalisée par Rudolf Kempe en 1958 à Bamberg (Electrola, 91226/8), chantée en allemand. Le catalogue français ne propose que la regravure de l'excellente version de Zdeněk Chalabala, datant tout de même de 1960, qui venait prendre le relais de la première référence signée Jaroslav Vogel (datant de 1951, elle est néanmoins disponible en Grande-Bretagne dans une excellente regravure, Rediffusion, RHCN 8009/10, mono). De toute façon, l'unique version disponible en France peut rallier tous les suffrages. L'héroïne, campée par Drahomira Tikalová, dispose d'autant de charme que d'émotion. La beauté de son timbre de soprano *liricospinto* n'y est pas étranger. Elle est entourée par un excellent entremetteur de village, la basse Eduard Haken, et d'un amoureux aussi romantique que plein d'esprit dans la composition du ténor connu qu'est Ivo Zídek. Les Chœurs du Théâtre National de Prague sont là pour imposer la vie, la joie, l'esprit de danse de cette fête populaire. L'Orchestre du Théâtre National de Prague, enfin, n'a jamais été meilleur que sous la direction de Zdeněk Chalabala.

La Fiancée vendue, morceaux symphoniques : Ouverture, Polka, Furiant, Danse des comédiens.

*** Orch. Symph. de Saint-Louis, Walter Süsskind. Vox 35.076 (étr.). Enregistré en 1977. + *Má Vlast : extraits.*

*** Orch. du Concertgebouw d'Amsterdam, Antal Doráti. Philips 6701.056 (étr.). Enregistré en 1976. + *Má Vlast : extraits.*

La Fiancée vendue, morceaux symphoniques : Polka, Furiant, Danse des comédiens.

* Orch. Phil. de Berlin, Herbert von Karajan. DG 2530.244. ⊠ 3300.259. Enregistré en 1969. + *Berlioz : La Damnation de Faust, extraits. Dvořák : Scherzo capriccioso. Liszt : Méphisto-Valse. Weber : Invitation à la valse.*

Pour ceux qui voudraient posséder les morceaux symphoniques de l'opéra-comique *la Fiancée vendue*, le trop peu connu Walter Süsskind propose un programme homogène qu'il rend avec art et conviction. Mais sait-on qu'il fut le collègue de Karel Ančerl au Conservatoire de Prague ?

Avec Antal Doráti, le programme proposé est exactement le même, mais l'esprit varie : il s'en tient à une vision plus spectaculaire et chorégraphique que vraiment entraînante.

Herbert von Karajan décante cette musique succulente en jouant sur la splendeur des cordes du Philharmonique de Berlin, en lui faisant perdre sa rythmique éminemment populaire et authentique. Son programme, propre à ravir les amateurs de pièces dansantes pour grand orchestre, ne s'impose que dans Weber, où il parle enfin sa langue maternelle.

Haakon Jarl, poème symphonique op. 16.

*** Orch. Phil. Tchèque, Václav Neumann. Supraphon 27.972. Enregistré en 1972. + *Le Camp de Wallenstein, Richard III, Le Carnaval de Prague.*

*** Orch. Phil. Tchèque, Karel Sejna. Supraphon 10.341 (étr.). Mono. Enregistré en 1954. + *Le Camp de Wallenstein, Richard III.*

** Orch. Phil. d'Israël, Walter Weller. Decca D108 D2 (G-B). Enregistré en 1978. + *Má Vlast.*

** Orch. de la Radio Bavaroise, Rafael Kubelik. DG 2543.814. Enregistré en 1972. + *Le Camp de Wallenstein, Richard III, Le Carnaval de Prague.*

Dernier des trois poèmes symphoniques «suédois», *Haakon Jarl* est celui qui dispose de la richesse thématique la plus évidente. Cette fois, Smetana s'est hissé au niveau de son modèle, Liszt. Aucun élément national tchèque ne permet d'identifier cette œuvre, qui fait preuve d'un sens inné de la mise en scène. On pense déjà à Richard Strauss et à l'âge d'or du poème symphonique. Václav Neumann sait suspendre la puissance symphonique smetanienne pour en laisser goûter la douceur passagère, celle qui irriguera les *Prés et les bois de Bohême*, où serpente la *Vltava*.

De même que pour le *Camp de Wallenstein*, c'est l'ancienne gravure monophonique de Karel Sejna qui est la meilleure ; on ne peut malheureusement se la procurer en France.

Walter Weller est un chef habituellement très à l'aise avec Liszt et Wagner : on le sent ici, car il dirige ce poème symphonique avec beaucoup de sens théâtral, en plantant une mise en scène convaincante.

Pour son dernier enregistrement, Kubelik ne dispose pas de la formation orchestrale idéale pour cette musique ; on sent que ses musiciens ne sont pas à la hauteur de la connaissance de l'œuvre et qu'il n'arrive pas à leur donner le souffle nécessaire.

Libuše, opéra.

*** Milada Kniplová (Libuše), Václav Bednar (Premýsl), Zdenék Kroupá (Chrudos), Ivo Zídek (Stahlav), Vera Soukupová (Radmilla), Ch. et Orch. du Théâtre National de Prague, Jaroslav Krombholc. Supraphon 50.701/04 (4 d.). Enregistré en 1967.

Quatrième des huit œuvres pour la scène laissées par Smetana, Libuše est l'une des rares difficilement exportables hors des frontières de Bohême, de par les allusions multiples que renferment le livret de Wenzig. Ce dernier se veut historique, prophétique, héroïque... et paraîtra grandiloquent aux auditeurs qui ne pourraient y voir un opéra national, preuve de l'existence de la nation tchèque. Tel quel, cet opéra vaut par s splendeur orchestrale, en particulier un ouverture digne de servir de préambule à *M Vlast*. Le quatuor de chanteurs réunis est l meilleur possible. Reste que le dynamisme d chef, Jaroslav Krombholc, vient encore ajou ter à la tension permanente qui parcourt c manifeste patriotique. L'ensemble peut pa raître manquer de finesse, mais ici, nous n sommes pas dans le sillage de Mozart ou d Weber... L'Opéra national tchèque affirm son existence.

Má Vlast (Ma Patrie), cycle de six poè mes symphoniques : Vyšherad, Vltav (la Moldau), Safka, Par les bois et l prés de Bohême, Tábor, Blaník.

❀*** Orch. Phil. Tchèque, Karel An čerl. Supraphon 80.187 (2 d.). Enre gistré en 1963.

*** Orch. Phil. de Vienne, Rafael Ku belik. Decca 130.023/4 (2 d.) (G-B Enregistré en 1969.

*** Orch. Phil. Tchèque, Václav Neu mann. Supraphon 1 10 2021/ (2 d.) (étr.). Enregistré en 1965.

** Orch. Staatskapelle de Dresd Paavo Berglund. EMI VSM 167-03.470/1 (2 d.). Enregistré e 1977.

* Orch. Phil. d'Israël, Walter Welle Decca 593.013 (2 d.). Enregistré e 1978. + *Haakon Jarl.*

Seul, Karel Ančerl a su, dans le souven de Václav Talich, son maître (enregistreme historique accessible en import : Supraphc 10262/3, mono), animer avec la mêm flamme les épisodes typiquement bohém comme la *Vltava* ou *Par les prés et les bois d Bohême*, et les poèmes épiques ou drama ques où Wagner reste en filigrane. En vr Slave, il a su retenir de Wagner la forme (leitmotiv, conduite vocale de la mélodie sans jamais faire penser à la respiration wa gnérienne. La ponctuation rythmique des c six poèmes reste la pierre d'angle de le originalité.

Ceux qui voudraient trouver un style pe engagé, mais encore authentique, devront s tourner vers la première gravure de Rafa Kubelik, qui brille beaucoup grâce aux adm rables cordes du Philharmonique de Vienn Le chef prend soin d'ôter toute grandil quence, pour s'attacher à rendre les subtilit et les ressources de l'écriture orchestrale.

Václav Neumann, successeur d'Ančerl au pupitre de la Philharmonie Tchèque, revient à la tradition de Talich, sans toutefois y mettre cette pointe d'humanisme, à la fois pudique et vibrant, qui caractérisait la vision d'Ančerl.

Le chef finnois Paavo Berglund, dans une perspective sonore très synthétique, anime ces fresques immenses à sa façon : le souffle est vaste, successivement héroïque et pastoral, le pinceau est large. Son orchestre est l'un des plus virtuoses parmi ceux présentés ici.

Les mêmes remarques s'appliquent à la direction de Walter Weller, mais ce dernier, outre le caractère superficiel qu'il donne aux passages d'expression moins extérieure, ajoute une regrettable lourdeur, difficilement admissible dans une musique qui doit garder une fluide poésie.

Le Mur du diable, opéra.

** Václav Bednar (Vitkovic), Ivana Mixova (Zavis), Ivo Zídek (Jarek), Milada Subrtova (Hedvika), Antonin Votavá (Michalek), Libuše Domaninská (Katuska), Ch. et Orch. du Théâtre National de Prague, Zdeněk Chalabala. Supraphon 50.361/63 (3 d.). Enregistré en 1962.

Unique version du dernier opéra laissé par un Smetana sourd, souffrant, déjà muré dans un climat morbide et presque surréaliste, qui n'est pas sans analogie avec notre *Pelléas* et les climats «blancs» du Sibelius du *Luonnotar.* La forme est fort évoluée et rassemble en un résumé (fort sympathique) le lyrisme wagnérien (*Les Maîtres Chanteurs* ne sont pas loin) et l'efficacité lumineuse du trait d'un Strauss composant *Arabella* ou le *Rosenkavalier.* Les divers protagonistes de cette œuvre interrogative chantent sans complexe, avec la splendeur qu'autorise l'opéra romantique à son apogée. L'étrangeté de la langue tchèque est là pour vous éviter toute erreur d'appréciation sur l'origine de l'œuvre, tandis que l'écriture orchestrale, dans sa recherche harmonique, ouvre des horizons nouveaux, en particulier dans les scènes de Rarach. La présence de Zdeněk Chalabala au pupitre permet à la richesse de la partition orchestrale d'apparaître dans tout son modernisme et son caractère chorégraphique, tandis que la partie vocale, très exigeante quant à l'intensité, peut certainement gagner en richesse et camper des personnages plus contrastés. Telle quelle, cette réalisation est néanmoins un témoin essentiel dans la connaissance du dernier Smetana.

Quatuors à cordes n° 1 en mi mineur «de ma vie» et n° 2 en ré mineur «inachevé».

❀*** Quatuor Smetana. Supraphon 50.448. Enregistré en 1962.

Dans ce diptyque, qu'il faut écouter comme un seul et unique journal intime en deux épisodes, le Quatuor qui porte le nom du compositeur a imposé son style. Tour à tour espiègle, dansant, pastoral, dramatique, puis tendre, idyllique, tendu, insupportable, ensuite dense sans rémission ni détente... Tels sont les climats successifs que les interprètes de ces œuvres doivent construire, animer, habiter de toute leur sensibilité. Seuls, le Quatuor Janáček, lorsque Travniček était à leur tête, et aujourd'hui le Quatuor Talich se montrent capables d'approcher ce niveau de passion irrésistible qui est celui du Quatuor Smetana. Des deux versions discographiques que cet ensemble a enregistrées, on préférera la première, référencée ici, à celle de 1976, fort belle cependant (Supraphon 1 11 2130).

Quatuor à cordes n° 1.

** Quatuor Guarneri. RCA VICS 1232 (étr.). Enregistré en 1967. + *Dvořák : Quatuor n° 14.*

** Quatuor Juilliard. CBS 61.615 (G-B). Ou Columbia MS-7.144 (USA). Enregistré en 1968. + *Dvořák : Quatuor n° 6.*

Bien qu'il soit hérétique de séparer l'un des deux Quatuors de l'autre, tous deux faits pour se compléter, on peut signaler l'enregistrement du premier Quatuor par le Quatuor américain Guarneri, au jeu vivant, fort et romantique.

Belle version également du Quatuor Juilliard, qui s'approprie bien le style de cette musique, sans toutefois égaler la passion de l'intégrale des Smetana. Il faut oublier la gravure du Quatuor Amadeus, hors du sujet dans un répertoire d'un romantisme explosif.

Richard III, poème symphonique, op. 11.

*** Orch. Phil. Tchèque, Karel Sejna. Supraphon 10.341 (étr.). Mono. Enregistré en 1954. + *Haakon Jarl, Le Camp de Wallenstein.*

*** Orch. Phil. Tchèque, Václav Neumann. Supraphon 27.972. Enregistré en 1972. + *Haakon Jarl, Le Camp de Wallenstein.*

** Orch. de la Radiodiffusion Bavaroise, Rafael Kubelik. DG 2543.814. Enregistré en 1972. + *Haakon Jarl, Le Camp de Wallenstein, Le Carnaval de Prague.*

Richard III est la première pièce symphonique vraiment personnelle du jeune Smetana, en pénitence à Gothembourg (Suède), se souvenant à la fois des conseils de Liszt et de sa science de l'orchestre. L'emprunt d'un mythe shakespearien n'ajoute rien à ce poème lyrique et contrasté dont il faut doser l'éclat, l'intensité et la virtuosité intrinsèques. Les amateurs de belles gravures historiques pourront être satisfaits d'avoir fait l'effort de commander en import la version la plus ancienne, mais aussi la plus recommandable, de Karel Sejna à la tête du Philharmonique Tchèque.

En import également, et valant aussi la commande, la version de Václav Neumann, dirigeant la même formation, avec beaucoup de lyrisme et d'efficacité colorée.

Kubelik ne disposait pas, avec l'Orchestre de la Radio Bavaroise, d'une formation à la «rumeur» et à la virtuosité comparable, et son disque, provisoirement supprimé, n'est plus essentiel si l'on peut se procurer l'une ou l'autre des deux autres versions.

Trio pour piano, violon et violoncelle en sol mineur op. 15.

❀*** Trio Suk. Supraphon 50.863. Enregistré en 1967. + *Suk : Trio op. 23.*

*** Trio Yuval. DG 2530.594 (étr.). Enregistré en 1975. + *Dvořák : Trio « Dumky»*

* Trio Haydn de Vienne. Telefunken 6.42352. Enregistré en 1978. + *Dvořák : Trio «Dumky».*

Véritable poème symphonique réduit à la dimension de la musique de chambre, l'*Opus 15* de Smetana oblige à un véritable engagement interprétatif. Ici, le compositeur ne suggère pas, il chante, pleure, vit intensément... sans sombrer dans la sentimentalité ni dans un hédonisme primaire. A ce jeu, le Trio Suk s'est adonné déjà, par deux fois. Sa première gravure (Supraphon 10277, mono, 1954), reste un exemple de vie et de splendeur sonore. Celle de 1967 est de climat plus classique ; Josef Suk, le violoniste, joue des sortilèges de son Stradivarius, tandis que Jan Panenka, le pianiste, construit avec rigueur l'ossature de ce Trio facilement rapsodique.

Les Israéliens du Trio Yuval, au jeu aussi engagé qu'intense, sont aussi à recommander. Leur disque n'est plus disponible en France, mais on pourra se le procurer en Allemagne comme en Grande-Bretagne.

Il faut placer loin derrière ces deux versions de tête, celles des Viennois du Trio Haydn, dont le style, par trop mendelssohnien, n'est pas du tout adéquat pour cette musique très personnelle.

Vltava (la Moldau), second poème symphonique du cycle Má Vlast.

*** Orch. Phil. de Berlin, Ferenc Fricsay. DG 2538.039. ✉ 3318.061. Enregistré en 1959. + *Beethoven : Ouverture d'Egmont. Liszt : les Préludes. Mozart : 13ᵉ Sérénade K. 525*

Pour qui voudrait s'en tenir à la très bell[e] et très illustre *Vltava*, mieux connue sous l[e] nom de *Moldau*, deux grands chefs, tou[s] deux hongrois, s'imposent. Le prestigieux Ferenc Fricsay en donne une interprétatio[n] somptueuse, complétée par un programm[e] assez hétéroclite, mais plaisant.

Soler, Antonio (Padre)
(1729-1783)

6 Concertos pour deux instruments [à] clavier : n° 1 en ut majeur, n° 2 en [...] mineur, n° 3 en sol majeur, n° 4 en f[a] majeur, n° 5 en la majeur, n° 6 en r[é] majeur.

** Kenneth Gilbert, Trevor Pinnoc[k] (clavecin et pianoforte). Archi[v] 2533.445. Enregistré en 1979.

On ne pourra que se réjouir de voir ainsi s[e] rouvrir le monde élégant et souriant du Pad[re] Soler, dont les différents visages paraisse[nt] au cours de ces Concertos. Selon que l'écr[i]ture est plus ou moins moderne, les interpr[è]tes ont eu l'intelligence de choisir le claveci[n] ou le pianoforte. Ils jouent sur des copi[es] d'époque, dont les sonorités délicates ravi[s]sent l'oreille. Leur entente est parfaiteme[nt] concertante et aucun des deux ne domin[e]. Plutôt qu'une grande lumière, c'est u[n] charme discret qui baigne tout cet enregistr[e]ment.

Fandango. Six Sonates : en fa dièse majeur, ut dièse mineur, ré majeur, ré bémol majeur, ré mineur, ut mineur. Concerto pour clavecin n° 3 en sol majeur.

*** Rafaël Puyana (clavecin). Philips 5838.433. ⌧ 7300.627.

Le présent disque constitue un enchantement, à la fois grâce au compositeur et à l'interprète, Rafaël Puyana. Le Padre Soler est un grand maître espagnol qui s'exprime avec beaucoup de liberté et d'originalité ; le jeu de Puyana est stupéfiant de vie, de brio, de diversité dans le choix des couleurs, d'élégance racée et de naturel. L'expression révèle une âme artiste et aristocrate, et offre à l'esprit des occasions de féconde flânerie.

Fandango. Sept Sonates.

** Elisabeth Chojnacka (clavecin). Erato STU 71.163. Enregistré en 1977.

Il faut saluer l'entreprise d'Elisabeth Chojnacka avec l'enthousiasme qu'elle mérite. Couleurs de registres, démarche libre et ferme à la fois, fantaisie piquante, poésie ondulante, frénésie de rythmes tournoyants, tout concourt au charme de ce disque où le talent de l'interprète sait maintenir constamment l'intérêt. L'excellent commentaire de la pochette explique bien les aspects de cette musique rococo. Une petite réserve en ce qui concerne l'instrument : ce clavecin Sperrhake, moderne et irréprochable, aurait rendu avec plus de subtilité les harmonies du Padre Soler s'il avait été accordé à l'ancienne.

Sonates pour clavecin : R. 10 en si mineur, R. 72 en fa mineur. R. 4 en sol majeur, R. 113 en mi mineur, R. 101 en fa majeur, R. 15 en ré mineur, R. 77 en fa dièse mineur, R. 84 en ré majeur, R. 71 en la mineur, R. 39 en ré mineur.

** Gilbert Rowland (clavecin). Nimbus 2.123. Enregistré en 1979.

Gilbert Rowland rend un hommage fort animé et vivant au Padre Soler, passant en revue tous les aspects de ce compositeur. Le phrasé est très sûr, toujours délicat et mesuré, et montre une bonne connaissance des usages de l'interprétation d'époque. Sous une apparence avenante, on découvre ainsi l'esprit sensible, voire inquiet de cette musique : cela ressort grâce au jeu, qui, sans concession à la joliesse, reste expressif et rigoureux. Le clavecin est un instrument aux sonorités riches et irrésistibles, parfois un peu trop, à la limite de la sophistication.

Sor, Fernando
(1778-1839)

24 Etudes pour guitare.

*** Narciso Yepes (guitare). DG 139.364. ⌧ 3300.145.

Ces *24 Etudes pour guitare* constituent la pièce maîtresse de l'œuvre de Fernando Sor. Nous les trouvons ici magistralement interprétées par l'illustre Narciso Yepes, et tous les amateurs de guitare aimeront à entendre des morceaux qu'ils ont peut-être eux-mêmes joués.

Œuvres pour guitare : Etudes op. 29 n°s 23 et 17, op. 6 n° 6 ; Leçon op. 31 n° 21 ; Introduction et allegro op. 14 ; Trois Menuets op. 11 ; Sonate op. 15b ; Introduction et variations sur le thème «o cara armonia» de la Flûte enchantée de Mozart.

** Patrick Gaudi (guitare). Accord-Musidisc ACC 140.011.

Pour sa première manifestation discographique, Patrick Gaudi a rassemblé des œuvres de Sor qui, jusque-là, étaient disséminées en divers récitals. Cette homogénéité est un premier mérite, car elle nous permet de mieux nous imprégner de l'art du guitariste virtuose que fut Sor. L'interprète défend cette musique avec conviction, dans un style de jeu qui paraît d'abord froid, mais qui se révèle ensuite de subtil relief dans la sonorité et de pudeur dans une conduite réfléchie du discours. C'est faire preuve d'intelligence que de ne pas chercher à faire dire à ces pages plus qu'elles n'expriment.

Introduction et Variations sur un thème de la Flûte enchantée de Mozart, op. 9. Etudes n° 12 en la majeur, n° 9 en la mineur, n° 5 en si mineur, n° 16 en mi majeur. Grand solo op. 14. Fantaisie op. 7. Menuet et Rondo de la Sonate op. 22.

*** Turibio Santos (guitare). Erato STU 71.268. ⌧ MCE 71.268. Enregistré en 1979.

Cet enregistrement montre parfaitement les aspects à la fois didactiques et virtuoses des compositions pour guitare de Fernando Sor. Ces compositions sont de style classique, et nécessitent d'être jouées avec une articulation rigoureuse du phrasé : c'est là la grande qualité du guitariste, qui a su, en outre, décorer ces moules d'une belle variété de timbres et de couleurs.

Spontini, Gasparo
(1774-1851)

Agnes von Hohenstaufen, opéra romantique (version italienne).

** Lucille Udovich (Agnese), Dorothy Dow (Irmengarda), Franco Corelli (Enrico), Francesco Albanese (Filippo), Anselmo Colzani (Enrico il Leone), Orch. et Ch. du Mai Musical Florentin, Vittorio Gui. Cetra LO 25 (3 d.). Mono. Enregistré sur le vif en 1954.

Ce dernier chef-d'œuvre de Spontini, écrit en allemand, remanié par l'auteur, puis joué aujourd'hui en italien, est connu surtout par l'incomparable interprétation de *Re del Ciel* par Anita Cerquetti (Decca, 1957). Il trouve ici une exécution solennelle au meilleur sens du terme, avec pour protagoniste Lucille Udovich, l'inoubliable Electre (*Idomeneo*, direction Pritchard), passionnée, à la voix chaude, et pour partenaire un Corelli, jeune, pur, enthousiasmant. Partenaires inégaux et son assez médiocre.

La Vestale, opéra (version italienne).

** Maria Callas (Giulia), Franco Corelli (Licinio), Ebe Stignani (la grande vestale), Nicola Rossi Lemeni (le grand prêtre), Orch. et Ch. de la Scala de Milan, Antonino Votto. Cetra LO 33 (3 d.). Mono. Enregistré sur le vif en 1954.

La Vestale (extraits en italien): Tu che invoco, O Nume tutelar, Caro oggetto.

❀*** Maria Callas (s), Orch. Scala de Milan, Tullio Serafin. EMI VSM C 053-01.016. Mono. Enregistré en 1955. + *Bellini : Airs des Puritains, de la Somnambule. Cherubini : Médée (extraits).*

Malgré un son très médiocre, le témoignage enregistré sur le vif rend davantage justice au chef-d'œuvre justement admiré de Berlioz que l'ancienne version Cetra, encore que Votto manque de cette grandeur «Empire» liée à l'ouvrage. A côté d'un Corelli jeune et étincelant, Maria Callas, au sommet de sa forme, réédite son exploit en donnant une présence poignante et une véhémence inattendue à cette jeune «sœur» de Médée, notamment dans la strette de l'air principal de l'acte II.

Impeccablement enregistrée dans un disque au couplage passionnant, mieux dirigée, Maria Callas, à peine guindée par le studio, donne l'image la plus complète qui soit de la grande héroïne de Spontini, même sans posséder la somptuosité vocale de Rosa Ponselle (réédition RCA). A souhaiter toutefois la réédition de la scène du deuxième acte chantée en français avec un éclatant brio par Rita Gorr dans un 45 tours Pathé Marconi des années cinquante.

Stamitz, Jan Vaclav (Johann)
(1717-1757)

Concerto pour clarinette en si bémol majeur. Sinfonia pastorale op. 4 n° 2. Deux Symphonies en sol majeur et en ré majeur.

*** Alan Hacker (clarinette), Academy of Ancient Music, Christopher Hogwood. Oiseau-Lyre DSLO 505 (G-B).

Dès les premiers sillons, l'interprétation de Christopher Hogwood, qui dirige depuis son clavecin, soulève l'enthousiasme : nous sommes loin du rapetissement qui entache souvent les reconstitutions. Au contraire, l'orchestre est entraîné avec dynamisne et aussi avec délicatesse, et l'attention est sans cesse accrochée. Alan Hacker fournit une belle performance, malgré les difficultés de justesse d'une clarinette du XVIIIe siècle. Une réalisation passionnante, accompagnée d'une plaquette musicologique trilingue que beaucoup pourraient prendre comme modèle.

Stamitz, Karl
(1746-1801)

Quatre quatuors : pour flûte, violon, violoncelle, alto en ré majeur, pour clarinette, violon, alto et violoncelle en la majeur, pour hautbois, cor, violon et violoncelle en fa majeur, pour flûte, violon, cor et violoncelle en ré majeur.

*** Jean-Pierre Rampal (flûte), Pierre Pierlot (hautbois), Jacques Lancelot (clarinette), Gilbert Coursier (cor), Trio à Cordes Français. Musidisc RC 758.

Chacun des quatre Quatuors inscrits au programme de ce disque est conçu pour une formation instrumentale différente, toujours composée de cordes et de vents. Tour à tour, les divers instruments sont mis en valeur, et l'écriture de Stamitz nous vaut des moments particulièrement raffinés. D'autant plus que l'interprétation est ici d'un goût extrêmement fin et sûr, propre à satisfaire les amateurs les plus exigeants en matière de musique baroque et classique.

Symphonie concertante pour violon, alto et orchestre en ré majeur.

*** Isaac Stern (violon), Pinchas Zukerman (alto), Orch. de Chambre Anglais, Daniel Barenboïm. CBS 76.030. + *Mozart : Symphonie concertante K 364.*

Les deux Symphonies concertantes proposées ici montrent exactement ce que cette forme pouvait être : Stamitz s'inscrit avec aisance dans la plus pure tradition du style galant de l'époque. Mozart est plus classique. Bien qu'il n'ait pas la même aisance à l'alto qu'au violon, Pinchas Zukerman est sensible à la beauté du phrasé et sa sonorité est superbe. Il subit le rayonnement de son aîné, Isaac Stern, égal à lui-même. Le commentaire orchestral de Barenboïm est très soigné et répond à la riche musicalité et à l'homogénéité de ton des deux solistes.

Stockhausen, Karlheinz
(né en 1928)

Gruppen, pour trois orchestres (1). Carré, pour quatre orchestres et quatre chœurs (2).

❀*** Orch. de Radio-Cologne, Karlheinz Stockhausen, Bruno Maderna, Michael Gielen (1). Ch. et Orch. de Radio-Hambourg, Maurizio Kagel, Michael Gielen, Karlheinz Stockhausen, Andrzej Markowski(2). DG 137.002 (sup.).

Deux œuvres complexes, parmi les partitions capitales de leur auteur. Malgré leur densité, l'audition en est transparente ; et même si la spatialisation des trois ou quatre orchestres demeure intraduisible par les deux canaux de la stéréophonie, cette absence n'ôte guère de l'impact à cette musique en ébullition. Les interprètes en donnent une version lyrique, aux eaux roulantes de torrent en crue, directement issue du romantisme allemand.

Hymnen, pour sons électroniques et concrets.

❀*** Réalisation électro-acoustique du studio WDR de Cologne, sous la direction du compositeur. DG 2707.039 (2 d.) (RFA).

Fresque onirique en quatre mouvements totalisant près de deux heures d'écoute, voici *Hymnen* de Stockhausen. Hymnes et chants nationaux parcourent l'œuvre, innervant la structure organique de cette page où le créateur élargit, comme les cubistes, le champs de vision, la profondeur, tout en multipliant les perspectives. Un disque troublant, dérangeant... de toute beauté.

Les 11 Klavierstücke pour piano.

❀*** Aloys Kontarsky (piano). CBS S 77.209 (2 d.) (sup.).

Œuvres primordiales du XXe siècle, ces *Klavierstücke* mènent du sérialisme intégral rigoureusement structuré des débuts de Stockhausen à l'orée de la musique aléatoire. Aloys Kontarsky est ici impérial, époustouflant, rayonnant d'intelligence musicalisée. Il y maîtrise sa matière, en en jouant avec une rigueur, une logique et une fantaisie inoubliables, équilibrant chaque plan, chaque sonorité, chaque nuance d'une aérienne poésie, sombre, tendre, angoissante ou joyeuse, pudique, d'or liquide. Sa palette est celle des très grands pianistes.

Kreuzspiel, pour hautbois, clarinette basse, piano et trois percussionnistes. Kontra-Punkte, pour dix instruments. Zeitmasse, pour 5 instruments à vent. Adieu, pour quintette à vents.

** London Sinfonietta, Karlheinz Stockhausen. DG 2530.443.

Soleil et chatoiements de *Kreuzspiel*, polyphonie raffinée des *Kontra-Punkte*, traversée de l'aride désert expérimental de *Zeitmasse* : autant de pages que le London Sinfonietta prend de front, agrippant la matière à même afin de mieux la modeler. Et dans *Adieu*, les instrumentistes forcent l'admiration en réalisant les 31 séquences de l'œuvre où seuls sont indiqués les directions harmoniques et le mode d'emploi pour atteindre les sonorités voulues... Mais Stockhausen au pupitre y est sans doute pour quelque chose.

Mantra, pour deux pianos.

❀*** Alfons et Aloys Kontarsky (pianos). DG 2530.208 (sup.).

Gags et humour se partagent entre sérieux «scientifique» et ésotérisme mystique dans cette fresque pot-pourri. *Mantra* est une science secrète de l'Inde, résidant dans l'étude des sons et de ses vibrations placés en correspondance avec certains niveaux de conscience. En tous les cas, le duo Kontarsky mériterait d'être étudié sous le scalpel de chirurgiens du cerveau, tant l'adéquation, l'intégration à l'esthétique du créateur est entière ! Leur virtuosité est sur tous les plans hallucinante, leur aisance et leur musicalité ne le sont pas moins.

Momente (version Europa 1972 et extraits version Donaueschingen 1965).

*** Gloria Davy (s), Ch. du WRD, Karlheinz Stockhausen, Ensemble «Musique Vivante», Karlheinz Stockhausen. DG 2709.055 (3 d.) (sup.).

Œuvre d'amour et de joie, *Momente* affirme la filiation romantique et allemande dont se réclame le compositeur. Son emprunt partiel au *Cantique des Cantiques* est traité ici comme un rituel employant judicieusement la puissance phonétique et sémantiqu du verbe, tout en digérant d'une étrange e ingénieuse façon la musique pop. La versio 1965, d'une construction quelque peu diffé rente, est, hélas ! affublée d'une prise de so embrouillée. Ce n'est absolument pas le ca de la version Europa 1972. Les instrumentis tes touchent ici la cible au cœur.

Sirius, pour musique électronique e trompette, soprano, clarinette basse basse.

** Markus Stockhausen (trompette) Anette Meriweather (s), Suzann Stephens (clarinette basse), Bori Carmelli (b), réalisation de la Radi de Cologne, Karlheinz Stockhausen DG 2707.122 (2 d.). Enregistré e 1979.

Sirius est une œuvre curieuse et compli quée que l'auteur nous explique en un géné reux programme de seize pages. On es séduit, au disque, par la qualité plastique d l'ensemble sonore échafaudé et réalisé pa Stockhausen qui nous le livre dans son plu parfait et convaincant équilibre.

Le London Sinfonietta s'affirme au fil d ses enregistrements comme une phalange ex ceptionnelle. Le souffle de Stockhause transporte l'orchestre de la nudité d son/bruit (*Stop*) aux mille résonances réflé chies de silence de ce monde qu'entouren deux gigantesques explosions. L'univers qu sépare ces deux paroxysmes symboliques se rait-il le vide béant, le trou noir, le négatif d positif ? Deux œuvres difficiles, dont le pôles esthétiques ne sont pas si éloignés puisqu'en fait l'une est à pile ce que l'autr est à face : réunissez les deux, et Stockhause apparaît du puzzle ainsi reconstitué.

Zeitmasse.

** Margery Mackay, Ens. Instrumental, Robert Craft. Odysse 32.160.154 (USA). *+ Boulez : L marteau sans maître...*

Assurément la meilleure version de *Zeit masse*, s'adjoignant de surcroît une prise d son aussi analytique que peut l'être la direction. Reste que l'interprétation de l'œuvre d Boulez, bien que de grande qualité, a ét depuis surpassée par celle du compositeu lui-même au pupitre.

Stoelzel, Gottfried Heinrich
(1690-1749)

Concertos grossos en sol majeur, en mi mineur. Concerto pour flûte, hautbois, cordes et clavecin en si mineur. Concerto pour flûte, hautbois et cordes en mi mineur. Concerto pour hautbois, violon, cordes et continuo en fa majeur.

* Solistes et Orch. Pro Arte de Munich, Kurt Redel. Philips 6570.600.

Etait-il indispensable d'exhumer ces six Concertos de Stoelzel pour allonger la liste déjà impressionnante des enregistrements de cette sorte d'œuvres baroques ? Ce contemporain de Bach a laissé quantité d'opéras, oratorios, cantates, motets, où il y a sans doute mieux à trouver. Comme l'interprétation n'apporte ici aucune idée nouvelle, aucun point de vue intéressant, l'impression qui domine est malheureusement celle du déjà (cent fois) vu.

Stradella, Alessandro
(1644-1682)

5 Airs et Cantates pour soprano ou baryton et basse continue.

* Luciana Ticinelli Fattori (s), Gastone Sarti (bar), Complesso Barocco di Milano, Francesco Degrada. Harmonia Mundi HMA 322.

Le Complesso Barocco di Milano nous fit découvrir les airs de Stradella à une époque où la musique ancienne n'avait pas encore trouvé son style d'interprétation. Aujourd'hui, on peut difficilement supporter un violoncelle si ample, si rond, à la basse continue. Il affirme plus qu'il ne suggère un contrechant mélodique qu'on aimerait retenu, discrètement nuancé. C'est d'autant plus désolant que les voix, intimes et sensibles, s'enchevêtrent candidement en distillant une émotion pudique. Un demi-succès.

Intégrale de la musique instrumentale : Sonates E.1-23, Concertos E.24-26.

* I Filarmonici del Teatro Comunale di Bologna, Angelo Ephrikian. Ars Nova C4S/171 (4 d.) (Italie). Enregistré en 1971.

Cette passionnante intégrale Stradella par Ephrikian ignore les séductions faciles. La musique coule, naturelle, transparente, adoucie par une prise de son désincarnée et légèrement réverbérée, qui masque l'expression dramatique comme la joie. Le résultat sonore est une curiosité intéressante, mais on peut attendre autre chose d'une interprétation de Stradella.

San Giovanni Battista.

*** Barbara Schlick, Helen Keller (s), Andrew Dalton (hc), Jan Thompson (b), Capella Clementina, Helmut Müller-Brühl. Schwann AMS 4525 (2 d.). Enregistré en 1979.

Le *San Giovanni Battista* de Stradella est un oratorio romain, certes, mais supporte très bien la représentation théâtrale, forme sous laquelle il semble qu'il ait été présenté au public. Cette réalisation est l'un des plus beaux exemples dont nous puissions disposer à l'heure actuelle de l'oratorio dans la période du premier baroque.

La Susanna (oratorio).

*** Marjanne Kweksilber (Susanna), Judith Nelson (Daniele), René Jacobs (Testo), Martyn Hill (Giudice I), Ulrik Cold (Giudice II), Complesso Barocco, Alan Curtis. EMI Reflexe 1C 165-45.643/44 (2 d.). Enregistré en 1979.

Curtis nous révèle enfin ce splendide oratorio, servi dans un style idéal d'interprétation. Stradella portait une attention particulière aux effets instrumentaux, d'une extraordinaire richesse rythmique, et soignait joliment la basse continue obligée. C'est dire notre plaisir en découvrant la beauté irremplaçable des instruments anciens, joués ici avec fougue et effronterie, sans mollesse aucune. Les voix sont bien choisies : une Susanna sensible, héroïque et pure, le prophète Daniel virtuose et victorieux, les deux juges fourbes et enjôleurs à souhait, et un narrateur digne mais expressif. Un apport capital.

Strauss, Johann
(1825-1899)

Le Baron Tzigane, opérette.

*** Elisabeth Schwarzkopf (Saffi), Erika Köth (Arsena), Nicolaï Gedda (Sándor Barinkay), Monica Sinclair (Mirabella), Erich Kunz (Kalman Zsupan), Hermann Prey (le comte Peter Hormonay), Ch. et Orch. Philharmonia, Otto Ackermann. EMI VSM 149-03.051/52. Enregistré en 1954.

Malgré ses vingt ans d'âge, cet enregistrement demeure la seule version de très haute qualité de l'œuvre : la grande Schwarzkopf et Gedda y sont au meilleur d'eux-mêmes, avec leur sens du phrasé et leur éblouissante technique. On remarque un jeune baryton débutant promis à un avenir brillant : Hermann Prey. Les chœurs et l'orchestre qui mettent en valeur, sous la baguette d'Otto Ackermann, tout l'éclat de la partition de Strauss parachèvent cette réussite.

La Chauve-souris, opérette.

❀*** Elisabeth Schwarzkopf (Rosalinda), Nicolaï Gedda (Eisenstein), Helmut Krebs (Alfred), Rita Streich (Adele), Karl Dönch (Frank), Erich Kunz (Falke), Rudolf Christ (Orlofsky), Ch. et Orch. Philharmonia, Herbert von Karajan. EMI VSM C 149-00.427/28 (2 d.). Mono. Enregistré en 1955.

*** Anneliese Rothenberger (Rosalinda), Nicolaï Gedda (Eisenstein), Adolf Dallapozza (Alfred), Renata Holm (Adele), Walter Berry (Frank), Dietrich Fischer-Dieskau (Falke), Brigitte Fassbaender (Orlofsky), Ch. de l'Opéra de Vienne, Orch. Symph. de Vienne, Willi Boskovsky. EMI VSM C 157-29. 300/01 (2 d.). Enregistré en 1972.

*** Hilde Gueden (Rosalinda), Waldemar Kmentt (Eisenstein), Giuseppe Zampieri (Alfred), Erika Köth (Adele), Eberhard Waechter (Frank), Walter Berry (Falke), Regina Resnik (Orlofsky), Ch. de l'Opéra de Vienne, Orch. Phil de Vienne, Herbert von Karajan. Decca 592.152 (3 d.). Enregistré en 1959.

Relevant de la plus pure tradition viennoise, *La Chauve-souris* n'a jamais autant de cachet que dans l'interprétation des détenteurs de cette tradition : c'est le cas de l'enregistrement dirigé par Karajan avec Elisabeth Schwarzkopf et une pléïade d'artistes alors en troupe à l'Opéra de Vienne. Une interprétation qui parle le Viennois avec un accent inimitable.

Dans sa version de *la Chauve-souris*, Boskovsky est lui aussi entouré de chanteurs qui excellent à ce style. Anneliese Rothenberger et Renata Holm sont exquises, et Brigitte Fassbaender chante Orlofsky avec une élégance superbe. Du côté des hommes, perfection partout, avec cependant une petite réserve pour l'Alfred d'Adolf Dallapozza, dont la voix n'a pas toute la séduction du rôle. Quant à Willi Boskovsky, Strauss n'a plus de secret pour lui.

La version viennoise de Karajan se place tout à fait à part, dans la mesure où elle reproduit une représentation traditionnelle de réveillon de la St-Sylvestre : au bal chez Orlofsky, tous les artistes présents dans la ville viennent faire leur apparition sur scène et chantent... ce qu'ils veulent, dans un esprit de détente et de fête. C'est ainsi que de deux disques, l'enregistrement passe à trois, et qu'on n'entend pas moins que Renata Tebaldi, Birgit Nilsson (chantant *My fair lady* !), Teresa Berganza, Joan Sutherland, Leontyne Price, Guilietta Simionato, Ljuba Welitsch, ainsi que Fernando Corena, Mario del Monaco, Jussi Björling et Ettore Bastianini. Il faut ajouter que cet enregistrement, réalisé à l'aube glorieuse de la stéréophonie, a fait l'objet de soins exceptionnels pour restituer le climat acoustique de chacun des trois actes.

Concert du Nouvel An à Vienne. Valses : Aimer, boire et chanter, Le beau Danube bleu, Bei uns z'Haus, Loreley Klänge. Polkas : Auf der Jagd, Vif-argent, Pizzicato-Polka, Tic-Tac Polka, Bitteschön-Polka. Marche de Radetzky.

*** Orch. Phil. de Vienne, Willi Boskovsky. Decca D 147 D2 (2 d.) (G-B.). Enregistré en 1979. *+ E. Strauss : Ohne Bremse-Polka.*

J. Strauss : Polkas et Valses. Suppé : Ouverture de la Belle Galatée. Ziehrer : Herreinspaziert-Valse.

Enregistré en direct lors du concert radiotélévisé du 1er janvier 1979 à Vienne, alors même que Willi Boskovsky fêtait son jubilé, cet album bénéficie de la technique de gravure «digitale» qui permet de restituer avec une fidélité accrue l'ambiance du célèbre concert annuel. On se croirait dans la salle, scandant de battements de mains la *Marche de Radetzky*... Un enregistrement de bonheur simple et de détente, de la plus haute qualité musicale.

Ouverture du Baron Tzigane. Ouverture de la Chauve-souris. Marche de Radetzky. Perpetuum Mobile. Le beau Danube bleu. Valse de l'Empereur.

*** Orch. Phil. de Berlin, Herbert von Karajan. DG 139.014. ⌧ 3300.126.

Regroupant les pages les plus justement célèbres des Strauss père et fils, cet enregistrement apparaît donc comme le type du disque anthologique à mettre entre toutes les mains. Pleine de vie, l'interprétation vaut aussi par un merveilleux phrasé et une qualité orchestrale exemplaire, avec le fameux velouté des cordes berlinoises, devenu légendaire. Quant à la qualité technique, elle est impeccable, vaste en largeur comme en profondeur.

Ouverture de la Chauve-souris. Ouverture du Baron Tzigane. Légendes de la Forêt viennoise. Voix du printemps. Vie d'artiste. Pizzicato Polka. Eljen a Magyar. Train du plaisir.

*** Orch. Phil. de Vienne, Clemens Krauss. Decca 2058 (G-B). Mono.

A ce que certains disent, Clemens Krauss aurait été le fils naturel de l'Archiduc et d'une danseuse. Si cela est vrai, on ne peut rêver ascendance plus romanesque et plus recommandable pour diriger, avec toute l'aristocratie et la souplesse possibles, les œuvres des Strauss. Clemens Krauss est une référence pour tout ce qui concerne la musique viennoise et ses enregistrements, même d'hier, n'ont pas une ride.

Ouvertures de la Chauve-souris et de Waldmeister. I-Tipferl Polka. Marche du Baron Tzigane. Valses de l'Empereur et du Beau Danube bleu.

*** Orch. du Festival de Vienne, Josef Krips. Festival FC 429. ⌧ FCK 4.029. Enregistré en 1962.

Josef Krips fait partie des chefs qui ont le mieux servi la musique de Johann Strauss. Et ce disque réalisé avec l'Orchestre du Festival de Vienne nous le rappelle : le programme en est des plus classiques, mais l'interprétation compte parmi les meilleures.

Valses de Vienne, opérette.

* Mady Mesplé (Rési), Christiane Stutzmann (la Comtesse), Bernard Sinclair (Strauss père), Pierre Bertin (Strauss fils), Ch. René Duclos, Orch. de l'Opéra-Comique, Jean Doussart. Pathé C 191-12.001/2 (2 d.).

On écoute avec agrément ces *Valses de Vienne*, réalisées avec soin. Mady Mesplé est une Rési charmante, Bernard Sinclair et Pierre Bertin incarnent avec esprit Strauss père et fils. La révélation est Christiane Stutzmann, qui chante la Comtesse avec une belle voix de soprano lyrique. L'Orchestre de l'Opéra-Comique est dirigé par Jean Doussart avec beaucoup de souplesse.

Valses : Le beau Danube bleu, Légendes de la Forêt viennoise, Valse de l'Empereur. Polkas : Annen Polka, Elien a Magyar, Tritsch-Tratsch Polka. Ouverture de la Chauve-souris. Marche de Radetzsky.

*** Orch. Radio-Symph. de Berlin, Ferenc Fricsay. DG 2538.014. ⌧ 3318.062.

Les œuvres les plus brillantes et les plus célèbres de Strauss père et fils, dans une des interprétations qui, malgré leur âge, restent une référence à connaître : celle de Fricsay.

Valses, transcriptions : Valse de l'Empereur (Schönberg), Roses du Sud (Schönberg), Aimer, boire et chanter (Berg), Le Trésor (Webern).

❁*** Boston Symphony Chamber Players. DG 2530.977. ⌧ 3300.977. Enregistré en 1978.

Un merveilleux hommage rendu par les trois Maîtres de l'Ecole de Vienne au Maître de la Valse viennoise, et ici divinement interprété par les solistes de l'Orchestre de Boston, avec un entrain et un sens extraordinaire du phrasé et des accents rythmiques caractéristiques de la valse. Ce disque est une joie et une leçon pour ceux qui auraient pu penser que la musique de Strauss (Johann) n'est pas vraiment de la musique..

Strauss, Richard
(1864-1949)

Ainsi parlait Zarathoustra, poème symphonique.

❀*** Orch. Symph. de Chicago, Fritz Reiner. RCA Camden CCV 5040 (G-B). Mono. Enregistré en 1955.

*** Orch. Phil. de Vienne, Clemens Krauss. Decca ECS 572 (G-B). Mono. Enregistré en 1951. + *Till Eulenspiegel.*

** Orch. Phil. de Berlin, Herbert von Karajan. DG 2530.402. ⌧ 3300.375. Enregistré en 1974.

** Orch. Phil. de Berlin, Karl Boehm. DG 2538.033. ⌧ 3318.057. Enregistré en 1958.

** Orch. Symph. de Chicago, Georg Solti. Decca 591.120. Enregistré en 1975. + *Don Juan, Till Eulenspiegel.*

Les disques straussiens de Fritz Reiner peuvent être considérés comme des modèles, par la rigueur, par le style, ample mais jamais boursouflé. Chef de l'Orchestre de Chicago durant vingt ans, Reiner a su donner à cet ensemble une couleur, une technique, une cohésion qui en font l'un des meilleurs orchestres du monde.

Clemens Krauss a été, lui aussi, l'ami, le collaborateur et le librettiste de Strauss. Cela n'est pas, en soi, une garantie majeure de qualité. Il se trouve que l'élégance, le respect du texte, et la parfaite assimilation du discours dont Krauss fait preuve, placent ses interprétations au plus haut niveau.

Plus démonstrative et extérieure que les précédentes, la version de Karajan démontre les qualités d'orchestrateur de Strauss.

Chez Boehm, la phrase est ample, l'orchestre superbissime, mais il manque un léger supplément de vie, d'animation au discours.

Solti dans ses œuvres, et un disque de soixante-neuf minutes ! A retenir pour le programme proposé, mais aussi pour une interprétation de haute volée, d'une extrême virtuosité technique.

Anthologie en dix disques : Ainsi parlait Zarathoustra, Aus Italien, Don Juan, Don Quichotte, La Légende de Joseph, Macbeth, Métamorphoses, Salomé (Danse des sept voiles), Sinfonia Domestica, Suite de danses d'après Couperin, Symphonie alpestre, Till Eulenspiegel, La Vie d'un héros.

*** Orch. Staatskapelle de Dresde, Rudolf Kempe. EMI VSM C 165-53.260/69 (10 d.). Enregistré en 1973.

Suivant les mœurs de l'édition littéraire, la mode est aux intégrales. Voici donc un ensemble cohérent des principales œuvres que Richard Strauss a dédiées à l'orchestre, servies avec fidélité, par un grand chef méconnu. La prise de son rend parfaitement justice, d'une part à une musique où le raffinement des timbres et les plans sonores sont essentiels, d'autre part à la pâte sonore d'un orchestre bien adapté à la musique de Strauss.

Anthologie en cinq disques : Don Quichotte, Mort et Transfiguration, Don Juan, Le Bourgeois Gentilhomme, Interlude d'Intermezzo, Valses du Chevalier à la Rose, Till Eulenspiegel, Musique de Fête japonaise, La Vie d'un héros.

*** Orch. Staatsoper de Berlin, Orch. National de Bavière, Orch. Phil. de Berlin, Richard Strauss. DG 2740.160 (5 d.). Mono. Enregistré de 1926 à 1941.

C'est l'un des grands mérites du disque que d'avoir préservé le témoignage des compositeurs de notre temps interprétant leurs œuvres. Strauss, qui fut un maître chef d'orchestre, «se» dirige avec une clarté, un refus de l'emphase qui sont à des lieues de trop d'interprétations tonitruantes. Excellents reports des 78 t. originaux.

Anthologie en deux disques : Ainsi parlait Zarathoustra, Prélude solennel,

Till Eulenspiegel, Salomé (Danse des sept voiles), Don Juan, Valses du Chevalier à la Rose.

** Orch. Phil. de Berlin, Karl Boehm. DG 2726.028 (2 d.). Enregistré de 1958 à 1964.

Boehm fut l'un des disciples et amis de Strauss. Avec le concours de la Philharmonie de Berlin, il donne une lecture sérieuse, d'une belle transparence. Album série économique.

Arabella.

*** Lisa della Casa (Arabella), Dietrich Fischer-Dieskau (Mandryka), Anneliese Rothenberger (Zdenka), Georg Paskuda (Matteo), Ira Malaniuk (Adelaïde), Karl Christian Kohn (le Comte), Orch. de l'Opéra de Bavière, Josef Keilberth. DG 2721.163 (3 d.). Enregistré en 1964.

** Lisa della Casa (Arabella), George London (Mandryka), Hilde Gueden (Zdenka), Anton Dermota (Matteo), Ira Malaniuk (Adelaïde), Otto Edelmann (le Comte), Orch. Phil. de Vienne, Georg Solti. Decca 390.389 (3 d.). Enregistré en 1960.

Par la grâce du texte superbe de Hofmannstahl, et du sens inné de la courbe mélodique du compositeur, *Arabella* est l'un des plus émouvants opéras qui soient. Les deux versions sont difficiles à départager. La direction d'orchestre de Keilberth, immense artiste méconnu, la présence de Fischer-Dieskau, et surtout le fait que sa distribution a rodé l'œuvre à la scène placent cet enregistrement au premier plan.

Moins spontané, l'enregistrement de studio, qui comporte la même della Casa dans le rôle titre, vaut par la sonorité de l'orchestre, un ensemble de seconds rôles mieux tenu que dans la version Keilberth. London, plus fruste, fournit néanmoins à une della Casa unique, une réplique équivalente à celle de Fischer-Dieskau.

Arabella, sélection.

** Elisabeth Schwarzkopf (Arabella), Josef Metternich (Mandryka), Annie Felbermeyer (Zdenka), Nicolaï Gedda (Matteo), Orch. Philharmonia, Lovro von Matacic. EMI VSM C 037-03.297. Mono. Enregistré en 1954.

Dans cette unique trace disponible en France, la présence rayonnante de Schwarzkopf et son «chic» inimitable.

Ariane à Naxos.

❀*** Elisabeth Schwarzkopf (Ariane), Rudolf Schock (Bacchus), Rita Streich (Zerbinette), Irmgard Seefried (le Compositeur), Karl Dönch (Arlequin), Hugues Cuénod (Scaramouche), Orch. Philharmonia, Herbert von Karajan. EMI VSM C 153-03.520/22 (3 d.). Enregistré en 1954. Mono.

*** Leontyne Price (Ariane), René Kollo (Bacchus), Edita Gruberova (Zerbinette), Tatiana Troyanos (le Compositeur), Barry McDaniel (Arlequin), Kurt Equiluz (Scaramouche), Orch. Phil. de Vienne, Georg Solti. Decca D 103 D3 (3 d.). (G-B). Enregistré en 1978.

*** Leonie Rysanek (Ariane), Jan Peerce (Bacchus), Roberta Peters (Zerbinette), Sena Jurinac (le Compositeur), Walter Berry (Arlequin), Kurt Equiluz (Scaramouche), Orch. Phil. de Vienne, Erich Leinsdorf. RCA 2 BB 112/4 (3 d.) (G-B). Enregistré en 1961.

Mieux que quiconque, Karajan a su traduire cette œuvre-mosaïque, qui introduit la notion de théâtre-dans-le-théâtre dans le domaine lyrique, et qui ne comporte pas d'action dramatique, mais plutôt une action poétique et musicale. Dans le rôle du Compositeur du Prologue, où Strauss dépeint la mission de l'artiste, Seefried est unique. Rita Streich, Elisabeth Schwarzkopf complètent, si l'on peut dire, la distribution.

Les œuvres lyriques de Strauss conviennent à merveille aux qualités de la direction d'orchestre de Solti : clarté, lisibilité d'une polyphonie savante, respect des plans sonores. Une distribution de choix : Kollo dans un rôle qu'il ne peut chanter à la scène, mais convaincant au disque, Troyanos qui fait du Compositeur un personnage proche de l'Octave du *Chevalier*, ce qui n'est pas une erreur, et Gruberova, qui possède les qualités vocales et l'abattage du rôle de Zerbinette.

Avec Sena Jurinac, c'est un autre Compositeur émouvant et passionné. Rysanek est une Ariane rayonnante, mais dans le rôle de Bacchus, Jan Peerce ne possède pas la vaillance nécessaire, et la voix acidulée de Roberta Peters est assez désagréable. La direction d'orchestre de Leinsdorf à la tête de la Philharmonie de Vienne vaut mieux que la (mauvaise) réputation de ce chef.

Aus Italien, fantaisie symphonique.

** Orch. Phil de Vienne, Clemens Krauss. Decca ECS 610 (G-B). Mono. Enregistré en 1954.

Disponible en Grande-Bretagne, le disque de Clemens Krauss n'est concurrencé en France par aucune autre version, l'anthologie Kempe exceptée (mais en dix disques). Œuvre de jeunesse, marquée par l'influence de l'Italie sur la sensibilité de Strauss, *Aus Italien* exige une grande pureté de style : c'est l'une des caractéristiques de l'art de Krauss.

Burlesque, pour piano et orchestre.

❀*** Rudolf Serkin (piano), Orch. de Philadelphie, Eugene Ormandy. CBS MS 7.423. (USA). Enregistré en 1970. *+ Schumann : Introduction et Allegro. Mendelssohn : Capriccio.*

*** Byron Janis (piano), Orch. Symph. de Chicago, Fritz Reiner. RCA CCV 5051 (G-B). Enregistré en 1961. *+ Don Juan, Suite de Valses du Chevalier à la Rose.*

** Jean Hubeau (piano), Orch. Symph. de Bamberg, Theodor Guschlbauer. Erato MUS 19.044. ⌧ MCE 19.044. Enregistré en 1973. *+ Suite d'orchestre d'après le Chevalier à la Rose, Fanfare pour la Philharmonie de Vienne.*

Le grand Serkin, dans un programme homogène, consacré à des œuvres brillantes (et vétilleuses), fait preuve d'une agilité et d'une spontanéité tout à fait en situation. Disponible uniquement aux Etats-Unis.

Le disque de Byron Janis est présenté (en Angleterre seulement) dans un nouveau couplage. La *Rapsodie sur un thème de Paganini* de Rachmaninov a été remplacée par une lecture transcendante de *Don Juan* et par la Suite du *Chevalier*. Le pianiste, moins heureux ailleurs, fait preuve d'une autorité égale à celle du chef.

Le pianiste français Jean Hubeau trouve un ton, fait preuve d'une belle virtuosité, magnifiquement soutenu par un chef qui mène une carrière prudente, mais dont tous les enregistrements sont pensés. En complément, l'œuvre de commémoration écrite pour le célèbre orchestre viennois, et le ballet tiré par Antal Doráti du *Chevalier à la Rose.*

Capriccio.

❀*** Elisabeth Schwarzkopf (la Comtesse), Eberhard Waechter (le Comte), Nicolaï Gedda (Flamand), Dietrich Fischer-Dieskau (Olivier), Christa Ludwig (Clairon), Hans Hotter (La Roche), Anna Moffo (une Chanteuse italienne), Orch. Philharmonia, Wolfgang Sawallisch. EMI VSM World Record Club SOC 230/2 (3 d.) (étr.). Mono. Enregistré en 1957.

*** Gundula Janowitz (la Comtesse), Dietrich Fischer-Dieskau (le Comte), Peter Schreier (Flamand), Hermann Prey (Olivier), Tatiana Troyanos (Clairon), Karl Ridderbusch (La Roche), Arleen Auger (une Chanteuse italienne), Orch. Symph. de la Radio Bavaroise, Karl Boehm. DG 2709.038 (3 d.). Enregistré en 1972.

L'enregistrement dirigé par Sawallisch a un parfum de Paradis perdu : le générique réunit tous les grands chanteurs d'une époque. Pour cette œuvre rare, à la croisée de la Comédie et du Drame, correspondance des écrits de Schnitzler ou des films de Lubitsch, la présence d'interprètes-acteurs, tous parfaitement maîtres du style viennois, est irremplaçable. La référence. A jamais ?...

Treize ans plus tard que Sawallisch, avec Boehm, la meilleure distribution possible. De beaux moments, mais René Clair n'est pas Lubitsch, le talent n'est pas le génie.

Le Chevalier à la Rose.

❀*** Elisabeth Schwarzkopf (la Maréchale), Teresa Stich-Randall (Sophie), Christa Ludwig (Octave), Otto Edelmann (le Baron Ochs), Eberhard Waechter (Faninal), Paul Kuen (Valzacchi), Nicolaï Gedda (le Ténor italien), Ch. et Orch. Philharmonia, Herbert von Karajan. EMI

VSM C 165-00.459/62 (4 d.). Enregistré en 1956.

*** Maria Reining (la Maréchale), Hilde Gueden (Sophie), Sena Jurinac (Octave), Ludwig Weber (le Baron Ochs), Alfred Poell (Faninal), Peter Klein (Valzacchi), Anton Dermota (le Ténor italien), Ch. de l'Opéra de Vienne, Orch. Phil. de Vienne, Erich Kleiber. Decca 4 BB 115/8 (4 d.) (G-B). Mono. Enregistré en 1954.

*** Christa Ludwig (la Maréchale), Lucia Popp (Sophie), Gwyneth Jones (Octave), Walter Berry (le Baron Ochs), Ernst Gutstein (Faninal), Murray Dickie (Valzacchi), Placido Domingo (le Ténor italien), Ch. de l'Opéra de Vienne, Orch. Phil. de Vienne, Leonard Bernstein. CBS 77.416 (4 d.). Enregistré en 1971.

** Régine Crespin (la Maréchale), Helen Donath (Sophie), Yvonne Minton (Octave), Manfred Jungwirth (le Baron Ochs), Otto Wiener (Faninal), Murray Dickie (Valzacchi), Luciano Pavarotti (le Ténor italien), Ch. de l'Opéra de Vienne, Orch. Phil. de Vienne, Georg Solti. Decca 390.046 (4 d.) Enregistré en 1969.

La version Karajan du *Chevalier* est l'équivalent du *Capriccio* de Sawallisch. Le disque ne nous a donné, ni avant, ni après, un trio féminin de ce niveau, et ce critère est déterminant. Il est de bon ton (?), aujourd'hui, de reprocher à cet enregistrement, à ses solistes, au chef d'orchestre leur raffinement. Or, Hofmannstahl écrivait une littérature raffinée et Richard Strauss une musique raffinée. On peut souligner enfin que les artistes se sont, et nous ont, fait plaisir en enregistrant, eux-mêmes, un certain nombre de seconds rôles.

C'est la direction d'orchestre d'Erich Kleiber qui est dans son enregistrement, moins satisfaisant sur le plan vocal, la référence absolue, par son style, sa précision rythmique et pour tout dire son élégance. Encore que nous ayons en Ludwig Weber le meilleur Ochs, vocalement parfait et libidineux à plaisir, et en Sena Jurinac un Octave idéal, qui exprime toute l'ardeur et la sensualité débutante du personnage.

La version de Bernstein est mal aimée, à tort. Cet enregistrement a été effectué dans le souvenir de représentations qui ont triomphé à Vienne. La direction de Bernstein est confondante de vie et de mouvement. La Maréchale de Ludwig est dans la lignée de celle de Schwarzkopf, forgée par le style viennois du chant. Popp est une touchante Sophie, Jones un Octave frémissant et Berry un Ochs sans surprise.

La version de Solti est très prisée, un peu à tort. L'ensemble manque de ce charme viennois particulier que l'on peut adorer ou aborrher. Crespin fait des prodiges. La voix n'est pas contestable, mais ce monde lui échappe sur le plan de l'expression. Solti fait des prodiges à la tête de la Philharmonie de Vienne que l'on retrouve trois fois sur quatre versions citées, mais c'est un chef à qui il faut une certaine violence dramatique et qui fait rarement dans la demi-teinte. Le reste de la distribution est excellent.

Chœurs a capella.

** Chorale Heinrich Schütz, Roger Norrington. Argo ZRG 803 (G-B). Enregistré en 1975.

Ce disque présente la totalité de l'œuvre chorale de Strauss, deux chants, et les Motets allemands d'après des textes de Rückert. Interprétation fervente d'une parmi les nombreuses chorales anglaises toutes de qualité. La veine la moins convaincante, cependant, de Strauss.

Les Concertos pour divers instruments et orchestre : Concertos pour cor nos 1 et 2, pour hautbois et petit orchestre, pour violon, double concertino pour clarinette, basson, harpe et cordes, Panathenäenzug pour piano (main gauche), Parergon à la Sinfonia Domestica pour piano (main gauche).

** Peter Damm (cor), Manfred Clément (hautbois), Ulf Hoelscher (violon), Manfred Weise (clarinette), Wilhelm Liebscher (basson), Peter Rösel (piano), Orch. Staatskapelle de Dresde, Rudolf Kempe. EMI VSM SLS 5067 (4 d.) (étr.). Enregistré en 1975.

Huit pièces concertantes, écrites pour les instruments les plus divers, et qui jalonnent toute la carrière de compositeur de Strauss : soixante années séparent la composition des deux Concertos pour cor. L'interprétation vaut pour le chef qui a eu le temps, avant sa mort, de mener à bien une intégrale de premier plan, et pour certains solistes : le pianiste, mal connu en Europe occidentale, et le corniste. Le timbre du hautboïste est, quant à lui, très ingrat. Une face cachée, mais importante, du génie de Strauss.

Concertos pour cor et orchestre nos 1 et 2.

*** Dennis Brain (cor), Orch. Philharmonia, Wolfgang Sawallisch. EMI VSM HLS 7001 (G-B). Enregistré en 1957.

** Barry Tuckwell (cor), Orch. Symph. de Londres, Istvan Kertesz. Decca JB 17 (G-B). Enregistré en 1967. + *Franz Strauss : Concerto pour cor et orchestre.*

Fils d'un corniste émérite, dont il rappelle qu'il jouait des journées entières l'Appel de Siegfried, Richard Strauss se vengea en écrivant deux Concertos d'une prodigieuse difficulté technique. Interprétation idéale de Dennis Brain, lui-même fils d'un illustre corniste : vaillance et virtuosité. L'accompagnement attentif de Sawallisch est également un modèle. L'absence (momentanée ?) en France de tout disque regroupant les deux Concertos est déplorable.

La version de Tuckwell, outre ses qualités intrinsèques, est attachante, car elle comporte en complément une œuvre de Franz Josef Strauss, le père de Richard, également vétilleuse, écrite pour le cor à tons qui précéda l'invention du cor en fa à pistons. La réputation de l'école anglaise de cor n'est plus à faire. Tuckwell ajoute une note de truculence à ces œuvres essentielles à la compréhension du musicien.

Concerto pour cor n° 2. Concerto pour hautbois.

** Norbert Hauptmann (cor), Lothar Koch (hautbois), Orch. Phil. de Berlin, Herbert von Karajan. DG 2530.439. Enregistré en 1973.

Karajan tempère quelque peu le lyrisme du Concerto pour cor, joué avec vélocité et une belle précision d'attaque. De surcroît, le seul disque disponible en France comportant une des deux œuvres pour cor. Rappelons l'interprétation de tout premier plan de Peter Damm dans le coffret intégral. Dans le Concerto pour hautbois, le timbre de Lothar Koch est exceptionnel.

Daphné.

** Hilde Gueden (Daphné), Vera Little (Gaea), Fritz Wunderlich (Leukippos), Paul Schoeffler (Peneïos), James King (Apollon), Ch. de l'Opéra de Vienne, Orch. Symph. de Vienne, Karl Boehm. DG 2721.190 (2 d.) (R.F.A.). Enregistré en 1965.

Karl Boehm est le créateur de l'ouvrage qui n'est pas le meilleur opéra de Strauss et où les «A la manière de Strauss» abondent. Son succès international est d'ailleurs limité. Cette version vaut pour les incarnations d'exception de Wunderlich, Schoeffler, King, et la touchante Daphné de Gueden.

Don Juan, poème symphonique.

❀*** Orch. Phil. de Berlin, Wilhelm Furtwängler. DG 2535.816 (étr.). Mono (origine 78 t.). Enregistré en 1943 et 1947. + *Till Eulenspiegel, Métamorphoses.* Ou DG 2721.202 (10 d.). Mono. + *Beethoven, Brahms, Bruckner, Furtwängler, Haydn, Mozart, Schubert, Schumann, R. Strauss, Wagner.*

❀*** Orch. Phil. de Vienne, Clemens Krauss. Decca ECS 608 (G-B). Mono. Enregistré en 1952. + *Le Bourgeois Gentilhomme.*

*** Orch. Phil. de Vienne, Wilhelm Furtwängler. EMI VSM Da Capo C 027-01.155. Mono. Enregistré en 1954. + *Till Eulenspiegel, Mort et Transfiguration.*

*** Orch. Symph. de Chicago, Fritz Reiner. RCA CCV 5051 (G-B). Enregistré en 1961. + *Burlesque, Valses du Chevalier à la Rose.*

*** Orch. Symph. NBC, Arturo Toscanini. RCA AT 105 (étr.). Enregistré en 1951 et 1952. + *Mort et Transfiguration, Till Eulenspiegel.*

** Orch. Staatskapelle de Dresde, Rudolf Kempe. EMI VSM C 165-53.260/69 (10 d.). Enregistré en 1973. + *Œuvre symphonique.*

** Orch. Symph. de Chicago, Georg Solti. Decca 591.120. Enregistré en 1975. + *Ainsi parlait Zarathoustra, Till Eulenspiegel.*

** Orch. Phil. de Berlin, Herbert von Karajan. DG 2530.349. Enregistré en 1974. + *Till Eulenspiegel, Danse des sept voiles de Salomé.*

Entre Furtwängler et Strauss, il s'agit d'affinités électives. L'humanisme de Strauss, inspiré par les grands mythes de la littérature et les grands thèmes de la philosophie, ne pouvait que tenter un artiste qui, dans ses écrits, a constamment parlé du message que l'interprète se doit de communiquer. L'enregistrement de 1943 illustre la «seconde manière» du style de Furtwängler : la tension et les contrastes sont privilégiés.

Clemens Krauss propose une lecture élégante, aristocratique. La prise de son monophonique est une réelle spendeur, et flatte les timbres de la Philharmonie de Vienne. Autre alternative, avec *le Bourgeois Gentilhomme,* déjà sélectionné.

Lorsqu'il enregistrait en studio, après la guerre, Furtwängler le faisait pour la postérité. Les contrastes sont moins accusés, le climat est moins dramatique. Le couplage sera un autre élément de choix entre deux versions d'un niveau identique.

Avec le disque de Fritz Reiner, déja mentionné pour la *Burlesque* pour piano, une version transcendante, au sens fort et littéral du mot.

La vision de Toscanini d'un programme identique au deuxième disque de Furtwängler. La comparaison s'arrête là. Le célébrissime Maestro présente un Strauss vivace, transparent, et la fidélité au texte est comme toujours, exemplaire. Un disque dont la réédition française s'impose.

L'intégrité de Kempe soulignée également pour *Zarathoustra,* et une splendide prise de son, placent sa version après les documents précédents, tous anciens bien que parfaitement audibles.

La main de fer de Solti : une conception très sérieuse, ce qui est concevable.

Le programme choisi par Karajan peut avoir ses chances, même si la célèbre Danse des sept voiles n'est pas, tant s'en faut, la meilleure page de Strauss. La pâte sonore des musiciens berlinois convient parfaitement à l'orchestration massive et raffinée tout à la fois de l'auteur de *Zarathoustra.*

Don Quichotte, poème symphonique pour violoncelle et alto solistes.

❀*** Mstislav Rostropovitch (violoncelle), Ulrich Koch (alto), Orch. Phil. de Berlin, Herbert von Karajan. EMI VSM C 069-02.641. Enregistré en 1976.

*** Pierre Fournier (violoncelle), Abraham Skernik (cor), Orch. Symph. de Cleveland, George Szell. CBS Odyssey Y 32.224 (USA). Enregistré en 1962.

*** Pierre Fournier (violoncelle), Ernst Morawec (cor), Orch. Phil. de Vienne, Clemens Krauss. Decca ECS 609 (G-B). Mono. Enregistré en 1954.

** Antonio Janigro (violoncelle), Orch. Symph. de Chicago, Fritz Reiner. RCA VICS 1561 (USA). Mono. + *Valses du Chevalier à la Rose.*

Karajan, Rostropovitch et les instrumentistes berlinois livrent une version exemplaire et sublime. Il est trop de disques de «stars» manqués pour ne pas souligner pareille réussite. Le ton exact de cette autre méditation sur un grand mythe littéraire, par laquelle Strauss exprime sa tendresse pour l'idéaliste déçu, est trouvé, d'emblée. La mort de Don Quichotte, à la fin de l'œuvre, est un moment inoubliable.

Face à l'engagement de Karajan, Szell est plus pudique. Face à l'exubérance de Rostropovitch, Fournier est plus intérieur. Une perfection stylistique totale.

Clemens Krauss possède l'élégance d'un Grand d'Espagne. On retrouve Pierre Fournier, plus jeune, et la Philharmonie de Vienne magnifiquement captée, en monophonie, en 1954.

Le violoncelle solo est moins parfait techniquement, mais Reiner traduit le sens et l'envolée de la phrase straussienne. En complément, la suite de Valses du *Chevalier à la Rose.*

Elektra.

*** Inge Borkh (Elektra), Lisa della Casa (Chrysotemis), Max Lorenz (Egisthe), Kurt Boehme (Oreste), Jean Madeira (Clytemnestre), Orch. Phil. de Vienne, Dimitri Mitropoulos. Cetra LO 83 (2 d.). Mono. Enregistré en 1957.

*** Birgit Nilsson (Elektra), Marie Collier (Chrysotemis), Gerhard Stolze (Egisthe), Tom Krause (Oreste), Regina Resnik (Clytemnestre), Orch. Phil. de Vienne, Georg Solti. Decca 390.044 (2 d.). Enregistré en 1967.

** Inge Borkh (Elektra), Marianne Schech (Chrysotemis), Fritz Uhl (Egisthe), Dietrich Fischer-Dieskau (Oreste), Jean Madeira (Clytemnestre), Orch. de l'Opéra de Dresde, Karl Boehm. DG 2707.011 (2 d.). Enregistré en 1961.

Enregistrée au Festival de Salzbourg, la version Cetra possède trois atouts majeurs : la performance d'Inge Borkh, survoltée, la direction sans égale de Mitropoulos, exacerbée mais constamment maîtrisée, la Chrysotemis bouleversante de della Casa. Le son est très correct. Mais elle possède deux défauts, l'Oreste conventionnel de Böhme et l'absence cruelle du texte, capital, de Hofmannstahl.

Une Nilsson sidérante, qui se joue de la prodigieuse difficulté du rôle, un Solti qui galvanise la Philharmonie de Vienne, une prise de son qui ne laisse rien au hasard d'une masse sonore complexe, et la présence du texte, tout au moins dans sa langue originale et sa traduction française, placent cette édition à un niveau identique. Importation aisée. Resnik est la meilleure Clytemnestre de la confrontation, d'une totale noirceur.

A nouveau Inge Borkh, mais comme tempérée par la direction de Boehm, claire et moins paroxystique. Fischer-Dieskau est le plus impressionnant Oreste de la discographie ; malheureusement, Chrysotemis est bien mal défendue.

La Femme sans ombre.

*** Jess Thomas (l'Empereur), Ingrid Bjoner (l'Impératrice), Martha Mödl (la nourrice), Dietrich Fischer-Dieskau (Barak), Inge Borkh (la femme de Barak), Orch. de l'Opéra d'Etat de Bavière, Josef Keilberth. DG 2721.161 (4 d.). Enregistré en 1963.

*** Hans Hopf (l'Empereur), Leonie Rysanek (l'Impératrice), Elisabeth Höngen (la nourrice), Paul Schoeffler (Barak), Christel Goltz (la femme de Barak), Orch. Phil. de Vienne, Karl Boehm. Decca 591.132 (4 d.) (G-B). Enregistré en 1956.

C'est le grand mérite de Keilberth que d'avoir su donner à l'œuvre une cohésion que ni le livret, ni la musique ne rendent évidente. La tâche des interprètes est donc délicate. Ils sont tous ici remarquables, exception faite de l'Impératrice, qui manque un peu d'éclat vocal et de rayonnement intérieur.

Deux caractérisations se détachent de la version de Boehm, qui se joue, lui aussi, des difficultés avec brio (notamment dans l'immense final concertant), et dont *la Femme sans ombre* est une œuvre fétiche : l'Impératrice, par la grâce du timbre, du volume et de la technique vocale de Rysanek, et le teinturier Barak de Paul Schoeffler, généreux et émouvant.

La Femme silencieuse.

** Theo Adam (Sir Morosus), Annelies Burmeister (Theodosia), Jeanette Scovotti (Aminta), Wolfgang Schöne (Pancrace Rasepoil), Carola Nossek (Isotta), Klaus Hirte (Morbio), Ch. de l'Opéra de Dresde, Orch. Staatskapelle de Dresde, Marek Janowski. EMI VSM C 167-03.534/6 (3 d.). Enregistré en 1977.

Décidément chanceux avec ses librettistes, c'est Stefan Zweig qui a adapté pour Strauss une pièce de l'élisabéthain Ben Jonson. Bonne réalisation d'une équipe est-allemande, sans vedettes, Theo Adam mis à part. C'est récemment que cet ouvrage a eu les honneurs du disque. Il ne faut donc pas désespérer de connaître un jour prochain un enregistrement intégral de *Danaë*, *Jour de Paix* ou *Intermezzo*, d'autant que l'on vient d'annoncer une *Hélène d'Egypte*, non encore commercialisée en France.

Hélène d'Egypte.

*** Gwyneth Jones (Hélène), Matti Katsu (Ménélas), Barbara Hendricks (Aïthra), Chorale Kenneth Jewell, Orch. Symph. de Detroit, Antal Doráti. Decca 390.170 (3 d.). Enregistré en 1979.

Réhabilitation magistrale de cette *Hélène d'Egypte* qui a suscité des réactions contradictoires. Doráti nous la restitue dans toute sa beauté, dans toute sa force et nous montre que bien loin d'avoir composé ici une musique «facile», Strauss, au contraire, fait preuve de quelques-unes de ses plus belles inspirations mélodiques et orchestrales. La performance de Gwyneth Jones dans le rôle d'Hélène est tout simplement extraordinaire. Seul, le ténor Matti Katsu paraît en retrait d'une distribution par ailleurs aussi exemplaire qu'homogène.

Intermezzo.

** Lucia Popp (Christine), Dietrich Fischer-Dieskau (Robert Storch), Adolf Dallapozza (Baron Lumner), Gabriele Fuchs (Anne), Klaus Hirte (le Notaire), Orch. Symph. de la Radio Bavaroise, Wolfgang Sawallisch. EMI VSM C 165-30.983/85 (3 d.).

Sur une trame proche de notre actuelle comédie de boulevard - une authentique histoire de ménage -, Strauss a composé son huitième opéra, *Intermezzo.* Si l'orchestre, extrêmement fouillé, au lyrisme généreux, rappelle les œuvres précédentes, le traitement des voix, en revanche, s'en écarte nettement et s'apparente davantage à la conversation en musique que magnifiera *Capriccio.* De l'équipe ici réunie, distinguons une fois encore la composition époustouflante de Dietrich Fischer-Dieskau dans le personnage de Robert Storch. Quant à Lucia Popp (Christine), elle brosse un portait attendrissant, mais sa voix trop légère privilégie l'aspect frivole du personnage plutôt qu'elle ne révèle l'angoissante tension de cette épouse torturée.

Mélodies avec piano : «Richard Strauss accompagnateur». Choix de mélodies.

*** Anton Dermota (t), Hilde Konetzni (s), Alfred Poell (b), Maria Reining (s), Lea Piltti (s), Richard Strauss (piano). Preiser PR 3261 et 3262 (2 d.) (RFA). Mono (origine 78 t.). Enregistré en 1942 et 1943.

Mélodies avec piano : choix de dix-neuf mélodies.

*** Dietrich Fischer-Dieskau (bar), Gerald Moore (piano). EMI Angel S-36.483 (USA).

Mélodies avec piano : choix de cinq mélodies.

** Hans Hotter (b), Geoffrey Parsons (piano). Decca SXL 6.738 (G-B). Enregistré en 1976. *+ Mélodies de Loewe, Wolf et Brahms.*

Strauss accompagnateur : plus qu'un simple document. Provenant d'émissions de radio, donc dans une bonne qualité sonore, les voix choisies et accompagnées par le compositeur pour interpréter trente-six de ses mélodies. Strauss dédia à la voix humaine, féminine surtout, quelques-unes de ses plus émouvantes possibilités d'épanouissement. Deux disques essentiels illustrant un aspect essentiel du compositeur.

L'anthologie de Fischer-Dieskau (qui a, en outre, enregistré toutes les mélodies de Strauss) offre un autre panorama, choisi par un seul chanteur, et lequel, aussi convaincant que dans les œuvres-sœurs de Schubert ou Schumann. La complicité, la communion avec le pianiste sont totales, comme toujours.

Hans Hotter, autre grand artiste, enregistré au terme de sa carrière, dans des œuvres proches de son cœur, et proches les unes des autres par l'esprit. La voix est certes éprouvée, mais le sens de la traduction du texte, et de sa musique, intact.

Sept Mélodies avec orchestre.

*** Elisabeth Schwarzkopf (s), Orch. Symph. de Londres, George Szell. EMI VSM C 063-01.959. Enregistré en 1968. *+ Airs de concert de Mozart.*

Cinq Mélodies avec orchestre.

** Fritz Wunderlich (t), Orch. Symph. de la Radio Bavaroise, Jan Koestsier. Philips 6501.012. Enregistré en 1963. *+ Mélodies de Beethoven et de Haydn.*

Egale interprète de Mozart et Strauss, Elisabeth Schwarzkopf, à nouveau conduite par Szell, a réuni ces deux compositeurs dont la filiation est plus étroite qu'il n'y paraît. Le style, l'art du chant à leur degré suprême.

Voix unique, trop tôt disparue et qui convenait admirablement a cette musique, Fritz Wunderlich fait précéder dans ce programme de concert les mélodies de Strauss par le cycle de Beethoven *A la Bien-aimée lointaine,* et des pages de Haydn.

Métamorphoses, pour 23 instruments à cordes.

❀*** Orch. Phil. de Berlin, Wilhelm Furtwängler. DG 2530.816 (étr.). Mono (origine 78 t.). Enregistré en 1947. *+ Till Eulenspiegel, Don Juan.*

*** Orch. Symph. de Bamberg, Clemens Krauss. Amadeo 6529.108. Mono. Enregistré en 1953. + *Valses du Chevalier à la rose, Interlude de Capriccio.*

Blessé, meurtri physiquement et moralement par les épreuves de la Seconde Guerre mondiale, Furtwängler a laissé un témoignage irremplaçable de cette œuvre désespérée, écrite par un compositeur lui-même accablé par le cataclysme. La simplicité de l'écriture musicale est livrée dans toute sa nudité.

La version Clemens Krauss est d'une beauté émouvante et pleine de gravité, même si le déchirement et l'accablement du compositeur y apparaissent de manière moins évidente que chez Furtwängler.

Mort et transfiguration, poème symphonique.

*** Orch. Phil. de Vienne, Wilhelm Furtwängler. EMI VSM Da Capo C 027-01.155. Mono. Enregistré en 1950. + *Don Juan, Till Eulenspiegel.*

*** Orch. Symph. NBC, Arturo Toscanini. RCA AT 105 (étr.). Mono. Enregistré en 1954. + *Don Juan, Till Eulenspiegel.*

*** Orch. Phil. de Vienne, Fritz Reiner. Decca ECS 674 (G-B). Enregistré en 1959. + *Till Eulenspiegel.*

** Orch. Phil. de Berlin, Herbert von Karajan. DG 2530.368. ⌧ 3300.421. Enregistré en 1973. + *Quatre derniers Lieder.*

A nouveau, le ton irremplaçable de Furtwängler pour ce récit, mis en musique, de l'agonie d'un moribond, puis de son entrée dans le monde céleste. Seul un chef d'envergure peut donner le poids nécessaire à une œuvre facilement superficielle.

Toscanini fait fi des nombreuses sollicitations d'une partition qui témoigne d'un étonnant savoir-faire, et dont l'impact sur le public ne s'est jamais démenti depuis sa création. La prise de son, plus réussie que celle de la version que le même chef réalisa avec l'Orchestre de Philadelphie, mais assez sèche, accentue encore l'acuité de la direction d'orchestre.

L'évidence de Reiner : ce chef tire, lui aussi, le meilleur parti d'une musique qui, trop souvent, donne lieu au pire.

«Intellectuelle» et raffinée, la lecture de Karajan fait une large place au souci de la mise en place et au dosage des plans sonores. Au verso, une prosaïque version des ultimes mélodies de Strauss.

Quatre derniers Lieder.

❀*** Elisabeth Schwarzkopf (s), Orch. Philharmonia, Otto Ackermann. EMI VSM C 061-01.208. Mono. Enregistré en 1953. + *Malher : Lieder eines fahrenden Gesellen.*

❀*** Lisa della Casa (s), Orch. Phil. de Vienne, Karl Boehm. Decca 592.102. Mono. Enregistré en 1953. + *Ariane à Naxos, Capriccio.*

❀*** Elisabeth Schwarzkopf (s), Orch. Radio-Symph. de Berlin, George Szell. EMI VSM C 069-00.608. ⌧ C 269-00.608. Enregistré en 1965. + *5 autres Mélodies avec orchestre.*

* Gundula Janowitz (s), Orch. Phil. de Berlin, Herbert von Karajan. DG 2530.368. ⌧ 3300.421. Enregistré en 1973. + *Mort et transfiguration.*

Sous l'impulsion de son mari, Walter Legge, le plus grand directeur artistique de l'histoire du disque, Elisabeth Schwarzkopf enregistrait à l'aube du microsillon la première version des *Quatre derniers Lieder* de Strauss. Si l'enregistrement qu'elle en refit plus tard, avec Georg Szell, met davantage l'accent sur le soleil couchant qui illumine un monde qui s'éteint, celui-ci est empreint d'une fraîcheur vocale, d'une sensibilité écorchée dans la sophistication du discours qui en font une date de l'histoire de l'interprétation.

«Au soir de sa vie, Strauss revient à la voix de femme tant aimée. Pour l'exalter une dernière fois, il la revêt d'une somptueuse parure orchestrale» (Antoine Goléa). Incomparablement accompagnée, della Casa donne juste ce qu'il faut, le dosage exact entre le raffinement et la candeur, de ce dernier élan vers la vie.

La seconde en date des versions de Schwarzkopf est plus directement douloureuse. Soliste et chef d'orchestre cisèlent chaque mélodie avec un art consommé.

Avec Janowitz, une autre version de «stars», elle aussi décevante. Tout est beau, bien fait, mais il ne se passe rien, désespérément rien. Le document historique, mais de qualité plus que précaire, tiré d'un concert des deux créateurs de l'œuvre, Kirsten Flagstad et Wilhelm Furtwängler, a été écarté de cette confrontation.

Quatuor avec piano en ut mineur op. 13.

* Klavierquartett di Milano. Accord 140.016. Enregistré en 1979.

Les inconditionnels de Richard Strauss écouteront avec intérêt cet *Opus 13* qui évolue dans l'ombre de trois génies : celui de Brahms dans l'*Allegro*, de Wagner puis de Mendelssohn dans le *Scherzo ;* un bien pâle reflet de Ludwig Spohr transparaît dans l'*Adagio*, qui n'est pas sans bavardage, enfin Strauss lui-même dans le *Finale* à la facétieuse vivacité. Regrettons que la prestation des interprètes de cette rareté musicale ne soit pas, malheureusement, tout à fait au niveau de leurs intentions.

Salomé.

❀*** Hildegard Behrens (Salomé), José van Dam (Jokanaan), Karl Walter Böhm (Hérode), Agnès Baltsa (Hérodias), Wieslaw Ochman (Narraboth), Orch. Phil. de Vienne, Herbert von Karajan. EMI VSM C 167-02.908/9 (2 d.). ⌧ TC SLS 5.139 (2 c.). Enregistré en 1978.

*** Christel Goltz (Salomé), Hans Braun (Jokanaan), Julius Patzak (Hérode), Margerita Kenney (Hérodias), Anton Dermota (Narraboth), Orch. Phil. de Vienne, Clemens Krauss. Decca 115.339/40 (2 d.) (sup.). Mono. Enregistré en 1953.

*** Birgit Nilsson (Salomé), Eberhard Waechter (Jokanaan), Gerhard Stolze (Hérode), Grace Hoffman (Hérodias), Waldemar Kmentt (Narraboth), Orch. Phil. de Vienne, Georg Solti. Decca 390.047 (2 d.). Enregistré en 1962.

** Inge Borkh (Salomé), Mack Harrell (Jokanaan), Ramon Vinay (Hérode), Blanche Thebom (Hérodias), Giulio Gari (Narraboth), Orch. du Metropolitan Opera de New York, Dimitri Mitropoulos. Cetra LO 82 (2 d.). Mono. Enregistré en 1958.

La version Karajan a été saluée, dans le monde entier, pour sa direction, la Salomé de Behrens, légère et vénéneuse, le Jokanaan de van Dam, et la prise de son. Tout cela est patent.

La voix de Goltz n'était pas impérissable, mais sa caractérisation est étonnante. Le Jokanaan n'est pas inoubliable, mais la direction d'orchestre est un modèle : Krauss conduit ce flot de sensualité comme une Symphonie de Mozart. L'Hérode de Patzak, faible, contradictoire et torturé, est inégalé.

Solti joue le jeu au premier degré, et la musique comme le texte de Wilde l'y autorisent. Nilsson chante le rôle écrasant de Salomé avec autant d'aisance que s'il s'était agi d'une chansonnette. Stolze en fait beaucoup dans Hérode, mais avec efficacité. Waechter est un prophète jeune, ce qui est la vérité du rôle.

Borkh est une Salomé idéale égale, à son *Elektra*. Vinay est un Hérode convaincant, malgré quelques difficultés vocales. La direction de Mitropoulos est évidente, parfaite synthèse entre la passion et le classicisme.

Sinfonia domestica.

*** Orch. Phil. de Berlin, Herbert von Karajan. EMI VSM C 069-02.445. Enregistré en 1973.

*** Orch. Phil. de Vienne, Clemens Krauss. Decca ECS 606 (G-B). Mono. Enregistré en 1952.

Le disque de Karajan s'impose pour trois raisons. Il s'agit d'une œuvre importante, aux antipodes de l'image d'un Strauss «extérieur», qui a recherché l'effet pour l'effet. L'interprétation est, elle aussi, à l'opposé de l'idée reçue d'un Karajan soucieux du vedettariat, habile, pour ne pas dire truqueur. Enfin, cette version est seule disponible sur le marché français.

Pour cette page intime, le témoignage de Krauss, qui vécut et connut l'intimité de Strauss. Uniquement disponible en Grande-Bretagne.

Suite, Sérénade et deux Sonatines pour instruments à vent.

* Harmonie de Chambre de la Musique des Gardiens de la Paix, Désiré Dondeyne. Arion ARN 336.019 (3 d.). Enregistré en 1979.

La Suite et la Sérénade, œuvres de jeunesse, sont écrites pour treize instruments à vent, formation à laquelle Mozart dédia l'un de ses chefs-d'œuvre. Avec la Suite, et sur les conseils de Bülow, Strauss fit ses débuts de chef d'orchestre : «Je dirigeai dans le brouillard, je sais seulement que je ne me suis pas fichu dedans. Comment ce fut à part cela, je ne saurais le dire», écrit-il. Les deux Sonatines de 1943 et 1945 s'intercalent entre les *Métamorphoses* et les *Quatre derniers Lieder*. Elles témoignent de l'attachement de Strauss aux timbres des instruments à vent. On regrettera, cependant, que le tout soit mené un tant soit peu «*manu militari*».

Symphonie alpestre.

* Orch. Staatskapelle de Dresde, Rudolf Kempe. EMI VSM C 063-02.341. Quadri. Enregistré en 1973.

La rigueur de Kempe est pour une fois un peu regrettable. Il s'agit là de l'une des plus grosses «machines» écrites par Strauss, et dont le succès fut fracassant. Comme nombre d'Allemands, et les artistes n'ont pas échappé à la règle, Strauss fut un alpiniste émérite. Dix ans après la *Sinfonia domestica*, dernier fleuron des grands Poèmes symphoniques, il retourne à la forme qui a fait sa gloire. «Tableau nocturne», «lever de soleil», «ascension», «sommet»... avec cor des Alpes, cloches de vaches, machines à vent et à tonnerre obligés.

Till Eulenspiegel, poème symphonique.

❀*** Orch. Phil. de Berlin, Wilhelm Furtwängler. DG 2535.816 (étr.). Mono (origine 78 t.). Enregistré en 1943. + *Don Juan, Métamorphoses*. Ou DG 2721.202 (10 d.). Mono. + *Beethoven, Brahms, Bruckner, Furtwängler, Haydn, Mozart, Schubert, Schumann, R. Strauss, Wagner*. Ou DG 2740.260 (6 d.). Mono. + *Beethoven, Bruckner, Haydn, Mozart, Schubert, Schumann, Wagner*.

❀*** Orch. Phil. de Vienne, Wilhelm Furtwängler. EMI VSM Da Capo C 027-01.155. Mono. Enregistré en 1954. + *Don Juan, Mort et transfiguration*.

❀*** Orch. Symph. NBC, Arturo Toscanini. RCA AT 105 (étr.). Mono. Enregistré en 1954. + *Don Juan, Mort et transfiguration*.

** Orch. Phil. de Berlin, Herbert von Karajan. DG 2530.349. Enregistré en 1974. + *Danse des sept voiles de Salomé, Don Juan*.

** Orch. Symph. de Chicago, Georg Solti. Decca 591.120. Enregistré en 1975. + *Don Juan, Ainsi parlait Zarathoustra*.

«Les joyeuses farces de Till-miroir de chouette, d'après un vieux roman picaresque en forme de rondo», typiques du réalisme musical de Strauss, nécessitent, de par leur écriture, un chef capable d'en exprimer à la fois la complexité et les lignes de force, les lignes mélodiques et les structures rythmiques indépendantes. Dans un tempo d'enfer, la baguette péremptoire de Furtwängler en donne la traduction définitive.

Le même chef, sept ans plus tard, mais qui ont duré des siècles. Un orchestre différent, plus «bourgeois». Mais aussi une meilleure qualité technique.

Au même niveau de qualité, Toscanini. Une maîtrise de l'orchestre de tous les instants, avec la malice et l'humour du maestro. Après les avoir fait travailler comme des forçats, il obtient de ses musiciens une virtuosité, ô combien nécessaire en l'occurrence, exceptionnelle. Il est assez facile de se procurer ce disque en importation.

Après ces trois références, il est difficile d'entendre autre chose. Sans écoute contradictoire, et parce qu'il s'agit d'un beau travail, le disque de Karajan est une alternative pour qui serait réfractaire aux disques ayant plus de dix ans.

La version de Solti, par l'abondance de son programme, mais aussi ses qualités de prise de son, constitue une autre alternative face aux grands aînés.

Une Vie de héros, poème symphonique.

*** Orch. Phil. de New York, Willem Mengelberg. RCA SMA 7001 (G-B). Mono (origine 78 t.). Enregistré en 1928.

*** Orch. Phil. de Vienne, Clemens Krauss. Decca ECS 584 (G-B). Mono. Enregistré en 1952.

** Orch. Phil de Vienne, Karl Boehm. DG 2530.781. 🖂 3300.781. Enregistré en 1977.

Facilement accessible en importation, le document de Mengelberg date de 1928 ! Réalisé avec l'Orchestre de New York, dont Mengelberg avait été le chef principal, il s'agit de l'une des très grandes leçons d'interprétation de l'histoire du disque. Il faut lire que cet enregistrement a été effectué il y a plus d'un demi-siècle pour le croire, tant la restitution technique, facilitée par la clarté et la dynamique de la direction, est impeccable.

Nous retrouvons un volet de la quasi-intégrale réalisée par Krauss avec les musiciens viennois, qui avaient encore en leur mémoire le souvenir des exécutions auxquelles ils avaient participé, sous la baguette de Strauss lui-même, peu auparavant. Les contrastes sont moins accusés que chez Karajan ou Mengelberg, mais cette version possède une profonde unité de ton et d'expression.

Que Boehm ait été lui aussi un disciple de Strauss n'est pas la seule raison qui fait de son témoignage un jalon marquant de l'interprétation de l'œuvre : la masse orchestrale n'est jamais épaisse, le texte nulle part sollicité. L'honnêteté dans tout ce qu'elle peut avoir de précieux.

Stravinsky, Igor
(1882-1971)

Intégrale de l'œuvre enregistrée par le compositeur.

❀*** Solistes, Ch. et Orchestres divers, Orch. Symph. Columbia, Igor Stravinsky . CBS GM 31 (31 d.).

Cette intégrale ne compte pas moins de 31 disques, réunis en un volumineux coffret, accompagné d'une luxueuse biographie illustrée et d'un livret explicatif pour chacune des 122 œuvres présentées. 49 œuvres font à cette occasion leur entrée (ou leur rentrée) au catalogue français. Evidemment, un document de toute première importance, mais à quel prix... Des témoignages parlés du compositeur complètent cette «somme» stravinskyenne, ainsi que des extraits de répétitions. On retrouvera sous les principaux titres d'œuvres du présent *Dictionnaire des disques* les détails des interprètes qui participent à l'exécution.

Anthologie dirigée par le compositeur : Concerto pour violon et orchestre, Symphonie en trois mouvements, Les Noces, Renard, Ragtime pour onze instruments, Symphonie de Psaumes, Symphonie en ut.

❀*** Mildred Allen (s), Regina Sarfaty (ms), Loren Driscoll et George Shirley (t), William Murphy (bar), Robert Oliver et Donald Gramm (b), Isaac Stern (violon), Toni Köves (cymbalum), Samuel Barber, Aaron Copland, Lukas Foss et Roger Sessions (piano), American Concert Choir, Festivals Singers de Toronto, Ensembles de chambre et de percussion, et Orchestre Symphonique Colombia, Igor Stravinsky. CBS 79.335 (3 d.). Enregistré en 1959, 1961, 1962, et 1965.

L'art de Stravinsky chef d'orchestre est fort discuté; et pourtant, ce qui nous est révélé ici est stupéfiant. L'irrésistible pulsion dynamique qui traverse la *Symphonie de Psaumes,* le formidable triptyque d'architecture parfaite qu'est la *Symphonie en trois mouvements* bénéficient ici de l'approche très analytique du compositeur qui est certainement la plus exacte de toutes quant à la précision rythmique. Ce sont les points culminants de cet album de rééditions.

Agon, ballet pour douze danseurs.

*** Orch. Symph. du Festival de Los Angeles, Igor Stravinsky. CBS 75.438 (sup.). + *Canticum sacrum.* Ou CBS GM 31 (31 d.). + *Intégrale de l'œuvre dirigée par le compositeur.*

Il s'agit là, à la fois d'une des œuvres de Stravinsky les moins souvent jouées et d'un des plus beaux enregistrements qu'il nous ait donnés d'un de ses ouvrages. Allant de l'utilisation de thèmes hiératiques extrêmement anciens à des recherches très précises dans le domaine de la musique sérielle, l'auteur nous a laissé une œuvre difficile, à laquelle il était peut-être le seul à pouvoir entièrement rendre justice. Nous sommes devant un sommet de la double carrière de Stravinsky, comme chef d'orchestre et compositeur.

Apollon Musagète.

** Orch. Symph. Columbia, Igor Stravinsky. CBS 75.355 (sup.). + *Orphée.* Ou CBS GM 31 (31 d.). + *Intégrale de l'œuvre dirigée par le compositeur.*

* Orch. de la Suisse Romande, Ernest Ansermet. Decca ECS 822 (G-B). + *Les Noces.*

La version que donne Stravinsky de son *Apollon Musagète* est essentiellement marquée par l'origine de l'œuvre, présentée au public sous forme de ballet. Tout en s'imposant une discipline très sévère, s'interdisant toutes les plaisanteries sonores dont son œuvre est généralement parsemée, contrôlant de la façon la plus stricte son orchestre, le compositeur marque très vivement les rythmes et nous entraîne dans le domaine du ballet classique.

A l'inverse, Ernest Ansermet a tiré la partition du côté du concerto d'orchestre. Ayant tendance à élargir et à ralentir certains mouvements, on le sent à la recherche d'une écriture élégante, qui est celle de Stravinsky, mais en même temps dépouillée de tout ce que le compositeur aurait pu y laisser d'un peu rugueux. Très beau, très sage, un peu monotone.

Le Baiser de la fée.

** Orch. de la Suisse Romande, Ernest Ansermet. Decca SDD 244 (G-B).

La performance d'Ansermet dans le *Baiser de la fée* peut sembler souffrir par moments d'un certain relâchement de tension. Cela est probablement dû plus à l'admiration de Stravinsky pour Tchaïkovsky, dont il s'est directement inspiré, qu'à une faute du chef d'orchestre. La partition de ce ballet plein de charme est, en effet, une des œuvres les moins personnelles de son auteur ; elle représente un retour à certaines sources d'inspiration de sa jeunesse, et Ansermet la sert avec une extrême élégance, masquant au maximum ce qu'elle peut avoir par moments de bavard.

Cantate sur des textes médiévaux anglais.

*** Patricia Kern (ms), Alexander Young (t), Saint Anthony Singers, Orch. de Chambre Anglais Colin Davis. Oiseau Lyre SOL 265 (G-B). + *Messe.*

* Rachel Yakar (s), Michel Lecocq (t), Ch. de femmes de la Neanderkirche de Düsseldorf, solistes instrumentaux, Oskar Gottlieb Blarr. Schwann 606 (RFA). + *Pastorale, deux Chants spirituels de Hugo Wolf.*

Datant de 1952, la Cantate marque le moment où Stravinsky effectue son passage du néo-classicisme aux recherches sérielles. La version qu'en donne Davis est curieusement proche de certaines œuvres de Britten. Claire et limpide, elle fait ressortir les moindres détails du texte et de la partition. Les complexités du jeu instrumental sont bien mises en valeur, tandis que ressortent les fort beaux poèmes sur lesquels Stravinsky a construit cet ouvrage. C'est la seule version dont nous disposions en langue originale, l'auteur ayant dirigé lui-même l'œuvre pour un disque aujourd'hui supprimé du catalogue et qui n'a d'ailleurs jamais été distribué hors des Etats-Unis.

La traduction allemande nuit beaucoup à la compréhension interne de la Cantate, où l'alliance entre la musique et le verbe est particulièrement importante. La version que présente Oskar Barr ne manque toutefois pas de charme, encore qu'elle reste très en deçà des possibilités émotives de la version Davis. Elle présente toutefois le mérite de nous offrir en complément de programme une *Pastorale* datant de 1908 et deux chants spirituels de Hugo Wolf transcrits par Stravinsky, dont c'est le seul enregistrement.

Canticum Sacrum ad honorem Sancti Marci nominis.

❀*** Richard Robinson (t), Howard Chitjan (bar), Orch. et Ch. du Festival de Los Angeles, Igor Stravinsky. CBS S 75.438 (sup.). + *Agon.* Ou CBS GM 31 (31 d.). + *Intégrale de l'œuvre dirigée par le compositeur.* CBS 79.335 (3 d.). + *Les Noces, Ragtime, Renard, Symphonie de psaumes, Symphonie en trois mouvements, Symphonie en ut.*

*** Ch. de Christ Church Cathedral Oxford, Ens. Philip Jones, Simon Preston. Argo ZRG 799 (G-B). + *Symphonie de psaumes.*

Stravinsky attachait une importance toute particulière à cette œuvre où il avait cherché à allier les techniques sérielles qui marquent les ouvrages de ses dernières années et la splendeur de la polyphonie traditionnelle de l'Ecole de Venise à laquelle il a expressément voulu rendre hommage. L'interprétation qu'il donne de son *Canticum Sacrum* est austère, très fortement charpentée, et ne fait que peu de concessions au plaisir immédiat de l'oreille. Le découpage des divers plans sonores est marqué avec force ; l'univers musical ainsi créé exerce sur l'auditeur une incontestable fascination, plus que de la séduction.

La lecture que Simon Preston donne du *Canticum* se situe presque à l'opposé de celle de Stravinsky. Utilisant, comme l'auteur l'avait primitivement prévu, des chœurs d'enfants, il réussit à donner à cette œuvre grave et âpre une qualité presque magique et aérienne. Toute l'interprétation est aussi dépouillée que possible des artifices et des chocs de son brutaux que l'auteur retient dans sa propre interprétation. Le charme qui se dégage du travail de Preston tient essentiellement aux sonorités presque immatérielles qu'il obtient de ses chœurs. Il est difficile de se situer plus loin de l'interprétation stravinskienne tout en restant aussi près de l'esprit du compositeur.

Capriccio pour piano et orchestre. Mouvements pour piano et orchestre. Concerto pour piano et orchestre d'harmonie, contrebasse et timbales.

** Michel Béroff, Orch. de Paris, Seiji Ozawa. EMI VSM C 069-11.698.

L'interprétation des *Mouvements* pour piano et orchestre oppose un Michel Béroff qui était à l'époque à l'orée de sa carrière et un Ozawa particulièrement bien inspiré. Leur lecture de cette partition difficile est infiniment séduisante et échappe à la sécheresse qui marque certaines des œuvres de l'époque sérielle de Stravinsky. Les mêmes qualités de souplesse et de chaleur se retrouvent dans le *Capriccio*, où l'orchestre se lance dans toutes les fantaisies auxquelles l'invite la partition. C'est un plaisir de tous les instants. Malheureusement, si Béroff manifeste dans le *Concerto* la même vigueur et la même allègre santé, il semble que l'orchestre soit plus timide et n'ose pas le suivre jusqu'au bout de son propos décontracté.

Le Chant du rossignol. Scherzo à la russe. Feu d'artifice. Tango. Quatre Etudes pour orchestre.

** Orch. Symph. de Londres, Antal Doráti. Philips 6513.006 (sup.).

Ce qui frappe dans ces interprétations de Doráti, c'est l'élégance et la recherche des sons qui s'accompagnent curieusement des violences rythmiques que nous associons généralement avec le nom de Stravinsky. Le dessin mélodique devient plus clair, et l'on a la surprise de découvrir une pureté de chant inhabituelle. Cette atmosphère un peu raréfiée convient parfaitement à des pièces comme le *Chant du rossignol* ou au *Feu d'artifice*. Pour d'autres, on a l'impression que ce parti pris entraîne une certaine perte de substance. Mais le disque reste plein de séduction et nous aide à comprendre un Sravinsky un peu en dehors des sentiers battus.

Concerto «Dumbarton Oaks». Danses concertantes. Concerto en ré.

** Orch. de chambre de Los Angeles, Neville Marriner. EMI VSM C 065-02.588 (sup.).

La direction nerveuse et précise de Marriner convient à la musique de Stravinsky écrite dans les années dites de «néo-classicisme». On peut toutefois regretter qu'elle s'accompagne d'une certaine sécheresse sentimentale et d'une absence quasi totale du sens de l'humour, qui n'est jamais très loin chez le compositeur et vient donner un cachet personnel à ses œuvres les plus impersonnelles en apparence.

Concerto pour violon en ré majeur. Symphonie en trois mouvements.

❀*** Isaac Stern (violon), Orch. Symph. Columbia, Igor Stravinsky. CBS 79.335 (3 d.). *+ Les Noces, Ragtime, Renard, Symphonie de psaumes, Symphonie en trois mouvements, Symphonie en ut.* Ou CBS GM 31 (31 d.). *+ Intégrale de l'œuvre dirigée par le compositeur.*

Un couplage exceptionnel de deux des œuvres majeures de la production de Stravinsky, dans une interprétation de référence. Isaac Stern joue le *Concerto* avec tout l'éclat voulu, respectant parfaitement l'équilibre avec un orchestre au sein duquel les instruments sont souvent mis en valeur comme des solistes.

Concerto pour violon en ré majeur.

*** Itzhak Perlman (violon), Orch. Symph. de Boston, Seiji Ozawa. DG 2531.110. *+ Berg : Concerto «à la mémoire d'un ange».*

Le caractère «néo-classique» de cette partition est gommé par le lyrisme qui inspire Perlman et Ozawa. Le soliste et le chef ont réalisé un travail d'équipe extraordinaire, donnant l'impression d'une complicité profonde qui les unit et permet d'éviter l'aspect d'affrontement que prennent si souvent les concertos depuis le XIXe siècle. Stravinsky est fort bien servi par cette union qui permet aux interprètes d'aller comme au-devant de ses intentions les plus intimes, de retrouver le rythme physique qui lui a dicté son œuvre. Le couplage avec le concerto de Berg offre un contraste culturel passionnant pour l'auditeur qui peut admirer des artistes aussi à l'aise avec le Viennois qu'avec le Russe.

Danses concertantes. Quatre Impressions norvégiennes. Ode. Concerto en ré.

** Orch. de chambre Columbia, Orch. Symph. Columbia, Orch. de Cleveland, Igor Stravinsky. CBS 75 976 (sup.). Ou CBS GM 31 (31 d.). + *Intégrale de l'œuvre dirigée par le compositeur.*

Un programme d'œuvres d'accès relativement facile - plusieurs d'entre elles ont été composées pour le cinéma. L'interprétation qu'en donne Stravinsky en souligne le charme un peu élégiaque, tout en marquant certains «tics» d'écriture qui sont caractéristiques du compositeur et donnent du piment à ses œuvres les plus conventionnelles.

Le Déluge, allégorie biblique basée sur l'Arche de Noé.

** Laurence Harvey (le récitant), Sébastian Cabot (Noé), Elsa Manchester (la femme de Noé), John Reardon, Robert Oliver (la voix de Dieu), Paul Tripp (le bateleur), Richard Robinson (Satan), Gregg Smith Singers, Orch. Symph. Columbia, Igor Stravinsky et Robert Craft. CBS 75 063 (sup.). Ou CBS GM 31 (31 d.). + *Intégrale de l'œuvre dirigée par le compositeur.*

Curieux oratorio écrit pour la télévision, cette œuvre est d'accès difficile. Le récit y a presque autant d'importance que la musique. La partition est très marquée par l'influence des techniques de la musique sérielle, mais on y retrouve par moments un vocabulaire stravinskien plus ancien. Le maître s'est fait assister par Robert Craft pour diriger un ouvrage où ensembles et solistes défendent avec talent une musique pas toujours très inspirée.

Divertimento. Suite italienne. Duo concertant.

*** Itzhak Perlman (violon), Bruno Canino (piano). EMI VSM 065-02.644 (étr.).

Le *Divertimento* est une réduction pour piano et violon de certains passages du *Baiser de la Fée* ; la *Suite italienne* provient de *Pulcinella* ; seul, le *Duo concertant* a été prévu dès l'origine pour la formation dans laquelle nous l'entendons. On ne saurait trop vanter le jeu du duo Perlman-Canino : remarquablement accordés l'un à l'autre et à la musique qu'ils servent, ils nous offrent un plaisir de tous les instants. Nous ne savons plus ce qui entraîne notre satisfaction, de la musique de Stravinsky ou de la jeunesse, de la virtuosité sans faille avec lesquelles elle nous est transmise.

Histoire du soldat, mimodrame pour récitants et ensemble instrumental sur un texte de C. F. Ramuz.

❁*** François Simon (le diable), François Berthet (le soldat), Gérard Carrat (le récitant), Ens. instr. Charles Dutoit. Erato DUE 20.25 (2 d.). + *Les Noces, Ragtime, Renard.*

** Peter Ustinov (le diable), Jean Cocteau (le récitant), J.M. Fertey (le soldat), Ens. instr. Igor Markevitch. Philips 6500.321.

** Marcel Herrand (le diable), Jean Marchat (le récitant), Michel Auclair (le soldat), Ens. instr., Fernand Oubradous. Pathé 30 008 (sup.). Mono.

* Robert Manuel (le diable), Jean Davy et François Vibert (les récitants), Jacques Toja (le soldat), effets sonores de Serge Baudo, Ens. instr., Igor Stravinsky. Philips 01210 (sup.). Mono.

Dans la version dirigée par Charles Dutoit, la vivacité de la musique répond directement à un petit parfum de campagne vaudoise que répand l'accent (pourtant léger) des récitants. On sent une musique de plein air, on respire l'ironie et un humour un peu grinçant ; les traits sont d'autant plus justes qu'ils sont peu accusés. Et l'essentiel du discours est confié à la musique, qui finalement «raconte» mieux que les propos pourtant savoureux de Ramuz. Un disque presque parfait, et certainement un disque très heureux.

La version Markevitch est plus riche (présence de Cocteau et d'Ustinov) ; elle en est même trop riche, et la finesse du tandem Stravinsky-Ramuz disparaît sous une abondance de biens, pour une fois nuisible. C'est dommage, car le son des instruments est beau et Cocteau dit bien.

La version Oubradous a bientôt trente ans, mais elle est restée miraculeusement jeune. Pas un effet n'est souligné, pas un trait n'est grossi, mais on a l'impression que la moindre intention des auteurs a été immédiatement comprise et traduite en langage musical et théâtral. Il faut, de plus, la connaître pour la remarquable silhouette de diable incarnée par Marcel Herrand.

L'enregistrement dirigé par Stravinsky lui-même bénéficie d'une mise en scène sonore qui vient s'ajouter aux effets prévus dans la partition. Il n'y a pas lieu de s'en plaindre, puisque la présence de l'auteur lui donne un certificat d'authenticité ; mais il arrive que ces «effets sonores» viennent cacher la fraîcheur d'origine de l'ouvrage.

«Jazz» : Preludium, Pastorale, Ragtime, Octuor, Tango, Ebony concerto, Concertino pour 12 instruments.

*** Israël Baker (violon), Toni Köves (cymbalum), Benny Goodman (clarinette), Ens. de jazz Columbia, Ens. de chambre Columbia, Igor Stravinsky. CBS 76 025. Ou CBS GM 31 (31 d.). + *Intégrale de l'œuvre dirigée par le compositeur.*

Un ensemble de morceaux qui n'ont avec le jazz que des rapports parfois assez lointains, mais qui s'apparentent tous à la musique de divertissement. La direction de Stravinsky leur donne à chacun une curieuse capacité d'inquiétude. Derrière les plaisanteries sonores ou les rythmes coutumiers, le chef d'orchestre sait faire apparaître une dimension supplémentaire. Un des meilleurs disques de Stravinsky, mais certainement pas un des plus confortables.

Jeu de cartes, ballet.

** Orch. Phil. de Berlin, Igor Stravinsky. Telefunken 642.331 (étr.). Mono. Enregistré en 1938. + *Hindemith : Symphonie «Mathis der Maler».*

* Orch. Symph. de Londres, Claudio Abbado. DG 2530.537. ⊠ 3300.483. + *L'Oiseau de feu (suite de ballet).*

La reprise d'une interprétation par l'auteur encore très près de la création de l'œuvre (1936) nous donne une idée assez précise de la façon dont il entendait qu'elle fût jouée. La musculature en est très marquée, aux dépens d'un certain esprit d'ironie que laissent espérer les citations musicales dont le ballet est truffé. Les sonorités orchestrales sont magnifiques malgré l'âge de l'enregistrement. Le couplage avec une version de la Symphonie de Hindemith dirigée par l'auteur, rendra ce disque particulièrement tentant pour les amateurs de vieilles cires.

Toute en nerfs, la version d'Abbado est marquée par la destination d'une œuvre écrite pour le théâtre. On est dans le domaine du ballet le plus aérien, et ce *Jeu de cartes* étincelle de tous les feux de l'humour. On a parfois l'impression que l'enthousiasme du chef l'a emporté un peu loin vers l'aspect parodique et que Rossini est plus à la fête que Stravinsky. Le couplage avec la version révisée de *L'Oiseau de feu* ne s'imposait pas, Abbado étant apparemment beaucoup moins à l'aise dans le lyrisme éclatant de cette dernière œuvre.

«The last Stravinsky» (le dernier Stravinsky) : Variations pour orchestre, Abraham et Isaac, Introïtus, Requiem Canticles.

*** Robert Frisch (bar), Orch. Symph. Columbia, Robert Craft. Gregg Smith Singers, Ens. de chambre Columbia, Igor Stravinsky (Introïtus). Linda Anderson (s), Elaine Bonazzi (c), Charles Bressler (t), Donald Gramm (b), Chœur du collège d'Ithaca, Orch. Symph. Columbia, Robert Craft (Requiem). CBS 75 808 (sup.). Ou CBS GM 31 (31 d.). + *Intégrale de l'œuvre dirigée par le compositeur.*

Les toutes dernières œuvres de Stravinsky, placées sous le signe de la mort et de ses liturgies. C'est dire qu'elles sont dépouillées de tous les éclats et plaisanteries musicales dont l'œuvre du maître est généralement marquée. L'interprétation, pour laquelle Stravinsky a cédé le pupitre à Robert Craft mais qu'il a supervisée, présente les qualités de densité nécessaires à la compréhension d'œuvres difficiles. L'ensemble orchestral et les chœurs sont magnifiques de gravité recueillie ; le rôle des solistes est relativement ingrat, mais ils servent la partition de tout leur talent.

Mavra, opéra-bouffe. Le faune et la bergère, suite pour voix et orchestre.

*** Ludmila Belobragina (s), Anna Matiushina (mezzo), Nina Postavnicheva (mezzo), Nicolai Guturovitch (t), Orch. de la Radio de l'URSS, Guennadi Rojdestvenski. Chant du Monde LDX 78.012. Enregistré en 1972.

Stravinsky, de retour à la tradition russe, chanté en russe, par des solistes russes de premier ordre : rien que cela constituerait pour ce disque une raison de nous attirer. Si l'on ajoute que la direction de Rojdestvenski est admirablement colorée, vivante, poétique, qu'elle rend à merveille le climat truculent de cette énorme farce dont l'idée est empruntée à Pouchkine, il apparaît que nous tenons là une version incomparable d'une des œuvres injustement méconnues de Stravinsky.

Messe, pour chœur mixte et double quintette à vent.

*** Annette Baker (s), Adrienne Albert (c), Gregg Smith Singers, instruments à vent de l'Orch. Symph. Columbia, Igor Stravinsky. CBS 75.063 (sup.). *+ Le Déluge.* CBS GM 31 (31 d.). *+ Intégrale de l'œuvre dirigée par le compositeur.*

*** Doreen Murray (s), Jean Allister (c), Edgar Fleet (t), Christopher Keyte (b), Saint Anthony Singers, Orch. de Chambre Anglais, Colin Davis. Oiseau Lyre SOL 265 (G-B). *+ Cantate.*

*** Anny Mory (s), Patricia Parker (m), John Mitchinson (t), Paul Hudson (b), Ch. et Orch. de l'English Bach Festival, Trinity's Boys Choir, Leonard Bernstein. DG 2530.880. *+ Les Noces.*

** Ensemble à vent de l'Orch. Phil. Tchèque, Ch. Phil. Tchèque, Karel Ančerl. Supraphon 25.348. *+ Symphonie de psaumes.*

Stravinsky a voulu faire de sa *Messe* un hommage aux polyphonistes du Moyen-Age, et particulièrement à Guillaume de Machaut. Il y a réussi, sans pour cela faire un «à la manière de». Mais l'œuvre reste très marquée d'un archaïsme volontaire qui se manifeste particulièrement dans l'emploi du quintette à vent. Tout au long de son interprétation, le chef est très attentif à garder à sa *Messe* son caractère liturgique : symbolisme des diverses parties, attention portée au texte très rigoureusement mis en valeur, refus de tout ornement inutile, absence totale des éclats instrumentaux auxquels nous sommes par ailleurs habitués, tout contribue à donner à cette interprétation un grand équilibre, grave et recueilli.

La version de Davis est moins austère que celle de Stravinsky. Il ne cède pas à la tentation de faire miroiter le jeu des instruments mais ses chœurs sont plus onctueux ; il leur manque quelque chose de la gravité médiévale de la version du compositeur. Mais on y trouve une chaleur humaine et un sentiment de vie qui la rendent peut-être plus accessible. A signaler un couplage particulièrement heureux avec la Cantate.

Leonard Bernstein a marqué l'interprétation qu'il donne de la *Messe* par l'utilisation de voix d'enfants, particulièrement à leur place dans cette œuvre au caractère liturgique accusé. L'équilibre qu'il donne aux trois partenaires de son interprétation, voix d'hommes, voix d'enfants, quintette à vent est très étudié et semble l'élément déterminant de la qualité de sérénité que l'ouvrage dégage, malgré toute son âpreté volontaire.

Karel Ančerl est plutôt moins bien inspiré dans la *Messe* que dans la *Symphonie de psaumes* avec laquelle l'œuvre est couplée. Malgré de très beaux effets sonores, on est un peu loin du climat de cathédrale médiévale que l'auteur a cherché à créer. Un certain éloignement de l'élément liturgique diminue l'impact de cette version de la *Messe* qui sent un peu trop le concert.

Musique de chambre : Octuor pour instruments à vent, Pastorale, Ragtime, Septuor, Concertino pour douze instruments.

*** Membres de l'Orch. Symph. de Boston, Igor Stravinsky. DG 2550.551 (sup.). CBS GM 31 (31 d.). *+ Intégrale de l'œuvre dirigée par le compositeur.*

Un disque sur lequel se retrouvent un certain nombre de transcriptions par Stravinsky d'œuvres de jeunesse, et son *Septuor*, premier contact qu'il ait pris avec la musique sérielle. C'est donc un panorama très ouvert de la musique de chambre du compositeur qui nous est offert. L'interprétation est une merveille de précision et d'équilibre entre de grands solistes qui parviennent à nous donner toute l'acuité de l'écriture stravinskienne sans tomber dans un excès de virtuosité.

Musique spirituelle : Pater Noster, Ave Maria, Credo, 3 Cantiones sacrae de Gesualdo, Da pacem, Assumpta est Maria, Illumina nos, Hymne «The dove descending», Introitus T. S. Eliot in memoriam, Double canon Raoul Dufy in memoriam, Epitaphe à la mémoire du prince Max Egon zu Furstenberg, Elegie pour J.F.K., In memorian Dylan Thomas.

** Michel Lecocq (t), Toshimitsu Kimura (bar), Quatuor Ojstersek, Ch. John Alldis, Ens. vocal et instrumental du Festival Stravinsky de Düsseldorf, Oskar Gottlieb Blarr. Schwann 604 (RFA).

Un programme fascinant d'œuvres spirituelles appartenant à toutes les époques de la carrière de Stravinsky, mais surtout à ses dernières années. Beaucoup de ces œuvres n'ont jamais été gravées par ailleurs, alors que leur intérêt, tant musical que sentimental, est grand. L'interprétation est inégale, jamais médiocre mais parfois un peu trop sage pour une musique dans laquelle l'auteur avait mis beaucoup de lui-même. Les pièces *a capella* qui constituent la première moitié du disque bénéficient d'une exécution impeccable de l'ensemble de John Alldis.

Les Noces.

❀*** Jacqueline Brumaire (s), Denise Scharley (m), Jacques Pottier (t), José van Dam (b), Geneviève Joy, Ina Marika, Jacques Delécluze, Michel Quéval (pianistes), Ch. et solistes de l'Orch. du Théâtre National de l'Opéra de Paris, Pierre Boulez. Festival FC 460. + *Pribaoutki, Berceuses du chat, Chansons russes, Chansons paysannes.*

*** Basia Retchitzka (s), Arlette Chedel (a), Eric Tappy (t), Philippe Huttenlocher (b), Martha Argerich, Nelson Freire, Edward Auer, Suzanne Husson (pianistes), Groupe de percussions et grand chœur de l'Université de Lausanne, Charles Dutoit. Erato DUE 20.252 (2 d.). + *Histoire du soldat, Ragtime, Renard.*

** Mildred Allen (s), Regina Sarfaty (m), Loren Driscoll (t), Robert Oliver (b), Samuel Barber, Aaron Copland, Lukas Foss, Roger Sessions (pianistes), American Concert Choir, Margaret Hills, Ens. de percussion Columbia, Igor Stravinsky. CBS 79.335 (3 d.). + *Concerto pour violon, Ragtime, Renard, Symphonie de psaumes, Symphonie en trois mouvements, Symphonie en ut.* Ou CBS GM 31 (31 d.). + *Intégrale de l'œuvre dirigée par le compositeur.*

* Basia Retchitzka (s), Lucienne Devallier (c), Hugues Cuénod (t), Heinz Rehfuss (b), Jacques Horneffer, Renée Peter, Doris Rossiaud, Roger Aubert (pianistes), Ch. de motets de Genève, solistes de l'Orch. de la Suisse Romande, Ernest Ansermet. Decca ECS 822 (G-B). + *Apollon Musagète.*

* Anny Mory (s), Patricia Parker (m), John Mitchinson (t), Paul Hudson (b), Martha Argerich, Krystian Zimerman, Cyprien Katsaris, Homero Francesch (pianistes), Ch. de l'English Bach Festival, Groupe de percussions, Leonard Bernstein. DG 2530.880. + *Messe.*

La version que dirige Pierre Boulez est marquée par une extrême exigence rythmique. Tout semble avoir été ordonné en fonction de la danse qui accompagne et donne sa raison d'être à cette cantate de fête paysanne. L'envoûtement créé par les percussions et les quatre pianos va en croissant, jusqu'à ce qu'il ne semble plus possible d'y échapper. Cette fort belle interprétation est complétée d'un certain nombre de pièces pour chant de Stravinsky dont il n'existe aucun autre enregistrement, ce qui confère au disque un précieux caractère anthologique.

Les Lausannais de Charles Dutoit sont restés très sensibles au côté récit populaire de *Noces* (ce n'est pas pour rien que Ramuz a signé la version française de cette cantate russe). Le climat est beaucoup moins tendu que dans les autres versions, mais on s'y sent beaucoup plus à l'aise. On est très loin de l'ensorcellement presque tragique qui marquait l'interprétation de Boulez. Depuis le disque de Stravinsky, le couplage avec *Renard* et *Ragtime* était devenu classique.

La version dirigée par Stravinsky a ceci de

particulier qu'elle est chantée en anglais, ce que rien dans la lettre ni dans l'esprit du texte ne justifie. Très bien servie par de beaux chœurs, elle offre la particularité d'avoir pour pianistes entre autres Barber et Copland, c'est-à-dire les compositeurs américains les plus connus lors de l'enregistrement. Cet hommage de la jeune génération au vieux maître n'est pas un des moindres intérêts d'une version où le compositeur ne se montre pas meilleur chef que ses concurrents européens.

Ansermet est, comme chacun sait, le gardien de l'orthodoxie stravinskienne en ce qui concerne les œuvres des années 1920. Son interprétation est pourtant loin d'être aussi séduisante que celle d'un Boulez ou d'un Dutoit. Il y a, dans son insistance rythmique, une certaine monotonie. Le travail qu'il fournit est rigoureux, mais manque de souffle et d'inspiration. Un couplage inattendu avec *Apollon Musagète* vient redonner du prix à une version quelque peu décevante.

Dans la version que dirige Bernstein, on est choqué par le décalage qui existe entre les pianos et les percussions, admirables de rigueur, et les chanteurs, solistes ou chœur, chez qui l'on sent un flottement certain. Le chef lui-même semble avoir été gêné par ce manque de cohésion ; l'ensemble de son interprétation en devient quelque peu figé, et l'on n'y sent jamais la fièvre et la joie communicative que nous font connaître les meilleures versions de cette œuvre fort bien représentée au disque.

Œdipus Rex, opéra-oratorio.

*** Ivo Zídek (Œdipus), Vera Soukupova (Jocaste), Karel Berman (Créon), Eduard Haken (Tiresias), Zdenék Kroupá (le messager), Jean Desailly (le récitant), Orch. et Ch. Phil. Tchèque, Karel Ančerl. Supraphon 913.145.

** René Kollo (Œdipus), Tatiana Troyanos (Jocaste), Tom Krause (Créon), Ezio Flagello (Tiresias), David Evitts (le messager), Michael Wager (le récitant), Harvard Glee Club, Orch. Symph. de Boston, Leonard Bernstein. CBS 76.380 (étr.).

Œdipus Rex est la plus «artificielle» des œuvres de Stravinsky. Ančerl parvient à la rendre vivante par une direction extrêmement moderne, attaquant cette histoire antique comme s'il s'agissait d'un drame contemporain qu'aurait mis en musique quelque metteur en scène de cinéma. Il y est aidé par un orchestre et des chœurs somptueux. L'interprétation est d'autant plus saisissante que le récitant et les chanteurs solistes gardent, tout au long de l'ouvrage, une distance et une gravité presque hiératiques. Le contraste fait ressortir la hardiesse de cet oratorio moderne et lui donne un beau relief.

La version que dirige Bernstein est fort bien servie par un orchestre aux belles sonorités, et par les chœurs de Harvard qui sont remarquables de souplesse et d'élégance. Il a surtout, en la personne de René Kollo et de Tatiana Troyanos, des solistes d'une qualité exceptionnelle. Mais l'accord est presque trop parfait entre chanteurs et orchestre, et l'on ne jouit pas des effets de contraste qui donnaient sa valeur à la version Ancerl. Il faut y ajouter que le récitant, qui dit son texte en anglais, manque totalement de style, venant ainsi gâter une version qui possédait des atouts hors de classe.

L'Œuvre pour piano solo. Volume I : Sonate en fa dièse mineur, Scherzo, Quatre Etudes, Souvenir d'une marche boche, Valse pour les enfants, Les cinq doigts. Volume II : Sonate, Sérénade en la, Trois mouvements de Petrouchka, Piano-Rag Music, Tango.

** Michel Béroff (piano). EMI VSM C 069-73.031 et C 069-73.032. Enregistré en 1980.

L'Œuvre pour piano intégrale : Sonate en fa dièse, 4 Etudes op. 7, 3 Pièces faciles pour piano à quatre mains, Valse pour les enfants, 5 Pièces faciles pour piano à quatre mains, Madrid (transcription pour deux pianos), Valse de l'Histoire du Soldat, Rag Time, Piano Rag Music, Gavotta con variazoni et Scherzino de Pulcinella, Concertino (réduction pour piano à quatre mains), 3 mouvements de Petrouchka, Les cinq doigts, Sonate, Sérénade en la, Concerto pour deux pianos, Concerto en mi bémol «Dumbarton oaks» (réduction pour deux pianos), Tango, Circus Polka, Sonate pour deux pianos.

* Bernard Ringeissen (avec André Gorog pour les pièces à deux pianos ou à quatre mains). Adés 7074 (4 d.).

Un piano brillant, coloré, des interprétations vivantes qui, rompant avec une certaine tradition et certaines conventions, nous proposent un regard neuf sur l'œuvre de Stravinsky. Dans la Sonate, Michel Béroff cherche moins la sévérité que la souplesse; dans la Sérénade, il accentue le sourire et la tendresse. Enfin, dans les trois *Mouvements de Petrouchka,* Béroff retrouve non seulement les couleurs de l'orchestre, mais l'esprit du ballet et fait revivre la pitoyable histoire de la marionnette.

Tout, dans l'intégrale de Ringeissen, n'est pas du premier intérêt. De plus, les transcriptions pour piano de Stravinsky sont si nombreuses que le nom d'intégrale est trompeur ; il manque encore certaines œuvres pour le piano. Cela dit, le jeu de Ringeissen est élégant, un peu trop romantique pour traduire le mélange d'agressivité et de finesse plaisante qui caractérise l'écriture de Stravinsky. Pour quelques bons moments, que de longueurs, qui sont dues aussi bien au compositeur qu'à l'interprète..

Œuvres pour piano : Sérénade en la majeur, Piano Rag Music, Circus Polka, Ragtime, Tango, Sonate n° 2, 4 Etudes, Les cinq doigts, Valse pour les enfants.

** Marie-Françoise Bucquet (piano). Philips 6500.385 (sup.).

Œuvres pour piano : Sérénade en la majeur, Piano Rag Music, Circus Polka, Ragtime, Tango, Sonate n° 2, 4 Etudes.

* Noël Lee (piano). Nonesuch 32.801 (étr.).

Dans un programme à la fois très classique et varié, Marie-Françoise Bucquet fait preuve d'une intelligence si grande des humeurs si diverses de Stravinsky qu'on se croirait transporté d'un univers dans l'autre au simple passage d'une plage de disque. Le jeu est spontané, sans effort apparent, et pourtant elle ne craint pas d'attaquer les passages les plus difficiles de virtuosité. Tout coule de source pour nous rappeler que le compositeur lui-même ne dédaignait pas d'apparaître en public pour exécuter ses propres œuvres.

Le programme retenu par Noël Lee est composé de pièces intéressantes, faisant valoir les facettes si diverses du génie stravinskien. L'exécution en est malheureusement assez uniforme, l'interprète ayant visiblement choisi de nous donner une version élégante mais un peu aseptisée, dans laquelle des pièces comme le *Tango* perdent tout leur aspect sulfureux. C'est une allure qui convient mieux aux pièces de coupe néo-classique comme la *Sérénade.* Un disque sans génie, mais bien agréable.

Œuvres pour 2 pianos et piano à quatre mains : 3 Pièces faciles, 5 Pièces faciles, Concerto per due pianoforti soli, Sonate pour deux pianos.

*** Alfons et Aloys Kontarsky (piano). Wergo 6000 (sup.).

Œuvres pour 2 pianos et piano à quatre mains : 3 Pièces faciles, 5 Pièces faciles, Concerto per due pianoforti soli, Sonate pour deux pianos, Etude pour pianola, Zvietotchnoy Valse.

* Paul Jacobs, Ursula Oppens (piano). Nonesuch 71.347 (étr.).

Dans des pièces d'intérêt inégal, les Kontarsky font preuve d'une intelligence et d'une acidité d'esprit incomparables. Il est difficile de joindre autant de précision, d'humour et de virtuosité tout en rendant sensible l'approche très personnelle qu'avait Stravinsky des problèmes du piano considéré par lui comme un véritable instrument de percussion. De la richesse presque symphonique du *Concerto* à la légèreté des *Pièces faciles* dédiées à Satie et inspirées par lui, tout est aussi bien servi, avec sympathie et sensibilité.

Dans un programme un peu plus abondant que celui des Kontarsky, Paul Jacobs et Ursula Oppens font preuve de beaucoup de conscience. Leur jeu est précis et élégant ; il manque malheureusement un peu de fougue et d'enthousiasme. La fantaisie stravinskienne ne s'y retrouve que peu. Mais il faut admirer la qualité d'un travail sans prétention, tout au service du compositeur.

L'Oiseau de feu, conte chorégraphique (version intégrale).

*** Orch. New Philharmonia, Ernest Ansermet. Decca 7.168. (G-B).

*** Orch. Symph. de Londres, Antal Doráti. Philips 6538.014.

*** Orch. Phil. de New York, Pierre Boulez. CBS 76.418. ⌧ 40-76.418.

*** Orch. Phil. de Londres, Bernard Haitink. Philips. ⌧ 7699.060 (2 c.). + *Petrouchka, Le Sacre du Printemps.*

*** Orchestre de Paris, Seiji Ozawa. EMI VSM C 069-02.382.

** Orch. Phil. de Vienne, Christoph von Dohnanyi. Decca 390.278.

** Concertgebouw d'Amsterdam, Colin Davis. Philips 9500.637. ⊠ 7300.742.

** Orch. Nat. ORTF, Lorin Maazel. Festival 431. ⊠ FCK 4.031.

L'Oiseau de feu (révision de 1947).

*** Orch. Symph. Columbia, Igor Stravinsky. CBS 75.046. Ou CBS GM 31 (31 d.). *+ Intégrale de l'œuvre dirigée par le compositeur.*

L'Oiseau de feu (suite d'orchestre).

❀*** Orch. Symph. de la BBC, Pierre Boulez. CBS 75.652. *+ Bartók : Musique pour cordes, percussion et célesta.*

*** Orch. de Philadelphie, Riccardo Muti. EMI VSM C 069-03.430. ⊠ C269-03.430. *+ Moussorgsky : Tableaux d'une exposition.*

** Orch. Symph. de Londres, Claudio Abbado. DG 2530.537. ⊠ 3300.483. *+ Jeu de cartes.*

Un des derniers enregistrements réalisés par Ansermet avant sa mort. Le gardien de la tradition stravinskienne nous donne un *Oiseau de feu* très soigné, réalisant un équilibre admirable entre la richesse de l'orchestration et la clarté du récit. C'est d'un poème symphonique plutôt que d'un ballet qu'il s'agit. La qualité des instrumentistes du New Philharmonia est pour beaucoup dans le succès de cette version dont la précision, la richesse sonore et la flexibilité sont les caractéristiques majeures.

La version dirigée par Antal Doráti n'est pas moins somptueuse. La chaleur de l'orchestration est aussi grande. La différence se marque par un certain laisser-aller lyrique. Le récit est plus tiré vers le conte merveilleux ; nous y gagnons en poésie, mais les articulations sont parfois moins claires, une certaine excitation doublée d'une trop grande richesse sonore fait perdre quelque chose de l'élégance de la ligne mélodique. C'est un enregistrement qui se rapproche de la conception de *Petrouchka* et perd un peu de sa spécificité.

Cette richesse un peu volcanique, nous l
retrouvons plus accentuée encore dans la ve
sion que présente Pierre Boulez. Aucune cor
cession n'est plus faite à l'élégance, mais cel
est compensé par deux qualités apparen
ment contradictoires et que le chef pousse a
plus haut degré : un souci d'analyse qui lu
fait attacher de l'importance au moindre élé
ment de la partition et une fougue qui er
traîne tout l'orchestre dans un mouvemer
qu'il n'est pas possible de refuser. Nous nou
trouvons, à l'inverse d'autres versions, devar
une musique de ballet qui n'est pas complète
ment à sa place dans une salle de concert.

Avec Haitink, nous nous retrouvons dar
un climat proche de celui de la version Ar
sermet. La violence de certains passages, tel
que la Danse Infernale de Katschei, est trè
atténuée, mais la vivacité des attaques d
l'orchestre, la précision des détails donner
de l'ensemble du ballet une vue précise e
articulée. La qualité de la sonorité permet d
dégager une poésie magique dont l'effet es
envoûtant. Pas un trait n'est forcé, mais d'u
bout à l'autre de l'œuvre on est saisi par u
émerveillement qui ne s'estompe jamais.

La version d'Ozawa souffre d'une acousti
que trop réverbérante. Ce qui n'aurait qu'as
sez peu d'importance dans d'autres interpré
tations devient troublant dans son cas ; e
effet, il a choisi de donner à l'œuvre un
physionomie résolument impressionniste
plus proche par certains aspects de Rimsky
Korsakov que du Stravinsky auquel nou
sommes habitués. La prise de son contribue
enlever de la netteté à un enregistrement qu
par ailleurs, mérite tous les compliments, n
serait-ce que parce qu'il nous fait entendr
un *Oiseau de feu* qui sort de l'ordinaire.

L'interprétation de Dohnanyi est très colc
rée. Elle donne plus l'impression de déroule
une tapisserie orientale (ou orientalisante
que de chercher à restituer les épisodes d'u
conte mystérieux. Les sonorités sont belles
même lorsque parfois le relief est un pe
pâle. Une prise de son très soignée convient
cette version beaucoup plus rapprochée de l
suite de concert que du conte chorégraphi
que. Le génie de la danse n'habite pas cett
interprétation qui reste une des plus flat
teuses à l'oreille (est-ce toujours une qualit
pour Stravinsky ?), mais le plaisir de l'instru
ment entendu, repéré dans la grande confu
sion symphonique est bien grand et fai
pardonner beaucoup de sagesse exagérée.

Colin Davis a poussé plus loin que quicon
que cette approche d'analyse impression
niste. La lenteur des tempos qu'il impose
son orchestre risquerait de provoquer l'ennu
si l'on n'avait pas à faire à des musicien
aussi parfaits que ceux du Concertgebouw
Du coup, c'est la beauté des détails, le soi
donné aux plus petits enchaînements qu

donnent à cette version une qualité certaine et permettent de la comparer aux meilleures, même si cette comparaison ne doit pas tourner en sa faveur.

Maazel, avec l'Orchestre de l'ORTF, donne de l'*Oiseau de feu* une vision très claire et dépouillée, peut-être à l'excès, de tous artifices. C'est propre et net ; l'auditeur est à son aise et suit bien l'enchaînement des idées symphoniques. La vue d'ensemble est cohérente, mais ce n'est pas suffisant pour provoquer l'enthousiasme. On n'a pas l'impression que le génie de Stravinsky ait l'occasion de s'exprimer dans cette version un peu trop aseptisée.

Stravinsky lui-même a choisi d'exécuter son *Oiseau de feu* dans la version qu'il avait revue en 1945. Plus qu'aucun autre, il fait ressortir l'aspect luxuriant, romantique et exotique de l'œuvre. Insistant fortement sur les aspects rythmiques de cette musique de ballet, il ne craint pas les grands effets sonores un peu fracassants. Il ne s'agit plus d'un conte de fée, mais d'une histoire où l'épouvante et la panique ne sont jamais très loin, coupée de longues phrases sentimentales à la mélodie appuyée. Comparée aux versions plus traditionnelles, on a envie de dire qu'il y a parfois carence du bon goût, mais qu'on ne peut s'empêcher d'être passionné à tous les instants.

Ce que Boulez exécute sous le titre de Suite d'orchestre n'est pas la Suite revue par Stravinsky en 1919, mais des fragments de la partition primitive de 1910. Il accentue encore ici les qualités qui marquaient son interprétation de l'intégrale du ballet. Précision de l'analyse, sens dramatique aigu, utilisation violente des changements rythmiques, tout tend à donner à sa version une impulsion passionnée à laquelle il est bien difficile d'échapper. Le jeu des contrastes est parfois si fort qu'il nuirait à l'unité de l'œuvre s'il n'y avait cette qualité de suprême équilibre qui lui permet de relancer le mouvement après un apparent temps faible. Peut-être la plus belle interprétation actuelle de ces pages.

Muti donne ici un de ses premiers disques avec l'Orchestre de Philadelphie dont il prend la direction. La qualité des musiciens de sa nouvelle formation lui permet de donner libre cours à sa fougue, et de nous offrir un *Oiseau de feu* à la fois plein de mystère et de mouvement. La précision est extrême, et l'on sent vibrer dans l'œuvre une certaine joie de vivre toute méridionale qui nous éloigne des accents dramatiques d'un Boulez ou de Stravinsky lui-même.

Claudio Abbado n'est pas toujours parfaitement en phase avec l'aspect féerique de l'*Oiseau de feu*. Il a quelque peu tendance à traiter la partition comme celle d'un ballet ordinaire, sans tenir compte de l'aspect oriental de l'œuvre. Mais l'exécution est soignée dans ses moindres détails, la machine est parfaitement réglée et les musiciens de l'Orchestre Symphonique de Londres sont parfaitement à leur affaire. Le meilleur du disque est son couplage avec le *Jeu de cartes*, où le chef d'orchestre semble particulièrement inspiré.

Orphée.

*** Orch. Symph. de Chicago, Igor Stravinsky. CBS 75.355 (sup.). + *Apollon Musagète.* Ou CBS GM 31 (31 d.). + *Intégrale de l'œuvre dirigée par le compositeur.*

Le moins populaire des ballets néo-classiques de Stravinsky. Mais en écoutant son exécution par le compositeur, on comprend mal les raisons de cet ostracisme. L'œuvre n'est pas des plus originales, mais la largeur de l'inspiration est évidente, l'orchestration est riche et l'exécution qui nous en est donnée est somptueuse : les sonorités sont belles, les mouvements souples. Dans ce domaine bien particulier, on ne peut rêver plus beau.

Perséphone.

*** Véra Zorina (récitante), Michele Molise (t), Ch. Ithaca College, Texas Boys et Fort Worth, Gregg Smith Singers, Orch. Symph. Columbia, Igor Stravinsky. CBS 75.505 (sup.). Ou CBS GM 31 (31 d.). + *Intégrale de l'œuvre dirigée par le compositeur.*

Mélodrame sur un texte d'André Gide, *Perséphone* clôt la période française de Stravinsky. L'auteur dirige cette œuvre avec toute la chaleur et la précision nécessaires. Le léger accent étranger des interprètes vocaux rappelle qu'Ida Rubinstein fut l'inspiratrice et la créatrice de cette pièce riche et complexe, curieusement restée très peu connue. Ce n'en est pas moins un des points de repère dans la carrière protéiforme de Stravinsky.

Petrouchka (version originale).

❀*** Orch. Symph. de Boston, Pierre Monteux. RCA AGL 1 1272 (G-B). Enregistré en 1959.

*** Orch. Phil de New York, Pierre Boulez. CBS 76.069. ⌧ 40-76.069.

*** Orch. Phil. de Londres, Bernard Haitink. Philips. ⌧ 7699.060 (2 c.). + *L'Oiseau de feu, Le Sacre du Printemps.*

** Orch. de la Suisse Romande, Ernest Ansermet. Decca 593.015 (2 d.). + *Pulcinella.*

** Orch. Phil. Tchèque, Karel Ančerl. Supraphon 203.301. ⌧ 401.748 + *R. Strauss : Till Eulenspiegel.*

** Orch. Symph. de Londres, Charles Dutoit. DG 2530.711.

Petrouchka (révision de 1947).

*** Orch. Symph. Columbia, Igor Stravinsky. CBS 75.005. Ou CBS GM 31 (31 d.). + *Intégrale de l'œuvre dirigée par le compositeur.*

*** Orch. Symph. de Minneapolis, Antal Doráti. Philips 6768.227 (2 d.). + *L'Oiseau de feu, Le Sacre du Printemps.*

*** Orch. Symph. de Detroit, Antal Doráti, Decca 391.141.

** Orch. Phil. de Vienne, Christoph von Dohnányi. Decca SXL 6883 (G-B).

** Orch. Phil. de New York, Zubin Mehta. CBS 35.823.

Créateur de l'œuvre, Pierre Monteux nous en a donné plusieurs enregistrements remarquables. Celui qu'il a réalisé à Boston ne peut être ignoré d'aucun amateur de la musique de Stravinsky. Joué dans une salle de concert, l'ouvrage se souvient d'avoir été ballet. Le contraste très exactement pesé entre des tempos de la plus grande précision rappelle continuellement les mouvements du théâtre, tandis que le lyrisme un peu ému de la mélodie s'adresse plus directement à notre sensibilité. Le tout est une merveille de goût et d'équilibre. Si jamais enregistrement a mérité le terme «classique», c'est bien celui-ci.

Par contraste, l'enregistrement de Boulez est tout excès, découverte, déploiement de nouveaux charmes sonores. Aucune modération chez lui, mais création d'un univers musical propre. Nous redécouvrons toutes les audaces de Stravinsky telles qu'elles ont dû apparaître au plublic de 1911. Une remarquable prise de son nous permet de lire les moindres détails et de retrouver toute l'unité dramatique d'une œuvre qu'une certaine familiarité nous masquait. À travers une lecture volontairement moderne, *Petrouchka* se présente à nous dans toute son audace première.

Dans la version Haitink, tous les détails sont aussi soignés que dans celle de Boulez. Une certaine recherche de la perfection vient quelque peu émousser l'intérêt dramatique et paralyser l'action. On a l'impression que le chef a recherché une discrétion élégante que la partition n'appelait pas. Mais la qualité du travail instrumental, la précision des articulations, la clarté de la prise de son rendent cet enregistrement fort plaisant à écouter, même si l'on peut trouver qu'il manque parfois un peu d'âme.

C'est également l'élégance qui caractérise la version Ansermet. Cet autre gardien de la tradition stravinskienne manque de la vigueur qui caractérise Monteux. Les tempos sont justes, la ligne mélodique plaisante mais l'orchestration manque de corps et nous attendons en vain les grands éclats, de joie ou de peur, qui marquent le *Petrouchka* que nous aimons. Cette fête russe est sous-alimentée et les gens qui la fréquentent sont trop bien élevés. Ce qui est d'autant plus regrettable qu'il semble qu'Ansermet n'ait rien oublié de ce qui devrait faire le succès de son interprétation, sauf un peu plus de vitalité.

Karel Ančerl donne l'impression de se laisser parfois emporter par son orchestre. L'enthousiasme qu'il a su inspirer aux musiciens qu'il dirige semble parfois le dépasser. Son interprétation se situe à mi-distance entre le traditionalisme d'un Monteux et le modernisme d'un Boulez ; mais on ne peut qu'admirer l'élan avec lequel est enlevée une partition pleine de joie et d'une gaieté communicative. Dans une optique simple et robuste, c'est une version à ne pas mépriser, car elle a une vitalité communicative.

Charles Dutoit présente une interprétation de *Petrouchka* qui peut à première vue sembler très tentante. Le jeu des interprètes est précis, le son est agréable, l'atmosphère générale pleine de gaieté. A l'examen, on est pourtant assez perplexe ; *Petrouchka*, dans cette version, ressemble comme un frère aux personnages que Ramuz a créés pour le Stravinsky des années de guerre. Ce qui est une grave erreur : le musicien de 1911 a peu de choses en commun avec l'exilé des rives du Léman, et la bonhomie suisse qui se retrouve, plus ou moins vive, dans l'*Histoire du soldat*, les *Noces* ou *Renard*, est déplacée dans le ballet beaucoup plus marqué d'atmosphère russo-parisienne qu'est *Petrouchka*. L'interprétation est belle, mais on s'est trompé de partition.

En révisant en 1947 la partition de *Petrouchka*, Stravinsky en a légèrement diminué les effectifs instrumentaux ; cela devrait en bonne logique diminuer les possibilités de jeu sonore des exécutants. A écouter l'enregistrement que l'auteur nous a donné de son œuvre, on ne s'en rendrait pas compte : la version dirigée par Stravinsky est une des plus riches et des plus chatoyantes dont nous puissions disposer. Rythmes très marqués, éclats sonores pleins d'insolence, jeu des instruments opposés les uns aux autres comme pour le plaisir, rien ne manque au feu d'artifice stravinskien. Pour être parfaitement satisfaisant, l'enregistrement manque parfois un peu de netteté.

La première version d'Antal Doráti va, s'il est possible, plus loin que celle de Stravinsky dans les chemins de l'insolence musicale. Les décalages d'instruments se succédant sans exactement se superposer, les ruptures brusquement scandées d'un appel aux percussions nous obligent à écouter l'ouvrage d'une oreille nouvelle et nous remettent en l'esprit la parenté fondamentale qui unit *Petrouchka* au *Sacre du printemps*, qui est d'ailleurs ici l'objet d'un couplage techniquement difficile (plus d'une heure de musique sur un seul disque).

Quinze ans après sa première version, Doráti reprend *Petrouchka* dans un esprit tout différent. L'insolence, le plaisir de faire sonner des instruments de façon incongrue sont toujours aussi grands. Mais c'est le tempo même et le ton général de l'œuvre qui sont altérés. Sans aller sensiblement plus lentement, Doráti prend son temps pour nous raconter une belle histoire, pleine d'épisodes cocasses. La foire russe qui sert de toile de fond au ballet est devenue guignol pour les grandes personnes. Le chef a trouvé dans les instrumentistes de son orchestre de merveilleux complices. Les moindres nuances, les plus petites intentions sont notées sans excès, mais avec une précision parfaite. Il faut entrer dans le jeu et se laisser faire par ce narrateur de génie, même si cela bouleverse nos idées reçues sur la conception «ballets russes» de *Petrouchka*. L'occasion est trop belle d'être heureux en musique.

Von Dohnányi nous présente *Petrouchka* sous une forme pleine de discrétion, avec un esprit d'analyse qui se rapproche de celui de Boulez. Travaillant avec un orchestre dont la clarté est une des qualités majeures, il nous rend un Stravinsky tout en subtilités, presque en allusions. Les couleurs sonores sont peu affirmées ; elles suggèrent plutôt qu'elles ne montrent. C'est à notre imagination et à notre mémoire de faire le reste. Cette option d'extrême discrétion n'est pas sans danger : le risque est gros de passer inaperçu. Christoph von Dohnányi nous prouve que la discrétion peut payer.

Une des qualités majeures d'une interprétation de *Pétrouchka* devrait toujours être la clarté. Bien distinguer les plans sonores, isoler sans excès les plaisanteries musicales et les «collages» du compositeur est une condition absolument nécessaire. Sur ce plan, l'enregistrement de Zubin Mehta est une incontestable réussite. Stravinsky se lit à livre ouvert. Mais qui dit nécessaire ne dit pas toujours suffisant. Sur cette version si bien organisée au niveau des diagrammes de lecture, des planches anatomiques, il manque quelque chose qui est tout simplement le souffle de la vie. Ce *Pétrouchka* est comme une belle histoire racontée au cinéma ; il reste bi-dimensionnel. Nous sommes peu concernés par les aventures de l'aimable poupée, même si nous admirons l'incontestable science du chef d'orchestre.

Petrouchka
(3 mouvements pour piano).

*** Maurizio Pollini (piano). DG 2530.225. ⌧ 3300.458. + *Prokofiev : Sonate n° 7.*

A croire, ce qui serait une erreur, que cette musique a été directement conçue pour le piano. Pollini nous donne de cette transcription acrobatique une version fulgurante. La virtuosité est extrême, mais elle parvient à se faire oublier tellement nous sentons proche le ballet qui a inspiré l'œuvre. L'orchestre tout entier revit sans difficultés derrière le jeu très serré de l'artiste. Très heureux couplage avec une des plus belles des Sonates de Prokofiev.

Pièces brèves : Le Chant du rossignol, Quatre Chants paysans russes «les soucoupes», Trois Pièces pour quatuor à cordes, Etude pour pianola «Madrid», Quatre Etudes pour orchestre.

*** Quatuor Intercontemporain, Orch. National de France, Ch. de Radio-France, Rex Lawson (pianola), Patrice Fontanarosa (violon), Pierre Boulez. Erato 71.428. ⌧ MCE 71.428. Enregistré en 1981.

Ce disque contient des extraits d'un concert donné par Boulez et consacré aux transcriptions par Stravinsky de ses propres œuvres. Les moindres intentions du compositeur sont mises en valeur sans être lourdement soulignées. Tout le charme et l'esprit de Stravinsky ressortent ici.

Pièces brèves : Greeting prelude, Huit miniatures pour 15 instruments, Circus Polka, Concerto «Dumbarton oaks», 2 Suites pour petit orchestre, 4 Etudes pour orchestre.

** Orch. Symph. Columbia, Igor Stravinsky. CBS 31.729 (sup.). Ou CBS GM31 (31 d.). + *Intégrale de l'œuvre dirigée par le compositeur.*

Du Stravinsky «facile», si l'on peut ainsi désigner les tours de force musicaux de cet homme extraordinaire. Disons plutôt que le chef d'orchestre et le compositeur se confondent ici pour nous donner une gerbe de pièces qui ont été amusantes à composer et dont l'interprétation amuse encore Stravinsky et son public. Démonstration de virtuosité orchestrale, très bien servie par un orchestre dont tous les membres jouent le jeu avec autant de liberté que leur meneur de jeu.

Pièces brèves : In memoriam Dylan Thomas, 3 Chansons de Shakespeare, Septuor, 4 Chansons russes, 2 Chants de Balmont, 3 Poésies de la lyrique japonaise, 3 Souvenirs de mon enfance, 4 Chansons paysannes russes.

*** Solistes vocaux et instrumentaux, Igor Stravinsky. CBS ML 5107 (sup.). Mono. Ou CBS GM31 (31 d.). + *Intégrale de l'œuvre dirigée par le compositeur.*

Un disque qui sort de l'ordinaire. Il est composé pour moitié d'œuvres de là derniére partie de la vie du compositeur, et pour moitié d'œuvres lyriques peu connues datant de sa jeunesse et présentées par lui dans des versions réorchestrées. Une pléiade de bons musiciens interprètent ces ouvrages rares, parmi lesquels on peut trouver quelques grands noms tels que ceux de Marylin Horne ou de Ralph Kirkpatrick. Mais artistes connus ou moins connus - il y en a plus d'une trentaine - se montrent tous d'une fidelité aux subtilités d'œuvres précieuses, dont on ne comprend pas qu'elles n'aient jamais fait l'objet d'autres enregistrements.

Pièces brèves : Mouvements pour piano et orchestre, Double canon pour quatuor à cordes, Epitaphe à la mémoire du prince de Furstenberg, Octuor pour instruments à vent, Suite de l'Histoire du soldat.

** Charles Rosen (piano), Israel Baker (violon), solistes et Orch. Symph. Columbia, Igor Stravinsky. CBS 7.007 (sup.). Ou CBS GM31 (31 d.). + *Intégrale de l'œuvre dirigée par le compositeur.*

Deux pièces donnent un intérêt particulier à ce disque. La première est les *Mouvements* pour piano et orchestre auxquels le pianiste Charles Rosen et Stravinsky lui-même donnent une allure grave, abstraite, très proche de l'Ecole de Vienne, et la *Suite* tirée par Stravinsky de son *Histoire du soldat*, où l'on retrouve au contraire toute la saveur de l'histoire racontée où les instruments viennent se substituer aux acteurs. Le rythme en est plus accusé que dans la version chantée, de même que le rôle du violon soliste est un peu marqué. Mais rien n'est perdu de la fraîcheur nerveuse de l'original.

Pulcinella, ballet avec voix et petit orchestre.

*** Ann Murray (ms), Anthony Rolfe-Johnson (t), Simon Estes (b), Ensemble Intercontemporain, Pierre Boulez. Erato STU 71.427. ⌧ MCE 71.427. Enregistré en 1981. + *Concertino pour douze instruments.*

*** Teresa Berganza (m), Ryland Davies (t), John Shirley-Quirk (b), Orch. Symph. de Londres, Claudio Abbado. DG 2531.087. ⌧ 3301.087.

*** Marilyn Tyler (s), Carlo Franzini (t), Boris Carmeli (b), Orch. de la Suisse Romande, Ernest Ansermet, Decca 593.015 (2 d.). + *Petrouchka.*

*** Mary Simmons (s), Glenn Schnittke (t), Philip McGregor (b), Orch. de Cleveland, Igor Stravinsky. Philips 01.139 L (sup.). Mono.

** Irene Jordan (s), George Shirley (t), Donald Gramm (b), Orch. Symph. Columbia, Igor Stravinsky. CBS 75.452 (G-B). Ou CBS GM 31 (31 d.). + *Intégrale de l'œuvre dirigée par le compositeur.*

Le *Pulcinella* de Boulez est admirable : sans tomber dans le «à la manière de», Boulez manie son orchestre en le faisant passer du XVIIIᵉ au XXᵉ siècle sans aucune hésitation. Aucun chef, pas même Stravinsky, n'avait su avant lui utiliser avec autant de bonheur le jeu de miroirs offert au compositeur par la musique de Pergolèse. Une démonstration sans pareille de haute école vient donner une vie nouvelle à cette œuvre parfois considérée comme mineure.

Abbado, servi par un orchestre et des solistes de tout premier rang, nous donne de *Pulcinella* une version où se retrouvent et s'équilibrent Stravinsky et Pergolèse à qui le musicien est allé emprunter ses thèmes. Il réussit le travail difficile de concilier une musique et des idées rythmiques faites pour être chantées dans le cadre d'une *commedia dell'arte* et une structure orchestrale faite pour supporter les rythmes d'un ballet moderne. Il atteint cet équilibre avec une apparente aisance, comme en se jouant, ce qui renforce encore l'aspect de divertissement qui rend *Pulcinella* si délicieux.

Ernest Ansermet a beaucoup plus cherché à rétablir l'ambiance d'un *divertimento* italien qu'à retenir les rythmes d'un ballet de Massine ; le parti pris peut être discuté, mais si on l'accepte, cette force est de constater que le chef suisse a rarement aussi bien servi Stravinsky. Tout y est : la légèreté, la précision, une élégance de tous les instants. Stravinsky et Pergolèse sont, grâce au travail du chef d'orchestre, totalement assimilés l'un à l'autre.

Stravinsky a enregistré deux fois *Pulcinella*. Le premier de ces deux enregistrements a été retiré depuis longtemps de la circulation commerciale, ce qui est bien regrettable. Le musicien y avait trouvé un équilibre, assez proche de celui exprimé par Ansermet, entre ses façons personnelles d'écrire et la musique qu'il avait empruntée à Pergolèse. Sans avoir la perfection de finesse du chef suisse, il restait dans un style volontairement très proche du divertissement.

Le second enregistrement de *Pulcinella* par Stravinsky utilise la version révisée. Mais il est malheureusement au premier ; il semble que le compositeur ait oublié de garder une vue d'ensemble de l'œuvre pour insister avec lourdeur, sur les incidents sonores nés de la juxtaposition de deux styles aussi différents que le sien et celui de Pergolèse. Il faut ajouter que les solistes de cette seconde version sont loin de valoir ceux de la première.

Pulcinella (suite).

** Orch. de Chambre Anglais, Alexander Gibson. Chandos ABRD 1.065. Enregistré en 1982. + *Danses concertantes.*

Avec Gibson et les musiciens anglais, la netteté, la fraîcheur, l'esprit, la spontanéité sont autant de qualités qui, jointes à une subtile alliance de souplesse et de mordant, redonnent tout son rayonnement méridional à ce cousin napolitain de *Petrouchka*. Les *Danses concertantes* permettent également d'apprécier le soin des nuances et la sensibilité discrète que Gibson confère à l'interprétation techniquement parfaite de son orchestre.

Pulcinella (suite), Scherzo fantastique, Symphonies d'instruments à vent (version 1920).

*** Orch. Phil. de New York, Pierre Boulez. CBS 76.680.

Pierre Boulez suit ici Stravinsky dans des voies bien différentes. La concision dont il fait preuve dans les Symphonies pour instruments à vent (qu'il avait déjà enregistrées dans leur version révisée avec l'ensemble du Domaine Musical) contraste avec la fantaisie et le jeu musical délié qui marque la suite extraite de *Pulcinella*. Il excelle dans un style comme dans l'autre. La grande souplesse et la remarquable précision qui marquent cet enregistrement confirment que Pierre Boulez est un des meilleurs traducteurs actuels de l'art stravinskien.

The Rake's Progress (La Carrière du Libertin).

** Judith Raskin (Anne Truelove), Alexander Young (Tom Rakewell), John Reardon (Nick Shadow), Regina Sarfaty (Baba the Turk), Ch. du Sadlers Wells Opera, Orch. Phil. Royal, Igor Stravinsky. CBS 72.278/80. (3 d.) (G-B). Ou CBS GM31 (31 d.). + *Intégrale de l'œuvre dirigée par le compositeur.*

Composé en 1950/51 pour être donné à *La Fenice* à Venise, *La Carrière du Libertin* était, dans l'esprit de son auteur, un opéra se situant dans la grande tradition classique. C'est dans cet esprit qu'en est dirigé la présente interprétation. Les recherches de forme y ont moins d'importance que le charme du chant et la continuité de l'action. Bien servi par ses musiciens, Stravinsky nous offre ici un ouvrage qui appartient encore par bien des points au XIXᵉ siècle, si même il n'oblige pas à remonter plus haut. Les interprètes jouent parfaitement le jeu, se situant avec aisance à mi-chemin entre Mozart et le Stravinsky plus habituel des années 1950. Il se dégage de l'ensemble un charme très civilisé.

Renard.

❀*** Jean Giraudeau, Louis Devos (t), Louis-Jacques Rondeleux, Xavier Depraz (b), Elemer Kiss (cymbalum), Ensemble Instrumental du Domaine Musical, Pierre Boulez. Adès 14.023. *+ 3 Pièces pour quatuor à cordes (Quatuor Parrenin), 3 Pièces pour clarinettes (Guy Deplus), Concertino pour douze instruments, Symphonie d'instruments à vents à la mémoire de Claude Debussy.*

*** Eric Tappy, Pierre-André Blazer (t), Philippe Huttenlocher (bar), Jules Bastin (b), Siegfried Schmidt (cymbalum), Ens. instrumental, Charles Dutoit. Erato DUE 20.252 (2 d.). *+ L'Histoire du soldat, Les Noces, Ragtime.*

*** George Shirley, Loren Driscoll (t), William Murphy (bar.), Donald Gramm (b), Tony Köves (cymbalum), Ens. de chambre Columbia, Igor Stravinsky. CBS 79.335 (3 d.). *+ Concerto pour violon, Les Noces, Ragtime, Symphonie de psaumes, Symphonie en trois mouvements, Symphonie en ut.*

Pierre Boulez donne de *Renard* une interprétation tout en nerfs, pleine de vie, où voix et instruments se substituent sans cesse les uns aux autres pour raconter une histoire populaire bouffonne. Il lui arrive par moment de traiter cette partition à la fois plaisante et expérimentale avec un peu trop de gravité et de précision. On perd alors le charme populaire du texte que les légendes russes avaient inspiré à Ramuz. Mais ce disque est irremplaçable pour qui aime Stravinsky, car le programme en est composé avec une grande richesse : on peut y trouver les morceaux les plus divers, depuis les *Pièces pour quatuor à cordes*, que les Parrenin exécutent à la perfection, jusqu'au *Concertino* et à la *Symphonie d'instruments à vent* qu'il nous est donné d'entendre dans les versions révisées de 1952 et 1947 respectivement. Un disque-clef.

L'approche de *Renard* par les musiciens de Charles Dutoit est toute différente. Orchestre et voix sont beaucoup plus séparées. On est dans la droite ligne de *L'Histoire du soldat*. C'est un conte qui nous est présenté, accompagné d'une musique au rythme peu urgent. Tout, dans cette interprétation, sent le temps pris largement pour le plaisir des narrateurs autant que celui des auditeurs. Pas de grande expérience musicale, mais beaucoup de satisfaction. Le *Ragtime* pour onze instruments qui complète le programme de ce disque montre la même nonchalance plaisante.

Le climat de la version Stravinsky est très différent des autres disques. Moins précis que Boulez, beaucoup plus nerveux que Dutoit, le compositeur cherche à nous entraîner dans un univers irréel dont les sonorités sont inhabituelles.

Le Sacre du printemps.

❀*** Orch. Symph. Columbia, Igor Stravinsky. CBS 75.054. Ou CBS GM 31 (31 d.). *+ Intégrale de l'œuvre dirigée par le compositeur.*

❀*** Orch. de la Société des Concerts du Conservatoire, Pierre Monteux. Decca 592.030. ⌧ 4-592.030. Enregistré en 1954.

❀*** Orch. Symph. de Boston, Pierre Monteux. RCA GM 43274. Enregistré en 1951.

❀*** Orch. de Cleveland, Pierre Boulez. CBS 75.807. ⌧ 40-75.807.

❀*** Orch. Symph. de Boston, Seiji Ozawa. Philips 9500.781.

*** Orch. Phil. Tchèque, Karel Ančerl. Supraphon 25.239. ⌧ 403.316.

*** Orch. Philharmonia, Igor Markevitch. MFP 2M 055-16.272. ⌧ 2M 255-16.272.

*** Orch. Phil. de Berlin, Herbert von Karajan. DG 2530.884 ⌧ 3300.884.

** Orch. de la Suisse Romande, Ernest Ansermet. Turnabout 34.384 (USA).

** Orch. de Philadelphie, Riccardo Muti. EMI VSM C 069-03.503. ⌧ C269-03.503.

** Orch. Phil. de Londres, Bernard Haitink. Philips 7699.060 (2 d.). + *L'Oiseau de feu, Petrouchka.*

* Orch. Phil. de Vienne, Lorin Maazel. Decca 390.141.

* Orch. Symph. de Minneapolis, Antal Doráti. Philips 6768.227 (2 d.). + *L'Oiseau de feu, Petrouchka.*

* Orch. Symph. de Londres, Claudio Abbado. DG 2530.635 ⌧ 3300.635.

Le *Sacre du printemps* bénéficie d'une discographie exceptionnelle par le nombre et par la qualité de ses enregistrements. Commencer la comparaison par la version réalisée par le compositeur lui-même s'impose d'autant plus que c'est une des meilleures dont nous disposions. Stravinsky semble avoir été en mesure de réaliser l'équilibre exact qu'il désirait entre passages lyriques et grandes vagues rythmiques venant tout bouleverser et créer un effet de terreur. Les détails de l'orchestration ressortent bien, les solistes sont mis en valeur, même si, par moments, on ne retrouve plus très clairement le fil conducteur de la partition un peu trop noyé sous les détails. En tout cas, une référence historique.

La dernière des quatre interprétations enregistrées par Pierre Monteux, qui fut le créateur de l'œuvre, est plus facile à suivre. Les oppositions de tempos et de masses sonores sont aussi marquées que chez Stravinsky, mais le souci du détail à faire ressortir est probablement moins grand que le désir de donner une unité à cette coulée de passion qu'est le *Sacre*. Monteux réussit admirablement à répartir ses effets de façon à conserver à l'ouvrage une unité toute classique, sans pour cela sacrifier jamais la violence des pulsions rythmiques. Une version qui a gardé toute la fraîcheur scandaleuse des premières exécutions.

Avant sa version avec la Société des Concerts, Pierre Monteux avait enregistré *le Sacre* avec l'Orchestre de Boston. Une version un peu plus rapide, plus dure dans la seconde partie, mais conservant aux premières mesures ce caractère légèrement embrumé qui leur donne toute leur portée théâtrale. L'ensemble se déroule un peu plus rapidement que dans la version parisienne : une grande minute de différence, ce qui n'est pas négligeable. La personnalité du chef domine totalement l'interprétation, ce qui rend toute comparaison entre les deux versions très difficile. La différence se sent au niveau des effets orchestraux plus compacts dans la version de 1951, qui prend quelques distances avec l'aspect chorégraphique que Monteux connaissait mieux que personne et qui passe ici au second plan derrière une certaine volonté de description.

Pierre Boulez a réalisé deux enregistrements du *Sacre*. Celui qu'il a signé avec l'Orchestre de Cleveland est de beaucoup le meilleur. Donnant de l'œuvre une lecture très analytique, il est beaucoup moins lyrique et plus contenu que ne l'est Stravinsky, dont il adopte toutefois les tempos relativement modérés. Une fort belle prise de son fait ressortir les effets d'instrumentation sur lesquels il joue beaucoup et qui donnent à son interprétation un coloris très riche. De bout en bout, l'obsession rythmique est maintenue sans faiblesse. Une très grande version, par sa beauté propre et par sa fidélité à Stravinsky.

L'interprétation qu'Ozawa propose du *Sacre du printemps* lui est très particulière. Débutant avec une extrême lenteur, il n'utilise les temps d'accélération que très parcimonieusement, et surtout très graduellement. On a l'impression d'une force retenue à la limite du possible. La partition y perd certes son côté chorégraphique, mais l'aspect incantatoire de ces scènes rituelles y gagne une intensité incroyable. La lente montée d'une émotion à la limite de la peur, d'une peur panique au sens premier de ce terme, est du grand art dramatique. C'est un des rares exemples où l'on a l'impression qu'un interprète est allé plus loin dans la profondeur d'une œuvre que son propre auteur sans qu'il y ait eu pour autant la moindre trahison.

Karel Ančerl, dans une version déjà ancienne, reste très étroitement fidèle à la conception stravinskienne de l'interprétation du *Sacre*. Grande attention portée aux incidents sonores de la partition, jeu de contrastes marqués, envolées lyriques, le tout teinté d'un certain humour inattendu, comme s'il restait encore dans l'œuvre des relents de *Petrouchka*.

Ancienne également, la version d'Igor Markevitch est peut-être celle qui répond le mieux au sous-titre de l'œuvre, «scènes chorégraphiques de la Russie païenne». Les éclats de violence, la brutalité rythmique, la simple dynamique sonore font de cette interprétation une manifestation souvent inquiétante des puissances de notre subconscient. Bien servi par une prise de son très dynamique, Markevitch nous offre du *Sacre* l'interprétation la plus bouleversante par sa violence et son étrangeté.

Karajan donne une fort belle version du *Sacre*, qui relève d'une vision très personnelle. Il sépare apparemment tout le dessin mélodique auquel il donne plus de continuité qu'on ne lui en trouve habituellement et le confie aux cordes, qui assument ainsi un rôle complètement lyrique, tandis que le reste de l'orchestre devient un énorme instrument de percussion chargé de marquer l'obsession rythmique de l'œuvre. Cette approche donne à l'ouvrage une très grande force d'émotion romantique et permet de mettre en valeur la qualité exceptionnelle des musiciens de l'Orchestre de Berlin.

Autre chef stravinskien historique, Ernest Ansermet paraît bien timide à côté de ses contemporains. Son interprétation a une grande importance, car elle est le résultat de longues discussions avec le compositeur, mais aujourd'hui elle nous semble manquer terriblement de passion et de fougue interne. Tout est précis, les proportions semblent justes, mais le contrôle exercé par le chef sur le déroulement du drame symphonique reste très fort. On a plus l'impression de lire la partition que d'entendre l'œuvre.

Riccardo Muti aborde le *Sacre du printemps* en méridional. Il a certainement le sens du mouvement et de la danse sacrée. Dans une interprétation bien venue, où les aspects mélodiques et rythmiques s'équilibrent bien, on pourrait lui faire un reproche : de refuser systématiquement tout ce que la partition a de mystérieux et de faire luire dans ce monde ténébreux des rayons de soleil que Stravinsky n'avait peut-être pas prévus. L'ouvrage en est certainement plus plaisant à écouter, sinon plus authentique.

L'interprétation de Bernard Haitink est pleine de désinvolture. Il écarte comme systématiquement les gonflements sonores trop brutaux pour son goût ; de la même façon, il diminue l'impact des variations rythmiques. Cela est compensé par une lecture mélodique infiniment précise, d'une très grande beauté, qui a été soignée avec amour. Ce qui compte pour lui, c'est la pureté et l'élégance des sons. Sa version est donc à recommander à ceux que gênerait la brutalité incontestable du style stravinskien.

Lorin Maazel semble avoir été jaloux du scandale provoqué par Monteux lors de la première exécution de l'œuvre. Il fait tout ce qu'il peut pour que le *Sacre* reprenne, à nos oreilles trop habituées, les sonorités scandaleuses qui étaient les siennes en 1913. Partant de là, il obtient d'un remarquable orchestre tous les ingrédients nécessaires à un nouveau scandale : changements de tempos, modifications des volumes sonores, jeux de timbres inattendus ; il semble s'être donné à tâche de réaliser tout ce à quoi Stravinsky n'avait pas pensé dans sa conception première de l'œuvre.

Antal Doráti s'inscrit, lui aussi, dans les rangs des chefs qui ne craignent pas de brutaliser la partition du *Sacre*. Mais il le fait dans un esprit beaucoup plus classique et en respectant de très près la tradition indiquée par Stravinsky. Cela donne une version pleine d'agressivité et de rythme, mais loin d'être déplaisante. Couplage heureux avec le *Petrouchka* de la version 1947.

Partant d'une optique toute différente, Claudio Abbado a regardé la partition du *Sacre* à la loupe. Pas un détail n'est oublié dans une version dont l'interprétation instrumentale est absolument impeccable. Dans cette exécution méticuleuse, on a l'impression qu'aucun problème n'a pu échapper à l'attention du chef. Tout est réglé avec précision. Le seul point de critique, mais il est d'importance, c'est que Abbado lui-même n'a jamais l'air passionné par ce qu'il fait avec tant de conscience professionnelle. Et la partition du *Sacre du printemps* ne tolère pas l'indifférence.

Le Sacre du printemps (version pour deux pianos).

*** Michael Tilson Thomas, Ralph Grierson (piano). EMI Angel S 36.024 (USA). + *Scherzo à la russe.*

La version pour deux pianos du *Sacre* est pratiquement restée inconnue jusqu'aux dernières années de la vie du compositeur. Elle est pourtant contemporaine des premières représentations du célèbre ballet. L'interprétation qu'en donnent ici Michael Tilson Thomas - qui a aussi dirigé le *Sacre* à l'orchestre - et Ralph Grierson est passionnante. Elle présente l'œuvre, dépouillée des charmes de son orchestration, comme réduite à un squelette et à des nerfs. Le piano, redevenu pur instrument de percussion, scande la partition d'autant plus énergiquement que son action ne repose pas sur des changements de volume sonore. En même temps, les éléments mélodiques éclatent comme autant de morceaux de verre brisé. Cette audition inattendue fait ressortir curieusement toute la parenté qui joint le *Sacre* à *Petrouchka*.

Symphonie de psaumes.

❁*** Festival Singers de Toronto, Orch. Symph. CBC, Igor Stravinsky. CBS 79.335 (3 d.). + *Concerto pour violon, Les Noces, Ragtime, Renard, Symphonie en trois mouvements, Symphonie en ut.* Ou CBS GM 31 (31 d.). + *Intégrale de l'œuvre dirigée par le compositeur.*

*** Chœur et Orch. Phil. Tchèque, Karel Ančerl. Supraphon 25.348. + *Messe.*

*** English Bach Festival Chorus, Orch. Symph. de Londres, Leonard Bernstein. CBS 76.670. + *Poulenc : Gloria.*

*** Chœur de Christ Church Cathedral Oxford, Ensemble Philip Jones, Simon Preston. Argo ZRG 799 (G-B). + *Canticum sacrum.*

** Chœurs de l'Opéra de Berlin, Orch. Phil. de Berlin, Herbert von Karajan. DG 2531.048. ⌧ 3301.048. + *Bach : Magnificat.*

Il est certain que, pour Stravinsky, la *Symphonie de psaumes* était une œuvre sacrée au moins autant qu'une pièce de concert, et cela marque toute l'interprétation qu'il en donne. Le jeu du chœur et de l'orchestre est destiné à faire ressortir les paroles du psalmiste, qui ne sont jamais simple prétexte à jeux musicaux. Il se dégage de l'ensemble de cette version un certain hiératisme sacré qui rapproche Stravinsky de ses origines orthodoxes et des grandes iconostases décorées des églises russes. Mais le soin apporté aux moindres nuances orchestrales reste extrême. Stravinsky chef d'orchestre fait ressortir toutes les splendeurs de l'œuvre de Stravinsky compositeur.

Karel Ančerl est un des chefs qui a toujours été très près des conceptions stravinskiennes de la direction d'orchestre. Il n'est donc pas étonnant que dans cet enregistrement il soit resté fidèlement lié à la manière de voir d'ensemble du compositeur. Il faut noter toutefois un certain infléchissement qui fait basculer la Symphonie de son aspect hiératique et volontairement figé vers une interprétation plus humaniste. Cela est particulièrement sensible dans l'articulation du travail du chœur et de celui de l'orchestre, où l'on trouve une souplesse dont Stravinsky semblait s'être défendu et qui a un grand charme.

Beaucoup plus que les précédentes, l'interprétation de Bernstein est marquée par le signe d'une certaine virtuosité. L'orchestre est moins haché que celui de Stravinsky ; les entrées des voix semblent mieux préparées. En tant qu'œuvre musicale, la *Symphonie de psaumes* y gagne ce qu'elle perd en tant que chant para-liturgique ou que célébration sacrée. L'ensemble est fortement rythmé, très vivant, et les instruments sont admirablement mis en valeur. L'œuvre est laïcisée.

Utilisant des voix d'enfants et un ensemble orchestral à effectifs réduits, Preston ne peut offrir la même richesse de timbres que les versions précédentes. Il lui manque également un peu du mordant et de l'âpreté de la version Stravinsky. En revanche, les moyens qu'il emploie lui permettent de donner à son interprétation de la Symphonie une légèreté et une couleur presque immatérielle qui est fascinante. Techniquement à l'opposé de la version Stravinsky, c'est peut-être celle qui s'en rapproche le plus sur le plan de l'émotion spirituelle.

Karajan, admirablement servi par les chœurs et l'orchestre de Berlin, signe une version de la *Symphonie* d'une exemplaire chaleur. Détachant bien les plans sonores, marquant l'insistance du rythme, il fait de l'œuvre une grande fresque quasi liturgique, atteignant un hiératisme que viennent traverser les éclats de l'orchestre. Un passionnant spectacle sacré.

Symphonie en trois mouvements.

** Orch. Symph. Columbia, Igor Stravinsky. CBS 79.335 (3 d.). + *Concerto pour violon, Les Noces, Ragtime, Renard, Symphonie de psaumes, Symphonie en ut.* Ou CBS GM 31 (31 d.). + *Intégrale de l'œuvre dirigée par le compositeur.*

Le compositeur parlait à son sujet de symphonie de «circonstance». Il n'en paraît rien dans cette interprétation serrée, précise, d'une extrême densité ; on sent que pas un accent n'échappe au chef d'orchestre qui donne à l'ouvrage un relief éclatant de clarté. La sécheresse qui s'en dégage n'exclut nullement un lyrisme qui jaillit sous la poussée de cette écriture compacte, de ces rythmes répétés, de ce jeu de sonorités auxquelles on reconnaît immanquablement le Stravinsky le plus conforme à l'image qu'il a voulu donner de lui-même.

Symphonie en ut.

** Orchestre Symph. Columbia, Igor Stravinsky. CBS 79.335 (3 d.). + *Concerto pour violon, Les Noces, Ragtime, Renard, Symphonie de psaumes, Symphonie en trois mouvements.* Ou CBS GM 31 (31 d.). + *Intégrale de l'œuvre dirigée par le compositeur.*

Interprétation classicisante d'une œuvre d'allure et de coupe classiques. Stravinsky chef d'orchestre souligne de façon parfois un peu accusée les moindres intentions de Stravinsky compositeur. Ce parti pris amène à souligner les utilisations inattendues d'instruments, les brusques ruptures de rythme, plus qu'à donner à l'œuvre une cohésion interne et une solidité de construction bien apparente.

Threni.

*** Bethany Beardslee (s), Beatrice Krebs (c), William Lewis, James Wainner (t), Mac Morgan (bar), Robert Oliver (b), Ch. de la Schola Cantorum de New York, Orch. Symph. Columbia, Igor Stravinsky. CBS 75.388 (sup.). Ou CBS GM 31 (31 d.). *+ Intégrale de l'œuvre dirigée par le compositeur.*

Cette version musicale des *Lamentations du prophète Jérémie* est certainement l'œuvre la plus marquante de la vieillesse de Stravinsky. Construite de bout en bout selon les canons de la musique sérielle, c'est un poème d'accès difficile dans son austérité. L'interprétation qu'en donne le compositeur est profondément émouvante. Il est servi par un orchestre remarquablement tenu en main et surtout par des solistes qui abordent avec autorité les difficultés de la partition et nous en font sentir la beauté dépouillée.

Suppé, Franz von
(1820-1895)

Ouvertures.

*** Orch. Phil. de Berlin, Herbert von Karajan. DG 2530.051. ✉ 3300.222.

*** Orch. Symph. de Detroit, Paul Paray. Philips 6538.028.

Herbert von Karajan, dans sa grandeur, ne dédaigne pas de consacrer sa baguette aux charmantes frivolités de Franz von Suppé : et c'est pour notre plus grand plaisir qu'il consent à s'installer dans le kiosque à musique, donnant à chacune de ces Ouvertures le caractère d'un petit chef-d'œuvre, d'une légèreté toute viennoise.

Tout en égalant en perfection, autant qu'il se peut, la version de Karajan, celle de Paul Paray se distingue par un côté plus désinvolte, plus «parisien» : à choisir entre Suppé à la viennoise ou à la française.

Sviridov, Gueorgui
(né en 1915)

Chansons de Koursk sur des textes populaires, pour chœur et orchestre. Cinq Chœurs a cappella sur des poèmes d'auteurs russes.

** Chœurs de la République de Russie, Alexandre Yourlov, Orch. Phil. de Moscou, Kiril Kondrachine. EMI VSM C 063-90.280 (Melodia URSS) (sup.).

Ces deux chefs-d'œuvre firent découvrir à la France un musicien-poète, grand polyphoniste, héritier des compositeurs de son pays qui s'attachèrent passionnément à exprimer la «pérennité russe». Les Chœurs de la République de Russie sont les interprètes exemplaires de ces cycles choraux dont ils traduisent avec sensibilité, exactitude et spontanéité, les différents climats de méditation, d'animation joyeuse, de grande vigueur ou d'intense poésie.

Deux chœurs a cappella : Chante-moi ce chant, L'âme pleure le ciel. La neige tombe, pour chœur et orchestre. Russie de bois, pour ténor, chœur d'hommes et orchestre. Triptyque pour orchestre.

** Alexei Maslennikov (t), Ch. de la République de Russie, Orch. de la Radio de l'URSS, Guennadi Rojdestvenski. Chant du Monde LDX 78.481 (Melodia URSS).

Ces cinq pièces, dont l'exécution est en parfaite communion d'esprit et de style, offrent une bonne synthèse des principales composantes de l'art de Sviridov : écriture inspirée des plus anciens chants liturgiques orthodoxes ; évocation de la Russie archaïque, signe d'un attachement presque mystique pour le terroir ; étude de sonorités par des alliances nouvelles de timbres ; ingénuité, fraîcheur des impressions d'enfance ; naturel et sobriété de la polyphonie.

Trois Chœurs a cappella : Chœurs tirés du drame de A. K. Tolstoï «Le Tsar Fedor Ioannovitch», Concerto à la mémoire de A. A. Yourlov, Trois Miniatures. Cantate printanière pour chœur et orchestre.

** V. Golubeva (s), L. Solodilova (s), I. Kornilova (m), Ch. académiques russes a cappella A. Yourlov, Alexandre Yourlov, Youri Oukhov ; Grand Orch. Symph. de la Radio de l'URSS, Vladimir Fedosseev. Chant du Monde C 10-06.461-2 (Melodia URSS).

Ces compositions relativement récentes (1973) font apparaître une certaine densification de l'écriture polyphonique, et la recherche d'une «matière» chorale que des oppositions soudaines de tempos, d'intensités, façonnent par grands plans. Les Chœurs académiques russes, remarquables de précision et de cohésion, sont les interprètes sans facilité de cette «nature russe» excessive dont les débordements de joie, de douleur, de puissance, sont toujours interrompus par le nécessaire retour à l'intériorité, au rêve un peu nostalgique, à la gravité presque religieuse.

Oratorio pathétique pour basses, chœurs et orchestre.

** Alexandre Vedernikov (b), Ninel Aksoutchitz (b), Chœurs Académiques de l'URSS, Orch. Phil. de Moscou, Nathan Rakhlin. Chant du Monde LDX 78.464 (Melodia URSS).

La version puissante de Rakhlin restitue le souffle immense, authentiquement révolutionnaire, qui anime cette épopée tout entière. Les voix splendides des deux solistes basses donnent ampleur et force aux textes de Maïakovski comme aux récitatifs mélodiques qui les portent. Cette interprétation contribue à mettre particulièrement en valeur le propos même du compositeur : une musicalisation de l'art du «poète hurlant», fait d'une poésie vigoureuse qui s'exprime par «slogans oratoires», à la fois très grande et ramassée.

Poème à la mémoire de Serguei Essenine pour ténor, chœurs et orchestre.

** Alexeï Maslennikov (t), Ch. de la République de Russie, Orch. Phil. de Leningrad, Iouri Temirkanov. Mélodia Chant du Monde LDX 78.563 (étr.).

Il faut une interprétation à la fois intériorisée et brillante pour ne pas trahir les véritables dimensions de cette fresque musicale, succession de paysages - paysages réels et paysages de l'âme - qui jalonnent le passage de la Russie ancestrale à la Russie révolutionnaire et reflètent les bouleversements des villages, des consciences. La version de Temirkanov a la grandeur, la couleur et la force d'émotion exigées. Le ténor Maslennikov - la «voix» du poète paysan et témoin lucide Essenine - insuffle aux longues et amples méditations un lyrisme, une tension extrêmement émouvants.

Sweelinck, Jan Pieterszoon
(1562-1621)

Œuvres pour clavecin et virginal : Fantasias n°s 2 et 6, More Palatino, Toccatas n°s 15, 16, 18, 19, 21 et 24, Engelsche fortuyn, Mein junges Leben, Fantasia Chromatica, Ich fuhr mich über Rheine, Est-ce mars, Fantasia ut ré mi fa sol la, Onder een linde groen, Pavana hispanica, Pavana Philippi, Paduana lachrimae.

*** Ton Koopman (clavecin et virginal). Telefunken 635.360. (3 d.). (étr.). Enregistré en 1977.

Sensible et poétique, la musique de Sweelinck trouve en Ton Koopmann l'interprète qui restitue avec conviction les intentions si subtilement émouvantes de son message : la joie simple d'une chanson populaire (*Engelsche fortuyn*), l'infinie tristesse du temps qui fuit (*Mein junges Leben*) ou les charmes d'une promenade sous les tilleuls (*Onder een linde groen*). A chaque pièce sa couleur instrumentale, clavecin et virginal alternent pour renouveler sans cesse le plaisir sonore.

Œuvres pour orgue : Ricercar en la, Choral-Variations «Allein Gott in der Höh sei Ehr», Choral-Variations «Ons is gheboren een Kindskijn», Fantaisie chromatique, Variations sur «More Palatino», Fantaisie en écho.

** Xavier Darasse (orgue de la Merekerk à Linden). Erato EDO 255 (sup.). Enregistré en 1973.

Sweelinck par Darasse, c'est le témoignage, ô combien émouvant, du talent qui était celui de cet interprète avant le tragique accident que l'on sait. Animé d'une infaillible intuition, Darasse sait découvrir dans le langage de Sweelinck la dimension chaleureuse qui palpite secrètement par-delà les rigueurs de son cadre formel. Il est désolant que cet enregistrement, comme les autres de la même «Encyclopédie de l'Orgue», ait été retiré du catalogue.

Szymanowski, Karol
(1882-1937)

Oeuvres pour orchestre : Ouverture de concert op. 12, Symphonies n° 2 op. 19 et n° 3 «Chant de la nuit», Symphonie concertante op. 60, La Mandragore op. 43, Harnasie op. 55.

*** Andrzej Bachleda et Kazimierz Pustelak (t), Jan Harazim (récitant), Zdislaw Lapinski (violoncelle), Ch. de la Radio et Orch. National Symphonique de la Radio Polonaise de Cracovie, Jacek Kasprzyk, Jerzy Semkov et Antoni Wit. EMI VSM C 165-43.210/12.

Les trois chefs rivalisent d'ardeur et de magnétisme pour communiquer dans sa totale densité le message de Szymanowski. Si Doráti donne de la *Symphonie n° 2* une interprétation plus dynamique et plus nerveuse, Kasprzyk, ainsi que Semkov dans la *Troisième* et la *Concertante*, vont plus au fond encore des partitions. Le *Chant de la nuit*, en particulier, accède ici à un véritable état second. Quant à Antoni Wit, il est admirable de nuances et d'esprit dans la *Mandragore*, de fougue et de précision dans *Harnasie*.

Œuvres pour violon et piano : Mythes op. 30, Romances op. 23, Trois Caprices de Paganini op. 40, Nocturne et Tarentelle op. 28.

*** Ulf Hoelscher (violon), Michel Béroff (piano). EMI VSM C 069-46.599. Enregistré en 1982.

L'œuvre pour violon et piano de Szymanowski, tout en marquant le pont entre sa première période, post-romantique, et sa seconde, impressionniste et orientalisante, est surtout représentative de cette dernière. Le jeu de Ulf Hoelscher sait être aussi généreusement nourri et vibrant qu'éthéré dans les harmoniques dont Szymanowski tire des effets surprenants. Béroff, debussyste émérite, fait merveille avec son toucher voluptueux et raffiné, surtout dans les *Mythes*. La parfaite entente qui règne entre les deux interprètes nous vaut un disque totalement réussi.

Quatuors à cordes n°s 1 et 2.

*** Quatuor de Varsovie. Pavane ADW 7.118. Enregistré en 1982.

Œuvres à la sensualité chromatique à fleur de peau, aux explosions de verve soudaine et entraînante, ces deux quatuors sont magnifiquement servis par le Quatuor de Varsovie, qui, non seulement en fait valoir toute la richesse, mais, ce qui est plus délicat, rend un maximum de clarté à cette écriture qui est souvent d'une grande complexité. Un quatuor de poètes qui sont aussi des techniciens de première force, dont on admire autant le sens des nuances, des coloris et de la respiration, qu'une cohésion et une homogénéité sans faille.

Le Roi Roger, opéra.

*** Andrej Hiolski (le Roi Roger), Hanna Rumowska (Roxana), Zdzislav Nikodem (Edrisi), Kazimierz Pustelak (le berger), Marck Dabrowski (l'archevêque), Anna Malewicz-Madey (la diaconesse), Ch. et Orch. du Théâtre d'Etat de Varsovie, Mieczyslaw Mierzejewski. Muza XL 250/51 (2 d.) (Pologne).

Szymanowski est, après Chopin, le plus grand musicien polonais ; et le premier, il ouvrit la voie à l'école moderne polonaise. Il s'exprime en somptueuses mélodies, utilise remarquablement les voix sans jamais les couvrir par un orchestre pourtant fort riche. Les chœurs, composés avec minutie, viennent renforcer l'efficacité de l'expression. L'histoire conte le conflit intérieur du roi Roger, monarque chrétien attiré par un berger vers les rites dionysiaques ; ces deux personnages sont interprétés avec beaucoup de grandeur et de chaleur vocale. Belle également est la figure du sage Arabe chanté par Nikodem. Une légère réserve pour la Roxane d'Hanna Rumowska, dont la voix n'est pas si somptueuse que celle de ses partenaires. Les chœurs sont d'une grande richesse sonore. En somme, une très intéressante réalisation et d'une grande tenue artistique.

Symphonies n° 2 op. 19 et n° 3 «Chant de la nuit».

*** Ryszard Karczkowki (t), The Kenneth Jewell Chorale, Orch. Symph. de Detroit, Antal Doráti . Decca 591.144. ✉ 4-390.352. Enregistré en 1980.

La deuxième Symphonie accuse une certaine influence de Richard Strauss et de Scriabine. Doráti nous fait découvrir dans les meilleures conditions les vingt-trois minutes de cette matière harmonique et mélodique absolument somptueuse. Sa direction atteint une réelle grandeur dans le *Chant de la nuit*. Moins que son prédécesseur Witold Rowicki, Doráti cherche la splendeur expressive et sensuelle, mais porte l'accent sur le respect du texte et l'éclairage des masses harmoniques, parfois d'une irrépressible richesse.

T

Takemitsu, Toru

(né en 1930)

Arc, pour piano et orchestre. Requiem, pour cordes. Le Son-Calligraphie I et III. Eclipse, pour biwa et shahukachi. Masques, pour deux flûtes. The Dorian horizon. Cross talk, pour deux bandonéons et bande magnétique. Sky, horse and death (musique concrète).

** Kimshi Tsuruta (biwa), Katsuya Yokoyama (shakuhachi), Shinya Koide, Raju Noguchi (flûtes), Mitsuo Ikeda, Terumitsu Maeda (bandonéons), Orch. Symph. Yomiuri, Hiroshi Wakasugi. Philips 6527.003 (sup.).

Cosmopolite, partagé entre l'Orient et l'Occident, Takemitsu explore l'étrange, l'inhabituel, tout en flirtant avec Webern, Cage, Messiaen, le folklore et tout ce qui l'étonne et l'attire. Cet éclectisme pourrait être mortel pour un compositeur sans grande personnalité ; ce n'est pas le cas de ce créateur japonais, qui n'est jamais l'épigone servile que l'on pourrait craindre qu'il devienne. Ce panorama est servi par des instrumentistes sans faiblesses à la musicalité sûre ; quant à l'orchestre et à la direction, sans être enthousiasmants, ils sont bien plus qu'honnêtes.

Coral island, pour soprano et orchestre. Water music, pour bande magnétique. Vocalism AI, pour bande magnétique.

*** Orch. Symph. de Yomiuri, Matsu mi Masuda (s), Hiroshi Wakasug RCA 731.087 (sup.).

Œuvres déroutantes d'un compositeur ja ponais qui ne l'est pas moins, voici tro exemples d'intégration de la musique euro péenne à l'esthétique de l'Asie. Ce qui est i le plus frappant, c'est la sonorité envoûtant subtile dans ses atours se parant des plu imperceptibles frémissements. La voix a timbre si particulier de Masuda fait miracl et nous emporte entre les interludes orche traux jusqu'au cœur du mystère. Chef et o chestre apportent toute la conviction néce saire. Quant aux deux œuvres électro-acou tiques, elles tissent une riche polyphonie partir de cellules simples.

Corona, London version. For away. Pia no distance. Undisturbed rest.

*** Roger Woodward (piano, clave cin, orgue). Decca HEAD 4 (G-B)

Avant tout, ce disque est un éblouissan «*one man show*» de ce merveilleux instru mentiste qu'est Woodward. Sa sonorité l chée, son toucher miraculeux, sa sensibilité fleur d'ivoire, sa technique d'acier, son inven tion sonore multiforme font ici merveille nous enchantent. Au travers des cercles alé toires de *Corona* (dans laquelle Woodward enregistré les trois parties de clavier), de résonances de *For away,* de l'équilibre de divers plans de *Piano distance,* de l'influen de Messiaen de *Undisturbed rest,* ce pianis australien nous convie à un voyage sub dans les sphères du son.

Tallis, Thomas
(vers 1505-1585)

Cantiones sacrae.

*** Cantores in Ecclesia, Michael Howard. Oiseau Lyre SOL 311/3 (G-B). + *Byrd : Cantiones sacrae.*

La part de Tallis est égale, en nombre de Motets, à celle de Byrd dans ce chef-d'œuvre. Le maître et l'élève parlent là le même langage, à la fois sur le plan émotif et sur le plan technique. On ne peut imaginer pour cette musique passionnée de plus belle interprétation que celle de Michael Howard.

Les Lamentations de Jérémie.

*** Deller Consort. Harmonia Mundi HM 208. ⊠ 40.208. + *Hymnes de plain chant et polyphonies.*

*** The King's Singers. EMI-HMV CSD 3779 (G-B). Quadri. + *Byrd : Motets.*

Deller aborde les *Lamentations de Jérémie* avec toute l'expérience d'un homme qui a consacré sa carrière au chant élisabéthain. Du contrepoint de Tallis, il tire une matière éthérée, sans pesanteur aucune, musique pour les cérémonies religieuses les plus graves où aucune émotion ne doit être provoquée par des moyens qui relèveraient du théâtre. Cette infinie légèreté dans la façon d'attaquer la phrase, cette totale absence d'insistance créent, à la longue, une puissance d'émotion très supérieure à toute expression brutale. On le sent aussi bien, d'ailleurs, dans les Motets qui accompagnent les *Lamentations.* L'absence de pesanteur matérielle donne une pesanteur spirituelle accrue à des œuvres conçues dans une période de profond trouble spirituel collectif.

La version que donnent les King's Singers est marquée par une volonté très nette de réalisme. Les interprètes accentuent le côté humain, du texte comme de la mélodie, pour en faire un cri de désespoir presque romantique. Dans cet exercice périlleux, ils sont servis par une excellente technique vocale et une habitude de chanter les textes les plus divers. Plus que d'autres groupes, ils donnent l'impression d'avoir pris leurs distances vis-à-vis d'une certaine tradition en matière de chant de l'époque élisabéthaine. Cela est encore plus marqué dans l'interprétation qu'ils donnent des Motets de Byrd avec lesquels ces *Lamentations* sont couplées.

Les Lamentations de Jérémie. Messe «Puer natus est nobis». Motets «O nata lux», Salvator mundi», «If ye love me».

❀*** Chœur du King's College de Cambridge, Philip Ledger. EMI HMV ASD 4.285. Enregistré en 1982.

Le King's College donne ici le meilleur de lui-même : acuité presque douloureuse des sopranos, étrangeté des altos masculins, solidité des voix graves, élan de tous vers la beauté. Un disque d'où se dégage une saisissante atmosphère religieuse.

Messe «Puer natus est». Motets «Suscipe» et«Salvator Mundi».

** The Clerkes of Oxenford, David Wulstan. Calliope Cal 1623.

L'approche d'une des Messes de Tallis par les Clerkes of Oxenford ne manque pas d'intérêt. Ils mettent dans leur interprétation une certaine vigueur un peu combative que l'on trouve rarement chez les autres groupes. Le tempo est très affirmé, et l'on ne retrouve pas les grandes tenues de sopranos si caractéristiques de la musique de l'époque. Cela est compensé par une extrême rigueur dans le découpage rythmique et par une intensité dans l'émotion qui font fort bien ressortir toute la splendeur d'une œuvre à la construction très marquée.

Tudor church music. Motets divers, dont le «Spem in alium» à quarante voix.

*** Ch. du King's College de Cambridge, Ch. de la Société Musicale de l'Université de Cambridge, David Willcocks. Argo ZRG 5436. (G-B).

Avec le célèbre Motet à quarante voix «Spem in alium», nous avons une démonstration éblouissante des capacités techniques de Tallis. David Willcocks en donne une lecture parfaitement claire et aérée, ce qui semble incroyable ; et il n'est pas moins efficace dans l'interprétation de pièces d'écriture plus simple. Les Chœurs du King's College ont rarement été meilleurs que dans cette sélection des pièces les plus rayonnantes du compositeur. Le supplément d'effectifs apporté par la Société Musicale de l'Université ne fait nullement baisser le niveau moyen des chanteurs. Le disque tout entier est une démonstration de la vitalité d'une certaine musique dans un milieu où elle est soigneusement entretenue.

Taneiev, Serguei Ivanovitch
(1856-1915)

L'Orestie.

*** Victor Tschernobaëv (Agamemnon), Lidia Galuschkina (Clytemnestre), Anatolij Bokow (Egisthe), Nelli Tatschenko (Cassandre), Tamara Shimko (Electre), Ivan Dubrowin (Oreste), Arkadij Sawtschenko (Apollon), Ludmilla Ganestova (Pallas Athéna), Ch. et Orch. du Grand Théâtre d'Opéra d'Etat de Biélorussie, Tatiana Kalomiseva. DG 2709.097 (3 d.). Enregistré en 1979.

On accueillera comme une grande révélation l'unique opéra de Tanéïev : ce compositeur, malgré son abondante production et son éminente personnalité, n'est pas encore en France sorti de l'ombre. Son *Orestie*, basée sur la totalité de la *Trilogie* d'Eschyle, ne peut se rattacher à aucune autre œuvre lyrique, tant elle est originale et puissante. Une admirable connaissance des possibilités de la voix en rend l'audition très prenante, et le seul regret que l'on puisse exprimer est l'absence de livret, qui empêche de goûter la richesse d'un poème qui rend admirablement l'aspect viscéral de ces conflits originels. Tout cela est servi par une interprétation de premier ordre.

Tartini, Giuseppe
(1692-1770)

4 Concertos pour violon en la majeur D 96, en fa majeur D 67, en si mineur D 125, en ut majeur D 2.

*** Piero Toso (violon), I Solisti Veneti, Claudio Scimone. Erato STU 70 265 (étr.). Enregistré en 1971.

3 Concertos pour violon en mi majeur D 48, en mi mineur D 56, en sol majeur D 82.

** Pierre Amoyal (violon), I Solisti Veneti, Claudio Scimone. Erato STU 70.972 (étr.). Enregistré en 1975.

3 Concertos pour violon en fa majeur D 64, en la mineur D 115, en ré majeur D 15.

** Franco Gulli (violon), Orchestre Angelicum, Claudio Abbado. Ars Nova VST 6118. ⌧ VM 396 (Italie).

Concertos pour violon en mi mineur D 56 et sol majeur D 83.

** Salvatore Accardo (violon), Orch. de Chambre anglais, Philips 9502.089. ⌧ 7313.089.

Concertos pour violon en ré majeur D 45 et ré majeur D. 21, pour violoncelle en la majeur, Sonate a 4 en la majeur.

** Piero Toso (violon), Severino Zannerini (violoncelle), I Solisti Veneti, Claudio Scimone. Erato STU 70.970. Enregistré en 1975.

Une des plus belles réalisations de Claudio Scimone. Les archets doucement frottés, les tempos retenus, les contrastes pudiquement gommés créent une sorte d'anxiété teintée de désespoir qui parcourt le disque de bout en bout. Le violon fragile de Piero Toso émerge à peine de l'orchestre. On oublie vite sa grande virtuosité, transcendée par une liberté d'improvisation sur chaque note. Cette interprétation sans corps, immatérielle, est d'une rare beauté.

Ce disque des Solisti Veneti témoigne de l'évolution de l'ensemble ces dernières années. La pâte orchestrale est plus homogène, plus étoffée, même avec des basses profondes, tout en conservant cette manière caractéristique de frotter légèrement la corde sur toute la longueur de l'archet. Le violon d'Amoyal est d'une grande sûreté technique servant une jolie couleur et une finesse de sonorité. L'intimité de Tartini n'est pourtant pas pénétrée, en raison d'une certaine froideur. Faut-il être italien pour sentir cette musique ?

Claudio Abbado, pour pénétrer l'univers intime de Tartini, a fait appel à un prodigieux violoniste, Franco Gulli, dont la sonorité très pure, un peu acidulée, servie par un vibrato légèrement serré, est formidablement expressive, quoique de grande noblesse. La matière sonore est traitée avec goût, et se teinte parfois d'une gravité sombre, très sobre et de style. La basse continue à l'orgue contribue à la sensation de mystère qui plane sur cet enregistrement très réussi.

Salvatore Accardo, comme tant de virtuoses prestigieux, garde vis-à-vis de Tartini une tendresse particulière, qui l'éloigne un peu du «répertoire» pour le rapprocher du plus mystérieux violoniste «baroque» qui ait existé. Fasciné par l'écriture exigeante des *allegros,* Accardo, aidé par une technique impeccable, s'offre des tempos à sa mesure (il dirige et joue à la fois), et semble plus à l'aise qu'Amoyal dans la même œuvre (D 56). Dans les *Adagios,* il reste «classique», moins émouvant qu'un Piero Toso, mais d'une sobriété remarquable. La conception d'un grand artiste.

Trois chefs-d'œuvre dans le disque composite de Claudio Scimone. Le Concerto pour violon en ré mineur, dépouillé, déchirant, tendu, et celui en ré majeur, plus virtuose, mais avec un grave («Il Crude») bouleversant, servi par Piero Toso qui reste décidément le modèle d'expression pour Tartini. Dommage que le très beau Concerto pour violoncelle ne soit pas joué par un soliste aux capacités expressives équivalentes (Rostropovitch le joue, lui, fort bien !). Un disque Tartini capital.

6 Sonates pour violon et continuo en sol mineur «Le trille du diable» (Brainard g5), en la majeur (op. 1 n° 1), en sol mineur «Didon abandonnée» (op. 1 n° 10), en fa majeur (op. 1 n° 12), en do majeur (op. 2 n° 6), en la mineur (op. 2 n° 7).

** Pierre Amoyal (violon), Susan Moses (violoncelle), Edoardo Farina (clavecin). Erato STU 71.023/24 (2 d.). Enregistré en 1977.

Intensément lyrique, Pierre Amoyal s'impose dès les premières mesures de ces Sonates par une ampleur et une noblesse de caractère. Sa technique est exemplaire : les dissonances, doubles trilles et triples cordes semblent pour lui un jeu d'enfant. La justesse est presque absolue. Il comble, enfin, le musicologue en se basant sur les textes originaux. Pour nous résumer une interprétation remarquable, peut-être une référence pour longtemps.

Taverner, John
(1495-1545)

Tudor church music : Messe «The Western Wind» et Motets.

*** Ch. du King's College de Cambridge, David Willcocks. Argo ZRG 5316 (G-B).

Taverner est l'un des plus anciens musiciens de l'époque Tudor. En fait, il devait cesser de composer dès le début de la Réforme. Sa musique n'en est pas moins une des plus riches de cette époque, aussi bien par la force d'émotion que par la complexité polyphonique. Ce disque, enregistré dans la chapelle du King's College, lui rend un hommage mérité. C'est par ailleurs une incontestable réussite technique. Une très belle prise de son, des chœurs inspirés et bien préparés, Willcocks animant ses troupes d'une ferveur communicative, tout concourt à faire de cet enregistrement une des plus belles réalisations dans ce domaine.

Tchaïkovski, Piotr Ilyitch
(1840-1893)

Album pour la jeunesse op. 39.

* Jan Panenka (piano). Supraphon 20.046 (étr.). Enregistré en 1963.

Ces 24 petites pièces pour la jeunesse ont un charme certain sous les doigts de Jan Panenka. Il est intéressant de les comparer à *l'Album pour la jeunesse op. 68* de Robert Schumann (1848). Malgré sa valeur secondaire, ce disque mériterait bien une réédition.

Andante cantabile pour violoncelle et orchestre.

* Mstislav Rostropovitch (violoncelle), Orch. Phil de Berlin, Mstislav Rostropovitch. DG 2531.112. ⊠ 3301.112. Enregistré en 1979. *+ Capriccio italien, Casse-noisette (extraits).*

L'*Andante cantabile* du Quatuor op. 11 a donné lieu à un grand nombre d'arrangements. Son lyrisme dégage dans cette version pour orchestre du compositeur une mélancolie bien propre à Tchaïkovski. Rostropovitch garde le ton juste, et par la qualité de son jeu parvient encore à nous émouvoir.

La Belle au bois dormant, ballet op. 66.

*** Orch. Symph. de Minneapolis, Antal Doráti. Mercury 7544/46 (3 d.) (sup.).

*** Orch. de la Suisse Romande, Ernest Ansermet. Decca SDD 301/3 (3 d.). (G-B).

** Orch. Symph. de Londres, André Previn. EMI VSM C 167-02.537/59 (3 d.). Enregistré en 1974.

** Orch. Phil. National, Richard Bonynge. Decca D 78 D 3 (3 d.). (G-B). Enregistré en 1977.

La Belle au bois dormant, Suite op. 66 a.

*** Orch. Phil de Varsovie, Witold Rowicki. DG 2538.037. ⊠ 3318.059. Enregistré en 1967. + *Eugène Onéguine (Polonaise), Le Lac des cygnes (extraits).*

Antal Doráti fut sans doute le premier à graver intégralement le deuxième grand ballet de Tchaïkovski. Malgré l'âge de l'enregistrement, il y a l'éclat, la force évocatrice des différentes scènes de l'œuvre. Le caractère chorégraphique est magnifiquement mis en valeur.

Ansermet donne une analyse fouillée de l'orchestration et restitue à la partition toutes ses couleurs. On comprend en ce sens qu'elle ait pu faire l'admiration d'un Stravinsky et d'un Prokofiev.

André Previn, malgré la plus-value technique, ne parvient pas tout à fait à faire passer les longueurs de la partition liées aux conventions du ballet. Interprétation un peu uniforme, mais qui séduit malgré tout par sa qualité sonore et son ambiance «récréative».

Richard Bonynge traduit mieux le caractère chorégraphique de l'œuvre. L'orchestre est moins bon que les précédents, mais il a pour lui un dynamisme exceptionnel et persuasif.

Les cinq extraits qui composent la Suite d'orchestre retiennent les passages essentiels et les plus évocateurs de l'œuvre. Rowicki en traduit magnifiquement le caractère. Le meilleur en série économique.

Capriccio italien op. 45.

*** Orch. Symph. de l'URSS, Evgueni Svetlanov. EMI VSM 2 C 063-92.244 (sup.). Enregistré en 1971. + *Sérénade op. 48.*

** Orch. Phil. Berlin, Herbert von Karajan. DG 139.028. ⊠ 3300.130. + *Concerto pour violon.*

Svetlanov est sans doute le seul chef qui réussisse à préserver à la fois les caractères russe et italien de la partition. Son interprétation est magnifiquement colorée. Un tableau symphonique qui prend ici toute sa dimension.

Karajan imprime à l'œuvre un caractère romantique plus proche du poème symphonique. C'est un réel plaisir d'entendre ici la Philharmonie de Berlin enjôleuse et éclatante. Un grand moment d'orchestre, où les premiers pupitres sont des virtuoses exceptionnels.

Casse-noisette, ballet op. 71.

❀*** Ch. et Orch. du Théâtre Bolchoï, Guennadi Rojdestvenski. Chant du Monde LDX 78.436/37 (2 d.). Enregistré en 1968.

*** Orch. Symph. de Londres, Antal Doráti. Philips 6768.222 (2 d.). ⊠ 7515.017 (1 c. double). Enregistré en 1967.

Casse-noisette : extraits.

*** Ch. et Orch. du Théâtre Bolchoï, Guennadi Rojdestvenski. Chant du Monde LDX 78.522. ⊠ K 82. Enregistré en 1968.

Casse-noisette : Suite op. 71a.

*** Orch. Phil. de Berlin, Herbert von Karajan. DG 139.030. Enregistré en 1967. + *Sérénade pour cordes.*

Rojdestvenski a dirigé régulièrement l'œuvre avec le Ballet et l'Orchestre du Théâtre Bolchoï de Moscou. Il y donne la poésie, la tendresse, l'humour, dans les tempos qui sont ceux des danseurs. Excellente prise de son, avec des effets stéréophoniques remarquables dans la scène de la bataille. La Valse des flocons, avec la participation de la chorale enfantine, est un moment de pure poésie. Une référence, malgré les mérites des versions de Doráti ou de Previn.

La version intégrale de Doráti trouve place auprès de celle de Rojdestvenski par son éclat orchestral, sa vitalité. Celle-ci, réalisée à Londres, est préférable à celle que le même chef enregistra depuis avec le Concertgebouw d'Amsterdam. Elle est disponible en série économique.

Les pages les plus célèbres du célèbre ballet ont fait l'objet d'une sélection pratiquée par l'éditeur dans la version intégrale de référence dirigée par Rojdestvenski. Une excellente initiative, propre à séduire avec les meilleurs atouts.

Les huit fragments qui composent la *Suite op. 71a* trouvent sous la baguette de Karajan une force évocatrice très raffinée et poétique. Une très bonne version de concert.

Chœurs a capella. Aubade op. 39 n° 1, Bienheureux celui qui sourit, Chanson à boire, Chant du soir, Le coucou, Désolation, Hymne à Saint Cyrille et Saint Méthode, Légende op. 54 n° 1, Nocturne, Le Rossignol, Le soir, Vérité pur flambeau.

** Ch. National de l'URSS, Alexandre Svechnikov. Mélodia Chant du Monde LDX 78.568 (étr.). Enregistré en 1974.

Une bonne occasion de découvrir un Tchaïkovski méconnu. Parmi quelques œuvres de circonstance, assez conventionnelles, on découvre avec intérêt de fort belles pages, telles que l'*Hymne à Saint Cyrille et Saint Méthode*, le *Rossignol*, *le Coucou* ou *Désolation*. Il faut dire que les interprètes sont à la hauteur de la grande tradition chorale russe, et que la moindre page prend ici toute sa valeur.

Concertos pour piano et orchestre n° 1 en si bémol mineur op. 23, n° 2 en sol majeur op. 44, n° 3 en mi bémol majeur op. 75.

*** Emil Guilels (piano), Orch. New Philharmonia, Lorin Maazel. Chant du Monde LDX 78.580 et 78.581. Enregistré en 1974.

Pour qui ne veut pas s'en tenir aux seules promesses du premier Concerto mais découvrir le merveilleux mouvement lent du deuxième ou le panache extérieur du troisième, voilà trois versions de référence. Pudique et profond, Guilels traduit le caractère profondément russe de ces pages. L'accompagnement du New Philharmonia est somptueux et brillant.

Concerto n° 1 en si bémol mineur op. 23.

❀*** Vladimir Horowitz, Orch. Symph. NBC, Arturo Toscanini. RCA CVM 40.914 (4 d.). Mono (origine 78 t.). Enregistré en 1943. + *Beethoven : Concerto n° 5. Brahms : Concerto n° 2. Rachmaninov : Concerto n° 3.* Ou RCA GM 43.850 (3 d.). + *Casse-noisette (suite n° 1), Manfred, Roméo et Juliette, Symphonie n° 6.*

*** Sviatoslav Richter (piano), Orch. Symph. de Vienne, Herbert von Karajan. DG 138.822. ⊠ 3300.123.

Le tandem Horowitz-Toscanini imprime à ce Concerto célébrissime - l'un des plus enregistrés du répertoire - un climat exceptionnel. Le 25 avril 1943 au Carnegie Hall, il s'est passé quelque chose d'unique, que ce document ressuscite malgré sa relative qualité sonore : une ambiance survoltée sans artifices extérieurs, où piano et orchestre tour à tour rivalisent et communient. Une référence unique.

Opposée à la précédente, la version de Richter-Karajan vise avant tout à recréer l'œuvre en exploitant toutes les «ficelles» de la partition : virtuosité, opposition des tempos, éclairage des plans sonores, accentuation presque irréelle de la dynamique.

Concerto pour violon et orchestre en ré majeur op. 35.

❀*** Nathan Milstein (violon), Orch. Phil. de Vienne, Claudio Abbado. DG 2530.359. ⊠ 3300.323. Enregistré en 1973. + *Mendelssohn : Concerto pour violon n° 2.*

❀*** David Oïstrakh (violon), Orch. Phil. de Moscou, Guennadi Rojdestvenski. Chant du Monde LDX 78.419/20 (2 d.). Enregistré en 1968. + *Symphonie n° 6.*

*** Isaac Stern (violon), Orch. Symph. National, Mstislav Rostropovitch. CBS 76.725. ⊠ 40-76.725. Enregistré en 1978. + *Souvenir d'un lieu cher.*

*** Gidon Kremer (violon), Orch. Phil. de Berlin, Lorin Maazel. DG 2532.001. ⌧ 3302.001. + *Sérénade mélancolique pour violon et orchestre en si bémol mineur op. 26.*

*** Christian Ferras (violon), Orch. Phil. de Berlin, Herbert von Karajan. DG 139.028. ⌧ 3300.130. + *Capriccio italien.*

Tous les grands violonistes de notre temps ont tenu à enregistrer cette œuvre, certains plusieurs fois. La comparaison se situe donc au plus haut niveau et n'est pas exclusive. La sonorité de Milstein, son lyrisme, associés à un orchestre particulièrement présent et actif sous l'autorité de Abbado font de son enregistrement une réussite exceptionnelle.

Oïstrakh, qui a enregistré l'œuvre tant de fois (avec Gaouk, Samossoud, Kondrachine, Konwitchny...), a bénéficié également d'un enregistrement lors d'un concert public à Moscou, le 22 septembre 1968. Sa personnalité musicale, son art du violon fait de classicisme et de pureté ressortent peut-être mieux en «direct» qu'en studio. En complément, il dirige lui-même une belle version de la Symphonie «Pathétique». Un document sonore et humain.

Stern avait enregistré l'œuvre avec Ormandy en 1959. Sa nouvelle version, sous la direction de Rostropovitch, s'impose par son dynamisme, son caractère foncièrement russe, intensément romantique et lyrique. Le couplage ajoute encore à l'intérêt, évitant le traditionnel doublon mendelssohnien.

Kremer et Maazel réalisent un équilibre attachant. En violoniste qu'il est lui-même, Maazel «sent» toutes les intentions du soliste. Kremer se situe entre Stern et Perlman. Le timbre de son violon évoquerait plutôt le second, mais avec plus de rondeur, moins de rusticité.

Ferras-Karajan visent à plus d'intériorité, de chaleur. Le mouvement lent est particulièrement réussi. L'accompagnement orchestral somptueux atteint le plus grand raffinement.

La Dame de Pique, opéra op. 68 d'après Pouchkine.

❀*** Régina Resnik (la Comtesse), Peter Gougalov (Hermann), Galina Vichnevskaïa (Lisa), Hanna Schwarz (Pauline), Bernd Weikl (Prince Jeletzky), Dan Iordachesku (Tomsky), Ch. Tchaïkovski de Paris, Maîtrise de Radio France, Orch. National de France, Mstislav Rostropovitch. DG 2711.019 (4 d. (étr.). Enregistré en 1977.

Malgré les mérites de versions anciennes telles que celles réalisées au Bolchoï par Melik-Pachaïev ou Boris Khaïkine, c'est désormais avec celle réalisée à Paris qu'il faut découvrir la *Dame de Pique.* Malgré quelques faiblesses sur le plan vocal, Vichnevskaïa est fascinante par son intensité dramatique. Peter Gougaloff traduit avec justesse l'exaltation de son personnage équivoque. De même, Regina Resnik campe une hallucinante Comtesse. Rostropovitch emmène le tout avec une autorité et un sens théâtral remarquables, à la tête d'un Orchestre National de France sans défaillance. Le Chœur Tchaïkovski n'est cependant pas tout à fait à la hauteur de la situation.

L'Enchanteresse, opéra.

* R. Glouchkova (Nastassia, La Commère), L. Kouznetsov (Le Prince Youri), O. Klenov (Le Prince Kourliatev), L. Simonova (La Princesse Evpraxia), Grand Orch. et Ch. de la Radio Centrale et de la Télévision, Guennadi Provatorov. Mélodia Chant du Monde C 10-08.575/82 (4 d.).

Mal ficelée et mal caractérisée dramatiquement, *L'Enchanteresse* a été oubliée, et pas seulement sur les théâtres d'Occident. Mais cela n'ôte rien à la vertu suggestive et entraînante d'une musique dont l'élan, la chaleur et le charme sont à découvrir. Les chanteurs du présent enregistrement se maintiennent tous à un niveau excellent, même si pour chacun d'eux il est permis de rêver mieux... Mais enfin, cette réalisation est la seule qui nous fasse faire connaissance avec cette *Enchanteresse* injustement oubliée.

Eugène Onéguine, opéra op. 24. d'après Pouchkine.

❀*** Iouri Mazourok (Onéguine), Galina Vichnevskaïa (Tatiana), Tatiana Tougarinova (Larina), Tamara Siniavskaïa (Olga), Vladimir Atlantov (Lenski), Alexandre Ognivtsev (Grémine), Ch. et Orch. du Théâtre Bolchoï, Mstislav Rostropovitch. Chant du Monde LDX 78.485/7 (3 d.). Enregistré en 1969.

*** Bernd Weikl (Onéguine), Teresa Kubiak (Tatiana), Anna Reynolds (Larina), Julia Hamari (Olga), Stuart Burrows (Lenski), Nicolaï Ghiaurov (Grémine), Ch. John Alldis, Orch. de Covent Garden, Georg Solti. Decca 390.048 (3 d.). Enregistré en 1975.

L'enregistrement de Rostropovitch a été réalisé à Paris, en studio, lors des représentations données par le Bolchoï à l'Opéra. Ce fut à la fois une révélation de l'œuvre et la découverte de Rostropovitch débutant comme chef dans le répertoire lyrique. Vichnevskaïa demeure encore l'inoubliable interprète de Tatiana, émouvante, d'une grande beauté vocale. Mazurok est le meilleur Onéguine et sa voix de baryton est magnifique. L'ensemble de la distribution, les chœurs et l'orchestre contribuent à faire de ce coffret un enregistrement de référence, proche de la vérité scénique.

La version Solti s'impose surtout par ses chanteurs. Teresa Kubiak apporte plus de fragilité et de fraîcheur au rôle de Tatiana. Stuart Burrows demeure sans conteste le meilleur Lenski, surpassant son rival de la version précédente : style noble et plein de poésie (air du 2ᵉ acte). Weikl reste cependant un Onéguine moins convaincant que Mazourok. Les seconds rôles sont tous excellents. Malgré la clarté de sa direction, Solti reste en deçà des exigences théâtrales de l'œuvre, s'en tenant à une interprétation assez conventionnelle qui sent plus le studio que la scène. Prise de son remarquable.

Francesca da Rimini, fantaisie symphonique op. 32.

*** Orch. Symph. de l'URSS, Evgueni Svetlanov. EMI VSM C 181 - 52.103/4 (2 d.) (étr.). Enregistré en 1971. + *Hamlet, Roméo et Juliette, La Tempête.*

En deux disques (mais pour le prix d'un), Svetlanov propose un excellent panorama des quatre grands poèmes symphoniques de Tchaïkovsky. *Francesca da Rimini*, un peu moins connu que *Roméo*, entraîne Svetlanov à autant de ferveur et de conviction que dans son inoubliable intégrale des symphonies. C'est tout dire..

Grande Sonate pour piano en sol majeur op. 37.

** Sviatoslav Richter (piano). Mélodia Chant du Monde LDX 78.600 (étr.). Enregistré en 1963. + *Rachmaninov : Préludes.*

Richter a le sens des contrastes et une virtuosité captivante qui donne tout à coup un intérêt certain à cette Sonate un peu trop grande. Aucun autre pianiste n'est parvenu à faire «passer» ce style «*a la romantica*». Richter donne en plus une bonne leçon de piano, et montre comment un éminent artiste peut transfigurer n'importe quelle page.

Hamlet, ouverture-fantaisie op. 67.

*** Orch. Symph. de l'URSS, Evgueni Svetlanov. EMI VSM C 181 - 52.103/4 (2 d.) (étr.). Enregistré en 1971. + *Francesca da Rimini, Roméo et Juliette, La Tempête.*

Hamlet, victime du Destin, est le personnage propre à fasciner Tchaïkovski. Malgré une ancienne version assez attachante de Markevitch aujourd'hui supprimée, Svetlanov reste le seul à traduire le psychodrame de l'œuvre par l'émotion des détails tout aussi bien que par l'éclat des tutti. A ne pas manquer, compte tenu de sa disponibilité en série économique.

Iolante, opéra en 1 acte d'après Henrik Hertz.

** Tania Sorokina (Iolante), Evgueni Nesterenko (le Roi René), Youri Mazourok (Robert), Vladimir Atlantov (Vodemon), Vladimir Valaïtis (Ebn-Hakia), Solistes, Ch. et Orch. du Théâtre Bolchoï, Marc Ermler. Mélodia C 10 - 08.343 (2 d.) (étr.).

Dernier opéra de Tchaïkovski, *Iolante* mérite d'être connu pour son lyrisme heureux et spontané. Cet enregistrement unique a été réalisé par les artistes de la troupe du Théâtre Bolchoï et ses plus grandes vedettes du moment. Voix typiquement, profondément russes, timbres corsés aux reflets de métal. La direction de Marc Ermler anime ce grand flot de lyrisme avec naturel et conviction, un sens de la couleur et du mouvement théâtral qui donne beaucoup de vie à cet enregistrement. A défaut d'un livret, le discophile devra hélas ! se contenter d'un bref synopsis. Technique correcte.

Manfred, poème symphonique op. 58.

*** Orch. Symph. NBC, Arturo Toscanini. RCA GM 43.850 (3 d.). Mono. Enregistré en 1947 (origine 78 t.). + *Casse-noisette (suite n° 1), Concerto pour piano n° 1, Roméo et Juliette, Symphonie n° 6.*

** Orch. Symph. de la Radio de l'URSS, Guennadi Rojdestvenski. Mélodia Chant du Monde CM 3.151 (étr.). Enregistré en 1974.

* Orch. New Philharmonia, Vladimir Ashkenazy. Decca 591.166. Enregistré en 1978.

Le *Manfred* de Toscanini est un document sonore extraordinaire par la tension qui y règne de bout en bout et par la maîtrise technique de la partition. Il reste, bien sûr, que la prise de son accuse son âge.

Guennadi Rojdestvenski aborde *Manfred* avec un romantisme plus sombre, intensément pathétique, plus *«doloroso»*. Mais attention ! Rien ici ne laisse place à quelques langueurs complaisantes ou pleurnichardes.

Sans être «de référence», l'interprétation de Vladimir Ashkenazy s'impose, parmi les versions très récentes, par son relief saisissant, sa densité sonore. De par la qualité de la prise de son, *Manfred* «sonne» merveilleusement. Ashkenazy nous fait partager sa foi en l'œuvre.

Jeanne d'Arc, opéra en 4 actes d'après Schiller.

*** Irina Arkhipova (Jeanne d'Arc), V. Makhov (Charles VII), K. Radtchenki (Agnès Sorel), Vladimir Valaïtis (Dunois), S. Iakovenko (Lionel), L. Vernigora (L'archevêque), A. Sokolov (Raymond), E. Vladimirov (Thibaud d'Arc), V. Sélivanov (Bertrand), Ch. et Orch. Radio Moscou, Guennadi Rojdestvenski. Chant du Monde LDX 78.003. (4 d.). Enregistré en 1969.

Jeanne d'Arc (ou *la Pucelle d'Orléans)* est un drame héroïque, une des créations les plus intensément expressives de Tchaïkovski, riche en couleurs et en scènes de masse. L'opéra réclame d'excellents chœurs et un orchestre symphonique particulièrement présent dans l'action (doublé d'un orchestre d'harmonie). Rojdestvenski anime l'œuvre avec un sens musical et théâtral remarquable. Des principaux rôles se détache celui de Jeanne, incarnée ici par Irina Arkhipova, très émouvante et magnifique sur le plan vocal. Une découverte à faire pour les curieux et... ceux qui la trouvent en rayon. Résumé de l'action en français. Prise de son convenable.

Le Lac des cygnes, ballet op. 20.

*** Orch. Symph. de la Radio de l'URSS, Guennadi Rojdestvenski. Chant du Monde LDX 78.458/60 ⊠ K 221/23. Enregistré en 1970.

** Orch. Symph. de Minneapolis, Antal Doráti. Philips 6768.229 (2 d.).

Le Lac des cygnes : extraits.

*** Orch. Symph. de la Radio de l'URSS, Guennadi Rojdestvenski. Chant du Monde LDX 78.520. ⊠ K 116. Enregistré en 1970.

*** Orch. Symph. de Londres, Pierre Monteux. Philips 6539.008. ⊠ 18.002. Enregistré en 1963.

Rojdestvenski fut longtemps responsable de la direction des ballets au Bolchoï. Il ne se limite pourtant pas au caractère chorégraphique de l'œuvre, mais restitue à cet «opéra sans paroles» tous le feux de sa brillante orchestration. Son parti pris de célérité dans sa direction dépoussière et débanalise bien des moments de la partition. Une référence.

Doráti, en deux disques au lieu de trois, s'en tient à des tempos plus dansables, mais parvient aussi bien à restituer le dynamisme de l'œuvre par l'enthousiasme de sa direction claire et précise. La prise de son a malgré tout un peu vieilli.

La sélection de Rojdestvenski, empruntée à l'enregistrement intégral, s'impose pour son authenticité.

Dans un esprit très différent, Pierre Monteux, plus réservé, parvient à traduire magnifiquement la magie des divers climats et tableaux de l'ouvrage. A sa manière, il rajeunit la partition qu'il dépouille de tout faux romantisme. Est disponible en série économique.

Liturgie de Saint Jean Chrysostome op. 41.

*** Todo Grogorov-Teres (t), Blagov Spasov (bar), Alexander Monolov (b), Nokoli Nikolov, Ch. a capella

«Svetoslav Obretenov», Georgi Robev. EMI VSM C 167-03.557/8 (2 d.). Enregistré en 1977.

Malgré l'ancienne version de ce même ensemble bulgare et celle très dépouillée du Chœur Tchaïkovski, c'est avec ce dernier enregistrement qu'il faut découvrir Tchaïkovski traitant un sujet religieux dans la grande tradition russe. Les contraintes imposées par la liturgie semblent avoir stimulé le compositeur. La Chorale de Sofia rend parfaitement l'esprit de cette musique sensible et lyrique par l'ampleur de la polyphonie, la perfection des détails.

Manfred, op. 58.

*** Orchestre Philharmonia, Riccardo Muti. EMI C 067-43.234. Enregistré en 1982.

Muti a su, à l'instar de Toscanini, tirer de *Manfred* la tension et la violence exaspérée qui rappellent son modèle littéraire, ceci au prix d'une approche rigoureuse et solidement architecturée. Il donne à la pâte orchestrale vie et relief, en définissant avec clarté et fermeté les plans sonores. Une réalisation qui force l'admiration, tant l'engagement du chef est total et ardent, tant son infaillibilité technique s'affirme avec autorité.

Marche slave op. 31.

** Orch. Phil. de Berlin, Herbert von Karajan. DG 139.029. ⊠ 3300.140. Enregistré en 1967. + *Ouverture 1812, Roméo et Juliette.*

La *Marche slave* est une œuvre de chef disposant d'un orchestre de première qualité. Karajan est l'homme de la situation, et l'Orchestre de Berlin la phalange idéale.

Mazeppa.

** Vladimir Valaitis (Mazeppa), Evgeni Nesterenko (Kochubey), Tamara Milashkina (Maria), Solistes, Ch. et Orch. du Théâtre Bolchoï, Fouat Mansourov. Chant du Monde LDX 78.004 (4 d.). Enregistré en 1979.

Mansourov a le sens de l'épopée : mener, comme il le fait, ces pages avec vigueur et goût des grands espaces en les débarrassant d'une pesanteur sentimentale suspecte permet une redécouverte captivée de cette partition. Il ne s'agit peut-être pas du meilleur Tchaïkovski : en dépit des pages épiques et brillantes et d'un deuxième acte généreusement lyrique, la musique colle moins intimement aux caractères que dans *Onéguine* ou *la Dame de Pique.* Vocalement, l'œuvre est défendue par des artistes confirmés, principalement Nesterenko ; sa partenaire Milashkina se montre en revanche moins convaincante.

Mélodies : Pourquoi op. 6 n° 5, Pourquoi op. 28 n° 3, Dans la clameur du bal op. 38 n° 3. Sur les prés jaunissants op. 57 n° 2, Sénérade op. 63 n° 6, Nuit op. 73 n° 2.

*** Galina Vichnevskaïa (s), Mstislav Rostropovitch (piano). Decca SXL 6.428 (G-B). Enregistré en 1970. + *Britten : L'Echo du poète.*

Mélodies : Dans la clameur du bal op. 38 n° 3, Pourquoi op. 6 n° 5, Ne crois pas ô ami op. 6 n° 1, C'était au début du printemps op. 38 n° 2, Au clair de lune op. 73 n° 3, A nouveau comme par le passé op. 73 n° 6, Berceuse op. 16 n° 1, C'était à l'aube du printemps op. 38 n° 2, Dors, ma bien-aimée op. 47 n° 4, N'étais-je point une petite herbe des champs ? op. 47 n° 7, Si j'avais su op. 47 n° 1, Terribles instants op. 28 n° 6.

*** Galina Vichnevskaïa (s), Mstislav Rostropovitch (piano). EMI VSM C 167-02.726/28 (3 d.). Enregistré en 1976. + *Mélodies de Chostakovitch et de Moussorgski.*

Vichnevskaïa impose son art très personnel à ces admirables mélodies, un art vocal particulièrement expressif et attentif au climat de chaque texte poétique. Avec des tempos souvent un peu retenus, elle donne de ces pages une traduction singulièrement émouvante par sa simplicité. La présence de son mari au piano contribue à la complicité nécessaire dans ce répertoire. Le choix entre ses deux disques est une affaire de programme, de disponibilité et de moyens. L'enregistrement Decca n'est guère disponible en France ; il est par ailleurs couplé avec un cycle de mélodies de Britten.

L'enregistrement de La Voix de son Maître offre un programme plus généreux (douze mélodies au lieu de six), qui ne recoupe l'autre que pour deux mélodies seulement. Mais on ne peut y accéder que dans un coffret de trois disques - passionnant, et composant un excellent récital de mélodies russes.

L'Œuvre pour piano intégrale.

* Michael Ponti (piano). Vol. 1 : Vox Box SVBX 5.455 (3 d.) (étr.). Vol 2 : Vox Box SVBX 5.459 (3 d.) (étr.).

La musique pour piano de Tchaïkovski comprend une centaine de pièces d'un intérêt très varié et inégal. Michael Ponti, pianiste champion des intégrales et des œuvres inédites, ne parvient pas toujours à nous convaincre de l'intérêt de cette entreprise. Mais pour qui veut prétendre connaître son Tchaïkovski à fond, ces coffrets sont indispensables.

L'Œuvre pour violon et orchestre : Concerto pour violon en ré majeur op. 35, Sérénade mélancolique op. 26, Valse-scherzo op. 34.

*** Pierre Amoyal (violon), Orchestre Philharmonia, Charles Dutoit. Erato STU 71.452. ⊠ MCE 71.452. Enregistré en 1981.

Dans le second mouvement du Concerto, Amoyal atteint la beauté absolue et sa lecture est non moins fascinante que celle de Perlman. Il signe également une version magnifique de la Sérénade et va délibérément de l'avant, en virtuose accompli, dans l'amusante *Valse-scherzo.*

Œuvres symphoniques : Fatum, poème symphonique op. 77 ; L'Orage, ouverture op. 76 ; Le Voïévode, ballade symphonique op. 78 ; La Tempête, fantaisie symphonique op. 18.

*** Orch. de Radio-Francfort, Eliahu Inbal. Philips 6500.467 (sup.). Enregistré en 1975.

Sous la direction d'Eliahu Inbal, les mêmes œuvres - ou presque - prennent toutes leurs dimensions symphoniques, car magnifiquement captées. On s'étonne, dans ces conditions, que ce disque récent soit déjà hors catalogue. Puisse-t-il ressortir prochainement en série économique.

L'Opritchnik.

*** Tamara Milaçhkina (Natalia), L. Kouznetsov (Andrei Morozov), E. Vladimirov (Jemtchoujny), V. Ma torine (Mitkov), L. Nikitina (L Morozova), R. Kotov (Basmanov), O. Klionov (Viazminki), Solistes Ch. et Orch. de la Télévision Centrale et de la Radio d'URSS, Guennadi Provatorov. Chant du Mond LDX 78.002 (4 d.). Enregistré en 1980.

Cette intégrale est dominée par Tamar Milaçhkina, dont la chaleur de timbre et le accents pathétiques sont dignes de Vichnev skaïa. Kouznetsov reste vocalement et dramatiquement dans la lignée des meilleur ténors russes. On accordera également un mention toute particulière à la Morozova poignante et pleine de caractère, de Nikitina Guennedi Provatorov est efficace et dynamique et il communique un tonus exceptionne aux chœurs d'une belle rondeur sonore et l'orchestre qui brille de tout l'éclat que lui donné la science et l'invention de Tchaïkovski.

Ouverture 1812 op. 49.

*** Orch. National de l'URSS, Evgueni Svetlanov. Chant du Mond LDX 78.604. ⊠ K 178. Enregistr en 1976. + *Borodine : Danses polovtsiennes du Prince Igor. Rimsky-Korsakov : Capriccio espagnol.*

* Orch. Symph. de Minneapolis, Antal Doráti. Philips 6513.007. Enregistré en 1963. + *Beethoven : Bataille de Victoria.*

* Cosaques du Don, Orch. Phil. de Berlin, Herbert von Karajan. DG 139.029. ⊠ 3300.140.

En un programme de musique russe trè populaire, Evgueni Svetlanov propose un *Ouverture 1812* sans effets techniques spectaculaires mais galvanisant ses musiciens e brossant cependant un tableau dramatiqu de la guerre.

Tous les discophiles se souviennent du disque de Doráti utilisant à merveille la stéréophonie pour traduire cette version «en extérieur» de l'œuvre. Les effets sont saisissants près de vingt années après. Une interprétation cinémascopique.

Karajan présente une interprétation qu tient à la fois de la salle de concert et d plein air. Il est évident que la Philharmoni de Berlin se donne à fond dans ce spectacl sonore rehaussé par la présence vocale des Cosaques du Don (couleur locale oblige !).

Pièces pour piano : Chant sans paroles op. 2 n° 3, Doumka op. 59, Humoresque op. 10 n° 2, Chanson triste op. 40 n° 2, Valse op. 40 n° 8, Danse russe op. 40 n° 10, Scherzo op. 40 n° 11, Impromptu op. 72 n° 1, Nocturne op. 19 n° 4. Les Saisons op. 37 a : Au coin du feu, Chant de l'alouette, Barcarolle, La Moisson, Course en troïka, Noël.

** Danielle Laval (piano). EMI VSM C 065-12.579 (sup.). Enregistré en 1974.

Une quinzaine de pièces permet de découvrir le Tchaïkovski salonnard. Des pages élégantes, brillantes parfois, toujours bien écrites pour le clavier, auxquelles Danielle Laval apporte avec sincérité le charme et la virtuosité de son jeu. Une excellente sélection pour qui veut éviter les faiblesses d'une intégrale.

Quatuors à cordes n° 1 en ré majeur op. 11, n° 2 en fa majeur op. 22, n° 3 en mi bémol mineur op. 30.

*** Quatuor Gabrieli. Decca ACD SDD 524/25 (2 d.) (G-B). Enregistré en 1976.

En série économique, le Quatuor Gabrieli présente une excellente intégrale des trois Quatuors. Les succès rencontré par le fameux *andante cantabile* du premier semble avoir éclipsé les mouvements des autres, et c'est fort dommage. Les Gabrieli comblent magnifiquement cette lacune avec un style romantique très pudique et une sonorité d'une belle homogénéité. On ne peut que souhaiter le retour de cet enregistrement au catalogue français.

Quatuor à cordes n° 2 en fa majeur op. 22.

** Quatuor Borodine. Mélodia Chant du Monde C 1.675 (étr.).

L'interprétation du Quatuor Borodine possède toute la vigueur rythmique et contrapuntique, la virtuosité désirables. On regrettera toutefois que les musiciens se montrent ici plus attentifs à la perfection de l'architecture qu'aux subtilités de climat de l'*Andante ma non troppo.*

Quatuor à cordes n° 3 en mi bémol mineur op. 30.

*** Quatuor Borodine. Mélodia Chant du Monde C 1.677 (étr.).

Une interprétation pleine de relief et de très haute qualité technique, sans les traces de formalisme qui pointaient dans l'interprétation du Second Quatuor par les mêmes interprètes. Une vision à la fois slave et classique.

Roméo et Juliette, ouverture-fantaisie.

*** Orch. Symph. de l'URSS, Evgueni Svetlanov. EMI VSM C 181-52.103/4 (2 d.) (étr.). Enregistré en 1972. *+ La Tempête, Francesca da Rimini, Hamlet.*

** Orch. Phil. de Berlin, Herbert von Karajan. DG 139.029. ⊠ 3300.140. *+ Ouverture 1812, Marche slave.*

L'intensité de la flamme romantique de Svetlanov, sa façon de moderniser la partition en soulignant l'âpreté rythmique de l'épisode des épées et la crudité de son orchestration font de sa version une réussite exemplaire, unique. Un programme économique qui complète admirablement l'intégrale des Symphonies.

Karajan, à la tête d'un orchestre non moins somptueux, conçoit l'œuvre comme un large poème symphonique. Il est difficile de rester insensible au caractère inspiré et visionnaire de son interprétation. Son programme est plus homogène que celui de la version précédente.

Les Saisons, 12 pièces de caractère op. 37a.

* Igor Joukov (piano). Mélodia Chant du Monde 6.007 (étr.).

Douze pièces de caractère traçant les douze tableaux de l'année, de *Au coin du feu* (janvier) aux *Fêtes de Noël* (décembre). Cycle charmant, où Igor Joukov, par son toucher subtil et ses sonorités bien timbrées, retrouve une certaine poésie d'atmosphère. La prise de son ne l'aide pourtant pas.

Sérénade pour cordes en ut majeur op. 48.

** Orch. Symph. de l'URSS, Evgueni Svetlanov. EMI VSM C 063-92.244 (sup.). Enregistré en 1971. + *Capriccio italien.*

** Orch. Phil. de Berlin, Herbert von Karajan. DG 139.030. Enregistré en 1977. + *Casse-noisette.*

Svetlanov, là encore, a signé la version exemplaire de cette page emprunte de fraîcheur, d'élégance, d'idéal classique, dans le souvenir de Mozart. Interprétation authentique, légère et simplement émouvante, qui a curieusement disparu du catalogue.

Karajan, mieux servi par la prise de son, bénéficie de la sonorité des cordes berlinoises. Mozart est sans doute ici plus présent et l'esprit de la Sérénade XVIIIe siècle mieux rendu.

Sextuor op. 70 «Souvenirs de Florence».

*** Leonid Kogan (violon), Elisabeth Guilels (violon), Rudolf Barchaï (alto), Guennadi Talalian (alto), Sviatoslav Knouchevitzy (violoncelle), Mstislav Rostropovitch (violoncelle). Mélodia Chant du Monde LDX 78.358 (étr.). Enregistré en 1965.

Ce disque n'a pas cessé de dominer la discographie de ce Sextuor. Les quelques éminents solistes russes servent admirablement ces pages tour à tour charmantes, pittoresques, d'une veine mélodique très inspirée. Un précieux document. A découvrir en marge des trois Quatuors et du Trio.

Suites n°s 1 à 3.

** Orch. New Philharmonia, Antal Doráti. Philips 802.788/90 (3 d.) (sup.). Enregistré en 1967.

Hélas ! disparus du catalogue, ces trois disques mériteraient d'y revenir en série économique. Doráti, en marge de sa très belle intégrale des Symphonies, a signé là trois versions de référence réussissant à concilier l'esprit classique et l'expression romantique de ces Suites.

Suite n° 3 en sol majeur op. 55.

* Orch. Phil. de Vienne, Lorin Maazel. Decca SXL 6.857 (G-B). Enregistré en 1978.

Musique élégante et sensible, la Suite n° 3 convient parfaitement à la direction de Maazel qui réussit à en sauver bien des faiblesses La partition est intériorisée. Pourtant la prise de son manque de finesse et empâte un peu la couleur générale de l'orchestre.

Les Souliers de la Reine (Tcherevitchki), opéra en 4 actes d'après Gogol.

** Constantin Lissovski (Vakoula), Lioudmila Simonova (Solokha), Olga Klionov (le Diable), Alexeï Krivtchenia (Tchoub), Nina Fomina (Oksana), Ivan Kartavenko (Panass), Guennadi Troïtski (Pan Golova), Vladimir Makhov (le maître d'école), Ch. et Orch. de la Radio de l'URSS, Vladimir Fedosseev. Mélodia Chant du Monde CM 4.401/3 (3 d.) (étr.).

Les Souliers de la Reine, ou Tcherevitchki, ou *Les Caprices d'Okasana*, ou *Vakoula le forgeron*, est tiré d'un conte de Gogol, *la Nuit de Noël.* C'est une sorte d'opéra-comique fantastique sur fond de folklore ukrainien. Les solistes sont parfaitement à l'aise vocalement, malgré les difficultés de tessiture, et incarnent admirablement leurs personnages. Il est un peu dommage que la prise de son avantage trop les chanteurs au détriment de l'orchestre, relégué au loin. Les chœurs sont excellents. Unique enregistrement mondial de cette œuvre.

Symphonies : n° 1 en ré mineur «Rêves d'hiver» op. 13, n° 2 en ut mineur op. 17, n° 3 en ré majeur «Polonaise» op. 29, n° 4 en fa mineur op. 36, n° 5 en mi mineur op. 64, n° 6 «Pathétique» op. 74.

*** Orch. Symph. de l'URSS, Evgueni Svetlanov. EMI HMV SLS 881 (7 d.). (G-B).

*** Orch. Symph. de la Radio de l'URSS, Guennadi Rojdestvenski. Mélodia Chant du Monde CM 4.229/33 et 78.750/52 (8 d.) (étr.).

Svetlanov séduit par la grandeur de sa conception, l'intensité chaleureuse du lyrisme, l'étalement des plans sonores. Tchaïkovski est avec lui le contemporain des grands symphonistes post-romantiques. Son éloquence sert tout particulièrement les trois dernières Symphonies.

A l'opposé de Svetlanov, Rojdestvenski «rajeunit» ces pages par la lisibilité analytique de son interprétation. Cette leçon d'instrumentation que Chostakovitch trouvait en chaque Symphonie de son aîné, nous la trouvons ici explicitée au grand jour. Rojdestvenski passe les partitions au scalpel, en scrute tous les détails. Ce raffinement entraîne à une certaine objectivité, qui convient mieux aux trois premières Symphonies. A l'actif de cette version, sa disponibilité en disques séparés.

Symphonie n° 1 en sol mineur «Rêves d'hiver» op. 13.

** Orch. Symph. de Boston, Michael Tilson-Thomas. DG 2530.078 (sup.). Enregistré en 1971.

Tilson-Thomas, jeune chef américain d'origine russe, déploie une sensibilité discrète et un lyrisme de bon aloi. Rien de trop spectaculaire dans sa direction, mais une exacte compréhension de la pensée du compositeur : des couleurs estompées et d'un parfait bon goût. Il est plus sensible que Svetlanov ou Rojdestvenski et, surtout, servi par une prise de son remarquable sur le plan de la dynamique et de l'espace sonore.

Symphonie n° 2 en ut mineur op. 17.

** Orch. New Philharmonia, Claudio Abbado. DG 139.381 (sup.). Enregistré en 1968.

Abbado adopte un style spontané et naturel dans cette œuvre trop souvent méconnue et pourtant fort réussie. Il sait faire chanter les mélodies de la partition, en évitant tout sentimentalisme. L'Orchestre New Philharmonia sonne à merveille.

Symphonie n° 3 en ré majeur «Polonaise» op. 29.

** Orch. Symph. de la Radio de l'URSS, Guennadi Rojdestvenski. Mélodia Chant du Monde CM 04.233 (étr.).

La plus faible sans doute des Symphonies du compositeur n'a pas vraiment trouvé son interprète d'élection en dehors de l'intégrale de Rojdestvenski dont ce disque fait partie.

Symphonies n° 4 en fa mineur op. 36, n° 5 en mi mineur op. 64, n° 6 en si mineur «Pathétique» op. 74.

❀*** Orch. Phil. de Leningrad, Evgueni Mravinski. DG 2726.040 (2 d.).

Depuis la publication de cet album, l'interprétation de ces trois Symphonies par Mravinski fait autorité. C'est tout dire à la fois sur les qualités musicales et techniques de ces précieux disques, disponibles aujourd'hui en une pochette très avantageuse économiquement. Mravinski utilise à fond les ressources dynamiques de son orchestre, exigeant le maximum des instruments à vent. Les cordes sont «chauffées à blanc» ou, au contraire, d'une couleur sombre très tchaïkovskienne. Après avoir entendu la Philharmonie de Leningrad dans ces conditions, l'auditeur a du mal à entrendre autre chose. Indispensable.

Symphonie n° 4 en fa mineur op. 36.

❀*** Orch. Phil de Leningrad, Evgueni Mravinski. DG 2726.040 (2 d.). + *Symphonies n°s 5 et 6.*

*** Orch. Symph. de Londres, Karl Boehm. DG 2740.248 (3 d.). Enregistré en 1978. + *Symphonies n° 5 et 6.*

Jamais la tension de cette Symphonie n'a éclaté avec autant de violence que sous l'autorité de Mravinski. Le thème du destin claque à chaque fois d'une manière implacable. Il faut avoir entendu les *pizzicati* du troisième mouvement où les cordes sont transformées en une sorte de balalaïka fantastique. Fabuleux !

On n'attendait pas Karl Boehm dans cette Symphonie. Il imprime à son interprétation un caractère improvisé, ample, noble. Sa direction est méticuleuse, sans le «punch» de Mravinski, mais parfois plus émouvante. La révolte et le drame sont seulement plus intériorisés. Prise de son excellente.

Symphonie n° 5 en si mineur op. 64.

*** Orch. Phil. de Leningrad, Evgueni Mravinski. DG 2726.040 (2 d.). + *Symphonies n°s 4 et 6.*

** Orch. de la Scala de Milan, Guido Cantelli. EMI Trianon C 027-03.757. Mono. Enregistré en 1950.

Mravinski est le seul à restituer cette Symphonie dans sa vraie dimension. On y trouve une sorte de relais entre les Symphonies n° 4 et n° 6, un moment d'abandon. Il sait trouver les plans expressifs, les attentes, les nervosités, les empâtements de l'âme et du cœur.

Malgré certaines constantes personnelles - de légers rubatos qui vont dynamiser jusqu'aux moindres zones intermédiaires —, Cantelli retrouve, l'espace d'une rencontre, la plus pure tradition héritée de Toscanini. Sa *Cinquième*, totalisante et romanesque, excède presque par son flux jaillissant les moyens de l'orchestre de la Scala et les dimensions de l'ouvrage.

Symphonie n° 6 en si mineur «Pathétique» op. 74.

❀*** Orch. Phil. de Leningrad, Evgueni Mravinski. DG 2726.040 (2 d.). + *Symphonies n°s 4 et 5.*

*** Orch. Phil. de Los Angeles, Carlo-Maria Giulini. DG 2532.013. ⊠ 3302.013. Enregistré en 1981.

*** Orch. Phil. de Vienne, Claudio Abbado. DG 2530.350. ⊠ 3300.405. Enregistré en 1974.

*** Orch. Symph. de l'URSS, Evgueni Svetlanov. EMI VSM C 069-92.405.

** National Philharmonic Orchestra, Carlos Païta. Lodia LOD 778. ⊠ LOC 778. Enregistré en 1980.

Mravinski empoigne et subjugue son auditeur d'emblée. Le drame est présent à tout moment, sans relâche. Son troisième mouvement est une marche fantastique, écrasante, visionnaire. Il est le seul chef à donner une unité organique au triptyque des trois dernières Symphonies. Un document.

Giulini, à travers sa lecture rigoureuse, ne prive la «Pathétique» ni de son essence romantique, ni de son contenu émotionnel. Vision puissante, énergique, construite sans aucune erreur de goût et parcourue d'une tension dynamique intérieure qui mène à la plus authentique émotion intérieure.

Moins engagé dans l'œuvre, Abbado signe une version sans pathos, sans boursouflure. Mais la sonorité de la Philharmonie de Vienne habille merveilleusement l'orchestration de la partition. La qualité de la prise de son ajoute encore à l'intérêt de ce disque.

Svetlanov reste également dans un climat plus objectif. Son interprétation «avance» avec une progression remarquable, inéluctablement. Un style épique, mais Svetlanov fait passer quelque chose dans cette musique. La prise de son enlaidit un peu les timbres de l'orchestre.

Carlos Païta, selon son habitude, joue des paroxysmes avec virtuosité. Le troisième mouvement (*allegro molto vivace*), incandescent avec ses crescendos et ses quadruples *forte*, restera dans la mémoire de beaucoup d'auditeurs. La détermination de Païta, son sens du phrasé, noient les quelques imprécisions des cuivres du National Philharmonic.

Trio pour piano et cordes en la mineur op. 50.

*** Trio Suk. Supraphon SU 50.485. Enregistré en 1963.

*** Vladimir Ashkenazy (piano), Itzhak Perlman (violon), Lynn Harell (violoncelle). EMI VSM C 069-03.971. ⊠ C 269-03.971. Enregistré en 1981.

Cette œuvre émouvante, écrite sous le coup de la mort d'Anton Rubinstein, trouve toute sa dimension expressive avec le Trio Suk. On peut encore évoquer le disque très ancien qui réunissait Guilels, Kogan et Rostropovitch. Mais les Suk arrivent à les surpasser : poésie, fraîcheur, intensité, plénitude presque sensuelle du son, sens de la danse, gravité poignante.

Ashkenazy, Perlman et Harrell semblent nous faire partager les risques d'une exécution sur le vif, entre complices de même rang. Affrontement agonistique, exaspéré, dont on craint parfois qu'il ne demande à la tenue de cette musique plus qu'elle ne peut donner. Mais aux provocations martelées d'Ashkenazy, les cordes répondront, immanquablement, avec une exaltation grandiose. Une interprétation débordante, volontariste et excessive dont on sort rompu, conquis et bouleversé.

Variations sur un thème rococo pour violoncelle et orchestre op. 33.

*** Mstislav Rostropovitch (violoncelle), Orch. Phil. de Berlin, Herbert von Karajan. DG 139.044. ⊠ 3300.170. Enregistré en 1969. + *Dvořák : Concerto pour violoncelle.*

Dans ces Variations tant prisées des violoncellistes, Rostropovitch s'impose sans conteste par sa musicalité, la liberté de son jeu, l'élégance de son style. Karajan ne se limite pas au rôle d'accompagnateur, mais prend une part active à l'œuvre. En complément, une des grandes versions du Concerto de Dvořák.

Tcherepnine, Alexandre
(1899-1977)

Mélodies pour chant et piano. Sept chansons sur des poèmes chinois op. 71. Haltes.

** Nicolaï Gedda (t), Alexandre Tcherepnine (piano). EMI VSM C 065-14.028 (sup.). Quadri. Enregistré en 1973. *+ Nicolas Tcherepnine : Mélodies.*

Ce disque, bienvenu enfin au catalogue, présente un programme de mélodies composées par Alexandre Tcherepnine et son père Nicolaï. Les morceaux dus à ce dernier appartiennent à diverses périodes de son inspiration. Alexandre, influencé par les musiques d'Extrême-Orient et par les recherches modales, était aussi un pianiste au jeu précis et sensible : c'est lui qui accompagne Gedda, interprétant ces mélodies vraiment amples et belles avec tout l'art de sa ligne de chant simple et infinie.

Telemann, Georg Philipp
(1681-1767)

Concertos de chambre : Concerto en la majeur pour deux violons à scordatura et continuo, Concerto en ré majeur pour quatre violons sans continuo, Concerto en la mineur pour flûte à bec, Viole de gambe, cordes et continuo, Concerto en ut majeur pour quatre violons sans continuo.

*** Musica Antiqua de Cologne, Reinhard Goebel. Archiv 2533.421. Enregistré en 1979.

Dans ces quatre Concertos de chambre, Telemann prodigue son invention mélodique de façon d'autant plus saisissante qu'elle ne s'encombre pas d'un lourd appareil harmonique. Dans ce domaine, cependant, il ne manque pas non plus d'audace en écrivant pour violons «désaccordés» ou en introduisant d'insolites dissonances de secondes. Les interprètes, parfaitement maîtres de leurs instruments originaux, restituent dans un style buriné et brillant, mais légèrement froid, les saveurs parfois si singulières de ces Concertos. Excellente prise de son, d'une transparence presque un peu crue dans les Concertos pour quatre violons seuls.

Concerto pour trompette, deux hautbois et cordes en ré majeur.

* Maurice André (trompette), Pierre Pierlot, Jacques Chambon (hautbois), Orch. de Chambre Jean-François Paillard, Jean-François Paillard. Erato STU 70.739. ⌧ MCE 70.739. *+ Concertos pour trompette de Fasch, M. Haydn, L. Mozart.*

La technique et la sonorité exceptionnelles de Maurice André dominent cet enregistrement bien fait, mais dans un style très standard. Exécutés tels qu'ils le sont par l'Orchestre J.F. Paillard, les Concertos de L. Mozart de M. Haydn, de J.F. Fasch aussi bien que celui de Telemann ne réservent aucune surprise stylistique, mais la direction de Paillard ne manque ni de goût ni d'onctuosité.

Concertos pour trompette et cordes en ré majeur, pour trompette, deux hautbois et cordes en ré majeur, pour trois trompettes, deux hautbois et cordes en ré majeur, pour trompette, deux hautbois, basson et cordes en ré majeur.

* Guy Touvron (trompette), Solistes et Orch. de Chambre Bernard Thomas, Bernard Thomas. Arion ARN 38.391. ⌧ ARN 40-38.391.

L'un des plus brillants élèves de Maurice André, Guy Touvron interprète le Concerto pour trompette et deux hautbois avec une verve plus sensible, même si sa technique n'atteint pas le même degré de maîtrise. L'Orchestre Bernard Thomas, sans faire preuve de plus d'imagination stylistique que l'Orchestre Paillard, n'en a ni la chaude sonorité ni l'irréprochable homogénéité. Mais le Concerto pour trois trompettes, avec son brio saisissant, et les Concertos pour hautbois, avec leur ingénieuse agilité mélodique, contribuent à faire de cet enregistrement un échantillonnage séduisant de Concertos de Telemann.

Concerto pour violon solo, deux flûtes, deux hautbois, deux cors, timbales, violons et basse continue en fa majeur. Concerto pour alto, violon et basse continue en ré majeur. Suite «la Lyra» pour cordes et basse continue en mi majeur.

❀*** Jaap Schröder (violon), Paul Doktor (alto), Concerto Amsterdam, Frans Brüggen. Telefunken 6.41105 (sup.). Enregistré en 1968.

L'un des plus beaux disques jamais consacrés à Telemann, hélas ! indisponible en France. Le sommet en est certainement le Concerto pour alto, interprété avec une éloquence, une flamme, une vie exceptionnelles par Paul Doktor. Frans Brüggen donne à l'excellent ensemble Concerto Amsterdam une pulsation profondément naturelle, d'une magnifique plénitude. Dans la Suite «la Lyra», le style des différents mouvements est admirablement caractérisé, les contrastes sont tranchés, et cependant aucune lourdeur, rien de forcé ne vient entacher cette interprétation où la véhémence n'a d'égale que la distinction. La prise de son serait excellente si les harmoniques des instruments étaient moins atténués.

Les douze Fantaisies pour flûte sans basse.

*** Barthold Kuijken (flûte Rottenburgh, 1745). Accent ACC 7803. Enregistré en 1978.

* Jean-Pierre Rampal (flûte traversière moderne). Erato STU 71.030. ⌧ MCE 71.030.

Barthold Kuijken fait ressortir de façon saisissante le caractère propre à chacune de ces Fantaisies. Sa parfaite maîtrise de la flûte baroque - sonorité, justesse, dextérité exemplaires - lui permet de communiquer sans faille sa conception plastique et polyphonique de ces pièces, où se trouvent en concentré l'essentiel de l'art instrumental de Telemann. Prise de son idéale.

Avec Rampal la démonstration est parfois éblouissante dans l'extrême vélocité des tempos choisis, mais le style est d'une linéarité tout à fait étrangère à l'esprit baroque. Audelà de la pure virtuosité digitale, reste la sonorité de Rampal, merveilleusement pure et déliée. Bonne prise de son.

Œuvres pour orgue : Concerto en sol mineur (transcription J.S. Bach), Concerto per la chiesa en sol majeur (transcription J.G. Walther), Fantaisie en ré majeur, Passacaille en si mineur, Sonate pour deux claviers et pédaliers en ré majeur, 4 Chorals ornés («Allein Gott», «Vater unser», «Herr Jesu Christ, dich zu uns wend», «Komm, heiliger Geist»), deux variations de Choral sur «Nun freut euch».

** Wolfgang Baumgratz (orgue Bach de la cathédale de Brême). MDG 1.078.

Ce premier panorama discographique de l'œuvre d'orgue de Telemann suscite la confrontation avec Bach sur le même terrain. Telemann apporte des éclairages, des modulations et surtout un style mélodique beaucoup plus tourné vers le style galant à venir. Cette musique plus souriante, plus accessible, plus évidemment moderne que celle de Bach nous est restituée par Wolfgang Baumgratz avec une saveur et une plénitude superbes et parfaitement appropriées.

Quatre Ouvertures de Darmstadt.

*** Concentus Musicus de Vienne, Nikolaus Harnoncourt. Telefunken 6.35498 (2 d.). ⌧ 4.35498 (2 c.).

Ces Suites, ou Ouvertures, présentent par rapport à la musique orchestrale de l'époque l'originalité de faire appel à un chœur autonome d'instruments à vent - trois hautbois et un basson. Il n'est pas besoin de s'appesantir sur l'approfondissement et la rigueur musicologique de l'interprétation : Harnoncourt sait en quoi consiste l'accentuation d'un menuet, d'une courante, d'une gavotte, d'un rondeau, d'une gigue ou d'une hornepipe !

Pimpinone, opéra bouffe.

** Siegmund Nimsgern (Pimpinone), Uta Spreckelsen (Vespetta), Ensemble Florilegium Musicum, Hans Ludwig Hirsch. Telefunken 6.35556 (4 d.). + *Der Tag des Gerichts.*

La version complète - avec en intermède des Concertos de Vivaldi, de Tessarini et d'Albinoni - sur instruments originaux de ce petit opéra bouffe à deux personnages. Les deux chanteurs tiennent leur rôle avec une simplicité et une verve expressive convaincantes. Mais l'ensemble Florilegium Musicum, à côté d'évidentes qualités de finesse, d'équilibre et de fluidité mélodique, manque légèrement de piquant et de vivacité pour que ce divertissement prenne toute sa saveur. Excellent enregistrement.

Les douzes Quatuors «Parisiens» pour flûte, violon, clavecin et violoncelle (ou basse de viole).

❀*** Quadro Amsterdam : Frans Brüggen (flûte), Jaap Schröder (violon), Anner Bylsma (violoncelle), Gustav Leonhardt (clavecin). Telefunken TK 11.665/1-2 (2 d.) (sup.). Enregistré en 1967.

Sans doute les œuvres de chambre de Telemann qui résistent le mieux à des auditions répétées. Le Quadro Amsterdam les a enregistrées alors que ses membres - tous les quatre, de très grands rénovateurs en musique baroque - jouaient encore sur des instruments modernes. Les résultats n'en sont pas moins merveilleusement convaincants. Le dialogue à quatre éclate de vie, de verve, de netteté expressive, d'équilibre et d'humilité musicales. Malgré les instruments modernes, le style est présent dans toute son évidence.

Quatuor en ré mineur pour violon, flûte à bec, alto et basse continue. Concerto pour flûte à bec, violon, hautbois et basse continue en la mineur. Quatuor en ré majeur pour flûte à bec, hautbois, violon et basse continue. Concerto de chambre pour flûte à bec, deux violons et basse continue en ré mineur.

*** Klees Boeke (flûte à bec), Han de Vries (hautbois), Alice Harnoncourt (violon), Anita Mittere (violon et alto), Wouter Möller (violoncelle), Bob van Asperen (clavecin). Telefunken 6.42622. ⊠ 4.42622.

On doit cette belle réalisation à des interprètes dont la réputation individuelle n'est plus à faire et dont on peut ici admirer la parfaite entente. Tout cela fonctionne à merveille, sans jamais cependant laisser l'impression de tourner sur des automatismes stylistiques. Bob van Asperen et Wouter Möller, malgré la grande qualité de leur accompagnement, restent un peu en retrait, un peu trop effacés dans leur soutien, dans leur impulsion rythmique.

Six Sonates pour flûte à bec et basse continue.

*** Frans Brüggen (flûte à bec), Gustav Leonhardt (clavecin), Anner Bylsma (violoncelle). Telefunken 6.35359 (2 d.).

L'un des premiers enregistrements de Frans Brüggen. Depuis, son style a pris de l'ampleur, sa sonorité est devenue plus profonde, mais déjà son intelligence musicale, sa rigueur, sa technique impeccables faisaient merveille. Malgré son âge, cet enregistrement reste de loin le plus recommandable pour ces quatre Sonates. Le continuo formé par Gustav Leonhardt et Amner Bylsma est un modèle du genre.

Dix Sonates en trio pour violon, flûte à bec et basse continue.

*** Alice Harnoncourt (violon), Kees Boecke (flûte à bec), Bob van Asperen (clavecin), Wouter Moller (violoncelle). Telefunken 6.35555 (6 d.). + *Tafelmusik.*

Une interprétation exemplaire d'œuvres qui n'avaient jamais été enregistrées par des musiciens spécialistes de ce répertoire, comme le sont l'excellente Alice Harnoncourt et le brillant Kees Boecke. Les tempos, l'articulation, les dialogues entre les deux «dessus» y sont réglés avec une précision inflexible et une souplesse expressive qui donnent à ces Sonates un charme puissant. Excellente basse continue. Prise de son légèrement voilée.

Suite en la mineur pour flûte à bec, deux violons, alto et basse continue.

** Frans Brüggen (flûte à bec), Concentus Musicus de Vienne, Nikolaus Harnoncourt. Telefunken 6.41225 (sup.). Enregistré en 1966. + *Suite en fa mineur pour deux violons, alto et basse continue.*

* Michel Piguet (flûte à bec), Orchestre de Chambre Jean-François Paillard, Jean-François Paillard. Erato STU 70.711. ⊠ MCE 70.711 (sup.).

+ Concerto pour flûte et viole de gambe, Concerto pour hautbois et orchestre.

* Severino Gazzelloni (flûte traversière), Ensemble I Musici. Philips 5802.864. *+ Concerto pour alto et orchestre, Concerto pour trois violons et orchestre.*

La présence et la maîtrise incomparables de Frans Brüggen, ainsi que le très vivant Concentus Musicus de Vienne donnent à cette fameuse Suite une éloquence, une puissance dont sont dépourvues les autres interprétations. Quelques lourdeurs, toutefois, dans l'accentuation. Grande transparence sonore.

Le jeu un peu étriqué et très détaillé de Michel Piguet s'accorde médiocrement avec la sonorité et le style de l'Orchestre Paillard, d'une spacieuse et uniforme rondeur. Mais le manque de nervosité et de concision dans l'articulation est en partie racheté par l'étoffe des cordes, remarquablement chaude et homogène. Bonne prise de son.

L'Ensemble I Musici a beau être peu nombreux, il n'échappe pas à une certaine lourdeur, et la virtuosité nerveuse de Gazzelloni ne peut contrebalancer l'opacité de l'ensemble. Comme dans la version Paillard, l'articulation manque de relief et le choix des nuances tend plus à une expressivité d'ordre romantique qu'à la mise en évidence attendue des plans sonores et des paliers dynamiques.

Der Tag des Gerichts (le jour du jugement).

** Gertraud Landwehr-Herrman (s), Cora Canna-Meijer (a), Kurt Equiluz (t), Max van Egmond (b), Petits Chanteurs de Vienne, Ch. Monteverdi de Hambourg, Concertus Musicus de Vienne, Nikolaus Harnoncourt. Telefunken 6.35044.

Le sujet de cet Oratorio, avec le recul spirituel qu'il réclame, n'est pas sans dépasser l'industrieuse urbanité de Telemann. Mais les interprètes défendent au mieux l'œuvre. L'extraordinaire souplesse sonore du Concentus Musicus de Vienne, la qualité des solistes et la direction d'Harnoncourt, d'un dramatisme très accusé, relèvent l'œuvre parfois plus que souhaitable. Telemann n'a-t-il pas intitulé cet Oratorio, le dernier qu'il ait écrit, «quatre contemplations» sur le jugement dernier ? Bonne prise de son.

Thomas, Ambroise
(1811-1896)

Mignon, opéra-comique.

** Marilyn Horne (Mignon), Ruth Welting (Philine), Frederica von Stade (Frédéric), Alain Vanzo (Wilhelm), Nicola Zaccaria (Lothario), André Battedou (Laërte), Claude Méloni (Jarno), Paul Hudson (Antonio), Ch. Opéra Ambrosien, Orch. Phil. de Londres, Antonio de Almeida. CBS 79.401 (4 d.).

Cette version offre le premier intérêt d'être vraiment intégrale : elle restitue tous les récitatifs chantés (au lieu de parlés), et toutes les reprises et vocalises «*ad libitum*», grâce à quoi nous retrouvons des pages traditionnellement coupées. Sur la 8ᵉ face, des pièces des versions primitives, supprimées dans le *Mignon* définitif. Second mérite, la qualité d'une distribution homogène et fulgurante : Horne, toujours parfaite, Vanzo au meilleur de sa forme, von Stade, idéale. Une révélation, le soprano pur et agile de Ruth Welting. Zaccaria - seule ombre au tableau - bute péniblement sur les aigus. La direction de Almeida est souple et vivante, et l'orchestre répond à son entrain. Les chœurs manquent parfois de précision, mais l'ensemble est très satisfaisant.

Tippett, Michael
(né en 1905)

Fantaisie concertante sur un thème de Corelli. Petite musique pour orchestre à cordes. Concerto pour double orchestre à cordes.

** Academy of St-Martin-in-the-Fields, Neville Marriner. Argo ZRG 680 (G-B).

La pièce majeure de ce programme est le Concerto pour double orchestre à cordes. Les musiciens de Saint-Martin-in-the-Fields font notre joie par la façon chaude et enjouée dont ils en enlèvent les deux allegros à rythme un peu «jazzé» qui encadrent l'extraordinaire *cantabile* central. Ils jouent le mouvement lent avec une grande discrétion, tout en finesse, sans jamais tomber dans la sensi blerie malgré un appel constant à notre émotion. La Fantaisie sur un thème de Corelli permet à Marriner de rappeler que la musique du XVIIIe siècle n'a plus de secrets pour lui, même lorsqu'il la trouve sous forme de variations néo-classiques un peu pimentées.

Quatuors à cordes nos 1, 2 et 3.

** Quatuor Lindsay. Oiseau-Lyre DSLO 10 (G-B).

Admirablement équilibrée, l'interprétation du Quatuor Lindsay rend sensible le mélange d'intellectualisme et de sensibilité qui caractérise Tippett. Rien n'est laissé au hasard, dans une interprétation pleine de jeunesse qui fait un sort à la moindre inflexion de la voix du compositeur sans jamais dévier des grandes lignes directrices. Techniquement, une réussite de premier ordre ; sans nuire en rien à la qualité, les ingénieurs ont fait tenir les trois Quatuors sur un seul disque, soit près d'une heure un quart de musique.

Symphonie n° 2. The Weeping Babe, pour chœur. Sonate pour quatre cors.

** Orch. Symph. de Londres, Colin Davis, Ch. John Alldis, Quatuor de Cors Barry Tuckwell. Argo ZRG 535 (G-B).

L'Orchestre Symphonique de Londres donne une atmosphère de grande densité à la Symphonie n° 2, dont l'auteur nous apprend qu'elle a pris naissance à la suite de l'audition d'un concerto de Vivaldi. Les difficultés d'écriture semblent se résoudre toutes seules, tant sont grandes la limpidité et l'intelligence de la direction de Colin Davis, qui fait merveilleusement ressortir les lignes précises d'une architecture rigoureuse. Très belle prise de son facilitant encore la compréhension d'une œuvre qui n'est facile qu'en apparence. Excellent couplage avec deux œuvres originales.

Symphonie n° 3.

*** Heather Harper (s), Orch. Symph. de Londres. Philips 6500.662 (G-B).

La plus importante, peut-être, des Symphonies de Michael Tippett. Les références culturelles sont nettement marquées (utilisation en citation des premières mesures du dernier mouvement de la Neuvième Symphonie). Elle contrastent volontairement avec le climat de ferveur moderne dont Tippett trouve les racines dans sa propre réflexion sur la vie, l'horreur de la guerre, l'amour d'une certaine lumière. Heather Harper chante admirablement les textes du compositeur sur lesquels il a construit le mouvement final de son œuvre. Colin Davis trouve des accents d'une profondeur grandiose pour traduire la pensée, musicale en même temps que métaphysique, de celui qui est le plus grand musicien anglais de sa génération.

The Midsummer Marriage (Le mariage de la Saint-Jean).

*** Alberto Remedios (Mark), Joan Carlyle (Jenifer), Raimund Herincx (King Fisher), Elisabeth Harwood (Bella), Stuart Burrows (Jack), Helen Watts (Sosostris), Stafford Dean, Elisabeth Bainbridge (les Anciens), Ch. et Orch. de Covent Garden, Colin Davis. Philips 6703.027 (3 d.) (G-B).

Un des grands opéras de notre temps. Enregistré avec les acteurs qui ont créé l'œuvre, parallèlement aux représentations, la version que dirige Davis a conservé tout l'enthousiasme et la fougue qui animaient l'équipe de Covent Garden. Les chanteurs sont parfaits, les chœurs ont une présence et une actualité poignantes. Davis confirme ce que nous savions déjà, qu'il est un grand animateur, capable de cristaliser autour de lui l'enthousiasme de toute une troupe d'opéra.

Titelouze, Jehan
(1563-1633)

Magnificat du 1er ton, Hymnes «Veni Creator», «Pange Lingua», «Ave Maria Stella», «Exultet Caelum».

*** André Isoir (orgue J.G. Koenig de Sarre-Union). Calliope 1902. Enregistré en 1973.

De larges extraits de l'œuvre du savant chanoine de Rouen. Il fallait un orgue coloré, clair, racé, pour détailler les subtils contrepoints de Titelouze : l'orgue de Koenig «à la Dom Bedos» est ici idéal. Ce disque est surtout remarquable pour l'intérêt sans cesse renouvelé qui se dégage de pages réputées ennuyeuses : la souveraine liberté d'Isoir (phrasés, gloses, ornementation...) transfigure le discours austère du contrepoint. Remarquable prise de son.

Tomašek, Václav Jan
(1774-1850)

Goethe Lieder.

** Kurt Widmer (bar), Klaus Linder (piano). Deutsche Harmonia Mundi 065-99.834. Enregistré en 1981.

Ce disque vient nous rappeler qu'il existait une tradition du lied avant Schubert et que le compositeur tchèque Václav Jan Tomašek qui la représente ici, tout obscur qu'il soit, est absolument digne de soutenir la comparaison avec son cadet viennois. Quant à Kurt Widmer, on se demande si c'est Fischer-Dieskau qui aurait renoncé à sophistiquer sa diction pour adopter un style plus dépouillé de déclamation, ou si c'est un Hans Hotter moins abrupt, plus souple, plus nuancé. Un disque qu'il faut saluer comme une révélation.

Tomkins, Thomas
(1572-1656)

Musica Deo sacra.

*** Deller Consort, Ensemble de Violes de la Schola Cantorum de Bâle. Harmonia Mundi HMU 232. + *Madrigaux, ballets et fantaisies.*

** Chœur de Magdalen College d'Oxford, Bernard Rose. Argo ZRG 897 (G-B).

Les deux faces du disque consacré par Deller à Tomkins sont assez nettement différentes. D'un côté, la musique profane, où dominent des pièces assez savantes et complexes. Il faut y remarquer, en particulier, le jeu d'imitations sonores qui pousse Tomkins à utiliser des cris de la rue ou des chants d'oiseaux. Les pièces de musique sacrée sont beaucoup plus classiques d'allure, faites pour le déploiement de voix nombreuses. Le Deller Consort excelle dans un genre comme dans l'autre, mais semble pourtant plus à son aise dans les Madrigaux, où peut jouer toute la subtilité d'Alfred Deller et son goût de l'impondérable. Les pièces pour violes sont particulièrement bien traitées par Wenzinger et son ensemble bâlois.

L'enregistrement de Bernard Rose, avec les chœurs du Magdalen College, appartient à un genre bien différent. Le chant choral est très évidemment un domaine quotidien pour les jeunes gens qu'il dirige, et son interprétation est marquée par la pratique liturgique. Tout en restant très sensible au dessin polyphonique, elle prend un relief et une vigueur qui sont ceux d'une musique qui est encore d'usage et pas seulement objet de concert.

Torelli, Giuseppe
(1658-1709)

12 Concertos grossos op. 8.

** Louis Kaufman, Georges Ales (violons), Ensemble orchestral Oiseau-Lyre, Louis Kaufman. Oiseau-Lyre OLS 166/167 (2 d.). Mono. (G-B). Enregistré en 1954.

Vers les années 1950, Louis Kaufman se penchait, en pionnier, sur les chefs-d'œuvre italiens baroques. Son *Opus 8* de Torelli, le seul disponible actuellement, a vingt-cinq ans et reste exemplaire. Très expressif, dynamique, chaleureux, avec une volonté péremptoire de faire chanter les cordes. On trouve bien des «portamenti» désuets, et un legato masquant les articulations. Mais son attrait demeure intact par une belle musicalité.

Tournemire, Charles
(1870-1939)

Chorals-Poèmes d'Orgue pour les sept Paroles du Christ.

** Georges Delvallée (orgue de la Collégiale de Saint-Quentin). Arion 31.902. Enregistré en 1970.

Les premiers sillons de celui qui est devenu depuis un ardent défenseur de Tournemire. On aurait peut-être souhaité un orgue plus chaleureux, plus poétique (en tout cas des mixtures moins piaillantes). L'intérêt de ce disque se situe dans l'interprétation passionnée de Delvallée et dans le fait qu'il est disponible en série économique.

L'Orgue mystique : Cycle de Noël op. 55 (extraits).

** Georges Delvallée (orgue de la cathédrale de Rennes). Arion 38.406. Enregistré en 1977.

L'Orgue mystique : Cycle de Pâques op. 56 (extraits).

** Georges Delvallée (orgue Cavaillé-Coll-Beuchet de Ste-Clotilde de Paris). Arion 38.473. Enregistré en 1978.

L'Orgue mystique : Offices de la Pentecôte, des 7ᵉ et 20ᵉ dimanches après la Pentecôte, de l'Octave de Noël, du dimanche Laetare et du Samedi Saint.

** Antoine Reboulot, Bernard Foccroulle, Georges Delvallée, Pierre Segond, Bernard Heininger (orgue Cavaillé-Coll de la cathédrale d'Orléans). Erato 9238 (2 d.). Enregistré en 1981.

L'Orgue mystique : Office de Quasimodo op. 56 n° 18, Office de l'Epiphanie op. 55 n° 7.

** Todd Wilson (orgue Danion-Gonzalez de la cathédrale de Chartres), Solstice SOL 7. Enregistré en 1978. *+ Fioretti n° 3, Petite Rapsodie improvisée, Pastorale.*

Georges Delvallée a fait un choix dans le cycle de Noël ; un choix qui fait de ce disque une sorte de récital. Ferveur dépouillée dans la suavité, renoncement aux effets : des qualités incontestables. Mais l'orgue «ex»-Cavaillé-Coll de la Cathédrale de Rennes n'est pas l'instrument idéal pour recréer l'univers sonore de Tournemire.

Un choix en forme de récital, là encore, pour le cycle de Pâques. Delvallée, revenant aux sources historiques, joue l'orgue même de Tournemire. Hélas ! la source est polluée par les interventions peu scrupuleuses d'un facteur d'orgues. Il reste de beaux fonds et de belles anches et, Dieu merci, Delvallée... qui sert Tournemire avec une subtilité grandissante.

L'orgue Cavaillé-Coll de la cathédrale d'Orléans et les interprètes comptent parmi les plus qualifiés pour jouer Tournemire, avec notamment Pierre Segond, ce Génevois si discret qui fut l'élève de Tournemire, ou Georges Delvallée, à qui l'on doit déjà d'autres enregistrements du compositeur. C'est dire que l'on trouve ici le style le plus pur convenant à ces musiques trop négligées, qui valent infiniment mieux que le dédain où on les enferme trop souvent.

Todd Wilson : un jeune Américain joue une musique qui ne vieillit pas. La rencontre est un régal de poésie. Un orgue, hélas ! pas toujours aussi distingué que les pensées communes de l'auteur et de son interprète. Un programme très représentatif de l'art divers de Tournemire.

Traetta, Tommaso
(1727-1779)

Le Serve Rivali (Burletta in Musica).

*** Paolo Barbacini (Letanzio), Daniela Dessy (Carlina), Maria Rosa Mazario (Palmetta), Franca Mattiucci (Giacinta), Dano Raffanti (Giannino), Alessandro Corbelli (Don Grillo), Orch. Symph. de San Remo, Fernando Mainardi. Bongiovanni GB 2003/4 (2 d.) (Italie). Enregistré en 1979.

Enregistrés sur le vif à Gênes, ces *Serve Rivali* sont l'œuvre d'un très grand musicien de l'école napolitaine, doué d'un sens dramatique digne de Gluck. Séduisant par ses airs simples, élégants, et ses récitatifs enlevés, cet opéra fait pourtant éclater parfois le cadre étroit du genre bouffe par l'intensité expressive toute romantique de sa musique. La jeune distribution italienne est homogène et sans faiblesse, dominée par Dano Raffanti. La prise de son est acceptable. Livret en italien et anglais.

Trombocino, Bartolomeo
(v. 1470-1535)

Seize Frottole.

* The Consort of Musicke, Anthony Rooley. Oiseau-Lyre 395.330.

Les *Frottole* sont des chansons profanes italiennes de genres variés, dont Trombocino fut l'un des meilleurs serviteurs. Ces pages restent surtout une adaptation minutieuse de la musique à l'accentuation des vers, mais où des interprètes de talent - les membres du Consort of Musicke, par exemple - sont susceptibles de créer un authentique climat poétique.

Troubadours et Trouvères

L'agonie du Languedoc. Œuvres de Peire Cardinal, Guihem Figueira, Tomier et Palazi, Peire Bremon, Bernart Sicart Marjevols.

* Studio der frühen Musik, Claude Marti (récitant et chanteur), Thomas Binkley. EMI VSM C 063-30.132.

Le Studio der frühen Musik cherche à remettre l'auditeur dans l'impression d'un monde qui s'écroule sous les sanctions très lourdes qui sont prises contre lui, un monde en lutte. Toute la première face se contente de retrouver cette impression au travers de musiques authentiques, et les interprètes, ne dérogeant au souci historique le plus élémentaire, parviennent à leur rendre sobrement et magnifiquement vie. Alors, pourquoi la deuxième face, où se déchaîne tout ce qu'il faut justement éviter lorsqu'on aborde ce répertoire ? Sans doute pour que les successeurs ne commettent pas la même erreur.

Carmima Burana (première moitié du XIIIe siècle). Version intégrale et originale. Chansons de printemps et d'amour, Messe des joueurs (Vol. 3). L'amour et l'argent (Vol. 4). Plaintes mariales du jeu de la Passion (Vol. 5).

*** Clemencic Consort, René Clemencic. Harmonia Mundi (5 d.). Vol. 1 HMU 335. ⌧ HMU 40-335. Vol. 2 : HMU 336. ⌧ HMU 40-336. Vol. 3 : HMU 337. ⌧ HMU 40-337. Vol. 4 : HMU 338. ⌧ HMU 40-338. Vol. 5 : HMU 339.

C'est une reconstitution extrêmement proche de l'original que propose le Clemencic Consort dans ces enregistrements. Le travail de réalisation est empreint d'une très grande rigueur historique qui n'altère en rien la vie de ce répertoire quelque peu frondeur. Seuls de cette qualité pour cette œuvre, ces disques méritent une mention toute particulière du fait qu'ils rendent compte de l'originalité de ces compositions autant que de leur internationalité. Le mélange des langues, des styles, des influences suggère le grouillement des routes médiévales et leurs coloris bariolés. Une pierre d'angle pour la connaissance de ces époques de pèlerinages, des multiples aspects de son génie. Techniquement, on ne peut parler que de parfaite réussite.

Carmina Burana. 33 Lieder d'après le manuscrit original.

** Studio der frühen Musik, Thomas Binkley. Telefunken TEL 6.35319 (2 d.) (sup.).

Un très bon enregistrement, mais qui n'a pas l'avantage de s'insérer dans une vision plus large de l'œuvre comme le fait celui du Clemencic Consort. Aucun défaut tant musical que technique n'est à incriminer à ce travail vivant et savoureux du Studio der frühen Musik. En deux disques, on découvre ce monde étrange et séduisant des moines Goliards dans toute son authenticité. Une réalisation de référence.

Chansons et Motets du XIIIe siècle. Œuvres de Bernart de Ventadorn, Jaufré Rudel, Anonyme, Chanson d'Aube, Chanson de toile, Guiraut Riquier.

❁*** Pro Musica Antiqua, Safford Cape. Archiv 14.068 (sup.). *+ Motets du XIIIe siècle. Leonin : Judae et Jerusalem. Pérotin : Sederunt principes.*

Un enregistrement maintenant disparu du catalogue, mais qui ne laisse de séduire par la variété des œuvres proposées, la rigueur avec laquelle elles ont été choisies pour rendre compte de tous les aspects de ce répertoire. Une démarche très intéressante que de prendre tout ce qui peut se faire à une même époque, sur les plans religieux et profane. Les Troubadours vont à l'Eglise, et l'Eglise vient dans les Cours. De l'interprétation, il n'y a rien à redire : une ampleur, une lenteur même qui peuvent choquer maintenant que nous faisons entrer une notion folklorique dans ce répertoire ; la beauté de l'Ensemble Pro Musica Antiqua fera rapidement accepter leur esthétique.

Le Chant des Troubadours. Œuvres anonymes, et de Guiraut d'Espanha de Tolosa, Jaufré Rudel, Raimbaut de Vaqueiras, Bernard de Ventadour, Marcabru.

*** Ensemble Guillaume de Machaut de Paris. Arion ARN 38.503. Enregistré en 1978.

Cette réalisation entièrement consacrée à la lyrique d'Oc approche la perfection. D'un texte mort très difficile à réssusciter sans le trahir, l'Ensemble Guillaume de Machaut de Paris parvient à faire une musique vivante qui ne peut pas être autre que médiévale, mais qui ne se contente pas des doutes historiques pour justifier d'une certaine fadeur. Chaque pièce trouve ici son esprit, sa signification, son authenticité : lyrisme, joie des réunions dansantes, mélancolie des amants éloignés se mêlent avec bonheur pour le régal de l'oreille et du cœur. Une réalisation à préférer à d'autres parfois plus historiquement rigoureuses.

Musique du Moyen Age : Troubadours, Trouvères, Minnesang, Jongleurs. Œuvres de Peire Vidal, Guiraut de Bornelh, Bernart de Ventadorn, Raimbaut de Vaqueiras, Comtessa de Dia, Anonymes ; Jacques de Cambrai, Guiot de Dijon, Gillebert de Berneville, Gace Brule, Etienne de Meaux, Anonymes ; Walter von der Vogelweide, Neidhart von Reuenthal, Reinmar von Brennenberg, Frauenlob, Heinrich von Meissen, Wizlaw, Oswald von Wolkenstein, Anonymes.

*** Studio der frühen Musik, Thomas Binkley, Membres du Kammerchor Walther von der Vogelweide, Othmar Costa. Telefunken 6.35519 (2 d.). Enregistré de 1966 à 1975.

Par l'ampleur du répertoire proposé, par l'intelligence avec laquelle sont groupés les différents courants de ce mouvement des Trouveurs à travers l'Europe, par la qualité des interprétations et des réalisations, ce coffret devient la pierre angulaire d'une discothèque médiévale. Le choix des chansons pour chaque compositeur ne marque pas plus d'originalité que dans les autres enregistrements, mais la confusion n'est plus faite entre le style très épuré de la lyrique d'Oc, celui déjà plus «populaire» des chansons d'Oïl et le corpus instrumental et dansant des Jongleurs, sans que celui-ci soit relégué au rang d'œuvre mineure. L'interprétation, très sage, peut sembler manquer de vie par moments ; mais elle a l'immense qualité de rester toujours dans le ton le plus juste pour chaque pièce, donnant à cet enregistrement une qualité constante assez rare, encore amplifiée par une technique très à la hauteur. Les quatre disques sont disponibles séparément.

Musique des Trouvères et Jongleurs : Manuscrit de Bamberg, Adam de la Halle, Blanche de Castille, Thibaut IV, Châtelain de Coucy, Jean Bodel, Conon de Béthune, Chrétien de Troyes, Colin Muset, Gautier de Coinci.

** Jean Belliard (hc), Elisabeth et Guy Robert (luth), Julien Skowron. Alvarès C 485 (sup.).

Sans imagination particulière, ce disque présente un choix excellent des pièces qu'ont écrites Trouvères et Jongleurs : toutes les époques se trouvent représentées, et par le meilleur d'elles-mêmes. Une grande rigueur anime ce petit ensemble parfois un peu trop admiratif de ce qu'il interprète, mais qui correspond tout à fait à ce que devait être l'ensemble trouvère-jongleur. La voix, belle et expressive, apporte un charme certain, laissant s'épanouir la beauté des textes et des mélodies.

Musique des Troubadours. Œuvres de Raimon de Miraval, Guiraut Riquiers, Bernart de Ventadorn, Folquet de Marseillia, Marcabru, Gaucelm Faidit, Peire Vidal, Jaufre Rudel, Guilhem Augier Novella, Lo Monge de Montaudon.

** Jose Luis Ochoa (bar), Lois-Jacques Rondeleux (bar), Roger Lepauw (vièle), Serge Depannemaker (tambourin). Harmonia Mundi HM 566. *+ Alphonse X le Sage : Dix Cantigas.*

Une interprétation essentiellement lyrique, où la voix la plus naturelle permet le déploiement d'effets expressifs qui confinent parfois au maniérisme. Il y a dans cette réalisation une vie authentique que la voix de haute-contre ne rend pas toujours : la moindre inflexion suggère douleur, volonté, scènes à narrer. L'instrumentation, légère, n'écarte pas systématiquement la polyphonie, ornant la mélodie de ritournelles et de «déchants» parfaitement plausibles historiquement et du plus bel effet musical. Mise en scène, présence, même quelque chose d'incarné chassent très loin l'idée totalement fausse et trop couramment répandue d'un Moyen Age «romantique».

Trouvères, Troubadours et Grégorien. Guiraut de Bornelh : Reis glorios, Bernard de Ventadour : Can vei la lauzeta, Marcabru : Pac in nomine Domini, Jaufré Rudel : Lanquan li jorn, Guillaume le Viniers : Mere au Sauveur, Anonyme : C'est là bas, Guiraud Riquiers : Aisi com es, Humilz fortaitz, Jaufre Rudel : Quan lo rossinols, Marcabru : Pastourelle, Anonyme : Al a clarté, Chanson de Mai. Alleluia St. Jean Baptiste, alleluia du 8 décembre.

*** Chanterelle Del Vasto (s), Yves Tessier (t), Mildred Clary (luth). SM T-419.

Une idée intéressante de prendre comme point de référence, pour ce répertoire courtois, les *Alleluia* grégoriens, et de mettre ainsi en évidence pour l'auditeur l'influence des mélismes liturgiques sur la première manifestation savante et profane. Un souci avant tout historique, qui ne néglige aucune source d'inspiration du phénomène Trouveur, mais aucune désincarnation ou sécheresse. Une intelligence qui permet de trouver le ton juste, parce qu'elle refuse la tentation folklorique. Un enregistrement qui paraît modeste dans son ambition, mais qui est parfaitement réussi sur tous les plans.

Turina, Joaquin
(1882-1949)

Canto a Sevilla.

** Montserrat Caballé (s), Alexis Weissenberg (piano). EMI VSM C 069-16.380. Enregistré en 1979. + *Montsalvage : Canciones negras.*

Le *Canto a Sevilla* est une œuvre majeure de Turina, un hommage à sa ville natale. Suite de quatre mélodies, c'est une musique colorée, nourrie des rythmes et des inflexions du chant populaire, ardente, lyrique, généreuse, parfois déclamatoire. Elle demande une interprétation à la fois brillante et expressive : Montserrat Caballé, déjouant avec habileté les pièges d'une partition qui met la voix à rude épreuve, déploie ici toutes les séductions de son art. Le piano d'Alexis Weissenberg, ami des rythmes et des couleurs, et toujours d'une précision extrême, nous convie à cette *feria* que seuls pourraient bouder les esprits maussades.

Danses fantastiques, poème symphonique op 22.

** Orch. de la Société des Concerts du Conservatoire, Rafael Frühbeck de Burgos. EMI VSM C 053-00.624 (sup.). + *Albeniz : Iberia. Falla : L'Amour sorcier, La Vie brève.*

Exaltation, songe, orgie, tels sont les titres de ces trois *Danses fantastiques* : tout un programme qui, avec des œuvres de Falla et d'Albeniz, compose un disque hyper-espagnol, interprété avec toute la fougue nécessaire sous la baguette de Rafael Frühbeck de Burgos.

V

Varèse, Edgard
(1883-1965)

Amériques. Nocturnal.

*** Orch. Symph. de l'Utah, Maurice Abravanel. Vanguard S 308 (USA).

Avec cet enregistrement de *Nocturnal,* la totalité des œuvres de Varèse est ainsi disponible sur disque. Malheureusement si vous voulez vous le procurer, il vous faudra vous tourner vers les Etats-Unis. L'Orchestre Symphonique de l'Utah nimbe la partition de fluorescences mouvantes, et cela sous la baguette d'un chef qui mériterait d'être cité bien plus souvent.

Arcana. Intégrales. Ionisation.

❀*** Orch. Phil. et Ensemble de percussions de Los Angeles, Zubin Mehta. Decca SXL 6550 (G-B).

A l'opposé de l'esprit romantique de Martinon à la tête du Symphonique de Chicago (version hors catalogue), Mehta présente ici un Varèse tout aussi essentiel, mettant admirablement en valeur la mélodie rythmique propre au compositeur. Dans *Arcana,* la matière brute en fusion noie la polyphonie dans des coulées de lave incandescente auxquelles rien ne résiste, surtout pas nous. *Intégrales* procède de l'approche inverse, donnant la primauté à la clarté, au lyrisme incantatoire. Et afin de clore en beauté ce disque, voilà toute la dynamique poétique *d'Ionisation* concentrée en une prise de son qui ne mérite que louanges.

Arcana. Amériques. Ionisation.

** Orch. Phil. de New York, Pierre Boulez. CBS 76.520.

Antithèse de Mehta, Boulez «révèle» *Arcana* en passant l'œuvre à une radioscopie minutieuse. Fouillant la logique interne de la partition, il atteint jusqu'à son squelette... On regrettera néanmoins le souffle de vie démiurge de Metha, transmettant à cette pièce une incandescence quasi mystique. Boulez, donc, fidèle à lui-même, dépèce, analyse cette musique afin d'en tirer la substance organique première. On peut, bien entendu, ne pas tomber d'accord avec ces procédés de dissection chirurgicale, surtout lorsque le chef d'orchestre (à l'encontre de toute logique) gomme les sirènes *d'Amériques* ou en ralentit excessivement les tempos. Aérée, certes, cette interprétation l'est, qui met en valeur maints détails que l'on ne pouvait percevoir avant qu'à la lecture, mais *Arcana* et *Amériques* semblent dévitalisés. Reste l'émerveillement constant d'Ionis*ation,* sans nul doute possible la référence concernant cette œuvre.

Hyperprisme. Intégrales. Ionisation. Octandre. Offrandes. Densité 21,5.

❀*** Ensemble «die Reihe» de Vienne, Friedrich Cerha. Vox Candide FSM 31.028 (RFA).

Friedrich Cerha est compositeur, et l'on a envie de dire que cela se sent. Voilà un Varèse rajeuni et certes inhabituel, puisqu'il se tourne vers les trois Viennois... Scandale ? Point du tout : cette clarté lumineuse, cette tension sous-jacente de forces contrariées, cette rigueur de pensée, cette maîtrise de tous les paramètres nous permettent d'envisager un nouveau Varèse, qui peut difficilement ne pas emporter notre adhésion. Une version à couper le souffle, la perfection d'un cristal ciselé jettant ses feux sous le soleil aveuglant de l'évidence. Attaques, nuances, rouages compositionnels, équilibre, intensités, dynamique, qualité sonore extraordinaires de maîtrise lucide, de pensée cohérente, Il est de ces chaleurs glacées que l'on ne peut qu'admirer, tout comme cet ensemble exceptionnel ne méritant qu'exclamations laudatives. La référence absolue, y compris pour *Offrandes.*

Hyperprisme. Intégrales. Ionisation. Octandre. Poème électronique. Densité 21,5.

*** Ensemble instrumental, Robert Craft. CBS 75.695.

Après une première publication sous étiquette Philips, ce disque avait disparu pour être fort heureusement réédité en 1968, par sa firme d'origine, dans une regravure rajeunie. Un disque clé de la discographie varésienne, tant par l'intensité de l'interprétation que par le choix des six œuvres qui recouvrent près de la moitié du catalogue du compositeur.

Offrandes, pour soprano et orchestre de chambre.

** Christiane Eda-Pierre (s), Orch. du Domaine Musical, Gilbert Amy. Adès 12.001 (sup.). + *Berio : Tempi concertati. Jolas : D'un opéra de voyage.*

Malgré une diction parfois quelque peu trop maniérée, Eda-Pierre se montre ici supérieure à Dona Precht (version Craft). Gilbert Amy change, pour sa part, l'éclairage des masses et des volumes, aidé en cela par un orchestre du Domaine Musical flamboyant de tous côtés. Une version «autre», qui emporte l'adhésion même si celle-ci se dispute avec l'enregistrement à valeur historique de Craft.

Offrandes. Intégrales. Octandre. Ecuatorial.

** Jan de Gaetani (s), Thomas Paul (b), Ensemble de chambre contemporain, Alexis Weisberg. Nonesuch H 71.269 (étr.).

Seul enregistrement disponible en France d'*Ecuatorial*, ce disque, à ce seul titre, serait à recommander. Malheureusement, quelques réserves sont à formuler quant à la prise de son sans présence, venant «de très loin», nous empêchant en outre d'entendre convenablement l'orgue et les ondes Martenot. Dommage, car la basse de Thomas Paul est tout à fait dans le ton et l'esprit. Précisons qu'enfin (tournant ainsi le dos à la «tradition» du chœur d'hommes à l'unisson) cet enregistrement renoue avec le désir premier de Varèse, à savoir l'emploi d'une voix de basse amplifiée dans *Ecuatorial.* Ce problème de prise de son est d'autant plus regrettable que les instrumentistes et le chef nous offrent ici une vision âpre et grandiose, épique et poétique, un tableau brossé avec amour et respect dans un couplage fort judicieux.

Vaughan Williams, Ralph
(1872-1958)

Cantates Dona nobis pacem et Toward the Unknown Region.

** Sheila Armstrong (s), John Carol Case (bar), Ch. et Orch. Phil. de Londres, Adrian Boult. EMI VSM ASD 2962. (G-B).

Ces deux Cantates représentent dans l'œuvre de Vaughan Williams une parenthèse étonnante et émouvante. Composées sur des textes de Walt Whitman, elles tournent autour des thèmes de la paix menacée et de la mort. Le rôle des chœurs, que dirige ici John Alldis, y est prédominant. Boult crée une image sonore particulièrement forte de ces œuvres à la construction incertaine. Le chant funèbre pour deux soldats morts qui forme la partie centrale du *Dona nobis pacem* est extrêmement impressionnant, avec ses échappées hors du système tonal. Ce disque bénéficie d'une prise de son très claire, qui en facilite l'accès.

Concerto pour tuba-contrebasse et orchestre en fa mineur. Concerto pour hautbois et orchestre à cordes en la mineur. The Lark ascending.

** Arnold Jacobs (tuba), Neil Black (hautbois), Pinchas Zukerman (violon), Orch. Symph. de Chicago, Orch. de Chambre Anglais, Daniel Barenboim. DG 2530.906.

Œuvres pleines de fantaisie, faites pour virevolter d'un mouvement à l'autre, les trois pages enregistrées sur ce disque sont éminemment des concertos de solistes. C'est d'eux, plus que du chef d'orchestre, que dépend le succès de l'entreprise. Ils sont tous trois remarquables, évitant toute démonstration de virtuosité appliquée, et ont l'air de se complaire dans cette espèce de mouvement perpétuel des sentiments. Barenboïm leur donne la réplique en évitant le côté un peu trop couleur locale qui gêne parfois dans la musique de Vaughan Williams. Un disque très réussi, fait pour plaire sans complaisance. Et une belle performance de musiciens.

Fantaisie sur un thème de Thomas Tallis. The Lark ascending. Cinq Variations sur Dives et Lazarus. Fantaisie sur Greensleeves.

*** Academy of St-Martin-in-the-Fields, Neville Marriner. Argo ZRG 696 (G-B).

Vaughan Williams tenait beaucoup à rattacher son œuvre musicale à la plus ancienne tradition anglaise : toutes les pièces choisies dans ce programme ont une origine médiévale ou renaissante. Mais l'interprétation de Marriner évite qu'on puisse avoir l'impression de se trouver devant des pastiches plus ou moins réussis. La précision et la délicatesse avec lesquelles il expose et développe des thèmes traditionnels, la discrétion avec laquelle il met en valeur le jeu d'allusions et de développement très fin du compositeur, font de ces quatre pages de petits chefs-d'œuvre pleins d'humour, témoignant d'une grande culture musicale, mais aussi d'une grande capacité de transmutation des thèmes retenus.

A London Symphony.

** Orch. Phil. de Londres, Adrian Boult. EMI-VDM ASD 2740 (G-B).

Dans cette grande fresque impressionniste sur Londres et ses bruits, Boult semble s'être laissé aller à une rêverie un peu nostalgique. La sonorité de son orchestre est admirable, et il paraît vouloir en profiter pour prolonger les admirables mouvements lents qui constituent toute la première moitié de la partition. L'œuvre tout entière baigne dans un climat de brouillard léger que traduisent admirablement les violons du London Philharmonic. Il semblerait par comparaison que Boult ait trouvé le rythme idéal pour une œuvre qui demande à être écoutée avec amour et patience.

Messe en sol mineur. Cinq chants mystiques. Motet «O clap your hands».

*** John Shirley-Quirk (bar), Ch. du King's College de Cambridge, Orch. de Chambre Anglais, David Willcocks. EMI VSM ASD 2458. (G-B).

David Willcocks a réalisé la prouesse d'exécuter la Messe de Vaughan Williams en lui laissant une certaine liberté d'allure, sans la rendre trop pesante de métaphysique musicale ni la surcharger de trop de prouesses techniques. Ce résultat est dû pour une bonne part à la maîtrise exceptionnelle des Chœurs du King's College, habitués aux complications de la polyphonie anglaise traditionnelle. Les sopranos-garçons du King's semblent se jouer des difficultés les plus grandes et permettent d'assurer un bon équilibre à l'ensemble de l'interprétation. Les cinq Chants mystiques sont chantés par John Shirley-Quirk avec beaucoup d'autorité et d'intelligence.

A pastoral symphony. In the Fen Country.

** Margaret Price (s), Orch. New Philharmonia, Adrian Boult. EMI VSM ASD 2393 (G-B).

L'œuvre se veut une évocation de la campagne anglaise, elle est entièrement idyllique et se termine par un mouvement lent où intervient une voix de soprano chantant une longue cantilène sans paroles, soutenue par le roulement des timbales. Boult arrive à maintenir de bout en bout un climat serein sans jamais tomber dans la mièvrerie. Il utilise le mouvement allègre de la troisième partie, avec son rythme de danse bien marqué, pour préparer l'effet de nostalgie poignante du dernier mouvement. Toute sa direction est axée sur la difficile recherche d'un équilibre entre des effets trop théâtraux et un excès de sentimentalité. La réussite est complète. Bon complément de programme avec le petit poème symphonique descriptif des marais de la région des *Fen*.

Symphonie n° 4 en fa mineur. Norfolk Rhapsody n° 1.

** Orch. New Philharmonia, Adrian Boult. EMI VSM ASD 2375 (G-B).

Boult a eu à plusieurs reprises l'occasion de collaborer avec Vaughan Williams dans la préparation des exécutions que celui-ci donnait de ses œuvres. C'est donc un témoin très sûr de la tradition. Son interprétation de la 4ᵉ

Symphonie est particulièrement séduisante. Elle est centrée sur le long *andante moderato* qui donne l'occasion d'entendre le New Philharmonia déployer tous ses charmes. La prise de son est d'une fort belle qualité, et la *Norfolk Rhapsody*, avec laquelle la Symphonie est couplée, fait jouer les bois autour de thèmes populaires d'une façon particulièrement séduisante.

Vecchi, Orazio
(1550-1605)

L'Amfiparnaso.

* Deller Consort, Afred Deller. Harmonia Mundi HM 20.371.

Premier opéra-comique sous forme d'une suite de madrigaux, *l'Amfiparnaso* se situe dans la droite ligne de la *Commedia dell'Arte* italienne. La bouffonnerie énorme des situations perd quelque peu de son mordant dans l'interprétation d'Alfred Deller, admirable de finesse et de musicalité, mais parfois entachée d'une certaine préciosité. Cela sent plus le divertissement de cour que la plaisanterie populaire; toutefois, la délicatesse du coloris sonore, le raffinement de la diction, la clarté de l'articulation font de cette réalisation une petite merveille qui dépasse de beaucoup la simple curiosité historique.

Le Veglie di Siena (les Veillées de Sienne).

** Sociétá Cameristica di Lugano, Edwin Loehrer. Enregistré en 1980. Accord ACC 140.037.

Dans une tradition qui nous ramène au *Décaméron, Les Veillées de Sienne* nous font revivre une soirée où chacun des convives se livre pour la joie de toute la compagnie à un jeu d'imitation des ridicules caractéristiques de divers peuples ou «tempéraments». Nous alternons ainsi les madrigaux simples à trois voix, de teneur comique, et des madrigaux galants, plus complexes, à cinq ou six voix. La présence d'un récitant nous permet de suivre le déroulement de cette veillée musicale. L'ensemble d'Edwin Loehrer est parfaitement à l'aise dans ce genre d'excercice. Plein de verve et de bouffonnerie par moments, il repasse à un ton plus noble sans aucune difficulté. La réalisation donne surtout à ce disque une présence exceptionnelle. Nous assistons à ces petites scènes comme si elles se déroulaient devant nous, tant est grande la qualité de communication des chanteurs.

Verdi, Giuseppe
(1813-1901)

Anthologie vocale : 31 airs pour ténor, extraits de Oberto, Un giorno di regno, I Lombardi, Ernani, I due Foscari, Giovanna d'Arco, Alzira, Attila, Macbeth, I Masnadieri, Il Corsaro, La Battaglia di Legnano, Luisa Miller, Rigoletto, Aroldo, Il Trovatore, La Traviata, Simone Boccanegra, I Vespri siciliani, Un ballo in maschera, La forza del destino, Don Carlo, Aïda, Otello, Falstaff.

❁*** Carlo Bergonzi (t), Orch. New Philharmonia et Phil. Royal, Nello Santi, Lamberto Gardelli. Philips 6747.193 (3 d.). Enregistré de 1973 à 1975.

Anthologie vocale : «Rosa Ponselle chante Verdi». Interview et extraits du Trouvère, de Ernani, Les Vêpres siciliennes, La Force du destin, Aïda, Othello.

❁*** Rosa Ponselle (s), avec Riccardo Stracciari (bar) et Charles Hackett (t), Orch. et chefs anonymes. Odyssey Y 31150 (USA). Mono, origine 78 t. Enregistré de 1920 à 1922.

Anthologie vocale : «Il mio Verdi : Enrico Caruso». Extraits de Rigoletto, Macbeth, Otello, Les Lombards, Un bal masqué, La Force du destin, Le Trouvère, La Traviata, Aïda, Don Carlos, Requiem.

** Enrico Caruso (t), avec Titta Ruffo (bar), Pasquale Amato (bar), Antonio Scotti (bar), Louise Homer (c), Alma Gluck (s), etc. Orchestres et chefs anonymes. RCA TVM 2-7200 (2 d.) (Italie). Mono, origine 78 tours. Enregistré de 1906 à 1918.

Anthologie vocale : «Omaggio a Verdi». Extraits de I Masnadieri, I Vespri siciliani, Il Corsaro, Otello, Giovanna d'Arco, Il Trovatore, Don Carlo, Jerusalem.

** Katia Ricciarelli (s), Orch. Phil. de Rome, Gianandrea Gavazzeni. RCA MLDS 20.260 (Italie). Enregistré en 1972.

Avec Bergonzi, Verdi est là tout entier, qui reçut l'héritage du *bel canto* de Bellini, et cinquante ans plus tard se mesura aux excès du drame wagnérien et du vérisme : outre son timbre enchanteur et sa technique unique, Bergonzi réussit, à près de cinquante ans, à allier la virtuosité des cabalettes au *legato* des airs du jeune Verdi (*Ernani, Giovanna d'Arco, Luisa Miller*) et au mordant et à l'incisivité de ceux de la maturité, *Un bal masqué* ou *Aïda* : un monument de chant, de style, d'intelligence.

Si les cantatrices l'emportent aujourd'hui sur les chanteurs, il y avait néanmoins des vedettes qui, naguère, savaient plier de somptueux organes (Rosa Ponselle fut, intrinsèquement, la plus belle voix du siècle) à une fabuleuse technique des coloratures, trilles et piqués, le tout réalisé d'une voix puissante : écoutons d'abord *Ernani*, et les *Vêpres siciliennes*, pensons qu'elle chantait aussi les deux Leonores verdiennes à moins de vingt-cinq ans : bien des chanteuses plus récentes en paraissent ridiculisées...

Caruso, certes, n'était pas un véritable spécialiste du phrasé verdien, comme le furent Martinelli, Pertile ou Lauri Volpi, mais cette voix, cette passion, ces moyens incroyables étalés du grave (*Aïda*) à l'aigu (*Trouvère, Bal masqué*), la chaleur, la caresse de son style, dans ses premières années, et quelques fabuleux partenaires font de cette sélection un régal pour l'oreille.

A moins de vingt-six ans, récemment révélée par la télévision italienne, intelligemment soutenue par la baguette de Gavazzeni, Ricciarelli donne ici une leçon de chant verdien (variété des nuances, netteté du phrasé, perfection des trilles et des coloratures), telle qu'on n'en trouve pas l'équivalent chez les Freni, Price ou Caballé : un «moment» à préserver.

Anthologie : «Verdi et Toscanini». Extraits de Nabucco, Les Vêpres siciliennes, La Traviata, Les Lombards, La Force du destin, Othello, Aïda, Luisa Miller, Un bal masqué, Rigoletto. Hymne des Nations.

*** Jan Peerce (t), Zinka Milanov (s), Leonard Warren (bar), Nan Merriman (m), Westminster Choir, Orch. Symph. NBC, Arturo Toscanini. RCA AT 304 (3 d.) (sup). Mono. Enregistré de 1942 à 1954.

Anthologie : intégrale de la musique de ballet. Extraits de Jérusalem, Le Trouvère, Othello, Les Vêpres siciliennes, Don Carlos, Macbeth.

** Orch. National de l'Opéra de Monte Carlo, Orch. Symph. de Londres, Antonio de Almeida. Philips 6747.093 (2 d.) (sup.). Enregistré en 1972 et 1974.

Chez Toscanini, les préludes de *Traviata* et du *Bal masqué* sont sans équivalents ailleurs ; et nous avons ici des danses d'*Otello* et celles, plus connues, d'*Aïda* qui nous révèlent le grandissime Toscanini, libéré des chanteurs... Pourtant, son dernier acte de *Rigoletto* avec le soprano dramatique de la Milanov est une réussite de recherches de couleurs, de nuances, de vérité dramatique. En prime, l'*Hymne des Nations*, réalisé en 1943, dans lequel, Yalta aidant, Toscanini introduit l'Internationale !

Remarquablement dirigé, gravé et illustré, le disque d'Almeida compense les manques des éditions intégrales en nous présentant ces ballets que Verdi dut souvent écrire après coup pour les représentations de l'Opéra de Paris. Le chef y met autant de sérieux et de chaleur que s'il se fût agi du grand Verdi.

Aïda, opéra.

*** Leontyne Price (Aïda), Jon Vickers (Radamès), Rita Gorr (Amnéris), Robert Merrill (Amonasro), Giorgio Tozzi (Ramfis), Orch. et Ch. de l'Opéra de Rome, Georg Solti. Decca 390.050 (3 d.). Enregistré en 1961.

*** Herva Nelli (Aïda), Richard Tucker (Radamès), Eva Gustavson (Amnéris), Giuseppe Valdengo (Amonasro), Norman Scott (Ramfis), Orch. et Ch. de la NBC, Arturo Toscanini. RCA AT 302 (3 d.) (étr.). Mono. Enregistré en 1949.

** Maria Callas (Aïda), Richard Tucker (Radamès), Fedora Barbieri (Amnéris), Tito Gobbi (Amonasro), Nicola Zaccaria (Ramfis), Orch. et Ch. de la Scala de Milan, Tullio Serafin. EMI VSM C 163.00.429/31 (3 d.). ⌧ TC SLS 5.108 (3 c.). Mono. Enregistré en 1955.

** Dusolina Giannini (Aïda), Aureliano Pertile (Radamès), Irene Minghini-Cattaneo (Amnéris), Giovanni Inghilleri (Amonasro), Luigi Manfrini (Ramfis), Orch. et Ch. de la Scala de Milan, Carlo Sabajno. EMI 153-01.616/8 (3 d.) (Italie). Mono, origine 78 t. Enregistré en 1928.

* Montserrat Caballé (Aïda), Placido Domingo (Radamès), Fiorenza Cossotto (Amnéris), Piero Cappuccilli (Amonasro), Nicolaï Ghiaurov (Ramfis), Orch. Phil. de Londres et Ch. de Covent Garden, Riccardo Muti. EMI VSM C 167-02.548/50 (3 d.). Enregistré en 1974.

Une vision internationale, non latine, équilibrée grâce a un Solti majestueux, parfois nerveux (scène du Nil), souvent d'une solennité consciente - contrairement à Karajan (Decca, 1958), trop languissant, étiré, mais disposant d'un Bergonzi et d'une Simionato inégalables. Leontyne Price impose ici un style royal ; Rita Gorr est la véhémente Amnéris souhaitée par Solti, mais elle semble parfois à la limite de l'effort, tout comme Vickers, sublime dans le tableau final, mais chez lequel la majesté du phrasé compense mal l'absence d'éclat vocal. Les autres interprètes sont plus discutables.

Pour que Toscanini surclasse définitivement ses successeurs, il lui eût fallu une Amnéris de la taille d'une Bumbry (Leinsdorf, RCA, 1970) et une Aïda plus sensuelle, encore qu'Herva Nelli chante ici fort bien. Valdengo, autoritaire, bien chantant, éclipse tous ses rivaux, et Tucker est le plus fantastique Radamès qui soit, éclatant dans l'aigu, capable des plus sublimes demi-teintes. Et Toscanini ? Toutes les notes sont là, et plus encore, avec feu, nerf, enthousiasme, et, le mot n'est pas de trop, génie. Faut-il déplorer la sécheresse légendaire du studio ?

Né pour diriger *Aïda*, Serafin, parfois aussi nerveux et vif que Toscanini, n'avait pas capté au mieux en 1946 la royale équipe Gigli-Caniglia-Stignani-Bechi. Il dispose ici d'un Tucker toujours éclatant, d'un Gobbi si impressionnant qu'on lui pardonne tout, et d'un bon Ramfis. Certes, Callas n'est plus l'Aïda survoltée et extravertie de Mexico (Cetra LO 40, avec del Monaco), mais les souvenirs sont parfois encore sublimes, malgré un aigu dur, que lui dispute la trop agressive Barbieri.

Malgré un son médiocre, même pour l'époque, la version Sabajno est peut-être plus équilibrée que sa rivale Columbia de 1930 (admirable «repiquage» en 33 t., Bongiovanni, GB 1015/17), grâce à la grande direction du chef, à l'exceptionnel Radamès de Pertile, vibrant, viril, musical, idéal, et à une superbe Amnéris. Columbia offre de son côté l'*Aïda* inégalable d'Arangi-Lombardi, sorte de cocktail entre Ponselle et Caballé, les basses Pasero et Baccaloni, grandioses, le bon Radamès de Lindi, un meilleur son, mais un chef quelconque.

Le premier disque de Muti avait fait sensation, semblant réunir les ardeurs toscaniniennes aux épanchements de Karajan. Avec le recul, il en reste une bonne direction, une Caballé fascinante dans les pianissimos, inexacte ailleurs, et un Domingo vibrant, mais vite fatigué. Les partenaires ne sont guère à la hauteur de leur réputation.

Aïda, extraits.

*** Enrico Caruso, Giovanni Martinelli, Giacomo Lauri Volpi, Jussi Björling (t), Rosa Ponselle, Zinka Milanov (s), Fedora Barbieri (ms), Giuseppe de Luca, Leonard Warren (bar), Ezio Pinza, Boris Christoff (b), Arturo Toscanini et divers chefs. RCA VL 42435 (2 d.) (Italie). Mono, origine 78 t et 33 t. Enregistré de 1911 à 1953.

Pour ceux qui voient dans *Aïda* l'indispensable réunion de chanteurs exceptionnels, aucune «intégrale» n'approchera ce récital des gloires du passé : un Trio du Nil où Lauri-Volpi (en 1930, son parfait) ridiculise tous les Radamès à venir, un duo Martinelli-Ponselle qui allie Verdi à Mozart, une de Luca, un Pinza inégalés, un Caruso... Sans atteindre aux mêmes sommets, il faut signaler la version complète RCA (Björling, Milanov, Barbieri, Warren, Christoff) de 1955.

Aroldo, opéra.

** Montserrat Caballé (Mina), Gianfranco Cecchele (Aroldo), Juan

Pons (Egberto), Louis Lebherz (Briano), Orch. de l'Opéra de New York, Eve Queler. CBS 79.328 (3 d.).

Aroldo (1857) est en fait la seconde mouture de *Stiffelio*, dont l'échec avait été total en 1850. Le plateau de cette version repose essentiellement sur Montserrat Caballé, qui s'est fait une spécialité des Verdi rares. La diva est ici pleinement et complètement dans sa voix et dans son emploi, montrant cependant plus d'aisance dans les passages élégiaques que dans les moments de pure virtuosité. Le reste de la distribution est dominé par le ténor Gianfranco Cecchele, dont la voix sonore et vaillante séduit sans avoir recours aux effets faciles. Pour les passionnés de chant verdien, une trouvaille.

Un Bal masqué, opéra.

*** Benjamino Gigli (Riccardo), Maria Caniglia (Amelia), Gino Bechi (Renato), Fedora Barbieri (Ulrica), Elda Ribetti (Oscar), Orch. et Ch. de l'Opéra de Rome, Tullio Serafin. EMI 153-18.392/94 (3 d.) (Italie). Mono, origine 78 t. Enregistré en 1943.

*** Jan Peerce (Riccardo), Herva Nelli (Amelia), Robert Merrill (Renato), Claramae Turner (Ulrica), Virginia Haskins (Oscar), Orch. et Chœurs Robert Shaw de la NBC, Arturo Toscanini. RCA KV 6118 (3 d.) (étr.). Mono. Enregistré en 1954.

** Placido Domingo (Riccardo), Martina Arroyo (Amelia), Piero Cappuccilli (Renato), Fiorenza Cossotto (Ulrica), Reri Grist (Oscar), Orch. New Philarmonia, Riccardo Muti. EMI VSM C 167-02.679/81 (3 d.). Enregistré en 1975.

** Giuseppe di Stefano (Riccardo), Maria Callas (Amelia), Ettore Bastianini (Renato), Giulietta Simionato (Ulrica), Eugenia Ratti (Oscar), Orch. et Ch. de la Scala de Milan, Gianandrea Gavazzeni. Cetra LO 55 (3 d.). Mono. Enregistré sur le vif en 1957.

* Placido Domingo (Riccardo), Katia Ricciarelli (Amelia), Renato Bruson (Renato), Elena Obraztsova (Ulrica), Edita Gruberova (Oscar). Ch. et Orch. de la Scala de Milan, Claudio Abbado. DG 2740.251 (3 d.). ⊠ 3378.111 (3 c.). Enregistré en 1981.

* Carlo Bergonzi (Riccardo), Birgit Nilsson (Amelia), Cornell Mac Neil (Renato), Giulietta Simionato (Ulrica), Sylvia Stahlman (Oscar), Orch. et Ch. Académie Ste-Cécile de Rome, George Solti. Decca 390.051 (3 d.). Enregistré en 1961.

Une prise de son fabuleuse pour l'époque (1943 !), un Tullio Serafin plus jeune que jamais à soixante-cinq ans, lyrique (le prélude n'a jamais été refait ainsi), concis, net et vif (le premier finale est le plus rapide qui fût), et la pléiade des grands noms de l'époque, parfois exagérément dramatiques. Gigli, quinquagénaire, électrisant, inégalable aux 1ᵉ et 4ᵉ actes, une Barbieri de vingt-deux ans tout-à-fait stupéfiante, Bechi à son apogée mais un soupçon vulgaire, la Caniglia vibrante (trop ?), et en prime le vétéran Pasero ! Une référence absolue et sans doute définitive.

Il a manqué à Toscanini une meilleure équipe vocale, car sa direction, malgré ses 77 ans, est celle d'un pur-sang à sa première course : l'introduction à l'acte de la sorcière est demeurée fameuse, compensant le manque de lyrisme dénoncé ailleurs. Mais si le chef tient un rythme implacable, les chanteurs ne modulent guère, et la nuance *piano* est inconnue de Toscanini, qui préfère un mordant souvent excitant. Une remise au catalogue français s'impose naturellement.

Muti donne la seule bonne version stéréo au catalogue français 1980, et si l'on ne connaissait Toscanini et Serafin, il semblerait idéal dans la netteté et le lyrisme contrôlé. Un peu de disparate dans la distribution, où une Arroyo sachant chanter, mais très détachée, répond à un Domingo passionné mais irrégulier. De grands noms autour d'eux, mais pas toujours dans leurs meilleurs rôles.

Maria Callas sur le vif, lors de son avant-dernier triomphe milanais (avant le «scandale» de Rome), très supérieure à sa version EMI (où ses partenaires sont à la limite de l'inaudible), très royale, bouleversante, avec une interview et de belles photographies en prime. Di Stefano parfois en difficulté mais attachant, Bastianini au sommet de sa forme, une Simionato stupéfiante de somptuosité, un Gavazzeni très engagé, lyrique : de quoi vivre deux heures assez exceptionnelles.

Le *Bal masqué* d'Abbado est l'aboutissement d'un travail quotidien avec les musiciens et les choristes de la Scala. On connaît Abbado, sa rigueur, ses exigences de cohésion et son sens de la scène : tout cela fait ici merveille. La distribution masculine est de premier plan. Domingo, royal, aristocrate et violent, est un Riccardo aussi imposant que tourmenté. Bruson est tout de vérité, et avant tout vrai Renato. Mais les femmes sont en retrait très net. Edita Gruberova s'est carrément trompée de répertoire, Katia Ricciarelli s'est trompée d'emploi à l'intérieur de son répertoire; quant à Obraztsova, elle est aussi en deçà des moyens d'Ulrica.

Pour la direction grandiose de Solti, souvent enthousiasmé, pour l'enregistrement qui fait sonner l'orchestre mais défavorise Simionato, Mac Neill et Stahlman, mais pour Bergonzi qui rivalise ici la splendide réussite de Gigli avec une rare perfection vocale, et aussi pour une Nilsson, hautaine sans doute, mais chantant avec une même inaccessible perfection.

La Bataille de Legnano, opéra.

** Katia Ricciarelli (Lida), José Carreras (Arrigo), Matteo Manuguerra (Rolando), Nikola Ghiuzelev (Barberousse), Orch. et Ch. ORF, Lamberto Gardelli. Philips 6700.120 (2 d.).

Cet opéra du jeune Verdi, original et finement orchestré, gagnait à être mieux connu que par l'ancienne version Cetra. Nous tenons ici une très belle réussite vocale, grâce à Ricciarelli, cantatrice verdienne d'élection pour son phrasé incisif, la richesse du timbre, la finesse de ses coloratures. Mêmes éloges à décerner au superbe baryton, souple et musical, de Manuguerra, tandis que Carreras se tire avec brio d'un rôle peu aigu. Seule, une direction très routinière gâte un plaisir total.

Don Carlos : opéra (écrit en français) : version italienne en cinq actes.

*** Carlo Bergonzi (Don Carlos), Renata Tebaldi (Elisabeth), Dietrich Fischer-Dieskau (Posa), Nicolai Ghiaurov (Philippe II), Grace Bumbry (Eboli), Martti Talvela (l'Inquisiteur), Orch. et Ch. de Covent Garden, Georg Solti. Decca 390.052 (4 d.). Enregistré en 1965.

* Placido Domingo (Don Carlos), Montserrat Caballé (Elisabeth), Sherril Milnes (Posa), Ruggero Raimondi (Philippe II), Shirley Verrett (Eboli), Giovanni Foiani (l'Inquisiteur), Orch. de Covent Garden, Ch. Ambrosien, Carlo Maria Giulini. EMI VSM C 165-02.149/52 (4 d.). Enregistré en 1970.

Don Carlos : version italienne en quatre actes.

*** Eugenio Fernandi (Don Carlos), Sena Jurinac (Elisabeth), Ettore Bastianini (Posa), Cesare Siepi (Philippe II), Giulietta Simionato (Eboli), Marco Stefanoni (l'Inquisiteur), Orch. Phil. de Vienne, Ch. Opéra de Vienne, Herbert von Karajan. Cetra LO 72 (3 d.). Mono. Enregistré sur le vif en 1958.

* Mario Filippeschi (Don Carlos), Antonietta Stella (Elisabeth), Tito Gobbi (Posa), Boris Christoff (Philipp II), Elena Nicolai (Eboli), Giulio Neri (l'Inquisiteur), Orch. et Ch. de l'Opéra de Rome, Gabriele Santini. EMI 153-01.590/92 (3 d.) (Italie). Mono. Enregistré en 1954.

* José Carreras (Don Carlos), Mirella Freni (Elisabeth), Piero Cappuccilli (Posa), Nicolai Ghiaurov (Philippe II), Agnès Baltsa (Eboli), Ruggiero Raimondi (l'Inquisiteur), Orch. Phil. de Berlin, Ch. de l'Opéra Allemand, Herbert von Karajan. EMI VSM C 167-03.450/53 (4 d., 7 faces). Enregistré en 1978.

La direction de Solti, qui sait que Verdi fut contraint au grand spectacle pour l'Opéra de Paris, est admirable de bout en bout, nerveuse ou grandiose, lyrique, jamais emphatique, et le son, clair et large, donne la priorité aux voix : Bergonzi dispense une inégalable leçon de chant, Tebaldi, un rien gênée dans l'aigu, est le soprano grave (le falcon) voulu, face à une jeune Eboli, Bumbry, sensuelle et violente. Bon Inquisiteur de Talvela, Ghiaurov très théâtral, et Posa, malgré quelques effets extérieurs et certains sons désagréables, est le plus sensible, le mieux chantant, le plus subtil qui soit.

Dans une perspective sonore plus globale, Giulini dessine des phrases lentes, amoureuses, mais ses 208 minutes (quinze de plus que Solti) ne sont pas seulement dues aux quelques pages rajoutées. Caballé, inégalable dans la douceur, le raffinement, n'est pas exactement le falcon désiré, et Domingo, passionné, jeune, fait oublier son aigu difficile grâce à la beauté de son timbre. Shirley Verrett, Milnes (d'intonation souvent imprécise) sont honnêtes, mais les deux basses sont complètement dépassées par leurs personnages.

Le son d'une retransmission du Festival de Salzbourg de 1958, rare pour l'époque, un Karajan ardent et lyrique, pas encore pris par sa légende, le seul *Don Carlos* qui comporte l'indispensable scène du déguisement, Sena Jurinac la meilleure Elisabeth qu'on pût rêver, Simionato, survoltée, inégalée, et la voix de la jeune Rothenberger en prime ! Bastianini et Siepi, excellents chanteurs, mais un ténor souvent très en difficulté, et un Inquisiteur remplaçant hélas ! Neri mort.

Avec Santini, quatre actes seulement, mais aussi de nombreuses petites coupures alors «traditionnelles», une Stella non négligeable, mais essentiellement l'affrontement Gobbi-Christoff, fantastique malgré les sons durs de Gobbi, et l'autre duel Christoff-Neri, ce dernier inférieur à lui-même (Cetra LPO 2018, 1951, avec Rossi Lemeni), deux pages inégalées au disque.

Pour l'amateur de stéréophonie sophistiquée moderne, pour les passionnés de Karajan, ici très lent, là trop brutal. Une Eboli de luxe, ardente, jeune, un Van Dam stupéfiant (dans le petit rôle d'un moine) qui eût dû chanter Philippe, de belles voix - Ghiaurov, Capuccilli, mais Carreras bien maigre - et peu de conviction. Et une version trop réduite, un luxe superflu après le très authentique *Don Carlos* de la Scala, en Eurovision, avec un Bruson dont l'absence se fait cruellement sentir ici.

Ernani, opéra.

** Mario del Monaco (Ernani), Zinka Milanov (Elvira), Leonard Warren (Don Carlo), Cesare Siepi (Silva), Orch. et Ch. du Metropolitan Opéra de New York, Dimitri Mitropoulos. Cetra LO 12 (3 d.). Mono. Enregistré sur le vif en 1956.

* Carlo Bergonzi (Ernani), Leontyne Price (Elvira), Mario Sereni (Don Carlo), Ezio Flagello (Silva), Orch. et Ch. de la RCA Italienne, Thomas Schippers. RCA VLS 45.150 (3 d.). ⌧ VKS 45.150 (3 c.). Enregistré en 1967.

Il faut de grands chefs d'orchestre à Verdi, même auprès de grands chanteurs : il nous reste aujourd'hui trop peu de disques de Mitropoulos pour ne pas saisir l'occasion. Rutilant d'intelligence et de passion, de juste nervosité, il tempère les ardeurs de del Monaco au mieux de sa forme, bien entouré par de solides chanteurs : on peut leur préférer Cerquetti, Christoff et Bastianini, entourant également Mitropoulos et del Monaco à Florence en 1957.

C'est avec Schippers la seule version stéréo de l'œuvre, avec une direction plus sérieuse que véritablement engagée, un superbe Bergonzi bien chantant, quoique assez loin de Hugo, mais une Price très inférieure à elle même, massacrant ses vocalises, et deux «clefs de fa» presque insignifiants dans des rôles naguère illustrés par Ruffo, Stracciari, Pinza et tant d'autres gloires du 78 tours.

Falstaff, opéra.

❁*** Renato Bruson (Falstaff), Katia Ricciarelli (Alice), Barbara Hendricks (Nanetta), Lucia Valentini-Terrani (Quickly), Leo Nucci (Ford), Dalmacio Gonzalez (Fenton), Ch. et Orch. Phil. de Los Angeles, Carlo Maria Giulini. DG 2741.020 (3 d.). Enregistré en 1982.

*** Giuseppe Valdengo (Falstaff), Herva Nelli (Alice), Teresa Stich-Randall (Nannetta), Cloe Elmo (Quickly), Franck Guarrera (Ford), Antonio Madasi (Fenton), Orch. de la NBC, Ch. Robert Shaw, Arturo Toscanini. RCA AT 301 (3 d.). Mono. Enregistré sur le vif en 1950.

** Mariano Stabile (Falstaff), Renata Tebaldi (Alice), Alda Noni (Nannetta), Cloe Elmo (Quickly), Paolo Silveri (Ford), Cesare Valletti (Fenton), Orch. et Ch. de la Scala de Milan, Victor de Sabata. Cetra LO 14 (3 d.). Mono. Enregistré sur le vif en 1951.

** Tito Gobbi (Falstaff), Elisabeth Schwarzkopf (Alice), Anna Moffo (Nannetta), Fedora Barbieri (Quickly), Rolando Panerai (Ford), Luigi Alva (Fenton), Orch. et Ch. Philarmonia, Herbert von Karajan. EMI VS M C 167.951/52 (2 d.). Enregistré en 1956.

** Giuseppe Taddei (Falstaff), Raina Kabaivanska (Alice), Janet Perry (Nannetta), Christa Ludwig (Quickly), Rolando Panerai (Ford), Ch. de l'Opéra d'État de Vienne, Orch. Phil. de Vienne, Herbert von Karajan. Philips 6769.060 (3 d.). ⊠ 7654.060 (3 c.). Enregistré en 1980.

** Giuseppe Taddei (Falstaff), Rosanna Carteri (Alice), Lina Pagliughi (Nannetta), Amalia Pini (Quickly), Saturno Meletti (Ford), Emilio Renzi (Fenton), Orch. et Ch. de la RAI, Turin, Mario Rossi. Musidisc (3 d.) (sup.). Mono. Enregistré en 1950.

* Geraint Evans (Falstaff), Ilva Ligabue (Alice), Mirella Freni (Nannetta), Giulietta Simionato (Quickly), Robert Merrill (Ford), Alfredo Kraus (Fenton), Orch. et Ch. de la RCA Italienne, Georg Solti. Decca 2BB 104/106 (3 d.) (étr.). Enregistré en 1964.

* Dietrich Fischer-Dieskau (Falstaff), Ilva Ligabue (Alice), Graziella Sciutti (Nannetta), Regina Resnik (Quickly), Rolando Panerai (Ford), Juan Oncina (Fenton), Erich Kunz (Pistola), Orch. Phil. et Ch. de l'Opéra de Vienne, Leonard Bernstein. CBS 77.392 (3 d.). Enregistré en 1965.

Le miracle qu'opère Giulini tient au climat poétique dans lequel il situe son propos. La singulière luminosité dont l'Orchestre de Los Angeles baigne toute l'action est admirable de transparence, et, chose plus rare chez Giulini, de chaleur ; l'humour non plus n'est pas absent de cette fête du cœur et des sens. La distribution vocale est à la hauteur du propos, c'est-à-dire sur les cimes. Le Falstaff de Renato Bruson, aux ardeurs déjà embuées de désenchantement, est une merveille de subtilité et de beau chant. Leo Nucci donne à Ford une épaisseur inhabituelle; quant à Katia Ricciarelli, elle n'a jamais été aussi éblouissante et spirituelle qu'en Alice.

Puisque dans cet opéra, le rythme, la finesse, la précision sont souverains, Toscanini y règne sans contestation, et le public aidant, sait parfois aussi verser dans la tendresse. Et cette fois, sa distribution est bonne, avec une réserve pour une Stich-Randall à peine débutante. Valdengo est un vrai «pancione» qui s'en met plein la bouche, Cloe Elmo une Quickly de luxe, jamais vulgaire, mais tous sont survoltés par l'enthousiasme de ce très grand instant verdien. Pas de livret.

A soixante-trois ans, Stabile était encore le grand Falstaff qu'il incarna plus de mille fois, véritablement «visuel». Et ce trop rare témoignage du grand de Sabata s'impose, malgré un son assez fruste (transmission de la Scala en 1951 !), car il n'a rien à envier à Toscanini, et sa précision (surtout au théâtre) est stupéfiante. Le reste de la distribution est simplement exceptionnel de beau chant.

La version de Karajan est assez discutée, car le chef a su opposer à la rythmique de Toscanini une lecture non moins rigoureuse, mais entrecoupée d'effusions lyriques rarement aussi bien venues. Ses interprètes ne semblent hélas ! pas répondre à sa vision : un Gobbi excessivement caricatural ou plaintif, une Quickly de basse taverne, un Ford souvent imprécis d'intonation, et des Schwarzkopf, Moffo et Alva de luxe, aussi distingués que distants de l'action.

Depuis son enregistrement de 1956, la conception de Karajan a changé du tout au tout : le souci du son, conforté par les sortilèges de la technique, est devenu son impératif catégorique. La dynamique est stupéfiante, créant à elle seule l'atmosphère. Reste qu'il tire l'œuvre vers le grand opéra, et tout se passe comme si l'humour était devenu chez Karajan «*una cosa seriosa*». La distribution de cet enregistrement est en accord parfait avec cette conception et le Falstaff de référence de Giuseppe Taddei la domine de toute son écrasante personnalité.

Sans prendre de position tranchée, Mario Rossi semble prouver qu'il suffit peut-être de très bien diriger pour servir ce chef-d'œuvre, et d'être entouré d'authentiques chanteurs : Taddei est le Falstaff le plus équilibré qui soit, Meletti le meilleur Ford, Carteri et Pagliughi d'excellentes cantatrices. La regravure favorise trop l'orchestre et ne vaut pas l'ancienne.

La stéréophonie n'aura rien apporté à cet opéra, car Solti, le grand verdien d'*Aïda* et de *Don Carlos*, dirige l'œuvre comme un grand opéra, et sa direction, plus ample que rythmique, est encore compromise par une prise de son qui «noie» l'orchestre. Et pourtant, l'affiche est séduisante, avec le Fenton de Kraus, et d'autres vedettes célèbres aux belles voix, mais peu concernées. En outre, Merrill est hors de forme, et Evans, si pittoresque à la scène, ne réussit guère l'épreuve du micro.

Bernstein est très irrégulier. Il fait ici ressortir des détails absents ailleurs, puis passe en ouragan là où on l'aurait aimé voir réfléchir. Le son est néanmoins somptueux, même si un autre orchestre que celui de Vienne aurait mieux fait l'affaire. De même, Fischer-Dieskau est le plus intelligent, le plus diversifié des Falstaff, le meilleur «chanteur» peut-être, mais à force d'intentions il tombe parfois dans des excès pénibles à l'audition. Le reste évolue du correct (Sciutti) au caricatural.

La Force du destin, opéra.

❁*** Mario del Monaco (Alvaro), Renata Tebaldi (Leonora), Aldo Protti (Carlos), Cesare Siepi (Guardiano), Fedora Barbieri (Preziosilla), Renato Capecchi (Melitone), Orch. et Ch. du Comunale de Florence, Dimitri Mitropoulos. Cetra LO 17 (3 d.). Mono. Enregistré sur le vif en 1953.

*** Placido Domingo (Alvaro), Leontyne Price (Leonora), Sherrill Milnes (Carlos), Bonaldo Giaiotti (Guardiano), Fiorenza Cossotto (Preziosilla), Gabriel Bacquier (Melitone), Orch. Symph. de Londres, Ch. John Alldis, James Levine. RCA RL 01.864 (4 d.). Enregistré en 1976.

* Carlo Bergonzi (Alvaro), Martina Arroyo (Leonora), Piero Cappuccilli (Carlos), Ruggero Raimondi (Guardiano), Bianca Maria Casoni (Preziosilla), Geraint Evans (Melitone), Orch. Phil. Royal, Ch. Ambrosien, Lamberto Gardelli. EMI VSM C 165-02.022/25 (4 d.) (sup.). Enregistré en 1969.

* Richard Tucker (Alvaro), Maria Callas (Leonora), Carlo Tagliabue (Carlos), Nicola Rossi Lemeni (Guardiano), Elena Nicolaï (Preziosilla), Renato Capecchi (Melitone), Orch. et Ch. de la Scala de Milan, Tullio Serafin. EMI VSM C 136-53.016/18 (3 d.). ✉ C 293-00.966/68 (3 c.). Mono. Enregistré en 1954.

L'unanimité s'est faite aussitôt sur la version Mitropoulos, dès sa commercialisation. Cetra s'enorgueillissait déjà du légendaire Marinuzzi (LPS 1236) dirigeant en 1942 Tagliabue, Pasero, Stignani et Meletti, remarquables. Mitropoulos maintient à une hauteur vertigineuse cet étonnant mélodrame, et, soutenus par un son exemplaire, del Monaco déploie un éclat et une souplesse vocale insoupçonnés, tandis que Tebaldi laisse ici son meilleur legs sonore. Protti surclasse de loin tous ses disques de studio. Seule réserve, l'absence du duo «*Sleale*».

James Levine métamorphose tout, tendre, lyrique, ferme, passionné, parfois un soupçon lent (écoutons Marinuzzi !). Comme le son, le plateau est somptueux et évoque les fastes des Ponselle, Martinelli et Pinza. Domingo se surclasse constamment et rappelle parfois Caruso ; Milnes, moins régulier, rivalise avec Warren (Decca, 1959) dans l'aigu, Cossotto étincelle, Price est encore somptueuse, Giaiotti profond et sans problèmes. Bon apport de Sénéchal (Trabucco) et Kurt Moll ; Bacquier plus en retrait.

Très propre version de Gardelli, accompagnée sagement par un chef sachant les tempos exacts, mais trop linéaire et indifférent. Bergonzi y donne une exemplaire leçon de chant, quoique sans la flamme que d'autres eussent pu lui communiquer. Martina Arroyo fait preuve d'une pureté et d'une facilité dignes d'éloge, mais ses ports de voix lassent autant que son indifférence. Raimondi a de belles intentions, guère la tessiture grave du rôle ; Cappuccilli semble incertain, les autres déplacés ici.

On ne peut ignorer la sculpturale direction de Serafin, malgré l'absence de toute la scène de Melitone au dernier acte (!), ce dont pâtit l'excellent Capecchi. Maria Callas, bouleversante et grandiose, encore très en voix, est entourée d'un Tucker exemplaire de style (le duo «*Sleale*» est ici rétabli), d'un Tagliabue un peu en déclin (inférieur à sa version Cetra) et d'un Rossi Lemeni rugueux mais pathétique.

Jeanne d'Arc (Giovanna d'Arco), opéra.

** Montserrat Caballé (Jeanne), Placido Domingo (Charles VII), Sherrill Milnes (Le père de Jeanne), Orch. Symph. de Londres, Ch. Ambrosien, James Levine. EMI VSM C 165-02.378/80 (3 d.). Enregistré en 1973.

Cette *Jeanne d'Arc*-là, peu conforme à «notre» vérité, n'en est pas moins l'un des meilleurs Verdi de jeunesse, et ici l'un des meilleurs enregistrements : Verdi y accorde un grand rôle à l'orchestre, et Levine, pour ses débuts au disque, y est superbe de finesse, de précision, de lyrisme. Stupéfiante de beauté vocale, la Caballé, fine, sensuelle, émouvante. Domingo, viril, tendre, trouve là son meilleur emploi verdien, et Milnes aussi, encore qu'un peu détaché de l'action.

Luisa Miller, opéra.

** Montserrat Caballé (Luisa), Luciano Pavarotti (Rodolfo), Sherill Milnes (Miller), Bonaldo Giaotti (le comte Walter), Richard van Allan (Wurm), Anna Reynolds (Federica), Ch. de l'Opéra de Londres, Orch. National Philharmonique, Peter Maag. Decca 591.265 (3 d.). Enregistré en 1975.

** Katia Ricciarelli (Luisa), Placido Domingo (Rodolfo), Renato Bruson (Miller), Gwynne Howell (le comte Walter), Vladimiro Ganzarolli (Wurm), Elena Obraztsova (Federica), Ch. et Orch. de l'Opéra Royal de Covent Garden, Lorin Maazel. DG. 2709.096 (3 d.). ⌧ 3370.035 (2 c.). Enregistré en 1969.

Montserrat Caballé est une irréprochable interprète vocale, mais sa Luisa apparaît plus femme que jeune fille vulnérable. Face à elle, Pavarotti est un Rodolfo vaillant et au timbre lumineux. Le Miller de Milnes est superbe et son grand duo du dernier acte avec Caballé est l'un des sommets de cet enregistrement. Bonne direction de Peter Maag.

Katia Ricciarelli se montre parfaitement à son aise dans le rôle titre dont la pointure vocale est exactement la sienne. Sa ligne est particulièrement pure et élégante, avec des détails d'un infini raffinement et une justesse stylistique absolue. La générosité est le qualificatif le mieux approprié au chant de Placido Domingo; quant à Renato Bruson il s'affirme être un authentique baryton-Verdi. Si le reste de la distribution est légèrement en retrait derrière un tel trio vocal, la direction de Maazel s'impose par sa perfection.

Macbeth, opéra.

*** Shirley Verrett (Lady Macbeth), Piero Cappuccilli (Macbeth), Nicolaï Ghiaurov (Banco), Placido Domingo (Macduff), Orch. et Ch. de la Scala de Milan, Claudio Abbado. DG 2709.062 (3 d.). ⌧ 3371.022 (3 c.). Enregistré en 1975.

*** Maria Callas (Lady Macbeth), Enzo Mascherini (Macbeth), Italo Tajo (Banco), Gino Penno (Macduff), Orch. et Ch. de la Scala de Milan, Victor de Sabata. Cetra LO 10 (3 d.). Mono. Enregistré sur le vi[f] en 1952.

** Fiorenza Cossotto (Lady Macbeth), Sherrill Milnes (Macbeth), Ruggero Raimondi (Banco), José Carreras (Macduff), Orch. New Philarmonia, Chœurs Ambrosien, Riccardo Muti. EMI VSM C 167-02.805/07 (3 d.). Quadri. Enregistré en 1976.

** Leonie Rysanek (Lady Macbeth), Leonard Warren (Macbeth), Jerome Hines (Banco), Carlo Bergonzi (Macduff), Orch. et Ch. du Metropolitan de New York, Erich Leinsdorf. RCA VL 43.545 (3 d.). Enregistré en 1959.

Plus qu'un grand chef, Claudio Abbado est ici le responsable théâtral d'une équipe rôdée par la scène, habitée par le drame, servie par un son exemplaire. Shirley Verrett est une «Lady» souvent fascinante, parce qu'elle sait oublier sa belle voix. Piero Cappuccilli est plus convaincu que de coutume et sa voix blanche convient à Macbeth. Beaucoup moins de conviction chez leurs deux illustres partenaires.

Callas, de Sabata, la Scala ! Callas à son maximum, jouant de dix couleurs, de la plus belle, la plus virtuose, à la plus volontairement détimbrée. L'un des plus grands chefs du siècle (le chef de la *Tosca* du siècle), l'ambiance et la vérité sonore du direct, et des partenaires qui, alors ordinaires, seraient aujourd'hui des vedettes surpayées : qu'importe alors le son - d'ailleurs très supportable- en face de cette présence théâtrale et d'une Lady telle que dût rêver Verdi qu'il en existerait un jour...

Avec Muti, l'impeccable propreté du studio, une vraie direction verdienne et de grands noms, rassemblés quelque peu au hasard : la performance de Cossotto est, en soi, ahurissante, mais nous sommes loin de Shakespeare ou de Callas. Milnes chante bien, à rendre Macbeth sympathique, Raimondi est à l'aise dans un rôle aigu, Carreras l'est moins. A noter surtout la présence ici des pages écrites par Verdi en 1847, et hélas ! supprimées plus tard : à connaître absolument.

Leinsdorf n'est certes pas hanté par le spectre de Shakespeare, mais Bergonzi pulvérise les autres ténors de la discographie. Hines est également le meilleur Banco, Warren un Macbeth un peu léger mais royal, et seule la très grande Rysanek n'apporte pas ce qu'on pouvait escompter d'elle : de quoi prêter l'oreille.

Nabucco, opéra.

** Matteo Manuguerra (Nabucco), Renata Scotto (Abigaïlle), Nicolaï Ghiaurov (Zaccaria), Veriano Luchetti (Ismaële), Elena Obraztsova (Fenena), Orch. Philharmonia, Chœurs Ambrosien, Riccardo Muti. EMI VSM C 167-03.294/96 (3 d.). ⌧ C 297-03.294/96 (3 c.). Quadri. Enregistré en 1977 et en 1978.

Muti porte à bout de bras, avec conviction, netteté et sans la moindre vulgarité cette brûlante partition du très jeune Verdi, secondé par un orchestre et des chœurs admirables. Remarquable Nabucco de Manuguerra, sensible, bien chantant, mais Ghiaurov incarne mal le fanatique Zaccaria, et son aigu n'est plus digne du médium. Un peu à l'étroit dans la grande bravoure, Scotto est merveilleuse de musicalité et de précision ; enfin Luchetti et surtout Elena Obraztsova sont des compléments de haut luxe.

Oberto, Comte di San Bonifacio, opéra.

** Angeles Gulin (Leonora), Viorica Cortez (Cunizza), Umberto Grilli (Riccardo), Simon Estes (Oberto), Maria Grazia Piolato (Imelda), Chœurs et Orch. du Théâtre Comunale de Bologne, Zoltán Peskó. Italia 70.001 (3 d.). Enregistré sur le vif en 1977.

Cet enregistrement perpétue une série de représentations de cette première œuvre qui révéla Verdi au monde de l'opéra, un Verdi dont l'écriture vocale incertaine pose encore quelques problèmes au ténor trop léger de Grilli, et à l'incertain baryton noir Estes. En revanche, voici l'occasion unique d'entendre deux immenses vedettes féminines de la scène, incompréhensiblement délaissées par les firmes commerciales : l'éclatante espagnole Angeles Gulin, sans doute la plus grande voix dramatique d'aujourd'hui, et le mezzo roumain Viorica Cortez, admirable de pénétration dramatique et d'intelligence vocale.

Othello, opéra

*** Jon Vickers (Othello), Leonie Rysanek (Desdémone), Tito Gobbi (Iago), Orch. et Ch. de l'Opéra de Rome, Tullio Serafin. RCA VLS 01.969 (3 d.). ⌧ VKS 01.969 (3 c.). Enregistré en 1960.

*** Ramon Vinay (Othello), Herva Nelli (Desdémone), Giuseppe Valdengo (Iago), Orch. et Ch. de la NBC, Arturo Toscanini. RCA AT 303 (3 d.) (étr.). Mono. Enregistré en 1947.

** Jon Vickers (Othello), Mirella Freni (Desdémone), Peter Glossop (Iago), Orch. Phil. et Ch. de l'Opéra de Berlin, Herbert von Karajan. EMI VSM C 167-02.500/02 (3 d.). Enregistré en 1974.

D'abord, la direction très sensible de Serafin, large, sans panache inutile, un parfait équilibre avec de bons chanteurs : le très subtil Iago de Gobbi trahit cependant certaines limites vocales, Leonie Rysanek dont la «grande manière» compense un timbre peu italien, et Vickers, grandiose, nuançant à l'envi, trop «intelligent» peut-être pour le rôle, et dont le stupéfiant troisième acte rachète une entrée peu héroïque et la carence d'un timbre plus lumineux (Luccioni, Lauri-Volpi, en extraits VSM). Signalons aussi la présence du ballet exotique de l'acte III.

Toscanini participait à la création, soixante ans plus tôt, mais la sécheresse, la précipitation de son duo d'amour nous étonnent ici, à moins qu'il n'ait cherché à masquer le lyrisme un peu déficient des deux protagonistes. Herva Nelli sait pourtant chanter, Vinay vit intensément un Othello héroïque, mais Valdengo joue et chante Iago parfaitement. Et Toscanini demeure tout de fougue, de violence, débordant de passion pour l'œuvre.

Un son fracassant, une prouesse sonore prodigieuse en soi, peu praticable en appartement, une belle plaquette, reflet du film de télévision et un Karajan séduisant, parfois égaré en une vision schopenhaurienne de Shakespeare et Verdi, qui fait du duo d'amour la réplique de celui de Tristan et Isolde. Mirella Freni chante avec une indicible beauté, bien qu'avare de coloris, Vickers en nette difficulté sur la tessiture accuse le passage des ans, et Glossop campe un Iago correct, sans relief.

Quatre Pièces sacrées : Ave Maria, Stabat Mater, Te Deum, Laudi alla Vergine.

** Janet Baker (ms), Ch. et Orch. Philharmonia, Carlo Maria Giulini. EMI VSM C 065-00.016.

Giulini a laissé là une version «classique» par excellence, donnant libre cours à son lyrisme recueilli, parfois trop discret dans les opéras. Rien de l'engagement de Toscanini (qui n'a gravé que le *Te Deum*), lequel se réfère toujours au *Requiem*, non plus que d'une inutile contrition, qui n'était pas le propos de Verdi. Les chœurs, assez riches, sont bien mis au premier plan. Peu d'enthousiasme, mais une lecture impeccable.

Requiem

❀*** Katia Ricciarelli (s), Shirley Verrett (ms), Placido Domingo (t), Nicolaï Ghiaurov (b), Ch. et Orch. de la Scala de Milan, Claudio Abbado. DG 2707.120 (2 d.). ⊠ 3370.032 (2 c.).

❀*** Herva Nelli (s), Fedora Barbieri (ms), Giuseppe di Stefano (t), Cesare Siepi (b), Orch. Symph. NBC, Ch. Robert Shaw, Arturo Toscanini. RCA VL 46.010 (2 d.). Mono. Enregistré sur le vif en 1951.

*** Maria Caniglia (s), Ebe Stignani (ms), Benjamino Gigli (t), Ezio Pinza (b), Orch. et Ch. de l'Opéra de Rome, Tullio Serafin. EMI 153-00.671/72 (2 d.) (Italie). Mono, origine 78 t. Enregistré en 1939.

** Elisabeth Schwarzkopf (s), Christa Ludwig (ms), Nicolaï Gedda (t), Nicolaï Ghiaurov (b), Orch. et Ch. Philharmonia, Carlo Maria Giulini. EMI VSM C 167-00.029/30 (2 d.). ⊠ TC SLS 909 (2 c.). Enregistré en 1964.

** Joan Sutherland (s), Marylin Horne (ms), Luciano Pavarotti (t), Martti Talvela (b), Orch. Phil. et Ch. de l'Opéra de Vienne, Georg Solti. Decca 390.149 (2 d.). ⊠ 4-390.149 (2 d.). Enregistré en 1969.

* Renata Scotto (s), Agnès Balts (ms), Veriano Luchetti (t), Evgueny Nesterenko (b), Orch. Philharmonia et Ch. Ambrosien, Riccardo Muti EMI VSM C 167-03.653/4 /2 d.) Enregistré en 1979.

Abbado réalise mieux que nul autre che ne l'avait fait avant lui la synthèse entre la spiritualité et la théâtralité de l'œuvre. La réalisation technique de cette exécution es en tous points exceptionnelle : attaques, je de sonorité instrumentale ou vocale, articulation, phrasé, il y a là une somptueuse alchimie sonore. Le quatuor de solistes est complètement intégré à l'ensemble, et aucun d'entre eux ne cherche à accaparer le devant de la scène.

Toscanini débute assez mal - nous somme en direct - sans laisser respirer les admirable phrases initiales des violons. De même, le son, aigre et sans basses dans le *Kyrie*, s'améliore, tandis que le chef reprend tout en main, jamais trop rapide (*Dies irae* et *Sanctus*), mais avec un crescendo intérieur bouleversant. Si le chœur demeure un peu clair, le quatuor de solistes (ils ont chacun la trentaine) est éblouissant de beauté vocale, d'enthousiasme, de dynamique interne, avec une Nelli au sommet de sa forme. Et l'orchestre est plus présent ici qu'ailleurs.

Ne serait-ce la prise de son très ancienne sans dynamique et étouffant un chœur pourtant rond et chaud, Serafin serait la référence absolue : un Verdi grande manière, aux tempos assez rapides mais jamais extérieurs, faisant chanter l'orchestre de part en part. Le quatuor est idéalement tel que Verdi le dirigea en Europe : Caniglia impressionnante dans le grave, ne forçant jamais, Stignani royale, Pinza absolument inégalable, et Gigli certes sanglotant, mais dont l'ombre plane encore sur tous.

Giulini commence de façon admirable, fai chanter et respirer les violons, obtient de prodigieux contrastes (*Dies irae*) ; il est serv par un chœur inégalable, à la fois chaud e mystique, somptueusement enregistré. Puis l'enthousiasme choit, la direction devien molle, imprécise, presque ennuyeuse (*Quid sum miser*). Et le quatuor a bien peu à voi avec Verdi : Gedda est inexistant, blanc, les femmes chantent du Brahms (Schwarzkop rate son aigu piano) ; Ghiaurov, un peu ogre slave, est seul plus convaincant.

Solti conçoit justement un *Requiem* évoquant le plafond de la Sixtine : il est lyrique terrifiant, mais ne tient pas toujours ses promesses (mieux, néanmoins, que dans sa seconde version). L'orchestre submerge un peu le chœur, dans une perspective sonore séduisante mais sophistiquée, aux belles basses défavorisant des solistes très insuffisants (Horne mise à part) dans ce répertoire, et sous cette direction.

Muti, évidemment, a voulu faire autre chose que ces prédécesseurs : les détails isolés abondent, et la prise de son, pauvre en dynamique, varie d'une page à l'autre. Avec ce chœur d'opéra, nous ne sommes pas à la messe, mais chez le Verdi d'*Aïda* ou du *Trouvère* : témoin, un Dies irae ultra-rapide, à la limite de la vulgarité de la part du chef. Scotto est admirable, Baltsa plus religieuse (mais au grave faible), Nesterenko dur et implacable, mais Luchetti trop souvent vulgaire.

Rigoletto, opéra.

❀*** Piero Cappuccilli (Rigoletto), Placido Domingo (le duc), Ileana Cotrubas (Gilda), Elena Obraztsova (Maddalena), Ch. de l'Opéra de Vienne, Orch. Phil. de Vienne, Carlo-Maria Giulini. DG 2740.225 (3 d.). ⌧ 3371.054 (3 c.). Enregistré en 1980.

*** Dietrich Fischer-Dieskau (Rigoletto), Carlo Bergonzi (le duc), Renata Scotto (Gilda), Fiorenza Cossotto (Maddalena), Orch. et Ch. de la Scala de Milan, Rafael Kubelik. DG 2709.014 (3 d.). Enregistré en 1963.

** Sherrill Milnes (Rigoletto), Luciano Pavarotti (le duc), Joan Sutherland (Gilda), Martti Talvela (Sparafucile), Orch. Symph. de Londres, Ch. Ambrosien, Richard Bonynge. Decca ⌧ 4-390.059 (3 c.). Enregistré en 1972.

** Luigi Piazza (Rigoletto), Tino Folgar (le duc), Lina Pagliughi (Gilda), Salvatore Baccaloni (Sparafucile), Orch. et Ch. de la Scala, Carlo Sabajno. Bongiovanni GB 1001/2 (2 d.) (Italie). Mono, origine 78 t. Enregistré en 1927.

** Ettore Bastianini (Rigoletto), Alfredo Kraus (le duc), Renata Scotto (Gilda), Fiorenza Cossotto (Maddalena), Orch. et Ch. du Mai Musical Florentin, Gianandrea Gavazzeni. Ricordi OS 114/16 (3 d.). Enregistré en 1960.

* Tito Gobbi (Rigoletto), Giuseppe di Stefano (le duc), Maria Callas (Gilda), Orch. et Ch. de la Scala de Milan, Tullio Serafin. EMI VSM C 163-03.227/29 (3 d.). ⌧ TC-SLS 5.018 (2 c.). Mono. Enregistré en 1955.

A écouter Giulini, on a un peu le sentiment que jusqu'ici *Rigoletto* était joué sans orchestre. Le grand chef nous transporte de la technique à la musicalité absolue, et nous fait vivre une progression du temps musical qui ne nous lâche jamais, à laquelle les interprètes eux-mêmes sont intégrés et consumés. Avec Cappuccilli, il ne s'agit plus d'interprétation, mais d'incarnation; Cotrubas fait preuve d'une humanité intériorisée et bouleversante... toute Gilda est là. Tout parfait qu'il soit, Domingo a cependant plus la voix de Radamès que celle du Duc de Mantoue.

Kubelik respecte mieux ce chef-d'œuvre trop populaire que beaucoup d'Italiens : dans une ambiance sonore soignée, il restitue sa place à chaque plan sonore, sans excès de rigueur ni de théâtralité excessive. Malgré sa phonation peu latine et un manque d'éclat certain, Fischer-Dieskau observe scrupuleusement la volonté de Verdi et donne une leçon de chant presque égale à celle, fameuse, de Bergonzi dans le Duc, élégant, sensible, raffiné. La Scotto, jeune encore, apporte une splendeur vocale héritée de Toti Dal Monte, qui compense largement un pathétisme encore discret.

L'orchestre de Bonynge accompagne surtout un trio assez théâtral, bien favorisé par l'enregistrement : Pavarotti enthousiasmant plus que véritablement strict, Milnes superbement vocal plus que convaincu, mais une Sutherland en très grande forme qui ajoute une superbe pointe de mélancolie à sa Gilda de luxe.

Un document irrésistible, sous la baguette du très excellent Sabajno, admirablement «repiqué» en 33 tours, avec la Pagliughi, qui, à dix-sept ans, réalise la meilleure Gilda qu'on puisse rêver et, au-delà de la pureté angélique de son timbre, émeut par la vertu de son chant. Un baryton et un ténor «de province» l'entourent, qui seraient aujourd'hui de grandes vedettes, lui par une voix insolente, timbrée, le ténor par sa grâce et son charme. Ce document peut faire oublier la version Columbia d'un Stracciari trop âgé, d'un Borgioli trop affecté, et d'une Capsir aigre.

Les amateurs de belles voix conservent leur fidélité à la version Gavazzeni, toujours considérée comme un best seller, malgré une certaine hâte dans sa réalisation, car aucun des grands artistes employés ne donne le meilleur de lui. Mais tels quels, la Scotto n'est surpassée que par elle-même (Kubelik), Bastianini trouve sa meilleure réalisation au disque, et Kraus, qui le premier rétablit la cabalette avec le contre-ré, même un peu vert, est un Duc inégalé. Une version sans complexe, mais à connaître.

Comme souvent pour le couple di Stefano-Callas, une version faite trop tard dans leur carrière, mais témoignant de la «grande manière» de Serafin et du Rigoletto violent, dur, vériste de Gobbi, tel que l'on concevait alors le rôle. Pour la Callas il faut écouter l'insurpassable témoignage sur le vif de 1952 (Cetra LO 37, trop fantaisiste par ailleurs), mais l'émotion et la précision sont encore là.

Simon Boccanegra, opéra.

** Piero Cappuccilli (Simon), Nicolaï Ghiaurov (Fiesco), Mirella Freni (Amelia), José Carreras (Adorno), José Van Dam (Paolo), Orch. et Ch. de la Scala de Milan, Claudio Abbado. DG 2709.071 (3 d.). ⊠ 3371.032 (3 c.). Enregistré en 1977.

** Tito Gobbi (Simon), Boris Christoff (Fiesco), Victoria de Los Angeles (Amelia), Giuseppe Campora (Adorno), Orch. et Ch. de l'Opéra de Rome, Gabriele Santini. EMI VSM C 163-03.122/24 (3 d.). Enregistré en 1957.

Témoin de la grande reprise de l'œuvre à la Scala, la version où règne Abaddo en maître d'œuvre vaut par un son d'une clarté exemplaire, par le «fini» du travail, et par ce que le chef a su obtenir de Cappuccilli, vocalement discutable, mais mieux inspiré qu'ailleurs. Carreras, un peu court, Mirella Freni charmeuse, et Ghiaurov bon chanteur, ne débordent pas de conviction et nuancent avec réserve. Van Dam, qui eût campé un meilleur Fiesco, est ici un extraordinaire Paolo.

Sans doute *Boccanegra* est-il le meilleur témoignage du chef Santini, survolté par l'admirable partition, précis et lyrique, et auxiliaire convaincu du tandem Gobbi-Christoff dont les deux disputes (prologue et dernier acte) atteignent des sommets d'intensité dramatique que l'on ne retrouve nulle part ailleurs. Campora est un excellent Adorno, et le soprano espagnol trille et nuance avec plus de respect que Freni envers Verdi, mais son timbre sied moins bien au rôle.

Stiffelio, opéra.

** José Carreras (Le Pasteur), Sylv Sass (Lina), Matteo Manuguer (Stanker), Vladimiro Ganzarol (Jorg), Ezio di Cesare (Raffaele),C et Orch. Symph. de la Radio Aut chienne, Lamberto Gardelli. Phili 6769.039 (2 d.). ⊠ 7699.127 (2 c.

Stiffelio fut si malchanceux que Verdi, q affectionnait la partition, fut obligé de remanier profondément : de là naquit *Ar do.* La présente réalisation, cependant, no convainc que le musicien pouvait à juste ti être attaché à *Stiffelio.* José Carreras est Pasteur absolument convaincant, qui domi tous ses partenaires sur le double plan de musicalité et de la conduite vocale. Sylv Sass, en dépit d'une voix durcie dans l'aig conserve éclat et présence dramatique. Ma teo Manuguerra, quant à lui, est meille dans les demi-teintes que dans la puissanc mais il a lui aussi une présence. La directi de Lamberto Gardelli traduit plus un soli métier qu'un souci de raffinement.

La Traviata, opéra.

*** Renata Scotto (Violetta), Alfred Kraus (Alfredo), Renato Bruso (Giorgio), Ch. Ambrosian, Orc Philharmonia, Riccardo Muti. EM VSM C 167-43.127/9 (3 d.). Enr gistré en 1982.

** Maria Callas (Violetta), Alfred Kraus (Alfredo), Mario Sereni (Ge mont), Orch. et Ch. du Sao Carl de Lisbonne, Franco Ghione. Foy FO 1003 (2 d.). Mono. Enregist sur le vif en 1958.

* Licia Albanese (Violetta), Ja Peerce (Alfredo), Robert Merri (Germont), Orch. et Ch. de la NB Arturo Toscanini. RCA AT 202 (d.) (étr.). Mono. Enregistré en 194

* Montserrat Caballé (Violetta), Carl Bergonzi (Alfredo), Sherrill Milne (Germont), Orch. et Ch. de la RC Italienne, Georges Prêtre. RC LMDS 6.180 (3 d.). Enregistré e 1967.

* Ileana Cotrubas (Violetta), Placido Domingo (Alfredo), Sherrill Milnes (Germont), Orch. et Ch. de l'Opéra de Bavière, Carlos Kleiber. DG 2707.103 (2 d.). ⊠ 3370.024 (2 c.). Enregistré en 1977.

Muti impose comme une évidence sa vision éblouissante qu'il construit minutieusement. Grâce à une totale redistribution des tempos, il bâtit une saga musicale d'urgence et de fièvre, où la présence de la mort, obsédante, touche au fatalisme. Au-delà de ses imperfections vocales, Renata Scotto dessine une Violetta pathétique et bouleversante. Alfredo Kraus s'impose en styliste plus impeccable que jamais et Renato Bruson transforme le rôle de Germont père en grand rôle dramatique. Une réussite incontestable.

Maria Callas, seule grande Violetta de la discographie, malheureuse au studio (Cetra, 1953), fut vengée par le «live» : Mexico 1951 et 1952, Milan 1955, Londres 1958 (la meilleure), et maintenant par cette édition régulière qui surpasse la fameuse version Scala de Milan au son impossible, avec un Giulini irrégulier et des partenaires discutables. Ici, la qualité sonore est inespérée, et la Callas en grande forme, presque trop éclatante de santé ; mais l'immense univers intérieur de son personnage est là, et aussi un chef solide, toscaninien, supérieur aux Prêtre, Maazel ou Kleiber. A l'orée de sa carrière, Kraus est déjà le meilleur Alfredo du disque (il ne chante pas ici la cabalette) ; et Mario Sereni, certes peu subtil, est vocalement supérieur à beaucoup.

Toscanini, même s'il tend à confondre Dumas et Zola, laisse ici des deux préludes et des scènes de bal des souvenirs électrisants, et la dynamique qu'il obtient de l'orchestre égale celle qu'il refuse aux chanteurs, qu'il mène sans rubato, sans tendresse, sans obéir aux indications de Verdi. Merrill, alors jeune, émerge le mieux de cet océan de fortissimos. Il y a d'autant moins d'excuses à cela qu'étaient largement diffusés les disques de de Luca, de Schipa, et la scène du premier acte par Magda Olivero (Cetra LPO 2008), saluée par la critique comme le meilleur 78 tours.

A défaut d'une grande version de l'œuvre en stéréo (les bons chefs et les bons interprètes n'apparaissent jamais ensemble), et malgré la direction désordonnée de Prêtre, celle-ci rétablit toutes les scènes habituellement coupées, et offre les plus belles pages de chant possibles : une anthologie de technique vocale, à défaut d'émotion véritable.

Dernière en date, très bien enregistrée, complète, mais dirigée de façon assez sèche, la version de Kleiber capte tard en carrière un Domingo sympathique, une Cotrubas qui s'émeut après les terreurs mal surmontées du premier acte, et un Milnes qui fait regretter l'absence d'un Bruson, ou que, par ailleurs, Fischer-Dieskau, idéal en soi, ait été si mal dirigé et entouré (Decca, 1968).

Le Trouvère, opéra.

** Jussi Björling (Manrico), Zinka Milanov (Leonora), Fedora Barbieri (Azucena), Leonard Warren (De Luna), Nicola Moscona (Ferrando), Orch. RCA, Ch. Robert Shaw, Renato Cellini. RCA VLS 00.699 (2 d.). ⊠ VKS 00.699 (2 c.). Mono. Enregistré en 1952.

** Placido Domingo (Manrico), Leontyne Price (Leonora), Fiorenza Cossotto (Azucena), Sherrill Milnes (De Luna), Bonaldo Giaiotti (Ferrando), Orch. New Philarmonia, Ch. Ambrosien, Zubin Mehta. RCA LMDS 6.194 (3 d.). ⊠ RK 02.651 (2 c.). Enregistré en 1969.

** Aureliano Pertile (Manrico), Maria Carena (Leonora), Irene Minghini Cattaneo (Azucena), Apollo Grandforte (De Luna), Bruno Carmassi (Ferrando), Orch. et Ch. de la Scala de Milan, Carlo Sabajno. EMI 153-17.083/85 (3 d.) (Italie). Mono, origine 78 t. Enregistré en 1930.

** Franco Bonisolli (Manrico), Leontyne Price (Leonora), Elena Obraztsova (Azucena), Piero Cappuccilli (De Luna), Ruggero Raimondi (Ferrando), Orch. Phil. et Ch. de l'Opéra de Berlin, Herbert von Karajan. EMI VSM C 167-02.981/83 (3 d.). Quadri. Enregistré en 1977.

Avec l'éclatante santé vocale des Björling, Barbieri, Milanov et Warren (à défaut des Ponselle, Lauri-Volpi ou Martinelli), et en l'absence d'un grand *Trouvère* où se conjuguent un vrai chef et quatre monstres sacrés, cette version économique satisfera les amateurs de ces belles voix, sans problèmes de notes aiguës, même si, à l'image du chef, chacun se soucie peu des raffinements de l'écriture verdienne, de ses nuances et coloris.

Zubin Mehta, cinq bons chanteurs, un son exemplaire : un chef, donc, sensible, précis, qui s'enflamme au début et devient plus neutre, de même que ses chanteurs, dont la basse

Giaiotti se révèle le meilleur. Domingo est souvent bouleversant de musicalité, de richesse sonore, mais peine dans l'aigu, et Leontyne Price, éblouissante au début, s'ennuie parfois ensuite. Cossotto chante (seulement) très bien, mais Milnes se montre ici très en retrait, techniquement. Une très belle version stéréo, néanmoins.

Ne serait-ce le son très précaire des années 1930, voilà la grande version nantie du meilleur chef verdien qui soit, nerveux, incisif, pathétique, flanqué d'un Pertile à l'authentique phrasé verdien, d'un baryton qui, seul dans cette discographie, sache parfaitement chanter Verdi, même s'il n'y croit guère, et d'un fantastique mezzo qui «crève l'écran». Le soprano demeure en retrait, malgré une voix facile, et on relève ici toutes les coupures d'époque ; seule, la version Bonynge (Decca, 1976) comporte le ballet et observe toutes les reprises.

Karajan s'affirme, d'un bout à l'autre, un démiurge génial : dynamique inouïe, recherches de couleurs, d'effets sonores, un lyrisme souvent pathétique, tout est là - hormis les voix. Certes, Obraztsova y est plus fantastique sorcière que mère (à l'opposé de Horne, chez Decca), et Leontyne Price, en net déclin, vogue du sublime à la détresse, mais baryton et basse sont bien pâles, et le ténor quasi caricatural. On peut regretter le tandem Karajan-Callas (EMI, 1956), mal entouré. Pour une Callas inapprochée, on se reportera à ses enregistrements sur le vif de Mexico, de Naples ou de Milan, maintenant officiellement distribués.

Les Vêpres siciliennes, opéra français : version italienne.

*** Maria Callas (Hélène), Enzo Mascherini (Monfort), Boris Christoff (Procida), Georges Kokolios (Henri), Orch. et Ch. du Comunale de Florence, Erich Kleiber. Cetra LO. 5 (3 d.). Mono. Enregistré sur le vif en 1951.

* Martina Arroyo (Hélène), Sherrill Milnes (Monfort), Ruggero Raimondi (Procida), Placido Domingo (Henri), Orch. New Philharmonia. Ch. John Alldis, James Levine. RCA ARL 4-0370 (4 d.). Enregistré en 1973.

Bien sûr, il y a les aléas du «vif», et surtout l'âge de la retransmission radio et la médiocrité sonore ; mais on n'a jamais retrouvé l'équivalent de Maria Callas, alignant près de trois octaves, vocalisant à la perfection,
déployant une voix alors immense et u
dimension tragique que souligne Erich Kl
ber, l'irremplaçable, dont c'est ici l'un d
rarissimes opéras entiers demeurant au d
que. Christoff donne à son rôle de révol
tionnaire farouche une dimension inhab
tuelle, et Mascherini se révèle très honnê
Un «témoignage» seulement, mais insurpa
sable !

Levine dirige ici avec mordant, et resse
un Verdi plus moderne que Kleiber, mais
passion n'est guère partagée par ses cha
teurs quelque peu disparates : Arroyo à
technique parfaite, mais assez lymphatiqu
Raimondi trop barytonnant pour le rôle. E
revanche, Domingo, jeune, ardent, sincè
en oublie de bien placer ses aigus, et Miln
chante sans se poser de problèmes d'aucu
sorte. Le ballet figure dans cette version,
seule disponible en stéréo.

Victoria, Tomas Luis da
(1549-1611)

Messe «O quam gloriosum est regnum Motets : O quam gloriosum est regnu Iste sanctus pro lege Dei, Veni spons Christi, His vir despiciens mundum, E tote fortes in bello, Magnificat primi t ni, Litanae de Beata Virgine.

** Ch. du St-John College de Can bridge, George Guest. Argo ZR 620 (sup.). Enregistré en 1969.

Le répertoire de choix pour une traditio
chorale anglaise. La sûreté, l'homogénéité c
ce chœur d'hommes et d'enfants donne
toute l'ampleur vocale nécessaire à l'œuv
de Victoria, sans pourtant rendre compte c
l'intense recueillement et de l'authentiqu
austérité de cet Espagnol. Une bonne inte
prétation un peu extérieure, mais très vivan
et de haute qualité musicale. La souplesse
la brillance du chœur se trouvent mieux en
ployées dans les Motets que dans la Messe
elles donnent une vie très intense à ces pièc
d'inspiration para-liturgique, au caractèr
moins recueilli.

Messe Quarti Toni. Motets : O vos om nes, Popule meus, Quen vidistis pasto res, O quam gloriosum, Vexilia regu Jesu dulcis memoria.

** Ensemble Vocal Philippe Caillard, Philippe Caillard. Erato ERA 9072 (sup.).

L'Ensemble Vocal Philippe Caillard entre ici parfaitement dans l'esprit de l'œuvre, mettant le mot à la base de toute la musique : une diction très soignée permet de comprendre tous les textes et de suivre ainsi la symbolique musicale de Victoria. Une bonne qualité chorale rend avec précision et justesse le fourmillement des voix, ou, au contraire, leur ample cohésion. Une interprétation très intérieure, qui ne détourne pas les œuvres de leur inspiration première.

Messe «Vidi speciosam». Motets Vidi speciosam, Dum complerentur, O Domine Jesu Christe. Répons : Amicus meus oculi, Tamquam ad latronem, Unus ex discipulis meis, Caligaverunt oculi mei. Leçon III : Aleph, Ego vir.

❀*** Ch. et Maîtrise de la cathédrale de Ratisbonne, Hans Schrems. Archiv 2533.051 (sup.). Enregistré en 1969.

Une interprétation grandiose par la richesse et la qualité vocales, mais parfaitement dépouillée. Hans Schrems ne recourt à aucun effet, les nuances ne sont jamais appuyées, les ruptures de tempo toujours nécessaires et signifiantes. Il y a dans cet enregistrement une conviction, même quelque chose de priant qui en fait un disque émouvant. Hans Schrems nous mène ainsi au cœur de l'inspiration de Victoria.

Motets : Monstra te esse matrem, O sacrum convivium, Domine non sum dignus.

* Chœur d'hommes Tomas Luis da Vittoria, Bertrand de Feydeau. Festival FLD 701. + *Motets de Nasco, Marini, Ruffo, Genet, Palestrina, de La Rue.*

Un document, en ce que l'interprétation de ce chœur d'hommes est avant tout liturgique. Le choix des pièces sera donc infléchi vers cette exigence rigoureuse d'animation d'un office. L'interprétation en est bonne, réservée ; non dénuée des qualités vocales nécessaires à ce répertoire chatoyant et complexe. Une bonne lecture de l'œuvre, une bonne réalisation.

Motets : O regem caeli, Ave Maria.

* Chœur des Pères du Saint Esprit de Chevilly, Lucien Deiss. Studio SM SM 30 631. + *Motets de Handl, Josquin des Prez, van Berchem, Viadana, Nanini, Févin, Lassus, van Weerbeke.*

Un bon enregistrement, qui a la particularité de rendre à ces pièces, maintenant du domaine musical, leur fonction liturgique. Un disque à l'usage des offices, interprété dans cet esprit de retenue et d'efficacité de prière. Cela valait la peine d'être mentionné.

Officium defunctorum. Motets : Ascendens Christus, O magnum mysterium, Ave Maria.

❀*** Les Madrigalistes de Prague, Miroslav Venhoda. Valois MB 761 (sup.). Enregistré en 1965.

Officium defunctorum.

** Escoliana et Capella de Musica de Montserrat, Ireneu Segarra. Deutsche Harmonia Mundi HM 20.332 (étr.).

Pour répondre à l'ascétisme des formes et à la facture très proche du grégorien, les Madrigalistes de Prague recherchent une sonorité pleine mais sans vibrations, comme venant d'ailleurs. Une homogénéité remarquable, un respect des nuances et des tempos qui ne mènent jamais à une exagération emphatique ou de mauvaise venue. Tout est ressenti comme important et nécessaire. Plénitude, clarté, vie, intense émotion sont les caractéristiques de cet enregistrement, qui bien que déjà ancien donne pleine satisfaction sur le plan technique.

Une grande ferveur anime les chœurs de Montserrat, mais si la facture très recueillie, très contemplative, de cette interprétation satisfait le souci d'austérité de Victoria, il nuit un peu à la beauté de sa musique. L'étirement provoqué par des tempos trop lents, trop semblables, ne donne plus cette impression de jaillissement constant de l'inspiration mélodique. En revanche, le mouvement des voix prend un caractère précieux, une noblesse, voire une rareté expressive que l'interprétation des Madrigalistes de Prague ne parvient pas à rendre. Il y a ici l'ampleur un peu déclamatoire des grandes manifestations religieuses baroques, quelque chose de très espagnol.

Officium hebdomadae Sanctae (Office de la Semaine Sainte).

*** Chœur des moines du Monastère de San Domingo de Silos, Maîtrise de Burgos, Dom Ismael Fernández de la Cuesta. Erato STU 70.865 (3 d.) (sup.).

*** Ensemble Vocal Stéphane Caillat, Ensemble «Per Cantar e Sonar», Stéphane Caillat. Groupe choral grégorien, Jean Bihan. Arion ARN 336.016 (3 d.). Enregistré en 1978.

Au monastère de San Domingo de Silos, on pratique une manière de chanter tout espagnole : les attaques particulières à ces chanteurs, en prenant le son un peu par en dessous, donnent à cet enregistrement un caractère authentique assez émouvant. On croit entendre parfois ces accents fervents des passions, et l'on rencontre souvent le côté envoûtant de ces manifestations religieuses où le sens du dramatique se dévoile dans toute sa richesse. La réussite musicale d'une telle lecture de l'œuvre est évidente : sobriété, modestie dans les timbres et dans l'éclat, plénitude d'un chœur parfaitement homogène. Une égalité d'esprit entre les *incipit* grégoriens et les parties polyphoniques, une volonté de sculpter la structure de composition de l'œuvre.

La perfection technique et vocale de la version Caillat, n'échappera à personne : un style posé mais expressif, intensément sensible aux beautés musicales de l'œuvre et qui ne veut rien laisser dans l'ombre, mais peut-être aussi quelque chose de trop parfait, de trop coupé de sa fonction avant tout liturgique et dramatique. Une interprétation remarquable de cet *Office*, qui peut cependant laisser froid, au contraire de celle plus imparfaite mais plus habitée de Dom Ismael Fernández de la Cuesta.

Vierne, Louis
(1870-1937)

Les 6 Symphonies pour orgue.

*** Pierre Cochereau (orgue de Notre-Dame de Paris). FY 028 (5 d.). Enregistré en 1975.

Pierre Cochereau vit à Notre-Dame da une sorte de permanente intimité avec sc illustre prédécesseur Louis Vierne, à trave les sonorités de l'orgue et surtout l'atm sphère de l'ample vaisseau. Ces Symphoni ne pouvaient réunir de meilleures conditio pour revivre. Virtuose fougueux dans d mouvements tourmentés et brillants tels q le final de la 1re Symphonie où se déchaîne puissance de l'orgue, Pierre Cochereau sa prêter au contraire une sensibilité distingu et retenue à ces pages plus sereines que so la *Cantilène* ou la *Pastorale*. La techniq d'enregistrement a splendidement restitu l'orgue de Notre-Dame dont, pour une foi l'image sonore garde une grande clarté ma gré la longue réverbération de l'édifice.

Symphonie pour orgue n° 3. Impromp et Toccata, des Pièces de fantaisie.

*** André Isoir (orgue Isnard Cavaillé-Coll de Pithiviers). Cal liope CAL 1923. Enregistré en 197 *+ Tournemire : Paraphrase-Cari lon.*

Les pages retenues par André Isoir dans c disque anthologique sont probablement pa mi les plus belles de Louis Vierne. Andr Isoir, interprète profondément marqué par l littérature d'orgue de l'époque classiqu proscrit ici tout effet de flou, et cherche a contraire à nous rendre perceptibles le moindres détails de l'harmonie si riche d Vierne et de ses infinis chromatismes. Cett lecture limpide et transparente est rendu d'autant plus aisée que l'orgue Cavaillé-Co de Pithiviers est lui-même très profondémen teinté de classicisme par l'abondant matéri du XVIIIe siècle qu'il a conservé d'Isnard.

Vieuxtemps, Henri
(1820-1881)

Concerto pour violon et orchestre n° en ré mineur op. 31.

*** Itzhak Perlman (violon), Orch. d Paris, Daniel Barenboïm. EMI VSM C 069-02.970. Enregistré en 1976 e 1977. *+ Concerto pour violon n° 5*

** Arthur Grumiaux (violon), Orch des Concerts Lamoureux, Manue Rosenthal. Philips 5835.253 (sup.) *+ Concerto pour violon n° 5.*

Il suffisait qu'un artiste comme Perlman s'attaque à cette musique pour en faire un chef-d'œuvre. Son jeu est radieux : vigoureux, tendre, avec une sonorité riche et moelleuse ; jamais d'ostentation ni de virtuosité gratuite. Barenboïm, à la tête d'un Orchestre de Paris en pleine forme, comprend parfaitement le rôle d'accompagnateur, et procure au soliste le soutien discret et efficace qui convient.

Avec le même couplage (Concerto n° 5), il faut aussi retenir la version jouée par Arthur Grumiaux, accompagné par Manuel Rosenthal. C'est une approche simple, directe, cherchant à faire valoir la richesse poétique de la musique de Vieuxtemps. Mais la plus-value technique de Perlman est indéniable, si les deux solistes sont égaux en expression.

Concerto pour violon et orchestre n° 5 en la mineur op. 37.

*** Itzhak Perlman (violon), Orch. de Paris, Daniel Barenboïm. EMI VSM C 069-02.970. Enregistré en 1976 et 1977. + *Concerto pour violon n° 4.*

** Jasha Heifetz (violon), Orch. New Symphonia de Londres, Malcolm Sargent. RCA RL 42.228 (étr.). Enregistré en 1961. + *Glazounov : Concerto pour violon.*

** Kyung-Wha Chung (violon), Orch. Symph. de Londres, Charles Foster. Decca SXL 6.759 (G-B). + *Saint-Saëns : Concerto pour violon n° 3.*

Tant pour ses immenses qualités techniques que pour son jeu expressif, chaud et poétique, Perlman est actuellement le meilleur interprète de ce Concerto n° 5. Et l'accompagnement de Barenboïm, à la tête d'un excellent Orchestre de Paris, le sert beaucoup. On aimera aussi ce disque parce qu'il propose sur l'autre face le Concerto n° 4 du même compositeur, ce qui constitue une intelligente unité de programme.

Il faut également citer une version plus ancienne, mais de référence, qui est celle du grand Heifetz. Malgré la qualité, et parfois la supériorité, d'enregistrements plus récents, l'art de ce musicien demeure une constante dans le monde du violon, qu'il est bon de conserver à l'esprit. Sur l'autre face, une captivante interprétation du *Concerto pour violon* de Glazounov qui était à l'époque la seule disponible, et qui reste aujourd'hui une des meilleures.

Kyung-Wha Chung emploie tout son art à se faire l'avocate de cette musique qui dépend beaucoup de l'interprète : elle y réussit à merveille, mais bien mieux dans les passages d'expression passionnée et de tendresse, que dans les morceaux de virtuosité et de bravoure. La qualité de l'enregistrement est à saluer pour sa clarté.

Fantasia appassionata, op. 35.

*** Gidon Kremer (violon), Orch. Symph. de Londres, Riccardo Chailly. Philips 9500.930. Enregistré en 1981. + *Chausson : Poème. Milhaud : Le Bœuf sur le toit.*

La Fantasia appassionata est une œuvre de virtuosité, avec ce que cela peut comporter de théâtral, voire de vide. Mais grâce à l'art de Kremer, elle apparaît ici vivifiée, ennoblie, et gagne une dignité où l'on sent l'élégance de son discours mélodique. Milhaud et Chausson complètent excellemment ce disque de très grand violon, dont l'unité se fait dans la forte personnalité de l'interprète.

Villa-Lobos, Heitor
(1887-1959)

Bachianas Brasileiras n°s 1 à 9. Deux Chôros bis. Chôros n°s 2, 5, 10, 11. Invocation pour la défense de la Patrie. La Découverte du Brésil. Momoprecoce. Concerto n° 5, pour piano et orchestre. A prole do Bebe. Symphonie n° 4.

*** Aline van Barentzen, Myda Tagliaferro, Felicia Blumenthal (piano), Victoria de Los Angeles (s), Maria Kareska (s), Manoel Braune (piano), Orch. National de l'ORTF, Heitor Villa-Lobos. EMI VSM 153-14.090/9 (10 d.). Mono.

Villa-Lobos chef d'orchestre ? D'aucuns affirmeront que sa battue n'était pas très claire, que le résultat sonore obtenu était «touffu». Mais quand la vie s'empare de la musique et innerve chaque note, quand la vigueur, la spontanéité de l'émotion naissent de l'expression exubérante, du lyrisme explosé le plus ensoleillé, faudrait-il encore se plaindre ? Si toutes ces pages ne sont pas d'un intérêt égal, si l'inspiration tourne parfois court, qu'importe, puisque la pâte sonore, opulente, brille de tous ses feux chatoyants, puisque le souffle chaleureux, la fraîcheur, la tendresse passent ici la rampe.

Mentions spéciales à Myda Tagliaferro (*Momoprecoce*), à Victoria de Los Angeles (*Bachianas n° 5*), à Aline van Barentzen (*Chôro n° 11*). Quant à l'Orchestre National de l'ORTF, il se plie avec une joie non dissimulée à la baguette du compositeur.

Douze Etudes, Suite populaire brésilienne.

* Julian Bream (guitare). RCA RL 12.499.

Villa-Lobos a sans doute signé avec ses *Etudes* un pensum dont sa gloire n'avait point besoin. C'est aussi ce que tendrait à prouver Julian Bream. Seul N. Yepes y apparaissait comme un poisson dans l'eau. La technique de Bream est immense, et superbe est sa musicalité ; c'est d'ailleurs ce qu'il prouve dès qu'il aborde la *Suite populaire brésilienne*, pleine de charme ironique et de poésie.

Intégrale des œuvres pour piano.

❀*** Anna Stella Schic (piano). EMI VSM C 165-16.250/59 (10 d.). Quadri.

Dix disques où panache, pudeur, tendresse, gaieté se mêlent à la tristesse mélancolique, la douceur, la violence, aux éclats de révolte, aux cris d'amour, au désir de vivre. Dix disques pour un voyage au Brésil protéiforme. Une interprétation admirable, un piano incandescent. En fait, l'opposé de Magda Tagliaferro, toute en finesse, en subtilité de phrasé, ardente d'émotion. L'une étant complémentaire de l'autre, il est à regretter que cette dernière n'ait point quant à elle laissé une telle intégrale.

Œuvres pour voix et instruments : Bachianas Brasileiras n° 5, Poème de la Mère et de l'Enfant, Suite pour chant et violon, Serestras, Cançoes Tipicas Brasileiras, Modinhas e Cançoes (série I et II), Mélodies.

*** Anna Maria Bondi (s), Françoise Petit (piano), les Solistes de Paris, Henri-Claude Fantapié. SFP 31.024/6 (3 d.) (sup.).

Ce disque n'est point une intégrale : il y manque le n° 3 des 14 *Serestras*, ainsi que les n°s 7, 9, 10, 11, 12, 13 des *Cançoes Tipicas Brasileiras*. A cela près, voici la plus grande concentration discographique d'œuvres pour chant du compositeur brésilien. La voix d'Anna Maria Bondi, chaude, charmeuse, enjouée, est un modèle de justesse de ton, d'équilibre de nuances. Le *Poème pour la Mère et pour l'Enfant*, la *Suite pour chant et violon* sont pour leur part deux œuvres étranges au lyrisme envoûtant.

Pièces pour piano : Chôros n° 5, Alma Brasileira, Rosa Amarela, Festa no sertão, A maré enchen, A gaita un precoce fantasiado, Impressoes seresteiras, Vamos atras da serra, Ohi Calunga, Canda do Caboccio.

❀*** Magda Tagliaferro (piano). EMI VSM C 065-81.346 (sup.).

Un Villa-Lobos évident, qui s'impose tout simplement. Magda Tagliaferro est une merveilleuse pianiste, brésilienne de surcroît, et ce dernier fait compte assurément quand il s'agit de rendre justice à ce compositeur. Voici donc incarnées la fantaisie logique, l'élasticité rythmique s'alliant à la maîtrise totale... Une moiteur amazonienne, une étonnante luxuriance, une liberté retrouvée : la beauté à l'état brut, née d'une extrême sophistication. Reste une seule réclamation de taille : pourquoi avoir supprimé un tel disque du catalogue ?

Viotti, Giovanni Battista
(1755-1824)

Concertos pour violon et orchestre n° 22 en la mineur et n° 23 en sol majeur.

** Lola Bobesco (violon), Orch. d'Etat du Palatinat Rhénan, Kurt Redel. Forlane UM 3508. Enregistré en 1980.

Peu de violonistes, même parmi les grands, ont compris la musique de Viotti. Lola Bobesco appartient à ce cercle très fermé. Sa sonorité chaude et veloutée offre ce qu'il faut de séduction pour camper la mélodie. Son tempérament volcanique, parfois difficilement maîtrisé, apporte dans les mouvements rapides cette note de risque qui tient nos sens aux aguets. Kurt Redel, une fois n'est pas coutume, dirige avec beaucoup d'esprit.

Concerto pour violon et orchestre n° 22 en la mineur. Double Concerto pour piano, violon et orchestre en la majeur.

** Suzanne Lautenbacher (violon), Martin Galling (piano), Orch. Symph. de Berlin, C. A. Bünte. Turnabout TV 34.229 (USA/RFA/G-B).

Quel plaisir de goûter la musique de Viotti par ces interprètes ! Des cordes claires, des vents limpides donnent une lecture enlevée et précise, souvent vigoureuse, toujours de bon goût. Le violon fin et tranchant de Suzanne Lautenbacher manque certes de fermeté dans les redoutables passages virtuoses, mais son romantisme retenu, sa tendresse emportent l'adhésion. Et quel bel équilibre entre les solistes dans le double Concerto pour violon et piano, magnifique joyau plein d'humour et d'invention ! Viotti comme on l'aime

Visée, Robert de
(1650-1725)

Trois dimensions de Robert de Visée restituées avec beaucoup de maîtrise.

Pièces de théorbe : Suites en ré majeur, en ut mineur, en ré mineur. La Muzette de M. de Forqueray. Entrée des Espagnols de M. de Lully. Les Sylvains de M. Couperin.

*** Hopkinson Smith (théorbe Jacob van de Geest). Astrée AS 38. Enregistré en 1978.

La majeure partie des pièces présentées ici sont inédites et constituent une excellente approche de cet auteur méconnu. Elles possèdent toutes la majesté et la noblesse héritées de Lully, qui se teintent, chez Robert de Visée, d'une austérité parfois même pathétique. Le théorbe d'Hopkinson Smith, virtuose au jeu sensible et intelligent, égrène ses accords hiératiques avec la nostalgie des fastes ternis du Grand Siècle.

Suites en la mineur, en sol majeur et en sol mineur. Chaconne en fa pour théorbe solo.

** Jean-Claude Veilhan (flûte traversière baroque), Mireille Cardoze (violon baroque), Ellen Maserati (clavecin), Guy Robert (luth et théorbe), Elisabeth Matiffa (basse de viole de gambe). Arion ARN 38.488. Enregistré en 1978.

Ces pages résultent de transcriptions faites par Robert de Visée à partir du luth ou du théorbe, et «mises en concert». Les exécutants les font revivre avec toute l'authenticité possible : l'ornementation savante est d'un goût remarquable, le style juste, et l'entente règne parfaitement entre les divers instruments. On peut seulement regretter un élan un peu trop réservé, un enthousiasme pas assez vif. Mais cette réalisation reste une très belle réussite de musique ancienne.

Vivaldi, Antonio
(1678-1741)

Beatus Vir «in due cori» RV597.

*** Ensemble Polyphonique de Rome, I Virtuosi di Roma, Renato Fasano. RCA LSC 2.935 (sup.). Enregistré en 1966. *+ Stabat Mater RV621, Credo RV591.*

* Jennifer Smith, Wally Staempfli (s), Philippe Huttenlocher (b), Ensemble Vocal et Instrumental de Lausanne, Michel Corboz. Erato STU 71.003. ⌧ MCE 71.003. Enregistré en 1976. *+ Lauda Jerusalem RV609, Motet «Nulla in Mundo Pax» RV630.*

Dans ce *Beatus Vir*, les effectifs utilisés par Fasano sont bien moins imposants que ceux de Negri dans son intégrale. La beauté de l'interprétation est pourtant comparable. Le chœur polyphonique de Rome est d'une cohésion parfaite, chaque chanteur ayant des qualités de soliste. Fasano confie les pages pour voix seule à un petit chœur de cinq exécutants. La pâte gagne en rondeur, mais est d'une douceur inouïe, infiniment sacrée. La sonorité des Virtuosi di Roma est toujours aussi transparente. Une version intensément spirituelle.

Corboz donne du *Beatus Vir* une curieuse vision. Les tempos sont presque tous vifs, enlevés, trépignants. Sa science de l'écriture chorale est grande, et il sait bien sûr admirablement faire s'enchevêtrer les voix et phraser à la perfection. Mais l'émotion ne perce pas. L'élévation vers Dieu passe chez Vivaldi par l'amour de l'Homme. Il faut faire chanter cette musique pour qu'elle révèle ses beautés. Cette œuvre ne semble pas émouvoir Corboz.

Cantates pour alto et cordes «Cessate omai» RV 684, «O mie porpore più belle» RV 685, «Amor hai vinto» RV 683. Cantate pour alto et basse continue «Qual per ignoto calle» RV 677.

** René Jacobs (hc), Complesso Barocco, Alan Curtis. Archiv 2533.385. Enregistré en 1977.

Il est pleinement justifié de confier ces Cantates à une voix de haute-contre, comme René Jacobs, dont la tessiture convient admirablement aux œuvres. Son timbre clair et un peu acide donne beaucoup de relief à la matière musicale. A l'aise dans les passages de virtuosité, la voix manque pourtant de chaleur dans l'expression tendre et lyrique. Le Complesso Barocco agresse par la rudesse des accents et une certaine sécheresse des phrasés. Le style, cependant, est excellent.

Cantate pour soprano «Amor hai vinte» RV 651.

*** Emma Kirkby (s), The Academy of Ancient Music, Christopher Hogwood. Oiseau-Lyre 595.084. Enregistré en 1980. + *«La Follia» Opus I n° 12, concerto pour flautino RV 443. A. Marcello : Concerto pour hautbois.*

Emma Kirkby, dans cette simple cantate «da camera», réclamant la seule basse continue, présente les qualités expressives idéales dans ce répertoire : voix fraîche et agile, déjouant les redoutables difficultés dont Vivaldi truffe les airs rapides, mais sachant aussi s'attendrir dans les mouvements lents ; tout cela avec naturel et sans affectation. Loin du dramatisme à la Anfuso, Kirkby retrouve le climat de la «Serenata a tre». La basse continue de Hogwood est un modèle.

Cantates «Piango, gemo, sospiro» RV675 pour alto et basse continue, «Cessate omai cessate» RV684 pour alto et cordes.

*** Laerte Malagutti (bar), Societá Cameristica di Lugano, Edwin Loehrer. Nonesuch H-71.088 (USA). Enregistré en 1963. + *Sonate en trio RV83, Sonate pour violoncelle RV40, Sinfonia de la «Senna Festegiante» (sérénade) RV693s.*

Cette interprétation des deux plus belle[s] Cantates de Vivaldi par Malagutti fut cou[-]ronnée, en son temps, par un «grand prix d[u] disque», ô combien mérité. Comment rêve[r] d'une voix plus souple, intimement expres[-]sive et profondément émouvante, tout e[n] conservant une parfaite sobriété de style ? E[t] quelle basse continue élégante, raffinée, dan[s] la cantate «Piango...». Sgrizzi est idéal, dan[s] ce répertoire. L'ensemble de Loehrer est, lu[i] aussi, digne d'éloges. Un disque précieux.

Concertos «da Camera» à 3, 4, 5 soliste[s] et basse continue, en ré majeur RV94 e[t] 92, en sol mineur RV105, en ut majeu[r] RV87, en la mineur RV108.

*** Frans Brüggen (flûtes à bec), Jür[g] Shaeftlein (hautbois), Otto Fleisch[-]mann (basson), Alice Harnoncour[t] et Walter Pfeiffer (violon), Nikolau[s] Harnoncourt (violoncelle), Gusta[v] Leonhardt (clavecin). Telefunke[n] 6.41239 AW (RFA). Enregistré e[n] 1967. Ou Telefumken 6.35416 (6 d.) + *Anthologie orchestrale.*

Cet enregistrement déja ancien du Con[-]centus Musicus conserve toute sa verdeu[r] Harnoncourt et ses complices cherchent ave[c] enthousiasme quelle incroyable sonorité il[s] pourraient encore découvrir avec leurs ins[-]trument anciens. C'est un jaillissement mélo[-]dique, avec des rythmes vigoureux, des tem[-]pos alertes, des articulations transparentes Ils donnent envie de danser. Un disque ef[-]fronté et pleinement réussi.

Concertos «da Camera» en la mineu[r] RV108, ré mineur RV89, sol majeu[r] RV102, Trio en ré majeur RV84. Sonat[e] en ré mineur «La Follia» Opus I n° 12.

** Musica Antiqua de Cologne. Ar[-]chiv Production 2533.463. Enregis[-]tré en 1980.

La fidélité de la Camera Antiqua de Colo[-]gne aux manuscrits originaux est exemplaire Les instruments exhumés sonnent joliment maniés par des virtuoses qui ne manquent n[i] de tempérament (quelle fièvre dans les *alle[-]gros* !), ni d'humour. Ils rendent particulière[-]ment bien les figures rythmiques confiées au[x] archets, qui prennent un plaisir manifeste [à] «tricoter» des rafales de triple-croches à u[n] tempo infernal, jusqu'à la caricature. Cett[e] prestation vivante d'œuvres peu jouées est l[a] bienvenue.

5 Concertos pour basson RV 488, 497, 498, 501 et 503.

** Maurice Allard (basson), I Solisti Veneti, Claudio Scimone. Erato STU 70.837. Enregistré en 1973.

Parmi les 39 (!) Concertos pour basson, Maurice Allard a vraiment choisi les plus beaux. Quelle invention, quelle variété d'expression et de climat, dans ces pages si semblables quant à leur forme ! Il faut dire aussi que le soliste est exceptionnel. Certains mouvements lents vous saisissent, tant ce basson français sait distiller une émotion de qualité. L'accompagnement est parfait, et la basse continue, avec... basson, très ingénieuse.

Concertos pour cordes en ré majeur opus XII n° 3, en ut mineur RV120, en ré majeur RV123, en ré mineur RV129, en sol mineur RV152, en sol mineur RV155.

** I Filarmonici del Teatro Comunale di Bologna, Angelo Ephrikian. Harmonia Mundi HMU 1.012. ⌧ HM 40-1.012. Enregistré en 1977.

Ephrikian signe son retour au disque par cet enregistrement, regroupant un ensemble de concertos au caractère sévère, incluant chacun une fugue. Ici, pas de liberté vis-à-vis du texte original, mais au contraire une lecture analytique et précise qui exclut toute improvisation. Les cordes sont graves et pesantes, les tempos retenus. Une élégance du phrasé, de belles articulations, une réalisation soignée de la basse continue nous mettent sous le charme. Une prise de son dure crispe un peu l'écoute, mais la beauté du programme la fait vite oublier.

Les 6 Concertos pour flûte traversière opus X.

❀*** Frans Brüggen (flûtes), Orchester des 18. Jahrhunderts. RCA Séon RL 30.392. ⌧ RK 30.392. Enregistré en 1979.

*** Stephen Preston (Flûte), Academy of Ancient Music. Oiseau-Lyre 595.028. Enregistré en 1976.

** Severino Gazzelloni (flûte), I Musici. Philips 5839.726. Enregistré en 1968.

Brüggen, musicologue subtil autant que fin musicien, s'est penché sur les manuscrits primitifs de chacun de ces Concertos, pigmentés dans cette version originale par les voix colorées des bois. Les *fantasmi* naissent ici d'évidence sous les coups de croches goguenards du basson, alors que le hautbois furibond répond aux assauts râpeux du violon baroque. Chacun des vingt et un mouvements est une miniature incisive et délicatement équilibrée, où tout timbre est minutieusement étudié, pesé, jaugé par l'immense science vivaldienne de la couleur, si bien comprise par Brüggen.

Preston nous montre que l'Opus X, un des plus rabâchés, pourtant, restait à découvrir. Et pour une raison simple. Vivaldi écrivait pour la flûte baroque, au faible volume sonore. Impossible, par conséquent, de l'opposer à la masse des cordes, sans risquer d'engloutir son timbre délicat. L'orchestre n'est ici qu'un simple quatuor, plus la basse continue. Et le miracle se produit. La moindre articulation devient claire, les nuances raffinées flattent les sens, les attaques un peu râpeuses agacent, avec malice et verve, le chant candide du frêle instrument à vent. Un petit chef-d'œuvre !

Gazzelloni est un flûtiste d'exception. Sa sonorité moelleuse et pleine donne à ces Concertos une solennité étonnante. Son discours est sombre, presque introverti, avec une infinie richesse des nuances et une douceur veloutée très poétique. I Musici sont inspirés, eux aussi. Ils s'attendrissent, cajolent leur soliste, mais conservent pourtant une certaine gravité d'expression. Une méditation recueillie.

Concertos pour hautbois en sol mineur opus XI n° 6, en ut majeur RV447, en ut majeur RV450, en la mineur RV403.

❀*** Heinz Holliger (hautbois), I Musici. Philips 9500.044. Enregistré en 1975.

Les Musici aiment partager la musique avec des solistes à leur image. Holliger est de ceux-là. Sa sonorité épanouie s'harmonise à merveille avec leurs cordes pleines et rondes, moins lourdes, par bonheur, depuis quelques années. Les tempos sont enlevés, les attaques vigoureuses : le plaisir de jouer les anime de nouveau. Holliger en profite, laisse libre cours à sa virtuosité folle, ornemente, respire. Un hommage exemplaire au hautbois de Vivaldi.

Les Concertos pour mandolines : en ut majeur RV425, en sol majeur RV532, en ut majeur «con molti stromenti» RV558.

*** Bonifacio Bianchi, Alessandro Pitrelli (mandolines), I Solisti Veneti, Claudio Scimone. Erato STU 70.545. ✉ MCE 70.545. Enregistré en 1968. + *Concerto pour 2 orchestres RV583.*

La popularité de Scimone doit beaucoup à ce disque. Ils sont anecdotiques, pourtant, ces Concertos pour mandolines, dont la seule raison d'être tient dans la recherche de timbres inusités et précieux. Scimone l'a remarquablement compris. Il enveloppe les frêles sonorités par une brume délicate, lumineuse et colorée. Les violons caressent à peine l'archet, les pizzicatos s'égrènent, le clavecin cristallin joint sa voix aux solistes, avec goût. Des petits bijoux.

Concertos pour 2 orchestres, «in due Cori», en ut majeur RV581, en ré majeur RV582, en si bémol majeur RV583, en la majeur RV585.

❀*** Franco Fantini, Lola Bobesco (violon), I Solisti di Milano, Les Solistes de Bruxelles, Angelo Ephrikian. Telefunken 6.41263 AW (USA, RFA). Enregistré en 1965.

Ephrikian ne lésine par sur les moyens pour personnaliser les chœurs : deux orchestres au grand complet, s'affrontant en un duel musical à l'archet. Les Solistes de Bruxelles, phalange nerveuse et légère, face aux Solisti di Milano, doux et nuancés. Deux basses continues spécifiques, l'une à l'orgue, l'autre au clavecin, et surtout deux solistes de grande classe, Fantini, introverti à la sonorité délicate, et la brillante Bobesco, jouant les couleurs chatoyantes. Ephrikian freine les élans, modèle impérieusement la pâte des deux formations. Le résultat est magnifique.

Les 8 Concertos pour viole d'amour.

*** Nane Calabrese (viole d'amour), I Solisti Veneti, Claudio Scimone. Erato STU 70.826/7 (2 d.). Enregistré en 1973.

Les Solisti Veneti ont au sein de leur ensemble un prodige de la viole d'amour, Nane Calabrese. Les Concertos de Vivaldi semblent avoir été écrits pour lui. Rarement a-t-on entendu pareille richesse de sonorités précieuses et inusitées, passant de l'acidulé au grave somptueux, suggérant au gré des sentiments nostalgie ou tendresse. L'instrument est une splendeur. L'accompagnement de Scimone travaillé avec goût. Sans doute la version définitive de ce recueil superbe.

12 Concertos pour 1, 2 et 4 violons opus III, «L'Estro Armonico».

❀*** The Academy of Ancient Music, Christopher Hogwood. Oiseau-Lyre 595.057 (2 d.) Enregistré en 1980.

*** Academy of St-Martin-in-the-Fields, Neville Marriner. Argo 396.012. ✉ 4-396.012 (2 c.). Enregistré en 1972.

*** I Virtuosi di Roma, Renato Fasano. EMI VSM C 153-52.378/83 (6 d.) (étr.). Enregistré en 1961. + *Opus VIII : 12 concertos pour violon.*

** I Solisti Veneti, Claudio Scimone. Erato VSE 501 (23 d.). Enregistré en 1973. *Intégrale des opus édités de son temps.*

** I Musici. Philips 6747.029 (18 d.). + *Anthologie orchestrale, Opus IV «La Stravaganza : 12 concertos pour violon.*

Hogwood signe la première version sur instruments anciens du célébrissime *Opus III,* et d'emblée, s'inscrit au sommet de la discographie. La transparence des cordes en formation restreinte (un instrument par partie), la vitalité des attaques libérées de toute inertie, la personnalité attachante des quatre violonistes solistes contribuent à restaurer une sensation de spontanéité bien oubliée par la plupart des interprètes. Une version enthousiasmante qui donne envie de danser.

Marriner, ou l'impressionnisme musical. Les pages de Vivaldi sont isolées de leur contexte vénitien. Le lyrisme à l'italienne, la lumière, les couleurs chatoyantes s'anéantissent dans les brumes de Londres. Une prise de son lointaine et réverbérée rend vaine toute expression dramatique individuelle. Des tempos aériens, des coups d'archet nerveux et pudiques, des nuances pointillistes, une basse continue mêlant au hasard des phrases l'orgue, le clavecin, le luth ou le basson suggèrent un tableau d'ensemble d'une beauté surnaturelle.

L'enregistrement de Fasano reste le plus poétique jamais réalisé. Les années ne lui ont pas porté une ride. Les Virtuosi di Roma ont une pâte fine, souple et légère. Malgré l'emloi de l'archet moderne, les phrases sont bien articulées et le phrasé est parfait. Et surtout, il y a Luigi Ferro, merveilleux violoniste à la sonorité fragile, presque timide, qui distille une émotion intense. Une prise de son transparente parachève notre plaisir. La meilleure version traditionnelle.

Scimone a mûri son *Estro Armonico*. De longues recherches à la quête d'un esprit véritablement «baroque» de l'interprétation se concrétisent par une improvisation totale sur chaque note, une liberté des tempos, un lyrisme insolent. Il se passe toujours quelque chose avec Scimone, qui déroute, séduit, agace, mais ne laisse jamais indifférent. La version la plus joyeuse et la plus personnelle.

L'Opus III par I Musici date de leur grande époque. La palette sonore est d'une richesse incroyable, la musicalité magnifique. On goûte avec délectation la sonorité ronde, pleine, de chacun des instruments de l'ensemble, dominé par un Felix Ayo olympien, rigoureux et profond. Si la perfection instrumentale a jamais existé, c'est bien ici. Mais la fantaisie est oubliée.

12 Concertos pour violon opus IV, «La Stravaganza».

*** Alan Loveday, Carmel Caine (violon), Academy of St-Martin-in-the-Fields, Neville Marriner. Argo ZRG 800/01 (2 d.) (G-B). Enregistré en 1974.

** Franco Fantini, Tino Bechetta (violon), I Solisti di Milano, Angelo Ephrikian. Ars Nova C2S/156 (2 d.) (Italie). Enregistré en 1963.

** Piero Toso (violon), I Solisti Veneti, Claudio Scimone. Erato STU 70.955 (2 d.). Enregistré en 1976.

** Felix Ayo (violon), I Musici. Philips 6747.029 (18 d.). *+ Anthologie orchestrale.* Enregistré vers 1962.

Marriner est un spécialiste des interprétations d'atmosphère. Son travail dans ces concertos est d'une grande beauté. L'expression du soliste n'est pour lui que secondaire. L'important est le climat, créé de toute pièce par une prise de son filtrée, mystérieuse, éclairant des timbres inconnus, des nuances d'une finesse inouïe, des basses vaporeuses, sans consistance, colorées par un continuo insolite. On est sous le charme d'un bout à l'autre. Marriner est un magicien.

Pour Ephrikian, la *Stravaganza* est celle de l'écriture. Il le montre dans cet enregistrement d'une rare intelligence, par une disposition judicieuse des cordes, les premiers violons s'opposant aux seconds, créant ainsi un dialogue au sein de l'orchestre. Dualité également entre les éléments mélodiques, chantés avec lyrisme, et le soutien rythmique joué *staccato*. La conception est superbe, la poésie certaine. Ce serait une référence si les solistes étaient plus valeureux. A connaître.

L'extravagance de l'expression a séduit Scimone. Nous avons avec lui un plaisir sensuel, insolent, où la violence des contrastes lumineux, les arêtes agressives des nuances nous laissent vite pantelants, épuisés. Piero Toso en rajoute, ornemente avec un sens inné des belles couleurs. C'est enthousiasmant pendant la durée d'un concerto. A consommer à petites doses.

Pourquoi diable I Musici proposent-ils à la basse continue un orgue si puissant et si lourd, qui écrase les basses et donne un aspect monumental à ces pages qui, ici, n'ont d'extravagant que le nom ? La mise en place parfaite n'empêche pas, de plus, une certaine monotonie des tempos, rendant fastidieuse une écoute prolongée. Reste Ayo, impérial, sublime dans les mouvements lents, qu'on aimerait écouter débarrassés de tous ces fastes. Un bonheur incomplet.

12 Concertos pour violon, opus VIII, «Il Cimento dell'Armonia e dell'Invenzione»,

❀*** Alice Harnoncourt (violon), Concentus Musicus de Vienne, Nikolaus Harnoncourt. Telefunken 6.35386 (2 d.). Enregistré en 1976.

*** Piero Toso (violon), I Solisti Veneti, Claudio Scimone. Erato STU 71.217 (3 d.). Enregistré en 1971.

*** I Virtuosi di Roma, Renato Fasano. EMI VSM C 153-52.378/83 (6 d.). Enregistré en 1961. *+ Opus III «L'Estro Armonico».*

*** Felix Ayo, Roberto Michelucci (violons), I Musici. Philips 6747.311 (3 d.).

L'interprétation de Harnoncourt est révolutionnaire, le mot n'est pas trop fort. On ne reconnaît plus rien, les habitudes sont piétinées, violées, impérieusement détruites. On découvre les œuvres pour la première fois. Elles n'avaient de descriptif que le nom. Ici la tempête fait rage, les chiens aboient, l'hiver est glacial. La «liberté baroque» semble totale. Ce n'est qu'un leurre : chaque détail est passé au crible par Harnoncourt, qui par une étude minutieuse a déterminé le jeu des timbres, les nuances d'intensité et d'expression, l'ornementation et la réalisation superbe des basses. Certains fulminent contre de prétendus excès. Trop tard. On n'écoutera jamais plus Vivaldi comme avant. Une interprétation est née.

Parmi les versions sur instruments modernes, celle de Scimone reste la plus inventive, la plus poétique, aussi, avec une grande envolée lyrique. Le violon de Toso est tendre, plein d'humour et de fantaisie, jouant sur les couleurs, les rythmes et une ornementation bienvenue. Une grande musicalité.

I Virtuosi di Roma ont dans cette antique version de *l'Opus VIII* une conception étonnamment moderne de l'œuvre. Ils jouent sur les contrastes, les nuances d'intensité, et surtout sur la couleur spécifique des violons de solistes différents, Gulli, Ferro, Malanotte et Ruotolo, pour créer dans chaque concerto un climat particulier. La lecture est d'une rigueur absolue, mais formidablement inventive. Sans doute la version la plus universelle.

I Musici au temps de leurs sonorités de rêve et de leur plénitude. L'invention n'existe pas, mais on goûte une sensation merveilleuse d'équilibre, qui nous fait presque oublier que Vivaldi aimait cultiver les contrastes pittoresques et les timbres bizarres. Avec I Musici, seule la musique compte, ou plutôt le sens caché du langage de Vivaldi. Felix Ayo, meilleur soliste qu'ils aient jamais eu, est somptueux.

12 Concertos pour 1 et 2 violons opus IX, «La Cetra).

❀*** Iona Brown, Malcolm Latchem (violon), Academy of St-Martin-in-the-Fields, Iona Brown. Argo 396.013 (3 d.). Enregistré en 1978.

*** Piero Toso, Juan Carlos Rybin, Ronald Valpreda (violon), I Solisti Veneti, Claudio Scimone. Erato STU 70.897 (2 d.). Enregistré en 1975.

** I Musici. Philips Festivo 6770.160 (3 d.) (étr.). Enregistré en 1965.

L'Academy of St-Martin-in-the-Fields travaille ici sans Marriner. Iona Brown, violon solo, tient lieu de chef. L'atmosphère s'en ressent. Les cordes ont pris du corps, la basse continue gagne en simplicité. Quant au soliste, il n'est plus noyé dans la masse des archets et affirme son identité de prima donna. Sa classe l'autorise à devenir un point de mire : c'est en effet un violon virtuose à souhait, à la sonorité très pure, mais conservan une certaine réserve dans l'expression. L'impeccable clarté du discours comble toute nos espérances.

Scimone s'engage totalement dans ce opus paisible, si évident en apparence - trop sans doute. Contre toute attente, il choisit d suggérer l'impalpable et s'efface derrière l musique sans imposer les contrastes violent qui caractérisent souvent ses interprétation. On goûte ici, au contraire, la recherche d'un certaine quiétude, qui n'empêche pas l'instabilité rythmique et les variations imprévisibles de tempo. Toso semble fragile, rappelan un peu Milstein dans certains pianissimo très doux. Une atmosphère particulièremen agréable.

Datant de la grande période de I Music cette *«Cetra»* reste la version traditionnell de référence, classique dans ses options d tempos, un peu retenus, dans sa basse continue approchant la perfection dans sa réalisation, et avec surtout un soliste somptueux impérial, rayonnant dans ces œuvres de maturité. Toute une époque !

Cinq Concertos pour violon, un Concerto pour cordes Opus XII.

❀*** Franco Fantini (violon), I Solisti di Milano, Angelo Ephrikian Arcophon AM 683 (sup.). Enregistré en 1966.

*** Salvatore Accardo (violon), I Musici. Philips 6747.189 (3 d.). Enregistré en 1975. *+ 6 Concertos Op. XI.*

** Piero Toso (violon), I Solisti Veneti, Claudio Scimone. Erato STU 701. (3 d.). Enregistré en 1975. + *Concertos Op. XI.*

De tous les recueils édités, l'Opus XII es celui qui convient le mieux à la personnalit d'Ephrikian. Moins marqué par une furie d fantaisie créatrice, il réclame de l'interprèt une lecture subtile et précise, car sa beaut tient essentiellement dans un équilibre classique de l'écriture de l'orchestre. Des touche d'orgue très élaborées, une disposition stéréophonique des violons et des nuance d'une intelligence remarquable sont l «patte» d'Ephrikian, qui signe un de ses enregistrements les plus poétiques. Jamais l fugue du Concerto pour cordes n'a depuis s bien sonné. Un grand disque à rééditer trè vite.

Témoignage le plus séduisant de la collaboration de Salvatore Accardo avec I Musici cet Opus XII renferme des musiques propre à faire briller le soliste comme l'orchestre

Pureté de style et grande classe chez Accardo dans les longues phrases mélodiques, sûreté impeccable de I Musici dans les figures les plus exigeantes. Livrés à eux-mêmes, ces interprètes font déjà des merveilles. Il ne manque que le bras d'un chef inspiré qui ajouterait un soupçon de fantaisie.

La démarche de Claudio Scimone s'inscrit dans un esprit de continuité pour l'ensemble des Opus gravés. Il joue l'émotion avec son soliste fétiche, Piero Toso, sans trop s'attacher à restituer l'évolution de l'écriture de l'orchestre vers la complexité. La lecture des archets est franche, enthousiaste, mais peu raffinée. Aux antipodes d'Ephrikian.

Concerto pour violon en mi mineur RV278.

❀*** Oleg Kagaan (violon), Solistes de l'Orch. Phil. de Moscou, Lew Markis, Ariola-Eurodisc 88.766 XAK (RFA). Enregistré en 1974. + *Concertos pour violoncelle RV424, pour violon et violoncelle RV546 et 547.*

Comment est-il possible que Kagaan soit l'unique interprète qui ait enregistré le Concerto en mi mineur, sans doute le plus mélodique qui soit jamais sorti de la plume de Vivaldi ? L'indicible bonheur qui s'en dégage le place sur des cimes inconnues à ce jour chez aucun baroque. Et cette œuvre merveilleuse est servie par un interprète de rêve qui rappelle un peu Menuhin par sa sensibilité à fleur de peau et la hauteur de son inspiration. Quel incroyable orchestre, aussi ! D'une musicalité égalant, sinon dépassant les plus grands, I Musici compris. Un disque à emporter sur une île déserte.

Concerto pour violon en ré majeur «Grosso Mogul» RV208.

❀*** Jaap Schröder (violon), Concerto Amsterdam, Jaap Schröder. Telefunken 6.42355. Enregistré en 1977. + *Concertos pour hautbois RV Anh. 17, pour violoncelle RV424. Sinfonia RV169. Sonate à 4 RV 130.*

Schröder a choisi un des concertos les plus virtuoses, les plus échevelés de Vivaldi. Par bonheur, ses instruments baroques ne se figent pas dans un style poussiéreux. Ils chantent comme des Italiens, chaleureusement, dans une débauche de couleurs fruitées et de timbres tendres. Le violon de Schröder est d'une transparence rare. Il s'abandonne dans le mouvement lent à une nostalgie typiquement tzigane et des plus pathétiques, prouvant une fois pour toutes qu'une lecture «baroque» implique de la part de l'interprète une liberté d'expression totale. Elle devient alors, comme c'est ici le cas, crédible, sinon irremplaçable.

Concertos pour violon en ut majeur RV186, en ut mineur «Il Sospetto» RV199, en la majeur RV350, en la majeur RV352.

*** Nathan Milstein (violon), Orchestre de chambre. Angel S 36.001 (USA). Ou EMI C 037-86.030 (RFA).

Quand un interprète comme Milstein se penche sur le cas Vivaldi, notre curiosité s'éveille. Sa vision bouleverse nos habitudes auditives. Faisant abstraction des traditions, il conçoit un Vivaldi intime et secret, dédaigne toute sensualité, pour découvrir, au détour d'une nuance ou d'une respiration, l'inflexion, le frémissement d'archet qui donnent vie à la musique. Les mouvements lents sont murmurés, effleurés par l'archet, dévoilant un aspect du Prêtre Roux que nous ne connaissions pas.

Concertos pour violon en ut majeur RV189, en la majeur RV341, en ré majeur RV222.

** Lola Bobesco (violon), Orch. de Chambre de Wallonie. CBS 73.837 (Belgique). Enregistré en 1977. + *Sinfonia d'opera «l'Olimpiade» RV725s.*

Lola Bobesco est la seule virtuose à s'être penchée sur les ultimes Concertos de Vivaldi, ceux de la fin de sa vie, comparables ou presque à ceux de Locatelli. Elle se lance avec panache, embrase la musique par sa sonorité intensément colorée, s'exalte dans les mouvements lents si lyriques. Cette interprétation fougueuse ne s'attarde pas à raffiner les nuances, une faute de justesse se glisse même çà et là. La formidable spontanéité de l'ensemble est sans doute à ce prix, dans ces œuvres exigeantes.

5 Concertos pour violon et orgue RV 541, 542, 554, 766 et 767.

** Piero Toso (violon), Marie-Claire Alain (orgue), I Solisti Veneti, Claudio Scimone. Erato STU 71.060. ⌧ MCE 71.060. Enregistré en 1976.

Une des plus belles réussites des Solisti Veneti, chaperonnant une rencontre inouïe : celle de Piero Toso, au violon sensuel et tendre, et de Marie-Claire Alain, affrontant avec brio les pièges violonistiques tendus comme par malice à ses doigts d'organiste par un Vivaldi en verve. Ces Concertos sont extrêmement brillants, follement mélodiques, et mettent en valeur l'archet comme le clavier solistes. Un Vivaldi inhabituel.

Concertos pour violoncelle en ut majeur RV 400, en si mineur RV 424, en ut mineur RV 401. Concerto pour 2 violoncelles en sol mineur RV 531. Concerto pour violon et 2 violoncelles en ut majeur RV 561.

*** Paul Tortelier (violoncelle), Jacques Francis Manzone (violon), Maud Tortelier (2ᵉ violoncelle), London Mozart Players, Philip Ledger. EMI VSM ASD 3914. Enregistré en 1979.

Parmi les grands violoncellistes, seul Paul Tortelier s'est attardé avec ferveur sur le répertoire vivaldien. Déchaîné, attaquant les mouvements rapides à grands coups d'archets râpeux, chantant chaque note avec enthousiasme, jouant sur le rythme pour insuffler une pulsation obsessionnelle au discours musical, il a admirablement compris le langage du Prêtre Roux. Dans les mouvements lents, ses respirations amples créent des silences d'une infinie richesse. Le temps est comme retenu, immobile, et l'on voudrait qu'il ne s'écoulât plus jamais.

Concertos pour 2 violoncelles en sol mineur RV 531, pour 2 violons et 2 violoncelles en ré majeur RV 564, pour 2 flûtes en ut majeur RV 533, pour 2 trompettes en ut majeur RV 537, pour cordes en ré majeur «Madrigalesco» RV 129 et sol majeur «Alla Rustica» RV 151.

** The Academy of Ancient Music, Christopher Hogwood. Oiseau-Lyre 595.029. Enregistré en 1977.

Ce disque de l'Academy of Ancient Music a deux qualités essentielles. La première tient à la nature des œuvres écrites pour des solistes virtuoses propres à s'affronter en joutes brillantes ; la seconde tient justement à l'esprit ludique des interprètes qui rivalisent de hargne, de ferveur et d'enthousiasme pour emporter notre adhésion. Une joie irrésistible.

Dixit (nº 1) à 1 chœur RV595.

*** Uta Spreckelsen, Verena Schweizer (s), Hanna Schaer (c), Jean-Pierre Maurer (t), Michel Brodard (b), Ensemble Vocal et Orch. de Chambre de Lausanne, Michel Corboz. Erato STU 71.005. ⌧ MCE 71.005. Enregistré en 1976. *+ Motet «O qui coeli» RV631.*

Cette version de Corboz, la première jamais donnée de ce Psaume superbe, d'une beauté équivalente au *Dixit «in due cori»*, figure parmi les meilleures réalisations sacrées de Vivaldi. Un souffle d'inspiration religieuse parcourt l'ensemble de Lausanne. Corboz prend le temps de respirer, s'attarde gravement sur les pages chorales, comme le *Donec Ponam*, au rythme inexorable et angoissant, et s'attendrit, sans éclat déplacé, sur les candides mélodies. Les voix sont claires, les chœurs souples et harmonieux. C'est l'état de grâce.

Dixit (nº 2) «in due cori» RV594.

*** Karla Schlean (s), Adèle Bonay (c), Ugo Benelli (t), Gastone Sarti (b), Orch. et Ch. de Chambre de l'Opéra de Vienne, Angelo Ephrikian. Harmonia Mundi HMU 494/96 (3 d.). Enregistré en 1962. *+ Introduction au Dixit «Canta in prato» RV 636, Concertos op. 6, Sonates pour violon.*

* Elsa Saque, Joana Silva (s), Naoko Ihara (c), Fernando Serafin (t), Jose Oliveira Lopez (b), Ch. Symph. et Orch. de la Fondation Gulbenkian de Lisbonne, Michel Corboz. Erato STU 71.018. ⌧ MCE 71.018. Enregistré en 1976. *+ Stabat Mater RV621.*

Le disque d'Ephrikian, déjà ancien, conserve tous ses attraits. Le chef modèle les amples architectures sonores, sculpte les chœurs, qui sous sa patte, dessinent une fresque grandiose. Le *Donec Ponam* est d'une indiscible beauté, le *Judicabit* apocalyptique. La tension dramatique explose dans le *Sicut erat* terminal, qui nous laisse anéantis, pantelants. Et quelle puissance d'émotion du *Tecum Principium* par Bonay, quel rayonnement dans la voix de Benelli ! Un disque important.

Corboz n'a pas compris le *Dixit «in due cori»*. Il en fait une œuvre primesautière, vide de sens. Comment supporter une telle vivacité dans le verset initial, un détachement aussi flagrant des solistes, aux jolis timbres, certes, mais peu recueillis, et surtout un *Donec Ponam* aussi haché, maigrelet, sans grande consistance ? Seul le *Juravit* retrouve l'émotion qui parcourait le *Dixit* à un seul chœur, que Corboz a si bien restitué. Une curieuse défaillance.

Gloria (n° 1) RV588.

** Jennifer Smith, Anna Bernardin (s), Edmund Barham (t), Ch. et Orch. de l'English Bach Festival, Michel Corboz. Erato STU 71.200. ⌧ MCE 71.200. Enregistré en 1978. *+ Nisi Dominus RV608.*

*** Lynda Russel, Patrizzia Kwella (s), Anne Williams (ms); Kenneth Bowen (t), Ch. du Collège Saint-John de Cambridge, The Wren Orchestra, George Guest. Argo 596.024. *+ Gloria (n° 2) RV 589.*

** Les Madrigalistes de Budapest, Orch. de l'Etat Hongrois, Ferenc Szekeres. Hungaroton SLPX 2087. Enregistré en 1980. *+ Introduction RV 639, Cantate pour alto RV 684.*

Bravo à Michel Corboz qui épice ce *Gloria* par le timbre des instruments anciens. L'orchestre a quelque chose de juvénile, de léger, d'attendrissant. Les chœurs sont agiles, mais souples, vigoureux, mais capables de l'expression la plus intime. Corboz aime ce *Gloria*, et les solistes partagent son enthousiasme. Un enregistrement d'un climat splendide, servi par une prise de son claire et aérée.

George Guest est un chef conservateur, dédaignant les solutions interprétatives apportées par les plus récentes recherches musicologiques. Il s'octroie pourtant dans ce *Gloria* la palme de la poésie d'exécution, culminant dans le *«Et in terre pax»*, merveilleusement exprimé par le chœur d'hommes réunissant sopranistes et hautes-contre aux timbres étranges, si inattendus dans Vivaldi. Intrigante et hors courants, cette interprétation issue de la tradition anglaise n'en est pas moins inspirée. Guest ne s'affirme pas comme un vivaldien, mais comme un remarquable conducteur de chœurs qui aborde Vivaldi.

Les Madrigalistes de Budapest n'ont ni le moelleux, ni le fini des chœurs de Corboz ou de Negri. Les pupitres d'alto et de ténor manquent quelque peu de corps et d'homogénéité. L'interprétation de Szekeres est cependant solide et renferme surtout de beaux passages dans les sections solistes, rayonnant d'un amour humain authentique. Les tempos sont excellents et la lecture très fidèle, proposant par surcroît l'introduction spécifique RV 639 à ce *Gloria*, que l'on ne trouve ailleurs que dans l'intégrale Negri des œuvres avec chœurs. Une bonne version moyenne.

Gloria (n° 2) RV589.

*** Judith Nelson, Emma Kirby (s), Carolyn Watkinson (c), Ch. de Christ Church Cathedral d'Oxford, The Academy of Ancient Music, Simon Preston. Oiseau-Lyre 595.030. Enregistré en 1977. *+ Motet «Nulla in mundo Pax» RV630.*

*** Lynda Russel, Patrizzia Kwella (s), Kenneth Bowen (t), Anne Williams (a), Ch. du Collège Saint-John de Cambridge, The Wren Orchestra, George Guest. Argo 596.024. *+ Gloria (n° 1) RV 588.*

** Jennifer Smith, Wally Staempfli (s), Hanna Schaer (c), Ensemble vocal et instrumental de Lausanne, Michel Corboz. Erato STU 70.910. ⌧ MCE 70.910. Enregistré en 1974. *+ Kyrie RV597, Credo RV591.*

* Teresa Berganza (m), Lucia Valentini-Terrani (c), Ch. et Orch. New Philharmonia, Riccardo Muti. EMI VSM C 069-02.946. ⌧ C 269-02.946. Quadri. Enregistré en 1976/77. *+ Magnificat RV611.*

Il a fallu attendre Preston pour que le célèbre *Gloria* trouve enfin son interprétation de référence. Allégé des lourds attributs choraux traditionnels, et frémissant au rythme d'instruments baroques d'une couleur exceptionnelle, il exprime une poésie tendre et recueillie, qui doit beaucoup aux voix diaphanes, de Nelson et de Kirby. On entend la moindre nuance, grâce à une excellente définition des plans sonores. L'ensemble est d'une très grande musicalité.

George Guest est un chef inspiré, qui ne s'est pas laissé emporter par les thèmes galvanisants de ce *Gloria* , comme tant d'autres. Démontant le mécanisme harmonique, lié à la conduite des voix choristes d'alto et de ténor, il donne une lecture d'une transparence étonnante, mais hors courants, sans prétention d'exactitude musicologique. Les parties de soprano et d'alto, confiées à des jeunes voix masculines, raviront ou dérouteront les connaisseurs de la tradition vénitienne. Pourtant, que cette version est belle, poétique, respectueuse de la charge mystique de l'œuvre.

Corboz a commencé son intégrale de la musique sacrée par ce disque, qui reste l'un des meilleurs. Le chœur est moelleux et ample à la fois, les solistes ont des voix mûres, un peu trop certainement, mais leur expression est sincère. L'orchestre chante et respire. Seul, le clavecin de la basse continue n'est pas dans la note, en manquant singulièrement de réserve. Une des meilleures versions sur instruments modernes, à placer sur un pied d'égalité avec celle de Negri et du Chœur John Alldis.

L'incursion d'un chef comme Muti, habitué à conduire les formations monumentales du répertoire romantique, dans le lumineux univers vivaldien, comporte certains risques. Celui, en particulier, d'une ampleur de conception, favorisée ici par le volumineux ensemble hypertrophié New Philharmonia. Muti n'y échappe pas. La vigueur dramatique qu'il insuffle à cette lourde masse convient au *Requiem* de Verdi, mais pas ici. Quant aux chanteuses, elles tombent dans le même piège, accumulant les effets théâtraux. C'est beau, mais pas vivaldien.

Intégrale de la musique sacrée avec chœurs : Beatus vir RV 597 (n° 1) et 598 (n° 2), Dixit Dominus RV 594 (n° 1) et 595 (n° 2), Kyrie RV 587, Lauda Jerusalem RV 609, Domine ad adjuvandum me RV 593, Gloria RV 588 (n° 1) et 589 (n° 2), Credo RV 591 (n° 1) et 592 (n° 2), Messe «Sacrum» RV 586, In exitu Israel RV 604, Laudate Dominum RV 606, Laetatus sum RV 607, Laudate Pueri RV 602, Magnificat RV 610/611 (2 versions).

*** Margaret Marshall (s), Felicity Lott (s), Sally Burgess (s), Ann Murray (m), Susan Daniel (ms), Anne Collins (c), Linda Finnie (c), Birgit Finnilä (c), Anthony Rolfe-Johnson (t), Robert Hall (b), Thomas Thomaschke (b), Ch. John Alldis, Orch. de Chambre Anglais, Vittorio Negri. Philips 6768.149 (7 d.) (intégrale). Ou (versions séparées) 6700.116 (2 d.) (vol. 1 : RV 597, 594, 636, 593, 587, 609) ; 6769.032 (2 d.) (vol. 2 : RV 586, 589, 642, 591, 604, 605, 606, 607) ; 6769.046 (3 d.) (vol. 3 : RV 635, 595, 592, 639, 588, 610/611, 602, 598). Enregistré en 1977, 1979 et 1980. *+ Introductions «Canta in prato» RV 636, «Ostra picta» RV 642, «Ascende laeta» RV 635, «Jubilate» RV 639.*

Vittorio Negri a compris l'importance de regrouper ces pages d'exception que renferme la musique sacrée avec chœurs de Vivaldi, qui constitue le plus beau, le plus profond, le plus puissant de toute sa production. L'inspiration des interprètes est à la mesure des œuvres. Exceptionnelle cohésion des voix mixtes et des solistes, intelligence des tempos, rondeur des cordes et précision du chef, qui placent chaque page sacrée dirigée par Negri au sommet de la discographie. Une intégrale d'une importance exceptionnelle, disponible également en trois coffrets séparés, dont le premier volume (compositions *«in due cori»)* réunit les pages à se procurer préférentiellement.

Intégrale des œuvres avec luth.

** Michel Amoric (liutino et théorbe), Ensemble Instrumental, Guy Robert. Adès 14.024. Enregistré en 1980.

Chaque œuvre avec luth trouve sous les doigts de Michel Amoric sa référence, grâce à une savante alchimie de timbres inouïs, reconstitués avec une patience de scribe par des artistes minutieux cherchant la plus grande exactitude dans leur lecture du texte. Mais l'apport considérable d'Amoric tient à l'emploi, pour la première fois sur disque, du *liutino*, instrument bizarre et inusité de la taille d'une mandoline et terriblement difficile à jouer sans plectre, dont la sonorité ténue, sans corps, mystérieuse, crée dans les mouvements lents un climat intimiste et mélancolique. A connaître.

Juditha Triumphans, oratorio.

*** Birgit Finnilä (Juditha), Julia Hamari (Holofernes), Elly Ameling (Vagaus), Ingeborg Springer (Abra), Annelies Burmeister (Ozias), Ensemble de Solistes de la Radio de Berlin, Orch. de Chambre de Berlin, Vittorio Negri. Philips 6747.173 (3 d.). Enregistré en 1974.

Negri signe avec *Juditha Triumphans* sa plus grande réussite en Vivaldi. Jouant sur les timbres recherchés des instruments rares, proposant une remarquable distribution féminine, il restitue pour la première fois la palette sonore authentique de l'oratorio. Le quatuor vocal est exceptionnel Finnilä, intensément émouvante, Ameling, éblouissante, Hamari, délicieusement tendre, et Burmeister, noble et grave ; seule, Springer déçoit un peu par sa froideur. Negri, chef étranger aux expressions violentes, trouve dans un climat «clair-obscur» une justesse de ton insoupçonnée.

Laudate Pueri RV601, Motets pour soprano «In furore» RV626, «Nulla in Mundo Pax» RV630.

** Magda Kalmár (s), Orch. de Chambre Franz Liszt, Frigyes Sándor. Hungaroton SLPX 11.632. Enregistré en 1975.

Magda Kalmár a une voix étonnante, toute de couleur et de fraîcheur. La hauteur redoutable du *Laudate Pueri* ne l'effraye pas. Elle décroche ingénument les notes les plus aiguës, part dans les vocalises les plus éblouissantes, et tout cela avec une idéale égalité de timbre, une diction flexible et souple. Une Stich-Randall atteignait en concert le sublime, dans ces pages ; Magda Kalmar nous en donne simplement une vision ensoleillée. Un trop court moment de bonheur.

Magnificat RV610/611.

*** Emilia Cundari, Angela Vercelli (s), Anna Maria Rota (c), Coro Polifonico di Torino, Orch. de Chambre Angelicum, Carlo Felice Cillario. Schwann 1.204 (RFA). + *Nisi Dominus.*

** Uta Spreckelsen, Verena Schweizer (s), Hanna Schaer (c), Ensemble Vocal et Orch. de Chambre de Lausanne, Michel Corboz. Erato STU 71.004. ⌧ MCE 71.004. Enregistré en 1976. + *Beatus Vir, Motets «Canta in Prato», «In Furore».*

Le *Magnificat* par Cillario reste encore inégalé, malgré son ancienneté. La ferveur des puissants chœurs à l'unisson, la profonde humanité des solistes créent une émotion profonde, dont l'œuvre ne se dépare à aucun moment. L'orgue apporte une note d'apaisement et de méditation remarquable. La prise de son est un peu réverbérée et manque de définition, mais le climat n'en souffre que modérément. Une très belle interprétation.

La version de Corboz est esthétiquement réussie. La technique moderne d'enregistrement crée une plénitude sonore très agréable. Musicalement, le phrasé et les nuances des chœurs sont travaillés avec soin. On peut cependant reprocher à Corboz des contrastes trop violents entre les interventions recueillies des chœurs, et une allégresse superficielle de certains airs solistes, pris à des tempos enlevés. L'atmosphère change alors brusquement, nuisant à une unité de conception. Une bonne version malgré tout.

Nisi Dominus RV608. Motets pour contralto «Invicti Bellate» RV628, «Longe mala umbrae terrores» RV629.

** Teresa Berganza (m), Orch. de Chambre Anglais, Antoni Ros-Marbà. Ensayo 809. Enregistré en 1973.

L'incursion de Berganza dans la musique sacrée de Vivaldi est un événement. Son tempérament dramatique, sa virtuosité impeccable donnent aux pages sacrées une nouvelle dimension. Cette voix chaude, sensuelle et veloutée captive. On en vient à oublier que cette musique est d'inspiration divine, et non pas écrite pour une scène d'opéra. Berganza sert-elle vraiment Vivaldi ? Sans doute, mais pas le compositeur liturgique. Un émouvant récital profane.

Orlando Furioso, opéra.

*** Marilyn Horne (Orlando), Vittoria de Los Angeles (Angelica), Lucia Valentini-Terrani (Alcina), Carmen Gonzales (Bradamante), Sesto Bruscantini (Ruggiero), Lajos Kozma (Medoro), Nicola Zaccaria (Astolfo), Ch. «Amici della Polifonia», I Solisti Veneti, Claudio Scimone. Erato STU 71.138 (3 d.). Enregistré en 1977.

Il fallait un Scimone, personnalité intensément dramatique, pour dévoiler l'irrésistible génie théâtral de Vivaldi. Très clairvoyant, il a su choisir un chef-d'œuvre d'un grand pouvoir poétique, et n'a pas hésité, courageusement, à rogner les airs et récits superflus, donnant ainsi une cohésion véritable à l'action. Mais rien n'aurait été possible sans Marilyn Horne, dont la prestation effrayante culmine dans la sublime scène de la folie. On attend ses airs avec fièvre. Elle fascine tant que les voix splendides de Bruscantini, Kozma et Valentini-Terrani, et celle un peu décevante de Los Angeles ne comptent plus. Un événement exceptionnel.

«Les Quatre Saisons», 4 concertos pour violon opus VIII n° 1 à 4.

❀*** Simon Standage, The English Concert, Trevor Pinnock. Archiv 2534.003. ⊠ 3311.003. Enregistré en 1981.

❀*** Alan Loveday (violon), Academy of St-Martin-in-the-Fields, Neville Marriner. Argo 596.018. ⊠ 4-396.152. Enregistré en 1969.

*** Alice Harnoncourt (violon), Concentus Musicus de Vienne, Nikolaus Harnoncourt. Telefunken 6.42500. ⊠ 4.42500. Enregistré en 1976.

** Pina Carmirelli (violon), I Musici. Philips 9514.275. Enregistré en 1982.

** Sigiswald Kuijken (violon), La Petite Bande. RCA Séon RL 30.397. ⊠ RK 30.397. Enregistré en 1979.

** Jaap Schröder (violon stradivarius, 1709), Concerto Amsterdam. Harmonia Mundi HMB 5129. Enregistré en 1970.

** Piero Toso (violon), I Solisti Veneti, Claudio Scimone. Erato NUM 75.054. Enregistré en 1982.

** Franco Fantini (violon), I Solisti di Milano, Angelo Ephrikian. Erato STU 70.380. Enregistré en 1967.

** Luigi Ferro, Guido Mozzato (violons), I Virtuosi di Roma, Renato Fasano. EMI VSM C 263-00.180. Enregistré en 1961.

L'English Concert, sur instruments anciens, conserve cet attrait tout britannique pour le feutré et le suggéré, au détriment d'une franchise dans le chant et l'expression spontanée. Le goût de Trevor Pinnock pour l'orgue ouaté à la basse, joli au demeurant, s'inscrit dans cette perspective. Simon Standage reste un violoniste sobre d'un bout à l'autre. Parfois trop. La netteté, la légèreté des archets ainsi que l'unité de la conception de Pinnock placent en tout cas cette version parmi les plus recommandables.

L'œuvre, sous la patte de Marriner, devient davantage la peinture d'un climat qu'un tableau descriptif à proprement parler. L'interprétation est neuve, extrêmement personnelle, mais jamais agressive. La transformation profonde est le fait de nuances presque imperceptibles, d'un nouvel équilibre sonore au sein de l'orchestre dont les basses sont étouffées, d'une manière particulière de tirer l'archet, de la réalisation inhabituelle de la basse continue, enfin, n'intervenant que pour apporter une couleur, un complément harmonique. Un succès prodigieux.

Le nom de Harnoncourt évoque pour certains le Malin en personne. Ces *Quatre Saisons* semblent leur donner raison. Comment parvient-il avec les simples cordes à rendre palpable le chant des oiseaux, la musette nasillarde ou les titubements de l'ivrogne ? Les sons les plus impossibles sont tirés de ces instruments anciens décidément irremplaçables pour faire vivre la musique descriptive. A écouter, par précaution, avant d'acheter...

Dernière en date de leurs interprétations des *Quatre Saisons*, cette version de I Musici déroute. Avec le sang neuf qui coule maintenant dans leurs veines, la tradition du grandiose, des nuances léchées, des tempos retenus entre dans le passé. Ils ont écouté, assimilé et sublimé Marriner, travaillé le descriptif de la partition, restauré les couleurs vives, peaufiné les détails. Pina Carmirelli surpasse presque toujours en qualités expressives Felix Ayo et sa version légendaire de 1959. La meilleure version «traditionnelle».

La version Kuijken développe une musicalité introspective, finement mélodieuse, qui n'a pas d'équivalent pour les enregistrements sur instruments anciens. Délaissant l'audace, le suggestif, l'imagination véhémente de Harnoncourt, la Petite Bande suit les chemins peu fréquentés de la poésie, adopte les couleurs douces d'une Venise en arrière-saison. Le Vivaldi de Kuijken est plus intime que brillant.

La version de Schröder est aux instruments anciens ce que celle de Fasano reste aux instruments modernes : un modèle de simplicité, de clarté, de justesse et de bon goût. Un violon fin, tranchant comme un fil, avec un faible pour l'ornementation riche et inventive, un orchestre rayonnant de gaîté, aux sonorités limpides, respectant à la lettre l'édition d'Amsterdam. Une très jolie version.

La «patte» de Claudio Scimone irritera toujours les allergiques des saveurs sucrées, des nuances suaves, des brusques changements de tempos à l'intérieur d'un mouvement. L'attaque de l'*hiver* fera jaser plus d'un puriste, avec ses frémissements d'archets transis. Quoiqu'il en soit, le style «Scimonien» enchante bien des mélomanes, qui raffolent de tels petits effets et surtout de la tendresse, de la chaleur humaine qui émanent de ses interprétations. Cette récente version des *Saisons* est sa meilleure, avec un Piero Toso remarquable, un orchestre plus homogène que par le passé, et une conception de l'œuvre qui gagne en sagesse et en vérité, surtout dans l'ornementation de la partie soliste.

Si la version des Solisti di Milano n'atteint pas le sublime, elle est pourtant profondément originale par la sincérité de sa conception, et une réalisation très attachante. Habité par un souci constant de respecter à la lettre les intentions de Vivaldi, Ephrikian s'est penché sur les éditions originales des *Saisons*, pour nous livrer une lecture analytique, précise jusqu'à l'anecdote. La musique coule avec simplicité et naturel. Les phrasés sont idéaux, les nuances bien choisies. Le soliste ne peut pas rivaliser, cependant, avec un Felix Ayo. Une interprétation pudique et élégante.

La couleur des archets de Fasano, le poète, est exceptionnelle. Chaque phrase est chantée à l'italienne, avec passion mais sans faute de goût, avec douceur mais sans mièvrerie. Fasano s'éloigne du descriptif pour s'émerveiller dans les moments d'émotion naissant au détour de telle figure, telle nuance, telle variation de tempo. Mozzato, soliste extraverti, se voit confié les «saisons» extrêmes. Ferro, à la sensibilité délicate, chante les «saisons» douces. Une version très fine, la plus belle pour certains.

La Senna Festegiante, sérénade.

*** Lella Cuberli (L'Età dell'oro), Helga Müller (La Virtù), Siegmund Nimsgern (La Senna), Capella Coloniensis, Claudio Scimone. Italia ITL 70.053. Enregistré en 1978.

Scimone, riche de son expérience théâtrale, nous fait découvrir maintenant une des trois Sérénades, mais sans son orchestre... et avec des instruments anciens qu'il fait, il est vrai, respirer à sa façon, de telle sorte que leur sonorité rappelle contre toute attente celle des Solisti Veneti. Les voix sont remarquables : Cuberli, lumineuse et sans artifice, Müller, sombre et chaude, et surtout Niemsgern, à la tessiture impressionnante, et capable des plus belles agilités. Un succès complet.

«Serenata a tre».

*** Grete Rapisardi-Savio (Eurilla), Silvanna Zanolli (Nice), Alfredo Bianchi (Alcindo), Orch. da Camera di Milano, Edwin Loehrer. Vox PL 7.990 (sup.). Mono. Enregistré en 1952.

*** Petya Grigorova (Eurilla), Marjorie Vance (Nice), Kurt Spanier (Alcindo), Clemencic Consort, René Clemencic. Harmonia Mundi HM 1066/67 (2 d.). Enregistré en 1980.

Révélée jadis par cette antique interprétation de Loehrer, cette délicieuse Sérénade est une sorte d'opéra miniature renfermant des airs splendides, qui met en scène deux adorables nymphes et un jeune berger. Pourra-t-on renouveler pareil enchantement ? Les voix sont légères et ensoleillées. Loehrer sait suggérer avec un goût parfait les nuances subtiles, trousser avec verve les mélodies populaires et s'attendrir sur les chansons d'amour. Nous aimerions nous replonger dans ce bain de jouvence. Ce disque sera-t-il réédité ?

La version de Clemencic a de sérieux atouts : un texte intégral, des instruments anciens de belle facture et des voix splendides, avec une mention particulière pour Kurt Spanier, mémorable Alcindo. Le clavecin de Clemencic est un régal dans les récits. Il manque pourtant un soupçon de malice et d'esprit dans les airs pour que le miracle de la version Loehrer se produise à nouveau.

Les Sinfonie d'opéras (Ouvertures), intégrale.

** I Solisti Veneti, Claudio Scimone. Erato STU 71.215. ⌧ MCE 71.215. Enregistré en 1978.

Voici par Claudio Scimone la première intégrale des Ouvertures d'opéras. La réalisation est très poétique et respecte assez fidèlement le texte, hormis quelques fantaisies interprétatives, comme l'adjonction de deux cadences ou de surprenantes variations de tempo. Dans les *sinfonie* d' *Ottone in Villa*, *Armida* et *La Verità in Cimento,* l'expressivité dramatique des Solisti Veneti est superbe. Bien des passages de ces courtes pages instrumentales sont du grand Vivaldi.

12 Sonates pour 2 violons et basse continue opus I.

*** Mario Ferraris, Ermanno Molinario (violons), Antonio Poccaterra (violoncelle), Maria Sorelli (clavecin et orgue). Ars Nova C2S/170 (2 d.) (Italie). Enregistré en 1969.

Hormis Ferraris et Molinario, les austères Sonates de l'Opus I n'ont attiré que peu d'interprètes. Leur abord est difficile, il est vrai, mais leurs richesses sont inépuisables pour qui sait en découvrir les beautés. Ces musiciens imaginatifs n'hésitent pas à traiter plusieurs pages du recueil en authentiques trios à cordes, délaissant le clavier, donnant au violoncelle un rôle prépondérant ; le tout avec une musicalité superbe. A l'écoute, on ne peut pas douter que Vivaldi, en novateur génial, pensait à une telle formation, d'une modernité insensée pour l'époque. De la belle musique de chambre.

12 Sonates pour violon et basse continue opus II.

** Dénes Kovacs (violon), Janos Sebestyen (clavecin), Maria Frank (violoncelle). Hungaroton LPX 11.387/88 (2 d.) (étr.). Enregistré en 1968.

Dénes Kovacs a un tempérament slave. Les sages Sonates de l'Opus II ont besoin de cette chaleur, de cette générosité pour prendre vie. Légèrement acidulé, le violon a une sonorité plaisante mais un vibrato un peu serré. Le phrasé est souple, l'équilibre entre le soliste et la basse continue, exemplaire. L'intérêt ne baisse jamais au fil des douze pages, que l'on peut écouter d'un trait avec un plaisir constant, malgré une prise de son trop agressive.

6 Sonates pour violon et basse continue «dédiées à Pisendel» en ut majeur RV 2, ut mineur RV 5 et 6, fa majeur RV 19, sol majeur RV 25, la majeur RV 29.

** Franco Gulli (violon), Antonio Pocaterra (violoncelle), Vera Luccini (clavecin). Harmonia Mundi HM 324/325 (2 d.). Enregistré en 1970.

Gulli réunit dans cet excellent enregistrement les six Sonates composées en 1716 par Vivaldi pour son élève Pisendel. Toutes les ressources techniques de l'école vénitienne y sont utilisées : figures acrobatiques, doubles cordes, tendres cantilènes à l'italienne issues de l'opéra. On chercherait vainement une noblesse d'inspiration comme chez Bach. Le propos de Vivaldi est ailleurs. Gulli le comprend bien et ne surcharge pas le discours d'intentions pompeuses; il joue simplement, avec beaucoup de chic et une musicalité sans faille. Ces pages ne demandent rien de plus.

4 Sonates pour violon et basse continue «dédiées à Pisendel» RV 2, 6, 25 et 29.

** Daniel Stepner (violon), Laura Jeppesen (viole de gambe), John Gibbons (clavecin). Harmonia Mundi HMB 1088. Enregistré en 1981.

Avec la phalange soudée du Boston Museum Trio, le soleil vivaldien illumine ces Sonates pour violon dédiées à Pisendel, alternant les temps de hargne et de douceur nonchalante, au gré des mouvements lents et rapides. Très mélodiques, ces pages sont admirablement servies par des instruments anciens vigoureux, légers de pâte, et bien adaptés à une ornementation complexe, caractéristique des Sonates pour violon de Vivaldi. Une approche juste, très homogène de conception.

Sonates pour violon et basse continue en ré mineur Op. II n° 3, en ut majeur RV 2. Sonates pour 2 violons et basse continue en ré mineur Op. I n° 8, en la majeur Op. I n° 9.

*** Vladimir Spivakov, Anatoli Sheinyuk (violons), Yuli Turovsky (violoncelle), Sergei Dizhur (clavecin) Odyssey-Melodyia Y 35212 (USA). Enregistré en 1975.

Vladimir Spivakov nous offre ici la plus belle anthologie de Sonates pour violon jamais consacrée à Vivaldi. La technique est parfaite, comme toujours à l'Ecole de Moscou. Mais c'est par-dessus tout cette sonorité éblouissante, chatoyante et sensuelle qui force notre adhésion. Et quel sens de la danse, quels contours abrupts, vigoureux, frémissants de vie ! La basse continue est très belle. Une réalisation enthousiasmante.

6 Sonates pour violoncelle et basse continue RV 40, 41, 43, 45, 46, 47.

*** Paul Tortelier (violoncelle), Robert Veyron-Lacroix (clavecin). Erato EPR 15.518. Enregistré en 1964.

Ces Sonates, admirablement servies par ›rtelier, constituent les chefs-d'œuvre :ontestés de la musique de chambre vival-ènne. L'interprétation est à la mesure de ır hauteur d'inspiration. Digne et grave, le oloncelle chante avec noblesse, prend amples respirations, mais ne s'abaisse ja-ais aux accents dramatiques. L'expression ste retenue. Veyron-Lacroix s'accorde bien ec le tempérament du violoncelle, et cisèle ıe basse continue d'une parfaite justesse de n. Un grand disque.

Sonates pour violoncelle et basse con-ıue RV 40, 44, 45 et 46.

* Wouter Möller (violoncelle), Lidwey Scheifer (violoncelle continuo), Bob van Asperen (clavecin et orgue). EMI VSM 1C 067-43219.

Le violoncelle italien de Wouter Möller, fort bel instrument signé J. F. Celoniatus, ›nne réservé, introverti, noyé quelquefois ıns la brume de l'orgue positif, dans ces ›nates où l'interprétation de Tortelier n'est mais dépassée, ni même égalée. Il manque souffle, la capacité de jouir d'une phrase élodique pleine de vie, sans céder à la tention facile du tricotage frénétique et halent de l'archet. L'esthétique d'ensemble ste belle, et le texte est scrupuleusement specté par les instruments anciens, mais löller reste toujours en deçà de ses qualités :pressives.

tabat Mater RV621.

❀*** Aafje Heynis (c), I Solisti di Milano, Angelo Ephrikian, Telefunken 641.256 AW (RFA, USA). Ou Ars Nova VST 6141 (Italie). Enregistré en 1966. + *Sinfonia RV169 et Sonate à 4 RV130 «al Santo Sepolcro», 2 Introductions au Miserere «Non in Pratis» RV641, «Filiae Mestae» RV638.*

** Livia Budai (c), Orch. de Chambre Franz Liszt, Frigyes Sandór. Hungaroton SLPX 11.750. Enregistré en 1976. + *Motet «Longe mala umbrae terrores» RV629.*

** Naoko Ihara (c), Orch. de la Fondation Gulbenkian de Lisbonne, Michel Corboz. Erato STU 71.018. ⊠ MCE 71.018. Enregistré en 1976. + *Dixit (n° 2) «in due cori».*

* James Bowman (hc), The Academy of Ancient Music, Christopher Hogwood. Oiseau-Lyre 595.081. Enregistré en 1975. + *Nisi Dominus, Concerto pour cordes RV153.*

Aafje Heynis signe peut-être son plus bel enregistrement avec ce *Stabat.* Comment ne pas être bouleversé par la couleur unique de cette voix d'une sensibilité exacerbée, à la fois humaine et divine, brûlant de douleur comme la mère du Christ, clamant son amour pour ce fils qu'elle vient de perdre ? La douce déploration de l'orgue et des archets, qui enveloppent sa confession, est sobre. Elle ne mérite, elle aussi, que des éloges. Une version dépouillée mais profonde.

Livia Budai n'a pas la puissance d'émotion d'Aafje Heynis. Sa voix chaude, colorée, est faite pour le plaisir et ne convient pas au drame de la Passion. On ne peut cependant pas rester insensible devant cette conception tendre et sincère. La rondeur des cordes, comme la réalisation de l'orgue, sont de toute beauté. La compassion de Notre-Dame devient ici une douce prière d'amour humain.

Michel Corboz donne de ce *Stabat* une vision particulière. Nous ne vivons pas l'affliction de Marie, nous méditons sur ses souffrances dans un climat d'apaisement et d'humilité que des cordes souples, très *legato,* s'abstiennent de troubler. La voix de Naoko Ihara est veloutée, très mûre, avec un *vibrato* assez ample. Elle n'exprime ni douleur, ni déchirement. Plutôt une grande tristesse. Elle reste détachée du monde.

Avec un autre que Bowman, cette déploration chantée par une voix de haute-contre pourraît devenir ridicule. Il réussit le prodige de la rendre crédible. Son art vocal exceptionnel, la douceur de son timbre, la simplicité de son expression rendent son interprétation émouvante. Les longs gémissements sans *vibrato* des archets baroques accompagnent sa douleur. Une version à part.

Vranicky, Pavel
(1755-1808)

La Chasse, pour piano, instruments à vent et percussions op. 44.

** Frantisek Vajnar (piano), Collegium Musicum de Prague. Supraphon 1-11-1.854 (étr.). + *Anonyme XVIIIe. Fiala : Divertimento. Kozeluch : Chasse au sanglier. Ondrej : Pièces instrumentales. Rosetti : Pour la chasse. Stamitz : Double écho.*

Ce disque ressuscite - toujours à bon escient - des œuvres de compositeurs de Bohême autour du thème de la chasse. Parmi eux, Vranicky se distingue pour sa *Chasse* où le piano, combiné avec les vents et les percussions, produit un effet splendide ; il est dommage que le pianiste ait un jeu un peu scolaire et extérieur. A signaler que tout est joué sur instruments d'harmonie, même les morceaux destinés à la trompe nature
Mais le style et la musicalité des interprè
sont exemplaires, et la prise de son a le gra
mérite de ne pas chercher un effet mat
plein air.

Grande Symphonie en ut majeur «J
de la nation hongroise» op. 11.

** Orch. de Chambre Hongrois, V
mos Tátrai. Hungaroton SLPX
656. + *Mozart : Divertimentos.*

Le successeur du grand Haydn à Esterh
ne s'aventurait guère hors des limites styli
quement permises par le bon goût. Toutef
sa grande Symphonie ne manque pas de q
lités. L'*allegro* initial prend des dimensi
de sinfonia d'ouverture, avec une atmosph
de danse. Si le mouvement central n'écha
pas au style galant, le finale voit l'un
premiers exemples d'utilisation du folkl
ici hongrois, dans une œuvre classique. L'
terprétation, incisive et dynamique, est id
lement adaptée à ce répertoire.

W

Wagner, Richard
(1813-1883)

Anthologie : Le Crépuscule des Dieux (Lever du jour, Voyage de Siegfried, Marche funèbre), Tristan et Isolde (Prélude), La Walkyrie (Adieux de Wotan et Incantation du feu).

*** George London (b), Orch. Phil. de Vienne, Hans Knappertsbusch. Decca 592.056. ⌧ 4-592.056.

L'investissement dans ce disque est tel qu'après cette vision il est difficile d'écouter Wagner d'une même façon. Knappertsbusch était aussi une légende de Bayreuth, cette réédition nous le rappelle. Quant à George London, il nous rappelle, lui aussi, ce qu'était son Wotan.

Anthologie chorale : Chœurs du Crépuscule des Dieux, de Lohengrin, du Vaisseau Fantôme, de Parsifal et des Maîtres Chanteurs de Nuremberg.

*** Ch. et Orch. du Festival de Bayreuth, Wilhelm Pitz. DG 2538.034.

Profondément influencé par la tragédie grecque, Wagner a fait du chœur d'opéra un protagoniste à part entière de l'action musicale et dramatique. C'est en 1951, à la réouverture du Festival de Bayreuth, que Wilhelm Pitz s'est vu confier la tâche de recruter, de former et de diriger chaque année le Chœur du Festival. Dans des pages d'une grande difficulté d'exécution, le résultat, enregistré à Bayreuth même, est exemplaire.

Anthologie orchestrale : Ouvertures du Vaisseau Fantôme et de Tannhäuser, Prélude de Lohengrin, Chevauchée des Walkyries, Voyage de Siegfried sur le Rhin et Marche Funèbre du Crépuscule des Dieux, Ouverture, Prélude de l'acte III et Danse des Apprentis des Maîtres Chanteurs, Préludes des actes I et III et Mort d'Isolde de Tristan et Isolde, Prélude et Enchantement du Vendredi Saint de Parsifal, Siegfried Idyll.

*** Orch. Phil. de Berlin et de Vienne, Orch. Philharmonia, Wilhelm Furtwängler. EMI Da Capo C 147-01.197/99 (3 d.). Mono. Enregistré en 1938, 1949, 1950 et 1954.

Anthologie orchestrale : Disque I : Ouvertures et Préludes de Rienzi, Le Vaisseau Fantôme, Tannhäuser, Lohengrin (acte I). Disque II : Prélude de Lohengrin (acte III), Prélude et Mort d'Isolde, Ouverture, Entrée des Maîtres et Danse des Apprentis des Maîtres Chanteurs, Marche funèbre du Crépuscule des Dieux. Siegfried Idyll. Disque III : Prélude de l'acte III de Tannhäuser, Entrée des Dieux au Walhalla de l'Or du Rhin, Chevauchée des Walkyries, Murmures de la Forêt, Voyage de Siegfried sur le Rhin, Prélude de Parsifal.

*** Orch. Philharmonia, Otto Klemperer. EMI VSM C 069-00.498. ⌧ C 269-00.498, C 069-01.356. ⌧ C 269-01.356, C 069-00.567. ⌧ C

069-00.567. ⌧ C 269-00.567 (3 d. ou 3 c. séparés). Enregistré en 1960.

Anthologie orchestrale : Faust Ouverture, Prélude de l'acte I de Lohengrin, Ouvertures de Rienzi, Le Vaisseau Fantôme, Entrée des Dieux de l'Or du Rhin, Chevauchée et Musique du feu de la Walkyrie, Murmures de la Forêt de Siegfried, Voyage de Siegfried et Marche funèbre du Crépuscule des Dieux.

** Orch. de Cleveland, Georges Szell. CBS 78.227 (2 d.).

Anthologie orchestrale : Ouverture du Vaisseau fantôme, Préludes de l'acte I et de l'acte III de Lohengrin, Prélude et Mort d'Isolde de Tristan et Isolde.

** Orch. Phil. de Vienne, Karl Boehm. DG 2531.288. ⌧ 3301.288. Enregistré en 1975 et 1980.

Anthologie orchestrale. Disque I : Siegfried Idyll, Ouverture et Bacchanale de Tannhäuser, Préludes de l'acte I de Lohengrin. Disque II : Ouverture du Vaisseau Fantôme, Prélude de l'acte I des Maîtres Chanteurs, Prélude et Enchantement du Vendredi Saint de Parsifal.

** Orch. Symph. Columbia, Bruno Walter. CBS 76.610. ⌧ 40-76.610 et 75.143. ⌧ 40-75.143 (2 d. ou 2 c. séparés).

Anthologie orchestrale : Ouverture de Tannhäuser, Prélude et Mort d'Isolde de Tristan et Isolde, Ouverture des Maîtres Chanteurs, Faust Ouverture.

** Orch. Phil. de New York, Pierre Boulez. CBS 76.215 ⌧ 40-76.215. Enregistré en 1973.

Les chefs d'orchestre, les organisateurs de concerts et, il faut bien le dire, l'impact de la musique de Wagner ont popularisé l'exécution et l'audition des Préludes, des Ouvertures et des interludes orchestraux, hors de leur contexte, c'est-à-dire la représentation ou l'audition d'un opéra dans sa totalité. On ne compte plus les enregistrements de ces pages célébrissimes, confiées aux baguettes les plus prestigieuses. Noblesse du ton, sens des proportions, restitution de la polyphonie wagnérienne, Furtwängler, chef de l'épique et du drame, s'y montre dans ses plus hautes œuvres. Il s'agit là d'enregistrements historiques au plein sens du terme.

L'anthologie en trois disques composée par Klemperer forme un tout cohérent et présente toutes les grandes pages symphoniques des opéras, augmentées de *Siegfried Idyll.* A l'opposé de trop fréquentes exécutions exclusivement virtuoses et souvent bavardes : la musique, rien que la musique, mais toute la musique.

Chez Szell, un aspect négatif : deux pages dans lesquelles le manque de la voix se fait cruellement ressentir (Les Murmures de la Forêt, la Musique du feu). En revanche, de nombreux points positifs : l'Ouverture de *Faust,* rarement enregistrée, une grande phalange américaine superbement captée, un chef qui sait ne pas en faire trop, un album en catégorie économique.

Chez Boehm, c'est la clarté qui suscite la tension émotionnelle dans ses interprétations de Wagner. Un Wagner sans ombre, sans les apparences du mystère, un Wagner au seuil de la violence qu'on a toujours l'impression de redécouvrir, d'approfondir.

Grand chef viennois, admirable dans Mozart, Bruno Walter montre qu'il y a place pour un Wagner humain, comme en témoigne la tendresse mise au service de *Siegfried Idyll,* œuvre heureuse. Par ailleurs, l'Ouverture de *Tannhäuser* est enchaînée avec la Bacchanale du Venusberg, selon la version que Wagner choisit de faire représenter à l'Opéra de Paris. L'humanité de Walter se retrouve dans l'Enchantement du Vendredi Saint, malheureusement sans la voix du vieil écuyer Gurnemanz, qui initie Parsifal aux beautés de la nature au printemps.

Le programme de Pierre Boulez a été enregistré après les débuts du chef français à Bayreuth, où il avait dirigé *Parsifal* à la demande de Wieland Wagner, et avant les célèbres représentations de la *Tétralogie* mise en scène par Patrice Chéreau. Des œuvres présentées ici, seul *Tristan* avait été donné par Boulez au Japon. Un orchestre virtuose, mais une lecture radicale, une remise en cause des idées reçues.

Anthologie vocale : Monologues du Vaisseau Fantôme et de Parsifal, Adieux de Wotan de la Walkyrie.

❁*** Dietrich Fischer-Dieskau (bar) Orch. de la Radio Bavaroise, Rafaël Kubelik. EMI VSM C 069-02.969 Quadri. Enregistré en 1977.

Anthologie vocale : «Les grandes voix wagnériennes». Extraits de Lohengrin (Rêve d'Elsa), Les Maîtres Chanteurs (Chants de répétition et de concours), Tannhäuser (Air d'Elisabeth, Discours du Landgrave, Romance à l'Etoile, Retour de Rome), Le Vaisseau Fantôme (duo Erik-Senta, Rêve d'Erik), Tristan et Isolde, (Duo d'amour, Appels de Brangäne), La Walkyrie (Air de Siegmund et Duo de l'acte I, Prélude de l'acte II. Entrée de Wotan et de Brünnhilde, Adieux de Wotan).

** Gundula Janowitz, Evelyn Lear, Birgit Nilsson, Régine Crespin, Helga Dernesch (s), Christa Ludwig (m), Jess Thomas, James King, Jon Vickers, Wolfgang Windgassen (t), Thomas Stewart, Dietrich Fischer-Dieskau (b), Théo Adam (b). Orch. Opéra de Berlin, Ferdinand Leitner, Otto Gerdes ; Orch. Phil. de Berlin, Herbert von Karajan; Orch. Festival de Bayreuth, Karl Boehm; Orch. Symph. de Bamberg, Hans Löwlein. DG 2705.015 (2 d.). Enregistré de 1960 à 1964.

Anthologie vocale : airs pour ténor extraits du Crépuscule des Dieux (scène de Siegfried et des Filles du Rhin, Mort de Siegfried), de Rienzi (scène de l'acte I, Prière de Rienzi), Tannhäuser (scènes des actes I et II, Retour de Rome), Tristan et Isolde (scène Tristan-Kurwenal. Mort de Tristan), La Walkyrie (air et scènes de l'acte I).

** Max Lorenz (t), Orch. Opéra de Berlin, Robert Heger ; Orch. Symph. de Radio-Berlin, Arthur Rother ; Orch. Opéra de Dresde, Karl Elmendorff. Acanta 22-22.120 (2 d.). Mono. Enregistré de 1941 à 1944.

Artiste aux multiples facettes (mélodie, oratorio, opéra), Fischer-Dieskau présente trois rôles essentiels de la dramaturgie wagnérienne. Un souffle d'une exceptionnelle longueur, un sens étonnant de la caractérisation psychologique des personnages compensent ce que la voix n'a pas d'exactement wagnérien sur le plan du volume et de la puissance dans le registre grave. Le commentaire orchestral sans emphase superflue, la prise de son sans effets inutiles, concourent à la réussite de l'un des plus importants disques wagnériens de l'après-guerre.

En un panorama plus resserré que celui consacré au centenaire de Bayreuth, celui des «grandes voix wagnériennes» réunit les étoiles du «nouveau Bayreuth», relancé en 1951 par Wieland et Wolfgang Wagner, petits-fils du compositeur. Ce type de sélection est, par définition, contestable, mais il constitue une excellente propédeutique pour qui souhaiterait faire connaissance avec un univers musical unique.

De par l'importance de l'orchestre, de par la longueur des œuvres, donc des rôles, de par l'écriture, enfin, Wagner est à l'origine de nouvelles tessitures vocales. Cela est particulièrement vrai pour la voix de ténor. Max Lorenz fut l'une des plus éclatantes illustrations de cette voix, baptisée «ténor héroïque» ou «Heldentenor» en allemand, qui doit pouvoir être capable des plus subtiles nuances tout autant que de vaillance.

«Le Centenaire de Bayreuth» : pages orchestrales et vocales des dix grands opéras, enregistrées au Festspielhaus de Bayreuth, au Covent Garden de Londres, au Metropolitan Opera de New York et par la Radio de Berlin.

❀*** Frida Leider, Maria Müller (s), Karin Branzell, Margarete Klose (m), Max Lorenz, Lauritz Melchior, Franz Volker (t), Rudolf Bockelmann, Herbert Janssen, Jaro Prohaska, Friedrich Schorr, Hans Reinmar (bar), Josef von Manowarda, Ludwig Hoffmann (b) ; Orch. du Festival de Bayreuth. Hermann Abendroth, Karl Elmendorff, Franz von Hoesslin, Wilhelm Furtwängler, Richard Strauss, Hans Tietjen, Richard Kraus ; Ch. et Orch. Opéra de Berlin, Robert Heger, Wilhelm Furtwängler. Hans Knappertsbusch ; Orch. Symph. Radio de Berlin, Arthur Rother ; Orch. Opéra de Königsberg, Wolfgang Brückner, Orch. Covent Garden de Londres, Wilhelm Furtwängler ; Orch. Metropolitan Opera de New York, Erich Leinsdorf, Arthur Bodansky. Acanta HB 22 863 (4 d.). Mono. Enregistré de 1931 à 1944.

Très marquée par le style des représentations théâtrales, l'interprétation wagnérienne a subi de grandes mutations dont le disque, depuis son avènement, est le témoin fidèle. Ce recueil des incarnations des principaux chanteurs de l'avant-guerre est, à cet égard, un document. Mais il est plus que cela, et renferme quelques références absolues de certaines pages : la scène finale de *Parsifal* sous la direction de Richard Strauss, la ballade de Senta chantée par Maria Müller, la conclusion de l'acte II du *Crépuscule des Dieux* avec Lauritz Melchior, Herbert Janssen et Frida Leider, galvanisés par la direction de Wilhelm Furtwängler. La restitution technique de ces documents est remarquable.

Le Crépuscule des Dieux.

*** Birgit Nilsson (Brünnhilde), Wolfgang Windgassen (Siegfried), Josef Greindl (Hagen), Ludmilla Dvořáková (Gutrune), Martha Mödl (Waltraute), Thomas Stewart (Gunther), Gustav Neidlinger (Alberich), Dorothea Siebert (Woglinde), Helga Dernesch (Wellgunde), Sieglinde Wagner (Flosshilde), Marga Höffgen, Annelies Burmeister, Anja Silja (les Nornes), Ch. et Orch. du Festival de Bayreuth, Karl Boehm. Philips 6747.049 (5 d.). Enregistré en 1966.

*** Birgit Nilsson (Brünnhilde), Wolfgang Windgassen (Siegfried), Gottlob Frick (Hagen), Claire Watson (Gutrune), Christa Ludwig (Waltraute), Dietrich Fischer-Dieskau (Gunther), Gustav Neidlinger (Alberich), Lucia Popp (Woglinde), Gwyneth Jones (Wellgunde), Maureen Guy (Flosshilde), Helen Watts, Grace Hoffman, Anita Välki (les Nornes), Ch. de l'Opéra de Vienne, Orch. Phil. de Vienne, Georg Solti. Decca 390.064 (6 d.). ✉ 4-390.064 (6 c.). Enregistré en 1965.

** Helga Dernesch (Brünnhilde), Helge Brilioth (Siegfried), Karl Ridderbusch (Hagen), Gundula Janowitz (Gutrune), Christa Ludwig (Waltraute), Thomas Stewart (Gunther), Zoltán Kélémen (Alberich), Liselotte Rebmann (Woglinde), Edda Moser (Wellgunde), Anna Reynolds (Flosshilde), Lili Chookasian, Christa Ludwig, Caterina Ligendza (les Nornes), Ch. de l'Opéra de Berlin, Orch. Phil. de Berlin, Herbert von Karajan. DG 2740.148 (6 d.). Enregistré en 1970.

* Kirsten Flagstad (Brünnhilde), Set Svanholm (Siegfried), Egil Nordsjø (Hagen), Ingrid Bjoner (Gutrune), Eva Gustavson (Waltraute), Waldemar Johnson (Gunther), Per Grönneberg (Alberich), Unni Buge Hansen (Woglinde), Karen Marie Flagstad (Wellgunde), Beate Asserson (Flosshilde), Eva Gustavson, Karen Marie Flagstad, Ingrid Bjoner (les Nornes), Orch. Phil. d'Oslo et de la Radio Norvégienne, Oivin Fjelstad. Decca 115.381/6 (6 d.) (sup.). Mono. Enregistré en 1956.

Le Crépuscule des Dieux : scène finale

*** Kirsten Flagstad (Brünnhilde), Orch. Philharmonia, Wilhelm Furtwängler. EMI VSM Da Capo 047-01.149 (étr.). Mono. Enregistré en 1952 et 1953. *+ Siegfried : Duo du troisième acte.*

L'enregistrement de Boehm est marqué par un interprète de génie, Josef Greindl dans le rôle de Hagen. Tout le machiavélisme, toute la noirceur du personnage, ultime recours des Niebelungen pour rentrer en possession de l'Or est traduit par cet interprète terrifiant. A noter la Waltraute de Mödl, qui fut, elle aussi, une grande Brünnhilde à Bayreuth. Les lignes de force choisies par Boehm pour sa *Tétralogie* ne se démentent pas au terme du parcours. Tout tendait, dès le départ, vers la scène finale de la rédemption par l'amour, à laquelle Boehm donne un lyrisme extraordinaire. Cette version compte cinq disques au lieu de six pour les autres.

Solti, lui non plus, ne s'éloigne pas de l'optique choisie. Dans le *Crépuscule*, l'un des ouvrages les plus difficiles qui soient, de l'aveu même des chefs d'orchestre, où la superposition des thèmes est d'une extrême complexité, Solti se joue de toutes les embûches. Sa vision est d'une constante grandeur. Le second acte de Nilsson, moins «engagée» qu'avec Boehm, est un rare moment de chant wagnérien. Gottlob Frick «en fait» beaucoup dans Hagen ; le reste de la distribution est parfait.

Karajan conclut l'entreprise également selon ses options. Le tissu orchestral tire un grand bénéfice de la transparence de la direction. Tout est présent et clair, d'un raffinement sonore confondant. Seule ombre au tableau, un Siegfried insignifiant. Karl Ridderbusch possède une trop belle voix pour le sinistre Hagen ; les autres protagonistes sont excellents. Si Boehm a choisi le conflit des passions, Solti celui de la volonté de puissance, Karajan a montré, mais c'est une voie où lui seul et Pierre Boulez sont allés, que l'on pouvait faire quelque chose de radicalement différent de ce que l'on a coutume d'entendre.

L'enregistrement dirigé par Fjelstad, longtemps unique au catalogue, vaut pour Flagstad, impériale ; mais celle-ci est mal entourée à l'exception de Bjoner et de Svanholm. On peut connaître ce témoignage, qui n'est en aucun cas une priorité.

La scène finale du *Crépuscule* avec Flagstad, dirigée par Furtwängler, est l'un des «mémorables» du disque. Au revers, sous la direction de George Sebastian, le duo de Siegfried avec Svanholm.

Lohengrin.

*** Jess Thomas (Lohengrin), Elisabeth Grümmer (Elsa), Christa Ludwig (Ortrud), Dietrich Fischer-Dieskau (Telramund), Gottlob Frick (le Roi Henri), Otto Wiener (le Héraut). Ch. de l'Opéra de Vienne, Orch. Phil. de Vienne, Rudolf Kempe. EMI VSM C 161-00.017/21 (5 d.). ⌧ TC-SLS 5.071 (3 c.). Enregistré en 1962.

*** Jess Thomas (Lohengrin), Anja Silja (Elsa), Astrid Varnay (Ortrud), Ramon Vinay (Telramund), Franz Crass (le Roi Henri), Tom Krause (le Héraut). Ch. et Orch. du Festival de Bayreuth, Wolfgang Sawallisch. Philips 6747.241 (4 d.). Enregistré en 1962.

** Wolfgang Windgassen (Lohengrin), Eleanor Steber (Elsa), Astrid Varnay (Ortrud), Hermann Uhde (Telramund), Josef Greindl (le Roi Henri), Hans Braun (le Héraut). Ch. et Orch. du Festival de Bayreuth, Josef Keilberth. Decca D10 D5 (5 d.) (G-B). Mono. Enregistré en 1953.

** René Kollo (Lohengrin), Anna Tomova-Sintow (Elsa), Dunja Vejzovic (Ortrud), Siegmund Nimsgern (Telramund), Karl Ridderbusch (le Roi Henri), Robert Kerns (le Héraut), Ch. de l'Opéra et Orch. Phil. de Berlin, Herbert von Karajan. EMI VSM C 165-43.200/04 (5 d.).

Lohengrin, extraits.

** Franz Völker (Lohengrin), Maria Müller (Elsa), Margarete Klose (Ortrud), Jaro Prohaska (Telramund), Josef Hofmann (le Roi Henri), Ch. et Orch. de l'Opéra de Berlin, Robert Heger. Acanta 22-21.996 (2 d.). Mono. Enregistré en 1942.

Un climat recueilli et contemplatif, proche de *Parsifal*, dont Lohengrin est le fils. La distribution est irréprochable avec Elisabeth Grümmer inégalée en Elsa. Christa Ludwig et Fischer-Dieskau incarnent un couple maléfique sans caricature. Il faut mettre en évidence la prestation de l'Orchestre Philharmonique de Vienne, la splendeur et le moelleux de ses cordes. Un enregistrement de studio dans ce que cela peut avoir de meilleur.

Avec le second enregistrement, pris «sur le vif», nous voici au théâtre et qui plus est à Bayreuth. Jess Thomas est dans une forme vocale moins éclatante que précédemment, la voix d'Anja Silja plus stable mais tout aussi expressive qu'à l'accoutumée. Astrid Varnay et Ramon Vinay jouent le jeu du théâtre, avec une violence et des moyens vocaux inouïs. Les tempos adoptés par Sawallisch sont plus alertes que ceux de Kempe, mais les deux conceptions sont également défendables. La prise de son restitue admirablement l'acoustique du théâtre voulu par Wagner. Un enregistrement «live», dans ce que cela peut avoir de meilleur. Une mise en disque économique, un disque de moins que de coutume. Le public de Bayreuth ne s'est pas trompé sur cette représentation, les applaudissements, fait rarissime, ne laissent pas s'achever la musique, à la fin du second acte.

A nouveau la colline sacrée, neuf ans plus tôt. Keilberth met en lumière l'aspect merveilleux de l'œuvre. Astrid Varnay à son zénith est entourée par les artistes qui ont animé les Festivals de l'après-guerre et que l'on retrouvera pour d'autres ouvrages. Edition économique.

La version Karajan vaut surtout pour... Karajan et son fabuleux orchestre. L'œuvre acquiert sous sa direction une dimension et une richesse exemplaires, une puissance sans emphase, des coloris et une théâtralité inconnus ailleurs. La distribution est dominée par le Roi grandiose de Ridderbusch ; Dunja Vejzovic renouvelle complètement l'interprétation du personnage d'Ortrud, d'une beauté ensorcelante, et Siegmund Nimsgern campe un Telramund sonore et mordant. Mais Anna Tomova-Sintow manque quelque peu d'inspiration et d'enthousiasme, Robert Kerns est un héraut bien peu éclatant, et surtout, René Kollo, dans le rôle principal, se montre terriblement irrégulier. Les chœurs, eux, sont aussi exceptionnels que l'orchestre.

Sous la direction de Robert Heger, la très large sélection d'une intégrale berlinoise, réalisée durant la guerre, et correctement regravée. Les quatre interprètes des rôles principaux peuvent être considérés comme des références absolues. Ils illustrent parfaitement la dualité, omniprésente chez Wagner, du Bien et du Mal, du Jour et de la Nuit.

Les Maîtres Chanteurs de Nuremberg.

❀*** Theo Adam (Hans Sachs), Helen Donath (Eva),René Kollo (Walther), Karl Ridderbusch (Pogner), Geraint Evans (Beckmesser), Peter Schreier (David), Ch. de l'Opéra de Dresde et de Radio Leipzig, Orch. Staatskapelle de Dresde, Herbert von Karajan. EMI VSM C 157-02.174/78 (5 d.). ⊠ C 289-02.174/78 (5 c.). Enregistré en 1970.

❀*** Dietrich Fischer-Dieskau (Hans Sachs), Caterina Ligendza (Eva), Placido Domingo (Walther), Peter Lagger (Pogner), Roland Hermann (Beckmesser), Horst Laubenthal (David), Ch. et Orch. de l'Opéra de Berlin, Eugen Jochum. DG 2740.149 (5 d.) ⊠ 3378.068 (5 c.). Enregistré en 1975.

*** Paul Schoeffler (Hans Sachs), Hilde Gueden (Eva), Gunther Treptow (Walther), Otto Edelmann (Pogner), Karl Dönch (Beckmesser), Anton Dermota (David), Ch. de l'Opéra de Vienne, Orch. Phil. de Vienne, Hans Knappertsbusch. Decca 115.298/302 (5 d.) (sup.). Mono. Enregistré en 1953 et 1954.

** Jaro Prohaska (Hans Sachs), Mar Müller (Eva), Max Lorenz (Wa ther), Josef Greindl (Pogner), Eric Fuchs (Beckmesser), Erich Zimme mann (David), Ch. et Orch. du Fe tival de Bayreuth, Wilhelm Fur wängler. EMI VSM 181-01.797/801 (5 d.) (G-B). Mon Enregistré en 1943.

* Norman Bailey (Hans Sachs), Har nelore Bode (Eva), René Koll (Walther), Kurt Moll (Pogner Bernd Weikl (Beckmesser), Ado Dallapozza (David), Ch. de l'Opé de Vienne, Orch. Phil. de Vienn Georg Solti. Decca 390.066 (5 d. Enregistré en 1976.

Lors de la réouverture du Festival de Ba reuth en 1951, Karajan, outre *la Tétralogi* avait dirigé *les Maîtres.* Il en avait été édi un enregistrement, aujourd'hui retiré de catalogues, d'où émergeaient Elisabet Schwarzkopf (Eva) et Erich Kunz (Beckme ser), au sein d'une distribution par ailleu contestable. Vingt ans plus tard et en All magne de l'Est, Karajan se remit à l'ouvrag Il sut trouver, avec le concours de l'un de plus beaux orchestres du monde, le ton exa de l'œuvre, qui est plus qu'une opérette et q n'est pas un drame. A cette époque, la voi de René Kollo était d'une facilité déconce tante, et s'accordait à merveille au timbr léger d'Helen Donath. Celui de Theo Adan c'est un fait, convient mieux au rôle de Wo tan qu'à celui du cordonnier-poète, mais s prestation est, musicalement, irréprochabl Geraint Evans est un Beckmesser idéal, cau teleux et transi à loisir, sans jamais oublie qu'il fait partie de la confrérie des Maîtres.

C'est un autre climat que campe la direc tion solennelle, plus austère, d'Eugen Jo chum. Cet enregistrement présente, outre un distribution solide et homogène, deux carac térisations exceptionnelles. Les grands chan teurs de mélodies (Hans Hotter, Paul Schöf fler) ont toujours brillé dans le rôle de Sachs La technique du chant de Fischer-Dieskau mais aussi son aptitude à vivre de l'intérieu un personnage, donnent au rôle sa plein dimension. Profond et bonhomme, plein d bon sens autant que matois, Fischer-Dieska incarne superbement la figure écrasante vou lue par Wagner. C'est une idée de génie qu d'avoir confié à un ténor spécialiste du réper toire italien le rôle de Walther. Walther n'es pas Siegmund, encore moins Siegfried. Mai il y faut un lyrisme, une fougue que n'aurai pas désavoués l'auteur du *Trouvère.*

La version de Knappertsbusch fut, à l'époque, enregistrée et publiée acte par acte sur plus d'une année, ce qui change de certaines «mises en boîte», effectuées bien vite de nos jours. Gunther Treptow est le seul point faible (timbre ingrat) dans une équipe homogène. La direction de Knappertsbusch, à la tête de la Philharmonie de Vienne des grands jours, est aussi puissante que celle de Jochum, aussi colorée que celle de Karajan. Le Sachs de Schöffler compte parmi les plus magistrales incarnations lyriques de l'histoire du disque, aux côtés de la Tosca de Maria Callas, du Iago de Tito Gobbi, de la Maréchale d'Elisabeth Schwarzkopf. Compréhension du personnage, adaptation parfaite des possibilités d'une voix avec la musique, et elles sont ici immenses.

Furtwängler : un document. Bayreuth pendant la guerre. *Les Maîtres* amputés par quelques coupures, dont le Quintette du troisième acte. Mais une direction inspirée, un Walther et une Eva de rêve, juvéniles et enthousiastes, toute la vitalité d'une représentation en direct, au cours de laquelle Wieland Wagner, alors un tout jeune homme, faisait ses débuts de décorateur.

C'est le manque d'une certaine spontanéité qui caractérise l'enregistrement de Solti. Or il s'agit d'une qualité essentielle pour une œuvre qui met en scène le peuple de Bavière, boulangers, charcutiers, etc. Solti dissèque, scrute, analyse la partition, mais il manque à tout cela un rien de vie. Les solistes sont satisfaisants dans le meilleur des cas (Pogner), ou insuffisants sur le plan vocal et dramatique, Eva et Sachs tout particulièrement.

L'Or du Rhin.

❀*** Donald McIntyre (Wotan), Hanna Schwarz (Fricka), Hermann Becht (Alberich), Heinz Zednik (Loge), Martin Egel (Donner), Siegfried Jerusalem (Froh), Helmut Pampuch (Mime), Matti Salminen (Fasolt), Fritz Hübner (Fafner), Carmen Reppel (Freia), Ortrun Wenckel (Erda), Norma Sharp (Woglinde), Ilse Gramatzki (Wellgunde), Marga Schiml (Flosshilde), Orch. du Festival de Bayreuth, Pierre Boulez. Philips 6769.070 (3 d.). Enregistré en 1980.

*** George London (Wotan), Kirsten Flagstad (Fricka), Gustav Neidlinger (Alberich), Set Svanholm (Loge), Eberhard Waechter (Donner), Waldemar Kmentt (Froh), Paul Kuen (Mime), Walther Kreppel (Fasolt), Kurt Boehme (Fafner), Claire Watson (Freia), Jean Madeira (Erda), Oda Balsborg (Woglinde), Hetty Plumacher (Wellgunde), Ira Malaniuk (Flosshilde), Orch. Phil. de Vienne, Georg Solti. Decca 390.068 (3 d.). ⌧ 4-390.068 (3 c.). Enregistré en 1958.

*** Theo Adam (Wotan), Annelies Burmeister (Fricka), Gustav Neidlinger (Alberich), Wolfgang Windgassen (Loge), Gerd Nienstedt (Donner), Hermin Esser (Froh), Erwin Wohlfahrt (Mime), Martti Talvela (Fasolt), Kurt Boehme (Fafner), Anja Silja (Freia), Vera Soukupova (Erda), Dorothea Siebert (Woglinde), Helga Dernesch (Wellgunde), Ruth Hesse (Flosshilde), Ch. et Orch. du Festival de Bayreuth, Karl Boehm. Philips 6747.046 (3 d.). Enregistré en 1966.

*** Dietrich Fischer-Dieskau (Wotan), Josephine Veasey (Fricka), Zoltán Kélémen (Alberich), Gerhard Stolze (Loge), Robert Kerns (Donner), Donald Grobe (Froh), Erwin Wohlfahrt (Mime), Martti Talvela (Fasolt), Karl Ridderbusch (Fafner), Simone Mangelsdorf (Freia), Oralia Dominguez (Erda), Helen Donath (Woglinde), Edda Moser (Wellgunde), Anna Reynolds (Flosshilde), Orch. Phil. de Berlin, Herbert von Karajan. DG 2740.145 (3 d.). Enregistré en 1968.

Boulez donne à l'orchestre de *l'Or du Rhin* une transparence extraordinaire, par une lecture débarrassée de tous les mauvais tics d'une tradition souvent déformante. On est captivé, tenu en haleine du commencement à la fin par cet orchestre littéralement magique, par la tension fascinante qui règne de bout en bout. Les chanteurs sont, dans ce premier volet de la *Tétralogie* de Pierre Boulez, tous excellents vocalement, pour ne pas parler de leur performance scénique qui transparaît nettement au disque.

D'un côté, les dieux, de l'autre les Niebelungen, peuple de la Nuit et du Brouillard. Au milieu, rien encore, les hommes n'apparaissent qu'avec *la Walkyrie.* C'est ce que traduit l'interprétation monumentale de Solti. En 1958, George London promettait d'être le successeur de Hans Hotter dans le rôle de Wotan. Malheureusement, la maladie nous privera d'un *Ring* complet avec ce chanteur d'exception. Kirsten Flagstad, qui fut la Brünnhilde des années 1940/1950, n'a pas cru déchoir en enregistrant Fricka. On retrouvera plus loin l'Alberich de Neidlinger, ici au sommet de ses moyens vocaux.

En faisant appel à Karl Boehm pour diriger les représentations de sa nouvelle mise en scène, Wieland Wagner savait deux choses. Tout d'abord que ce chef est transcendé par la présence du public. En second lieu, qu'il ferait bénéficier la musique de Wagner de son style, forgé par la pratique de Mozart et de Richard Strauss. Au jeu du minutage, Boehm est le plus rapide des chefs en présence. Il en résulte un *Ring* plus axé sur la mélodie que sur la tension. C'est George London qui était initialement prévu pour le rôle de Wotan. Theo Adam fait plus qu'assurer un remplacement : Wotan est son meilleur rôle wagnérien. A nouveau, l'inégalable Neidlinger, une Fricka ordinaire, et l'excellent Loge de Windgassen. A noter, dans une des Filles du Rhin, Helga Dernesch, qui sera Brünnhilde pour Karajan.

Le meilleur volet, avec *Siegfried*, de l'ensemble monté par Karajan pour Salzbourg, avant d'être fixé au disque. C'est une gageure que d'avoir confié le rôle de Wotan à Fischer-Dieskau ; mais grâce à une technique du chant infaillible, celui-ci compense largement le manque de creux d'une voix un peu légère pour le rôle. Kélémen est un Alberich solide et Gerhard Stolze le meilleur Loge de la confrontation, d'une grande facilité vocale, dans un personnage parmi les plus difficiles à caractériser de la *Tétralogie.* La volonté d'allègement de Karajan se manifeste jusque dans la distribution des Filles du Rhin aux voix très légères. La splendeur de l'Orchestre Philharmonique de Berlin surpasse encore celle de l'orchestre de Solti.

Parsifal.

❀*** Jess Thomas (Parsifal), Irène Dalis (Kundry), Hans Hotter (Gurnemanz), George London (Amfortas), Gustav Neidlinger (Klingsor), Martti Talvela (Titurel), Ch. et Orch. du Festival de Bayreuth, Hans Knappertsbusch. Philips 6747.250 (5 d.). Enregistré en 1962.

❀*** Peter Hofmann (Parsifal), Dunja Vejzovic (Kundry), Kurt Moll (Gurnemanz), José van Dam (Amfortas), Siegmund Nimsgern (Klingsor), Ch. de l'Opéra de Berlin, Orch. Phil. de Berlin, Herbert von Karajan. DG 2741.002 (5 d.). ⊠ 3382.002 (5 c.).

*** James King (Parsifal), Gwyneth Jones (Kundry), Franz Crass (Gurnemanz), Thomas Stewart (Amfortas), Donald Mac Intyre (Klingsor), Karl Ridderbusch (Titurel), Ch. et Orch. du Festival de Bayreuth, Pierre Boulez. DG 2740.143 (5 d.). Enregistré en 1970.

*** Wolfgang Windgassen (Parsifal), Martha Mödl (Kundry), Ludwig Weber (Gurnemanz), George London (Amfortas), Hermann Uhde (Klingsor), Arnold van Mill (Titurel), Ch. et Orch. du Festival de Bayreuth, Hans Knappertsbusch. Decca 115.095./9 (5 d.) (sup.). Mono. Enregistré en 1951.

** René Kollo (Parsifal), Christa Ludwig (Kundry), Gottlob Frick (Gurnemanz), Dietrich Fischer-Dieskau (Amfortas), Zoltán Kélémen (Klingsor), Hans Hotter (Titurel), Ch. de l'Opéra de Vienne, Orch. Phil. de Vienne, Georg Solti. Decca 390.067 (5 d.). Enregistré en 1973.

Pendant quinze ans, en alternance avec quelques rares chefs, *Parsifal* fut la chasse gardée de Knappertsbusch (qui écrivit une thèse sur le rôle de Kundry), comme elle avait été auparavant, vingt-neuf ans durant, celle de Karl Muck. C'est dire la vigilance que l'on a toujours eue à Bayreuth pour *Parsifal.* Pour ce drame de la souffrance et de l'ascèse, tout, dans cet enregistrement, est aboutissement. La dernière œuvre de Wagner, les dernières prestations d'artistes uniques, dans des rôles qu'ils ont marqués à jamais (Hotter, London, Neidlinger). C'est également l'une des dernières fois que Knappertsbusch monta au pupitre pour diriger *Parsifal.* Cette «vieille garde», à l'image du vieil écuyer Gurnemanz, entoure et initie au Mystère Sacré deux jeunes artistes américains qui ne déparent nullement pareil ensemble. Les chœurs, qui ont ici un rôle capital, sont uniques.

Parsifal restera comme l'une des plus grandes réussites de Karajan. Il y déploie une lumière floue, suffocante, innocente, enivrée. Cette qualité de transparence trouble, ce délié des timbre, d'une indépendance aérée, n'ont été qu'à Karajan et ne seront qu'à lui. Peter Hofmann est la relative déception de cet album, et Dunja Vejzovic ne résisterait probablement pas à trop de Kundry en scène. Le reste est transcendant. José van Dam surprendra ceux qui n'attendent d'Amfortas que des éclats : sa remémorisation, son remords sont une intériorisation d'une intensité suspendue, calme, murmurante, hallucinante. Kurt Moll et Siegmund Nimsgern sont tout aussi inoubliables.

Après la retraite de «Knapp», Wieland Wagner eut l'idée d'appeler Pierre Boulez, au grand dam de l'arrière-garde conservatrice, qui craignait tout de ce «dangereux novateur». Le pari fut gagné. Ce qu'elle perd en solennité, la musique le gagne en acuité. Le second acte est à lui seul monumental. La distribution est d'un niveau général légèrement inférieur à la précédente, particulièrement pour le rôle de Gurnemanz, Franz Crass ayant une voix trop jeune pour le rôle.

Le *Parsifal* de la réouverture de Bayreuth : Knappertsbusch officie et conduit au triomphe une distribution également exceptionnelle. Mödl est la plus extraordinaire Kundry que le disque ait fixée. Elle est ce personnage, fascinant et insaisissable, qui doit tout donner en un seul acte. Il n'y a rien - ou alors il y aurait tout - à dire de Windgassen, Weber et Uhde, qui ont mis leurs moyens artistiques et vocaux au service d'une musique qui avait tant à faire oublier, au lendemain de la guerre. On retrouvera London mûri et blessé dix ans plus tard. Edition économique.

Par le fait même qu'elle a été réalisée en studio, la version de Solti ne peut être comparée aux précédentes qui provenaient toutes de représentations bayreuthiennes. Elle comporte, cependant, un atout exceptionnel, l'Amfortas de Fischer-Dieskau, qui, lui aussi, avait chanté le rôle à Bayreuth. Kollo est un Parsifal convaincant, mais Gottlob Frick n'est ni vocalement ni dramatiquement Gurnemanz. A la tête de la Philharmonie de Vienne, Solti réussit à faire autre chose que Boulez et Knappertsbusch, mettant davantage en lumière l'aspect humain plutôt que les prolongements religieux de l'œuvre. La prise de son est très flatteuse.

Le Repas des Apôtres, pour chœur d'hommes et orchestre.

* Ch. Westminster, Orch. Phil. de New York, Pierre Boulez. CBS 76.721. Enregistré en 1978. + *Siegfried Idyll.*

Une œuvre de circonstance, qui obtint d'ailleurs un succès triomphal. Prenant pour thème le repas des apôtres de la Pentecôte, Wagner écrivit lui-même son texte. Boulez refuse les effets d'une partition qui les sollicite, influencé que le jeune Wagner était par Meyerbeer. Au verso, la version originale, pour petite formation orchestrale de *Siegfried Idyll.*.

Rienzi.

* René Kollo (Rienzi), Siv Wennberg (Irène), Nikolaus Hillebrand (Colonna), Janis Martin (Adriano), Theo Adam (Orsini), Ch. de Radio Leipzig, Ch. de l'Opéra de Dresde, Orch. Staatskappelle de Dresde, Heinrich Hollreiser. EMI VSM C 165-02.776/80 (5 d.) (sup.). Enregistré en 1976.

Après les essais de jeunesse des *Fées* et de *La Défense d'aimer*, la première œuvre maîtrisée de Wagner. Les influences italiennes et celle de Meyerbeer ne sont pas loin. Les wagnériens attendaient depuis des lustres un enregistrement intégral de *Rienzi.* Pour cette première mondiale, l'ouvrage n'a pas eu de chance. La direction d'orchestre, lourde, pompeuse et soporifique en est le principal responsable. La distribution est inégale. On peut attendre mieux.

Siegfried.

*** Wolfgang Windgassen (Siegfried), Theo Adam (le Voyageur), Erwin Wohlfahrt (Mime), Gustav Neidlinger (Alberich), Kurt Boehme (Fafner), Erika Köth (l'Oiseau), Vera Soukupova (Erda), Birgit Nilsson (Brünnhilde), Orch. du Festival de Bayreuth, Karl Boehm. Philips 6747.048 (4 d.). Enregistré en 1966.

*** Wolfgang Windgassen (Siegfried), Hans Hotter (le Voyageur), Gerhard Stolze (Mime), Gustav Neidlinger (Alberich), Kurt Böhme (Fafner), Joan Sutherland (l'Oiseau), Marga Höffgen (Erda), Birgit Nilsson (Brünnhilde), Orch. Phil. de Vienne, Georg Solti. Decca 390.070 (5 d.). ⌧ 4-390.070 (5 c.). Enregistré en 1963.

*** Jess Thomas (Siegfried), Thomas Stewart (le Voyageur), Gerhard Stolze (Mime), Zoltán Kélémen (Alberich), Karl Ridderbusch (Fafner), Catherine Gayer (l'Oiseau), Oralia Dominguez (Erda), Helga Dernesch (Brünnhilde), Orch. Phil. de Berlin, Herbert von Karajan. DG 2740.147 (5 d.). Enregistré en 1969.

** Bernd Aldenhof (Siegfried), Sigurd Björling (le Voyageur), Paul Kuen (Mime), Heinrich Pflanzl (Alberich), Friedrich Dahlberg (Fafner), Wilma Lipp (l'Oiseau), Ruth Siewert (Erda), Astrid Varnay (Brünnhilde), Orch. du Festival de Bayreuth, Herbert von Karajan. Foyer-Laudis FO 1004 (4 d.). Mono. Enregistré en 1951.

** René Kollo (Siegfried), Theo Adam (Le Voyageur), Peter Schreier (Mime), Siegmund Nimsgern (Alberich), Matti Salminen (Fafner), Norma Sharp (l'Oiseau), Ortrun Wenkel (Erda), Jeannine Altmeyer (Brünnhilde), Staatskapelle de Dresde, Marek Janowski. Eurodisc 301.810-465 (5 d.). Enregistré en 1982.

Autant préciser les choses d'emblée : sans Windgassen, qui n'a jamais eu la totale vaillance du rôle de Siegfried, nous aurions été privés de deux *Tétralogies*, les années soixante n'ayant vu l'éclosion d'aucun autre successeur des Melchior ou Lorenz. Mais l'intelligence, l'art du chanteur sont précieux et patents. Wohlfahrt se montre cauteleux à souhait, et Neidlinger égal à lui-même, c'est-à-dire unique. La voix de Nilsson couvre un peu celle de Windgassen dans le duo final. Boehm conduit l'œuvre tambour battant, faisant une manière de scherzo du troisième volet de cette gigantesque symphonie en quatre mouvements.

Où l'on retrouve le même Siegfried, le même Fafner, la même Brünnhilde, le même Alberich agrémentés d'un Oiseau de luxe. Hotter est idéalement le Voyageur qui n'ose plus s'appeler Wotan, résigné et vaincu. Plus posée, plus ample que celles de Boehm, la direction de Solti possède un souffle, une vigueur dramatique, inaltérés depuis *L'Or du Rhin*.

Avec Karajan, un *Siegfried* agreste, champêtre. Il donne une réelle consistance poétique au héros au sourire si niais, voulu par Wagner, peu à l'aise dans les sentiments simples et heureux. Thomas joue ce jeu de l'innocence. Le timbre léger d'Helga Dernesch s'adapte parfaitement à cette conception d'ensemble. Stolze, virtuose, renouvelle dans Mime sa performance de Loge. Un *Siegfried* poétique.

Le même Karajan, presque vingt ans plus tôt, lors de la reprise du Festival, en 1951. Cela nous vaut d'entendre la devancière à Bayreuth de Nilsson. Astrid Varnay, moins étonnante que dans la Brünnhilde de *la Walkyrie* ou du *Crépuscule*, où ses moyens dramatiques sont davantage sollicités. L'entourage est, pour une part excellent (Mime, le Voyageur), pour une part moins satisfaisant (Fafner, Alberich). Ce qui est frappant, c'est la différence de conception. La véritable révolution opérée par Karajan entre ses deux interprétations. Ici magistralement conventionnel, il a par la suite fondamentalement repensé la musique de Wagner.

La direction de Janowski n'a pas la personnalité de celles de Boulez ou de Krauss, mais elle vaut par sa probité, sa rigueur et son efficacité. Ce qui manque le plus à cette réalisation, c'est le climat, la fièvre d'une exécution publique ; conscients de cet état de choses, les responsables artistiques de cet enregistrement l'ont contourné, en nous proposant une recréation en studio très travaillée. Ce travail microphonique profite à Peter Schreier et surtout à René Kollo, dont on sait les insuffisances au théâtre. Theo Adam reste un grand Wotan, même si sa voix est aujourd'hui fatiguée. Dans cette interprétation homogène autant que cohérente, il est dommage de retrouver Jeannine Altmeyer dans le rôle de Brünnhilde, qui ne lui convient aucunement vocalement.

Symphonie en ut majeur.

* Orch. Symph. de Bamberg, Otto Gerdes. DG 2530.194 (RFA). Enregistré en 1970. *+ Ouvertures de Faust et de Rienzi.*

Wagner est, dans sa première et unique tentative symphonique, littéralement hanté par les œuvres des maîtres allemands de l'époque classique. L'intérêt de cet enregistrement est documentaire, d'autant que l'exécution orchestrale est plus qu'approximative.

Tannhäuser.

*** Wolfgang Windgassen (Tannhäuser), Anja Silja (Elisabeth), Grace Bumbry (Vénus), Eberhard Waechter (Wolfram), Josef Greindl (Le Landgrave), Ch. et Orch. du Festival de Bayreuth, Wolfgang Sawallisch. Philips 6747.249 (3 d.). Enregistré en 1962.

*** René Kollo (Tannhäuser), Helga Dernesch (Elisabeth), Christa Ludwig (Vénus), Victor Braun (Wolfram), Hans Sotin (Le Landgrave), Ch. de l'Opéra de Vienne, Orch. Phil. de Vienne, Georg Solti. Decca 390.071 (4 d.). ⌧ 4-390.071 (4 c.). Enregistré en 1971.

* Wolfgang Windgassen (Tannhäuser), Birgit Nilsson (Elisabeth et Vénus), Dietrich Fischer-Dieskau (Wolfram), Theo Adam (Le Landgrave), Ch. et Orch. de l'Opéra de Berlin, Otto Gerdes. DG 2740.142 (4 d.). Enregistré en 1969.

Où l'on retrouve la magie des représentations de Bayreuth, captées sur le vif. Coutumier du fait, Wieland Wagner engageait, pour cette série de représentations, trois paris : chorégraphie de la bacchanale par Maurice Béjart, le mezzo-soprano noir américain Grace Bumbry, et Victoria de Los Angeles dans celui d'Elisabeth (en alternance avec Anja Silja qui a été enregistrée ici). La direction «électrique» de Sawallisch, qui va droit à l'essentiel, Windgassen, dans l'une de ses plus fortes interprétations, les chœurs, l'opposition Vénus-Elisabeth (amour charnel-amour idéal) rarement aussi réussie, conduisent à un succès total.

L'une des grandes réussites wagnériennes de Solti. Dans sa direction, Sawallisch avait pris le parti de Vénus, celui des sens contre la raison. Solti équilibre les forces en présence. Kollo est moins déchiré, moins engagé que Windgassen, mais vocalement somptueux. Bumbry était un sphinx hiératique, Ludwig est une séductrice de grand style. Dernesch possède une voix plus corsée que celle de Silja, qui est plus proche de la fraîche jeune fille voulue par Wagner, mais son art du chant est irréprochable. Sans le secours de la mise en scène, Solti donne une leçon de Grand Opéra.

L'idée de confier à la même artiste, fût-ce Birgit Nilsson, les deux rôles féminins, est une fausse bonne idée. Celle qui sera la grande Brünnhilde de notre temps n'est ni Elisabeth ni Vénus. La voix de Windgassen est fatiguée, la direction d'orchestre anecdotique. Seul, le Wolfram de Fischer-Dieskau retient l'attention, avant le naufrage de l'entreprise.

La Tétralogie, ou l'Anneau du Niebelung : L'Or du Rhin, La Walkyrie, Siegfried, Le Crépuscule des Dieux.

❀*** Theo Adam (Wotan), Wolfgang Windgassen (Siegfried), Birgit Nilsson (Brünnhilde), Wolfgang Windgassen (Loge), Gustav Neidlinger (Alberich), Annelies Burmeister (Fricka), Erwin Wohlfahrt (Mime), James King (Siegmund), Leonie Rysanek (Sieglinde), Gerd Nienstedt (Hunding), Vera Soukupova (Erda) Kurt Boehme (Fafner), Josef Greindl (Hagen), Thomas Stewart (Gunther), Ludmilla Dvořáková (Gutrune), Ch. et Orch. du Festival de Bayreuth, Karl Boehm. Philips 6747.037 (16 d.). En coffrets séparés : 6747.046, 6747.047, 6747.048, 6747.049. Enregistré en 1966.

❀*** Hans Hotter (Wotan), Wolfgang Windgassen (Siegfried), Astrid Varnay (Brünnhilde), Erich Witte (Loge), Gustav Neidlinger (Alberich), Ira Malaniuk (Fricka), Paul Kuen (Mime), Ramon Vinay (Siegmund), Regina Resnik (Sieglinde), Josef Greindl (Hunding, Hagen, Fafner), Maria von Ilosvay (Erda), Hermann Uhde (Gunther), Nathalie Hinsch-Gröndal (Gutrune), Ch. et Orch. du Festival de Bayreuth, Clemens Krauss. Foyer 1008 (3 d.), 1009 (4 d.), 1010 (4 d.), 1011 (5 d.). Mono. Enregistré en 1953.

❀*** George London, Hans Hotter (Wotan), Wolfgang Windgassen (Siegfried), Birgit Nilsson (Brünnhilde), Set Svanholm (Loge), Gustav Neidlinger (Alberich), Kirsten Flagstad, Christa Ludwig (Fricka), Paul Kuen, Gerhard Stolze (Mime), James King (Siegmund), Régine Crespin (Sieglinde), Gottlob Frick (Hunding), Jean Madeira, Marga Höffgen (Erda), Kurt Boehme (Fafner), Gottlob Frick (Hagen) Dietrich Fischer-Dieskau (Gunther), Claire Watson (Gutrune), Ch. de l'Opéra de Vienne, Orch. Phil. de Vienne, Georg Solti. Decca 390.069 (19 d.).

En coffrets séparés : 390.068. ⊠ 4-390.068, 390.074. ⊠ 4-390.074, 390.070. ⊠ 4-390.070, 390.064. ⊠ 4-390.064. Enregistré de 1958 à 1966.

*** Ferdinand Frantz (Wotan), Ludwig Suthaus (Siegfried), Martha Mödl (Brünnhilde), Wolfgang Windgassen (Loge), Gustav Neidlinger, Aloys Pernerstorfer (Alberich), Ira Malaniuk, Elsa Cavelti (Fricka), Julius Patzak (Mime), Wolfgang Windgassen (Siegmund), Hilde Konetzni (Sieglinde), Gottlob Frick (Hunding), Ruth Siewert, Margarete Klose (Erda), Gottlob Frick, Josef Greindl (Fafner), Josef Greindl (Hagen), Alfred Poell (Gunther), Sena Jurinac (Gutrune), Ch. et Orch. de la RAI de Milan, Wilhelm Furtwängler. EMI VSM RLS 702 (18 d.). Mono. Enregistré en 1953.

*** Donald McIntyre (Wotan), Manfred Jung (Siegfried), Gwyneth Jones (Brünnhilde), Heinz Zednick (Loge), Hermann Becht (Alberich), Hanna Schwarz (Fricka), Helmut Pampuch, Heinz Zednik (Mime), Peter Hofmann (Siegmund), Jeanine Altmeyer (Sieglinde), Matti Salminen (Hunding), Ortrun Wenkel (Erda), Fritz Hübner (Fafner, Hagen), Franz Mazura (Gunther), Jeanine Altmeyer (Gutrune), Ch. et Orch. du Festival de Bayreuth, Pierre Boulez. Philips 6769.074 (16 d.). En coffrets séparés : Philips 6769.070 (3 d.), 6769.071 (4 d.), 6769.072 (4 d.), 6769.073 (5 d.). Enregistré en 1979 (Crépuscule) et 1980.

*** Josef Hermann, Ferdinand Frantz (Wotan), Set Svanholm, Max Lorenz (Siegfried), Kirsten Flagstad (Brünnhilde), Josef Sattler (Loge), Aloys Pernerstorfer (Alberich), Elisabeth Höngen (Fricka), Peter Markwort, Set Svanholm (Mime), Gunther Treptow (Siegmund), Hilde Konetzni (Sieglinde), Ludwig Weber (Hunding), Margarete Weth Falke, Elisabeth Hoengen (Erda), Albert Emmerich, Ludwig Weber (Fafner), Ludwig Weber (Hagen), Josef Herrmann (Gunther) Hilde Konetzni (Gutrune), Ch. et Orch. de la Scala de Milan, Wilhelm Furtwängler. Eurodisc 28.541 (11 d.) (étr.). Mono. Enregistré en 1950.

*** Dietrich Fischer-Dieskau, Thomas Stewart (Wotan), Jess Thomas, Helge Brilioth (Siegfried), Régine Crespin, Helga Dernesch (Brünnhilde), Gerhard Stolze (Loge), Zoltán Kélémen (Alberich), Josephine Veasey (Fricka), Gerhard Stolze, Erwin Wohlfahrt (Mime), Jon Vickers (Siegmund), Gundula Janowitz (Sieglinde), Martti Talvela (Hunding), Oralia Dominguez (Erda), Karl Ridderbusch (Fafner, Hagen), Thomas Stewart (Gunther), Gundula Janowitz (Gutrune), Ch. de l'Opéra de Berlin, Orch. Phil. de Berlin, Herbert von Karajan. DG 2720.051 (19 d.) En coffrets. Enregistré de 1966 à 1970.

Il y a deux manières de concevoir la *Tétralogie.* S'agissant de mythologie, on peut mettre l'accent principalement sur l'aspect surhumain, hors du temps de la saga wagnérienne. A l'inverse, il est possible d'insister sur les sentiments humains, victorieux à l'issue du cataclysme du *Crépuscule des Dieux.* Boehm a choisi la seconde optique : la mesquinerie des dieux, l'amour fou de Siegmund et de Sieglinde, puis de Brünnhilde pour Siegfried, la richesse et la complexité mélodique de l'ouvrage trouvent une illustration convaincante. L'enregistrement a été effectué à partir des représentations de la nouvelle mise en scène que Wieland Wagner réalisa en 1965. Il bénéficie de ce travail d'équipe, rodé par l'expérience de la scène, de l'incomparable acoustique du *Festspielhaus* et du total engagement des interprètes saisis sur le vif. A noter que cette édition comporte trois disques de moins que les autres versions stéréophoniques. Toutes trois seront envisagées plus en détail à propos de chaque ouvrage.

Ring légendaire entre tous, celui qu'a signé Clemens Krauss à Bayreuth en 1953 nous est enfin rendu officiellement. Les chanteurs ont ici la vedette, car l'orchestre est situé un peu en retrait par la prise de son, mais la direction de Krauss saisit par son ton poignant et désespéré et par son pessimisme existentiel.

Quels chanteurs ! Les nommer tous serait long, et pourtant tous méritent cent fois de l'être ; ne citons alors que celui qui les domine tous, Hans Hotter, dont l'incarnation bouleversante, la somptuosité vocale dominent tout le plateau, comme ce doit l'être pour le dieu des dieux. Si la qualité sonore, relativement précaire, risque d'éloigner de cet enregistrement les amateurs de qualité de restitution moderne, ce n'en est pas moins là la *Tétralogie* la mieux chantée, admirablement dirigée, et un document inestimable sur une période révolue de monstres sacrés de l'interprétation wagnérienne.

C'est en 1966 qu'a été achevée la première publication intégrale de la *Tétralogie*, commencée en 1958 avec un *Or du Rhin* qui fit grand bruit par son étonnante qualité de prise de son et de restitution stéréophonique, non encore démodée de nos jours. Solti et l'Orchestre Philharmonique de Vienne en ont été les maîtres d'œuvre. Plusieurs rôles ont changé d'interprètes en raison des huit années qui séparent la première pierre de l'édifice de la dernière. A l'opposé de Boehm, Solti prend le parti du surhumain et de l'épopée des races divines. Son monument est grandiose.

Le disque porte témoignage de deux enregistrements dirigés par Furtwängler, tous deux réalisés en Italie. La direction d'orchestre étant d'une égale grandeur, et à bien des égards définitive, il est difficile de faire un choix. A l'actif de l'édition de la RAI, une qualité de son correcte, la Brünnhilde humaine, passionnée de Mödl, le Mime sans caricature de Patzak, et Josef Greindl, terrifiant Hagen.

Avec Boulez, nous sommes dès le début et sans relâche pris d'une extraordinaire fascination. Dans une pâte sonore déliée, Boulez fait régner une tension, une animation incessantes : pas d'alanguissements, de complaisance dans le beau son, d'effets ostentatoires. On est captivé, tenu en haleine du commencement à la fin, par cet orchestre littéralement magique. Côté chanteurs, l'action dramatique prime ici, au détriment parfois des qualités purement vocales, mais cette distribution, qui vaut par son intensité humaine et émotionnelle, ne comporte pour finir qu'un seul point noir, le Siegfried de Manfred Jung, dont la voix ingrate manque de corps, et dont la composition, telle que nous la percevons au disque tout au moins, n'est guère convaincante.

A l'actif de la réalisation de la Scala, une formation orchestrale de niveau supérieur et que magnifie encore une direction géniale, le Siegfried de Max Lorenz dans le *Crépuscule*, égalé par aucun des protagonistes du rôle au disque, la Brünnhilde de Flagstad, plus hiératique que celle de Mödl, mais vocalement confondante. Au passif, une «mise en disques» resserrée (11 disques au total !) qui comprime la dynamique de l'enregistrement, ce qui est un crime dans cette œuvre et avec ce chef. Il est préférable de se procurer l'édition britannique, en quatre coffrets.

Pour son enregistrement, Karajan a tenté, et souvent réussi, quelque chose de neuf, allant dans le sens d'un allègement de l'ouvrage : transparence de l'orchestre, choix de voix moins lourdes qu'il n'était de tradition, tempos et déclamation plus alertes. A noter, ici aussi, deux Wotan, deux Brünnhilde, deux Siegfried, qui nuisent quelque peu lors d'une écoute «en continu» des quatre journées.

Tristan et Isolde.

❀*** René Kollo (Tristan), Margaret Price (Isolde), Brigitte Fassbaender (Brangäne), Kurt Moll (Marke), Dietrich Fischer-Dieskau (Kurwenal), Werner Götz (Melot), Ch. de la Radio de Leipzig, Orch. de la Staats-kapelle de Dresde, Carlos Kleiber. DG 2741.006 (5 d.). Enregistré en 1980 et 1981.

*** Ramon Vinay (Tristan), Martha Mödl (Isolde), Ira Malaniuk (Brangäne), Ludwig Weber (Marke), Hans Hotter (Kurwenal), Hermann Uhde (Melot), Ch. et Orch. du Festival de Bayreuth, Herbert von Karajan. Cetra Opera Live LO 47 (5 d.) Mono. Enregistré en 1952.

*** Wolfgang Windgassen (Tristan), Birgit Nilsson (Isolde), Christa Ludwig (Brangäne), Martti Talvela (Marke), Eberhard Waechter (Kurwenal), Claude Heater (Melot), Ch. et Orch. du Festival de Bayreuth, Karl Boehm. DG 2740.144 (5 d.) ✉ 3378.069. Enregistré en 1966.

*** Ludwig Suthaus (Tristan), Kirsten Flagstad (Isolde), Blanche Thebom (Brangäne), Josef Greindl (Marke), Dietrich Fischer-Dieskau (Kurwenal), Edgar Evans (Melot), Ch. et Orch. Philharmonia, Wilhelm Furtwängler. EMI VSM C 153-00.899/903 (5 d.). Mono. Enregistré en 1952.

* Jon Vickers (Tristan), Helga Dernesch (Isolde), Christa Ludwig (Brangäne), Karl Ridderbusch (Marke), Walter Berry (Kurwenal), Bernd Weikl (Melot), Ch. de l'Opéra de Berlin, Orch. Phil. de Berlin, Herbert von Karajan. EMI VSM C 165-02.293/7 (5 d.). Enregistré en 1972.

A l'opposé de Furtwängler et de Karajan, Carlos Kleiber exalte la vérité dramatique de *Tristan* dans une transparence des textures instrumentales médianes, une ductilité inouïe de l'orchestre, un flux irrésistible de continuité et de variété. Au disque, les chanteurs n'ont pas toute l'autorité des grands du passé, Margaret Price plus mozartienne, Kollo moins exalté qu'en scène. Mais ces réserves admises, il y a l'incessant frémissement de la direction de Kleiber, qui insuffle à tous les interprètes une poésie, une idéalité, surtout, jamais rencontrées ailleurs. Ce *Tristan* est humain mais porté à l'insoutenable et à l'incandescence par un chef de génie.

Document, la version «historique» de Karajan a attendu plus de vingt ans sa publication. D'un point de vue général (direction d'orchestre et interprètes), une référence. C'est un *Tristan* onirique, où tous les chanteurs semblent «ailleurs», miracle d'une représentation de rêve, captée en direct. Mödl est une Isolde passionnée, parfaitement adaptée au Tristan de Vinay. La beauté, le travail des voix ne le cèdent en rien à la caractérisation dramatique. Weber donne tout le poids indispensable au rôle de Marke. Si Hotter possédait une voix trop lourde pour chanter Kurwenal, il est pathétique dans le personnage de l'écuyer fidèle. Qualité technique à peine acceptable, même eu égard aux conditions de prise de son.

Une dimension plus terre à terre avec Boehm. Nilsson est une Isolde à la voix d'airain, mais moins «physique» que Mödl. Le troisième acte donne à Windgassen l'occasion de faire la preuve de ses immenses qualités d'acteur. On retrouve le lyrisme de la *Tétralogie* de Boehm, plus en situation au deuxième acte, qui permet d'entendre la meilleure Brangäne de la discographie. *Tristan* magnifiquement servi, mais plus quotidien.

Si la passion est moins dévorante que chez Karajan, Furtwängler aussi est ailleurs. La scène du philtre du premier acte, au cours de laquelle tout se noue, est unique par sa tension insoutenable. Aidée par Schwarzkopf pour les quelques notes aiguës qu'elle ne possédait plus, Flagstad est une Isolde que l'on dirait taillée dans la pierre. Suthaus tire le maximum d'une voix un peu éprouvée, Fischer-Dieskau est le meilleur Kurwenal de la discographie et Greindl un Marke d'une grande noblesse.

Karajan seconde manière. Les recherches, le raffinement permanent semblent hors de propos : face à lui-même, transcendant vingt ans plus tôt, face à la franchise de Boehm, et face à l'inspiration de Furtwängler. Vickers est convaincant, mais Dernesch est complètement dépassée vocalement dans le premier acte. La réelle splendeur de la Philharmonie de Berlin ne peut rien contre les trois réalisations précédentes.

Le Vaisseau Fantôme.

*** Leonie Rysanek (Senta), George London (le Hollandais), Giorgio Tozzi (Daland), Karl Liebl (Erik), Richard Lewis (le Pilote), Ch. et Orch. de Covent Garden, Antal Doráti. Decca 115.331/3 (3 d.) (sup.). Enregistré en 1962.

*** Anja Silja (Senta), Theo Adam (le Hollandais), Martti Talvela (Daland), Ernst Kozub (Erik), Gerhard Unger (le Pilote), Ch. de la BBC, Orch. New Philharmonia, Otto Klemperer. EMI VSM C 157-00.104/6 (3 d.). Enregistré en 1968.

** Anja Silja (Senta), Franz Crass (le Hollandais), Josef Greindl (Daland), Fritz Uhl (Erik), Georg Paskuda (le Pilote), Ch. et Orch. du Festival de Bayreuth, Wolfgang Sawallisch. Philips 6747.248 (3 d.). Enregistré en 1961.

** Astrid Varnay (Senta), Hermann Uhde (le Hollandais), Ludwig Weber (Daland), Rudolf Lustig (Erik), Josef Traxel (le Pilote), Ch. et Orch. du Festival de Bayreuth, Josef Keilberth. Decca D97 D3 (3 d.). (G-B). Mono. Enregistré en 1956.

La direction de Doráti est tout à fait adaptée à une œuvre encore italianisante. London et Rysanek sont sans rivaux sur le plan vocal : la ballade de Senta et le monologue du Hollandais sont des pièces d'anthologie. Tozzi est un Daland d'opérette, et Karl Liebl donne une réelle consistance au personnage falot d'amoureux transi d'Erik.

La version de Klemperer voit le triomphe un jeune chef qui avait plus de quatre-ngts ans lorsqu'il enregistra *le Vaisseau*, /ec une fougue, une force à soulever les ıontagnes. Silja, qui sera par deux fois Sen-., donne à son personnage tous ses arrière-lans psychologiques, sinon psychanalyti-ues. Talvela, Kozub, Unger sont excellents. e timbre d'Adam caractérise un Hollandais éçu, au bout de sa route.

Pour Silja, hagarde, pour un Hollandais à voix superbe, pour Sawallisch qui, en al-ınt deux fois plus vite que Klemperer, onne une égale impression d'ardeur. reindl campe un Daland calculateur, moins /mpathique que de coutume, mais la vérité u personnage est là. Erik et le Pilote sont ıédiocres, mais les chœurs, d'une impor-ınce capitale, sont admirables de cohésion t de puissance dramatique.

Keilberth tire *le Vaisseau Fantôme* vers *'ristan*, ce qui peut parfaitement se conce-oir. Varnay, Senta d'une grande dimension ocale, va dans le sens voulu par le chef. 'hde et Weber sont comme de coutume re-ıarquables, mais Erik est plus que mal servi. 'et enregistrement renferme une autre mer-eille, la scène du Pilote, séquence capitale uisque tout commence après qu'il eut rêvé, léalement chantée par Josef Traxel.

a Walkyrie.

❀*** James King (Siegmund), Gerd Nienstedt (Hunding), Theo Adam (Wotan), Leonie Rysanek (Sieglinde), Annelies Burmeister (Fricka), Birgit Nilsson (Brünnhilde), Danica Mastilovic (Gerhilde), Gertraud Hopf (Waltraute), Lyane Synek (Helmwige), Elisabeth Schaertel (Grimgerde), Helga Dernesch (Ortlinde), Sieglinde Wagner (Schwertleite), Annelies Burmeister (Siegrune), Sona Cervena (Rossweise), Orch. du Festival de Bayreuth, Karl Boehm. Philips 6747.047 (4 d.). Enregistré en 1966.

*** Ludwig Suthaus (Siegmund), Gottlob Frick (Hunding), Ferdinand Frantz (Wotan), Leonie Rysanek (Sieglinde), Margarete Klose (Fricka), Martha Mödl (Brünnhilde), Gerda Scheyrer (Gerhilde), Dagmar Schmedes (Waltraute), Erika Köth (Helmwige), Johanna Blatter (Grimgerde), Judith Hellwig (Ortlinde), Ruth Siewert (Schwertleite), Hertha Töpper (Siegrune), Dagmar Hermann (Rossweise), Orch. Phil. de Vienne, Wilhelm Furtwängler. EMI VSM C 149-00.675/79 (5 d.). Mono. Enregistré en 1954.

*** James King (Siegmund), Gottlob Frick (Hunding), Hans Hotter (Wotan), Régine Crespin (Sieglinde), Christa Ludwig (Fricka), Birgit Nilsson (Brünnhilde), Vera Schlosser (Gerhilde), Brigitte Fassbaender (Waltraute), Berit Lindholm (Helmwige), Marilyn Tyler (Grimgerde), Helga Dernesch (Ortlinde), Helen Watts (Schwertleite), Vera Little (Siegrune), Claudia Hellmann (Rossweise), Orch. Phil. de Vienne, Georg Solti. Decca 390.074 (5 d.). ⌧ 4-390.074 (5 c.). Enregistré en 1966.

** Jon Vickers (Siegmund), Martti Talvela (Hunding), Thomas Stewart (Wotan), Gundula Janowitz (Sieglinde), Josephine Veasey (Fricka), Régine Crespin (Brünnhilde), Liselotte Rebmann (Gerhilde), Ingrid Steger (Waltraute), Danica Mastilovic (Helmwige), Cvetka Ahlin (Grimgerde), Carlotta Ordassy (Ortlinde), Lilo Brockhaus (Schwertleite), Barbro Ericson (Siegrune), Helga Jenckel (Rossweise), Orch. Phil. de Berlin, Herbert von Karajan. DG 2740.146 (5 d.). Enregistré en 1966.

La Walkyrie : premier acte.

❀*** Lauritz Melchior (Siegmund), Lotte Lehmann (Sieglinde), Eugène List (Hunding), Orch. Phil. de Vienne, Bruno Walter. EMI VSM C 051-03.023. Mono (origine 78 t.). Enregistré en 1935.

La Walkyrie : troisième acte.

*** Astrid Varnay (Brünnhilde), Sigurd Björling (Wotan), Leonie Rysanek (Sieglinde), Orch. du Festival de Bayreuth, Herbert von Karajan. EMI VSM Da Capo C 181-03.035/6 (2 d.) (étr.). Mono. Enregistré en 1951.

La plus éclatante réussite de *la Tétralogie* de Boehm. En raison principalement de James King et de Leonie Rysanek, poignants dans le rôle des amants maudits, Siegmund et Sieglinde. Eux seuls rivalisent dramatiquement, mais aussi vocalement, avec Melchior et Lotte Lehmann. Adam est un Wotan tour à tour imposant, violent, puis faible et influençable, lorsque Fricka emporte la décision de ne pas sauver le couple malheureux. L'incarnation de Nilsson, la plus récente dans l'ordre chronologique, est plus humaine que les deux précédentes, la voix étant d'une égale insolence. La direction de Boehm, tendre, emportée, fait ici merveille. A noter que cette version compte un disque de moins que ses concurrentes.

Le dernier enregistrement réalisé par Wilhelm Furtwängler, peu avant sa mort, seul et unique volet d'une intégrale de studio prévue avec les musiciens viennois, choisis par le chef pour leur sonorité et leur transparence. Sans manifester de véritable génie, Ludwig Suthaus et Ferdinand Frantz valent mieux que ce que l'on a longtemps colporté sur leur compte. Leonie Rysanek, alors débutante, est une toute jeune Sieglinde, dont chaque phrase est un cri de détresse. Dans le rôle difficile de Fricka, Margarete Klose domine la discographie, imposante et vocalement parfaite. Mais c'est le chef, constamment inspiré, transportant l'œuvre dans sa dimension intemporelle, qui fait tout le prix de cette édition.

James King, pas encore «rodé» par les représentations de Bayreuth, et Régine Crespin, enflammée, sont convaincants, mais légèrement en retrait de l'idéal obtenu par Boehm. Nilsson est la vierge guerrière, mais moins profondément ébranlée par le conflit entre la loi des dieux et celle des sentiments humains. Son «Cri de guerre», au début du second acte, est cependant une performance unique. Un Hunding un peu caricatural, une Fricka séductrice. Solti dirige en continuité avec *L'Or du Rhin*, donnant à l'orchestre wagnérien un effet de masse impressionnant. L'attrait majeur de cette version, c'est le Wotan de Hans Hotter. Enregistré trop tard, ont dit certains, mais mieux vaut tard que jamais. Celui qui fut *le* Wotan des années quarante-cinquante possède d'admirables restes, comme en témoigne le long monologue du deuxième acte si souvent longuet. Noblesse du ton et de l'expression, Hotter est le dieu des dieux.

Avec Karajan, nous sommes dans une a tre dimension. L'orchestre a un volume quatuor à cordes. Grande mozartienne, Jan witz a pu paraître sous-distribuée ; elle n' pas cependant sans rappeler la Sieglinde Rysanek. Stewart campe un Wotan inha tuellement jeune, mais très au premier deg Souvent aux prises avec de sérieuses diffic tés vocales, Crespin et Vickers sont sau par le style et le métier. Avec ses défauts, u version attachante.

Un disque pour l'éternité, qui n'avoue jamais son âge. Pour Melchior et Lehmar qui n'ont été approchés qu'une fois ; pour direction de Walter, qui convertirait tenants d'un Wagner pompeux. L'un des n racles du disque. Il est désastreux que guerre ait interrompu un enregistrement la Walkyrie qui devait être intégral et dont Wotan devait être Hans Hotter.

Le troisième acte dirigé par Karajan est ranger aux côtés du premier acte de Walt Il ne s'agit pas d'un caviardage réalisé sur totalité d'une œuvre, mais du dernier ac dans son intégralité. Karajan fait sonner l'c chestre de Wagner comme rarement, u Varnay de référence, à l'apogée de sa ca rière. Chanteur peu connu, Sigurd Björlin le frère de Jussi, est au niveau de London de Hotter : c'est tout dire.

Wesendonck Lieder, version pour cha et orchestre.

*** Kirsten Flagstad (s), Orch. Phi de Vienne, Hans Knappertsbusc Decca ECS 826 (G-B). Enregistré e 1956. + *Rienzi : Ouverture Prière.*

** Christa Ludwig (m), Orch. Philha monia, Otto Klemperer. EMI VS C 063-00.826. + *Brahms : Rapsod pour contralto et chœur d'homme Zigeunerlieder.*

** Jessye Norman (s), Orch. Symp de Londres, Colin Davis. Philip 9500.031. ⌧ 7300.626. + *Mo d'Isolde.*

Wesendonck Lieder, version origina pour chant et piano.

** Kirsten Flagstad (s), Gerald Moor (piano). EMI Plaisir Musical 25.08 (sup.). 25 cm. Mono.

* Jessye Norman (s), Irwin Gage (piano). EMI VSM C 069-28.901. + *Schubert : Lieder. Poulenc : Mélodies.*

Admirable interprétation de Kirsten Flag- :ad. Tout y est parfait, la voix, l'accompa- nement d'orchestre et la fusion des deux. Ialheureusement, le couplage est absurbe, ui nous propose des extraits de *Rienzi* par ames King et l'Orchestre Philharmonique de 'ienne dirigé par Georg Solti. Il y a des astres, cette version était complétée par des xtraits de *Lohengrin* et de *la Walkyrie*, avec . même artiste, le même orchestre et le iême chef...

Le disque de Christa Ludwig offre un cou- lage plus original mais aussi plus valable, vec la sublime œuvre de Brahms parfaite- nent en situation. Klemperer est à l'aise dans es œuvres hors du temps, graves et inspirées.

Jessye Norman, l'une des grandes voix 'aujourd'hui, au timbre rare. Le couplage le lus logique (puisque ces Lieder sont pour ne part des esquisses de *Tristan*), même s'il st permis de se demander ce que Jessye Iorman ferait d'Isolde dans son entier. Di- ection scrupuleuse.

Dans la version originale, c'est encore à Kirsten Flagstad qu'il faut se référer... si l'on eut se procurer ce disque malheureusement upprimé des catalogues. Gerald Moore ac- ompagne idéalement, comme toujours.

Bon enregistrement plus récent de Jessye Norman. Mais cette fois, le couplage (Pou- enc !?) est invraisemblable, quelle que soit la qualité de l'interprétation.

Walton, William
'né en 1902)

Coronation Te Deum. Belshazzar's Feast, oratorio.

* Benjamin Luxon (bar), Ch. John Alldis, Orch. Phil. de Londres, Georg Solti. Decca SET 618 (G-B). Enregistré en 1977.

Une belle musique de circonstance, ce *Te Deum*, exécuté en 1953 pour le Sacre de la Reine. Rien n'y manque : quatre chœurs, orgue, orchestre, cuivres militaires. Bien dif- férent à tous points de vue, le *Festin de Balthasar*, écrit vingt ans plus tôt, se rattache à la pure tradition de l'oratorio pour chœurs et baryton solo. Un langage académique, une écriture très ferme, un sens de l'architecture et du lyrisme caractérisent cette œuvre que Solti relie curieusement par son exécution à un courant d'expression provenant davantage d'Europe Centrale que d'Angleterre. Un disque à connaître autant pour son interprétation que pour sa haute qualité technique.

Crown Imperial, marche du couronnement de George VI. Orb and Sceptre, marche du couronnement d'Elisabeth II.

* Orch. Phil. de Londres, Adrian Boult. EMI VSM C 069-02.889. Quadri. Enregistré en 1976 et 1977. + *Elgar : Pomp and circumstance, Marche de l'Empire, Marche impériale.*

Par comparaison avec les œuvres de son prédécesseur Elgar, les Marches du Couronnement de Walton se dépouillent du sérieux et du solennel cher aux Anglais, mais pour gagner en sérénité. Rien à redire à l'exécution correcte et rassurante de Sir Adrian qui sait, comme tout Britannique, faire les choses proprement. Mais la qualité technique d'enregistrement est moyenne.

Façade, un divertissement.

** Fenella Fielding, Michael Flanders (récitants), Membres de l'Academy of St-Martin-in-the Fields, Neville Marriner. EMI VSM 1E 063-02.248 (G-B).

Cette plaisanterie musicale du jeune Walton fit scandale dans le Londres des années vingt. Suite de poèmes modernes - dont le texte échappe malheureusement à la compréhension du Français moyen - dits sur un fond de musique ricanante et pleine de fantaisie. Les huit solistes que dirige Marriner distillent cette musique aigre-douce avec un doigté et une science incomparables. Les récitants traitent leur texte comme un simple matériau sonore, permettant ainsi aux instrumentistes une exceptionnelle liberté de passage du sentiment au rire, d'une apparente simplicité à la grande virtuosité dont ils sont capables. Un très heureux divertissement.

Weber, Carl Maria von
(1786-1826)

Anthologie de la musique de chambre avec instruments à vent : Adagio en mi

bémol majeur et Rondo en si bémol majeur, Concertino pour hautbois en ut majeur, extraits du Freischütz, Grand duo concertant en mi bémol majeur, Introduction, Thème et variations pour clarinette et quatuor à cordes, Instrumentation de 4 lieder du duc de Gotha, Quintette pour clarinette et cordes en si bémol majeur, Trio pour flûte, violoncelle et piano en sol majeur, Thème et variations pour clarinette et piano en si bémol majeur, Valse avec la lied «Maienblümlein» comme trio pour musique d'harmonie.

** Consortium classicum. Telefunken 6.35366 (3 d.) (RFA).

C'est une excellente idée que de réunir en un coffret l'ensemble de la musique que Weber a destinée aux formations de chambre avec vents : on peut ainsi découvrir des chefs-d'œuvre tels que le *Quintette op. 34* et le *Grand Duo op. 48.* Ces pièces sont essentielles pour comprendre la formation du style romantique et le génie du compositeur. Et pour notre joie, la réalisation musicale est de tout premier plan. Jamais les interprètes ne cèdent à la tentation du brillant extérieur : tout est expressif et travaillé en profondeur. Voilà vraiment un album incomparable, dont le seul défaut est de comporter (intégrale oblige !) des œuvres qui n'ajoutent rien à la gloire de leur compositeur.

Abu Hassan, opéra-bouffe.

*** Ingeborg Hallstein (Fatima), Peter Schreier (Abu Hassan), Theo Adam (Omar), Ch. de l'Opéra de Dresde, Orch. d'Etat de Dresde, Heinz Roegner. Eurodisc 80.608 (étr.).

** Elisabeth Schwarzkopf (Fatima), Erich Witte (Abu Hassan), Michael Bohnen (Omar), Orch. de la Radio de Berlin, Leopold Ludwig. Varèse Sarabande VC 81 093. Mono. Enregistré en 1941.

Cet opéra-bouffe est un délicieux petit chef-d'œuvre pétillant d'esprit. Le livret, tiré des *Mille et une Nuits,* suscite une turquerie d'une veine charmante, qui donne la main à Mozart et à Schubert, et annonce le futur *Freischütz.* L'interprétation est au-dessus de tout éloge. La Fatima de Ingeborg Hallste est une prouesse de fraîcheur et d'esprit, l'on n'hésite pas à prononcer le nom de Lot Schöne en écoutant une si jolie chose ! I Theo Adam et de Peter Schreier, on conna les qualités musicales et scéniques. Aut qualité, qui n'est pas des moindres : les rô parlés qui doublent les chanteurs possède un timbre vocal parfaitement adapté, si bi que tout se déroule sans la moindre soluti de continuité.

Merveilleux cadeau que cette rééditic d'un enregistrement de 1941, où se lève u astre radieux nommé Schwarzkopf. Sa vo encore acidulée et verte, émouvante dans nouveauté, laisse déjà présager la future n blesse de son art. La basse Bohnen ne ma que pas non plus de génie. On ne saurait tr recommander une si charmante turqueri dans une interprétation historique qui, tout fois, offre une qualité technique sonore sati faisante.

Concertino pour cor et orchestre en m mineur op. 45. Concerto pour basson orchestre en fa majeur op. 75. Concert n° 1 pour clarinette et orchestre en majeur op. 73.

*** Jacques Lancelot (clarinette Georges Barboteu (cor), Paul Hor gne (basson), Orch. Symph. d Bamberg, Theodor Guschlbaue. Erato STU 70.517.

Ces deux Concertos sont des modèles po leur façon de mettre les instruments solist dans un emploi judicieux, entourés d'un o chestre étoffé aux riches sonorités. Le Co certo pour clarinette est plus connu, et l'o sait que Weber affectionnait cet instrumen Le Concerto pour basson fait alterner l'ex pressivité avec l'humour des mouvemen vifs. Quant au Concerto pour cor, il offre de périls redoutables au soliste, mais la diff culté n'est pas gratuite. Les interprètes de ce œuvres font honneur à l'école française d'ins truments à vent, et tous les solistes allien l'irréprochable virtuosité à la plus belle mus calité. La baguette de Guschlbauer apporte la fois sa science de la couleur orchestrale e un parfait soutien à l'instrument concertan

Euryanthe, opéra.

*** Jessye Norman (Euryanthe), Rit Hunter (Eglantine), Nicolaï Gedd (Adolar), Tom Krause (Lysiart) Siegfried Vogel (le Roi), Renat Krahmer (Bertha), Harald Neukirc

(Rudolf), Ch. de la Radio de Leipzig, Orch. de la Staatskapelle de Dresde, Marek Janowski. EMI VSM C 165-02.591/4 (4 d.).

Cette première mondiale donne la joie de découvrir une grande œuvre lyrique digne d'être comparée à *Lohengrin*. Schumann et Liszt vouaient à cette partition une admiration sans bornes, et ce n'est pas sans raison. Dans la distribution, tout à fait exceptionnelle, se détache l'Euryanthe idéale de Jessye Norman : par son timbre chaleureux quel que soit le registre, par sa voix ample et aisée, elle met pleinement en valeur le beau rôle qu'elle chante. A ses côtés, il faut citer la vaillante Eglantine de Rita Hunter, la subtilité, l'art parfaits de Nicolaï Gedda, et le personnage saisissant de brutalité avec le Lysiart de Tom Krause. Les chœurs de cette riche partition jouent un rôle très important, et sont dirigés, tout comme l'orchestre, avec souplesse et éclat, par Marek Janowski. Un chef-d'œuvre miraculeusement ressuscité.

Le Freischütz, opéra.

*** Gundula Janowitz (Agathe), Edith Mathis (Ännchen), Peter Schreier (Max), Theo Adam (Kaspar), Siegfried Vogel (Kuno), Bernd Weikl (Ottokar), Franz Crass (l'Ermite), Ch. de la Radio de Leipzig, Orch. de la Ville de Dresde, Carlos Kleiber. DG 2709.046 (3 d.). ⌧ 3371.008 (3 c.). Enregistré en 1973.

*** Hildegard Behrens (Agathe), Helen Donath (Ännchen), René Kollo (Max), Peter Meven (Kaspar), Raimund Grumbach (Kuno), Wolfgang Brendel (Ottokar), Kurt Moll (l'Ermite), Ch. et Orch. de la Radio Bavaroise, Rafaël Kubelik. Decca 390 268 (3 d.). Enregistré en 1980.

** Elisabeth Grümmer (Agathe), Lisa Otto (Ännchen), Rudolf Schock (Max), Karl Christian Kohn (Kaspar), Ernest Wiemann (Kuno), Hermann Prey (Ottokar), Gottlob Frick (l'Ermite), Ch. de l'Opéra de Berlin, Orch. Phil. de Berlin, Josef Keilberth. EMI VSM C 149-30.171/73 (3 d.). Enregistré en 1959.

** Irmgard Seefried (Agathe), Rita Streich (Ännchen), Richard Holm (Max), Kurt Boehme (Kaspar), Albrecht Peter (Kuno), Eberhard Waechter (Ottokar), Walther Kreppel (l'Ermite), Ch. et Orch. Symph. de la Radio Bavaroise, Eugen Jochum. DG 2726.061 (2 d.).

Avec la version Kleiber du *Freischütz*, nous nous trouvons en présence d'une très belle réussite, qui surclasse les versions antérieures. Gundula Janowitz est proprement sublime en Agathe, exceptionnelle de sensibilité et d'intelligence. Peter Schreier est un Max idéal de romantisme, vaillant et rêveur, Theo Adam incarne admirablement le rôle de Kaspar - mais on pourrait souhaiter ici une voix plus «noire». Edith Mathis campe une charmante Ännchen, dont on regrette un peu le manque d'«abattage», un des caractères du rôle. Le problème des passages parlés est résolu habilement : les comédiens ont un timbre qui ne s'éloigne pas de celui des chanteurs qu'ils doublent, et savent garder un jeu sobre. Carlos Kleiber sait créer un véritable climat romantique, adoptant de très bons mouvements, se montrant tour à tour dramatique et lyrique. Il est aidé par une prise de son très présente et vivante.

Cet opéra a bénéficié de peu d'intégrales au disque : c'est pourquoi il faut saluer la réalisation de Kubelik, d'autant plus qu'elle nous comble. La distribution en est idéale. Behrens et Kollo tombent ici dans leurs vrais emplois, l'une retenue et raffinée, l'autre vaillant. Ännchen et Kaspar leur constituent d'excellents contrepoints. Kubelik choisit pour sa direction une conception rigoureuse, à l'architecture vaste qui, quelquefois, dessert un peu les couleurs à la fois subtiles et sombres de cette œuvre romantique.

Même si elle date techniquement, la version de Keilberth se recommande par une Agathe aussi remarquable que dans la version de Kleiber Junior, celle d'Elisabeth Grümmer. Le reste de la distribution ne dépare pas, avec Lisa Otto, Hermann Prey... Cet enregistrement obtint un prix du disque en 1959 ; même si, à l'époque, le choix des versions était plus restreint, les mérites de celle-ci n'en sont pas moins très vrais.

L'enregistrement dirigé par Jochum ne comporte que deux disques, car les textes parlés n'y figurent pas. Si Irmgard Seefried, alors qu'elle n'était plus au meilleur de ses moyens vocaux, n'atteint pas les Agathe de Janowitz et Grümmer, Rita Streich est la meilleure Ännchen que l'on puisse trouver, tant elle a la frivolité charmante et volubile du personnage. On trouve aussi un Kaspar, noir et démoniaque à souhait, avec Kurt Boehme.

L'Invitation à la valse, orchestration d'Hector Berlioz. Le Freischütz : Ouverture et entracte de l'acte III.

*** Orch. Phil. de Berlin, Wilhelm Furtwängler. DG 2535.821 (étr.). Mono (origine 78 t.). Enregistré en 1932 et 1935. + *Mendelssohn : Ouvertures des Hébrides et du Songe d'une nuit d'été.*

Ce disque est constitué de repiquages d'enregistrements réalisés en 78 tours, entre 1929 et 1935. Le travail des ingénieurs a été excellent, et nous restitue des gravures d'un intérêt primordial. Nul autre que Furtwängler, à l'exception peut-être de Toscanini, n'a su donner à ces petits chefs-d'œuvre toute leur mesure : les extraits du *Freischütz* deviennent un véritable festival pour instruments à vent. Le phrasé inimitable des cordes de la Philharmonie de Berlin fait s'envoler l'*Invitation à la valse*, si génialement orchestrée par Berlioz, dans un véritable tourbillon de romantisme, suscité par la baguette galvanisante de ce chef inspiré. Malgré l'âge de l'enregistrement, ce disque est et demeurera longtemps la référence dont on ne peut se passer.

Konzertstück pour piano et orchestre en fa mineur op. 79.

** Alfred Brendel (piano), Orch. Symph. de Londres, Claudio Abbado. Philips 9500.677. ⊠ 7300.772. + *Schumann : Concerto pour piano et orchestre.*

Le tandem Brendel-Abbado est vraiment très à son affaire dans ce *Konzertstück* et fournit aux mélomanes l'occasion de découvrir cette pièce si méconnue sous son meilleur jour. Les interprètes, visiblement, «se font plaisir» et leur joie est communicative. Il est dommage que cette réussite se double d'une déception par le complément d'un Concerto de Schumann bien peu schumannien, où le piano, étrangement pâle, se trouve relégué au second plan.

Obéron, opéra.

*** Birgit Nilsson (Rezia), Julia Hamari (Fatima), Placido Domingo (Huon), Hermann Prey (Sherasmin), Marga Schiml (Puck), Donald Grobe (Obéron), Ch. et Orch. d Radio Bavaroise, Rafael Kube DG 2530.097/99 (3 d.). (RI G-B).

Cet unique enregistrement intégral d'*O ron* réunit une distribution de classe inte tionale. Dans le rôle-titre, Placido Domi fait merveille, tant il possède d'aisance e style. Birgit Nilsson se tire avec honneur rôle redoutable de Rezia ; ses aigus ne s plus aussi triomphants, mais quelle chaleu quel velouté dans la voix ! Julia Hamari, depuis, a gagné ses titres de gloire, étai révélation de cette gravure, avec son b timbre de mezzo. La direction de Rafael belik est parfaite de style, légère, aérienn par moments généreusement lyrique. Il souhaiter la réapparition à la fois de ce que et d'*Obéron*, dont l'absence hors du ca logue français est (c'est un euphémisme) regrettable.

Ouvertures : Abu Hassan, Euryant Le Freischütz, Obéron, Peter Schm Der Beherrscher der Geister (Le Maî des Esprits).

*** Orch. Phil. de Berlin, Herbert v Karajan. DG 2530.315.

L'un des enregistrements les plus roma ques de Karajan, donc parfaitement c forme à l'esprit de Weber. Les contra sont marqués, tant sur le plan de la dyna que que dans le choix des mouvements. T tes les nuances des partitions sont respect Grâce aux couleurs que peut donner un P harmonique de Berlin en grand forme, il dégage de ce disque un climat vraiment tense, rehaussé par la grande qualité de prise de son.

Les quatre Sonates pour piano.

** Marie-Catherine Girod (pian Solstice SOL 24/25 (2 d.).

Marie-Catherine Girod traduit avec in ligence et sensibilité ce premier romantis ne cédant aux séductions de la virtuosité q dans le cas bien précis où le texte l'exige, fait sans hésitation la part des choses entre qui se rattache encore à l'élégance conv tionnelle et ce qui participe de l'émotion.

Six Sonates pour violon et pia op. 10.

*** Victor Pikaisen (violon), Alexei Nasedkin (piano). Mélodia Chant du Monde C 10-08.153 (étr.).

Ces Sonates originales, variées, explorant hardiment les ressources du violon, manquaient au catalogue. Les voici, exceptionnellement rendues dans tout ce qu'elles possèdent d'élégance et de sûreté d'écriture. On ne saurait se plaindre, comme l'éditeur André qui les avait commandées à Weber, qu'elles sont «trop bien faites» : à ce niveau de virtuosité et de sentiment, le programme et ses deux excellents interprètes composent un disque remarquable.

Symphonie n° 1 en ut majeur.

** Orch. Phil. de Vienne, Horst Stein. Decca SXL 6876 (G-B). Enregistré en 1978. + *Ouvertures d'Euryanthe, Abu Hassan, Le Maître des Esprits ; Invitation à la valse.*

Les Symphonies de Weber constituent une partie particulièrement mal connue de son œuvre : la Seconde manque au catalogue. Ancien élève de Michaël Haydn, Weber s'inspire sans conteste des œuvres de Joseph Haydn, tout en remplaçant, comme Beethoven, le menuet par un *Scherzo* ; mais sa manière d'orchestrer reste très personnelle et originale. Horst Stein est vraiment à l'aise dans ce style qui fait la transition entre la rigueur classique et les accents pré-romantiques, et, sous sa direction, l'Orchestre Philharmonique de Vienne sonne merveilleusement. En complément, trois Ouvertures et une bonne version de l'*Invitation à la valse*, orchestrée par Berlioz.

Webern, Anton
(1883-1945)

Dans le vent d'été. Trois pièces pour orchestre op. posthume.

** Orchestre de Philadelphie, Eugène Ormandy. CBS 60.258. Enregistré en 1962 et 1967. + *Berg : Lulu Suite. Schoenberg : Thème et Variations op. 43 b.*

Ces deux partitions font passer des débuts de ce jeune compositeur à la maturité épanouie de celui que l'on a trop longtemps considéré comme l'intellectuel sec et parcimonieux de l'Ecole de Vienne. Avec Ormandy, le lyrisme de Webern, enfoui dans les aphorismes d'un temps raccourci par hypertension, reparaît, comme aux premiers jours de vent d'été où le futur radicaliste sériel prenait le temps de s'épancher sous l'influence de Richard Strauss.

Six Lieder.

*** Dietrich Fischer-Dieskau (bar), Aribert Reimann (piano). DG 2530.107 (RFA). + *Berg, Schoenberg : Lieder.*

Le chant avec piano est souvent la quintessence même de la musique d'un créateur. Avec les trois Viennois, le lied devient en plus un champ d'expérimentation. C'est dire combien sont précieuses ces mélodies. L'osmose parfaite du chanteur avec les univers qu'il décrit et défend, son intelligence raffinée intègrent la substance stylistique de chaque compositeur avec une qualité expressive admirable. Aribert Reimann, lui-même compositeur de très grand talent, donne toujours le ton juste, l'éclairage approprié à chaque instant, et porte l'art de l'accompagnement aux sommets de l'art tout court.

L'Œuvre complète : opus 1 à 31.

❀*** Charles Rosen (piano), Isaac Stern (violon), Gregor Piatigorsky (violoncelle), Heather Harper (s), Halina Lukomska (s), Barry McDaniel (bar), Quatuor Juilliard, Ch. John Alldis, Orch. Symph. de Londres, Pierre Boulez. CBS 79.402 (4 d.).

Cet enregistrement regroupe les 31 numéros d'opus de l'œuvre de Webern ; à ce titre, il constitue le premier volet d'une édition intégrale véritable, un second enregistrement devant un jour nous faire connaître les opus posthumes. On retrouve bien entendu ici, sous la direction de l'héritier spirituel de Webern, la vigueur analytique, la précision proverbiale, le feu intérieur qui lui sont propres. Dans ce répertoire comme ailleurs, l'Orchestre Symphonique de Londres est une phalange admirable de souplesse et de rigueur à la fois ; excepté de minimes réserves à l'endroit de Halina Lukomska, les solistes sont ce que l'on pouvait espérer de mieux dans des œuvres demandant autant de qualités contradictoires ; et quant au Chœur John Alldis, il est actuellement inapprochable. Reste que cet ensemble garde un concurrent de poids avec l'anthologie orchestrale de Karajan. A signaler ici un complément de choix, absent de la très ancienne version de Robert Craft (à ranger désormais dans les archives) : la transcription pour cordes des *Pièces op. 5* pour quatuor, l'orchestration du *Ricercar a 6* de *l'Offrande musicale* de Bach et une interprétation merveilleuse (la seule connue) de Webern au pupitre dirigeant des *Danses allemandes* de Schubert. Sans l'ombre d'un doute, une édition de référence.

Œuvres pour quatuor à cordes : Mouvement lent, Quatuor de 1905, Cinq Pièces op. 5, Six Bagatelles op. 9, Quatuor op. 28.

❀*** Quartetto Italiano. Philips 6500.105.

Œuvres pour quatuor à cordes : Quatuor de 1905, Cinq Pièces op. 5, Six Bagatelles op. 9, Quatuor op. 28.

*** Quatuor LaSalle. DG 2720.029 (5 d.). + *Berg : Quatuor op. 3, Suite lyrique. Schoenberg : Quatuors n°s 1 à 4, Quatuor en ré majeur de 1897.*

Œuvres pour quatuor à cordes : Cinq Pièces op. 5, Quatuor op. 28.

** Quatuor Alban Berg. Telefunken 6.41994 (RFA). + *Haubenstock-Ramati : Quatuor n° 1. Urbanner : Quatuor n° 3.*

Le Quartetto Italiano donne, en un seul disque, la seule intégrale véritablement complète (avec le *Mouvement lent*) de l'œuvre pour quatuor de Webern, et une intégrale de référence. Contrairement au Quatuor LaSalle, il met l'accent sur l'héritage postromantique du troisième Viennois. Le parti pris de lenteur donne une dimension étonnante à ces pages, en accentuant plus que toutes précision et rigueur réunies la clarté structurelle de cet orfèvre que fut Webern. Ici, le son est plein et rond, avec de surcroît une chaleur expressive frémissante de sensualité latine, ce qui nous emmène bien loin de la vision ascétique, désincarnée des LaSalle. Cela étant, seule une option de goût et d'affinités conceptuelles pourra départager la perfection technique des deux propos divergents qui sont ainsi mis à notre disposition.

Hormis le *Mouvement lent* de Webern, le Quatuor LaSalle donne en un seul coffret une édition intégrale de la musique pour quatuor à cordes des trois Viennois. Analytiques, ces interprétations sont d'une clarté d'audition que seule une compagnie assidue, un travail intense et une affinité sensuelle part culière pouvaient rendre si merveilleusemen De plus, ce parti pris de clarté illumine d'u jour tout à fait intéressant les œuvres d deux autres Viennois, même si l'on peut pr férer le Quatuor Juilliard dans Schoenbe ou le Quatuor Alban Berg dans Berg. Le conception rigoureuse possède une for d'attraction que l'on ne peut dénier, même l'on n'est pas tout à fait convaincu dans to les cas. Une étude d'accompagnement, q est un véritable livre, rassemble tous l textes écrits par les compositeurs sur leu œuvres pour quatuor, inestimable docume musicologique.

Chaque interprétation «viennoise» d Quatuor Alban Berg est à guetter avec gou mandise. Voilà une formation intelligent sensible, au souffle généreux et vaste, à l sonorité ample, vibrante, aux phrasés indi cutables et subtils, à la lecture fraîche, émo vante, à la vision interne chaleureuse pensée. Toutes ces qualités font que l'on a rait pu souhaiter pour ce disque un couplag plus homogène, avec des œuvres de mus ciens de la même Ecole de Vienne.

Cinq Pièces pour cordes op. 5. Passa caille op. 1. Six Pièces pour orchestr op. 6. Symphonie op. 21.

❀*** Orch. Phil. de Berlin, Herbe von Karajan. DG 2711.014 (4 d.). + *Schoenberg : Nuit transfigurée, Pe léas et Mélisande op. 5, Variation pour orchestre op. 31. Berg : Tro Pièces pour orchestre op. 6, Tro mouvements de la Suite lyrique.*

Voici un Webern électrisé, expressionnist jusqu'au bout de la baguette de Karajan. L *Passacaille* vibre de tous ses fibres, les *Pièce pour cordes op. 6* brillent de tous leurs feux ce n'est pas encore le Webern orfèvre d silence de la Symphonie op. 21, mais tout es là contenu dans cette pâte sonore que le cordes s'annexent avec un brio et une sensi bilité d'archet frémissant, tout à fait déton nant. Dans l'*Opus 21* brillent une poésie, un chaleur enveloppante, une tendresse exaltée

Variations pour piano op. 27.

❀*** Maurizio Pollini (piano). DC 2530.803. + *Boulez : Sonate n° 2.*

* Monique Oberdoerffer (piano). + *Kinderstück op. posthume. Berg Sonate op. 1. Schoenberg : 3 Kla vierstücke op. 11, 6 Klavierstück op. 19.*

Familier de la musique d'aujourd'hui omme de Chopin ou de Beethoven, Pollini net au service de ce chef-d'œuvre de la musiue sérielle sa maîtrise absolue des sonorités : des phrasés. Inscrivant fréquemment cette euvre au programme de ses concerts, il en onne une interprétation vivante, spontanée, énuée de toute sécheresse spéculative mais n même temps d'une superbe intelligence. vec la deuxième Sonate de Boulez inscrite ır l'autre face, c'est là l'un des maîtres-disues de la musique de notre siècle.

Dans un programme tout entier consacré à École de Vienne, Monique Oberdoerffer pproche les *Variations op. 27* du *Kinderück* de 1924, découvert en 1965, qui est l'un es tout premiers essais de musique sérielle. Iais la pianiste n'a pas trouvé ici l'attrait onore et le lyrisme qui conviennent à un épertoire qui demande plus d'autorité. Iil 'y a rien à reprocher, sinon trop de respect ttéral.

Veelkes, Thomas
vers 1575-1623)

allets et madrigaux. Les Cris de Lonres. Musiques sacrées. Musiques pour ioles.

** Deller Consort, Jaye Consort of Viols, Alfred Deller. Harmonia Mundi HM 224.

Toute sa vie, Alfred Deller a employé la echnique qui consistait à donner une sélecon d'œuvres d'un auteur inconnu plutôt ue des intégrales. Dans certains cas, le harme principal du disque n'était pas tant la ıusique que la façon dont l'interprétait le Deller Consort. C'est un peu le cas ici, où interprétation vaut plutôt mieux que les euvres présentées. Cela est en particulier rai pour la face réservée à la musique sacrée, ssez traditionnelle en elle-même, mais interrétée avec cette légèreté et cette transpaence qui donne aux interprétations du Deller Consort une valeur incomparable.

Weill, Kurt
1900-1950)

Grandeur et décadence de la ville de Mahagonny.

*** Lotte Lenya (Jenny), Gisela Litz (Mrs Begbick), Horst Günther (Trinity Moses), Georg Mund (Pennybank Bill), Sigmund Roth (Alaska-Wolf-Joe), Peter Markwort (Fatty the Bookkeeper), Heinz Sauerbaum (Jimmy Mahoney), Richard Munch (le récitant), Ch. et Orch. de Radio Hambourg, Wilhelm Brückner-Rüggeberg. CBS 77.341 (3 d.).

Une interprétation expressionniste au dernier degré, sans aucune recherche d'élégance, donne à ce *Mahagonny* une allure inquiétante de veille de catastrophe. La présence, au premier rang des interprètes, de Lotte Lenya, veuve de Kurt Weill, donne à cette exécution un cachet d'authenticité. La chanteuse est elle-même très impressionnante dans le rôle de Jenny. Elle domine une troupe plus portée sur la recherche de l'intensité dramatique que sur les raffinements musicaux. Une formation orchestrale réduite semble prendre à tâche d'effacer tout ce qui pourrait être concession à la facilité. Du grand théâtre musical qui donne froid dans le dos.

L'Opéra de quat'sous.

*** Lotte Lenya (Spelunkenjenny), Wolfgang Neuss (le chanteur des rues), Willy Trenk-Trebisch (Peachum), Trude Hesteberg (Mrs Peachum), Eric Schellow (McKeath), Johanna Koczian (Polly), Wolfgang Grunert (Tiger Brown), Ch. et Orch. de Berlin, Wilhelm Brückner-Rüggeberg. CBS 77.268 (2 d.).

Opéra «populaire» dans tous les sens du terme, l'œuvre de Brecht-Weill trouve ici une interprétation brutale et incisive qui la décape des souvenirs qu'on peut garder de tant d'exécutions partielles et médiocres. La troupe est dominée par la personnalité de Lotte Lenya, incomparable. Tout a été mis en œuvre pour nous restituer l'atmosphère du Berlin des années trente. La vigueur de l'orchestre n'est en rien atténuée par une prise de son très présente, qui donne à l'ouvrage un relief presque insupportable.

Les sept péchés capitaux des petits-bourgeois.

** Gisela May (Anna), Peter Schreier (t), Hans Joachim Rotzsch (t), Günther Leib (bar), Hermann Christian

Polster (b), Orch. de Radio-Leipzig, Herbert Kegel. DG 139.308 (sup.).

Moins connue que les opéras de Weill, cette suite lyrique ne mérite pas l'oubli dans laquelle elle est tombée. L'exécution rend à merveille l'intensité d'une œuvre où s'opposent continuellement orchestre, solistes chantant en groupe, et le *Sprechgesang* d'Anna, admirablement interprétée par Gisela May. L'orchestre excelle à mêler de façon inquiétante nostalgie et ricanement dans une œuvre qui semble tout le temps railler les formes musicales admises. La brutalité du propos est quelque peu atténuée par une prise de son un peu trop élégante, qui estompe certaines dissonances voulues par les auteurs.

Symphonies nos 1 et 2.

* Orch. Symph. de la BBC, Gary Bertini. EMI VSM C 063-00.375 (sup.).

Une des rares incursions de Weill dans le domaine de la musique pure. Ces deux œuvres solides prouvent qu'il aurait pu faire une honorable carrière de symphoniste. On y sent l'influence de Mahler autant que celle de ses maîtres Humperdinck et Busoni. L'interprétation qui nous en est donnée souligne un peu trop la parenté avec les pièces les plus charpentées de Hindemith. C'est une très honnête lecture d'un texte trop oublié.

White, Robert
(vers 1535-1574)

Lamentations de Jérémie, à cinq voix. Motets «Christe qui lux es», «Domine quis habitabit», «Portio mea Domine», «Regina coeli».

** The Clerkes of Oxenford, David Wulstan. Calliope CAL 1622.

La grandeur du texte des *Lamentations* convient parfaitement bien à la gravité de ton qui caractérise les interprétations de David Wulstan. La musique de White se subordonne entièrement au texte, ce qui permet aux interprètes d'en donner une lecture pleine d'actualité et de signification, sans ornements inutiles. La vigueur avec laquelle ils traduisent ce cri de désespérance est très vivante et émouvante. Il manque un peu de fini à leur travail, mais cela est compensé par une telle vitalité qu'on aurait tort de s'en plaindre.

Widor, Charles-Marie
(1844-1937)

Symphonies pour orgue n° 4 et n° 1 «Romane».

*** Odile Pierre (orgue Cavaillé-Co de St-Sernin de Toulouse). RCA R 37.394. Enregistré en 1980.

Odile Pierre nous donne la Dixième Sym phonie sur l'instrument de la basilique S Sernin de Toulouse, à laquelle elle est d diée : c'est dire l'authenticité sonore de c enregistrement. L'interprétation est nuanc et nerveuse, et Odile Pierre sait avec un a consommé faire sonner son instrument, r équilibrer les différents volets des oeuvres en recomposer les différents visages.

Symphonies pour orgue n° 9 «Goth que», n° 4 en fa mineur, n° 6 en s mineur et n° 3 (extraits).

❀*** Marie-Claire Alain (orgue Ca vaillé-Coll de Saint-Germai en-Laye). Erato STU 71.165 (2 d. Enregistré en 1979.

Marie-Claire Alain décape de toute mi vrerie et de toute enflure la Neuvième Sym phonie, pour lui restituer une dignité qui trop souvent échappé à d'autres interprète Son approche très «carrée» et la distinctio du Cavaillé-Coll de Saint-Germain-en-Lay ont littéralement dépoussiéré cette œuvre lui donnent une vérité nouvelle. Outre cet Symphonie «Gothique», le même coffr nous présente l'enregistrement des 4e et Symphonies ainsi que trois mouvements ex traits de la 3e.

Symphonie pour orgue n° 10 «Romane»

*** Pierre Cochereau (orgue de No tre-Dame de Paris). Philip 6504.105. Enregistré en 1973.

Pierre Cochereau, merveilleusement l'aise à ses claviers de l'orgue de Notre-Dam de Paris, parvient à nous faire oublier le quelques longueurs de cette œuvre contras tée, la traitant dans cette atmosphère d vaste fresque qui est sienne, déchaînant l tempête du grand chœur, puis l'apaisant en suite dans un souffle des fonds qui se fa sublime. Un Cochereau des grands jours.

Wieniawski, Henrik

(1835-1880)

Concertos n° 1 et n° 2 pour violon et orchestre.

*** Itzhak Perlman (violon), Orch. Phil. de Londres, Seiji Ozawa. EMI VSM C 069-02.360.

Itzhak Perlman est l'interprète idéal de cette musique qui doit être repensée pour que la virtuosité qu'elle réclame ne soit pas une fin, mais un moyen au service de l'expression. Ce virtuose superbe n'a pas son égal pour analyser un texte et mettre en valeur toutes les données qu'il renferme. S'il cède à la beauté de certains traits, son aisance naturelle lui permet de les dominer pour ne jamais dépasser les limites permises. On regrettera seulement que l'accompagnement d'Ozawa soit, du point de vue du phrasé et de l'expression, un peu en-deçà du soliste.

Etudes-Caprices pour deux violons, n° 1 en sol mineur et n° 2 en mi bémol majeur.

*** Itzhak Perlman, Pinchas Zukerman (violon). EMI VSM C 069-02.923. Quadri. Enregistré en 1976. *+ Leclair : Sonate op. 3. Haendel : Passacaille. Spohr : Duo op. 67 n° 2.*

C'est une véritable fête musicale que la rencontre de ces deux très grands violonistes de la jeune génération, Perlman et Zukerman, dans un programme entièrement inédit, sauf la *Passacaille* de Haendel. La sonorité plus aérienne de Perlman se marie admirablement au timbre plus sensuel de Zukerman. Dans les *Etudes-Caprices* de Wieniawski, Zukerman joue la partie du maître, laissant à son collègue les acrobaties de la main droite. Un récital somptueusement réalisé.

Wolf, Hugo

(1860-1903)

Le Corregidor, opéra.

** Karl Erb (le Corregidor), Georg Hann (Repela), Kurt Boehme (Lopez), Josef Hermann (Tio Lukas), Martha Fuchs (Dona Mercedes), Gottlob Frick (Tonuelo), Margarete Teschemacher (Frasquita), Ch. de l'Opéra d'Etat, Orch. Staatskapelle de Dresde, Karl Elmendorff. Acanta FA 21.408 (3 d.). Mono. Enregistré en 1944.

Ouvrage bien peu connu aujourd'hui, *le Corregidor* est adapté d'une pièce qui a fourni également l'argument du *Tricorne* de Falla. Mais le livret est mal ficelé, et il en résulte un opéra-bouffe manqué ; bien que le sujet soit au départ excellent, les quatre actes se traînent sans qu'aucun ressort dramatique ne vienne les animer. Les beautés lyriques n'y manquent pas, mais elles appartiennent au domaine du lied, ce qui n'est pas valable scéniquement. En revanche, on écoute avec plaisir maints ravissants morceaux de cet enregistrement historique réalisé dans d'excellentes conditions. En tête de distribution, un maître du lied, le légendaire Karl Erb, entouré de voix non moins somptueuses. La direction d'Elmendorff est tout à fait wagnérienne. Un énorme inconvénient : l'absence totale de livret, qui empêche de pouvoir se familiariser avec l'œuvre.

Das italienische Liederbuch.

❀*** Elisabeth Schwarzkopf (s), Dietrich Fischer-Dieskau (bar), Gerald Moore (piano). EMI VSM SAN 210/11 (2 d.) (étr.). Enregistré en 1967.

L'intégrale de l'*Italienische Liederbuch*, avec Schwarzkopf, Fischer-Dieskau et Gerald Moore, a malheureusement disparu des catalogues français depuis plusieurs années, mais on peut se la procurer à l'étranger. C'était pourtant une réussite totale, où se développait l'art incomparable des deux chanteurs, parfaitement accompagnés par Gerald Moore. Cette réalisation idéale «vaut le voyage»... hors de nos frontières.

Goethe Lieder.

❀*** Elisabeth Schwarzkopf (s), Gerald Moore (piano). EMI VSM SLS 5197 (2 d.). Enregistré en 1956, 1957, 1961 et 1962.

La rencontre miraculeuse d'un musicien et d'un poète, et de deux interprètes avec des oeuvres qui n'ont pour eux plus aucun secret. Toute l'intelligence du verbe goethéen, le prodigieux raffinement de sa pénétration musicale par Wolf, ces microcosmes qui jaillissent comme des éclairs sont véritablement recréés par des artistes exceptionnels au zénith de leur talent.

Lieder, enregistrement intégral, vol. 2 : Goethe Lieder, Lieder sur des poèmes de Heine et Lenau.

❀*** Dietrich Fischer-Dieskau (bar), Daniel Barenboïm (piano). DG 2740.156 (3 d.).

Ce coffret comprend 42 lieder sur des poèmes de Goethe, 7 sur des poèmes de Heine et 4 sur des textes de Lenau. Les *Goethe Lieder* correspondent, chez Wolf, à une période d'intense activité créatrice, à une année heureuse. Dans l'interprétation de ces petits univers que sont ces mélodies, Fischer-Dieskau ne cesse d'approfondir son art : sa démarche s'effectue toujours en direction d'une plus grande intériorité, d'une simplicité plus dépouillée. Sa gamme de nuances et d'expression est extraordinairement raffinée ; dans le ton de la confidence et de l'intimité, il est vraiment incomparable. L'accompagnement de Daniel Barenboïm est à la hauteur du grand baryton, et de leur collaboration résulte un coffret unique, à utiliser comme un livre de chevet. A noter que le premier volume de cette intégrale est tout entier consacré aux poèmes de Moerike et référencé sous la rubrique des Moerike Lieder.

Lieder, enregistrement intégral, vol. 3 : Eichendorff Lieder, Lieder de jeunesse, Lieder isolés.

*** Dietrich Fischer-Dieskau (bar), Daniel Barenboïm (piano). DG 2740.162 (3 d.).

Alors que les programmes des deux premiers volumes de cette intégrale offraient une unité certaine, ce troisième volume est plus disparate ; mais, depuis les petites œuvres de l'extrême jeunesse du compositeur (certaines datant même du Conservatoire) jusqu'à la production ultime, il offre un panorama de l'itinéraire de Wolf. Parmi les œuvres de la fin de sa vie se trouvent les trois bouleversants lieder sur des poèmes de Michel-Ange, des pièces qui justifient à elles seules la connaissance de ce coffret. L'interprétation de Fischer-Dieskau est parfois obligée de sacrifier la ligne vocale à l'expression du texte, mais on ne peut lui en vouloir de faire vivre avec tant d'émotion le monde intérieur de Wolf. Le baryton est secondé plus que par u accompagnateur, par un grand pianiste : Da niel Barenboïm, souple et vivant.

Lieder divers.

❀*** Elisabeth Schwarzkopf (s), Wi helm Furtwängler (piano). EM VSM C 063-01.915. Mono. Enregis tré en 1953.

*** Hans Hotter (bar), Gerald Moor (piano). EMI DCO C 147-01.633/3 (2 d.). Mono. + *Bach : Cantat BWV 82. Haendel : Airs. Brahms Lieder. Schubert : Lieder.*

Il faut féliciter l'éditeur d'avoir provoqu cette rencontre de deux «monstres sacrés» e d'avoir enregistré ce document inestimabl réunissant Schwarzkopf et Furtwängler. L prise de son était si bien réalisée que c concert «live» est aussi parfait technique ment que les meilleures réalisations en studi de l'époque. On se demande, en écoutant l grande cantatrice, si l'on pourra jamais malgré les versions remarquables dues à See fried ou à Fischer-Dieskau - atteindre de tel sommets dans le naturel et la perfection Mais la valeur de ce disque réside peut-êtr davantage encore dans le document sur l style pianistique de Furtwängler : le modèl absolu de sonorité, de phrasé, d'intelligenc avec la partenaire... Une merveille dont il n faut pas priver sa discothèque !

Ce coffret de deux disques présente u choix d'enregistrements qui rendent compt de l'art de Hans Hotter. Les styles, allant d Bach à Hugo Wolf, en sont très variés, mai partout le grand chanteur se montre artist accompli, et particulièrement dans les liede de ce dernier, dont il donne une interpréta tion qui reste une référence absolue. Si Ge rald Moore s'est «bonifié» au cours de années qui ont suivi, déjà, dans ces sillons, i se montre accompagnateur inspiré.

Moerike Lieder, enregistrement intégra (intégrale des Lieder, vol. 1).

❀*** Dietrich Fischer-Dieskau (bar) Daniel Barenboïm (piano). DG 2740.113 (3 d.).

18 Moerike Lieder.

*** Dietrich Fischer-Dieskau (bar), Sviatoslav Richter (piano). DG

2530.584 (étr.). Enregistré en public en 1973.

Moerike Lieder.

** Elisabeth Schwarzkopf (s), Geoffrey Parsons (piano). EMI VSM 063-02.598. + *Schubert : 5 Lieder. Schumann : 4 Lieder.* Enregistré en 1973.

Wolf affirmait avoir possédé les poèmes de Moerike pendant dix ans avant de les mettre en musique : c'est dire si ces lieder sont le fruit d'une longue maturation, où le texte n'est plus un prétexte, mais le support intime et étroit de la musique. C'est bien cette intimité, cette longue fréquentation que nous retrouvons dans l'interprétation de Fischer-Dieskau : l'art de ce grand chanteur est fait de réflexion et d'approfondissement, et ses qualités éclatent vraiment dans le monde intime du lied wolfien. Il sait varier à l'infini les nuances qui émaillent ces pages remarquables. Avec Daniel Barenboïm, Fischer-Dieskau ne pouvait trouver partenaire plus convaincant ; comme les grands maîtres du lied, Wolf a donné au piano un rôle plus important que celui de simple accompagnateur, et il s'agit plutôt d'un duo : chanteur et pianiste nous offrent ici le premier volume d'une intégrale qui fera certainement date.

Le récital Fischer-Dieskau a été enregistré en public en 1973, avec Richter au piano : les circonstances sont donc différentes de l'intégrale et ne la doublent pas. Nous bénéficions ici de la spontanéité qu'une réalisation en studio - forcément plus «parfaite» - nous enlève : ce disque est tout imprégné de l'émotion miraculeuse du concert. Fischer-Dieskau se montre égal à lui-même, tandis que la conception pianistique de Richter diffère complètement de celle de Barenboïm : ce dernier était un peu réservé, Richter est prodigieux de vivacité et de couleurs, et comble l'oreille et l'imagination. La prise de son en direct est excellente et met sur le même plan les deux protagonistes. Un disque-événement, que cette rencontre de deux grands artistes.

Tout n'est évidemment pas parfait dans le disque d'Elisabeth Schwarzkopf : la voix est fatiguée par une longue carrière, mais on ne peut se formaliser de quelques aigus tirés, lorsqu'on a en compensation ce qu'une vie d'art a construit comme sens de l'expression, comme perfection dans le phrasé. La grande artiste sait étonnamment caractériser chaque pièce de ces Moerike Lieder, faisant passer l'ironie et la feinte simplicité qu'ils contiennent. Le reste de l'enregistrement est consacré à des lieder de Schubert et de Schumann, interprétés avec une tout aussi grande perfection musicale : c'est certain, Elisabeth Schwarzkopf restera toujours comme une référence et un témoignage pour montrer ce qu'est bien chanter.

Penthesilea, poème symphonique pour grand orchestre. Sérénade italienne, version pour orchestre. Huit Lieder. Der Feurreiter.

*** Evelyn Lear (s), Thomas Stewart (bar), Ch. et Orch. Symph. de Vienne, Otto Gerdes. DG 139.426/27 (2 d.) (RFA).

Une réalisation très intéressante de nombreux points de vue. Le poème symphonique *Penthesilea* est une œuvre passionnante, profondément romantique, qui annonce Mahler, voire Schoenberg. Otto Gerdes le dirige à la fois avec fougue et lucidité. La version pour orchestre de *la Sérénade italienne* n'ajoute pas grand-chose à la version pour quatuor à cordes, mais reste une page fine et élégante. Le second disque du coffret est consacré à des lieder, où brillent particulièrement Evelyn Lear et Thomas Stewart. On y trouve aussi le *Cavalier de feu (der Feuerreiter)* pour chœur et orchestre, d'après Moerike. Techniquement parlant, l'enregistrement est excellent ; raison de plus d'apprécier un si bon programme.

Sérénade italienne, pour quatuor à cordes.

** Quatuor Melos. Candide CE 31.014 (étr.). + *Bruckner : Quintette en fa majeur.*

Le charme de cette *Sérénade italienne* souligne combien Hugo Wolf est un musicien profond, très personnel dans son romantisme. Sa verve, sa vivacité souriante et sa chaleur de ton, données par les effusions d'un lyrisme méditerranéen, l'emportent sur des œuvres de musique de chambre pourtant mieux honorées. Le Melos Quartet en donne une interprétation qui ne trahit pas les intentions et répond à cette vie intense. En couplage, une bonne version du *Quintette en fa majeur* de Bruckner.

Das spanische Liederbuch.

*** Elisabeth Schwarzkopf (s), Dietrich Fischer-Dieskau (bar), Gerald Moore (piano). DG 130.329/30 (2 d.) (étr.). Enregistré en 1967.

Ce recueil de 44 lieder emprunte son nom à la traduction allemande d'un choix de poèmes espagnols ; parmi ceux-là, Wolf mit en musique dix poèmes spirituels et trente-quatre poèmes profanes, que leurs sens fait placer dans la bouche tantôt d'un homme, tantôt d'une femme. Cette dernière, par la voix de Schwarzkopf, donne une interprétation superbe, aussi fervente qu'il est possible. Quant à Fischer-Dieskau, spécialiste incontesté du répertoire mélodique allemand, on le sent, bien sûr, très à l'aise. Gerald Moore leur fournit le soutien pianistique idéal.

Wolkenstein, Oswald von
(1377-1445)

Chansons monodiques : Es fueght sich, Es nahent, Nu huss. Chansons polyphoniques : Stand auff, Maredel, Der mai mit der lieber zal, Ach senleiches leiden, Du ausserweltes, Fröleich geschrai, Wach auff, mein hort, Wer die augen, Frölich, zärtlich, kum liebster man.

*** Studio der frühen Musik, Thomas Binkley. EMI VSM C 063-30.101.

A cette musique déjà imitative et très proche de la vie de tous les jours, il convenait une interprétation musicale, mais aussi qui mette en scène. C'est ce qu'a compris le Studio der frühen Musik, dont la remarquable qualité expressive et suggestive trouve ici à se déployer. Un enregistrement qui rend compte avec précision et goût des divers aspects de la composition du trouveur allemand. On sent bien que dans les chansons monodiques texte et mélodie ne peuvent être séparés : une diction sans aucune emphase sert avec précision la déclamation. L'instrumentation délicate et efficace souligne encore la richesse mélodique en l'enrichissant de belles sonorités. Une bonne illustration pour l'œuvre encore peu connue de Wolkenstein.

Der mai mit lieber Zal, Ir alten weib, Ain graserin, Fröleichen so well wir, Ach senliches leiden, Her wiert uns düstet.

** Membres du Kammerchor Walther von der Vogelweide, Othmar Costa. Telefunken Das Alte Werk 6.35412 (4 d.) (sup.). Enregistré en 1974. + *Musique au Moyen-Age : Troubadours, Trouvères, Minnesänger, Ménestrels.*

Priorité est donnée ici aux compositions polyphoniques du maître. Ceci se comprend d'autant mieux si l'on sait que cette plage à lui consacrée s'insère dans une anthologie raisonnée de la musique médiévale, et principalement consacrée à la musique des Trouveurs. Les œuvres de Wolkenstein, même polyphoniques, appartiennent à cette lignée par leur aspect essentiellement mélodique et narratif. Là réside l'intérêt majeur de cet enregistrement, qui par ailleurs présente des qualités musicales certaines, un sens historique aiguisé, une maîtrise vocale assurée. Une belle réalisation, dont le sérieux nuit parfois à la vie, mais qui a l'avantage de replacer Oswald von Wolkenstein dans son contexte historique.

Xenakis, Iannis
(né en 1922)

Cendrées(1), Jonchaies(2), Nomos Gamma(3).

** Ch. de la Fondation Gulbenkian, Orch. National de France, Michel Tabachnik, Orch. Phil. de l'ORTF, Charles Brück. Erato STU 71.513. Enregistré en 1969 et 1977.

Dans *Cendrées*, la poésie s'allie à la vitalité d'un univers de lave en formation : on pense à Mahler. Avec *Nomos Gamma* (1968), le temps s'étire et se dilue. Inutile de garder à l'esprit, lors de l'écoute, les groupes et figures mathématico-géométriques qui servent de matériau compositionnel. Mais l'«intellectualité» de la partition s'élève au-dessus des contingences expérimentales de la recherche pure. Ici encore, de la musique avant tout. Michel Tabachnik autant que Charles Brück sont merveilleusement à l'aise dans ces trois pièces pour orchestre.

Herma, musique symbolique pour piano.

*** Georges Pludermacher (piano). EMI VSM CVB 2.190 (sup.). + *Boucourechliev : Archipel I. Jolas : Quatuor II.*

Transcendé par l'art subtil et intelligemment sensible de Pludermacher, *Herma* nous apparaît un torrent de violences à peine retenues qui ne peut que nous emporter, et avec lui, notre adhésion totale. Un très grand moment de piano à n'en pas douter. De plus, ce disque a le mérite de proposer deux versions de l'aléatoire *Archipel 1* de Boucourechliev, où les instrumentistes font assaut d'imagination, d'invention, d'intelligence et de sensibilité poétique.

Nuits.

❀*** Solistes des Chœurs de l'ORTF, Marcel Couraud. Erato STU 70.457 (sup.). + *Messiaen : Cinq Rechants. Penderecki : Stabat Mater.*

Cri de révolte contre toute forme d'oppression et d'obscurantisme, *Nuits* est certainement l'une des œuvres les plus directement accessibles, les plus poignantes de toute la musique de la seconde moitié du XXe siècle, et rejoint les chefs-d'œuvre de notre patrimoine. Les douze solistes des Chœurs de l'ORTF en ont donné la création mondiale au Festival de Royan, et ont dû aussitôt bisser l'œuvre devant les acclamations d'enthousiasme du public. Ils l'ont ensuite chantée par tout le monde, avec toujours autant de succès. C'est leur interprétation prodigieuse de virtuosité et d'expression lyrique que conserve cet enregistrement. Le couplage est idéal, avec deux autres œuvres pour douze chanteurs dont le groupe de Marcel Couraud s'est fait une véritable spécialité.

Pithoprakta. Metastasis. Eonta.

** Orch. National de l'ORTF, Maurice Le Roux, Yuji Takahashi (piano), Ensemble Instrumental de Musique Contemporaine, Konstantin Simonovic. Chant du Monde 78.368.

A la parution de ce disque, les commentaires allaient bon train : qui était pour, qui était contre, tandis que tous s'accordaient à reconnaître l'étonnante prestation de Takahashi. Les ans n'ont émoussé ni la hautaine grandeur de l'œuvre, ni l'explosive intégration de l'instrumentiste à sa matière sonore. Maurice Le Roux gomme peut-être une peu la violence de cette pâte en ébullition, mais il a le grand mérite de défricher en pionnier ces terres inconnues où tant d'autres se sont engagés depuis.

Psappha.

*** Sylvio Gualda (percussions). Erato 71.106. ⌧ MCE 71.106. + *Carter : Quatre pièces pour timbales. Dao : May.*

Sylvio Gualda offre une éblouissante démonstration de ses qualités techniques, de sa sensibilité musicale, déchaînant, à la fin de cette pièce, dans une graduation d'intensité hallucinante, une explosion en chaîne véritablement apocalyptique. Une fois de plus, il s'affirme comme l'un des tout premiers percussionnistes de notre temps.

Synaphai. Aroura. Antikhthon.

❀*** Geoffrey Douglas Madge (piano), Orch. New Philharmonia, Elgar Howarth. Decca 591.171.

Ces trois partitions de Xenakis sont comme autant de synthèses englobant les acquis antérieurs du compositeur. Et quelle luxuriante synthèse ! L'homogénéité de l'orchestre, sa maîtrise absolue des éléments techniques, des impératifs de la sonorité, des volumes, tout comme l'assimilation de l'esthétique de Xenakis sont autant de qualités qui permettaient la réalisation de ces pages dans un esprit de «classicisme contemporain» tout à fait compréhensible et défendable.

Nous pouvons seulement regretter qu'un te travail (à la limite trop «léché») écras quelque peu les aspérités de ces pages, en gommant le bouillonnement volcanique de la matière sonore, son aspect âpre, dru, et cela au profit de détails qui sont ici éclairés d'une lumière aux éclats ombrés au demeurant de toute beauté.

Syrmos pour 18 cordes. Polytope pour 4 orchestres disséminés dans le public. Terretektorh pour grand orchestre disséminé. Nomos Gamma pour grand orchestre disséminé. Medea pour chœur d'hommes, galets et orchestre. Kraanerg pour bande magnétique et orchestre. Œuvres pour bande magnétique seule : Bohor I, Diamorphoses II, Concret PH II, Orient-Occident III.

❀*** Ensemble Ars Nova de l'ORTF, Chœur d'hommes de l'ORTF, Marius Constant, Orch. Phil. de l'ORTF, Charles Brück. Erato STU 70.526/30 (5 d.) (sup.).

Cinq disques dont l'enregistrement n'est pas sans soulever quelques problèmes, notamment pour les trois œuvres spatialisées dans le public et dont les trois dimensions sont faussées par la mise à plat stéréophonique. Profitons-en pour saluer les prouesses techniques de la prise de son envisagée afin de rendre le plus fidèlement possible le résultat du concert. Les œuvres pour bande ayant été réenregistrées, on redécouvre avec émerveillement des détails, des reliefs restés cachés auparavant. Une passionnante anthologie, dont on regrettera qu'elle ne soit plus disponible. Deux des cinq disques ont cependant fait l'objet d'une édition séparée : *Syrmos, Polytope* et *Medea* d'une part (Erato 9.088), et d'autre part *Nomos Gamma* et *Terretektorh* (Erato 9.119).

Y-Z

Ysaÿe, Eugène
(1858-1931)

Six Sonates pour violon seul op. 27.

** Oscar Shumsky (violon). Nimbus 2.137. Enregistré en 1982.

A l'audition du violon d'Oscar Shumsky, on est d'emblée frappé par la générosité du geste et de la pensée. Ne cherchant jamais à précipiter le mouvement afin de ne point tomber dans la virtuosité gratuite, il désire avant tout chanter, avec un lyrisme contenu mais omniprésent, et mettre en valeur les différentes facettes du discours musical.

Zandonai, Riccardo
(1883-1955)

Francesca da Rimini, opéra.

** Maria Caniglia (Francesca), Giacinto Prandelli (Paolo), Carlo Tagliabue (Gianciotto), Orch. et Ch. de la RAI de Rome, Antonio Guarnieri. Cetra LPS 3229 (3 d.). Mono. Enregistré en 1952.

Francesca da Rimini. Extraits.

*** Magda Olivero (Francesca), Mario del Monaco (Paolo), Orch. de l'Opéra de Monte Carlo, Nicola Rescigno. Decca SET 422 (sup.). Enregistré en 1969.

Le chef Guarnieri, vénéré de tous les chanteurs italiens, n'a laissé que cet unique témoignage de son grand talent. Il porte à bout de bras cet ouvrage enflammé où se conjuguent Puccini et Ravel. Caniglia et Tagliabue, malheureusement enregistrés dix ans trop tard, s'affrontent encore avec sincérité et véhémence, mais le ténor Prandelli ne doit plus compter que sur son intelligence.

Cette sélection donne un aperçu de la personnification brûlante et désespérée de Francesca par Olivero, qui semble née pour le rôle. Mario del Monaco retrouve ici des accents passionnés, même si la qualité vocale n'est plus là, et Rescigno se laisse emporter par ses interprètes.

Zelenka, Jan Dismas
(1679-1745)

Hipocondrie à sept. Sonate n° 2. Ouverture à sept.

*** Concentus Musicus de Vienne, Nikolaus Harnoncourt. Telefunken 642/415.

Harnoncourt recrée sous nos yeux, vivantes et palpables, ces trois pages de Zelenka. Il faut surtout admirer l'incroyable invention plastique qu'il y déploie, sollicitant physiquement l'essence chorégraphique de cette musique. Des enregistrements de cette qualité devraient faire sortir un musicien de qualité de son injuste anonymat.

L'Œuvre pour orchestre : Capriccios I à V, Concerto a 8 Concertanti, Hippocondrie a 7 Concertanti, Ouverture a 7 Concertanti, Sinfonia a 8 Concertanti.

*** Camerata de Berne, Alexandre van Wihnkoop. Archiv 2533.464 (3 d.). Enregistré en 1978.

Ce magnifique coffret comble une importante lacune du catalogue. L'œuvre de Zelenka est du plus haut intérêt et mérite une attention particulière : elle est très originale, aussi bien dans le maniement des formes traditionnelles de l'époque, comme dans l'*Ouverture*, que dans les formes libres des *Capriccios*. L'interprétation de la Camerata de Berne est vraiment exemplaire ; tout au plus peut-on regretter que les tempos un peu vifs empêchent de rendre certaines subtilités. Cette réalisation s'accompagne d'une étude solide et exhaustive sur le compositeur et son œuvre.

Six Sonates en trio pour deux hautbois, basson et basse continue.

❀*** Heinz Holliger (hautbois), Maurice Bourgue (hautbois), Klaus Thunemann (basson), Lucio Buccarella (contrebasse), Christiane Jaccottet (clavecin), Sachko Gawriloff (violon). Archiv 2708.027 (2 d.) (RFA).

C'est une véritable révélation que cette intégrale des *Sonates en trio* de Zelenka. La musique de ce contemporain de J.-S. Bach est profondément originale et d'une diabolique habileté d'écriture. Le livret joint au coffret contient deux très intéressantes études sur Zelenka, dont l'une par Heinz Holliger, l'un des interprètes. La réalisation musicale et technique se situe au-dessus de tout éloge : parmi les instrumentistes, il faut signaler la remarquable performance du bassoniste Klaus Thunemann.

Sonates pour deux hautbois et basson avec deux basses obligées nos 4 et 5.

**Paul Dombrecht, Ku Ebbinge (hautbois), Danny Bond (basson), Richte van der Meer (violoncelle), Robert Kohnen (clavecin). Accent ACC 8.226. Enregistré en 1982.

Ces pages ont un caractère sans équivalent dans le répertoire baroque : ce sont des œuvres aussi accomplies que personnelles, dont l'extrême tension interne (Sonate n° 4) et la densité expressive exigent de leurs interprètes une dextérité, un souffle et une aptitude au *sostenuto* tout à fait exceptionnels, des qualités que Paul Dombrecht et Ku Ebbinge possèdent au plus haut point.

Zemlinsky, Alexander von
(1872-1942)

Lyrische Symphonie (Symphonie Lyrique) op. 18.

❀*** Julia Varady (s), Dietrich Fischer-Dieskau (bar), Orch. Phil. de Berlin. Lorin Maazel. DG 2532.021

** Dorothy Dorow (s), Siegmund Nimsgern (bar), Orch. Symph. de la BBC, Gabriele Ferro. Italia ITL 70.048 (Italie).

Lorin Maazel signe une version d'absolue référence de cet ouvrage. Il s'impose par sa très grande énergie et par son sens aigu de l'éclairage de cet irrépressible tissu orchestral au comble du *Jugendstil*. Fischer-Dieskau et Varady, sous l'enveloppe d'un grand charme vont droit à l'essentiel et sont absolument parfaits. Ils ont compris et ont su nous faire comprendre que cette musique aujourd'hui nous captive non par ses nombreuses réminiscences, mais par le souffle puissant de son expression propre.

Ami des maîtres de la Nouvelle Ecole de Vienne, beau-frère de Schoenberg, Zemlinsky a combiné leur influence et celle de Mahler. Cela se sent particulièrement dans cette suite pour solistes et orchestre qui doit beaucoup au *Chant de la Terre*. L'interprétation de l'orchestre manque parfois un peu du lyrisme que le titre nous laisserait attendre, mais les solistes sont parfaits de clarté et de générosité. Donne envie de mieux connaître l'œuvre d'un musicien injustement négligé.

Les quatre Quatuors à cordes : n° 1 en la majeur op. 4, n° 2 op. 15, n° 3 op. 19, n° 4 op. 25.

*** Quatuor LaSalle. DG 2741.016 (3d.). *+ Apostel : Quatuor n° 1.*

Les *Quatuors* de Zemlinsky, tout en offrant parfois des parentés évidentes avec ceux de Bartók, servent de lien unificateur entre les différentes périodes de l'école viennoise, classique, romantique ou nouvelle. Leur intérêt intrinsèque se double du réel plaisir de les entendre dans l'interprétation du Quatuor LaSalle, animée d'un feu aussi constant que généreux. Dès les premières mesures, on est conquis par l'autorité, la maîtrise et l'intelligence de leur jeu. Le Premier Quatuor de Hans Erich Apostel fournit un appréciable complément à ce coffret qui sera pour beaucoup une découverte de premier ordre.

Quatuor à cordes n° 2 op. 15

*** Quatuor LaSalle. DG 2530.982. Enregistré en 1978.

La lecture que donne de cette œuvre le Quatuor LaSalle est d'une clarté parfaite. Elle nous permet de parvenir de plain-pied dans une atmosphère pleine de lyrisme et d'émotion : l'extrême précision de cette musique savante n'exclut jamais un rapport intime entre le musicien et ses auditeurs. Une version parfaite d'une œuvre qui mérite de n'être pas oubliée.

Sinfonietta op. 23. Six Maeterlinck Lieder op. 13.

** Glenys Linos (c), Orch. Radio-Symph. de Berlin, Bernhard Klee. Schwann VMS 1603. Enregistré en 1980.

La *Sinfonietta op. 23,* partition toute gorgée de mélismes typiquement viennois, s'apparente, par son abondance de traits solistiques, à la forme nouvelle du concerto pour orchestre. Quant aux *Maeterlinck Lieder* (1914), ils montrent à la fois ce que Zemlinsky doit à Mahler et l'indépendance stylistique qu'il a su trouver par rapport à lui. Une interprétation qui est une éclatante réussite achève de définir l'intérêt de ce disque.

Zimmermann, Berndt Aloïs
(1918-1970)

Perspektiven-Monologe pour deux pianos.

*** Alfons et Aloys Kontarsky (piano). DG 2531.102. Enregistré en 1980. *+ Ligeti : Monument-Selbstportrait-Bewegung.*

Fascinant récital de piano contemporain, avec cette œuvre inspirée et habitée d'un authentique génie créateur. On chercherait en vain un trait gratuit dans cette riche musique. Les Kontarsky y développent sans cesse une imagination, une sensibilité telle qu'on saisit chaque instant comme un éclair privilégié d'improvisation. Malheureusement, l'autre face est consacrée à trois œuvres de Ligeti beaucoup moins intéressantes, et dont la virtuosité, presque lassante, frise l'exercice de style.

Die Soldaten (Les Soldats), opéra.

*** Solistes de l'Opéra de Cologne, Orch. du Gürzernich de Cologne, Michael Gielen. Wergo WER 60.030 (3 d.) (RFA).

Les Soldats de Zimmermann est un ouvrage très original par les moyens qu'il emploie : tableaux simultanés, musique sérielle, électronique, bruitages mêlés aux formes classiques (toccata, nocturne, choral...). Le monde sonore s'impose entièrement à l'auditeur. L'interprétation gravée ici est celle des créateurs, et elle est exemplaire, tant du point de vue de la qualité technique que de l'aisance stupéfiante de Gielen dans une partition si complexe. L'écoute ne procure pourtant pas une satisfaction complète, car l'élément visuel est trop indispensable dans cet ouvrage, et l'absence de livret ne facilite pas la compréhension du déroulement. Malgré cela, il reste l'intérêt de premier plan pour ce chef-d'œuvre de l'opéra contemporain.

ANTHOLOGIES LYRIQUES

Nella Anfuso, soprano.

*** «Sur les traces de Pétrarque». Œuvres de Caccini, Durante, Gagliano, d'India, Nodari, Severi, Vitali. Guy Robert (luth et théorbe), Arsène Bedois (orgue). Arion ARN 38.532. Enregistré en 1979.

Avec cet enregistrement, Nella Anfuso nous entraîne sur les traces du pétrarquisme à la recherche de la virtuosité dans la musique spirituelle italienne des XVIe et XVIIe siècles. Elle aborde les œuvres d'un répertoire méconnu mais non mineur, avec une virtuosité et un raffinement vocal inouïs, qui déconcertent d'abord mais ne tardent pas à susciter une admiration inconditionnelle, d'autant que la voix est d'une beauté et d'une souplesse remarquables et que jamais la recherche musicologique ne s'effectue au détriment de l'émotion.

Agnès Baltsa, mezzo-soprano.

** Airs d'opéras de Donizetti (La Favorite), Mascagni (Cavalleria Rusticana), Mercadante (Le Serment), Mozart (La Clémence de Titus), Rossini (Le Barbier de Séville, La Cenerentola, La Donna del lago), Verdi (Macbeth). Orch. Radio Munich, Heinz Wallberg. EMI VSM C 067-64.563.

Ce très beau disque vaut surtout pour une exceptionnelle interprétation de l'air *«Parto, parto»* de *la Clémence de Titus,* qui témoigne de l'immense intuition du chant mozartien de la jeune cantatrice. Par la suite, elle se révèle beaucoup plus à l'aise dans les rôles de pur *bel canto* (Donizetti, Rossini) que dans la terrible Lady Macbeth, pour l'incarnation de laquelle il est requis une plus grande puissance vocale et, surtout, une coloration de timbre beaucoup plus sombre.

Teresa Berganza, mezzo-soprano.

*** Airs d'opéras de Gluck (Orphée et Eurydice, Pâris et Hélène), Haendel (Alcina), Mozart (La Clémence de Titus, Cosi fan tutte, Les Noces de Figaro), Rossini (Le Barbier de Séville, Le Cenerentola, L'Italienne à Alger). Ch. et Orch. du Mai Musical Florentin, Orch. Rossini de Naples, Silvio Varviso ; Orch. de Covent Garden, Alexander Gibson ; Orch. de l'Opéra d'Etat de Vienne, István Kertesz ; Orch. Symph. de Londres, Richard Bonynge, Alexander Gibson et John Pritchard. Decca 390.286.

Mozart et Rossini : les deux pôles d'une carrière exemplaire. Mozart, tout d'abord : Sextus et Chérubin, que la cantatrice espagnole interprète avec la sensualité un peu trouble propre aux adolescents ; Fiordiligi, au disque exceptionnellement, permet à la féminité de Berganza, à peine contenue dans les deux rôles précédents, de s'épanouir pleinement. Rossini ensuite : avec Rosine, Cendrillon et Isabelle, elle laisse libre cours à son humour, sa pétulance, sa tendresse aussi, grâce à une prodigieuse aisance vocale. L'opéra baroque enfin : Berganza est un Orphée d'une émotion désespérée et un Ruggiero (*Alcina*) d'une rare virilité dans l'un des airs de vaillance les plus spectaculaires du répertoire.

* Extraits de Zarzuelas de Chapi (El Barquillero, La Chavala, Las Hijas del Zebedeo), Chueca (Agua, azucarillos y aguardiente, La Granvia), Gimenez (Soleares, La Temprанica), Luna (El Nino judio). Orch. de Chambre Anglais, Enrique Garcia Asensio. Ensayo ENY 501.

L'univers de la Zarzuela est certainement aussi familier à Berganza que celui de l'opérette viennoise le fut à Schwarzkopf. La cantatrice espagnole s'affirme sans conteste la plus authentique interprète de ces œuvres chatoyantes en leur prêtant les merveilleuses colorations d'un timbre demeuré somptueux, sans jamais se départir d'un style d'une sobriété exemplaire.

*** Musique vénitienne pour voix et instruments. Œuvres de Fontei, Lamoretti, Milanuzzi, Miniscalchi, Molinaro, Monteverdi, Palestrina, De Rore, Sances, De Selmas, B. Strozzi. Claves 8.206.

Teresa Berganza aborde tous les genres musicaux avec un bonheur constant. Mozartienne accomplie, interprète privilégiée des grands rôles de colorature du répertoire de *bel canto* italien, le présent enregistrement témoigne qu'elle est également une merveilleuse musicienne baroque, ornementant avec goût et sans excès des œuvres de compositeurs peu connus dans l'ensemble. Elle est accompagnée par un petit ensemble d'instrumentistes au-dessus de tout éloge.

** Chansons espagnoles du Moyen Age et de la Renaissance. Œuvres d'Anonymes des XVᵉ et XVIᵉ siècles, Alphonse X le Sage, Encina, Fuenllana, Milan, Mudarra, Narvaez, Pisador, Torre, Triana, Valderrabano. Narciso Yepes (guitare). DG 2530.504.

C'est dans une optique fondamentalement différente de celle d'une Nella Anfuso que Teresa Berganza, excellemment accompagnée par l'illustre guitariste Narciso Yepes, aborde ces chansons espagnoles, des XVᵉ et XVIᵉ siècles pour la plupart. A aucun moment la cantatrice ne tente de retrouver un style ou une exactitude musicale spécifiques. Elle interprète, au contraire, les œuvres in crites à ce programme avec ses propr moyens, c'est-à-dire un timbre d'une coule et d'une beauté dont l'éloge n'est plus à fai ainsi qu'une parfaite maîtrise de la lig vocale. Voici donc un enregistrement d' goût et d'une subtilité remarquables qui moigne une fois de plus que Teresa Bergan est à son aise dans de multiples répertoires

Jussi Björling, ténor.

Airs d'opéras et mélodies de Biz (Carmen), Capua, Donizetti (L'El xir d'amour), Flotow (Martha Giordano (Andrea Chénier, Fed ra), Gounod (Faust, Roméo et J liette), Leoncavallo (Paillasse), Ma cagni (Cavalleria Rusticana), Ma senet (Manon), Meyerbeer (L'Afr caine), Ponchielli (La Gioconda Puccini (La Bohème, La Fille d Far West, Manon Lescaut, La To ca, Turandot), Rossini, Tosti, Ver (Aïda, Un Bal masqué, Rigolett Le Trouvère). EMI VSM 147-00.947/48 (2 d.). Mono.

Cette intéressante rétrospective du cha italien et français au XIXᵉ et au début d XXᵉ siècle permet de retrouver un interprè dont l'art du chant est demeuré célèbre grâ à un timbre d'une phénoménale beauté et u style d'une pureté exemplaire. Jussi Björlin qui fut peut-être le plus séduisant ténor de siècle, donne ici une remarquable leçon c chant.

Montserrat Caballé, soprano. Placid Domingo, ténor.

** Scènes et duos d'opéras de Boï (Mefistofele), Puccini (Manon Le caut), Verdi (Don Carlos, Jean d'Arc). Orch. Symp. de Londres, Ja mes Levine, Julius Rudel ; Orch. d Covent Garden, Carlo-Maria Giul ni ; Orch. New Philharmonia, Bru no Bartoletti. EMI VSM C 063-0 553.

Ce récital de duos d'opéras italiens est e fait composé de fragments appartenant à d verses intégrales pour lesquelles les deu chanteurs firent équipe. Ils interprètent ave beaucoup de conviction des œuvres très di férentes. Caballé, dont on voudrait pouvo écrire qu'elle incarne ses héroïnes avec un passion frémissante, fait preuve d'un merveilleux sens du *legato* et du *pianissimo*. Quant à Domingo, ses diverses prestations pleines de fougue et de vaillance annoncent déjà le grand chanteur qu'il est devenu. A noter la direction d'orchestre particulièrement envoûtante de Carlo-Maria Giulini dans les extraits de *Don Carlos*.

Maria Callas, soprano.

❀*** «L'Art de Maria Callas». Extraits d'opéras de Bellini (La Norma, Le Pirate, Les Puritains, La Somnambule), Cherubini (Médée), Donizetti (Anna Bolena, Lucia di Lammermoor), Mascagni (Cavalleria Rusticana), Ponchielli (La Gioconda), Puccini (Madame Butterfly, La Tosca), Rossini (Le Barbier de Séville, Le Turc en Italie), Spontini (La Vestale), Verdi (Un Bal masqué, Macbeth, Le Trouvère, Les Vêpres siciliennes). Ch. et Orch. de la Scala de Milan, Gianandrea Gavazzeni, Herbert von Karajan, Victor de Sabata, Tullio Serafin, Antonio Votto ; Ch. et Orch. du Mai Musical Florentin, Tullio Serafin ; Orch. Philharmonia, Nicola Rescigno, Tullio Serafin. . EMI VSM C 165-52.056/59 (4 d.). Mono.

Le titre de l'album est significatif ; il est des interprétations qui laissent muet d'admiration, et tous les qualificatifs sont alors superflus. Tout a été dit, écrit ou presque sur Maria Callas ; il suffira de préciser que ce coffret est constitué d'extraits (pas nécessairement des airs, d'ailleurs), d'intégrales ou de récitals, particulièrement significatifs de ce fameux «art» de la diva. Ses grands rôles : Norma, Tosca, Lucia, Médée (seule manque La Traviata), la célèbre Rosine, infiniment cruelle et sarcastique ; les grandes incarnations verdiennes : Amelia, Léonore du *Trouvère*, Lady Macbeth, la duchesse Elena ; et quelques héroïnes véristes que Callas débarrasse évidemment de tout mélodramatisme outrancier au profit de la seule crédibilité. Au pupitre se succèdent des chefs de premier ordre... mais aussi de second.

*** «Ses Récitals (1954-1969)». Œuvres de Beethoven, Bellini (Le Pirate, La Somnambule), Berlioz (La Damnation de Faust), Bizet (Carmen, Les Pêcheurs de perles), Boïto (Mefistofele), Catalini (La Walli), Charpentier (Louise), Cherubini (Médée), Cilea (Adrienne Lecouvreur), Delibes (Lakmé), Donizetti (Anna Bolena, L'Elixir d'amour, La Fille du régiment, Lucrezia Borgia), Giordano (Andrea Chénier), Gluck (Alceste, Iphigénie en Tauride, Orphée et Eurydice), Gounod (Faust, Roméo et Juliette), Massenet (Le Cid, Manon, Werther), Meyerbeer (Le Pardon de Ploërmel), Mozart (Don Giovanni, Les Noces de Figaro), Puccini (La Bohème, Gianni Schicchi, Madame Butterfly, Manon Lescaut, Suor Angelica, Turandot), Rossini (Le Barbier de Séville, La Cenerentola, Guillaume Tell, Semiramis), Saint-Saëns (Samson et Dalila), Spontini (La Vestale), Thomas (Hamlet, Mignon), Verdi (Aïda, Aroldo, Attila, Un Bal masqué, Le Corsaire, Don Carlos, Ernani, Les Lombards, Macbeth, Nabucco, Otello, Le Trouvère, Les Vêpres siciliennes), Weber (Obéron). Orch. Philharmonia, Nicola Rescigno, Tullio Serafin, Antonio Tonini ; Orch. Scala de Milan, Tullio Serafin ; Orch. National de la RTF, Georges Prêtre ; Orch. de la Société des Concerts du Conservatoire, Georges Prêtre, Nicola Rescigno ; Orch. de l'Opéra de Paris, Nicola Rescigno. EMI VSM C 165-54.178/88 (11 d.). Mono et stéréo. Enregistré de 1954 à 1969.

Ce volumineux album regroupe la totalité des récitals enregistrés par Maria Callas de 1954 à 1969. Il propose donc une fidèle rétrospective de la courte carrière de la diva et témoigne de l'usure prématurée d'une voix, surmontant à ses débuts les plus redoutables difficultés et finalement près de se briser à chaque instant. Toutes les imperfections vocales sont évidemment négligées en comparaison d'un exceptionnel tempérament dramatique à propos duquel il est désormais superflu de s'étendre. A noter, un inédit au disque : «Mon cœur s'ouvre à ta voix», de *Samson et Dalila*.

* Airs d'opéras de Bellini (Le Pirate), Rossini (Le Barbier de Sé-

ville), Spontini (La Vestale), Verdi (Don Carlos, Macbeth). Orch. Symph. NDR Hambourg, Nicola Rescigno. Rodolphe RP 12.382. Enregistré en 1959.

Lorsque Maria Callas donne ce concert télévisé à la Radio de Hambourg le 15 mai 1959, elle ne maîtrise déjà plus tout à fait les phénoménaux moyens vocaux qui furent siens au début de sa carrière. Il n'en demeure pas moins que privée de tous les artifices contribuant à créer l'illusion scénique, elle parvient à insuffler émotion et vie à des héroïnes d'une crédibilité pas toujours évidente. A la tête d'un prestigieux orchestre, Nicola Rescigno est correct, sans plus.

Enrico Caruso, ténor.

** Extraits d'opéras et mélodies de Barthélemy, Bizet (Les Pêcheurs de perles), Donizetti (La Favorite), Flotow (Martha), Giordano (Andrea Chénier), Gounod (Faust), Leoncavallo (Paillasse), Meyerbeer (L'Africaine), Puccini (La Bohème), Tosti, Verdi (Aïda, La Force du destin, Rigoletto, Le Trouvère). RCA RM 12.766. Mono, origine 78 t., enregistrement acoustique. Enregistré en 1906 et 1907.

Grâce à un récent procédé permettant de rajeunir le son des gravures les plus vénérables, voici la voix de Caruso, si caractéristiquement insolente par la splendeur de son aigu et la fluidité d'un *legato* de rêve, débarrassée des bruits de fond et parasites divers. Cette stupéfiante aisance vocale ne saurait cependant faire oublier un style pas toujours irréprochable tant l'effet facile est sollicité à chaque instant et le légendaire ténor peu inclin à la différenciation des styles : le répertoire français du XIXe siècle et le chant verdien ont rarement été si proches du vérisme le plus outrancier. A connaître absolument, néanmoins.

Feodor Chaliapine, basse.

** Airs d'opéras de Borodine (Le Prince Igor), Dargomijski (Roussalka), Glinka (Rouslan et Ludmila), Moussorgski (Boris Godounov), Rachmaninov (Aleko), Rimski-Korsakov (Sadko). Ch. et Orch. anonymes, Albert Coates ; Ch. et Orch. de Covent Garden, Vincenzo Bellezza ; Orch. Symph. de Londres, M Steimann, Lawrence Collingwo EMI VSM C 051-43.185. Mono, o gine 78 t.

L'une des plus célèbres basses du siè prête ici sa voix somptueuse à des incar tions hautes en couleur du répertoire nat nal russe. Evidemment, ce sont les extraits *Boris Godounov* qui dominent l'ensemble ce récital, tant le tsar usurpateur y est cam avec un sens inné de la grandeur et de majesté.

Boris Christoff, basse.

*** Airs d'opéras et mélodies de Boi (Mefistofele), Borodine (Le Prin Igor), Caldara, Folklore, Moussor ski (Boris Godounov, La Khovar tchina), Mozart (Don Giovan Rimski-Korsakov (Kitège, Sadk Tchaïkovski (Eugène Onéguin Verdi (Don Carlos, Hernani). G rald Moore (piano). Orch. Philh monia, Isaac Dobrowen, Anatc Fistoulari, Herbert von Karaja Nikolaï Malko, Wilhelm Schüchte EMI VSM C 147-03.336/37 (2 d Mono.

Indépendamment de qualités vocales p communes (somptuosité du timbre et pu sance assez surprenante), ce sont surtout dons prodigieux de tragédien lyrique de B ris Christoff qui impressionnent durableme à l'audition de ce disque. Même si cette co ception grandiose du théâtre peut sembl légèrement désuète par son outrance (sa glots difficilement admissibles à la fin monologue de Philippe II), il est indénial que les deux incarnations, par le grand cha teur, de Philippe II et de Boris n'ont jam été surpassées depuis, et que ces rôles deme reront marqués de son empreinte indélébil

Régine Crespin, soprano.

** «Trente ans sur scène». Œuvres Beethoven (Fidelio), Bizet (Ca men), Gluck (Iphigénie et Tauride Massenet (Werther), Mozart (Co fan tutte, Les Noces de Figaro), Pi zeti (Fedra), Ponchielli (La Gioco da), Puccini (La Tosca), R. Strau (Le Chevalier à la Rose), Tomas Verdi (Un Bal masqué, Otello), W gner (Parsifal, Le Vaisseau fa tôme). Orch. divers, Jean Fournet, Gianandrea Gavazzeni, Désiré-Emile Inghelbrecht, Otto Klemperer, Hans Knappertsbusch, Erich Leinsdorf, Ferdinand Leitner, Lorin Maazel, Giuseppe Patané, George Sebastian, Henry Tomasi. Discoreale DR 10.006/08 (3 d.). Mono.

Cet hommage rendu par l'I.N.A. (Institut National de l'Audiovisuel, détenteur des archives de la Radio) à la plus célèbre cantatrice française de son époque donne un satisfaisant aperçu de quelques grands rôles qui lui permirent de briller sur les scènes nationales et étrangères. Des nombreux extraits proposés ici, on retiendra une Maréchale et un Fidelio émouvants d'humanité, une Desdémone d'une féminité épanouie ; les héroïnes wagnériennes, bien entendu, puisque leur incarnation constitue sans doute le plus beau titre de gloire de Crespin ; sa Carmen, trop noble peut-être, et sa magnifique interprétation d'Iphigénie, d'une majestueuse solennité. Les chefs d'orchestre se nomment rien moins qu'Inghelbrecht, Knappertsbusch, Klemperer, Maazel...

*** «Prima Donna in Paris». Airs d'opéras et d'opérettes de Berlioz (La Damnation de Faust), Bizet (Carmen), Christiné (Phi-Phi), Gluck (Iphigénie en Tauride), Gounod (Sapho), Hahn (Ciboulette), Massenet (Werther), Messager (L'Amour masqué), Offenbach (La Grande-Duchesse de Gerolstein, La Belle Hélène, La Périchole), Saint-Saëns (Ascanio), O. Strauss (Les trois Valses). Orch. de la Suisse Romande, Alain Lombard ; Orch. du Volksoper de Vienne, George Sebastian. Decca 593.018 (2 d.).

Tout au long de cet album, Régine Crespin interprète des airs d'opéras et d'opérettes français auxquels elle prête la somptuosité de son timbre et une diction d'une limpidité difficilement surpassable. Mais surtout, quel parfait bonheur procure l'écoute des fragments d'opérettes d'Offenbach par la grande cantatrice ! Elle campe la Grande-Duchesse, la belle Hélène et la Périchole avec humour certes, mais aussi un maintien d'une noblesse sans égale ; jamais la moindre trace de vulgarité mais une musicalité hors du commun qui culmine avec ce petit chef-d'œuvre d'ironie et de finesse, *L'Amour masqué* de Messager.

Alfred Deller, haute-contre.

❀*** Œuvres d'Anonyme du XVIIe siècle, Bartlett, Blow, Campian, Clarke, Croft, Dowland, Eccles, Pilkington, D. Purcell, Rosseter. Desmond Dupré (luth), David Munrow (flûte à bec), Richard Lee (flûte à bec), Robert Elliott (clavecin). Harmonia Mundi HM 215.

Alfred Deller, ou le chant retrouvé. Nul n'ignore le rôle prépondérant qui fut le sien dans la redécouverte d'une technique vocale et d'un style qui semblaient à jamais disparus. Aussi comprendra-t-on aisément qu'il est le musicien le plus qualifié pour susciter l'enthousiasme de l'auditeur vis-à-vis de la musique baroque anglaise du XVIIe siècle. C'est une émotion de chaque instant que dispense l'écoute de cette voix d'une consonance ambiguë, inhabituelle, tout en subtilité dans l'art si difficile d'ornementer une mélodie avec un goût infaillible. Une émotion dont on ne saurait se passer...

Mario del Monaco, ténor.

** Airs d'opéras de Bizet (Carmen), Cilea (Adrienne Lecouvreur), Flotow (Martha), Giordano (Andrea Chénier), Leoncavallo (La Bohème, Paillasse), Mascagni (L'Ami Fritz, Cavalleria Rusticana), Massenet (Werther), Meyerbeer (L'Africaine), Puccini (Manon Lescaut, Turandot), Verdi (Aïda, Otello), Wagner (Lohengrin). Orch. Symph. de Milan, Argeo Quadri, Tomaso Benintende-Neglia. EMI VSM C 147-18.226/27 (2 d.). Mono. Enregistré de 1948 à 1952.

Ce double album propose un choix d'airs d'opéras mettant particulièrement en valeur le talent inimitable d'un Mario del Monaco en une forme vocale éblouissante. On y retrouve les principaux défauts et qualités du grand ténor qu'il serait difficile de louer pour un excès de subtilité, mais dont le timbre d'une insolente beauté laissera difficilement indifférent.

Giuseppe di Stefano, ténor.

** «Le jeune Giuseppe di Stefano». Airs d'opéras et mélodies de Bellini, Bixio, Bovio, Cilea (L'Arlésienne),

Donizetti (L'Elixir d'amour, Lucia di Lammermoor), Lardini, Mascagni (L'Ami Fritz, Iris), Massenet (Manon), Murolo, Ottaviano, Puccini (La Fille du Far West, Gianni Schicchi, La Tosca, Turandot), Thomas (Mignon), Verdi (La Force du destin, La Traviata), Chansons populaires. Orch. de la Scala de Milan, Antonnio Votto ; Orch. du Mai Musical Florentin, Tullio Serafin ; Orch. Symph. de Milan, Antonio Tonini ; Orch. RCA Victor, Renato Cellini ; Orch. anonymes, Alberto Erede, Mario Consiglio, Dino Olivieri. EMI VSM RLS 756 (2 d.). Mono. Enregistré de 1944 à 1957.

Même s'il ne fut pas l'égal des plus grands et si l'interprétation qu'il donne des différents rôles abordés ici ne parvient pas à se détacher d'une certaine convention, on retrouvera avec plaisir le jeune Giuseppe di Stefano au sommet de sa forme vocale.

Placido Domingo, ténor.

❁*** «Opéra-Gala». Airs d'opéras de Bizet (Carmen, Les Pêcheurs de perles), Donizetti (L'Elixir d'amour, Lucia di Lammermoor), Halévy (La Juive), Meyerbeer (L'Africaine), Verdi (Aïda, Hernani, Le Trouvère). Orch. Phil. de Los Angeles, Carlo-Maria Giulini. DG 2532.009. ⊠ 3302.009.

C'est à une fête que nous convient Placido Domingo et Carlo-Maria Giulini, réunis le temps d'un exceptionnel récital. Placido Domingo différencie parfaitement le style requis pour chanter à la perfection l'opéra français du XIXe siècle du pur *bel canto* italien, et sa voix magnifique sait être successivement lyrique ou dramatique, selon les emplois ; son art du chant, désormais parvenu à son plus haut degré d'accomplissement, est admirable de nuances et de distinction. Carlo-Maria Giulini confirme évidemment ce que nul mélomane ne saurait désormais ignorer : à savoir qu'il est l'un des tout premiers chefs lyriques de son temps. Quant à l'Orchestre Philharmonique de Los Angeles, il brille de tous ses feux, sous la prestigieuse baguette du grand chef italien. De la rencontre de deux artistes de génie est né l'un des disques les plus marquants de ces dernières années.

Brigitte Fassbaender, mezzo-soprano.

*** Lieder et mélodies de Liszt, Ma ler, Milhaud. Irwin Gage (pian EMI VSM C 065-30.949.

Brigitte Fassbaender semble avoir parf tement assimilé la leçon que dispensent multiples interprétations de ses prestigieu aînées ; bien plus, elle marque de sa perso nalité très affirmée les œuvres composant programme judicieusement élaboré, dans quel prédominent les lieder de Mahler c conviennent particulièrement bien à la chesse du timbre de la jeune chanteuse. piano, l'accompagnement d'Irwin Gage exemplaire.

Kathleen Ferrier, contralto.

❁*** «Hommage à Kathleen Fe rier». Œuvres de Bach, Brahm Bridge, Gluck (Orphée et Eurydic Haendel (Admeto, Atalanta, Jud Macchabée, Le Messie, Rodelind Samson, Xerxès) Mahler, Mendel sohn (Elijah), Parry, Purcell (T Fairy Queen), Schubert, Schuman Vaughan-Williams, Warlock, Wo John Newmark, Phyllis Spurr, Fr derick Stone (piano). Ch. et Orc Phil. de Londres, Adrian Boult, Cl mens Krauss ; Ch. Bach et Orc Jacques, Reginald Jacques ; Orc Boyd Neel, Boyd Neel ; Orc Symph. de Londres, Malcolm Sa gent ; Orch. Phil. de Vienne, Brur Walter. Decca 390.158 (7 d.). Mon Enregistré de 1946 à 1952.

On retrouvera, au gré des quatorze fac de cet album d'hommage à Kathleen Ferri les plus fameuses gravures de la célèbre ca tatrice. Dominent très largement les mul ples interprétations réunies ici : *L'Amour la Vie d'une Femme*, les *Quatre chants s rieux*, la *Rapsodie pour contralto* et surto *Le Chant de la Terre* avec le merveille Julius Patzak, l'Orchestre Philharmonique Vienne étant dirigé par Bruno Walter, dont c'est la version de référence absolu Ces enregistrements sont entrés dans la gende de l'interprétation ; on retrouve principaux d'entre eux aux différentes rub ques correspondantes, généralement en di ques séparés. Mais la somme que représen cet héritage (hélas !, trop restreint) mérita une telle édition.

Kirsten Flagstad, soprano.

*** Œuvres de Bach (Passion selon Saint Matthieu), Gluck (Orphée et Eurydice), Grieg, Haendel (Xerxès), Purcell (Didon et Enée), Wagner (Le Crépuscule des Dieux, Tannhäuser, Tristan et Isolde, La Walkyrie). Orch. Philharmonia, Walter Süsskind, Nicholas Braithwaite, Wilhelm Furtwängler, Isaac Dobrowen, Karl Boehm. EMI VSM C 147-01.491/92. Mono.

La plus grande des cantatrices wagnériennes était douée d'un timbre d'une beauté qui n'eut jamais d'équivalent depuis ; c'est ce dont témoigne cet album, dont on retiendra principalement les incarnations wagnériennes, les œuvres de Gluck, Haendel et Purcell étant malheureusement chantées en allemand (et pourtant, quelle Didon fut-elle, en anglais cette fois, avec Schwarzkopf en Belinda !). Kirsten Flagstad confère une grandeur quasi mystique à des personnages aussi différents qu'Elisabeth, Isolde et Brünnhilde surtout (qu'elle enregistra avec Furtwängler). Cette altière noblesse ne manquera pas de bouleverser intensément tout amateur de chant wagnérien.

Nicolaï Gedda, ténor.

*** Airs célèbres d'opéras italiens de Donizzetti (L'Elixir d'amour, Lucia di Lammermoor, Don Pasquale), Ponchielli (La Gioconda), Puccini (La Bohème, Manon Lescaut, La Tosca, Turandot) Verdi (Aïda, Un Bal masqué). Orch. de Covent Garden, Giuseppe Patané ; Orch. New Philharmonia, Edward Downes ; Orch. de l'Opéra de Monte-Carlo, Francesco Molinari-Pradelli. EMI VSM C 037-02.703.

Tout au long de ce récital, Nicolaï Gedda fait bénéficier les quelques airs d'opéras italiens qu'il interprète de la grâce et de l'élégance d'une technique vocale portant la marque indélébile de ses grandes incarnations mozartiennes. Il emporte successivement notre adhésion dans les œuvres de Donizetti, Verdi et Puccini qu'il chante avec une impeccable distinction, plaisir auquel on ne saurait résister.

Beniamino Gigli, ténor.

* Extraits d'opéras et mélodies de Bizet (Carmen), Boïto (Mefistofele), Brahms, Cilea (L'Arlésienne), Donizetti (Lucia di Lammermoor), Flotow (Martha), Giordano (Fedora), Godard (Jocelyn), Gounod (Faust), Leoncavallo (Paillasse), Mascagni (Cavalleria Rusticana), Puccini (La Bohème, Manon Lescaut, La Tosca), Rossini, Schubert, Stradella, Verdi (Aïda, Un Bal masqué, La Traviata, Le Trouvère), Chansons. Orch. et chefs divers. EMI VSM C 147-01.194/96 (2 d.). Mono, origine 78 t.

On peut reprocher ici à Gigli ce qui fut fréquemment reproché à d'illustres ténors : à savoir des effets vocaux d'un goût parfois douteux et, plus généralement, le manque d'élaboration d'un style de chant aujourd'hui largement dépassé. Mais ces défauts pourtant sérieux sont largement compensés par la prodigieuse aisance vocale d'un interprète doué d'un timbre aux somptueuses colorations.

Edita Gruberovà, soprano.

** Airs d'opéras de Delibes (Lakmé), Donizetti (Lucia di Lammermoor), Gounod (Roméo et Juliette), Meyerbeer (Les Huguenots), Rossini (Le Barbier de Séville, Sémiramis), Thomas (Hamlet). Orch. Radio Munich, Gustav Kuhn. EMI VSM C 067-43.136.

En quelques années de carrière, Edita Gruberovà a accompli le tour de force de se hisser au rang des quelques rares Zerbinetta vraiment dignes de ce nom. Ce n'est pas dans le répertoire allemand - qui offre d'ailleurs peu d'emplois de soprano coloratura - que nous retrouvons ici la jeune cantatrice, mais dans une sélection d'airs d'opéras français et italiens lui permettant, même si elle parvient rarement à faire preuve d'une forte personnalité dans la caractérisation des différents personnages qu'elle incarne, de mettre en œuvre une technique vocale d'une virtuosité hallucinante, qui se caractérise principalement par la fiabilité exceptionnelle de son registre suraigu.

Hans Hotter, basse.

*** Airs et lieder de Bach (Cantate BWV 82), Haendel (Jules César, Samson, Joshua), Schubert, Wolf, Brahms. Orch. Philharmonia, Anthony Bernard, George Weldon. Gerald Moore (piano). EMI VSM 147-01.633/34 (2 d.). Mono.

De Hans Hotter, on sait la beauté du timbre, l'intelligence du texte, l'intériorité. Ce double album permet de retrouver au superlatif la longue théorie des qualités «hotteriennes». A remarquer la Cantate BWV 82 *«Ich habe genug»*, d'une paix rayonnante, et les *Quatre Chants sérieux* de Brahms, qui prennent la première place d'une discographie où les plus grands interprètes, Kipnis et Ferrier, ont pourtant laissé de bouleversants témoignages. Tout l'évangélisme de Brahms se reflète dans cette alternance de douleur et de réconfort, d'épanchement spirituel et de retenue dans l'expression. Des lieder de Schubert, Wolf et Loewe complètent cet admirable et indispensable album.

René Jacobs, haute-contre.

❀*** «Airs de Cour». Œuvres d'Anonymes du XVIIe siècle, Ambruis, Bacilly, Bataille, Bittner, Boesset, Chabanceau de la Barre, Couperin, Du Buisson, Dufault, Gaultier, Guedron, Huygens, Lambert, Le Blanc, Le Camus, Lully, Thibault de Courville. Konrad Junghänel (théorbe), Mihoko Kimura (violon), Dirk Verelst (violon), Wieland Kuijken (viole de gambe). Harmonia Mundi HM 1.079/80 (2 d.). ⌧ HM 40-1.079/80 (2 c.).

Cette anthologie d'airs de cour des XVIe et XVIIe siècles constitue une réussite à tous égards : grâce à René Jacobs qui prête son timbre précieux et d'une émotion infinie à des œuvres pleines de charme de compositeurs peu connus dans l'ensemble : quelle finesse et quelle intelligence des textes ; grâce aux instrumentistes baroques ensuite, qui accompagnent le chanteur avec une élégance et une musicalité exceptionnelles. Le principe d'une stricte reconstitution musicologique semble avoir été banni au profit d'une interprétation naturelle et toujours vivifiante, pour la plus grande joie de l'auditeur.

Lotte Lehmann, soprano.

*** Concert d'adieux. Lieder de Cornelius, Franz, Mendelssohn, Schubert, Schumann, Wagner. Paul Ulanowsky, piano. EMI VSM C 027-60.386. Mono. Enregistré en 1951.

Le disque conserve le témoignage de certains souvenirs particulièrement bouleversants : celui-ci permettra de retrouver une dernière fois la sublime interprète de la Maréchale et de Sieglinde, entre autres, lors de son concert d'adieux à New York, le 16 février 1951, dans un programme de lieder. Inutile d'insister aujourd'hui à propos des qualités exceptionnelles - encore perceptibles ici - de l'une des grandes cantatrices de ce siècle : il suffira de souligner l'intense émotion qui se dégage de ces deux faces.

Tiana Lemnitz, soprano.

*** Extraits d'opéras de Gluck (Orphée et Eurydice), Mozart (La Flûte enchantée, Les Noces de Figaro), R. Strauss (Le Chevalier à la Rose, Arabella), Tchaïkovski (Eugène Onéguine), Verdi (Don Carlos, Le Trouvère), Wagner (Lohengrin, Tannhäuser), Weber (Le Freischütz). Ch. et Orch. Symph. de Radio Leipzig, Kurt Masur ; Orch. Symph. de Radio Berlin, Arthur Rother, Robert Heger ; Orch. de l'Opéra de Berlin, Arthur Grüber. Acanta 22-22.110 (2 d.). Mono, origine 78 t. Enregistré de 1942 à 1956.

Avec quelques-uns des rôles les plus représentatifs d'une cantatrice si attachante, voici une anthologie qui permettra de découvrir, de retrouver ou d'approfondir l'art de Tiana Lemnitz, chanteuse injustement négligée de nos jours et qui, pourtant, égala les plus grandes, avant et après la Seconde Guerre mondiale. Particulièrement à son aise dans les emplois réclamant pureté, douceur, ingénuité, on devinera qu'elle est surtout une Agathe et une Pamina émouvante, une merveilleuse Arabella (bien avant Schwarzkopf et Della Casa), ainsi qu'une interprète quasi idéale des héroïnes rêveuses et sentimentales de Wagner : Elisabeth, Elsa, Eva. Parmi les partenaires de Tiana Lemnitz retrouvés sur ce disque, Maria Cebotari, Margaret Klose, Franz Volker, Gerhard Hüsch et quelques autres !

Victoria de Los Angeles, soprano.

*** «L'Art de Victoria de Los Angeles». Airs d'opéras et zarzuelas, mélodies de Barrera et Calleja, Bizet (Carmen), Brahms, Canteloube, Chapi (La Chavala, Las Hijas del Zebedeo, La Patria chica), Cornago, Duparc, Falla (La Vie brève), Fauré, Gounod (Faust), Granados, Hahn, Massenet (Manon, Werther), Mozart (Les Noces de Figaro), Puccini (La Bohème, Madame Butterfly), Rodrigo, Rossini (Le Barbier de Séville), Schubert, Valverde, Verdi (Otello, La Traviata), Wagner (Lohengrin, Tannhäuser), Traditionnels. Gerald Moore, Gonzalo Soriano (piano). Orch. Philharmonia, Walter Süsskind, Anatole Fistoulari ; Orch. Phil. Royal, Vittorio Gui ; Orch. de l'Opéra de Rome, Giuseppe Morelli, Tullio Serafin, Gianandrea Gavazzeni ; Ch. et Orch. de l'Opéra de Rome, Gabriele Santini ; Orch. RCA Victor, Thomas Beecham ; Orch. de l'Opéra de Paris, André Cluytens ; Ch. et Orch. de l'Opéra-Comique de Paris, Pierre Monteux ; Orch. de Paris, Georges Prêtre ; Ch. et Orch. de la RTF, Thomas Beecham ; Orch. de la Société des Concerts du Conservatoire, Rafaël Frühbeck de Burgos, Georges Prêtre ; Orch. Lamoureux, Jean-Pierre Jacquillat ; Orch. Sinfonia de Londres, Orch. National d'Espagne, Rafaël Frühbeck de Burgos. EMI VSM SLS 5.233 (3 d.). Enregistré de 1949 à 1969.

Victoria de Los Angeles est l'une des cantatrices les plus complètes de son temps. Cet album, évoquant vingt années de sa prestigieuse carrière, témoigne de la diversité de son répertoire et de l'aisance avec laquelle elle passe d'un genre à l'autre. L'opéra, d'abord : sous la direction de Beecham puis de Monteux, elle enregistra deux interprétations de référence de *Carmen* et *Manon* qui doivent cependant pas faire oublier son Mozart (La Comtesse), le *bel canto* italien (Rosine), les héroïnes verdiennes (une Traviata et une Desdémone ô ! combien émouvantes) et véristes (Mimi), et même les blondes wagnériennes (Elsa et Elisabeth). Au récital, elle se montre aussi convaincante dans la mélodie française que dans le lied allemand. Enfin, quelques plages trop courtes de ces disques prouvent qu'elle excelle également dans le genre si difficile de la zarzuela.

*** Haendel : airs de Judas Macchabée, Acis et Galathée, Jules César, Josué. Mozart : Exsultate Jubilate, air de concert «Ch'io mi scordi... Non temer». Gerald Moore (piano). Orch. Symph. de Londres, Adrian Boult ; Orch. Goldsbrough, Arnold Goldsbrough. EMI VSM C 065-43.178. Enregistré en 1950, 1951 et 1959.

La longévité vocale de Victoria de Los Angeles est certainement à mettre au compte d'une technique - et d'une intelligence musicale - rarement égalées. Après avoir chanté Verdi, Wagner, Puccini et un grand nombre d'opéras romantiques français, voici que la grande cantatrice espagnole revient - mais les a-t-elle jamais quittés — à Haendel et Mozart. On avait presque oublié qu'elle pouvait, dans ce répertoire exigeant, compter parmi les meilleurs interprètes de ces airs aussi périlleux par de la technique que difficiles à «habiter». On n'en est que plus heureux de posséder un tel témoignage d'une admirable artiste qui, somme toute, ne laisse pas - et c'est fort dommage - une discographie considérable.

Christa Ludwig, mezzo-soprano.

** Extraits d'opéras de Gluck (Iphigénie en Aulide), Humperdinck (Hänsel et Gretel), Rossini (Le Barbier de Séville), Saint-Saëns (Samson et Dalila), R. Strauss (Ariane à Naxos, Elektra, La Femme sans ombre), Wagner (Le Crépuscule des dieux). Orch. et chefs divers. Eurodisc AR 27.991 (2 d.).

Christa Ludwig a toujours rêvé d'interpréter les grands rôles de soprano dramatique - n'a-t-elle pas enregistré l'un des plus beaux *Fidelio* qui soient sous la direction de Klemperer ? -, et ceux qui eurent la chance d'entendre sa Teinturière et sa Maréchale témoigneront du bonheur avec lequel elle aborda ces deux rôles fascinants. Avec ce double album, elle satisfait en partie un désir dont elle eut la sagesse de ne pas poursuivre la réalisation à la scène : encore la Teinturière, mais aussi Ariane, Elektra et Brünnhilde. On ne peut que constater ici l'exceptionnelle étendue d'une voix au timbre prodigieusement beau et un tempérament dramatique digne des plus grandes tragédiennes lyriques. A côté de ces incarnations marmoréennes, figurent une Rosine et une Dalila assez anecdotiques...

Jessye Norman, soprano.

❀*** Negro Spirituals. Dalton Baldwin (piano), Ambrosian Singers. Philips 9500.580. ⌧ 7300.706.

Une voix somptueuse au service d'une musique qui touche au cœur : voici en quelques mots résumé le contenu de ces deux faces. D'emblée, Jessye Norman s'affirme comme la plus grande interprète de *Spirituals* de sa génération ; sans jamais la moindre afféterie, elle aborde chacun de ces petits chefs-d'œuvre avec spontanéité et humilité, envoûtant littéralement l'auditeur par son sens inné du beau chant : *pianissimos* irrésistibles, extrême aigu d'une beauté déconcertante... L'accompagnement de Dalton Baldwin et la prestation des Ambrosian Singers sont parfaitement dignes de la grande cantatrice, et ce n'est pas un mince compliment.

Charles Panzéra, baryton.

** Œuvres de Berlioz (La Damnation de Faust), Caplet, Chausson, Debussy, Duparc, Falla, Fauré, Gounod, Hahn, Lully (Alceste), Milhaud, Mozart (Don Giovanni), Ravel, Saint-Saëns, Schubert, Schumann, Séverac. Magdeleine Panzéra-Baillot (piano), Musiciens de l'Orch. Pasdeloup et Orch. Gramophone, Piero Coppola. EMI VSM 151-73.084/85 (2 d.). Mono, origine 78 t.

C'est à une soirée musicale dans le salon de Madame Verdurin que nous convie Charles Panzéra, accompagné au piano par son épouse, interprétant des mélodies de Fauré, Duparc, Chausson... auxquelles il prête assez idéalement un timbre et un style tout en nuances et en subtilité, légèrement rehaussés d'un discret maniérisme inhérent à ce type de répertoire. Mais Charles Panzéra est aussi convaincant dans les quelques lieder, trop peu nombreux, de Schubert et Schumann qui figurent au programme de cette belle anthologie. On pourra regretter que deux seulement des quatre mélodies de l'*Horizon chimérique* de Fauré, dont Panzéra fut le dédicataire et créateur, aient été retenues.

Luciano Pavarotti, ténor.

*** «Bravo Pavarotti !». Extrait d'opéras de Bellini (I Puritani), Donizetti (L'Elixir d'amour, La Favorite, La Fille du régiment, Lucia d Lammermoor), Puccini (La Bohème, La Tosca, Turandot), R Strauss (Le Chevalier à la Rose) Verdi (Un Bal masqué, Luisa Miller, Rigoletto, La Traviata, Le Trouvère). Orch. de l'Académie Ste-Cécile de Rome, Bruno Bartoletti ; Orch. Phil. de Berlin, Herbert von Karajan ; Orch. Phil. de Londres Zubin Mehta ; Orch. Phil. Royal Leone Magiera ; Orch. Phil. de Vienne, Georg Solti ; National Phil Orch., Richard Bonynge, Peter Maag ; Orch. de Chambre Anglais Orch. de Covent Garden, Orch Symph. de Londres, Orch. du Théâtre Communal de Bologne, Richard Bonynge. Decca 591.001 (2 d.). ⌧ 4-390.160 (2 c.).

Avec un titre si prometteur, le contenu de cet album pouvait difficilement être décevant. Il s'agit en fait d'un résumé de la carrière discographique du ténor dont on retrouvera le timbre infiniment séduisant, particulièrement valorisé par un style d'une élégance impeccable, dans quelques-uns de ses meilleurs emplois. Ces extraits d'intégrales font apparaître, au gré des rôles, les illustres partenaires du non moins illustre ténor, de Montserrat Caballé à Nicolaï Ghiaurov.

Ruggero Raimondi, baryton-basse.

** «Six personnages en quête de chanteur». Airs d'opéras de Berlioz (La Damnation de Faust), Bizet (Carmen), Massenet (Don Quichotte), Moussorgski (Boris Godounov), Mozart (Don Giovanni), Verdi (Otello). Ch. et Orch. de l'Opéra de Paris, Emile Tchakarov. Erato STU 71.434. ⌧ MCE 71.434.

Il est aisé de constater que les cinq interprétations que Ruggero Raimondi livre de Méphisto, Escamillo, Don Quichotte, Boris et Iago, successivement nobles ou cyniques, convergent vers un unique protagoniste : Don Juan, à lui seul noblesse et cynisme réunis. C'est que la tessiture même du héros mozartien est de celles qui conviennent le mieux au grand chanteur, qui n'est pas sans éprouver quelques difficultés dans le bas-grave requis pour aborder les véritables rôles de basse ; le personnage du séducteur espagnol est d'autre part celui que Raimondi a le plus approfondi, à la scène ou au cinéma avec Losey. Quoi qu'il en soit, ce disque fera découvrir avec quelle intelligence Raimondi caractérise les différents personnages qu'il interprète ici, l'espace d'un air.

Elisabeth Schwarzkopf, soprano.

❀*** «Les premières années». Lieder et extraits d'opéras de Arne, Bach, Brahms, Charpentier (Louise), Gluck, Humperdinck (Hänsel et Gretel), Lehár (Le Pays du sourire, La Veuve joyeuse), Mozart (Don Giovanni, L'Enlèvement au sérail, Les Noces de Figaro, Le Roi pasteur), Puccini (La Bohème, Gianni Schicchi, Madame Butterfly, Turandot), Schubert, Schumann, J. Strauss fils (Le Baron tzigane, La Chauve-souris, Une Nuit à Venise, Sang viennois), R. Strauss (Le Chevalier à la Rose), Verdi (La Traviata), Wolf. Gerald Moore, Karl Hudez (piano). Orch. Phil. de Vienne, Josef Krips, Herbert von Karajan, Karl Boehm ; Orc. Philharmonia, John Pritchard, Josef Krips, Alceo Galliera, Isaac Dobrowen, Otto Ackermann, Herbert von Karajan. EMI VSM RLS 763 (4 d.). Mono. Enregistré de 1946 à 1955.

Malgré un programme un peu hétéroclite, ce magnifique album donne un aperçu extrêmement convaincant des premiers enregistrements d'Elisabeth Schwarzkopf à l'aube d'une fulgurante carrière. Son interprétation du célèbre «*L'ameró, saro costante*» du *Roi pasteur* en 1946 révèle un timbre d'une pureté et d'un velouté inégalables et contient en germe tout le grand art mozartien de la cantatrice. De même, ses premières gravures de lieder annoncent la future interprète de génie du lied allemand. A cela s'ajoutent de larges extraits d'*Hänsel et Gretel* avec la délicieuse Irmgard Seefried, un irrésistible disque d'opérette viennoise et une face assez inattendue d'airs d'opéra italien chantés avec un goût et une distinction incomparables. Josef Krips, Herbert von Karajan et Karl Bœhm sont, entre autres chefs prestigieux, des accompagnateurs providentiellement inspirés.

*** Extraits d'opéras de Puccini (La Bohème, Gianni Schicchi), Smetana (La Fiancée vendue), Tchaïkovski (Eugène Onéguine), Verdi (Otello), Wagner (Lohengrin, Tannhäuser), Weber (Le Freischütz). Orch. Philharmonia, Nicola Rescigno, Karl Schmidt, Walter Süsskind, Heinz Wallberg ; Orch. Symph. de Londres, Alceo Galliera. EMI VSM C 181-52.291/92 (2 d.).

Elisabeth Schwarzkopf chante Weber et Wagner : il en résulte une Agathe idéale, une Elisabeth et une Elsa de rêve. On accordera une attention toute particulière au duo du second acte de *Lohengrin*, dans lequel Christa Ludwig donne d'Ortrud une interprétation noble et pathétique plus que démoniaque, face à la pureté angélique de sa partenaire. En complément, une face d'opéra italien dominée par la prière de Desdémone, où Schwarzkopf se révèle extrêmement poignante, ainsi que des extraits de *La Fiancée vendue* et d'*Eugène Onéguine* (Scène de la lettre), malheureusement chantés en allemand.

*** «To my friends». Lieder de Brahms, Grieg, Loewe et Wolf. Geoffrey Parsons (piano). Decca 591.051. ⌧ 4-390.319. Enregistré en 1977 et 1979.

Il s'agit là de l'ultime enregistrement d'Elisabeth Schwarzkopf, dédié à ses amis. Il comprend essentiellement des lieder de Hugo Wolf sur des poèmes de Mörike et quelques autres mélodies de Loewe, Grieg et Brahms. Si la voix semble parfois près de à se briser, jamais le travail accompli sur les textes n'a été aussi fouillé, l'interprète semblant retrouver un naturel et une spontanéité qui ne constituèrent pas toujours les principales caractéristiques d'un art inimitable appartenant désormais à l'histoire. L'accompagnement de Geoffrey Parsons est merveilleux de nuances et de musicalité. Un témoignage bouleversant...

Elisabeth Schwarzkopf, soprano.
Irmgard Seefried, soprano.

*** Duos de Monteverdi, Carissimi et Dvořák. Gerald Moore (piano).

EMI VSM C 051-43.240. Mono. Enregistré en 1955.

On n'attend pas forcément deux stars de l'école de chant viennoise dans les duos de Carissimi et de Monteverdi. Elles y sont une fois de plus complices et une fois de plus admirables. Les voix d'Elisabeth Schwarzkopf et Irmgard Seefried s'enchantent en des dialogues éperdus ou douloureux. Foin de la musicologie sourcilleuse, lorsque la musique préside à un tel rendez-vous. Dvořák, plus direct et plus attendu, est tout aussi somptueusement servi. Gerald Moore complète, de son accompagnement de génie, ce disque rare et précieux dont la réédition était une nécessité absolue.

Elisabeth Schwarzkopf, soprano.
Victoria de Los Angeles, soprano.
Dietrich Fischer-Dieskau, baryton.

*** «Hommage à Gerald Moore». Lieder, duos et trios vocaux de Brahms, Haydn, Mendelssohn, Mozart, Rossini, Schubert, Schumann, Wolf. Gerald Moore (piano). EMI VSM C 165-00.068/69 (2 d.).

Pour les adieux du plus illustre accompagnateur de lieder et de mélodies, Elisabeth Schwarzkopf, Victoria de Los Angeles et Dietrich Fischer-Dieskau, réunis l'espace d'une soirée, laissent libre cours à leur verve, leur fantaisie et leur talent tout au long des quatre faces de cet album dans des lieder, duos et trios quelquefois fort cocasses (duo des chats). A noter, l'arrangement pianistique de «An die Musik» de Schubert, œuvre d'un Gerald Moore qui lui consacra effectivement toute sa vie.

Teresa Stich-Randall, soprano.

** «Hommage à Teresa Stich-Randall». Œuvres de Bach, Haendel, Mozart et Schubert. Orch. de Chambre de la Sarre, Karl Ristenpart. Festival CFC 60.018 (4 d.). Stéréo.

Cet album de quatre disques constitue une passionnante rétrospective de l'art de Teresa Stich-Randall. Celle qui fut l'interprète idéale des grands rôles mozartiens au festival d'Aix-en-Provence donne ici la version de référence du motet «*Exsultate, Jubilate*», grâce à un timbre d'une rare pureté et une technique vocale éblouissante. Si, malheureusement, ses trois partenaires dans la *Messe du couronnement*, les *Vêpres d'un confesseur* et le *Magnificat* lui sont très inférieurs, elle n'en brille que davantage dans ces œuvres. A noter, l'unique version de la cantate allemande de Haendel «*Preis der Tonkunst*». A la tête de son orchestre de chambre de la Sarre, Karl Ristenpart accomplit une prestation remarquable.

*** Lieder et mélodies de Brahms, Debussy, Mozart, Schubert, Schumann, R. Strauss. Hans Rosbaud (piano). FNAC Rappel 3 (2 d.) Mono. Enregistré en 1956.

Ces deux disques immortalisent, dans son intégralité, un récital de lieder et de mélodies donné en 1956 à Aix-en-Provence par l'illustre cantatrice américaine, exceptionnellement accompagnée au piano par Hans Rosbaud. Comme Schwarzkopf et Furtwängler, associés d'une inoubliable soirée Wolf au Festival de Salzbourg 1953, c'est un moment de grâce indicible que dispensent les deux artistes, de Mozart à Schumann, vibrant de tout leur être, en un parfait accord.

Joan Sutherland, soprano.
Luciano Pavarotti, ténor.

** Duos d'opéras de Bellini (La Somnambule), Donizetti (Linda di Chamouni), Verdi (Aïda, Otello, La Traviata). Orch. Phil. National, Richard Bonynge. Decca 390.164. ⌧ 4-390.164.

De multiples fois partenaires, Joan Sutherland et Luciano Pavarotti de nouveau réunis ici, sous la direction chevronnée de Richard Bonynge, se livrent à un numéro de beau chant qui comblera immanquablement les amateurs les plus exigeants en la matière. Tant pis si la caractérisation des personnages se révèle assez sommaire : nous sommes subjugués par tant d'aisance vocale. D'une prodigieuse agilité, Sutherland impressionne plus qu'elle n'émeut, d'autant que sa diction est toujours aussi approximative. Le timbre de Pavarotti est d'une beauté et d'une homogénéité sans égales : il ne semble cependant pas posséder les moyens requis pour aborder le rôle du Maure de Venise (insuffisance notoire du grave).

Georges Thill, ténor.

* «Album du 80e anniversaire». Œuvres de Berlioz (La Damnation de Faust), Bizet, Fauré, Gounod, Lazzari, Lehár (Frasquita), Massenet

(Manon, Werther), Puccini (Turandot), Saint-Saëns (Samson et Dalila), Schubert, J. Strauss, R. Strauss, Verdi (Otello), Wagner (Lohengrin), hymnes et chansons. Accompagnements divers. EMI VSM C 153-16.211/14 (4 d.). Mono, origine 78 t. Enregistré de 1927 à 1943.

Auréolé d'une phénoménale réputation, eorges Thill a tout d'un ténor de légende, artout pour ceux qui ne l'entendirent jamais hanter. L'album du 80e anniversaire ne dément pas cette exceptionnelle renommée : celui dont on retient essentiellement l'incarnation du jeune Werther, effectivement ici leine de fougue et de virilité, aurait été l'un es plus grands Otello du siècle s'il avait bordé ce rôle à la scène, tant le disque 'extraits (en français) inclus dans ce coffret émoigne qu'il en possédait parfaitement la edoutable tessiture (du bas-grave au plus xtrême aigu). Toutes les autres interprétations figurant au programme de cet album se aractérisent par la pureté d'un style inégaable et la vaillance d'un timbre d'une beauté ifficilement concevable (Lohengrin, Calaf, amson).

osé van Dam, basse.

*** Airs d'opéras de Bizet (La jolie fille de Perth), Delibes (Lakmé), Gounod (Faust), Massenet (Don Quichotte, Hérodiade, Le Jongleur de Notre-Dame, Manon, Thaïs), Offenbach (Les Contes d'Hoffmann), Verdi (Don Carlos). Orch. Phil. de Monte-Carlo, Claudio Scimone. Erato NUM 75.023. ⌧ MCE 75.023.

Ce disque de José van Dam, exclusivement onsacré à l'opéra français, propose un choix ort intéressant d'airs plus ou moins connus. Son principal attrait réside dans le choix de a version originale en français du célèbre nonologue de Philippe II au IVe acte de *Don Carlos*, «Elle ne m'aime pas», que José van Dam chante de façon très émouvante, avec grandeur et noblesse, ainsi que dans la magnifique interprétation de l'air d'Athanaël de *Thaïs*, «Voilà donc la terrible cité», où il donne la pleine mesure de son timbre splendide. La diction est, par ailleurs, d'une exceptionnelle clarté tout au long de ces deux faces.

Astrid Varnay, soprano.

** Airs d'opéras de Beethoven (Fidelio), Halévy (La Juive), Mascagni (Cavalleria Rusticana), Massenet (Thaïs), Ponchielli (La Gioconda), R. Strauss (Le Chevalier à la Rose, Elektra, Salomé), Verdi (Aïda, Don Carlos, Macbeth, Le Trouvère, Simon Boccanegra), Wagner (Lohengrin, Tannhäuser, Tristan et Isolde, La Walkyrie). Niederösterreichisches Tonkünstler-Orchester, Hermann Weigert. Acanta DE 22.645 (2 d.). Mono. Enregistré en 1951.

Cet album-récital constitue l'un des trop rares témoignages discographiques disponibles de cette inaccessible tragédienne lyrique. Indépendamment de quelques extraits d'opéras français ne relevant guère plus que de l'anecdote, et de diverses incarnations verdiennes dont on retiendra essentiellement une Eboli et une Lady Macbeth convenant parfaitement à son exceptionnel tempérament dramatique, c'est évidemment dans le répertoire allemand qu'Astrid Varnay donne la pleine mesure de son génie : Fidelio, Brünnhilde, Isolde et surtout Ortrud et Elektra permettent à son invulnérable timbre d'airain de s'épanouir pleinememt jusqu'à l'extrême aigu, alors qu'on la devine quelque peu à l'étroit dans le rôle quasi mozartien de la Maréchale, réclamant en vérité plus d'abandon et de charme que de puissance vocale.

Cesar Vezzani, ténor.

*** Airs d'opéras de Halévy (La Juive), Meyerbeer (L'Africaine, Les Huguenots, Le Pardon de Ploërmel, Le Prophète), Reyer (Sigurd). Orch. et chefs divers. EMI VSM C 051-16.367. Mono, origine 78 t. Enregistré de 1922 à 1933.

C'est un véritable bonheur que de retrouver enfin la merveilleuse voix de Cesar Vezzani, grâce à ce récital d'airs d'opéras français, unique témoignage de l'art du grand chanteur disponible au catalogue. Contrairement à de nombreux ténors, Vezzani possède un style irréprochable duquel sont bannis tous les effets plus ou moins douteux au profit d'une élégance et d'un goût qui ne se démentent jamais.

Frederica von Stade, mezzo-soprano.

** Airs d'opéras de Berlioz (Béatrice et Bénédict, La Damnation de Faust), Gounod (Roméo et Juliette), Massenet (Cendrillon, Werther), Meyerbeer (Les Huguenots), Offenbach (La Grande-Duchesse de Gerolstein, La Périchole), Thomas (Mignon). Orch. Phil. de Londres, John Pritchard. CBS 76.522.

Pour son premier récital, la jeune cant trice américaine, désormais célèbre, se dev de frapper un grand coup. On ne sera p déçu à l'écoute de ce disque exclusiveme consacré à l'opéra français, à des œuvres pl ou moins connues, et dont l'interprétati des deux airs de Berlioz constitue la pl belle réussite. Elégance, naïveté, tendres mais également enjouement irrésistible (*L Périchole*) caractérisent l'art de Frederi von Stade au charme de laquelle il semb impossible de résister. John Pritchard est accompagnateur émérite.

DISQUES COMPACTS

Au printemps 1983 apparaissaient sur le marché français les premiers disques compacts à lecture par laser. On trouvera ici les références des cent premiers titres couramment disponibles au cours du semestre inaugural de ce nouveau support de la musique. Ceux-ci sont empruntés au grand répertoire, dans les réalisations les plus récemment enregistrées. N'étant pas toujours les versions les plus immédiatement recommandables selon le *Dictionnaire des Disques,* leurs référence sont assorties d'un bref commentaire critique.

Le développement de cette technique laisse prévoir pour les années à venir une double édition des nouvelles parutions - en microsillon traditionnel et en compact -, la reprise en compact d'enregistrements effectués ces dernières années mais d'abord publiés en microsillon, et enfin la parution en compact des grands classiques et des «versions de référence».

Bach, Jean-Sébastien
(1685-1750)

Concertos Brandebourgeois n° 1 en fa majeur BWV 1046, n° 2 en fa majeur BWV 1047, n° 3 en sol majeur BWV 1048, n° 4 en sol majeur BWV 1049, n° 5 en ré majeur BWV 1050, n° 6 en si bémol majeur BWV 1051.

** Academy of Saint-Martin-in-the-Fields, Neville Marriner. Philips 400.076.2/400.077.2.

Pour la seconde fois, Neville Marriner a réalisé une très honorable intégrale des célèbres *Brandebourgeois ;* les inconditionnels des reconstitutions «à l'ancienne» n'y trouveront peut-être pas leur compte, mais les autres sauront apprécier la clarté et la cohérence d'une lecture traditionnelle certes, jamais pesante ni doctorale cependant, bénéficiant par ailleurs de la présence des merveilleux instrumentistes de l'Academy of Saint-Martin-in-the-Fields.

Les deux Concertos pour 3 claviers et cordes : en ré mineur BWV 1063, en ut majeur BWV 1064. Concerto pour 4 claviers et cordes en la majeur BWV 1065.

*** Trevor Pinnock, Kenneth Gilbert, Lars-Ulrik Mortensen, Nicholas Kraemer (clavecins), The English Concert, Trevor Pinnock. Archiv 400.041-2. Enregistré en 1981.

Extraits d'une remarquable intégrale, les Concertos BWV 1063 et 1064 pour 3 claviers et le Concerto BWV 1065 pour 4 claviers bénéficient ici d'une interprétation d'une rigueur musicologique exemplaire sans que sensibilité et émotion en soient exclues pour autant. Une incontestable réussite, à situer au sommet de la discographie.

Trois Concertos pour violon et cordes : en la mineur BWV 1041, en mi majeur BWV 1042, en ré mineur BWV 1043 (pour deux violons).

❁*** Jaap Schröder et Christopher Hirons (violons), Academy of Ancient Music, Christopher Hogwood. Oiseau-Lyre 400.080-2.

Cette interprétation débordante de vie, successivement bondissante, majestueuse, intime et frémissante, résulte de l'entente idéale entre Jaap Schröder, violoniste à la sonorité ample et généreuse, au style noble et acéré, et Christopher Hogwood, dirigeant son Academy of Ancient Music avec souplesse et incisivité. Une référence absolue.

Toccata et Fugue en ré mineur BWV 565. Fugue en sol mineur BWV 578. Concerto en la mineur BWV 593. Fantaisie et Fugue en sol mineur BWV 542. Passacaille et Thème fugué en ut mineur BWV 582.

** Marie-Claire Alain (orgue Schwenkedel de la collégiale de Saint-Donat). Erato OCD 88004. Enregistré en 1982.

Deux ans après une enthousiasmante seconde intégrale de l'œuvre d'orgue du Cantor de Leipzig, Marie-Claire Alain nous livre un disque anthologique de très haut niveau, regroupant des œuvres ayant toutes les chances de satisfaire un très large public. Son interprétation se caractérise toujours par la clarté et l'exubérance d'un jeu d'une chaleur inimitable.

Variations Goldberg, BWV 988.

❁*** Glenn Gould (piano). CBS CD 37779. Enregistré en 1981.

Ultime enregistrement du grand pianiste récemment disparu, ces *Variations Goldberg* trouveront leurs défenseurs comme leurs détracteurs les plus inconditionnels. Gould s'est livré à une véritable re-création de cette œuvre difficile, avec tout le génie qu'on lui connaît, rendant communicatif l'enthousiasme qu'il n'a jamais cessé de témoigner vis-à-vis de cette fulgurante succession de variations. Plus qu'un testament, cet enregistrement constitue une référence absolue.

Bartók, Béla
(1881-1945)

Concerto pour orchestre Sz. 112 (1934) Suite de danses Sz. 77.

** Orch. Symph. de Chicago, Georg Solti. Decca 400.052-2. Enregistré en 1980.

Sir Georg Solti est l'un des chefs qui savent le mieux restituer ce climat morbide et flamboyant si caractéristique de l'univers sonore du compositeur hongrois. Cette interprétation magistrale en témoigne une fois de plus, qui exalte l'angoisse hallucinée de l'andante initial et la joie débridée du finale d'une insoutenable vitalité. L'Orchestre Symphonique de Chicago est le somptueux instrument que l'on sait, dont il n'est plus besoin de louer la virtuosité des solistes.

Beethoven, Ludwig van
(1770-1827)

Concerto pour violon et orchestre en ré majeur op. 61.

* Gidon Kremer (violon), Academy of St-Martin-in-the-Fields, Neville Marriner. Philips 410.549-2.

Le fabuleux archet de Gidon Kremer accomplit ici des prouesses techniques, mais ne parvient jamais à dissiper l'impression de froideur et de virtuosité gratuite qui se dégage de l'ensemble. Quant à l'accompagnement orchestral de Neville Marriner, il n'est guère convaincant.

Sonates pour piano n° 8 en ut mineur op. 13 «Pathétique», n° 13 en mi bémol majeur op. 27, n° 1 «Quasi una fantasia», n° 14 en ut dièse mineur op. 27, n° 2 «Clair de Lune».

* Emil Guilels (piano). DG 400.036-2. Enregistré en 1981.

L'enregistrement d'Emil Guilels n'apporte rien de nouveau à l'abondante discographie des trois Sonates qu'il joue ici. D'une prodigieuse aisance, son interprétation n'en manque pas moins d'engagement. Dommage...

onates pour violon et piano n° 5 en fa ajeur op. 24 «Le Printemps» et n° 9 en majeur «A Kreutzer».

❀*** Itzhak Perlman (violon), Vladimir Ashkenazy (piano). Decca 410.554-2.

La plus grande version moderne de ces eux œuvres. Ashkenazy et Perlman dialouent avec aisance en un parfait équilibre. Le iano est d'une exceptionnelle générosité, le iolon intensément lyrique. Les deux artistes ont preuve d'une gravité, d'une majesté prohes de l'emphase parfois, auxquelles on ne aurait néanmoins résister.

ymphonie n° 3 en mi bémol majeur Héroïque».

* Orch Staatskapelle de Berlin, Otmar Suitner. Denon 38 C37-7011.

A la tête de la Staatskapelle de Berlin, tmar Suitner signe une interprétation extrêement classique de la symphonie «Héroïue». En dépit d'un sens remarquable de architecture, on reprochera au chef son onstant d'engagement, infiniment regretable dans une œuvre d'une telle ampleur.

ymphonie n° 5 en ut mineur.

*** Orch. Philh. de Los Angeles, Carlo-Maria Giulini. DG 410.028-2.

Carlo-Maria Giulini est avant tout un chef 'orchestre profondément mystique. Ses rands enregistrements symphoniques en téoignent, et plus particulièrement cette 5e ymphonie, abordée davantage dans l'esprit 'un requiem que dans celui d'une œuvre de nusique profane. Intensément dramatique, a vision d'une rare violence est néanmoins empérée d'une humanité infinie.

ymphonie n° 5 en ut mineur. Léonore II, ouverture.

** Orch. Philharmonia, Vladimir Ashkenazy. Decca 400.060-2. Enregistré en 1981.

Après avoir longuement mûri le répertoire ianistique beethovénien, Vladimir Ashkenazy chef d'orchestre aborde l'univers symphoique du grand compositeur. Son interprétaion de la Cinquième témoigne d'une énergie oute juvénile qui emportera l'adhésion de ien des mélomanes.

Symphonie n° 7 en la majeur.

* Orch. Staatskapelle de Berlin, Otmar Suitner. Denon 38 C37-7032.

Là encore, l'absence d'options personnelles du chef constitue un sérieux handicap pour un disque très correct au demeurant. Une version de la septième Symphonie qui a surtout le mérite d'être l'unique actuellement disponible en disque compact.

Berlioz, Hector
(1803-1869)

Symphonie Fantastique op. 14.

* Orch. Phil. de New York, Zubin Mehta. Decca 400.046-2. Enregistré en 1979.

Une prise de son spectaculaire pour une exécution d'une brillance et d'une virtuosité incontestables : c'est tout ce que propose le disque de Zubin Mehta, et c'est insuffisant. A aucun moment, ce chef ne parvient à conférer l'indispensable souffle de vie au fulgurant cauchemar berliozien : c'est infiniment regrettable !

Bizet, Georges
(1838-1875)

Carmen, opéra.

** Agnes Baltsa (Carmen), José Carreras (Don José), Katia Ricciarelli (Micaëla), José Van Dam (Escamillo), Ch. de l'Opéra de Paris, Orch. Phil. de Berlin, Herbert von Karajan. DG 410.088-2 (3 d.). Enregistré en 1982.

La seconde *Carmen* de Karajan était attendue de tous les admirateurs du chef-d'œuvre de Bizet... ainsi que des inconditionnels du maestro. Karajan signe d'emblée l'une de ses plus belles réussites lyriques au disque et nous révèle une Carmen de grande classe en la personne d'Agnes Baltsa, intensément sombre et passionnée. En revanche, Van Dam est un Escamillo un peu pâle, Carreras un Don José d'une distinction contestable ; quant à Ricciarelli, son interprétation confirme qu'elle ne sera jamais une Micaëla seulement crédible.

Brahms, Johannes
(1833-1897)

Ballades pour piano op. 10.

*** Arturo Benedetti-Michelangeli (piano). DG 400.043-2. + *Schubert : Sonate D. 537.*

Imprégnées de brumes nordiques, les Ballades de Michelangeli sont d'une rare intensité, d'une violence désespérée. En complément de programme, la petite Sonate D. 537 de Schubert revêt une gravité et une ampleur insoupçonnées. Un disque passionnant quoique déroutant.

Concerto n° 1 pour piano et orchestre en ré mineur op. 15.

*** Vladimir Ashkenazy (piano), Orch. du Concertgebouw d'Amsterdam, Bernard Haitink. Decca 410.009-2. Enregistré en 1981.

Vladimir Ashkenazy et Bernard Haitink à la tête de l'incomparable Concertgebouw nous offrent une vision d'une lisibilité confondante de cette œuvre si complexe. Un certain manque d'engagement des deux artistes doit être attribué à leur volonté commune de respecter la partition qui, seule, nous est livrée dans toute sa nudité.

Concerto pour violon et orchestre en ré majeur op. 77.

*** Anne-Sophie Mutter (violon), Orch. Phil. de Berlin, Herbert von Karajan. DG 400.064-2.

Avec cet enregistrement de grande classe, Herbert von Karajan et Anne-Sophie Mutter signent leur plus belle réussite commune. Une fois de plus, la jeune violoniste douée d'une chaleureuse sonorité s'affirme une virtuose accomplie que les plus insurmontables difficultés ne semblent guère intimider ; mais surtout, la vibrante interprétation qu'elle donne du merveilleux *adagio* révèle un jeu d'une maturité insoupçonnée jusque-là. La direction de Karajan, puissante mais sans excès, ne contribue pas peu au succès de l'entreprise.

Sonates pour violoncelle et piano n° 1 en mi mineur op. 38, n° 2 en fa majeur op. 99.

** Mstislav Rostropovitch (violoncelle), Rudolf Serkin (piano). DG 410.510-2. Enregistré en 1982.

Rencontre au sommet de deux monstres sacrés... Heureusement, aucun d'entre eux ne tente de dominer l'autre, et c'est une ardente méditation résultant de leur profonde entente que nous livrent Serkin et Rostropovitch, qui servent Brahms et seulement lui.

Symphonie n° 1 en ut mineur op. 68.

*** Orch. Phil. de Los Angeles, Carlo Maria Giulini. DG 410.023-2. Enregistré en 1982.

La sombre tonalité d'ut mineur de la première Symphonie convient particulièrement bien à Carlo-Maria Giulini qui aborde ce chef-d'œuvre brahmsien avec la noblesse d'inspiration qui lui est coutumière. Tout y est majesté, intériorité, intense lyrisme. Un grand disque, tout simplement.

Symphonie n° 2 en ré majeur op. 73.

*** Orch. Phil. de Los Angeles, Carlo Maria Giulini. DG 400.066-2.

Dans des tempos extrêmement amples une fois de plus, Giulini aborde la seconde Symphonie avec infiniment de lyrisme, de ferveur, de sérénité. Pleine de poésie, sa vision constitue un vibrant hymne à la nature dont il exalte les beautés les plus secrètes tout au long de celle qui fut parfois appelée la «Pastorale» de Brahms.

Symphonie n° 3 en fa majeur op. 90. Variations sur un thème de Joseph Haydn op. 56a.

** Orch. Phil. de Vienne, Leonard Bernstein. DG 410.083-2. Enregistré en 1982.

Bernstein n'est peut-être pas le chef idéal pour diriger les Symphonies de Brahms ; sa vision de la Troisième manque en tout cas de noblesse, d'intériorité. Mais l'on résistera difficilement à la spontanéité d'inspiration du chef ainsi qu'aux chaleureuses couleurs d'une Philharmonie de Vienne enivrée de ses propres sonorités.

Symphonie n° 4 en mi mineur op. 98. Ouverture Tragique op. 81.

** Orch. Phil. de Vienne, Leonard Bernstein. DG 410.084-2. Enregistré en 1982.

Là encore, l'Orchestre Philharmonique de Vienne brille de tous ses feux. Bernstein a recours à ses effets traditionnels : agressivité des timbales, éclats de cuivres, précipitation excessive des mouvements rapides (*allegro giocoso*) ; mais une fois de plus, on s'y laisse prendre. Une version d'une rare vitalité.

Bruckner, Anton
(1824-1896)

Symphonie n° 9 en ré mineur.

** Orch. du Concertgebouw d'Amsterdam, Bernard Haitink. Philips 410.039-2.

Bernard Haitink signe ici son second enregistrement de la neuvième Symphonie dédiée par le compositeur... «Au Bon Dieu». Religiosité et mysticisme obligeant, sa vision est d'une pureté et d'une immatérialité infinies, extrêmement détaillée, mettant en valeur les timbres merveilleux des instrumentistes du Concertgebouw. On pourra néanmoins reprocher au chef un certain manque d'engagement d'autant plus préjudiciable à cette version que la concurrence est rude en la matière.

Chopin, Frédéric
(1810-1849)

24 Études pour piano : 12 Études op. 10, 12 Études op. 25.

❀*** François-René Duchâble (piano). Erato ECD 88001. Enregistré en 1980.

Ce disque admirable qui surclasse sans peine la plupart des versions antérieures est l'œuvre d'un jeune pianiste doué d'une technique prodigieuse - d'autant plus discrète qu'on la sent parfaitement maîtrisée -, abordant avec pudeur et retenue chaque Étude qu'il éclaire d'une lumière nouvelle.

Chostakovitch, Dimitri
(1906-1975)

Symphonie n° 5 en ré mineur op. 47.

*** Orch. Philh. de New York, Leonard Bernstein. CBS CD 35854. Enregistré en 1979.

Renonçant très heureusement à son penchant pour les exécutions spectaculaires, Bernstein signe ici l'une de ses réalisations discographiques les plus achevées. La perfection technique de l'exécution instrumentale est incontestable ; comble de bonheur, puissance et intensité voisinent constamment tout le long de cette interprétation de grande classe.

Debussy, Claude
(1862-1918)

Trois Nocturnes : Nuages, Fêtes, Sirènes. Jeux, poème dansé.

*** Orch. du Concertgebouw d'Amsterdam, Bernard Haitink. Philips 400.023-2.

Bernard Haitink a de l'univers debussyste une vision extrêmement dramatique, plus symboliste qu'impressionniste. Si dans les *Nocturnes* l'angoisse naît au détour de chaque inflexion d'orchestre, dans *Jeux*, ivresse sonore et sensualité atteignent leur paroxysme. Un disque à situer au sommet de la discographie de ces deux œuvres.

Dvořák, Antonín
(1841-1904)

Sérénades n° 1 pour cordes en mi majeur op. 22 et n° 2 pour instruments à vent, violoncelle et contrebasse en ré mineur op. 44.

*** Academy of St-Martin-in-the-Fields, Neville Marriner. Philips 400.020-2. Enregistré en 1982.

Qu'on ne s'attende pas à trouver dans l'interprétation de Marriner la majesté avec laquelle un Karajan aborde cette musique. Le climat agreste cher à Dvořák reprend ses droits même si l'*Opus 22* se teinte d'une sombre mélancolie. Les musiciens de l'Academy of St. Martin-in-the-Fields semblent parfaitement à leur aise dans ce répertoire.

Sérénade n° 1 pour cordes en mi majeur op. 22.

*** Orch. Phil. de Berlin, Herbert von Karajan. DG 400.038-2. *+ Tchaïkovski : Sérénade pour cordes.*

Karajan, qui n'a pas choisi au hasard de coupler les deux œuvres figurant au programme de ce disque, assombrit à l'extrême l'*Opus 22* de Dvořák, lui conférant une grandeur et une majesté inhabituelles, plus proches en vérité de l'univers d'un Tchaïkovski que de l'ambiance bucolique chère à Dvořák. La Sérénade du compositeur russe relève évidemment d'une semblable conception.

Symphonie n° 9 en mi mineur op. 95 «Nouveau Monde».

** Orch. Phil. de Vienne, Kiril Kondrachine. Decca 400.047-2. Enregistré en 1980.

* Orch. Symph. de Chicago, James Levine. RCA RCD 14552. Enregistré en 1981.

C'est avec émotion que l'on écoutera cet enregistrement d'une probité exemplaire que réalisa Kondrachine à la tête de la Philharmonie de Vienne. A défaut d'une conception très personnelle, le grand chef russe aujourd'hui disparu y fait preuve d'un métier et d'une conscience professionnelle au-dessus de tout éloge.

Encore un enregistrement où l'Orchestre Symphonique de Chicago a la vedette. La prodigieuse alchimie sonore qui découle de la somptuosité de ses timbres éclipse un chef d'orchestre qui ne semble pas en mesure d'imposer à l'orchestre une conception très personnelle de l'œuvre.

Falla, Manuel de
(1876-1946)

Le Tricorne. L'Amour sorcier.

** Colette Boky (s), Huguette Tourangeau (ms), Orch. Symph. de Montréal, Charles Dutoit. Decca 410.008-2. Enregistré en 1981.

La somptuosité de la prise de son numérique n'est pas étrangère à la réussite du présent disque ; mais la technique la plus sophistiquée ne saurait éclipser l'interprétation proprement dite, remarquable en l'espèce. A la tête de l'Orchestre Symphonique de Montréal, Charles Dutoit se révèle un serviteur idéal de la musique de Falla.

Franck, César
(1822-1890)

Symphonie en ré mineur.

* Orch. National de France, Leonard Bernstein. DG 400.070-2. Enregistré en 1981. *+ Saint-Saëns : Le Rouet d'Omphale.*

Enregistrement numérique pris sur le vif, le disque de Bernstein bénéficie de la présence de l'Orchestre National de France, idéal dans ce répertoire. Malheureusement, le chef en tire des effets déplacés, à la limite du clinquant, négligeant tout l'aspect mystérieux de l'œuvre au profit d'une conception trop extérieure qui ne satisfaira que les amateurs de beau son.

Haendel, George Frederic
(1685-1759)

Hymnes du couronnement : Zadok the priest, The King shall rejoice, My heart is inditing, Let thy hand be strengthened.

❀*** Ch. de l'abbaye de Westminster, The English Concert, Trevor Pinnock, Simon Preston. Archiv 410.030-2. Enregistré en 1981.

Encore une réussite absolue dont nous sommes redevables à la musicologie moderne. L'interprétation haendelienne sans cesse renouvelée culmine avec le présent enregistrement, bien proche de la perfection. Chœurs et orchestre sont d'une précision, d'une incisivité exceptionnelles grâce à l

ɑarquable direction d'ensemble de Pin-
ck et Preston.

essiah (Le Messie). Extraits.

** Judith Nelson et Emma Kirkby (s), Carolyn Watkinson (c), Paul Elliott (t), David Thomas (b), Ch. de la cathédrale Christ Church d'Oxford, The Academy of Ancient Music, Christopher Hogwood. Oiseau-Lyre 400.086-2.

Ces quelques extraits, trop brefs, d'une ıvre qui exige d'être appréhendée dans sa ntinuité constituent un exemple significatif travail d'archéologie musicale auquel, ꞩque après disque, se livre Christopher ɔgwood. Malheureusement, l'ensemble ınque parfois de vie, de sensibilité même. est dommage, car solistes vocaux et instru-ɛntaux sont exemplaires.

ater Music.

*** English Baroque Soloists, John-Eliot Gardiner. Erato ECD 88005. Enregistré en 1980.

Cette version intégrale de la *Water Music* ꞩsède toutes les qualités de l'enregistre-ɛnt de Hogwood : authenticité des timbres des accents, rigueur musicologique exem-aire, sans être affligée de ses principaux fauts (manque d'émotion, de vitalité). Bien contraire, Gardiner a su communiquer à s instrumentistes un enthousiasme vérita-ement irrésistible.

ater Music : suite en fa majeur. Royal rework's Music.

** Academy of Ancient Music, Christopher Hogwood. Oiseau-Lyre 400.059-2.

Cet enregistrement appelle les mêmes ob-rvations que le disque d'extraits du *Messie* ıe réalisèrent Christopher Hogwood et son cademy of Ancient Music. Le souci d'au-enticité est poussé à son extrême, mais ɛnsemble manque de naturel et de vitalité. ne remarquable réalisation d'archéologue, la recherche d'une âme toutefois...

Haydn, Josef
(1732-1809)

Trios «London» n°s 1 à 4. Divertissements op. 100 n°s 2 et 6.

*** Jean-Pierre Rampal (flûte), Isaac Stern (violon), Mstislav Rostropovitch (violoncelle). CBS CD 37786. Enregistré en 1982.

Trois grands virtuoses de leur instrument nous offrent un dique enjoué, plein de gaieté dans les mouvements rapides et de charme rêveur dans les *adagios*, d'œuvres de la maturité du compositeur. Cet enregistrement irrésistible témoigne de la profonde entente qui semble avoir régné entre les trois artistes lors de sa réalisation.

Holst, Gustav
(1874-1934)

Les Planètes, suite pour orchestre op. 32.

*** Orch. National de France, Lorin Maazel. CBS CD 37249.

** Orch. Phil. de Berlin, Herbert von Karajan. DG 400.028-2. Enregistré en 1981.

Comme *Ainsi parlait Zarathoustra* de Richard Strauss, ces *Planètes* sont une œuvre ambitieuse, faussement métaphysique et d'une luxuriance orchestrale d'assez mauvais aloi. Lorin Maazel a le mérite de faire briller son orchestre de mille feux, sans jamais sombrer dans le pompiérisme le plus élémentaire. On ne saurait exiger davantage en vérité.

Contrairement à un Lorin Maazel qui avait su éviter les excès tapageurs auxquels incite presque inévitablement une telle partition, Karajan exalte sans la moindre retenue la brillance outrancière de ces *Planètes* relevant d'une esthétique un peu dépassée.

Janáček, Leoš
(1854-1928)

Sinfonietta. Tarass Boulba, rapsodie slave.

*** Orch. Phil. de Vienne, Charles Mackerras. Decca 410.138-2. Enregistré en 1981.

Disque après disque, Charles Mackerras a légitimement acquis une réputations de spécialiste de la musique de Janáček. Avec la Philharmonie de Vienne, il offre à l'auditeur un discours orchestral d'une grande beauté, auquel manquent néanmoins la rudesse et la frénésie qu'aurait conférées à ces deux œuvres un chef plus authentiquement slave.

Lalo, Édouard
(1823-1892)

Symphonie espagnole pour violon et orchestre op. 21.

❀*** Itzhak Perlman (violon), Orch. de Paris, Daniel Barenboïm. DG 400.032-2. + *Berlioz : Rêverie et Caprice op. 8, pour violon et orchestre.*

Voici la référence moderne d'une œuvre exigeant du soliste une virtuosité sans faille ainsi qu'une musicalité accomplie. Perlman convainc d'un bout à l'autre de l'ouvrage par une éblouissante technique et un jeu d'une aisance et d'une chaleur inégalables, enivrant l'auditeur de sonorités véritablement dionysiaques. A la tête de l'Orchestre de Paris, Daniel Barenboïm signe l'un de ses plus beaux enregistrements.

Mahler, Gustav
(1860-1911)

Symphonie n° 1 en ré majeur «Titan».

* Orch. Symph. de Chicago, Claudio Abbado. DG 400.033-2.

Claudio Abbado dirige une fois de plus le somptueux Orchestre Symphonique de Chicago. L'exécution instrumentale a beau se révéler d'une rare perfection technique, sa symphonie «Titan» n'en manque pas moins de mystère et de poésie. L'ensemble est beaucoup trop figé pour être seulement convaincant.

Symphonie n° 8 en mi bémol maj «des Mille».

❀*** Faye Robinson, Judith Bleg Deborah Jasson (s), Florence C var, Lorna Myers (ms), Kenn Riegel (t), Benjamin Luxon, Gw Howell (b), Orch. Symph. de B ton, Seiji Ozawa. Philips 410.60 (2 cd). Enregistré en 1981.

La superbe prise de son numérique ma fie ici la luxuriance chorale et orchestrale la monumentale symphonie «des Mille». S Ozawa se révèle un maître d'œuvre parti lièrement adéquat grâce à son sens inné l'architecture et des sonorités. L'octuor solistes est d'une remarquable homogénéi

Mendelssohn, Barthold Félix
(1809-1847)

Concerto pour violon et orchestre en mineur op. 64.

** Anne-Sophie Mutter (violo Orch. Phil. de Berlin, Herbert v Karajan. DG 400.031-2. Enregis en 1981. + *Bruch : Concerto n°*

Anne-Sophie Mutter se révèle plus à l'a dans le Concerto de Mendelssohn que da celui de Bruch, exigeant une ampleur et éclat que la jeune violoniste ne possède p encore tout à fait. Karajan, quant à lui, ét un peu trop les tempos et confère à s orchestre, somptueux évidemment, une p mauté qui ne saurait aboutir à un équili idéal avec le violon.

Moussorgski, Modeste
(1839-1881)

Tableaux d'une exposition (versi transcrite pour orchestre par Mauri Ravel).

* Orch. Symph. de Chicago, Geo Solti. Decca 400.051-2. Enregist en 1980. + *Ravel : Le Tombeau Couperin.*

Œuvre brillante s'il en est, les tableaux une exposition, dans l'instrumentation ı'en réalisa Maurice Ravel, permettent aux chestres virtuoses de faire valoir la somposité de leurs timbres. A la tête de l'Orestre Symphonique de Chicago, la plus xuriante phalange qui soit, Sir Georg Solti, ınt on connaît le goût pour la belle sonori- signe ici l'un des ses enregistrements les us spectaculaires. Le résultat est malheuusement d'une rare extériorité. Il s'agit un disque de démonstration, rien de plus.

ſozart, Wolfgang Amadeus

!756-1791)

oncerto pour piano et orchestre n° 12 ı fa majeur K. 414 et n° 20 en ré ineur K. 466.

** Rudolf Serkin (piano), Orch. Symph. de Londres, Claudio Abbado. DG 400.068-2.

Rudolf Serkin dispense ici une magistrale çon de piano ; à la fois grave et serein, il terprète ces deux Concertos avec une infie délicatesse de toucher et de phrasé. L'acompagnement orchestral d'Abbado n'est alheureusement pas à la hauteur, par manıe de cette pudeur qui caractérise précisément le jeu de Serkin.

:oncertos pour piano et orchestre n° 15 n si bémol majeur K. 450 et n° 21 en ut ıajeur K. 467.

* Alfred Brendel (piano), Academy of St-Martin-in-the-Fields, Neville Marriner. Philips 400.018-2.

Un disque à couper en deux ! Après un pathique 21ᵉ Concerto, l'un des plus beaux, ourtant, que Mozart ait jamais composés, rendel et Marriner se ressaisissent dans le si émol majeur, digne de leurs belles réussites ans ce répertoire combien difficile à servir vec un constant bonheur.

:oncertos pour piano et orchestre n° 23 n la majeur K. 488 et n° 27 en si bémol ıajeur K. 595.

*** Vladimir Ashkenazy (piano), Orchestre Philharmonia, Vladimir Ashkenazy. Decca 400.087-2.

Vladimir Ashkenazy signe ici deux versions de référence du la majeur K. 488 et surtout de l'ultime Concerto pour piano de Mozart. Son interprétation, tout le long de laquelle voisinent grâce, élégance mais également puissance la plus insoupçonnée, séduira bien des mélomanes, à juste titre.

Concertos pour violon et orchestre n° 3 en sol majeur K. 216 et n° 5 en la majeur K. 219.

*** Itzhak Perlman (violon), Orch. Phil. de Vienne, James Levine. DG 410.020-2. Enregistré en 1983.

Ce disque nous donne une fois de plus l'occasion d'apprécier les admirables qualités du violoniste Itzhak Perlman, qui touche ici au sublime. Le commentaire orchestral de James Levine, successivement élégant, tendre, recueilli, n'est pas indigne de l'admirable soliste. La prise de son n'est malheureusement pas à la hauteur de l'interprétation.

Messe en ut mineur K. 427 «Grande Messe Solennelle».

*** Barbara Hendricks (s), Janet Perry (s), Peter Schreier (t), Benjamin Luxon (b), Ch. du Wiener Singverein, Orch. Phil. de Berlin, Herbert von Karajan. DG 400.067-2.

Conception monumentale de la *Grand-Messe* inachevée que celle de Karajan, mettant à contribution la somptuosité de la Philharmonie de Berlin ainsi que des chœurs du Singverein de Vienne. Du quatuor de solistes se détache une Barbara Hendricks intensément rayonnante. On ne saurait bouder son plaisir à l'écoute d'un tel déferlement sonore.

Sérénade n° 13 en sol majeur «Petite Musique de nuit» K. 525.

*** Orch. Phil. de Berlin, Herbert von Karajan. DG 400.034-2. Enregistré en 1982. *+ Grieg : Suite Holberg. Prokofiev : Symphonie n° 1.*

Rien moins que quatre enregistrements de la *Petite Musique de nuit* par Karajan étaient déjà disponibles ! Le cinquième bénéficie d'une prise de son numérique de grande classe, rendant pleinement justice aux qualités de finesse, de précision de Karajan et magnifiant la sonorité des cordes de la Philharmonie de Berlin. Les deux œuvres néoclassiques inscrites en complément de programme conviennent parfaitement à la virtuosité du chef et de ses instrumentistes.

Sérénade n° 13 en sol majeur «Petite Musique de nuit» K. 525. Une plaisanterie musicale K. 522.

** Quatuor Amadeus, Rainer Zepperite (contrebasse), Gerd Seifert et Manfred Klier (cors). DG 400.065-2.

Un disque très divertissant, en dépit du grand sérieux de ses interprètes. Si les Amadeus manquent un peu de sensibilité dans la célébrissime *Petite Musique de nuit,* en revanche, le relative sécheresse de leur sonorité fait merveille dans la très débridée *Plaisanterie musicale,* requérant, outre le quatuor à cordes, la présence de deux cornistes de talent.

Symphonies n° 40 en sol mineur K. 550 et n° 41 en ut majeur «Jupiter» K. 551.

* Orch. Symph. de Chicago, James Levine. RCA RCD 14413. Enregistré en 1981.

Servie par une fort belle prise de son, cette interprétation vaut surtout pour la splendeur de l'Orchestre Symphonique de Chicago. En revanche, la direction de James Levine manque singulièrement d'engagement. Une telle neutralité est infiniment regrettable dans un répertoire où s'illustrèrent les plus prestigieux chefs d'orchestre marquant chacun de leur griffe les deux œuvres inscrites au programme de ce disque.

La Flûte Enchantée (Die Zauberflöte), Singspiel K. 620. Extraits.

* Martti Talvela (Sarastro), Eric Tappy (Tamino), Sdislawa Donat (La Reine de la Nuit), Ileana Cotrubas (Pamina), Christian Boesch (Papageno), Elisabeth Kales (Papagena), José van Dam (l'Orateur), Ch. de l'Opéra de Vienne, Orch. Phil. de Vienne, James Levine. RCA RCD 14621. Enregistré en 1980.

Ces quelques extraits de *la Flûte Enchantée* sont les bienvenus, d'autant qu'à ce jour peu d'ouvrages lyriques sont disponibles en disque compact. Enregistrée à partir des représentations salzbourgeoises, cette *Flûte* extrêmement théâtrale bénéficie d'une distribution de rêve justifiant son acquisition malgré la direction assez peu convaincante James Levine.

Prokofiev, Serge
(1891-1953)

Symphonie n° 5 en si bémol majeur 100.

*** Orch. Phil. d'Israël, Leona Bernstein. CBS CD 35877. Enreg tré en 1979.

Pour la troisième fois au disque, Leon Bernstein revient à cette monumentale spectaculaire cinquième Symphonie dont souligne les moindres inflexions de mê qu'il magnifie les plus luxuriants déplc ments orchestraux. La Philharmonie d'Isr prête la chaleureuse sonorité qu'on lui c naît à cette interprétation de très h niveau.

Roméo et Juliette, suites symphoniqu op. 64 bis et 64 ter.

** Orch. Symph. National de W shington, Mstislav Rostropovitc DG 410.519-2.

Ce disque baigne dans une magnifice sonore dont le mérite revient surtout au sormais prestigieux Orchestre de Washingt aux destinées duquel préside Mstislav R tropovitch. Ce dernier exalte parfois un p complaisamment la luxuriance orchestrale la partition, mais c'est avec une telle spon néité, une telle générosité que l'on ne p s'empêcher d'être conquis.

Puccini, Giacomo
(1858-1924)

Anthologie orchestrale : Preludio sinf nico, Capriccio sinfonico, Le Villi (Pr lude, Intermezzo de l'acte II), Edg (Préludes des actes I et III), Trois M nuets, Manon Lescaut (Intermezzo l'acte III), Cresantemi.

** Orch. Symph. de la Radio de Be lin, Riccardo Chailly. Dec 410.007-2. Enregistré en 1982.

Œuvres pleines de charme que les essais [d]e jeunesse d'un compositeur qui devra sa [cé]lébrité à l'art lyrique plus qu'à la musique [sy]mphonique. Riccardo Chailly rend justice [à] ces ouvrages par une direction sensible et [ch]aleureuse d'une extrême élégance. L'Or[ch]estre Radio-Symphonique de Berlin est à [la] hauteur de sa réputation, ce qui n'est pas [pe]u dire.

[R]achmaninov, Serge
[(]1873-1943)

[S]ymphonie n° 2 en mi mineur op. 27.

*** Orch. du Concertgebouw d'Amsterdam, Vladimir Ashkenazy. Decca 400.081-2. Enregistré en 1981.

Après les Symphonies de Beethoven, [T]chaïkovski et Sibelius, Vladimir Ashkenazy [c]hef d'orchestre s'attaque à Rachmaninov. [D]'emblée, il trouve le ton juste, exaltant le [c]aractère russe de l'œuvre avec une indéniable authenticité, mais se refusant à tout senti[m]entalisme de mauvais aloi.

[R]avel, Maurice
[(]1875-1937)

[A]nthologie orchestrale : Boléro, Alborada del Gracioso, Rapsodie espagnole, La [V]alse.

*** Orch. Phil. de Montréal, Charles Dutoit. Decca 410.010-2. Enregistré en 1981.

Charles Dutoit serait-il le chef ravélien le [p]lus accompli de sa génération ? Après un [m]émorable enregistrement de *Daphnis et [C]hloé*, le présent disque semble en mesure de [l]e confirmer. Les quatre interprétations qu'il [c]ontient sont impeccablement construites, [d]'une élégance et d'une finesse indiscutables, [d]'un lyrisme contenu. Un plaisir de tous les [i]nstants.

[A]nthologie orchestrale : Boléro, La [V]alse, Pavane pour une infante défunte, [D]aphnis et Chloé (suite n° 2).

* Orch. de Paris, Daniel Barenboïm. DG 400.061-2. Enregistré en 1982.

Un disque très inégalement réussi. Pris dans les tempos très retenus, le *Boléro*, La *Valse* et la *Pavane* manquent de tension ; en revanche, Barenboïm restitue à la seconde suite de *Daphnis et Chloé* toute sa fraîcheur, son élégance, sa luxuriance. Mention doit être faite de l'excellente prestation de Michel Debost, première flûte solo de l'Orchestre de Paris (*Daphnis)*.

Daphnis et Chloé, ballet intégral.

*** Ch. et Orch. Symph. de Montréal, Charles Dutoit. Decca 400.055-2. Enregistré en 1980.

Ravel semble devenu le compositeur de prédilection de Charles Dutoit. Il y excelle en tout cas, grâce à des qualités qui n'appartiennent qu'à de très grands chefs d'orchestre. Une lecture extrêmement analytique, tout en finesse, permet à l'intense lyrisme contenu dans le ballet de se déployer en une respiration large et chaleureuse. L'Orchestre Symphonique de Montréal soutient désormais la comparaison avec les phalanges les plus prestigieuses.

Respighi, Ottorino
(1879-1936)

Les Pins de Rome. Fêtes romaines. Les Fontaines de Rome.

** Orchestre Symph. de Montréal, Charles Dutoit. Decca 410.145-2. Enregistré en 1982.

Comme de nombreux chefs, Charles Dutoit a tenu à graver le célèbre triptyque romain de Respighi. Il n'apporte rien de nouveau à la discographie de l'œuvre, mais joue le jeu de la magnificence orchestrale qui lui réussit fort bien ainsi qu'à l'Orchestre Symphonique de Montréal.

Rimski-Korsakov, Nikolaï
(1844-1908)

Shéhérazade.

*** Orch. du Concertgebouw d'Amsterdam, Kiril Kondrachine. Philips 400.021-2. Enregistré en 1980.

Kondrachine était le chef rêvé pour diriger *Shéhérazade.* Ce disque témoigne de ce qu'il savait exalter la luxuriance orchestrale de l'œuvre sans jamais solliciter l'effet facile, tant était profonde sa compréhension du répertoire russe et remarquable la rigueur avec laquelle il abordait toute œuvre musicale.

Rossini, Gioacchino
(1792-1868)

Ouvertures d'opéras : Guillaume Tell, Il Signor Bruschino, Le Voyage à Reims, L'Échelle de soie, La Pie Voleuse, Le Turc en Italie, L'Italienne à Alger.

** National Philharmonic Orchestra, Riccardo Chailly. Decca 400.049-2. Enregistré en 1981.

Riccardo Chailly fait bénéficier ces œuvres pétillantes de la fougue de sa jeunesse. Élégance et précision, deux qualités indispensables pour aborder un tel répertoire, ne lui font jamais défaut, bien au contraire. Un disque digne de figurer au sommet d'une discographie pourtant abondante.

Stabat Mater.

*** Katia Ricciarelli (s), Lucia Valentini-Terrani (ms), Dalmacio Gonzalez (t), Ruggero Raimondi (b), Ch. et Orch. Philharmonia, Carlo-Maria Giulini. DG 410.034-2.

Giulini accomplit ici un véritable prodige, en conférant un souffle d'une authentique religiosité au très théâtral *Stabat Mater* de Rossini. Seule réserve d'importance : Dalmacio Gonzalez est très insuffisant dans le redoutable air pour ténor «*Cujus animam gementem*».

Saint-Saëns, Camille
(1805-1921)

Le Carnaval des animaux.

* Orch. Symph. de Pittsburgh, André Prévin. Philips 400.016-2. Enregistré en 1981. + *Ravel : Ma Mère l'Oye.*

Ce disque vaut et vaut seul pour le *Carn val des animaux,* que Prévin aborde av beaucoup de fantaisie et qui constitue u belle réussite instrumentale. *Ma Mère l'Oy* au contraire, est traitée avec beaucoup tr de somptuosité orchestrale, au détriment l'aspect mystérieux et fantastique du che d'œuvre ravélien. Un demi-échec, donc.

Concertos pour piano et orchestre n° en sol mineur op. 22 et n° 4 en ut mine op. 44.

❀*** François-René Duchâble (pia no), Orch. Philh. de Strasbour Alain Lombard. Erato ECD 8800 Enregistré en 1981.

François-René Duchâble et Alain Lom bard nous révèlent ici deux Concertos inju tement négligés. Pour cela, ils font fi de réputation d'élégance ennuyeuse dont sou frent bien des œuvres de Saint-Saëns pou s'investir totalement dans un prodigieux tra vail de re-création dont on ne dira jama combien il est utile à la découverte de musique française.

Symphonie n° 3 avec orgue en ut mineu op. 78.

*** Pierre Cochereau (orgue), Orch Phil. de Berlin, Herbert von Kara jan. DG 400.063-2. Enregistré e 1982.

Herbert von Karajan nous livre une visio romantique et exaltée de la célèbre Sympho nie avec orgue, qu'il semble affectionner tou particulièrement. Notons que l'interprétatio de Pierre Cochereau a été enregistrée à No tre-Dame de Paris, puis intégrée à l'orchestr berlinois grâce à un judicieux montage.

Schubert, Franz
(1797-1828)

Quatuors à cordes n° 14 en ré mineu «La Jeune Fille et la Mort» op. posth D. 810 et n° 12 en ut mineur «Quartett-satz» op. posth. D.703.

❀*** Quatuor Amadeus. DG 410.024-2.

Cette troisième version des Amadeus est ǥalement leur disque le plus accompli de cet ɔsolu chef-d'œuvre de la littérature pour ɹatuor à cordes. Leur interprétation, dérouɹnte à l'extrême, se caractérise par une ʞtraordinaire agressivité, férocité même. Le *'uartettsatz* relève de la même angoissante ɔnception.

ymphonies n° 4 en ut mineur «Tragiue» D. 417 et n° 8 en si mineur «Inahevée» D. 759.

* Orchestre Symphonique de Bâle, Armin Jordan. Erato ECD 88008. Enregistré en 1982.

Armin Jordan signe ici deux interprétaons hautement traditionnelles des Symphoies «tragique» et «inachevée». Des tempos 'une extrême ampleur permettent à l'orches-'e de s'épanouir pleinement ; mais l'on auait souhaité de la part du chef un engageɪent plus intense.

ymphonie n° 9 en ut majeur «La ;rande» D. 944.

*** Orchestre Philharmonique de Vienne, Georg Solti. Decca 400.082-2. Enregistré en 1981.

Un très grand disque de Sir Georg Solti. ;ontrairement à ce qui lui fut justement reɾroché lors de la parution de multiples enreistrements, l'illustre chef se refuse ici à toute ɲéâtralisation excessive ; sa vision extrêmeɲent contrastée de l'œuvre n'en est que plus ɪeureuse. La prestation de l'Orchestre Philɪarmonique de Vienne est exemplaire, éviɪemment.

Schumann, Robert
1810-1856)

Symphonie n° 3 en mi bémol majeur «Rhénane» op. 97.

*** Orch. Philh. de Los Angeles, Carlo-Maria Giulini. DG 400.062-2. *+ Manfred, ouverture op. 115.*

Pour la seconde fois au disque, Carlo-Maria Giulini aborde la fascinante symphoɪie «Rhénane» si intensément romantique et ɔroche de l'univers pictural d'un Caspar David Friedrich. Dans des tempos généralement 'etenus, le grand chef italien en donne une lecture infiniment contrastée, où grandeur et majesté voisinent avec la joie la plus exubérante. En complément de programme, l'Ouverture de *Manfred* est digne des plus vifs éloges.

Études symphoniques en forme de variation op. 13. Toccata op. 7.

** Ivo Pogorelich (piano). DG 410.520-2. Enregistré en 1982. + *Beethoven : Sonate n° 32.*

Schumann convient mieux que Beethoven au tempérament fougueux, presque fantasque de Pogorelich. Ainsi, son étonnante vitalité fait merveille dans la *Toccata op. 7.* Mais le jeune pianiste manque encore de maturité pour aborder l'austère *Opus 111,* exigeant plus de recueillement que de virtuosité proprement dite.

Sibelius, Jean
(1865-1957)

Symphonie n° 4 en la mineur op. 63. Luonnotar, poème pour soprano et orchestre op. 70. Finlandia, tableau symphonique op. 26.

*** Elisabeth Söderström (s), Orch Philharmonia, Vladimir Ashkenazy. Decca 400.056-2. Enregistré en 1980.

Vladimir Ashkenazy signe ici sa plus belle réussite discographique en tant que chef d'orchestre, mais aussi la version de référence absolue de la quatrième Symphonie, œuvre complexe, d'un confondant modernisme. Sa parfaite compréhension de l'univers musical de Sibelius fait également merveille dans *Luonnotar,* qui bénéficie par ailleurs de l'idéale présence d'Elisabeth Söderström.

Symphonie n° 5 en mi bémol majeur op. 82. En Saga, poème symphonique op. 9.

*** Orch. Philharmonia, Vladimir Ashkenazy. Decca 410.016-2. Enregistré en 1980 et 1981.

Ainsi que dans son enregistrement de la quatrième Symphonie, c'est la parfaite adéquation entre Vladimir Ashkenazy - homme plus que chef d'orchestre - et la musique âpre et rugueuse du compositeur finlandais qui émerveille. Son sens inné de l'analyse et de la clarté lui permet d'éclairer, d'alléger la texture orchestrale infiniment dense de l'œuvre. Un disque remarquable.

Strauss, Johann
(1825-1899)

Anthologie orchestrale : Valse de l'Empereur, Tritsch-Tratch-Polka, Roses du Sud, Ouverture du «Baron Tzigane», Polka française, Aimer, boire et chanter, A la chasse, Perpetuum Mobile, Légendes de la forêt viennoise, Ouverture et Quadrille de la «Chauve-Souris», Sang viennois, Marche de Napoléon, Eljen a Magyar !, Marche persanne, Vif argent, Vie d'artiste, Sous le tonnerre et les éclairs.

* Orchestre Phil. de Berlin, Herbert von Karajan. DG 410.022-2/ 410.027-2/400.026-2. *+ J. Strauss père : Marche de Radetzky. Joseph Strauss : Musique des Sphères, Valse Delirium.*

Rien moins que trois enregistrements disponibles en disques compacts regroupent les œuvres les plus célèbres du roi de la valse : valses, évidemment, mais également ouvertures, polkas, marches, etc. Karajan dirige un Philharmonique de Berlin ivre de ses propres sonorités et rend parfois certains rythmes indansables par la lenteur des tempos retenus et la volonté d'une lecture analytique à l'excès.

Strauss, Richard
(1864-1949)

Ainsi parlait Zarathoustra, poème symphonique.

** Orch. Symph. de Boston, Seiji Ozawa. Philips 400.072-2. Enregistré en 1982.

Dans l'impossibilité de conférer la moindre intériorité à une œuvre qui en est si totalement dépourvue, Seiji Ozawa a su tirer d'envoûtantes sonorités du prestigieux Boston Symphony Orchestra, et c'est déjà beaucoup. Déplorons seulement le minutage un peu chiche de ce très honorable enregistrement (32'25").

Don Juan op. 20. Till Eulenspiegel op. 28. Mort et Transfiguration op. 24.

** Orch. de Cleveland, Lorin Maazel. CBS CD 35826.

Lorin Maazel est la clarté et le sens de l'architecture instrumentale personnifié. L'Orchestre de Cleveland, c'est la beauté sonore parfois très proche d'une rutilance assez outrancière. A eux deux, le chef et l'orchestre nous donnent un disque inégal où le meilleur, *Till* et *Don Juan*, côtoie le moins bon, *Mort et Transfiguration*.

Symphonie alpestre.

** Orch. Phil. de Berlin, Herbert von Karajan. DG 400.039-2.

Vision haute en couleur que celle de Karajan à la tête de ses cent trente instrumentistes de l'Orchestre Philharmonique de Berlin, on s'en doûte. Sa direction très analytique permet de goûter les surprenantes audaces d'un compositeur dont on décrète un peu vite qu'il abandonna l'avant-garde musicale après la création de son *Elektra*.

Stravinsky, Igor
(1882-1971)

L'Oiseau de feu, conte chorégraphique (version intégrale).

** Concertgebouw d'Amsterdam, Colin Davis. Philips 400.074-2.

L'interprétation de Colin Davis est un peu trop sage pour être totalement convaincante. Analytique à l'extrême, elle témoigne cependant d'un sens remarquable du détail chez le chef d'orchestre et surtout les musiciens du Concertgebouw qui, par leur talent, sauvent partiellement de l'ennui une version qui n'est pourtant pas dépourvue de qualités.

Petrouchka (version originale).

*** Orch. Symph. de Londres, Claudio Abbado. DG 400.042-2.

Abbado signe ici son meilleur enregistrement consacré à Stravinsky. Débarrassée de toute brillance inutile, l'œuvre nous est restituée dans toute sa modernité, sa crudité même. L'exécution instrumentale se révèle d'un extraordinaire raffinement, et le gigantesque orchestre stravinskien sonne ici comme un ensemble de chambre. Une exceptionnelle réussite !

Le Sacre du Printemps.

** Orch. Symph. de Detroit, Antal Doráti. Decca 400.084-2. Enregistré en 1981.

Survenant dans une discographie d'une exceptionnelle richesse, ce disque ne parvient pas à s'imposer comme référence face à tant de prestigieux enregistrements. S'agissant de l'unique *Sacre* disponible en disque compact, on ne saurait bouder son plaisir à l'écoute d'une lecture d'une rare probité, à laquelle ne rend pas totalement justice un orchestre de second ordre (insuffisance notoire des cordes).

Tchaïkovski, Piotr-Ilyitch
(1840-1893)

Concerto n° 1 pour piano et orchestre en si bémol mineur, op. 23.

** Martha Argerich (piano), Orch. Symph. de la Radio Bavaroise, Kiril Kondrachine. Philips 411.057-2.

* Emil Guilels (piano), Orch. Phil. de New York, Zubin Mehta. CBS CD 36660. Enregistré en 1979. *+ Bach-Siloti : Le Clavier bien tempéré, Prélude n° 10.*

Magnifique hommage à Kondrachine que l'édition de ce disque où s'opposent sans se heurter deux tempéraments aussi différents que Martha Argerich, interprète brillante, virtuose incorrigible, et Kiril Kondrachine, qui se refuse à tout sentimentalisme, intériorisant autant que possible son commentaire orchestral. Un passionnant document.

Enregistré lors d'un concert public en 1979, le disque de Guilels vaut essentiellement pour la très belle exécution pianistique d'un soliste en état de grâce, malgré le désaccord presque constant qui règne entre lui et le chef d'orchestre.

Concerto pour violon et orchestre en ré majeur op. 35.

*** Kyung Wha Chung (violon), Orch. Symp. de Montréal, Charles Dutoit. Decca 410.011-2. Enregistré en 1981. *+ Mendelssohn : Concerto pour violon n° 2.*

Aucune virtuosité gratuite dans l'interprétation de Kyung Wha Chung. Grâce à un jeu d'une rare sensibilité, plein de pudeur et d'émotion, le jeune violoniste parvient à conférer à l'héroïque concerto de Tchaïkovski une intériorité insoupçonnée. Son interprétation du Concerto de Mendelssohn se caractérise par un refus constant de la mièvrerie au profit du charme et de la spontanéité. Une grande découverte.

Ouverture "1812" op. 49. Marche Slave.

*** Ch. de l'Opéra d'État de Vienne, Orch. Phil. de Vienne, Lorin Maazel. CBS CD 37252. *+ Beethoven : Bataille de Victoria.*

Trois œuvres hautes en couleur, interprétées par un chef et un orchestre qui ont le sens du spectaculaire. Le pompiérisme le plus outré n'étant même pas à redouter (il est inévitable), perfection de la mise en place et beauté de la pâte orchestrale contribuent seules à la réussite de l'ensemble.

Symphonie n° 4 en fa mineur op. 36.

* Orch. Symph. de Pittsburgh, André Previn. Philips 400.090-2.

Version honnête, sans plus... Exaltant sans excès la violence morbide contenue dans l'œuvre, Previn nous donne trois premiers mouvements assez convaincants, mais un quatrième manquant singulièrement d'élan, de puissance, de sauvagerie. Une demi-réussite, par conséquent...

Symphonie n° 5 en mi mineur op. 64.

*** Orch. de Cleveland, Lorin Maazel. CBS CD 36700.

Lecture superbement équilibrée que celle de Lorin Maazel à la tête de l'Orchestre de Cleveland. Infiniment plus sobre, plus profond que lors de la précédente approche de l'œuvre avec la Philharmonie de Vienne, Maazel occupera avec le présent enregistrement une place de choix au sein d'une abondante discographie.

Symphonie n° 6 en si mineur «Pathétique» op. 74.

*** Orch. Phil. de Los Angeles, Carlo-Maria Giulini. DG 400.029-2. Enregistré en 1981.

Avec Carlo-Mario Giulini, rigueur n'est jamais synonyme de sécheresse, bien au contraire. Sans sombrer dans le «pathétisme», précisement, le grand chef italien nous offre une vision pleine de noblesse de la sempiternelle Symphonie. Un modèle de retenue, d'émotion et d'intériorité, on l'aura compris.

Telemann, Georg Philipp
(1681-1767)

Musique de table, extraits : Ouverture en ré majeur pour hautbois, trompette et cordes, Concerto en fa majeur pour trois violons, Conclusion en ré majeur pour hautbois, trompette et cordes.

** Orch. de Chambre Jean-François Paillard. Erato ECD 88006. Enregistré en 1980.

Interprétation stylistiquement traditionnelle que celle de Jean-François Paillard à la tête de son orchestre de chambre. Sensibilité et parfait bon goût caractérisent son approche d'une œuvre parfois redondante, qui se laisse cependant écouter avec infiniment de plaisir.

Verdi, Giuseppe
(1813-1901)

Aïda, opéra.

** Katia Ricciarelli (Aïda), Placido Domingo (Radamès), Elena Obraztsova (Amneris), Leo Nucci (Amonastro), Nicolaï Ghiaurov (Ramfis), Ch. et Orch. de la Scala de Milan, Claudio Abbado. DG 410.092-2 (3 d.). Enregistré en 1981.

Une *Aïda* sans chanteur et surtout... sans Aïda. Katia Ricciarelli, qui n'est pas là dans son emploi, prouve une fois de plus qu'elle a gâché des moyens vocaux exceptionnels à chanter des rôles beaucoup trop dramatiques pour sa tessiture essentiellement lyrique ; il en résulte un vibrato insupportable et des aigus presque constamment criés. Reste l'Orchestre de la Scala et la direction de Claudio Abbado, admirables en tous points.

La Traviata, opéra. Extraits.

** Joan Sutherland (Violetta), Luciano Pavarotti (Alfredo), Matteo Manuguerra (Germont), Ch. de l'Opéra de Londres, Orch. Phil. National, Richard Bonynge. Decca 400.057-2. Enregistré en 1979.

Deux monstres sacrés du chant et un chef de grand métier pour une *Traviata* de haut niveau, qui ne surclasse cependant pas les références en la matière. *Traviata,* c'est Joan Sutherland, moins à l'aise vocalement que jadis mais plus émue, plus humaine ; Alfredo, c'est Luciano Pavarotti, timbre sublime mais caractérisation trop sommaire du personnage. Richard Bonynge dirige avec beaucoup de conscience, mais sans grand génie.

Vivaldi, Antonio
(1678-1741)

Concertos pour deux trompettes en ut majeur RV 537, pour basson en si mineur RV 484, pour deux cors en fa majeur RV 539, pour deux violons et deux violoncelles en ré majeur RV 564, pour luth en ré majeur RV 93.

** Guy Touvron, Serge Boisson (trompettes), Maurice Allard (basson), Jacky Magnardi, André Both (cors), Jurgen Rübscher (luth), I Solisti Veneti, Claudio Scimone. Erato ECD 88009. Enregistré en 1981.

Claudio Scimone est depuis longtemps passé maître en matière d'interprétation vivaldienne. Aussi est-ce avec un plaisir toujours renouvelé que l'on écoutera et réécoutera ce plaisant enregistrement où tout est charme, élégance, fantaisie. Les Solisti Veneti contribuent évidemment pour beaucoup à la réussite de ce disque.

«Les Quatre Saisons», 4 concertos pour violon opus VIII n°s 1 à 4.

*** Simon Standage (violon), The English Concert, Trevor Pinnock. Archiv 400.045-2. Enregistré en 1981.

** Piero Toso (violon), I Solisti Veneti, Claudio Scimone. Erato ECD 88003. Enregistré en 1982.

Avec Pinnock, nous tenons le plus beau sque vivaldien jamais édité, peut-être... en ut cas, la version de référence de ces *Quae Saisons* enregistrées plus de cent fois deis l'aube du microsillon. Grâce à Trevor Pinnock et ses merveilleux instrumentistes de l'English Concert, nous redécouvrons une œuvre que l'on prétendait usée jusqu'à la corde. La musicologie moderne ne pouvait nous réserver de plus belle surprise !

Une version traditionnelle pour ceux qu'indispose la sonorité délicieusement rugueuse des instruments anciens : Claudio Scimone et ses Solisti Veneti font preuve d'une vitalité véritablement communicative. Le violoniste Piero Toso n'est pas loin de toucher à la perfection. Des *Saisons* conventionnelles au meilleur sens du terme.

ANTHOLOGIES LYRIQUES

Placido Domingo, ténor

❀*** «Opéra-Gala». Airs d'opéras de Bizet (Carmen, Les Pêcheurs de perles), Donizetti (L'Élixir d'amour, Lucia di Lamermoor), Halévy (La Juive), Meyerbeer (L'Africaine), Verdi (Aïda, Hernani, Le Trouvère). Orch. Phil. de Los Angeles, Carlo-Maria Giulini. DG 400.030-2. Enregistré en 1980.

C'est à une fête que nous convient Placido Domingo et Carlo-Maria Giulini, réunis le emps d'un exceptionnel récital. La voix manifique de l'illustre ténor sait être successiement lyrique ou dramatique selon les mplois ; son art du chant est admirable de uance et de distinction. Sous la prestigieuse aguette de Carlo-Maria Giulini, le plus rand chef lyrique de son temps, l'Orchestre hilharmonique de Los Angeles brille de ous ses feux. L'un des récitals de chant les lus marquants de ces dernières années.

Luciano Pavarotti, ténor

** Extraits d'opéras de Boïto (Mefistofele), Cilea (Adrienne Lecouvreur), Giordano (Andrea Chenier, Fedora), Mascagni (Iris), Massenet (Werther), Meyerbeer (L'Africaine), Puccini (La Fille du Far West, Manon Lescaut). National Phil. Orch., Riccardo Chailly, Olivero de Fabritiis. Decca 400.083-2.

Luciano Pavarotti est un merveilleux interprète des grands rôles du répertoire italien. Qu'il s'agisse de pur *bel canto* ou d'ouvrages véristes pas toujours de la meilleure veine, comme en l'espèce, l'illustre ténor donne une véritable leçon de chant tant son style est d'une élégance insurpassable et le timbre de sa voix, chaleureux et rayonnant.

Joan Sutherland, soprano
Luciano Pavarotti, ténor

** Duos d'opéras de Bellini (La Somnambule), Donizetti (Linda di Chamouni), Verdi (Aïda, Otello, La Traviata). National Phil. Orch., Richard Bonynge. Decca 400.058-2.

Sutherland et Pavarotti se livrent ici à un numéro de pur *bel canto* qui comblera les amateurs les plus exigeants. Tant pis si la caractérisation des personnages se révèle assez sommaire : nous sommes subjugués par tant d'aisance vocale ! D'une prodigieuse agilité, Sutherland impressionne plus qu'elle n'émeut, d'autant que sa diction est toujours approximative ; le timbre de Pavarotti est d'une beauté sans égale, mais il ne semble pas posséder les moyens requis pour aborder le rôle du Maure de Venise (insuffisance du grave).

CENT UNE ŒUVRES POUR COMMENCER UNE DISCOTHÈQUE

Cent un titres, cent une œuvres que l'on aimera retrouver avant de s'aventurer ans des chemins moins connus de la musique. Cent une suggestions pour écouvrir, par les voies les moins escarpées, les genres, les époques, les composi- :urs. Certaines de ces œuvres correspondent à un disque entier, parfois à lusieurs ; d'autres, au contraire, qui n'occupent qu'une partie de disque, ont été ıdiquées comme mots-clés introduisant à des programmes plus complets 'œuvres non moins recommandables. Dans tous les cas, les analyses du *Diction- aire des disques* aideront à sélectionner l'interprétation et le programme.

ach, Jean Sébastien
.e Clavier bien tempéré
.es Concertos Brandebourgeois
:oncertos pour violon et cordes
Aesse en si mineur
'occata et Fugue en ré mineur pour orgue

3artók, Béla
.e Château de Barbe-Bleue
:oncerto pour orchestre

3eethoven, Ludwig van
:oncerto pour piano et orchestre n° 5 «L'Empereur»
:oncerto pour violon et orchestre
)uatuor à cordes n° 14
onate pour piano n° 32
onate pour violon et piano n° 9 «à Kreutzer»
ymphonie n° 5
ymphonie n° 9

Bellini, Vicenzo
La Norma

Berg, Alban
Wozzeck

Berlioz, Hector
La Damnation de Faust
Symphonie «fantastique»

Bizet, Georges
Carmen

Boulez, Pierre
Le Marteau sans Maître, Livre pour cordes

Brahms, Johannes
Concerto pour piano et orchestre n° 1
Concerto pour violon et orchestre
Sextuor à cordes n° 1
Symphonie n° 3

Britten, Benjamin
Peter Grimes

Bruckner, Anton
Symphonie n° 5

Chopin, Frédéric
Etudes
Nocturnes
Valses

Chostakovitch, Dimitri
Symphonie n° 14

Debussy, Claude
La Mer
Pelléas et Mélisande
Préludes pour piano

Dvořák, Antonin
Concerto pour violoncelle et orchestre
Symphonie n° 9 «Nouveau Monde»

Falla, Manuel de
Nuits dans les jardins d'Espagne

Fauré, Gabriel
Requiem

Franck, César
Symphonie en ré mineur

Gershwin, George
Rhapsody in Blue

Gounod, Charles
Faust

Granados, Enrique
Goyescas

Haendel, George Frederic
Le Messie
Water Music

Haydn, Josef
La Création
Symphonie n° 104

Liszt, Franz
Concerto pour piano et orchestre n°
Les Préludes
Rapsodies hongroises

Mahler, Gustav
Le Chant de la Terre
Symphonie n° 1

Mendelssohn, Bartholdy, Felix
Concerto pour violon et orchestre
Le Songe d'une nuit d'été
Symphonie n° 4 «Italienne»

Monteverdi, Claudio
Madrigaux
L'Orfeo

Moussorgsky, Modeste
Boris Godounov

Mozart, Wolfgang Amadeus
Concerto pour clarinette et orchestre
Concerto pour piano et orchestre n°
Don Giovanni
Quintette à cordes K. 516
Requiem
Sérénade n° 13 «Petite Musique
Nuit»
Sérénade n° 10 pour 13 instruments
vent
Symphonie n° 40 en sol mineur

Offenbach, Jacques
La Vie parisienne

Prokofiev, Serge
Alexandre Newsky
Pierre et le loup

Puccini, Giacomo
La Bohème
La Tosca

Purcell, Henry
Didon et Enée

Rameau, Jean-Philippe
L'œuvre pour clavecin

Ravel, Maurice
Boléro
Gaspard de la nuit

Rimski Korsakov, Nikolaï
Shéhérazade

Rossini, Gioacchino
Le Barbier de Séville
Ouvertures d'Opéras

Saint-Saens, Camille
Symphonie n° 3 avec orgue

Schoenberg, Arnold
Gurrelieder

Schubert, Franz
La Belle Meunière
Impromptus pour piano
Quintette pour deux violons alto et deux violoncelles en ut majeur
Symphonie n° 8 «Inachevée»

Schumann, Robert
L'Amour et la Vie d'une femme
Carnaval pour piano
Concerto pour piano et orchestre

Strauss, Richard
Le Chevalier à la rose

Stravinsky, Igor
Histoire du soldat
Petrouchka

Tchaïkovsky, Piotr Ilyitch
Casse-Noissette
Concerto pour piano et orchestre n° 1
Concerto pour violon et orchestre
Symphonie n° 6 «Pathétique»

Varese, Edgard
Amériques

Verdi, Giuseppe
Othello
Requiem
La Traviata

Vivaldi, Antonio
Les Quatre Saisons

Wagner, Richard
Tristan et Isolde

Weber, Carl Maria von
Le Freischütz

Webern, Anton
Œuvre complète

Weill, Kurt
L'Opéra de quat'sous

INDEX

A

B

C

E

F

H

I

J

K

L

N

O

P

Q

R

T

U

V

W

Y

Z

DANS LA MÊME COLLECTION

HISTOIRE ET ESSAIS

BENOIST-MÉCHIN, Jacques
Soixante jours qui ébranlèrent l'Occident (10 mai – 10 juillet 1940)

FRAZER, James George
Le Rameau d'Or – Tome 1 : Le roi magicien dans la société primitive – Tabou ou les périls de l'âme
Le Rameau d'Or – Tome 2 : Le dieu qui meurt, Adonis, Atys et Osiris
Le Rameau d'Or – Tome 3 : Esprits des blés et des bois, Le bouc émissaire
Le Rameau d'Or – Tome 4 : Balder le Magnifique, Bibliographie générale

GIBBON, Edward
Histoire du déclin et de la chute de l'Empire romain *(2 volumes)*

MICHELET, Jules
Histoire de la Révolution française *(2 volumes)*
Le Moyen Age *(1 volume)*
Renaissance et Réformes : Histoire de France au XVIe siècle *(1 volume)*

NAPOLÉON À SAINTE-HÉLÈNE
Par les quatre Évangélistes Las Cases, Gourgaud, Montholon, Bertrand. Textes préfacés, choisis et commentés par Jean Tulard

TOLAND, John
Adolf Hitler

LITTÉRATURE

BALZAC, Honoré de
Le Père Goriot – Les Illusions perdues – Splendeurs et misères des courtisanes

BARBEY D'AUREVILLY, Jules
Une Vieille Maîtresse – Un Prêtre marié – L'Ensorcelée – Les Diaboliques – Une page d'histoire

CESBRON, Gilbert
Chiens perdus sans collier – Les Saints vont en enfer – Il est plus tard que tu ne penses – Notre prison est un royaume

DICKENS, Charles
Les Grandes Espérances – Le Mystère d'Edwin Drood – Récits pour Noël

DOYLE, Conan
Sherlock Holmes *(2 volumes)*

DUMAS, Alexandre
Les Trois Mousquetaires – Vingt ans après

FLAUBERT, Gustave
Madame Bovary – L'Éducation sentimentale – Bouvard et Pécuchet suivi du Dictionnaire des idées reçues – Trois Contes

FONTANE, Theodor
Errements et tourments – Jours disparus – Frau Jenny Treibel – Effi Briest

GALLO, Max
La Baie des Anges – Le Palais des Fêtes – La Promenade des Anglais

GREENE, Graham
La Puissance et la Gloire – Le Fond du problème – La Fin d'une liaison *(1 volume)*
Un Américain bien tranquille – Notre Agent à la Havane – Le Facteur humain *(1 volume)*

JAMES, Henry
Daisy Miller – Les Ailes de la colombe – Les Ambassadeurs

LE CARRÉ, John
La Taupe – Comme un collégien – Les Gens de Smiley

LEROUX, Gaston
Le Fantôme de l'Opéra – La Reine du Sabbat – Les Ténébreuses – La Mansarde en Or

LES MILLE ET UNE NUITS
Dans la traduction du Dr J.-C. Mardrus *(2 volumes)*

LONDON, Jack
Romans, récits et nouvelles du Grand Nord

RENAN, Ernest
Oeuvres diverses

ROMANS TERRIFIANTS
Horace Walpole, Le Château d'Otrante – Ann Radcliffe, l'Italien ou le Confessionnal des Pénitents Noirs – Matthew Gregory Lewis, Le Moine – Ernst Theodor Amadeus Hoffmann, Les Élixirs du Diable – Charles Robert Maturin, Melmoth ou l'Homme errant *(1 volume)*

SCOTT, Walter
Waverley – Rob-Roy – La Fiancée de Lammermoor

STENDHAL
Le Rouge et le Noir – La Chartreuse de Parme – Lamiel – Armance

SUE, Eugène
Le Juif errant

OUVRAGES DE RÉFÉRENCE

DICTIONNAIRE DE L'ARCHÉOLOGIE de Guy Rachet

DICTIONNAIRE DES AUTEURS *(4 volumes)*

DICTIONNAIRE DES INTERPRÈTES (et de l'interprétation musicale au XXe siècle) de Alain Pâris

DICTIONNAIRE DES ŒUVRES *(7 volumes)*

DICTIONNAIRE DES PERSONNAGES (de tous les temps et de tous les pays)

DICTIONNAIRE DES SYMBOLES de Jean Chevalier et Alain Gheerbrant

DICTIONNAIRE DU CINÉMA de Jean Tulard et Jacques Lourcelles
Tome 1 : Les réalisateurs
Tome 2 : Les acteurs *(à paraître)*
Tome 3 : Les films *(à paraître)*

TOUT L'OPÉRA de Gustave Kobbé

UNE HISTOIRE DE LA MUSIQUE de Lucien Rebatet

OUVRAGES PRATIQUES

CUISINE SANS SOUCI de Rose Montigny

DIAPASON
Dictionnaire des Disques (Guide critique de la musique classique enregistrée)

ENCYCLOPÉDIE DES VINS ET DES ALCOOLS par Alexis Lichine

RÉUSSIR VOTRE CUISINE de Martine Jolly

POÉSIE

BAUDELAIRE, Charles
Œuvres complètes

RIMBAUD – CHARLES CROS – TRISTAN CORBIÈRE – LAUTRÉAMONT
Œuvres complètes

Saisie, composition programmée,
mise en page automatique et photocomposition
réalisées par DIDOT-BOTTIN

Achevé d'imprimer pour
les Éditions Robert Laffont
sur les presses de
HAZELL WATSON & VINEY Ltd
AYLESBURY (Grande Bretagne)
Printed in Great Britain

DÉPOT LÉGAL : Mars 1984
N° D'ÉDITEUR : S 581